ONCOLOGIA MÉDICA

FISIOPATOGENIA E TRATAMENTO

Tomo II

JOSÉ DE FELIPPE JUNIOR MD PhD

Médico graduado pela Faculdade de Ciências Médicas da Santa Casa de São Paulo em 1971. Doutor em Ciências pela Universidade de São Paulo – USP. Livre-Docente em Clínica Médica – Setor Medicina Intensiva pela Universidade Federal do Rio de Janeiro – UNIRIO. Fundador da Associação Brasileira de Medicina Intensiva e seu primeiro Secretário Geral. Fundador da Associação Brasileira de Medicina Complementar e Estratégias Integrativas em Saúde e seu primeiro Presidente. Fundador da Associação Brasileira de Medicina Biomolecular e Nutrigenômica e seu primeiro e atual Presidente. Estruturou, dirigiu e coordenou o Internato de 5º e 6º anos e a Residência do 1º e 2º anos de Clínica Médica, Pronto-Socorro e Medicina Intensiva da Fundação Universitária do ABC. Ex-Professor Assistente de Clínica Médica da Fundação Universitária do ABC. Ex-Diretor do Departamento de Fisiologia – Bioquímica – Farmacologia da Faculdade de Ciências Médicas da Santa Casa de São Paulo. Ex-Presidente do Comitê Multidisciplinar de Medicina Biomolecular da Associação Paulista de Medicina. Consultor em Medicina Biomolecular do Conselho Federal de Medicina nas Resoluções 1500/1998 e 1938/2010 que regulamentou a Medicina Biomolecular e Ortomolecular no Brasil. Autor do livro Pronto-Socorro – Fisiopatologia – Diagnóstico – Tratamento. Ed. Guanabara Koogan, Rio de Janeiro. 2ª edição 1990. Autor do livro "A Medicina 50 Anos Depois – Advento da Medicina Biomolecular" – Ed. Novo Livro, São Paulo, 2ª edição 2016. Autor do livro: Nutrição Inteligente no Tratamento e na Prevenção do Câncer. Agosto/2017, e-book. Autor do livro: Oncologia Médica. Fisiopatogenia e Tratamento, Editora Sarvier, São Paulo, 1ª edição Jan/2019. Autor do livro: Integrative Medical Oncology. E-book, USA, Amazon, Jannuary/2020. Primeiro trabalho científico da literatura médica mundial:

a) Reversão do choque hipovolêmico refratário ao tratamento clássico com cloreto de sódio hipertônico a 7,5%.
b) O imunoestimulante glucana diminuiu drasticamente a incidência de pneumonia e septicemia, ao lado de diminuir a mortalidade em pacientes politraumatizados com insuficiência respiratória em UTI.
c) Aumento sustentado da acuidade visual em pacientes com degeneração macular utilizando a estratégia biomolecular.
d) Mesotelioma maligno com carcinomatose peritoneal. Sobrevida mais longa da literatura médica mundial até jan/2020, 6 anos e seis meses.

Especialidades: Medicina Intensiva, Nutrologia e Clínica Médica.

www.medicinabiomolecular.com.br
www.integrativemedicaloncology.com
dr.felippe2020@gmail.com
clinicajfj@gmail.com

ONCOLOGIA MÉDICA – FISIOPATOGENIA E TRATAMENTO

José de Felippe Junior

Sarvier 1ª edição, 2019
Sarvier 2ª edição, 2022

Capa
Ana Carolina Xavier

sarvier

Sarvier Editora de Livros Médicos Ltda.
Rua Rita Joana de Sousa, nº 138 – Campo Belo
CEP 04601-060 – São Paulo – Brasil
Telefone (11) 5093-6966
sarvier@sarvier.com.br
www.sarvier.com.br

Dados Internacionais de Catalogação na Publicação (CIP)
(Câmara Brasileira do Livro, SP, Brasil)

Felippe Junior, José de
Oncologia médica : fisiopatogenia e tratamento : volume 2 / José de Felippe Junior. -- 2. ed. -- São Paulo, SP : Sarvier Editora, 2022.

Bibliografia.
ISBN 978-65-5686-030-5

1. Oncologia – Enfermagem 2. Oncologia médica – Métodos – Manuais I. Título.

CDD-616.992
22-123903 NLM-QZ 200

Índices para catálogo sistemático:

1. Oncologia médica : Fisiopatologia : Tratamento : Medicina 616.992

Eliete Marques da Silva – Bibliotecária – CRB-8/9380

CONTEÚDO

TOMO I

PARTE I

Considerações iniciais

PARTE II

Fisiopatologia: desvendando os segredos do câncer

CAPÍTULO 33 283

88 maneiras de prevenir doenças e se manter saudável, cuidados que dependem somente de você ou 88 maneiras de ficar longe dos médicos

PARTE IV

Substancias fitoterápicas e químicas utilizadas no tratamento do câncer – agentes anticarcinogênicos e carcinostáticos

CAPÍTULO 34 289

Ácido alfalipoico no câncer

Antimicobactérias; inibe a PDH quinase, a qual ativa o complexo PDH e abre as portas da fosforilação oxidativa mitocondrial; inibe a ATP-citratoliase; inibe NF-kappaB; regula para baixo a proteína beta-catenina e o marcador de células-tronco Oct-4; diminui a fosforilação do EGFR, ErbB2 e Met; enquanto induz a acetilação da zona CpG e diminui a função dos genes de sobrevivência celular – efeito epigenético

CAPÍTULO 35 295

Ácido dicloroacético e dicloroacetato de sódio conhecidos há muitos anos e agora utilizados como antineoplásicos

Estruturador da água citoplasmática, ativador do complexo piruvato desidrogenase e via fosforilação oxidativa aumenta drasticamente a apoptose e diminui a proliferação celular neoplásica

CAPÍTULO 36 305

Ácido gálico é o "rival molecular do câncer"

Anti-EBV, CMV, HPV, HSV1-2, *H. pylori*; forte inibidor das células Treg e da via Akt; aumenta o IGFBP-3 e diminui IGF-I; inibe NF-kappaB, COX-2 e a ribonucleotídeo-redutase; gera ERTOs e diminui o GSH intracelular; fosforila várias proteínas relacionadas à parada do ciclo celular; inativa as vias de sinalização PI3K/Akt e Ras/MAPK; inibe TKIs e inativa EGFR; abole a via EGFR/Src/Akt/Erk; efeito epigenético duplo, demetilação e acetilação - epigenética; além de ser forte anti-PD-L1 e ativar linfócitos T citotóxicos

CAPÍTULO 37 316

Ácido docosa-hexaenoico (DHA) e eicosapentaenoico (EPA), ácidos graxos ômega-3 dos peixes

Anti-EBV-EA, HPV; aumentam a geração do radical superóxido e do peróxido de hidrogênio, o que diminui GSH citoplasmático; polarizam a membrana celular; inibem COX/LOX, NF-kappaB, proteína retinoblastoma e subunidade IF2; diminuem a atividade dos oncogenes erbB2 (HER-2/neu), Ras, AP-1; aumentam beclin-A e assim a diferenciação; inibem PKC; diminuem hTERT e c-myc RNA, o que reprime a telomerase, e no final provocam diminuição da proliferação celular, aumento da apoptose, diminuição da neoangiogênese, aumento da autofagia tumoral e, muito importante, induzem a diferenciação celular

CAPÍTULO 38 332

Ácidos alfalinolênico e gamalinolênico, ácidos graxos ômega-3 e ômega-6 do reino vegetal

Anti-HPV, *H. pylori, Mycobacterium tuberculosis*; aumentam a geração do radical superóxido e do peróxido de hidrogênio, o que diminui o GSH intracelular; aumentam a expressão dos genes E-caderina, MASPIN e Mn-23, enquanto aumentam a proteína 13-HODE e assim diminuem a invasão e as metástases; aumentam a expressão da alfa-catenina; inibem a ornitina descarboxilase; diminuem a fosforilação do p27Kip1 e do p52Kip2, o que bloqueia o ciclo celular; aumentam PGE1 que aumenta AMP-cíclico e provoca diferenciação celular; reduzem a expressão do IGF-I, EGFR e a via Akt; inibem FASN e ACLY; suprimem COX-2, LOX4, VEGF, MAPK e diminuem a expressão do p38, pERK1/2, c-JUN, NF-kappaB, BRCA1

CAPÍTULO 39 346

Ácido linoleico conjugado (CLA) no câncer: inibição da proliferação celular, aumento da apoptose e diminuição da neoangiogênese tumoral

CAPÍTULO 40 352

Ácido ursólico de hepatoprotetor a poderoso antineoplásico

Anti-CMV, HSV, Vírus da Hepatite B, Coxsackie vírus B1, Adenovírus, Enterovírus 71, *Mycobacterium tuberculosis*; inibe oncogene erbB2 (HER-2/neu); inibe COX-2; estruturador da água citoplasmática e potente ativador do complexo piruvato desidrogenase que via fosforilação oxidativa provoca: aumento drástico da apoptose, diminuição da proliferação celular e inibição da migração celular e das metástases. Aumento da diferenciação celular via inibição da transcriptase reversa endógena

CAPÍTULO 41 366

Ácido valproico de antiepiléptico a antineoplásico

Anti-EBV, HSV, Mycobacterium tuberculosis; inibe NRF2, potente agente redutor, e atenua seu efeito carcinocinético; inibe oncogene erbB2 (HER-2/neu); inibe a via Notch 1; suprime a glicólise ao reduzir o fator de transcrição E2F1 e reprimir Glicose-6-fosfato isomerase e Fosfoglicerato-quinase 1; atenua a função imunossupressora das células MDSC; suprime a autorrenovação das células-tronco; e é o inibidor padrão-ouro das histonas desacetilases classe I: induz acetilação da zona CpG com diminuição da função dos genes de sobrevivência celular – efeito epigenético

CAPÍTULO 42 378

Acetazolamida de diurético leve a agente antineoplásico

Anti-*H. pylori, Mycobacterium tuberculosis*, diminui o pH intracelular, inibe a proliferação celular neoplásica, aumenta a apoptose, inibe a neoangiogênese e diminui a invasão tumoral e as metástases

CAPÍTULO 43 385

Alcaçuz (*Glycyrrhiza glabra*) de uma iguaria adocicada a antineoplásico

Anti-EBV, CMV, HPV, HSV1, H1N1, Vírus da Hepatite C, *H. pylori, Mycobacterium tuberculosis*; diminui a expressão da COX-2 e LOX; inibe PKC; inibe EGF e EGFR; inibidor natural do c-Jun N-terminal kinase1; inibe a proliferação celular com aumento drástico da apoptose, ao lado de ser anti-PD-1/PDL-1 e ativar linfócitos T citotóxicos

CAPÍTULO 44 399

Álcool perílico e limoninas no câncer: diminuem a proliferação celular, aumentam a apoptose, diminuem a neoangiogênese e induzem a diferenciação celular

CAPÍTULO 45 404

Aloe vera e *Aloe arborescens* no câncer

Poderoso efeito sobre o sistema imune aumentando o número e função dos linfócitos T, macrófagos, GM-CSF, IFN-gama, IL-2 e TNF; diminui Her/Neu; inibe EGF, ciclinas A e E, JAK2, MMP2 e as vias PI3K/Akt/mTOR, β-catenina, MAPK, ERK1/2, STAT3; ativa p53, p21, Bax, Fas/APO-1 e a autofagia

CAPÍTULO 46 409

Amiloride de diurético poupador de potássio a potente antineoplásico

Inibe NHE1 e diminui o pH intracelular; inativa a via Akt; inibe uPAR (receptor do ativador do plasminogênio tipo uroquinase); inibe NF-kappaB e IGFI/IGFI-R; diminui a expressão do gene erbB2 (HER-2/neu); e ativa drasticamente a apoptose pelo TRAIL: efeitos semelhantes ao trastuzamabe

CAPÍTULO 47 417

Antocianinas: os pigmentos multicoloridos anticâncer

Ativam AMPK e inibem mTOR; inibem COX-2, u-PA, vias PI3K/Akt, ERK1/ERK2 e RAS-RAF-MAPK; diminuem a ativação do NF-kappaB, AP-1, TNF-alfa; CDK-1, CDK-2, ciclina B1 e D1, MMPs; induzem DR5; estimulam a via p38MPK. É anti-PD-1/PDL-1 ativador de linfócitos T citotóxicos

CAPÍTULO 48 423

Artemisinina de antimalárico a potente agente antineoplásico

Anti-CMV, EBV, HPV, HSV-1, HHV6, Hepatite B, Hepatite C, *H. pylori*, *Mycobacterium tuberculosis* e *bovis*; diminui e normaliza o potencial transmembrana mitocondrial; aumenta a geração de ERTOS; ativa células *natural killer*, diminui células MDSC e Treg, aumenta T CD4+ IFN-γ+ T e os CTL, o que polariza o sistema imune para M1/Th1; provoca ferroptose; anti-NF-kappaB, COX-2, Wnt/β-catenina e HIF-alfa; diminui a expressão da piruvato quinase II, do GLUT1 e de várias enzimas envolvidas na glicólise; aumenta a expressão de p53 e de genes apoptóticos; diminui a expressão de genes antiapoptóticos, os relacionados com o ciclo celular, os relacionados com a angiogênese; inibe a via de sinalização PI3K/AKT, EGFR/PI3K/AKT, Akt/mTOR/STAT3, JAK2/STAT3, PTEN/AKT; induz drasticamente a expressão do antiproliferativo miR-34a; inibe survivina; inibe o receptor de andrógeno (AR) e inibe as histonas desacetilases: induz acetilação da zona CpG *com* diminuição da função dos genes de sobrevivência celular – efeito epigenético

CAPÍTULO 49 441

Azul de metileno de corante a antineoplásico

Anti-*Mycobacterium tuberculosis*; inibe NADPH e provoca estresse oxidativo; aumenta a beta-oxidação mitocondrial e eleva a geração de ATP; ativa marcantemente AMPK, CPT-1, PPAR-alfa e PGC-1 alfa; reverte o efeito Warburg no câncer e é potente inibidor do PD-1/PDL-1 e assim ativa linfócitos T citotóxicos

CAPÍTULO 50 451

BCG no tratamento de vários tipos de câncer

Polariza o sistema imune para M1/Th1, diminui a proliferação celular e a angiogênese, aumenta a apoptose, além de ser potente antiviral via imunidade treinada

CAPÍTULO 51 463

Benzaldeído no câncer – oxidante e estruturador forte da água citoplasmática com efeito em várias neoplasias

Leucemia mielocítica aguda, linfoma maligno, mieloma múltiplo, leiomiossarcoma e carcinomas de língua, parótida, pulmão, mama, esôfago, estômago, fígado, pâncreas, cólon, reto, rins, cérebro, bexiga e seminoma de testículo

CAPÍTULO 52 472

Berberina, de antidiabético a potente agente antineoplásico: "uma epifania, a manifestação divina contra o câncer"

Anti-EBV, CMV, HSV, HPV, H1N1, Covid-19, Chikungunya, HIV, vírus das Hepatites B e C, *H. pylori*, *M. tuberculosis*; antiviral inespecífico; inibe NF-kappaB, COX-2, GSK-3 e NRF2; inibe as principais vias de proliferação e as proteínas do ciclo celular; aumenta a autofagia; inibe hTERT e assim a telomerase. Anti-PD-1/PDL-1 e ativa linfócitos T citotóxicos

CAPÍTULO 53 487

Boswellia serrata de antirreumático a antineoplásico

Aumenta a expressão do DR4 e DR5; inibe NF-kappaB, COX-2, STATs, ciclina D1, PCNA, survivina, c-Myc, MMP-2-7, ERK, beta-catenina, LTB4, topoisomerases I e II, ativa p21 (Waf1/Cip1), p53, GSK3beta. Diminui edema cerebral

CAPÍTULO 54 490

Cannabis sativa, canabidiol e THC nas neoplasias

Aumenta o apetite e o estado geral; regula para baixo a expressão dos genes Id-1 e IG1, do receptor de quimocinas CXCR4 e da glicoproteína CD147; suprime várias vias proliferativas de sinalização, inibe COX-2, topoisomerase II, MMP-1; inibe a síntese de DNA; inibe a molécula de adesão-1 e MAPK p38; diminui a expressão do VEGF; ativa TRPV2, Bcl-2, PPAR-gama, estimula a apoptose e/ou a morte por autofagia, inibe a proliferação, a angiogênese, a migração celular e aumenta o fator pró-diferenciação Id-2; ENTRETANTO, cuidado: perigo de trombose, pode diminuir os linfócitos T e B, os linfócitos T Helper e os linfócitos T citotóxicos, pode diminuir a produção de IL-8, MIP-1alfa, MIP-1 beta e a produção de TNF-alfa, GM-CSF e IFN-gama nas células NK

CAPÍTULO 55 497

Carnosina e beta-alanina: de suplementos para aumentar o desempenho físico a agentes antineoplásicos

Antiglioma: diminui a atividade da DHL-A; inibe as vias proliferativas PI3K/Akt, p38 MAPK, ras/MAPK, ERK1/2; inibe a fosforilação do Akt, erbB-2, EGFR, anidrase carbônica CAIX, o início da translação do RNA via eIF4E; diminui a expressão do HIF-1 alfa; aumenta a expressão da ciclina D1; inibe a aldeído desidrogenase e diminui células-tronco provocando diminuição da proliferação, aumento da apoptose e aumento da diferenciação celular

CAPÍTULO 56 501

Chelidonium majus no câncer

Anti-*H. pylori* e *Mycobacterium tuberculosis*; inibe as 12 isoformas da proteína quinase C (PKC); inibe a DHL-A; indutor seletivo da morte celular neoplásica via TSC2; inibe a bomba NHE1 e anidrase carbônica e acidifica o protoplasma; diminui hTERT e inibe a telomerase; regula para baixo a expressão do VEGFA, BCL2 e KRAS; polariza o sistema imune para M1/Th1, inibe COX-2, NF-kappaB, HIF-1, ornitina descarboxilase, EGF; inibe ciclinas A, B, CDK1, CDK2, ativa p27 e cessa o ciclo; inibe as vias de sinalização PI3K/Akt, Ras/Raf-1/MEK1, 2/ERK1,2, ERKs/JNK/MAPK; diminui a expressão do c-myc; inibe Bcl-X(L) e ativa Bcl-2 e diminui a proliferação, aumenta a apoptose e a almejada diferenciação

CAPÍTULO 57 505

Chenopodium ambrosioides – mastruz – de regulador menstrual a poderoso agente anticâncer

Anti-*Helicobacter pylori* e *Mycobacterium tuberculosis* resistentes; forte agente oxidante

CAPÍTULO 58 508

Cimetidina de antiulceroso a antineoplásico

Anti-EBV; inibe a bomba NHE1, acidifica o intracelular e lentifica a glicólise; diminui a síntese de GSH; inibe E-caderina, E-selectina, NCAM, EGF; aumenta o número de linfócitos T intratumoral, aumenta CD4 e neutrófilos no sangue; ativa monócitos e diminui Treg; diminui a concentração intracelular do AMPc e inibe a autofosforilação do EGFR

CAPÍTULO 59 512

Citrato no câncer: uma grande promessa e não dispendioso

Ativa a citrato-sintase; aumenta o oxaloacetato que inibe DHL-A, ACLY, IGF1R, GLUT-4, Mcl-1 e via PI3K/Akt; inibe várias enzimas glicolíticas, PFK-1, PFK-2, frutose-bifosfato, PK, DHL-A, HK2 e lentifica a glicólise; acetila a zona CpG e diminui a função dos genes de sobrevivência celular – efeito epigenético

CAPÍTULO 60 518

Cloroquina de antimalárico a potente antineoplásico e antiviral, além de aumentar drasticamente a autofagia tumoral

Anti-EBV, HPV, HSV, Hepatites A, B e C, vírus influenza, coronavírus, flaviviroses, vírus da raiva, Poliovírus, HIV, Influenza A e B vírus, Influenza A H5N1 e H5N vírus, Chikungunya vírus, Dengue vírus, Zika vírus, Lassa vírus, Hendra e Nipah vírus, Vírus da febre hemorrágica Crimean-Congo e Ebola vírus, *Mycobacterium tuberculosis*; aumenta a autofagia da célula tumoral e inibe a autofagia das células do estroma peritumoral; internaliza dois receptores altamente proliferativos, do IGF-I e da insulina; estabiliza o gene p53; inibe a via PI3K/Akt/mTOR, a p-glicoproteína; inibe a expressão mRNA de NF-kappaB, COX 2, MMP 2, MMP 7; aumenta expressão do Beclin-A e assim a almejada diferenciação

CAPÍTULO 61 528

Clotrimazol de antifúngico a antineoplásico

Destaca a HK2 da mitocôndria e inibe a PFK1 e a via PI3K/Akt; inibe o canal cálcio-potássio tipo IK que inibe o fator proliferativo bFGF; polariza a membrana celular

CAPÍTULO 62 530

Crisina como antineoplásico

Anti-HSV1-2, EBV, Covid-19, Vírus da dengue, *H. pylori*; potente inibidor da aromatase CYP19A1 da família P450; induz diminuição do GSH citoplasmático; inibe NRF2, STAT3, HI1-alfa, MMP-10, EMT, ciclina D1, hTERT e assim a telomerase e as vias proliferativas PI3K/Akt/mTOR/NF-kappaB, PI3K/Akt/P70S6K/S6/P90RSK, ERK1/2/Nrf2 e MEK/ERK/c-Fos; aumenta a razão Bax/Bcl-2; ativa AMPK e inibe mTOR; regula para cima a expressão do miR-132 e miR-502c; aumenta E-caderina e diminui a vimentina; acetila a zona CpG e diminui a função dos genes de sobrevivência celular – efeito epigenético

CAPÍTULO 63 541

Curcuma longa de um delicioso tempero a potente antineoplásico

Anti-HPV, HIV, *H. pylori*, *M. tuberculosis*; inibe várias vias de sinalização, transdução e transcrição; diminui bcl-2 e bcl-x e aumenta bax; induz a expressão do gene p53 e p21; diminui hTERT e inibe telomerase; aumenta oxidação intracelular e diminui GSH; inibe as vias PI3K/Akt/PTEN/mTORC1/GSK3; inibe PTK, PKC, PKA, PhK, NF-kappaB, STAT3, COX-2/LOX, EGF, Egr-1, AP-1, PAK-1, MMPs, aldeído desidrogenase, Notch e ErbB2; suprime a formação de citocinas inflamatórias, TNF-alfa, IL-1, IL-12 e quimocinas; inibe o fenótipo células-tronco; efeito epigenético duplo – demetila e acetila a zona CpG e reativa genes supressores de tumor – epigenética. Anti-PD-1/PDL-1 e ativa linfócitos T citotóxicos

CAPÍTULO 64 561

Digitálicos de cardiotônico a antineoplásico

Acidificam o citoplasma e diminuem a glicólise, inibem G6PD, NF-kappaB, (Cdk)5, p35, p25, EGFR; ativam Apo2L/TRAIL, DR4 e DR5; diminuem a proliferação celular e induzem a apoptose no câncer de pulmão, mama, próstata, leucemias, linfomas, glioblastoma, rins e outros, ENTRETANTO, inibem a *de novo* síntese do p53

CAPÍTULO 65 568

Dissulfiram de tratamento do alcoolismo a agente anticâncer – oxidante e estruturador da água intracelular

CAPÍTULO 66 573

DHEA, o mais abundante hormônio esteroide do organismo é também poderoso antineoplásico

Inibe a Glicose-6-fosfato desidrogenase e inibe a geração de NADPH, suprime o efeito de vários fatores de crescimento tumoral; ativa o complexo piruvato desidrogenase e aumenta a fosforilação oxidativa; ativa a AMPK e inibe mTOR, polariza o sistema imune para M1/Th1; aumenta a autofagia tumoral; inibe a via PI3K/Akt e diminui a proliferação e aumenta a apoptose no câncer. Ativa o gene supressor de tumor p53

CAPÍTULO 67 584

Euforbiáceas no câncer: Avelós (*Euphorbia tirucalli*) e Chorona (*Synadenium umbellatum*)

CUIDADO: ambos reativam, recrudescem o EBV e o Avelós possui substâncias anticâncer e substâncias que podem promover o câncer (ingenol)

CAPÍTULO 68 589

Epigalocatequina galato como poderoso antineoplásico

Anti-EBV, HPV, HSV, Adenovírus, HIV, Influenza A, vírus das Hepatites B e C, Retroviridae, Orthomyxoviridae, *H. pylori*, *M. tuberculosis*; inibe significativamente as atividades e os níveis de mRNA das enzimas glicolíticas HK, PFK, DHL-A e PK; diminui a expressão da PDH; inibe NF-kappaB, COX-2, STAT3, FASN, EGFR, PDGFR, IGF-1R, 67LR, AP-1, Pin1,c-Jun, HIF1α, GLUT1; ciclina D1, VEGF, survivina, GRP78, PEA15, P-gp e MMPs; ativa p53; inibe as vias PI3K/Akt/mTOR/ MAPK/ ERK1/2; diminui a glicólise e aumenta a fosforilação oxidativa. Anti-PDL-1 e ativa linfócitos T citotóxicos. Acetila a zona CpG e diminui a função dos genes de sobrevivência celular – efeito epigenético

CAPÍTULO 69 602

Fibratos – Nova função para uma droga antiga: excelente anticâncer

Inibe a transcetolase e diminui a geração de ribose, coluna dorsal do DNA e RNA; inibe a glicólise; aumenta a beta-oxidação mitocondrial; ativa AMPK e inibe mTOR; inibe Akt e NF-kappaB; aumenta a eficácia dos linfócitos T CD8+ infiltrados no tumor; aumenta o beta-hidroxibutirato que acetila e a zona CpG e diminui a função dos genes de sobrevivência celular – efeito epigenético

CAPÍTULO 70 614

Fosfoetanolamina: não no câncer

CAPÍTULO 71 620

Fucoidans das algas marrons são potentes anticâncer

Anti-EBV, CMV, HSV, HPV, HIV, Hepatite B vírus, Hepatite C vírus, *H. pylori*; polariza sistema imune para M1/Th1; bloqueia VEGFR2/Erk/VEGF; diminui a transcrição de MMP-2 e KIF4A; inibe PI3K-Akt-mTOR; ativa o eixo de estresse TLR4/ERTOs/ER; inibe a expressão do PTEN, AKT, IGF-IR, Shc, Ras, SOS, Raf, MEK, proteína Retinoblastoma (pRb) e da proteína fator E2; induz a supressão do ID-1 e facilita a diferenciação, além de demetilar a zona CpG e diminuir a função dos genes de sobrevivência celula – Epigenética

CAPÍTULO 72 633

Ganoderma lucidum possui triterpenoides que estimulam a fosforilação oxidativa e beta-glucana que polariza o sistema imune para M1/Th1

Anti-EBV, HSV1-2, HPV, Hepatite B vírus, vírus da estomatite vesicular, vírus da influenza, *H. pylori*, *M. tuberculosis* e *bovis*, anti-RAS; é antiproliferativo, apoptótico e antiangiogênico no câncer, além de ser anti-PD-1/PD-L1 e ativar linfócitos T citotóxicos

CAPÍTULO 73 645

Genisteína, um derivado da soja de alta potência antineoplásica

Inibe PTK, inibe a transcetolase e diminui a geração de ribose, coluna dorsal do DNA e RNA; inibe parcialmente a G6PD; aumenta a concentração do colecalciferol e, portanto, de calcitriol; inibe Akt, NF-kappaB, COX-2 e telomerase; reduz a expressão de uPAR; diminui a proliferação celular, aumenta a apoptose, suprime a neoangiogênese e abole o efeito de vários fatores de crescimento tumoral: IGF-I, EGF e TGFβ, ao lado de demetilar e acetilar zona CpG, reativando genes supressores de tumor – Efeito epigenético duplo

CAPÍTULO 74 659

Ginseng Indiano – *Withania somnifera* (Ashwagandha) potente antineoplásico, enquanto aumenta a qualidade de vida

Anti-HPV, Covid-19, *H. pylori*, *M. tuberculosis*; inibe Notch-1, 2, 3, 4; inibe células-tronco por 4 mecanismos; diminui DHL-A; ativa AMPK e inibe mTOR; inibe o complexo III mitocondrial e aumenta ROS; suprime o gene AKT; inibe PI3K/Akt/mTOR, EGFR, NF-kappaB, EMT, Cdc25C, beta-tubulina, STAT3, ER-alfa, vimentina; ativa autofagia, MAPK, mortalina, receptor da morte 5; induz p53 e Bax enquanto diminui Bcl-2 e Bak; impede o alongamento e a ativação dos telômeros; inibe as enzimas anabólicas dos ácidos graxos (ACLY, ACC1, FASN, CPT1A); e aumenta a almejada por todos, diferenciação celular

CAPÍTULO 75 674

Glicose-6-fosfato desidrogenase (G6PD) e câncer

A inibição da enzima: diminui NADPH poderoso agente redutor; diminui a síntese de ribose coluna dorsal do DNA e RNA; diminui drasticamente a proliferação celular neoplásica; aumenta a apoptose e suprime os efeitos de vários fatores de crescimento tumoral, IGF-I, EGF e PDG

CAPÍTULO 76 684

Glucana: imunoestimulante mais potente da natureza

Protótipo e potente indutor da imunidade treinada contra agentes biológicos; estimula células dendríticas, monócitos, linfócitos, sendo o único imunoestimulante que, enquanto polariza o sistema imune para M1/Th1, diminui Treg, MDSC e TAMs; ativa AMPK e inibe mTOR; sendo poderoso antiproliferativo, apoptótico e antimetastático no câncer. É anti-PD-1/PDL-1 e ativa linfócitos T citotóxicos

CAPÍTULO 77 699

Graviola, *Annona muricata*: acetogeninas anonáceas no câncer

Anti-HPV, HSV; poderoso inibidor do Complexo I mitocondrial provocando forte ativação da AMPK com inibição do mTOR; ativa p21 e p27; inibe COX-2, HIF-1alfa, ciclina D1, Bcl-2, JNK, STAT3, EGFR, GLUT1, GLUT4, DHL-A, HKII, NF-kappaB, proteínas XIAPs e múltiplas vias proliferativas de sinalização; inibe atividade da NADPH oxidase; inibe as bombas de sódio/potássio (NKA) e ATPase do retículo sarcoplasmático (SERCA); aumenta TNF-alfa e IL-1 beta de macrófagos; reverte a queda da caveolina-1 e provoca autofagia tumoral

CAPÍTULO 78 706

Hesperidina e bioflavonoides da casca dos cítricos como potentes antineoplásicos

Anti-EBV, HSV1, HPV, vírus da Hepatite C, SARS-Cov-2, Poliovírus tipo 1, Parainfluenza vírus tipo 3, Vírus sincicial respiratório, *H. pylori*; diminui a resistência à insulina; inibe COX-2, NF-kappaB, matriz-metaloproteinases-2-9 e vias P13K/Akt, Wnt3a/β-catenina, Wnt5a, Hedgehog; aumenta a razão Bax:Bcl-2; ativa AMPK e PPAR-gama; polariza sistema imune de M2/Th2 para M1/Th1; demetila a zona promotora CpG e diminui a função dos genes de sobrevivência celular – epigenética. É anti-PD-1/PDL-1 e ativa linfócitos T citotóxicos

CAPÍTULO 79 723

Hidrogênio atômico e molecular no câncer

Hidrogênio atômico é o único capaz de neutralizar os RL-O_2 gerados na intimidade dos *clusters* Fe-S da mitocôndria; inibe o radical hidroxila (HO*–) e o radical peroxinitrito (ONOO*–); único antioxidante que não interfere na quimioterapia; inibe NF-kappaB e as vias proliferativas Ras-ERK1/2-MEK1/2 e Pi3K/Akt, p38MAPKinase e JNK; reduz as citocinas inflamatórias TNF-alfa, a IL-1 beta, IL-6, IL-12 e o IFN-gama

CAPÍTULO 80 726

Hipoglicemia induz citotoxicidade no carcinoma de mama resistente à quimioterapia

Hipoglicemia aguda provoca diminuição da proliferação celular neoplásica e aumento da apoptose via estresse oxidativo

CAPÍTULO 81 732

Indol-3-Carbinol/Di-indolil-metano nas neoplasias

Anti-HPV; inibem drasticamente a CYP19 – aromatase; inibem NF-kappaB, Akt, SP1, ER-alfa, ER-beta, AR, Nrf2, EGFR, Src, GSK3-beta, mTOR, c-myc, FASN, P-glicoproteína e inibem as vias PI3K/Akt, ERK/MAPK e o eixo NF-kappa B/Wnt/Akt/mTOR; diminuem as D1, E, CDK2, CDK4 e CDK6 e aumentam as p15, p21 e p27; diminui Bcl-2, Bcl-xL, survivina, IAP, XIAP, FLIP e aumentam Bax; diminuem e normalizam o Delta-psimt; potencializam o TRAIL; aumentam TGF-alfa; induzem drasticamente a expressão do antiproliferativo mdR-34a; ativa p53, Fas/FasL

CAPÍTULO 82 744

Inositol hexafosfato (IP6) mais inositol nas neoplasias

Reduzem a proliferação, induzem apoptose e promovem a almejada diferenciação celular neoplásica inibindo vias de sinalização intracelular, como PI3K/Akt, MAPK, PKC, AP-1, NF-kappaB; induzem drasticamente a expressão do gene supressor tumoral, FOXO3a; polarizam o sistema imune para M1/Th1; aumentam a atividade das células *natural killer*; inibem NF-kappaB, COX-2, LOX, VEGF, telomerase, FGFs, iNOS, MMPs, β-catenina; regulam para cima ou para baixo inúmeros miRNAs promovendo efeito antineoplásico; aumentam a relação Bax/Bcl-2; aumentam p27Kip1 dependente de PKC-delta e da diminuição da pRb; regulam para cima p53, Bax, Caspase-3 e 9 e para baixo o gene Bcl-2

CAPÍTULO 83 754

Insulina exógena aumenta a eficácia da quimioterapia no câncer: IPT – *Insulin Potentiation Therapy*

CAPÍTULO 84 759

Iodo no câncer

Provoca antiproliferação e apoptose em vários tipos de câncer; inibe a ornitina descarboxilase enzima-chave limitante da geração das poliaminas proliferativas; aumenta PPAR-gama que ativa AMPK e inibe mTOR; diminui a expressão de genes responsáveis pelo aumento do estradiol e estrona; induz regulação para baixo do CD44+/CD24+ e E-caderina+/vimentina+; aumenta a razão BAX/BCL-2; inibe MMP-2 e -9 e provoca despolarização do Delta-psimt

CAPÍTULO 85 763

Isotiocianatos no câncer: sulforafane e seus irmãos

Anti-EBV, HIV, Vírus de Marburg, Vírus da dengue, Herpes vírus associado ao sarcoma de Kaposi (KSHV) e *Helicobacter pylori*; inibem NF-kappaB, TNF-alfa, IL1-beta, survivina, VEGF via FOXO1/AKT, MMP2, BCl-2; ativam p27, STAT5; ativam NRF-2 potente antioxidante; inibem telomerase; acetilam e diminuem a função dos genes de sobrevivência celular – epigenética

CAPÍTULO 86 775

Ivermectina, de antiparasita de largo espectro a potente antiviral de largo espectro e inusitado efeito anticâncer

Anti-EBV, CMV, HPV, HIV, Covid-19, vírus da Dengue, *Mycobacterium tuberculosis*; normaliza a polarização mitocondrial e aumenta a geração de radicais livres; anti-PAK-1 e inibe a via de sinalização PI3KAkt/mTOR; inibe diretamente o mTOR; inibe ERK1/ERK2/MAPK, NS3, YAP1, Wnt-TCF; inibe a RNA-helicase; diminui a expressão do DDX23; antitubulina; cliva PARP e induz apoptose; inibe células-tronco tumorais; inibe angiogênese e inibe a P-glicoproteína

CAPÍTULO 87 783

O Kefir possui efeito antitumoral, e o leite bovino pasteurizado, efeito estimulante no câncer de mama

CAPÍTULO 88 786

Lactoferrina do colostro – um quelante do ferro com efeito anticâncer

CAPÍTULO 89 788

Lítio em alta dose no tratamento do câncer

Inibe GSK-3beta; inibe a via Wnt-beta-catenina; ativa AMPK e inibe mTOR; aumenta a biogênese mitocondrial ao ativar PPAR-gama (PGC-1alfa); inibe a atividade da enzima ornitina descarboxilase; potencia TNF-alfa; aumenta os níveis de IL-2 e Interferon-gama e polariza o sistema imune para M1/Th1 e diminui IGF-1, sendo antiproliferativo e apoptótico no câncer, além de inibir PD-1/PDL-1 ativando linfócitos T citotóxicos

CAPÍTULO 90 800

Luteolina e apigenina os mais potentes flavonoides anticâncer

Anti-EBV, HPV, Covid-19, *H. pylori* e *M. tuberculosis*; inibem a glicólise anaeróbia e o ramo oxidativo do ciclo das pentoses (G6PD); inibem NF-kappaB, NRF2, GSK-3beta, Bcl-2, Bcl-xL, IGF-1, VEGF, GSK-3β, p70S6K1 e FKHR, EMT, fator de crescimento de hepatócitos/c-Met (HGF/c-Met); iNOS, MMP-2, MMP-9 e vias de sinalização PI3K/Akt/mTOR/c-Myc e Raf/PI3K; reduzem a expressão do ER-alfa; ativa p53, STAT3, Fas/FasL, DR4, DR5, TRAIL, E-caderina, aumentam a autofagia das células tumorais. São anti-PD-1/PDL-1 e ativam linfócitos T citotóxicos

CAPÍTULO 91 818

Mebendazol, albendazol e flubendazol de anti-helmínticos a antineoplásicos

Potente antimicrotúbulo; inibe VEGF, HIF1-alfa, EMT, STAT3, MMP2, MMP9; ativa p53; inibe vias de sinalização Wnt/β-catenina, JAK/STAT-3, JNK, MEK/ERK e Hedgehog; induz autofagia; tem como alvo as células semelhantes às células-tronco e a sinalização de HER2; regula para baixo o GPX4, gene mais importante na indução da ferroptose

CAPÍTULO 92 824

Melatonina no câncer

Anti-Covid-19, HSV1-2, Vírus sincicial respiratório, Vírus da influenza, Vírus da encefalite, Vírus indutor de neuropatogênese, Vírus Ebola, *H. pylori* e *M. tuberculosis*; único hormônio do corpo antiproliferativo; protege o DNA nuclear e mitocondrial; junto com T3 protege as mitocôndrias do estresse oxidativo, ativa os complexos I, III e IV da cadeia de elétrons mitocondrial, aumenta a geração de ATP e do consumo de O_2 e diminui o potencial de membrana mitocondrial; inibe NF-kappaB, COX-2, HIF1-alfa, VEGF , AP-2beta/hTERT e inibe atividade da telomerase, proteína Príon, aromatase, 13-HODE, endotelina-1(ET-1), GLUT1, ERK1/2, Wnt-betacatenina, MAPKs e TGF-beta e a via de sinalização do eixo PI3K/Akt/mTOR/EZH2/STAT3; bloqueia AR (*androgen receptor*); aumenta a razão p53/MDM2p e regula para baixo o Sirt1; diminui proteínas antiapoptóticas, survivina e Bcl-2 e ativa DR5; estimula ERbeta-1 que suprime a proliferação tumoral; aumenta a atividade dos linfócitos T citotóxicos e de células *natural killer*, aumenta a produção de IFN-γ, IL-2, IL-6 e IL-12, diminui Treg e polariza sistema imune de M2/Th2 para M1/Th1; inibe a síntese de DNA e aumenta a diferenciação das células-tronco; demetila a zona CpG do DNA e diminui a função de genes de sobrevivência celular: efeito epigenético

CAPÍTULO 93 844

Metformina: efeito potente antineoplásico

Ativa a via AMPK e inibe mTOR/S6K1/NF-kappaB; diminui a glicemia e a insulinemia; inibe receptores das tirosinoquinases HER1 e HER2; diminui células-tronco; mimetiza a restrição calórica; suprime a expressão de proteínas envolvidas na glicólise; inibe o NRF2 potente agente redutor e assim carcinocinético; inibe células MDSCs e ainda inibe PD-1/PDL-1 que ativa linfócitos T citotóxicos

CAPÍTULO 94 859

Molibdênio provoca diminuição do cobre tumoral e consequente antiangiogênese

CAPÍTULO 95 864

Momordica charantia de antidiabético a antineoplásico

Anti-HIV, EBV, CMV, HSV, Hepatite B, *Helicobacter pylori* e *Mycobacterium tuberculosis*; diminui a glicemia; ativa AMPK e inibe mTOR; inibe PAK-1, GSK3beta, NF-kappaB; modula as vias de sinalização PI3K/Akt/mTOR/p70S6K e p38MAPK-MAPK-APK-2/HSP-27; inibe topoisomerases do DNA; inativa ribossomo; ativa PPAR-gama e inibe ERK1/2; aumenta a expressão do PPAR-gama, p21, Bax, p53, caspase-3 e pPTEN; diminui a expressão da ciclina B1 e D1; aumenta a atividade das células NK e inibe FoxP3+ que diminui a infiltração tumoral de células Treg, o que contribui na polarização do sistema imune de M2/Th2 para M1/Th1; reverte fenótipo MDR. Cuidado: provoca autofagia peritumoral, provoca aborto

CAPÍTULO 96 875

Moringa oleífera, a "árvore maravilhosa" anticâncer

Anti-EBV, HSV, Hepatite B, *M. tuberculosis*; inibe COX-2, iNOS; inibe a via de sinalização PI3K/Akt/mTOR, MAPK, JAK-STAT; ativa p53, p21, Bax, enquanto inibe Bcl-2; diminui Hsp70, Skp2, c-myc mRNA; reduz a expressão do JNK e p38

CAPÍTULO 97 880

Naltrexone em baixa dose é excelente antineoplásico

Aumenta a produção de metaencefalina, uma endorfina que ativa os receptores delta-opioides, os quais produzem o fator de anticrescimento tumoral e provocam diminuição da síntese de DNA e diminuição da mitose via inibição do ciclo celular; o aumento de metaencefalinas mata as células cancerosas durante sua reprodução; estimula a produção de OGF e OGFr para subsequente interação e bloqueio do receptor e diminui a proliferação mitótica; aumenta a expressão de genes pró-apoptóticos BAK1 e BAX; polariza sistema imune de M2/Th2 proliferativo para M1/Th1 antiproliferativo; aumenta o número e a atividade das células *natural killer* e dos linfócitos, particularmente o CD8 citotóxico, aumenta a maturação de células dendríticas da medula óssea

APÊNDICE – fotos coloridas

TOMO II

CAPÍTULO 98 887

Neem. *Azadirachta indica* como antineoplásico

Anti-HPV, HSV1, Coxsackievírus B, *H. pylori*, *M. tuberculosis*; aumenta a expressão dos genes supressores de tumor p53 e PTEN; diminui a expressão do oncogene c-Myc; anti-COX-2/LPO; diminui os fatores de transcrição NF-kappaB e STAT3; inibe PI3K/Akt e VEGF; aumenta Bcl2 e diminui Bax e survivina

CAPÍTULO 99 901

Nerium oleander – oleandro: de uma bela planta de jardim a agente anticâncer

CAPÍTULO 100 903

Niclosamida: de anti-helmíntico a poderoso antineoplásico

CAPÍTULO 101 907

Nicotinamida – relevante papel na prevenção e no tratamento da carcinogênese humana, porque regula o NAD+ celular e mantém ativa a fosforilação oxidativa mitocondrial

CAPÍTULO 102 915

Nigella sativa – cominho negro: de delicioso tempero a agente anticâncer

Inibe *Helicobacter pylori* e *Mycobacterium tuberculosis*; inibe PAK1, NF-kappaB, COX-2, c-MYC, FAK, MMP2, MMP9, VEGF, telomerase e as vias proliferativas PI3K/Akt/mTOR e Ras/Raf/MEK/ERK1/2; bloqueia a atividade da cdk2, cdk4 e cdk6; aumenta a expressão do mRNA do p53 e do p21-WAFI e inibe drasticamente a proteína antiapoptótica Bcl-2, demetila e acetila a zona CpG e diminui a função de genes de proliferação neoplásica - efeito epigenético duplo

CAPÍTULO 103 .... **932**

Oleuropeína. Azeite de oliva, azeitonas e folhas de oliveira na prevenção e tratamento do câncer

Anti-HSV, Hepatite B, Rotavírus, vírus Ebola, HIV, VHSV, *H. pylori*; diminui a velocidade do ciclo de Embden-Meyerhof ao reduzir a expressão do GLUT-1, MCT-4 e PKM2; inibe a expressão do HER2; ativa Bax e inativa Bcl-2; inibe NF-kappaB, COX-2, MMP2, MMP9, VEGF; reduz a atividade da via HIF1α-miR-519d-PDRG1; aumenta a expressão do gene $p21^{Cip/WAF1}$; demetila e acetila a zona CpG – efeito epigenético duplo

CAPÍTULO 104 .... **939**

Ozônio no câncer – administra agentes biológicos e é antiproliferativo

CAPÍTULO 105 .... **942**

Pao pereira, um antineoplásico da floresta amazônica

CAPÍTULO 106 .... **949**

Pimenta-do-reino, pimenta-preta. *Piper nigrum*: o delicioso tempero que nos ajuda a tratar o câncer

Anti-H. pylori e *M. tuberculosis*; aumenta ERTOS; inibe as vias PI3K/Akt/GSK3beta, STAT3/NF-kappaB e Wnt/beta-catenina, ERK1/2, p38, MAPK; inibe NF-kappaB, HER2, c-Fos, CREB, ATF-2, E2F1, pRb, XIAP, Bid, MMP-2/9; diminui Bcl-2 e aumenta Bax; ativa o checkpoint da kinase 1; reduz a expressão da IL-1beta, IL-6, TNF-α, GM-CSF e genes IL-12p40 e Mcl-1; aumenta a expressão de p21 Waf1/Cip1; induz apoptose, inibe proliferação, migração e invasão de tumores e sensibiliza tumores para radioterapia e quimioterapia

CAPÍTULO 107 .... **955**

Pfaffia paniculata, a raiz brasileira anticâncer

Aumenta a função dos macrófagos: fagocitose, espraiamento, produção de peróxido de hidrogênio e NO; aumenta a expressão da p27kip21 e diminui a CDK2 e ciclina E, ao lado de ativar a caspase-3, e aumenta a apoptose sem afetar a integridade do DNA

CAPÍTULO 108 .... **958**

Plantago major ou tansagem no câncer

Rico em baicalaína e ácido ursólico

CAPÍTULO 109 .... **961**

Polietilenoglicol – PEG – no câncer: estruturador da água citoplasmática e antiproliferativo

CAPÍTULO 110 .... **964**

Príon: proteína príon no câncer

CAPÍTULO 111 968

Procaína: de um simples anestésico local a antineoplásico

Polariza a membrana celular; ativa o complexo piruvato desidrogenase e aumenta a geração de ATP mitocondrial; inibe a via Wnt/beta-catenina; inibe EGFR; inibe a HMG-CoA redutase e o dbc-AMP, o que reduz o colesterol; reduz cortisol e polariza o sistema imune de M2/Th2 proliferativo para M1/Th1 antiproliferativo; aumenta a produção de anticorpos e a fagocitose de monócitos; diminui a expressão das ciclinas D1 e E; diminui p-ERK, p-p38MAPK e p-FAK; reativa os genes H3K4(Me)3 e H3K9Ac/S10P; aumenta a expressão do MicroRNA-133b e provoca apoptose e diminuição da proliferação em vários tipos de câncer, sendo o inibidor padrão-ouro das DNA metiltransferases que metila a zona CpG e diminui a função dos genes de sobrevivência celular – efeito epigenético

CAPÍTULO 112 976

Propranolol bloqueador beta-adrenérgico não seletivo no tratamento das neoplasias

Impede ativação da EMT, da via de sinalização p38 MAPK/ERK/COX-2, diminui Treg, regula para baixo fatores de transcrição Snail/Slug, NF-kappaB/Rel e AP-1, diminui a expressão dos marcadores pró-proliferativos Ki-67 e dos pró-sobrevivência Bcl-2, todos acima provocados pela dor, cirurgia, medo e depressão; inibe AMPc, impede ativação da PKA que impede a transcrição CREB/ATF, GATA e BARK; impede ativação mediada por Rap1A da via de sinalização B-Raf/MAPK; aumenta a expressão pró-apoptótica do p53 e no geral inibe o crescimento, invasividade, migração, angiogênese e aumenta a apoptose no câncer

CAPÍTULO 113 989

Rauwolfia vomitoria no câncer

CAPÍTULO 114 991

Resveratrol no câncer

Cuidado pode piorar Covid-19; Anti-EBV, HSV, HHV-8, HPV-16-18-E6-E7, retrovírus, Vírus da influenza A, Poliomavírus DNA, *H. pylori* e *M. tuberculosis*; inibe G6PD; cuidado ativa NRF2 forte antioxidante carcinocinético; ativa AMPK e inibe TOR; inibe GSK-3; inibe a via proliferativa PI3K/Akt/PTEN/mTORC1/GSK3; aumenta sensibilidade à insulina; reduz IGF-I; inibe fortemente a piruvato quinase (PK) e a desidrogenase láctica (DHL), enquanto aumenta a atividade da citrato-sintase sendo sinérgico com o ácido cítrico na inibição do ciclo de Embden-Meyerhof; cessa o ciclo celular ao regular para cima o p21Cip1/WAF1, p53 e Bax e para baixo a survivina, ciclina D1, ciclina E, Bcl-2, Bcl-xL e cIAPs; suprime a ativação de vários fatores de transcrição: NF-kappaB, Ap-1, Egr-1, c-Jun, e c-Fos; inibe várias proteinoquinases: JNK, MAPK, Akt, PKC, PKD e Caseína quinase II; regula para baixo vários produtos de genes: COX-2, 5-LOX, VEGF, IL-1, IL-6, IL-8, PSA, AR (receptor de andrógeno); ativa SIRT1 em baixa dose e induz o gene mestre da biogênese mitocondrial PGC-1alfa; induz genes da fosforilação oxidativa, induz os genes supressores de tumor p53 e Retinoblastoma; inibe telomerase, em baixa dose polariza o sistema imune para M1/Th1; induz a almejada diferenciação celular. É demetilador da zona CpG – efeito epigenético. É anti-PD-1/PDL-1 e ativa linfócitos T citotóxicos

CAPÍTULO 115 1004

Rhus verniciflua, agora *Toxicodendron vernicifluum* potente antineoplásico

Anti-*Helicobacter pylori*; inibe NF-kappaB, ERK 1/2, telomerase, MMP-9, AP-1, aromatase, iNOS, COX-2, PGE2, TNF-α, IL-1β, VEGF, PKC-α; quela íons ferro; reduz os níveis de cdc25C; diminui Bcl-2 e aumenta Bax; ativa Sp1, DR-5; além de bloquear os *checkpoints* imunes PD-1/PDL-1/CTLA-4 e ativar linfócitos T citotóxicos

CAPÍTULO 116 1012

Ruibarbo no câncer

CAPÍTULO 117 1014

Sanguinarina ou Pseudocheleritrina no câncer

Anti-*Helicobacter pylori*, Anti-EBV, HIV, *Mycobacterium bovis*; inibidor seletivo da MAPK1; inibe via PI3K/Akt, NF-kappaB, COX-2, HIF-1, EMT, MMP-2, MMP-9, VEGF, telomerase, NHE1, anidrase carbônica IX, DHL-A, microtúbulos, CYP1A1, CYP1A2, CYP2C8 e CYP3A4; inibe iNOS e mesmo assim polariza sistema imune para M1/Th1, aumentando a proliferação e a atividade dos monócitos do sangue periférico e a produção de citocinas IL-2, IL-10, TNF-alfa e IL-1-beta; normaliza Delta-psimt; diminui a expressão das ciclinas E, D1, D2 e as CDKs: 2, 4 e 6 e induz p21 e 27; diminui Bcl-2 e aumenta Bax, Bid, Bak; aumenta a expressão de DR5/TRAILR2, E-caderina

CAPÍTULO 118 1021

SAP/MAPK (JNK/MAPK-ERK/MAPK-p38/MAPK) e seus inibidores: resveratrol, tangeritina e ligustilide

CAPÍTULO 119 1026

Scutellaria baicalensis e *Scutellaria barbata* no câncer

Anti-EBV, HPV, HIV-1, HTLV-1; inibidor específico da via MAPK; quela o ferro intracelular; inibe COX-2 e LOX, autofagia via ativação da AMPK/ULK1 com diminuição do mTORC1; aumenta DDIT4 e inibe o mTOR; ativa SIRT1-AMPK; ativa a sinalização Ras-Raf-MEK-ERK e $p16^{INK4A}$; aumenta a expressão do receptor da morte-5; liga-se ao DNA das *MMR-cells* e provoca apoptose; ultrapassa a resistência do TRAIL; polariza sistema imune para M1/Th1; inibe TAMs; aumenta linfócitos; reduz a expressão do HIF-1-alfa, VEGF e VEGFR2; modula p53, PTEN, Beclin 1, c-Myc, CD24, uPA, PDK1, p38, N-caderina, FOXO3a, MEK, ERK1/2, Wnt/beta-catenina, MMP2 e MMP9, caveolin-1, mTOR, CYP1A1; inibe NF-kappaB; inibe marcantemente securina; aumenta a diferenciação celular. É anti-PD-1/PDL-1 e ativa linfócitos T citotóxicos

CAPÍTULO 120 1040

Selênio diminui a proliferação celular neoplásica, inibe a angiogênese tumoral e provoca apoptose

CAPÍTULO 121 1047

Silibinina de hepatoprotetor a poderoso antineoplásico

Anti-Hepatite viral C, Hepatite viral B, vírus Chicungunha; inibidor direto da pSTAT3; ativa AMPK e inibe mTOR; inibe DHL-A; normaliza Delta-psimt; diminui as ciclinas D1/D3/E/AE e aumenta os inibidores das CDKs Cip1/p21, Kip1/27e p38; aumenta DR5; inibe hTERT e diminui os telômeros; inibe COX-2, NF-kappaB, GLUT-1, GLUT-4, EMT, HIF-1, STAT3, IGF-1, IGF-1Rbeta, MEK/ERK1/2; inibe as vias PI3K/Akt, Notch-1/ERK/Akt, WNT/beta-catenina; diminui iNOS, VEGF, BAX, MMP-2, MMP-9, uPAR; regula para baixo o receptor ER-alfa; aumenta JNK/SAPK e induz autofagia tumoral; aumenta a expressão do gene p53 e p43; aumenta a atividade da HDAC, acetila a zona CpG e diminui a função dos genes de sobrevivência celular neoplásico – Epigenética

CAPÍTULO 122 1059

Sistema renina-angiotensina-aldosterona. A importante função dos bloqueadores da Angiotensina II nas neoplasias

ARBs (bloqueadores do receptor AT1 da angiotensina II) promovem apoptose, diminuição da proliferação, da angiogênese, das metástases e da fibrose/desmoplasia, ao lado de ativar vias de imunoestimulação e promover a tão almejada diferenciação celular

CAPÍTULO 123 1073

Somatostatina: efeitos anticâncer por suprimir o GH, inibir as enzimas glicose-6-fosfato desidrogenase e transcetolase e por acidificar o intracelular

CAPÍTULO 124 1078

STAT3 e seus inibidores: curcumina, partenolide, resveratrol, epigalocatequina-3-galato, silibinina e ácido ursólico

CAPÍTULO 125 1084

Sulfeto de hidrogênio no câncer. O H_2S em baixa concentração promove e em alta diminui a proliferação, aumenta a apoptose e é antiangiogênico e antimetastático

CAPÍTULO 126 1087

Tanacetum parthenium de antienxaqueca a potente antineoplásico

Anti-EBV, HSV-1, HSV-2; primeiro fitoterápico seletivo anticélulas-tronco; intenso efeito anti-NF-kappaB/COX-2; ativa AMPK e inibe mTOR; inibe NRF2, aumenta o potencial redox intracelular e reduz GSH; induz apoptose via estresse oxidativo; ativa o gene supressor tumoral p53; inibe STAT3 e as vias MAPK e Wnt/beta-catenina; induz autofagia via depleção do 4E-BP1; demetila e acetila a zona CpG do DNA e reativa genes supressores de tumor. Efeito epigenético duplo

CAPÍTULO 127 1097

Tiossulfato de sódio no câncer: forte estruturador de água intracelular que diminui a proliferação do carcinoma epidermoide humano

CAPÍTULO 128 1099

Triptofano: não no câncer

CAPÍTULO 139 1155

Zinco nutriente esquecido no tratamento das neoplasias

Anti-HSV, Hepatite C, antiverrugas HPV, aumenta CD4, CD8, Th1, NK; inibe NF-kappaB e vias proliferativas Wnt/beta-catenina, ERK e Akt; aumenta a expressão do p21(waf1); reduz a expressão do Bcl-2, BclxL, survivina e aumenta Bax; inibe o reparo do dano ao DNA das células transformadas e diminui os níveis da E-caderina e da alfa-tubulina. Inibe a telomerase

PARTE V

Estratégias terapêuticas para controlar, administrar e se possível curar o câncer se conseguirmos afastar definitivamente o fator causal

CAPÍTULO 140 1165

Resumo dos eventos fundamentais acontecendo na célula neoplásica e possíveis estratégias terapêuticas.
Células neoplásicas são células em sofrimento lutando para sobreviverem e necessitando de cuidados e afastamento das causas, não extermínio

CAPÍTULO 141 1220

Quimioterapia citotóxica aumenta a sobrevida de 5 anos no câncer sólido maligno de adultos em apenas 2,3% na Austrália e 2,1% nos Estados Unidos da América

CAPÍTULO 142 1225

Cirurgia melhora ou piora a evolução do câncer? Ela é realmente necessária?

Geralmente a cirurgia piora a evolução do câncer e favorece as metástases

CAPÍTULO 143 1237

Estratégias para polarizar o sistema imune de M2/Th2 para M1/Th1

Macrófagos associados a Tumores (TAMs), Células Supressoras Derivadas de Mielócitos (MDSCs) e Células T reguladoras (Treg)

CAPÍTULO 144 1243

Antimicrobianos: antibióticos e fitoterápicos no tratamento do câncer

CAPÍTULO 145 1250

Bactérias sem parede L-formas: administrar e conviver pacificamente

CAPÍTULO 146 1253

EBV – Epstein-Barr vírus. Agente carcinogênico classe I – administrar e conviver pacificamente

PARTE VI

Drogas comuns usadas em clínica que aumentam a proliferação neoplásica e/ou impedem a apoptose e, portanto, contraindicadas

PARTE VII

Arsenal terapêutico geral e específico

PARTE VIII

Câncer não são células malignas e sim células doentes que necessitam de cuidados e afastamento das causas, não extermínio. 842 casos clínicos de câncer, sendo, em grande parte, refratários ao tratamento convencional que regrediu totalmente com as estratégias descritas neste livro

CAPÍTULO 98

Neem. *Azadirachta indica* como antineoplásico

Anti-HPV, HSV1, Coxsackievírus B, *H. pylori*, *M. tuberculosis*; aumenta a expressão dos genes supressores de tumor p53 e PTEN; diminui a expressão do oncogene c-Myc; anti-COX-2/LPO; diminui os fatores de transcrição NF-kappaB e STAT3; inibe PI3K/Akt e VEGF; aumenta Bcl2 e diminui Bax e survivina

José de Felippe Junior

Neem – Uma planta onipotente. **Brahmachari**

Neem – Village dispensary-Divine tre -Panaceia amarga. **Moga – Brasil**

Neem. ***Azadirachta indica***

A *Azadirachta indica* A. Juss é uma árvore tropical perene (Fam. Meliacae; Subfam. Melioideae) tradicionalmente conhecida por seu valor medicinal.

A *Azadirachta indica* (neem) possui vários nomes comuns pelo mundo, por exemplo, na Índia pode ser chamada de neem, nim, limba, nimba, Indian neem tree, Indian lilac; na Austrália e nos Estados Unidos neem, holy tree, wonder tree; na África nim, babo, yaro e marrango; na América Latina nim; na Espanha e Portugal nim e margosa; na Inglaterra nim e niembaum e no Brasil amargosa, nim e nime (Brasil, 2013). Outros nomes Vembu, Arishtha, village dispensary, divine tree, panaceia para todas as doenças.

Ela cresce rápido e pode atingir 15 a 20 metros de altura, algumas alcançam 35-40 metros. É uma bela árvore – farmácia.

Durante séculos, os agentes derivados da mãe natureza, especialmente as plantas algas e os cogumelos, foram a principal fonte de medicamentos. *Azadirachta indica* tem sido amplamente utilizada na medicina Ayurveda e Unani por milhares de anos na Índia, Paquistão, Bangladesh, África e China.

Mais de 140 compostos foram isolados de diferentes partes do neem. A composição química é complexa e abundante sendo 1/3 limonoides: nimbolida, azadiractina e gedunina e o restante flavonoides, polifenóis, isoprenoides, sulfurosos e polissacarídeos. As folhas contêm nimbina, nimbanene, 6-desacetylnimbinene, nimbandiol, nimbolida, ácido ascórbico, n-hexacosanol, 7-desacetyl-7-benzoylazadiradione, 7-desacetyl-7-benzoylgedunin, 17-hydroxyazadiradione e nimbiol. Nimbolida e Azadiractina são consideradas as mais ativas.

A nimbolida de peso molecular 466,5g/mol e fórmula $C_{27}H_{30}O_7$ doa 4 elétrons e é aceptora de 7 e assim a molécula comporta-se como forte oxidante.

A azadiractina de peso molecular 720,7g/mol e fórmula $C_{35}H_{44}O_{16}$ doa 3 elétrons e é aceptora de 16 e, portanto, muito mais oxidante do que a nimbolida.

Geralmente as moléculas oxidantes possuem efeito anticâncer. E todas moléculas redutoras fomentam o câncer, digo, a proliferação mitótica.

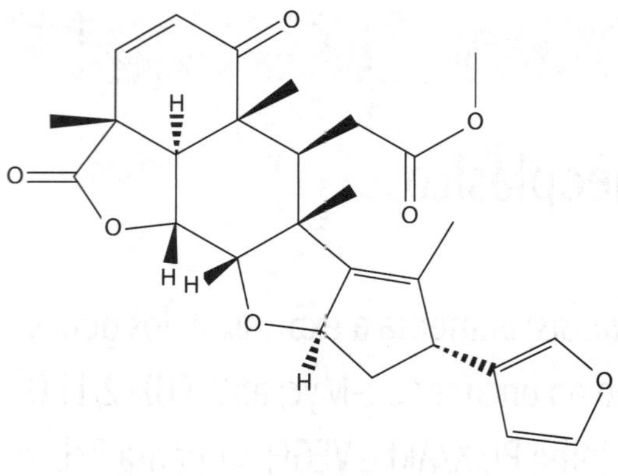

Nimbolida

Todas as partes do neem, como folhas, flores, sementes, casca e raiz, são usadas para tratar doenças agudas e crônicas como inflamações, infecções, febre, cicatrização, doenças de pele, distúrbios mentais, doença de Parkinson e doença de Alzheimer. Ela possui efeito imunomodulador e antinflamatório, sendo: antidiabética, antiúlcera de pele, controla hipersecreção gástrica e trata úlceras gastroduodenais (30mg 2 vezes/dia do extrato de folhas), hepatoprotetora, antinefrotóxica, neuroprotetora, antimalárica, antifúngica, antibacteriana, antiviral, antioxidante, antimutagênica e anticarcinogênica. Acresce o emprego como inseticida, larvicida e espermicida (Biswas, 2002; Bandyopadhyay, 2004; Subapriya, 2005; Yadav, 2016; Gupta, 2017).

O que nos interessa é o efeito anticâncer com os mecanismos de ação nas vias proliferativas e genes supressores de tumor.

Em modelo animal os constituintes do neem interferem no tratamento anticâncer via p53, pTEN, NF-kappaB, PI3K/Akt, Bcl-2, VEGF, anti-COX-2 e antilipoxigenase sem apresentar efeitos adversos dignos de ressalva (Hao, 2014; Alzohairy, 2016).

A figura 98.1 mostra as principias ações do neem em várias situações clínicas, daí um dos seus nomes "panaceia para todas as doenças" (Tiwari, 2014; Moga, 2018).

Neem aumenta a imunidade celular na AIDS/HIV

A segurança e o efeito de um extrato de folha de neem com acetona-água (IRAB) em células CD4 foram investigados em 60 pacientes com HIV/AIDS como parte de um estudo em andamento para determinar a influência do neem na imunidade e carga viral em HIV/AIDS. Os pacientes foram confirmados como HIV I ou II positivos, com contagem de células CD4, inferior a 300 células/µl e como virgens de antirretrovirais. Eles receberam IRAB oral (1,0g por dia durante 12 semanas). Os testes clínicos e laboratoriais foram realizados no início do estudo e em intervalos de 4 semanas. Assim, os pacientes serviram como seus próprios controles. Sessenta pacientes completaram o tratamento. Cinquenta (83,33%) estavam totalmente conformes com relação aos exames laboratoriais. O aumento médio das células CD4, 266 células/µl (159%), para os 50 pacientes foi significativo ($p < 0,001$), entre a consulta inicial e a 12ª semana. A taxa de sedimentação de eritrócitos, 6mm/h na consulta inicial, foi para 16mm/h na 12ª semana, enquanto o número total de incidências de patologias relacionadas ao HI/AIDS diminuiu de 120 no início do estudo para 5. O peso corporal médio, a concentração de hemoglobina e a contagem diferencial de linfócitos aumentaram significativamente em 12% ($p < 0,05$), 24% ($p < 0,0001$) e 20% ($p < 0,0001$), respectivamente. Não houve efeitos adversos e sem anormalidades nos parâmetros de função renal e hepática. Os resultados apoiam a segurança do IRAB em HIV/AIDS e sua influência significativa nas células CD4 pode ser útil na formulação de terapias combinadas de múltiplos fármacos para HIV/AIDS. O extrato também possui atividade antirretroviral (Udeinya, 2004; Mbah, 2007).

A tabela 98.1 mostra os efeitos do extrato das folhas de neem e seus constituintes em vários tipos de câncer (Hao, 2014).

Efeitos moleculares dos extratos de neem e seus componentes no câncer

1. **Agentes biológicos**

I – Antibactérias

a) Anti-***Helicobacter pylori*** (Blum, 2019; Wylie, 2022).
b) Anti-***Mycobcterium tuberculosis*** (Nguta, 2015).
c) Anti-*Escherichia coli* enteropatogênica – óleo de neem (Del Serrone, 2015).
d) Antiestafilococos resistentes à meticilina (Sarmiento, 2011).
e) Anti-*Enterococcus faecalis* com atividade equivalente a 2% de clorexidina no tratamento de canal dentário (Joy, 2017).

II – Antivírus

a) Anti-HPV (Shukla, 2016; Moga, 2018).
b) Anti-Coxsackievírus B (Badam, 1999).
c) Anti-herpes simplex vírus tipo-1 (Tiwari, 2010).
d) EBV e CMV: nada encontrado.

III – Antifungo

a) *Aspergillus flavus*, ***Alternaria solani*** e *Cladosporium* com extrato das folhas do neem (Shrivastava, 2014).

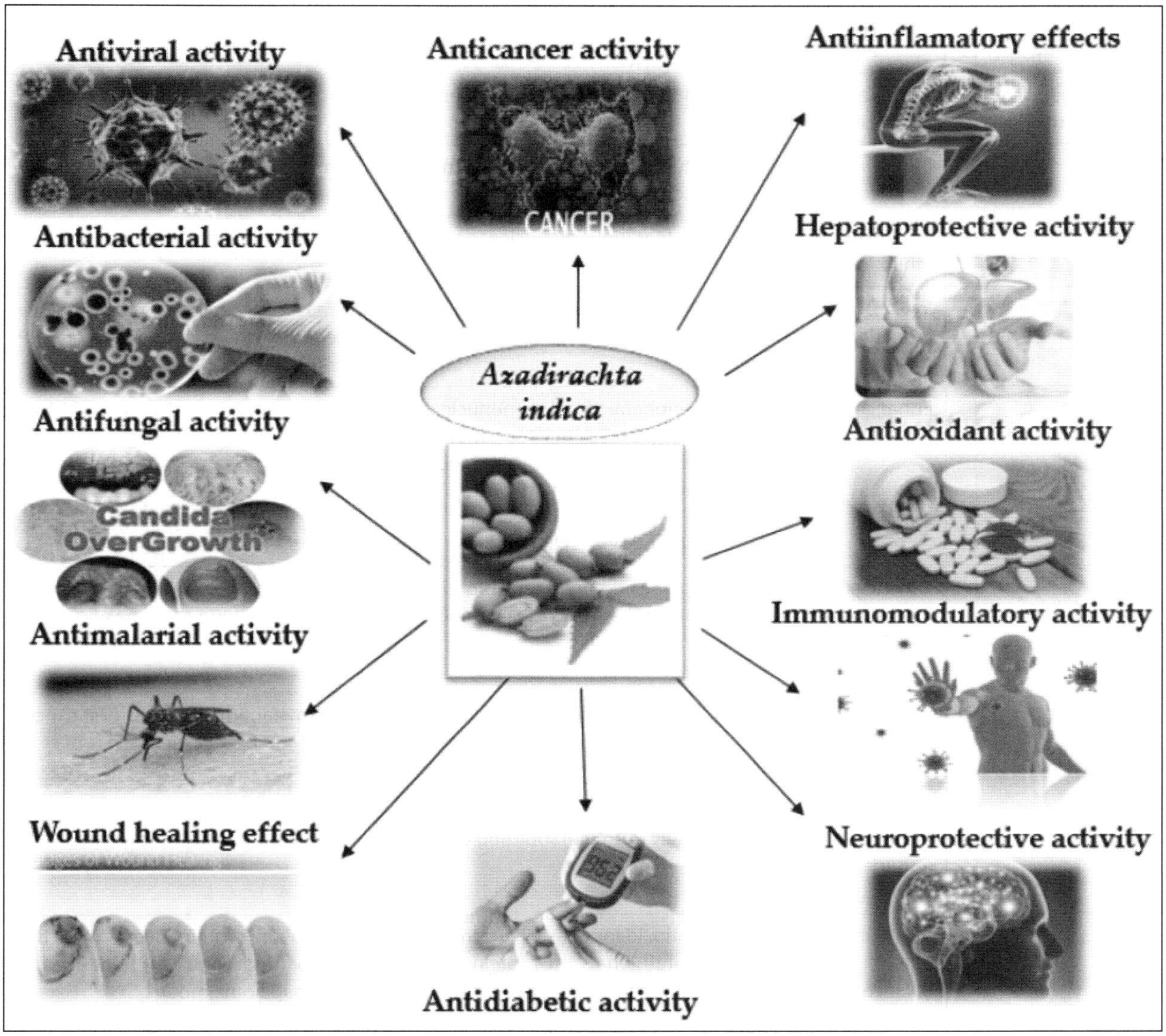

Figura 98.1 Principais efeitos das folhas e sementes da *Azadirachta indica* (neem) em várias situações clínicas (Tiwari, 2014; Moga, 2018).

b) *Aspergillus* e ***Rhizopus*** (Alzohairy, 2016).

IV – Antimalária, plasmódio Berghei (Akin, 2013)

V – Inseticida e larvicida

2. **Efeitos gerais**
   a) Aumenta a expressão de genes supressores de tumor: p53 e pTEN.
   b) Aumenta a apoptose: aumenta Bcl2 e diminui Bax.
   c) Diminui a expressão do oncogene: c-Myc.
   d) Diminui fatores de transcrição: NF-kappaB e STAT3.
   e) Diminui o VEGF e, portanto, a angiogênese.
   f) Diminui COX-2 e LOX e assim diminui a inflamação.
   g) Inibe a importante via proliferativa PI3K/Akt.
   h) Altera a via de sinalização da integrina e da FAK (citoesqueleto).
   i) Diminui a neurotoxicidade provocada pela cisplatina (Abdel, 2014).
   j) Neem inibe a agregação da Tau na doença de Alzheimer (Gorasntla, 2019).
   k) Neem excelente neuroprotetror na doença de Parkinson e Alzheimer (Sandhir, 2021).
3. **Glioblastoma**
   a) Cultivaram-se seis linhas celulares de glioblastoma humano G-28, G-112, G-60 (mutante TP53) e G-44, G-62, G-120 (TP53 tipo selvagem) na presença de 28μM de azadiractina. A sobrevivência celular foi suprimida em 25-69% em todas as linhas celulares (Akudugu, 2001).

Tabela 98.1 Efeitos do extrato de folhas de neem e seus constituintes em vários tipos de câncer (Hao, 2014).

SN	Components	Functions	Target	Model system
1.	Neem leaf extract (NLE)	Proliferation-inhibitory effect	Multiple cell cycle molecules	Prostate cancer cells
		Induces apoptosis	Multiple apoptosis-modulating molecules	Prostate cancer cells, primary chronic lymphocytic leukemia cells
		In vivo: proliferation inhibition	Proliferating cell nuclear antigen (PCNA) and cytokeratin	DMBA-induced HBP mouse model
		In vivo: apoptosis induction	Bim, Bax, Apaf-1, caspases, and Bcl-2	Breast cancer tissue, prostate cancer xenografts, and DMBA-induced HBP oral carcinogenesis model
		Enhances immunity	Peripheral blood mononuclear cells (PBMCs), macrophages, natural killer (NK) cells, CD40–CD40L, interferon-gamma (IFN-γ) and tumor necrosis factor-alpha (TNF-α)	Murine Ehrlich carcinoma and B16 melanoma
		Enhances immunity	Spleen and peripheral blood: macrophages, cytokines, and immune cells	Ehrlich's carcinoma cells, B16 melanoma, lung sarcoma and lymphosarcoma in the liver in Balb/c mouse model.
		Increases the immunogenicity of vaccinations	Surface antigen of B16 melanoma cell (B16MelSAg), breast tumor associated antigen (BTAA), and carcinoembryonic antigen (CEA)	B16 melanoma tumor, breast cancer cells, and CEA + colorectal cancer cells
		Alleviates mutagenicity of carcinogens	Likely drug metabolizing enzymes	In vivo bone marrow micronuclei test
		Maintain cellular redox balance	Antioxidant phase II enzymes, glutathione level, protein oxidation, and lipid oxidation and peroxidation	Benzo(a)pyrene-induced stomach tumor model and DMBA-induced skin papilloma model, DMBA-induced rat mammary carcinogenesis model, MNNG-induced carcinogenesis model, and DMBA-induced HBP oral carcinogenesis model
		Attenuates angiogenesis	Human umbilical vein endothelial cells (HUVECs), vascular endothelial growth factor (VEGF)	DMBA-induced HBP carcinogenesis model, chemical carcinogen-induced mammary tumorigenesis
2.	Azadirachtin	Induces apoptosis	Bcl-2 family proteins, survivin and caspase-3, -8, and -9	Cervical cancer cells
		Cell cycle arrest	p53, p21, cyclin B, cyclin D1, and PCNA	Human cervical cancer (HeLa) cells
3.	Nimbolide	Cell cycle arrest	Cyclins, CDKs, and CKIs, cell cycle checkpoint proteins are CHK2 and Rad17	Colon carcinoma cells
		Induces apoptosis	Bcl-2 family proteins, survivin, and caspase-3, -8, and -9.	Breast, prostate, hepatocarcinoma, cervical, choriocarcinoma, colon, lymphoma, leukemia, and melanoma

SN	Components	Functions	Target	Model system
		Disrupts cell cycle progression	Unclear	Breast, cervical, choriocarcinoma, lymphoma, leukemia cells HL-60, THP1, and melanoma cells
		Retards tumor cell migration, invasion, and angiogenesis	Metalloproteinase-2/9 (MMP-2/9), VEGF, ERK1/2, NF-κB	Colon cancer cells
		Inhibits cell growth	Unclear	Breast cancer cells
4.	Gedunin	Inhibits cell proliferation	Bioinformatic analysis identifies 52 genes involved	Ovarian cancer cells
5.	Neem leaf glycoprotein (NLGP)	Increases host immunity	Various immune cells in favor for type 1 immunity, maturation of dendritic cells	PBMC derived from HNSCC patients, myeloid derived dendritic cells
		Relieves tumor immune suppression	Regulatory T cells (Tregs)	Mouse tumor model
		Restores the impaired chemotactic activity of PBMC	CXCR3-mediated axis, CCR5-mediated axis, CXCR4-mediated axis	PBMC derived from HNSCC patients
		Maturation of DCs and increased immunity against CEA	Maturation of dendritic cells, various immune cells	Swiss mice, peripheral blood from HNSCC patients
6.	Mixture of neem limonoids and other components	Induces apoptosis	Intrinsic: cytochrome c, Bcl-2 family proteins Extrinsic: death receptors	Leukemia, prostate, cervical, colon, stomach, breast, choriocarcinoma, and hepatocarcinoma
		Induces caspase-independent cell death	Apoptosis-inducing factor (AIF)	Prostate
		Induces autophagy	Unclear	Prostate and colon
		Alleviates mutagenicity of carcinogens	Likely drug metabolizing enzymes	In vitro Ames test
		Maintain cellular redox balance	Phase I reactions and phase II enzyme GST	

No câncer: Extrato de folhas do neem (*Azadirachta indica*) 500mg 2 vezes ao dia.

NOTA: Nunca é demais lembrar que preferimos os extratos dos componentes da planta inteira do que o princípio ativo isolado.

b) Nimbolida é um potente agente que bloqueia o ciclo celular e inibe o crescimento do glioblastoma multiforme linhagem T98G, A172 e U87, *in vitro* e *in vivo*. A nimbolida ou fração solúvel em etanol das folhas de A. indica (Azt) que contém nimbolida como principal agente provocou parada do ciclo celular, mais proeminentemente no estágio G1-S em células de glioblastoma multiforme que expressam EGFRvIII, um oncogene presente em cerca de 20% a 25% dos glioblastomas multiformes. Azt/nimbolida inibiram diretamente a atividade da quinase CDK4/CDK6 levando à hipofosforilação da proteína retinoblastoma, parada do ciclo celular em G1-S e morte celular. Independentemente da hipofosforilação da proteína retinoblastoma, Azt também reduziu significativamente a vantagem proliferativa e de sobrevivência de células de glioblastoma multiforme in vitro e em xenoenxertos tumorais por regulação para baixo de Bcl2 e bloqueio da fosforilação induzida por fator de crescimento de Akt, ERK1/ERK/2 e STAT3. Esses efeitos foram específicos porque Azt não afetou o mTOR ou outros reguladores do ciclo celular. In vivo, o Azt preveniu completamente o início e inibiu a progressão do crescimento do glioblastoma multiforme (Karkare, 2014).

4. **Carcinoma de cabeça e pescoço**

a) Usou-se uma tela de shRNA agrupada funcional de todo o genoma em linhagens de células de carcinoma de células epidermoides de cabeça e pescoço tratadas com extratos de folhas de neem bruto. Analisou-se as diferenças nos tamanhos clonais globais das células infectadas com shRNA cultivadas sob nenhum tratamento e tratamento com extrato de folha de neem, testadas usando sequenciamento de próxima geração. Descobriu-se que 225 genes afetaram o crescimento das células cancerosas nas células infectadas com shRNA tratadas com extrato de neem. As análises de enriquecimento da via de dados de expressão gênica de todo o genoma de células tratadas temporariamente com extrato de neem revelaram papéis importantes desempenhados pela via TGFβ e rede de genes relacionados ao HSF-1. Os resultados indicam que o extrato de neem afeta várias vias de sinalização molecular importantes em células de câncer de cabeça e pescoço, algumas das quais podem ser alvos terapêuticos para este tumor devastador (Krishnan, 2019).

b) O carcinoma de células epidermoides de cabeça e pescoço (CECP) constitui cerca de 90% de todos os cânceres de cabeça e pescoço. Epoxyazadiradione (EPA) e Azadiradione (AZA) são os limonoides derivados da planta medicinal Azadirachta indica, popularmente conhecida como Neem. Demonstrou-se que EPA exibe atividade mais forte em CECP em comparação com AZA. EPA exibiu atividades em uma variedade de linhas de CECP como supressão da proliferação e a indução de apoptose. O limonoide suprimiu o nível de proteínas associadas à antiapoptose (survivina, Bcl-2, Bcl-xL), proliferação (ciclina D1) e invasão (MMP-9). Além disso, induziu a expressão da clivagem pró-apoptótica de Bax e caspase-9 foi induzida pelo limonoide. EPA induziu a geração de espécies reativas de oxigênio (ROS) nas células FaDu. A N-acetil-L-cisteína (eliminador de ROS) anulou o efeito do EPA. EPA induziu NOX-5 enquanto este suprimia a expressão do ligante de morte programada 1 (PD-L1). Além disso, a translocação nuclear de NF-κB-p65 induzida por peróxido de hidrogênio e o EPA inibiram a translocação. No geral, esses resultados mostraram que o EPA exibe atividades contra CECP (Rai, 2020).

c) Nimbolida, um dos limonoides do neem, induz autofagia citoprotetora como evento inicial e então provoca apoptose tumoral no câncer oral. Nimbolida regula para baixo a sinalização PI3K/Akt com consequente aumento da p-GSK-3βTyr216, a forma fosforilada ativa da GSK-3β a qual inibe a autofagia citoprotetora. A regulação negativa de HOTAIR, um RNA endógeno competidor que imita o miR-126, pode ser um dos principais contribuintes para a inativação da sinalização de PI3K/Akt/GSK3 por nimbolida. A análise de marcadores-chave de apoptose e autofagia, bem como de p-AktSer473 durante a progressão sequencial do câncer em hamster e humano revelou uma evolução gradual para um fenótipo pró-autofágico e antiapoptótico que poderia conferir uma vantagem de sobrevivência aos tumores. Em resumo, os resultados do presente estudo fornecem informações sobre os mecanismos moleculares pelos quais a nimbolida aumenta a apoptose ao superar os efeitos de proteção da autofagia citoprotetora por meio da modulação do estado de fosforilação de Akt e GSK-3β, bem como dos ncRNAs miR-126 e HOTAIR. O desenvolvimento de fitoquímicos, como a nimbolida, que visa a interação complexa entre proteínas e ncRNAs que regulam o fluxo de autofagia/apoptose é de suma importância na prevenção e terapêutica do câncer (Sophia, 2018).

d) As linhagens de células do carcinoma epidermoide oral OSCC (SCC4, Cal27 e HSC3) foram tratadas com extrato de folha de Neem de CO2 supercrítico altamente puro (SCNE). O tratamento com SCNE inibiu significativamente a proliferação e migração de células OSCC e reduziu a atividade de MMP in vitro, sugerindo seu potencial para inibir o crescimento tumoral e metástase. Os efeitos preventivos de SCNE em xenoenxerto ectópico e 4NQO-1 (4-Nitroquinolina-1-óxido) em modelos de camundongos de OSCC induzidos por carcinógeno também foram avaliados. De fato, camundongos sem timo xenoenxertados mostraram redução significativa dos volumes tumorais. Da mesma forma, o SCNE reduziu significativamente a incidência de displasia da língua no modelo de iniciação

4NQO-1 OSCC. Em ambos os modelos animais de OSCC, o SCNE deprimiu significativamente as citocinas inflamatórias pró-câncer circulantes (secretadas pelo hospedeiro e pelo tumor), incluindo NF-kappaB, COX2, IL-1, IL-6, TNFα e IFNγ. Além disso, o SCNE regulou para baixo a expressão e a atividade de STAT3 e AKT *in vitro*. Também se demonstrou que o componente ativo primário, nimbolida tem atividade anticâncer significativa em xenoenxertos OSCC estabelecidos. Por último, verificou-se que o SCNE induz um fenótipo M1 em macrófagos associados a tumor (TAMS) *in vivo*. Tomados em conjunto, esses dados apoiam fortemente o SCNE como meio de prevenção do OSCC por meio da regulação negativa de cascatas inflamatórias pró-câncer e como uma nova terapia potencial para o OSCC existente (Morris, 2019).

e) Estudos anteriores demonstraram que o receptor de quimocinas CC, CCR5 é regulado para baixo em superfícies de monócitos/macrófagos (MO/Mphi) em pacientes com carcinoma de células escamosas de cabeça e pescoço (CECP) no estágio IIIB. Ligantes (RANTES, MIP-1alfa e MIP-1beta) desse receptor de quimocinas também foram secretados em menor quantidade por MO/Mphi de pacientes com CECP em comparação com indivíduos saudáveis. Com o objetivo de restaurar a sinalização desregulada do receptor-ligante, usamos a glicoproteína da folha do neem (NLGP), um novo imunomodulador. NLGP regulou positivamente a expressão de CCR5, conforme evidenciado a partir de estudos em MO/Mphi de sangue periférico de pacientes com CECP, bem como de indivíduos saudáveis. A expressão de RANTES, MIP-1alfa e MIP-1beta também foi regulada positivamente após tratamento com NLGP dessas células *in vitro*. Curiosamente, o NLGP tem pouco efeito na expressão de CCR5 e do ligante RANTES em células de câncer oral. Esta sinalização do ligante do receptor CCR5 restaurada observada em MO/Mphi foi refletida na migração de MO/Mphi mediada por mitogênio p38 dependente de CCR5, proteína quinase ativada por mitogênio (MAPK) após tratamento com NLGP. O NLGP também induz uma melhor apresentação do antígeno e co-estimulação simultânea para células T efetoras por MO/Mphi pela regulação positiva do antígeno leucocitário humano (HLA)-ABC, CD80 e CD86. Além disso, as células T iniciadas com MO/Mphi tratadas com NLGP podem efetivamente lisar células tumorais in vitro. Os efeitos do NLGP na migração de monócitos e na morte de células tumorais orais mediadas por células T foram ainda demonstrados em ensaios com ou sem neutralização de CCR5. Esses resultados sugerem uma nova abordagem na imunoterapia contra o câncer por meio da modulação dos sinais CCR5 desregulados de MO/Mphi (Chakraborty, 2010).

f) Azadiractina e nimbolida, limonoides do neem, inibem a proliferação celular e induzem apoptose pelas vias intrínseca e extrínseca do câncer oral de cobaia *in vivo* (Kumar, 2010).

g) A glicoproteína (NLGP) da folha de neem induz a morte de células tumorais mediada por perforinas das células T e NK através da regulação diferencial da sinalização de IFNγ e assim o NLGP pode ser eficaz para recuperar as funções citotóxicas suprimidas das células NK e T de pacientes com carcinoma de células escamosas de cabeça e pescoço e imunossuprimidos. Em células KB do câncer oral o NLGP ativa células NK e CTL e provoca a morte destas células. Em células K562 da eritroleucemia a morte se zaf via ativação de NK (Bose, 2009).

h) PI3K ativa GSK-3beta e a nimbolida, limonoide do neem, inibe esta ativação da GSK-3beta pela PI3K no câncer oral de cobaia (Sophia, 2016).

i) Gedunina, limonoides do neem, revoga a aldose redutase e inibe a sinalização PI3K/Akt/mToR/NF-κappaB em modelo de carcinogênese oral de cobaia (Kishore, 2016).

j) Extrato etanólico do neem inibe carcinogênese bucal em cobaia (Subapriya, 2005).

k) Glicoproteína da folha do neem impede a fosforilação do STAT3 e previne evasão imune exercida pelos macrófagos M2 no tumor laringeal (Goswami, 2014).

5. **Câncer de mama**

a) Epoxiazadiradiona (EAD), limonoide do neem, induz apoptose/a noikis em células do câncer triplo negativo MDA-MB-231 ao modular diversos efeitos celulares. EAD induz apoptose mediada por mitocôndria e anoikis (morte celular induzida por desprendimento) em células MDA-MB-231. Além disso, promove a antimigração, inibição da formação de colônias, regulação negativa de MMP-9 e fibronectina, indução de parada da fase G2/M com regulação negativa de ciclina A2/cdk2, interferência no metabolismo celular e inibição do NF-kappa-B. Além disso, uma redução significativa é observada na expressão de EGFR na membrana plasmática e no núcleo após o tratamento com EAD. São relatados aqui pela primeira vez os efeitos celulares, indução de anoikis, interferência metabólica e regulação negativa da expressão de EGFR de membrana/nuclear por EAD (Lakshmi, 2021).

b) Nimbolida modifica o citoesqueleto de actina e provoca inibição do crescimento e metástases do câncer de mama triplo negativo MDA-MB-231. A migração e o estabelecimento de colônias metastáticas requerem modificações dinâmicas do citoesqueleto caracterizadas pela polimerização e despolimerização da actina. Estudos demonstraram ligação molecular direta entre a via de adesão focal da integrina (FAK) e as modificações do citoesqueleto. A nimbolida mostra efeito anticancerígeno promissor em vários tipos de câncer. Neste estudo, demonstrou-se o potencial inibidor de crescimento e metástase da nimbolida em células MDA-MB-231. A nimbolida inibe a proliferação celular, as habilidades migratórias e invasivas destas células e também altera forma das células MDA-MB-231, que está correlacionada com as alterações do citoesqueleto, incluindo a despolimerização da actina. Além disso, a análise revela que os níveis de integrinas αV e β3, ILK, FAK e PAK são regulados para baixo pela nimbolida. Mesmo em células onde Rac1/Cdc42 foi constitutivamente ativado, a nimbolida inibe a formação de estruturas filopodiais. A análise de imunofluorescência da quinase ativada p21 fosforilada (pPAK) mostra expressão reduzida em células tratadas com nimbolida. A nimbolida reduz significativamente a formação de colônias metastáticas no pulmão, fígado e cérebro de camundongos atímicos. Em conclusão, os dados demonstram que a nimbolida inibe o câncer de mama triplo negativo ao alterar a via de sinalização da integrina e da FAK (Arumugam, 2021).

c) Nimbolida regula a autofagia e a apoptose no câncer de mama via epigenética. A autofagia é um regulador crítico da homeostase celular e sua desregulação frequentemente resulta em várias manifestações de doenças, incluindo câncer. A nimbolida, limonoides do nem, provoca apoptose no câncer de mama. Ela inibe significativamente a proliferação celular das células MDA-MB-231(triplo negativo) e MCF-7 (E2 dependente) com valores de IC50 de 1,97 ± 0,24 e 5,04 ± 0,25μM, respectivamente. A nimbolida interrompe de forma marcante a progressão do ciclo celular e a sobrevivência celular com perda do potencial da membrana mitocondrial, reduzindo a expressão de proteínas Bax e concomitantemente induzindo Bax e caspases com modulação da expressão de HDAC-2 e H3K27Ac. Consequentemente, o acúmulo característico de autofagolisossomo foi observado por coloração apropriada. Além disso, a nimbolida induz a sinalização de autofagia pelo aumento de Beclin 1 e LC3B juntamente com a diminuição da expressão das proteínas p62 e mTOR. Assim, os achados implicam que a nimbolida induz a morte celular apoptótica mediada por autofagia no câncer de mama com modificações epigenéticas (Pooladanda, 2018).

d) Nimbinene desacetilado (DAN) inibe o crescimento e metástases do câncer de mama através de mecanismos envolvendo espécies reativas tóxicas de oxigênio (ROS). O acúmulo de ROS tem sido implicado na indução de apoptose e regulação de moléculas de sinalização chave em células cancerosas. DAN inibiu o crescimento de células de câncer de mama induzindo a geração de ROS e juntamente aconteceu, apoptose e diminuição da migração e invasão. DAN leva à perda do potencial da membrana mitocondrial, resultando em morte celular apoptótica dependente da mitocôndria. O aumento da fosforilação da quinase c-Jun-N-terminal (JNK) e a redução da fosforilação de p38 também foram observados em resposta ao tratamento com DAN. A inibição da produção de ROS pela super expressão das enzimas antioxidantes SOD1 e SOD2 reduziu a citotoxicidade induzida por DAN. Além disso, DAN inibiu significativamente a migração e invasão de células de câncer de mama MDA-MB-231. No geral, os dados sugerem que DAN exerce efeito anticâncer no câncer de mama por indução de apoptose mediada por mitocôndrias mediada pelo acúmulo de ROS (Arumugam, 2016).

e) Óleo da semente do neem induz apoptose em células MCF-7 e MDA MB-231 de células do câncer de mama humano. Células MCF-7 e MDA MB-231 foram expostas a várias concentrações de solução etanólica a 2% de óleo de semente de neem (NOS) (1-30μl/ml). NSO dá 50% de inibição na concentração de 10μl/ml e 20μl/ml em células MCF-7 e MDA MB-231, respectivamente, e retém células na fase G0/G1 em ambos os tipos de células. Houve alteração significativa no potencial de membrana mitocondrial que leva à geração de ROS e indução de apoptose em ambas as linhagens. Dessa forma, NSO inibe o crescimento de células de câncer de mama humano por meio da indução de apoptose e parada do ciclo celular na fase G1(Sharma, 2017).

f) Observou-se efeito antiproliferativo nas linhas de células tumorais MCF7 e MDA-MB-231 sem afetar as células normais MCF 10a com doses na faixa dos microgramas do extrato etanólico das folhas de neem (Braga, 2018).

g) Nimbolida induz apoptose em células do câncer de mama MCF-7 e MDA-MB-231 pela via extrínseca e intrínseca (Elumalai, 2012).
h) Extrato de folha de neem aumenta resposta imune Th1antitumoral contra antígenos associados ao tumor de mama MCF-7 (Mandal, 2007).
i) Extrato de folhas de neem induz apoptose em células do câncer de mama do camundongo BALB/v (Othman, 2011).
j) Extrato de folhas de neem inibe a expressão do oncogene c-Myc em células do câncer de mama do camundongo BALB/c (Othman, 2011).
k) Nanopartículas de poli (ácido láctico-co-glicólico) (PLGA) de Neem (Neem-nano) foram formuladas por nano precipitação, caracterizadas por propriedades físico-químicas e selecionadas para potencial anticâncer na mama, MCF-7 e MDA-MB-231. O Neem-nano teve um tamanho de partícula de 183,73 ± 2,22 nm e 221,20 ± 11,03 nm antes e após a liofilização, respectivamente. O Neem-nano exibiu liberação sustentada de Neem por mais de 6 dias em PBS (pH 7,4) apresentou citotoxicidade aumentada de duas a três vezes em linhagens de células de câncer de mama comparado com o Neem livre (Patra, 2019).

6. **Câncer de próstata**
   a) O extrato supercrítico de folhas de neem (SENL) suprime a ação da deidrotestosterona no receptor androgênico e diminui os níveis de PSA. SENL inibiu integrina β1, calreticulina e a ativação da FAK (quinase de adesão focal) em células de câncer de próstata LNCaP-luc2 e PC3. A administração oral de SENL reduz significativamente o crescimento do tumor do xenoenxerto LNCaP-luc2 em camundongos com a formação de tecido tumoral fibroso hialinizado, redução do PSA e aumento nos níveis de AKR1C2. A espectrometria de massa sugeriu que os compostos com atividade citotóxica eram nimbandiol, nimbolida, 2',3'-di-hidronimbolida e 28-desoxonimbolida. A análise de tecido tumoral e amostras de plasma de camundongos tratados com SENL indicou 28-desoxonimbolida e nimbolida como os compostos bioativos. No geral, os dados revelaram os compostos bioativos no SENL e sugeriram que a atividade anticâncer poderia ser mediada pela alteração no receptor de andrógeno e nos níveis de calreticulina no câncer de próstata (Wu, 2014).
   b) O extrato etanólico de neem causa morte celular de células de câncer de próstata (PC-3) induzindo apoptose, como evidenciado por um aumento dependente da dose na fragmentação de DNA e diminuição na viabilidade celular. Estudos de *Western blot* indicaram que o tratamento com extrato de neem mostrou diminuição do nível de Bcl-2, que é uma proteína anti-apoptótica e aumento do nível de proteína Bax, apoptótica (Kumar, 2006).
   c) Nimbolida inibe a proliferação e a sobrevivência de células do câncer de próstata andrógeno-independente ao modular múltiplas vias de sinalização proliferativas. Em células PC-3 a nimbolida suprime a expressão de TNFα, SODD, Grb2, SOS mRNA e modula TNFα/TNFR1/NF-kappaB, assim como a molécula de sinalização MAPK. A nimbolida inibiu a sobrevivência e proliferação das células do câncer de próstata através das vias NF-κB e MAPK Singh, 2016).
   d) Extrato etanólico das folhas de neem induz apoptose e inibição da importante via proliferativa PI3K/Akt em células PC-3 e LNCaP do câncer de próstata humano (Gunadharini, 2011).
   e) A análise dos componentes do extrato etanólico das folhas de neem (EENL) por espectrometria de massa sugere a presença de 2',3'-desidrossalanol, 6-desacetil nimbineno e nimolinona. O tratamento de células de câncer de próstata C4-2B e PC-3M-luc2 com EENL inibe a proliferação celular. O perfil de expressão de todo o genoma, usando *microarrays* de oligonucleotídeos, revela genes diferencialmente expressos com o tratamento EENL em células de câncer de próstata. A análise funcional revelou que a maioria dos genes regulados para cima estavam associados à morte celular e ao metabolismo de drogas e os genes regulados para baixo estavam associados ao ciclo celular, replicação de DNA, recombinação e funções de reparo. A PCR quantitativa confirmou a regulação para cima significativa de 40 genes e o *immunoblotting* revelou aumento nos níveis de expressão da proteína de HMOX1, AKR1C2, AKR1C3 e AKR1B10. O tratamento com EENL inibe o crescimento de xenoenxertos de câncer de próstata C4-2B e PC-3M-luc2 em camundongos sem timo. A supressão do crescimento tumoral está associada à formação de tecido tumoral fibroso hialinizado e à indução da morte celular por apoptose. Estes resultados sugerem que compostos bioativos naturais contendo EENL podem ter propriedades anticâncer potentes e a regulação de múltiplas vias celulares podem exercer efeitos pleiotrópicos na prevenção e tratamento do câncer de próstata (Mahapatra, 2011).

f) Nimbolida na linhagem PC-3 do câncer prostático provoca apoptose alterando moléculas envolvidas na apoptose (Bcl-2, Bax) e diminui a proliferação celular interferindo no IGF-1 e na sinalização PI3K/Akt. O tratamento com nimbolida (0,5-2μM) resulta em 50% de inibição da proliferação a uma dose de 2μM na linha celular PC-3. O tratamento com nimbolida aumenta o mRNA do ligante Fas, FADDR, Bax, Bad e proteína de ligação de IGF 3, diminui PI3K, Akt, IGF1 e IGF1R, aumenta a expressão da proteína das caspases-8, 3, 10, 9, Bax e citocromo c e diminui a expressão de XIAP, Bcl2, PARP clivado, p-Akt e IGF1R. Os resultados sugerem que a nimbolida atua como um potente agente anticâncer induzindo a apoptose e inibindo a proliferação celular pela via PI3K/Akt em células PC-3 (Raja, 2014).

7. **Câncer colorretal**

a) O bloqueio anti-inflamatório é via promissora na prevenção do câncer colorretal (CRC). No entanto, os AINEs, embora eficazes na redução do risco de CRC, são muito tóxicos para uso a longo prazo na prevenção do câncer. A árvore do Neem (*Azadirachta indica*) é rica em terpenoides limonoides que demonstrou ter efeitos antinflamatórios. Células de câncer de cólon humano HCT116 e células HT29 foram tratadas com extrato de neem supercrítico purificado (SCNE) ou o limonoide de neem, nimbolida. O tratamento com SCNE resultou em uma inibição da proliferação dependente da dose e aumento na apoptose. O tratamento com SCNE e nimbolida diminuiu a expressão de fatores de transcrição, STAT3 e NF-κB, que desempenham papel importante na regulação gênica de vários processos celulares. A expressão proteica de COX1, IL-6 e TNFα diminuiu no tratamento com SCNE em células CRC. Ocorreu efeito anti-invasivo pela diminuição da expressão das proteínas MMP2 e MMP9. No geral, esses dados confirmam o efeito anticâncer do SCNE, reduzindo a proliferação celular, inflamação, migração e invasão em células de câncer de cólon humano. Confirmando essas indicações, descobriu-se que o tratamento de camundongos portadores de tumores xenoenxertados com HT29 e HCT116 exibiu notável inibição do crescimento tumoral (Patel, 2018).

b) Linhas celulares de câncer colorretal humano (HCT116 e HT29) foram cultivadas por 48 h na presença de extrato de neem ou nimbolida e avaliadas quanto à inibição do crescimento e evidência de supressão de desacetilação de histona e metilação de DNA (efeitos epigenéticos). Tanto o SCNE quanto a nimbolida suprimiram a proliferação de células cancerígenas do cólon induzindo modificações epigenéticas (Qiu, 2019).

c) Os extratos etanólico e aquoso da folha de Neem (NLEs) foram eficazes na indução de apoptose em células de leucemia e câncer de cólon, após desestabilização da membrana mitocondrial. Além disso, um aumento na produção de espécies reativas de oxigênio (ROS) foi observado em células cancerosas tratadas com NLEs, indicando que o estresse oxidativo pode desempenhar papel no mecanismo de morte celular. Além disso, os resultados in vivo mostraram que o NLE aquoso (administrado por via oral) foi bem tolerado e inibiu o crescimento tumoral de xenoenxertos humanos em camundongos (Roma, 2015).

8. **Câncer gástrico**. Nada encontrado.

9. **Câncer hepático**

Nimbolida induz apoptose em células do carcinoma hepatocelular, *in vitro* e *in vivo*. Nimbolida inibi o crescimento celular em células Huh-7 e PLC/PRF/5. Induz a morte celular através da indução de parada da fase G2/M e disfunção mitocondrial, acompanhada pelo aumento da expressão de caspase-7, caspase-9, caspase-3, caspase, PARP clivada e Bax e diminuição da expressão de Mcl-1 e Bcl-2. A inibição das proteínas da família da apoptose (XIAP, c-IAP1 e c-IAP2) foi um dos principais alvos da nimbolida. Além disso, a nimbolida sustentou a ativação da expressão do ERK. Estudo *in vivo* mostrou que a nimbolida reduz significativamente o crescimento e o peso do tumor Huh-7 em modelo de camundongo com xenoenxerto (Hsueh, 2018).

10. **Câncer de pâncreas**

Nanopartículas de poli (ácido lático-co-glicólico) (PLGA) de Neem (Neem-nano) foram formuladas por nanoprecipitação, caracterizadas por propriedades físico-químicas e selecionadas para potencial em linhas de células de câncer pancreático (AsPC-1). O Neem-nano teve um tamanho de partícula de 183,73 ± 2,22nm e 221,20 ± 11,03nm antes e após a liofilização, respectivamente. O Neem-nano exibiu liberação sustentada de Neem por mais de 6 dias em PBS (pH 7,4) e apresentou citotoxicidade aumentada de duas a três vezes em linhagens de células do câncer pancreático em comparação com Neem livre (Patra, 2019).

11. **Câncer de endométrio**. Nada encontrado.

12. **Câncer de colo de útero**

a) Azadiractina e a nimbolida, dois limonoides do neem, suprimem significativamente a viabilidade das células HeLa de uma maneira dependente da dose ao induzir parada do ciclo celular na fase G0/G1 acompanhada por acúmulo de p21 dependente de p53 e regulação para baixo das proteínas reguladoras do ciclo celular ciclina B, ciclina D1 e PCNA. Mudanças características na morfologia nuclear, presença de pico subdiploide e coloração com anexina-V apontaram para apoptose como o modo de morte celular. O aumento da geração de espécies reativas de oxigênio com declínio no potencial transmembrana mitocondrial e liberação de citocromo c confirmou que os limonoides do neem promoveram apoptose através da via mitocondrial. A expressão alterada da família de proteínas Bcl-2, a inibição da ativação de NF-kappaB e a superexpressão de caspases com queda da survivina fornecem evidências convincentes de que azadiractina e nimbolida induzem uma mudança de equilíbrio em direção a um fenótipo pró-apoptótico (Priyadarsini, 2010).

b) Células dendríticas derivadas de mieloides (DCs) geradas a partir de monócitos obtidos de pacientes com câncer cervical em estágio IIIB (CaCx IIIB) mostram maturação disfuncional das células T antitumorais. Uma glicoproteína da folha do neem (NLGP) induz a maturação de células dendríticas de pacientes com CaCx IIIB. O tratamento in vitro de NLGP de DCs imaturos (iDCs) obtidos de pacientes CaCx IIIB resulta na expressão regulada positivamente de vários marcadores de superfície celular (CD40, CD83, CD80, CD86 e HLA-ABC), o que indica maturação de DC. Consequentemente, as DCs maturadas com NLGP exibem secreções de citocinas balanceadas, com viés do tipo 1 e propriedades funcionais notáveis. Estas DCs exibiram capacidade estimuladora substancial de células T e promoveram a geração de linfócitos T citotóxicos (CTLs). Embora as DCs maturadas com NLGP derivadas de monócitos CaCx sejam geralmente subjugadas em comparação com aqueles com uma origem de monócitos saudáveis, um renascimento considerável das funções imunológicas baseadas em DC suprimidas é observado *in vitro* em um estágio bastante avançado de CaCx. Além disso, a eficácia de maturação de DC do NLGP pode ser muito mais eficaz nos estágios iniciais do CaCx, onde a extensão da desregulação imunológica é menor (Roy, 2011).

c) Epoxiazadiradiona purificada da semente do neem induz apoptose mitocondrial e inibição da translocação do NF-kappa em células do câncer cervical humano (Shilpa, 2017).

d) Extrato etanólico da folha do neem previne o crescimento das células HeLa e MCF-7 e potencializa o efeito da cisplatina (Sharma, 2014).

e) Extratos da *Azadirachta indica*, *Curcuma longa*, *Ocimum sanctum* e *Zigiber officinale* possuem efeito anticâncer em células HeLa (Shukla, 2016).

13. **Câncer de ovário**

a) Gedunina, um extrato da árvore neem, foi testada em linhagens de células de câncer de ovário SKOV3, OVCAR4 e OVCAR8, sozinha e na presença de cisplatina. O tratamento *in vitro* de linhagens de células de câncer de ovário com gedunina sozinha produziu uma diminuição até de 80% na proliferação celular. A análise bioinformática da sensibilidade integrada da gedunina e dados de expressão gênica identificou 52 genes envolvidos em funções moleculares relacionadas ao controle do ciclo celular, carcinogênese, metabolismo lipídico e transporte molecular (Kamath, 2009).

b) Em células humanas de carcinoma embrionário (NTERA-2, um modelo de células-tronco de câncer) a gedunina inibe a expressão de HSP90 e regula para cima o Bax e p53. O efeito pró-apoptótico da gedunina foi confirmado pelas alterações morfológicas associadas à apoptose pela fragmentação do DNA e pelo aumento da atividade enzimática da caspase 3/7 (Tharmarajah, 2017).

c) Gedunina inativa a Hsp90 co-chaperona p23 in vitro. Além disso, o complexo gedunin-p23 provoca efeito letal do nas células cancerígenas do ovário via aumento da clivagem da caspase-7 que leva a um aumento da morte celular apoptótica (Patwardhan, 2013).

14. **Linfoma de Hodgkin**. Nada encontrado

15. **Linfoma não Hodgkin**

a) Nimbolida induz morte celular no linfoma de células T via apoptose e alteração do metabolismo. Os resultados do autor mostraram a ação citotóxica da nimbolida contra três linhas celulares diferentes de linfoma de células T, a saber, linfoma de Dalton, HuT-78 e J6. Apoptose induzida por nimbolida em células de linfoma T é devido ao aumento de espécies reativas de oxigênio, p53, Bcl2, citocromo c, com subsequente clivagem da caspase 3 e diminuição do Bax. Notavelmente, a nimbolida inibiu a expressão do HIF-1alfa (fator-1α indutível por hipóxia), GLUT-3 (transportador de glicose 3), HKII (hexoquinase II) e PDK-1 (piruvato desidrogenase quinase 1), que levou à supressão da glicólise com ativação concomitante da fosforilação oxidativa. Portanto, os resultados da presente investigação demonstram que a nimbolida exerce atividade tumorocida contra as células do linfoma T via aumento da apoptose e reversão do metabolismo celular alterado. Assim, este estudo fornece nova visão para a utilização terapêutica da nimbolida contra o linfoma de células T (Jaiswara, 2021).

Conclusão

Neem, árvore grande que esconde grandes segredos do tratamento, da prevenção e da manutenção da saúde há 4000 anos. Mais uma planta ajudando o homem a permanecer vivo, trabalhando e amando no pequeno planeta.

Referências

1. Abdel Moneim A. E. Azadirachta indica attenuates cisplatin-induced neurotoxicity in rats. Indian Journal of Pharmacology. 2014;46(3):316–321.
2. Akin-Osanaiya B. C., Nok A. J., Ibrahim S., et al. Antimalarial effect of Neem leaf and Neem stem bark extracts on plasmodium berghei infected in the pathology and treatment of malaria. International Journal of Research in Biochemistry and Biophysics. 2013;3(1):7–14.
3. Akudugu J, Gäde G, Böhm L. Cytotoxicity of azadirachtin A in human glioblastoma cell lines. Life Sci. 2001 Jan 26;68(10):1153-60.
4. Alzohairy MA. Therapeutics Role of Azadirachta indica (Neem) and Their Active Constituents in Diseases Prevention and Treatment. Evid Based Complement Alternat Med. 2016; 2016:7382506.
5. Arumugam A, Subramani R, Nandy S, et al. Desacetyl nimbinene inhibits breast cancer growth and metastasis through reactive oxygen species mediated mechanisms.Tumour Biol. 2016 May;37(5): 6527-37.
6. Arumugam A, Subramani R, Lakshmanaswamy R. Involvement of actin cytoskeletal modifications in the inhibition of triple negative breast cancer growth and metastasis by nimbolide. Mol Ther Oncolytics. 2021 Feb 24;20:596-606.
7. Badam L., Joshi S. P., Bedekar S. S. 'In vitro' antiviral activity of neem (Azadirachta indica. A. Juss) leaf extract against group B coxsackieviruses. Journal of Communicable Diseases. 1999;31(2):79–90.
8. Bandyopadhyay U, Kaushik Biswas, Arnab Sengupta, et al. Clinical studies on the effect of Neem (Azadirachta indica) bark extract on gastric secretion and gastroduodenal ulcer Life Sci. 2004 Oct 29; 75(24):2867-78.
9. Biswas K., Chattopadhyay I., Banerjee R. K., Bandyopadhyay U. Biological activities and medicinal properties of neem (Azadirachta indica) Current Science. 2002;82(11):1336–1345.
10. Blum FC, Singh J, Merrell DS. In vitro activity of neem (Azadirachta indica) oil extract against Helicobacter pylori. J Ethnopharmacol. 2019 Mar 25;232:236-243.
11. Bose A, Chakraborty K, Sarkar K, et al. Neem leaf glycoprotein induces perforin-mediated tumor cell killing by T and NK cells through differential regulation of IFNgamma signaling. Immunother. 2009 Jan;32(1):42-53.
12. Braga DL, Mota STS, Zóia MAP, et al. Ethanolic Extracts from Azadirachta indica Leaves Modulate Transcriptional Levels of Hormone Receptor Variant in Breast Cancer Cell Lines. Int J Mol Sci. 2018 Jun 26;19(7):1879.
13. Brahmachari G. Neem--an omnipotent plant: a retrospection. Chembiochem. 2004 Apr 2;5(4): 408-21.
14. Brasil, R. B. Aspectos botânicos, usos tradicionais e potencialidades de Azadirachta indica (Neem). Enciclopédia Biosfera, 2013, 9(17):3252-3258.
15. Chakraborty K, Bose A, Chakraborty T, et al. Restoration of dysregulated CC chemokine signaling for monocyte/macrophage chemotaxis in head and neck squamous cell carcinoma patients by neem leaf glycoprotein maximizes tumor cell cytotoxicity. Cell Mol Immunol. 2010 Sep;7(5):396-408.
16. Del Serrone P, Toniolo C, Nicoletti MNeem (Azadirachta indica A. Juss) Oil to Tackle Enteropathogenic Escherichia coli.. Biomed Res Int. 2015;2015:343610.
17. Elumalai P, Gunadharini DN, Senthilkumar K, et al. Induction of apoptosis in human breast cancer cells by nimbolide through extrinsic and intrinsic pathway. Toxicol Lett. 2012 Nov 30;215(2): 131-42.
18. Gorantla NV, Das R, Mulani FA,et al. Neem Derivatives Inhibits Tau Aggregation. J Alzheimers Dis Rep. 2019 Jun 14;3(1):169-178.
19. Goswami KK, Barik S, Sarkar M, et al. Targeting STAT3 phosphorylation by neem leaf glycoprotein prevents immune evasion exerted by supraglottic laryngeal tumor induced M2 macrophages. Mol Immunol. 2014 Jun;59(2):119-27.
20. Gunadharini DN, Elumalai P, Arunkumar R, et al. Induction of apoptosis and inhibition of PI3K/Akt pathway in PC-3 and LNCaP prostate cancer cells by ethanolic neem leaf extract. J Ethnopharmacol. 2011 Apr 12;134(3):644-50.
21. Gupta SC, Prasad S, Tyagi AK, Aggarwal BB. Neem (Azadirachta indica): An indian traditional panacea with modern molecular basis. Phytomedicine. 2017 Oct 15;34:14-20.
22. Hao F, Kumar S, Yadav N, Chandra D. Neem components as potential agents for cancer prevention and treatment. Biochim Biophys Acta. 2014 Aug;1846(1):247-57.
23. Hsueh KC, Lin CL, Tung JN,et al. Nimbolide induced apoptosis by activating ERK-mediated inhibition of c-IAP1 expression in human hepatocellular carcinoma cells. Environ Toxicol. 2018 Sep;33(9): 913-922.
24. Jaiswara PK , Vishal Kumar Gupta , Pratishtha Sonker, et al. Nimbolide induces cell death in T lymphoma cells: Implication of altered apoptosis and glucose metabolismo. Environ Toxicol Apr; 36(4):628-641, 2021.
25. Joy Sinha D, D S Nandha K, Jaiswal N. Antibacterial Effect of Azadirachta indica (Neem) or Curcuma longa (Turmeric) against Enterococcus faecalis Compared with That of 5% Sodium Hypochlorite or 2% Chlorhexidine in vitro. Bull Tokyo Dent Coll. 2017;58(2): 103-109.
26. Kamath SG, Chen N, Xiong Y, Gedunin, a novel natural substance, inhibits ovarian cancer cell proliferation. Int J Gynecol Cancer. 2009 Dec;19(9):1564-9.
27. Karkare S , Rishi Raj Chhipa, Jane Anderson, et al. Direct inhibition of retinoblastoma phosphorylation by nimbolide causes cell-cycle arrest and suppresses glioblastoma growth. Clin Cancer Res. 2014 Jan 1;20(1):199-212.
28. Kishore T KK, Ganugula R, Gade DR, et al. Gedunin abrogates aldose reductase, PI3K/Akt/mToR, and NF-κB signaling pathways to inhibit angiogenesis in a hamster model of oral carcinogenesis. Tumour Biol. 2016 Feb;37(2):2083-93.

29. Krishnan NM, Katoh H, Palve V, et al.Functional genomics screen with pooled shRNA library and gene expression profiling with extracts of Azadirachta indica identify potential pathways for therapeutic targets in head and neck squamous cell carcinoma. PeerJ. 2019 Mar 1;7:e6464.
30. Kumar H G, Vidya Priyadarsini R, Vinothini G, et al. The neem limonoids azadirachtin and nimbolide inhibit cell proliferation and induce apoptosis in an animal model of oral oncogenesis. Invest New Drugs. 2010 Aug;28(4):392-401.
31. Kumar S, Suresh PK, Vijayababu MR, et al Anticancer effects of ethanolic neem leaf extract on prostate cancer cell line (PC-3).J Ethnopharmacol. 2006 Apr 21;105(1-2):246-50.
32. Lakshmi S, Renjitha J, B Sasidhar S, Priya S. Epoxyazadiradione induced apoptosis/anoikis in triple-negative breast cancer cells, MDA-MB-231, by modulating diverse cellular effects. J Biochem Mol Toxicol. 2021 Jun;35(6):1-17.
33. Mahapatra S, Karnes RJ, Holmes MWNovel molecular targets of Azadirachta indica associated with inhibition of tumor growth in prostate cancer. AAPS J. 2011 Sep;13(3):365-77.
34. Mandal-Ghosh I, Chattopadhyay U, Baral R. Neem leaf preparation enhances Th1 type immune response and anti-tumor immunity against breast tumor associated antigen. Cancer Immun. 2007 Mar 30;7:8.
35. Mbah AU, Udeinya IJ, Shu EN, et al. Fractionated neem leaf extract is safe and increases CD4+ cell levels in HIV/AIDS patients. Am J Ther. 2007 Jul-Aug;14(4):369-74.
36. Moga MA, Andreea Bălan , Costin Vlad Anastasiu, et al. An Overview on the Anticancer Activity of Azadirachta indica (Neem) in Gynecological Cancers Int J Mol Sci, 2018 Dec 5;19(12):3898.
37. Morris J, Gonzales CB, De La Chapa JJ, et al. The Highly Pure Neem Leaf Extract, SCNE, Inhibits Tumorigenesis in Oral Squamous Cell Carcinoma via Disruption of Pro-tumor Inflammatory Cytokines and Cell Signaling. Front Oncol. 2019 Sep 13;9:890.
38. Nguta JM, Appiah-Opong R, Nyarko AK, et al. Medicinal plants used to treat TB in Ghana.. Int J Mycobacteriol. 2015 Jun;4(2): 116-23.
39. Othman F, Motalleb G, Lam Tsuey Peng S, et al. Extract of Azadirachta indica (Neem) Leaf Induces Apoptosis in 4T1 Breast Cancer BALB/c Mice. Cell J. 2011 Summer;13(2):107-16.
40. Othman F, Motalleb G, Lam Tsuey Peng S, et al. Effect of Neem Leaf Extract (Azadirachta indica) on c-Myc Oncogene Expression in 4T1 Breast Cancer Cells of BALB/c Mice Cell J. 2012 Spring;14(1): 53-60.
41. Patel MJ, Tripathy S, Mukhopadhyay KD, et al. A supercritical CO(2) extract of neem leaf (A. indica) and its bioactive liminoid, nimbolide, suppresses colon cancer in preclinical models by modulating pro-inflammatory pathways. Mol Carcinog. 2018 Sep;57(9):1156-1165.
42. Patwardhan C.A., Fauq A., Peterson L.B., et al. Gedunin inactivates the co-chaperone p23 causing cancer cell death by apoptosis. J. Biol. Chem. 2013:1–26.
3. Patra A, Satpathy S, Hussain MD. Nanodelivery and anticancer effect of a limonoid, nimbolide, in breast and pancreatic cancer cells. Int J Nanomedicine. 2019 Oct 7;14:8095-8104.
. Pooladanda V, Bandi S, Mondi SR, et al. Toxicol In Vitro. 2018 Sep;51:114-128. Nimbolide epigenetically regulates autophagy and apoptosis in breast cancer.
Priyadarsini RV, Murugan RS, Sripriya P,et al. The neem limonoids azadirachtin and nimbolide induce cell cycle arrest and mitochondria-mediated apoptosis in human cervical cancer (HeLa) cells. Free Radic Res. 2010 Jun;44(6):624-34.
46. Qiu Z, Andrijauskaite K, Morris J, Wargovich MJDisruption of Epigenetic Silencing in Human Colon Cancer Cells Lines Utilizing a Novel Supercritical CO(2) Extract of Neem Leaf (Azadirachta indica). Anticancer Res. 2019 Oct;39(10):5473-5481.
47. Rai V, Aggarwal SK, Verma SS, et al. Epoxyazadiradione exhibit activities in head and neck squamous cell carcinoma by targeting multiple pathways. Apoptosis. 2020 Oct;25(9-10):763-782.
48. Raja Singh P, Arunkumar R, Sivakamasundari V, et al. Anti-proliferative and apoptosis inducing effect of nimbolide by altering molecules involved in apoptosis and IGF signalling via PI3K/Akt in prostate cancer (PC-3) cell line. Cell Biochem Funct. 2014 Apr;32(3):217-28.
49. Roy S, Goswami S, Bose A, et al. Neem leaf glycoprotein partially rectifies suppressed dendritic cell functions and associated T cell efficacy in patients with stage IIIB cervical cancer. Clin Vaccine Immunol. 2011 Apr;18(4):571-9.
50. Roma A, Ovadje P, Steckle M, et al. Selective Induction of Apoptosis by Azadarichta indica Leaf Extract by Targeting Oxidative Vulnerabilities in Human Cancer Cells. J Pharm Pharm Sci. 2015;18(4): 729-46.
51. Sandhir R, Khurana M, Singhal NK. Potential benefits of phytochemicals from Azadirachta indica against neurological disorders. Neurochem Int. 2021 Jun;146:105023.
52. Sarmiento W. C., Maramba C. C., Gonzales M. L. M. An in vitro study on the antibacterial effect of neem (Azadirachta indica) leaf extracts on methicillin-sensitive and methicillin-resistant Staphylococcus aureus . PIDSP Journal. 2011;12(1):40–45.
53. Singh PR, Priya ES, Balakrishnan S, et al. J.Biomed Pharmacother. 2016 Dec;84:1623-1634.
54. Sharma R, Kaushik S, Shyam H, et al. Neem Seed Oil Induces Apoptosis in MCF-7 and MDA MB-231 Human Breast Cancer Cells. Asian Pac J Cancer Prev. 2017 Aug 27;18(8):2135-2140.
55. Sharma C, Vas AJ, Goala P,et al. Ethanolic Neem (Azadirachta indica) Leaf Extract Prevents Growth of MCF-7 and HeLa Cells and Potentiates the Therapeutic Index of Cisplatin.J Oncol. 2014;2014: 321754.
56. Shilpa G, Renjitha J, Saranga R, et al. Epoxyazadiradione Purified from the Azadirachta indica Seed Induced Mitochondrial Apoptosis and Inhibition of NFkappaB Nuclear Translocation in Human Cervical Cancer Cells. Phytother Res. 2017 Dec;31(12):1892-1902.
57. Shrivastava D. K., Swarnkar K. Antifungal activity of leaf extract of neem (Azadirachta indica Linn) International Journal of Current Microbiology and Applied Sciences. 2014;3(5):305–308.
58. Shukla D.P., Shah K.P., Rawal R.M., Jain N.K. Anticancer and Cytotoxic Potential of Turmeric (Curcuma longa), Neem (), Tulasi (Ocimum sanctum) and Ginger (Zingiber officinale) Extracts on HeLa Cell line. Int. J. Life Sci. Sci. Res. 2016;2:309–315.
59. Sophia J, Kiran Kishore T K, Kowshik J, et al. Nimbolide, a neem limonoid inhibits Phosphatidyl Inositol-3 Kinase to activate Glycogen Synthase Kinase-3beta in a hamster model of oral oncogenesis. Sci Rep. 2016 Feb 23;6:22192.
60. Sophia J, Kowshik J, Dwivedi A, et al. Nimbolide, a neem limonoid inhibits cytoprotective autophagy to activate apoptosis via modulation of the PI3K/Akt/GSK-3beta signalling pathway in oral cancer. Cell Death Dis. 2018 Oct 23;9(11):1087.
61. Subapriya R, Nagini S. Medicinal properties of neem leaves: a review. Curr Med Chem Anticancer Agents. 2005 Mar;5(2):149-6.
62. Subapriya R, Bhuvaneswari V, Ramesh V, Nagini S. Ethanolic leaf extract of neem (Azadirachta indica) inhibits buccal pouch carcinogenesis in hamsters. Cell Biochem Funct. 2005 Jul-Aug;23(4):229-38.

63. Tiwari V., Darmani N. A., Yue B. Y. J. T., Shukla D. In vitro antiviral activity of neem (Azardirachta indica L.) bark extract against herpes simplex virus type-1 infection. Phytotherapy Research. 2010; 24(8):1132–1140.
64. Tiwari R., Verma A.K., Chakraborty S., Dhama K., Vir Singh S. Neem (Azadirachta indica) and its potential for safeguarding health of animals and humans: A review. J. Biol. Sci. 2014;14:110–123.
65. Tharmarajah L., Samarakoon S.R., Ediriweera M.K., et al. In Vitro Anticancer Effect of Gedunin on Human Teratocarcinomal (NTERA-2) Cancer Stem-Like Cells. BioMed. Res. Int. 2017;2017.
66. Udeinya IJ, Mbah AU, Chijioke CP, Shu EN. An antimalarial extract from neem leaves is antiretroviral. Trans R Soc Trop Med Hyg. 2004 Jul;98(7):435-7.
67. Yadav DK, Bharitkar YP, Chatterjee K, et al. Importance of Neem Leaf: An insight into its role in combating diseases. Indian J Exp Biol. 2016 Nov;54(11):708-18.
68. Wylie MR, Windham IH, Blum FC, et al. In vitro antibacterial activity of nimbolide against Helicobacter pylori. Ethnopharmacol. 2022 Mar 1;285:114828.
69. Wu Q, Kohli M, Bergen HR 3rd, et al. Preclinical evaluation of the supercritical extract of azadirachta indica (neem) leaves in vitro and in vivo on inhibition of prostate cancer tumor growth. Mol Cancer Ther. 2014 May;13(5):1067-77.

CAPÍTULO 99

Nerium oleander – oleandro: de uma bela planta de jardim a agente anticâncer

José de Felippe Junior

Em 1960, o médico de nacionalidade turca, Huseyin Z. Ozel, começou a estudar as propriedades do *Nerium oleander* como agente anticâncer, porque na medicina tradicional do seu país o oleandro se mostrava eficaz em alguns casos de leucemia. O Dr. Ozel desenvolveu extratos da referida planta e a patenteou em vários países com o nome Anvirzel.

O oleandro, *Nerium oleander*, da família Apocynaceae, é também conhecido como espirradeira, loendro, loandro, loandro-da-índia, loureiro-rosa, adelfa, cevadilha ou flor-de-São-José. Essa planta ornamental é originária do Norte da África, do Leste do Mediterrâneo e do Sul da Ásia. É muito comum em Portugal e no Brasil, quer espontânea quer cultivada.

De manutenção fácil e flores vistosas, essa planta, muito comum em nosso país, é extremamente tóxica, porque possui, entre outros, efeitos semelhantes aos digitálicos.

Todas as partes da planta são tóxicas. Os sintomas da intoxicação, que podem aparecer várias horas depois da ingestão, são dores abdominais, pulsação lenta e irregular, pupilas dilatadas, diarreia sanguinolenta, vertigem, sonolência, dispneia, irritação da boca, náuseas, vômitos, convulsões, coma e morte. Pode cursar com hiperpotassemia.

***Nerium oleander* – Flor de São José**

No organismo o princípio ativo da planta, oleandrina, transforma-se em aglicona e oleandrigenina.

Como sempre acontece, o extrato da planta inteira é mais eficaz do que o princípio ativo e, importante, ultrapassa a barreira hematoencefálica.

A oleandrina de peso molecular 576,7g/mol e fórmula $C_{32}H_{48}O_9$ também é chamada de OLEANDRIN; Foliandrin; Folinerin; Neriostene; Neriolin; Oleandrina. Nome químico: [(3S,5R,8R,9S,10S,13R,14S,16S,17R)-14-hydroxy-3-[(2R,4S,5S,6S)-5-hydroxy-4-methoxy-6-methyloxan-2-yl]oxy-10,13-dimethyl-17-(5-oxo-2H-furan-3-yl)-1,2,3,4,5,6,7,8,9,11,12,15,16,17-tetradecahydrocyclopenta[a]phenanthren-16-yl] acetate. A molécula doa 2 e é aceptora de 9 elétrons.

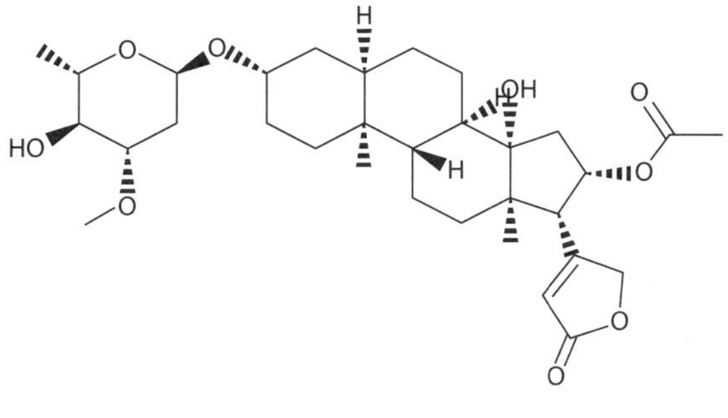

Oleandrina

Alvos moleculares no câncer. Cada linha um trabalho

1. Efeito antiviral: hepatites B e C, HIV e outros vírus.
2. Fungicida.
3. *Nerium oleander*: antivírus e anticâncer.

4. O extrato de *Nerium oleander* é eficaz no câncer humano, mas não no murino. Lembrar que os ratos possuem 70 CYPs e os homens apenas 1/3 das CYPs dos ratos e camundongos. Esses roedores são, portanto, resistentes aos efeitos tóxicos de uma planta da Natureza, talvez adquirida na evolução desses diabos.
5. Inibe a bomba Na^+-K^+-ATPase, de modo semelhante aos digitálicos. O aumento da expressão dessa bomba no câncer aumenta os níveis citoplasmáticos de glutationa, poderoso agente redutor e, portanto, proliferativo, ao lado de retardar a liberação de citocromo c e a ativação das caspases inibindo a apoptose, isto é, o aumento da expressão dessa bomba aumenta os mecanismos de sobrevivência celular.
6. Oleandrin é eficaz nas neoplasias com alta expressão da bomba Na^+-K^+-ATPase como as células do glioma HF U251 e U251 e as células BRO do melanoma e mais 12 tipos de tumores.
7. Oleandrin provoca estresse oxidativo em células BRO do melanoma. N-acetilcisteína abole o efeito.
8. Morte autofágica no câncer de pâncreas. Em concentrações nanomolares inibe a proliferação associada à profunda inibição do ciclo celular que para em G2/M. Cruciais são a inibição da formação da proteína Akt e o aumento da proteína ERK na diminuição da proliferação celular. Não ocorre apoptose.
9. Inibe o FGF-2 (*fibroblast growth factor-2*) interagindo com a bomba Na^+-K^+-ATPase na membrana e inibe o crescimento no câncer de próstata, linhagem celular PC3 e DU145.
10. Oleandrin aumenta a geração de radical superóxido mitocondrial, diminui a concentração de GSH intracelular e inibe a proliferação do melanoma.
11. Aumenta o efeito da radioterapia via ativação da caspase-3.
12. Aumenta a liberação de caspase-3: apoptose.
13. Diminui os níveis da p-glicoproteína na membrana celular, sendo útil nos cânceres MDR, resistente a múltiplas drogas.
14. Inibe as leucemias HL-60 e K562.
15. Inibe as células do melanoma humano, mas não do melanoma do rato.
16. Estimula o aumento do cálcio intracelular e provoca apoptose no câncer de próstata hormônio independente.
17. Extrato aquoso gelado das folhas bloqueia o ciclo celular na fase G2/M ou S em células dos tumores de mama.
18. Inibe NF-kappaB.
19. Inibe AKT, FGF-2, NF-kappaB e p70S6K.
20. Oleandrin inibe NF-kappaB, AP-1, Fas, ERK, Akt, FGF-1.
21. Diminui a atividade do mTOR.
22. Oleandrin inibe o fator de transcrição nuclear NF-kappaB, o ativador da proteína-1 (AP-1) e o c-Jun NH2-terminal quinase.
23. Oleandrin induz apoptose nos tumores humanos, mas não nos murinos via Akt, alteração da fluidez de membrana e aumento da expressão do receptor da morte, FasL.
24. *Nerium oleander* provoca efeitos benéficos no tratamento do câncer avançado como inibidor do AKT, FGF-2, NF-kappaB e p70S6K.
25. *Nerium oleander* possui cardenolide monoglicosídico com propriedades anticâncer.
26. *Nerium oleander*. Teste de citotoxicidade em 57 linhagens de células com os glicosídeos cardenolide e flavonoides.
27. Oleandrin aumenta a expressão do receptor da morte Fas e potencia a apoptose em células tumorais, mas não nas células normais.
28. Efeitos citotóxicos de extrato das folhas, caule e raiz na leucemia HL60 e K562 – papel da p-glicoproteína.
29. Câncer de mama tratado com *Nerium oleander*.
30. Carcinoma gástrico com metástases para vários órgãos e invasão dos órgãos vizinhos tratada com extrato de *Nerium oleander*.
31. Câncer de pâncreas tratado com *Nerium oleander*.
32. Câncer de próstata tratado com *Nerium oleander*.
33. Linfoma de Hodgkin tratado com *Nerium oleander*.
34. Linfoma maligno pulmonar tratado com *Nerium oleander*.
35. Mesotelioma de pulmão tratado com *Nerium oleander*.
36. Tumor cerebral tratado com *Nerium oleander*.
37. Interessante: HDL-colesterol aumenta com extrato etanólico de flores de *Nerium oleander*.

Referência

Site www.medicinabiomolecular.com.br. Resumos e trabalhos na íntegra.

CAPÍTULO 100

Niclosamida: de anti-helmíntico a poderoso antineoplásico

José de Felippe Junior

Niclosamida: droga antiga com efeito moderno em doença antiga. **JFJ**

Niclosamida antiproliferativo em células neoplásicas e células-tronco, sem interferir nas células normais. **JFJ**

A niclosamida é um anti-helmíntico que inibe o mTORC1, NF-KappaB, STAT3 e ativa a via Notch. É eficaz em células neoplásicas e células-tronco e, importante, não interfere com as células normais. Entretanto, o mais importante é que a niclosamida bloqueia a importante via proliferativa de sobrevivência neoplásica, a via de sinalização Wnt/beta-catenina.

A via Wnt é um sistema conservado da evolução da espécie que possui função primordial durante o desenvolvimento nas fases iniciais da vida. Possui relevado papel no desenvolvimento embrionário como proliferação celular, diferenciação, apoptose e interação mesenquimo epitelial. Quando superativa, esta via de sinalização se envolve na proliferação celular neoplásica como mecanismo de sobrevivência antigo utilizado nas situações de células em sofrimento, por exemplo por metais tóxicos ou agentes biológicos.

A via Wnt canônica regula a estabilidade da beta-catenina destruindo um complexo contendo várias proteínas, incluindo a glicogênio sintase quinase-3-beta (GSK-3-beta) e a axina, que promovem degradação da beta-catenina proteossomal.

A ativação da via de sinalização Wnt promove aumento da proliferação celular e inibição da apoptose. A ativação da via Wnt/beta-catenina estabiliza a beta-catenina do citoplasma, entra no núcleo e ativa os genes Wnt, sendo um dos eventos mais conhecidos na proliferação neoplásica e presente em vários tipos de tumores sólidos. A via Wnt inibe o FOXO3 e impede a morte celular programada, ao lado de inibir a via Notch supressora tumoral.

A niclosamida exibe efeito anticâncer em diferentes tipos de tumores, incluindo o câncer de mama, próstata, cólon, ovário, gliomas, carcinoma hepatocelular, osteossarcoma, leucemias, neuroendócrino e até adrenocortical. Interfere nas células neoplásicas e células-tronco sem atingir as células normais. Atenua a autofagia peritumoral e dificulta a provisão de alimentos para as células neoplásicas em franca proliferação. No câncer colorretal está expressa em até 80% dos casos.

A niclosamida provoca estresse do retículo endoplasmático e provoca marcante apoptose em vários tipos de câncer, incluindo mama, hepatocarcinoma, tumor neuroectodérmico, cólon, carcinoma epidermoide de esôfago e células HeLa do câncer cervical uterino.

A niclosamida possui a fórmula $C_{13}H_{8}CI_{2}N_{2}O_{4}$, de peso molecular 327,1g/mol, também chamado: Niclosamide; 50-65-7; Niclocide; 5-Chloro-N-(2-chloro-4-nitrophenyl)-2-hydroxybenzamide; Fenasal e Phenasal. Nome químico: 5-chloro-N-(2-chloro-4-nitrophenyl)-2-hydroxybenzamide. Doa 2 e pode retirar 4 elétrons.

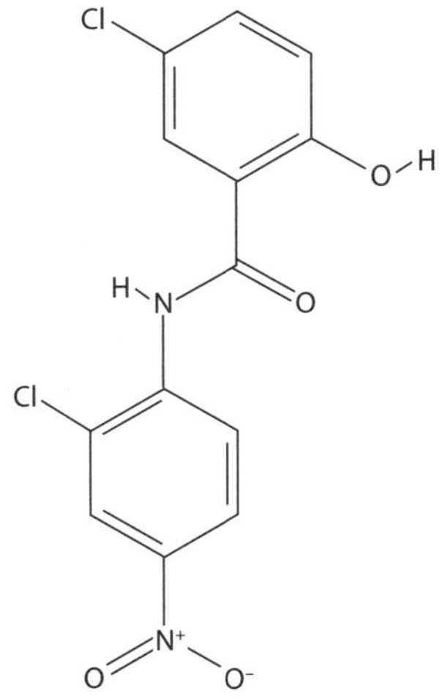

Niclosamida

Encontra-se a niclosamida em comprimidos de 500mg. Na teníase do adulto, a dose é de 4cps. Tomar 2 cps e após 1 hora repetir. É cauteloso repetir a dose em 7 dias.

Em ratos diminui drasticamente o volume tumoral do câncer de mama humano implantado no subcutâneo, quando administrada no peritônio, 5 dias por semana durante 8 semanas.

Alvos moleculares no câncer: cada linha um estudo

1. Entre 300 substâncias inibidoras do HIF-1, a niclosamida ficou entre as quatro mais potentes, ao lado do trametinibe, micofenolato e mofetil. Ocorre diminuição da proliferação e da angiogênese.
2. É ativa em vários tipos de câncer. Mecanismos moleculares: inibe Wnt/beta-catenina, mTORC1, STAT3, NF-kappaB, ativa a via de sinalização Notch, atinge mitocôndrias e induz inibição da proliferação e aumento da apoptose. É eficaz nas células neoplásicas e nas células-tronco e não interfere com as células normais.
3. Acidifica o citoplasma por possuir atividade próton ofórica que transfere prótons dos lisossomos para o citoplasma a favor de gradiente de concentração.
4. Inibe mTORC1por acidificar o citoplasma.
5. Niclosamida não inibe a via PI3K/Akt.
6. Niclosamida aumenta o acúmulo nuclear de ATF3 (*activating transcription factor 3*) e CHOP (CCAAT/*enhancer-binding protein-homologous protein*). Esses dois são fatores de transcrição da via PERK reguladora da transcrição gênica que aumentam a proliferação mitótica.
7. **Glioblastoma multiforme**
   a) Efeito citostático, citotóxico, antimigratório e reduz fortemente a autorrenovação das células-tronco *in vitro* e *in vivo*. A niclosamida simultaneamente inibe a cascata de sinais WNT/CTNNB1, NOTCH, mTOR e NF-kappaB.
   b) Efeito sinérgico com a temozolamida.
8. **Câncer de cabeça e pescoço**
   Niclosamida diminui a proliferação do carcinoma epidermoide de cabeça e pescoço.
9. **Câncer de pulmão**
   Aumenta a morte celular por meio do eixo p38-MAPK-c-Jun mediada por radicais livres de oxigênio em células do câncer de pulmão, H1299.
10. **Câncer de mama**
   a) O estresse do retículo endoplasmático (RE) pode induzir apoptose ou morte celular no câncer de mama.
   b) Marcante apoptose via super-regulação do ATF3 e estresse do RE.
   c) Niclosamida suprime o crescimento das células neoplásicas MDA-MB-231 e T-47D do câncer de mama humano induzindo a degradação do co-receptor LRP6 do Wnt e inibindo a via Wnt/beta-catenina.
   d) É eficaz no câncer de mama *basal-like*, rico em células-tronco.
   Cânceres de mama *basal-like* são pobremente diferenciados e de comportamento altamente proliferativo. Eles se tornam resistentes aos citotóxicos e as recidivas são atribuídas à presença de células-tronco. A niclosamida inibe a via Wnt/beta-catenina degradando o LRP6. Ocorre diminuição da aldeído desidrogenase, marcador da presença de células-tronco.
   e) Induz apoptose, impede metástases e reduz células imunossupressoras em modelo de câncer de mama. Provoca dramática inibição do crescimento e induz apoptose na linhagem 4T1 de modo dose-dependente via clivagem da caspase-3 e diminuição do Bcl-2, Mcl-1 e survivina. Bloqueia a migração e a invasão e reduz o STAT3(Tyr705) fosforilado, FAK(Tyr925) fosforilado e o Src (Tyr416) fosforilado. Reduz o número de células supressoras mieloides no tecido tumoral e bloqueia metástases pulmonares.
   f) Nanopartículas de niclosamida, *niclocelles*: citotoxicidade e apoptose em células MDA-MB231 e MCF-7 do câncer de mama humano. *Niclocelles* seletivamente reduzem a população de células-tronco CD44+ em células C32 via modulação do STAT3.
   g) Niclosamida foi a escolhida em biblioteca de 1.256 compostos: diminui significantemente vias proliferativas das células-tronco do câncer de mama humano, inibe a formação de esferoides e induz apoptose. Diminui drasticamente o volume tumoral do câncer de mama implantado no subcutâneo do rato. Foram testados o mRNA representativo dos genes-alvo, ciclina D1, Hes1 e PTCH que são genes das vias Wnt, Notch e Hh, respectivamente. A niclosamida inibiu a expressão da ciclina D1, Hes1 e PTCH em 33%, 57% e 79%, respectivamente.
   h) As vias de transdução de sinal do eixo IL-6-JAK1-STAT3 convertem células-não tronco em células-tronco nas linhagens MDA-MB-231 e MDA-MB-453 do câncer de mama humano, regulando a expressão do gene OCT-4. Inibindo IL-6 ou STAT3 inibiremos o eixoIL-6-JAK1-STAT3. A niclosamida inibe a fosforilação do STAT3 e assim a expressão do gene OCT-4, o que impede a formação de células-tronco, células que mantêm a proliferação neoplásica.
   i) Ativa contra células-tronco de vários tumores, incluindo o de mama.

j) Junto com a cisplatina é ativo contra câncer de mama triplo negativo, antes cisplatina-resistente.
k) Inibe a EMT – transição epitélio mesenquimal – e o crescimento tumoral no câncer de mama positivo para o EGFR-2 e resistente ao lapatinibe.

11. **Câncer de próstata**
a) Impede a invasão do câncer prostático via modulação dos lisossomos.
b) Niclosamida suprime o crescimento das células PC-3 e DU145 do câncer de próstata humano induzindo a degradação do co-receptor LRP6 do Wnt e inibindo a via Wnt/beta-catenina.
c) Suprime a migração celular e invasão em células do câncer de próstata resistentes ao enzalutamide via inibição do eixo STAT3-AR. AR é o receptor de andrógenos.
d) Inibe a expressão de vários receptores de andrógenos (AR) e faz funcionar o enzalutamide no câncer de próstata resistente à castração.
e) Aumenta o efeito da abiraterona via inibição do receptor de andrógeno (AR) no câncer de próstata resistente à castração.

12. **Câncer de cólon**
a) S100A4 é proteína presente em muitas neoplasias e facilita a invasão e as metástases. A niclosamida inibe a via Wnt, a qual inibe a proteína S100A4 não somente no câncer de cólon, como também no câncer de mama, próstata, estômago, fígado etc.
b) Inibe via Wnt, a qual inibe a proteína S100A4 diminuindo as metástases: mais dois estudos.
c) Inibe a via Wnt e provoca diminuição da proliferação celular mitótica.
d) Inibe HIF-1-alfa na linhagem HCT116 do câncer de cólon.

13. **Hepatoma**
a) Induz apoptose no carcinoma hepatocelular humano via aumento de ATF3 e ativação do PERK (RNA-*dependent protein kinase-like kinase).* Hipóxia e radicais livres de oxigênio ativam diretamente o PERK, que ativa o fator de translação eucariótico 2-alfa (eIF2α) que induz a expressão do fator ativador de transcrição, fator 4 (ATF4) que regula a homeostase redox e metabólica.
b) No hepatocarcinoma a niclosamida suprime o crescimento celular induzindo estresse do retículo endoplasmático (RE).
c) Induz apoptose em células do carcinoma hepatocelular, HepG2 e QGY7701, via super-regulação do ATF3 e ativação do PERK. Ocorre aumento significante da expressão do ATF3 (*activating transcription factor 3*), ATF4 (*activating transcription factor 4*) e CHOP (CCAAT/*enhancer-binding protein-homologousprotein*). Em resumo, o ATF3 desempenha papel integral no estresse do retículo endoplasmático provocando marcante apoptose celular.
d) Suprime migração e metástases de células do carcinoma hepatocelular inibindo a expressão da MMP-9.
e) Interleucina-6 (IL-6) está implicada na hepatocarcinogênese por ativar a via JAK-STAT3. A IL-6 provoca maciça infiltração de células inflamatórias. Niclosamida mostrou apenas modesta inibição da via JAK-STAT3.
f) Células do hepatoma: Huh-6 e Hep3B. Wnt3a aumenta a proliferação celular. Niclosamida suprime a proliferação com ou sem Wnt3a e provoca apoptose. Ciclina D1 está super-regulada na presença de Wnt3a e infrarregulada com niclosamida. Atividade promotora do fator T-cell aumenta com Wnt3a, enquanto na presença da niclosamida diminui a atividade do fator T-cell. Wnt3a super-regulada betacatenina, *disheveled 2* e ciclina D1, enquanto a niclosamida infrarregula todos eles.

14. **Câncer de ovário**
a) Mostrou-se ativo contra células do tumor de ovário.
b) Estão à procura de análogos da niclosamida para tratar o câncer de ovário. Não é bondade, é para patentear.
c) No carcinoma de ovário existe aumento da expressão do WNT7A e FGF1 que se correlaciona com mau prognóstico. A niclosamida interfere nesses agentes.
d) Inibição da via Wnt-beta-catenina é um dos alvos da niclosamida no câncer de ovário.

15. **Melanoma**
Nanopartículas de niclosamida, *niclocelles*: citotoxicidade e apoptose em células C32 do melanoma humano. *Niclocelles* seletivamente reduzem a população de células-tronco CD44+ em células C32 via modulação do STAT3.

16. **Leucemia e linfoma**
a) A oncoproteína retroviral Tax induz a expressão do Bcl-2 antiapoptótico e contribui para a sobrevivência da leucemia de células T infectadas pelo HTLV-1. A niclosamida diminui a Tax e consequentemente a Bcl-2 provocando apoptose nos linfócitos transformados pelo HTLV-1.
b) Leucemia mielógena aguda: a niclosamida interfere nas células-tronco inativando o NF-kappaB e gerando radicais livres de oxigênio. Inibe a transcrição e a ligação do NF-kappaB ao DNA. Bloqueia a fosforilação do IkappaB-alfa induzida pelo TNF, a translocação do p65 e a expressão dos genes regulados pelo NF-kappaB.

c) A via de sinalização autônoma Notch é suprimida pela niclosamida de modo dose e tempo-dependentes nas células K562 da eritroleucemia. A niclosamida aumenta a diferenciação dessas células.

17. **Tumor neuroectodérmico**
   a) O estresse do reticulo endoplasmático (RE) pode induzir apoptose ou morte celular no tumor neuroectodérmico.
   b) Marcante apoptose via super-regulação do ATF3 e estresse do RE.

18. **Carcinoma adrenocortical**
   Niclosamida é novo tratamento para o carcinoma adrenocortical. De 4.292 compostos testados, a niclosamida foi a mais eficaz em inibir o crescimento tumoral, conseguindo reduzir o volume do tumor em mais de 80%. Inibe a proliferação, ativa as caspases, bloqueia o ciclo celular e diminui a beta-catenina.

19. **Osteossarcoma**
   a) Inibe a proliferação do osteossarcoma humano, linhagem MG-63 e U2OS, induzindo apoptose por aumento da razão bax/bcl-2 e parada do ciclo celular em S e G2/M.
   b) É ativo no osteossarcoma por vários mecanismos. Inibe a proliferação, aumenta a apoptose, diminui a migração para o pulmão e aumenta a sobrevida em doses micromolares. Inibe marcantemente E2F1, AP1 e c-Myc e em menor extensão HIF1-alfa, TCF/LEF, CREB, NF-kappaB, Smad/TGF-beta, e via pRb/Notch. Ocorre inibição da expressão do c-Fos, c-Jun, E2F1 e c-Myc. Wnt não é afetado.

20. **Metabolismo**
   a) Modula o receptor Y4 do neuropeptídeo humano (Y4R) e pode ser útil na obesidade.
   b) Na artrite reumatoide inibe a fosforilação do Akt e inibe a proliferação e induz apoptose da RAFLSs – *rheumatoid arthritis* (RA) *fibroblast-like synoviocytes* (FLS).

Referência

Site www.medicinabiomolecular.com.br, com os resumos ou trabalhos na íntegra.

CAPÍTULO 101

Nicotinamida – relevante papel na prevenção e no tratamento da carcinogênese humana, porque regula o NAD+ celular e mantém ativa a fosforilação oxidativa mitocondrial

José de Felippe Junior

NAD+/NADH moléculas de suma importância para a vida.

A niacina é uma vitamina e assim deve ser adquirida pelos mamíferos de fontes alimentares. Os níveis de niacina, vitamina B_3, influencia o reparo do DNA, a estabilidade genômica e o sistema imune e assim tem impacto sobre o risco de câncer. Na forma de NAD, participa das reações de ribosilação do DNA. A poli(ADP-ribose)polimerase-1 (PARP-1) dependente de niacina é responsável pela síntese da maioria dos polímeros e desempenha importantes funções na reparação do DNA, manutenção da estabilidade genômica e na apoptose (Kirkland, 2003; Surjana, 2010).

Niacina, ácido nicotínico, niacina, vitamina B3, Pyridine-3-carboxylic acid, 3-pyridinecarboxylic acid, de fórmula $C_6H_5NO_2$ e Peso molecular: 123,11g/mol doa 1 e é acceptora de 3 elétrons, molécula oxidante.

Nicotinamide também chamada Niacinamide, Vitamin B3, Pyridinecarboxamide, pyridine-3-carboxamide, Nicotinic acid amide, vitamin PP, Pyridine-3--carboxamide, Papulex, de fórmula $C_6H_6N_2O$, peso molecular 122,1g/mol doa 1 e é aceptora de 2 elétrons.

NAD+, também conhecido como nicotinamida adenina dinucleotídeo, beta-NAD, Cozymase I, Codehydrogenase I, de fórmula $C_{21}H_{27}N_7O_{14}P_2$ e peso molecular de 663,4g/mol doa 8 e aceita 18 elétrons, altamente oxidante.

NAD+/NADH

Nicotinamida adenina dinucleotídeo (NAD+) é um aceptor crucial de elétrons durante a glicólise e desempenha papel essencial nas reações redox e não redox que regulam diversas funções biológicas, incluindo metabolismo energético, resposta a danos no DNA, controle transcricional, proliferação/diferenciação celular/controle de morte e funções mitocondriais. A depleção ou distúrbio da homeostase do NAD+ leva a

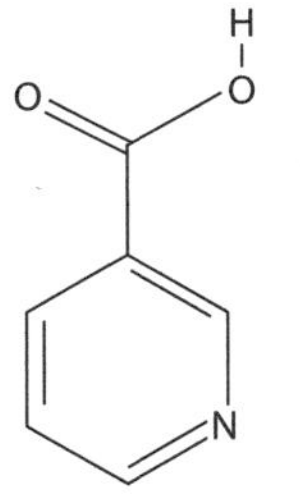

Niacina (Ácido nicotínico)

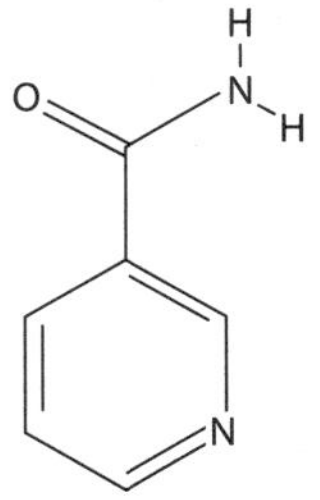

Nicotinamida (Amida do ácido nicotínico)

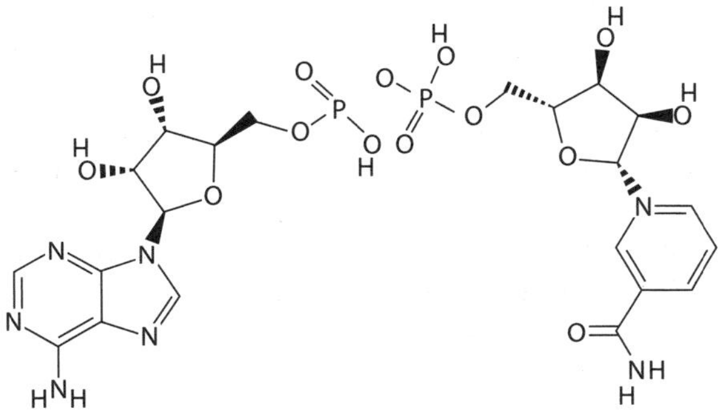

NAD+ Nicotinamida adenina dinucleotídeo

falha dos processos-chave da fisiologia normal e resulta em várias disfunções e patologias, incluindo câncer e envelhecimento.

NAD+ é reduzido a NADH durante a glicólise citosólica e o ciclo do ácido tricarboxílico mitocondrial; a seguir o NADH é utilizado pela cadeia de transporte de elétrons mitocondrial para geração de ATP. Assim, uma quantidade deficiente de NAD+ citosólico para glicólise prejudica a utilização de glicose, mesmo quando um suprimento suficiente de glicose está disponível, resultando em morte celular. A manutenção das relações NAD+/NADH e dos níveis ideais de NAD+ em cada compartimento subcelular (núcleo, citoplasma e mitocôndria) é fundamental para os processos celulares básicos. É crucial que as principais vias metabólicas nas mitocôndrias dependam muito da disponibilidade de NAD+. O conteúdo mitocondrial de NAD+ nos miócitos cardíacos, que apresentam mitocôndrias densas, é responsável por até 70% do total de NAD+ celular.

As sirtuínas (SIRTs) são as principais enzimas consumidoras de NAD+ e desempenham papéis fundamentais na regulação metabólica e estão envolvidas principalmente em funções protetoras. Os alvos de desacetilação da SIRT1 nuclear estão relacionados à estabilidade genômica e ao metabolismo mitocondrial. A atividade mitocondrial da SIRT3 está intimamente ligada ao SIRT1, que detecta NAD+ e induz biogênese mitocondrial, mecanismos de defesa antioxidante e extensão da vida. Por outro lado, a perda de função de SIRT1 ou SIRT3 induz complicações metabólicas e relacionadas à idade.

Ao ser absorvida a niacina é transportada para o fígado onde é convertida em nicotinamida. O NAD+ é considerado marcador do *status* da nicotinamida e diminui drasticamente na carcinogênese humana, fato não observado na carcinogênese animal correspondente.

Pelo fato de o NAD+ ser importante na modulação do metabolismo dos polímeros de ADP-ribose, na expressão da proteína supressora de tumor: p53, na inibição da síntese de RNA e DNA dos tecidos em proliferação, na metilação do RNA transportador e na participação da crucial fosforilação oxidativa, torna-se evidente o papel da nicotinamida na prevenção e no tratamento da carcinogênese humana.

Salientamos ainda que os polímeros de ADP-ribose estão envolvidos com respostas celulares que podem levar as células normais à recuperação (diferenciação celular), apoptose ou necrose e que os polímeros de ADP-ribose cíclicos são potentes liberadores de cálcio, os quais podem mediar vias de sinalização celular para a apoptose ou necrose das células neoplásicas.

Os níveis tissulares dos NADs (NAD+, NADH, NADP+, NADPH) são regulados primariamente pela concentração de nicotinamida do sangue, que, por sua vez, é regulada pelo fígado, sob influência hormonal. Quando escrevemos simplesmente NAD estamos nos referindo ao somatório dos quatro piridino-nucleotídeos, também chamados de nicotinamida adenina dinucleotídeos.

A nicotinamida é o precursor primário da nicotinamida adenina dinucleotídeo (NAD+), coenzima essencial na produção de ATP pela fosforilação oxidativa.

Em resposta à nicotinamida administrada, há uma utilização preferencial de ATP (adenosina trifosfato) e de PRPP (5-fosforilribose-1-pirofosfato) celular para a síntese dos adenina dinucleotídeos. Essa biossíntese prioritária, cujo propósito é a conservação da nicotinamida intracelular, pode explicar o porquê de a nicotinamida inibir a síntese de RNA e DNA nos tecidos em proliferação, o que torna claro o motivo de os níveis elevados de nicotinamida serem tóxicos para animais em fase de crescimento e para as células em ritmo acelerado de proliferação como o câncer. A nicotinamida não interfere no crescimento de crianças em fase de crescimento, somente de animais.

A regulação hepática da nicotinamida sérica envolve a conversão do seu excesso em "NAD armazenada" ou em produtos inativos de excreção. Quando o nível de nicotinamida está diminuído, evolve a conversão por hidrólise do "NAD armazenado" em nicotinamida sérica.

Contribui para o "NAD armazenado" e, portanto, para a nicotinamida sérica o triptofano e o ácido nicotínico. O fígado e talvez os rins são capazes de converter irreversivelmente o triptofano em NAD. Cada 60mg de triptofano consumido na forma de proteína pode ser convertido em 1mg de niacina, entretanto tal fato acontece apenas após algumas semanas de deficiência de nicotinamida. O ácido nicotínico é convertido no fígado em nicotinamida e depois irreversivelmente em NAD.

A principal via de excreção da nicotinamida é gerando 1-metil nicotinamida. Esta reação requer a presença de S-adenosilmetionina (SAMe) e forma como subproduto a S-adenosil-homocisteína, potente inibidor da enzima t-RNA metiltransferase (metiltransferase do RNA transportador), tanto em células normais como nas células neoplásicas. A inibição dessa enzima impede a metilação do t-RNA, portanto impede sua função. A falência em sintetizar moléculas pelo t-RNA acarreta inibição da síntese proteica e parada da proliferação celular neoplásica (Swiatek, 1973).

Os quatro piridino-nucleotídeos, NAD+, NADH, NADP+, NADPH, estão relacionados uns aos outros, por meio de reações de oxidorredução, trans-hidrogenação e fosforilação. O NAD+ é a fonte de todos os outros piridino-nucleotídeos.

Os níveis de NAD+ caem durante o processo de envelhecimento e a sua reposição como que rejuvenesceria as células tronco de vários tecidos incluindo o hematopoiético (Moon, 2018; Massudi, 2012).

Reparação do DNA

Existem consideráveis evidências indicando que o conteúdo intracelular de NAD influencia a resposta celular às lesões genômicas, porque o NAD é diretamente consumido na síntese de polímeros de ADP-ribose e de ADP-ribose cíclico. Os estudos para determinar as concentrações ótimas de NAD para regenerar o DNA lesado em células epiteliais da mama revelam que a lesão do DNA serve de estímulo para a biossíntese do NAD e que a restauração do DNA lesado é muito mais rápida, ocorrendo várias horas antes, na presença de altos níveis de NAD.

Análises de pele humana com queratose actínica ou carcinoma epidermoide mostram que o conteúdo de NAD da pele está inversamente relacionado com o fenótipo neoplásico.

Em 1993, Jacobson estudou a relação entre a deficiência de nicotinamida e o câncer da mulher. O interesse veio da descoberta de que a principal forma dessa vitamina, NAD+, é consumida como substrato nas reações de transferência de ADP-ribose. A poli-ADP-ribose polimerase, enzima ativada pela quebra do DNA é a ADP--ribosiltransferase de maior interesse com respeito ao *status* da nicotinamida nas células, porque o aumento da sua atividade pode depletar o NAD. Estudos sobre as consequências da lesão do DNA em células humanas suportam a hipótese que a nicotinamida funcione como fator de proteção que limita a carcinogênese.

Nicotinamida aumenta o reparo da lesão de DNA induzida por raio ultravioleta em melanócitos primários (Thompson, 2014).

Estudos em cultura

O intenso metabolismo dos NADs nas células dos mamíferos em proliferação está relacionado com a utilização do NAD+ para as reações de ribosilação e formação de poli-ADP-ribose.

O conteúdo de NAD+ *plus* NADH de células normais em crescimento exponencial aumenta durante a proliferação, alcança um máximo logo antes da inibição-dependente da densidade celular e permanece em níveis relativamente altos. Quando ocorre deficiência de nicotinamida, as células normais em cultura permanecem viáveis e continuam a proliferar por mais quatro gerações.

Quando as células normais são obrigadas a se transformarem, por exemplo, pela ação do vírus SV40, os níveis absolutos de NAD+ *plus* NADH intracelulares diminuem de 2 a 3 vezes. Essas células transformadas não exibem inibição dependente da densidade celular, portanto são verdadeiros modelos de crescimento neoplásico.

Seja qual for a densidade celular, o conteúdo de NAD+ *plus* NADH de células não transformadas é maior do que nas células transformadas. Esse fato é um claro sinal que a fosforilação oxidativa está prejudicada nas células neoplásicas, provocando a diminuição da produção de NAD+ e de ATP.

Toxicidade da nicotinamida

A toxicidade de altas concentrações de nicotinamida é bem documentada em estudos de animais intactos, tecidos em regeneração e células em cultura.

O crescimento de ratos jovens é seriamente retardado quando são alimentados diariamente com excesso de nicotinamida (5mmol/kg) e os ratos adultos perdem massa muscular quando alimentados diariamente com 10mmol/kg.

Em 1962, Revel e Mandel verificaram que a nicotinamida suprime a síntese de RNA em rins que estão se hipertrofiando pela falta do rim contralateral. O excesso de nicotinamida inibe a incorporação de fósforo radiativo no RNA nuclear. A prioridade metabólica de formar NAD+ em resposta à nicotinamida depleta ATP e PRPP do rim em hipertrofia.

O mesmo mecanismo opera na supressão da síntese de DNA dependente de nicotinamida no fígado em regeneração. A presença de excesso de nicotinamida diminui o número de mitoses de 1.580 para 41 por 10^5 núcleos, demonstrando o efeito direto da nicotinamida sobre a inibição da proliferação celular.

Em 2000, Knip fez revisão sobre as doses seguras de nicotinamida em seres humanos. Adverte que doses muito elevadas provocam hepatotoxicidade e aumento das enzimas hepáticas, entretanto tais efeitos são reversíveis. Mostrou também que dose elevada pode inibir o crescimento de ratos, **mas não de crianças**.

Quando as preparações de nicotinamida são relativamente puras, ela é bem tolerada em doses de até 3g ao dia, por longos anos.

Nicotinamida e hipertermia

Alguns estudos mostraram que a hipertermia altera o metabolismo dos polímeros de adenosina difosfato (ADP) ribose, necessários para a reparação do DNA lesado e que a atividade da enzima poli-ADP-ribose polimerase (PARP) é muito sensível aos níveis de NAD celular. A hipertermia aumenta a potência da quimioterapia e da radioterapia *in vitro* e *in vivo*.

Em 1991, Robins estudou os efeitos da hipertermia de 41,8 graus Célsius sobre os níveis de NADs e ATP de linfócitos do sangue humano, *in vitro* e *in vivo*. Os estudos *in vitro* mostraram significante diminuição do NAD+ e dos níveis de ATP. A depleção dos NADs não foi atribuída ao aumento do consumo enzimático do NAD+ ou à perda do nucleotídeo. Como a redução do NAD+ foi suficiente para diminuir a atividade da enzima PARP em 50%, o autor estendeu seu estudo para casos clínicos.

O conteúdo celular de NAD+ e ATP foram analisados em linfócitos previamente estocados de quatro pacientes, antes e depois da hipertermia global. O autor observou significante diminuição dos níveis de NAD+, consistente com os achados *in vitro*.

Três pacientes foram estudados prospectivamente. O NAD+ foi dosado na amostra retirada imediatamente antes e após a hipertermia global. Os resultados foram semelhantes: queda dos níveis de NAD+.

A biossíntese de NAD+ e ATP estão intimamente relacionadas. A ressíntese do ATP consumido nas reações de transferência de radicais adenil, fosforil e pirofosforil requer o substrato e a atividade da fosforilação oxidativa, a qual, por sua vez, é altamente dependente das reservas do NAD+ celular. Se a hipertermia afetar a biossíntese de ATP, o conteúdo de NAD+ diminuirá.

Os níveis de NAD+ intracelular se encontram nos níveis mínimos necessários para a síntese da enzima PARP. Qualquer diminuição de NAD+ limita a síntese desta enzima, o que vai impedir a reparação do DNA lesado pela hipertermia. Já foi demonstrado que a diminuição da atividade da enzima PARP provoca aumento da morte celular.

Concluindo: a hipertermia sensibiliza as células neoplásicas aos agentes anticâncer que lesam o DNA (alguns quimioterápicos e radioterapia), bloqueando a ressíntese do NAD+ que é consumido na síntese dos polímeros de ADP-ribose e, portanto, limitando a síntese destes polímeros e a reparação do DNA, o que facilita a morte celular.

Nicotinamida e radioterapia

A hipóxia tumoral limita os resultados da radioterapia: radiorresistência.

Em 1995, Overgaard, a partir de uma meta-análise, concluiu que a redução da hipóxia confere vantagens à radioterapia, quando comparada com a radioterapia isolada.

É necessário reduzir as duas formas de hipóxia, a de difusão e a de perfusão. O uso do carbogênio (95% oxigênio e 5% gás carbônico) melhora a hipóxia por difusão, porque aumenta a liberação de O_2 pela hemoglobina e porque maior quantidade de O_2 é dissolvida no plasma. A nicotinamida em altas doses provoca vasodilatação arteriolar e melhora a hipóxia de perfusão.

Vários estudos mostram que a nicotinamida possui efeito sensibilizante da radioterapia e da hipertermia (Horsman, 1987, 1988 e 1990).

Em 1995, Dragovic estudou as doses necessárias de nicotinamida para aumentar a sensibilidade tumoral à radioterapia e à hipertermia. Concluiu que para provocar sensibilização em tumores humanos a dose segura e bem tolerada é de 6g por via oral, em dose única, em jejum, administrada 60 minutos antes da radioterapia ou imediatamente antes da hipertermia. Em 1997, MacLaren mostrou que a nicotinamida diminui a hipóxia de tumores humanos quando administrada imediatamente antes da radioterapia.

Proteína p53

A nicotinamida e o resultante NAD celular modulam a expressão da proteína supressora de tumor p53 em várias linhagens de células neoplásicas de pulmão, de pele e de mama.

Em 1992, Donehower mostrou que em ratos a perda de função da proteína p53 contribui para a emergência do fenótipo neoplásico.

Em 1995, Whitacre concluiu que o NAD é o único substrato da poli-ADP-ribose-polimerase (PARP) e assim a síntese da poli-ADP-ribose (pADPR) se encontra deficiente nas células com restrição severa de NAD. As células deficientes em NAD e PARP exibem drástica redução da expressão do importante gene supressor de tumor: p53.

Em 2001, Luo mostrou que a nicotinamida inibe a desacetilação da p53 dependente da NAD, quando induzida pela Sir2alfa, e também a nicotinamida aumenta a acetilação da p53 *in vivo*. *A proteína p53 somente se encontra ativa na forma acetilada.*

NAD+ e metabolismo tumoral

A depleção de NAD+ intracelular provoca consequências metabólicas específicas.

Em 1976, Comes dosou o NAD+ e o NADH no sangue de 188 pacientes com câncer. O NAD+ estava significantemente diminuído nos pacientes com carcinoma de mama e de cervix e inalterado nos pacientes com câncer de pulmão e câncer metastático, quando comparado com as pessoas normais. O NADH não mostrou diferenças conclusivas.

No câncer de mama o aumento da atividade do complexo I mitocondrial inibe a proliferação e as metástases por meio da regulação do equilíbrio NAD+/NADH, atividade do mTORC1 e autofagia. Ao contrário, redução dos níveis de NAD+ interfere na expressão da *nicotinamide phospho-ribosyltransferase* e tornam as células tumorais mais agressivas e mais metastáticas. A normalização terapêutica do equilíbrio NAD+/NADH nas pacientes com câncer de mama pode inibir a progressão da doença e as metástases (Santidrian, 2013).

Em 1982, Chung mostrou a associação entre a carcinogênese humana e a diminuição do NAD+ celular, assinalando as seguintes evidências:

1. As concentrações de NAD+ e ATP são baixas nas células com câncer.
2. Os carcinogênicos químicos e a radiação podem provocar a queda do NAD+ em células pré-cancerosas.
3. O NAD+ está envolvido na regulação da síntese do DNA.
4. A queda da concentração do NAD+ pode levar à expressão de oncogenes e/ou virogenes, de acordo com a hipótese do protovírus.

Em 1993, Jacobson verificou que as mulheres com câncer apresentavam níveis menores de NAD+ no sangue, quando comparadas com controles normais. Quando o aporte de nicotinamida da dieta diminui, a NAD+ prontamente declina no intracelular, enquanto o NADP+ permanece relativamente constante.

Em 1997, Albeniz estudou a ribosilação do ADP das proteínas do soro em vários grupos de doenças humanas e mostrou alterações da ribosilação apenas nas doenças neoplásicas: aumento maior que 5 vezes na ribosilação do ADP no câncer. Amostras de sangue com altos níveis de ribosilação de ADP revelam em geral aumento da atividade da NAD-glico-hidrolase sérica e baixos níveis de NAD+ sérico.

Em 1996, Wrigh e Wei mostraram o papel do NAD+ intracelular na ativação da protease 24-KD (AP24), que provoca a fragmentação internucleossomal do DNA e morte celular.

A depleção nutricional do NAD, a níveis indetectáveis, em duas linhagens de leucemia (U937 e HL-60) as torna completamente resistentes a apoptose quando expostas ao fator de necrose tumoral, luz ultravioleta e alguns quimioterápicos. Este fato foi atribuído ao bloqueio da ativação da protease apoptótica AP24. Os autores também observaram o mesmo efeito em outras linhagens de leucemia: KG1a, YAC-1 e BW1547, suportando o papel essencial dos sinais de transdução dependentes do NAD+, na apoptose dessas células.

Ressaltemos que este mecanismo não é universal, pois não opera nas leucemias tipo BJAB e tipo Jurkat, que experimentam apoptose independentemente dos níveis de NAD+ intracelular.

Quando os níveis de NAD+ caem na célula, o metabolismo energético torna-se dependente da enzima GAPDH (gliceraldeído-3-fosfato desidrogenase) e de outras desidrogenases contendo piridinonucleotídeos.

A mitocôndria intacta é relativamente impermeável aos piridinonucleotídeos, porém pode tornar-se permeável em vários graus e perder NAD+. Nesta linha de raciocínio, Kielley, 1952, Wenner e Weinhouse, 1953, e Hawtrey, 1960, mostraram que as mitocôndrias isoladas de diversos tumores são deficientes na sua capacidade oxidativa, porém, a respiração normal pode ser restaurada pela suplementação com NAD+.

Esses trabalhos sugerem que as mitocôndrias dos tumores não são integras e que prontamente podem perder ou ganhar seu suprimento de NAD+, isto é, o processo é reversível.

Este fato é mais uma evidência que nos faz acreditar na possibilidade de recuperação da célula neoplásica: **diferenciação celular.** Uma vez diferenciada, as células seguirão seu normal caminho biológico para a vida e depois para a inexorável morte celular programada.

A perda de NAD+ mitocondrial, na presença de NAD-glicohidrolases ativas, provoca aumento da glicólise anaeróbia, motor do ciclo celular proliferativo. Importante saber que a passagem de ácido lático em piruvato requer a presença de NAD+ como cofator essencial.

O aumento da glicólise anaeróbia, frequentemente associada com os tumores em fase de franco crescimento, pode ser causado em parte pela combinação do defeito mitocondrial e em parte pelos efeitos depletores do NAD+ provocados pela ativação das NAD- glico-hidrolases ou das poli(ADP-ribose)polimerases.

O NAD+ é também cofator essencial da piruvato-desidrogenase (PDH), isocitrato desidrogenase e alfacetoglutarato desidrogenase, enzimas do ciclo de Krebs que fazem parte de fosforilação oxidativa mitocondrial.

Warburg, em 1926, demonstrou que a glicólise anaeróbia sempre está presente nas células cancerosas e que, embora a fosforilação oxidativa possa estar presente, ela não guarda relação com a proliferação do câncer.

Devemos ressaltar que a correlação entre o aumento da glicólise anaeróbia e a proliferação celular neoplásica tem sido frequentemente citada e defendida na literatura, após o trabalho e intuição de Warburg (Boxer, 1961; Aisenberg, 1961; Burk, 1967), e que a diminuição do NAD+ intracelular observado nas células em proliferação neoplásica tem sido muito bem documentada (Von Euler, 1938; Bernheim, 1940; Kensler, 1940; Taylor, 1942; Schlenk, 1946; Carruthers, 1953; Strength, 1954; Jedeikin, 1955; Jedeikin, 1956; Narurkar, 1957; Glock, 1957; Briggs, 1960; Wintzerith, 1961; Clark, 1966).

Nicotinamida e sirtuínas

A nicotinamida foi um dos primeiros inibidores descobertos das sirtuínas. Ela *in vitro* inibe a SIRT1, SIRT2, SIRT3, SIRT5, SIRT6 e SIRT7 com valores de IC50 de 50 a 184μM. Dessa forma, a nicotinamida pode bloquear a proliferação e promover a apoptose em células leucêmicas, carcinoma epidermoide da cabeça e pescoço, células do câncer de próstata, mama, cólon, hepatocarcinoma, pulmonar etc. (Hu, 2014).

Sirtuínas é uma família de enzimas com atividade de deacetilar e seu nome químico é nicotinamide adenine dinucleotide (NAD)-dependent protein lysine. A SIRT1 é a mais estudada e vários estudos genéticos evidenciam a SIRT1 como supressora de tumor.

A SIRT1 desacetila e inativa vários fatores de transcrição, como o NF-kappaB e o HIF-1alfa. Ela desacetila a Rel-A/p65 subunidade do NF-kappaB e inibe sua atividade de transcrever, aumentando, portanto, o TNF-alfa, indutor de apoptose (Hu, 2014).

BRCA1 liga-se ao promotor da SIRT1 e aumenta a sua expressão, a qual inibe a survivina por desacetilação (Hu, 2014).

O NAD+ é co-substrato para várias enzimas, incluindo a família sirtuina das deacilases proteicas dependentes de NAD+. Existe efeitos benéficos do aumento dos níveis de NAD+ e ativação da sirtuína na homeostase mitocondrial, metabolismo e tempo de vida (Katsyuba, 2018).

A sirtuína 1 (SIRT1) é histona desacetilase dependente de nicotinamida adenina dinucleotídeo (NAD) que é ativada em resposta à restrição calórica (RC). O SIRT1 está envolvido nos processos via desacetilação da histona, bem como com vários fatores de transcrição e moléculas de transdução de sinal e, assim, modula as funções endócrinas e metabólicas.

Existem muitas evidências para demonstrar claramente que a SIRT1 no hipotálamo, na hipófise e em outros órgãos-alvo modifica a síntese, secreção e atividades dos hormônios e, por sua vez, induz as respostas adaptativas.

A nicotinamida é inibidor da SIRT1 *in vitro*, mas pode ser um estimulador nas células (Hwang, 2017) e resultar em citotoxicidade para alguns tipos de tumores em outras palavras a niacina **ativa** a SIRT1 e sua amida, a nicotinamida **suprime** a SIRT1 *in vitro* e **ativa** *in vivo*.

Nicotinamida é **anti-*Mycobacterium tuberculosis*** e **anti-HIV** (Murray, 2003).

Gliomas

a) A suplementação de nicotinamida aumenta o NAD+. Os níveis mitocondriais de NAD+ afetam as características dos gliomas guiados SSEA1+ e TICs (neural stem/progenitor cell marker, stage-specific embryonic antigen 1+ and TICs tumor-initiating capacity), incluindo o potencial de crescimento clonogênico. Um aumento nos níveis mitocondriais de NAD+ pela super expressão da enzima mitocondrial nicotinamida nucleotídeo transidrogenase (NNT) suprimiu significativamente a capacidade de formação de esferas mitóticas e induziu a diferenciação de TICs, sugerindo uma perda das características dos TICs. Além disso, o aumento da atividade da SIRT3 e a produção reduzida de lactato, que são observadas principalmente em células saudáveis e jovens, apareceram após TICs super expressos por NNT. Além disso, o potencial tumorogênico *in vivo* foi substancialmente abolido pela super expressão de NNT. Visar a manutenção de mitocôndrias saudáveis com níveis aumentados de NAD+ mitocondrial e atividade de SIRT3 pode ser estratégia promissora para abolir o desenvolvimento de TICs como uma nova abordagem terapêutica para o tratamento de tumores associados ao envelhecimento (Son, 2017).

b) A expressão alterada da nicotinamida fosforibosil transferase (NAMPT), a enzima limitadora da taxa de recuperação do NAD+ acompanha as alterações no NAD (H) durante a tumorogênese. A flutuação do [NAD (H)] intracelular afeta diferencialmente o crescimento celular e a morfodinâmica, com a capacidade de motilidade/invasão mostrando maior sensibilidade à diminuição do [NAD (H)]. A suplementação extracelular de NAD+ ou a re-expressão do NAMPT aboliram os efeitos. Os efeitos da diminuição da NAD (H) na motilidade celular pareciam paralelos, com a conversão diminuída de piruvato-lactato pela lactato desidrogenase (LDH) e com alterações no pH intracelular e extracelular (van Horssen, 2013).

c) Medicamentos que reativam esses macrófagos/micróglias, assim como monócitos circulantes que se tornam macrófagos podem ser úteis no tratamento de glioblastoma. A niacina é um potencial estimulador dessas células mielóides ineficientes. Os monócitos expostos à niacina atenuaram o crescimento de células iniciadoras de tumores cerebrais (BTICs) derivadas de pacientes com glioblastoma ao produzir interferon anti-proliferativo-α14. O tratamento com niacina em camundongos portadores de BTICs intracranianos aumentou a representação de macrófagos/micróglias no tumor, reduziu o tamanho do tumor e prolongou a sobrevida. Esses resultados não aconteceram em camundongos deficienters de monócitos circulantes. O tratamento combinado com a temozolomida aumentou a sobrevida promovida pela niacina. Os monócitos de pacientes com glioblastoma aumentaram o interferon-14 após exposição à niacina e foram reativados para reduzir o crescimento de BTIC na cultura (Sarkar, 2020).

d) O ácido nicotínico possui uma nova função, visando as fibras de estresse da F-actina. Ao tratar as células HEK293 ou NIH3T3 do GBM com uma certa concentração do ácido, a fibra de estresse da F-actina foi significativamente desmontada. As fibras de estresse da F-actina são a base crítica da migração celular, proliferação e inúmeras vias essenciais de sinalização. Concentrações otimizadas de ácido nicotínico separaram células U251 da cultura de placas de Petri. Além disso, em amostras de 85 pacientes com GBM o padrão de expressão da paxilina foi encontrado em 67 amostras (Yang, 2017).

Conclusão

Devemos ficar atentos e manter os níveis de NAD+ no organismo acometido da doença metabólica crônica chamada de câncer: manter suplementação adequada de nicotinamida: pelo menos 300mg/dia durante 90 dias.

Referências

1. Abstracts and papers in full on site www.medicinabiomolecular.com.br
2. Aisenberg AC. The Glycolysis and Respiration of Tumors. New York: Academic Press; 224 p. 1961.
3. Albeniz IU, Nurten R, Bermek E. ADP-ribosylation of serum proteins: elevated levels in neoplastic cases due to altered NAD/ADP-ribose metabolism. Cancer Invest. 15(3):217-23;1997.
4. Bernheim F, Von Felsovanyi A. Coenzyme concentration of tissues. Science. 91:76;1940.
5. Bernofsky C. Physiology aspects of pyridine nucleotide regulation in mammals. Mol Cell Biochem. 33(3):135-43;1980.
6. Boxer GE, Devlin TM. Pathways of intracellular hydrogen transport. Science. 134:1495-501;1961.
7. Briggs MH. Vitamin and coenzyme content of hepatomas induced by buter yellow. Nature. 187:249-50;1960.
8. Burk D, Woods M, Hunter J. On the significance of glucolysis for cancer growth, with special reference to Morris rat hepatomas. J Nat Canc Inst. 38(6):839-63;1967.
9. Carruthers C, Suntzeff V. Polarographic determination of pyridine nucleotides; application of the method to normal and malignant tissues. Arch Biochem Biophys. 45:140-8;1953.
10. Carruthers C, Suntzeff V. The distribution of pyridine nucleotides in cellular fractions of some normal and malignant tissues. Cancer Res. 14(1):29-33;1954.
11. Chung KT. An association of carcinogenesis and decrease of cellular NAD concentration. Zhonghua Min Guo Wei Sheng Wu Ji Mian Yi Xue Za Zhi. 15(4):309-18;1982.
12. Clark JB, Greenbaum AL, McLean P. The distribution of pyridine nucleotides in cellular fractions of some normal and malignant tissues. Biochem J. 98(1):546-56;1966.
13. Comes R, Musteal I. The levels of NAD and NADH in blood of patients with cancer. Neoplasma. 23(4):451-5;1976.
14. Donehower LA, Harvey M, Slagle BL. Et al. Mice deficient for p53 are developmentally normal but susceptible to spontaneous tumours. Nature. 356:215-21;1992.
15. Dragovic J, Kim SH, Brown SL, Kim JH. Nicotinamide pharmacokinetics in patients. Radiother Oncol. 36(3):225-8;1995.
16. Glock GE, McLean P. Levels of oxidized and reduced diphosphopyridine nucleotide and triphosphopyridine nucleotide in tumours. Biochem J. 65(2):413-6;1957.
17. Hawtrey AO, Silk MH. Mitochondria of the Ehrlich ascites-tumour cell. Isolation and studies of oxidative phosphorylation. Biochem J. 74:21-6;1960.
18. Horsman MR, Brown JM, Hirst VK, et al. Mechanism of action of the selective tumor radiosensitizer nicotinamide. Int J Radiat Oncol Bio Phys. 15:685-90;1988.
19. Horsman MR, Chaplin DJ, Brown DM. Radiosensitization by nicotinamide in vivo: a greater enhancement of tumor damage compared to that of normal tissues. Radiat Res. 109:479-89;1987.
20. Horsman MR, Chaplin DJ, Overgaard J. Combination of nicotinamide and hyperthermia to eliminate radioresistant chronically and acutely hypoxic tumor cells. Cancer Res. 50:7430-6;1990.
21. Hu J, Jing H, Lin H. Sirtuin inhibitors as anticancer agents. Future Med Chem. 6(8):945-66;2014.
22. Hwang ES, Song SB. Nicotinamide is an inhibitor of SIRT1 in vitro, but can be a stimulator in cells. Cell Mol Life Sci. Sep;74(18):3347-3362;2017.
23. Jacobson EL. Niacin deficiency and cancer in women. J Am Coll Nutr. 12(4):412-6;1993.
24. Jacobson EL, Shieh, WM, Huang AC. Mapping the role of NAD metabolism in prevention and treatment of carcinogenesis. Mol Cell Biochem. 193(1-2):69-74;1999.
25. Jedeikin, L. ; Weinhouse, S., J. Biol. Chem. , 213, 271-280, 1955.
26. Jedeikin L, Weinhouse S. Metabolism of neoplastic tissue. VI. Assay of oxidized and reduced diphosphopyridine nucleotide in normal and neoplastic tissues. J Biol Chem. 213(1):271-80;1955.
27. Jedeikin L, Thomas AJ, Weinhouse S. Metabolism of neoplastic tissue X Diphosphopyridine nucleotide levels during azo dye hepatocarcinogenesis. Cancer Res. 16:867-72;1956.
28. Katsyuba E, Mottis A, Zietak M, et al. De novo NAD+ synthesis enhances mitochondrial function and improves health. Nature. Oct 24. doi: 10.1038/s41586-018-0645-6;2018.
29. Kensler CJ, Suguira K, Rhoads CP. Coenzyme I and riboflavin content of livers of rats fed butter yellow. Science. 91(2374):623;1940.
30. Kielley RK. Oxidative phosphorylation by mitochondria of transplantable mouse hepatoma and mouse liver. Cancer Res. 12(2):124-8;1952.
31. Kirkland JB. Niacin and carcinogenesis. Nutr Cancer. 46(2):110-8;2003.
32. Knip M, Douek IF, Moore WP, et al. Safety of high-dose nicotinamide: a review. Diabetologia. 43(11):1337-45;2000.
33. Luo J, Nikolaev AY, Imai S, et al. Negative control of p53 by Sir2alpha promotes cell survival under stress. Cell. 107(2):137-48;2001.
34. Massudi H, Grant R, Braidy N, et al. Age-associated changes in oxidative stress and NAD+ metabolism in human tissue. PloS One 7:e42357;2012
35. McLaren DB, Pickles T, Thomson T, Olive PL. Impact of nicotinamide on human tumour hypoxic fraction measured using the comet assay. Radiother Oncol. 45(2):175-82;1997.
36. Moon J, Kim HR, Shin MG. Rejuvenating Aged Hematopoietic Stem Cells Through Improvement of Mitochondrial Function. Ann Lab Med. Sep;38(5):395-401;2108.

37. Murray MF. Nicotinamide: an oral antimicrobial agent with activity against both Mycobacterium tuberculosis and human immunodeficiency virus. Clin Infect Dis. Feb 15;36(4):453-60, 2003.
38. Narurkar MV, Kumta US, Sahasrabudhe MB. Pyridine nucleotide synthesis in host tissues of tumour-bearing animals. Br J Cancer. 11(3):482-6;1957.
39. Overgaard J. Modification of tumour hypoxia – from Gottwald Schwartz to Nicotinamide. Have we learnt the lesson? Fifth International Meeting on Progress in Radio-Oncology. Austria: Salzberg; 1995.
40. Revel M, Mandel P. Effect of an induced synthesis of pyridine nucleotides in vivo on the metabolism of ribonucleic acid. Cancer Res. 22:456-62;1962.
41. Robins HI, Jonsson GG, Jacobson EL, et al. Effect of hyperthermia in vitro and in vivo on adenine and pyridine nucleotide pools in human peripheral lymphocytes. Cancer. 67(8):2096-102;1991.
42. Santidrian AF, Matsuno-Yagi A, Ritland M, et al. Mitochondrial complex I activity and NAD+/NADH balance regulate breast cancer progression. J Clin Invest. 123(3):1068-81;2013.
43. Sarkar S, Yang R, Mirzaei R, Control of brain tumor growth by reactivating myeloid cells with niacin. Sci Transl Med. Apr 1;12(537): eaay9924,2020.
44. Schlenk, F.. Cancer Res., 6, 495-496, 1946.
45. Sibtain A, Hill S, Goodchild K, et al. The modification of human tumor blood flow using pentoxifylline, nicotinamide and carbogen. Radiother Oncol. 62:69-76;2002.
46. Son MJ, Ryu JS, Kim JY, et al. Upregulation of mitochondrial NAD+ levels impairs the clonogenicity of SSEA1+ glioblastoma tumor-initiating cells. Exp Mol Med. Jun 9;49(6):e344;2017.
47. Strength, D.R.; Seibert, M.A.. Proc. Am. Assoc. Cancer Res., 1, p. 47, 1954.
48. Swiatek KR, Simon LN, Chao KL. Nicotinamide methyltransferase and S-adenosylmethionine: 5'-methylthioadenosine hydrolase. Control of transfer ribonucleic acid methylation. Biochemistry. 12(23):4670-4;1973.
49. Surjana D, Halliday GM, Damian DL. Role of nicotinamide in DNA damage, mutagenesis, and DNA repair. J Nucleic Acids. 2010 Jul 25;2010.
50. Taylor A, Pollack MA, Hofer MJ, Williams RJ. Vitamins in cancerous tissues. II, Nicotinic acid. Cancer Res. 2:744-7;1942.
51. Thompson BC, Surjana D, Halliday GM, Damian DL. Nicotinamide enhances repair of ultraviolet radiation-induced DNA damage in primary melanocytes. Exp Dermatol. 23(7):509-11;2014.
52. van Horssen R, Willemse M, Haeger A, et al. Intracellular NAD(H) levels control motility and invasion of glioma cells. Cell Mol Life Sci. Jun;70(12):2175-90;2013.
53. Von Euler H, Schlenk F, Heiwinkel H, Hogberg B. Z Physiol Chem. 256:208-28;1938.
54. Yamamoto M, Takahashi Y. The Essential Role of SIRT1 in Hypothalamic-Pituitary Axis. Front Endocrinol (Lausanne). Oct 23;9: 605;2018.
55. Yang X, Mei S, Niu H, Li J. Nicotinic acid impairs assembly of leading edge in glioma cells. Oncol Rep. Aug;38(2):829-836,2017.
56. Warburg O. On the origin of cancer cells. Science. 123:309-314; 1956.
57. Warburg O. Ubre den Stoffwechsel der Carcinomzelle. Biochem Zeitschr. 152:308;1924.
58. Wenner CE, Spirtes MA, Weinhouse S. Proc Soc Exptl Biol Med. 78:416-21;1951.
59. Wenner CE, Weinhouse S. Metabolism of neoplastic tissue. III. Diphosphopyridine nucleotide requirements for oxidations by mitochondria of neoplastic and non-neoplastic tissues. Cancer Res. 13(1):21-6;1953.
60. Whitacre CM, Hashimoto H, Tsai ML, et al. Involvement of NAD--Poly (ADP-Ribose) metabolism in p53 regulation and its consequences. Cancer Res. 55:3697-701;1995.
61. Wintzerith M, Klein N, Mandel L, Mandel P. Comparison of pyridine nucleotides in the liver and in an ascitic hepatoma. Nature. 191:467-9;1961.
62. Wright BSC, Wei QS, Kinder DH, Larrick JW. Biochemical pathways of apoptosis: nicotinamide adenine dinucleotide-deficient cells are resistant to tumor necrosis factor or ultraviolet light activation of the 24-kD apoptotic protease and DNA fragmentation. J Exp Med. 183(2):463-471;1996.

CAPÍTULO 102

Nigella sativa – cominho negro: de delicioso tempero a agente anticâncer

Inibe *Helicobacter pylori* e *Mycobacterium tuberculosis*; inibe PAK1, NF-kappaB, COX-2, c-MYC, FAK, MMP2, MMP9, VEGF, telomerase e as vias proliferativas PI3K/Akt/mTOR e Ras/Raf/MEK/ERK1/2; bloqueia a atividade da cdk2, cdk4 e cdk6; aumenta a expressão do mRNA do p53 e do p21-WAFI e inibe drasticamente a proteína antiapoptótica Bcl-2, demetila e acetila a zona CpG e diminui a função de genes de proliferação neoplásica - efeito epigenético duplo

José de Felippe Junior

Cominho negro a semente abençoada. **Árabes**

A *Nigella sativa*, cominho negro, planta da família das Ranunculaceae e que dá flores anualmente é nativa do Mediterrâneo, Paquistão e Índia. Muito usada nas civilizações romanas, árabes e celtas. Propicia sabor marcante aos pratos de culinárias tradicionais da Turquia, Egito, Índia e México. As sementes aumentam as secreções pancreáticas, de sais biliares e das glândulas salivares auxiliando a digestão, principalmente nos pacientes com câncer. O cominho negro é conhecido como o segredo de saúde dos faraós e suas sementes foram encontradas na tumba de Tutankhamon.

A semente é chamada *black cumin* em inglês, enquanto em latim antigo é chamada de *Panacea*, significando "cura de todos os males"; em Árabe o termo é *Habbah Sawda* ou *Habbat el Baraka* que significa "semente abençoada". É conhecida como *Kalo jeera* (Bangladesh), *Kalonji* (Índia) e *Hak Jung Chou* (China).

Originalmente, *N. sativa* era usada para tratar enxaquecas e alergias e vários estudos demonstraram sua eficácia no tratamento do câncer. A timoquinona causa morte seletiva das células cancerígenas e possui ativi-

Nigella sativa

Cominho negro – Sementes da *Nigella sativa*

dades inibitórias do crescimento do tumor, além de seu papel na interferência com outros processos tumorogênicos, como angiogênese, invasão e metástase.

Na medicina é empregada como imunoestimulante, hipoglicêmico, anti-inflamatório, anti-hipertensivo, antiasmático, anti-histamínico, antidiabético, antimicrobiano, antiparasitário, antioxidante, antimutagênico e anticâncer.

Seus princípios ativos incluem: timoquinona, timo-hidroquinona, ditimoquinona, timol, carvacrol, óxido-N-nigelimina, nigelicina, nigelidina e alfa-hederina, sendo os mais importantes a timoquinona e a alfa-hederina extraídas das sementes do cominho negro.

O principal componente fitoquímico do óleo de cominho negro é a timoquinona, presente em 28 a 45% do óleo. A timoquinona possui efeito tanto *in vitro* como *in vivo*: analgésico, anti-inflamatório, anti-histamínico, antibacteriano, antifúngico, antidiabético, anti-hipertensivo, hipolipemiante e anticâncer. Um dos principais mecanismos de ação da timoquinona é a inibição do fator de transcrição nuclear, NF-kappaB.

A fórmula da timoquinona é $C_{10}H_{12}O_2$, de peso molecular 164,2g/mol e conhecida como: Thymoquinone, 490-91-5, Thymoquinone, P-Cymene-2,5-dione, 2-Isopropyl-5-methylbenzoquinone e 2-Isopropyl-5-methyl-1,4-benzoquinone. Seu nome químico: 2-methyl-5-propan-2-ylcyclohexa-2,5-diene-1,4-dione.

A molécula não doa elétrons e é aceptor de 2, portanto é oxidante.

A timo-hidroquinona é uma das substâncias mais eficazes na inibição da enzima acetilcolinesterase, enzima que aumenta a vida média da acetilcolina no cérebro.

Estudos toxicológicos agudos e crônicos atestam a segurança do extrato e do óleo das sementes da *N. sativa*, quando administrados por via oral. A timoquinona pura também é segura.

Timoquinona inibe a DNA metiltransferase 1

Foi descoberto que a timoquinona possui efeito epigenético demetilando a zona CpG. De fato, a timoquinona exerce potente atividade supressora da leucemia por meio da reversão da hipermetilação em células da leucemia Kasumi-1, MV4-11, THP-1 e ML1. Pela primeira vez foi descoberto o efeito epigenético da timoquinona: inibição da DNA metiltransferase 1 (Pang, 2017).

Thymoquinone induces telomere shortening, DNA damage and apoptosis in human glioblastoma cells.

Gurung RL, Lim SN, Khaw AK, Soon JF, Shenoy K, Mohamed Ali S, Jayapal M, Sethu S, Baskar R, Hande MP.PLoS One. 2010 Aug 12;5(8):e12124.

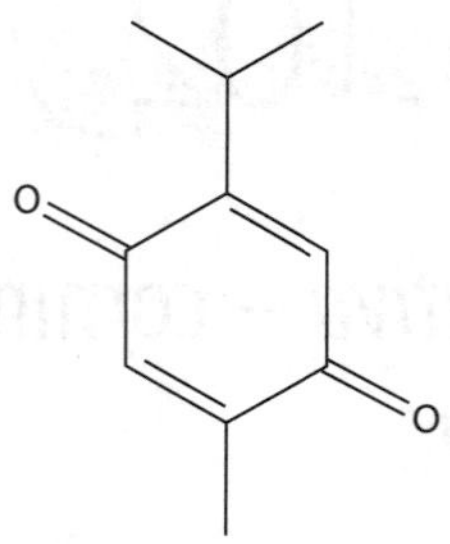

Timoquinona

Outra substância presente no cominho negro é a alfa-hederina, cuja fórmula é $C_{41}H_{66}O_{12}$, peso molecular 751g/mol e conhecida como: Alpha-Hederin, Helixin, Koronaroside A, Hederoside C, Tauroside E e Kalopanax saponin A. Seu nome químico: (4aS,6aR,6aS, 6bR,8aR, 9R,10S,12aR,14bS)-10-[(2S,3R,4S,5S)-4,5-dihydroxy-3-[(2S,3R,4R,5R,6S)-3,4,5-trihydroxy-6-methyloxan-2-yl]oxyoxan-2-yl]oxy-9-(hydroxymethyl)-2,2,6a,6b,9,12a-hexamethyl-1,3,4,5,6,6a,7,8, 8a,10,11,12,13,14b-tetradecahydropicene-4a-carboxylic acid.

A alfa-hederina é forte molécula oxidante, porque doa 7 e é aceptora de 12 elétrons.

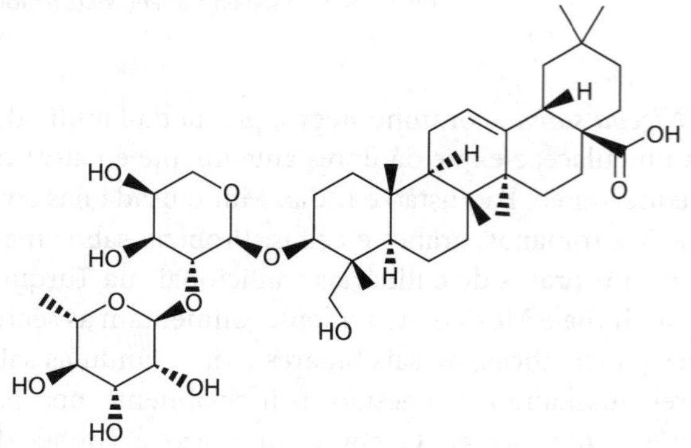

Alfa-hederina

A figura 102.1 mostra alguns efeitos da timoquinona como agente preventivo e anticâncer (Khan, 2011).

A tabela 102.1 retirada de Asaduzzaman Khan (2017) mostra visão mais ampla dos mecanismos de ação da timoquinona em várias linhagens de células neoplásicas. Quando o modelo animal não for indicado trata-se de células humanas.

Alvos moleculares no câncer. Cada linha um trabalho

1. **Antibacteriano**
   a) ***H. pylori*** (Tabassum, 2021).
   b) ***M. tuberculosis*** (Randhawa, 2011; Nguta, 2015; Mahmud, 2017).

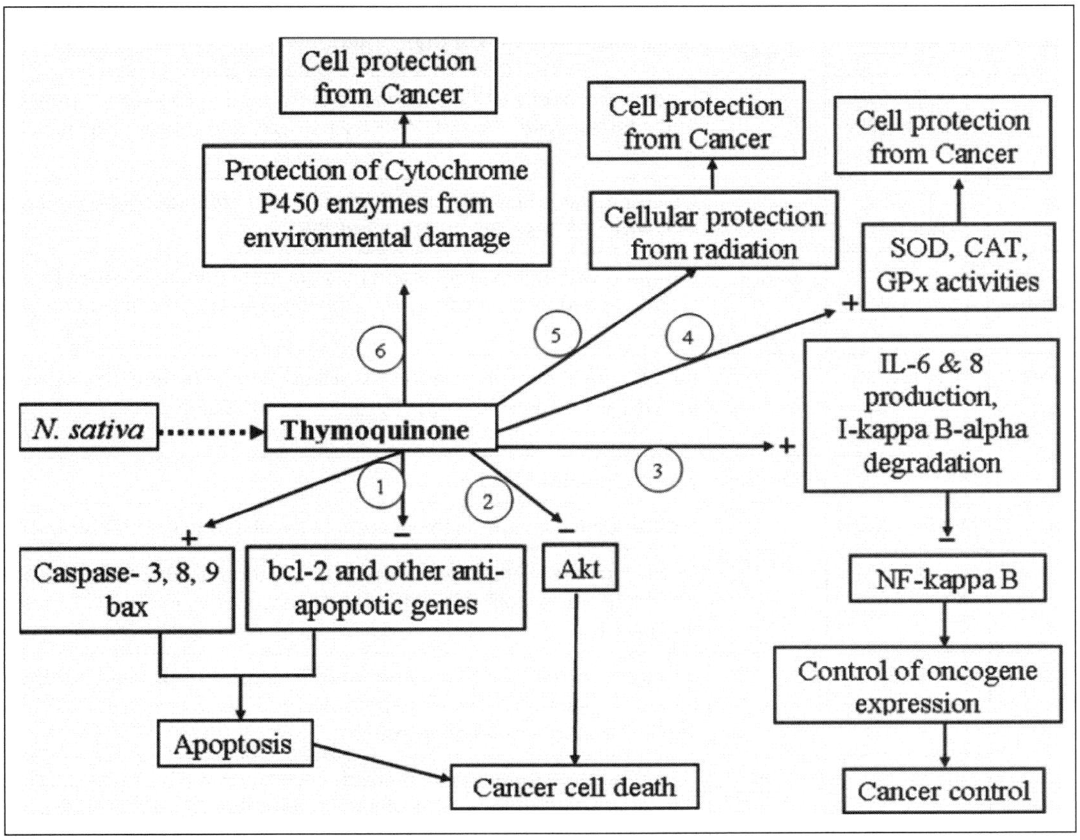

Figura 102.1 Mecanismos de ação da timoquinona: prevenção e tratamento do câncer (retirado de Khan, 2011).

Tabela 102.1 Mecanismos de ação da timoquinona em células neoplásicas (Khan, 2017).

Cancer types	Cell lines	Animal model	Mechanism of action of thymoquinone
Acute lymphoblastic leukemia	CEM-ss		Generates ROS and HSP70, down-regulates Bcl-2, up-regulates Bax, activates caspase 3, 8 for inducing apoptosis
Bladder cancer	T24		Attenuates mTOR activity, and inhibits PI3K/Akt signaling
Breast cancer	MDA-MB-468, T47D		Interferes with PI3K/Akt signaling and promotes G(1) arrest
	MCF-7		Up-regulates p53
	BT549		Down-regulates TWIST1 and EMT
		Mouse	Inhibits NF-κB; Down-regulates p38 MAPK via the generation of ROS; inhibits TWIST1 expression and controls cancer cell metastasis by regulating EMT
Cervical cancer	HeLa		Inhibits serine/threonine kinase Plk1
Colon cancer	HCT116		Induces apoptosis by up-regulating Bax and inhibiting Bcl-2, as well as activation of caspases -9, -7 and -3 and induction of PARP cleavage; blocks STAT3 signaling via inhibition of JAK2- and Src-mediated phosphorylation of EGFR tyrosine kinase.
	CPT-11-R LoVo		Induces caspase-independent autophagy
		Rat	Exert oxidative stress
		Mouse	Delays the growth of tumor, reduces tumor cell invasion and also increases apoptosis

Cancer types	Cell lines	Animal model	Mechanism of action of thymoquinone
Colorectal cancer	HCT116w, DLD-1, HT29		Binds to oncogene PAK1, changes its conformation and scaffold function, and interferes with RAF/MEK/ERK1/2 pathway and controls cancer cell growth
Cholangio-carcinoma	TFK-1, HuCCT1		Down-regulates PI3K/Akt and NF-κB, and their regulated gene products, such as p-AKT, p65, XIAP, Bcl-2, COX-2 and VEGF
Familial adenomatous polyposis		Mouse	Interferes with polyp progression through induction of tumor-cell specific apoptosis and by modulating Wnt signaling through the activation of GSK-3β
Gastric cancer	HGC27, BGC823, SGC7901		Inhibits STAT3 phosphorylation, associated with reduction in JAK2 and c-Src activity, as well as Bcl-2, cyclin D, survivin, and VEGF
		Mouse	Down-regulates STAT3
Glioblastoma	M059K, M059J		Induces DNA damage, telomere attrition by inhibiting telomerase and cell death
	U-87, CCF-STTG1		Down-regulates FAK, associated with a reduction of ERK phosphorylation as well MMP-2 and MMP-9 secretion, and consequently inhibits cell migration and invasion
Hepatic carcinoma	HepG2		Stimulates expression of pro-apoptotic Bcl-xS and TRAIL death receptors, and inhibits expression of the anti-apoptotic gene Bcl-2, as well as inhibits NF-κB and IL-8 and stimulates apoptosis
		Rat	Decreases the expression of antioxidant enzymes, such as, glutathione peroxidase, glutathione-s-transferase and catalase; regulates G1/S phase cell cycle transition
Lung cancer	A549		Reduces ERK1/2 phosphorylation and controls proliferation and migration
Multiple myeloma	U266, RPMI8226		Inhibits IL-6-inducible STAT3 phosphorylation, which is correlated with the inhibition of c-Src and JAK2 activation. Also inhibits the expression of STAT3-regulated gene products, D1, Bcl-2, Bcl-xL, survivin, Mcl-1 and VEGF, which ultimately induces apoptosis
Murine Leukemia	WEHI-3	Mouse	Increases early apoptosis through the up-regulation of Bcl-2, and down-regulation of Bax.
Myeloid leukemia	KBM-5		Suppresses TNF-α-induced NF-κB activation, and consequently inhibits the activation of I-κB alpha kinase, I-κB alpha phosphorylation, I-κB alpha degradation, p65 phosphorylation, p65 nuclear translocation, and the NF-κB -dependent reporter gene expression; Also down-regulates the expression of NF-κB -regulated antiapoptotic gene products like IAP1, IAP2, XIAP Bcl-2, Bcl-xL, and surviving; proliferative gene products like cyclin D1, cyclooxygenase-2, and c-Myc, and angiogenic gene products MMP-9 and VEGF
Oral cancer	T28		Down-regulates proliferation activator p38 MAPK
Osteosarcoma	MG63		Generates ROS to induce oxidative damage and apoptosis
Prostate Cancer	LNCaP		Antioxidant activity controls cancer cell growth
	DU145, PC-3, LNCaP		Inhibits DNA synthesis and proliferation
Pancreatic cancer	FG/COLO357, CD18/HPAF		Down-regulates MUC4 expression through the proteasomal pathway and induces apoptosis by the activation of JNK) and p38 MAPK pathways
		Mouse	Down-regulates MMP-9, XIAP
Squamous cell carcinoma		Mouse	Inhibits cell proliferation and induces apoptosis by inhibiting Akt and JNK phosphorylations

2. Antifúngico.
3. Efeito epigenético. Inibe as histonas desacetilases: acetila zona CpG e acorda genes supressores de tumor.
4. Efeito epigenético: inibe a DNA metiltransferase 1 (DNMT1) em células leucêmicas murina (Pang, 2017).
5. As seguintes vias de sinalização são consideradas as mais significantes na atividade anticâncer da timoquinona: p53, NF-kappaB, PPAR-gama, STAT3, MAPK e a importante via PI3K/AKT (Majdalawieh, 2017).
6. Timoquinona aumenta a p21-WAFI, que bloqueia a atividade da cdk2, cdk4 e cdk6 levando à parada do ciclo celular.
7. Diminui a ativação constitutiva do AKT, via geração de radicais livres de oxigênio, que provoca alterações conformacionais na proteína Bax levando a perda do potencial de membrana mitocondrial e liberação do citocromo c no citoplasma. Isso leva à ativação das caspases-3 e 9 com clivagem da poliadenosina 5'-difosfato ribose polimerase: apoptose.
8. Inibe a serina-treonina quinase e a *polo-like kinase 1* (Plk1).
9. Inibe NF-kappaB.
10. Timoquinona aumenta a fosforilação dos MAPKs (*mitogen activated protein kinases*), JNK e ERK, mas não do p38.
11. Timoquinona dispara a parada do ciclo celular e apoptose via p53 ou p73.
12. O fator de transcrição nuclear NF-kappaB é ativado por muitas drogas usadas na quimioterapia. Muito interessante é o fato de a timoquinona ser capaz de diminuir a concentração do NF-kappaB *in vitro*, o que provoca aumento da eficácia da quimioterapia.
13. Aumenta o efeito da radioterapia.
14. Doses da *Nigella sativa* utilizadas em trabalhos randomizados, duplo-cego e controlados com placebo:
    a) 2,5ml do óleo 2 vezes ao dia durante 2 meses melhorou a infertilidade masculina: aumentou a contagem de espermatozoides (Kolahdooz, 2014).
    b) Duas cápsulas de 500mg após o café da manhã diminuiu o LDL-colesterol e os triglicérides e aumentou o HDL-colesterol em dois meses (Ibrahin, 2014).
    c) Uma cápsula de 500mg após o desjejum durante 2 meses melhorou o humor, a ansiedade e a cognição de menino adolescente em 1 mês (Bin Sayeed, 2014).
    d) Dois gramas ao dia melhorou o controle da glicemia, diminuiu a resistência à insulina e reduziu o estresse oxidativo em 6-12 meses (Kaatabi, 2015).
15. **Várias neoplasias**
    a) Timoquinona para a progressão do ciclo celular no câncer de pulmão, mama, ovário, próstata, cólon, fibrossarcoma e osteossarcoma.
    b) Timoquinona agente anticâncer *in vitro* e *in vivo*, em células LNM35 do câncer pulmonar, HepG2 do fígado, HT29 do cólon, MDA-MB-435 do melanoma e MCF-7/MDA-MB-231 do câncer de mama. Ocorre significante inibição da viabilidade celular, por meio da inibição da via Akt, lesando DNA e ativando a via de sinalização pró-apoptótica mitocondrial. Inibe a hidroxiprostaglandina desidrogenase e muito importante: inibe a histona desacetilase-2: efeito epigenético que acetila zona CpG e acorda genes supressores de tumor.
    c) Timoquinona induz apoptose em várias linhagens neoplásicas de modo dependente e independente do p53. Aumenta a expressão do mRNA do p53 e do p21-WAFI e inibe drasticamente a proteína antiapoptótica Bcl-2.
    d) Timoquinona para o ciclo celular em G1 e induz apoptose em células COS31 do osteossarcoma canino, COS31/rCDDP variante resistente à cisplatina, MCF-7 do adenocarcinoma humano, BG-1 do adenocarcinoma de ovário humano e MDCK do Madin-Darby canino. Células não neoplásicas não sofrem interferência.
    e) Timoquinona diminui a expressão do NF-kappaB e a expressão de genes antiapoptóticos regulados por ele, IAP1, IAP2, XIAP Bcl-2, Bcl-xL e survivina; diminui as proteínas proliferativas ciclina D1, cicloxigenase-2 e c-Myc; e diminui as proteínas angiogênicas, matriz metaloproteinase-9 e VEGF (*vascular endothelial growth factor*) em vários tipos de neoplasias.
    f) Timoquinona é nova estratégia de combate a vários tipos de neoplasias. Ela aumenta o miR-34a através do p53 e diminui a expressão do Rac1. Induz apoptose regulando genes pró e apoptóticos. Reduz a fosforilação do NFkappaB e do IKK-alfa/beta e reduz as metástases, e também diminui atividade do ERK1/2 e PI3K. Ativando JNK e p38 inibe metástases (Imran, 2018).
    g) Foram investigados os efeitos separados da alfa-hederina e da timoquinona, os dois principais constituintes bioativos da *Nigella sativa*, em quatro linhas celulares de câncer humano, A549 (carcinoma do pulmão), HEp-2 (carcinoma epidermóide da laringe), HT-29 (adenocarcinoma do cólon) e MIA PaCa-2 (carcinoma do pâncreas). A alfa-hederina e a timoquinona induziram separadamente efeito anticâncer dependente da dose e do tempo nessas quatro linhas

celulares humanas. As células HEp-2 foram as mais sensíveis, exibindo apoptose com maior incidência após o tratamento com timoquinona (Rooney, 2005).

16. **Gliomas**
   a) Alvos moleculares da timoquinona no glioblastoma multiforme: Molécula de Adesão Focal (FAC) e PAK1: proteína p21 (Cdc42/Rac) (retirado de Chowdhury, 2018).
   b) Timoquinona encurta os telomeros por inibir a atividade da telomerase e assim induz lesão do DNA, parada do ciclo celular e apoptose em células do glioblastoma multiforme (Gurung, 2010).
   c) Glioblastoma multiforme humano. Timoquinona inibe a telomerase e induz o encurtamento de telomero, quebra do DNA e aumento da apoptose. Células deficientes em DNA-PKCs apresentam significante parada celular em G2/M em adição à apoptose de modo independente da telomerase.
   d) Glioblastoma multiforme humano. Timoquinona reduz a migração e a invasão de células do glioblastoma associadas com a diminuição da FAK, MMP-2, MMP-9 e da fosforilação do ERK (Kolli-Bouhafs, 2012).
   e) Timoquinona inibe a autofagia e induz morte celular apoptótica em células do glioblastoma dependente da catepsina e independente das caspases.
   f) Timoquinona inibe as vias PI3K/Akt/mTOR e Ras/Raf/MEK/ERK e inibe as MMP-2 e -9, Pak1 e NF-kappaB em células do glioblastoma (Chowdhury, 2018) (Racoma, 2013).
   g) Timoquinona inibe as vias PI3K/Akt/mTOR/Ras/Raf/MEK/ERK e inibe MMP2 e 9, Pak1 e NF-kappaB em células de glioblastoma (Chowdhury, 2018).
   h) Timoquinona e temozolomida têm efeito sinérgico na linha celular de glioblastoma multiforme humano, U87MG. TMZ e/ou TQ reduziram significativamente o potencial de invasão de células U87MG. Além disso, após o tratamento com TMZ e/ou TQ, houve diminuição nos níveis de expressão e secreção de matriz metaloproteinase 2 e 9 nas células U87MG (Pazhouhi, 2018).
   i) Timoquinona inibe o crescimento de células de meduloblastoma humano induzindo estresse oxidativo e apoptose dependente de caspase, ao suprimir a sinalização de NF-κB e a expressão de IL-8 (Ashour, 2016).

17. **Carcinoma de cabeça e pescoço**
   a) As linhas celulares SCC25 e CAL27 HNSCC foram tratadas com timoquinona (TQ) sozinha e em combinação com cisplatina ou radiação, respectivamente. TQ exibiu citotoxicidade dependente da dose via apoptose em ambas as linhas celulares. Em combinação com a cisplatina, o TQ não resultou em aumento significativo da citotoxicidade. Combinado com a radiação, o TQ reduziu significativamente a sobrevida clonogênica em comparação com cada método de tratamento isolado. O TQ é agente promissor no tratamento de câncer de cabeça e pescoço devido às suas propriedades antiproliferativas e radiossensibilizantes. No entanto, a combinação de TQ com cisplatina não mostrou benefício terapêutico *in vitro* (Kotowski, 2017).
   b) Timomquinona (TQ) induziu a morte celular em células cancerígenas orais por meio de duas atividades antineoplásicas distintas, apoptose e autofagia. O TQ provocou forte efeito citotóxico

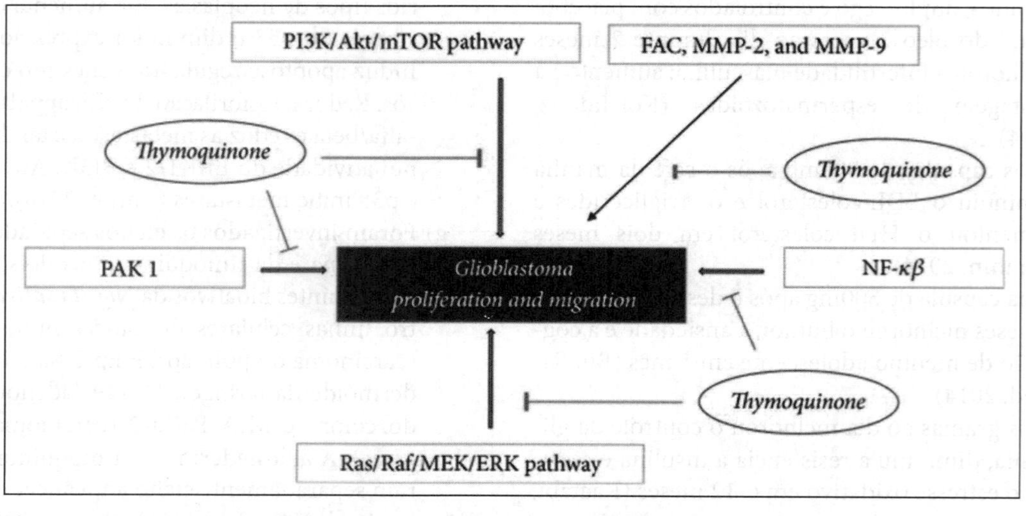

Figure 102.2 Mecanismos de ação da timoquinona nos gliomas (Khan, 2017).

no SASVO3, uma linha celular de carcinoma espinocelular de cabeça e pescoço (HNSCC) altamente maligna. O efeito citotóxico foi dependente da concentração. O TQ também induziu a morte celular apoptótica nas células SASVO3, como indicado por um aumento na expressão de Bax e na ativação da caspase-9. As células expostas também apresentaram níveis aumentados de vacúolos autofágicos e proteínas LC3-II, que são marcadores específicos de autofagia. O tratamento com TQ também aumentou o acúmulo de autofagossomos. Um modelo *in vivo* de xenoenxerto de camundongo nude BALB/c mostrou ainda que o TQ administrado por gavagem oral reduziu o crescimento do tumor via autofagia e apoptose (Chu, 2014).

c) Timoquinona e timo-hidroquinona possuem atividade antitumoral *in vitro* e *in vivo* em células do carcinoma epidermoide, SCC VII, de modo dose-dependente e sem efeito em fibroblastos normais.

18. **Câncer de pulmão**

a) Timoquinona inibe a proliferação e invasão do câncer pulmonar linhagem A549, via ERK1/2. Ocorre inibição da expressão do mRNA e suas proteínas do PCNA, ciclina D1, MMP2, e MMP9 de modo dose e tempo-dependentes. A expressão do inibidor do ciclo celular p16 está inibida.

b) Timoquinona inibe a polimerização dos microtúbulos ligando-se às tubulinas e causa parada mitótica (ciclo celular para em G2/M) seguindo-se apoptose em células A549 do câncer pulmonar humano. Liga-se às tubulinas no mesmo local da colchicina (Acharya, 2014).

c) Timoquinona é sinérgica com a cisplatina: aumento da habilidade de inibir a proliferação, reduzir a viabilidade e induzir apoptose. A dupla inibe a invasão reduzindo a produção de duas citocinas, ENA-78 e Gro-alfa, envolvidas na neoangiogênese (Jafri, 2010).

d) TQ desempenhou papel relevante na inibição da proliferação, migração e invasão de células de câncer de pulmão A549, também inibiu o nível de expressão de mRNA e proteína de PCNA, ciclina D1, MMP2 e MMP9 de uma maneira dependente da dose e do tempo, especialmente nas concentrações de 10, 20, 40 µmol/l. A expressão do inibidor do ciclo celular P16 e as atividades de gelatinase de MMP2 e MMP9 também foram inibidas dramaticamente por TQ. TQ reduziu a fosforilação de ERK1/2 (Yang, 2015).

e) Antitumor e apoptose induzida por timoquinona em células de adenocarcinoma de pulmão humano. O TQ diminuiu a viabilidade e aumentou a morte celular apoptótica em células tumorais pulmonares humanas A549. O tratamento com TQ aumentou significativamente a proporção Bax/Bcl-2 nas células de câncer de pulmão. O TQ também regulou positivamente a expressão de p53, outro modulador apoptótico nas células cancerígenas A549. O TQ também ativou a apoptose dependente da caspase pela ativação das caspases-3 e 9 (Samarghandian, 2018).

19. **Câncer de mama**

a) Timoquinona pode ser útil no câncer de mama MCF-7/DOX refratário à doxorrubicina por aumentar a expressão do PTEN e induzir apoptose. Ocorre aumento da razão Bax/Bcl2 por aumento da proteína Bax e diminuição da Bcl-2, inibição da via Akt e aumento do p53 induzindo a parada do ciclo celular na fase G2/M.

b) *Nigella sativa* (cominho negro) na prevenção e tratamento do câncer de mama.

c) Extrato etanólico da *N. sativa* inativa completamente as células MCF-7 do câncer de mama. Demonstraram-se, pela primeira vez na literatura, o aumento da atividade do PPAR-gama e a diminuição da expressão dos genes Bcl-2, Bcl-xl e survivina. O aumento do PPAR-gama ativa AMPK que inibe mTOR.

d) Timoquinona tem como alvo o Akt que promove parada do ciclo celular em G1 inibindo a ciclinas, D1-E e o CDK inibidor p27 provocando apoptose no câncer de mama.

e) Timoquinona possui efeito anticâncer de mama via ativação do PPAR-gama – primeiro trabalho com este mecanismo de ação.

f) A inibição da atividade do NF-kappaB no epitélio mamário pela timoquinona aumenta a latência do tumor e diminui o volume tumoral.

g) No câncer de mama a timoquinona inibe a progressão do ciclo celular de G1 para S, tendo como alvo a ciclina D1, ciclina E e p27; inibe a HDAC (histona desacetilase), age no Maspin; induz o Bax (pró-apoptótico) e regula para baixo o Bcl-2 (antiapoptótico) (Barkat, 2017).

h) A combinação timoquinona e piperina age de modo sinérgico *in vitro* e *in vivo* no câncer de mama murino, EMT6/P (ECACC 96042344). Acontecem indução da apoptose e polarização do sistema imune para Th1 (T helper1) (Talib, 2017).

i) Timoquinona (TQ) inibiu o crescimento, a migração e a invasão de células cancerígenas de maneira dependente da dose. No nível molecular, o tratamento com TQ diminuiu a atividade transcricional do promotor TWIST1 e a expressão de mRNA do TWIST1, fator de transcrição promotor de EMT. Consequentemente, o tratamento com TQ também diminuiu a expressão de genes regulados por TWIST1, como N-Caderina, e aumentou a expressão de genes reprimidos por TWIST1, como E-Caderina, resultando em uma redução da migração e invasão celular. O tratamento com TQ também inibiu o crescimento e as metástases de tumores de xenoenxerto derivados de células cancerígenas em camundongos e atenuou parcialmente a migração e invasão em linhas celulares super expressas com TWIST1. Além disso, descobriu-se que o tratamento com TQ melhorou a metilação do DNA promotor do gene TWIST1 em células BT 549 de carcinoma ductal invasivo. Juntos, esses resultados demonstram que o tratamento com TQ inibe a atividade do promotor TWIST1 e diminui sua expressão, levando à inibição da migração, invasão e metástase de células cancerígenas (Khan, 2015).

j) A terapia combinada de timoquinona (TQ) e resveratrol (RES) causou diminuição significativa no tamanho do tumor com porcentagem de cura de 60%. A terapia combinada induziu necrose local, apoptose aumentada e diminuição da expressão de VEGF. Os níveis séricos de IFN-gama foram elevados em camundongos tratados com terapia combinada sem toxicidade hepática ou renal. A combinação de TQ e RES contra câncer de mama em camundongos foi sinérgica. O efeito anticâncer dessa combinação é mediado pela indução de apoptose, inibição da angiogênese e modulação imunológica (Alobaedi, 2017).

k) A timoquinona e a melatonina têm efeito sinérgico contra o câncer de mama implantado em camundongos. Os ratinhos Balb/C foram transplantados com a linha celular EMT6/P. A combinação de TQ e MLT causou diminuição significativa no tamanho do tumor com porcentagem de cura de 60%. A terapia combinada induziu necrose extensa, aumento da taxa de apoptose e diminuição da expressão de VEGF nas seções do tumor. Os níveis séricos de INF-gama foram aumentados em camundongos tratados com terapia combinada e os níveis de AST e ALT ficaram próximos de seus valores normais. O efeito anticâncer desta combinação é mediado pela indução de apoptose, inibição da angiogênese e ativação da resposta imune antineoplásica do auxiliar 1 (Odeh, 2018).

20. **Câncer de mama triplo negativo**

a) Timoquinona causa parada do ciclo celular da fase G1 e apoptose em duas linhagens de células de câncer de mama triplo negativas (TNBC) portadoras de p53 mutante. Os ensaios de metabolismo celular mostraram que o TQ inibiu o crescimento celular sem afetar o crescimento celular normal. Ocorre parada do ciclo celular da fase G1 e apoptose caracterizada pela perda da integridade da membrana mitocondrial. O TQ causa liberação do citocromo c e do fator indutor de apoptose no citoplasma, além de ativar a caspase-9 tudo consistente com a via mitocondrial da apoptose. A caspase-8 também foi ativada nas células TNBC tratadas com TQ, embora o mecanismo de ativação ainda não esteja claro. A clivagem da poli (ADP-ribose) polimerase e γH2AX estão aumentadas, bem como a redução da fosforilação do Akt. A expressão do inibidor da apoptose ligada ao X está diminuída em células tratadas com TQ. Finalmente, o TQ aumentou a citotoxicidade induzida por cisplatina e docetaxel. Esses achados sugerem que o TQ pode ser útil no tratamento do TNBC, mesmo quando a p53 funcional está ausente (Sutton, 2014).

b) Verificou-se que a timoquinona (TQ) regula os genes envolvidos na indução de apoptose através de receptores de morte. Além disso, genes supressores de tumores, como p21, Brca1 e Hic1 foram regulados para cima por combinação TQ e TQ-Pac (paclitaxel). Curiosamente, quando as células foram tratadas com alta dose de TQ, vários fatores de crescimento, como VEGF e Egf, foram regulados para cima e vários fatores pró-apoptóticos, como caspases também foram regulados para cima, possivelmente apontando caminhos principais manipulados pelas células cancerígenas para resistir contra o TQ. Nas células tratadas com a combinação de TQ e Pac, os genes em cascata de apoptose, sinalização p53 e sinalização JAK-STAT foram expressos diferencialmente. Também foi demonstrado que o TQ induz os níveis de proteína da Caspase-3, Caspase-7 e Caspase-12 e PARP clivadas e reduz a p65 e Akt1 fosforiladas. O potencial terapêutico *in vivo* da combinação TQ-Pac e a rede genética envolvida nessa sinergia foram demonstrados pela primeira vez com o melhor de nosso conhecimento (Sakalar, 2016).

c) A combinação de timoquinona e paclitaxel mostra atividade antitumoral no câncer de mama triplo negativo *in vitro* e *in vivo* – modelo murino. Timoquinona sozinha regula genes envolvidos com apoptose por meio de receptores da morte. Regula para cima genes supressores de tumor como p21, Brca1 e Hic1. Alta dose de timoquinona aumenta vários fatores de crescimento como VEGF e EGF. Ela induz proteínas clivadas do PARP e das caspases-3, 7 e 9 e reduz a fosforilação do p65 (diminui NF-kappaB) e do Akt1 (diminui proliferação) (Sakalar, 2016).

d) Timoquinona inibe a proliferação celular, migração e invasão no câncer de mama triplo negativo linhagem MDA-MB-231: inibe a expressão e proteínas do eEF-2K (elongation factor 2 kinase), ao lado da regulação para baixo do Src/FAK e Akt e indução do supressor tumoral miR-603 em resposta à inibição do NF-kappaB. A injeção sistêmica *in vivo* de TQ (20 e 100mg/kg) reduziu significativamente o crescimento de tumores MDA-MB-231 e inibiu a expressão de eEF-2K em um modelo de tumor ortotópico em camundongos (Kabil, 2018).

21. **Câncer de próstata**

a) Timoquinona em células C4-2B e PC-3 provoca em 1 hora: aumento de 3 vezes das espécies reativas de oxigênio com diminuição de 60% da concentração intracelular de GSH, nos dois tipos de células. A timoquinona ativa JNK (Jun-quinase) e significativamente provoca parada do crescimento celular e apoptose: aumenta AIF-1 (*apoptosis-inducing factor-1*) e diminui a expressão de várias proteínas relacionadas ao Bcl2, tais como BAG-1, Bcl2, Bcl2A1, Bcl2L1 e BID e importante de modo independente do receptor andrógeno (AR). Conclusão, a morte celular é devido ao estresse oxidativo com diminuição do GSH, sendo independente da presença de receptores de andrógenos.

b) Timoquinona no câncer de próstata refratário ao tratamento convencional. O E2F-1, um regulador da proliferação e viabilidade celular, desempenha papel importante no câncer de próstata refratário. A timoquinona inibe a síntese de DNA, a proliferação e a viabilidade das linhagens LNCaP, C4-B, DU145 e PC-3 sem alterar as células prostáticas BPH-1 não cancerosas, diminuindo os receptores androgênicos e a síntese de E2F-1.

c) Timoquinona inibe a síntese de DNA, a proliferação e a viabilidade de células, LNCaP, C4-B, DU145, e PC-3, mas não do tecido não canceroso, BPH-1. Ocorre, infrarregulação do AR (*androgen receptor*) e do E2F-1 (*transcription factor*).

d) Timoquinona bloqueia a angiogênese *in vitro* e *in vivo* em tumor de próstata humano transplantado em camundongo.

e) Nas células LNCaP acontecem dramático aumento do p21(Cip1), p27(Kip1), Bax e redução drástica da ciclina A com parada do ciclo celular em G1-S e diminuição dos receptores androgênicos e do E2F-1. Não houve efeitos colaterais nos camundongos tratados.

f) A timoquinona suprimiu o fenótipo metastático e reverteu a transição epitelial-mesenquimal (EMT) das células cancerígenas da próstata, regulando negativamente a via de sinalização TGF-β/Smad2/3. Esses achados sugerem que a timoquinona é agente terapêutico potencial contra o câncer de próstata, que atua visando o TGF-β (Kou, 2017).

22. **Câncer de estômago**

a) Timoquinona é eficaz no câncer gástrico.

b) Timoquinona inibe o crescimento e aumenta a apoptose induzida por 5-fluorouracil em células cancerígenas gástricas *in vitro* e *in vivo*. O TQ melhorou a morte induzida por 5-FU das células cancerígenas gástricas, mediando a regulação negativa da proteína anti-apoptótica bcl-2, a regulação positiva da proteína pró-apoptótica Bax e a ativação da caspase-3 e caspase-9. Além dos resultados *in vitro*, foi demonstrado que o tratamento combinado de TQ com 5-FU representa tratamento significativamente mais eficaz do que qualquer um dos agentes isoladamente em modelo de camundongo com tumor xenoenxertado. Esses dados sugerem que o tratamento combinado TQ/5-FU induz apoptose, aumentando a ativação da caspase-3 e caspase-9 nas células cancerígenas gástricas. Esses resultados, que fornecem evidências moleculares *in vitro* e *in vivo*, corroboram nossa conclusão de que a timoquinona pode ativar a caspase-3 e a caspase-9 e, portanto, resultar na quimiossensibilização das células cancerígenas gástricas à morte celular induzida por 5-FU (Lei, 2012).

c) Timoquinona inibe a proliferação no câncer gástrico pela via STAT3 *in vivo* e *in vitro*. TQ inibiu a fosforilação de STAT3, mas não de STAT5. A regulação negativa induzida por TQ da ativação de STAT3 foi associada a uma redução na atividade de JAK2 e c-Src. O TQ também desregulou a expressão de genes regulados por STAT3, como Bcl-2, ciclina D, survivina e fator de crescimento endotelial vascular e caspase ativada-3, 7, 9. Consistente com os resultados *in vitro*, o TQ foi significativamente eficaz como agente antitumoral em modelo de camundongo com tumor xenoenxertado (Zhu, 2016).

d) Timoquinona induz citotoxicidade e reprogramação de EMT em células de câncer gástrico, visando a via PI3K/Akt/mTOR (Feng, 2017).

e) Timoquinona tem como alvo o gene PTEN o que aumenta os efeitos antitumorais induzidos por cisplatina em células cancerígenas gástricas humanas *in vitro* e *in vivo*. Curiosamente, o pré-tratamento com TQ após cisplatina causou um aumento significativo nos níveis de PTEN, uma diminuição óbvia no p-AKT, CyclinD1, glicoproteína P (P-gp), enquanto isso, TQ e cisplatina também levaram ao aumento no Bax, Cyt C, AIF, caspase clivada 9 e caspase clivada 3 e uma diminuição de Bcl-2, procaspase-9, procaspase-3. Além disso, os resultados *in vitro* mostraram que a combinação de TQ e cisplatina representa uma abordagem mais eficaz do que qualquer um dos agentes isoladamente em modelo de camundongo com tumor xenoenxertado. Em conclusão, o TQ aumenta significativamente os efeitos antitumorais induzidos por cisplatina no câncer gástrico *in vitro* e *in vivo*, através da inibição da via de sinalização PI3K/AKT, ativando a via mitocondrial e subregulando a glicoproteína P e aumentando a atividade do gene PTEN. O TQ pode ser um candidato promissor como agente quimiopreventivo ou quimioterápico do câncer para terapia combinada antineoplásica (Ma, 2017).

23. **Câncer hepático**

a) Timoquinona e alfa-hederina induzem parada do ciclo celular em G0/G1 e apoptose com ativação das caspases em células do hepatocarcinoma, Hep-2.

b) O extrato de *N. sativa* provoca 88% de inibição da viabilidade em células HepG2 em 24 horas de incubação.

c) Timoquinona causa supressão do crescimento de células de carcinoma hepatocelular humano por inibição da expressão de IL-8, níveis elevados de receptores TRAIL, estresse oxidativo e apoptose (Ashour, 2014).

d) O TQ inibe o crescimento de carcinoma hepatocelular *in vitro* e *in vivo* através da repressão da sinalização de Notch. O TQ inibiu o crescimento de células tumorais *in vitro*, onde o tratamento com TQ interrompeu o ciclo celular no G1, com a regulação positiva de p21 e a expressão negativa de cyclinD1 e CDK2; além disso, o TQ induziu apoptose diminuindo a expressão de Bcl-2 e aumentando a expressão de Bax. Simultaneamente, o TQ demonstrou um impacto supressor na via Notch, onde a superexpressão do domínio intracelular 1 do Notch (NICD1) reverteu o efeito inibitório do TQ na proliferação celular, atenuando os efeitos repressivos do TQ na via do Notch, ciclinaD1, CDK2 e Bcl- 2 e também diminuindo a regulação positiva de p21 e Bax. Em um modelo de xenoenxerto, o TQ inibiu o crescimento de HCC em camundongos *nude*; esse efeito inibitório *in vivo*, bem como o crescimento de células HCC *in vitro* associou-se ao declínio discernível nos níveis de NICD1 e Bcl-2 e a um aumento dramático na expressão de p21. Em conclusão, o TQ inibe o crescimento de células HCC ao induzir a parada do ciclo celular e apoptose, atingindo esses efeitos pela repressão da via de sinalização Notch (Ke, 2015).

e) Nas células HepG2, o TQ induz a interrupção do ciclo celular na fase G2/M e aumento dependente da concentração na porcentagem de células apoptóticas com aumento da proporção de Bax/BCL-2. Além disso, a expressão do mRNA e do nível de proteína do fator de crescimento vascular endotelial diminuiu à medida que a concentração de TQ aumentou. Esses dados mostraram inibição significativa da enzima induzida fase I CYP1A1 e elevação do conteúdo de glutationa e atividade da enzima fase II GST, nas células HepG2 (El-Khoely, 2015).

f) *Nigella sativa* atenua a angiogênese no carcinoma hepatocelular *in vivo* (Fathy, 2018).

g) Timoquinona é melhor que a curcumina na regeneração de fígados de ratos submetidos a 70% de ressecção hepática (Gazenelli, 2018).

h) Timoquinona protege o fígado de lesões por diferentes mecanismos, incluindo inibição da peroxidação lipídica dependente de ferro, elevação do teor total de tiol e nível de glutationa, eliminação de radicais livres, aumentando a atividade da quinona redutase, catalase, superóxido dismutase e glutationa transferase, inibição da atividade do NF-kappaB e inibição da ciclooxigenase e lipoxigenase (Mollazadeh, 2014).

i) As células HEp-2 são muito sensíveis à timoquinona exibindo intensa apoptose (Rooney, 2005).

24. **Câncer de pâncreas**

a) Timoquinona possui efeito antimetastático no câncer de pâncreas.

b) Timoquinona aumenta a atividade antitumoral da gemcitabina e da oxaliplatina. Diminui o NF-kappaB, a família Bcl-2 e genes antiapoptóticos dependentes do NF-kappaB (inibidores da apoptose *X-linked*, survivina e cicloxigenase-2).

c) Óleo induz apoptose e inibe a proliferação em células do adenocarcinoma ductal.

d) Inibe a indução de NF-kappaB pela oxaliplatina e gemcitabina, o que aumenta a quimiossensibilização dos tumores pancreáticos.

e) A MUC4 (*high molecular weight glycoprotein mucin 4*) está expressa de modo aberrante no câncer de pâncreas e contribui para a regulação da diferenciação, proliferação, metástases e quimiorresistência. A timoquinona diminui a MUC4 (Torres, 2010) ou não interfere (Rooney, 2005) este em células do carcinoma de pâncreas, PaCa-2.

f) Foi investigado o potencial antineoplásico da timoquinona (TQ) em linhas celulares humanas de PDAC, AsPC-1 e MiaPaCa-2. O TQ (10-50 μM). TQ inibiu a viabilidade e proliferação celular e causou parada parcial do ciclo celular em G2 de maneira dependente da dose nas linhas testadas. Células acumuladas na fase subG0/G1, indicaram apoptose. Isso foi associado à regulação para cima do p53 e regulação para baixo de Bcl-2. Independentemente da p53, o TQ aumentou a expressão do mRNA da p21 em 12 vezes. O TQ também induziu a acetilação de H4 (lisina 12) e reduziu a atividade das HDACs, reduzindo a expressão dos HDACs 1, 2 e 3 em 40-60%. *In vivo*, o TQ reduziu significativamente o tamanho do tumor em 67% dos xenoenxertos de tumores, juntamente com o aumento da acetilação de H4 e a expressão reduzida de HDACs. Estes resultados mostraram que o TQ mediou a modificação pós-translacional da acetilação da histona, inibiu a expressão de HDACs e induziu vias de sinalização pró-apoptóticas. Esses alvos moleculares demonstram justificativa para o uso de TQ como agente antineoplásico promissor (Relles, 2016).

g) Timoquinona aumenta a atividade antitumoral de gencitabina e oxaliplatina no câncer de pâncreas (Cancer Res. 15 de setembro; 78 (18): 5468; 2018).

h) O pré-tratamento com timoquinona depois da gemcitabina causou sinergicamente aumento na apoptose das células cancerígenas pancreáticas e inibição do crescimento tumoral *in vitro* e *in vivo* através da supressão de Notch1, PI3K/Akt/mTOR. O novo regime também contribuiu para alterações de vários alvos de sinalização molecular, como a supressão de Notch1, NICD que acompanhou a regulação para cima do PTEN, a inativação das vias de sinalização Akt/mTOR/S6 e a supressão da fosforilação e translocação nuclear de p65 induzido por TNF-α. O pré-tratamento com timoquinona e gencitabina também induziu a regulação para baixo do Bcl-2, Bcl-xL, XIAP e regulação para cima e ativação de moléculas pró-apoptóticas, incluindo Caspase-3, Caspase-9, Bax e aumento da liberação de citocromo c (Mu, 2015).

25. **Câncer de cólon**

a) Câncer colorretal. Timoquinona provoca apoptose via p53 com aumento de 2,5 a 4,5 vezes a expressão do mRNA do p53 e diminuição do p21WAF1. Inibe a proliferação e para o ciclo em G1.

b) Timoquinona promove atividade antitumoral em doses não citotóxicas do topotecan em células do câncer colorretal.

c) O 5-fluorouracil, a epigalocatequina galato e a *Nigella sativa* produzem efeitos semelhantes no câncer colorretal.

d) A timoquinona quimossensibiliza as células de câncer de cólon através da inibição do NF-kappaB. O tratamento com TQ sensibilizou as células COLO205 e HCT116 à terapia com cisplatina de maneira dependente da concentração. O tratamento com TQ diminuiu significativamente o nível de p65 fosforilado no núcleo, o que indicou a inibição da ativação de NF-kappaB pelo tratamento com TQ. O tratamento com TQ também diminuiu os níveis de expressão de VEGF, c-Myc e Bcl-2. Os resultados do presente estudo sugeriram que o TQ induziu a morte celular e sensibilizou as células cancerígenas do cólon à quimioterapia, inibindo a sinalização de NF-kappaB (Zhang, 2016).

e) A timoquinona potencía o efeito quimioprotetor da vitamina D3 contra o câncer de cólon. Vit.D3 e TQ foram administrados individualmente ou em combinação 4 semanas antes da indução e continuaram por um total de 20 semanas. No final do estudo, todos os animais foram sacrificados e dois pontos foram examinados macroscópica e microscopicamente quanto ao crescimento do tumor. Comparado com a suplementação individual, a combinação Vit.D3/TQ mostrou efeito antitumoral proeminente manifestado por redução significativa do número de tumores crescidos e grandes focos de criptas aberrantes. Mecanicamente, estudos de expressão gênica e/ou quantificação de proteínas revelaram que a suplementação combinada de Vit.D3/TQ induziu redução significativa de moléculas pró-câncer (Wnt, β-catenina, NF-κB, COX-2, iNOS, VEGF e HSP-90) bem como aumento significativo de biomarcadores antitumorigênese (DKK-1, CDNK-1A, TGF-β1, TGF-β/RII e smad4) em comparação com grupos não suplementados ou individualmente suplementados. Em conclusão, o TQ aumentou o efeito quimiopreventivo da Vit. D3 durante a fase inicial do câncer de cólon em modelo murino com o potencial de suprimir a progressão de lesões pré-neoplásicas na carcinogênese do cólon (Mohamed, 2017).

f) TQ suprime a migração de células de câncer de cólon humano LoVo, reduzindo a ativação de COX-2 induzida por prostaglandina E2 (Hsu, 2017).

g) Timoquinona induz a morte celular autofágica e independente da caspase no câncer de cólon Lovo resistente a CPT-11 via disfunção mitocondrial e ativação de JNK e p38 (Chen, 2015).
h) Timoquinona induz apoptose em células HCT116 de câncer de cólon humano através da inativação de STAT3, bloqueando a fosforilação mediada por JAK2 e Src da tirosina quinase do receptor de EGF (Kundu, 2014).
i) Sabe-se que a timoquinona induz a morte celular apoptótica e o estresse oxidativo. Foi demonstrado que a TQ inibiu a proliferação de um painel de células cancerígenas do cólon humano (Caco-2, HCT-116, LoVo, DLD-1 e HT-29), sem exibir citotoxicidade nas células intestinais humanas normais. Investigações posteriores revelaram que a morte celular apoptótica é o mecanismo para a inibição do crescimento induzida por TQ, a morte por citologia M30 e a ativação da caspase-3/7. A apoptose foi induzida através da geração de espécies reativas de oxigênio (ERTOs), como evidenciado pela supressão do efeito apoptótico do TQ em células pré-incubadas com o forte antioxidante N-acetilcisteína (NAC). O TQ aumentou os estados de fosforilação das proteínas cinases ativadas por mitogênio (MAPK) JNK e ERK, mas não do p38. Sua ativação foi completamente abolida na presença de NAC. Esses dados apresentam evidências que relacionam os efeitos pró-oxidantes do TQ com seus efeitos apoptóticos no câncer de cólon (El-Najar, 2010).
j) A timoquinona extraída da semente preta desencadeia a morte celular apoptótica em células cancerígenas colorretais humanas através de mecanismo dependente de p53 (Gali-Muhtasib, 2004).
k) A timoquinona desencadeia a inativação do sensor da via de resposta ao estresse CHEK1 e contribui para a apoptose em células cancerígenas colorretais, células cancerígenas p53 +/+ e p53 -/- cólon HCT116. O status de p53 do tipo selvagem (wt) correlacionou-se com danos no DNA mais pronunciados e maior apoptose após o tratamento com timoquinona. Foi observada uma regulação positiva significativa do gene de sobrevivência CHEK1 nas células p53 –/– em resposta à timoquinona devido à falta de repressão transcricional da p53. Células p53 –/– transplantadas para camundongos *nude* tratados com TQ regulou para cima a expressão do CHEK1 e não sofreram apoptose ao contrário das células p53 +/+. Foi confirmada a existência *in vivo* dessa ligação CHEK1/p53 no câncer colorretal humano, mostrando que os tumores sem p53 apresentavam níveis mais altos de CHEK1, que á acompanhado por menor apoptose. A superexpressão de CHEK1 foi correlacionada com estágios avançados do tumor, localização proximal do tumor e pior prognóstico (risco de 1,9 vez). Os autores sugerem que a inibição do sensor de resposta ao estresse CHEK1 pode contribuir para a atividade antineoplásica de medicamentos específicos que danificam o DNA (Gali-Muhtasib, 2008).

26. **Colangiocarcinoma**

Timoquinona induz a parada do ciclo celular em G2/M, inativa as vias PI3K/Akt e NF-kappaB em colangiocarcinomas humanos (CCA) *in vitro* e *in vivo*. O TQ inibiu o crescimento de linhas celulares humanas de CCA, TFK-1 e HuCCT1, de maneira dependente da dose e do tempo. Os resultados forneceram evidências de que o TQ não apenas inibe a proliferação de células CCA, mas induz a interrupção do ciclo celular e estimula a apoptose celular.

27. **Câncer de ovário**

a) Alfa-hederina induz apoptose em células SKOV-3 do câncer de ovário humano (Adamska, 2019).
b) Timoquinona induz apoptose em células SKOV-3 do câncer de ovário humano via Bcl-2 e Bax (Liu, 2017).
c) Timoquinona aumenta a resposta da cisplatina no câncer de ovário (Wilson, 2015).
d) Timoquinona induz apoptose no Câncer de ovário humano via aumento da geração de radicais livres de oxigênio (Taha, 2016).

28. **Câncer de endométrio**. Nada encontrado.

29. **Câncer cervical uterino**

a) *Nigella sativa* é mais potente que a cisplatina no carcinoma epidermoide cervical, causando apoptose por diminuição da proteína antiapoptótica Bcl-2 e parada do ciclo celular na fase sub-G1, por elevação do p53.
b) Nas linhas celulares de câncer cervical SiHa e CaSki, o tratamento com TQ inibiu a expressão de Twist1, Zeb1 e aumentou a expressão da E-Caderina. TQ diminui as atividades dos promotores Twist1 e Zeb1 indicando que Twist1 e Zeb1 podem ser o alvo direto de TQ. O TQ também aumentou a apoptose celular em alguma extensão, mas os genes/proteínas apoptóticas não foram afetados significativamente. Concluiu-se que o TQ inibe a migração e invasão de células cancerígenas cervicais, provavelmente via Twist1/E-Caderina/EMT ou/Zeb1/E-Cadeerina/EMT, entre outras vias de sinalização (Li, 2017).
c) O TQ estimulou vias apoptóticas distintas em duas linhas celulares cervicais humanas, Siha e C33A. TQ induziu acentuadamente a apoptose, como demonstrado pela análise do ciclo celular

em ambas as linhas celulares. Além disso, a PCR quantitativa revelou que o TQ induziu apoptose nas células Siha por meio da via dependente de p53, como mostra o nível elevado de genes-alvo da apoptose mediada por p53, enquanto a apoptose nas células C33A estava principalmente associada à ativação da caspase-3 (Ichwan, 2014).

d) Timoquinona de *Nigella sativa* foi mais potente que a cisplatina na eliminação de células SiHa por apoptose com regulação para baixo da proteína Bcl-2 (Ng, 2011).

e) O SiHa é linha celular de câncer cervical pré-infectada com papilomavírus humano. Os objetivos específicos foram estabelecer o papel da selenometionina, licopeno e tireoquinona nas células SiHa na presença ou na ausência de estrogênio e determinar se a combinação de estrogênio, licopeno, selenometiona e/ou tireoquinona são mais eficazes em retardar a proliferação de células SiHa e depois quando usadoa em separado. Os resultados indicaram que a selenometionina sozinha parecia ser quimioprotetora, mas quando usada em combinação com estrogênio, licopeno e TQ causou danos celulares, como evidenciado pela diminuição da taxa de proliferação, aumento dos níveis de glutationa e aumento dos níveis de MDA (Brewer, 2006).

30. **Linfoma de Hodgkin**

Timoquinona no linfoma de Hodgkin diminui a concentração de NF-kappaB e a proliferação mitótica (Agbaria, 2015).

31. **Linfoma não Hodgkin**

Timoquinona suprime o crescimento e aumenta a apoptose do linfoma via aumento da geração de espécies reativas de oxigênio.

32. **Leucemia**

a) Leucemia linfoblástica aguda. Timoquinona induz diminuição da fosfodiesterase, PDE-1A, com subsequente diminuição do UHRF1 via p73 na linhagem Jurkat. Novo mecanismo no manejamento dessa leucemia.

b) Leucemia linfoblástica. Timoquinona provoca apoptose ativando a caspase-3 e diminuindo a proteína supressora p73.

c) Leucemia mieloblástica HL-60. Timoquinona induz apoptose e diminui a proliferação ativando as caspases-3, 8 e 9, diminuindo o potencial de membrana mitocondrial, liberando citocromo c, aumentando a razão Bax/Bcl-2 com aumento do Bax e diminuição do Bcl-2.

d) Alfa-hederina depleta rapidamente o GSH e os tióis intracelulares por aumentar a geração de radicais livres na leucemia murina P388, levando a distúrbios na função mitocondrial e apoptose.

e) Timoquinona exerce potente atividade supressora da leucemia por meio da reversão da hipermetilação em células da leucemia Kasumi-1, MV4-11, THP-1 e ML1. Pela primeira vez foi descoberto o efeito epigenético da timoquinona: inibição da DNA metiltransferase 1 (Pang, 2017).

f) Na leucemia linfoblástica aguda humana a timoquinona provoca apoptose e diminui a proliferação (Solatani, 2017).

33. **Mieloma múltiplo**

a) Timoquinona possui efeito no tratamento do mieloma múltiplo. Inibe a IL-6 constitutiva e o STAT3 induzível que se correlaciona com a inibição do c-Src e ativação do JAK2. Ocorre diminuição da expressão dos produtos gênicos regulados pela STAT3, como ciclina D1, Bcl-2, Bcl-xL, survivina, Mcl-1 e VEGF. Timoquinona induz ainda acúmulo de células na fase sub-G1, cliva a PARP (poli-ADP ribose polimerase) e no final temos apoptose e diminuição da proliferação celular.

b) Timoquinona no mieloma múltiplo humano diminui a polimerização da F-actina e a proliferação, suprimindo a fosforilação da STAT3 e a expressão da razão Bcl2/Bcl-XL (Badr, 2011a).

c) A timoquinona inibe a quimiotaxia induzida por CXCL12 de várias células do mieloma e aumenta sua suscetibilidade à apoptose mediada por Fas nas linhas celulares MDN e XG2 MM (Badr, 2011b).

d) Timoquinona inibe a proliferação, induz apoptose e quimossensibiliza células de mieloma múltiplo humano através da supressão do transdutor de sinal e ativador da via de ativação da transcrição 3 em células MM (Li, 2010).

e) A timoquinona supera a quimiorresistência e melhora os efeitos anticâncer do bortezomibe por meio da supressão dos produtos gênicos regulados por NF-κB no modelo de camundongo xenoenxertado de mieloma múltiplo (Siveen, 2014).

34. **Carcinoma de Ehrlich**. Inibe completamente o desenvolvimento do carcinoma ascítico de Ehrlich.

35. **Osteossarcoma humano**

a) Timoquinona provoca parada do ciclo celular na fase G1 associada com aumento da p21 (WAF1).

b) Timoquinona provoca antiangiogênese e efeito antitumoral em células SaOS-2 do osteossarcoma humano, via NF-kappaB.

c) Osteossarcoma linhagem MG63 OS. Oxaliplatina e 5FU em baixíssima concentração de 1microM, sozinhas ineficazes, passam a ser citotóxicas em conjunto com a timoquinona 10microM, *in vitro*.

d) No osteossarcoma a timoquinona (Roepke, 2007; Peng, 2013; Sagit, 2013):

- Mesmo na ausência de p53 induz apoptose e ativa caspases.
- Aumenta a expressão do p21(WAF1) e induz parada do ciclo celular em G1 e G2/M.
- Bloqueia e diminui a concentração do NF-kappaB e inibe a proliferação celular agindo *in vitro* nos genes-alvo: survivina, XiAP, CD34 e VEGF), e *in vivo* diminui o crescimento e o volume tumoral.
- Aumenta a expressão da caspase-3 e SMAC e, portanto, diminui a proliferação mitótica.

e) A falta de p53 aumenta a apoptose induzida por timoquinona e a ativação da caspase em células de osteossarcoma humano (Roepke, 2007).

36. **Fibrossarcoma**

a) Timoquinona e timo-hidroquinona – atividade antitumoral *in vitro* e *in vivo* em células do fibrossarcoma, FsaR, de modo dose-dependente e sem efeito em fibroblastos normais.

b) Timoquinona inibe a indução de fibrossarcoma pelo carcinógeno 20-metilcolantreno em camundongo. Os animais tratados mostraram redução da lipoperoxidação hepática, aumento do conteúdo de GSH intracelular e aumento da atividade das enzimas GST (glutationa S-transferase) e QR (quinona-redutase). Timoquinona funcionou com antioxidante e agente desintoxicante.

37. **Carcinoma renal**

a) Timoquinona inibe o fenótipo metastático e a transição mesenquimal-epitelial no carcinoma de células renais, regulando a via de sinalização LKB1/AMPK. O TQ inibiu significativamente a migração e invasão das linhas de células RCC 769P e 786O humanas. TQ regulou para cima a expressão da E caderina e reduziu negativamente a expressão do Snail, ZEB1 e vimentina a nível de mRNA e de proteínas de uma maneira dependente da concentração. Subsequentemente, os níveis de fosforilação da quinase hepática B1 (LKB1) e da AMP proteína quinase ativada (AMPK) aumentaram após o tratamento com TQ. Para validar ainda mais o papel da sinalização LKB1/AMPK, revelo-se que o aumento mediado pelo TQ do nível de caderina E e a redução do nível do SNAIL poderiam ser melhorados pela super expressão do LKB1. Ativadores de AMPK aumentam os efeitos anticâncer (Kou, 2018).

b) Timoquinona inibe a metástase das células cancerígenas das células renais, induzindo autofagia pela via de sinalização AMPK/mTOR. Esta é uma nova estratégia terapêutica que visa a autofagia induzida por TQ no tratamento de CCR (Zhang, 2018).

c) Timoquinona induz apoptose por meio de regulação negativa de c-FLIP e Bcl-2 em células Caki de carcinoma renal (Park, 2016).

38. **Diversos efeitos**

a) *Nigella sativa.* Conseguiu a soro reversão de paciente com AIDS: 10ml em cocção 3 vezes ao dia durante 6 meses.

b) Retocolite ulcerativa pode melhorar com óleo de cominho negro: diminui as citocinas inflamatórias e a desidrogenase láctica.

c) *Nigella sativa* erradica *H. pylori* em 67% dos casos e a terapia tríplice 83% em pacientes com dispepsia.

d) *Nigella sativa* e dexametasona possuem efeitos semelhantes na asma.

e) Asma: efeito profilático da *Nigella sativa.*

f) Potente efeito anti-histamínico na asma.

g) *Nigella sativa*: efeitos benéficos na rinite, asma e dermatite atópica.

h) *Nigella sativa* possui efeito antidiabético e pode ser útil na obesidade e na síndrome metabólica.

i) *Nigella sativa* protege as células beta do pâncreas do estresse oxidativo.

Conclusão

Estamos diante de mais um tipo de tempero que, além de servir ao nosso paladar, cumpre a missão de dia a dia salvar vidas em nosso pequeno planeta.

Referências

1. Abstracts and papers in full on the site
2. Acharya BR, Chatterjee A, Ganguli A, et al. Thymoquinone inhibits microtubule polymerization by tubulin binding and causes mitotic arrest following apoptosis in A549 cells. Biochimie. Feb;97:78-91; 2014.
3. Adamska A, Stefanowicz-Hajduk J, Ochocka JR. Alpha-Hederin, the Active Saponin of Nigella sativa, as an Anticancer Agent Inducing Apoptosis in the SKOV-3 Cell Line. Molecules. Aug 15;24(16): 2958, 2019.
4. Alobaedi OH, Talib WH, Basheti IA. Antitumor effect of thymoquinone combined with resveratrol on mice transplanted with breast cancer. Asian Pac J Trop Med. Apr;10(4):400-408;2017.
5. Ashour AE, Abd-Allah AR, Korashy HM, et al. Thymoquinone suppression of the human hepatocellular carcinoma cell growth involves inhibition of IL-8 expression, elevated levels of TRAIL receptors, oxidative stress and apoptosis. Mol Cell Biochem. Apr;389(1-2): 85-98;2014
6. Agbaria R, Gabarin A, Dahan A, Ben-Shabat S. Anticancer activity of Nigella sativa (black seed) and its relationship with the thermal processing and quinone composition of the seed. Drug Des Devel Ther. 9:3119-24;2015.
7. Alhosin M, Abusnina A, Achour M, et al. Induction of apoptosis by thymoquinone in lymphoblastic leukemia Jurkat cells is mediated by a p73-dependent pathway which targets the epigenetic integrator UHRF1. Biochem Pharmacol. 79:1251-60;2010.

8. Asaduzzaman Khan M, Tania M, Fu S, Fu J, et al. Thymoquinone, as an anticancer molecule: from basic research to clinical investigation. Oncotarget. 8(31):51907-19;2017.
9. Ashour AE, Ahmed AF, Kumar A, et al. Thymoquinone inhibits growth of human medulloblastoma cells by inducing oxidative stress and caspase-dependent apoptosis while suppressing NF-κB signaling and IL-8 expression. Mol Cell Biochem. May;416(1-2):141-55;2016.
10. Badr G, Mohany M, Abu-Tarboush F. Thymoquinone decreases F-actin polymerization and the proliferation of human multiple myeloma cells by suppressing STAT3 phosphorylation and Bcl2/Bcl-XL expression. Lipids Health Dis. Dec 16;10:236;2011a.
11. Badr G, Lefevre EA, Mohany M. Thymoquinone inhibits the CXCL12-induced chemotaxis of multiple myeloma cells and increases their susceptibility to Fas-mediated apoptosis. PLoS One. 6(9):e23741.;2011b.
12. Barkat MA, Abul H, Ahmad J. Insights into the targeting potential of thymoquinone for therapeutic intervention against triple-negative breast cancer. Curr Drug Targets. 19(1):70-80;2018.
13. Bin Sayeed MS, Shams T, Fahim Hossain S, et al. Nigella sativa L. seeds modulate mood, anxiety and cognition in healthy adolescent males. J Ethnopharmacol. 152(1):156-62;2014.
14. Brewer J, Benghuzzi H, Tucci M. Effects of thymoquinone, lycopene, and selenomethione in the presence of estrogen on the viability of SiHa cells in vitro. Biomed Sci Instrum. 42:37-41;2006.
15. Chen MC, Lee NH, Hsu HH, et al. Thymoquinone induces caspase-independent, autophagic cell death in CPT-11-resistant lovo colon cancer via mitochondrial dysfunction and activation of JNK and p38. J Agric Food Chem. Feb 11;63(5):1540-6; 2015.
16. Chowdhury FA, Hossain MK, Mostofa AGM, et al. Therapeutic Potential of Thymoquinone in Glioblastoma Treatment: Targeting Major Gliomagenesis Signaling Pathways. Biomed Res Int. Jan 31;2018:4010629;2018.
17. Chu SC, Hsieh YS, Yu CC, et al. Thymoquinone induces cell death in human squamous carcinoma cells via caspase activation-dependent apoptosis and LC3-II activation-dependent autophagy. PLoS One. Jul 7;9(7):e101579;2014.
18. El-Khoely A, Hafez HF, Ashmawy AM, et al. Chemopreventive and therapeutic potentials of thymoquinone in HepG2 cells: mechanistic perspectives. J Nat Med. Jul;69(3):313-23;2015.
19. El-Najjar N, Chatila M, Moukadem H, et al. Reactive oxygen species mediate thymoquinone-induced apoptosis and activate ERK and JNK signaling. Apoptosis. Feb;15(2):183-95;2010.
20. Fathy M, Nikaido T. In vivo attenuation of angiogenesis in hepatocellular carcinoma by Nigella sativa. Turk J Med Sci. Feb 23;48(1): 178-186;2018.
21. Feng LM, Wang XF, Huang QX. Thymoquinone induces cytotoxicity and reprogramming of EMT in gastric cancer cells by targeting PI3K/Akt/mTOR pathway. J Biosci. Dec;42(4):547-554;2017.
22. Gali-Muhtasib H, Diab-Assaf M, Boltze C, et al. Thymoquinone extracted from black seed triggers apoptotic cell death in human colorectal cancer cells via a p53-dependent mechanism. Int J Oncol. Oct;25(4):857-66;2004.
23. Gali-Muhtasib H, Kuester D, Mawrin C, et al. Thymoquinone triggers inactivation of the stress response pathway sensor CHEK1 and contributes to apoptosis in colorectal cancer cells. Cancer Res. Jul 15;68(14):5609-18;2008.
24. Gozeneli O, Tatli F, Gunes AE, et al. Effects of thymoquinone and curcumin on the regeneration of rat livers subject to 70% hepatectomy. Acta Cir Bras. Feb;33(2):110-116;2018
25. Gurung RL, Lim SN, Khaw AK, et al. Thymoquinone induces telomere shortening, DNA damage and apoptosis in human glioblastoma cells. PLoS One. Aug 12;5(8):e12124;2010.
26. Hsu HH, Chen MC, Day CH, et al. Thymoquinone suppresses migration of LoVo human colon cancer cells by reducing prostaglandin E2 induced COX-2 activation. World J Gastroenterol. Feb 21;23(7):1171-1179;2017.
27. Ibrahim RM, Hamdan NS, Mahmud R, et al. A randomised controlled trial on hypolipidemic effects of Nigella Sativa seeds powder in menopausal women. J Transl Med. 12:82;2014.
28. Ichwan SJ, Al-Ani IM, Bilal HG, et al. Apoptotic activities of thymoquinone, an active ingredient of black seed (Nigella sativa), in cervical cancer cell lines. Chin J Physiol. Oct 31;57(5):249-55;2014.
29. Imran M, Rauf A, Khan IA, et al. Thymoquinone: A novel strategy to combat cancer: A review. Biomed Pharmacother. Jun 29;106:390-402;2018.
30. Jafri SH, Glass J, Shi R, et al. Thymoquinone and cisplatin as a therapeutic combination in lung cancer: In vitro and in vivo. J Exp Clin Cancer Res. Jul 1;29:87;2010.
31. Kaatabi H, Bamosa AO, Badar A, et al. Nigella sativa improves glycemic control and ameliorates oxidative stress in patients with type 2 diabetes mellitus: placebo controlled participant blinded clinical trial. PLoS One. 10(2):e0113486;2015.
32. Kabil N, Bayraktar R, Kahraman N, et al. Thymoquinone inhibits cell proliferation, migration, and invasion by regulating the elongation factor 2 kinase (eEF-2K) signaling axis in triple-negative breast cancer. Breast Cancer Res Treat. Jul 3;2018.
33. Ke X, Zhao Y, Lu X, et al. TQ inhibits hepatocellular carcinoma growth in vitro and in vivo via repression of Notch signaling. Oncotarget. Oct 20;6(32):32610-21;2015.
34. Khalife R, Hodroj MH, Fakhoury R, Rizk S. Thymoquinone from Nigella sativa Seeds Promotes the Antitumor Activity of Noncytotoxic Doses of Topotecan in Human Colorectal Cancer Cells in Vitro. Planta Med. 82(4):312-21;2016.
35. Khan MA, Chen HC, Tania M, Zhang DZ. Anticancer activities of Nigella sativa (black cumin). Afr J Tradit Complement Altern Med. 8(5 Suppl):226-32;2011.
36. Khan MA, Tania M, Wei C, et al. Thymoquinone inhibits cancer metastasis by downregulating TWIST1 expression to reduce epithelial to mesenchymal transition. Oncotarget. Aug 14;6(23):19580-91;2015.
37. Kolahdooz M, Nasri S, Modarras SZ, et al. Effects of Nigella sativa L. seed oil on abnormal semen quality in infertile men: a randomized, double-blind, placebo-controlled clinical trial. Phytomedicine. 21(6):901-5;2014.
38. Kolli-Bouhafs K, Boukhari A, Abusnina A, et al. Thymoquinone reduces migration and invasion of human glioblastoma cells associated with FAK, MMP-2 and MMP-9 down-regulation. Invest New Drugs. Dec;30(6):2121-31;2012.
39. Kotowski U, Heiduschka G, Kadletz L, et al. Effect of thymoquinone on head and neck squamous cell carcinoma cells in vitro: Synergism with radiation. Oncol Lett. Jul;14(1):1147-1151;2017.
40. Kou B, Liu W, Zhao W, et al. Thymoquinone inhibits epithelial-mesenchymal transition in prostate cancer cells by negatively regulating the TGF-β/Smad2/3 signaling pathway. Oncol Rep. Dec;38(6):3592-3598;2017.
41. Kou B, Kou Q, Ma B, et al. Thymoquinone inhibits metastatic phenotype and epithelial mesenchymal transition in renal cell carcinoma by regulating the LKB1/AMPK signaling pathway. Oncol Rep. Sep;40(3):1443-1450;2018.

42. Kundu J, Choi BY, Jeong CH, et al. Thymoquinone induces apoptosis in human colon cancer HCT116 cells through inactivation of STAT3 by blocking JAK2- and Src mediated phosphorylation of EGF receptor tyrosine kinase.Oncol Rep. Aug;32(2):821-8;2014.
43. Li F, Rajendran P, Sethi G. Thymoquinone inhibits proliferation, induces apoptosis and chemosensitizes human multiple myeloma cells through suppression of signal transducer and activator of transcription 3 activation pathway. Br J Pharmacol. 161:41-554;2010.
44. Li F, Rajendran P, Sethi G. Thymoquinone inhibits proliferation, induces apoptosis and chemosensitizes human multiple myeloma cells through suppression of signal transducer and activator of transcription 3 activation pathway. Br J Pharmacol. Oct;161(3):541-54;2010.
45. Li J, Khan MA, Wei C, et al. Thymoquinone Inhibits the Migration and Invasive Characteristics of Cervical Cancer Cells SiHa and CaSki In Vitro by Targeting Epithelial to Mesenchymal Transition Associated Transcription Factors Twist1 and Zeb1. Molecules. Dec 4;22(12);2017.
46. Liu X, Dong J, Cai W, et al. The Effect of Thymoquinone on Apoptosis of SK-OV-3 Ovarian Cancer Cell by Regulation of Bcl-2 and Bax. Int J Gynecol Cancer. Oct;27(8):1596-1601, 2017.
47. Lei X, Lv X, Liu M, Thymoquinone inhibits growth and augments 5-fluorouracil-induced apoptosis in gastric cancer cells both in vitro and in vivo. Biochem Biophys Res Commun. Jan 13;417(2):864-8;2012.
48. Ma J, Hu X, Li J, et al. Enhancing conventional chemotherapy drug cisplatin-induced anti-tumor effects on human gastric cancer cells both in vitro and in vivo by Thymoquinone targeting PTEN gene. Oncotarget. Sep 8;8(49):85926-85939;2017.
49. Mahmud HA, Seo H, Kim S, et al. Thymoquinone (TQ) inhibits the replication of intracellular Mycobacterium tuberculosis in macrophages and modulates nitric oxide production. BMC Complement Altern Med. May 25;17(1):279, 2017.
50. Majdalawieh AF, Fayyad MW, Nasrallah GK. Anti-cancer properties and mechanisms of action of thymoquinone, the major active ingredient of Nigella sativa. Crit Rev Food Sci Nutr. 57(18):3911-28;2017.
51. Mohamed AM, Refaat BA, El-Shemi AG, et al. Thymoquinone potentiates chemoprotective effect of Vitamin D3 against colon cancer: a pre-clinical finding. Am J Transl Res. Feb 15;9(2):774-790;2017.
52. Mollazadeh H, Hosseinzadeh H. The protective effect of Nigella sativa against liver injury: a review. Iran J Basic Med Sci. Dec;17(12):958-66;2014.
53. Mu GG, Zhang LL, Li HY, et al. Thymoquinone Pretreatment Overcomes the Insensitivity and Potentiates the Antitumor Effect of Gemcitabine Through Abrogation of Notch1, PI3K/Akt/mTOR Regulated Signaling Pathways in Pancreatic Cancer. Dig Dis Sci. Apr;60(4):1067-80;2015.
54. Ng WK, Yazan LS, Ismail M. Thymoquinone from Nigella sativa was more potent than cisplatin in eliminating of SiHa cells via apoptosis with down-regulation of Bcl-2 protein. Toxicol In Vitro. 2011 Oct;25(7):1392-8.
55. Odeh LH, Talib WH, Basheti IA. Synergistic effect of thymoquinone and melatonin against breast cancer implanted in mice. J Cancer Res Ther. Jun;14(Supplement):S324-S330;2018.
56. Pang J, Shen N, Yan F, et al. Thymoquinone exerts potent growth-suppressive activity on leukemia through DNA hypermethylation reversal in leukemia cells. Oncotarget. 8(21):34453-67;2017.
57. Park EJ, Chauhan AK, Min KJ, et al. Thymoquinone induces apoptosis through downregulation of c-FLIP and Bcl-2 in renal carcinoma Caki cells. Oncol Rep. Oct;36(4):2261-7;2016.
58. Pazhouhi M, Sariri R, Khazaei MR, et al. Synergistic effect of temozolomide and thymoquinone on human glioblastoma multiforme cell line (U87MG). J Cancer Res Ther. Jul-Sep;14(5):1023-1028; 2018.
59. Peng L, Liu A, Shen Y, et al. Antitumor and anti-angiogenesis effects of thymoquinone on osteosarcoma through the NF-kappaB pathway. Oncol Rep. 29: 571-8;2013.
60. Racoma IO, Meisen WH, Wang QE, et al. Thymoquinone inhibits autophagy and induces cathepsin-mediated, caspase-independent cell death in glioblastoma cells. PLoS One. Sep 9;8(9):e72882;2013.
61. Randhawa MA. In vitro antituberculous activity of thymoquinone, an active principle of Nigella sativa. J Ayub Med Coll Abbottabad. Apr-Jun;23(2):78-81; 2011.
62. Relles D, Chipitsyna GI, Gong Q, et al.Thymoquinone Promotes Pancreatic Cancer Cell Death and Reduction of Tumor Size through Combined Inhibition of Histone Deacetylation and Induction of Histone Acetylation. Adv Prev Med. 2016:1407840;2016.
63. Roepke M, Diestel A, Bajbouj K, Lack of p53 augments thymoquinone-induced apoptosis and caspase activation in human osteosarcoma cells. Cancer Biol Ther. Feb;6(2):160-9;2007..
64. Rooney S, Ryan MF. Effects of alpha-hederin and thymoquinone, constituents of Nigella sativa, on human cancer cell lines. Anticancer Res. May-Jun;25(3B):2199-204;2005.
65. Şakalar Ç, İzgi K, İskender B. The combination of thymoquinone and paclitaxel shows anti-tumor activity through the interplay with apoptosis network in triple-negative breast cancer. Tumour Biol. 37(4):4467-77;2016.
66. Sagit M, Korkmaz F, Akcadag A, Somdas MA, et al. Protective effect of thymoquinone against cisplatininduced ototoxicity. Eur Arch Otorhinolaryngol. 270:2231-7;2013.
67. Samarghandian S, Azimi-Nezhad M, Farkhondeh T. Thymoquinone-induced antitumor and apoptosis in human lung adenocarcinoma cells.J Cell Physiol. Nov 1. doi: 10.1002/jcp.27710;2018.
68. Sethi G, Ahn KS, Aggarwal BB. Targeting nuclear factor-kappa B activation pathway by thymoquinone: role in suppression of antiapoptotic gene products and enhancement of apoptosis. Mol Cancer Res. 6:1059-70;2008.
69. Siveen KS, Mustafa N, Li F, et al. Thymoquinone overcomes chemoresistance and enhances the anticancer effects of bortezomib through abrogation of NF-κB regulated gene products in multiple myeloma xenograft mouse model. Oncotarget. Feb 15;5(3):634-48;2014.
70. Soltani A, Pourgheysari B, Shirzad H, Sourani Z. Antiproliferative and Apoptosis-Inducing Activities of Thymoquinone in Lymphoblastic Leukemia Cell Line. Indian J Hematol Blood Transfus. 33(4):516-24;2017.
71. Sutton KM, Greenshields AL, Hoskin DW. Thymoquinone, a bioactive component of black caraway seeds, causes G1 phase cell cycle arrest and apoptosis in triple-negative breast cancer cells with mutant p53. Nutr Cancer. 66(3):408-18;2014.
72. Tabassum H, Ahmad IZ. Molecular Docking and Dynamics Simulation Analysis of Thymoquinone and Thymol Compounds from Nigella sativa L. that Inhibit Cag A and Vac A Oncoprotein of Helicobacter pylori: Probable Treatment of H. pylori Infections. Med Chem. 17(2):146-157, 2021.
73. Taha MM, Sheikh BY, Salim LZ, et al. Thymoquinone induces apoptosis and increase ROS in ovarian cancer cell line. Cell Mol Biol (Noisy-le-grand). May 30;62(6):97-101, 2016.
74. Talib WH. Regressions of Breast Carcinoma Syngraft Following Treatment with Piperine in Combination with Thymoquinone. Sci Pharm. 85(3);2017.

75. Xu D, Ma Y, Zhao B, et al. Thymoquinone induces G2/M arrest, inactivates PI3K/Akt and nuclear factor-κB pathways in human cholangiocarcinomas both in vitro and in vivo. Oncol Rep. May;31(5): 2063-70;2014.
76. Yang J, Kuang XR, Lv PT, Yan XX. Thymoquinone inhibits proliferation and invasion of human nonsmall-cell lung cancer cells via ERK pathway. Tumour Biol. Jan;36(1):259-69;2015.
77. Wilson AJ, Saskowski J, Barham W, et al. Thymoquinone enhances cisplatin-response through direct tumor effects in a syngeneic mouse model of ovarian cancer..J Ovarian Res. Jul 28;8:46, 2015.
78. Zhang L, Bai Y, Yang Y. Thymoquinone chemosensitizes colon cancer cells through inhibition of NF-κB. Oncol Lett. Oct;12(4):2840-2845;2016.
79. Zhang Y, Fan Y, Huang S, et al. Thymoquinone inhibits the metastasis of renal cell cancer cells by inducing autophagy via AMPK/mTOR signaling pathway. Cancer Sci. Sep 27. doi: 10.1111/cas.13808; 2018.
80. Zhu WQ, Wang J, Guo XF, et al. Thymoquinone inhibits proliferation in gastric cancer via the STAT3 pathway in vivo and in vitro. World J Gastroenterol. Apr 28;22(16):4149-59;2016.

CAPÍTULO 103

Oleuropeína. Azeite de oliva, azeitonas e folhas de oliveira na prevenção e tratamento do câncer

Anti-HSV, Hepatite B, Rotavírus, vírus Ebola, HIV, VHSV, *H. pylori*; diminui a velocidade do ciclo de Embden-Meyerhof ao reduzir a expressão do GLUT-1, MCT-4 e PKM2; inibe a expressão do HER2; ativa Bax e inativa Bcl-2; inibe NF-kappaB, COX-2, MMP2, MMP9, VEGF; reduz a atividade da via HIF1α-miR-519d-PDRG1; aumenta a expressão do gene p21$^{Cip/WAF1}$; demetila e acetila a zona CpG – efeito epigenético duplo

José de Felippe Junior

Versículos de Ezequiel 47 da Bíblia referindo-se às oliveiras.

Árvores frutíferas de toda espécie crescerão em ambas as margens do rio. Suas folhas não murcharão e seus frutos não cairão. Todo mês produzirão, porque a água vinda do santuário chega a elas. Seus frutos servirão de comida; suas folhas, de remédio.

Oliveira – *Olea europaea*

A oleuropeína está presente nas folhas, azeitona, caule e sementes da *Olea europaea* (oliveira), entretanto é muito mais abundante nas folhas. Na árvore, acredita-se que a oleuropeína confira resistência a insetos e infecções (Ortega, 2010; Khemakhem, 2017).

As folhas da oliveira (*Olea europaea* L.) possivelmente são empregadas desde 6.000 a.C. Na medicina popular são usadas para tratar febres, cólicas, alopecia, ciática, paralisia, dor reumática e hipertensão. Os compostos fenólicos presentes nas folhas da oliveira, principalmente a oleuropeína possuem propriedades antioxidantes, anti-inflamatórias, anti-hipertensivas, hipoglicêmicas, hipocolesterolêmica, cardioprotetora e diminuem a resistência periférica à insulina (Ryan, 1998; Soller, 2000; Carrera, 2013; Hassen, 2015).

Existem cinco grupos de compostos fenólicos identificados na folha da oliveira: oleuropeosídeos (oleuropeína e verbascosídeo); flavonas (luteolina, luteolina-7-glicosídeo, apigenina, apigenina-7-glicosídeo, diosmetina e diosmetina-7-glicosídeo); flavonóis (rutina); flavan-3-óis (catequina) e fenóis substituídos (tirosol, hidroxitirosol, vanilina, ácido vanílico e ácido cafeico). A oleuropeína é o composto fenólico mais abundante, seguido do hidroxitirosol, luteolina-7-glicosídeo, apigenina-7-glicosídeo e verbascosídeo. O hidroxitirosol é o precursor da oleuropeína (Vogel, 2014).

No Brasil encontramos o extrato de folha de oliveira contendo luteolina, apigenina, rutina e padronizado para 20% de oleuropeína.

Vários estudos epidemiológicos evidenciaram que a dieta mediterrânea é caracterizada por menor prevalência de doenças coronárias, distúrbios neurológicos e alguns tipos de câncer (Widmer, 2015; Gotsis, 2015; Mentella, 2019).

O primeiro ensaio randomizado (The Lyon Diet Heart Study) com 605 pacientes seguindo a dieta mediterrânea evidenciou, após acompanhamento de quatro anos, possível diminuição do risco de câncer (de Lorgeril, 1998).

Revisão sistemática e meta-análise de 19 estudos, incluindo 23.340 controles e 13.800 pacientes com câncer, mostraram que a ingestão de azeite de oliva diminuiu o risco de câncer, entretanto, o trabalho não mostrou quais componentes do azeite de oliva foram os responsáveis pelo resultado (Psaltopoulou, 2011).

Ensaio randomizado, simples-cego e controlado, PREDIMED, avaliou 4.282 mulheres com idade entre 60 e 80 anos alocadas aleatoriamente para dieta mediterrânea contendo azeite de oliva extravirgem e nozes ou uma dieta controle focada na redução de gordura na dieta. Após acompanhamento de 4,8 anos, o grupo tratado com azeite de oliva extravirgem apresentou efeito preventivo primário significante contra o câncer de mama. Esse foi possivelmente o primeiro estudo randomizado que encontrou o efeito de uma intervenção dietética de longo prazo na incidência do câncer de mama (Toledo, 2015).

Difícil implicar somente a oleuropeína como a responsável por esses efeitos benéficos, razão de utilizarmos em nossos pacientes o extrato de folhas da oliveira rico no princípio ativo em questão e que possui ainda em sua composição a luteolina, apigenina e rutina compostos sabidamente antiproliferativos e apoptóticos. Acresce elegante e preciso estudo de metabolômica mostrando que o efeito antiproliferativo e apoptótico no câncer de mama é provocado pelo conjunto de substâncias presentes no extrato de folhas de oliveira (Barrajon, 2015).

Extrato de folhas de oliveira (EFO) diminui a velocidade do ciclo de Embden-Meyerhof

Este extrato representa eficaz produto natural que reduz a velocidade da glicólise anaeróbia e, portanto, dos ATPs por ela produzidos, os quais são os únicos a fornecer energia para o ciclo celular proliferativo localizado no núcleo.

Primeiramente descobriu-se esse efeito em células do melanoma, porém logo verificou-se esse importante fato em outros tipos de neoplasias, câncer de mama, de cólon, leucemia mieloide crônica etc. (Ruzzolini, 2020).

O EFO reduz a expressão do GLUT-1 (*glucose transporter-1*), MCT-4 (*monocarboxylate transporter-4*) e PKM2 (*protein kinase isoform M2*) e, portanto, afeta apenas o ciclo de Embden-Meyerhof permanecendo intacta a fosforilação oxidativa mitocondrial (Ruzzolini, 2020). Lembrar que a glicólise anaeróbia é carcinocinética e a fosforilação oxidativa, na maioria das neoplasias é carcinostática.

Efeitos epigenéticos da oleuropeína: demetila e acetila

O tratamento com azeite de oliva extravirgem rico em oleuropeína manteve as histonas hiperacetiladas levando à parada do ciclo celular em G2/M e à diminuição notável da viabilidade de células do câncer de mama resistentes a drogas anti- HER1/HER2 (Oliveras, 2011).

O azeite de oliva extravirgem regula para cima o gene supressor de tumor CB1 (*Canabinoid Receptor 1*) no câncer de cólon humano Caco-2 *in vitro* e *in vivo* em modelo murino ao provocar demetilação da zona CpG do gene CNR1 (Di Franscesco, 2015).

Oleuropeína inibe a expressão do HER2 no câncer de mama

HER2 está envolvido no desenvolvimento e progressão do câncer. Este receptor está frequentemente superexpresso no câncer de mama e ativa as vias proliferativas, PI3K/Akt e MAPK, além de interagir com o HER1 (EGFR, Erbb2). O trastuzumab é anticorpo monoclonal anti-HER2, entretanto, é frequente o desenvolvimento de resistência. Acontece que o trastuzumab (10μg/ml), junto com oleuropeína (50μM), regula para baixo o HER2 em até 84% em células SKBR3 do câncer de mama. A oleuropeína melhora de forma impressionante a eficácia do trastuzumab, acima de 1.000 vezes, em células do câncer de mama que tinham fenótipo resistente a ele (Menendez, 2007). Viva! Fiquei emocionado.

Química

Oleuropeína, de fórmula $C_{25}H_{32}O_{13}$ e peso molecular de 540,5g/mol, também é conhecida como Oleoeuropein; 2-(3,4-Dihydroxyphenyl)Ethyl (2S-(2alpha,3E, 4beta))-3-Ethylidene-2-(Beta-D-Glucopyranosyloxy -3,4-Dihydro-5-(Methoxycarbonyl)-2H-Pyran-4-Acetate, methyl (4S,5E,6S)-4-[2-[2-(3,4-dihydroxyphenyl) ethoxy]-2-oxoethyl]-5-ethylidene-6-[(2S,3R,4S,5S,6R) -3,4,5-trihydroxy-6-(hydroxymethyl)oxan-2-yl]oxy -4H-pyran-3-carboxylate.

A molécula doa 6 e é aceptora de 13 elétrons, isto é, a molécula em si é forte oxidante (PubMed-Chen).

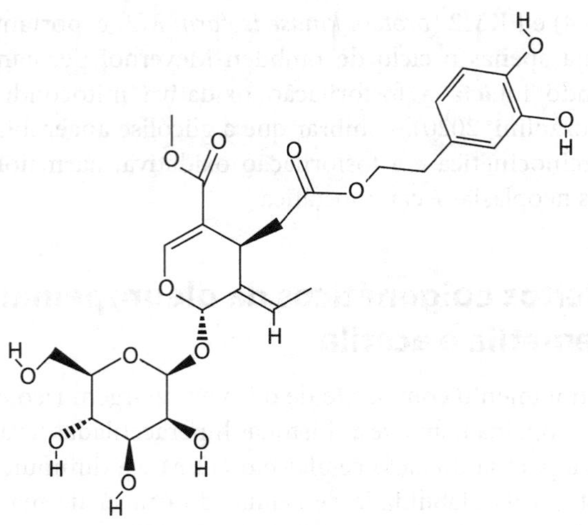

Oleuropeína

Alvos moleculares da oleuropeína ou extrato de folhas de oliveira no câncer

1. **Efeitos em microrganismos**
   a) **Antiviral**
      - Herpes simplex vírus labial. Extrato de Folhas de Oliveira (EFO) mais eficaz que o aciclovir (Toulabi, 2021).
      - Diarreia por Rotavírus. EFO (Knipping, 2012).
      - Anti-hepatite B (Zhao, 2009).
      - Antivírus Ebola: oleuropeína, EGCG, ácido clorogênico (Acerbi, 2021).
      - Anti-HIV: EFO (Lee-Huang, 2007; Bao, 2007).
      - Anti-VHSV: EFO (*viral haemorrhagic septicaemia rhabdovirus*) (Micol, 2005).

   b) Anti-*H. pylori* (Silvan, 2021).
   c) Anti-*Mycobacterium tuberculosis*. Nada encontrado.
   d) **EBV, CMV, HPV**. Nada encontrado.
2. **Glioblastoma multiforme (GBM) e gliomas**
   a) O extrato de folha de *Olea europaea* (EFO) mata células do GBM modulando a expressão de miR -181b, miR-137, miR-153 e Let-7d (Tunca, 2012).
   b) O tratamento com oleuropeína (OL) 277,5 e 555μM resultou em 39,51% e 75,40% de redução nas células T98G do GBM em 24h. A coadministração de 325μM de temozolomida (TMZ) e 277,5 ou 555μM de OL causou aumentos de 2,08 e 2,83 vezes, respectivamente, no efeito terapêutico de TMZ. OLE (extrato) + TMZ aumentou significativamente a expressão de microRNAs, particularmente Let-7d, do que OL sozinho. Em conclusão, EFO (extrato de folhas de oliveira) tem efeito antitumoral nas células GBM, principalmente por meio da regulação da expressão de Let-7d. Este estudo indica que outros compostos do extrato desempenham papéis anticâncer importantes (Tezcan, 2019).
   c) *In vitro*, a oleuropeína inibe francamente a migração, invasão e proliferação de células U251 e A172 do glioma maligno. O mecanismo é diminuição significativa da fosforilação de AKT (p-AKT), acompanhada por regulação para cima do Bax (apoptótico) e regulação para baixo de Bcl-2 (antiapoptótico). Também houve diminuição da expressão da matriz metaloproteinase-2 (MMP-2) e MMP-9 após o tratamento com oleuropeína (Liu, 2016).
   d) Hidroxitirosol, um dos componentes do extrato de folhas de oliveira, mas não a oleuropeína, possui efeitos anti-inflamatório e antitumoral no glioma *in vivo*. Usando modelo glioma *in vivo* foram analisados os efeitos dos compostos fenólicos oleuropeína e hidroxitirosol na circulação do sistema renina-angiotensina (SRA) ao regular atividades específicas de ASAP, APA, APN, APB e IRAP e as citocinas pró-inflamatórias IL-6 e TNFα para entender a relação entre as efeitos antitumorais e anti-inflamatórios do hidroxitirosol, da oleuropeína e dos componentes do SRA. Descobriu-se que a oleuropeína aumenta todas as atividades analisadas e promove um estado pró-inflamatório, enquanto o hidroxitirosol apenas modifica as atividades ASAP e IRAP e promove um estado anti-inflamatório. Quando administrada em conjunto, a oleuropeína anula os efeitos do hidroxitirosol. Nossos resultados sugerem um papel da angiotensina III e da angiotensina 1-7 na inibição do crescimento tumoral e na resposta anti-inflamatória promovida pelo hidroxitirosol (Ramírez, 2018).
   e) Investigou-se se o tirosol (Tir), hidroxitirosol, oleuropeína e ácido oleico (AO), quatro compostos contidos no azeite de oliva extravirgem podem prevenir a expressão do biomarcador inflamatório ciclooxigenase-2 (COX-2) induzida pelo fator de necrose tumoral (TNF-α) em modelo de glioblastoma humano (U-87 MG). Descobriu-se que Tir e AO inibiram significativamente a expressão do gene e da proteína COX-2 induzida por TNF-α, bem como a secreção de PGE2. Ambos os compostos também inibiram a fosforilação de JNK e ERK induzida por TNF-α, enquanto apenas Tir inibiu a fosforilação do N-kappaB induzida por TNF-α. A migração parácrino-regulada de células endoteliais microvasculares do cérebro humano (HBMECs) foi avaliada usando meio enriquecido com fator de crescimento (FC) isolado de células U-87 MG.

Descobriu-se que, enquanto PGE2 desencadeou a migração de HBMEC, o FC isolado de células U-87 MG, onde COX-2 ou NF-kappaB foram silenciados ou tratados com Tir ou AO, exibiu propriedades quimiotáticas diminuídas. Essas observações demonstram que os compostos do azeite de oliva inibem o efeito do microambiente inflamatório crônico na progressão do glioblastoma por meio das ações do TNF-α e podem ser úteis na quimioprevenção do câncer (Lamy, 2016).

3. **Carcinoma de cabeça e pescoço**
   a) O extrato aquoso de folhas de oliveira reduz a viabilidade celular e a formação de espécies reativas de oxigênio da linha celular Hep2 do carcinoma de laringe humana de maneira dependente da dose e do tempo (Belscak, 2014).
   b) O extrato de folha de oliveira fornece suporte nutricional para a desintoxicação celular, quando o corpo está sob estresse. O presente estudo avaliou o efeito quimiopreventivo do extrato rico em oleuropeína (ORE) na carcinogênese induzida por 4-NQO na língua de ratos. A inspeção macroscópica da língua, histopatologia e imuno-histoquímica mostrou um efeito de regressão benéfico na progressão do tumor, especialmente quando administrado concomitantemente com 4-NQO, em vez de quando administrado após a instalação do tumor. Em conclusão, ORE tem papel quimiopreventivo no carcinoma epidermoide de língua (Grawish, 2011).
   c) Oleuropeína (OL) aumenta a sensibilidade à radiação do carcinoma nasofaringeal, *in vitro* e *in vivo*. OL reduz a atividade da via HIF1α-miR-519d-PDRG1 (Xu, 2017).
   d) Ensaio de citotoxicidade *in vitro* avaliou o efeito citotóxico em linhas de células humanas: fibroblastos gengivais normais, células epiteliais gengivais não tumorogênicas imortalizadas e células de carcinoma da glândula salivar. Em geral, para todos os tipos de células, a sequência de aumento da citotoxicidade foi: oleuropeína aglicona > oleuropeína glicosídeo, ácido cafeico > ácido o-cumárico > ácido cinâmico >> tirosol, ácido singárico, ácido protocatecuico, ácido vanílico (Babich, 2003).
4. **Câncer de pulmão.** Nada encontrado.
5. **Câncer de esôfago**
   Oleuropeína inibe o crescimento do câncer de esôfago in vivo, xenoenxertado em camundongo, via supressão do HIF-1alfa sobre o mRNA do gene BTG3, gene 3 de translocação de células B (Zhang, 2019). Retração em 2021.
6. **Câncer de mama**
   a) Extrato de folhas de oliveira rico em hidroxitirosol inibe o crescimento de células MCF-7 de modo dose dependente porque pára o ciclo celular em G0/G1, ao diminuir a expressão da peptidil-prolil cis-trans isomerase Pin1, que por sua vez diminui o nível de uma proteína-chave de G1, a Ciclina D1. Além disso, o extrato regulou para cima o membro do fator de transcrição AP1, c-jun (Bouallagui, 2011).
   b) Estudo de metabolômica mostra de maneira elegante e precisa que é o conjunto de substâncias presentes no estrato de folhas de oliveira que possui efeito antiproliferativo e apoptótico no câncer de mama, JIMT-1 (Barrajon, 2015).
   c) Outro método de estudo mostra como é o conjunto de substâncias do extrato de folhas de oliva que desempenha o papel antiproliferativo no câncer de mama (Taamali, 2012).
   d) No tumor espontâneo de camundongo o extrato de folhas de oliveira reduz de modo significante o volume tumoral e o número de mitoses enquanto aumenta a apoptose das células tumorais e a concentração de endostatina. Aumentando a dose ocorre também diminuição drástica do VEGF (Milanizadeh, 2019).
   e) EFO possui efeito antiproliferativo em células do câncer de mama JIMT-1 (Barrajon, 2015).
   f) EFO possui efeito antiproliferativo em 3 linhagens do câncer de mama de modo dose dependente nos efeitos metabólicos (Fu, 2010).
   g) EFO inibe a proliferação do adenocarcinoma de mama MCF-7 (Goulas, 2009).
   h) EFO diminui a proliferação de células SKBR3 do câncer de mama e dentro destas células encontrou-se: oleuropeína, luteolina-7-O-glicosídeo e seus metabólitos luteolina aglicona e metil-luteolina glicosídeo, bem como apigenina e verbascosídeo (Quirantes, 2013).
7. **Câncer de mama triplo negativo**
   EFO contendo 87% de oleuropeína possui efeito antiproliferativo e pró-apoptótico em células MDA-MB-231 do câncer de mama triplo negativo (Benot, 2021).
8. **Câncer de próstata**
   Oleuropeína inibe a motilidade de células do câncer prostático MAT-LyLu (altamente metastático) ao bloquear o canal de sódio voltagem dependente (*voltage-gated sodium channels*). Este efeito polariza a célula e pode desacelerar a proliferação celular (Aktas, 2020).
9. **Câncer colorretal**
   a) EFO reduz a proliferação e induz apoptose via caspases-3, 7, 9 no câncer de cólon HCT116, *in*

vitro e *in vivo* em camundongos xenoenxertados (Zeriouh, 2017).
   b) EFO diminui a proliferação de câncer de cólon ao diminuir a velocidade da glicólise anaeróbia (Ruzzolini, 2020).

10. **Pâncreas**
   a) Bifenois do extrato de folhas de oliveira, oleuropeína e hidrotirosol, seletivamente reduzem a influencia do ciclo celular na proliferação do câncer pancreático e induzem apoptose (Goldsmith, 2018).
   b) EFO possui atividade antiproliferativa contra células MiaPaCa-2 do câncer pancreático (Goldsmith, 2015).
   c) EFO diminui os efeitos colaterais da cisplatina ao provocar lesão oxidativa no pâncreas de rato (Bakir, 2018).
11. **Hepatocarcinoma**. Nada encontrado.
12. **Câncer de ovário**
   EFO contendo 87% de oleuropeína inibe a viabilidade de células OVCAR-3 do câncer de ovário ao induzir parada do ciclo celular e aumentar a apoptose regulando para cima o PARP clivado e a caspase-9. Primeiro trabalho da literatura (Benot, 2021).
13. **Câncer de endométrio**
   Nada encontrado.
14. **Câncer de colo de útero**
   a) A ERK (quinase regulada por sinal extracelular), a JNK (quinase N-terminal c-Jun) e a p38 são as principais trajetórias do eixo de sinalização MAPK. Aumento da concentração do JNK fosforilado (forma ativa) regula para cima a apoptose em células HeLa. A oleuropeína inibe a fosforilação do JNK e provoca aumento da apoptose via mitocondrial em células HeLa (Yao, 2014).
   b) EFO induz apoptose em células do câncer cervical regulando para cima a expressão do gene $p21^{Cip/WAF1}$ (Vizza, 2019).
15. **Linfoma de Hodgkin.** Nada encontrado.
16. **Linfoma não Hodgkin.** Nada encontrado.
17. **Câncer de bexiga**
   a) EFO inibe a proliferação do carcinoma de bexiga urinária T-24 (Goulas, 2009).
   b) EFO induz apoptose e diferenciação em monócito/macrófago em células K562 da leucemia mielógena crônica (Samet, 2014).
   c) EFO inibe a proliferação e aumenta a diferenciação em células HL-60 da leucemia humana (Abaza, 2007).
18. **Câncer de tiroide**
   a) Os autores avaliaram as atividades da oleuropeína (OLE) e seu derivado peracetilado (Ac-OLE) contra duas linhagens de células tumorais da tireoide, TPC-1 e BCPAP, alterações genotípicas detectadas no câncer papilar de tireoide humano. OLE inibiu significativamente a proliferação de ambas as linhas celulares. Este efeito foi acompanhado por uma redução dos níveis basais de fosfo-Akt e fosfo-ERK e dos níveis de ROS induzidos por H_2O_2. Um efeito mais forte foi obtido pelo Ac-OLE na inibição do crescimento celular ou como antioxidante, em particular nas células BCPAP (Bulotta, 2013).
19. **Melanoma**
   a) EFO diminui a proliferação e motilidade de células do melanoma. Acontece diminuição da velocidade da glicólise anaeróbia sem afetar a fosforilação oxidativa via significante redução da expressão do GLUT-1 (*glucose transporter-1*), MCT-4 (*monocarboxylate transporter-4*) e PKM2 (*protein kinase isoform M2*) (Ruzzolini, 2020).
   b) EFO inibe significativamente a proliferação e restringe a clonogenicidade da linhagem de células de melanoma de camundongo B16 *in vitro*. Além disso, o tratamento do tumor de fase tardia reduz significativamente o volume do tumor em uma cepa singênica de camundongos. As células B16 tratadas com EFO são bloqueadas na fase G0/G1 do ciclo celular, sofrem apoptose precoce e morrem por necrose tardia. Acontecem ativação das caspases e aumento da expressão dos antiapoptóticos Bcl-2, Bcl-2 e Bcl-XL e diminuição da expressão de seus antagonistas naturais, Bim e p53. Quando EFO foi aplicado em combinação com diferentes quimioterápicos, vários resultados, incluindo sinergia e antagonismo, foram observados. Isso requer cautela no uso do extrato como um antitumor complementar (Mijatovic, 2011).
   c) Oleuropeína possui efeito anticâncer em células A375 do melanoma humano regulando para baixo a via pAKT/pS6 e potencia a quimioterapia com Dacarbazina. O efeito principal encontrou-se na associação do EFO com o Everolimus em células PLX4032-resistant BRAF melanoma que agora passaram a responder inibindo a via pAKT/pS6 (Ruzzolini, 2018).
20. **Leucemia**
   A oleuropeína inibe a ligação do HIF1α ao promotor miR19d e, consequentemente, inibe a expressão se este microRNA estiver aumentado. Foi descrito que o microRNA-519d inibe a expressão de PDRG1 em células HL-60 da leucemia promielocítica humana (Pieme, 2014).
21. **Osteossarcoma**
   a) A oleuropeína é antiproliferativa em duas linhas celulares de osteossarcoma humano (MG-63 e

Saos2) de maneira dependente da concentração e do tempo (Morana, 2016).

b) Oleuropeína possui efeito antimigratório e antiproliferativo, além de induzir autofagia em células do osteossarcoma linhagem 143B OS. Estes efeitos são drasticamente aumentados com 2-metoxiestradiol (Przychodzen, 2019).

c) As alterações observadas em genes, proteínas e metabólitos denotam que a oleuropeína inibe a proliferação e induz autofagia em células MG-63 do osteossarcoma humano (Gioti, 2021).

Conclusão

A observação é parte crucial das descobertas e ela existe desde os tempos bíblicos. Observação acurada, precisa onde os frutos da oliveira é para alimentar e as folhas para curar. Quanto conhecimento foi perdido através do tempo.

Referências

1. Abaza L, Talorete TP, Yamada P, et al. Induction of growth inhibition and differentiation of human leukemia HL-60 cells by a Tunisian gerboui olive leaf extract. Biosci Biotechnol Biochem. 2007 May;71(5):1306-12.
2. Acerbi G, Montali I, Ferrigno GD, et al. Functional reconstitution of HBV-specific CD8 T cells by in vitro polyphenol treatment in chronic hepatitis B. J Hepatol. 2021 Apr;74(4):783-793.
3. Babich H, Visioli F. In vitro cytotoxicity to human cells in culture of some phenolics from olive oil. Farmaco. 2003 May;58(5):403-7.
4. Bakir M, Geyikoglu F, Koc K, Cerig S. Therapeutic effects of oleuropein on cisplatin-induced pancreas injury in rats.J Cancer Res Ther. 2018 Apr-Jun;14(3):671-678.
5. Bao J, Zhang DW, Zhang JZ, et al. Computational study of bindings of olive leaf extract (OLE) to HIV-1 fusion protein gp41. FEBS Lett. 2007 Jun 12;581(14):2737-42.
6. Barrajón-Catalán E, Taamalli A, Quirantes-Piné R, Roldan-Segura C. Differential metabolomic analysis of the potential antiproliferative mechanism of olive leaf extract on the JIMT-1 breast cancer cell line. J Pharm Biomed Anal. 2015 Feb;105:156-62.
7. Belščak-Cvitanović A, Durgo K, Bušić A, Franekić J. Phytochemical attributes of four conventionally extracted medicinal plants and cytotoxic evaluation of their extracts on human laryngeal carcinoma (HEp2) cells. J Med Food. 2014 Feb;17(2):206-17.
8. Benot-Dominguez R, Tupone MG, Castelli V, et al Olive leaf extract impairs mitochondria by pro-oxidant activity in MDA-MB-231 and OVCAR3 cancer cells. Biomed Pharmacother. 2021 Feb;134:111139.
9. Bouallagui Z, Han J, Isoda H, Sayadi S. Hydroxytyrosol rich extract from olive leaves modulates cell cycle progression in MCF-7 human breast cancer cells. Food Chem Toxicol. 2011 Jan;49(1): 179-84.
10. Bulotta S, Corradino R, Celano M, Maiuolo J. Antioxidant and antigrowth action of peracetylated oleuropein in thyroid cancer cells. J Mol Endocrinol. 2013 Jun 29;51(1):181-9.
11. Carrera-González M., Ramírez-Expósito M., Mayas M., Martínez-Martos J. Protective role of oleuropein and its metabolite hydroxytyrosol on cancer. Trends Food Sci. Technol. 2013;31:92–99.
12. de Lorgeril M, Salen P, Martin JL, et al. Mediterranean dietary pattern in a randomized trial: prolonged survival and possible reduced cancer rate. Arch Intern Med. 1998 Jun 8; 158(11):1181-7.
13. Di Francesco A., Falconi A., Di Germanio C., et al. Extravirgin olive oil up-regulates CB_1 tumor suppressor gene in human colon cancer cells and in rat colon via epigenetic mechanisms. J. Nutr. Biochem. 2015;26(3):250–258.
14. Fu S, Arráez-Roman D, Segura-Carretero A, et al. Qualitative screening of phenolic compounds in olive leaf extracts by hyphenated liquid chromatography and preliminary evaluation of cytotoxic activity against human breast cancer cells. Anal Bioanal Chem. 2010 May;397(2):643-54.
15. Gioti K, Papachristodoulou A, Benaki D, Aligiannis N. Assessment of the Nutraceutical Effects of Oleuropein and the Cytotoxic Effects of Adriamycin, When Administered Alone and in Combination, in MG-63 Human Osteosarcoma Cells. Nutrients. 2021 Jan 25;13(2): 354.
16. Gotsis E., Anagnostis P., Mariolis A., Vlachou A., Katsiki N., Karagiannis A. Health benefits of the Mediterranean Diet: An update of research over the last 5 years. Angiology. 2015;66:304–318.
17. Goldsmith CD, Vuong QV, Sadeqzadeh E, et al. Phytochemical properties and anti-proliferative activity of Olea europaea L. leaf extracts against pancreatic cancer cells. Molecules. 2015 Jul 17;20(7):12992-3004.
18. Goldsmith CD, Bond DR, Jankowski H, et al. The Olive Biophenols Oleuropein and Hydroxytyrosol Selectively Reduce Proliferation, Influence the Cell Cycle, and Induce Apoptosis in Pancreatic Cancer Cells. Int J Mol Sci. 2018 Jul 2;19(7):1937.
19. Goulas V, Exarchou V, Troganis NA, et al. Phytochemicals in olive-leaf extracts and their antiproliferative activity against cancer and endothelial cells. Mol Nutr Food Res. 2009 May;53(5): 600-8.
20. Grawish ME, Zyada MM, Zaher AR. Inhibition of 4-NQO-induced F433 rat tongue carcinogenesis by oleuropein-rich extract. Med Oncol. 2011 Dec;28(4):1163-8.
21. Knipping K, Garssen J, van't Land B. An evaluation of the inhibitory effects against rotavirus infection of edible plant extracts. Virol J. 2012 Jul 26;9:137.
22. Khemakhem I., Gargouri O.D., Dhouib A., Ayadi M.A., Bouaziz M. Oleuropein rich extract from olive leaves by combining microfiltration, ultrafiltration and nanofiltration. Sep. Purif. Technol. 2017; 172:310–317.
23. Hassen I., Casabianca H., Hosni K. Biological activities of the natural antioxidant oleuropein: Exceeding the expectation–A mini-review. J. Funct. Foods. 2015;18:926–940.
24. Lamy S, Ben Saad A, Zgheib A, Annabi B. Olive oil compounds inhibit the paracrine regulation of TNF-α-induced endothelial cell migration through reduced glioblastoma cell cyclooxygenase-2 expression. J Nutr Biochem. 2016 Jan;27:136-45
25. Liu M, Wang J, Huang B, Chen A. Oleuropein inhibits the proliferation and invasion of glioma cells via suppression of the AKT signaling pathway. Oncol Rep. 2016 Oct;36(4):2009-16.
26. Lee-Huang S, Huang PL, Zhang D, et al. BDiscovery of small-molecule HIV-1 fusion and integrase inhibitors oleuropein and hydroxytyrosol: Part I. fusion [corrected] inhibition. Biochem Biophys Res Commun. 2007 Mar 23;354(4):872-8.
27. Mentella MC, Scaldaferri F, Ricci C, Gasbarrini A. Cancer and Mediterranean Diet: A Review. Nutrients. 2019 Sep 2;11(9):2059.

28. Menendez J.A., Vazquez-Martin A., Colomer R., Brunet J., et al. Olive oil's bitter principle reverses acquired autoresistance to trastuzumab (Herceptin™) in HER2-overexpressing breast cancer cells. BMC Cancer. 2007;7:80.
29. Micol V, Caturla N, Pérez-Fons L, et al The olive leaf extract exhibits antiviral activity against viral haemorrhagic septicaemia rhabdovirus (VHSV). Antiviral Res. 2005 Jun;66(2-3):129-36.
30. Milanizadeh S, Reza Bigdeli M. Pro-Apoptotic and Anti-Angiogenesis Effects of Olive Leaf Extract on Spontaneous Mouse Mammary Tumor Model by Balancing Vascular Endothelial Growth Factor and Endostatin Levels. Nutr Cancer. 2019;71(8): 1374-1381.
31. Mijatovic SA, Timotijevic GS, Miljkovic DM, et al. Multiple antimelanoma potential of dry olive leaf extract. Int J Cancer. 2011 Apr 15;128(8):1955-65.
32. Morana JM, Leal-Hernande O, Canal-Macías ML, Roncero-Martin R, Antiproliferative Properties of Oleuropein in Human Osteosarcoma Cells. Nat Prod Commun. 2016 Apr;11(4):491-2.
33. Oliveras-Ferraros C, Fernández-Arroyo S, Vazquez-Martin A, et al. Crude phenolic extracts from extra virgin olive oil circumvent de novo breast cancer resistance to HER1/HER2-targeting drugs by inducing GADD45-sensed cellular stress, G2/M arrest and hyperacetylation of Histone H3. Int. J. Oncol. 2011;38:1533–1547.
34. Ortega-García F, Peragón J. HPLC analysis of oleuropein, hydroxytyrosol, and tyrosol in stems and roots of Olea europaea L. cv. Picual during ripening. J. Sci. Food Agric. 2010;90:2295–2300.
35. Przychodzen P, Wyszkowska R, Gorzynik-Debicka M, Kostrzewa T. Anticancer Potential of Oleuropein, the Polyphenol of Olive Oil, With 2-Methoxyestradiol, Separately or in Combination, in Human Osteosarcoma Cells. Anticancer Res. 2019 Mar;39(3):1243-1251.
36. Psaltopoulou T, Kosti RI, Haidopoulos D, et al. Olive oil intake is inversely related to cancer prevalence: a systematic review and a meta-analysis of 13,800 patients and 23,340 controls in 19 observational studies. Lipids Health Dis. 2011 Jul 30; 10():127.
37. Pieme CA, Santosh GK, Tekwu EM. Fruits and barks extracts of *Zanthozyllum heitzii* a spice from Cameroon induce mitochondrial dependent apoptosis and Go/G1 phase arrest in human leukemia HL-60 cells. Biol. Res. 2014;47:54.
38. Quirantes-Piné R, Zurek G, Barrajón-Catalán E, et al A metabolite-profiling approach to assess the uptake and metabolism of phenolic compounds from olive leaves in SKBR3 cells by HPLC-ESI-QTOF-MS. Pharm Biomed Anal. 2013 Jan;72:121-6
39. Ramírez-Expósito MJ, Martínez-Martos JM. Anti-Inflammatory and Antitumor Effects of Hydroxytyrosol but Not Oleuropein on Experimental Glioma In Vivo. A Putative Role for the Renin-Angiotensin System. Biomedicines. 2018 Jan 26;6(1):11.
40. Ruzzolini J, Peppicelli S, Andreucci E, et al. Oleuropein, the Main Polyphenol of Olea europaea Leaf Extract, Has an Anti-Cancer Effect on Human BRAF Melanoma Cells and Potentiates the Cytotoxicity of Current Chemotherapies. Nutrients. 2018 Dec 8;10(12):1950.
41. Ruzzolini J, Peppicelli S, Bianchini F, et al. Cancer Glycolytic Dependence as a New Target of Olive Leaf Extract. 2020 Jan 29;12(2): 317.
42. Ryan D., Robards K. Critical Review. Phenolic compounds in olives. Analyst. 1998;123:31R–44R.
43. Samet I, Han J, Jlaiel L, et al Olive (Olea europaea) leaf extract induces apoptosis and monocyte/macrophage differentiation in human chronic myelogenous leukemia K562 cells: insight into the underlying mechanism. Oxid Med Cell Longev. 2014;2014:927619
44. Silvan Jose Manuel, Esperanza Guerrero-Hurtado, Alba Gutiérrez-Docio , et al. Olive-Leaf Extracts Modulate Inflammation and Oxidative Stress Associated with Human *H. pylori* Infection Antioxidants (Basel). 2021 Dec 20;10(12):2030.
45. Soler-Rivas C, Espín JC, Wichers HJ. Oleuropein and related compounds. J. Sci. Food Agric. 2000;80:1013-1023.
46. Taamalli A, Arráez-Román D, Barrajón-Catalán E, Ruiz-Torres V. Use of advanced techniques for the extraction of phenolic compounds from Tunisian olive leaves: phenolic composition and cytotoxicity against human breast cancer cells. Food Chem Toxicol. 2012 Jun;50(6):1817-25.
47. Tezcan G, Aksoy SA, Tunca B, Bekar A, Mutlu M. Oleuropein modulates glioblastoma miRNA pattern different from Olea europaea leaf extract. Hum Exp Toxicol. 2019 Sep;38(9):1102-1110.
48. Toledo E, Salas-Salvadó J, Donat-Vargas C, et al. Mediterranean Diet and Invasive Breast Cancer Risk Among Women at High Cardiovascular Risk in the PREDIMED Trial: A Randomized Clinical Trial. JAMA Intern Med. 2015 Nov; 175(11):1752-1760.
49. Toulabi T, Delfan B, Rashidipour M. The efficacy of olive leaf extract on healing herpes simplex virus labialis: A randomized double-blind study. Explore (NY). 2021 Jan 29:S1550-8307(21)00004-5.
50. Tunca B, Tezcan G, Cecener G, Egeli U. Olea europaea leaf extract alters microRNA expression in human glioblastoma cells. J Cancer Res Clin Oncol. 2012 Nov;138(11):1831-44.
51. Vizza D, Simona Lupinacci, Giuseppina Toteda, et al. An Olive Leaf Extract Rich in Polyphenols Promotes Apoptosis in Cervical Cancer Cells by Upregulating p21 Cip/WAF1 Gene Expression. Nutr Cancer. 2019;71(2):320-333.
52. Xu T, Xiao D. Oleuropein enhances radiation sensitivity of nasopharyngeal carcinoma by downregulating PDRG1 through HIF1alpha-repressed microRNA-519d. Exp Clin Cancer Res. 2017 Jan 5; 36(1):3.
53. Yao J, Wu J, Yang X, Yang J, Zhang Y, Du L. Oleuropein induced apoptosis in HeLa cells via a mitochondrial apoptotic cascade associated with activation of the c-Jun NH_2-terminal kinase. J. Pharmacol. Sci. 2014;125:300-311.
54. Widmer RJ, Flammer AJ, Lerman LO, Lerman A. The Mediterranean diet, its components, and cardiovascular disease. Am J Med. 2015 Mar;128(3):229-38.
55. Vogel P, Kasper Machado I, Garavaglia J, Zani VT, et al. Polyphenols benefits of olive leaf (Olea europaea L) to human health. Nutr Hosp. 2014 Dec 17;31(3):1427-33.
56. Zeriouh W, Nani A, Belarbi M, et al. Correction: Phenolic extract from oleaster (Olea europaea var. Sylvestris) leaves reduces colon cancer growth and induces caspase-dependent apoptosis in colon cancer cells via the mitochondrial apoptotic pathway. PLoS One 2017 Apr 20;12(4):e0176574.
57. Zhang F, Zhang M. Oleuropein inhibits esophageal cancer through hypoxic suppression of BTG3 mRNA. Food Funct. 2019 Feb 20; 10(2):978-985.
58. Zhao G, Yin Z, Dong JJ. Antiviral efficacy against hepatitis B virus replication of oleuropein isolated from Jasminum officinale L. var. grandiflorum. Ethnopharmacol. 2009 Sep 7;125(2):265.

CAPÍTULO 104

Ozônio no câncer – administra agentes biológicos e é antiproliferativo

Valter Hamachi
José de Felippe Junior

Ozônio mais um possível elemento no tratamento do câncer. **JFJ**

O ozônio, O_3, é um gás oxidante usado no tratamento de inúmeras doenças, incluindo as infecções de difícil resolução (Velio Bocci, 2015). Como molécula altamente reativa, ele pode inativar bactérias, vírus, fungos e protozoários. Duvida-se da sua atividade microbicida nos micróbios intracelulares.

Em 2004, Belianin, na Rússia, mostrou que o ozônio aumenta a suscetibilidade de micobactérias resistentes a múltiplas drogas antituberculosas. Suspensões de *Mycobacterium tuberculosis* resistentes à estreptomicina, rifampicina, isoniazida e kanamicina foram tratadas com ozônio por 60 minutos. Logo a seguir procedeu-se o cultivo das bactérias colocando em meio apropriado cada um desses antibióticos. Após 3 meses de cultura observou-se algo que, além de interessante, possui grande valor prático: maior suscetibilidade às drogas antituberculosas, algumas delas com desaparecimento total da resistência.

O uso no câncer é controverso porque, sendo o mecanismo de ação o aumento do potencial redox digo, oxidação, ele funcionaria do mesmo modo que a quimioterapia matando a células neoplásicas. A vantagem é que as células normais possuem o sistema de defesa antirradical livre de oxigênio mais potente que as células neoplásicas e assim não seriam atingidas.

Quando o potencial redox é alto, isto é, quando o meio é oxidante se formam pontes S-S de bissulfetos (por exemplo: GS-SG). Essas pontes estabilizam a estrutura tridimensional das proteínas e, nessas condições, a proteína retinoblastoma (PRb) está defosforilada e, portanto, não ocorre a transcrição necessária para o avanço do ciclo celular e as células continuam no estado quiescente, sem proliferação. O excesso de GS-SG lentifica a glicólise anaeróbia.

Se o ambiente intracelular permanecer com o potencial redox alto (meio oxidante) consegue-se bloquear a proliferação celular e a célula pode entrar na fase G0 e sofrer citotoxicidade ou apoptose. A célula cancerosa requer apenas leve aumento do potencial redox para ser induzida a parar a proliferação, entretanto, esse leve aumento deve ser contínuo e ininterrupto até acontecer a apoptose, porque, se houver queda do potencial redox, restaura-se a fosforilação da PRb e a célula volta a proliferar. Em contraste, as células normais requerem aumento muito grande do potencial redox para cessarem a proliferação, o que torna esse tipo de estratégia muito seguro e com baixa probabilidade de provocar efeitos colaterais indesejáveis.

Entretanto, não há na literatura médica trabalhos indexados sobre o emprego do ozônio no câncer humano.

Segundo Bocci, a ozonização do sangue, auto-hemoterapia maior, pode ser útil no tratamento das doenças virais e nas doenças infecciosas mais imunodeficiência (Bocci, 1992). Daí a importância do ozônio para diminuir a carga viral ou bacteriana agentes biológicos carcinogênicas.

Salientamos que o ozônio em ratos exibe efeito protetor potente em infecções polimicrobianas com sepse letal quando a mistura O_3/O_2 é injetada no peritônio e, muito importante, sem toxicidade pulmonar (Schulz, 2003).

Quando inalado 6h/dia, 5dias/semana por até 9 meses não provocou toxicidade de pulmão no camundongo

(Witschi, 1999). Entretanto, no rato geneticamente propenso ao fibrossarcoma, o ozônio por via intravenosa, mesmo em baixa concentração, aumentou o risco de aparecimento de metástases (Kobayashi, 1987).

Velio Bocci, médico italiano e um dos maiores especialistas da área, não crê que o O_3 seja importante no câncer. Entretanto, encontramos na literatura indexada trabalhos experimentais que demonstram a eficácia da mistura O_3/O_2 no câncer de animais, tanto *in vitro* como *in vivo*.

In vitro, o O_3 é capaz de inibir o crescimento de células do câncer de pulmão, mama, útero e endométrio (Sweet, 1980). Em duas linhagens de neuroblastoma, SK-N-SH e SK-N-DZ, o ozônio induziu inibição do crescimento celular. Nas células SK-N-SH houve parada do ciclo celular na fase G2 acompanhada por diminuição da expressão da ciclina B1/cdk1 e redução da proliferação. Nas células SK-N-DZ houve apoptose por aumento da caspase-3 devido à clivagem da poli ADP--ribose polimerase-1(PARP-1) e por aumento da proteína pró-apoptótica Bax. Foi observado efeito sinérgico da cisplatina, etoposide e gemcitabina somente na linhagem SK-N-SH (Cannizzaro, 2007).

In vivo no coelho, onde se produziu carcinoma epidermoide com células extremamente agressivas e letais do carcinoma VX2 HNSCC, obteve-se grande massa tumoral com metástases pulmonares. A insuflação da mistura O_3/O_2 intraperitoneal provocou a remissão completa do tumor primário e das metástases pulmonares, isto é, remissão de tumores situados à distância do local administrado. Sobreviveram 6 dos 14 animais doentes. O autor assinala ser esse o primeiro trabalho na literatura onde se empregou essa estratégia (Schulz, 2008).

Ozônio mais radioterapia no tumor de Ehrlich ascítico do camundongo aumentam a sobrevida quando comparado ao grupo que recebeu apenas a radiação ionizante (Kiziltan, 2015).

Em humanos, o ozônio tem sido empregado na Rússia no tratamento de lesões cutâneas e complicações após a radioterapia de tumores malignos (Velikaya, 2015).

O ozônio foi capaz de controlar por longo tempo e totalmente a proctite hemorrágica pós-radioterapia em 83% de 17 pacientes (Clavo, 2013 e 2015). O mesmo autor conseguiu controlar hematúria induzida por radiação do câncer de bexiga urinária usando o ozônio intravesical (Clavo, 2005).

Ozonioterapia em pacientes com icterícia obstrutiva de origem tumoral evolui melhor quando acrescentada ao tratamento convencional (Pakhisenko, 2003). Ozônio local conseguiu controlar fístula e fibrose persistentes relacionadas a *portocath* em paciente com câncer de mama (Clavo, 2012).

No câncer ginecológico, o uso coadjuvante do ozônio com a radioterapia mostra melhor evolução no grupo que recebeu o gás (Hernuss, 1975).

A auto-hemoterapia com ozônio foi eficaz na redução ou desaparecimento de nódulos de tiroide na tiroidite de adolescentes quando comparada ao grupo controle (Kuzmichev, 2004).

Ozônio aumenta os efeitos da quimioterapia e ao mesmo tempo reduz os efeitos colaterais como náusea, vômitos, infecções oportunistas, úlceras bucais, perda de cabelo e fadiga. Melhora o estado físico e mental e a sensação de bem-estar o que resulta em melhor qualidade de vida (Luongo, 2017).

Conclusão

Recentemente temos utilizado o ozônio para administrar as infecções por vírus carcinogênicos, como o Epstein-Barr, Citomegalovírus etc., nos casos onde não houve queda do IgG com as estratégias habituais descritas neste livro.

Ozônio é mais uma arma para combatermos os agentes biológicos, vírus, bactérias e fungos causadores do câncer.

Não podemos prescindir dessa estratégia no tratamento do câncer ou de qualquer outra doença, ao falharem as armas da nossa medicina convencional ou biomolecular.

Referências

1. Belianin II. Decreased resistance of multiresistant mycobacteria to isoniazid during the treatment of experimental tuberculosis with ozone and isoniazid. Zh Mikrobiol Epidemiol Immunobiol. (3):95-8;2004.
2. Bocci V. Ozonization of blood for the therapy of viral diseases and immunodeficiencies. A hypothesis. Enhancement of pulmonary metastasis of murine fibrosarcoma NR-FS by ozone exposure. Med Hypotheses. 39(1):30-4;1992.
3. Bocci V. Ozone. A new medicial drug. 2nd ed. Springer Science; 2011.
4. Cannizzaro A, Verga Falzacappa CV, Martinelli M, et al. O(2/3) exposure inhibits cell progression affecting cyclin B1/cdk1 activity in SK-N-SH while induces apoptosis in SK-N-DZ neuroblastoma cells. J Cell Physiol. 213(1):115-25;2007.
5. Clavo B, Saantana-Rodriguez N, López-Silva SM, et al. Persistent PORT-A-CATH®-related fistula and fibrosis in a breast cancer patient successfully treated with local ozone application. J Pain Symptom Manage. 43(2):e3-6;2012.
6. Clavo B, Ceballos D, Gutierrez D, et al. Long-term control of refractory hemorrhagic radiation proctitis with ozone therapy. J Pain Symptom Manage. 46(1):106-12;2013.
7. Clavo B, et al. Therapy in the Management of Persistent Radiation-Induced Rectal Bleeding in Prostate Cancer Patients. Evid Based Complement Alternat Med.;2015:480369. 2015

8. Clavo B, Gutiérrez D, Martín D, et al. Intravesical ozone therapy for progressive radiation-induced hematuria. J Altern Complement Med. 11(3):539-41;2005.
9. Hernuss P, Müller-Tyl E, Wicke L. Ozone and gynecologic radiotherapy. [Article in German] Strahlentherapie. 150(5):493-9;1975.
10. Kızıltan HŞ, Bayir AG, Yucesan G, et al. Medical ozone and radiotherapy in a peritoneal, Erlich-ascites, tumor-cell model. Altern Ther Health Med. 21(2):24-9;2015.
11. Kobayashi T, Todoroki T, Sato H. Enhancement of pulmonary metastasis of murine fibrosarcoma NR-FS by ozone exposure. J Toxicol Environ Health. 20(1-2):135-45;1987.
12. Kuz'michev PP, Kuz'micheva NE. Use of autohemoozonotherapy in the treatment of nodular thyroid in adolescents. [Article in Russian] Vopr Kurortol Fizioter Lech Fiz Kult. (1):24-5;2004.
13. Luongo M, Brigida AL , Mascolo L, Gaudino G. Possible Therapeutic Effects of Ozone Mixture on Hypoxia in Tumor Development. Anticancer ResearchFebruary . 37:2, 425-435;2017.
13. Parkhisenko IuA, Bil'chenko SV. The ozone therapy in patients with mechanical jaundice of tumorous genesis. [Article in Russian] Vestn Khir Im I I Grek. 162(5):85-7;2003.
14. Schulz S, Rodriguez ZZ, Mutters R, et al. Repetitive pneumoperitônio with ozonized oxygen in a persistentand lethal polymicrobial sepsis in rats. Euro Surg Res. 35(1):26-34;2003.
15. Sweet F, Kao MS, Lee SC, et al. Ozone selectivity inhibits growth of human cancer cells. Science 299(4459):931-3;1980.
16. Schulz S, Häussler U, Mandic R, et al. Treatment with ozone/oxygen-pneumoperitoneum results in complete remission of rabbit squamous cell carcinomas. Int J Cancer. 122(10):2360-7;2008.
17. Velikaya VV, Gribova OV, Musabaeva LI, et al. Ozone therapy for radiation reactions and skin lesions after neutron therapy in patients with malignant tumors. [Article in Russian] Vopr Onkol. 61(4):571-4;2015.
18. Witschi H, Espiritu I, Pinkerton KE, et al. Ozone carcinogenesis revisited. Toxicol Sci. 52(2):162-7;1999.
19. www.medicinabiomolecular.com.br.

CAPÍTULO 105

Pao pereira, um antineoplásico da floresta amazônica

José de Felippe Junior

Pao pereira é uma árvore da floresta amazônica e seus princípios ativos são retirados da casca do tronco. Tradicionalmente, os extratos são usados na América do Sul para tratar malária e esse efeito é bem considerável. O princípio ativo antiplasmódio é o alcaloide geissolosimina.

Pao pereira

Nome científico do *Pao pereira*: *Geissospermum vellosii* ou *Geissospermum laeve* (Vellozo) Baillon. Seu principal princípio ativo anticâncer é um alcaloide indol, a betacarbolina, de peso molecular 168,2g/mol, de fórmula $C_{11}H_8N_2$, também chamada de 9H-Pyrido[3,4-B]

Casca do tronco

indole; Norharman; Norharmane; Beta-Carboline; 244-63-3; 2,9-Diazafluorene. A molécula é neutra quanto à oxiredução, cede 1 elétron e é aceptor de outro.

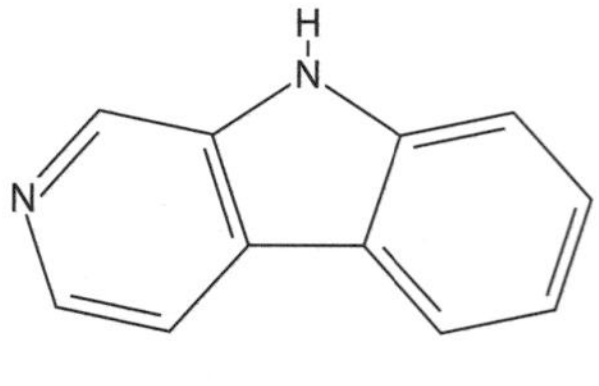

Beta-carbolina

O extrato da casca do *Pao pereira* possui efeito anti-inflamatório, antiproliferativo, apoptótico, antimetastático, antiviral, antinociceptivo e uma atividade anticolinesterase intensa.

Lembremos que os macrófagos possuem completo sistema colinérgico, consistindo de receptores para acetilcolina, os muscarínicos e os nicotínicos. Estímulo vagal libera acetilcolina e diminui o recrutamento de neutrófilos e macrófagos, diminui TNF, IL-1, IL-6 e IL-

-8, inibe NF-kappaB e no final inibe a inflamação. A injeção de acetilcolina inibe a IL-1 e o TNF dos macrófagos e da micróglia. Possivelmente o alcaloide geissospermina, o mais potente com efeito inibidor da colinesterase, possa ser útil na doença de Alzheimer.

De acordo com Beljanki, o extrato inibe a transcriptase reversa, enzima necessária para a transcrição do RNA viral em DNA, não é clastogênico, não é tóxico para as células normais, e funciona como antiviral mesmo nos casos resistentes aos tratamentos clássicos. Já se demonstrou efeito viricida contra o vírus HIV, da hepatite B, da hepatite C, *Herpes simplex* I e II, Epstein-Barr vírus e vírus da gripe.

Flavopereirina, um alcaloide da classe betacarbolina do *Pao pereira*, é eficaz contra o vírus HIV.

Alvos moleculares do extrato de *Pao pereira* no câncer

I – Antiviral

a) EBV.
b) Hepatites B e C.
c) HIV.
d) Herpes simplex 1 e 2.
e) Vírus da gripe.

II – Anticâncer

1. **Vários tipos de câncer**
   a) No presente trabalho, relatamos a síntese e avaliamos a atividade antimicrobiana *in vitro* de uma nova série de derivados de β-carbolinal substituídos com uma unidade de 4-benzilideno-4H-oxazol-5-ona na C-3. O composto 2-[1-(4-metoxifenil)-9H-β-carbolin-3-il]-4-(benzilideno)-4H-oxazol-5-ona foi o derivado mais ativo, exibindo potente atividade citotóxica contra linhas de células cancerígenas de glioma (U251), próstata (PC-3) e ovário (OVCAR-03) com valores de IC50 de 0,48, 1,50 e 1,07 μM, respectivamente (Savariz, 2012).
   b) Os alcaloides da beta-carbolina isolados das raízes de Eurycoma longifolia causam atividades citotóxicas e antimaláricas *in vitro*, e 9-metoxicantina-6-ona e cantina-6-ona demonstraram citotoxicidade significativa contra o câncer de pulmão humano (A-549) e linhas de células de câncer de mama humano (MCF-7) (Kuo, 2003).
   c) O alcaloide indol harmina possui múltiplas propriedades farmacológicas, incluindo a intercalação de DNA, que pode levar a mutações no deslocamento da estrutura.
   d) Ingenina, novo alcaloide da 1,2,3,4-tetra-hidro-β-carbolina (THβCs), e três compostos conhecidos: Annomontina, acantomina A e 1-oxo-1, 2,3,4-THβCs foram isolados da Acanthostrongylophora ingens e identificados. A ingenina exibiu atividade citotóxica em relação às linhas celulares de carcinoma da mama dependente de hormônio (MCF7), carcinoma do cólon (HCT116) e carcinoma do pulmão (A549) com valores de IC50 de 2,82, 1,00 e 2,37 μM, respectivamente (Ibrahin, 2018)
2. **Gliomas**
   a) O PB-100, um alcalóide beta-carbolina de *Pao pereira* inibe seletivamente a multiplicação *in vitro* de células de glioblastoma resistentes a BCNU humanas (U251), mas não tem efeito na multiplicação normal de astrócitos (CRL 1656). A atividade do PB-100 depende da dose. Na presença de ferritina ou CaCl2, que são altamente mitogênicos para células de glioblastoma, são necessárias doses mais altas do alcaloide para inibir completamente a multiplicação. O PB-100 é um dos vários compostos que foram selecionados por sua ação específica no DNA e nas células do câncer, juntamente com a falta de atividade no DNA nas células normais. O PB-100 possui seletividade e capacidade de superar a resistência aos medicamentos (Beljanski, 1993).
   b) A 3-etoxi beta-carbolina inibe a atividade da indoleamina 2,3-dioxigenase (IDO) (inibição não competitiva) e provoca diminuição dependente da dose na atividade da IDO que se correlacionou diretamente com a diminuição de NAD nas células astrogliais. Esses resultados apoiam a hipótese de que uma consequência importante do aumento da atividade da IDO nas células astrogliais durante a inflamação é manter os níveis de NAD por meio da síntese de novo a partir do triptofano. A inibição do metabolismo da via da quinurenina sob essas condições pode diminuir significativamente a viabilidade celular (Grant, 2003).
   c) Harmol, um alcalóide da beta-carbolina, induziu autofagia e suprimiu a expressão de survivina e subsequentemente induziu a morte celular apoptótica em células de glioma humano U251MG. A autofagia foi induzida dentro de 12 horas de tratamento com harmol. Quando tratado por mais de 36 h induziu-se a morte celular apoptótica. O tratamento com Harmol também reduziu a expressão da proteína survivina. O knockdown da survivina mediada por RNA interferente (siRNA) aumentou a apoptose induzida por harmol. A apoptose induzida por Harmol é resultado da redução na expressão da proteína survivina. O tratamento com cloroquina na pre-

sença de Harmol não suprimiu a redução da expressão de survivina e aumentou a morte celular induzida por Harmol. A partir desses resultados, a redução da expressão de survivina induzida por Harmol esteve intimamente relacionada à autofagia. O tratamento com Harmol reduziu a fosforilação de Akt, mTOR e seus alvos a jusante, proteína p70-ribossômica S6 quinase e proteína 1 de ligação a 4E, resultando em indução de autofagia. Por outro lado, a ativação da via Akt/mTOR inibiu a autofagia induzida por Harmol e a morte celular. Esses achados indicam que a autofagia induzida por Harmol envolve a via Akt/mTOR (Abe, 2013).

d) O cloridrato de Harmina (Har-hc), extraído da planta natural beta-carbolina, foi considerado para o tratamento de vários tipos de câncer e doenças cerebrais. Neste estudo, descobriu-se que o Har-hc claramente diminuiu a viabilidade celular, induziu apoptose e inibiu a fosforilação de Akt nas linhas celulares do glioblastoma. Além disso, o Har-hc inibiu a autorrenovação e promoveu a diferenciação de células-tronco do glioblastoma (GSLCs) acompanhadas pela inibição da fosforilação de Akt. Especialmente, demonstrou-se que Har-hc inibiu a formação de neurosfera de GSLCs primárias humanas. O teste *in vivo* também confirmou que o Har-hc diminuiu a tumorogenicidade das GSLCs. Assim, concluiu-se que o Har-hc tem efeitos anticâncer potentes nas células de glioblastoma, que é pelo menos parcialmente via inibição da fosforilação de Akt. A administração de Har-hc pode atuar como nova abordagem para o tratamento de glioblastoma (Liu, 2013). Ele é rico em beta-carbolina.

e) A beta-carbolina (Harmina) provoca inibição farmacológica da atividade da DYRK1A cinase e bloqueia a capacidade de autorrenovação dos GBM-TICs (células iniciadoras de tumor) e diminui o volume do tumor. Harmina inibiu significativamente a auto-renovação na maioria das linhas primárias de glioma. O EGFR é alterado em 50% dos GBMs; no entanto, os inibidores de EGFR quinase produziram maus resultados em ensaios clínicos. Os autores descobriram papel fundamental para a quinase regulada por fosforilação de tirosina de dupla especificidade, DYRK1A, na regulação do EGFR em GBMs. Eles descobriram que o DYRK1A está altamente expresso nesses tumores e que sua expressão esta correlacionada com a do EGFR. Além disso, a inibição de DYRK1A promoveu degradação de EGFR em linhas celulares primárias de GBM e células progenitoras neurais, reduzindo drasticamente a capacidade de auto-renovação de células normais e tumorogênicas. Mais importante ainda, os dados sugerem que um subconjunto de GBMs depende dos altos níveis de EGFR de superfície, pois a inibição de DYRK1A comprometeu sua sobrevivência e produziu profunda diminuição do volume do tumor (Liu, 2013).

3. **Carcinoma de cabeça e pescoço**

a) A quinase 1A regulada por tirosina-(Y)-fosforilação de dupla especificidade foi uma das quinases hiperfosforiladas em Tyr-321 em todas as linhas celulares de carcinoma espinocelular de cabeça e pescoço (HNSCC). A inibição de DYRK1A resultou em aumento da apoptose e diminuição da capacidade de invasão e formação de colônias das linhas celulares HNSCC. A marcação imuno-histoquímica de DYRK1A em tecidos tumorais primários usando microarranjos de tecidos revelou coloração forte a moderada de DYRK1A em 97,5% (39/40) dos tecidos HNSCC analisados. Em conjunto, os resultados sugerem que o DYRK1A poderia ser novo alvo terapêutico no HNSCC. A inibição do DYRK1A suprime o crescimento do tumor *in vivo*: camundongos atímicos foram injetados por via subcutânea (s.c.) com células CAL 27. No dia 7, quando os tumores atingiram o tamanho de aproximadamente 50mm^3, os camundongos foram randomizados em dois grupos de cinco animais cada e tratados com veículo sozinho (DMSO) ou com harmina (15 mg/kg/injeção, a cada 3 dias até 3 semanas) via intraperitoneal (ip). Eles observaram diferenças significativas no crescimento do tumor entre o controle e o grupo tratado com danos durante o período experimental de 25 dias. Ocorreu diminuição na expressão de Ki67 no tecido xenoenxertado tratado com harmina em comparação com o controle. A inibição de DYRK1A induz apoptose *in vitro* e *in vivo*: ocorre diminuição na expressão de ambos BCL-xL e BCL2 e expressão aumentada da proteína pró-apoptótica BAX. O tratamento *in vivo* com harmina também promoveu a ativação de caspases-9 e 3 e PARP indicando indução de apoptose (Radhakrishnan, 2017). A beta-carbolina inibe o DYRK1A.

4. **Câncer de pulmão**

a) O alcaloide β-carbolina harmol induz a morte celular via autofagia, mas não por apoptose em células A549 de câncer de pulmão de células não pequenas humanas. Harmol induz morte celular em células A549 de modo dependente da dose e do tempo, porém sem aumentar a atividade das caspases-3 e 9 ou do PARP. A autofagia, mas não a apoptose, foi detectada por microscopia eletrônica em células A549 tratadas com 70 μM de Harmol. Isso sugere que a indução da autofagia por Harmol precede a morte celular. Sabe-se que duas são as principais vias reguladoras da autofagia Akt/mTOR e ERK1/2. Embora o tratamento com Harmol não tenha mostrado efeito na via Akt/mTOR, ele ativou transitoriamente a via ERK1/2. Portanto, embora a ativação da via ERK1/2 possa estar relacionada à autofagia induzida por Harmol, outra via importante também pode estar envolvida nas células A549 (Abe, 2011).

b) A cascata de sinalização do TGFβ é considerada uma das principais vias oncogênicas na maioria dos cânceres avançados. Os derivados de tetra-hidro-β-carbolina inibem potencialmente a via de sinalização do TGFβ e promovem potentes inibições da proliferação e migração de células de câncer de pulmão *in vitro*, mas também suprimem fortemente o crescimento de câncer de pulmão *in vivo* (Zheng, 2014).

5. **Câncer de mama**
   a) Os alcalóides da beta-carbolina inibem o início da síntese de DNA, mas não o alongamento da cadeia. A ação estimulante causada por agentes cancerígenos durante a síntese *in vitro* do DNA no câncer pode ser evitada e revertida por esses alcaloides. Além disso, a ação estimulante dos esteróides durante a síntese *in vitro* do DNA do tecido alvo do hormônio pode ser neutralizada por eles. No entanto, em doses relativamente altas, os esteroides competem reversivelmente com esses alcaloides pelos locais de ligação no DNA do câncer de mama. Isso não é observado com o DNA de tecidos-alvo não hormonais (Beljanski, 1982).
   b) A cascata de sinalização do fator de crescimento transformador beta (TGFβ) é considerada uma das principais vias oncogênicas na maioria dos cânceres avançados. Os derivados de tetra-hidro-β-carbolina inibem potencialmente a via de sinalização do TGFβ e suprimem fortemente o crescimento do câncer de mama *in vivo* (Zheng, 2014).
   c) A proteína que provoca resistência à quimioterapia no câncer de mama (ABCG2) transporta as drogas quimioterapêuticas para fora das células, o que a torna um importante participante na mediação da resistência a múltiplas drogas (MDR) das células cancerígenas. Para superar esse mecanismo, inibidores da ABCG2 podem ser usados. Apenas alguns inibidores potentes e seletivos da ABCG2 foram descobertos, ou seja, fumitremorgina C (FTC), Ko143 e o alcaloide Harmina, que contêm um esqueleto de tetra-hidro-β-carbolina ou β-carbolina, respectivamente (Spindler, 2016).
   d) A Harmina exibe citotoxicidade pronunciada e induz estado antiproliferativo nas células MCF-7, que é acompanhado por inibição significativa da atividade da telomerase e indução de fenótipo de senescência acelerada por elementos super expressos da via p53/p21 (Zhao, 2013).
6. **Câncer de mama triplo negativo**
   a) O alcaloide da beta-carbolina a Harmina inibe a proteína de resistência ao câncer de mama (BCRP) na célula MDA-MB-231 e pode reverter a resistência aos medicamentos anticâncer mitoxantrona e camptotecina nas células de câncer de mama. Em estudo, utilizou-se ensaios em placas de 96 poços e análise por citometria de fluxo para rastrear produtos naturais quanto à inibição de BCRP. O alcaloide da beta-carbolina Harmina inibiu o BCRP em uma linha celular de câncer de mama com superexpressão de BCRP, MDA-MB-231. A Harmina reduziu a resistência aos medicamentos anticâncer mitoxantrona e camptotecina mediados pelo BCRP e pode ser um novo agente de reversão interessante. Harmina não inibiu o efluxo de drogas mediado por glicoproteína P (gp-P) (Ma, 2010).
   b) O extrato de Peganum harmala, rico em beta-carbolinas, diminui a taxa de crescimento da linha celular de câncer de mama MDA-MB-231 através da indução de apoptose. Ocorre superexpressão notável dos genes TRAIL e Caspase8, bem como do gene Bid. O extrato ativa as vias intrínseca (Bax, Bcl-2, Bid e Puma) e extrínseca (TRAIL, Caspase8, p21 e p53) da apoptose (Shabani, 2014).
7. **Próstata**
   a) Suprime o crescimento de células CRPC PC3 dependentes da dose e do tempo provocando apoptose e parada do ciclo celular. Induz inibidores do ciclo celular p21 e p27 e reprime PCNA, ciclina A e ciclina D1. Aumenta a expressão do Bax (pró-apoptótico) e diminui a expressão do Bcl-2, Bcl-xL e XIAP (antiapoptóticos). Aumenta a clivagem da proteína PARP. Bloqueia a migração e a invasão. Inibe TNF-alfa e assim o NF-kappaB.
   b) Beta-carbolina do extrato de *Pao pereira*, *in vitro*, induz apoptose e suprime a proliferação celular de modo dose-dependente em células do câncer de próstata LNCaP. *In vivo*, no camundongo, diminui 80% do volume tumoral. Aten-

ção para o efeito em forma de U: a dose maior (50mg/kg/dia) foi menos eficaz do que as doses menores (10 a 20mg/kg/dia).

c) Extrato do *Pao pereira* com a flavopereirina e o extrato da *Rauwolfia vomitoria* com a alstonina são sinérgicos no câncer e na hipertrofia benigna de próstata.

d) O extrato de *Pao Pereira* suprime o crescimento, a sobrevivência e a invasão celular de câncer de próstata resistente à castração (CRPC) através da inibição da sinalização de NF-kappaB. O extrato de *Pao* suprimiu o crescimento celular de CRPC PC3 de maneira dependente da dose e do tempo, através da indução de apoptose e interrupção do ciclo celular. Os inibidores do ciclo celular induzidos pelo tratamento com extrato de Pao, p21 e p27, e PCNA reprimido, ciclina A e ciclina D1. Além disso, o extrato de *Pao* também induziu aumento da expressão do Bax pró-apoptótico e redução da expressão de Bcl-2, Bcl-xL e XIAP anti-apoptótico, os quais foram associados à clivagem da proteína PARP. Além disso, o tratamento com extrato de *Pao* bloqueou a migração e invasão de células PC3. Mecanicamente, ele suprimiu os níveis de fosforilação de AKT e inibiu a ligação do NFκB/p65 ao DNA de NF-kappaB. Também inibiu a realocação induzida por TNF-alpha e de NFκB/p65 para o núcleo, a atividade de transcrição de NFκB/p65 e a atividade de MMP9. Consistentemente, os alvos a jusante NFκB/p65 envolvidos na proliferação (ciclina D1), sobrevivência (Bcl-2, Bcl-xL e XIAP) e metástases (VEGFa, MMP9 e GROα/CXCL1) também foram regulados negativamente pelo extrato de Pao. No geral, o extrato de *Pao* induziu a parada do crescimento celular e aumentou a apoptose, parcialmente pela inibição da ativação de NFκB em células de câncer de próstata (Chang, 2014).

e) Extrato do *Pao pereira* enriquecidos com beta-carbolina suprime células LNCaP do câncer de próstata. Acontece diminuição do crescimento de modo dose-dependente e indução de apoptose *in vitro*. *In vivo* por 6 semanas observa-se redução de 80% do volume tumoral. Observa-se também efeito terapêutico em U, onde menores doses (10-20mg/kg) são eficazes e as maiores ineficazes (50mg/kg) (Bemis, 2009).

8. **Câncer colorretal**

a) Quatro beta-carbolinas foram isoladas da esponja de água profunda *Plakortis nigra* de Palau. A maioria dos metabolitos inibiu a linha de células tumorais do cólon humano HCT-116 (Sandler, 2002).

9. **Câncer de fígado**

a) Para evitar a parada do ciclo celular ou apoptose, as células cancerígenas em rápida proliferação precisam promover o reparo do DNA double strand break (DSB) para corrigir os DSBs induzidos pelo estresse de replicação. Usando 2 métodos bem estabelecidos para analisar a eficiência da HR (recombinação homóloga) e NHEJ da (recombinação não homóloga) descobriu-se que a HR e o NHEJ estão elevados nas linhas celulares do hepatoma Hep3B e HuH7 em comparação com as linhas celulares normais do fígado. A Harmina, um composto natural, regula negativamente a HR, mas não o NHEJ, interferindo no recrutamento de Rad51, resultando em importante citotoxicidade nas linhas celulares Hep3B e HuH7 do carcinoma hepatocelular humano. Além disso, o inibidor do NHEJ Nu7441 (inibidor do DNA-PKcs) sensibiliza marcantemente as células Hep3B aos efeitos antiproliferativo da Harmina. Tomados em conjunto, o estudo sugeriu que o Harmina possui grande promessa como medicamento oncológico e a combinação de Harmina com um inibidor do NHEJ pode ser uma estratégia eficaz para o tratamento anticâncer (Zhang, 2015).

b) Harmina inibiu a proliferação de células HepG2 de maneira dependente da dose. Ocorreu fragmentação nuclear e condensação cromossômica, encolhimento celular e perda de inserção em células HepG2 tratadas com Harmina. A porcentagem da fração subG1 aumentou de maneira dependente da concentração, indicando morte celular apoptótica. Harmina alterou a distribuição do ciclo celular, diminuindo a proporção de células em G0/G1 e aumentando a proporção em S e G2/M. A Harmina induziu apoptose de maneira dependente da concentração, com taxas de 20,0%, 32,7% e 64,9%. Foi observada uma diminuição no Delta-psimt (ψmt). A apoptose das células HepG2 foi associada à ativação da caspase-3 e caspase-9, regulação para baixo de Bcl-2, Mcl-1 e Bcl-xl, e nenhuma alteração no Bax. A seletividade específica do câncer sugeriu que o Harmina é um novo medicamento promissor para o carcinoma hepatocelular humano (Cao, 2011).

10. **Pâncreas**

a) *Pao pereira* inibe o câncer pancreático e este efeito é potenciado pela gemcitabina. *Pao* induz induz apoptose dose-dependente em 5 linhagens testadas do câncer de pâncreas. A gemcitabina potencía os efeitos da *Pao in vitro*. *In vivo*, em modelo de xenoenxerto a gemcitabina não provoca efeitos, entretanto combinada com a *Pao* acontece redução do crescimento de 70-72%, ao lado de inibir drasticamente as metástases para o peritônio (Yu, 2013).

b) Em cinco linhagens de câncer de pâncreas, provoca apoptose de modo dose-dependente. Sozinho o *Pao pereira* inibe em 70-72% o crescimento do câncer pancreático no camundongo (tipo celular PACN-1).

c) O extrato da planta medicinal *Pao Pereira* inibe a célula-tronco do câncer de pâncreas *in vitro* e *in vivo*. O câncer de pâncreas é enriquecido com células-tronco cancerígenas (CSCs), que são resistentes a quimioterapia e responsáveis pelas metástases e recorrência do tumor. *Pao pereira* inibe a proliferação de linhas celulares de câncer pancreático com IC50 variando de 125 a 325 µg/ml e muito importante com citotoxicidade limitada a células epiteliais normais. A população de CSC pancreáticas foi reduzida drasticamente com IC50 de ~100µg/ml em 48 horas de tratamento e com IC50 ~27µg/ml no tratamento de longo prazo. Os níveis nucleares de β-catenina diminuíram o que sugere supressão da via de sinalização de Wnt/β-catenina. *In vivo*, *Pao* a 20 mg/kg, 5 vezes por semana, reduz a tumorogenicidade das células PANC-1 em camundongos imunocomprometidos, indicando inibição das CSCs *in vivo* (Dong, 2018).

11. **Ovário**

a) *Pao pereira* é ativo em várias linhagens do câncer de ovário e células epiteliais imortalizadas. Induz apoptose de modo dose e tempo-dependentes e inibe completamente a formação de colônias de células tumorais em baixíssima concentração – 400 microgramas/ml. *Pao pereira* sozinho suprime o crescimento tumoral em 79% e diminui o volume da ascite em 55%. Combinado com carboplatina, reduz o crescimento tumoral em 97% e abole completamente a ascite.

b) *Pao pereira* possui efeito sinérgico com a carboplatina. *Rauwolfia vomitoria* também possui efeito sinérgico com a carboplatina. *Pao pereira* mais *Rauwolfia vomitoria* fazem parte do protocolo de um cientista francês, Prof. Mirko Beljanski.

c) *Pao pereira* potencía os efeitos da carboplatina no câncer de ovário. *Pao pereira* sozinha induz apoptose dose e tempo dependente e inibe a formação de colônias das células tumorais *in vitro*. *In vivo* Pao sozinha inibe o crescimento tumoral em 79% e diminui o volume da ascite em 55%. Quando combinada com a carboplatina a redução do volume tumoral atinge 97% e a ascite é completamente eliminada (Yu, 2014).

12. **Leucemia**

Sozinho ou em combinação com ATRA e G-CSF, a Harmina reduz a proliferação de células leucêmicas HL60 de maneira dependente da dose e do tempo (Zaker, 2007).

13. **Melanoma**

a) Harmina inibiu a metástase das células de melanoma B16F-10 (in Hansa, 2011).

b) Harmina induziu apoptose em células de melanoma B16F-10 através da regulação positiva do Bax e da ativação da Caspase-3, 9 e p53 e da regulação negativa do Bcl-2. Também regulou para cima a Caspase-8 e o Bid, indicando que aconteceu apoptose pelas vias extrínseca e intrínseca da (Hansa, 2011)

Comentário

Como é muito frequente ou quase regra acontecer; determinada planta medicinal é estudada e patenteada em outros países.

Referências

1. Abstracts and papers in full on site www.medicinabiomolecular.com.br.
2. Abe A, Yamada H, Moriya S, Miyazawa K. The β-carboline alkaloid harmol induces cell death via autophagy but not apoptosis in human non-small cell lung cancer A549 cells. Biol Pharm Bull. 34(8):1264-72;2011.
3. Abe A, Kokuba H. Harmol induces autophagy and subsequent apoptosis in U251MG human glioma cells through the downregulation of survivin. Oncol Rep. Apr;29(4):1333-42;2013.
4. Cao MR, Li Q, Liu ZL, Harmine induces apoptosis in HepG2 cells via mitochondrial signaling pathway. Hepatobiliary Pancreat Dis Int. 2011 Dec;10(6):599-604.
5. Chang C, Zhao W, Xie B, et al. Pao Pereira Extract Suppresses Castration-Resistant Prostate Cancer Cell Growth, Survival, and Invasion Through Inhibition of NFκB Signaling. Integr Cancer Ther. May;13(3):249-58;2014.
6. Barbosa VA, Baréa P, Mazia RS, et al. Synthesis and evaluation of novel hybrids β-carboline-4-thiazolidinones as potential antitumor and antiviral agents. Eur J Med Chem. Nov 29;124:1093-1104;2016.
7. Beljanski M, Beljanski MS. Selective inhibition of in vitro synthesis of cancer DNA by alkaloids of beta-carboline class. Exp Cell Biol. 50(2):79-87;1982.
8. Beljanski M, Crochet S, Beljanski MS. PB-100: a potent and selective inhibitor of human BCNU resistant glioblastoma cell multiplication. Anticancer Res. Nov-Dec;13(6A):2301-8;1993.
9. Beljanski M. Cancer: L'Approche Beljanski. Lyon, France: EVI Liberty Corp.; 2005.
10. Bemis DL, Capodice JL, Desai M, et al. beta-carboline alkaloid-enriched extract from the amazonian rain forest tree pao pereira suppresses prostate cancer cells. J Soc Integr Oncol. Spring;7(2):59-65;2009.
11. Dong R, Chen P, Chen Q. Extract of the Medicinal Plant Pao Pereira Inhibits Pancreatic Cancer Stem-Like Cell In Vitro and In Vivo. Integr Cancer Ther. Dec;17(4):1204-1215;2018.

12. Geng X, Ren Y, Wang F, et al. Harmines inhibit cancer cell growth through coordinated activation of apoptosis and inhibition of autophagy. Biochem Biophys Res Commun. Mar 25;498(1):99-104;2018.
13. Grant R, Kapoor V. Inhibition of indoleamine 2,3-dioxygenase activity in IFN-gamma stimulated astroglioma cells decreases intracellular NAD levels. Biochem Pharmacol. Sep 15;66(6):1033-6;2003.
14. Hamsa TP, Kuttan G. Harmine activates intrinsic and extrinsic pathways of apoptosis in B16F-10 melanoma. Chin Med. Mar 23; 6(1):11;2011.
15. Ibrahim S, Mohamed G, Al Haidari R, et al. Ingenine F: A New Cytotoxic Tetrahydro Carboline Alkaloid from the Indonesian Marine Sponge Acanthostrongylophora ingens. Pharmacogn Mag. Apr-Jun;14(54):231-234;2018.
16. Kuo PC, Shi LS, Damu AG, et al. Cytotoxic and antimalarial beta-carboline alkaloids from the roots of Eurycoma longifolia. J Nat Prod. Oct;66(10):1324-7;2003.
17. Liu H, Han D, Liu Y, et al. Harmine hydrochloride inhibits Akt phosphorylation and depletes the pool of cancer stem-like cells of glioblastoma. J Neurooncol. Mar;112(1):39-48;2013.
18. Ma Y, Wink M. The beta-carboline alkaloid harmine inhibits BCRP and can reverse resistance to the anticancer drugs mitoxantrone and camptothecin in breast cancer cells. Phytother Res. 2010 Jan;24(1): 146-9;2010.
19. Radhakrishnan A, Nanjappa V, Raja R, et al. A dual specificity kinase, DYRK1A, as a potential therapeutic target for head and neck squamous cell carcinoma. Sci Rep. Oct 31;6:36132;2016.
20. Sandler JS, Colin PL, Hooper JN, Faulkner DJ. Cytotoxic beta-carbolines and cyclic peroxides from the Palauan sponge Plakortis nigra. J Nat Prod. Sep;65(9):1258-61;2002.
21. Savariz FC, Foglio MA, de Carvalho JE, et al. Synthesis and evaluation of new β-carboline-3-(4-benzylidene)-4H-oxazol-5-one derivatives as antitumor agents. Molecules. May 21;17(5):6100-13;2012
22. Shabani S H, Tehrani S SH, Rabiei Z, et al. Peganum harmala L.'s anti-growth effect on a breast cancer cell line. Biotechnol Rep (Amst). Oct 27;8:138-143;2015.
23. Spindler A, Stefan K, Wiese M Synthesis and Investigation of Tetrahydro-β-carboline Derivatives as Inhibitors of the Breast Cancer Resistance Protein (ABCG2). J Med Chem. Jul 14;59(13):6121-35; 2016.
24. Yu J, Drisko J, Chen Q. Inhibition of pancreatic cancer and potentiation of gemcitabine effects by the extract of Pao Pereira. Oncol Rep. Jul;30(1):149-56;2013.
25. Yu J, Chen Q. The plant extract of Pao pereira potentiates carboplatin effects against ovarian cancer. Pharm Biol. Jan;52(1):36-43;2014.
26. Zaker F, Oody A, Arjmand A. A study on the antitumoral and differentiation effects of peganum harmala derivatives in combination with ATRA on leukaemic cells. Arch Pharm Res. Jul; 30(7):844-9; 2007.
27. Zhang L, Zhang F, Zhang W, et al. Harmine suppresses homologous recombination repair and inhibits proliferation of hepatoma cells. Cancer Biol Ther. 16(11):1585-92;2015.
28. Zhao L, Wink M. The β-carboline alkaloid harmine inhibits telomerase activity of MCF-7 cells by down regulating hTERT mRNA expression accompanied by an accelerated senescent phenotype. PeerJ. Oct 1;1:e174;2013.
29. Zheng C, Fang Y, Tong W, et al. Synthesis and biological evaluation of novel tetrahydro-β-carboline derivatives as antitumor growth and metastasis agents through inhibiting the transforming growth factor-β signaling pathway. J Med Chem. 2014 Feb 13;57(3):600-12;2014.

CAPÍTULO 106

Pimenta-do-reino, pimenta-preta. *Piper nigrum*: o delicioso tempero que nos ajuda a tratar o câncer

Anti-H. pylori e *M. tuberculosis*; aumenta ERTOS; inibe as vias PI3K/Akt/GSK3beta, STAT3/NF-kappaB e Wnt/beta-catenina, ERK1/2, p38, MAPK; inibe NF-kappaB, HER2, c-Fos, CREB, ATF-2, E2F1, pRb, XIAP, Bid, MMP-2/9; diminui Bcl-2 e aumenta Bax; ativa o checkpoint da kinase 1; reduz a expressão da IL-1beta, IL-6, TNF-α, GM-CSF e genes IL-12p40 e Mcl-1; aumenta a expressão de p21 Waf1/Cip1; induz apoptose, inibe proliferação, migração e invasão de tumores e sensibiliza tumores para radioterapia e quimioterapia

Jose de Felippe Junior

Os temperos são utilizados há anos na culinária e na medicina tradicional como remédio para inúmeras doenças. *Piper nigrum*, pertencente à família Piperaceae, sendo uma das especiarias mais utilizadas em todo o mundo. Possui sabor acentuado distinto atribuído ao fitoquímico piperina. A pimenta-preta contém 2,0-7,4% de piperina e exibe vários efeitos no câncer e gerais: antiproliferativo, antiapoptótico, antimetastático, antiangiogênico, antioxidante, oxidante, antidiabético, antiobesidade (termogênico), cardioprotetor, antimicrobiano e imunomodulador *in vitro* e *in vivo*. A piperina é hepatoprotetora, antialérgica, anti-inflamatória, neuroprotetora e muito gostosa no espaguete ao sugo.

A piperina é o alcaloide mais abundante da pimenta e foi primeiro isolada do extrato de pimenta-preta por Hans Christian Ørsted em 1819.

Numerosos estudos documentaram os efeitos antioxidantes, anti-inflamatórios e imunomoduladores das especiarias, que podem estar relacionados à prevenção e ao tratamento de vários tipos de câncer, incluindo câncer de pulmão, mama, próstata, estômago, colorretal, fígado e colo do útero. Diversas especiarias são fontes potenciais de princípios ativos para prevenção e tratamento de cânceres, como *Curcuma longa* (cúrcuma), *Nigella sativa* (cominho preto), *Zingiber officinale* (gengibre), *Allium sativum* (alho), *Crocus sativus* (açafrão), *Piper nigrum* (pimenta-preta) e *Capsicum annum* (pimenta malagueta), as quais contém vários compostos bioativos importantes, como curcumina, timoquinona, piperina e capsaicina. Os principais mecanismos de ação incluem indução de apoptose, inibição da proliferação, migração e invasão de tumores e sensibilização de tumores para radioterapia e quimioterapia (Nilius, 2013; Rubio, 2013; Srinivasan, 2014; Ghosh, 2014; Majdalawieh, 2015; Zheng, 2016; Zadorozhna, 2019).

Aqui o que nos interessa são os efeitos anticâncer em vias de sinalização proliferativa e em genes supressores de tumor da pimenta-do-reino ou pimenta-preta ou formalmente, *Piper nigrum*.

A piperina de peso molecular 285,3g/mol e fórmula $C_{17}H_{19}NO_3$ é também chamada de (2E,4E)-5-(1,3-benzodioxol-5-yl)-1-piperidin-1-ylpenta-2,4-dien-1-one, 1-piperoylpiperidine, piperoylpiperidine, piperin e bioperine.

A piperina não doa elétrons e é aceptora de 3, portanto, é molécula oxidante, como a maioria dos princípios ativos anticâncer.

A tabela 106.1 mostra os usos antigos e recentes da *Piper nigrum* (Gorgani, 2017).

Árvore da pimenta-do-reino

Pimenta-do-reino – *Piper nigrum*

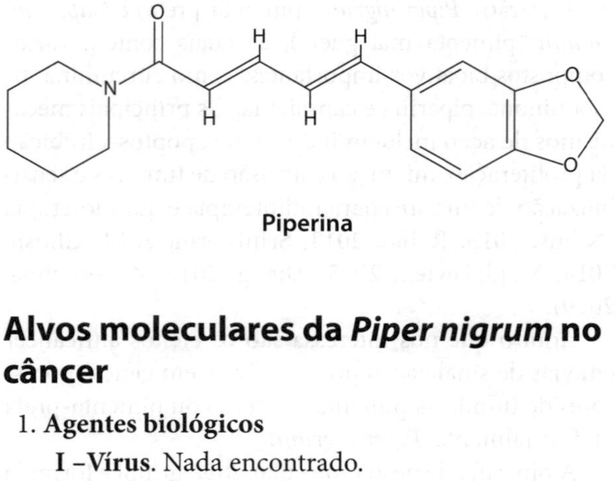

Piperina

Alvos moleculares da *Piper nigrum* no câncer

1. **Agentes biológicos**

I – Vírus. Nada encontrado.

II – Fungos.

a) Piperina impede a formação de biofilmes e hifas da *Candida albicans* (Priya, 2020).

b) Piperina induz apoptose em *Candida albicans* via estresse oxidativo (Thakre, 2021).

III – Antimicobactérias

a) Piperina interfere no crescimento da ***Mycobacterium tuberculosis*** inibindo seu RNA (Murase, 2019).

b) Piperina (1mg/kg) em camundongos infectados com ***M. tuberculosis*** ativa a diferenciação de células T em subpopulação Th1 (subconjuntos CD4+/CD8+). Houve aumento da secreção de citocinas Th-1 (IFN-γ e IL-2) por essas células. Os estudos de qRT-PCR revelaram aumentos correspondentes nos transcritos de mRNA de IFN-γ e IL-2 nos tecidos pulmonares infectados. A combinação de piperina e rifampicina (1mg/kg) exibiu melhor eficácia e resultou em uma redução adicional de 1,4 a 0,8 log na ufc pulmonar em comparação com a rifampicina sozinha. A regulação positiva da imunidade Th1 pela piperina pode ser combinada sinergicamente com a rifampicina para melhorar sua eficácia terapêutica em pacientes com tuberculose imunocomprometidos (Sharma, 2014).

c) Em revisão sistemática piperina tem **atividade anti-TB** promissora, principalmente quando combinada com antimicrobianos e desempenha um papel importante como inibidor da bomba de efluxo (Sharma, 2010; Hegeto, 2019).

d) Estreptomicina volta a ter eficácia na presença de piperina no tratamento do *M. tuberculosis* (Calsavara, 2021).

IV – Anti-*Helicobacter pylori* (Tharmalingam, 2014; Al-Sayed, 2021).

2. **Gliomas**

a) Piperina (PIP) é sinérgica com a temozolomida (TMZ) contra linhagens de **gliomas resistentes** à temozolomida. O tratamento com PIP e baixa concentração de PIP-TMZ inibe o crescimento celular promove apoptose por ativação da caspase-8/9/3, perda de MMP e inibição da motilidade *in vitro*. A análise da reação em cadeia da polimerase de transcrição reversa mostrou inibição significativa das cinases dependentes de ciclina (CDK) 4/6-ciclina D e expressão de CDK2-ciclina-E após o tratamento com concentração baixa de PIP-TMZ, sugerindo parada do ciclo celular em S/G1 (Jeong, 2010).

b) Piperina, um potenciador da biodisponibilidade da curcumina em humanos, potencia o efeito apoptótico da curcumina contra as células do **meduloblastoma.** Este efeito foi mediado por forte regulação negativa de Bcl-2 (Elamin, 2010).

3. **Câncer de cabeça e pescoço**

Piperina dispara apoptose no carcinoma epidermoide oral humano, linhagem KB ao provocar parada do ciclo celular e estresse oxidativo mitocondrial. Piperina em várias concentrações (25-300μM) reduziram a viabilidade celular das células KB significativamente. A piperina induz aumento signifi-

Tabela 106.1 Usos antigos e recentes da *Piper nigrum* (Gorgani, 2017).

Traditional uses	Recent animal studies	Recent human studies	Recent cell studies
Rheumatism	Anti-metastatic	Gastro-intestinal stimulant	Immunomodulatory activity
Cold & fever	Enzyme activity stimulator	Anti-asthmatic	Reduction of antibody titer in serum
Muscular pain	Antimicrobial	Anti-oxidant influence	Bioavailabílity enhancement of therapeutic drug
Flu	Anti-fertility effects	Parietal & pepsin secretion	Anti-oxidant
Diuretic	Hepato-protective effects	Reductionof high-fat-diet-induced oxidative stress	Inhibition of lung metastasis
Antispasmodic	Biotransformative effects	Anti-carcinogenic	Enhancement of lipid peroxidation
Increase saliva flow	Digestlve stimulant action	Anti-hyperlipidemic	Increase of WBC
Antiseptic	Anti-uicer activity	Anti-diabetic	Increase of hypersensitivity response
Dyspepsia	Anti-amoebic activity	Lipid metabolism acceleration	Enzymatic activity enhancer
Relieving migraine headaches	Drug metabolizes	Enhancement of food absorption.	
Poor digestion	Anti-diarrheal property	Anti-inflammatory activity	
Coma	Anti-fibrotic effect	Anti-cancer effects	
Strep throat	Anti-fungal		
Blood purifier	Acaricidal		
Analgesic	Anti-oxidant		
Antitoxic	Glutathione reduction		
Diabetes			
Antipyretic			
Cough			
Carminative			
Appetite stimulator			

cativo relacionado à dose na produção de ROS e condensação nuclear. Além disso, a piperina estimula a morte celular induzindo a perda de delta -psimt e ativação da caspase-3. O estudo do ciclo celular revelou que a piperina prende as células na fase G2/M e diminui o conteúdo de DNA. Os achados deste estudo sugerem a eficácia da piperina na indução da morte celular por meio da diminuição da liberação de MMP e ROS seguida pela ativação da caspase-3 e parada do ciclo celular (Siddiqui, 2017).

4. **Câncer de mama usual e triplo negativo**
   a) Piperina, sulforafane e timoquinona são sinérgicos como anticâncer de mama linhagem, **MCF-7, MDA-MB-231**.
   b) Piperina é eficaz no tratamento do câncer de mama que **superexpressa HER2** (Chang, 2013).
   c) Piperina aumenta a eficácia do TRAIL em células **MDA-MB-231** do câncer de mama triplo negativo (Abdelhamed, 2014).
   d) Piperina inibe o crescimento e a motilidade de células do **câncer de mama triplo negativo** (Greenshields, 2015).

e)

MDA-MB 231	• Diminuiu a expressão da proteína associada a G1 e associada a G2 e aumentou a expressão de p21 Waf1/Cip1 • Ativação de Akt promotora de sobrevivência inibida em células TNBC e apoptose dependente de caspase induzida por meio da via mitocondrial • Diminuição da expressão de mRNA de MMP-2 e MMP-9, sugerindo efeito antimetastático

f)

HER2-overexpressão SKBR3, BT-474, e expressão basal HER2 MCF-7, MDA-MB-231	• Proliferação inibida e apoptose induzida por meio da ativação da caspase-3 e clivagem de PARP • Expressão inibida do gene HER2 em nível transcricional • Sinalização ERK1/2 bloqueada para reduzir a expressão SREBP-1 e FAS • Expressão suprimida de MMP-9 induzida por EGF por meio da inibição da ativação de AP-1 e NF-jB interferindo nas vias de sinalização ERK1/2, p38, MAPK e Akt. Isso resulta em redução na migração

g)

4T1 linhagem celular	Linhagem 4T1implantada in vivo no subcutâneo de camundongos fêmeas BALB/c	• Apoptose induzida de células 4T1, aumentando a atividade da caspase-3 e expressão de ciclina B1 reduzida • Diminuição da expressão de MMP-9 e MMP-13 e inibição da migração de células 4T1 in vitro

5. **Câncer de próstata**
   a) Piperina é eficaz no câncer de próstata dependente e independente de andrógenos ((Samykutty, 2013).
   b) Piperina inibe a proliferação de células do câncer de próstata ao induzir parada do ciclo celular e autofagia tumoral (Ouyang, 2013).
   c) Piperina aumenta a eficácia do docetaxel no câncer de próstata ao inibir a atividade da CYP3A4 (Makhov, 2012).
6. **Câncer colorretal**
   a) Piperina provoca apoptose no câncer retal aumentando a geração de espécies reativas tóxicas de oxigênio e impedindo a progressão do ciclo celular proliferativo (Yaffe, 2013).
   b) Piperina inibe o crescimento do câncer de cólon humano provocando parada do ciclo celular em G1 e apoptose via estresse do retículo endoplasmático (Yaffe, 2015).
7. **Câncer de ovário**
   a) Piperina induz apoptose e diminuição da proliferação no carcinoma de ovário resistente à cisplatina ao provocar parada do ciclo celular em G2/M, ativação das caspases, inibição da migração celular e da via de sinalização PI3K/Akt/GSK3beta (Qiu, 2019).
   b) Piperina suprime o crescimento do câncer de ovário humano via ativação da JNK/p38 MAPK mediada pela via apoptótica intrínseca (Si, 2018).
   c) Piperina sensibiliza o câncer de ovário humano a várias drogas citotóxicas (Wojtowicz, 2021).
   d) Piperina é sinérgico com o Paclitaxel via cyt-c, Bax/Bcl-2-caspase-3 no adenocarcinoma de ovário, SKOV-3 (Pal, 2016).
8. **Câncer endometrial.** Nada encontrado.
9. **Câncer de colo de útero**
   a) Piperina aumenta a eficácia da mitomicina-C no câncer cervical humano ao suprimir a sinalização Bcl-2 via inativação do STAT3/NF-kappaB (Han, 2017).
   b) Piperina induz apoptose no adenocarcinoma cervical humano via ROS/mitocôndria ativando a caspase-3 (Jafri, 2019).
   c) Alcaloides da *Piper nigrum* são sinérgicos com o Paclitaxel no câncer cervical rersistente ao Paclitaxel ao regular para baixo a pAkt e o gene Mcl-1 (Xie, 2019).
10. **Linfoma de Hodgkin.** Nada encontrado.
11. **Linfoma não Hodgkin.** Nada encontrado.
12. **Melanoma**
   a) Piperina causa parada do ciclo celular e apoptose em células do melanoma através da ativação do **checkpoint** da kinase 1. O tratamento com piperina causou regulação negativa de E2F1 e fosforilação da proteína de retinoblastoma (Rb). A apoptose induzida por piperina foi associada à regulação negativa de XIAP, Bid e clivagem de caspase-3 e PARP. Além disso, a piperina gerou ROS em células de melanoma (Fofaria, 2014).
   b) Piperina possui efeito antitumoral e apoptótico em células do melanoma humano. Ela aumenta a expressão do BCL2 associado a X, regulador de apoptose (BAX), da poli (ADP-ribose) polimerase clivada, caspase-9 clivada, quinase N-terminal fosfo-c-Jun e fosfo-p38. De maneira dependente da concentração a piperina reduz BCL2, um inibidor de apoptose ligado ao cromossomo X, e a ERK1/2. O tratamento de camundongos por 4 semanas com piperina inibiu o crescimento do tumor sem toxicidade aparente. A piperina aumentou a expressão de células apoptóticas e da proteína caspase-3 clivada e reduziu a expressão da proteína fosfo-ERK1/2 em tumores de melanoma (Yoo, 2019).
   c) Piperina é forte inibidor do NF-kappaB, c-Fos, CREB, ATF-2 e citocinas pro-inflamatórias em células B16F-10 do melanoma. Ela reduz a expressão da IL-1beta, IL-6, TNF-alpha, GM-CSF e IL-12p40 genes (Pradeep, 2004).
13. **Osteossarcoma**
   a) Piperina inibe a proliferação de células do osteossarcoma humano ao provocar parada do ciclo celular em G2/M, ao lado de suprimir metástases ao suprimir a expressão do MMP-2/9 (Zhang, 2015).
   b) Piperina possui efeitos antitumorais no osteossarcoma humano ao diminuir a sinalização Wnt/beta-catenina. Ela reduz de forma dependente da dose a viabilidade e invasão das células U2OS e 143B. Além disso, reduz drasticamente a expressão das proteínas MMP-2, VEGF, glicogênio sintase quinase-3β e β-catenina, bem como os níveis de expressão de suas proteínas-alvo ciclooxigenase-2, ciclina D1 e c-myc, em U2OS células após o tratamento com piperina. Além disso, resultados semelhantes foram observados em células 143B. Portanto, o presente estudo demonstra a eficácia

da piperina no osteossarcoma e identifica que a via de sinalização Wnt/β-catenina pode modular os efeitos antitumorais da piperina nas células U2OS e 143B humanas (Qi, 2020).

Conclusão

Quem diria que a pimenta-do-reino que colocamos no nosso espaguete ao sugo e no *filet au poivre* teria tantos efeitos benéficos para manter a saúde e até tratar de neoplasias. A Natureza é maravilhosa.

Referências

1. Abdelhamed S, Yokoyama S, Refaat., et al. Piperine enhances the efficacy of TRAIL-based therapy for triple-negative breast cancer cells. Anticancer Res. 2014;34:1893–1899.
2. Al-Sayed E, Gad HA, El-Kersh DM. Characterization of Four Piper Essential Oils (GC/MS and ATR-IR) Coupled to Chemometrics and Their anti-Helicobacter pylori Activity. ACS Omega. 2021 Sep 22;6(39):25652-25663.
3. Aumeeruddy MZ, Mahomoodally MF. Combating breast **cancer** using combination therapy with 3 phytochemicals: Piperine, sulforaphane, and thymoquinone. Cancer. 2019 May 15;125(10):1600-1611.
4. Calsavara LL, Hegeto LA, Sampiron EG,. Rescue of streptomycin activity by piperine in Mycobacterium tuberculosis. Future Microbiol. 2021 Jun;16:623-633.
5. Chang HS, Tang JY, Yen CY, Huang 187. Do MT, Kim HG, Choi JH, Khanal T, Park BH, Tran TP, Jeong TC, Jeong HG. Antitumor efficacy of piperine in the treatment of human HER2-overexpressing breast cancer cells. Food Chem. 2013;141:2591–2599.
6. Elamin MH, Shinwari Z, Hendrayani SF, et al. Curcumin inhibits the Sonic Hedgehog signaling pathway and triggers apoptosis in medulloblastoma cells. Mol Carcinog. 2010 Mar;49(3):302-14.
7. Fofaria NM, Kim SH, Srivastava SK. Piperine causes G1 phase cell cycle arrest and apoptosis in melanoma cells through checkpoint kinase-1 activation. PLoS ONE. 2014;9:495.
8. Ghosh SS, Gehr TW, Ghosh S. Curcumin and chronic kidney disease (CKD): Major mode of action through stimulating endogenous intestinal alkaline phosphatase. Molecules. 2014;19:20139–20156.
9. Gorgani L, Mohammadi M, Najafpour GD, Nikzad M. Piperine-The Bioactive Compound of Black Pepper: From Isolation to Medicinal Formulations. Compr Rev Food Sci Food Saf. 2017 Jan;16(1):124-140.
10. Greenshields A.L., Doucette C.D., Sutton K.M., et al. Piperine inhibits the growth and motility of triple-negative breast cancer cells. Cancer Lett. 2015;357:129–140.
11. Han SZ, Liu HX, Yang LQ, Cui LD, Xu Y. Piperine (PP) enhanced mitomycin-C (MMC) therapy of human cervical cancer through suppressing Bcl-2 signaling pathway via inactivating STAT3/NF-kappaB. Biomed Pharmacother. 2017 Dec;96:1403-1410.
12. Hegeto LA, Caleffi-Ferracioli KR, Perez de Souza J, et al. Promising Antituberculosis Activity of Piperine Combined with Antimicrobials: A Systematic Review. Microb Drug Resist. 2019 Jan/Feb;25(1):120-126.
13. Jafri A, Siddiqui S, Rais J, Ahmad MS, et al. Induction of apoptosis by piperine in human cervical adenocarcinoma via ROS mediated mitochondrial pathway and caspase-3 activation. EXCLI J. 2019 Mar 13;18:154-164.
14. Jeong S, Jung S, Park GS, Shin J, Piperine synergistically enhances the effect of temozolomide against temozolomide-resistant human glioma cell lines. Bioengineered. 2020 Dec;11(1):791-800.
15. Majdalawieh AF, Fayyad MW. Immunomodulatory and anti-inflammatory action of Nigella sativa and thymoquinone: A comprehensive review. Int. Immunopharmacol. 2015;28:295–304.
16. Makhov P, Golovine K, Canter D, et al. Co-administration of piperine and docetaxel results in improved anti-tumor efficacy via inhibition of CYP3A4 activity. Prostate. 2012;72:661–667.
17. Murase LS, Perez de Souza JV, Meneguello JE, et al. Possible Binding of Piperine in Mycobacterium tuberculosis RNA Polymerase and Rifampin Synergism. Antimicrob Agents Chemother. 2019 Oct 22;63(11):e02520-18.
18. Nilius B, Appendino G. Spices: The savory and beneficial science of pungency. Rev. Physiol. Biochem. Pharmacol. 2013;164:1–76.
19. Ouyang DY, Zeng LH, Pan H, et al. Piperine inhibits the proliferation of human prostate cancer cells via induction of cell cycle arrest and autophagy. Food Chem. Toxicol. 2013;60:424–430.
20. Pal MK, Jaiswar SP, Srivastav AK,. Synergistic effect of piperine and paclitaxel on cell fate via cyt-c, Bax/Bcl-2-caspase-3 pathway in ovarian adenocarcinomas SKOV-3 cells. Eur J Pharmacol. 2016 Nov 15;791:751-762.
21. Pradeep CR, Kuttan G. Piperine is a potent inhibitor of nuclear factor-kappaB (NF-kappaB), c-Fos, CREB, ATF-2 and proinflammatory cytokine gene expression in B16F-10 melanoma cells. Int Immunopharmacol. 2004 Dec 20;4(14):1795-803.
22. Priya A, Pandian SK. Piperine Impedes Biofilm Formation and Hyphal Morphogenesis of Candida albicans. Front Microbiol. 2020 May 13;11:756.
23. Qi YB, Yang W, Si M, Nie L. Wnt/beta-catenin signaling modulates piperine-mediated antitumor effects on human osteosarcoma cells. Mol Med Rep. 2020 May;21(5):2202-2208.
24. Qiu M, Xue C, Zhang L. Piperine alkaloid induces anticancer and apoptotic effects in cisplatin resistant ovarian carcinoma by inducing G2/M phase cell cycle arrest, caspase activation and inhibition of cell migration and PI3K/Akt/GSK3beta signalling pathway. J BUON. 2019 Nov-Dec;24(6):2316-2321.
25. Rubio L, Motilva MJ, Romero MP. Recent advances in biologically active compounds in herbs and spices: A review of the most effective antioxidant and anti-inflammatory active principles. Crit. Rev. Food Sci. Nutr. 2013;53:943-953.
26. Samykutty A, Shetty AV, Dakshinamoorthy G, et al. Piperine, a bioactive component of pepper spice exerts therapeutic effects on androgen dependent and androgen independent prostate cancer cells. PLoS ONE. 2013;8:495.
27. Si L, Yang R, Lin R, Yang S. Piperine functions as a tumor suppressor for human ovarian tumor growth via activation of JNK/p38 MAPK-mediated intrinsic apoptotic pathway. Biosci Rep. 2018 May 31;38(3):BSR20180503.
28. Siddiqui S, Ahamad MS, Jafri A, et al. Piperine Triggers Apoptosis of Human Oral Squamous Carcinoma Through Cell Cycle Arrest and Mitochondrial Oxidative Stress. Nutr Cancer. 2017 Jul;69(5): 791-799.
29. Sharma S, Kumar M, Sharma S, et al. Piperine as an inhibitor of Rv1258c, a putative multidrug efflux pump of Mycobacterium tuberculosis. J Antimicrob Chemother. 2010 Aug;65(8):1694-701.
30. Sharma S, Kalia NP, Suden P, et al. Protective efficacy of piperine against Mycobacterium tuberculosis. Tuberculosis (Edinb). 2014 Jul;94(4):389-96.

31. Srinivasan K. Antioxidant potential of spices and their active constituents. Crit. Rev. Food Sci. Nutr. 2014;54:352–372.
32. Thakre A, Jadhav V, Kazi R, et al. Oxidative stress induced by piperine leads to apoptosis in Candida albicans. Med Mycol. 2021 Apr 6;59(4):366-378.
33. Tharmalingam N, Kim SH, Park M, et al. Inhibitory effect of piperine on Helicobacter pylori growth and adhesion to gastric adenocarcinoma cells. Infect Agent Cancer. 2014 Dec 16;9(1):43.
34. Xie Z, Wei Y, Xu J, Lei J, Yu J. Alkaloids from Piper nigrum Synergistically Enhanced the Effect of Paclitaxel against Paclitaxel-Resistant Cervical Cancer Cells through the Downregulation of Mcl-1. J Agric Food Chem. 2019 May 8;67(18):5159-5168.
35. Yaffe PB, Doucette CD, Walsh M, Hoskin DW. Piperine impairs cell cycle progression and causes reactive oxygen species-dependent apoptosis in rectal cancer cells. Exp. Mol. Pathol. 2013;94:109–114.
36. Yaffe PB, Coombs M, Doucette CD, et al. Piperine, an alkaloid from black pepper, inhibits growth of human colon cancer cells via g1 arrest and apoptosis triggered by endoplasmic reticulum stress. Mol. Carcinogen. 2015;54:1070-1085.
37. Yoo ES, Choo GS, Kim SH, et al. Antitumor and Apoptosis-inducing Effects of Piperine on Human Melanoma Cells. Anticancer Res. 2019 Apr;39(4):1883-1892.
38. Wojtowicz K, Sterzyńska K, Świerczewska M,et al. Piperine Targets Different Drug Resistance Mechanisms in Human Ovarian Cancer Cell Lines Leading to Increased Sensitivity to Cytotoxic Drugs. Int J Mol Sci. 2021 Apr 19;22(8):4243.
39. Zadorozhna M, Tataranni T, Mangieri D. Piperine: role in prevention and progression of **cancer**. Mol Biol Rep. 2019 Oct;46(5):5617-5629.
40. Zhang J, Zhu X, Li H, et al. Piperine inhibits proliferation of human osteosarco*ma cells via G_2/M phase arrest and metastasis by suppressing MMP-2/-9 expression. Int. Immunopharmacol. 2015;24: 50-58.
41. Zheng J, Zhou Y, Li Y, et al. Spices for Prevention and Treatment of Cancers. Nutrients. 2016 Aug 12;8(8):495.

Pfaffia paniculata, a raiz brasileira anticâncer

Aumenta a função dos macrófagos: fagocitose, espraiamento, produção de peróxido de hidrogênio e NO; aumenta a expressão da p27kip21 e diminui a CDK2 e ciclina E, ao lado de ativar a caspase-3, e aumenta a apoptose sem afetar a integridade do DNA

José de Felippe Junior

A *Pfaffia paniculata* pertencente à família Amaranthaceae e conhecida popularmente como ginseng brasileiro, mudou de nome: *Hebanthe paniculata* ou *Hebanthe eriantha* (Poir.) Pedersen. Seus principais componentes são o stigmasterol, sitosterol, alantoína, ácido pfáfico e glicosídeos, dos quais se destacam as saponinas triterpenoides denominadas pfafosídeos A, B, C, D, E e F.

Lembrar que os triterpenos aumentam a fosforilação oxidativa mitocondrial e provocam diminuição do ciclo de Embden-Meyerhof, diminuindo assim a proliferação mitótica.

Na medicina cabocla, a *Pfaffia paniculada* é usada como antidiabética, analgésica, anti-inflamatória e afrodisíaca. Em forma de creme é utilizada utilizada nos pacientes com mancha escura ao redor dos olhos, com 90% de eficácia. É citada como poderosa raiz adaptógena: antiestresse, melhora da memória, aumento da capacidade física e sexual.

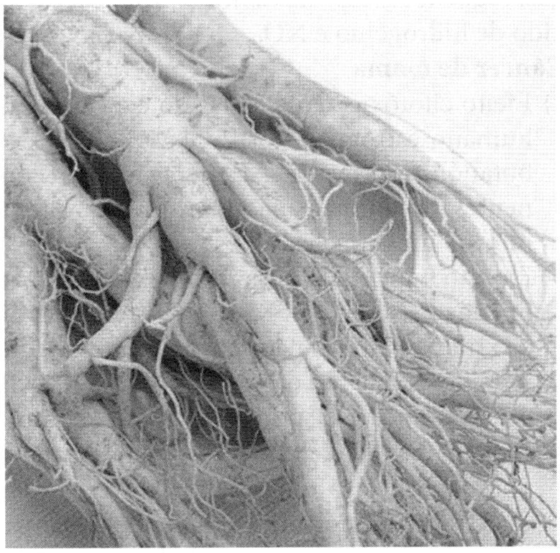

Raízes

Planta do Ginseng brasileiro

Seus extratos mostram atividade antiproliferativa em vários modelos animais *in vivo* e *in vitro*. Dieta contendo 2% de *P. paniculata* possui efeito quimiopreventivo em modelo de hepatocarcinogênese induzida pela dietil-nitrosamina, com aumento da apoptose e redução da proliferação. O extrato butanólico da raiz contendo pfafosídeos de A a F possui efeito antiproliferativo em células do adenocarcinoma mamário humano e em células B16 do melanoma. O extrato metanólico reduz a neovascularização e a angiogênese em córnea de camundongo.

Em relação às mudanças nas concentrações plasmáticas de hormônios, os níveis dos hormônios sexuais 17beta-estradiol, progesterona e testosterona foram claramente maiores para os ratos que beberam água enriquecida com raízes de *P. paniculata* do que para os ratos que beberam água pura. A raiz de *P. paniculata* em pó é facilmente dissolvida na ração ou água e como nenhuma reação adversa foi observada em camundongos dentro de 30 dias da ingestão oral, o consumo de *P. paniculata* por longos períodos de tempo parece seguro (Oshima, 2003).

Alvos moleculares da *Pfaffia paniculata* no câncer

1. **Efeito tripanocidal e leishmanicidal** da raiz da *Pfaffia glomerata* (Amarathanceae), *in vitro*, sob a forma de extrato hidroalcoólico sobre o *Trypanosoma cruzi* e *Leishmania braziliensis.*
2. **Sistema imune**
   Pfaffia paniculata aumenta a função dos macrófagos: fagocitose, espraiamento e produção de peróxido de hidrogênio e NO.
3. **Câncer de mama**
   a) Efeito citotóxico em células do câncer de mama humano estrógeno positivo, MCF-7. O extrato butanólico provoca degeneração dos componentes do citoplasma e profundas alterações morfológicas nucleares.
   b) Extrato butanólico possui efeitos citotóxicos nas linhagens MCF-7 e SKBR-3. O tratamento com o extrato etanólico não causou efeitos significantes no crescimento das células MCF-7 e SKBR-3; o extrato aquoso, por outro lado, estimulou o crescimento das células MCF-7, após tratamento por 1 hora (Nagamine, 2009).
   c) O extrato butanólico das raízes de *P. paniculata* mostrou efeito citotóxico na linha celular MCF-7, morte celular e diminuição da proliferação celular. As alterações subcelulares foram avaliadas por microscopia eletrônica. As células tratadas com extrato butanólico apresentaram degeneração dos componentes citoplasmáticos e profundas alterações morfológicas e nucleares. Os resultados mostram que esse extrato butanólico realmente apresenta substâncias citotóxicas (Nagamine, 2009a).
4. **Hepatoma**
   a) Em células HepG2 do carcinoma hepatocelular humano, para o ciclo celular na fase S, por aumentar a expressão da p27kip21 e diminuir a CDK2 e ciclina E, ao lado de ativar a caspase-3 e aumentar a apoptose. Não afeta a integridade do DNA.
   b) Diminui a promoção e a progressão do hepatocarcinoma.
   c) Ginseng brasileira (*P. paniculata*) diminui a proliferação e aumenta apoptose na hepatocarcinogênese murina *in vivo* (da Silva, 2010).
   d) *Pfaffia* paniculata tem efeitos inibitórios nas lesões pré-neoplásicas e neoplásicas em um modelo de hepatocarcinogênese em camundongos (da Silva, 2005).
   e) As células expostas à fração pfaffosidica tiveram viabilidade e crescimento celular reduzidos, induziram parada do ciclo celular em G2/M às 48h ou na fase S às 72h e aumentaram a população de células sub-G1 por meio de regulação para baixo da ciclina E, superexpressão de p27 (KIP1) e caspase-3 induzindo apoptose sem afetar a integridade do DNA. Efeitos antitumorais da fração *pfaffosídica* da *P. paniculata* em células HepG2 são provocados por vários mecanismos de ação e estão associados à parada do ciclo celular na fase S, pela regulação para baixo da CDK2 e da ciclina E e pela superexpressão da p27 (KIP1), além da indução de apoptose por ativação da caspase-3 (da Silva, 2015).
   f) Os camundongos submetidos ao modelo de hepatocarcinogênese e alimentados com raízes em pó apresentaram redução na incidência, área média e número de lesões pré-neoplásicas no fígado (da Silva, 2005); também, observou-se diminuição da proliferação celular e indução de apoptose, sugerindo sua atividade quimiopreventiva (da Silva, 2010).
5. **Câncer de ovário**. Nada encontrado.
6. **Câncer endometrial**. Nada encontrado.
7. **Câncer de colo de útero**. Nada encontrado.
8. **Melanoma**
   a) *Pfaffia glomerata* inibe o efeito melanogênico de células do melanoma B16 sem citotoxicidade.
   b) Ácido pfáfico e pfafosídeos A, C, D, E e F inibem o crescimento de células do melanoma B16.
   c) Possui efeito antiproliferativo em células B16 do melanoma.
9. **Leucemia**
   a) *Pfaffia paniculata* diminui o aparecimento da leucemia espontânea AKR/J murina aumentando a imunidade celular.
   b) *P. paniculata* por via oral diminui a incidência de leucemia espontânea AKR/j do camundongo (Watanabe, 2000).
10. **Tumor de Erlich**
    a) Gavage com raízes em pó mostrou efeitos inibidores de crescimento em camundongos portadores de tumor Ehrlich (Matsuzaki, 2003).
    b) O extrato butanólico da raiz contendo pfafosídeos de A a F aumenta a sobrevivência do tumor de ascites de Ehrlich (Matsuzaki, 2003).

11. **Vários efeitos**
    a) A ingestão do pó da raiz de *Pfaffia paniculata* em camundongos fêmeas aumenta os níveis de 17-beta-estradiol e progesterona e em camundongos machos aumenta a testosterona (Oshima, 2003).
    b) Anti-inflamatório.
    c) Analgésico. Inibição de receptores glutamatérgicos e do TNF-alfa são os responsáveis pelo efeito antinociceptivo em modelos de dor.
    d) Efeito cicatrizante de úlcera gástrica do extrato aquoso de *Pfaffia glomerata* por inibir a secreção gástrica em ratos diminuindo a via histaminérgica e aumentando a produção de óxido nítrico.
    e) Creme: esvanece manchas escuras ao redor dos olhos (Eberlin, 2009; Alsaad, 2013).
    f) Na doença inflamatória intestinal murina possui efeito protetor de mucosa por reduzir o estresse oxidativo e diminuir os níveis de IL-1-beta, INF-gama, TNF-alfa e IL-6.
    g) Extrato metanólico de *P. paniculata* aumenta atividade de macrófagos (Pinrlo, 2006).

Comentário

Porque os pesquisadores brasileiros não mais se interessam por essa dádiva da Natureza?

Referência

1. Abstracts and papers in full on site www.medicinabiomolecular.com.br
2. Alsaad SM, Mikhail M. Periocular hyperpigmentation: a review of etiology and current treatment options. J Drugs Dermatol. Feb;12(2):154-7;2013.
3. da Silva T. C., da Silva A. P., Akisue G., et al. Inhibitory effects of Pfaffia paniculata (Brazilian ginseng) on preneoplastic and neoplastic lesions in a mouse hepatocarcinogenesis model. Cancer Letters. 226(2):107–113;2005.
4. da Silva TC, Cogliati B, da Silva AP, et al. Pfaffia paniculata (Brazilian ginseng) roots decrease proliferation and increase apoptosis but do not affect cell communication in murine hepatocarcinogenesis. Exp Toxicol Pathol. Mar;62(2):145-55;2010.
5. da Silva TC, Cogliati B, Latorre AO, et al. Pfaffosidic Fraction from Hebanthe paniculata Induces Cell Cycle Arrest and Caspase-3-Induced Apoptosis in HepG2 Cells. Evid Based Complement Alternat Med.2015:835796;2015.
6. Eberlin S, Del Carmen Velazquez Pereda M, et al. Effects of a Brazilian herbal compound as a cosmetic eyecare for periorbital hyperchromia ("dark circles"). J Cosmet Dermatol. Jun;8(2):127-35;2009.
7. Matsuzaki P, Akisue G, Salgado Oloris SC, et al Effect of Pfaffia paniculata (Brazilian ginseng) on the Ehrlich tumor in its ascitic form. Life Sci. Dec 19; 74(5):573-9;2003.
8. Matsuzaki P., Haraguchi M., Akisue G., et al. Antineoplastic effects of butanolic residue of Pfaffia paniculata . Cancer Letters. 238(1):85–89;2006.
9. Nagamine MK, da Silva TC, Matsuzaki P, Cytotoxic effects of butanolic extract from Pfaffia paniculata (Brazilian ginseng) on cultured human breast cancer cell line MCF-7. Exp Toxicol Pathol. Jan;61(1):75-82;2009a.
10. Oshima M, Gu Y. Pfaffia paniculata-induced changes in plasma estradiol-17beta, progesterone and testosterone levels in mice. J Reprod Dev. Apr;49(2):175-80;2003.
11. Pinello KC, Fonseca Ede S, Akisue G, et al. Effects of Pfaffia paniculata (Brazilian ginseng) extract on macrophage activity. Life Sci. Feb 16;78(12):1287-92;2006.
12. Watanabe T, Watanabe M, Watanabe Y, Hotta C. Effects of oral administration of Pfaffia paniculata (Brazilian ginseng) on incidence of spontaneous leukemia in AKR/J mice. Cancer Detect Prev. 24(2):173-8;2000.

CAPÍTULO 108

Plantago major ou tansagem no câncer

Rico em baicalaína e ácido ursólico

José de Felippe Junior

Tansagem o anti-inflamatório dos caboclos.

Plantago major é uma espécie de *Plantago* da família das Plantaginaceae, popularmente conhecida como Tanchagem, Tansagem, Transagem, Tanchá, Taiova, Orelha de veado ou Sete nervos. Está associada a vários efeitos biológicos como anti-inflamatório, antimicrobiano e antitumoral.

Plantago L. (*Plantaginaceae*) é um gênero amplamente distribuído em todo o mundo e já foram decobertas mais de 275 espécies.

Na medicina tradicional cabocla é utilizado como cicatrizante, principalmente em feridas infectadas, como analgésico, antiúlcera gastroduodenal e muitos outros. Por milhares de anos na Ásia, o Plantago major L. tem sido usado como poderoso agente terapêutico não tóxico que inibe a inflamação.

Princípios ativos: flavona (baicalaína), monoterpenos, triterpenos (ácido ursólico), baicalaína, glicosídeos iridoides e fenólicos, ácido cafeico, aucubina, catapol e asperulosídeo; outros flavonoides: diglicosídeo-6,8--apigenina, glicoronídeo-7-luteolina, ácidos orgânicos: clorogênico, galacturônico; taninos; saponinas, hidroxicumarina, aesculetina e ácido silícico.

O trevo vermelho (*red clover*), a alfafa e a couve contêm baicalaína, entretanto em menor quantidade que o *P. major*.

Tansagem

Alvos moleculares do *Plantago major* no câncer. Cada linha corresponde a 1 trabalho

1. **Antiviral**: hepatite viral, herpes-vírus HSV-1 e HSV-2; adenovírus ADV-3, ADV-8 e ADV-11.
2. **Antibacteriano**. Inibe o crescimento de vários tipos de bactérias, principalmente no pulmão, urina e intestinos.
3. **Antifungo**. O extrato contendo aucubina e baicaleína provoca de modo dose- dependente redução do crescimento do biofilme e da atividade metabólica da *Candida albicans*.
4. **Vários mecanismos anticâncer**
   a) É rico em ácido ursólico, substância antitumoral muito conhecida que inibe o complexo piruvato desidrogenase (PDHc) e abre as portas da fosforilação oxidativa mitocondrial, o que diminui os ATPs da glicólise anaeróbia, motor da mitose proliferativa.
   b) Inibe COX-2.
   c) Aumenta NO.
   d) Anti-inflamatório.
   e) Extrato alcoólico a 50% é antioxidante e assim inibe a glicação proteica.

f) Suprime a transformação celular neoplásica por inibir a EGFR-quinase (*epidermal growth factor receptor kinase*) no fibroblasto do embrião murino.
g) Flavonoides do *Plantago* spp. exercem efeito citotóxico por inibir a topoisomerase e lesar o DNA.
h) Baicaleína e aucubina, dois componentes biologicamente ativos do *P. major*, possuem atividades antioxidante, anti-inflamatória e anticâncer.
i) Baicalaína ativa caspases e cliva PPAR provocando apoptose.
j) *P. major* suprime significativamente a transformação celular neoplásica, inibindo a atividade do EGFR. A ativação do EGFR por EGF foi suprimida pelo tratamento com *P. major* em células EGFR (+/+), mas não em células EGFR (-/-). Além disso, inibiu a proliferação celular induzida por EGF em fibroblastos embrionários murinos que expressam EGFR (+/+) (Choi, 2012).

5. **Sistema imune**
a) Aumenta TNF-alfa de macrófagos e IFN-gama e assim polariza o sistema imune de M2/Th2 para M1/Th1.
b) Aumenta IFN-gama e NO.
c) *Plantago major* aumenta a proliferação do tecido hematopoiético e provoca leucocitose.
d) Aumenta a atividade de linfócitos e aumenta IFN-gama.
j) Diminui a explosão respiratória de neutrófilos e acalma o estresse oxidativo.
l) Extratos metanólico isentos de endotoxina das folhas de *Plantago major* aumentam a produção de óxido nítrico (NO) e a produção de TNF-alfa pelos macrófagos peritoneais de ratos, na ausência de IFN-gama ou LPS. A produção de NO e TNF-alfa por macrófagos não tratados foi insignificante. Além disso, os extratos de *P. major* potenciaram a linfoproliferação induzida pela Con A (aumentos de 3 a 12 vezes) de uma maneira dependente da dose, em comparação com o efeito da Con A sozinho. A regulação dos parâmetros imunológicos induzidos por extratos vegetais pode ser clinicamente relevante em inúmeras doenças, incluindo infecções virais crônicas, tuberculose, AIDS e câncer Gomes-Flores, 2000).
m) Os autores investigaram as atividades antivirais, citotóxicas e imunomoduladoras dos extratos de água quente do *Plantago major linn.* e *P. asiatica Linn.* (*Plantaginaceae*) *in vitro* em uma série de vírus, ou seja, herpes vírus (HSV-1 e HSV-2), adenovírus (ADV-3, ADV-8 e ADV-11) e em várias células humanas de leucemia, linfoma e células do carcinoma como kits XTT, BrdU e IFN-gama. Os resultados mostraram que o extrato de água quente de *P. asiatica* possuí atividade inibitória significativa na proliferação de células do linfoma (U937) e carcinoma (bexiga, osso, colo do útero, rim, pulmão e estômago) e na infecção viral (HSV-2 e ADV-11). *P. major* e *P. asiatica* exibem efeitos duplos de atividade imunodulatória, melhorando a proliferação linfocitária e a secreção de interferon-gama em baixas concentrações (< 50μg/ml), entretanto, este efeito é inibido em altas concentrações (> 50μg/ml). O estudo conclui que os extratos de água quente de *P. major* e *P. asiática* possuem espectro amplo de atividades anti leucêmica, anticarcinoma e antivirais, além de atividades que modulam a imunidade celular (Chiang, 2003).
n) Os autores avaliaram as atividades imunomoduladoras de cinco classes químicas de compostos puros obtidos do gênero *Plantago* em células mononucleares do sangue periférico humano (PBMC). Compostos solúveis em água, como aucubina, ácido clorogênico, ácido ferúlico, ácido p-cumarico e ácido vanílico aumentaram a velocidade da proliferação de linfócitos humanos e da secreção de IFN-gama. Entre os compostos insolúveis em água, com exceção da luteolina, a baicaleína e a baicalina mostraram aumento do PBMC humano. Embora o ácido oleanólico e o ácido ursólico dos triterpenóides não tenham afetado significativamente a proliferação de PBMC, eles exibiram forte estimulação da secreção de IFN-gama. O linalol, um monoterpenóide, mostrou atividade imunomoduladora semelhante aos triterpenóides. O estudo concluiu que os compostos testados, possuem atividades imunoestimulantes e assim podem ser usados no tratamento de cânceres e doenças infecciosas (Chiang, 2003).
o) Extratos metanólicos e aquosos de sementes de *P. major* exibiram a maior atividade antiproliferativa contra linhagens MCF-7, MDA-MB-231, HeLaS3, A549 e células KB, assim como demonstraram maior inibição da produção de TNF-alfa, IL-1β, IL-6 e IFN-gama. Curiosamente, as raízes, que eram geralmente descartadas, exibiam atividades comparáveis às de folhas e pecíolos. Além disso, o ácido ursólico exibiu atividades mais fortes que o ácido oleanólico e aucubina (Kartini, 2017).

6. **Vários tipos de câncer**
a) Extrato com água quente do *Plantago asiatica* possui significante atividade antiproliferativa:
– Linfoma U937.

- Carcinoma de bexiga, ósseo, cérvix, rins, pulmão e estômago.
- Leucemia.

b) Baicalaína diminui a proliferação do câncer: pancreático, bexiga urinária, pulmão, hepatoma, mama e pele.

c) *Plantago major* possui efeito no tumor de Ehrlich ascítico *in vivo*.

d) As espécies *Plantago* exibiram atividade citotóxica, mostrando certo grau de seletividade contra as células testadas em cultura. De maneira semelhante aos flavonoides são capazes de inibir fortemente a proliferação de linhas celulares de câncer humano. Aqui foi identificado o luteolin-7-O-beta-glucosídeo como o principal flavonoide presente na maioria das espécies de *Plantago*. Além disso, avaliou-se esse composto e sua aglicona, a luteolina, por suas atividades citotóxicas e inibidora da DNA topoisomerase I (Chiang, 2003a).

7. **Câncer de mama**

a) Baicaleína inibe a migração e a invasão por inibir a atividade das MMP2 e MMP9 em células do hepatoma humano e células do câncer de mama humano.

b) Baicaleína inibe a proliferação de células MCF7 *in vitro* do câncer de mama, induz radiossensibilidade e inibe o fator induzível pela hipóxia (HIF-1).

c) Diminui o risco do câncer de mama no camundongo propenso geneticamente.

8. **Câncer de pulmão**

Baicaleína do *Plantago major* inibe a proliferação celular por induzir parada do ciclo celular e induzir apoptose em linhagens do carcinoma pulmonar.

9. **Câncer colorretal**

a) *Plantago ovato* fermentado provoca apoptose em células do câncer de cólon.

b) Baicalaína inibe migração e invasão de células CRC do câncer colorretal suprimindo a via AKT e reduzindo as metaloproteinases 2 e 9.

10. **Câncer gástrico**

Baicalaína inibe a proliferação e aumenta a apoptose do câncer gástrico. Robustamente induz parada do ciclo celular na fase S na linhagem SGC-7901, induz apoptose por ruptura do potencial de membrana mitocondrial (delta-psi-mt) de modo dose-dependente, diminui Bcl-2 e aumenta Bax.

11. **Hepatoma**

a) Citotóxico para células do hepatoma Hep G2.

b) Baicalaína suprime o crescimento e a sobrevivência do carcinoma hepatocelular por meio da inibição da expressão do mRNA e proteína do CD24.

c) Baicaleína, flavonoide bioativo da *Scutellaria baicalensis* e um dos componentes do *Plantago major*, inibe a proliferação por induzir parada do ciclo celular e induzir apoptose em linhagens do carcinoma hepatocelular.

12. **Linfoma não Hodgkin**

Baicaleína no câncer B-cell provocado pelo vírus Epstein-Barr ativa o ASK1/JNK e regula a via de apoptose mitocondrial através do aumento do TAp63 e diminuição do NF-kappaB, CD74/CD44. TAp63 e diminuição do NF-kappaB, CD74/CD44.

13. **Outros efeitos**

a) Ensaio clínico de fase III randomizado e triplamente cego mostrou que a solução de *Plantago major* a 0,12% junto com a solução de bicarbonato de sódio a 5% são eficientes no tratamento da mucosite oral em pacientes com tumores sólidos sob quimioterapia (Cabrera-Jaime, 2018).

Referências

1. Abstracts and papers in full on site www.medicinabiomolecular.com.br
2. Adom MB, Taher M, Mutalabisin MF et al. Chemical constituents and medical benefits of Plantago major. Biomed Pharmacother. Oct 10;96:348-360;2017.
3. Cabrera-Jaime S, Martínez C, Ferro-García T, et al. Efficacy of Plantago major, chlorhexidine 0.12% and sodium bicarbonate 5% solution in the treatment of oral mucositis in cancer patients with solid tumour: A feasibility randomised triple-blind phase III clinical trial. Eur J Oncol Nurs. Feb;32:40-47;2018.
4. Chiang LC, Ng LT, Chiang W, et al. Immunomodulatory activities of flavonoids, monoterpenoids, triterpenoids, iridoid glycosides and phenolic compounds of Plantago species. Planta Med. Jul;69(7):600-4;2003a.
5. Chiang LC, Chiang W, Chang MY, Lin CC. In vitro cytotoxic, antiviral and immunomodulatory effects of Plantago major and Plantago asiatica. Am J Chin Med. 31(2):225-34;2003.
6. Choi ES, Cho SD, Shin JA, et al. Althaea rosea Cavanil and Plantago major L. suppress neoplastic cell transformation through the inhibition of epidermal growth factor receptor kinase. Mol Med Rep. Oct;6(4):843-7;2012.
7. Gálvez M, Martín-Cordero C, López-Lázaro M, et al. Cytotoxic effect of Plantago spp. on cancer cell lines. J Ethnopharmacol. Oct;88(2-3):125-30;2003.
8. Gomez-Flores R, Calderon CL, Scheibel LW, et al. Immunoenhancing properties of Plantago major leaf extract. Phytother Res. Dec;14(8):617-22;2000.
9. Kartini, Piyaviriyakul S, Thongpraditchote S, et al. Effects of Plantago major Extracts and Its Chemical Compounds on Proliferation of Cancer Cells and Cytokines Production of Lipopolysaccharide-activated THP-1 Macrophages. Pharmacogn Mag. Jul-Sep;13(51):393-399;2017.
10. Ruffa MJ, Ferraro G, Wagner ML, et al. Cytotoxic effect of Argentine medicinal plant extracts on human hepatocellular carcinoma cell line. J Ethnopharmacol. Mar;79(3):335-9;2002.

CAPÍTULO 109

Polietilenoglicol – PEG – no câncer: estruturador da água citoplasmática e antiproliferativo

José de Felippe Junior

Sonhamos com o dia que o Templo do Conhecimento onde ensinam Medicina não formarão apenas simples repetidores de informações, mas verdadeiros médicos que aprenderam os fundamentos do livre pensar. **JFJ**

O médico é o responsável pelo paciente, amordaçá-lo e coibi-lo é crime que fere os direitos do próprio paciente. **JFJ**

Ninguém pode paralisar as ações dos verdadeiros médicos. **JFJ**

A verdadeira causa das doenças e a MEDICINA ainda não fizeram as pazes. É porque a MEDICINA ainda é muito jovem. E o que dizer dos tratamentos. **JFJ**

As enfermidades são muito antigas e nada a respeito delas mudou. Somos nós que mudamos ao aprender a reconhecer nelas o que antes não percebíamos. **Charcot**

De acordo com a hipótese de Felippe Jr para carcinogênese:

"A inflamação crônica persistente provoca nas células do sítio inflamatório lenta diminuição citoplasmática dos osmólitos cosmotropos, os quais vagarosamente provocam a mudança da água B estruturada em água A desestruturada, a qual gradativamente diminui o grau de ordem-informação do sistema termodinâmico celular que, ao atingir o ponto máximo suportável de entropia, provoca na célula um 'estado de quase morte'. Neste ponto de baixa concentração de osmólitos, predomínio de água desestruturada e alta entropia celular, as células se transformam e lutam para se manterem vivas e o único modo de sobreviver é por meio da proliferação celular. Elas colocam em ação mecanismos milenares de sobrevivência, justamente aqueles que mantiveram vivas as células normais no Planeta durante a Evolução. Dessa forma, ocorre ativação de fatores e vias de sinalização, alcalinização citoplasmática, predomínio do ciclo de Embden-Meyerhof etc., os quais promovem a proliferação celular neoplásica, a diminuição da apoptose, a formação de novos vasos e o impedimento da diferenciação celular. O predomínio da água A no intracelular aumenta a hidratação e o volume celular. As estratégias que transformam a água A desestruturada em água B estruturada restauram a fisiologia e a bioenergética celular e as células neoplásicas se diferenciam em células normais e caminham para o processo fisiológico contínuo de morte celular programada" (Felippe, 2008).

Quando provocamos hiperosmolalidade no ambiente intersticial das células neoplásicas ocorre passagem da água tipo A desestruturada e osmoticamente ativa do citoplasma neoplásico para o interstício. Isso provoca aumento da água tipo B estruturada no intracelular provocando a normalização das pontes de hidrogênio que vão manter a estrutura terciária e quaternária das proteínas e enzimas, a função das membranas citoplasmáticas e mitocondriais e as hélices do DNA e RNA em posição correta. A normalização das pontes de hidrogênio do ambiente celular promove o aumento do grau de ordem-informação do sistema termodinâmico celular com diminuição da entropia e as células neoplásicas para sobreviverem não necessitam mais da proliferação, elas sofrem diferenciação e voltam ao convívio harmonioso com o organismo a que sempre pertenceram. Vivem e depois com o passar do tempo e quando chegar o momento morrem tranquilamente sem inflamação por apoptose.

A importância do PEG – polietilenoglicol – grande estruturador do citoplasma

PEG, polietilenoglicol possui a fórmula $C_{56}H_{114}O_{21}$ com peso molecular de 1123,5g/mol e nome químico esdrúxulo: 2-[2-[2-[2-[2-[2-[2-[2-[2-[2-[2-[2-[2-[2-[2-[2-[2-[2-(2-hexadecoxyethoxy)ethoxy]ethoxy]ethoxy]ethoxy]ethoxy]ethoxy]ethoxy]ethoxy]ethoxy]ethoxy]ethoxy]ethoxy]ethoxy]ethoxy]ethoxy]ethoxy]ethoxy]ethanol. Outros nomes: Polyethylene glycol hexadecyl ether; 9004-95-9; Polyoxyethylene (10) cetyl ether; Polyoxyethylene (20) cetyl ether.

Polietilenoglicol-$C_{56}H_{114}O_{21}$-1123,5g/mol

Etilenoglicol-$C_2H_6O_2$-62,1g/mol

Silvotti, em 1991, mostrou que a hiperosmolalidade diminui a resposta proliferativa de células transformadas e quase não interfere com as células normais correspondentes.

As células transformadas são mais sensíveis ao aumento da osmolalidade e diminuem seu índice de proliferação porque contêm maior quantidade de água osmoticamente ativa do tipo A, que é aquela retirada da célula. A diminuição da água tipo A no citoplasma restaura parcialmente a função fisiológica celular diminuindo a proliferação celular. Se a restauração da função fisiológica fosse total, a célula sairia do "estado de quase morte" e a proliferação seria totalmente abolida, isto é, não seria mais necessária.

Animais

Corpet, em 1991, também mostrou que a hiperosmolalidade diminui a proliferação celular maligna quando verificou que o polietilenoglicol inibiu de forma rápida e consistente a carcinogênese de cólon de ratos e camundongos submetidos a vários tipos de carcinógenos. Quando ratos bebem água com 5% de PEG e são injetados com um carcinógeno (azoximetano), eles diminuem em 10 vezes o desenvolvimento dos tumores de cólon em relação aos ratos controle, sem PEG. A administração de PEG durante16 dias reduz em 5 vezes o volume tumoral.

De fato, a retirada da água tipo A desestruturada do citoplasma permite que a célula adquira suas características iniciais normais, o que restabelece a entropia negativa, aumenta o grau de ordem, o metabolismo passa para fosforilação oxidativa e não mais é necessária a proliferação celular. Na evolução desse processo ocorre diferenciação celular e as células "malignas" percorrem a via normal de morte por apoptose.

Ratos injetados com azoximetano foram randomizados e colocados no grupo controle ou nos grupos laxantes. Foram empregados vários tipos de laxantes, entre eles o PEG 8000. No grupo que ingeriu PEG houve redução de 9 vezes no número de criptas aberrantes e dobrou a quantidade de células em apoptose por cripta. Outros laxantes usados (psilium, manitol, sorbitol, lactulose, propilenoglicol, hidróxido de magnésio, fosfato de sódio, óleo de parafina, polivinilpirrolidona, poliacrilato de sódio, carboximetilcelulose, goma de karaya, bisacodil, docusato, policarbofil de cálcio) não apresentaram o efeito de eliminar células modificadas das lesões pré-cancerosas (Taché, 2006).

Corpet e Taché estudaram agentes quimiopreventivos no câncer de cólon de camundongos e ratos e encontraram na literatura 137 artigos que abordavam o número de criptas aberrantes e 146 a presença de tumores. Listaram 186 agentes que reduziam o número de criptas aberrantes e os mais potentes foram: PEG, óleo de perila com betacaroteno, plurônico, sulfureto de sulindac. Entre os 160 agentes que reduziam os tumores, os mais potentes foram: celecoxibe, difluorometilornitina com piroxicam, PEG e tiosulfonato (Corpet e Taché, 2002).

O PEG é considerado forte inibidor do câncer de cólon em ratos suprimindo as criptas aberrantes, entretanto uma substância PEG-*like* e que provoca hiperosmolalidade, o plurônico F68, reduz em 98,6% o número de criptas aberrantes, sendo 5 vezes mais potente que o PEG, no mesmo modelo experimental (Parnaud, 2001).

O PEG em várias concentrações durante 2 a 5 dias foi estudado em 4 linhagens de câncer de cólon humano: dois adenocarcinomas pobremente diferenciados, HT29 e COLO205, uma linha fetal, FHC, e uma linha diferenciada, Caco-2.

O PEG marcantemente e de maneira dose-dependente inibiu a proliferação celular das linhagens mais agressivas, HT29 e COLO205, com parada do ciclo celular na fase G0/G1. As outras linhagens não foram afetadas. O autor aumentou a osmolalidade do meio com NaCl ou sorbitol e observou os mesmos efeitos que o PEG, diminuição da proliferação celular e aumento de ácido lático no meio de cultura (efeito *wash-out*).

Este trabalho corrobora a nossa hipótese da carcinogênese porque mostra que o efeito sobre as células cancerosas se faz pelo aumento de um parâmetro químico, a osmolalidade, independentemente do soluto. O que está acontecendo na intimidade citoplasmática é o aumento da água estruturada nas células mais doentes (Parnaud, 2001).

Seres humanos

Laboisse, em 1988, tratou células do câncer de cólon humano, HT29, com uma substância não tóxica e não absorvível, o polietilenoglicol (PEG). Essa substância aumenta a pressão osmótica de modo dose-dependente e retira a água do intracelular. A água retirada é a água do tipo A, que é a osmoticamente ativa e assim aumenta a concentração relativa da água tipo B, normalizadora da função bioenergética da célula.

Em 3 semanas de tratamento notou na cultura o aparecimento de células em franco estado de diferenciação. Quando submetidas à subcultura essas células surpreendentemente produziam duas linhagens diferentes de células, uma enterocítica e outra secretora de muco, ambas de caráter benigno. As células doentes se transformaram em dois tipos de células saudáveis e com funções específicas dentro do organismo que pertencem.

Para Dorval e colaboradores, o PEG na dieta é um extraordinário quimiopreventivo na carcinogênese do câncer colorretal. Foram estudados pacientes com história de câncer colorretal na família, com pólipos no intestino grosso, constipação, sintomas digestivos e que não estavam ingerindo anti-inflamatórios. Eram 607 mulheres e 498 homens com idade média de 58,3 anos. Encontraram-se 329 pacientes com adenomas, 23 com carcinomas e 813 não apresentavam tumores à colonoscopia. A maioria dos pacientes que estavam tomando PEG 4000 não apresentaram tumores. A análise univariada mostrou que os pacientes que estavam ingerindo PEG 4000 apresentaram risco de câncer 50% menor quando comparado com outros laxantes, sugerindo que esse polímero atóxico e não absorvível possui grande valor na prevenção da carcinogênese colorretal (Dorval, 2006).

Conclusão

A hiperosmolalidade no meio intersticial reverte o "estado de quase morte" presente nas células neoplásicas, aumentando a concentração de água estruturada no intracelular, o que reverte a alta entropia e o baixo grau de ordem-informação, normalizando a bioenergética celular e permitindo a diferenciação celular das células doentes, das células em profundo sofrimento que ousam chamar de câncer. As criptas com atipias revertem mais facilmente para criptas com celularidade normal. O pólipo suspeito transforma-se em tecido normal (Felippe, 2008).

Referências

1. Corpet DE, Parnaud G, Delverdier M, et al. Consistent and fast inhibition of colon carcinogenesis by polyethylene glycol in mice and rats given various carcinogens. Cancer Res. 60:3160-4;2000.
2. Corpet DE, Taché S. Most effective colon cancer chemopreventive agents in rats: a systematic review of aberrant crypt foci and tumor data, ranked by potency. Nutr Cancer. 43(1): 1-21;2002.
3. Dorval E, Jankowksi JM, Barbieux JP, et al. Polyethylene glycol and prevalence of colorectal adenomas. Gastroenterol Clin Biol. 30(10): 1196-9;2006.
4. Felippe JJr. Água: vida-saúde-doença-envelhecimento-câncer. Revista Eletrônica da Associação Brasileira de Medicina Biomolecular. www.medicinabiomolecular.com.br. Tema de fevereiro de 2008.
5. Felippe JJr. Desvendando os Segredos do Câncer. Revista Eletrônica da Associação Brasileira de Medicina Biomolecular. www.medicinabiomolecular.com.br. Tema de maio de 2008.
6. Felippe JJr. Câncer: população rebelde de células esperando por compaixão e reabilitação. Revista Eletrônica da Associação Brasileira de Medicina Biomolecular. www.medicinabiomolecular.com.br. Biblioteca de Câncer. Tema da semana de 16/05/05.
7. Laboisse CL, Maoret J-J, Triadou N, Augeron C. Restoration by polyethylene glycol of characteristics of intestinal differentiation in subpopulations of human colonic adenocarcinoma cell line HT29. Cancer Res. 48:2498-504;1988.
8. Parnaud G, Corpet DE, Gamet-Payrastre L. Cytostatic effect of polyethylene glycol on human colonic adenocarcinoma cells. Int J Cancer. 92(1):63-9;2001.
9. Parnaud G, Taché S, Peiffer G, Corpet DE. Pluronic F68 block polymer, a very potent suppressor of carcinogenesis in the colon of rats and mice. Br J Cancer. 84(1):90-3;2001.
10. Silvotti L, Petronini PG, Mazzini A, et al. Differential adaptive response to hyperosmolarity of 3T3 and transformed SV3T3 cells. Exp Cell Res. 193(2):253-61;1991.
11. Taché S, Parnaud G, Van Beek E, Corpet DE. Polyethylene glycol, unique among laxatives, suppresses aberrant crypt foci, by elimination of cells. Scand J Gastroenterol. 41(6):730-6;2006.

CAPÍTULO 110

Príon: proteína príon no câncer

José de Felippe Junior

Em 1982, Stanley B. Prusiner descobriu uma proteína que imitava patógenos virais e bacterianos quanto à transmissão em algumas doenças do sistema nervoso central.

Doenças príons são transmissíveis, invariavelmente fatais, doenças neurodegenerativas que incluem a doença de Creutzfeldt-Jakob em humanos e a encefalopatia esponjosa e a *scrapie* em animais. Estudaram-se vários tipos de tratamentos nos últimos 40 anos e não se chegou a definir algo de eficaz. Ver revisão dos vários tipos de tratamento já estudados na revisão de Clare Trevitt de 2006.

Proteína príon (PrP) é uma glicosil-fosfatidilinositol (GPI) ancorada na glicoproteína da superfície celular, que está expressa em vários tecidos, principalmente no sistema nervoso central. A PrP pode ser dosada clinicamente por imune ensaio.

Aqui o que nos interessa é o papel da proteína príon no câncer.

A expressão da proteína príon foi demonstrada nos processos biológicos envolvendo adesão celular, transmissão sináptica, estresse oxidativo, neurites, sobrevivência celular etc., mas a precisa função fisiológica da PrP não está clara.

Acredita-se que as funções putativas da proteína priônica celular (PrP (c) estejam associadas à sinalização celular, diferenciação, sobrevivência e progressão do câncer. Com relação ao desenvolvimento e progressão do câncer, elevações e mutações da expressão de PrP (c) demonstraram aumentar o risco de malignidade e metástase no câncer de mama e colorretal.

A expressão da PrP está aumentada em grande variedade de tumores humanos, carcinoma gástrico, osteossarcoma, câncer de mama, melanoma e câncer de pâncreas e está associada a mau prognóstico. No câncer, a PrP aumenta a proliferação celular, as metástases e é antiapoptótica.

Um dos mecanismos de ação da PrP é a ativação da via PI3K/Akt, a qual eleva os níveis da ciclina D (Simon, 2013).

PrP e morte celular programada

Algumas evidências recentes indicam que a PrP exerce efeito citoprotetor contra o estresse interno e o ambiental. Existe significante semelhança com o Bcl-2 que é uma proteína antiapoptótica. A atividade antiapoptótica da PrP foi demonstrada em culturas de células de mamíferos e de leveduras.

PrP e estresse oxidativo

Dois trabalhos do mesmo laboratório sugeriram que a PrP age como varredora de radicais livres e funciona como sensor do estresse oxidativo nas células tumorais. A superexpressão do príon tipo selvagem (PrP) ou mutante (V210I PrP) no neuroblastoma provoca significante redução intracelular dos níveis de radicais livres e proliferação neoplásica.

Excesso de espécies reativas de oxigênio se correlaciona com o aumento da expressão da PrP, SODCu-Zn-1 e catalase, sugerindo que ela contribui para a defesa antioxidante.

Na verdade, a PrP aumenta a capacidade antioxidante das células tumorais e, portanto, como agente redutor promove a proliferação celular redentora das células neoplásicas.

PrP e resistência tumoral

Estratégias genéticas e bioquímicas alcançaram marcante progresso no entendimento da biologia do câncer na última década. Um dos avanços mais importantes foi o reconhecimento de que a resistência à morte celular, particularmente a morte apoptótica, é importante aspecto da carcinogênese e do desenvolvimento da resistência às drogas usadas para tratar o câncer.

PrP na progressão tumoral e resposta terapêutica

A família das proteínas prion (PrP) contribui para a tumorogênese em muitos tipos de câncer, incluindo o adenocarcinoma ductal pancreático (PDAC), câncer de mama, glioblastoma, câncer colorretal, câncer gástrico, melanoma etc. Está bem documentado que o PrP é um biomarcador para PDAC, câncer de mama e câncer gástrico. As principais razões para a morte de pacientes causados por células cancerígenas são as metástases e a resistência a múltiplas drogas, ambas ligadas às funções fisiológicas da PrP que se expressa nas células cancerígenas (Yang, 2017).

O câncer de mama é a principal causa de morbidade e mortalidade na mulher ao redor do mundo. A quimioterapia administrada antes da cirurgia (neoadjuvante) ou após a cirurgia (adjuvante) nas pacientes em estágios I a III melhora a sobrevida. Entretanto, o benefício absoluto dessa terapia adjuvante é limitado, sendo de apenas 2 a 11% indicando que a maioria das pacientes não se beneficia com esse tratamento.

Alta concentração da proteína príon nos cânceres de mama, gástrico, cólon e pancreático está associada com resistência ao tratamento convencional.

Pouco se conhece sobre os mecanismos moleculares que regulam a expressão do gene PrP (PRNP) no câncer. Devido ao estresse de o retículo endoplasmático (RE) estar associado com os tumores sólidos, aventa-se que a regulação do gene PRNP tenha relação com o RE estressado.

Evidências crescentes apontam a associação da proteína príon (PrP) com a sobrevivência celular. PrP confere neuroproteção contra privação de soro, proteína apoptótica Bax, estresse oxidativo e isquemia.

Altas concentrações de PrP induzem resistência das células MCF-7 do **câncer de mama** a TNF-alfa, TRAIL (*tumor necrosis factor-alpha-related apoptosis-inducing ligand*) e apoptose mediada pelo Bax.

No tumor de mama com receptor negativo ao estrógeno, a PrP está associada com resistência à quimioterapia. No **tumor gástrico** está associada com resistência à quimioterapia e mau prognóstico e promove proliferação, invasão e metástases. Aqui a PrP está associada com ativação da Akt, níveis elevados de Bcl-2 e reduzidos de Bax.

A PrP é crítica para o TNF-alfa provocar a ativação do NF-kappaB e a produção de citocinas em linha celular de **melanoma humano**, M2 e linha celular de **adenocarcinoma de células ductais pancreáticas**, BxPC-3 (Wu, 2017).

No **câncer de cólon**, a PrP está elevada nos casos mais agressivos de linhagens celulares e se correlaciona com as recidivas. Anticorpos contra a PrP diminuem a proliferação celular do carcinoma HCT116. A proteína príon aumenta a captação de glicose na célula tumoral do câncer colorretal (Li, 2011).

Proteína príon celular aumenta a resistência de células do **câncer colorretal** à quimioterapia via ativação da via proliferativa PI3K/Akt e aumento da expressão de proteínas associadas ao ciclo celular, tais como ciclina E, CDK2, ciclina D1 e CDK4. Acresce a inibição do p38, JNK e p53 (Lee, 2018).

Melatonina promove apoptose de células do **câncer colorretal** via radical superóxido provocando estresse oxidativo no retículo endoplasmático por inibir a expressão da proteína prion celular. Melatonina diminui a expressão da PrPc e PINK1 e aumenta o acúmulo de radical superóxido na mitocôndria (Yun, 2018).

A inibição da esqualeno-sintase possui efeito antipríon e modula a proliferação de células do **câncer de próstata**.

Em 2003 foi mostrado que o ácido valproico pode causar aumento de várias ordens de magnitude no acúmulo de PrP (C) em células normais de neuroblastoma (N2a) e de ambas as isoformas de PrP em células de neuroblastoma infectadas com *scrapie* (ScN2a) (Shaked, 2002). No entanto, em 2007 apareceu trabalho bem elaborado mostrando que o valproato de sódio não aumenta o Prpsc nas células de neuroblastoma (Legendre, 2007).

As proteínas príons geralmente são refratárias às proteases, entretanto, podem ser sensíveis a algumas (Colby, 2010).

Tendo como alvo abolir a agregação do mutante p53 por proteínas *Prion-like* (proteínas amiloidogênicas) podemos combater o câncer. A forma mutante do supressor tumoral p53 exibe propriedades prion-like. As armas que dispomos é a administração de zinco, terapia gênica, agentes alquilantes e bloqueio da interação p53-MDM2 (Silva, 2018).

As ciclodextrinas têm a habilidade de reduzir as isoformas patogênicas da proteína príon PrP(Sc) até níveis indetectáveis em células do **neuroblastoma**. A beta-ciclodextrina remove a PrP(Sc) dessas células em concentração de 5microM em 2 semanas (Prior, 2007).

Melatonina promove apoptose em células do **câncer colorretal** oxaliplatina-resistente inibindo a proteína prion celular (Lee, 2018).

Melatonina induz autofagia e protege contra proteína prion humana o que diminui a neurotoxicidade e via ativação da beta-catenina protege as células neurais contra proteína prion (Jeong, 2012; Jeong, 2014).

Metformina drasticamente diminui a carga de PrPSc em células neurais tratadas e adicionalmente provoca autofagia destas células (Abdelaziz, 2020).

Sephin1 de modo dose e tempo-dependentes reduz PrPSc em diferentes linhas celulares neuronais que foram persistentemente infectadas com várias cepas de príons. Em modelo de camundongo com infecção por príons, o tratamento intraperitoneal com Sephin1 prolongou significativamente a sobrevivência de camundongos infectados por príons. Ao combinar o Sephin1 com a droga neuroprotetora metformina, a sobrevivência de camundongos infectados por príons também foi prolongada. Esses resultados sugerem que o Sephin1 pode ser um potencial medicamento anti-príon que visa seletivamente um componente da via UPR (*unfolded protein response*) (Thapa, 2020).

A perda de sinapses é característica dos estágios iniciais das doenças dos príons. Os ácidos graxos polinsaturados protegem contra danos sinápticos mediados por príons *in vitro*. Pré-tratamento de neurônios corticais ou do hipocampo com ácidos docosahexaenoico (DHA) ou eicosapentaenoico (EPA) protegem os neurônios contra a perda de sinaptofisina induzida por PrP82-146 ou PrP (Sc) (Bate, 2010).

Cuidado. Pioglitazona aumenta a expressão do PPAR-gama em células tronco o que resulta em aumento dos níveis de PrPC (Han, 2018).

Cuidado. Manganês aumenta a produção e a estabilidade da proteína príon e contribui para a doença príon.

No momento, dispomos de recursos eficazes para minimizar os efeitos das proteínas príon, como as estratégias para inibir a atividade da via de sinalização PI3K/Akt, aumentar a família Bax e diminuir a família Bcl-2.

Uma significante intersecção entre antimaláricos e atividade anti-príon está bem estabelecida para certas classes de compostos, especificamente os agentes antimaláricos policíclicos com nitrogênio nas cadeias laterais, **cloroquina**, **quinacrina** e **mefloquina** (Thompson, 2011). Thompson, em 2012, sugere o emprego de um antimalárico derivado da cloroquina, mais potente que esta como antiprion, a **manzamina A**.

A inibição do acúmulo de PrP-res (proteína príon resistente a protease) é estratégia primordial no desenvolvimento de terapêuticas potenciais para a encefalopatia espongiforme transmissível (TSE). A **curcumina** inibe de forma potente o acúmulo de PrP-res em células de neuroblastoma infectadas com agente scrapie (concentração inibidora de 50%, aproximadamente 10nM) e inibe parcialmente a conversão de PrP em PrP-res em células (Caughey, 2003).

Foi demonstrado que os efeitos não antioxidantes dos tocoferóis são mediados pela inibição da sinalização da PKC (proteína cinase C). A doença priônica é doença conformacional protéica caracterizada pela conversão de uma proteína hospedeira normal PrP(C) para uma conformação patogênica PrP(Sc).

Os **tocoferóis** inibem a replicação de príons por uma relação estrutura-atividade para a atividade anti príon independente da atividade antioxidante com o succinato de tocoferol (TS) possuindo o maior CE (50) à 7 microM (Muyrers, 2010).

Observou-se que o estado redox intracelular foi significativamente reduzido em células com super expressão de PrPc e V210I PrP em comparação com células não transfectadas. Consequentemente, a elevação observada de ERTOs após o tratamento com ATP foi completamente abolida nas células com super-expressão de PrP. A conclusão é que o PrPc desempenha papel como eliminador de radicais livres e/ou molécula sensora para diminuir o estresse oxidativo (Sauer, 2003). Lembre-se de que o ambiente redutor (meio antioxidante) é proliferativo.

O **ácido tauro-ursodeoxicólico** reduz o estresse do retículo-endoplasmático regulando a proteína priônica celular dependente de Akt (Yoon, 2016).

O **lítio** alivia o dano sináptico induzido por peptídeo príon neurotóxico e a morte neuronal parcialmente pela regulação positiva do alvo nuclear REST e pela restauração da sinalização Wnt (Canção, 2017).

A forma mutante da proteína supressora de tumor, p53, demonstrou recentemente exibir propriedades semelhantes a príons. Várias abordagens visam restaurar as funções da p53 no câncer, estabilizadores de moléculas pequenas e peptídeos do p53 mutante, administração de zinco, terapia genética, alquilantes e intercaladores de DNA e bloqueio da interação p53-MDM2 (Jerson, 2018).

Silenciando a proteína príon celular (PrPc) no câncer colorretal aumenta a resposta anticâncer do fucoidan (Yun, 2016).

Conclusão

A proteína príon é mais uma dificuldade concreta que devemos superar para cuidar de células doentes que ousam chamar câncer. Entretanto temos a nossa disposição estratégias para inibir a atividade da via de sinalização PI3K/Akt, aumentar a família Bax e diminuir a família Bcl-2, propiciar ambiente celular oxidante e administrar as ciclodextrinas, cloroquina e seus derivados, metformina, sais dezinco, melatonina e ativar o p53.

Referências

1. Abstracts and papers in full on Site www.medicinabiomolecular.com.br.
2. Abdelaziz DH, Thapa S, Abdulrahman B, et al. Metformin reduces prion infection in neuronal cells by enhancing autophagy. Biochem Biophys Res Commun. Mar 5;523(2):423-428, 2020.
3. Bate C, Tayebi M, Salmona M, et al. Polyunsaturated fatty acids protect against prion-mediated synapse damage in vitro. Neurotox Res. Apr;17(3):203-14, 2010.

4. Brusselmans K, Timmermans L, et al. Squalene Synthase, a Determinant of Raft-associated Cholesterol and Modulator of Cancer Cell Proliferatio. J. Biol Chem. 282:18777-18785;2007.
5. Caughey B, Raymond LD, Raymond GJ, et al. Inhibition of protease-resistant prion protein accumulation in vitro by curcumin. J Virol. May;77(9):5499-502;2003.
6. Clare R Trevitt and John Collinge. A systematic review of prion therapeutics in experimental models. Brain. 129, 2241–2265;2006.
7. Colby DW, Wain R, Baskakov IV, et al. Protease-Sensitive Synthetic Prions. PLoS Pathog 6(1): e1000736;2010.
8. Jeong JK, Moon MH, Lee YJ, et al. Melatonin-induced autophagy protects against human prion protein-mediated neurotoxicity. J Pineal Res. 2012 Sep;53(2):138-46.
9. Jeong JK, Lee JH, Moon JH, et al. Melatonin-mediated β-catenin activation protects neuron cells against prion protein-induced neurotoxicity. J Pineal Res. 2014 Nov;57(4):427-34.
10. Jerson L Silva, Elio A Cino, Iaci N Soares, et al. Targeting the Prion-like Aggregation of Mutant p53 to Combat Cancer Acc Chem Res Jan 16;51(1):181-190, 2018.
11. Han YS, Kim SM, Lee JH, Lee SH. Co-Administration of Melatonin Effectively Enhances the Therapeutic Effects of Pioglitazone on Mesenchymal Stem Cells Undergoing Indoxyl Sulfate-Induced Senescence through Modulation of Cellular Prion Protein Expression. Int J Mol Sci. May 4;19(5):1367, 2018.
12. Li QQ, Sun YP, Ruan CP, et al. Cellular prion protein promotes glucose uptake through the Fyn-HIF-2α-Glut1 pathway to support colorectal cancer cell survivalCancer Sci. Feb;102(2):400-6;2011.
13. Lee JH, Yoon YM, Han YS, et al. Melatonin Promotes Apoptosis of Oxaliplatin-resistant Colorectal Cancer Cells Through Inhibition of Cellular Prion Protein. Anticancer Res. Apr;38(4):1993-2000;2018.
14. Lee JH, Yun CW, Lee SH. Cellular Prion Protein Enhances Drug Resistance of Colorectal Cancer Cells via Regulation of a Survival Signal Pathway. Biomol Ther (Seoul). May 1;26(3):313-321;2018.
15. Lee JH, Yun CW, Han YS, et al. Melatonin and 5-fluorouracil co-suppress colon cancer stem cells by regulating cellular prion protein-Oct4 axis. J Pineal Res. Nov;65(4):e12519;2018a.
16. Legendre C, Casagrande F, Andrieu T, et al. Sodium valproate does not augment Prpsc in murine neuroblastoma cells. Neurotox Res. Oct;12(3):205-8;2007.
17. Muyrers J, Klingenstein R, Stitz L, Korth C. Structure-activity relationship of tocopherol derivatives suggesting a novel non-antioxidant mechanism in antiprion potency. Neurosci Lett. Jan 18; 469(1):122-6;2010.
18. Prior M, Lehmann S, Sy MS, Molloy B, McMahon HE. Cyclodextrins inhibit replication of scrapie prion protein in cell culture. J Virol. Oct;81(20):11195-207;2007.
19. Sauer H, Wefer K, Vetrugno V, Regulation of intrinsic prion protein by growth factors and TNF-alpha: the role of intracellular reactive oxygen species. Free Radic Biol Med. Sep 15;35(6):586-94;2003.
20. Silva JL, Cino EA, Soares IN, et al. Targeting the Prion-like Aggregation of Mutant p53 to Combat Cancer. Acc Chem Res. Jan 16; 51(1):181-190;2018.
21. Simon D, Herva ME, Benitez MJ, et al. Dysfunction of the PI3K-Akt-GSK-3 pathway is a common feature in cell culture and in vivo models of prion disease Neuropathol Appl Neurobiol. Jun. 6;2013.
22. Shaked GM, Engelstein R, Avraham I, Rosenmann H, Gabizon R. Valproic acid treatment results in increased accumulation of prion proteins. Ann Neurol. Oct;52(4):416-20;2002.
23. Song Z, Yang W, Zhou X, et al. Lithium alleviates neurotoxic prion peptide-induced synaptic damage and neuronal death partially by the upregulation of nuclear target REST and the restoration of Wnt signaling. Neuropharmacology. Sep 1;123:332-348;2017.
24. Thapa S, Abdelaziz DH, Abdulrahman BA, Schatzl HM. Sephin1 Reduces Prion Infection in Prion-Infected Cells and Animal Model. Mol Neurobiol. Jan 24, 2020.
25. Thompson MJ, Louth JC, Little SM, et al. 2,4-diarylthiazole antiprion compounds as a novel structural class of antimalarial leads. Bioorg Med Chem Lett. Jun 15;21(12):3644-7,2011.
26. Thompson MJ, Louth JC, Little SM, Jackson MP, Boursereau Y, Chen B, Coldham I. Synthesis and evaluation of 1-amino-6-halo-β-carbolines as antimalarial and antiprion agents. ChemMedChem. Apr;7(4):578-8;2012.
27. Wu GR, Mu TC, Gao ZX, et al. Prion protein is required for tumor necrosis factor α (TNFα)-triggered nuclear factor κB (NF-κB) signaling and cytokine production. J Biol Chem. Nov 17;292(46):18747-18759;2017.
28. Yang X, Cheng Z, Zhang L, et al. Prion Protein Family Contributes to Tumorigenesis via Multiple Pathways. Adv Exp Med Biol. 1018: 207-224;2017.
29. Yoon YM, Lee JH, Yun SP Tauroursodeoxycholic acid reduces ER stress by regulating of Akt-dependent cellular prion protein. Sci Rep. Dec 22;6:39838;2016.
30. Yun CW, Kim S, Lee JH, Lee SH. Melatonin Promotes Apoptosis of Colorectal Cancer Cells via Superoxide-mediated ER Stress by Inhibiting Cellular Prion Protein Expression. Anticancer Res. Jul; 38(7):3951-3960;2018.
31. Yun CW, Yun S, Lee JH, et al. Silencing Prion Protein in HT29 Human Colorectal Cancer Cells Enhances Anticancer Response to Fucoidan. Anticancer Res. Sep;36(9):4449-58, 2016.

CAPÍTULO 111

Procaína: de um simples anestésico local a antineoplásico

Polariza a membrana celular; ativa o complexo piruvato desidrogenase e aumenta a geração de ATP mitocondrial; inibe a via Wnt/beta-catenina; inibe EGFR; inibe a HMG-CoA redutase e o dbc-AMP, o que reduz o colesterol; reduz cortisol e polariza o sistema imune de M2/Th2 proliferativo para M1/Th1 antiproliferativo; aumenta a produção de anticorpos e a fagocitose de monócitos; diminui a expressão das ciclinas D1 e E; diminui p-ERK, p-p38MAPK e p-FAK; reativa os genes H3K4(Me)3 e H3K9Ac/S10P; aumenta a expressão do MicroRNA-133b e provoca apoptose e diminuição da proliferação em vários tipos de câncer, sendo o inibidor padrão-ouro das DNA metiltransferases que metila a zona CpG e diminui a função dos genes de sobrevivência celular – efeito epigenético

José de Felippe Junior

Procaína: tão eficaz, tão potente, tão segura e tão desprezada pelos ignorantes. **JFJ**

Longa vida às mulheres pesquisadoras, em especial Ana Aslan e Ana Villar-Garea. **JFJ**

A procaína foi descoberta pelo bioquímico austríaco Alfred Einhorn em 1905. É o resultado da reação do ácido para-aminobenzoico (PABA) com o dietilenoaminoetanol (DEAE), sendo um anestésico muito eficaz e empregado no bloqueio de nervo periférico, no bloqueio espinhal e na anestesia local.

Na farmacopeia encontramos a procaína na forma de: para-aminobenzoil-dietilenoamino-etanol a 2% com bissulfito de sódio como conservante. Não mais se emprega a procaína polivinil pirrolidona.

A procaína possui forte e eficaz efeito epigenético de demetilação do DNA hipermetilado no câncer e os pesquisadores da Indústria Farmacêutica estão em uma corrida para sintetizar análogos que possam ser patenteados (Castellano, 2006).

Em 1971 Schmidt e colaboradores já escreviam que a procaína e a lidocaína inibiam a síntese do DNA.

A inativação de genes supressores de tumor é atualmente reconhecida como sendo um dos principais mecanismos de perpetuar a proliferação mitótica e, muito importante, ocorre precocemente na carcinogênese. A reexpressão de muitos desses genes leva à supressão do crescimento tumoral, com apoptose e parada do ciclo celular proliferativo (Jones, 2002; Esteller, 2002). Dessa forma, o mais racional é instituirmos a estratégia epigenética no início da abordagem terapêutica. Postergá-la é perder tempo precioso.

Em 1971 já se escrevia que a procaína e a lidocaína provocavam inibição da síntese do DNA (Schmidt, 1971) e em 2003 surgiu o importante estudo da pesquisadora espanhola, Ana Villar-Garea.

Villar-Garea testou a procaína em células do câncer de mama humano MCF-7 com 3 tipos diferentes de metodologia (HPLC, eletroforese e digestão enzimática total do DNA) e constatou que tal agente é inibidor das DNA-metiltransferases, isto é, demetila o DNA provocando 40% de redução da 5-metilcitosina das ilhas CpG do DNA. Tal fato reativa o gene RAR-beta2 que é supressor tumoral. A procaína liga-se diretamente na zona CpG do DNA e provoca diminuição da proliferação por parada do ciclo celular na fase M. Neste estudo não se observou apoptose (Villar-Garea, 2003).

A procaína não é incorporada ao DNA, ela apenas liga-se a ele, o que faz dessa droga um exemplo de agente que demetila o DNA e reativa genes metilados com muito menos efeitos tóxicos que os nucleosídeos, os quais se incorporam na molécula do DNA.

A dose que provoca demetilação e efeitos inibitórios sobre o crescimento neoplásico é da mesma ordem de grandeza que aquelas empregadas juntamente com a quimioterapia ou a radioterapia. Digno de se ressaltar: a procaína protege o indivíduo contra os efeitos nefrotóxicos e hepatotóxicos da quimioterapia e também aumenta a eficácia da radioterapia, enquanto protege as células normais dos seus efeitos ionizantes prejudiciais.

Níveis elevados de glicocorticoides estão associados a muitas doenças, depressão relacionada à idade, hipertensão, doença de Alzheimer, AIDS, ao lado de imunossupressão. A procaína reduz a síntese de corticosteroide pelas adrenais de modo dose-dependente, sem afetar a produção basal do esteroide por inibir o dbcAMP (*dibutyryl cyclic AMP*) (Xu, 2003). A redução dos corticosteroides polariza o sistema imune de M2/Th2 proliferativo para M1/Th1 antiproliferativo.

A procaína reduz a síntese de colesterol por inibir a HMG-CoA redutase. A diminuição do colesterol tumoral aumenta a fluidez da membrana, o que aumenta os efeitos da quimioterapia e radioterapia.

Mecanismos de ação dos anestésicos locais na redução do risco de câncer

A cirurgia em conjunto com a anestesia é parte fundamental do tratamento de cânceres em estágio avançado. Agentes anestésicos, como opioides e anestésicos voláteis, mostraram promover a recorrência do câncer em modelos pré-clínicos, enquanto alguns modelos animais mostraram que o uso de lidocaína pode ser benéfico na redução da recorrência do câncer. Foi realizada uma revisão sistemática usando o banco de dados eletrônico PubMed (1966 a 2018). Os termos de pesquisa incluem "lidocaína", "ropivicaína", "procaína", "bupivicaína", "mepivicaína", "metástase", "recorrência do câncer", "angiogênese" e "anestésicos locais" em várias combinações. A pesquisa resultou no total de 146 resumos para revisão inicial, 20 dos quais preencheram os critérios de inclusão. Teorias para o efeito da lidocaína na recorrência do câncer foram registradas. Todos os estudos foram revisados. Vários mecanismos foram propostos com base no anestésico local utilizado e no tipo de câncer. Os mecanismos incluem aqueles centrados no receptor do fator de crescimento endotelial, canais de sódio e cálcio dependentes de voltagem, receptor transitório de melanoplastina 7, hipertermia, ciclo celular e desmielinização. Conclusão: Modelos *in vivo* sugerem que a administração de anestésico local leva à redução da recorrência do câncer. A etiologia desse efeito é provavelmente multifatorial através da inibição de certas vias e indução direta de apoptose, diminuição na migração do tumor e associação com efeitos mediados pelo ciclo celular e mediados por DNA. Tudo isso nas palavras do pesquisador Granhi e seu colaboradores – 2020.

Ao polarizar as células os anestésicos locais aumenta a geração de ATP via fosforilação oxidativa, efeito este carcinostático.

A procaína de peso molecular 236,3g/mol, de fórmula $C_{13}H_{20}N_2O_2$ é conhecida como cloridrato de procaína, novocaína, vitamina H_3, spinocaína e gerovital.

A molécula doa 1 e é aceptora de 4 elétrons e, portanto, é oxidante.

A lidocaína possui muitos efeitos em comum com a procaína.

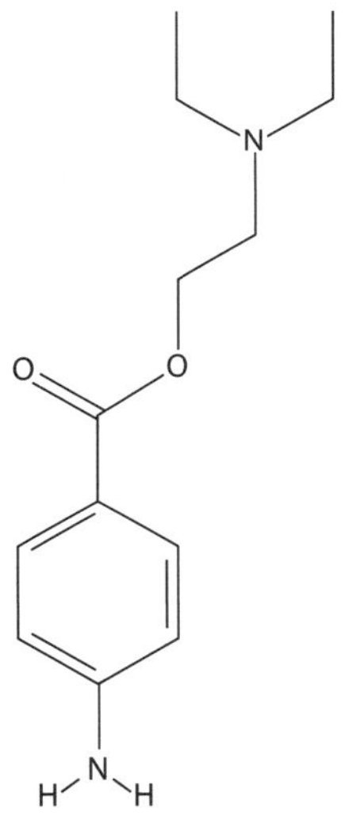

Procaína. $C_{13}H_{20}N_2O_2$. Peso molecular: 236,3g/mol

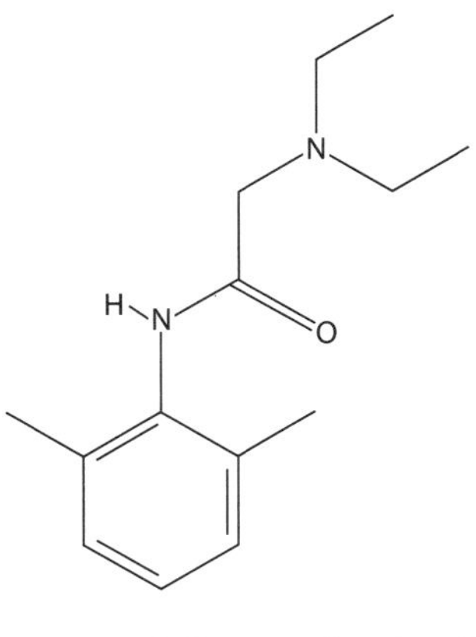

Lidocaína. $C_{14}H_{22}N_2O$. Peso molecular: 234,3g/mol

Alvos moleculares da procaína no câncer

1. **Vários tipos de câncer**
   a) **Potencial de membrana**. A procaína inibe o influxo de sódio nas células somáticas em geral e aumenta o potencial de membrana (Em), isto é, polariza a célula. Dessa forma, aumenta a geração de ATP via fosforilação oxidativa mitocondrial (Cone,1970, 1974, 1978; Creveling, 1990). Vários autores concordam que o aumento da fosforilação oxidativa diminui a força do ciclo de Embden-Meyerof, o que diminui os ATPs no núcleo com a consequente diminuição da proliferação mitótica neoplásica (Gajewski, 2003; Needham e Lehmann, 1937; Hopkins e Elliott, 1931; Dickens, 1931).
   b) **PDHc**. A procaína, a espermina, a espermidina, a putrescina e a lisina ativam o complexo piruvato desidrogenase (PDHc) estimulando a PDH fosfatase (Kiechle, 1990). Dessa forma, a procaína abre as portas da fosforilação oxidativa e aumenta a geração de ATP mitocondrial, o que induz à diminuição da glicólise anaeróbia, e, portanto, diminui a proliferação mitótica neoplásica.
   c) **Via proliferativa Wnt.** A procaína inibe a via proliferativa Wnt por induzir demetilação do gene WIF-1. Essa via é fundamental na maioria das neoplasias (Gao, 2009).
   d) **Efeito epigenético**. Procaína inibe as DNA metiltransferases, demetila a zona CpG do DNA e reativa genes supressores de tumor silenciados pela hipermetilação e, dessa forma, torna-se uma droga de escolha para tratar vários tipos de câncer (Khandelwal, 2016; Brueckner, 2005; Subramaniam, 2014).
   e) A hipermetilação do DNA é fato reconhecido na maioria das neoplasias humanas, sendo fenômeno plenamente reversível ao inibir as DNA metiltransferases (Villar-Garea, 2003; Rodriguez-Paredes, 2011; Zheng, 2016).
   f) Inibidores da DNA metiltransferase e o desenvolvimento de terapias epigenéticas no câncer – procaína é eficaz e sem efeitos colaterais (Lyko, 2005; Singh, 2013).
   g) Progressos epigenéticos no tratamento do câncer: procaína, ácido valproico e outras drogas (Mack, 2006).
   h) Inibidores da DNA metiltransferase como a procaína, a procainamida e a epigalocatequinagalato podem ser úteis no câncer (Stresemann, 2006).
2. **Efeitos diversos**
   a) Procaína protege toxicidade hematológica provocada pela cisplatina (Esposito, 1992).
   b) Procaína aumenta a produção de anticorpos e a fagocitose de monócitos e provoca citotoxicidade em células do câncer (Olinescu, 1985).
   c) Procaína aumenta a eficácia da hipertermia e diminui a temida e frequente termotolerância (Kingston, 1993; Hidvégi, 1980; Felippe, 2000).
   d) Lidocaína e procaína inibem a síntese de DNA no câncer (Schimidt, 1971).
   e) Procaína diminui a síntese de corticosteroide adrenal e consequentemente a concentração sérica do cortisol, via inibição da HMG-CoA redutase (*3-hydroxy-3-methylglutaryl-coenzyme A reductase*). Mecanismo: diminuição da síntese de colesterol (Xu, 2003).
   f) O cloridrato de procaína melhora o índice terapêutico da cisplatina (Esposito, 1990).
   g) A procaína inibe o EGFR (Ma, 2016).
   h) **Cuidado com os implantes dentários**: a procaína reduz drasticamente a mineralização e a osteo/odontogênese das células-tronco ósseas por inibir a via Wnt/beta-catenina por meio do aumento da expressão da GSK3-beta e fosforilação da beta-catenina (Herencia, 2016). Procaína inibe a ósteo/odontogenese inativando a Wnt/beta-catenina, o que pode interferir no sucesso do implante dentário (Herencia, 2018).
3. **Gliomas**

   Procaína e anestésicos locais impedem o crescimento e auto-renovação de células tronco do glioblastoma (GSCs). Os atores descobriram que os anestésicos locais prilocaína, lidocaína, procaína e ropivacaína podem prejudicar a sobrevivência e a autorrenovação de GSCs, especialmente o subtipo clássico de glioblastoma. Esses achados sugerem que os anestésicos locais podem enfraquecer os transcritos de ZDHHC15 e diminuir os níveis de palmitoilação do GP130 e a localização da membrana, inibindo assim a ativação da sinalização IL-6/STAT3 (Fan, 2021).
4. **Neuroblastoma e tumores de hipófise**
   a) Vários anestésicos, incluindo a procaína, induzem apoptose em células SHEP do neuroblastoma humano. A potência relativa dos vários anestésicos é: tetracaína > é sinal de maior do que, não é seta bupivacaína > prilocaína = mepivacaína = ropivacana > lidocaína > procaína = articaína (Werdehausen, 2009).
   b) Lidocaína e procaína inibem a secreção de prolactina via bloqueio do influxo de cálcio em células do tumor da hipófise (Wang, 1992).
   c) Lidocaína, mais que a procaína, provoca citotoxicidade em células SH-SY5Y do neuroblastoma humano (Perez-Castro, 2009).

d) Procaína cloridrato e bissulfito de sódio diminuem a viabilidade de células do neuroblastoma humano. Acontece redução de 86% da multiplicação celular e da formação de colônias com o cloridrato de procaína e de 57 a 92% com o bissulfito de sódio (Seravalli, 1987).
e) Anestésicos locais provocam diminuição da viabilidade e apoptose em células NB2a do neuroblastoma de rato na seguinte ordem de potência tetracaína > prilocaína > lidocaína > procaína (Mete, 2015).
f) A exposição durante 20 minutos de células SH-SY5Y indiferenciadas do neuroblastoma humano provocou morte celular de modo dose-dependente na seguinte ordem de potência: bupivacaína, lidocaína, prilocaína, mepivacaína, articaína e ropivacaína, e os LD50 foram, respectivamente, 0,95 ± 0,08, 3,35 ± 0,33, 4,32 ± 0,39, 4,84 ± 1,28, 8,98 ± 2,07 e 13,43 ± 0,61mM (Malet, 2015).
g) A lidocaína inibe a secreção de prolactina nas células derivadas do tumor da hipófise de ratos GH4C1, bloqueando o influxo de cálcio (Wang, 1992).

5. **Carcinoma de cabeça e pescoço**
a) Procaína inibe a proliferação de células CNE-2Z do carcinoma nasofaringeal de modo dose e tempo-dependentes. Acontece parada do ciclo celular na fase G1 e aumento da expressão do RASSF1A mRNA sem interferir na expressão do p16 (Zhou, 2007).
b) Dibucaína provoca necrose em células do carcinoma epidermoide oral. Procaína e lidocaína provocam efeitos menos intensos (Kobayashi, 2012).

6. **Câncer de pulmão**
a) Gefitinibe e erlotinibe são eficazes inibidores do EGFR, porém acontece quase 50% de resistência, a procaína é uma alternativa (Tetsu, 2016; Ma, 2016).
b) Procaína inibe EGFR e a proliferação no câncer de pulmão.
Em baixa dose diminui a proliferação de células A549 e NCL-H1975 do câncer de pulmão *in vitro* e *in vivo* murino (50mg/kg). Procaína inibe a expressão do mRNA do EGFR seletivamente na linhagerm A549. Nos modelos de camundongo com câncer de pulmão pelo xenoenxerto A549 ou NCI-H1975, o anestésico local Procaine (PCA) com 50 mg/kg diminuiu o volume de tumores em comparação com o grupo placebo (veículo). *In vitro*, a PCA suprimiu as duas linhas celulares NSCLC humanas A549 e a proliferação de NCI-H1975 em dose muito baixa (na classe nM). O marcador de proliferação celular PCNA também foi regulado para baixo após o tratamento com PCA *in vivo*. Além disso, baixa dose de PCA pode inibir a expressão de mRNA do EGFR alvo principal do NSCLC seletivamente nas células A549, no entanto, isso não foi observado em outra linhagem celular NCI-H1975, implicando uma sinalização específica por PCA de acordo com o tipo de célula (Ma, 2016).
c) Procaína e procainamida inibem a via Wnt canônica demetilando o gene WIF-1 em células do câncer de pulmão linhagem H460 e A549. Metilação aberrante do gene WIF-1 (*Wnt inhibitory factor-1*) é mecanismo fundamental do silenciamento epigenético no câncer de humano. A procaína provocando demetilação do DNA reativa o gene WIF-1 e inativa a via proliferativa canônica Wnt (Gao, 2009).

7. **Câncer de mama**
a) Inibidores das DNA metiltransferases nucleosídeos como 5-aza-2'-deoxycytidine são muito tóxicos para uso clínico. Urge a busca de novas drogas. A procaína provoca 40% de redução da 5-metilcitosine do DNA de células MCF-7 do câncer de mama humano e restaura completamente a região promotora do gene RAR-beta2. A consequência é a drástica diminuição da proliferação celular do câncer de mama humano MCF-7 (Villar-Garea, 2003).
b) Lidocaína de modo tempo e dose-dependentes demetila o DNA de células do câncer de mama, *in vitro*, e reativa genes supressores de tumor (Lirk, 2012).

8. **Câncer de mama triplo negativo**
Sinalização do WNT10B-beta-catenina induz HMGA2 (*high mobility group protein A2*) e aumenta a proliferação do câncer de mama triplo negativo metastático (Wend, 2013). Sua inibição pode ter valor terapêutico. Inibem a via Wnt/beta-catenina: procaína, sais bivalentes do zinco, genisteína, lítio, berberina, niclosamida e clotrimazol.

9. **Câncer de próstata**
Procaína em células do câncer de próstata provoca hipometilação global do DNA e restaura a expressão do gene detoxicante GSTP1 que havia sido silenciado por hipermetilação (Lin e Asgari, 2001).

10. **Câncer de estômago**
a) Hipermetilação regula para baixo a expressão do gene Runx3 e sua restauração suprime o crescimento do epitélio gástrico por induzir a p27 e a caspase-3 no câncer gástrico humano: aumento da apoptose e diminuição da proliferação (Chen, 2010).
b) Procaína é inibidor específico da metilação do DNA com efeito antiproliferativo e apoptótico no câncer gástrico humano. Acontece repressão

da atividade das DNAMT1/DNAMT3, mas não da sua expressão. Reduz drasticamente a metilação nas zonas promotoras dos genes CDKN2A e RAR-beta2 (Li, 2018).

c) Procaína um inibidor específico da metilação do DNA possui efeito antitumoral no câncer gástrico humano. Ela reprime a atividade, mas não a expressão das DNMT1 e DNMT3A. O alvo são as regiões promotoras CDKN2A e RARbeta. Acontece inibição da proliferação e indução da apoptose em células do câncer gástrico. Ela pode ser considerada uma nova estratégia para o carcinoma gástrico (Li, 2018).

11. **Câncer de fígado**

a) Procaína inibe a proliferação de células do hepatoma humano via demetilação do DNA. A viabilidade de células HLE, HuH7 e HuH6 diminui drasticamente na presença da procaína de modo tempo e dose-dependentes. Acontecem inibição do ciclo celular na transição S/G2/M, alterações morfológicas como vacuolização e aumento da velocidade da apoptose. Todos os 4 genes suprimidos na sua transcrição por hipermetilação do DNA (p16INK4a, HAI-2/PB, 14-3-3-sigma, NQO1) são demetilados e reativados com a procaína. *In vivo* provoca demetilação parcial e significante redução do volume tumoral. Não se observou redução da viabilidade nas linhagens HepG2, Hep3B, PLC/PRF/5 e nos hepatócitos humanos normais. O autor termina o estudo com a frase: "a procaína pode ser um sério candidato na futura terapia do hepatoma humano" (Tada, 2007).

b) A procaína inibe a HMG-CoA redutase e o db-cAMP (*dibutyryl cyclic* AMP), o que reduz o colesterol das células do hepatoma murino (Xu, 2003).

12. **Câncer colorretal**

a) Em células HCT-116 do câncer de cólon, a procaína em baixa concentração (3 e 5 micromoles) já provoca efeito epigenético. Combinado com a cisplatina, o efeito é sinérgico com importante diminuição da proliferação celular neoplásica (Sabit, 2016).

b) Procaína inibe a proliferação e migração e aumenta a apoptose de células do câncer de cólon, HCT-116, inativando a via ERK/MAPK/FAK e regulando o RhoA. Diminui a expressão das ciclinas D1 e E (Li-Gao, 2017).

c) Procaína inibe a proliferação e a migração e aumenta apoptose de células do câncer de cólon HCT116 via inativação das vias ERKMAPK/FAK devido a regulação do RhoA. Aumenta as células na fase G1 e regula para baixo a expressão da ciclina D1 e E. Em adição ocorre diminuição dos níveis p-ERK, p-p38MAPK e p-FAK (Li, 2018).

d) Procaína induz alterações epigenéticas nas células cancerígenas do cólon HCT116. O presente estudo teve como objetivo o tratamento da linhagem celular de câncer de cólon HCT116 com diferentes combinações quimioterápicas/drogas (procaína, vorinostat "SAHA", fenilbutirato de sódio, erlotinibe e carboplatina). Duas concentrações finais diferentes foram aplicadas: 3 μM e 5 μM. Ocorreu diminuição significativa na viabilidade das células após a aplicação das drogas quimioterapêuticas/combinações de drogas. Os resultados indicaram que todas as drogas/combinações de drogas tiveram efeito imortante na indução da fragmentação do DNA. A quantificação global da metilação do DNA foi realizada para identificar o papel desses fármacos individualmente ou em combinação na hipo ou hipermetilação do dinucleotídeo CpG em todo o genoma da linha celular de câncer de cólon HCT116. Os dados obtidos indicaram que combinações diferentes tiveram efeitos diferentes na redução ou no aumento do nível de metilação, o que pode indicar a eficácia da combinação de medicamentos no tratamento de células cancerígenas do cólon (Sabit, 2016).

e) Procaína inibe a proliferação e a migração de células HCT116 do câncer de colon de modo dose dependente, via inativação da sinalização ERK/MAPK/FAK ao diminuir a expressão do RhoA. Procaínaaumenta as células neoplásica na fase G1 e regula para baixo as expressões das ciclinas D1 e E. De modo significante a procaína diminui a concentração do p-ERK, p-p38MAPK e p-FAK, (Li, 2021)

13. **Câncer de bexiga**

Procaína inibe a proliferação de células do câncer de bexiga por induzir apoptose e demetilar a ilha CpG hipermetilada do gene APAF1 (Sun, 2012).

14. **Leucemia**

a) Procaína inibe as DNA metiltransferases e provoca efeito antileucêmico em células NB4 da leucemia promielocítica humana. Acontece aumento da expressão de moléculas associadas a diferenciação, CD11b, E-caderina, G-CSF, apoptose e PPAR-gama. A procaína reativa os genes H3K4(Me)3 e H3K9Ac/S10P e provoca inibição da proliferação celular (Borutinskaite, 2016).

b) Procaína aumenta a atividade antitumoral da cisplatina no camundongo injetado com células da leucemia P388. Acontece aumento da sobrevida quando a procaína é administrada em conjunto ou 30 minutos a 2 horas após a cisplatina (Viale, 2001).

c) A prococaína inibe a diferenciação eritróide terminal das células da eritroleucemia murina

(MEL). Esse processo envolve o metabolismo do cálcio (Tsiftsoglou, 1981).

15. **Câncer de ovário**
Combinação procaína-cisplatina aumenta a citotoxicidade contra linhagens do câncer de ovário (Viale, 1998).

16. **Linfoma não Hodgkin**
Anestésicos locais induzem citotoxicidade em células do linfoma T. Foi observada citotoxicidade dependente da concentração para todos os anestésicos locais investigados. A apoptose foi observada em baixas concentrações, enquanto a necrose foi observada em altas concentrações. Os valores de IC50 dos diferentes anestésicos locais produziram a seguinte ordem decrescente de toxicidade: tetracaína, bupivacaína, ropivacaína, prilocaína, procaína, lidocaína, articaína e mepivacaína. A toxicidade se correlacionou com os coeficientes de partição octanol/tampão, mas foi independente da ligação éster ou amida. Não houve efeito do estereoisomerismo na apoptose e necrose (Werdehausen, 2012).

17. **Osteossarcoma**
    a) Procaína inibe a proliferação, a migração e promove a apoptose em células do osteossarcoma via super-regulação do MicroRNA-133b (Boda, 2017).
    b) Possivelmente a procaína provocou a regressão espontânea e temporária de linfossarcoma (Gurçay, 1969).
    d) Procaína inibe a proliferação e a migração, enquanto induz apoptose em células do osteossarcoma via regulação para cima do MicroRNA-133b. A procaína inibiu significativamente a viabilidade celular e promoveu a apoptose e o nível de expressão do miR-133b de maneira dependente da dose. Além disso, diminuiu significativamente os níveis de p/t-AKT (p308 ou p473), p/t-ERK e p/t-S6. Estes resultados sugerem que a procaína inibe a proliferação e migração, mas promove a apoptose em células de osteossarcoma por regulação positiva do miR-133b. Esses efeitos podem ser alcançados pela inativação das vias AKT/ERK (Ying, 2017).

18. **Linfossarcoma**
Mecanismos de adesão entre células tumorais e hepatócitos, que provavelmente desempenham um papel na formação de metástases hepáticas, foram estudados *in vitro*. As células de carcinoma mamário TA3 e linfossarcoma MB6A foram adicionadas aos hepatócitos de rato que foram cultivados por 24 horas. A adesão de MB6A, mas não de células TA3, foi inibida pela procaína (Roos, 1984).

19. **Outros**
    a) A procaína tem valor terapêutico em reações comatosas graves após cirurgia de câncer de pâncreas e duodeno (Land, 1951).
    b) A procaína intravenosa pode ser usada no "rigor cafeínico" e na hipertermia maligna provocada pela succinilcolina e halotano (Borden, 1976).
    c) Em 1972, a procaína era a droga de escolha no tratamento da hipertermia maligna (Moulds, 1972; Clarke, 1975).
    d) Foram descritos dois casos de pseudotumor no deltoide após injeções de procaína polivinil pirrolidona (Soumerai, 1978).

Conclusão

Em vários países do mundo, inúmeros pesquisadores estão descobrindo novos efeitos de uma droga que era um simples anestésico local. É importante, muito importante saber que temos mais uma substância capaz de nos ajudar no tratamento do câncer, muito estudada e isenta de efeitos colaterais. E devemos lembrar que é prerrogativa do médico ético e humano tratar do seu paciente sem interferências externas.

Referências

1. Abstracts and papers in full at www.medicinabiomolecualr.com.br
2. Borutinskaite V, Bauraite-Akatova J, Navakauskiene R. Anti-leukemic activity of DNA methyltransferase inhibitor procaine targeted on human leukaemia cells Open Life Sci. 11:322-30;2016.
3. Borden H, Hummer GJ, Landon CW, Paris J. The use of procaine in acquired malignant hyperthermia in a patient with malignant melanoma metastatic to the parathyroid gland: a case report. Can Anaesth Soc J. Nov;23(6):616-23;1976.
4. Brueckner B, Boy RG, Siedlecki P, et al. Epigenetic reactivation of tumor suppressor genes by a novel small-molecule inhibitor of human DNA methyltransferases. Cancer Res. 65(14):6305-11;2005.
5. Castellano S, Dirk Kuck, Marina Sala, Ettore Novellino, Frank Lyko and Gianluca Sbardella. Constrained Analogues of Procaine as Novel Small Molecule Inhibitors of DNA Methyltransferase-1. J Med Chem. 51(7):2321-5;2008.
6. Chen W, Gao N, Shen Y, Cen JN. Hypermethylation downregulates Runx3 gene expression and its restoration suppresses gastric epithelial cell growth by inducing p27 and caspase3 in human gastric cancer. J Gastroenterol Hepatol..25(4):823-31;2010.
7. Clarke IM, Ellis FR. An evaluation of procaine in the treatment of malignant hyperpyrexia. Br J Anaesth. 47(1):17-21;1975.
8. Cone CD Jr. Variation of the transmembrane potential level as a basic mechanism of mitosis control. Oncology. 24: 438-70;1970.
9. Cone CD Jr. The role of the surface electrical transmembrane potential in normal and malignant mitogenesis. Ann Ny Acad Sci. 238:420-35;1974.
10. Cone CD, Cone CM. Evidence of normal mitosis with complete cytokinesis in central nervous system neurons during sustained depolarization with ouabain. Exp Neurol. 60(1):41-55;1978.

11. Creveling CR, Bell ME, Burke TR Jr, et al. Procaine isothiocyanate: an irreversible inhibitor of the specific binding of [3H]batrachotoxinin-A benzoate to sodium channels. Neurochem Res. 15(4):441-8;1990.
12. Dhivya S, Khandelwal N, Abraham SK, Premkumar K. Impact of anthocyanidins on mitoxantrone-induced cytotoxicity and genotoxicity: an in vitro and in vivo analysis. Integr Cancer Ther. 15(4):525-34;2016.
13. Dickens F, Simer F. The metabolism of normal and tumour tissue: the RQ in bicarbonate media. Biochem J. 25:985-96;1931.
14. Esposito M, Fulco RA, Collecchi P, et al. J Natl Cancer Inst. Improved therapeutic index of cisplatin by procaine hydrochloride. Apr 18;82(8):677-84;1990.
15. Esposito M1, Lerza R, Mencoboni M, et al. Protective effect on cisplatin hematotoxicity by procaine hydrochloride. Cancer Lett. 64(1):55-60;1992.
16. Esteller M. CpG island hypermethylation and tumor suppressor genes: a booming present, a brighter future. Oncogene. 21:5427-40; 2002.
17. Fan X., H. Yang, C. Zhao et al., "Local anesthetics impair the growth and self-renewal of glioblastoma stem cells by inhibiting ZDHHC15-mediated GP130 palmitoylation," Stem Cell Research & Therapy, vol. 12, no. 1, p. 107, 2021.
18. Felippe JJr. Bioeletromagnetismo: Medicina Biofísica. Journal of Biomolecular Medicine & Free Radicals. 6(2):41-4;2000.
19. Gajewski CD, Yang L, Schon EA, Manfredi G. New Insights into the Bioenergetics of Mitochondrial Disorders Using Intracellular ATP Reporters. Mol Biol Cell. 14(9):3628-35;2003.
20. Gao Z, Xu Z, Hung MS, et al. Procaine and procainamide inhibit the Wnt canonical pathway by promoter demethylation of WIF-1 in lung cancer cells. Oncol Rep. 22(6):1479-84;2009.
21. Gürçay A. Spontaneous, temporary regression in a lymphosarcoma: can procaine produce this effect? Turk J Pediatr. 11(1):9-17;1969.
22. Grandhi RK, Perona B. Pain Med. Feb 1;21(2):401-414, 2020. Mechanisms of Action by Which Local Anesthetics Reduce Cancer Recurrence: A Systematic Review.
23. Herencia C, Diaz-Tocados JM, Jurado L, et al. Procaine Inhibits Osteo/Odontogenesis through Wnt/β-Catenin Inactivation. PLoS One. 11(6):e0156788;2016.
24. Hidvégi EJ, Yatvin MB, Dennis WH, Hidvégi E. Effect of altered membrane lipid composition and procaine on hyperthermic killing of ascites tumor cells. Oncology. 37(5):360-3;1980.
25. Hopkins FG, Elliott KAC. Relationship of glutathione to cell respiration with special reference to hepatic tissue. Proc Royal Soc London. 109:58-88;1931.
26. Jones PA, Baylin SB. The fundamental role of epigenetic events in cancer. Nat Rev Genet. 3:415-28;2002.
27. Kiechle FL, Malinski H, Dandurand DM, McGill JB. The effect of amino acids, monoamines and polyamines on pyruvate dehydrogenase activity in mitochondria from rat adipocytes. Mol Cell Biochem. 93(2):195-206;1990.
28. Kingston CA, Ladha S, Manning R, Bowler K. The effect of local anaesthetics on the thermal sensitivity of HTC cells. Anticancer Res. 13(6A):2335-40;1993.
29. Kobayashi K, Ohno S, Uchida S, et al. Cytotoxicity and type of cell death induced by local anesthetics in human oral normal and tumor cells. Anticancer Res. 32(7):2925-33;2012.
30. Land. L L, Grave comatose reactions after surgery for cancer of the pancreas and duodenum; therapeutic value of intravenous procaine. Mem Acad Chir (Paris). Jan 31-Feb 7;77(4-5):178-81,1951.
31. Li C, Gao S, Li X, et al. Procaine Inhibits Proliferation and Migration of Colon Cancer Cells Through Inactivation of the ERK/MAPK/FAK Pathways By Regulation of RhoA. Oncol Res. 26(2):209-17;2018.
32. Li YC, Wang Y, Li DD, et al. Procaine is a specific DNA methylation inhibitor with anti-tumor effect for human gastric cancer. J Cell Biochem. 119(2):2440-9;2018.
33. Li C, Shuohui Gao, Xiaoping Li, Chang Li. Procaine Inhibits the Proliferation and Migration of Colon Cancer Cells Through Inactivation of the ERK/MAPK/FAK Pathways by Regulation of RhoA. Oncol Res. 28(6): 675–679, 2021.
34. Lin X, Asgari K, Putzi MJ, et al. Reversal of GSTP1 CpG island hypermethylation and reactivation of pi-class glutathione S-transferase (GSTP1) expression in human prostate cancer cells by treatment with procainamide. Cancer Res. 61(24):8611-6;2001.
35. Lirk P, Berger R, Hollmann MW, Fiegl H, et al. Lidocaine time- and dose-dependently demethylates deoxyribonucleic acid in breast cancer cell lines in vitro. Br J Anaesth. 109(2):200-7;2012.
36. Lyko F, Brown R. DNA Methyltransferase inhibitors and the development of epigenetic cancer therapies. J Natl Cancer Inst. 97(20): 1498-506;2005.
37. Ma X-W, Li Y, Han X-C, Xin Q-Z. The effect of low dosage of procaine on lung cancer cell proliferation. Eur Rev Med Pharmacol Sci. 20(22):4791-5;2016.
38. Mack GS. Epigenetic cancer therapy makes headway. J Natl Cancer Inst. 98(20):1443-4;2006.
39. Malet A, Faure MO, Deletage N, et al.The comparative cytotoxic effects of different local anesthetics on a human neuroblastoma cell line. Anesth Analg. 120(3):589-96;2015.
40. Mete M, Aydemir I, Tuglu IM, Selcuki M. Neurotoxic effects of local anesthetics on the mouse neuroblastoma NB2a cell line. Biotech Histochem. 90(3):216-22;2015.
41. Moulds RF, Denborough MA. Procaine in malignant hyperpyrexia. Br Med J. 4(5839):526-8;1972.
42. Needham J, Lehmann H. Intermediary carbohydrate metabolism in embryonic life. V. The phosphorylation cycles. VI.Glycolysis without phosphorylation. Biochem J. 31:1210-38;1937.
43. Olinescu A, Hristescu S, Dincă-Avarvarei L, et al. Augmentation of human antibody-dependent cellular cytotoxicity and mononuclear phagocytosis by procaine. Arch Roum Pathol Exp Microbiol. 44(1): 63-72;1985.
44. Perez-Castro R, Patel S, Garavito-Aguilar ZV, et al. Cytotoxicity of local anesthetics in human neuronal cells. Anesth Analg. 108(3): 997-1007;2009.
45. Rodriguez-Paredes M, Esteller M. Cancer epigenetics reaches mainstream oncology. Nat Med. 17(3)330-9;2011.
46. Roos E, Middelkoop OP, Van de Pavert IV. Adhesion of tumor cells to hepatocytes: different mechanisms for mammary carcinoma compared with lymphosarcoma cells. J Natl Cancer Inst. Oct;73(4): 963-9;1984.
47. Sabit H, Samy MB, Said OA, El-Zawahri MM. Procaine Induces Epigenetic Changes in HCT116 Colon Cancer Cells. Genet Res Int. 2016:8348450;2016.
48. Schmidt RM, Rosenkranz HS, Ryan JF. Inhibition of DNA synthesis by lidocaine and procaine. Experientia. 27(3):261-2;1971.
49. Seravalli E, Lear E. Toxicity of chloroprocaine and sodium bisulfite on human neuroblastoma cells. Anesth Analg. 66(10):954-8;1987.
50. Schmidt RM, Rosenkranz HS, Ryan JF. Inhibition of DNA synthesis by lidocaine and procaine. Experientia. Mar 15;27(3):261-2;1971.
51. Singh V, Sharma P, Capalash N. DNA methyltransferase-1 inhibitors as epigenetic therapy for cancer. Curr Cancer Drug Targets. 13(4):379-99;2013.

52. Sabit H, Samy MB, Said OA, El-Zawahri MM. Procaine Induces Epigenetic Changes in HCT116 Colon Cancer Cells. Genet Res Int. 2016:8348450;2016.
53. Soumerai S. Case reports. Pseudotumors of the arm following injections of procaine polyvinyl pyrrolidone: report of two cases. J Med Soc N J. 75(5):407-8;1978.
54. Stresemann C, Brueckner B, Musch T, et al. Functional diversity of DNA methyltransferase inhibitors in human cancer cell lines. Cancer Res. 66(5):2794-800;2006.
55. Subramaniam D, Thombre R, Dhar A, Anant S. DNA methyltransferases: a novel target for prevention and therapy. Front Oncol. 4: 80;2014.
56. Sun Ran, Chang Li-ping, Wang Kai-chen. Procaine Inhibiting Human Bladder Cancer Cell Proliferation by Inducing Apoptosis and Demethylating APAF1CpG Island Hypermethylated. Chem Res Chinese Universities. 28(6):1017-21;2012.
57. Tada M, Imazeki F, Fukai K, et al. Procaine inhibits the proliferation and DNA methylation in human hepatoma cells. Hepatol Int. 1(3):355-64;2007.
58. Tetsu O, Hangauer MJ, Phuchareon J, et al. Drug resistance to EGFR inhibitors in lung cancer. Chemotherapy. 61(5):223-235;2016.
59. Tsiftsoglou AS, Mitrani AA, Housman DE. Procaine inhibits the erythroid differentiation of MEL cells by blocking commitment: possible involvement of calcium metabolism. J Cell Physiol. Sep; 108(3):327-35; 1981.
60. Viale M, Pastrone I, Pellecchia C, et al. Combination of cisplatin-procaine complex DPR with anticancer drugs increases cytotoxicity against ovarian cancer cell lines. Anticancer Drugs. 9(5): 457-63;1998.
61. Viale M, Vánnozzi MO, Mandys V, Esposito M. Time-dependent influence of procaine hydrochloride on cisplatin antitumor activity in P388 tumor bearing mice. Anticancer Res. 21(1A):485-7;2001.
62. Villar-Garea A, Fraga MF, Espada J, Esteller M. Procaine is a DNA-demethylating agent with growth-inhibitory effects in human cancer cells. Cancer Res. 63:4984-9;2003.
63. Ying B, Huang H, Li H, et al. Procaine Inhibits Proliferation and Migration and Promotes Cell Apoptosis in Osteosarcoma Cells by Upregulation of MicroRNA-133b. Oncol Res. Nov 2;25(9):1463-1470;2017.
64. Wang X, Sato N, Greer MA. Lidocaine inhibits prolactin secretion in GH4C1 cells by blocking calcium influx. Mol Cell Endocrinol. 87(1-3):157-65;1992.
65. Wend P, Runke S, Wend K, et al. WNT10B/β-catenin signalling induces HMGA2 and proliferation in metastatic triple-negative breast cancer. EMBO Mol Med. 5(2):264-79;2013.
66. Werdehausen R, Fazeli S, Braun S, et al. Apoptosis induction by different local anaesthetics in a neuroblastoma cell line. Br J Anaesth. 103(5):711-8;2009.
67. Werdehausen R, Braun S, Fazeli S, et al. Lipophilicity but not stereospecificity is a major determinant of local anaesthetic-induced cytotoxicity in human T-lymphoma cells. Eur J Anaesthesiol. Jan; 29(1):35-41, 2012.
68. Xu J, Lecanu L, Han Z, et al. Inhibition of adrenal cortical steroid formation by procaine is mediated by reduction of the cAMP-induced 3-hydroxy-3-methylglutaryl-coenzyme A reductase messenger ribonucleic acid levels. J Pharmacol Exp Ther. 307(3):1148-57; 2003.
69. Ying B, Huang H, Li H, et al. Procaine inhibits proliferation and migration and promotes cell apoptosis in osteosarcoma cells by upregulation of microRNA-133b. Oncol Res. 25(9):1463-70;2017.
70. Zheng W, Zhao L, Wangetal G. Promoter methylation and expression of RASSF1 A genes as predictors of disease progression in colorectal cancer. Int J Clin Exp Med. 9(2):2027-36;2016.
71. Zhou H, Xu M, Luo G, Zhang Y. Effects of procaine on human nasopharyngeal carcinoma cell strain CNE-2Z. Lin Chung Er Bi Yan Hou Tou Jing Wai Ke Za Zhi. 21(24):1118-21;2007.

CAPÍTULO 112

Propranolol bloqueador beta-adrenérgico não seletivo no tratamento das neoplasias

Impede ativação da EMT, da via de sinalização p38 MAPK/ERK/COX-2, diminui Treg, regula para baixo fatores de transcrição Snail/Slug, NF-kappaB/Rel e AP-1, diminui a expressão dos marcadores pró-proliferativos Ki-67 e dos pró-sobrevivência Bcl-2, todos acima provocados pela dor, cirurgia, medo e depressão; inibe AMPc, impede ativação da PKA que impede a transcrição CREB/ATF, GATA e BARK; impede ativação mediada por Rap1A da via de sinalização B-Raf/MAPK; aumenta a expressão pró-apoptótica do p53 e no geral inibe o crescimento, invasividade, migração, angiogênese e aumenta a apoptose no câncer

José de Felippe Junior

O receptor β-adrenérgico e seus receptores correspondentes, α e β desempenha papel essencial nas funções fisiológicas normais e no câncer. O sistema nervoso simpático regula a resposta de "lutar ou fugir" pela via beta-adrenérgica.

Evidências crescentes sugerem que a sinalização do beta-receptor é crucial na progressão e nas metástases do câncer e regula o crescimento, invasividade, migração, angiogênese, apoptose e anoikis. O bloqueador não seletivo, propranolol, é o que exibe maiores efeitos no câncer, tanto em modelos animais como em seres humanos.

A sinalização β-adrenérgica influencia as células tumorais e seu microambiente e regula múltiplos processos celulares que contribuem para o início e a progressão do câncer, incluindo inflamação, angiogênese, apoptose/anoikis, motilidade e tráfego celular e resposta imune celular. Estudos epidemiológicos associaram o uso de betabloqueadores a taxas reduzidas de progressão para vários tumores sólidos (Wang, 2016).

O cloridrato de propranolol de fórmula $C_{16}H_{22}ClNO_2$ e peso molecular 295,8g/mol é também conhecido como Inderal, Propranolol, Anaprilin.

A molécula cede 3 elétrons e é aceptor de 3, portanto, possui efeito neutro na oxirredução.

O propranolol é bloqueador inespecífico do receptor beta-adrenérgico muito utilizado na angina pectoris, taquiarritmias e hipertensão arterial. Foi descoberto por Turner e Granville-Grossman em 1960 e na época os descobridores pensavam ser o propranolol um ansiolítico por excelência daí a eficácia nas taquiarritmias (Turner, 1965). O propranolol já foi empregado para tratar ansiedade, estresse pós-traumático (amnésia de maus eventos), esquizofrenia, autismo, agressão, enxaqueca, atenuar tremores de mãos de cirurgiões, tremor essencial e nervosismo em época de prova.

Os receptores alfa-adrenérgicos possuem 2 subtipos, α1 e α2 e os receptores beta-adrenérgicos 3 subtipos β1, β2 e β3, todos eles ligados às proteínas G.

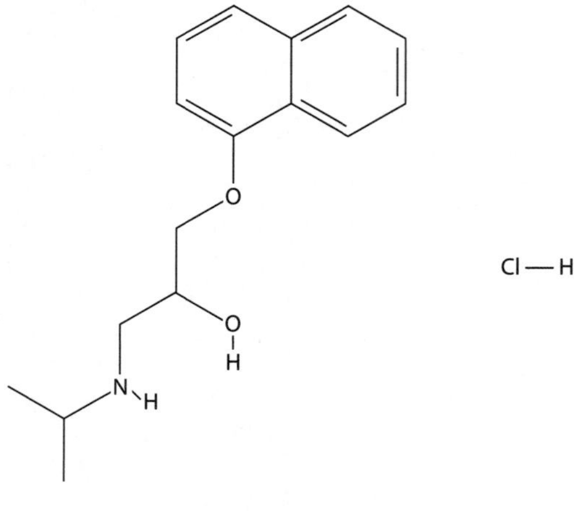

Cloridrato de propranolol

Os 2 subtipos de receptores alfa-adrenérgicos α_1 e α_2 e os três subtipos de receptores β-adrenérgicos, β1, β2 e β3, podem estar presentes na membrana, citoplasma e núcleo das células cancerosas podendo induzir a proliferação, invasão, migração e metástases (Isom, 1987; Cole e Sood, 2012).

A seguir um resumo dos receptores adrenérgicos e seus agonistas e antagonistas mais comuns.

Tipo de receptor: α_1: ***Norepinefrina ≥ epinefrina >> isoproterenol***

Agonistas alfa-1: Noradrenalina, Fenilefrina, Metoxamina, Cirazolina, Xylometazolina

Bloqueadores alfa-1: Doxazosin, Prazosin, Tamsulosin, Fentolamina, Alfuzosin, Fenoxibenzamina, Terazosin.

Tipo de receptor: α2. ***Norepinefrina ≥ epinefrina >> isoproterenol***

Agonistas alfa-2: Noradrenalina, Clonidina, Dexmedetomidina, Lofexidina, Xylazina, Tizanidina, Guanfacine.

Bloqueadores alfa-2: Ioimbina, Idazoxan.

Tipo de receptor: β1. ***Isoprenalina > epinefrina = norepinefrina***

Agonista B1: Isoprenalina, Adrenalina, Noradrenalina, Dobutamina.

Bloqueadores B1: Propranolol, Carvedilol, Metoprolol, Atenolol, Nebivolol.

Tipo de receptor: β2. ***Isoprenalina > epinefrina >> norepinefrina***

Agonista beta-2: Isoprenalina, Adrenalina, Noradrenalina. Salbutamol, Albuterol, Formoterol, Levalbuterol, Metaproterenol, Salmeterol, Terbutalina, Ritodrine,

Bloqueadores beta-2: Propranolol, Carvedilol, Butoxamina.

Tipo de receptor: β3. ***Isoprenalina = norepinefrina > epinefrina***

Agonistas B3: Isoprenalina, Noradrenalina, Adrenalina, Amibegron, Solabegron.

Bloqueadores beta-3: Nebivolol (médio).

Vários estudos demonstraram que 95% das causas de câncer são devidas a fatores do ambiente como infecções virais e bacterianas, metais tóxicos carcinogênicos, agrotóxicos, campos eletromagnéticos, dormir ou trabalhar em zonas geopatogênicas, excesso de mamografias e outras radiações, tabaco, substâncias químicas diversas. Todos esses fatores são carcinogênicos, isto é, provocam o aparecimento da neoplasia (Felippe Jr, 2019).

Entretanto, devemos estar atentos no dia a dia do consultório ao estresse emocional, o qual provoca forte efeito carcinocinético, aumento da velocidade de proliferação mitótica. A notícia do diagnóstico de câncer provoca estresse intenso podendo se manifestar como medo, angústia, depressão, os quais induzem a liberação de catecolaminas, epinefrina (E) e norepinefrina (NE) que ocupam receptores presentes nas células neoplásicas e aumentam a proliferação, migração, invasão e metástases.

O trabalho a seguir mostra o possível mecanismo do medo e da depressão prejudicando a evolução dos pacientes com câncer. Li em 2019 mostrou que o medo aumenta a proliferação do câncer pancreático xenoenxertado em camundongos via ativação da transição epitélio-mesenquimal (EMT). O medo ("gato perto de rato") induziu comportamento semelhante à depressão nos camundongos e provocou aumento dos níveis plasmáticos de adrenalina e no tecido tumoral induziu o aumento da expressão proteica do receptor adrenérgico alfa-2 (α2 AR) e o aumento do receptor adrenérgico beta-2 (β2-AR) com o consequente aumento do crescimento do tumor. O tratamento com propranolol bloqueou o efeito do estresse no crescimento do tumor xenoenxertado, mas não teve efeitos nos níveis plasmáticos de adrenalina e na expressão de α2 AR e β2-AR nos tecidos tumorais. Além disso, o estresse por medo aumentou Frizzled-1, Wnt1 e vimentina nos tecidos tumorais, enquanto o propranolol reverteu os efeitos do estresse por medo na expressão dessas proteínas. O medo provocou diminuição da expressão da E-caderina, facilitadora de metástases.

Os distúrbios depressivos liberam epinefrina a qual ativa a via de sinalização p38 MAPK e aumenta a malignidade do câncer de mama. Intervenções psicológicas eficazes podem melhorar o prognóstico de pacientes com câncer (Ouyang, 2019).

O estresse crônico e a sobrecarga emocional ou de trabalho de longa duração, além de induzir o aumento de E e NE promovem efeito epigenético precoce no câncer, silenciando genes supressores de tumor. Ambos os eventos estão relacionados a mecanismos que as células doentes que chamam de câncer utilizam para sobreviver.

A dor também é forte indutor de catecolaminas. Sanar a dor, com drogas não carcinocinéticas, não somente é humano, como também diminui a proliferação tumoral.

Note que o estresse emocional e a dor são carcinocinéticos e não carcinogênicos. E lembremos, epinefrina e norepinefrina são as substancias fabricadas no nosso corpo e adrenalina e noradrenalina são as substâncias copiadas e fabricadas na indústria. Vamos respeitar os pesquisadores do passado e a nomenclatura correta.

Mecanismo de ação molecular beta-adrenérgico

As respostas de estresse de luta ou fuga do sistema nervoso simpático (SNS) entregam epinefrina (E) e norepinefrina (NE) ao microambiente do tumor através do sangue circulante e liberação de NE das fibras nervosas simpáticas locais. Ambas as catecolaminas se ligam aos receptores β-adrenérgicos resultando na ativação da adenilil ciclase mediada por proteínas Gαs e subsequente conversão do ATP em AMPc. O fluxo transitório do AMPc intracelular ativa 2 principais sistemas efetores bioquímicos (Figura 112.1).

1. O AMPc ativa a proteína quinase A (PKA) para fosforilar várias proteínas-alvo, incluindo fatores de transcrição das famílias CREB/ATF e GATA, bem como o receptor β-adrenérgico quinase (BARK). O recrutamento do BAR pela β-arrestina inibe a sinalização do receptor β-adrenérgico e ativa a Src quinase, resultando na ativação de fatores de transcrição, como STAT3 e quinases a jusante, como a quinase de adesão focal (FAK). A ativação da FAK modula o tráfego celular e a motilidade via dinâmica cito esquelética, bem como a resistência celular à apoptose (por exemplo, anoikis). A ativação dependente de PKA do membro da família Bcl-2 o BAD também pode tornar as células cancerígenas resistentes à quimioterapia.
2. Na segunda via efetora principal, a ativação do AMPc da Proteína de Troca ativada pela Adenilil Ciclase (EPAC) leva à ativação mediada por Rap1A da via de sinalização B-Raf/MAP quinase e efeitos a ju-

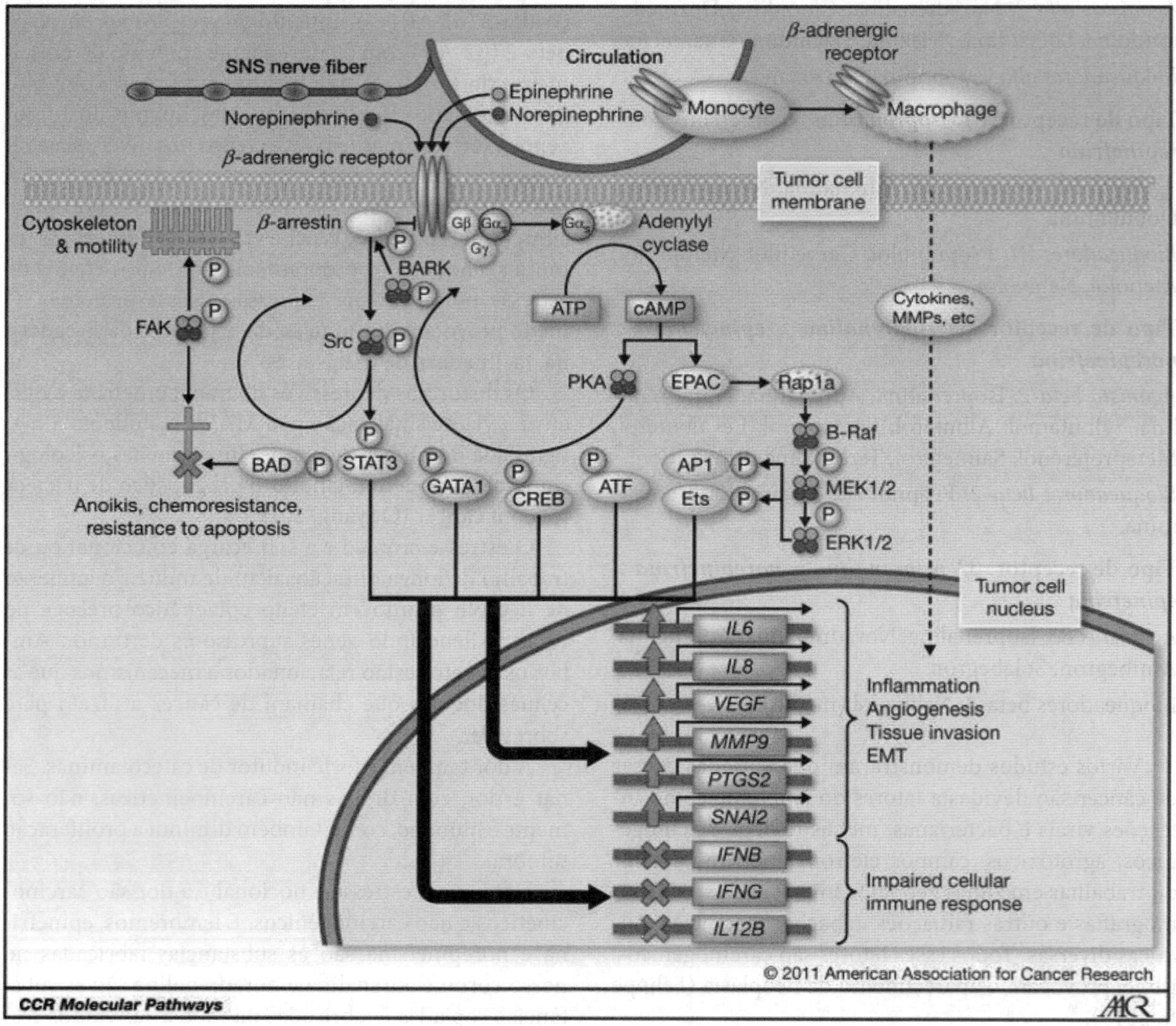

Figura 112.1 Mecanismos moleculares das vias de sinalização beta-adrenérgica para aumentar a sobrevivência das células doentes que chamam de câncer: efeitos carcinocinéticos (Cole, 2016).

sante em diversos processos celulares, incluindo a transcrição gênica mediada pelos fatores de transcrição da família AP-1 e Ets. O padrão geral de respostas transcricionais induzidas pela sinalização β-adrenérgica inclui a expressão regulada para cima de genes associados à metástase envolvidos na inflamação, angiogênese, invasão tecidual e transição epitélio-mesenquimal e expressão regulada para baixo de genes que facilitam as respostas imunes antitumorais. Além dos efeitos diretos nas células tumorais portadoras de receptores β, a ativação do sistema nervoso simpático (SNS) também modula a biologia do câncer, regulando a geração da medula óssea, o recrutamento tumoral e a ativação transcricional dos monócitos/macrófagos portadores do receptor β, bem como o crescimento e diferenciação de células endoteliais vasculares e pericitos. Os efeitos beta-adrenérgicos nas células do estroma no microambiente tumoral geralmente sinergizam com efeitos diretos nas células tumorais na promoção da sobrevivência, crescimento e disseminação metastática do câncer (tradução livre do texto de Steven W. Cole e Anil K. Sood. Clin. Cancer Res. 2012 Mar 1; 18(5): 1201-1206).

Propranolol na prevenção do câncer e diminuição da mortalidade

Encontra-se variedade muito grande de trabalhos correlacionando o propranolol, betabloqueador inespecífico, com a diminuição do risco e ou mortalidade do câncer, entretanto não se encontra nenhum trabalho do mesmo assunto com o atenolol (bloqueador específico beta-1). Infelizmente, encontra-se o oposto. No estudo randomizado do Medical Research Council de idosos hipertensos, os homens, mas não as mulheres, que receberam atenolol tiveram uma taxa de mortalidade por câncer mais alta do que aqueles que receberam diurético ou placebo (Fletcher, 1993). Estudos posteriores verificaram que o atenolol não interfere em ambos os parâmetros, risco e mortalidade.

Sistema Imune

A administração de propranolol no peroperatório atenua a elevação de células T reguladores imunossupressoras (Tregs), indicando o papel crítico das catecolaminas na promoção de Tregs induzida por cirurgia. Neste estudo, o propranolol foi administrado na manhã da cirurgia 20mg três vezes ao dia, até o terceiro dia de pós-operatório (Zhou, 2016).

Enquanto o betabloqueador inespecífico propranolol proporciona efeitos benéficos, o bloqueador específico beta-3 (exemplo, nebivolol) provoca imunotolerância no câncer. De fato, apenas os adrenorreceptores β3 regularam para cima Treg, MDSC e NK, provocando imunotolerância. E os cardiologistas continuam a prescrever o nebivolol (Calvani, 2019).

Propranolol na prevenção da imunossupressão cirúrgica

A cirurgia oncológica aumenta a velocidade de crescimento do tumor residual do leito cirúrgico, pode ativar metástases à distância antes dormentes e aumenta o risco de recidivas. Em adição, a cirurgia provoca estado inflamatório e diminuição da imunidade celular e humoral devido a lesão tecidual, anestésicos, analgésicos, perda de sangue, transfusão, dor e ansiedade no pré e pós-operatório. Acresce a infecção hospitalar, pneumonia, septicemia, tromboembolismo, paralisia intestinal, anorexia, desnutrição, fadiga e longa convalescença (Lennard, 1985).

Está bem documentado que a cirurgia suprime profundamente muitos componentes da imunidade humoral e celular, incluindo a diminuição do número e atividade das células NK e das células T-helper, além do aumento do número e atividade das células supressoras T regulatórias (Treg). A imunossupressão começa imediatamente após a cirurgia e dura de horas a vários dias no pós-operatório. As células Treg caracterizadas pelas proteínas marcadoras clássicas CD25 e FOXP3 exercem amplo efeito supressor na imunidade antitumoral por mecanismos diretos e indiretos, resultando em tolerância imunológica e consequente escape do tumor.

Elevação de Tregs CD4+ CD25+ FOXP3+ no sangue periférico está associado a maior risco de recorrência do tumor e prognóstico ruim em pacientes com câncer de mama e outros tipos de câncer (Taasshiro, 1999; Fontenot, 2003; Gupta, 2007; Nishikawa, 2010; Neeman, 2012).

O estresse cirúrgico e a resposta inflamatória subsequente induzem a liberação de catecolaminas e prostaglandinas em níveis que correspondem à extensão do estresse cirúrgico e do trauma tecidual. Quanto maior o trauma cirúrgico maior a liberação de catecolaminas e maior é a imunodepressão cirúrgica (Nelson, 1998). O efeito final é que acontece invasão, migração, metástases e recorrência do câncer.

Em animais o bloqueio peroperatório das catecolaminas e prostaglandinas reduz a imunossupressão e a tumorogênese (Ogawa, 2000; Bartal, 2010; Glasner, 2010). Em seres humanos Wu em 2016 mostrou que as prostaglandinas não interferem na imunossupressão.

Wu em ensaio clínico, empregou 106 mulheres entre 25 e 65 anos que foram submetidas a mastectomia radical e para o estudo *in vitro* utilizou o sangue de 17 mulheres diagnosticadas com câncer de mama primário recém-admitidas para hospitalização. O autor alocou aleatoriamente as pacientes com câncer de mama e administrou no peroperatório propranolol, parecoxibe, propranolol mais parecoxibe ou placebo. Observou que os níveis de epinefrina, norepinefrina e PGE2 circulantes aumentaram em resposta à cirurgia. Enquanto isso, no sétimo pós-operatório observou aumento do número de células Treg e da concentração de mRNA periférico de FOXP3.

A administração de propranolol, mas, não de parecoxibe, atenuou o aumento de Treg, indicando o papel crítico das catecolaminas na imunossupressão induzida pela intervenção cirúrgica. Além disso, o propranolol mais parecoxibe não demonstrou efeitos aditivos ou sinérgicos. O propranolol anulou o aumento da atividade das Treg e subsequente supressão provocada pelas células T CD4+ após a cirurgia. Finalmente, experimentos, *in vitro*, com o sangue de pacientes com câncer de mama recém-admitidas no hospital e submetido a concentrações variáveis de epinefrina e/ou propranolol constatou os mesmos resultados daqueles *in vivo*: a epinefrina induziu drástica proliferação de células Treg, enquanto o propranolol impediu esse efeito. Em conclusão, o estudo pela primeira vez na literatura destaca o papel benéfico do propranolol na inibição da imunossupressão cirúrgica (Wu, 2016).

Nos modelos SKOV3ip1 ou HeyA8 (câncer de ovário ou de mama), os camundongos nos grupos laparotomia e mastectomia apresentaram peso tumoral e nódulos mamários significativamente maiores quando comparados aos controles apenas com anestesia. O propranolol preveniu totalmente tais efeitos (Lee, 2009).

Epidemiologia

I – Câncer em geral

Após acompanhar 24.238 pacientes durante 12 anos, a incidência cumulativa para o desenvolvimento de câncer em geral foi significantemente baixa no coorte de pacientes sob tratamento com propranolol (HR: 0,75; IC 95%: 0,67-0,85; p < 0,001). Tais pacientes sob propranolol exibiram riscos drasticamente menores de câncer de cabeça e pescoço (HR: 0,58; IC95%: 0,35-0,95), esôfago (HR: 0,35; IC95%: 0,13-0,96), estômago (HR: 0,54; 95 % IC: 0,30-0,98), cólon (HR: 0,68; IC 95%: 0,49-0,93) e próstata (HR: 0,52; IC 95%: 0,33-0,83). O efeito protetor do propranolol para câncer de cabeça e pescoço, estômago, cólon e próstata foi mais substancial quando a duração da exposição excedeu 2,75 anos (Chang, 2015).

II – Câncer de mama

Foram coletados dados de 120 pacientes atendidos no Hospital Geral Naval de Alta Especialidade da Cidade do México, todos com diagnóstico histopatológico de câncer de mama. Quatro grupos de pacientes foram divididos da seguinte forma: sem hipertensão arterial sistêmica (HAS); com tratamento de HAS com betabloqueador não seletivo; com tratamento com HAS com beta bloqueador seletivo e com tratamento com HAS com outros anti-hipertensivos.

Em média, as pacientes tinham 54,8 ± 11,8 anos. Fatores de risco como fumar e consumir álcool apresentaram frequência de 33 a 36,5%. Os estágios clínicos III-IV foram encontrados em 50% das pacientes e 17,5% usavam betabloqueador. Cem por cento das pacientes com hipertensão arterial tratadas com beta bloqueador para os receptores β1 e β2-adrenérgicos não apresentaram metástases globalmente, mas os pacientes tratados com bloqueadores β1 apresentaram 30% de metástases, enquanto as pacientes tratadas sem betabloqueadores ou não apresentavam HAS tinham cerca de 70% de metástases (Parada-Huerta, 2016).

Em outro estudo identificou-se 466 pacientes do sexo feminino consecutivas (mediana de 57anos e intervalo de 28 a 71 anos) com câncer de mama operável e acompanhamento (> 10 anos), que foram divididas em três grupos. Dois grupos 43 e 49 pacientes hipertensas tratadas respectivamente com betabloqueadores ou outros anti-hipertensivos, antes do diagnóstico de câncer. Formaram o grupo não hipertensivo 374 pacientes. Aquelas tratadas com betabloqueadores mostraram redução significativa no desenvolvimento de metástases (p = 0,026), recorrência (p = 0,001) e maior intervalo livre de doença (p = 0,01). Além disso, houve risco reduzido de 57% de metástases (HR = 0,430; IC95% = 0,200-0,926, p = 0,031) e uma redução de 71% na mortalidade por câncer de mama após 10 anos (HR = 0,291; IC 95% = 0,119-0,715, p = 0,007). O estudo mostrou que a terapia com betabloqueador não seletivo reduz drasticamente metástases distantes, recorrência e mortalidade específica por câncer sugerindo um novo papel para terapia com bloqueadores beta. Estudo epidemiológico envolvendo outros tipos de câncer nominados como cólon, próstata e ovário seriam muito bem-vindos (Powel, 2010). Entretanto, cremos que os resultados serão semelhantes.

III – Carcinoma hepatocelular

Chang em 2019 recuperou informações do Banco de Dados Nacional de Pesquisa em Seguros de Saúde de Taiwan entre janeiro de 2000 a dezembro de 2013.

Comparou os pacientes portadores de carcinoma hepatocelular (HCC) usuários de propranolol (por >1 ano) com os pacientes não usuários de propranolol.

O coorte de HCC **irressecável/metastático** compreendeu 1.560 usuários de propranolol e 3.120 pacientes não usuários de propranolol. Na análise multivariada de regressão de Cox da mortalidade por HCC, o propranolol reduziu significativamente o risco de mortalidade em 22% ([HR] = 0,78, IC 95%, 0,72-0,84, p < 0,001). Na análise de regressão estratificada de Cox, o propranolol também reduziu o risco de mortalidade em pacientes com HCC por hepatite B (HR = 0,92, IC 95% 0,85-0,99, P = 0,045), hepatite C (HR = 0,85, IC 95% = 0,78-0,92, p = 0,001), cirrose hepática (HR = 0,78, IC 95% = 0,72-0,85, p < 0,001) e diabetes mellitus (HR = 0,87, IC 95% = 0,81-0,94, p = 0,008).

O coorte HCC **ressecável e curável** compreendeu 289 usuários de propranolol e 578 de pacientes não usuários de propranolol (grupo controle), mas não houve diferença significativa (P = 0,762) entre usuários de propranolol e o grupo não propranolol (Chang, 2019).

Em outro estudo o autor analisou retrospectivamente os dados de pacientes aguardando transplante de fígado com cirrose devido a várias causas registradas no Programa de Vigilância de Carcinoma Hepatocelular entre junho de 2011 e dezembro de 2017. Esses dados foram comparados entre pacientes em uso de propranolol e aqueles que não usavam propranolol. Dos 231 pacientes, 135 (58,4%) eram do sexo masculino e 96 (41,6%) do sexo feminino. A idade média foi de 58,1 ± 14 anos. Observou-se que 153 do total de pacientes (66,2%) estavam usando propranolol. Três pacientes (2%) usavam 20mg de propranolol, 125 (81,7%) usavam 40mg de propranolol, 10 (6,5%) usavam 60mg de propranolol e 15 (9,8%) usavam 80mg de propranolol. Do total de pacientes, 36 (15,6%) desenvolveram carcinoma hepatocelular, incluindo 12 pacientes (7,8%) em uso de propranolol e 24 pacientes (30,8%) que não usavam esse agente (p < 0,001). Assim, a frequência do carcinoma hepatocelular foi 5,22 vezes menor nos pacientes que receberam propranolol do que naqueles que não receberam. Este resultado mostrou que o tratamento com propranolol possui efeito protetor para carcinoma hepatocelular em pacientes que aguardam transplante de fígado com cirrose (Suna, 2019).

Efeitos moleculares do propranolol no câncer

1. Câncer em geral

A norepinefrina aumenta a migração de células de carcinoma da mama, próstata e cólon in vitro e esse efeito pode ser inibido pelo propranolol (Palm, 2006).

Hormônios do estresse, como epinefrina e norepinefrina promovem a migração, invasão e aumento da proliferação de vários tipos de células tumorais e por diversos mecanismos através principalmente do receptor β2-adrenérgico (Zhang, 2010; Guo, 2009; Barron, 2012; Coelho, 2015).

Após o emprego do propranolol, *in vivo* ou *in vitro* as células cancerígenas de diferentes lugares exibiram menor proliferação, invasividade, migração, metástases, angiogênese, aumento da apoptose e houve diminuição da mortalidade: câncer de mama (Barron, 2012), câncer de mama triplo negativo (Drell, 2003; Melhem-Bertrandt, 2011; Botteri, 2013; Spini, 2019), próstata (Grytli, 2014; Cardwell, 2014), cólon (Hicks, 2013; Coelho, 2015), pâncreas (Zhang, 2009-2010; Guo, 2009), ovário (Sood, 2006; Diaz, 2012; Johannesdottir, 2013) e melanoma (Lemeshow, 2011; De, Giorgi, 2011; McCourt, 2015; Kao, 2019).

Propranolol inibe o crescimento de neoplasias malignas e benignas.

2. Glioblastoma

Ativação do receptor beta-adrenérgico provoca aumento da proliferação do glioblastoma multiforme humano. O isoproterenol (ISO), um agonista dos β-ARs, promove a proliferação de células U251, mas não de células U87-MG e esse efeito é bloqueado pelo antagonista dos β-ARs, propranolol. O ISO induz transitoriamente a fosforilação da ERK1/2 a qual aumenta a expressão do mRNA das MMP-2 e MMP-9 e concomitantemente aumenta a proliferação mitótica das células U251 (He, 2017).

Propranolol é antiangiogênico. As células endoteliais microvasculares do cérebro humano (HBMEC) desempenham papel essencial como componentes estruturais e funcionais na angiogênese do tumor. Biopsias de glioblastoma humano expressavam alta concentração do receptor beta2-adrenérgico sugerindo que processos adaptativos adrenérgicos poderiam ocorrer durante a vascularização do tumor. O propranolol reduziu drasticamente a tubulogênese *in vitro*. O propranolol na dose de 100microM não reduziu a viabilidade celular e não alterou a migração de HBMEC. O propranolol reduziu significativamente a secreção de MMP-9, mas não de MMP-2. Os dados são, portanto, indicativos de um papel seletivo do propranolol na inibição da secreção de MMP-9 e da tubulogênese HBMEC, o que poderia potencialmente adicionar às propriedades antiangiogênicas do propranolol (Annabi, 2009).

O isoproterenol aumenta AMPc que induz aumento tanto no mRNA quanto na proteína DR alfa-específica (human MHC class II Ag, DR) no glioblastoma humano. Essa indução é bloqueada pelo propranolol. A referida indução é regulada transcricionalmente, conforme determinado por experimentos nucleares, e está envolvida na proliferação (Basta,1989).

Norepinefrina, epinefrina e histamina causam rápido aumento na concentração do AMPc em astrócitos tumorais derivados do glioblastoma multiforme humano. O aumento do AMPc induzido por catecolaminas é dependente da densidade celular, sendo muito maior nas células na fase logarítmica de crescimento, do que nas células próximas à densidade terminal. A resposta à norepinefrina é inibida em 50% por 0,01 µM de propranolol. Por outro lado, o efeito da histamina não é inibido pelo propranolol mesmo com 10µM. Os resultados sugerem que as células do astrocitoma possuem receptores independentes para catecolaminas e histamina (Clark, 1971).

A administração de norepinefrina exógena (NE) em células do córtex cerebral normal aumenta o nível intracelular de AMPc. No mesmo modelo, a adenosina (A) também aumenta os níveis intracelulares de AMPc. Caciagli, em 1982, verificou em células de tecido tumoral que o efeito da NE no sistema gerador de AMPc é muito reduzido. Vários pesquisadores verificaram o contrário, grande aumento da geração de AMPc com mínimas quantidades de NE.

Norepinefrina aumenta a glutationa (GSH) intracelular no astrocitoma humano U-251 por induzir a glutamato-cisteína ligase via estimulo do receptor β3. Os neurônios dependem do suprimento de GSH dos astrócitos para proteção contra dano oxidativo, porém, no astrocitoma o GSH aumenta a proliferação mitótica. O tratamento das células do astrocitoma com noradrenalina por 24 horas, aumenta a concentração intracelular de GSH de modo dependente da concentração. Este aumento é inibido por propranolol e por um antagonista seletivo de β3-adrenoceptores, mas não por fenoxibenzamina, atenolol ou butoxamina (Yoshioka, 2016).

Os receptores alfa-2 adrenérgicos estão ligados à inibição da atividade da adenilato ciclase. A troca de Na^+/H^+ nas células híbridas de neuroblastoma X glioma (células NG108-15) é acelerada por receptores alfa-2 adrenérgicos. Assim, a epinefrina, norepinefrina e clonidina provocam alcalinização intracelular que é bloqueada pelo antagonista seletivo do receptor alfa- 2 adrenérgico **ioimbina**, mas não pelo antagonista do receptor alfa-1 adrenérgico, prazosina, nem pelo antagonista beta-adrenérgico propranolol. Esses achados fornecem a primeira evidência direta de modulação da atividade de troca de Na^+/H^+ por um receptor ligado à inibição da adenilato ciclase e oferecem um possível mecanismo pelo qual os receptores alfa-2 adrenérgicos podem influenciar no câncer (Isom, 1987).

Desta forma, a epinefrina, norepinefrina e clonidina provocam alcalinização intracelular que ativam as enzimas da glicólise anaeróbia a qual fornece ATP para o núcleo das células neoplásicas e provocam o início da atividade do ciclo celular mitótico proliferativo. A ioimbina seria estratégia para evitar a alcalinização.

Receptores beta-adrenérgicos induzem o aumento de TNF-alfa (*tumor necrosis factor-alpha*) e aumenta a proliferação de células do glioma C6 do camundongo (Lung, 2005).

Noradrenalina inibe a morte celular programada provocada no glioma pela $1,25(OH)_2D_3$ (Canova, 1997). Propranolol impede que a noradrenalina iniba a apoptose.

3. Câncer de cabeça e pescoço

Propranolol promove dependência da glicose e é sinérgico com o dicloroacetato no câncer de cabeça e pescoço (Lucido, 2018).

4. Câncer de mama

A maioria das mortes por câncer de mama ocorre após o desenvolvimento de doença metastática, processo inibido pelos betabloqueadores em alguns experimentos pré-clínicos.

O autor elaborou estudo controlado randomizado de fase II. Avaliou no pré-operatório o efeito do β-bloqueio com propranolol em biomarcadores de potencial metastático e no perfil celular imune no tumor primário de pacientes com câncer de mama. No ensaio clínico controlado por placebo, triplamente cego, 60 pacientes foram aleatoriamente designadas para receber dose crescente de propranolol oral (30, 80 e 160mg por dia) ou placebo (n = 30) por 7 dias antes da cirurgia. O propranolol regulou para baixo a expressão dos genes mesenquimais do tumor primário sem afetar a expressão de genes epiteliais. As análises bioinformáticas mostraram regulação para baixo dos fatores de transcrição Snail/Slug, NF-kappaB/Rel e AP-1 e identificaram alterações nos neutrófilos intratumorais, células *natural killer* e no recrutamento de células dendríticas. Pacientes com evidência clínica de resposta ao betabloqueador (frequência cardíaca e pressão sanguínea reduzidas) demonstraram infiltração tumoral elevada de macrófagos CD68+ e células T CD8+, o que é benéfico.

Isto significa que uma semana de bloqueio β com propranolol consegue reduzir a polarização mesenquimal intratumoral e promove a infiltração de células imunes no câncer de mama em estágio inicial ressecável pela cirurgia. Esses resultados mostram que o β-bloqueio reduz os biomarcadores associados ao potencial metastático e apoia a necessidade de maiores ensaios clínicos de fase III com o objetivo de detectar o impacto do β-bloqueio na recorrência e sobrevivência do câncer de mama (Hiller, 2019).

Mesmo nas fases avançadas do câncer de mama o propranolol ainda possui seu valor. Uma paciente recebeu 1,5mg/kg/dia de propranolol por 18 dias e, em seguida, uma dose menor nos 7 dias subsequentes. Após o período de tratamento, o tumor foi removido através de mastectomia radical e o tecido tumoral foi coletado para análise. Como neoadjuvante o propranolol diminuiu a expressão dos marcadores pró-proliferativos Ki-67 e dos pró-sobrevivência Bcl-2 e aumentou a expressão pró-apoptótica de p53 nesta paciente com câncer de mama em estágio III. A análise molecular revelou que o antagonismo do receptor-beta interrompeu a progressão do ciclo celular e os níveis de ciclinas. Além disso, a adição de propranolol ao tecido cirúrgico aumentou os níveis de p53, aumentou a clivagem da caspase e induziu apoptose (Montoya, 2019).

5. Câncer de mama triplo negativo

O câncer de mama triplo negativo (TNBC) é um subtipo particularmente agressivo de câncer de mama para o qual existem opções terapêuticas limitadas.

Betabloqueadores no câncer de mama triplo negativo diminui recidivas, metástases e a mortalidade (Botteri, 2013).

Spini em 2019 fez revisão sistemática coletando evidências de estudos pré-clínicos e clínicos sobre as evidências científicas para o emprego de bloqueadores beta no tratamento do TNBC. Foram incluídos todos os estudos pré-clínicos de TNBC *in vitro* e modelos *in vivo* e avaliou-se o efeito de qualquer molécula com atividade simpatolítica ou simpatomimética nos receptores adrenérgicos. Recuperou-se 614 referências no PubMed. Quarenta e seis estudos pré-clínicos foram incluídos. Nos estudos *in vitro*, o propranolol, betabloqueador não seletivo, diminuiu significativamente a proliferação, migração e invasão de células TNBC.

Consistentemente, em estudos in vivo, o propranolol inibiu metástases, angiogênese e crescimento tumoral. Os quatro estudos clínicos de coorte observacionais retrospectivos mostraram efeito benéfico dos betabloqueadores no tratamento do TNBC. A qualidade geral das evidências clínicas coletadas foi baixa. As evidências pré-clínicas coletadas nesta revisão sistemática estão alinhadas com os resultados relatados nos estudos clínicos recuperados, apontando para o efeito benéfico no tratamento do TNBC (Spini, 2019).

O receptor adrenérgico β2 (β2-AR, codificado pelo gene ADRB2) é membro da superfamília de receptores acoplados à proteína G que pode ser estimulada pelas catecolaminas. Estudos *in vivo* e *in vitro* confirmaram que os bloqueadores β (antagonistas da β-AR) exercem efeitos antitumorais em vários tumores. Além disso, os polimorfismos de nucleotídeo único (SNPs) do ADRB2 alteram a expressão e a conformação do β2-AR, o que pode modificar a resposta do fármaco bloqueador. O objetivo do presente estudo foi investigar o efeito dos bloqueadores β nas células do câncer de mama triplo negativo e determinar se os SNPs de ADRB2 afetam a resposta aos medicamentos bloqueadores. O propranolol e X (bloqueador β) inibiram significativamente a viabilidade das células MDA-MB 231, interromperam a progressão do ciclo celular nas fases G0/G1 e S e induziram apoptose celular. Os níveis de fosforilação da ERK 1/2 e os níveis de expressão da COX-2 diminuíram drasticamente após o tratamento com bloqueador β. Quatro haplótipos, que compreendiam os SNPs ADRB2 rs1042713 e rs1042714, foram transfectados em 293 células. Após 24 e 48h de transfecção, a expressão do mRNA de ADRB2 diminuiu significativamente nos grupos mutantes em comparação com o grupo do tipo selvagem. Os SNPs ADRB2 não exerceram efeito sobre a viabilidade celular, mas afetaram a resposta do X ao medicamento. Além disso, os SNPs ADRB2 também afetaram a função reguladora do X na via de sinalização ERK/COX-2. Coletivamente, o propranolol e o X inibiram a viabilidade das células MDA MB 231, através da regulação para baixo da via de sinalização ERK/COX 2 e da indução de apoptose. Os resultados indicaram que os SNPs rs1042713 e rs1042714 do ADRB2 afetaram a resposta ao X, e o mecanismo molecular subjacente foi elucidado (Xie, 2019) (X droga patenteável).

A expressão dos receptores beta- 2adrenérgicos na membrana, citoplasma e núcleo foi confirmada nos tumores de células C4-HD e CC4-3-HI do rato e células humanas IBH-4, IBH-6 e MDA-MB-231 crescendo como xenoenxerto em camundongos. A proliferação celular e o crescimento do câncer de mama aumentam com adrenalina (agonista alfa-2 adrenérgico) (Pinero, 2012).

A norepinefrina induz aumento da adesão das células MDA-MB-231, mas não das células MDA-MB-468 e MDA-MB-435S ao endotélio microvascular pulmonar humano (HMVEC). A adesão das células MDA-MB-231 foi mediada por norepinefrina via liberação de GROa do endotélio pulmonar a qual aumenta a integrina b1. Esse efeito da noradrenalina mediada por receptores beta-adrenérgicos é inibido por beta-bloqueadores. Em conclusão, a noradrenalina tem efeitos específicos nas diversas linhagens celulares do câncer de mama triplo negativo (Strell, 2011).

6. Câncer de próstata

Depressão promove a invasão e metástases do câncer de próstata via sinalização simpático/AMPc/PKA/FAK. Os autores investigaram 98 pacientes com câncer de próstata e descobriram que pacientes com alto escore de depressão estavam correlacionados com invasão tumoral e metástases e aumento da FAK (*focal adhesion kinase*). Em camundongos com modelo murino de depressão e modelos com High-myc havia aumento da ativação simpática no tecido tumoral prostático. Além disso, demonstrou-se que a ativação da FAK dependia da via de sinalização de AMPc/PKA. Sugeriram o bloqueio de β2-AR com propranolol (Cheng, 2018).

Noradrenalina ativa fosfolipase C, PKC e ERK1/2 e estimula a proliferação de células PC3 do câncer de próstata (Morelli, 2014).

Sabe-se que o propranolol bloqueia a fase tardia da autofagia. Aqui, o autor relata que o tratamento de células do câncer de próstata com propranolol em combinação com o inibidor de glicólise 2-Deoxo-Glicose (2DG) induz acúmulo maciço de autofagossomos. O tratamento com propranolol + 2DG evita com eficiência a proliferação celular, induz a apoptose celular, altera a morfologia mitocondrial, inibe a bioenergética mitocondrial e agrava o estresse do retículo-endotrelial *in vitro* e suprime o crescimento do tumor *in vivo* (Brohee, 2018).

A norepinefrina aumenta a migração de células do câncer de próstata in vitro e in vivo. A noradrenalina (agonista dos receptores β2-adrenérgicos) de modo dependente da concentração em camundongos xenoenxertados com células cancerígenas da próstata DU145 humanas provoca o aumento do potencial metastático dessas células. Esse processo é bloqueado pelo propranolol (Barbieri, 2015).

A norepinefrina aumenta o desenvolvimento de metástases em células PC-3 do câncer prostático in vivo e é inibido pelo propranolol (Palm, 2006). O desenvolvimento de metástases linfonodais lombares em camundongos atímicos com câncer de próstata aumenta com a aplicação de noradrenalina, enquanto o propranolol inibe esse efeito. No entanto, o crescimento do tumor primário não é afetado. Além disso, 70-90% dos tecidos de carcinoma da mama, cólon e próstata expressam o relevante receptor beta-2 adrenérgico. Este trabalho contribui para a compreensão dos mecanismos celulares básicos do desenvolvimento de metástases e, além disso, fornece justificativa para o uso quimiopreventivo de betabloqueadores já usados clinicamente para a inibição de metástases (Palm, 2006).

7. Câncer de pâncreas

Norepinefrina aumenta a viabilidade e invasão e inibe a apoptose de células do câncer de pâncreas ativando a via Notch-1 (Qian, 2018).

Norepinefrina estimula a proliferação, migração e invasão do câncer pancreático PANC-1 via receptor beta-adrenérgico dependente da ativação da via p38/MAPK (Huang, 2012).

Tabagismo e estresse crônico são fatores de risco bem documentados que estão associados aos receptores β-adrenérgicos no desenvolvimento do câncer de pâncreas. A estimulação de receptores β-adrenérgicos ativa as vias AMPc/PKA/MAPK e provocam aumento da invasão e da proliferação das células neoplásicas. Dessa forma, a presença tumoral de β-adrenoceptores pode desempenhar papel de destaque na invasão do câncer de pâncreas e os β-bloqueadores podem suprimir a invasão e a proliferação.

As linhagens MIAPaCa-2 e BxPC-3 do câncer pancreático expressam mRNA e proteína de ambos os receptores β1 e β2-adrenoceptores. E fato da maior relevância o antagonista β1/β2-adrenérgico propranolol suprime drasticamente a invasão e a proliferação celular. Entretanto, o antagonista específico β1-adrenérgico metoprolol inibe apenas as vias AMPc/PKA suprimindo apenas a invasão.

Os antagonistas dos receptores β2-adrenérgicos conseguem inibir a ativação do NF-kappaB, do AP-1 (proteína ativadora-1), do CREB (proteína de ligação ao elemento de resposta AMPc), do VEGF (fator de crescimento endotelial vascular) e da COX-2 (cicloxigenase-2), enquanto diminuem a expressão da MMP-2 e -9 (matriz-metaloproteinases -2 e 9) e inibem o eixo AMPc/PKA/Ras.

Resumindo, os antagonistas β2-adrenérgicos suprimem a invasão e a proliferação inibindo AMPc/PKA/Ras, que regulam a ativação da via MAPK e fatores de transcrição, como NF-kappaB, AP-1 e CREB, bem como a expressão de seus genes-alvo, MMP-2, MMP-9 e VEGF. No entanto, os antagonistas β1-adrenérgicos suprimem apenas a invasão, pois inibem somente as vias AMPc/PKA (Zhang, 2010).

A migração e invasão pelas células cancerígenas são um pré-requisito para o desenvolvimento de metástases. Estudos recentes mostraram que os neurotransmissores estão envolvidos na regulação da invasão de células cancerígenas devido à presença nas células tumorais de receptores beta-adrenérgicos, também conhecidos como beta-adrenoceptores.

As linhagens celulares de câncer de pâncreas humano, MiaPaca-2 e Bxpc-3 apresentam a expressão de beta1-AR e beta2-AR.

A norepinefrina (NE) promove a invasão das células MiaPaca-2 de maneira dependente da concentração e aumenta a expressão de MMP-2, MMP-9 e VEGF. Todos esses efeitos foram inibidos pelo β1/β2 bloqueador adrenérgico, propranolol.

Aprendemos que o desenvolvimento de metástases não é apenas determinado pelas características das células tumorais em si, sendo fortemente influenciada pela presença de NE, que é justamente uma das substâncias sinalizadoras presentes no ambiente tumoral.

Resumindo, a migração e invasão e as consequentes metástases induzida pela presença de norepinefrina no ambiente tumoral são inibidas pelo propranolol, um bloqueador adrenérgico beta-1 e beta-2 (Guo, 2009).

8. Câncer colorretal

A resposta ao estresse tem sido associada ao aumento do volume tumoral e a notícia do diagnóstico provoca forte estresse com liberação de catecolaminas, epinefrina e norepinefrina, as quais vão ocupar seus respectivos receptores α e β-adrenérgicos.

As células cancerígenas do cólon expressam receptores β-adrenérgicos e sua ativação aumenta a progressão tumoral.

Células HT-29 do adenocarcinoma do cólon humano foram incubadas na ausência ou na presença dos agonistas adrenérgicos, epinefrina, norepinefrina e isoprenalina.

Todos os agonistas provocaram aumento da proliferação das células HT-29. Ao empregar vários β-bloqueadores após a proliferação induzida pela ativação dos agonistas adrenérgicos, as células foram tratadas com propranolol, carvedilol ou atenolol. Os resultados mostraram que a ativação adrenérgica aumenta a proliferação neoplásica e os β-bloqueadores empregados no estudo foram capazes de reverter a proliferação induzida pela epinefrina e isoprenalina e alguns desses bloqueadores diminuíram drasticamente a proliferação das células HT-29 (Coelho, 2015).

9. Câncer gástrico

O propranolol potencializa os efeitos antitumorais da radioterapia no câncer gástrico, inibindo a expressão do NF-kappaB e seus genes a jusante: VEGF, EGFR e COX-2 (Liao, 2018).

10. Melanoma

As células do melanoma possuem receptores adrenérgicos e quanto maior a densidade desses receptores maior a proliferação e desenvolvimento do tumor.

O propranolol induz mudança favorável da imunidade antitumoral em modelo espontâneo murino de melanoma. Em xenoenxerto de melanoma humano, o propranolol inibe o desenvolvimento do tumor modulando a proliferação celular, a angiogênese e a sobrevivência neoplásica.

No modelo de camundongo MT/Ret de melanoma o tratamento com propranolol atrasa o crescimento do tumor primário e diminuiu a densidade dos vasos e as metástases. Acontece redução drástica da infiltração de células mieloides imunossupressoras, particularmente neutrófilos, no tumor primário e inversamente aumenta o número de linfócitos tumorais infiltrantes. A mesma mudança nas proporções de leucócitos infiltrantes ocorre nas metástases dos ratos tratados com propranolol. Resumindo, o propranolol diminui a infiltração de células mieloides imunossupressoras no microambiente tumoral e restaura o melhor controle do tumor por linfócitos citotóxicos infiltrantes (Wrobel, 2016).

O propranolol exerce potentes efeitos antiproliferativos, atenua a migração, reduz o VEGF e induz a parada do ciclo celular e apoptose no melanoma cutâneo (2 linhagens) e uveal (4 linhagens) de maneira dependente da dose. A análise imuno-histoquímica revela a expressão dos adrenoceptores β1 e β2 em todos os pacientes com melanoma uveal, e quanto mais receptores mais grave é o quadro clínico. Quase metade dos pacientes com melanoma uveal desenvolve metástases hepáticas, independentemente do tratamento primário. Pela primeira vez mostrou-se efeitos antitumorais potentes em células do melanoma uveal após a administração de propranolol (Bustamente, 2019).

Cuidado. Adrenoceptor β3 é imunossupressor no melanoma estando envolvido na imunotolerância (Calvani, 2019).

11. Sarcomas

Foi demonstrado recentemente que a inibição da sinalização do receptor beta-adrenérgico (β-AR) diminui a viabilidade das células tumorais de angiossarcoma, anula o crescimento tumoral em modelos de camundongos e diminui as taxas de proliferação em contexto clínico. Os autores usaram modelos de tumores animais para mostrar que o antagonismo do β-AR anula a sinalização mitogênica e reduz a viabilidade das células tumorais do angiossarcoma. Eles demonstraram que os antagonistas de β-AR não seletivos, carvedilol ou propranolol são superiores aos antagonistas de β-AR seletivos na inibição da viabilidade celular de angiossarcoma. Análise prospectiva de antagonistas não seletivos do β-AR em estudo clínico de braço único de pacientes com angiossarcoma metastático revelou que a incorporação de propranolol ou carvedilol nos esquemas de tratamento dos pacientes leva a uma progressão mediana livre da doença e da sobrevida global de 9 e 36 meses, respectivamente. Estes dados sugerem que a incorporação destes antagonistas nas terapias existentes contra o angiossarcoma metastático pode melhorar os resultados clínicos (Amaya, 2018).

A combinação propranolol e vimblastina é mais eficaz no tratamento do angiossarcoma humano do que somente a vimblastina (Pasquier, 2016).

12. Hemangioma infantil

O propranolol inibe a proliferação e invasão das células HemECs do hemangioma infantil, de maneira dependente do tempo. Suprime a proliferação interrompendo a progressão celular na fase G0/G1 e inibe a invasão reduzindo a expressão do MMP-2 e MMP-9. Além disso, o propranolol bloqueia a sinalização DLL4/Notch1 e Akt e inibe a expressão do VEGF (Sun, 2018).

Propranolol exibe atividade contra o hemangioma de modo independente do bloqueio beta via regulação para baixo da ANGPTL4 (Angiopoietin-like4) nas células endoteliais e inibição do crescimento de células do hemangioma bEnd.3 *in vivo* (Sasaki, 2019).

Conclusão

Deixar de aprender é omitir socorro. De agora em diante daremos atenção especial ao complexo sistema das catecolaminas ao cuidar dos pacientes que nos confiam a saúde. E passaremos a empregar o propranolol no tratamento da maioria dos tumores, se o sistema cardiovascular permitir.

Referências

1. Amaya C N, Perkins M, Belmont A, et al. Non-selective Beta Blockers Inhibit Angiosarcoma Cell Viability and Increase Progression Free-And Overall-Survival in Patients Diagnosed With Metastatic Angiosarcoma. Oncoscience. Apr 29;5 (3-4):109-119, 2018.
2. Annabi B, Lachambre MP, Plouffe K, et al. Propranolol adrenergic blockade inhibits human brain endothelial cells tubulogenesis and matrix metalloproteinase-9 secretion. Pharmacol Res. Nov;60(5): 438-45, 2009.
3. Barbieri A, Bimonte S, Palma G, et al. The stress hormone norepinephrine increases migration of prostate cancer cells in vitro and in vivo. Int J Oncol. Aug;47(2):527-34, 2015.
4. Basta PV, Moore TL, Yokota S, Ting JP. A beta-adrenergic agonist modulates DR alpha gene transcription via enhanced cAMP levels in a glioblastoma multiforme line. J Immunol. Apr 15;142(8):2895, 1989.
5. Barron TI, Sharp L, Visvanathan K. Beta-adrenergic blocking drugs in breast cancer: a perspective review. Therapeutic Advances Med Oncol. 4, 113-25. 2012.
6. Bartal I, Melamed R, Greenfeld K, et al. Immune perturbations in patients along the perioperative period: alterations in cell surface markers and leukocyte subtypes before and after surgery. Brain Behav Immun. 24: 376-386, 2010.
7. Botteri E, Munzone E, Rotmensz N, et al. Therapeutic effect of (-blockers in triple-negative breast cancer postmenopausal women. Breast Cancer Res Treat. 140:567-575, 2013.
8. Brohée L, Peulen O, Nusgens B, et al. Propranolol sensitizes prostate cancer cells to glucose metabolism inhibition and prevents cancer progression. Sci Rep. May 4;8(1):7050, 2018.
9. Bustamante P, Miyamoto D, Goyeneche A, et al. Beta-blockers exert potent anti-tumor effects in cutaneous and uveal melanoma. Cancer Med. Dec;8(17):7265-7277, 2019.
10. Caciagli F, Ciccarelli R, Ciancetta S, et al. Adenosine--norepinephrine interactions on cyclic AMP generating system in human tumoral brain slices. Int J Tissue React. 4(3):233-41, 1982.
11. Calvani M, Bruno G, Dal Monte M, et al. β_3-Adrenoceptor as a potential immuno-suppressor agent in melanoma. Br J Pharmacol. Jul;176(14):2509-2524. 9, 2019.
12. Calvani M, Bruno G, Dal Monte M L. et alβ_3 -Adrenoceptor as a potential immuno-suppressor agent in melanoma. Br J Pharmacol. Jul;176(14):2509-2524,2019.
13. Cardwell CR, Coleman HG, Murray LJ, et al. Beta-blocker usage and prostate cancer survival: a nested case-control study in the UK Clinical Practice Research Datalink cohort. Cancer Epidemiol. 38:279-285, 2014.
14. Chang PY, Chung CH, Chang WC, et al. The effect of propranolol on the prognosis of hepatocellular carcinoma: A nationwide population-based study. PLoS One. May 24;14(5):e0216828, 2019.
15. Chang P-Y, Huang W-Y, Lin C-L, et al. Propranolol Reduces Cancer Risk A Population-Based Cohort StudyMedicine (Baltimore). Jul; 94(27): e1097, 2015.
16. Cheng Y, Gao XH, Li XJ, et al. Depression promotes prostate cancer invasion and metastasis via a sympathetic-cAMP-FAK signaling pathway. Oncogene. May;37(22):2953-2966, 2018.
17. Clark RB, Perkins JP. Regulation of adenosine 3':5'-cyclic monophosphate concentration in cultured human astrocytoma cells by catecholamines and histamine. Proc Natl Acad Sci U S A. 68(11): 2757-60, 1971.
18. Coelho M, Moz M, Correia G, et al. Antiproliferative effects of β-blockers on human colorectal cancer cells. Oncol Rep. 33(5):2513-20, 2015.
19. Cole SW, Sood AK. Molecular pathways: beta-adrenergic signaling in cancer. Clinical Cancer Res. 18:1201-6, 2012.
20. De Giorgi V, Grazzini M, Gandini S, et al. Treatment with β-blockers and reduced disease progression in patients with thick melanoma. *Arch Intern Med*; 171:779-781, 2011.
21. De Giorgi V, Grazzini M, Gandini S, et al. Treatment with β-blockers and reduced disease progression in patients with thick melanoma. *Arch Intern Med*; 171:779-781, 2011.
22. Diaz ES, Karlan BY, Li AJ. Impact of beta blockers on epithelial ovarian cancer survival. Gynecol Oncol. 127:375-378, 2012.
23. Drell TL, Joseph J, Lang K, et al. Effects of neurotransmitters on the chemokinesis and chemotaxis of MDA-MB-468 human breast carcinoma cells. Breast Cancer Res Treat. 80:63-70, 2003.
24. Fletcher AE, Beevers DG, Bulpitt CJ, et al. Cancer mortality and atenolol treatment. BMJ. Mar 6;306(6878):622-3, 1993.
25. Fontenot JD, Gavin, MA and Rudensky AY. Foxp3 Programs the Development and Function of CD4+CD25+ Regulatory T Cells. Nat. Immunol. 2003. 4: 330-336. J Immunol. 2017.
26. Glasner A, Avraham R, Rosenne E, et al. Improving survival rates in two models of spontaneous postoperative metastasis in mice by combined administration of a beta-adrenergic antagonist and a cyclooxygenase-2 inhibitor. J Immunol Mar 1;184(5):2449-57, 2010.
27. Grytli HH, Fagerland MW, Fosså SD, et al. Association between use of β-blockers and prostate cancer-specific survival: a cohort study of 3561 prostate cancer patients with high-risk or metastatic disease. Eur Urol. 65:635-641, 2014.
28. Guo K, Ma Q, Wang L, et al. Norepinephrine-induced invasion by pancreatic cancer cells is inhibited by propranolol. Oncol Rep. Oct;22(4):825-30, 2009.
29. Gupta S, Joshi K, Wig JD, Arora SK. Intratumoral FOXP3 expression in infiltrating breast carcinoma: Its association with clinicopathologic parameters and angiogenesis. Acta Oncol. 46: 792-797, 2007.

30. He JJ, Zhang WH, Liu SL, et al. Activation of β adrenergic receptor promotes cellular proliferation in human glioblastoma. Oncol Lett. Sep;14(3):3846-3852, 2017.
31. Hicks BM, Murray LJ, Powe DG, et al. β-Blocker usage and colorectal cancer mortality: a nested case-control study in the UK Clinical Practice Research Datalink cohort. Ann Oncol. 24:3100-3106, 2013.
32. Hiller JG, Cole SW, Crone EM, et al. Preoperative β-Blockade with Propranolol Reduces Biomarkers of Metastasis in Breast Cancer: A Phase II Randomized Trial. Clin Cancer Res. 2019.
33. Hosoda K, Fitzgerald LR, Vaidya VA, et al. Regulation of beta 2-adrenergic receptor mRNA and gene transcription in rat C6 glioma cells: effects of agonist, forskolin, and protein synthesis inhibition. Mol Pharmacol, Aug;48(2):206-11, 1995.
34. Huang XY, Wang HC, Yuan Z, et al. Norepinephrine stimulates pancreatic cancer cell proliferation, migration and invasion via β-adrenergic receptor-dependent activation of P38/MAPK pathway. Hepatogastroenterology. May;59(115):889-93, 2012.
35. Isom LL, Cragoe EJ Jr, Limbird LE. Alpha 2-adrenergic receptors accelerate Na^+/H^+ exchange in neuroblastoma X glioma cells. J Biol Chem. May, 15;262(14):6750-7,1987.
36. Johannesdottir SA, Schmidt M, Phillips G, et al. Use of β-blockers and mortality following ovarian cancer diagnosis: a population--based cohort study. *BMC Cancer*; 13:85, 2013.
37. Kao J, Luu B. Can propranolol prevent progression of melanoma? JAAPA. Jun;32(6):1-5, 2019.
38. Lee Jeong-Won, Mian M.K. Shahzad, Yvonne G. Lin1 Surgical Stress Promotes Tumor Growth in Ovarian Carcinoma. Clin Cancer Res. April 15; 15(8): 2695-2702, 2009.
39. Lemeshow S, Sørensen HT, Phillips G, et al. β-Blockers and survival among Danish patients with malignant melanoma: a population-based cohort study. Cancer Epidemiol Biomarkers Prev. 20:2273-2279, 2011.
40. Lennard TW, Shenton BK, Borzotta A, et al. The influence of surgical operations on components of the human immune system. Br J Surg.72(10):771-6, 1985.
41. Li M, Xu H. Fear stress enhanced xenograft pancreatic tumor growth through activating epithelial-mesenchymal transition. Pancreatology. Mar;19(2):377-382, 2019.
42. Liang, Yuhui Wu, Jianbin, et al. Propranolol Attenuates Surgical Stress–Induced Elevation of the Regulatory T Cell Response in Patients Undergoing Radical Mastectomy. J Immunol. 196:3460-3469, 2016.
43. Liao X, Chaudhary P, Qiu G, et al. The role of propranolol as a radiosensitizer in gastric cancer treatment. Drug Des Devel Ther. Mar 28;12:639-645, 2018.
44. Lucido CT, Miskimins WK, Vermeer PD. Propranolol Promotes Glucose Dependence and Synergizes with Dichloroacetate for Anti-Cancer Activity in HNSCC. Cancers (Basel). Nov 30;10(12):476, 2018.
45. Lung HL, Shan SW, Tsang D, Leung KN. Tumor necrosis factor-alpha mediates the proliferation of rat C6 glioma cells via beta-adrenergic receptors. J Neuroimmunol. Sep;166(1-2):102-12, 2005.
46. McCourt C, Coleman HG, Murray LJ, et al. Beta-blocker usage after malignant melanoma diagnosis and survival: a population-based nested case-control study. Br J Dermatol. 170:930-938, 2014.
47. Melhem-Bertrandt A, Chavez-Macgregor M, Lei X, et al. Beta-blocker use is associated with improved relapse-free survival in patients with triple-negative breast cancer. J Clin Oncol. 29:2645-2652, 2011.
48. Montoya A, Varela-Ramirez A, Dickerson E, et al. The beta adrenergic receptor antagonist propranolol alters mitogenic and apoptotic signaling in late stage breast cancer. Biomed J. Jun;42(3):155-165, 2019.
49. Morelli MB, Amantini C, Nabissi M, Liberati S, et al Cross-talk between alpha1D-adrenoceptors and transient receptor potential vanilloid type 1 triggers prostate cancer cell proliferation. BMC Cancer. Dec 7;14:921,2014.
50. Neeman E, Zmora O, Ben-Eliyahu S. A new approach to reducing postsurgical cancer recurrence: perioperative targeting of catecholamines and prostaglandins. Clin Cancer Res, Sep 15;18(18):4895-902, 2012.
51. Nelson CJ, Lysle DT. Severity, time, and beta-adrenergic receptor involvement in surgery-induced immune alterations. J Surg Res. Dec;80(2):115-22, 1998.
52. Nishikawa H, Sakaguchi S. Regulatory T cells in tumor immunity. Int J Cancer. 127:759-767, 2010.
53. Ogawa, K., M. Hirai, T. Katsube, et al. Suppression of cellular immunity by surgical stress. Surgery. 127:329-336, 2000.
54. Ouyang X, Zhu Z, Yang C, et al. Epinephrine increases malignancy of breast cancer through p38 MAPK signaling pathway in depressive disorders. Int J Clin Exp Pathol. Jun 1;12(6):1932-1946, 2019.
55. Palm D, Lang K, Niggemann B, et al. The norepinephrine-driven metastasis development of PC-3 human prostate cancer cells in BALB/c nude mice is inhibited by beta-blockers. Int J Cancer. Jun 1;118(11):2744-9, 2006.
56. Parada-Huerta E, Alvarez-Dominguez TP, Uribe-Escamilla R, et al. Metastasis Risk Reduction Related with Beta-Blocker Treatment in Mexican Women with Breast Cancer. Asian Pac J Cancer Prev. 17(6):2953-2957, 2016.
57. Pasquier E, André N, Street J, et al. Effective Management of Advanced Angiosarcoma by the Synergistic Combination of Propranolol and Vinblastine-based Metronomic Chemotherapy: A Bench to Bedside Study. EBioMedicine. Apr;6:87-95, 2016.
58. Piñero CP, Bruzzone A, Sarappa MG, LF Castillo LF, Lüthy IA. Involvement of a2- and b2-adrenoceptors on breast cancer cell proliferation and tumor growth regulation. Br J Pharmacol. 166:721-736;2012.
59. Powel G., Melanie J. Voss, Kurt S. et al. Postsurgical cancer recurrence: perioperative targeting of catecholamines and Beta-Blocker Drug Therapy Reduces Secondary Cancer Formation in Breast Cancer and Improves Cancer Specific Survival. Oncotarget. 1:628-638, 2010.
60. Neeman E, Zmora O and Ben-Elyahu S. A new approach to reducing postsurgical cancer recurrence: perioperative targeting of catecholamines and prostaglandins. Clin Cancer Res, Sep 15;18(18):4895-902, 2012.
61. Qian W, Lv S, Li J, et al. Norepinephrine enhances cell viability and invasion, and inhibits apoptosis of pancreatic cancer cells in a Notch1dependent manner. Oncol Rep. Nov;40(5):3015-3023, 2018.
62. Sasaki M, North PE, Elsey J, et al. Propranolol exhibits activity against hemangiomas independent of beta blockade. NPJ Precis Oncol. Nov 1;3:27, 2019.
63. Spini A, Roberto G, Gini R, et al. Evidence of β-blockers drug repurposing for the treatment of triple negative breast cancer: A systematic review. Neoplasma. Nov;66(6):963-970, 2019.
64. Strell C, Bernd Niggemann, et al. Norepinephrine Promotes the b1-Integrin–MediatedAdhesion of MDA-MB-231 Cells to Vascular Endothelium bythe Induction of a GROa Release. Mol Cancer Res. 10(2);197-207, 2011.
65. Sun B, Dong C, Lei H, et al. Propranolol inhibits proliferation and invasion of hemangioma-derived endothelial cells by suppressing the DLL4/Notch1/Akt pathway. Chem Biol Interact. Oct 1;294:28-33, 2018.

66. Suna N, Özer Etik D, Öcal S, Selçuk H. Effect of Propranolol Treatment on the Incidence of Hepatocellular Carcinoma in Patients Waiting for Liver Transplant With Cirrhosis: A Retrospective, Surveillance Study in a Tertiary Center. Exp Clin Transplant. Oct; 17(5):632-637, 2019.
67. Tashiro T, Yamamori H, Takagi K, et al. Changes in immune function following surgery for esophageal carcinoma. Nutrition. 15:760-766, 1999.
68. Turner P, Granville-Grossman KL. Effect of adrenergic receptor blockade of the tachycardia of thyrotoxicosis and anxiety state. Lancet. Dec 25;2(7426):1316-8, 1965.
69. Wang T, Li Y, Lu HL, et al. β-adrenergic receptors: New target in breast cancer. Asian Pac J Cancer Prev. 16:8031-39, 2016.
70. Wrobel LJ, Bod, Lengagne, RE, et al. Propranolol induces a favourable shift of anti-tumor immunity in a murine spontaneous model of melanoma. Oncotarget, Vol. 7, No. 47, 2016.
71. Xie WY, He RH, Zhang J, et al. βblockers inhibit the viability of breast cancer cells by regulating the ERK/COX2 signaling pathway and the drug response is affected by ADRB2 singlenucleotide polymorphisms. Oncol Rep. Jan;41(1):341-350, 2019.
72. Yang EV, Bane Cv, MacCallum RC, et al. Stress-related modulation of matrix metalloproteinase expression. J Neuroimmunology. 133:144-50,2002.
73. Yoshioka Y, Kadoi H, Yamamuro A, et al. Noradrenaline increases intracellular glutathione in human astrocytoma U-251 MG cells by inducing glutamate-cysteine ligase protein via β3-adrenoceptor stimulation. Eur J Pharmacol. Feb 5:772:51-61, 2016.
74. Zhang D, Ma Q, Shen S, et al. Inhibition of pancreatic cancer cell proliferation by propranolol occurs through apoptosis induction: the study of beta-adrenoceptor antagonist's anticancer effect in pancreatic cancer cell. Pancreas. 38:94-100, 2009.
75. Zhang D, Ma QY, Hu HT, Zhang M. β2-adrenergic antagonists suppress pancreatic cancer cell invasion by inhibiting CREB, NFκB and AP-1. Cancer Biol Ther. Jul 1;10(1):19-29, 2010.
76. Zhou L, Li Y, Li X, et al. Propranolol Attenuates Surgical Stress-Induced Elevation of the Regulatory T Cell Response in Patients Undergoing Radical Mastectomy. J Immunol. Apr 15;196(8):3460-9, 2016.

CAPÍTULO 113

Rauwolfia vomitoria no câncer

José de Felippe Junior

A *Rauwolfia vomitoria* é um arbusto tropical da família Apocynaceae usado na medicina tradicional cabocla da África para tratar febre, cansaço, doenças gastrintestinais, doenças hepáticas, dor, *diabetes mellitus*, câncer e como afrodisíaco.

Rauwolfia vomitoria

Os extratos da planta são ricos no alcaloide betacarbolina e outros alcaloides indóis que são isolados da haste, folhas e raízes. Somente a raiz possui mais de 20 alcaloides, alguns deles: alfa-Yohimbine, 18-Hydroxy-yohimbine (Reserpine e Rescinnamine), Heteroyohimbine (Aricine, Reserpiline e Isoreserpiline) e Dihydroindole (Sarpagine, Ajmaline, Sandwicine, Iso-sandwicine, Mitoridine, Rauvomitine, *N*-demethyl-rauvomitine, Purpeline, Seredamine, Serpentine etc.).

Os principais alcaloides anticâncer são a beta-carbolina e a alstonina.

A reserpina foi muito usada em passado recente no tratamento da hipertensão arterial e desordens mentais.

Alvos moleculares no câncer

1. **Câncer de pâncreas**
   a) Extrato de *Rauwolfia vomitoria*, rico em betacarbolina, potencía os efeitos da gemcitabina contra o câncer pancreático, linhagem PANC-1, tanto *in vitro* como *in vivo*. O crescimento tumoral diminuiu significativamente e houve inibição das metástases. Efeitos sinérgicos.
   b) Os maus resultados do tratamento do câncer de pâncreas estão ligados ao enriquecimento de células-tronco cancerígenas (CSCs) nesses tumores, que são resistentes à quimioterapia e promovem metástases e recorrência de tumores. O extrato de *Pao pereira* ou *Rauwolfia vomitoria* (Rau) inibem a proliferação de linhas celulares de câncer de pâncreas humano com a concentração inibitória de 50% (IC50) variando entre 125 e 325μg/ml e sem praticamente afetar as células epiteliais normais. A população de CSCs no pâncreas foi significativamente reduzida, com um valor de IC50 de ~100μg/ml de tratamento por 48 e ~27μg/ml para formação de esferoides tumorais em longo prazo. Os níveis do gene Nanog e da β-catenina nuclear relacionados ao CSC diminuíram, sugerindo a supressão da via de sinalização Wnt/β-catenina. *In vivo*, 20mg/kg de Rau administrado cinco vezes por semana por gavagem oral reduziram significativamente a tumorogenicidade das células PANC-1 em camundongos imunocomprometidos. Tomados em conjunto, esses dados mostraram que Rau inibiu preferencialmente as células-tronco do câncer de pâncreas (Dong, 2018; Dong, 2018a).
2. **Câncer de ovário**
   Efeito antitumoral do extrato de *Rauwolfia vomitoria* sozinho e potencialização com a carboplatina, *in vivo* e *in vitro*, usando as linhagens OVCAR-5 e OVCAR-8 do câncer de ovário. No camundongo o volume tumoral diminuiu 36% ou 66% nas doses de 20mg/kg ou 50mg/kg, efeito comparável ao uso de somente a carboplatina. O volume do líquido ascítico e a celularidade neoplásica da ascite também diminuíram fortemente. A combinação da *Rauwolfia* com a carboplatina reduziu o tumor em 87 a 90% e o volume da ascite em 89 a 97%.

3. **Câncer de próstata**
   O extrato de *Rauwolfia vomitória*, rico em beta-carbolina possui atividade anticâncer de próstata, linhagem LNCaP, *in vitro* e *in vivo*. O extrato diminuiu a proliferação celular *in vitro* de modo dose-dependente e induziu acúmulo das células na fase G1. Houve clivagem do PARP com apoptose em doses mais elevadas, 500mcg/ml. Houve modulação do p21, ciclina D1 e E2F1. O volume tumoral diminuiu 60, 70 e 58% nos grupos que ingeriram 75, 37,5 ou 7,5mg/kg da *Rauwolfia*, respectivamente. O extrato suprimiu significantemente o crescimento e a progressão do ciclo celular nas células LNCaP do carcinoma prostático humano, *in vitro* e *in vivo*.

Referências

1. Abstratos ou trabalhos na íntegra no site www.medicinabiomolecular. com.br.
2. Bemis DL, Capodice JL, Gorroochurn P, et al. Anti-prostate cancer activity of a beta-carboline alkaloid enriched extract from Rauwolfia vomitoria. Int J Oncol. Nov;29(5):1065-73;2006.
3. Dong R, Chen P, Chen Q. Extract of the Medicinal Plant Pao Pereira Inhibits Pancreatic Cancer Stem-Like Cell In Vitro and In Vivo. Integr Cancer Ther. Dec;17(4):1204-1215;2018a.
4. Dong R, Chen P, Chen Q. Inhibition of pancreatic cancer stem cells by Rauwolfia vomitoria extract. Oncol Rep. Sep 18;2018.
5. Yu J, Chen Q. Antitumor Activities of Rauwolfia vomitoria Extract and Potentiation of Gemcitabine Effects Against Pancreatic Cancer. Integr Cancer Ther. May;13(3):217-25;2014.

CAPÍTULO 114

Resveratrol no câncer

Cuidado pode piorar Covid-19; Anti-EBV, HSV, HHV-8, HPV-16-18-E6-E7, retrovírus, Vírus da influenza A, Poliomavírus DNA, *H. pylori* e *M. tuberculosis*; inibe G6PD; cuidado ativa NRF2 forte antioxidante carcinocinético; ativa AMPK e inibe TOR; inibe GSK-3; inibe a via proliferativa PI3K/Akt/PTEN/mTORC1/GSK3; aumenta sensibilidade à insulina; reduz IGF-I; inibe fortemente a piruvato quinase (PK) e a desidrogenase láctica (DHL), enquanto aumenta a atividade da citrato-sintase sendo sinérgico com o ácido cítrico na inibição do ciclo de Embden-Meyerhof; cessa o ciclo celular ao regular para cima o p21Cip1/WAF1, p53 e Bax e para baixo a survivina, ciclina D1, ciclina E, Bcl-2, Bcl-xL e cIAPs; suprime a ativação de vários fatores de transcrição: NF-kappaB, Ap-1, Egr-1, c-Jun, e c-Fos; inibe várias proteinoquinases: JNK, MAPK, Akt, PKC, PKD e Caseína quinase II; regula para baixo vários produtos de genes: COX-2, 5-LOX, VEGF, IL-1, IL-6, IL-8, PSA, AR (receptor de andrógeno); ativa SIRT1 em baixa dose e induz o gene mestre da biogênese mitocondrial PGC-1alfa; induz genes da fosforilação oxidativa, induz os genes supressores de tumor p53 e Retinoblastoma; inibe telomerase, em baixa dose polariza o sistema imune para M1/Th1; induz a almejada diferenciação celular. É demetilador da zona CpG – efeito epigenético. É anti-PD-1/PDL-1 e ativa linfócitos T citotóxicos

José de Felippe Junior

Resveratrol, um estilbeno polifenólico (trans-3,5,4'-tri-hidroxiestilbeno) e bem conhecido fitoestrógeno, foi primeiramente isolado em 1940 como um dos constituintes das raízes do heléboro branco (*Veratrum grandiflorum* O. Loes) e depois encontrado nas uvas, especialmente nas cascas, no vinho, frutas vermelhas e amendoim.

O resveratrol é capaz de suprimir a proliferação de várias linhagens de células neoplásicas, incluindo o câncer linfoide e mieloide, mieloma múltiplo, gliomas, câncer de mama, próstata, pulmão, estômago, cólon, pâncreas, tiroide, melanoma, ovário, cervical e carcinoma epidermoide de cabeça e pescoço.

O resveratrol é molécula pequena anti-PD-1/PDL-1: *Programmed cell death protein 1/Programmed cell death ligand 1*

O resveratrol atinge diretamente o PD-L1 interferindo com sua estabilidade e tráfico e impedindo finalmente seu direcionamento para a membrana plasmática das células. A análise de células em tempo real baseada em impedância mostrou que a atividade de linfócitos T citotóxicos foi notavelmente exacerbada quando células cancerígenas foram previamente expostas ao resveratrol (Verdura, 2020).

Lembrar que as taxas de cura dos bloqueios contra PD-1, PD-L1 ou CTLA-4 (*protein-4 associated citotóxic T lymphocyte*) isoladamente são pequenas. A estratégia de combinação, anti PD-1/anti CTLA-4 aumenta significativamente as células T CD8+ ativadas e as células NK e diminui as células supressivas CD4+ FoxP3 + Treg (Reardon, 2016). É o acelerar e brecar do sistema imune.

O resveratrol inibe a GSK-3 e, portanto, funciona como anti-PD-L. Pequenas moléculas inibidoras da GSK-3 são alternativas eficazes de bloqueio de anticorpos na terapia anticâncer (Taylor, 2018).

A inativação da glicogênio sintase quinase 3 impulsiona a regulação negativa do co-receptor PD-1 para aumentar as respostas das células T citolíticas CD8 (+) (Taylor, 2016).

Recentemente, foi demonstrado que a regulação para baixo ou a inibição da GSK-3 regula negativamente a expressão de PD-1 em doenças infecciosas e no câncer (Krueger, 2019).

Berberina, curcumina e resveratrol regulam para baixo a GSK-3. Cumpre salientar que cada um dos elementos apontados inibe a via proliferativa do câncer PI3K/Akt/PTEN/mTORC1/GSK3 (McCubrey, 2017).

Resveratrol inibe os efeitos proliferativos da tiroxina no câncer

Os hormônios tireoidianos e os hormônios esteroides induzem a ativação de ERK1/2 por meio das integrinas da superfície celular, αvβ3 e de receptores específicos de hormônios esteroides. A tiroxina ativa ERK1/2 e estimula a proliferação dependente de β-catenina-HMGA2. Além disso, a tiroxina promove a expressão de PD-L1. A proteína PD-L1 acumulada retém a COX-2 induzida por resveratrol no citosol em células co-tratadas com resveratrol e tiroxina. O resveratrol inibe os efeitos proliferativos induzidos pela tiroxina em células cancerosas ao inibir o acúmulo de PD-L1 induzido pela tiroxina (Nana, 2018; Chin, 2018).

A absorção do resveratrol é elevada (70%), porém a biodisponibilidade é baixa devido à rápida sulfatação intestinal e hepática, entretanto, a administração continuada provoca os efeitos desejados anticâncer. Sua meia-vida no plasma é de 9,2 ± 0,6 horas.

Demonstrou-se que o resveratrol induz mudanças consideráveis nos perfis de expressão de miRNAs em células A549, do câncer de pulmão, relacionadas a apoptose, regulação do ciclo celular e diferenciação, sugerindo uma nova abordagem para o estudo dos mecanismos anticancerígenos do resveratrol. É possível que tais fatos também ocorram em outras neoplasias.

A expressão do gene regenerador III (REG III) é marcador associado a uma melhor taxa de sobrevida no câncer. O resveratrol aumenta significativamente a atividade do promotor REG III e os seus níveis de mRNA em várias células neoplásicas.

Os efeitos anticâncer do resveratrol são mediados por: parada do ciclo celular; regulação para cima do p21Cip1/WAF1, p53 e Bax; regulação para baixo da survivina, ciclina D1, ciclina E, Bcl-2, Bcl-xL e cIAPs; e ativação das caspases. Suprime a ativação de vários fatores de transcrição: NF-kappaB, Ap-1 e Egr-1; inibe várias proteína-quinases: JNK, MAPK, Akt, PKC, PKD e caseína quinase II e regula para baixo vários produtos de genes: COX-2, 5-LOX, VEGF, IL-1, IL-6, IL-8, AR e PSA (Aggarwal, 2004).

Resveratrol

1. ativa SIRT1 → imita restrição calórica → > longevidade.
2. ativa gene mestre da biogênese mitocondrial o PGC-1alfa.
3. diminui a resistência à insulina.
4. induz genes da fosforilação oxidativa.

Resumo: melhora a função mitocondrial sem > ROS (espécies reativas tóxicas de oxigênio).

Sua fórmula é $C_{14}H_{12}O_3$, de peso molecular 228,2g/mol, de nome químico 5-[(E)-2-(4-hydroxyphenyl) ethenyl]benzene-1,3-diol, também conhecido como: Resveratrol, 501-36-0, Trans-resveratrol; 3,4',5-Trihydroxy stilbene, 3,5,4'-Trihydroxystilbene e 3,4',5-Stilbenetriol.

A molécula doa 3 e é aceptora de 3 elétrons e assim *in vitro* é neutra na oxirredução.

O resveratrol é antioxidante em baixa dose (10-150mg/dia) e oxidante em alta dose (400-600mg/dia).

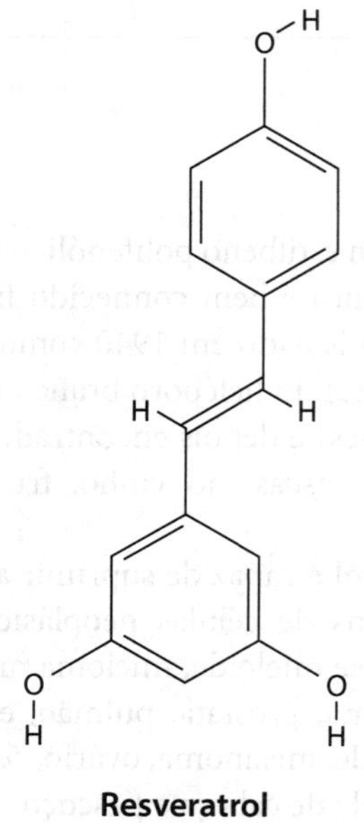

Resveratrol

Alvos moleculares no câncer. Cada linha um trabalho

1. **CUIDADO com os hormônios da tiroide.**
   a) O hormônio da tiroide T4, mesmo em concentrações fisiológicas, diminui os efeitos anticâncer do resveratrol e outras substâncias via ativação do ERK1/2, ao lado de estimular a proliferação celular neoplásica via integrina alfavBeta3 da superfície celular.
   b) Hormônios endógenos da tireoide podem explicar a falha das ações anticâncer do resveratrol em animais intactos ou na clínica.
2. **CUIDADO: reverte efeitos da genisteína no câncer MDR**
   Resveratrol inibe o efeito da genisteína na reversão do fenótipo MDR: interferência entre fitoquímicos, entretanto, pode reverter o fenótipo MDR do câncer de mama.
3. **CUIDADO: pode piorar infecção por COVID-19.** Resveratrol demonstrou potencial para aumentar a atividade ou expressão da ECA-2 e, portanto, pode agravar a infecção por SARS-CoV-2 (Junior, 2021).
4. **ATENÇÃO**: os estudos da atividade do resveratrol contra linhagens de células cancerígenas *in vitro* costumam ser realizados em concentrações na faixa de microM a mileM. O resveratrol dietético ou o vinho raramente atingem estas concentrações no sangue.

I – Antiviral

a) **Anti-EBV**: previne a transformação do EBV e inibe o crescimento de células B humanas imortalizadas pelo EBV.
b) **Anti-HPV.**
   - Suprime a transcrição e a expressão dos genes **HPV E6 e HPV E7** (Sun, 2021).
   - **Anti-HPV16 e HPV 18** (Garcia, 2013)
c) **Anti-HSV.** Resveratrol é um novo agente nutracêutico contra esse vírus (Annunziata, 2018).
d) **CMV.** Nada encontrado.
e) **Anti-HHV8**: resveratrol induz morte celular e inibe a replicação do **herpes-vírus 8 (HHV8)** em células do linfoma. Induz ativação da caspase-3 e a formação de vacúolos ácidos nas células repletas de HHV8 e provoca apoptose e autofagia, aumenta ERTOS, mas não reativa o vírus. Pode ser considerado tratamento potencial de tumores provocados pelo HHV8.
f) Antifamília dos **herpes-vírus**, **retrovírus**, **vírus da influenza A**.
g) O resveratrol é citotóxico e inibe de modo dose-dependente a síntese do **poliomavírus DNA** na célula infectada.

II – Antibacteriano.

a) **Anti-*Helicobacter pylori*** (Zaidi, 2009; Zhang, 2015; Xia, 2020).
b) **Anti-*Mycobacterium tuberculosis*** (Sun, 2012; Yang, 2020; Yang, 2021).

III – Antifúngico.

IV – Anti-inflamatório

V – Várias neoplasias

I) Resveratrol é anti PD-1/PD-L1.
II) O resveratrol é eficaz na redução de diferentes tipos de câncer humano, incluindo cérebro, mama, colo uterino, rim, fígado, bexiga, tiroide, esôfago, próstata, pulmão, pele, gástrico, cólon, cabeça e pescoço, osso, ovário e cervical uterino.
III) A expressão do gene B-regenerador (REG III) é um marcador associado a melhor taxa de sobrevivência no câncer. O resveratrol aumenta significativamente a atividade do promotor REG III e os níveis de mRNA do REG III em várias células neoplásicas.
IV) Resveratrol ativa o gene tristetraprolin (TTP), um agente que regula a estabilidade do mRNA e tem a sua expressão diminuída no câncer humano (Lee, 2018).
V) Resveratrol ativa o NRF2, maestro da antioxidação, daí seu importante papel na prevenção de várias doenças (Enkhbat, 2018; Smith, 2020). Tal efeito provoca proliferação neoplásica, razão de não se usar o resveratrol como estratégia única.
VI) Suprime as várias fases da carcinogênese: iniciação, promoção e progressão.
VII) Apoptose provocada pelo resveratrol é mais eficaz em meio peritumoral ácido.
VIII) Inibe fortemente a piruvato quinase (PK) e a desidrogenase lática (DHL), enquanto aumenta a atividade da citrato sintase e diminui o consumo de glicose. É sinérgico com o ácido cítrico na inibição do ciclo de Embden-Meyerhof.
IX) Antioxidante em dose baixa (10-150mg/dia).
X) Oxidante em dose alta (400-600mg/dia).
XI) Resveratrol, berberina, epigalocatequina galato (EGCG) e capsaicina ativam a via AMPK/mTOR e aumentam a eficácia da quimioterapia.
XII) Resveratrol mimetiza restrição calórica com suplementação de 150mg/dia. Outros trabalhos 10mg/dia.
XIII) Mimetizadores da restrição calórica: resveratrol, metformina, carnosina, oxaloacetato, naloxone.
XIV) Resveratrol ativa AMPK e inibe G6PD (glicose-6-fosfato desidrogenase).
XV) Parada do ciclo celular e apoptose: aumento do p21Cip1/WAF1, p53 e Bax, diminuição da survivi-

na, ciclina D1, ciclina E, Bcl-2, Bcl-xL e cIAPs e ativação das caspases.

XVI) Inibe várias proteínas quinases, incluindo JNK, MAPK, Akt, PKC, PKD e caseína quinase II.

XVII) Diminui a expressão de produtos de genes tais como COX-2, 5-LOX, VEGF, IL-1, IL-6, IL-8, AR (receptor de andrógeno) e PSA (antígeno prostático específico).

XVIII) Resveratrol aumenta IL-12 e IFN-gama se houver receptor TLR-4 ativo (*Toll like receptor-4*).

XIX) Potencia os efeitos apoptóticos de agentes quimioterápicos e citocinas como a TRAIL.

XX) Bloqueia a ativação de carcinógenos inibindo a expressão e a atividade do CYP1A1.

XXI) Suprime NF-kappaB, AP-1, Egr-1, MAPK, NO/NOS, fatores de crescimento das proteíno-quinases, COX-2 e lipoxigenase, proteínas do ciclo celular proliferativo, moléculas de adesão, receptores de andrógenos, PSA, expressão de citocinas inflamatórias, angiogênese, invasão, metástases e mutagênese.

XXII) Suprime o p53; proteína retinoblastoma; os reguladores do ciclo celular (ciclinas, CDKs, p21WAF1, p27KIP e INK); as quinases ATM/ATR responsáveis pelo *checkpoint* do ciclo celular; a transcrição dos fatores NF-kappaB, AP-1, c-Jun, e c-Fos; fatores angiogênicos e metastáticos (VEGF e matriz-metaloproteinases 2 e 9); COX-2, reguladores da apoptose e fatores de sobrevivência (Bax, Bak, PUMA, Noxa, TRAIL, APAF, survivina, Akt, Bcl2 e Bcl-XL).

XXIII) Em adição ao efeito antioxidante bem documentado existem evidências que o resveratrol exibe atividade pró-oxidante provocando lesão oxidativa no DNA que pode levar à parada do ciclo celular ou apoptose.

XXIV) Resveratrol protege as mitocôndrias de células com estresse oxidativo provocado por ácido araquidônico mais ferro, por meio da AMPK mediando inibição da fosforilação da GSK3beta via PARP (poli (ADP-ribose) polimerase) e LKB1.

XXV) Induz a diferenciação celular.

XXVI) Suprime Treg e TGF-beta e aumenta IFN-gama: polariza sistema imune para M1/Th1.

XXVII) De modo concentração-dependente promove a proliferação de linfócitos e a produção de IL-2, IL-12 e IFN-gama e em baixa dose polariza o sistema imune para M1/Th1.

XXVIII) Aumenta IL-12 e IFN-gama se houver receptor Toll-like-4 ativo.

XXIX) Aumenta PGC-1 alfa promovendo a biogênese mitocondrial.

XXX) Efeitos estrogênico e antiestrogênico.

XXXI) Aumenta sensibilidade à insulina, reduz IGF-I e ativa AMPK.

XXXII) Resveratrol em pequenas doses ativa SIRT1 e aumenta a função mitocondrial.

XXXIII) Resveratrol melhora a função mitocondrial ativando SIRT1 e o gene mestre da biogênese mitocondrial o PGC-1 alfa, aumentando o número de mitocôndrias e a eficácia da fosforilação oxidativa, diminui a resistência à insulina e aumenta a longevidade.

XXXIV) Resveratrol ativa AMPK possivelmente por ativar SIRT-1 (sirtuin1) e consequente desacetilação do LKB1, ativador do AMPK e também por aumentar a via pós-translacional e sua multimerização.

XXXV) Administração de 5g de resveratrol a voluntários reduz drasticamente os níveis de triptofano em 2,5 e 5 horas. A concentração de kinurenina aumenta levemente, o que aumenta a razão kinurenina/triptofano: efeito anticâncer.

XXXVI) Resveratrol suprime a proliferação do **carcinoma cervical humano** e eleva a apoptosevia mitocondrial e p53 (Li, 2018).

XXXVII) Resveratrol pode ser útil no tratamento do **colangiocarcinoma** (Thongchot, 2018).

XXXVIII) Resveratrol suprime o crescimento e aumenta a sensibilidade das células do **câncer anaplástico de tiroide** ao ácido retinoico (Li, 2018).

VI – Gliomas

a) Pró-apoptótico em células do glioma – glioblastoma, via ERK e integrinas.

b) Induz apoptose no glioma humano.

c) É apoptótico e os hormônios da tiroide são antiapoptóticos em células do glioma maligno. Ambas as ações são devidas ao ERK e às integrinas.

d) Inibe o crescimento do glioma humano agindo nos microRNAs oncogênicos (miR-21, miR-30a-5p e miR-19) e em múltiplas vias de sinalização (p53, PTEN, EGFR, STAT3, COX-2, NF-kappaB e PI3K/AKT/mTOR).

e) Em alta concentração inibe a proliferação por parada do ciclo celular e apoptose em células do glioma maligno.

f) Impede a proliferação e a motilidade das células-tronco por modular a via Wnt.

g) Age sobre a via AKT e o p53 no glioblastoma e células-tronco do glioblastoma suprimindo o crescimento e a infiltração.

h) Inibe o efeito de a hipóxia induzir migração e invasão agindo no eixo p-STAT3/miR-34a.

i) Reveratrol induz apoptose em células U87MG do glioma humano via ativação do tritetraprolin (TTP). Resveratrol aumenta a expressão do TTP, desestabiliza o mRNA do ativador do plasminogênio-uroquinase e do seu receptor e induz apoptose com diminuição da proliferação (Ryu, 2015).

j) Induz apoptose em células U87Mg do glioma humano por meio da ativação da proteína ativadora de vias apoptóticas tristetrapolina.
k) Inibe a invasão de células iniciando o glioblastoma inibindo a via de sinalização PI3K/Akt/NF-kappaB.
l) Sensibiliza as células iniciantes do glioblastoma à temozolomida induzindo apoptose via quebra da dupla fita do DNA/p-ATM/p-ATR/p53 e promovendo diferenciação via inibição do p-STAT3.
m) Resveratrol, curcumina, isotiocianatos e EGCG revertem a disfunção epigenética e reduzem a carcinogênese, previnem metástases e aumentam a eficácia da quimioterapia e radioterapia.
n) Inibe o proto-oncogene POKEMON e provoca efeitos apoptóticos, antiproliferativos e aumenta a senescência das células do glioma humano.
o) Ativa a SIRT-2 e diminui a proliferação dos gliomas.
p) A ativação da Sirtuína-2 é requerida na indução da parada de proliferação das células-tronco dos gliomas e o resveratrol ativa a SIRT-2.
q) Aumenta o efeito antitumoral da temozolomida no glioblastoma dependente de radicais livres de oxigênio e via sinalização AMPK-TSC-mTOR.
r) Diminui a fosforilação do AKT e diminui a expressão do p53 em células do glioblastoma humano U87 e provoca diminuição da proliferação. Diminui o glioma humano implantado em camundongo recebendo o resveratrol por via oral e intravenosa. Entretanto, provoca total regressão quando injetado por via intratumoral ou peritumoral.
s) Inibe a proliferação, aumenta a mortalidade celular e fortemente diminui a motilidade de células do glioblastoma por diminuir a via Wnt e os ativadores da EMT (transição epitélio mesenquimal).
t) Tristetraprolin inibe o crescimento de células do glioma U87MG regulando para baixo os mRNAs do uPA (urokinase plasminogen activator) e do uPAR (urokinase plasminogen activator receptor) (Ryu, 2015).
u) Resveratrol induz apoptose em células U87MG do glioma humano via ativação do tritetraprolin (TTP). Resveratrol aumenta a expressão do TTP, desestabiliza o mRNA do ativador do plasminogênio-uroquinase (uPA) e do seu receptor (uPAR) e induz apoptose com diminuição da proliferação (Ryu, 2015).
v) Resveratrol tem seu valor no tratamento do glioblastoma. Acontece significante redução do IL-6, pS-TAT3 e NFkappaB (Fei, 2018).
w) Resveratrol inibe o crescimento de células do glioma U251 via LRIG1 (leucine repeat immunoglobulin -like protein 1). Ocorre regulação para cima da expressão do gene LRIG1 tanto nas proteínas como no mRNA o que é acompanhado pela diminuição do EGFR (Epidermal Growth Factor Receptor). A proliferação celular diminui e a apoptose aumenta (Liu, 2018).

VII – Carcinoma de cabeça e pescoço.

a) O resveratrol mais a quercetina são sinérgicos na inibição do carcinoma espinocelular.
b) A combinação de curcumina, resveratrol e epicagalocatequina galato (TriCurin) injetada causa supressão dramática de tumores em camundongos implantados em células TC-1 (camundongos TC-1) e xenoenxertos de células de carcinoma espinocelular de cabeça e pescoço (HNSCC) em camundongos *nude/nude*. Ocorre uma troca M2 → M1 em macrófagos associados a tumores, acompanhada por recrutamento intratumoral dependente de IL12 de células NK e linfócitos T citotóxicos e eliminação de células cancerígenas (Mukherjee, 2018).
c) O resveratrol induz apoptose mitocondrial e inibe a transição epitelial-mesenquimal em células de carcinoma epidermóide de células escamosas orais (Kim, 2018).
d) A expressão do gene de regenerador III (REG III) é marcador associado a taxa melhor de sobrevivência para pacientes com carcinoma espinocelular de cabeça e pescoço (HNSCC). O resveratrol (3,4 ', 5-tri -hidroxi-trans-estilbeno) aumentou significativamente a atividade do promotor REG III e seus níveis de mRNA nas células HNSCC. O resveratrol inibiu significativamente o crescimento celular, a químio e a radiossensibilidade e bloqueou a invasão do câncer de células HNSCC. Esses dados sugeriram que o resveratrol poderia inibir a progressão do câncer pela via de expressão do REG III nas células HNSCC (Mikami, 2016).
e) O resveratrol inibe a via de sinalização STAT3 através da indução de SOCS-1: Papel na indução de apoptose e na rádio sensibilização em células tumorais de cabeça e pescoço (Baek, 2016).
f) O resveratrol potencializa os efeitos antitumorais in vitro e in vivo da curcumina em carcinomas de cabeça e pescoço (Masuelli, 2014).

VIII – Câncer de pulmão

a) Inibe TGF-beta1 e inibe EMT (transição epitélio-mesenquimal) suprimindo invasão e metástases.
b) Inibe o crescimento do câncer pulmonar suprimindo a polarização M1 para M2 dos macrófagos associados ao tumor. Acontece diminuição do STAT3, o que inibe a proliferação.
c) O tratamento com resveratrol alterou a expressão de miRNA nas células A549 do câncer de pulmão.

Usando a análise de *micro arrays*, identificaram-se 71 miRNA exibindo maiores alterações de expressão de 2 vezes em células tratadas com resveratrol em relação aos seus níveis de expressão em células não tratadas. Além disso, identificaram-se genes-alvo relacionados a apoptose, regulação do ciclo celular, proliferação celular e diferenciação usando um programa de previsão de metas de miRNA.

IX – Carcinoma pulmonar de pequenas células (CDPC)

a) Resveratrol pode induzir diferenciação osteogênica de células NCI-H446 do CPPC.
b) Resveratrol inibe viabilidade e induz apoptose do CPPC linhagem H446 via inibição da sinalização PI3K/Akt/c-Myc (Li, 2020).
c) Resveratrol promove a sensibilidade de células H446 do CPPC à cisplatina ao regular a apoptose intrínseca (Ma, 2015; Li, 2018).

X – Câncer de tiroide

a) Antiproliferação e diferenciação com flavonoides: resveratrol, quercetina e genisteína.
b) Induz apoptose no carcinoma papilar e folicular de tiroide via MAPK e p53.
c) Induz diferenciação e suprime a proliferação celular no carcinoma anaplásico de tiroide via ativação do Notch1.

XI – Câncer de mama

a) Diminui a invasão inibindo as atividades da FAK, 44 Rac e Cdc4245; regula para baixo a expressão da MMP-9 e suprime a via PI3K/Akt/Wnt/beta-catenina.
b) Inibe a via de sinalização Hippo/YAP e regula para baixo a expressão do gene YAP, o que atenua a invasão de células do câncer de mama linhagem MDA -MB-231 e MDA-MB-468.
c) Ativa SIRT1/3 e promove diferenciação ou toxicidade em células do câncer de mama. Inibe complexo I mitocondrial, o que ativa AMPK.
d) Resveratrol pode reverter o fenótipo MDR do câncer de mama.
e) Inibidores da aromatase da dieta podem ser úteis no tratamento: resveratrol, genisteína, quercetina, isoliquiritigenina e extrato de semente de uva.
f) Câncer de mama e de pulmão. Combinação de glucana-resveratrol-vitamina C possui forte potencial antitumoral.
g) Resveratrol e similares da Vitis Amurensin inibem o Pin1, o que diminui a angiogênese e o crescimento tumoral em células do câncer de mama resistentes ao tamoxifeno.
h) Resveratrol regula expressão de microRNAs e diminui a expressão do gene HNRNPA1, o qual está associado com mau prognóstico no câncer de mama. Resveratrol aumenta a expressão de miRNAs supressivos de tumor (*miR-34a, miR-424* e *miR-503*) via p53 e após suprime o HNRNPA1 (heterogeneous nuclear ribonucleoprotein A1) que é associado com a carcinogênese e proliferação neoplásica. HNRNPA1 é diretamente regulado pelos miR-424 e miR-503 e o resveratrol aumenta a expressão de ambos (Otsuka, 2018).
i) Resveratrol reprime a carcinogênese mamária induzida por estrogênio através da ativação do eixo metabólico do estrogênio NRF2-UGT1A8 (Zhou, 2018).
j) O alfa-estradiol é capaz de regular para cima a proteína PD-L1 em células endometriais positivas para ERα e células de câncer de mama. A super-expressão de PD-L1 suprime as funções imunológicas das células T em microambientes tumorais (Yang, 2017).
k) Resveratrol reduz o crescimento de células do câncer de mama ao regular para baixo a atividade da telomerase (Lanzilli, 2006).

Lanzilli G, Fuggetta MP, Tricarico M, et al. Resveratrol down-regulates the growth and telomerase activity of breast cancer cells in vitro. Int J Oncol. Mar;28(3):641-8, 2006.

XII – Câncer de mama triplo negativo

a) Resveratrol e curcumina é estratégia promissora no câncer de mama triplo ne
b) gativo (Shindikar, 2016).
c) Resveratrol aumenta o efeito do paclitaxel em células MDA-MB-231 do câncer de mama resistente e não resistente ao paclitaxel (Sprouse, 2014).
d) Resveratrol modula a expressão do MED28 (Magicin/EG-1) e inibe a migração do EGF (*epidermal growth fator*) no câncer de mama triplo negativo MDA-MB-231 (Lee, 2011).
e) STAT3 acetilado é crucial para a metilação da zona promotora do gene supressor de tumor e o resveratrol demetila esta zona promotora (Lee, 2012).
f) Indução de senescência é uma nova estratégia para inibir a proliferação neoplásica. O gene supressor de tumor DLC1 induz senescência e apoptose, ao lado de suprimir a migração e invasão em vários tipos de câncer. Recentemente mostrou-se que o resveratrol aumenta a expressão do gene DLC1 via elevação dos radicais livres de oxigênio mitocondrial. Regulação para cima do gene DLC1l acelera a senescência das linhagens MDA-MB-231, MCF-7 e H1299 (Ji, 2018).

XIII – Câncer de próstata

a) O resveratrol possui efeito epigenético: aumenta a acetilação do gene p53 e promove apoptose do câncer de próstata.
b) Inibe o câncer de próstata: diminui a proliferação e aumenta a apoptose.
c) Hipertrofia de próstata. Resveratrol na dose de 1.000mg ao dia reduz a concentração de precursores de andrógenos, DHEA e DHEA-sulfato, mas não possui efeito sobre os níveis de testosterona, dehidrotestosterona, PSA ou volume prostático. Estudo randomizado com somente 4 meses de duração.
d) Novo efeito anticâncer do resveratrol no câncer de próstata – reversão da EMT-transição epitélio-mesenquimal.

XIV – Câncer gástrico

a) Inibição da progressão do ciclo celular: inibição do PKC, MEK1/2-ERK1/2-cJun.
b) Indução de apoptose: redução do Bcl-2 e aumento do Bax.
c) Anticâncer *in vivo* no câncer gástrico humano transplantado em camundongo.
d) Provoca autofagia das células do câncer gástrico, via aumento de di-hidro-ceramida intracelular.
e) Inibe a proliferação do câncer gástrico induzindo parada do ciclo celular em G1 e senescência via Sirt1.
f) Trans resveratrol inibe a proliferação do adenocarcinoma gástrico via inativação do eixo MEK1/2-ERK1/2-c-Jun.
g) Aumenta PKC-alfa e PKC-delta e inibe a proliferação e aumenta a apoptose em células do câncer gástrico.
h) Efeito do óleo de alho combinado com resveratrol na indução da apoptose por aumento da expressão dos genes Fas e do bax e diminuição do gene bcl-2 em células do câncer gástrico.
i) Resveratrol inibe a invasão provocada pela IL-6 em células do câncer gástrico (Yang, 2018).

XV – Câncer de fígado

a) Resveratrol suprime drasticamente o carcinoma hepatocelular via inibição da sinalização do HGF induzindo o gene c-Met. Gene c-Met é proliferativo.
b) Resveratrol inibe a progressão do carcinoma hepatocelular movida pelas células estreladas hepáticas diminuindo a expressão do gene Gli-1. Estas células são importantes na manutenção deste carcinoma facilitando a carcinogênese e as metástases. As células estreladas induzem a angiogênese regulando para cima a expressão do Gli-1, o qual estimula o estresse oxidativo e potencia a invasividade tumoral (Yan, 2017).
c) Resveratrol inibe a proliferação e a migração de células do carcinoma hepatocelular através da SIRT1 e inibição da via PI3K/Akt (Chai, 2017).
d) Oxiresveratrol previne o crescimento do hepatocarcinoma murina H22 e as metástases via inibição da angiogênese tumoral e da linfangiogênese, *in vitro* e *in vivo* (Liu, 2018).
e) Fitoquímicos da dieta tem sido úteis no tratamento do hepatocarcinoma, tais como curcumina, resveratrol, quercetina, silibinina, licopene, emodin e cafeína (Rawat, 2018)
f) Resveratrol induz inibição da proliferação e apoptose em células do hepatocarcinoma SMMC7721 promovendo o interferon-alfa e ativando SIRT/STAT1 (Yang, 2018).

XVI – Câncer colorretal

a) Antiproliferação e apoptose: inibição do IGF-I, p53 e da sinalização PPP-FAK.
b) Apoptose e inibição do crescimento: ativação da AMPK que inibe mTOR.
c) Efeito duplo do resveratrol na morte celular e proliferação do adenocarcinoma colorretal humano, HT-29 e HCT-116. No HT29, mas não no HCT-116, em baixa concentração (1 a 10μmol/l) aumenta o número de células, assim como a quercetina, e em alta concentração (50 ou 100μmol/l) reduz o número de células e aumenta a apoptose ou necrose.
d) Curcumina com resveratrol possuem efeito sinérgico, independentemente de o p53 estar ativo ou inativo.
e) Inibe o IGF-1 por inibir a via de sinalização IGF-1R/Akt/Wnt e a ativação do p53 provocando diminuição da proliferação e aumento da apoptose no carcinoma colorretal.
f) No câncer colorretal em baixas doses aumenta a geração de adiponectina, diminui a IL-6 circulante e diminui a insulinemia.
g) Suprime a colite e o câncer de cólon associado à colite.
h) Risco de câncer colorretal diminui com a ingestão de amendoim, rico em resveratrol, na Tailândia.
i) Em células Caco2 do câncer de cólon, o resveratrol, 100micromol, diminui de modo significante a atividade da piruvato quinase e da desidrogenase lática, enzimas do ciclo de Embden-Meyerhof, enquanto aumenta a atividade da citrato sintase e diminui o consumo de glicose.
j) Resveratrol inibe a proliferação, invasão e metástases em células HCT116 e SNU81 do câncer de cólon. Ele também de um modo dose-dependente aumenta a expressão do gene tristetrapolin (TTP) nestas linhagens. TTP regula a estabilidade do mRNA e tem

a sua expressão diminuída no câncer humano. Resveratrol aumenta drasticamente a expressão do TTP regulando para baixo o fator de transcrição E2F (E2F1) e regula genes associados com a inflamação, proliferação celular, morte celular, angiogênese e metástases (Lee, 2018).

XVII – Câncer de pâncreas

a) Resveratrol no câncer de pâncreas provoca parada do ciclo celular, apoptose, diminui a invasão e as metástases, inibe a proliferação e viabilidade das células-tronco e aumenta a radiossensibilidade (Xu, 2015).
b) Resveratrol induz regulação para baixo do NAF-1 (nutrient-deprivation autophagy factor-1) e aumenta a sensibilidade do câncer pancreático à gemcitabina via espécies reativas tóxicas de oxigênio e o fator transcricional redox-sensível Nrf2 (Cheng, 2018).
c) Ativação das células estreladas do pâncreas inicia fibrose e pancreatite crônica e fornece nichos que aumentam o risco de adenocarcinoma
d) ductal pancreático. Resveratrol impede que o peróxido de hidrogênio induza invasão, migração e aumento da glicólise nas células tumorais via diminuição da expressão do miR-21. Ao mesmo tempo ocorre aumento da concentração da proteína PTEN (Yan, 2018).

XVIII – Câncer de ovário

a) Possui efeito antitumoral por mecanismo epigenético e deveria ser usado nos cânceres de ovário agressivos. Inibe IL-6 e diminui a migração de células induzindo autofagia nas células migratórias por aumento da regulação do ARH-1 e diminuição da regulação da expressão do STAT3.
b) Resveratrol inibe a proliferação e induz apoptose em células do câncer de ovário A2780 e SKOV3 via inibição da glicólise e ativação da AMPK a qual inibe mTOR. Acontece marcante inibição da proliferação, invasão e aumento da apoptose, enquanto verifica-se impedimento da glicólise. Lembrar que é a glicólise que fornece ATPs para o ciclo celular proliferativo nuclear. In vivo ocorre supressão do crescimento do câncer de ovário xenotransplantado e redução das metástases hepáticas (Liu, 2018).
c) Tiroxina inibe a apoptose causada pelo resveratrol por PD-L1 em células cancerígenas do ovário (Chin, 2018).

XIX – Carcinoma endometrial

a) A inibição da autofagia aumenta a apoptose induzida pelo resveratrol nas células cancerígenas Ishikawa do endométrio. O tratamento combinado com cloroquina e resveratrol suprime com mais robustez a inibição do crescimento e a apoptose, em comparação com o tratamento com RSV sozinho (Fukuda, 2016).
b) O pterostilbeno suprime células cancerígenas do endométrio humano in vitro, regulando negativamente o miR-663b. Semelhante ao resveratrol, o pterostilbeno (PT) também é um composto fenólico extraído da espécie Vitis. (Wang, 2017).
c) As células do câncer de endométrio (EC) HEC1B e Ishikawa foram transfectadas com o plasmídeo interferente no RNA da β-arrestina 2 (RNAi) ou no plasmídeo de comprimento total e no plasmídeo beta-arrestina 2 e no vetor de controle. Depois as células foram expostas a diferentes concentrações de resveratrol. A inibição da β-arrestina 2 aumentou o número de células apoptóticas e a ativação da caspase-3. Além disso, a inibição da β-arrestina 2 pelo resveratrol provocou efeito aditivo em reduzir p-Akt e p-GSK3β. Quando a ß-arrestina 2 está super expressa ela diminui a porcentagem de apoptose e de ativação da caspase-3 e atenua os níveis p-Akt e p-GSK3β. Tomados em conjunto, os estudos demonstram pela primeira vez que a sinalização mediada por β-arrestina 2 desempenha papel crítico na apoptose induzida por resveratrol em células do câncer de endométrio (Sun, 2010).
d) Resveratrol trata com sucesso a endometriose experimental através da modulação do estresse oxidativo e da peroxidação lipídica (Yavuz, 2014).

XX – Câncer de colo uterino

a) Resveratrol inibe a progressão do câncer cervical suprimindo a transcrição e a expressão dos genes HPV E6 e HPV E7 (Sun, 2021).
b) O possível mecanismo inicial envolve a supraregulação da expressão do FOXO 3a, que aumenta ainda mais a expressão do mediador de morte celular que interage com Bcl-2 (BIM), o gene transcrito na apoptose. O resveratrol também pode inativar a atividade ERK, causando a ativação do FOXO3a e resultando na apoptose das células HeLa. Em resumo, ambos os mecanismos estimularam o acúmulo de FOXO3a ativado, promoveram sua translocação nuclear e, por fim, causaram apoptose de células HeLa. Portanto, o resveratrol pode ter um potencial no tratamento do câncer cervical (Liu, 2020).
c) Resveratrol suprime o crescimento e o potencial metastático do câncer cervical ao inibir a fosforilação do STAT3 (Tir705) (Sun, 2020).
d) Resveratrol suprime a proliferação do câncer cervical e aumenta a apoptose via mitocondrial e p53 (Li, 2018).

e) Resveratrol induz morte celular em células do câncer cervical via apoptose e autofagia. Resveratrol aumenta a parada do ciclo celular na fase G1 em C33A (com mutação em p53) e células HeLa (HPV18 positivo), bem como em linhagens celulares CaSki e SiHa (HPV16 positivo). Ele induz apoptose em todas as linhas celulares, particularmente nas células CaSki. Houve diminuição do potencial de membrana mitocondrial (apoptose) nas células HeLa, CaSki e SiHa e aumento da permeabilidade lisossomal (autofagia) nas linhagens celulares C33A, CaLo (HPV18 positivo) e HeLa. Após o tratamento com resveratrol, a expressão de p53 diminuiu nas linhas de células positivas para HPV18 (CaLo e HeLa) e aumentou nas linhas de células positivas para HPV16 (CaSki e SiHa) e células C33A. A expressão de p65 (uma subunidade NF-κB) foi diminuída após o tratamento em todas as linhas celulares, exceto células SiHa. Esses dados indicam que o resveratrol usa diferentes mecanismos para induzir a morte celular em linhas celulares derivadas de câncer cervical (Garcia, 2013).

XXI – Linfoma de Hodgkin

Resveratrol inibe SIRT1 e hiperacetila FOXO3a e provoca apoptose no linfoma de Hodgkin (FRazzi, 2013).

XXII – Linfomas não Hodgkin

a) Antiproliferativo no linfoma de células B.
b) O linfoma extranodal de células NK/T (NKTCL) é um linfoma não Hodgkin altamente agressivo com mau prognóstico. O resveratrol (RSV) produz efeito antitumoral ao ativar a via DDR de uma maneira dependente de ATM/Chk2/p53. Portanto, o RSV pode ser digno de um estudo mais aprofundado como uma droga antitumoral para o tratamento de NKTCL (Sui, 2017).
c) Resveratrol é ativo contra linfoma extranodal de células NK/T (Sui, 2020).
d) Resveratrol inibe a replicação do herpesvírus humano 8 e induz morte celular do linfoma de efusão (Tang, 2015).
e) Resveratrol induz apoptose no linfoma folicular transformado OCI-LY8 envolvendo a sinalização do repressor transcricional BCL6. O uso de resveratrol para tratar linfomas agressivos com translocações de BCL6 e/ou MYC pode ser útil como uma terapia eficaz (Faber, 2006).
f) Resveratrol inibe o EBV e assim inibe a proliferação do linfoma de Burkitt (De Leo, 2011).

XXIII – Leucemia

a) Induz apoptose na leucemia linfoblástica aguda T-cel humana MOLT-4.
b) Em ambas as leucemias agudas linfoblástica e mielógena inibe o crescimento e aumenta a apoptose: para o ciclo celular em G1/G2/M, aumenta a expressão do Bax e libera citocromo c independente do conteúdo celular de GSH.
c) Induz extensa apoptose na leucemia linfoblástica aguda despolarizando a membrana mitocondrial e ativando a caspase-9.
d) Resveratrol induz apoptose em células HL-60 da leucemia promielocítica humana via novo mecanismo a autofagia. Resveratrol induz apoptose via extrínseca e intrínseca com aumento da razão Bax/Bcl-2 e caspases-3 e 8. Posteriormente verificou-se que o resveratrol aumenta o número de autofagossomas e induz autofagia dependente da via LKB1-AMPK-mTOR (Fan, 2018).

XXIV – Câncer de bexiga

a) Provoca inibição do crescimento e apoptose *in vitro* e *in vivo* nas células do câncer de bexiga humano.
b) Induz apoptose e parada do ciclo celular em células do câncer de bexiga humano T24 *in vitro* e inibe o crescimento *in vivo*.
c) Talvez não deva ser usado junto com o taxol no câncer de bexiga.
d) Suprime o crescimento *in vitro* e *in vivo* e aumenta a apoptose no tumor de bexiga EJ inibindo a ativação do STAT3 e induzindo a translocação nuclear do SIRT1 e p53. Não causa cistite hemorrágica ou perda de peso murina.

XXV – Carcinoma renal

a) Resveratrol aumenta a sensibilidade do carcinoma renal ao paclitaxel (Jie, 2019).
b) Resveratrol inibe a viabilidade celular e induz apoptose em células RCC 786-O. Experimentos posteriores revelaram que Res danifica a mitocôndria e ativa a caspase 3. Espécies reativas de oxigênio (ROS) estão envolvidas no processo de apoptose induzida e o antioxidante N-acetil cisteína atenua significativamente a apoptose. Além disso, Res ativa c-Jun N-terminal quinase via ROS e induz autofagia, enquanto a inibição da autofagia com cloroquina aumenta apoptose induzida por Res. Portanto, uma combinação de Res e inibidores de autofagia pode aumentar o efeito inibitório de Res no RCC (Yao, 2020).
c) Resveratrol inibe a progressão do carcinoma renal ao regular para baixo o inflamossomo NLRP3 (Tian, 2020).
d) Resveratrol promove a regressão de células do carcinoma renal via supressão do sistema renina angiotensina aldosterona. Os efeitos de AngII, AT1R, VEGF e COX-2 na inibição do crescimento celular

induzida por resveratrol e apoptose foram examinados. Os resultados indicaram que o tratamento com resveratrol pode suprimir o crescimento, induzir apoptose e diminuir os níveis de AngII, AT1R, VEGF e COX-2 em células de carcinoma renal ACHN e A498. Além disso, a supressão do crescimento celular induzida pelo resveratrol e a apoptose foram revertidas durante a co-cultura com AT1R ou VEGF. Assim, o resveratrol pode suprimir a proliferação de células do carcinoma renal e induzir a apoptose por meio de uma via AT1R/VEGF (Li, 2017).

XXVI – Melanoma

a) Resveratrol e ácido ursólico são sinérgicos com a cloroquina na redução da viabilidade de células do melanoma.
b) O resveratrol isolado é rapidamente metabolizado e não consegue inibir o melanoma humano implantado no camundongo.
c) Resveratrol induz estresse oxidativo no reticulo-endoplasmático e provoca apoptose e parada do ciclo celular em células do melanoma maligno, A375SM (Heo, 2018).

XXVII – Carcinoma epidermoide

Resveratrol mais quercetina são sinérgicos na inibição do carcinoma epidermoide.

XXVIII – Condrossarcoma, osteossarcoma

a) Resveratrol atenua as matriz-metaloproteinases-9 e 2 e regula a diferenciação de células HTB94 do condrossarcoma através das vias p38 quinase e JNK.
b) Resveratrol aumenta a expressão e a atividade da sirtuína-1 induz apoptose e diminui a vitalidade de modo dose-dependente em células do condrossarcoma humano. De modo significante inibe o NF -kappaB desacetilando a subunidade p65 do complexo NF-kappaB.
c) Aumenta a apoptose de células de osteossarcoma ao diminuir a expressão do mRNA e da proteína β-catenina e c-Myc (Zou, 2015; Ferrucci, 2016).
d) A fosforilação da histona H2AX causa instabilidade dos telômeros e danos ao DNA nas células de osteossarcoma U2-OS (Rusin, 2009).

XXIX – Câncer de tiroide

a) Antiproliferação e diferenciação com flavonoides: resveratrol, quercetina e genisteína.
b) Resveratrol induz apoptose em carcinomas papilíferos e foliculares da tireoide via MAPK e p53.
c) Induz diferenciação e suprime a proliferação celular no carcinoma anaplásico da tireoide via ativação do Notch1.
d) O tratamento com resveratrol e ácido valpróico pode ser eficaz em cânceres tireoidianos anaplásicos que cursam com aumento do número de células-tronco cancerígenas (Hardin, 2016).
e) Resveratrol induz apoptose mediada por Notch2 e supressão de marcadores neuroendócrinos no câncer medular da tireoide (Truong, 2011).
f) Resveratrol suprime o crescimento e melhora a sensibilidade ao ácido retinoico das células anaplásicas do câncer de tireoide (Li, 2018).

XXX – Mieloma múltiplo

a) Resveratrol é novo agente para o tratamento de mieloma múltiplo com atividade inibidora de matriz-metaloproteinases (Sun, 2006a).
b) Ele diminui a ativação constitucional do NF-kappaB em várias células do mieloma, levando à supressão da proliferação e invasão, parada do ciclo celular e indução de apoptose (Sun2006).
c) Proliferação celular, migração e diferenciação de células endoteliais da veia umbilical humana (HUVECs) aumentaram marcadamente por co-cultura com células de mieloma múltiplo RPMI 8226. O resveratrol inibiu a proliferação, a migração e a formação de tubos de HUVECs co-cultivados com células de mieloma de maneira dependente da dose. O tratamento de células RPMI 8226 com resveratrol causou diminuição na atividade das MMP-2 e MMP-9. O resveratrol inibiu a expressão da proteína VEGF e bFGF de maneira dependente da dose e do tempo. Além disso, níveis reduzidos de mRNA de VEGF, bFGF, MMP-2 e MMP-9 de células tratadas com várias concentrações de resveratrol confirmaram sua ação antiangiogênica na expressão gênica. (Hu, 2007).
d) Resveratrol inibe a proliferação, induz a apoptose e supera a quimioresistência através da regulação negativa de STAT3 e produtos gênicos antiapoptóticos e de sobrevivência celular regulados por NF-kappaB em células humanas de mieloma múltiplo (Bhardwaj, 2007).
e) Resveratrol desencadeia resposta pró-apoptótica ao estresse do retículo endoplasmático e reprime a sinalização de XBP1 pró-sobrevivência em células de mieloma múltiplo humano (Wang, 2011).
f) O pterostilbeno (PTE) é um análogo natural dimetilado do resveratrol, que possui propriedades antioxidantes, anti-inflamatórias e antitumorais. O PTE causa ativação das vias de sinalização ERK 1/2 e JNK. Além disso, camundongos tratados com PTE

por injeção intraperitoneal apresentaram redução volume tumoral (Xie, 2016).

g) A combinação da papamicina, inibidor do mTOR com o resveratrol possui efeito sinérgico no mieloma múltiplo (Jin, 2018).

h) O resveratrol inibe o crescimento celular do mieloma, evita a formação de osteoclastos e promove a diferenciação dos osteoblastos (Boissy, 2005).

XXXI – Diversos

a) Resveratrol induz diferenciação de células musculares lisas por meio da estimulação da Sirt1 e AMPK.

b) Câncer e obesidade. A importância do resveratrol, ômega-3, CLA e ácido lipoico.

c) Resveratrol e piperina aumentam a radiossensibilidade de células tumorais.

d) Quimiossensitivo.

e) Quimiopreventivo em animais.

f) Aumenta a sensibilidade à insulina no diabetes tipo 2.

g) Resveratrol na dose de 5mg 2 vezes ao dia melhora a sensibilidade à insulina, reduz o estresse oxidativo e ativa a via Akt aumentando a sinalização da produção de insulina, no diabetes tipo 2.

h) Extrato de semente de uva (1cp = 350mg) contendo resveratrol 8mg melhora o estado inflamatório e fibrinolítico em pacientes em prevenção primária de doença cardiovascular: triplo cego, randomizado, controlado com placebo e seguimento de 1 ano.

i) Extrato de semente de uva (1cp = 350mg) contendo 8mg de resveratrol diminui drasticamente o LDL-colesterol oxidado e assim a ApoB em pacientes submetidos a prevenção primária de doença cardiovascular: trabalho triplo cego, randomizado, controlado com placebo e com seguimento de 6 meses.

Conclusão

Resveratrol outra grande ajuda que a Natureza nos proporcionou para manter a saúde.

Referências

1. Abstracts and papers in full on site www.medicinabiomolecular.com.br
2. Annunziata G, Maisto M, Schisano C,et al. Resveratrol as a Novel Anti-Herpes Simplex Virus Nutraceutical Agent: An Overview.Viruses. Sep 3;10(9):473, 2018
3. Aggarwal BB, Bhardwaj A, Aggarwal RS, et al. Role of resveratrol in prevention and therapy of cancer: preclinical and clinical studies. Anticancer Res. 24(5A):2783-840;2004.
4. Baek SH, Ko JH, Lee H, et al. Resveratrol inhibits STAT3 signaling pathway through the induction of SOCS-1: Role in apoptosis induction and radiosensitization in head and neck tumor cells.Phytomedicine. May 15;23(5):566-77;2016.
5. Bhardwaj A, Sethi G, Vadhan-Raj S, et al. Resveratrol inhibits proliferation, induces apoptosis, and overcomes chemoresistance through down-regulation of STAT3 and nuclear factor-kappaB-regulated antiapoptotic and cell survival gene products in human multiple myeloma cells. Blood. Mar 15;109(6):2293-302;2007.
6. Boissy P, Andersen TL, Abdallah BM, et al. Resveratrol inhibits myeloma cell growth, prevents osteoclast formation, and promotes osteoblast differentiation. Cancer Res. Nov 1;65(21):9943-52;2005.
7. Chai R, Fu H, Zheng Z, et al. Resveratrol inhibits proliferation and migration through SIRT1 mediated post translational modification of PI3K/AKT signaling in hepatocellular carcinoma cells.Mol Med Rep. Dec;16(6):8037-8044;2017.
8. Cheng L, Yan B, Chen K, et al. Resveratrol-Induced Downregulation of NAF-1 Enhances the Sensitivity of Pancreatic Cancer Cells to Gemcitabine via the ROS/Nrf2 Signaling Pathways. Oxid Med Cell Longev. Mar 22;2018.
9. Chin YT, Wei PL, Ho Y, et al. Thyroxine inhibits resveratrol-caused apoptosis by PD-L1 in ovarian cancer cells. Endocr Relat Cancer. May;25(5):533-545;2018.
10. De Leo A, Arena G, Stecca C, et al. Resveratrol inhibits proliferation and survival of Epstein Barr virus-infected Burkitt's lymphoma cells depending on viral latency program. Mol Cancer Res. Oct;9(10): 1346-55, 2011.
11. Enkhbat T, Nishi M, Yoshikawa K, et alEpigallocatechin-3-gallate Enhances Radiation Sensitivity in Colorectal Cancer Cells Through Nrf2 Activation and Autophagy. Anticancer Res. Nov;38(11):6247-6252, 2018.
12. Faber AC, Chiles TC. Resveratrol induces apoptosis in transformed follicular lymphoma OCI-LY8 cells: evidence for a novel mechanism involving inhibition of BCL6 signaling. Int J Oncol. Dec;29(6): 1561-6, 2006.
13. Fan Y, Chiu JF, Liu J, et al. Resveratrol induces autophagy-dependent apoptosis in HL-60 cells. BMC Cancer. May 22;18(1):581;2018.
14. Fei X, Wang A, Wang D, et al. Establishment of malignantly transformed dendritic cell line SU3-ihDCTC induced by Glioma stem cells and study on its sensitivity to resveratrol. BMC Immunol. Feb 2;19(1):7;2018.
15. Ferrucci V, Boffa I, De Masi G, Zollo M. Natural compounds for pediatric cancer treatment. Naunyn Schmiedebergs Arch Pharmacol. 2016:389(2):131-49.
16. Frazzi R, Valli R, Tamagnini I, et al.
17. Resveratrol-mediated apoptosis of hodgkin lymphoma cells involves SIRT1 inhibition and FOXO3a hyperacetylation. Int J Cancer. 2013 Mar 1;132(5):1013-21.
18. Fukuda T, Oda K, Wada-Hiraike O, et al. Autophagy inhibition augments resveratrol-induced apoptosis in Ishikawa endometrial cancer cells. Oncol Lett. Oct;12(4):2560-2566;2016.
19. García-Zepeda SP, García-Villa E, Díaz-Chávez J, Hernández-Pando R. Resveratrol induces cell death in cervical cancer cells through apoptosis and autophagy. Eur J Cancer Prev. Nov;22(6):577-84, 2013.
20. Hardin H, Yu XM, Harrison AD, Generation of Novel Thyroid Cancer Stem-Like Cell Clones: Effects of Resveratrol and Valproic Acid. Am J Pathol. Jun;186(6):1662-73;2016.
21. Heo JR, Kim SM, Hwang KA, et al. Resveratrol induced reactive oxygen species and endoplasmic reticulum stress mediated apoptosis, and cell cycle arrest in the A375SM malignant melanoma cell line. Int J Mol Med. Jun 15;2018.
22. Ji S, Zheng Z, Liu S, et al. Resveratrol promotes oxidative stress to drive DLC1 mediated cellular senescence in cancer cells. Exp Cell Res. Jun 28. pii: S0014-4827(18)30374-4;2018.

23. Jie KY, Wei CL, Min Z, et al. Resveratrol enhances chemosensitivity of renal cell carcinoma to paclitaxel. Front Biosci (Landmark Ed). Jun 1;24:1452-1461, 2019.
24. Jin HG, Wu GZ, Wu GH, et al. Combining the mammalian target of rapamycin inhibitor, rapamycin, with resveratrol has a synergistic effect in multiple myeloma. Oncol Lett. May;15(5):6257-6264; 2018.
25. Junior Alberto Gasparotto, Tolouei SEL, Dos Reis Lívero FA, Gasparotto F. Natural agents modulating ACE-2: A review of compounds with potential against SARS-CoV-2 infections. Curr Pharm Des. Jan 14, 2021.
26. Kim SE, Shin SH, Lee JY, et al. Resveratrol Induces Mitochondrial Apoptosis and Inhibits Epithelial-Mesenchymal Transition in Oral Squamous Cell Carcinoma Cells. Nutr Cancer. Jan;70(1):125-135;2018.
27. Krueger J, Rudd CE, Taylor A. Glycogen synthase 3 (GSK-3) regulation of PD-1 expression and and its therapeutic implications. Semin Immunol. Apr;42:101295, 2019.
28. Lanzilli G, Fuggetta MP, Tricarico M, et al. Resveratrol down-regulates the growth and telomerase activity of breast cancer cells in vitro. Int J Oncol. Mar;28(3):641-8, 2006.
29. Lee SR, Jin H, Kim WT, et al. Tristetraprolin activation by resveratrol inhibits the proliferation and metastasis of colorectal cancer cells. Int J Oncol. Jun 25;2018.
30. Li YT, Tian XT, Wu ML, et al. Resveratrol Suppresses the Growth and Enhances Retinoic Acid Sensitivity of Anaplastic Thyroid Cancer Cells. Int J Mol Sci. Mar 29;19(4);2018.
31. Li L, Qiu RL, Lin Y, et al. Resveratrol suppresses human cervical carcinoma cell proliferation and elevates apoptosis via the mitochondrial and p53 signaling pathways. Oncol Lett. Jun;15(6):9845-9851;2018.
32. Li YT, Tian XT, Wu ML, Zheng X, et al. Resveratrol Suppresses the Growth and Enhances Retinoic Acid Sensitivity of Anaplastic Thyroid Cancer Cells. Int J Mol Sci. Mar 29;19(4);2018.
33. Li L, Qiu RL, Lin Y, et alResveratrol suppresses human cervical carcinoma cell proliferation and elevates apoptosis via the mitochondrial and p53 signaling pathways. Oncol Lett. Jun;15(6):9845-9851, 2018.
34. Li W, Li C, Ma L, Jin F. Resveratrol inhibits viability and induces apoptosis in the small-cell lung cancer H446 cell line via the PI3K/Akt/c-Myc pathway. Oncol Rep. Nov;44(5):1821-1830, 2020.
35. Li W, Shi Y, Wang R, et al. Resveratrol promotes the sensitivity of small-cell lung cancer H446 cells to cisplatin by regulating intrinsic apoptosis. Int J Oncol. Nov;53(5):2123-2130, 2018.
36. Li J, Qiu M, Chen L, et al. Resveratrol promotes regression of renal carcinoma cells via a renin-angiotensin system suppression-dependent mechanism.Oncol Lett. Feb;13(2):613-620, 2017.
37. Liu Y, Tong L, Luo Y, et al. Resveratrol inhibits the proliferation and induces the apoptosis in ovarian cancer cells via inhibiting glycolysis and targeting AMPK/mTOR signaling pathway. J Cell Biochem. Jul;119(7):6162-6172;2018.
38. Liu L, Zhang Y, Zhu K, et al. Resveratrol inhibits glioma cell growth via targeting LRIG1. J BUON. Mar-Apr;23(2):403-409;2018.
39. Liu Y, Ren W, Bai Y, et al. Oxyresveratrol prevents murine H22 hepatocellular carcinoma growth and lymph node metastasis via inhibiting tumor angiogenesis and lymphangiogenesis. J Nat Med. Mar;72(2):481-492;2018.
40. Liu Z, Li Y, She G, et al. Resveratrol induces cervical cancer HeLa cell apoptosis through the activation and nuclear translocation promotion of FOXO3a. Pharmazie. Jun 1;75(6):250-254, 2020.
41. Lee MF, Pan MH, Chiou YS, et al. Resveratrol modulates MED28 (Magicin/EG-1) expression and inhibits epidermal growth factor (EGF)-induced migration in MDA-MB-231 human breast cancer cells. J Agric Food Chem. 59(21):11853-61;2011.
42. Lee H, Zhang P, Herrmann A, et al. Acetylated STAT3 is crucial for methylation of tumor-suppressor gene promoters and inhibition by resveratrol results in demethylation. Proc Natl Acad Sci U S A. 109(20):7765-9;2012.
43. Ma L, Li W, Wang R, Nan Y, et al. Resveratrol enhanced anticancer effects of cisplatin on non-small cell lung cancer cell lines by inducing mitochondrial dysfunction and cell apoptosis. Int J Oncol. Oct;47(4):1460-8, 2015.
44. McCubrey JA, Lertpiriyapong K, Steelman LS, et al. Regulation of GSK-3 activity by curcumin, berberine and resveratrol: Potential effects on multiple diseases. Adv Biol Regul. Aug;65:77-88, 2017.
45. Masuelli L, Di Stefano E, Fantini M, et al. Resveratrol potentiates the in vitro and in vivo anti-tumoral effects of curcumin in head and neck carcinomas. Oncotarget. Nov 15;5(21):10745-62;2014.
46. Mikami S, Ota I, Masui T, et al. Effect of resveratrol on cancer progression through the REG III expression pathway in head and neck cancer cells. Int J Oncol. 2016 Oct;49(4):1553-1560.
47. Mukherjee S, Hussaini R, White R, et al. TriCurin, a synergistic formulation of curcumin, resveratrol, and epicatechin gallate, repolarizes tumor-associated macrophages and triggers an immune response to cause suppression of HPV+ tumors. Cancer Immunol Immunother. May;67(5):761-774;2018.
48. Nana A.W., Chin Y.T., Lin C.Y., et al. Tetrac downregulates beta-catenin and hmga2 to promote the effect of resveratrol in colon cancer. Endocr. Relat. Cancer. 25:279–293, 2018.
49. Otsuka K, Yamamoto Y, Ochiya T. Regulatory role of resveratrol, a microRNA-controlling compound, in HNRNPA1 expression, which is associated with poor prognosis in breast cancer. Oncotarget. May 15;9(37):24718-24730;2018.
50. Rawat D, Shrivastava S, Naik RA, et al. An Overview of Natural Plant Products in the Treatment of Hepatocellular Carcinoma. Anticancer Agents Med Chem. Jun 3;2018.
51. Reardon DA, Gokhale PC, Klein SR, et al. Glioblastoma eradication following immune checkpoint blockade in an Orthotopic, Immunocompetent Model. Cancer Immunol Res. 4:124–135, 2016.
52. Ryu J, Yoon NA, Seong. et al. Resveratrol Induces Glioma Cell Apoptosis through Activation of Tristetraprolin. Mol Cells. Nov;38(11):991-7;2015.
53. Rusin M, Zajkowicz A, Butkiewicz D. Resveratrol induces senescence-like growth inhibition of U-2 OS cells associated with the instability of telomeric DNA and upregulation of BRCA1. Mech Ageing Dev. 130:528–537;2009.
54. Ryu J, Yoon NA, Lee YK, et al. Tristetraprolin inhibits the growth of human glioma cells through downregulation of urokinase plasminogen activator/urokinase plasminogen activator receptor mRNAs. Mol Cells. 38(2):156-62;2015.
55. Shindikar A, Singh A, Nobre M, Kirolikar S. Curcumin and Resveratrol as Promising Natural Remedies with Nanomedicine Approach for the Effective Treatment of Triple Negative Breast Cancer. J Oncol. 2016:9750785;2016.
56. Sui X, Zhang C, Zhou J, et al. Resveratrol inhibits Extranodal NK/T cell lymphoma through activation of DNA damage response pathway. J Exp Clin Cancer Res. Sep 26;36(1):133, 2017.
57. Sui X, Zhang C, Jiang Y, et al. Resveratrol activates DNA damage response through inhibition of polo-like kinase 1 (PLK1) in natural killer/T cell lymphoma. Ann Transl Med. Jun;8(11):688, 2020.
58. Sun CY, Hu Y, Guo T, et al. Resveratrol as a novel agent for treatment of multiple myeloma with matrix metalloproteinase inhibitory activity. Acta Pharmacol Sin. Nov;27(11):1447-52;2006a.
59. Sun C, Hu Y, Liu X, et al. Resveratrol downregulates the constitu-

tional activation of nuclear factor-kappaB in multiple myeloma cells, leading to suppression of proliferation and invasion, arrest of cell cycle, and induction of apoptosis. Cancer Genet Cytogenet. Feb;165(1):9-19;2006.

60. Sun X, Zhang Y, Wang J, et al. Beta-arrestin 2 modulates resveratrol-induced apoptosis and regulation of Akt/GSK3ß pathways. Biochim Biophys Acta. Sep;1800(9):912-8;2010.
61. Sun X, Fu P, Xie L,et al. Resveratrol inhibits the progression of cervical cancer by suppressing the transcription and expression of HPV E6 and E7 genes. Int J Mol Med. Jan;47(1):335-345, 2021.
62. Sun X, Xu Q, Zeng L, et al. Resveratrol suppresses the growth and metastatic potential of cervical cancer by inhibiting STAT3(Tyr705) phosphorylation. Cancer MedNov;9(22):8685-8700. 2020.
63. Sun D, Hurdle JG, Lee R, Lee R, et al. Evaluation of flavonoid and resveratrol chemical libraries reveals abyssinone II as a promising antibacterial lead. ChemMedChem. Sep;7(9):1541-5, 2012.
64. Tang FY, Chen CY, Shyu HW, et al. Resveratrol induces cell death and inhibits human herpesvirus 8 replication in primary effusion lymphoma cells. Chem Biol Interact. Dec 5;242:372-9, 2015.
65. Taylor A, Harker, JÁ, Chantong K, et al., Glycogen Synthase Kinase 3 Inactivation Drives T-bet-Mediated Downregulation of Co-receptor PD-1 to Enhance CD8(+) Cytolytic T Cell Responses. Immunity 44, 274-86, 2016.
66. Taylor A, Rothstein D and E. Rudd CE. Small-Molecule Inhibition of PD-1 Transcription Is an Effective Alternative to Antibody Blockade in Cancer Therapy. Cancer Research 78, 706-717, 2018.
67. Thongchot S, Ferraresi A, Vidoni Cet al. Resveratrol interrupts the pro-invasive communication between cancer associated fibroblasts and cholangiocarcinoma cells. Cancer Lett. Aug 28;430:160-171; 2018.
68. Tian X, Zhang S, Zhang Q, et al. Resveratrol inhibits tumor progression by down-regulation of NLRP3 in renal cell carcinoma. J Nutr Biochem. Nov;85:108489, 2020.
69. Truong M, Cook MR, Pinchot SN, et al. Resveratrol induces Notch2-mediated apoptosis and suppression of neuroendocrine markers in medullary thyroid cancer. Ann Surg. OncolMay;18(5): 1506-11;2011.
70. Wang FM, Galson DL, Roodman GD, Ouyang H. Resveratrol triggers the pro-apoptotic endoplasmic reticulum stress response and represses pro-survival XBP1 signaling in human multiple myeloma cells. Exp Hematol. Oct;39(10):999-1006;2011.
71. Wang YL, Shen Y, Xu JP, et al. Pterostilbene suppresses human endometrial cancer cells in vitro by down-regulating miR-663b. Acta Pharmacol Sin. Oct;38(10):1394-1400;2017.
72. Yan B, Cheng L, Jiang Z, et al. Resveratrol Inhibits ROS-Promoted Activation and Glycolysis of Pancreatic Stellate Cells via Suppression of miR-21. Oxid Med Cell Longev. Apr 26;2018:1346958;2018.
73. Yan Y, Zhou C, Li J, et al. Resveratrol inhibits hepatocellular carcinoma progression driven by hepatic stellate cells by targeting Gli-1. Mol Cell Biochem. Oct;434(1-2):17-24;2017.
74. Yang T, Zhang J, Zhou J, et al. Resveratrol inhibits Interleukin-6 induced invasion of human gastric cancer cells. Biomed Pharmacother. Mar;99:766-773;2018.
75. Yang Z, Meng Q, Zhao Y, et al. Resveratrol Promoted Interferon-α-Induced Growth Inhibition and Apoptosis of SMMC7721 Cells by Activating the SIRT/STAT1. J Interferon Cytokine Res. Jun;38(6):261-271;2018.
76. Yang L., Huang F., Mei J., et al. Posttranscriptional control of PD-L1 expression by 17beta-estradiol via pi3k/akt signaling pathway in eralpha-positive cancer cell lines. Int. J. Gynecol. Cancer. 27:196–205, 2017.
77. Yang H, Chen J, Chen Y, et al. Sirtuin inhibits M. tuberculosis -induced apoptosis in macrophage through glycogen synthase kinase-3beta. Arch Biochem Biophys. Nov 15;694:108612, 2020.
78. Yang H, Chen J, Chen Y, et al. Sirt1 activation negatively regulates overt apoptosis in Mtb-infected macrophage through Bax. Int Immunopharmacol. Feb;91:107283, 2021.
79. Yao H, Fan M, He X. Autophagy suppresses resveratrol-induced apoptosis in renal cell carcinoma 786-O cells. Oncol Lett. Apr;19(4): 3269-3277, 2020.
80. Yavuz S, Aydin NE, Celik O, et al. Resveratrol successfully treats experimental endometriosis through modulation of oxidative stress and lipid peroxidation. J Cancer Res Ther. 2014 Apr-Jun;10(2): 324-9;2014.
81. Xia M, Chen H, Liu S. The synergy of resveratrol and alcohol against Helicobacter pylori and underlying anti-Helicobacter pylori mechanism of resveratrol. J Appl Microbiol. Apr;128(4):1179-1190, 2020
82. Xie B, Xu Z, Hu L, et al. Pterostilbene Inhibits Human Multiple Myeloma Cells via ERK1/2 and JNK Pathway In Vitro and In Vivo. Int J Mol Sci. Nov 17;17(11);2016.
83. Xu Q, Zong L, Chen X, et al. Resveratrol in the treatment of pancreatic cancer. Ann N Y Acad Sci. 1348(1):10-9;2015.
84. Zaidi SF, Ahmed K, Yamamoto T, et al. Effect of resveratrol on Helicobacter pylori-induced interleukin-8 secretion, reactive oxygen species generation and morphological changes in human gastric epithelial cells. Biol Pharm Bull. Nov;32(11):1931-5, 2009.
85. Zhang X, Jiang A, Qi B, et al. Resveratrol Protects against Helicobacter pylori-Associated Gastritis by Combating Oxidative Stress. Int J Mol Sci. Nov 20;16(11):27757-69, 2015.
86. Zou Y, Yang J, Jiang D. Resveratrol inhibits canonical Wnt signaling in human MG-63 osteosarcoma cells. Mol Med Rep. 12:7221–7226; 2015.
87. Zhou X, Zhao Y, Wang J, et al. Resveratrol represses estrogen-induced mammary carcinogenesis through NRF2-UGT1A8-estrogen metabolic axis activation. Biochem Pharmacol. Sep;155:252-263; 2018.

CAPÍTULO 115

Rhus verniciflua, agora *Toxicodendron vernicifluum* potente antineoplásico

Anti-*Helicobacter pylori*; inibe NF-kappaB, ERK 1/2, telomerase, MMP-9, AP-1, aromatase, iNOS, COX-2, PGE2, TNF-α, IL-1β, VEGF, PKC-α; quela íons ferro; reduz os níveis de cdc25C; diminui Bcl-2 e aumenta Bax; ativa Sp1, DR-5; além de bloquear os *checkpoints* imunes PD-1/PDL-1/CTLA-4 e ativar linfócitos T citotóxicos

José de Felippe Junior

Começaram a surgir as drogas-alvo das florestas.
Botânicos e médicos felizes

Rhus verniciflua é uma verdadeira fábrica de princípios ativos anticâncer. **JFJ**

Casca do tronco do *Toxicodendrum vernicifluum*

Rhus verniciflua Stokes (RVS) agora redefinida como *Toxicodendron vernicifluum* é uma espécie de árvore asiática do gênero Toxicodendron, pertencente à família Anacardiaceae, comumente conhecida como árvore de laca chinesa e encontrada na China, Coreia e Japão. A laca encontra-se na seiva. O extrato aquoso da RVS é utilizado há milhares de anos como suplemento alimentar e fitoterapia tradicional para várias doenças no leste da Ásia. Existem relatos do uso dessa planta na Coreia em doenças estomacais e massas abdominais no século XV (Yoo, 1977).

Particularmente na casca da árvore encontrou-se grande número de fitoquímicos bioativos, incluindo grande variedade de flavonoides e polifenóis, incluindo fustina, fisetina, quercetina, buteína, ácido p-cumárico, kempferol, sulfuretina, catecol, procianidina e ácido gálico este considerado **"o rival molecular do câncer".**

Na medicina tradicional destes países é utilizada há muito tempo para tratar a gastroenterite, gastrite, cólica abdominal, artrite, hipertensão arterial, *diabetes mellitus*, acidente vascular cerebral e a fadiga das doenças crônicas. O extrato exerce efeitos antimicrobianos, antimutagênicos, antiartríticos, antiplaquetários, antioxidantes, anti-inflamatórios, hemostáticos e anticâncer. RVS possui forte efeito antiproliferativo e apoptóticos em várias linhagens de células tumorais humanas, câncer de mama, de pulmão, de estômago, de pâncreas, colorretal, linfomas, leucemia mielógena, osteossarcoma e células do hepatocarcinoma e devido à sua baixa toxicidade está emergindo como atraente candidato no tratamento do câncer.

O único problema com a planta é a presença de um componente alergênico, principalmente na seiva, urushiol, que pode provocar prurido e dermatite (Park, 2000; Won, 2008). No presente momento, três extratos diferentes de *Rhus verniciflua*, livres de alérgenos

(DRVE, FRVE e FFRVE), foram produzidos pela desintoxicação da planta e comercializados na Coreia (Lee, 2018).

As árvores crescem até 20 metros de altura com folhas grandes contendo muitos folíolos.

Árvore do *Toxicodendrum vernicifluum*

Efeito anti-PD-1/PDL-1 e CTLA4/CD80

Li e colaboradores, em 2019, estudaram cerca de 800 extratos de ervas em busca de inibidores de pontos de verificações (*checkpoints*) imunes de PD-1 e CTLA-4 (PD-1/PDL-1 e CTLA-4/CD80) usando o método ELISA (*Enzyme-Linked Immunosorbent Assay*). O trabalho foi recompensado, pois os autores, pela primeira vez na literatura encontraram no extrato da *Rhus verniciflua* (RVS) vários princípios ativos com forte efeito inibidor no ponto de verificação imune de PD-1/PDL-1 e CTLA-4/CD80). Para identificar os compostos ativos da RVS procedeu-se o fracionamento guiado por bioatividade e a fração acetato de etila da RVS provou ser a mais eficaz no bloqueio das interações dos pontos de verificações imunes.

No início foram isolados 20 compostos principais da fração acetato de etila da RVS e, em seguida, examinaram-se os efeitos do bloqueio provocado por esses 20 elementos.

Quatro princípios ativos se destacaram bloqueando a interação do PD-1/PD-L1, eriodictyol > fisetina > quercetina > liquiritigenina. Outros quatro compostos se destacaram bloqueando a interação do CTLA-4/CD80, ácido protocatecúico > ácido cafeico > taxifolina > buteína (Li, 2019).

Os pontos de verificação imunes que podem estimular ou inibir as respostas das células T, foram descobertos pelos professores Tasuku Honjo e James Allison que ganharam o prêmio Nobel de Fisiologia em 2018 pela descoberta do PD-1 e CTLA-4, respectivamente.

Quando moléculas CD80 das células apresentadoras de antígenos (APC) interagem com CD28 das células T, as atividades das células T são estimuladas e sustentadas, enquanto quando as moléculas CD80 se ligam ao CTLA-4 é enviado um sinal negativo às células T ativadas. O anticorpo monoclonal anti-CTL-4, ipilumumab, bloqueia as células Treg. Da mesma forma, a proliferação de células T e a produção de citocinas são inibidas quando PD-1 em células T interagem com PD-L1 ou PD-L2 em APC ou células tumorais (Thompson, 1997; Latchman, 2001).

Lembrar que CTLA-4 suprime a proliferação de células T no início de uma resposta imune, principalmente em nódulos linfáticos, enquanto PD-1 suprime as células T posteriormente em uma resposta imune, principalmente em tecidos periféricos (Buchbinder, 2016; Rowshanravan, 2018).

Os anticorpos monoclonais bloqueadores de PD-1 (Pembrolizumabe, Nivolumabe e Cemiplimabe), PD-L1 (Atezolizumabe, Avelumabe e Durvalumabe) e CTLA-4 (Ipilimumabe) foram aprovados pela Food and Drug Administration dos EUA e usados primeiramente no tratamento do melanoma metastático e câncer de pulmão não de pequenas células.

No entanto, do mesmo modo que as quimioterapias, eles provocam efeitos colaterais sérios como colite, gastrite, nefrite, tiroidite, diabetes insulinodependente etc. Acresce que os anticorpos monoclonais são muito dispendiosos, mas principalmente são pouco eficazes em tumores sólidos porque são moléculas grandes que não conseguem atingir o ambiente peritumoral.

O sistema imune funciona como o nosso campeão de fórmula 1, Ayrton Senna naquela célebre corrida em Interlagos onde venceu majestosamente em chuva forte acelerando e brecando, acelerando e brecando. O sistema imune faz o mesmo. Quando usamos drogas imunoestimulantes o sistema imune responde gerando imunossupressores. Vamos lembrar de uma honrosa exceção, a beta-glucana.

Pois bem, existem vários mecanismos imunossupressores, as células Treguladoras (Treg): inibição de sinais co-estimuladores por CD80 e CD86 expressos por células dendríticas através do linfócito T citotóxico antígeno-4 (CTLA-4), consumo dos receptores de interleucina (IL) -2 por receptores de IL-2 de alta afinidade com elevado expressão o CD25 (IL-2 receptor α-chain), secreção de citocinas inibidoras, modulação metabólica de triptofano e adenosina, morte direta de células T efetoras e ativação de MDSCs ((*myeloid-derived suppressor cells*). A via do fator de crescimento vascular endotelial (VEGF) – receptor 2 do VEGF (VEGFR2) está envolvida no acúmulo de DCs imaturas, MDSCs e células Treg e na atenuação da infiltração de células T (Terme, 2013). O TGF-β (*Transforming Growth Factor-beta*) suprime diretamente a função das células T efetoras e células *natural killer* (Colak, 2017). Mutações na via TGF-β são frequentemente observadas em cânceres humanos, e a superativação dessa via está associada à progressão do tumor, estimulando a angiogênese e suprimindo as respostas imunes antitumorais inatas e adaptativas.

Em células saudáveis e células cancerígenas em estágio inicial, a via TGF-beta possui funções supressoras de tumor, incluindo parada do ciclo celular e apoptose das células imunes. Sua ativação no câncer em estágio avançado pode promover a carcinogênese, incluindo metástases e quimiorresistência.

A infiltração de células Treg no microambiente tumoral (TME) ocorre em múltiplos tumores humanos. As células T reguladoras são atraídas quimicamente no TME por gradientes de quimiocina, como CCR4--CCL17/22, CCR8-CCL1, CCR10-CCL28 e CXCR3--CCL9/10/11. As células T reguladoras são agora ativadas e inibem as respostas imunes antitumorais. Alta infiltração de células Treg está associada à baixa sobrevida em vários tipos de câncer. Portanto, estratégias para esgotar as células Treg e controlar as funções das células Treg para aumentar as respostas imunes antitumorais são urgentemente necessárias no campo da imunoterapia contra o câncer (Ohue, 2019).

Lembremos novamente da glucana que enquanto ativa M1/Th1 inibe Treg e as MDSCs e de uma droga muito usada em oncologia, ciclofosfamida, inibidora de Treg. Outro fato importante, os inibidores do eixo PI3-K/PTEN/mTOR também controlam efetivamente a imune supressão pelas células Treg (Ali, 2014; Shrestha, 2015; Huynh, 2015).

A figura 115.1 mostra os usos antigos e modernos da *Rhus verniciflua*.

Alvos moleculares da *Rhus verniciflua* no câncer

1. **Antiviral.** Nada foi encontrado sobre o EBV, CMV, HSV, HPV. É antivírus IHNV e VHSV de peixes (Kang, 2012).

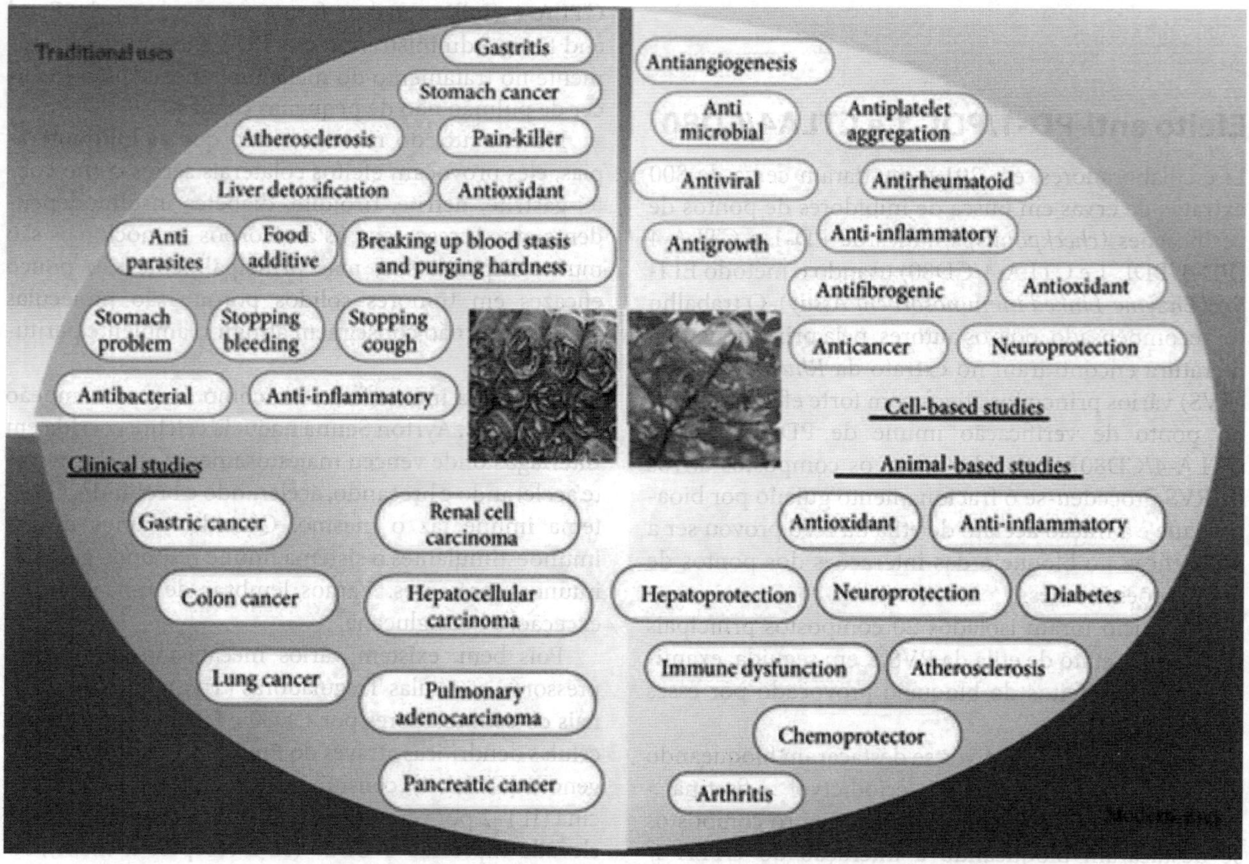

Figura 115.1 Representação esquemática dos usos antigos e modernos da *Rhus verniciflua*. Retirado da excelente revisão de Kim e colaboradores, 2014.

2. **Antibacteriano**
   a) Extrato da casca – cepa resistente à meticilina de *Staphylococcus aureus* (MRSA), Salmonela entérica, *P. aeruginosa*, *E coli* e *B. cereus* (Saravanakumar, 2019).
   b) Anti-*Helicobacter pylori*.
   c) Anti-*Propionibacterium* acne.
   d) Nada encontrado sobre *Mycobacterium tuberculosis*.
3. **Antifúngico**. Anti-*T. rubrum* (fungo do pé de atleta).
4. **Anti-inflamatório**
   a) Inibe mediadores pró-inflamatórios suprimidos: NO, PGE2 e TNF-α através da inibição da via NF-κB e JNK em macrófagos RAW 264,7 induzidos por LPS. b) Inibe produção de ROS e translocação de PKC-α, regulação negativa da expressão de NF-κB e AP-1 e inibição dos níveis de expressão de iNOS e COX-2.
   c) Inibe as expressões de TNF-α, IL-6 e IL-8 em mastócitos humanos ao tratamento com PMA e A23187.
   d) Inibe produção de NO, PGE2, TNF-α e IL-1β induzida por LPS em macrófagos murinos.
   e) Suprime NOS através das vias de sinalização ERK e Akt. f) Suprime a expressão de mRNA de iNOS e COX-2 induzida por LPS e diminui os níveis de ROS intracelulares induzidos por LPS. g) Inibe citocinas relacionadas à inflamação e fator angiogênico em células sinoviais semelhantes a fibroblastos com artrite reumatoide. h) Suprime dermatite alérgica provocada por 2,4-DNFB (Jung, 2007; Oh, 2007; Lee, 2009; Hong, 2010; Lee, 2010; Jung, 2011; Park, 2013).
5. **Antioxidante**
   a) Inibe a degradação mediada por radical hidroxila porque quela íons de ferro.
   b) Inibe a oxidação do ácido linoleico, protege o LDL humano da modificação oxidativa e protege contra a quebra da fita de DNA do plasmídeo induzida por radicais livres de peroxil.
   c) Exibe efeitos antirradicais hidroxila e peroxil em ensaios *in vitro*.
   d) Inibe NF-κappaB e AP-1.
   e) Reduz a formação de ROS intracelular causada por H_2O_2 e reduz a formação de TBARS.
   f) Previne a liberação de ROS induzida por cisplatina contra células MDCK-I.
   g) Queratinócitos humanos são protegidos contra o estresse oxidativo causado por H_2O_2 (Lim, 2001; Lee, 2002; Ko, 2005; Jung, 2006; Lee, 2009; Liu, 2013).
6. **Neuroprotetor**
   a) Protege as células HT22 do hipocampo murino contra a neurotoxicidade induzida pelo glutamato.
   b) Células neuronais dopaminérgicas são protegidas em modelo de rotenona de DP.
   c) Protege contra a morte celular neuronal induzida por 6-OHDA por DP. d) Protege contra a toxicidade induzida por rotenona, evitando a regulação negativa de BDNF e GDNF em células dopaminérgicas humanas, SH-SY5Y (Kim, 2011; Cho, 2012; Byung, 2007).
7. **Inibidor de função plaquetária**.
   a) inibe a agregação plaquetária via inibição da expressão do receptor nas membranas plaquetárias, incluindo glicoproteína IIb/IIIa (CD41), expressão semelhante a GPIIb/IIIa (PAC-1) e P-selectina (CD62) e respostas de mobilização de cálcio intracelular e a diminuição da ativação plaquetária foi observada para as plaquetas tratadas com isomaltol e pentagaloil-glicose.
   b) Atividade anti-AKR1B10 exibida a 1 μM com um valor de IC50 de 1,47 μM (Jeon, 2006; Song, 2010).
8. **Inibe aromatase,** principalmente a butina (Park, 2014).
9. **Antiangiogênese**
   a) O RVS é antitumoral no carcinoma do colo uterino e da mama *in vitro*, suprime o volume do tumor de pulmão de células A549 em modelo de xenoenxerto de camundongos inibindo a proliferação e a atividade migratória do fator de crescimento endotelial vascular. Também inibe significativamente a proliferação de células endoteliais da veia umbilical humana (HUVECs) induzidas pelo fator de crescimento epitelial vascular (VEGF) (Choi, 2006).
   b) A migração de células endoteliais em direção a um quimioatractante é um passo importante na angiogênese. RVS inibe significativamente a migração de HUVECs induzida por VEGF. RVS bloqueia a migração e a maturação das células endoteliais induzidas pelo VEGF (Choi, 2012).
10. É eficaz nas 4 linhagens de câncer humano: HepG2 (fígado), PC3 (próstata), MDA-MB-231(mama triplo negativo) e HCT116 (cólon).
11. A buteína, flavonoide biologicamente ativo isolado da casca da *Rhus verniciflua* Stokes, é utilizada contra vários tipos de câncer. A buteína inibe o crescimento de células cancerígenas ao induzir parada na fase G2/M e apoptose. A interrupção de fase G2/M induzida por buteína está associada ao aumento da fosforilação do gene ATM (ataxia-telangiectasia mutado) e Chk1/2 e, consequentemente, redução dos níveis de cdc25C. Além disso, a apoptose induzida por buteína é mediada pela ativação da caspase-3, que está associada a alterações na expressão das proteínas Bcl-2 e Bax. Curiosamente, a buteína sensibi-

liza as células para a apoptose induzida por ligantes indutores de apoptose relacionada ao fator de necrose tumoral através da ativação Sp1 mediada por ERK, que promove a transcrição do receptor de morte específico, DR-5. A buteína também inibe a migração e invasão de células cancerígenas humanas, suprimindo o NF-kappaB, ERK 1/2, MMP-9 e VEGF. Além disso, o buteína regula negativamente a expressão da transcriptase reversa da telomerase humana e provoca diminuição concomitante da atividade da telomerase (Kim, 2018; Jayasooriya, 2018).

12. **Gliomas**
   a) Fisetina (3,3',4',7-tetrahydroxyflavone) provoca apoptose e diminuição da proliferação em células T98G e BEAS-2B do glioma, de modo dose e tempo- dependentes. Ocorre aumento das caspases e do Bax (Pak, 2019).
   b) Fisetina suprime a expressão do ADAM9 e inibe a invasão de células do glioma GBM8401 via aumento da fosforilação do ERK1/2 o que inibe a sua função proliferativa (Chen, 2015).
   c) Quercetina é flavonoide promissor no tratamento do GBM porque regula muitas proteínas envolvidas na transdução de sinal deste tumor (Tavana, 2020). Lembrar a pouca absorção via oral e assim deve ser usado sublingual.
   d) Quercetina-Losartana melhora a eficácia contra o GBM. As espécies reativas de oxigênio (ROS) são um importante contribuinte para o desenvolvimento de GBM. Aqui, foi descrito a síntese de uma molécula híbrida estável amarrando duas frações reguladoras de ROS, com o objetivo de construir uma entidade quimiopreventiva e anticâncer que retenha as propriedades dos compostos originais. Utilizamos o antagonista seletivo do AT1R losartana, que leva à inibição dos níveis de ROS e o antioxidante flavonoide quercetina. Em células GBM, este híbrido retém o potencial de ligação da losartana ao AT1R e simultaneamente exibe inibição de ROS e a capacidade antioxidante da quercetina permanece. Além disso, o híbrido é capaz de alterar a distribuição do ciclo celular de células GBM, levando à interrupção do ciclo celular e à indução de efeitos citotóxicos. Por último, o híbrido reduz significativa e seletivamente a proliferação de células cancerígenas e a angiogênese em culturas primárias de GBM em relação aos componentes parentais isolados ou sua combinação simples, enfatizando ainda mais a utilidade potencial da abordagem de hibridização atual em GBM (Tsiailanis, 2010). Possível conflito de interesse.
   e) Quercetina e cloroquina agem de modo sinérgico por provocar apoptose independente das caspases no GBM, células U87MG and U373MG, ao induzir estresse de organelas e romper a homeostase do Ca^{++}. A combinação de quercetina e cloroquina (CQ) desencadeia expansão excessiva de auto lisossomos e lisossomos devido à sobrecarga de componentes celulares não digeridos e agregados de proteína, levando à morte celular, enquanto a quercetina sozinha aumenta o fluxo autofágico. Estes resultados sugerem que a inibição lisossomal mediada por CQ prolonga o fluxo autofágico mediado pela quercetina, resultando em catástrofe autofágica e estresse severo do retículo endoplasmático (ER). Além disso, a liberação de Ca^{++} mediada pelo receptor de 1,4,5-trifosfato (IP3R) do ER e o seguinte influxo de Ca^{++} mediado por uniporter mitocondrial (MCU) para as mitocôndrias, bem como a geração de ROS, estão criticamente envolvidos na citotoxicidade por essa combinação. Coletivamente, os defeitos lisossomais induzidos pela quercetina mais CQ podem desencadear o estresse tanto no RE quanto na mitocôndria e, consequentemente, seus defeitos funcionais, contribuindo para a morte celular do glioma. A combinação de quercetina e CQ pode ser uma opção terapêutica eficaz para GBM (Jang, 2020).
   f) Quercetina induz apoptose em células do GBM suprimindo a sinalização Axl/IL-6/STAT3 (Kim, 2021).

13. **Neuroblastoma**

   Buteína induz apoptose de células do neuroblastoma via aumento da geração de radicais livres de oxigênio (Chen, 2012).

14. **Câncer de pulmão**
   a) RVS removida de alérgeno possui fortes efeitos antiproliferativos e apoptóticos nas células de câncer de pulmão humano A549 e os efeitos são mediados pela ativação de caspases, regulação negativa de Bcl-2 e Mcl-1, regulação positiva de Bax, hiperregulação de Bax, hiperfosforilação de p53 e hipofosforilação de S6 (Jang, 2016).
   b) A buteína, componente da RSV, induz apoptose e inibição da expressão da cicloxigenase-2 em células de câncer de pulmão A549 (Li, 2014).
   c) Metabólitos extraídos da casca, semente e caule do *Toxicodendron vernicifluum* foram testados para atividade anticâncer pulmonar *in vitro* e *in vivo*. Somente o extrato metanólico da casca possui efeito no carcinoma de pulmão humano, linhagem, A549. Acontece aumento de ERTOS, apoptose, parada do ciclo celular em G1 e inibição da survivina, proteína antiapoptótica (Saravanakumar, 2019).

15. **Câncer de mama**
    a) O extrato de água fervente de RVS, rico em ácido gálico, inibe o crescimento de células MCF-7 de maneira dependente da dose, induzindo apoptose na fase sub-G1. Houve aumento significante do número de células apoptóticas e aumento da expressão de p53 e p21 de maneira dependente da dose. Além disso, o tratamento com RVS aumenta a proporção Bax: Bcl-2 e os níveis de fatores relacionados à apoptose, como caspase clivada-3 e 9 e PARP, nas células MCF-7 (Kim, 2019).
    b) O tratamento com o extrato de RVS ativa a AMPKα2 nas células MCF-7 e a via da AMPK exerce profunda influência na inibição da viabilidade tumoral mediada pela planta (Lee, 2014).
    c) Buteína da RSV inibe o crescimento clonogênico de células do câncer de mama em co-cultura com fibroblastos (Samoszuk, 2005).
16. **Câncer gástrico**
    a) Extrato etanólico de RVS inibe a progressão do ciclo celular via regulação positiva de p27Kip1 e induz apoptose em células cancerígenas gástricas (Kim, 2006).
    b) Provoca apoptose mediada pela inibição da via de sobrevivência PI3K-Akt/PKB em linhas de células de câncer gástrico (Kim, 2006)
    c) Extrato de etanólico do RVS provoca apoptose em células do câncer gástrico por meio da ativação da caspase-9 (via da morte mitocondrial) mediado pela perda do potencial da membrana mitocondrial (Delta-psimt) e pela liberação do citocromo C mitocondrial. Acontece inativação da PI3K-Akt/PKB quinase de maneira dependente do tempo (Kim, 2008).
17. **Câncer hepático**
    RSV possui efeito antiproliferativo e apoptótico em células hepáticas transformadas por SV40 (Son, 2005).
18. **Colangiocarcinoma**
    Três casos clínicos com recidiva foram tratados com RSV e evoluíram com bons resultados (Chae, 2018).
19. **Câncer de pâncreas**
    Rhus verniciflua Stokes suprime a invasão e a migração de células cancerígenas pancreáticas através da regulação negativa das vias de sinalização JAK/STAT e Src/FAK. RVS inibiu o Janus quinase/transdutor de sinal e ativador da via de transcrição em células de câncer de pâncreas e diminuiu a expressão proteica da mucina 4. Além disso, inibiu a ativação da adesão focal quinase e sinalização de Src e diminuiu a expressão da metaloproteinase da matriz 9, o que reduziu a migração e invasão de células cancerígenas pancreáticas (Kang, 2018).
20. **Câncer de ovário**
    a) Extrato de RVS induz morte celular no câncer de ovário SKOV-3 via ativação da via JNK (Kang, 2016).
    b) RVS e buteína induzem apoptose em células do câncer de ovário SKOV-3/PAX resistentes ao paclitaxel inibindo a fosforilação do AKT. Suprimem o crescimento de maneira dependente da dose, via clivagem da caspase-9, 8, 3 e do PARP (Choi, 2016)
21. **Câncer de endométrio**. Nada encontrado.
22. **Câncer de colo uterino**
    RVS exibiu 70% de morte celular em linhas de células tumorais HeLa e CT-26 a uma concentração mínima de 2,48μM.
23. **Linfoma não Hodgkin**
    a) Extrato etanólico da RVS inibe o crescimento e induz apoptose em células do linfoma humano de células T e B (Lee, 2003).
    b) Extrato etanólico da RVS inibe o crescimento e induz apoptose em células do linfoma humano B (Lee, 2004).
24. **Leucemia mielógena**
    Extrato de *Rhus verniciflua* Stokes induz inibição do crescimento celular e provoca apoptose em células K562 de leucemia mieloide crônica humana (Lee, 2018).
25. **Osteossarcoma**
    a) Flavonoides purificados da RSV inibem o crescimento celular e induz apoptose em células do osteossarcoma humano (Jang, 2005).
    b) RVS é capaz de induzir apoptose em células do osteossarcoma humano por induzir p53 o que diminui Bcl-2, ativa Bax e libera citocromo c no citoplasma o que leva à translocação do fator indutor de apoptose (AIF) e a endonuclease G (EndoG) no núcleo (Kook, 2007).
    c) Apoptose exibida através da via de clivagem da caspase-8/PARP em células de osteossarcoma humano (Jang, 2005).
    d) Provoca morte independente das caspases em células de osteossarcoma humano via estresse mitocondrial mediado por p53 e translocação nuclear de AIF e endonuclease G (Kook, 2007).
26. **Fibrossarcoma**
    A invasão das células HT1080 do fibrossarcoma humano foi reduzida de maneira dependente da dose após tratamento de 24 horas com RVS. Os níveis de MMP-2 e MMP-9 foram reduzidos por RVS sugerindo que a diminuição da invasão celular é uma consequência, pelo menos em parte, da atividade reduzida de MMP-2 e MMP-9. O RVS inibiu as atividades de MMP-2 e MMP-9 com valor de IC50 de 1,01 ± 0,07μg/ml e 1,94 ± 0,11μg/ml, res-

pectivamente, o que é uma concentração muito baixa em comparação com outros fitoterápicos (Choi, 2012).

27. **Outros efeitos**
    a) Eficaz na esteatose hepática não alcoólica (Lee, 2018).
    b) Efeito neuroprotetor na doença de Parkinson.
    c) Efeito antidiabético.

Conclusão

Viva os incansáveis pesquisadores de bancada a nos ensinar cada dia mais a cuidar melhor dos nossos pacientes e ainda com medicamentos não dispendiosos que crescem no pequeno planeta repleto de segredos.

Referências

1. Ali K, Soond DR, Pineiro R, et al. Inactivation of PI(3)K p110delta breaks regulatory T-cell-mediated immune tolerance to cancer. Nature.;510:407-411, 2014.
2. Byung CP, S. L. Yong, H.-J. Park et al., "Protective effects of fustin, a flavonoid from Rhus verniciflua stokes, on 6- hydroxydopamine-induced neuronal cell death," Experimental and Molecular Medicine, vol. 39, no. 3, pp. 316-326, 2007.
3. Buchbinder EI, Desai A. CTLA-4 and PD-1 Pathways: Similarities, Differences, and Implications of Their Inhibition. Am J Clin Oncol. Feb;39(1):98-106, 2016.
4. Chen CM, Hsieh YH, Hwang JM, et al. Fisetin suppresses ADAM9 expression and inhibits invasion of glioma cancer cells through increased phosphorylation of ERK1/2.Tumour Biol. May;36(5):3407-15, 2015.
5. Chen YH, Yeh CW, Lo HC, et al. Generation of reactive oxygen species mediates butein-induced apoptosis in neuroblastoma cells.Oncol Rep. Apr;27(4):1233-7, 2012.
6. Cho N, Choi JH, Yang H, et al., "Neuroprotective and anti-inflammatory effects of flavonoids isolated from Rhus verniciflua in neuronal HT22 and microglial BV2 cell lines," Food and Chemical Toxicology, vol. 50, no. 6, pp. 1940-1945, 2012.
7. Choi HS, Kim MK, Choi YK, et al. Rhus verniciflua Stokes (RVS) and butein induce apoptosis of paclitaxel-resistant SKOV-3/PAX ovarian cancer cells through inhibition of AKT phosphorylation. BMC Complement Altern Med. Apr 27;16:122, 2016
8. Choi WC, Lee EO, Lee HJ, et al. Study on antiangiogenic and antitumor activities of processed *Rhus verniciflua* Stokes extract. Korean Journal of Oriental Physiology & Pathology. 20:825-829,2006.
9. Colak S, Ten Dijke P. Targeting TGF-beta signaling in cancer.Trends Cancer. 3:56-71,2017.
10. Hong MH, Kim J-H, Lee SY, et al., "Early antiallergic inflammatory effects of Rhus verniciflua stokes on human mast cells," Phytotherapy Research, vol. 24, no. 2, pp. 288-294, 2010.
11. Huynh A, DuPage M, Priyadharshini B, et al. Control of PI(3) kinase in Treg cells maintains homeostasis and lineage stability. Nat Immunol.;16:188-196,2015.
12. Jang HS, Kook SH, Son YO, et al. Flavonoids purified from Rhus verniciflua Stokes actively inhibit cell growth and induce apoptosis in human osteosarcoma cells. Biochimica et Biophysica Acta. 1726(3):309-316,2005.
13. Jang IS, Park JW, Jo EB, et al. Growth inhibitory and apoptosis-inducing effects of allergen-free Rhus verniciflua Stokes extract on A549 human lung cancer cells.Oncol Rep. Nov; 36(5):3037-3043, 2016.
14. Jang H-S, S.-H. Kook, Y.-O. Son et al., "Flavonoids purified from Rhus verniciflua Stokes actively inhibit cell growth and induce apoptosis in human osteosarcoma cells," Biochimica et Biophysica Acta—General Subjects, vol. 1726, no. 3, pp. 309-316, 2005.
15. Jang E, Kim IY, Kim H, et al. Quercetin and chloroquine synergistically kill glioma cells by inducing organelle stress and disrupting Ca(2+) homeostasis. Biochem Pharmacol. Aug;178:114098, 2020.
16. Jayasooriya RGPT, Molagoda IMN, et al. Molecular chemotherapeutic potential of butein: A concise review. Food Chem Toxicol. Feb;112:1-10,2018.
17. Jeon WK, Lee JH, Kim HK, et al., "Anti-platelet effects of bioactive compounds isolated from the bark of Rhus verniciflua Stokes," Journal of Ethnopharmacology, vol. 106, no. 1, pp. 62-69, 2006.
18. Jung CH, Jun C-Y, Lee S, Park C-H, Cho K, Ko S-G. "Rhus verniciflua stokes extract: radical scavenging activities and protective effects on H2O2-induced cytotoxicity in macrophage RAW 264.7 cell lines," Biological and Pharmaceutical Bulletin, vol. 29, no. 8, pp. 1603-1607, 2006.
19. Jung CH, Kim JH, Hong MH, et al., "Phenolic-rich fraction from Rhus verniciflua Stokes (RVS) suppress inflammatory mediators of inflammation response via NF-κB and JNK pathway in lipopolysaccharideinduced RAW 264.7 macrophages," Journal of Ethnopharmacology, vol. 110, no. 3, pp. 490-497, 2007.
20. Jung C-H,. Kim J-H, Kim J.H, et al., "Anti-inflammatory effect of Rhus verniviflua Stokes by suppression of iNOS-mediated Akt and ERK pathways: in-vitro and in-vivo studies," Journal of Pharmacy and Pharmacology, vol. 63, no. 5, pp. 679-687, 2011.
21. Kang SY, Kang J-Y, and Oh M-J. "Antiviral activities of flavonoids isolated from the bark of Rhus verniciflua stokes against fish pathogenic viruses in vitro," Journal of Microbiology, vol. 50, no. 2, pp. 293-300, 2012.
22. Kang SH, Hwang IH, Son E, et al. Allergen-Removed Rhus verniciflua Extract Induces Ovarian Cancer Cell Death via JNK Activation. Am J Chin Med. 44(8):1719-1735,2016.
23. Kang Y, Yoon SW, Park B. Allergenremoved Rhus verniciflua Stokes suppresses invasion and migration of pancreatic cancer cells through downregulation of the JAK/STAT and Src/FAK signaling pathways. Oncol Rep. Nov;40(5):3060-3068,2018.
24. Kim JH, Kim HP, Jung CH, et al. Inhibition of cell cycle progression via p27Kip1 upregulation and apoptosis induction by an ethanol extract of Rhus verniciflua Stokes in AGS gastric cancer cells. Int J Mol Med. Jul;18(1):201-8, 2006.
25. Kim JH, Go HY, Jin DH, et al. Inhibition of the PI3K-Akt/PKB survival pathway enhanced an ethanol extract of Rhus verniciflua Stokes-induced apoptosis via a mitochondrial pathway in AGS gastric cancer cell lines. Cancer Lett. Jul 8;265(2):197-205,2008.
26. Kim S, Park S-E, Sapkota K, Kim M-K, Kim S-J. "Leaf extract of Rhus verniciflua Stokes protects dopaminergic neuronal cells in a rotenone model of Parkinson's disease," Journal of Pharmacy and Pharmacology, vol. 63, no. 10, pp. 1358-1367, 2011.
27. Kim JH, Shin YC, Ko SG. Integrating traditional medicine into modern inflammatory diseases care: multitargeting by Rhus verniciflua Stokes. Mediators Inflamm.;2014:154561,2014.
28. Kim MS, Lee CW, Kim JH, et al. Extract of Rhus verniciflua Stokes Induces p53-Mediated Apoptosis in MCF-7 Breast Cancer Cells. Evid Based Complement Alternat Med. Feb 7;2019:9407340, 2019.
29. Kim HI, Lee SJ, Choi YJ, et al. Quercetin Induces Apoptosis in Glioblastoma Cells by Suppressing Axl/IL-6/STAT3 Signaling Pathway. Am J Chin Med. 49(3):767-784, 2021.

30. Ko JH, Lee S-J,.Lim K-T. "36 kDa Glycoprotein isolated from Rhus verniciflua Stokes fruit has a protective activity to glucose/glucose oxidase-induced apoptosis in NIH/3T3 cells," Toxicology in Vitro, vol. 19, no. 3, pp. 353-363, 2005.
31. Kook SH, Son YO, Chung SW,et al. Caspase-independent death of human osteosarcoma cells by flavonoids is driven by p53-mediated mitochondrial stress and nuclear translocation of AIF and endonuclease G. Apoptosis. Jul;12(7):1289-98,2007.
32. Latchman Y, Wood CR, Chernova T, et al. PD-L2 is a second ligand for PD-1 and inhibits T cell activation. Nat Immunol. Mar; 2(3):261-8,2001.
33. Lee JC,.Lim K-T, Jang Y-S. "Identification of Rhus verniciflua Stokes compounds that exhibit free radical scavenging and anti-apoptotic properties," Biochimica et Biophysica Acta— General Subjects, vol. 1570, no. 3, pp. 181-191, 2002.
34. Lee JC, Kim J, Jang YS. Ethanol-eluted extract of Rhus verniciflua stokes inhibits cell growth and induces apoptosis in human lymphoma cells. J Biochem Mol Biol. Jul 31;36(4):337-43,2003.
35. Lee J-C, J. Kim, and Y.-S. Jang, "Ethanol-eluted extract of Rhus verniciflua stokes inhibits cell growth and induces apoptosis in human lymphoma cells," Journal of Biochemistry and Molecular Biology, vol. 36, no. 4, pp. 337-343, 2003.
36. Lee JC, Lee KY, Kim J, et al. Extract from Rhus verniciflua Stokes is capable of inhibiting the growth of human lymphoma cells. Food Chem Toxicol. Sep;42(9):1383-8,2004.
37. Lee J-D, J.-E. Huh, G. Jeon et al., "Flavonol-rich RVHxR from Rhus verniciflua Stokes and its major compound fisetin inhibits inflammation-related cytokines and angiogenic factor in rheumatoid arthritic fibroblast-like synovial cells and in vivo models," International Immunopharmacology, vol. 9, no. 3, pp. 268-276, 2009
38. Lee JH, H.-J. Lee, H.-J. Lee et al., "Rhus verniciflua Stokes prevents cisplatin-induced cytotoxicity and reactive oxygen species production in MDCK-I renal cells and intact mice," Phytomedicine, vol. 16, no. 2-3, pp. 188-197, 2009.
39. Lee D-S, G.-S. Jeong, B. Li, H. Park, and Y.-C. Kim, "Antiinflammatory effects of sulfuretin from Rhus verniciflua Stokes via the induction of heme oxygenase-1 expression in murine macrophages," International Immunopharmacology, vol. 10, no. 8, pp. 850-858, 2010.
40. Lee JO, Moon JW, Lee SK, et al Rhus verniciflua extract modulates survival of MCF-7 breast cancer cells through the modulation of AMPK-pathway. Biol Pharm Bull.; 37(5):794-801, 2014.
41. Lee SO, Kim SJ, Kim JS, et al. Comparison of the main components and bioactivity of Rhus verniciflua Stokes extracts by different detoxification processing methods. BMC Complement Altern Med. Aug 30;18(1):242,2018.
42. Lee KW, Um ES, Jung BB, et al. Rhus verniciflua Stokes extract induces inhibition of cell growth and apoptosis in human chronic myelogenous leukemia K562 cells. Oncol Rep. Mar;39(3):1141-1147,2018.
43. Li W, Kim TI, Kim JH, Chung HS. Immune Checkpoint PD-1/PD-L1 CTLA-4/CD80 are Blocked by Rhus verniciflua Stokes and its Active Compounds. Molecules. Nov 9;24(22):4062, 2019
44. Li Y, Ma C, Qian M, et al. Butein induces cell apoptosis and inhibition of cyclooxygenase2 expression in A549 lung cancer cells. Mol Med Rep. Feb;9(2):763-7,2014.
45. Li W, Kim TI, Kim JH, Chung HSImmune Checkpoint PD-1/PD-L1 **CTLA-4**/CD80 are Blocked by Rhus verniciflua Stokes and its Active Compounds. Molecules. Nov 9;24(22):4062, 2019.
46. Lim KT, C. Hu, and D. D. Kitts, "Antioxidant activity of a Rhus verniciflua Stokes ethanol extract," Food and Chemical Toxicology, vol. 39, no. 3, pp. 229–237, 2001.
47. Liu CS, T. G. Nam, M. W. Han et al., "Protective effect of detoxified Rhus verniciflua stokes on human keratinocytes and dermal fibroblasts against oxidative stress and identification of the bioactive phenolics," Bioscience, Biotechnology, and Biochemistry, vol. 77, no. 8, pp. 1682-1688, 2013.
48. Oh PS, S.-J. Lee, and K.-T. Lim, "Glycoprotein isolated from Rhus verniciflua STOKES inhibits inflammation-related protein and nitric oxide production in LPS-stimulated RAW 264.7 cells," Biological and Pharmaceutical Bulletin, vol. 30, no. 1, pp. 111–116, 2007.
49. Ohue Y, Nishikawa H. Regulatory T (Treg) cells in cancer: Can Treg cells be a new therapeutic target? Cancer Sci. Jul;110(7):2080-2089, 2019.
50. Pak F, Oztopcu-Vatan P.Z.Naturforsch C J Biosci. Fisetin effects on cell proliferation and apoptosis in glioma cells. Nov 26;74(11-12): 295-302, 2019.
51. Park SD, Lee SW, Chun JH, Cha SH. Clinical features of 31 patients with systemic contact dermatitis due to the ingestion of Rhus (lacquer).Br J Dermatol. May; 142(5):937-42, 2000.
52. Park DK, Y. G. Lee, and H.-J. Park, "Extract of Rhus verniciflua bark suppresses 2,4-dinitrofluorobenzene- induced allergic contact dermatitis," Evidence-Based Complementary and Alternative Medicine, vol. 2013, Article ID 879696, 11 pages, 2013.
53. Park MH, Kim IS, Kim SA, et al. Bioorg Med Chem Lett Inhibitory effect of Rhus verniciflua Stokes extract on human aromatase activity; butin is its major bioactive component. Apr 1;24(7):1730-3, 2014.
54. Rowshanravan B, Halliday N, Sansom DM. **CTLA-4**: a moving target in immunotherapy. Blood. Jan 4;131(1):58-67, 2018.
55. Samoszuk M, Tan J, Chorn G. The chalcone butein from Rhus verniciflua Stokes inhibits clonogenic growth of human breast cancer cells co-cultured with fibroblasts. BMC Complementary and Alternative Medicine. 5, article 5, 2005.
56. Saravanakumar K, Chelliah R, Hu X, et al. Antioxidant, Anti-Lung Cancer, and Anti-Bacterial Activities of Toxicodendron vernicifluum. Biomolecules. Mar 29;9(4):127, 2019.
57. Shrestha S, Yang K, Guy C, Vogel P, Neale G, Chi H. Treg cells require the phosphatase PTEN to restrain TH1 and TFH cell responses. Nat Immunol. 16:178-187,2015.
58. Son YO, Lee KY, Lee JC, et al. Selective antiproliferative and apoptotic effects of flavonoids purified from Rhus verniciflua Stokes on normal versus transformed hepatic cell lines. Toxicol Lett. Jan 15;155(1):115-25,2005.
59. Song D-G, J. Y. Lee, E. H. Lee et al., "Inhibitory effects of polyphenols isolated from Rhus verniciflua on Aldo-keto reductase family 1 B10," BMB Reports, vol. 43, no. 4, pp. 268-272, 2010.
60. Tavana E, Mollazadeh H, Mohtashami E, et al. Quercetin: A promising phytochemical for the treatment of glioblastoma multiforme. Biofactors. May;46(3):356-366, 2020.
61. Terme M, Pernot S, Marcheteau E, et al. VEGFA-VEGFR pathway blockade inhibits tumor-induced regulatory T-cell proliferation in colorectal cancer. Can Res.;73:539-549,2013.
62. Thompson C.B., Allison J.P. The emerging role of CTLA-4 as an immune attenuator. Immunity.;7:445-450,1997.
63. Tsiailanis AD, Renziehausen A, Kiriakidi S, et al. Enhancement of glioblastoma multiforme therapy through a novel Quercetin-Losartan hybrid. Free Radic Biol Med. Nov 20;160:391-402, 2020.
64. Won TH, Seo PS, Park SD, et al. Clinical features in 147 patients with systemic contact dermatitis due to the ingestion of chicken boiled with Japanease lacquer tree. Korean Journal of Dermatology. 46(6):761-768, 2008.
65. Yoo HT, Roh JR. Compendium of Prescriptions From the Countryside (Hyangyakjipseongbang*)* Vol. 1433. Seoul, Republic of Korea: Hangrimchulpansa; 1977.

CAPÍTULO 116

Ruibarbo no câncer

José de Felippe Junior

Emodin do ruibarbo, um derivado natural ativo da antraquinona, é encontrado nas raízes e rizomas de numerosas ervas medicinais chinesas e exibem efeitos anticâncer em muitos tipos de linhagens celulares. A planta mais utilizada é a *Rheum palmatum* L.

Ruibarbo

O emodin inibe a proliferação, induz apoptose, suprime a angiogênese, impede as metástases e aumenta os efeitos da quimioterapia.

Entretanto, o que usamos é a planta inteira, pois o conjunto de substâncias que fazem parte do ruibarbo geralmente não provocam efeitos colaterais.

Constituintes do ruibarbo: glicosídeos da antraquinona incluem o crisophanol, emodim, aloe-emodim, rein, piscion; assim como ácido cinâmico, oxalato de cálcio, frutose, glicose, ácidos tânicos e sensídeos A, B e C.

Advertência: para alguns autores o aloe-emodin isolado diminui o efeito da cisplatina, para outros aumenta o efeito.

Mecanismos de ação molecular do ruibarbo

1. Acidifica o protoplasma. O pH intracelular cai 0,47 a 0,78 unidade.
2. Inibidor da tirosina quinase: caseína quinases I e II (CKI e CKII), incluindo a cAMP-dependente proteína quinase (PKA), proteína quinase C (PKC) e cdc2.
3. Inibe Akt.
4. Anti-inflamatório.
5. Apoptose e inibição da proliferação na leucemia mieloide HL-60.
6. Inibe a atividade da ciclina B/cdc2 proteína quinase (cdc2).
7. Inibe IL-6 induzindo JAK2/STAT3 e provoca apoptose via diminuição do Mcl-1 nas células mieloides.
8. Induz parada do ciclo celular em G2/M e apoptose via ativação da caspase-6 no câncer de cólon humano.
9. Provoca apoptose no hepatocarcinoma: ativa p53, p21, Fas/APO-1 e caspase-3.
10. Induz parada do ciclo celular em G2/M, aumenta ROS e Ca^{++}, diminui o potencial de membrana mitocondrial- delta-psi-mt e diminui a proliferação. Aumenta os níveis de citocromo c, caspase-3, caspase-9 e a razão Bax/Bcl-2 provocando apoptose em células LS1034 do câncer de cólon humano.
11. Inibe a invasão e a migração de células do câncer de próstata e pulmão por diminuir a expressão do receptor CXCR4.
12. Suprime a ativação do NF-kappaB.
13. Emodin diminui a expressão gênica e a produção da proteína MDR-1 (P-gp).
14. No câncer de pâncreas a gemcitabina pode ativar o Akt e o fator nuclear NF-kappaB, os quais se associam à quimiorresistência. O emodin aumenta a atividade da gemcitabina inibindo a ativação da Akt e do NF-kappaB e promovendo apoptose via mitocondrial.
15. No câncer de pâncreas *in vivo* o Emodin diminui a expressão do RNAm da survivina e do XIAP mRNA.
16. Emodin potencia o efeito da gemcitabina no câncer de pâncreas.

17. Emodin potencia o efeito da cisplatina no câncer de vesícula através da geração de ROS e inibição da survivina.
18. *Aloe emodin* possui especificidade para tumores neuroectodérmicos.
19. No carcinoma epidermoide de pulmão: aumenta a expressão do Bak e Bax e promove apoptose e aumenta consideravelmente o citocromo c. Também aumenta a apoptose via ativação da caspase-3, caspase-9 e caspase-8.
20. Inibe P450 1A1, 1A2, 2B1, 2A6 em baixíssima dose: 2-15micromol *in vitro*.
21. Inibe EGFR-HER-2neu.
22. Antipsicótico.

Referência

Site www.medicinabiomolecular.com.br. Resumos ou trabalhos na íntegra.

CAPÍTULO 117

Sanguinarina ou Pseudocheleritrina no câncer

Anti-*Helicobacter pylori*, Anti-EBV, HIV, *Mycobacterium bovis*; inibidor seletivo da MAPK1; inibe via PI3K/Akt, NF-kappaB, COX-2, HIF-1, EMT, MMP-2, MMP-9, VEGF, telomerase, NHE1, anidrase carbônica IX, DHL-A, microtúbulos, CYP1A1, CYP1A2, CYP2C8 e CYP3A4; inibe iNOS e mesmo assim polariza sistema imune para M1/Th1, aumentando a proliferação e a atividade dos monócitos do sangue periférico e a produção de citocinas IL-2, IL-10, TNF-alfa e IL-1-beta; normaliza Delta-psimt; diminui a expressão das ciclinas E, D1, D2 e as CDKs: 2, 4 e 6 e induz p21 e 27; diminui Bcl-2 e aumenta Bax, Bid, Bak; aumenta a expressão de DR5/TRAILR2, E-caderina

José de Felippe Junior

A *Sanguinaria canadensis* (*Bloodroot*) provoca efeitos apoptótico, antiproliferativo, antiangiogênico, anti-inflamatório, antioxidante, antiplaquetário, adrenolítico, simpaticolítico e anestésico local. Ela reduz a inflamação das gengivas e a formação de placas supra gengivais.

Ela cresce de 20 a 50cm de altura. Possui uma grande folha basal, com até 25cm de diâmetro, com cinco a sete lóbulos. As folhas e flores brotam de um rizoma avermelhado com seiva laranja brilhante que cresce na superfície do solo ou ligeiramente abaixo dela.

É imunomodulador, aumentando a proliferação e a atividade dos monócitos do sangue periférico. Aumenta a produção de citocinas IL-2, IL-10, TNF-alfa e IL-1-beta.

Raiz da *Sanguinaria canadensis*

Sanguinaria canadensis

Além de induzir morte celular, a sanguinarina inibe processos pró-carcinogênicos como invasão, angiogênese e metástases em diferentes tipos de câncer. É sinérgica com a maioria dos quimioterápicos e grande variedade de neoplasias resistentes a múltiplas drogas (Galadari, 2017).

A sanguinarina, uma benzofenantridina quaternária, tem a fórmula $C_{20}H_{14}NO_4$, de peso molecular 332,3g/mol, conhecida como Pseudochelerythrine; Sang-vinarin; Sanguinarin; Veadent. É de estrutura muito parecida com a berberina.

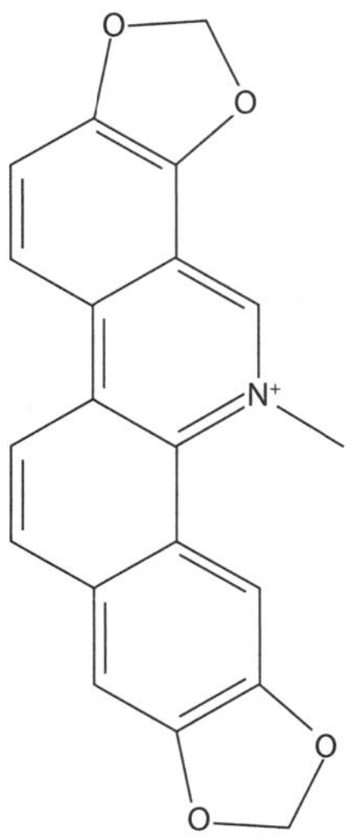

Sanguinarina

Alvos moleculares no câncer

1. Inibe bactérias, vírus e fungos (Miao, 2011; Yang, 2012).
2. **Anti-EBV** (Mi, 2020).
3. **Anti-HIV** (Tan, 1991).
4. Antiparasita (Miao, 2012).
5. **Anti-*Mycobacterium bovis***, por conter cheleritrine, entretanto o *Chelidoneum majus* é mais eficaz.
6. **Anti-*Helicobacter pylori*** (Mahady, 2003).
7. Não encontramos estudos sobre ação da sanguinarina no EBV/CMV.
8. **Vários tipos de câncer**
   a) Inibe NHE1 e acidifica o protoplasma.
   b) Inibe anidrase carbônica IX e o acidifica protoplasma.
   c) Inibe DHL-A e acidifica protoplasma, inibe glicólise anaeróbia e ativa fosforilação oxidativa.
   d) Inibe iNOS, mas mesmo assim polariza o sistema imune para M1/Th1 por inibir fortemente a COX-2.
   e) Inibe várias enzimas, incluindo Na^+-K^+-ATPase: efeito semelhante aos digitálicos.
   f) Inibidor seletivo da MAPK1 (*mitogen activated protein kinase phosphatase 1*).
   g) Anti-inflamatório.
   h) Inibe microtúbulos.
   i) Inibe proteínas quinases.
   j) Diminui e normaliza potencial de membrana mitocondrial (Delta-psimt).
   k) Inibe a via PI3K/AKT.
   l) Diminui a expressão das ciclinas E, D1, D2 e as CDKs: 2, 4 e 6 e induz p21 e 27 provocando parada do ciclo celular.
   m) Inibe HIF-1.
   n) Inibe NF-kappaB: apoptose.
   o) Impede mudança estrutural da piruvato quinase tetramérica para dimérica: PKM2.
   p) Diminui Bcl-2 e aumenta Bax, Bid, Bak: libera citocromo c e provoca apoptose.
   q) Inibe MMP-2 e MMP-9.
   r) Inibe VEGF (Xu, 2013).
   s) Inibe CYP1A1, CYP1A2, CYP2C8 e CYP3A4.
   s) Sanguinarina e berberina interagem com DNA telomérico e C-myc22 (G4): induzem a formação e estabilizam o G4 inibindo carcinogênese.
   u) Induz apoptose por gerar ERTOS, diminuir a expressão do c-Flip e Bcl-2 e ser sinérgico com o TRAIL.
   v) Cheleritrina, sanguinarina e berberina provocam forte efeito inibidor da atividade da telomerase devido à forte interação com a sequência telomérica G-quadruplex. Chelidonina e papaverina inibem fortemente a telomerase via inibição da transcrição da hTERT (Noureini, 2017).
   w) Sanguinarina pode ser útil no câncer resistente a múltiplas drogas (Saeed, 2018).
9. **Gliomas**
   a) Sanguinarina ativa autofagia por aumentar ERTOS e ativar ERK1/2: mecanismo crítico no seu efeito antiglioma. Também provoca apoptose. Antioxidantes como GSH e N-acetilcisteína abolem os efeitos.
   b) Em células do neuroblastoma provoca a expressão de genes apoptóticos. De modo dose-dependente a sanguinarina provoca apoptose na linhagem SH-SY5Y (18%) e neuroblastoma humano Kelly (21%), mas não na linhagem SK-N-BE(2) (Cecen, 2014).
10. **Câncer de cabeça e pescoço**
   a) Sanguinarina (SANG) pode induzir apoptose de maneira dependente da dose e do tempo nas células de câncer de cabeça e pescoço UM-SCC-22B. Além disso, a apoptose induzida por SANG foi associada à geração de espécies reativas de oxigênio (ERTOs) e à ativação das vias de sinalização c-Jun-N-terminal quinase (JNK) e fator nuclear kappaB (NF-κB). Após administração intravenosa com SANG em modelos de xenoenxerto 22B-cFluc, um aumento dramático do sinal de luminescência pode ser detectado logo após 48 horas do tratamento, conforme revelado por imagens longitudinais de bioluminescência *in vivo*. Células apoptóticas refletidas na coloração ex vivo de TUNEL confirmaram os resultados de imagem. É importante ressaltar que o tratamento com SANG causou retardo de cres-

cimento tumoral distinto em camundongos em comparação com o grupo tratado com veículo inerte (Wang, 2016).

b) O tratamento com sanguinarina em células KB aumentou a expressão de DR5/TRAILR2 (receptor de morte 5/receptor de TRAIL 2) e aumentou a ativação da caspase-8 e a clivagem de seu substrato, Bid. A sanguinarina também induziu a translocação mitocondrial de Bax pró-apoptótico, disfunção mitocondrial, liberação do citocromo c no citosol e ativação da caspase-9 e 3. A sanguinarina também suprimiu a fosforilação da fosfoinositida 3-cinase (PI3K) e Akt nas células KB, enquanto o co-tratamento de células com sanguinarina e um inibidor da PI3K revelou efeitos apoptóticos sinérgicos. Coletivamente, esses achados indicam que os efeitos pró-apoptóticos da sanguinarina nas células KB podem ser regulados por uma cascata dependente da caspase por meio da ativação das vias de sinalização intrínseca e extrínseca e da inativação da sinalização PI3K/Akt (Lee, 2016).

c) Sanguinarina causa efeitos antiproliferativos e anti-invasivos com valores de IC_{50} na faixa de concentração de 0,75-1,0 µM na linha celular de carcinoma epidermoide humano (OSCC). Foi capaz de suprimir o crescimento independente da ancoragem celular e induzir a morte celular apoptótica, ativando a caspase e alterando a razão Bcl-2/Bax (Tsukamoto, 2011).

11. **Câncer de pulmão**

a) Sanguinarina super-regula a atividade do Fas-1 em células A549 do câncer de pulmão e diminui a proliferação e aumenta a apoptose. Inibe a invasão e a migração e induz parada do ciclo celular em S.

b) Sanguinaria possui efeito antitumoral em células A549 do câncer pulmonar regulando para cima o Fas-associated fator 1 (Wei,2017).

c) Induz apoptose em células A549 do câncer pulmonar primariamente via depleção da glutationa reduzida-GSH (Jang, 2009).

d) Sanguinarine é um novo inibidor de VEGF envolvido na supressão da angiogênese e da migração celular na célula A549 (Xu, 2013).

e) Sanguinarina de modo dependente da concentração e do tempo diminui a proliferação celular, a viabilidade e induz aumento acentuado da morte celular nas células A549. Inibe a invasão e a migração e induz parada do ciclo celular na fase S e apoptose. A SNG provoca aumento significativo da expressão da E-caderina e diminuição acentuada da expressão de N-caderina, Vimentin, Smad2/3, Snail e na fosforilação de Smad2. A SNG aumenta a expressão do fator 1 associado ao Fas (FAF1) e a regulação para cima da FAF1 inibe a proliferação, a invasão, a migração celular e induz a interrupção do ciclo celular e apoptose em células NSCLC (Wei, 2017).

f) A apoptose induzida sanguinarina em células de adenocarcinoma de pulmão depende da produção de espécies reativas de oxigênio e do estresse do retículo endoplasmático. A SANG desencadeou a produção de espécies reativas de oxigênio (ERTOs), enquanto a eliminação das ERTOs pela N-acetilcisteína (NAC) reverteu a inibição do crescimento e a apoptose induzida pela SANG. O estresse do retículo endoplasmático (ER) induzido por SANG resultou na regulação positiva de muitos genes e proteínas envolvidos na via de resposta a *unfolded protein response* (UPR), incluindo a proteína 78 regulada por glicose (GRP78), a p-proteína-quinase R (PKR) do tipo ER quinase (PERK), fator de iniciação da translação eucariótica 2α (eIF2α), fator 4 de ativação da transcrição (ATF4) e estimulador CCAAT da proteína homologa de ligação (CHOP) (Gu, 2015).

12. **Câncer de mama**

a) Sanguinarina é citotóxica e genotóxica em células MCF-7 em concentração de 7,5-10microM em 24-48 horas (Almeida, 2017).

b) Sanguinarina suprime o crescimento do câncer *basal-like* por meio da inibição da di-hidrofolato r.edutase (Kalogris, 2014).

c) Sanguinarina inibe a liberação do VEGF via aumento de radicais livres de oxigênio no adenocarcinoma humano MCF-7 (Dong, 2013).

d) Sanguinarina 5-10 microM inibe efetivamente a proliferação de MCF-7 após uma única aplicação do medicamento. Essa inibição do crescimento é acompanhada por uma impressionante re-localização da ciclina D1 e da topoisomerase II do núcleo para o citoplasma, e esse efeito persiste por pelo menos três dias após a adição do medicamento. A síntese de DNA é transitoriamente inibida pela sanguinarina, mas as células recuperam sua capacidade de sintetizar o DNA dentro de 24 horas. As concentrações sub-apoptóticas da sanguinarina podem suprimir a proliferação celular de câncer de mama por longos períodos de tempo, e esse efeito resulta de um período relativamente curto de atividade quando a droga está concentrada no núcleo. A sanguinarina inibe transitoriamente a síntese de DNA, mas um novo mecanismo de ação parece envolver a interrupção do tráfico de várias moléculas envolvidas na regulação e progressão do ciclo celular (Holy, 2006).

e) Sanguinarina inibe a invasão e a expressão de MMP-9 e COX-2 em células de câncer de mama induzidas por TPA, induzindo a expressão de HO-1 em células de câncer de mama MCF-7 (Park, 2014).

13. **Câncer de mama triplo negativo**

a) Induz apoptose no câncer de mama triplo negativo MDA-MB-231 aumentando radicais livres via mitocondrial (Choi, 2008).

b) *Tight junctions* (TJs) são estruturas críticas para a manutenção da polaridade celular, atuando como barreiras de permeabilidade paracelular e desempenhando papel essencial na regulação da difusão de fluidos, eletrólitos e macromoléculas pela via paracelular. Matrimetaloproteinases (MMPs) têm sido implicadas como possíveis mediadores de invasividade e metástase em alguns tipos de câncer. Os efeitos inibitórios da sanguinarina na proliferação, motilidade e invasividade celular foram associados ao aumento da tensão do TJ, demonstrado por um aumento na resistência elétrica transepitelial (TER). Além disso, os resultados de imunotransferência indicaram que a sanguinarina reprimiu os níveis das proteínas claudina, principais componentes dos TJs que desempenham papel fundamental no controle e na seletividade do transporte paracelular. Além disso, as atividades de MMP-2 e 9 nas células MDA-MB-231 foram inibidas de forma dependente da dose pelo tratamento com sanguinarina, e isso foi correlacionado com diminuição na expressão do mRNA e suas proteínas (Choi, 2009).

c) O tratamento de células MDA-231 com sanguinarina induziu apoptose notável acompanhando a geração das ERTOs. Consistentemente, a apoptose induzida por sanguinarina foi mediada pelo aumento da morte clular proliferativa. O pré-tratamento com NAC ou GSH atenuou a apoptose induzida por sanguinarina, sugerindo o envolvimento das ERTOs na morte celular. Durante a apoptose induzida por sanguinarina, os níveis de proteína pró-caspase-3, Bcl-2, cIAP2, XIAP e c-FLIPs foram reduzidos. Além disso, doses sub-letais de sanguinarina notavelmente sensibilizaram a apoptose mediada por TRAIL. O tratamento combinado de sanguinarina e TRAIL pode superar a resistência das células de câncer de mama devido à superexpressão de Akt ou Bcl-2 (Kim, 2008).

d) Sanguinarina suprime o crescimento de câncer do tipo basal através da inibição da di-hidrofolato redutase. O tratamento com sanguinarina resultou em redução da migração celular, na inibição da viabilidade celular dependente da dose e na indução de morte celular por apoptose em modelos *in vitro* de células humanas linhagem MDA-MB-231 e de camundongos (células A17). Experiências *in vivo* demonstraram que a administração oral de sanguinarina reduziu o desenvolvimento e o crescimento de tumores transplantáveis A17 em camundongos singênicos FVB. Ocorre uma regulação positiva simultânea da p27 e regulação negativa da ciclina D1 e inibição da ativação do STAT3. Além disso, os autores identificaram a sanguinarina como um potente inibidor da di-idrofolato redutase (DHFR), capaz de prejudicar a atividade enzimática mesmo em células MDA-MB-231 resistentes ao metotrexato. Esses resultados fornecem evidências de que a sanguinarina é droga anticâncer promissora para o tratamento de câncer de mama triplo negativo (Kalogris, 2014).

14. **Câncer de próstata**

a) Sanguinarina provoca bloqueio do ciclo celular e apoptose em células do carcinoma prostático modulando a maquinaria das ciclina quinases nas linhagens LNCaP e DU-145 (Adhami, 2004).

b) Cheleritrina é mais eficaz que a sanguinarina no câncer de próstata nas mesmas linhagens, LNCaP e DU-145 (Maliková, 2006).

c) Sanguinarina suprime o crescimento e invasão do câncer de próstata, DU145, C4-2B e LNCaP inibindo a ativação do STAT3 (Sun, 2012).

15. **Câncer de estômago**

a) Sensibiliza as células do carcinoma gástrico à apoptose via TRAIL/Akt/caspase-3, inibe o VEGF, induz o p21 e p27 inibidores do ciclo celular, diminui as ciclinas E, D1 e D2 e inibe as CDKs: 2, 4 e 6.

b) Inibe crescimento e invasão de células do câncer gástrico, SGC-7901 HGC-27, via regulação do DUSP4/ERK (*dual-specificity phosphatase 4/ERK*). Acontece diminuição da invasão e metástases com aumento da apoptose e parada do ciclo celular em S (Zhang, 2017).

16. **Câncer colorretal**

a) Sanguinarine induz apoptose em células HCT-116 do câncer colorretal humano via ROS mediado por ativação do Egr-1 e disfunção mitocondrial (Han, 2013).

b) Induz apoptose do câncer de cólon humano HT-29 via regulação da razão Bax/Bcl-2 e dependente das caspases (Lee, 2012).

c) Provoca lesão do DNA e morte celular independente do p53 em células do câncer de cólon humano (Matkar, 2008).

d) Sanguinarina desencadeia apoptose via intrínseca Bax-dependente e suprime o crescimento do câncer colorretal através da defosforilação do

STRAP (*serine-threonine kinase receptor-associated protein*) e MELK (*maternal embryonic leucine zipper kinase*) impedindo sua associação. Lembrar que a superexpressão do STAP e MELK são marcadores do câncer colorretal e a sua dissociação é determinante na eficácia terapêutica. Provoca diminuição do volume tumoral de modo dose-dependente *in vivo*. Aumenta drasticamente o PA/RP e a caspase-3. Aumenta estresse oxidativo e desencadeia aumento da permeabilidade da membrana mitocondrial, N-acetilcisteína abole tais efeitos (Gong, 2018).

17. **Câncer de pâncreas**
    a) Induz apoptose no carcinoma pancreático AsPC-1 e BxPC-3 modulando a família de proteínas Bcl-2.
    b) Sanguinarina inibe a autorreplicação das células-tronco do câncer de pâncreas humano e murino KrasG12D por induzir estresse oxidativo e supressão da via *sonic hedgehog-Gli-Nanog*. Sanguinarina suprime a transição epitélio-mesenquimal (EMT) regulando para cima a E-caderina e inibindo a N-caderina. *Nanog* liga-se diretamente aos promotores Cdk2, Cdk6, FGF4, c-Myc e Oct4 e a sanguinarina inibe a ligação do *Nanog* a esses genes (Ma, 2017).
    c) Em análise proteômica Sanguinarine interfere em 37 proteínas envolvidas nos processos celulares do câncer pancreático. A DUSP4 (dual specificity phosphatase-4) está super regulada nas linhagens BxPC-3 (adenocarcinoma de moderada a pobre diferenciação com alto potencial angiogênico) e MIA PaCa2 (carcinoma pobremente diferenciado com baixos níveis de fatores pró-angiogênicos). Provoca regulação para baixo do HIF1-alfa que provoca inibição de várias vias proliferativas. Modula múltiplas vias chave envolvidas na proliferação e no metabolismo celular (Singh, 2015).
18. **Tumor neuroendócrino**
    Induz apoptose *in vitro* de três linhagens do tumor neuroendócrino: carcinoide pancreático humano (BON-1), carcinoide brônquico típico humano (NCI-H727) e carcinoide brônquico atípico humano (NCI-H720) (Larsson, 2010).
19. **Câncer cervical uterino**
    Sanguinarina é eficaz no câncer cervical MDR (Ding, 2002).
20. **Leucemias**
    a) Sanguinarina induz apoptose em células da leucemia U937 via diminuição da regulação do Bcl-2 e ativação das caspases (Han, 2008).
    b) Sanguinarina suprime o crescimento e induz apoptose na leucemia linfoblástica aguda na infância (Kuttikrishnan, 2016).
21. **Melanoma**
    a) Sanguinarina provoca rápida morte celular em células do melanoma via estresse oxidativo (Burgueiro, 2013).
    b) Alcaloides da benzofenantridina exibem forte efeito antiproliferativo em células do melanoma humano independente do estado do p53 e aumentam proteínas apoptóticas Bcl-xL, Mcl-1, XIAP (Hammerová, 2011).
    c) *In vivo* a benzofenantridina provoca efeitos antiproliferativo e antiangiogênico em células do melanoma (*xenograft A375 human melanoma in athymic nude mice*) (De Stefano, 2009).
22. **Câncer de ovário**
    Sanguinarina inibe o desenvolvimento do câncer epitelial de ovário SKOV3 regulando o eixo *non-coding* RNA CASC2-EIF4A3 e/ou inibindo a sinalização PI3K/AKT/mTOR ou NF-kappaB. Acontece inibição da viabilidade celular, da migração e invasão e a indução de apoptose. CASC2 está pobremente expressa e o EIF4A3 está altamente expresso neste câncer de ovário (Zhang, 2018).
23. **Osteossarcoma**
    Sanguinarina induz apoptose em células do osteossarcoma humano, MG-63 e SaOS-2 via intrínseca e extrínseca (Park, 2010).

Conclusão

Mais uma dádiva da natureza trabalhando para a saúde e bem-estar dos seres humanos. Essa substância faz parte dos nossos tratamentos no câncer humano. Usamos o extrato fluido da planta inteira, *Sanguinaria canadensis*, juntamente com Berberina, *Chelidonium majus* e *Chenopodium ambrosioides*.

Referências

1. Abstracts or papers in full on site www.medicnabioolecular.com.br
2. Adhami VM, Aziz MH, Reagan-Shaw SR, et al. Sanguinarine causes cell cycle blockade and apoptosis of human prostate carcinoma cells via modulation of cyclin kinase inhibitor-cyclin-cyclin-dependent kinase machinery. Mol Cancer Ther. 3:933-40;2004.
3. Almeida IV, Fernandes LM, Biazi BI, Vicentini VE. Evaluation of the Anticancer Activities of the Plant Alkaloids Sanguinarine and Chelerythrine in Human Breast Adenocarcinoma Cells. Anticancer Agents Med Chem. 17(11):1586-92;2017.
4. Ahsan H, Reagan-Shaw S, Breur J, Ahmad N. Sanguinarine induces apoptosis of human pancreatic carcinoma AsPC-1 and BxPC-3 cells via modulations in Bcl-2 family proteins. Cancer Lett. 249:198-208;2007.
5. Burgeiro A, Bento AC, Gajate C, et al. Rapid human melanoma cell death induced by sanguinarine through oxidative stress. Eur J Pharmacol. 705:109-18;2013.

6. Cecen E, Altun Z, Ercetin P, et al. Promoting effects of sanguinarine on apoptotic gene expression in human neuroblastoma cells. Asian Pac J Cancer Prev. 15:9445-51;2014.
7. Choi WY, Kim GY, Lee WH, Choi YH. Sanguinarine, a benzophenanthridine alkaloid, induces apoptosis in MDA-MB-231 human breast carcinoma cells through a reactive oxygen species-mediated mitochondrial pathway. Chemotherapy. 54:279-87;2008.
8. Choi YH, Choi WY, Hong SH, et al. Anti-invasive activity of sanguinarine through modulation of tight junctions and matrix metalloproteinase activities in MDA-MB-231 human breast carcinoma cells. Chem Biol Interact. 179(2-3):185-91;2009.
9. De Stefano I, Raspaglio G, Zannoni GF, et al. Antiproliferative and antiangiogenic effects of the benzophenanthridine alkaloid sanguinarine in melanoma. Biochem Pharmacol. 78:1374-81;2009.
10. Ding Z, Tang SC, Weerasinghe P, et al. The alkaloid sanguinarine is effective against multidrug resistance in human cervical cells via bimodal cell death. Biochem Pharmacol. 63:1415-21;2002.
11. Dong XZ, Zhang M, Wang K, et al. Sanguinarine inhibits vascular endothelial growth factor release by generation of reactive oxygen species in MCF-7 human mammary adenocarcinoma cells. Biomed Res Int. 2013:517698;2013.
12. Galadari S, Rahman A, Pallichankandy S, Thayyullathil F. Molecular targets and anticancer potential of sanguinarine-a benzophenanthridine alkaloid. Phytomedicine. 34:143-53;2017.
13. Gong X, Chen Z, Han Q, et al. Sanguinarine triggers intrinsic apoptosis to suppress colorectal cancer growth through disassociation between STRAP and MELK. BMC Cancer. 18(1):578;2018.
14. Gu S, Yang XC, Xiang XY, et al. Sanguinarine-induced apoptosis in lung adenocarcinoma cells is dependent on reactive oxygen species production and endoplasmic reticulum stress. Oncol Rep. 34(2): 913-9;2015.
15. Han MH, Yoo YH, Choi YH. Sanguinarine-induced apoptosis in human leukemia U937 cells via Bcl-2 downregulation and caspase-3 activation. Chemotherapy. 54:157-65;2008.
16. Han MH, Kim SO, Kim GY, et al. Induction of apoptosis by sanguinarine in C6 rat glioblastoma cells is associated with the modulation of the Bcl-2 family and activation of caspases through downregulation of extracellular signal-regulated kinase and Akt. Anticancer Drugs. 18(8):913-21;2007.
17. Han MH, Kim GY, Yoo YH, Choi YH. Sanguinarine induces apoptosis in human colorectal cancer HCT-116 cells through ROS-mediated Egr-1 activation and mitochondrial dysfunction. Toxicol Lett. 220:157-66;2013.
18. Hammerová J, Uldrijan S, Táborská E, Slaninová I. Benzo[c] phenanthridine alkaloids exhibit strong anti-proliferative activity in malignant melanoma cells regardless of their p53 status. J Dermatol Sci. 62:22-35;2011.
19. Holy J, Lamont G, Perkins E. Disruption of nucleocytoplasmic trafficking of cyclin D1 and topoisomerase II by sanguinarine. BMC Cell Biol. 7:13;2006.
20. Jang BC, Park JG, Song DK, et al. Sanguinarine induces apoptosis in A549 human lung cancer cells primarily via cellular glutathione depletion. Toxicol In Vitro. 23:281-7;2009.
21. Kalogris C, Garulli C, Pietrella L, et al. Sanguinarine suppresses basal-like breast cancer growth through dihydrofolate reductase inhibition. Biochem Pharmacol. 90:226-34;2014.
22. Kim S, Lee TJ, Leem J, et al. Sanguinarine-induced apoptosis: generation of ROS, down-regulation of Bcl-2, c-FLIP, and synergy with TRAIL. J Cell Biochem. 104(3):895-907;2008.
23. Kuttikrishnan S, Siveen KS, Prabhu KS, et al. Sanguinarine suppresses growth and induces apoptosis in childhood acute lymphoblastic leukemia. Leuk Lymphoma. Sep 6:1-13;2018.
24. Larsson DE, Wickström M, Hassan S, et al. The cytotoxic agents NSC-95397, brefeldin A, bortezomib and sanguinarine induce apoptosis in neuroendocrine tumors in vitro. Anticancer Res. 30:149-56;2010.
25. Lee JS, Jung WK, Jeong MH, et al. Sanguinarine induces apoptosis of HT-29 human colon cancer cells via the regulation of Bax/Bcl-2 ratio and caspase-9-dependent pathway. Int J Toxicol. 31:70-7;2012.
26. Lee TK, Park C, Jeong SJ, et al. Sanguinarine Induces Apoptosis of Human Oral Squamous Cell Carcinoma KB Cells via Inactivation of the PI3K/Akt Signaling Pathway. Drug Dev Res. 77(5):227-40;2016.
27. Ma Y, Yu W, Shrivastava A, et al. Sanguinarine inhibits pancreatic cancer stem cell characteristics by inducing oxidative stress and suppressing sonic hedgehog-Gli-Nanog pathway. Carcinogenesis. 38(10):1047-56;2017.
28. Mahady GB, Pendland SL, Stoia A, Chadwick LR. In vitro susceptibility of Helicobacter pylori to isoquinoline alkaloids from Sanguinaria canadensis and Hydrastis canadensis. Phytother Res. 17(3):217-21;2003.
29. Malíková J, Zdarilová A, Hlobilková A, Ulrichová J. The effect of chelerythrine on cell growth, apoptosis, and cell cycle in human normal and cancer cells in comparison with sanguinarine. Cell Biol Toxicol. 22(6):439-53;2006.
30. Matkar SS, Wrischnik LA, Hellmann-Blumberg U. Sanguinarine causes DNA damage and p53-independent cell death in human colon cancer cell lines. Chem Biol Interact. 172:63;2008.
31. Mi JL, Xu M, Liu C, Wang RS. Identification of novel biomarkers and small-molecule compounds for nasopharyngeal carcinoma with metastasis. Medicine (Baltimore). 99(32):e21505;2020.
32. Miao F, Yang XJ, Zhou L, et al. Structural modification of sanguinarine and chelerythrine and their antibacterial activity. Nat Prod Res. 25:863-75;2011.
33. Miao F, Yang XJ, Ma YN, et al. Structural modification of sanguinarine and chelerythrine and their in vitro acaricidal activity against Psoroptes cuniculi. Chem Pharm Bull (Tokyo). 60:1508-13;2012.
34. Noureini SK, Esmaeili H, Abachi F, et al. Selectivity of major isoquinoline alkaloids from Chelidonium majus towards telomeric G-quadruplex: a study using a transition-FRET (t-FRET) assay. Biochim Biophys Acta. 1861(8):2020-30;2017.
35. Pallichankandy S, Rahman A, Thayyullathil F, Galadari S. ROS-dependent activation of autophagy is a critical mechanism for the induction of anti-glioma effect of sanguinarine. Free Radic Biol Med. 89:708-20;2015.
36. Park H, Bergeron E, Senta H, et al. Sanguinarine induces apoptosis of human osteosarcoma cells through the extrinsic and intrinsic pathways. Biochem Biophys Res Commun. 399:446-51;2010.
37. Park SY, Jin ML, Kim YH, et al. Sanguinarine inhibits invasiveness and the MMP-9 and COX-2 expression in TPA-induced breast cancer cells by inducing HO-1 expression. Oncol Rep. 31(1):497-504;2014.
38. Saeed MEM, Mahmoud N, Sugimoto Y, et al. Molecular Determinants of Sensitivity or Resistance of Cancer Cells Toward Sanguinarine. Front Pharmacol. 9:136;2018.
39. Singh CK, Kaur S, George J, et al. Molecular signatures of sanguinarine in human pancreatic cancer cells: A large scale label-free comparative proteomics approach. Oncotarget. 6(12):10335-48;2015.
40. Site www.medicinabiomolecular.com.br. Palavra chave: sanguinarina. Resumos ou trabalhos na íntegra.
41. Slaninova I, Pencikova K, Urbanova J, et al. Antitumor activities of sanguinarine and related alkaloids. Phytochem Rev. 13:51-68; 2014.

42. Sun M, Liu C, Nadiminty N, et al. Inhibition of Stat3 activation by sanguinarine suppresses prostate cancer cell growth and invasion. Prostate. 72:82-9;2012.
43. Tan GT, Pezzuto JM, Kinghorn AD, Hughes SH. Evaluation of natural products as inhibitors of human immunodeficiency virus type 1 (HIV-1) reverse transcriptase. J Nat Prod. 54:143-54;1991.
44. Tsukamoto H, Kondo S, Mukudai Y, et al. Evaluation of anticancer activities of benzo[c]phenanthridine alkaloid sanguinarine in oral squamous cell carcinoma cell line.Anticancer Res. 31(9):2841-6;2011.
45. Wang Y, Zhang B , Liu W, et al. Noninvasive bioluminescence imaging of the dynamics of sanguinarine induced apoptosis via activation of reactive oxygen species. Oncotarget. 7(16):22355-67;2016.
46. Wei G, Xu Y, Peng T, et al. Sanguinarine exhibits antitumor activity via up-regulation of Fas-associated factor 1 in non-small cell lung cancer. J Biochem Mol Toxicol. 31(8);2017.
47. Xu JY, Meng QH, Chong Y, et al. Sanguinarine is a novel VEGF inhibitor involved in the suppression of angiogenesis and cell migration. Mol Clin Oncol. 1:331-6;2013.
48. Yang XJ, Miao F, Yao Y, et al. In vitro antifungal activity of sanguinarine and chelerythrine derivatives against phytopathogenic fungi. Molecules. 17:13026-35;2012.
49. Zhang R, Wang G, Zhang P-F, et al. Sanguinarine inhibits growth and invasion of gastric cancer cells via regulation of the DUSP4/ERK pathway. J Cell Mol Med. 21(6):1117-27;2017.
50. Zhang S, Leng T, Zhang Q, et al. Sanguinarine inhibits epithelial ovarian cancer development via regulating long non-coding RNA CASC2-EIF4A3 axis and/or inhibiting NF-κB signaling or PI3K/AKT/mTOR pathway. Biomed Pharmacother. 102:302-8;2018.

CAPÍTULO 118

SAP/MAPK (JNK/MAPK-ERK/MAPK-p38/MAPK) e seus inibidores: resveratrol, tangeritina e ligustilide

Paula Viñas
José de Felippe Junior

Na arte de curar, deixar de aprender é omitir socorro e retardar tratamentos esperando maiores evidências científicas, é ser cientista e não médico. **JFJ**

A MEDICINA e as DOENÇAS ainda não fizeram as pazes. É porque a MEDICINA ainda é muito jovem. **JFJ**

Onde existe amor, há vida. **Ghandi**

Sem as substâncias provenientes da terra não estaríamos na Terra respirando e admirando este belo mundo em que vivemos. **JFJ**

O estudo da via de sinalização SAP/MAPK (*stress-activated protein/mitogen-activated protein kinase*) na proliferação, diferenciação e morte celular programada das células normais nos permite compreender melhor vários tipos de doenças:

1. Doenças inflamatórias (artrite reumatoide, doença inflamatória intestinal).
2. Alergias.
3. Doenças cardiovasculares (aterosclerose, lesão miocárdica, hipertensão arterial).
4. Doenças pulmonares (asma, fibrose pulmonar, doença obstrutiva crônica).
5. Doenças neurodegenerativas (doença de Parkinson, mal de Alzheimer).
6. *Diabetes mellitus.*
7. Osteoporose.
8. Perda óssea periodontal.
9. Câncer.

A ativação da via SAP/MAPK está envolvida tanto na patogênese como na progressão das doenças acima e provavelmente de muitas outras. A inibição dessa via é estratégia terapêutica para as doenças que acabamos de elencar e a boa notícia é que dispomos de várias substâncias naturais capazes de inibir de modo eficaz a via SAP/MAPK.

O organismo é um conjunto de células e é a compreensão dessas células que norteia os médicos que raciocinam com seus próprios neurônios, na direção das estratégias que tratam os pacientes na sua verdadeira intimidade bioquímica e fisiológica e não com drogas apenas sintomáticas.

Nossos genes são antigos e estão acostumados com as substâncias naturais que evoluíram junto com eles no Planeta. As substâncias sintetizadas pela Indústria são estranhas aos nossos genes e, portanto, com grande probabilidade de provocar efeitos colaterais. Nada contra usá-las, porém com cautela, por curto período de tempo e rígido controle.

O mais empolgante é que mais uma vez na história da Medicina foram descobertas substâncias que a natureza "sintetizou" nos últimos milhares de anos e que beneficiam os seres humanos. Propiciam a continuidade da raça no Planeta. Protege-nos de doenças debilitantes e frequentes. Sem as substâncias provenientes da terra não estaríamos na Terra respirando e admirando esse belo mundo em que vivemos.

Vamos descrever neste capítulo 3 substâncias naturais com a propriedade de inibir a via SAP/MAPK: resveratrol (vinho tinto), tangeritina (casca das frutas cítricas) e ligustilide (Angelica *sinensis* – China: *Dong quai* ou *Danggui*) que vão abrir imensa via para tratamentos mais racionais. Certamente existem muitos outros elementos naturais com as mesmas propriedades.

Via de sinalização SAP/MAPK

A via de sinalização SAP/MAPK envolve:

a) c-Jun-N-terminal kinase: JNK-1, 2 e 3 (JNK/MAPK).
b) p38 quinase: isoformas alfa, beta, gama e delta (p38/MAPK).
c) *Extracelular signal-regulated kinase*: ERK1, ERK2 e ERK3 (ERK/MAPK).
d) Quinases: MEK/MLK/MKK.

Muitos autores mostraram a ativação da SAP/MAPK na artrite reumatoide, no câncer e nas doenças cardiovasculares via JNK/MAPK, ERK/MAPK e p38/MAPK, mostrando que essa via de sinalização está envolvida tanto na patogênese como na progressão dessas doenças (Meyer, 2005; Kim, 2006; Malemud, 2006).

Ativadores da via de sinalização SAP/MAPK

Os fatores que ativam a via de sinalização SAP/MAPK são geralmente elementos estranhos aos nossos genes, substâncias recentemente existentes no Planeta ou que aumentaram ou apareceram recentemente. A exceção está nos fatores de crescimento, que na evolução surgiram para nos proteger. As células doentes quando se encontram em um "estresse de quase morte" colocam em ação esses fatores e começam a proliferar. Nesse ponto, a chamamos erroneamente de células malignas, câncer, entretanto são apenas células doentes tentando sobreviver.

Ativam a via SAP/MAPK

a) Fatores de crescimento.
b) Radiação ultravioleta.
c) Agentes promotores de tumor. Exemplo: acetato de tetradecanoilforbol.
d) Citocinas.
e) Sílica em via aérea.
f) Lipopolissacarídeos.
g) Infecções bacterianas e virais.
h) Estressores ambientais que lesam o DNA.
i) Xenobióticos.
j) Xenoquímicos.
k) Alimentos enlatados, envidrados e embutidos devido a conservantes, estabilizantes, corantes etc.
l) Cosméticos com parabeno (câncer de mama, puberdade precoce), alquilfenol (doença fibrocística de mama e câncer de mama), polietilenoglicol (dermatite alérgica), óleo mineral (artrite), triclosan (cancerígeno).

Todos esses produtos comumente usados pela indústria de cosméticos e indústria alimentícia, embora prejudiciais para a saúde, são permitidos pela nossa legislação.

O perigo dos cosméticos na patogênese das doenças

A maioria dos cosméticos apresenta em suas formulações substâncias que podem provocar vários tipos de doenças, entre elas o câncer.

Substâncias prejudiciais:

a) Parabenos.
b) Triclosan.
c) Alquilfenol.
d) Polietilenoglicol.
e) Óleo mineral.

Os parabenos são encontrados na maioria das formulações cosméticas como cremes, loções, desodorantes, além de alimentos e fórmulas de uso interno.

Nomes técnicos: Alquil para-hidroxibenzoato – metil/etil/butil/isobutil parabeno

Nomes comerciais: Nipagin (metilparabeno), Nipazol (propilparabeno).

Os parabenos possuem grande afinidade pelos receptores de estrógeno e demonstram atividade estrogênica (Okubo, 2001), ou seja, mimetizam o estrogênio e podem causar câncer de mama e puberdade precoce, ao lado de fenômenos como trombose e embolia. Outro estudo demonstrou que os parabenos podem ser encontrados como moléculas intactas nas glândulas mamárias de homens e mulheres (Darbre, 2004).

É importante lembrar que os parabenos potencializam a radiação ultravioleta (Handa, 2006).

O triclosan pode sofrer degradação pela luz solar formando uma substância cancerígena chamada diclorodibenzeno-p-dioxina (Adolfsson, 2002).

O alquilfenol, componente de vários tipos de cosméticos, é um disruptor endócrino que possui muitos efeitos adversos para a saúde humana. Possui efeitos estrogênicos mesmo em baixas concentrações (Isidori, 2006; La Guardia, 2001), podendo desencadear doença fibrocística de mama ou aumentar o risco de câncer de mama. Ele aumenta a resposta alérgica e inflamatória por provocar aumento de produção de interleucina-4 e citocinas pró-inflamatórias de maneira dose-dependente (Lee, 2004).

O polietilenoglicol (PEG) pode provocar dermatite alérgica. São encontrados nos óleos de banho, cremes, loções, maquiagem, creme dental, xampu, sabonete desodorante e perfume.

Trabalho na Dinamarca de 2006 alerta para o perigo de dermatite alérgica de contato com os produtos derivados do PEG utilizados nos cosméticos e no batom (Quartier, 2006).

O óleo mineral contido em formulações cosméticas pode induzir a artrite (Sverdrup, 1998).

Substâncias presenteadas pela Natureza que inibem a via SAP/MAPK e nos protegem de várias doenças

Resveratrol (casca da uva)

É produto do vinho tinto (trans-3,4'-5-tri-hidroxistilbeno). No câncer uma de suas ações é suprimir a proliferação e aumentar a apoptose inibindo MEK, ERK1, ERK2 e JNK (Kim, 2006).

Tangeritina (casca das frutas cítricas)

É encontrada na casca das frutas cítricas (5,6,7,8,4'-pentametoxiflavona). Em células do carcinoma de pulmão humano inibe a expressão da COX-2 induzida pela interleucina-1 beta, devido à inibição da JNK, do p38 e da proteína quinase B (PKB/Akt) (Chen, 2007).

No câncer de mama humano T47G, a tangeritina inibe a proliferação celular neoplásica por inibir o ERK, a JNK, a MEK e os ativadores da transcrição 1 e 3 (Van Slambrouck, 2005). Outras flavonas também possuem efeitos semelhantes (Wang, 2005).

Ligustilide

É produto isolado da *Angelica sinensis* – Oliv, butilidenftalide, muito usado no tratamento da aterosclerose e hipertensão arterial por inibir a proliferação da musculatura lisa e inibir a JNK, a p38 e o ERK (Lu, 2006). É mais conhecido no tratamento dos distúrbios da menopausa com o nome de *Dong quai*.

Outras substâncias que inibem a cascata SAP/MAPK

1. Ácido lipoico.
2. Genisteína inibe as moléculas do MAPK e promove apoptose, boqueia a ativação do p38MAPK pelo TGF-beta.
3. Silibinina: inibe MEK/ERK e MAPK.
4. GLA no glioma inibe ERK1 (27%) e ERK2 (31%).
5. Carnosina/beta-alanina.
6. Indol-3-Carbinol (I3C) e Di-Indolil-Metano (DIM): inibem MAPK.
7. Glucosamina inibe MAPK dos condrócitos.
8. Ácido graxo ômega-3.
9. Sanguinarina é inibidor seletivo do MAPK-1.
10. Cheleritrina.
11. Berberina.
12. NDGA – *Larrea tridentata*.
13. Annona muricata: inativa ERK1/2, JNK e STAT3.
14. Ácido betulínico: inibe MAPK.
15. Beta-glucana: inibe p38MAPK.
16. Inibidores de bomba de prótons.
17. Inibidores da angiotensina II: irbesartana.
18. Inibidores da aldosterona: esplerenona, espironolactona.
19. Dieta pobre em carboidratos com cetose por ativar o PPARalfa.
20. Radicicol (monorden) macrolídeo isolado do *Monosporium bonorden* que funciona como antibiótico antifúngico: inibe MAPK.
21. Inibidores do Ras:
    a) Berberina.
    b) Benzaldeído.
    c) GLA.
    d) Lovastatina – 40mg 2 vezes ao dia.
    e) *Trans-farnesylthio-salicylic acid* (FTS).

Precauções no tratamento do câncer

Quando inibimos a via de sinalização SAP/MAPK dificultamos ou impedimos a morte celular provocada pela diminuição do pH intracelular (Zanke, 1998). Dessa forma, não poderíamos utilizar o resveratrol, as limoninas, e, possivelmente o álcool perílico nas estratégias que acidificam o meio intracelular neoplásico.

Estamos alertando sobre o fato de existirem estratégias anticâncer muito eficazes que acidificam o citosol, como os inibidores do *antiporter* Na^+/H^+, os inibidores das anidrases carbônicas e alguns quimioterápicos (Felippe, 2008a e 2008b). A acidificação citoplasmática aumenta a estrutura da água intracelular, isto é, aumenta a água tipo B de baixa densidade, inerte e viscosa, o que impede a proliferação celular neoplásica e propicia a morte das células por apoptose (Felippe, 2008c e 2008d). Se a acidificação for muito intensa, as células morrem por necrose.

Atualmente as pesquisas estão voltadas para patentear inibidores específicos da via SAP/MAPK que atuem na JNK, p38 e ERK. Seriam drogas capazes de tratar doenças tão frequentes na prática médica como a artrite reumatoide, o câncer, o diabetes, a hipertensão arterial, a aterosclerose, a moléstia de Parkinson, o mal de Alzheimer, a doença periodontal, a doença pulmonar obstrutiva crônica etc. (Medicheria, 2006; Kirkwood, 2007; Smith, 2006; Li, 2006; Lin, 2006; De Dios, 2005; Goldstein, 2006; Wada, 2005; Miwatashi, 2005; Kolch, 2005; Kohno, 2006; Staehler, 2005; Soaman, 2006; Wilheim, 2004; Adnane, 2005; Ohren, 2004; Delaney, 2002; Brown, 2006; Thompson, 2005).

Vários inibidores sintéticos estão em estudo com bons efeitos clínicos, porém com efeitos adversos de longa duração que somente saberemos quando os habitantes da África e da América do Sul começarem a padecer. Precisamos nos precaver de novos lançamentos, nos precaver de novas drogas colocadas rapidamente no mercado.

Conclusão

Os laboratórios estão desesperados na busca de substâncias sintéticas que possuam os mesmos efeitos que os produtos naturais descritos acima. Facilmente foi possível encontrar, em 2003, 19 trabalhos sobre drogas sintéticas inibidoras do SAP/MAPK e foi muito difícil encontrar trabalhos sobre as substâncias naturais com o mesmo efeito. Os laboratórios sustentam os pesquisadores que descobrem drogas patenteáveis e os mesmos laboratórios retiram as verbas daqueles que escrevem sobre os efeitos dos produtos naturais.

A patente de algo que já existe na natureza (ligeira modificação da substância mãe) trará muita satisfação financeira às Indústrias Mundiais tão carentes e necessitadas de dinheiro. Elas farão tapetes de dólares para forrar a casinha do cachorro dos diretores.

Entretanto, os verdadeiros médicos, de ciência, de alma e de coração podem ficar muito satisfeitos, porque poderão tratar de todas essas patologias com os inibidores naturais da via de sinalização SAP/MAPK que a natureza divina brindou a humanidade.

As enfermidades são muito antigas e nada a respeito delas mudou. Somos nós que mudamos ao aprender a reconhecer nelas o que antes não percebíamos. **Charcot**

Médicos: Não sejam camelôs da Indústria Farmacêutica. **Walter Edgar Maffei**

Médicos: deixar de estudar é parar de ser médico. **JFJ**

Médicos: a MEDICINA se aprende em trabalhos científicos sem conflito de interesse. **JFJ**

Médicos tenham cuidado: os Congressos da nossa Classe são financiados pelas Indústrias Farmacêuticas. **JFJ**

Referências

1. Abstracts in www.medicinabiomolecular.com.br
2. Adnane L, Trail PA, Taylor I, Wilhelm SM. Sorafenib (BAY 43-9006, Nexavir), a dual-action inhibitor that targets RAF/MEK/ERK pathway in tumor cells and tyrosine kinases VEGFR/PDGFR in tumor vasculature. Methods Enzymol. 407:597-612;2005.
3. Brown AP, Carlson TC, Loi CM, Graziano MJ. Pharmacodynamic and toxicokinetic evaluation of the novel MEK inhibitor, PD0325901 in the rat following oral and intravenous administration. Cancer Chemother Pharmacol. 59(5):671-9;2007.
4. Chen KH, Weng MS, Lin JK. Tangeretin suppresses IL-1β-induced cyclooxygenase (COX)-2 expression through inhibition of p38 MAPK, JNK and AKT activation in human lung carcinoma cells. Biochem Pharmacol. 73:215-27;2007.
5. Cosmetic Ingredient Review Expert Panel. Final report of the safety assessment of methacrylate ester monomers used in nail enhancement products. Int J Toxicol. 24 Suppl 5:53-100;2005.
6. Darbre PD, Aljarrah A, Miller WR, et al. Concentrations of parabens in human breast tumours. J Appl Toxicol. 24(1):5-13;2004.
7. De Dios A, Shih C, Lopez de Uralde B, et al. Design of potent and selective 2-aminobenzimidazole-based p38α MAP kinase inhibitors with excellent in vivo efficacy. J Med Chem. 48:2270-3;2005.
8. Delaney AM, Printen JA, Chen H, et al. Identification of a novel mitogen-activated protein kinase kinase activation domain recognized by the inhibitor PD 184352. Mol Cell Biol. 22:7593-602;2002.
9. Felippe JJr. Câncer e acetazolamida. Revista Eletrônica da Associação Brasileira de Medicina Biomolecular. www.medicinabiomolecular.com.br. Tema da semana de janeiro de 2008a.
10. Felippe JJr. Câncer e amiloride. Revista Eletrônica da Associação Brasileira de Medicina Biomolecular. www.medicinabiomolecular.com.br. Tema da semana de janeiro de 2008b.
11. Felippe JJr. Água: vida – saúde – envelhecimento – doença – câncer. Revista Eletrônica da Associação Brasileira de Medicina Biomolecular. www.medicinabiomolecular.com.br. Tema do mês de fevereiro de 2008c.
12. Felippe JJr. Câncer e tiosulfato de sódio: diminuição da proliferação celular do carcinoma epidermoide humano com um forte estruturador de clusters da água intracelular.Revista Eletrônica da Associação Brasileira de Medicina Biomolecular. www.medicinabiomolecular.com.br. Tema da semana de março de 2008d.
13. Goldstein DM, Alfredson T, Bertrand J, et al. Discovery of S-(5-amino-1-(4-flurophenyl)-1H-pyrazol-4-yl)-(3-(2,3-dihydroxypropoxy) phenyl) methanone (RO3201195), an orally biovailable and highly selective inhibitor of p38 MAP kinase. J Med Chem. 49:1562-75;2006.
14. Goossens A, Armingaud P, Avenel-Audran M, et al. An epidemic of allergic contact dermatitis due to epilating products. Contact Dermatitis. 47(2):67-70;2002.
15. Handa O, Kokura S; Adachi S; Takagi T; Naito Y; Tanigawa T; Yoshida N; Yoshikawa T. Methylparaben potentiates UV-induced damage of skin keratinocytes. Toxicology;2006;227(1-2):62-72
16. Isidori M; Lavorgna M, Nardelli A, Parrella A. Toxicity on crustaceans and endocrine disrupting activity on Saccharomyces cerevisiae of eight alkylphenols. Chemosphere. 64(1):135-43;2006.
17. Kim AL, Zhu Y, Zhu H, et al. Resveratrol inhibits proliferation of human epidermoid carcinoma A431 cells by modulating MEK 1 and AP-1 signalling pathways. Exp Dermatol. 15:538-46;2006.
18. Kirkwood KL, Li F, Rogers JE, et al. A p38α selective mitogen-activated protein kinase inhibitor prevents periodontal bone loss. J Pharmacol Exp Ther. 320:56-63;2007.
19. Kohno M, Pouyssegur J. Targeting the ERK signaling pathway in cancer therapy. Ann Med. 38:200-11;2006.
20. Kolch W. Coordinating ERK/MAPK signaling through scaffolds and inhibitors. Nat Rev Mol Cell Biol. 6:827-37;2005.
21. La Guardia MJ, Hale RC, Harvey E, Mainor TM. Alkylphenol ethoxylate degradation products in land-applied sewage sludge (biosolids). Envirol Sci Technol. 35(24):4798-804;2001.
22. Lee MH, Kim E, Kim TS. Exposure to 4-tert-octylphenol, an environmentally persistent alkylphenol, enhances interleukin-4 production in T cells via NF-AT activation. Toxicol Appl Pharmacol. 197(1):19-28;2004.
23. Li Z, Ma JY, Kerr I, et al. Selective inhibition of p38α MAPK improves cardiac function and reduces myocardial apoptosis in rat model of myocardial injury. Am J Physiol Heart Circ Physiol. 291:H1972-7;2006.
24. Lin TH, Metzger A, Diller DJ, et al. Discovery and characterization of triaminotriazine aniline amides as highly selective p38 kinase inhibitors. J Pharmacol Exp Ther. 318:495-502;2006.
25. Lores M, Llompart M, Sanchez-Prado L, et al. Confirmation of the formation of dichlorodibenzo-p-dioxin in the photodegradation of triclosan by photo-SPME. Anal Bioanal Chem. 381(6):1294-8;2005.
26. Lu Q, Qiu T-Q, Yang H. Ligustilide inhibits vascular smooth muscle cells proliferation. Eur J Pharmacol. 542:136-40;2006.
27. Malemud CJ. Small molecular weight inhibitors of stress – activated and mitogen-activated protein kinases. Mini Rev Med Chem. 6: 689-98;2006.

28. Medicherla S, Ma JY, Mangadu R, et al. A selective p38α mitogen-activated protein kinase inhibitor reverses cartilage and bone destruction in mice with collagen-induced arthritis. J Pharmacol Exp Ther. 318:132-41;2006.
29. Meyer LH, Pap T. MAPK signalling in rheumatoid arthritis destruction: can we unravel the puzzie? Arthritis Res Ther. 7:177-8;2005.
30. Miwatashi S, Arikawa Y, Kotani E, et al. Novel inhibitor of p38 MAP kinase an an anti-TNF-α drug: discovery of N-(4-(2-ethyl-4-(3-methylphenyl)-1,3-thiazol-5-yl)-2-pyridyl) benzamide (TAK-715) as a potent and orally active anti-rheumatoid arthritis agent. J Med Chem. 48:5966-79;2005.
31. Ohren JF, Chen H, Pavlovsky A, et al. Structures of human MAP kinase kinase 1 (MEK1) and MEK2 describe novel noncompetitive kinase inhibition. Nat Struct Mol Biol. 11:1192-7;2004.
32. Okubo T, Yokoyama Y, Kano K, Kano I. ER-dependent estrogenic activity of parabens assessed by proliferation of human breast cancer MCF-7 cells and expression of ERalpha and PR. Food Chem Toxicol. 39(12):1225-32;2001.
33. Quartier S, Garmyn M, Becart S, Goossens A. Allergic contact dermatitis to copolymers in cosmetics--case report and review of the literature. Contact Dermatitis. 55(5):257-67;2006.
34. Smith SJ, Fenwick PS, Nicholson AG, et al. Inhibitors effect of p38 mitogen-activated protein kinase inhibitors on cytokine release from human macrophages. Br J Pharmacol. 149:393-404;2006.
35. Sosman JA, Puzanov I. Molecular targets in melanoma from angiogenesis to apoptosis. Clin Cancer Res. 12:2376s-83s;2006.
36. Staehler M, Rohrmann K, Haseke N, et al. Targeted agents for the treatment of advanced renal cell carcinoma. Curr Drug Targets. 6:835-46;2005.
37. Sverdrup B, Klareskog L, Kleinau S. Common commercial cosmetic products induce arthritis in the DA rat. Environ Health Perspect. 106(1):27-32;1998.
38. Thompson N, Lyon J. Recent progress in targeting the Raf/MEK/ERK pathway with inhibitors in cancer drug discovery. Curr Opin Pharmacol. 5:350-6;2005.
39. Van Slambrouck S, Parmar VS, Sharma SK, et al. De Tangeretin inhibits extracellular-signal-regulated-kinase (ERK) phosphorylation. FEBS Lett. 579:1665-9;2005.
40. Wada Y, Nakajima-Yamada T, Yamada K, et al. R-130823, a novel inhibitor of p38 MAPK, ameliorates hyperalgesia and swelling in arthritis models. Eur J Pharmacol. 506:285-95;2005.
41. Wang X, Li F, Zhang H, et al. Preparative isolation and purification of polymethoxylated flavones from tangerine peel using high-speed counter-current chromatography. J Chromatogr A. 1090:188-92;2005.
42. Wilhelm SM, Carter C, Tang L-Y, et al. Bay 43-9006 exhibits broad spectrum oral antitumor activity and targets the RAF/MEK/ERK pathway and receptor tyrosine kinases involved in tumor progression and angiogenesis. Cancer Res. 64:7099-109;2004.
43. Zanke BW, Lee C, Arab S, Tannock IF. Death of tumor cells after intracellular acidification is dependent on stress-activated protein kinases (SAPK/JNK) pathway activation and cannot be inhibited by Bcl-2 expression or interleukin 1β-converting enzyme inhibition. Cancer Res. 58:2801-8;1998.

CAPÍTULO 119

Scutellaria baicalensis e *Scutellaria barbata* no câncer

Anti-EBV, HPV, HIV-1, HTLV-1; inibidor específico da via MAPK; quela o ferro intracelular; inibe COX-2 e LOX, autofagia via ativação da AMPK/ULK1 com diminuição do mTORC1; aumenta DDIT4 e inibe o mTOR; ativa SIRT1-AMPK; ativa a sinalização Ras-Raf-MEK-ERK e p16^{INK4A}; aumenta a expressão do receptor da morte-5; liga-se ao DNA das *MMR-cells* e provoca apoptose; ultrapassa a resistência do TRAIL; polariza sistema imune para M1/Th1; inibe TAMs; aumenta linfócitos; reduz a expressão do HIF-1-alfa, VEGF e VEGFR2; modula p53, PTEN, Beclin 1, c-Myc, CD24, uPA, PDK1, p38, N-caderina, FOXO3a, MEK, ERK1/2, Wnt/beta-catenina, MMP2 e MMP9, caveolin-1, mTOR, CYP1A1; inibe NF-kappaB; inibe marcantemente securina; aumenta a diferenciação celular. É anti-PD-1/PDL-1 e ativa linfócitos T citotóxicos

José de Felippe Junior

Scutellaria baicalensis mais um fitoterápico que suprime PD-L1.
Mengyun Ke, 2019

Scutellaria baicalensis

Scutellaria baicalensis

A *Scutellaria baicalensis* é muito usada na China no tratamento da inflamação, infecções bacterianas e virais, doenças cardiovasculares e hipertensão arterial.

Ela possui mais de 50 agentes químicos, entretanto, seus principais componentes ativos são baicaleína, baicalina, wogonoside e wogonina.

O princípio ativo mais estudado é a baicaleína, uma flavona originalmente isolada das raízes da *Scutellaria baicalensis* e *Scutellaria lateriflora*. Baicaleína é a aglicona da baicalina.

A baicaleína encontra-se em outros tipos de plantas: Plantago majus (tanchagem, tansagem, transagem, tanchá, taiova, orelha de veado ou sete nervos), trevo vermelho (*red clover*), alfafa e couve.

A baicaleína inibe fortemente a reação de Fenton via quelação do ferro e, dessa forma, protege o DNA do estresse oxidativo. Essa modulação do ferro com efeito direto na diminuição do estresse oxidativo explica muitos dos efeitos dessa substância nas doenças em geral. Possui atividades antibacteriana, antiviral, antialérgica, anti-inflamatória, antioxidante e pró-oxidante.

Outro princípio ativo da *Scutellaria baicalensis* é a wogonina, uma flavona O-metilada. Os glicosídeos da wogonina são conhecidos como wogonosídeos. A wogonina tem propriedades ansiolíticas no camundongo sem exibir sedação. Também possui efeitos anticonvulsivos e parece ocupar o receptor GABA-A. Possui efeito antiproliferativo, apoptótico e promove autofagia no câncer.

O mais sensato é usarmos o extrato padronizado das raízes da planta inteira.

Scutelaria baicalensis é anti PD-1/PD-L1

O bloqueio da via PD-L1/PD-1 para evitar a evasão imunológica das células tumorais é abordagem poderosa para o tratamento de múltiplos cânceres. A baicaleína e a baicalina são diretamente citotóxicas para alguns tumores e também estimulam a resposta imune mediada por células T contra tumores através da redução da expressão de PD-L1 em células cancerígenas. Foi observada regressão tumoral mais significativa em camundongos BALB/c do que em camundongos BALB/c-nu/nu após o tratamento com baicaleína e baicalina. A regulação para cima da PD-L1 induzida pelo IFN-γ foi drasticamente inibida por estes dois flavonoides *in vitro*. Tanto a baicaleína como a baicalina aumentaram a citotoxicidade das células T para eliminar células tumorais, em modelo com superexpressão de PD-L1. Pesquisas adicionais indicaram que a expressão e atividade promotora do PD-L1 induzida por IFN-γ foram suprimidas por esses dois flavonoides e esses efeitos foram mediados pela inibição da atividade do STAT3. Portanto, baicaleína e baicalina diminuíram a atividade de STAT3, diminuíram a expressão de PD-L1 induzida por IFN-γ e subsequentemente restauraram a sensibilidade das células T para matar células tumorais. Tais descobertas fornecem uma nova visão dos efeitos anticâncer da baicaleína e da baicalina, através dos quais o crescimento do tumor é inibido pela regulação negativa da expressão de PD-L1 (Ke, 2019).

Do mesmo modo que o cloreto de lítio a baicaleína e baicalina inibem a enzima GSK-3 e assim suprimem a expressão do PD-L1.

A fórmula da baicaleína é $C_{15}H_{10}O_5$, de peso molecular 270,2g/mol e conhecida como Baicalein, 5,6,7-Trihydroxyflavone, 491-67-8; 5,6,7-trihydroxy-2-phenyl-4H-chromen-4-one, Baicelein e Biacalein. Doa 3 e é aceptor de 5 elétrons.

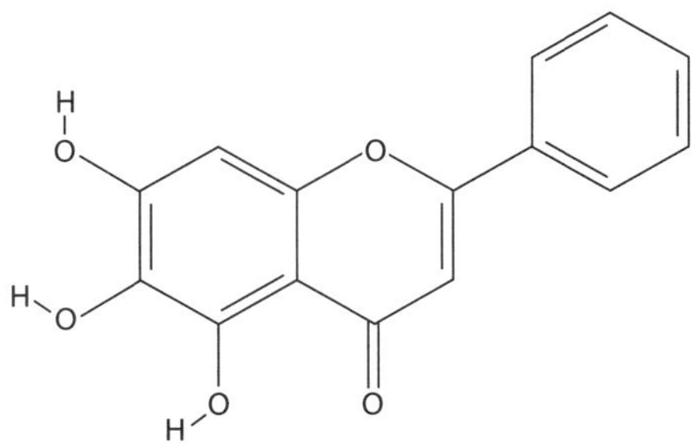

Baicaleína

Alvos moleculares no câncer da *Scutellaria baicalensis* – baicaleína

1. **Efeito antiviral**
   a) **EBV**
      - *Scutellaria baicalensis* possui efeito inibitório direto sobre o EBV e suprime a promoção em dois estágios da carcinogênese do tumor de pele murino, *in vivo*, provocado pelo EBV (Konoshima, 1992).
      - Epstein-Barr vírus (linfomas, carcinoma epidermoide de cabeça e pescoço), HIV-1, HTLV-1 (leucemia).
   b) **HPV**
      - Wogonina, do extrato de S. baicalensis é citotóxico para células de câncer cervical HPV 16 (+), SiHa e CaSki, mas não para células negativas para HPV. Wogonina induziu apoptose suprimindo as expressões dos oncogenes virais E6 e E7 em células CaSki e SiHa de câncer cervical infectadas por HPV. Wogonin foi citotóxico para células de câncer cervical HPV 16 (+), SiHa e CaSki, mas não para células negativas para HPV (Kim, 2013).
2. **Efeito antibacteriano**
   a) **Anti-*Helicobacter pylori*** (Matsumoto, 2008; Chen, 2018).
   b) **Anti-*Mycobacterium tuberculosis*.** Nada encontrado.
3. Efeito quelante. Quela o ferro mais fortemente que a ferrozina e inibe a reação de Fenton.
4. **Anti-inflamatório**
   a) Inibe a produção de PGE2, indicando que a supressão tumoral possa ser devido a habilidade de inibir a atividade da COX-2.
   b) Provoca seletiva inibição da 12-lipoxigenase (12-LOX) a qual induz antiproliferação e apoptose em várias neoplasias. Inibidores do LOX induzem liberação do citocromo c da mitocôndria para o citosol, ativação das caspases-3, 7 e 9 e clivagem do PARP (poly(ADP-ribose) polymerase) substrato da caspase-3.
   c) Outra prova de que devemos usar o extrato de toda a planta e não apenas o princípio ativo. O extrato de Scutellaria inibe a COX-2 e a baicaleína não inibe.
5. **Efeito anti-hepatotóxico**
6. **Várias neoplasias**
   a) Quela o ferro mais fortemente que a ferrozina e inibe a reação de Fenton.

b) Inibe a produção de PGE2, indicando que a supressão tumoral possa ser devido à habilidade de inibir a atividade da COX-2.
c) Provoca seletiva inibição da 12-lipoxigenase (12-LOX), a qual induz antiproliferação e apoptose em várias neoplasias. Inibidores do LOX induzem liberação do citocromo c da mitocôndria para o citosol, ativação das caspases-3, 7 e 9 e clivagem do PARP (*poly* (*ADP-ribose*) *polymerase*) substrato da caspase-3.
d) É inibidor especifico da via proliferativa MAPK.
e) Ativa AMPK.
f) Células neoplásicas deficientes no reparo do DNA (MMR-cells) são resistentes à maioria dos agentes quimioterápicos. A baicaleína liga-se preferencialmente ao DNA das "*MMR-cells*" e induz à apoptose.
g) Antiangiogênico, apoptótico, antiproliferativo em vários tipos de tumores.
h) Possui efeitos antitumorais em vários outros tipos de câncer: bexiga, pâncreas, pulmão, mama, fígado, gliomas malignos, leucemias, mieloma, linfomas, câncer de cabeça e pescoço etc.
i) Em trabalho recente, a baicaleína provocou autofagia via ativação da via AMPK/ULK1 com diminuição do mTORC1 em células de várias neoplasias humanas (Aryal, 2014).
j) Baicaleína ultrapassa a resistência do TRAIL (*tumor necrosis factor-related apoptosis-inducing ligand*) através de duas vias específicas nas células neoplásicas, sem afetar as células normais. A combinação de baicaleína e TRAIL induz efetiva apoptose em células do câncer de cólon SW480, resistentes ao TRAIL. Baicaleína aumenta a expressão do receptor da morte-5 (DR-5) entre os receptores do TRAIL na proteína e mRNA.
k) Imunoestimulante. Durante a quimioterapia aumenta o número de linfócitos e as imunoglobulinas A e G.
l) Baicaleína e baicalina podem ativar a via de sinalização Notch e aumentar a proliferação celular mitótica na eritroleucemia. O trabalho foi *in vitro* com células K562. É possível que esse fato tão prejudicial possa acontecer com outras linhagens de células neoplásicas. Daí a importância de mensalmente checar o tratamento.
m) Baicaleína pode aumentar HIF-1-alfa e a neoangiogênese.
n) DDIT4 (*DNA damage inducible transcript 4*) é o fator que a baicaleína mais eleva em vários tipos de câncer. Este efeito é dose dependente e muito importante porque o DDIT4 inibe o mTOR (Wang, 2015).
o) *Scutellaria baicalensis* demonstrou forte inibição da proliferação mitótica nas linhagens celulares HepG2, MCF-7, PC-3, LNCaP, KM-12, HCT-15, KB e SCC-25. As células do câncer de próstata, PC-3, LNCaP e de mama, MCF-7, são levemente mais sensíveis que outros tipos de câncer.

7. **Gliomas**
   a) Baicaleína inibe significativamente o crescimento do glioma maligno U87 e prolonga a sobrevida do camundongo. Suprime a proliferação e aumenta a apoptose; reduz a expressão do HIF-1-alfa, VEGF e VEGFR2 e diminui o edema cerebral.
   b) Inibe a proliferação de células do glioma maligno e do carcinoma mamário sem afetar as células normais. Induz apoptose e para o ciclo celular em G1/G2.
   c) Radicais livres de oxigênio aumentam a migração e invasão de células do glioblastoma U87 via ERK, dependente da ativação da COX-2/PGE2. A baicaleína inibe a ativação da COX-2/PGE2.
   d) Baicaleína induz a expressão do gene HO-1 e induz apoptose de células C6 do glioma do rato, via modulação da via ERK, inibindo o estresse oxidativo.
   e) Baicaleína inibe Raf-1 mediando fosforilação do MEK-1 em células C6 do glioma do rato e provoca redução da proliferação mitótica. Inibe a cascata ERK/MAPK agindo na fosforilação do MEK-1 pelo RAF-1 e inibe a síntese de prostaglandinas.
   f) Baicaleína inibe a cascata MAPK (*mitogen-activated protein kinase*) em células C6 do glioma do rato. Potente efeito inibidor da síntese de prostaglandinas. Baicaleína é um inibidor específico da via MAPK.
   g) Baicalina e baicaleína inibem a elevação do Ca^{++} intracelular reduzindo a atividade da fosfolipase C em células C6 do glioma do rato. Noradrenalina e carbacol indutores de aumento de Ca^{++} intracelular também são inibidos, ao lado da histamina.
   h) Aumenta o efeito da cisplatina no glioma.
   i) Baicaleína induz autofagia e apoptose via AMPK em células do glioma humano, U251 (Liu, 2019).
8. **Câncer de cabeça e pescoço**
   a) Duas linhas celulares HNSCC humanas (SCC-25 e KB) e uma linha celular não tumorogênica (HaCaT) foram testadas *in vitro* e *in vivo*. Seus efeitos foram comparados com os da baicaleína, indometacina (um inibidor não seletivo da COX) e celecoxib (um inibidor seletivo da COX-2). Quatro ratos nude com inoculação s.c. de células KB foram testados quanto à atividade anticâncer *in vivo* por administração oral de *Scutellaria baicalensis* na dose de 1,5mg/camundongo (75

mg/kg), cinco vezes/semana por 7 semanas. Scutellaria baicalensis e outros agentes demonstraram forte inibição de crescimento em ambas as linhas celulares HNSCC testadas. Não foi observada inibição do crescimento de células HaCaT com *Scutellaria baicalensis*. Os ICs (50) foram de 150 µg/ml para *Scutellaria baicalensis*, 25 µM para celecoxib e 75 µM para baicaleína e indometacina. *Scutellaria baicalensis*, assim como celecoxib e indometacina, mas não baicaleína suprimiram a expressão do antígeno nuclear das células de proliferação e a síntese de PGE (2) nos dois tipos de células. *Scutellaria baicalensis* inibiu a expressão de COX-2, enquanto o celecoxib inibiu diretamente a atividade da COX-2. Foi observada redução de 66% na massa tumoral nos camundongos nude. Scutellaria baicalensis inibe seletiva e efetivamente o crescimento de células cancerígenas *in vitro* e *in vivo* e pode ser um agente quimioterapêutico eficaz para o HNSCC. A inibição da síntese de PGE2 via supressão da expressão de COX-2 pode ser responsável por sua atividade anticâncer. As diferenças nos efeitos biológicos de *Scutellaria baicalensis* em comparação com a baicaleína sugerem efeitos sinérgicos entre os componentes da *Scutellaria baicalensis* (Zhang, 2003).

b) CD44 é marcador de células-tronco cancerígenas no carcinoma epidermoide de cabeça e pescoço, e a expressão de CD44 está relacionada ao prognóstico. Baicalin aumentou a apoptose sem efeito sobre os níveis de CD44, enquanto a baicaleína não aumentou a apoptose e elevou a CD44 sobre-regulada no carcinoma espinocelular de cabeça e pescoço. Além disso, a baicaleína induziu a fosforilação de CHK1, como um marcador da resposta a danos no DNA à parada na fase S-a-G2/M. Os resultados demonstraram claramente que a baicaleína melhorou a expressão de CD44 e, consequentemente, melhorou a resposta a danos no DNA. Esses dados sugerem que a indução de CD44 inibiu a indução de apoptose por células cancerígenas, aumentando a resposta a danos no DNA (Ohkoshi, 2017).

9. **Câncer de pulmão**

a) Baicaleína provoca vários efeitos moleculares anticâncer no carcinoma de pulmão não de pequenas células modulando: p53, CYP1A1, AMPK, FOXO3a, MEK, ERK1/2, MMP2 e MMP9 (Liu, 2016).

b) Baicalina inibe a proliferação e a migração do carcinoma pulmonar, A549 e H1299 via ativação da SIRT1-AMPK o que inibe mTOR e as MMPs (You, 2018).

c) Os macrófagos associados ao tumor (TAMs) são o principal componente infiltrante no microambiente tumoral e desempenham papel importante na progressão do câncer. Um sistema de co-cultura foi estabelecido para avaliar a interação entre TAMs e células de câncer de mama. Em seguida, foi avaliado o papel da baicaleína na modulação da função dos TAMs. Experiências *in vitro* mostraram que a co-cultura com macrófagos M2 melhorou significativamente a transição epitelial-mesenquimal (EMT) das células de câncer de mama MDA-MB-231 e MCF-7. Baicaleína poderia regular a polarização de M2 e atenuar a secreção de TGF-β1. Experimentos *in vivo* mostraram que, em comparação com o grupo MDA-MB-231 + M2, o crescimento do tumor e as metástases do grupo baicaleína + MDA-MB-231 + M2 foram significativamente inibidos, com menor tamanho do tumor e lesões menores de metástases pulmonares. Os resultados sugerem que a regulação das TAMs pode ser um novo mecanismo subjacente aos efeitos antitumorais da baicaleína no câncer de mama (Zhao, 2018).

d) Baicalein tem efeito inibidor significativo na capacidade de proliferação de células A549 e H1299 de câncer de pulmão de células não pequenas. As células tratadas com baicaleína mostraram uma expressão regulada para baixo de CiclinaD1 e CDK1 em células A549 e H1299. Além disso, a baicaleína inibiu significativamente a invasão celular e a transição epitélio-mesenquimal (EMT), através da regulação positiva do mRNA e da expressão proteica da E-caderina e da regulação para baixo da expressão de Twist1 e Vimentin 1 nas células A549 e H1299, que indicaram que a baicaleína poderia suprimir a via de sinalização Notch (SU, 2018).

e) Baicalein inibe o crescimento celular e aumenta a sensibilidade à cisplatina das células A549 e H460 via miR-424-3p e visando a via PTEN/PI3K/Akt (Lu, 2018).

f) Baicalein aumenta a sensibilidade à cisplatina das células de adenocarcinoma de pulmão A549 através da via PI3K/Akt/NF-kappaB (Yu, 2017).

g) Baicalein diminuiu significativamente a proliferação do câncer de pulmão nas células H-460 de uma maneira dependente da dose. No nível funcional, foi observada indução dependente da dose na apoptose associada à diminuição do conteúdo celular de f-actina, aumento na condensação nuclear e aumento no potencial de massa mitocondrial. O tratamento ortotópico de tumores experimentais H-460 em camundongos *nude* atímicos com baicaleína reduziu significativamente o crescimento tumoral e prolongou a sobrevivência. A análise histológica dos xenoenxertos tumorais resultantes demonstrou expressão reduzida das proteínas 12-lipoxigenase e VEGF em tumores tratados com baicaleína, em relação aos não tratados. Foi observada redução significativa no índice mitótico e na densidade de microvasos após o tratamento com baicaleína. O perfil de expressão gênica revelou redução no VEGF e no FGFR-2 após o tratamento com baicaleína, com aumento correspondente no gene RB-1 (Retinoblastoma-1), o primeiro gene supressor de tumor identificado. Este estudo é o primeiro a demonstrar a eficácia da baicaleína *in vitro* e *in vivo* no NSCLC. Esses efeitos podem ser mediados em parte pela redução na progressão do ciclo celular e na angiogênese. No nível molecular, alterações na expressão de VEGF, FGFR-2 e RB-1 foram implicadas, sugerindo mecanismo molecular subjacente a esse efeito *in vivo* (Cathcart, 2016).

10. **Câncer de mama**
    a) Baicaleína provoca vários efeitos moleculares anticâncer no carcinoma de mama modulando: p53, MAPK, DDIT4, mTOR e Wnt/beta-catenina (Liu, 2016).
    b) Baicaleína mais baicalina aumentam a apoptose via ERK/p38/MAPK em células do câncer de mama, MCF-7 (Zhou, 2009).
    c) Baicaleína regula para cima o DDIT4 (*DNA damage inducible transcript 4*), o qual inibe mTORC1 e a inibição da proliferação no câncer de mama. Baicaleína suprime a fosforilação dos alvos do mTORC1 (Wang, 2015).
11. **Câncer de mama triplo negativo**
    a) Na linhagem MDA-MB-231 a baicaleína suprime a adesão, migração e invasão. De modo significante inibe a expressão e secreção das MMP2 e MMP9, via inibição da MAPK. Todos esses fatores diminuem o risco de metástases (Wang, 2010).
    b) Baicaleína suprime metástases de células MDA-MB-231 inibindo EMT via regulação para baixo da Wnt/beta-catenina e SABT1 (*special AT-rich sequence-binding protein-1*) (Ma, 2016).
    c) No câncer de mama MDA-MB-231 and MCF-7 a baicaleína diminui o número de metástases pulmonares polarizando o sistema imune de M2 para M1. Ocorre Inibição do M2 dos macrófagos associados ao tumor (TAM) (Zhao, 2018).
12. **Câncer de próstata**
    a) A *Scutellaria baicalensis* é mais eficaz na inibição do crescimento do câncer de próstata, quando comparada ao PC-SPES, mistura de 8 ervas chinesas.
    b) Inibição direta da atividade da COX-2.
    c) Suprime a expressão do gene COX-2.
    d) Inibe a produção de PSA.
    e) Suprime a expressão da ciclina D1 em células LNCaP.
    f) Para o ciclo celular na fase G1, enquanto inibe a expressão da cdk1 e a atividade das quinases em células PC-3, o que provoca no final parada do ciclo celular em G2/M.
    g) Atenua a atividade do NF-kappaB.
    h) Inibe vários genes importantes na regulação do ciclo celular.
    i) Baicaleína provoca vários efeitos moleculares anticâncer no câncer de próstata modulando: Akt, TRAIL, DR5, ERTOS, caveolin-1, mTOR, Beclin 1, AMPK e ULK 1 (Liu, 2016).
    j) Estudos em animais mostram redução de 50% do volume tumoral em 7 semanas de uso contínuo.
13. **Câncer gástrico**
    a) Baicaleína provoca vários efeitos moleculares anticâncer no câncer gástrico modulando: TGF-beta/Smad4, HIF-1-alfa, PTEN, PDK1, p38, N-caderina, MMP2 e MMP9 (Liu, 2016).
    b) Inibe a migração e invasão de células do câncer gástrico suprimindo a sinalização TGF-beta (Chen, 2014).
    c) Inibe a invasão de células do câncer gástrico suprimindo a atividade da sinalização p38 (Yan, 2015).
    d) Reverte em células AGS do câncer gástrico e suprime a glicólise e a via de sinalização PTEN/Akt/HIF-1-alfa (Chen, 2015).
    e) Baicalein induziu de maneira robusta a parada na fase S na linha celular SGC-7901 da célula gástrica. Induziu apoptose celular SGC-7901 e interrompeu o potencial da membrana mitocondrial (Δpsimt) de maneira dependente da dose. A análise dos níveis de expressão de proteínas mostrou regulação para baixo de Bcl-2 e regulação para cima de Bax em resposta ao tratamento com baicaleína. Estes resultados indicam que a baicaleína induz apoptose de células cancerígenas gástricas via mitocondrial. Em um modelo de xenoenxerto subcutâneo *in vivo*, a baicaleína exibiu excelentes efeitos inibitórios de tumor (Mu, 2016).
14. **Câncer de fígado**
    a) Baicaleína inibe a progressão do hepatocarcinoma tendo como alvo a via lncRNAs-hsa-miR-4443-AKT1 (Zhao, 2021).
    b) Baicaleína e baicalin promovem imunidade antitumoral ao suprimir a expressão do PD-L1 em células do hepatocarcinoma (Ke, 2019).
    c) Baicaleína provoca vários efeitos moleculares anticâncer no carcinoma hepatocelular modulando: c-Myc, CD24, uPA, MMP2, MMP9, IKB-

-beta, NF-kappaB, PKC-alfa, MAPK, Akt e mTOR (Liu, 2016; Bie, 2017).

d) Baicaleína inibe o carcinoma hepatocelular suprimindo a expressão do mRNA do CD24. Comparada com mais 13 preparados botânicos, a baicaleína se mostrou a mais eficaz em diminuir a expressão do c-Myc, regulador crucial da proliferação celular, apoptose e transformação neoplásica, de modo dose e tempo-dependentes. A expressão do mRNA e a da proteína CD24 estão reguladas para baixo (Han, 2015).

e) No hepatoma humano J5, a apoptose envolve ativação das caspases dependentes das mitocôndrias (Kuo, 2009).

f) Baicaleína inibe as células do carcinoma hepatocelular suprimindo a expressão do CD24 – marcador de atividade de células-tronco (Han, 2015).

g) Baicaleína desencadeia autofagia e inibe a proteína quinase B/mTOR no carcinoma hepatocelular humano (Wang, 2015).

h) Induz apoptose e autofagia via estresse do retículo endoplasmático em células do carcinoma hepatocelular (Wang, 2014).

i) Baicaleína e silibinina possuem efeitos sinérgicos anticâncer em células HepG2 do hepatoma humano (Chen, 2009).

15. **Câncer de cólon**

a) Baicaleína possui forte efeito antiproliferativo em 3 linhagens do câncer de cólon, especialmente na linhagem HCT-116 do câncer colorretal, tanto *in vitro* como *in vivo*. O ciclo celular para na fase S (antiproliferação) e acontece ativação das caspases-3 e 9 (apoptose).

b) Baicaleína induz apoptose em células do câncer de cólon, linhagem HCT116. Inibe o crescimento e induz apoptose via clivagem do PARP-gama e supressão do NF-kappaB por meio da ativação do PARP-gama, de modo concentração-dependente.

c) Baicaleína possui efeito antitumor em células HT-29 do câncer colorretal, *in vitro* e *in vivo*. Ocorrem fragmentação do DNA, condensação da cromatina e parada do ciclo celular em G1. Diminuição da expressão da Bcl-2 e aumento da Bax de modo dose-dependente. A apoptose é acompanhada por inibição da via PI3K/Akt de modo dose-dependente e via aumento do p53.

d) Em estudo proteômico de 11 proteínas diferentes concluiu-se que a baicaleína inibe a proliferação do câncer colorretal reduzindo os radicais livres de oxigênio por aumentar a peroxiredoxina-6 (PRX6). Não possui efeito nas células normais.

e) Em células Caco-2 do câncer de cólon, a baicaleína causa grande produção de peróxido de hidrogênio no meio de incubação, sendo esse um dos motivos de diminuir a proliferação mitótica.

f) Securina e gama-H2AX são proteínas que regulam a sobrevivência celular e a estabilidade genômica. Baicaleína reduz a viabilidade de grande variedade de linhagens neoplásicas, incluindo câncer de cólon, bexiga, cervical e pulmão. Baicaleína em baixas concentrações inibe marcantemente a expressão da securina enquanto eleva os níveis de gama-H2AX. Baicaleína inibe a expressão da securina e aumenta a expressão da gama -H2AX e provoca diminuição da viabilidade das células do câncer de cólon, linhagem HCT116.

g) A baicaleína e a luteolina possuem atividade anticâncer em células LoVo do adenocarcinoma colorretal, incluindo as células LoVo-Dx resistentes a múltiplas drogas (Palko-Labuz, 2017).

h) Baicaleína provoca vários efeitos moleculares anticâncer no câncer colorretal modulando: Akt, p53, PPAR-gama, NF-kappaB, ERTOS, PRDX6, MMP2 e MMP9 (Liu, 2016).

i) Baicalina induz senescência de células do câncer de colon HCT116 regulando para cima o DEPP (decidual protein induced by progesterone) e ativando a sinalização Ras-Raf-MEK-ERK e $p16^{INK4A}$/Rb (Wang, 2018).

j) Baicaleína e baicalina inibem o câncer de colon por dois mecanismos, apoptose e senescência. A senescência é por inibição da expressão da transcriptase reversa da telomerase e a apoptose se faz pela via MAPK/ERK e p38 *in vitro*. *In vivo* provoca diminuição da carcinogênese e do volume tumoral (Dou, 2018).

16. **Câncer de pâncreas**

a) Em células do câncer pancreático, BxPC3, a baicaleína provocou inibição de 50% da proliferação celular com apenas 50mcg/ml (Motoo, 1994). Foi o primeiro trabalho da literatura (Motoo, 1994 in Donald, 2012).

b) Baicaleína induz apoptose regulando para baixo a expressão do Mcl-1 (membro antiapoptótico da família do Bcl-2) em células do câncer de pâncreas humano. Ocorrem liberação de citocromo c da mitocôndria e ativação das caspases-3 e 7 e clivagem do PARP (Takahashi, 2011).

c) Baicaleína provoca vários efeitos moleculares anticâncer no carcinoma pancreático modulando:12-LOX, 5-LOX e Mcl-1 (Liu, 2016).

d) Baicaleína inibe a proliferação, migração e invasão de modo dose e tempo-dependentes de células BxPC-3 e PANC-1 do câncer de pâncreas via supressão da expressão do NEDD9 (*neural pre-*

cursor cell expressed developmentally downregulated 9), o que promove a queda das vias de sinalização Akt e ERK (Zhou, 2017).

e) A proteína NEDD9 e seu nível de mRNA estão elevados no carcinoma pancreático comparado com tecido adjacente sem câncer. Alto nível de NEDD9 se correlaciona com estágio clínico p < 0,001), metástases em linfonodo (p < 0,001) e diferenciação histológica (p < 0,001) (Xue, 2013).

f) Inibidores da lipoxigenase atenuam o crescimento de câncer pancreático humano, MiaPaCa-2 e AsPC-1, implantado em camundongo (*xenograft tumor*) e induzem apoptose via mitocondrial. Baicalaína inibe fortemente o 12-LOX (Tong, 2002). Inibidores do LOX induzem liberação do citocromo c da mitocôndria para o citosol, ativação das caspases-3, 7 e 9 e clivagem do PARP (*poly*(*ADP-ribose*) *polymerase*), substrato da caspase-3.

17. **Câncer de ovário**

a) Baicaleína provoca vários efeitos moleculares anticâncer no carcinoma de ovário modulando: VEGF, HIF-1alfa, c-Myc, NF-kappaB, MAPK e MMP2 (Liu, 2016).

b) S. baicalensis inibe HIF-1alfa e aumenta a eficácia da cisplatina no câncer de ovário. Sozinha atenua a via PI3K/Akt e MAPK/ERK e inibindo tais vias abole os efeitos sobre o HIF-1alfa. A cloroquina um inibidor das lisossomas abole os efeitos sobre o fator induzível pela hipóxia (Hussain, 2018).

18. **Câncer endometrial**

a) Wogonosídeo inibe o crescimento tumoral e as metástases do câncer endometrial via estresse do retículo-endoplasmático (Chen, 2019).

b) S. baicalensis e Fritillaria cirrhosa inibem a sinalização do TGF-beta no câncer endometrial, Ambas as ervas inibem efetivamente a proliferação e invasão de células cancerígenas induzidas por TGF-β1 e basal, que foi acompanhada com a revogação de Snail, Slug, matriz metaloproteinases (MMPs), integrina αvβ3, quinase de adesão focal (FAK) e expressão de p-FAK. Estes resultados sugerem que ambas ervas bloqueiam o crescimento do câncer endometrial ao regular negativamente a via de sinalização TGF-β/SMAD. (Bokhari, 2015).

c) *S. baicalensis* e *Fritillaria cirrhosa* inibem NF-kappaB e suprimem a proliferação de células do câncer de ovário e endometrial (Kavandi, 2015).

19. **Câncer cervical uterino**

a) Baicaleína inibe a proliferação do câncer cervical linhagem HeLa e SiHa, via inibição da GSK-3-beta. Acontece parada do ciclo celular em G0/G1 por suprimir a ciclina D1 devido à regulação para baixo da proteína quinase B fosforilada (p-AKT) e da glicogênio sintase quinase fosforilada (p-GSK3-beta) (Wu, 2017).

b) Baicaleína suprime a proliferação do câncer cervical humano via Notch1/Hes. De modo tempo e dose dependente (Lian, 2019).

c) Baicaleína inibe a progressão do câncer cervical regulando para baixo o BDLNR (long noncoding RNA) e sua via a seguir a PI3K/akt (Yu, 2018).

d) Baicaleína inibe a proliferação de células do câncer cervical ao inibir a via GSK3-beta (Wu, 2018).

20. **Linfoma não Hodgkin**

a) Baicaleína induz a morte celular no linfoma de células T murino via inibição do sistema tiorredoxina (Patwardhan, 2017).

b) Os linfomas cutâneos de células T (CTCLs) representam uma forma rara de linfomas não Hodgkin caracterizados por um acúmulo de células T CD4+ malignas na pele. A alteração genética de TP53 é uma das anormalidades genéticas mais prevalentes em CTCLs. Portanto, é um alvo promissor para abordagens terapêuticas inovadoras. A atividade anti-CTCL exibida pelos inibidores HDAC depende do status do p53. No entanto, estudos recentes relataram que os inibidores de HDAC podem induzir uma ampla variedade de características de resistência a drogas em células cancerosas, regulando os transportadores de cassete de ligação de ATP. Além disso, o Baicalein, um produto natural, exibiu um efeito inibitório em HDAC1 e HDAC8. Embora a inibição de HDAC1 fosse leve, Baicalein poderia induzir a degradação de HDAC1 através da via do proteassoma da ubiquitina, assim, regulando positivamente a acetilação da histona H3 sem promover a expressão do gene do transportador de cassete de ligação de ATP. Em termos do mecanismo, Baicalein mostrou melhor inibição do crescimento do que os inibidores HDAC tradicionais em CTCLs. Este estudo indica um mecanismo especial de HDAC1 e HDAC8 e p53 em células de linfoma de células T e identifica um inibidor HDAC natural potencial e seguro para o tratamento de CTCLs (Yu, 2020).

21. **Câncer de bexiga**

a) Baicaleína induz morte celular e retardo da proliferação por inibir a CDC2 quinase e inibir profundamente a expressão da survivina associada com a inibição da MAPK e Akt. Diminui os níveis de ciclina D1 e o ciclo celular pára em G2/M.

b) Baicalina aumenta a produção de Interferon-gama e reduz TNF-alfa e IL-10 na leucemia linfocítica aguda da criança. Diminui a proliferação celular e aumenta a apoptose. Não interfere nas células normais. Polariza o sistema imune para M1/Th1.

c) Em células do câncer de bexiga, a baicaleína é mais eficaz que outros flavonoides como baicalina, catequina, genisteína, quercetina e rutina.

22. **Melanoma**
    a) Baicaleína diminui a síntese de melanina: inibe tirosinase no melanoma B16F10.
    b) Baicaleína induz inibição de células do melanoma B16F10 via diminuição da expressão da 12-lipoxigenase e aumento da geração de radicais hidroxila.
    c) Baicaleína provoca vários efeitos moleculares anticâncer no melanoma modulando: Erk, MITF, ERTOS, FFS, Ahr e Ezrin (Liu, 2016).
    d) Inibe a melanogênese por meio da ativação da via de sinalização ERK. A ativação do ERK pela baicaleína reduz a síntese de melanina via diminuição da regulação do MITF (*microphthalmia-associated transcription factor*) e subsequente inibição da síntese de tirosinase (Li, 2010).
    e) Induz inibição da proliferação de células B16F10 de células do melanoma gerando radicais livres de oxigênio via 12-lipoxigenase (Chou, 2009).
23. **Carcinoma de pele**
    No carcinoma de pele a baicaleína reduz a expressão e a invasividade de células A431 inibindo a expressão do Ezrin, o que provoca supressão das metástases tumorais (Wu, 2011).
24. **Leucemia linfoide aguda, linfoma**
    a) Nas linhagens celulares da leucemia linfoide aguda, linfoma e mieloma a baicaleína induz apoptose e parada do ciclo celular em concentrações facilmente atingíveis em clínica. O efeito antiproliferativo foi associado com lesão mitocondrial, modulação da família de genes apoptóticos Bcl, aumento da concentração dos inibidores de CDK, p27(KIP1) e diminuição dos níveis do oncogene c-myc, digo do gene proliferativo de sobrevivência celular, c-myc.
    b) Baicaleína aumenta a produção de Interferon-gama e reduz TNF-alfa e IL-10 na leucemia linfocítica aguda da criança. Diminui a proliferação celular e aumenta a apoptose. Não interfere nas células normais. Polariza o sistema imune para M1/Th1.
25. **Mieloma**
    Baicaleína provoca vários efeitos moleculares anticâncer no mieloma modulando: IKb-alfa, NF-kappaB, XIAP, PPAR-beta, c-Myc, beta-catenina e integrina-beta (Liu, 2016).
26. **Osteossarcoma**
    a) Baicaleína provoca vários efeitos moleculares anticâncer no osteossarcoma modulando: ERTOS, c-Myc, CDK4, Wnt, MMP2 e MMP9 (Liu, 2016).
    b) Induz apoptose no osteossarcoma humano linhagem MG-63 via ERTOS induzida pela expressão da proteína BNIP3 (Ye, 2015).
    c) Suprime a viabilidade de células MG-63 do osteossarcoma inibindo a expressão do c-MYC via sinalização Wnt (He, 2015).
    d) Provoca apoptose, parada do ciclo celular, da migração e da invasão em células do osteossarcoma. O autor conclui que a baicaleína é droga eficaz contra o osteossarcoma (Zhang, 2013).
27. **Metabolismo**
    Baicaleína recupera a plasticidade das sinapses e o déficit de memória em modelo de doença de Alzheimer de camundongo.

Efeito anticâncer da baicaleína em modelos animais e as doses utilizadas (Liu, 2016)

Bladder cancer

1. MBT-2 cell xenografts in C3H/HeN mice: 0.05 and 0.1 mg/animal, i.h. for 10 days. Baicalein significantly inhibited the tumor growth.
2. MB49 cell xenograft in C57BL/6 mice 0.8 mg/animal, i.h. for 9 times. Baicalein slightly inhibited tumor growth with some hepatotoxicity.

Breast cancer

1. MDA-MB-231 cell xenograft in nude mouse 50 or 100 mg/kg, b.wt., i.g. for 15 days. Baicalein suppresses breast cancer metastasis by inhibition of EMT via downregulation of SATB1 and Wnt/catenin pathway.
2. MDA468 cell xenograft in SCID-Bg mice 20 mg/kg, b.wt., i.p. for 5 days/week. Baicalein suppressed tumor growth of MDA468 cancer cells without toxicity to the host and increased DDIT4.

Colorectal cancer

1. AOM/DSS-induced colon câncer 1, 5, 10 mg/kg, b.wt., orally for 16 weeks. Baicalein significantly decreased the incidence of tumor formation with inflammation.
2. HCT-116 cell xenograft in athymic nude mice 30 mg/kg, b.wt., i.p. every other day for 4 weeks. Baicalein showed more significant inhibition of tumor growth than those of its parent compound baicalina.

3. HT-29 cells xenografts in nude mice10 mg/kg, b.wt, orally three times every week for 43 days. Baicalein significantly decreased tumor weights and volumes without toxicity.

Gastric cancer

SGC-7901cell xenograft in nude mice 15 and 50 mg/kg, b.wt, i.g. for 1 week. Baicalein potently inhibited the weight and size of tumors.

Hepatocellular cancer

1. H22 cell xenograft in ICR mice 50 and 100 mg/kg, i.p. for 13 days. Baicalein significantly inhibited the tumor growth without causing obvious adverse effects on weight or liver and spleen weight.
2. SK-Hep1cell xenograft in athymic BALB/c-nu mice 5, 10, 20 mg/kg/day; i.p. for 32 days. Baicalein was found to significantly decrease the solid tumor mass and reduced the number of PKC – positive cells.
3. DEN-induced rat model 250 mg/kg, b.wt., i.g. for 2 weeks. Baicalein also reduced neoplastic nodules by inhibition of 12-LOX.
4. HepG2cell xenograft in nude mice 20 mg/kg/day, orally. Baicalein suppresses HCC xenograft growth via inhibition of MEK-ERK signaling and by inducing intrinsic apoptosis.

Scutellaria barbata

O *Scutellaria barbata* contém scutelarina que é transformada em scutelareína por hidrólise. O extrato da *Scutellaria barbata* é rico em scutelareína, substância hidrossolúvel de elevada biodisponibilidade. Na verdade, temos a presença de 14 flavonoides que contribuem para os efeitos anticâncer dessa planta.

Scutellaria barbata

Mais uma vez escrevemos da importância de usarmos o extrato da planta inteira, não os princípios ativos isolados.

O princípio ativo mais estudado da *S. barbata* é a scutelareína de fórmula $C_{15}H_{10}O_6$, peso molecular 286,2g/mol e conhecida como: Scutellarein, 6-Hydroxyapigenin, 529-53-3; 5,6,7,4'-Tetrahydroxyflavone, 4',5,6,7-tetrahydroxyflavone e SCUTELLAREIN. Doa 1 elétron e é aceptor de 6 elétrons: molécula fortemente oxidante.

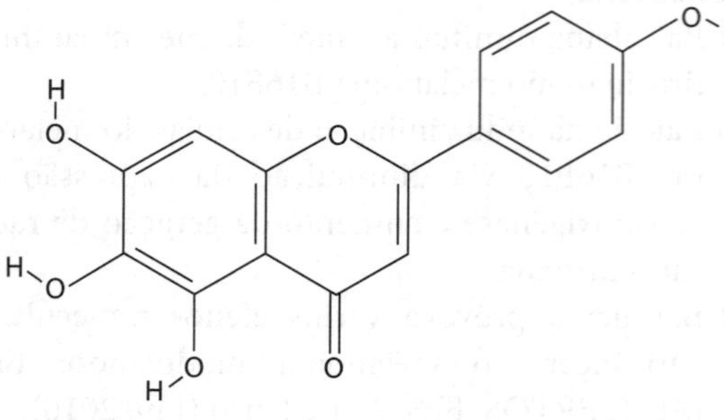

Scutelareína

Alvos moleculares no câncer da *Scutellaria barbata* – Scutelareína

1. **Antiviral.**
2. **Antibacteriana** em colônias de *S. aureus* resistentes à meticilina.
3. Apoptose via ativação dependente de mitocôndria.
4. Inibe Akt/proteína quinase B.
5. Imunomodulador e antiproliferativo no hepatocarcinoma.
6. Possui diterpenoides e faz o mesmo que os triterpenoides no ciclo de Krebs: ativação.
7. **Gliomas**
   Diminui a proliferação no glioma maligno induzindo apoptose e parada do ciclo celular em G1/G2.
8. **Câncer de pulmão**
   a) Inibe angiogênese suprimindo a sinalização do Hedgehog no câncer de cólon diminuindo o HIF-I no câncer de pulmão (Shiau, 2014).
   b) Em células A549 do carcinoma epidermoide de pulmão inibe a COX-2 por conter wogonina como a *S. baicalensis*. A wogonina inibe a expressão do gene COX-2 por inibir a expressão do c-Jun e a ativação da AP-1 (Chen, 2008).
   c) *Scutellaria barbata* inibe a angiogênese regulando para baixo o HIF-1 do tumor de pulmão (Shiau, 2014).
   d) Inibe a proliferação de células do câncer pulmonar humano, A549, por meio da ERK e NF-kappaB mediada pela inibição da via EGFR e a inibição do COX-2 (Cheng, 2014).
   e) Scutebarbatina A (SBT-A), um dos principais alcaloides da S. barbata, apresentou efeitos antitumorais significativos nas células A549 por

apoptose, de maneira dependente da concentração. O SBT-A regula para cima as expressões do citocromo c, caspase-3 e 9 e regula para baixo os níveis de Bcl-2 nas células A549. Finalmente, os efeitos antitumorais do SBT-A foram avaliados *in vivo* usando camundongos atímicos transplantados e os resultados confirmaram que o SBT-A tem efeito antitumoral notável no câncer A549 por apoptose mediada por mitocôndrias. Coletivamente, os resultados demonstraram que o SBT-A possui efeitos antitumorais significativos nas células A549 *in vivo* e *in vitro* via apoptose mediada por mitocôndrias, através da regulação positiva das expressões da caspase-3 e 9 e da regulação negativa do Bcl-2 (Yang, 2014).

f) Em células de câncer de pulmão CL1-5 verificou-se que o mecanismo antitumoral da *Scutellaria barbata* (SB) era devido à apoptose celular regulada por P38/SIRT1 através da parada na fase G2/M e estrese do reticulo-endoplasmático, vias intrínseca (mitocondrial) e extrínseca (FAZ/FASL). A autofagia também desempenha papel fundamental na citotoxicidade nas células CL1-5 induzida por SB. Além disso, a SB exerce efeitos aditivos com etoposídeo ou cisplatina nas células cancerígenas. Em ensaio *in vivo*, o SB reduziu significativamente o tamanho do tumor com diminuição da proliferação e angiogênese, bem como aumento da apoptose e autofagia em camundongos portadores do tumor CL1-5 (Chen, 2017).

g) Efeito anticâncer da *S. barbata* no câncer de pulmão não de pequenas células. Acontece significante redução do número e tamanho das colônias na linhagem A549 e H460; notável diminuição de modo dose-dependente do EGFR nas células A549, H460 e H1650; significante regulação para baixo do EGFR e seus alvos mTOR e p38MAPK nas células A549 e 460, enquanto aumenta o p53 e o p21. A survivina, ciclina D e MDM2 estão significativamente diminuídas nas células A549 (Wang, 2018).

h) Efeito anticâncer da *S. barbata* no câncer de pulmão não de pequenas células. Acontece significante redução do número e tamanho das colônias na linhagem A549 e H460; notável diminuição de modo dose-dependente do EGFR nas células A549, H460 e H1650; significante regulação para baixo do EGFR e seus alvos mTOR e p38MAPK nas células A549 e 460, enquanto aumenta o p53 e o p21. A survivina, ciclina D e MDM2 estão significativamente diminuídas nas células A549 (Wang, 2018).

9. **Câncer de mama**
   a) Forte indução de espécies reativas de oxigênio no tumor com lesão de DNA nuclear e necrose celular.
   b) Estresse oxidativo, lesão de DNA e ativação de genes promotores de morte celular. Hiperativação da poli (ADP-ribose) polimerase (PARP) seguida de diminuição de NAD e depleção de ATP somente nas células transformadas.
   c) Inibição da glicólise seletivamente nas células tumorais, evidente na diminuição da atividade das enzimas do ciclo de Embden-Meyerhof e na inibição da produção de lactato.
   d) Na fase precoce do tumor de mama MCF-7, sensível ao estrógeno, o extrato aquoso induz parada do ciclo celular em G1 e suprime as ciclinas D1, CDK2 e CDK4, fatores de crescimento e a expressão do receptor estrogênico alfa.
   e) Diterpenoides da *S. barbata* inibem a P-glicoproteína em células MCF-7/ADR do câncer de mama resistente a múltiplas drogas (Xue, 2016).
   f) O extrato aquoso da *Scutellaria barbata* no câncer de mama sensível ao estrogênio MCF-7 induziu parada do ciclo celular em G_1 e aboliu a expressão dos principais reguladores do ciclo celular, Ciclina D1, CDK2 e CDK4, bem como as vias estimuladoras do fator de crescimento e a expressão do receptor alfa de estrogênio. No estágio tardio, a mama insensível a hormônios (MDA-MB-231) sofreu parada da fase S com ablações correspondentes na expressão da ciclina A2 e CDK2 (Marconett, 2010).
10. **Câncer de mama triplo negativo**
   a) Aumenta a apoptose via supressão da via ERK, mediando autofagia no adenocarcinoma de mama estrógeno negativo MDA-MB-231.
   b) *S. barbata* diminui as metástases do câncer de mama triplo negativo MDA-MB-231 regulando para baixo a via PTHrP (tumor-derived parathyroid hormone-related protein). *In vitro* acontece inibição da proliferação, migração e invasão de modo dose-dependente. *In vivo* observa-se redução do número de osteoclastos de modo dose-dependente e diminui o número de metástases, entretanto não afeta o tamanho do tumor ou a sobrevida (Zheng, 2018).
11. **Câncer de próstata**
   a) Ativa caspase-3 no câncer de próstata.
   b) Aumenta a expressão do Bax, p53, Akt e JNK *in vivo* no câncer de próstata.
   c) Os camundongos masculinos com adenocarcinoma adenocarcinoma (TRAMP) às 9 semanas de vida foram divididos aleatoriamente em qua-

tro grupos e receberam alimentação oral diária de 8, 16 ou 32mg de SB ou água esterilizada. No grupo controle, os tumores palpáveis apareceram inicialmente às 19 semanas de idade e permaneceram presentes em todos os ratos por 32 semanas. Nos respectivos grupos de tratamento, o desenvolvimento do tumor palpável foi atrasado em 2, 4 e 7 semanas e 22, 30 e 38% dos camundongos estavam livres de tumores palpáveis. O desenvolvimento do tumor palpável em 50% dos camundongos ocorreu às 25 semanas no grupo placebo, 29 semanas nos grupos de tratamento com doses baixas e médias e 33 semanas no grupo de doses altas (log rank, P = 0,0211). A avaliação histológica mostrou ainda que o tratamento com *Scutellaria barbata* (SB) (32 mg) atrasou a progressão do tumor da próstata nos camundongos TRAMP. A ativação da caspase-3 foi observada no tecido da próstata tratado com SB. Ocorreu em células TRAMP-C1 e LNCaP tratadas com indução significativa de apoptose SB (1 mg/ml) e expressão elevada de Bax, p53, Akt e JNK. Dados *in vivo* mostraram que a SB atrasou o desenvolvimento do tumor em camundongos TRAMP (Woang, 2009).

d) O extrato aquoso da *Scutellaria barbata* nas células LNCaP sensíveis ao andrógeno em estágio inicial causa paradas de crescimento na fase G_2/M com diminuições correspondentes na expressão da ciclina B1, CDK1 e receptor de andrógeno. Nas células cancerígenas da próstata (PC3), induziu parada na fase S com ablações correspondentes na expressão da ciclina A2 e CDK2 (Marconett, 2010).

12. **Câncer gástrico**
Extrato etanólico da *S. barbata* induz apoptose via caspase-MAPK-radicais livres de oxigênio em células do adenocarcinoma gástrico humano linhagem MKN-45 (Shim, 2016).

13. **Câncer colorretal**

a) Induz parada do ciclo celular em G1/S via modulação do p53 e via Akt nas células do carcinoma de cólon humano. A fosforilação/ativação da Akt é drasticamente suprimida.

b) Antiproliferativo promovendo a expressão do p21 e inibindo a expressão de agentes pró-proliferativos: PCNA, ciclina D1 e CDK4 nas células HT-29 do câncer de cólon humano.

c) Scutelareína inibe células do câncer de cólon linhagem LoVo.

d) Scutelareína suprime o crescimento e induz apoptose em células HCT-116 do câncer colorretal regulando a via p53.

e) *Scutellaria barbata* inibe o crescimento e induz apoptose suprimindo o IL-6 induzível via ativação do STAT3 em células HT-29 do câncer colorretal humano.

f) *S. barbata* fração clorofórmio inibe o crescimento do câncer colorretal HCT-8 ativando a miR-34a. Acontecem apoptose e diminuição da proliferação. O aumento da expressão do miR34a diminui a expressão do Bcl-2, Notch1/2 e Jagged1 (Zhang, 2017).

g) *S. barbata* inibe o crescimento do câncer colorretal HT-29 suprimindo a via de sinalização Wnt/beta-catenina. Acontecem diminuição significativa do volume tumoral implantado no camundongo, inibição da expressão da proteína Ki-67 com diminuição da viabilidade de modo dose-dependente. A formação de colônias diminui. A expressão do mRNA do c-Myc e a da survivina diminuem e aumenta a expressão do APC (*adenomatous polyposis coli*) no tumor (Wei, 2017).

h) Polissacarídeos solúveis em água da *S. barbata* provocam apoptose, diminuem a proliferação e inibem a EMT (transição endotélio-mesenquimal) em células HT-29 do câncer de cólon. Acontecem elevação do Bax e Bak e diminuição do Bcl-2: apoptose. A E-caderina aumenta e a N-caderina e vimentina diminuem: aumenta a adesão. A razão pAKT/AKT diminui ao lado de inibir a via PI3K/Akt e, assim, suprime a proliferação. No final ocorrem inibição da EMT e mais supressão da proliferação (Sun, 2017).

i) *S. barbata* inibe a proliferação e induz apoptose suprimindo a fosforilação e a ativação do STAT3 pelo IL-6 em células do câncer colorretal humano, HT-29. Acontece ativação da caspase-9, caspase-3, diminuição da ciclina D1, da CDK4 e das proteínas apoptóticas Bcl-2 e Bcl-2X (Jiang, 2015).

j) Scutelareína da S. barbata induz apoptose no câncer de cólon humano HCT116 via ERTOS que leva ao colapso o potencial de membrana mitocondrial. Acresce a liberação do citocromo c mitocondrial, aumento da caspase-3 e a regulação para cima do Bax apoptótico e para baixo do Bcl-2 antiapoptótico (Guo, 2018).

14. **Hepatoma**

a) Anti-invasivo e antimetastático no hepatocarcinoma por inibir a expressão do MMP-2 e MMP-9.

b) *Scutellaria barbata* inibe o crescimento de células do hepatoma H22 murino diminuindo Treg e aumentando a razão Th1/Th17.

c) *S. barbata* inibe a proliferação de células HepG2 do hepatoma humano *in vitro* de modo dose-dependente. No tumor H22 implantado no camundongo inibe significativamente o crescimento neoplásico regulando para baixo o Treg e modulando para cima o Th1/Th17. Acontecem aumento da citotoxicidade das células NK esplênicas, regulação para baixo de células CD4+CD25+Foxp3+ Treg e células Th17 no tecido tumoral e diminuição dos níveis de IL-10, TGF-beta e IL-17a, enquanto aumenta IL-2 e IFN gama no soro do camundongo com o tumor. Polariza o sistema imune de Th2 para Th1 (Kan, 2107).

d) *S. barbata* induz apoptose em células MHCC-97-H do hepatocarcinoma humano via mitocondrial. A expressão do Smac, Apaf-1, citocromo c, caspase-9 e caspase-3 está regulada para cima de modo dose-dependente (Gao, 2014).

e) Scutalereína induz Fas e provoca apoptose extrínseca e pára o ciclo celular em G2/M em células do carcinoma hepatocelular humano, Hep3B (Sang, 2019).

15. **Fibrossarcoma**
Scutalareína inibe metástases *in vitro* e atenua o desenvolvimento do fibrossarcoma *in vivo* (Shi, 2015).
16. **Leiomioma uterino**: inibe IGF-1 e HCG.
17. **Câncer de ovário**

a) *Scutellaria barbata* sensibiliza as células cancerígenas do ovário à cisplatina (Li, 2014).

b) Extratos brutos de *Scutellaria barbata* D. Don causam nas células A2780 câncer de ovário vários efeitos anticâncer. Reduziu a viabilidade e apoptose induzida pela proteína Bcl-2 regulada para baixo e aumentou as proteínas Caspase 3/9. Além disso, a migração de células A2780 foi significativamente inibida por *Scutellaria barbata* e o mecanismo subjacente pode estar relacionado à diminuição da MMP-2/9. Seus principais constituintes foram identificados como treze flavonoides, 14 compostos, que podem contribuir para a atividade anticâncer (Zhang, 2017a).

Referências

1. Abstracts and papers in full on site www.medicinabiomolecular.com.br.

Scutellaria baicalensis

2. Aryal P, Kim K, Park PH, et al. Baicalein induces autophagic cell death through AMPK/ULK1 activation and downregulation of mTORC1 complex components in human cancer cells. FEBS J. Oct;281(20):4644-58, 2014.
3. Bie B, Sun J, Guo Y, et al. Baicalein: a review of its anti-cancer effects and mechanisms in Hepatocellular Carcinoma. Biomed Pharmacother. 93:1285-91;2017.
4. Bokhari AA, Syed V. Inhibition of Transforming Growth Factor-beta (TGF-beta) Signaling by Scutellaria baicalensis and Fritillaria cirrhosa Extracts in Endometrial Cancer. J Cell Biochem. Aug;116(8):1797-805, 2015.
5. Cathcart MC, Useckaite Z, Drakeford C, Anti-cancer effects of baicalein in non-small cell lung cancer in-vitro and in-vivo. BMC Cancer. Sep 1;16:707, 2016.
6. Chen CH, Huang TS, Wong CH, et al. Synergistic anti-cancer effect of baicalein and silymarin on human hepatoma HepG2 Cells. Food Chem Toxicol. 47:638-44;2009.
7. Chen F, Zhuang M, Zhong C, et al. Baicalein reverses hypoxia-induced 5-FU resistance in gastric cancer AGS cells through suppression of glycolysis and the PTEN/Akt/HIF-1α signaling pathway. Oncol Rep. 33:457-63;2015.
8. Chen F, Zhuang M, Peng J, et al. Baicalein inhibits migration and invasion of gastric cancer cells through suppression of the TGF-β signaling pathway. Mol Med Rep. 10:1999-2003;2014.
9. Chen S, Wu Z, Ke Y, et al. Wogonoside inhibits tumor growth and metastasis in endometrial cancer via ER stress-Hippo signaling axis. Acta Biochim Biophys Sin (Shanghai). Nov 18;51(11):1096-1105, 2019.
10. Chen ME, Su CH, Yang JS, et al. Baicalin, Baicalein, and Lactobacillus Rhamnosus JB3 Alleviated Helicobacter pylori Infections in Vitro and in Vivo. J Food Sci. Dec;83(12):3118-3125, 2018.
11. Chou DS, Hsiao G, Lai YA, et al. Baicalein induces proliferation inhibition in B16F10 melanoma cells by generating reactive oxygen species via 12-lipoxygenase. Free Radic Biol Med. 46:1197-203;2009.
12. Donald G, Hertzer K, Eibl G. Baicalein--an intriguing therapeutic phytochemical in pancreatic cancer. Curr Drug Targets. 13(14):1772-6;2012.
13. Dou J, Wang Z, Ma L, et al. Baicalein and baicalin inhibit colon cancer using two distinct fashions of apoptosis and senescence. Oncotarget. Jan 8;9(28):20089-20102;2018.
14. Han Z, Zhu S, Han X, et al. Baicalein inhibits hepatocellular carcinoma cells through suppressing the expression of CD24. Int Immunopharmacol. 29(2):416-22;2015.
15. He N, Zhang Z. Baicalein suppresses the viability of MG-63 osteosarcoma cells through inhibiting c-MYC expression via Wnt signaling pathway. Mol Cell Biochem. 405:187-96;2015.
16. Hussain I, Waheed S, Ahmad KA. et al. Scutellaria baicalensis targets the hypoxia-inducible factor-1α and enhances cisplatin efficacy in ovarian cancer. J Cell Biochem. May 24;2018.
17. Ke M, Zhang Z, Xu B, et al. Baicalein and baicalin promote antitumor immunity by suppressing PD-L1 expression in hepatocellular carcinoma cells. Int Immunopharmacol. Oct;75:105824,2019.
18. Kim MS, Bak Y, Park YS, et al. Wogonin induces apoptosis by suppressing E6 and E7 expressions and activating intrinsic signaling pathways in HPV-16 cervical cancer cells. Cell Biol Toxicol. Aug; 29(4):259-72, 2013.
19. Lai W, Jia J, Yan B, et al. Baicalin hydrate inhibits cancer progression in nasopharyngeal carcinoma by affecting genome instability and splicing. Oncotarget. Dec 4;9(1):901-914;2017.
20. Lian H, Hui Y, Xiaoping T, et al. Baicalein suppresses the proliferation of human cervical cancer cells via Notch 1/Hes signaling pathway. J Cancer Res Ther. Oct-Dec;15(6):1216-1220, 2019.
21. Liang RR, Zhang S, Qi JA, et al. Preferential inhibition of hepatocellular carcinoma by the flavonoid Baicalein through blocking MEK-ERK signaling. Int J Oncol. 41(3):969-78;2012.
22. Li X, Guo L, Sun Y, et al. Baicalein inhibits melanogenesis through activation of the ERK signaling pathway. Int J Mol Med. 25:923-7;2010.
23. Liu H, Dong Y, Gao Y, et al. The Fascinating Effects of Baicalein on Cancer: A Review. Int J Mol Sci. 17(10):1681;2016.

24. Lu C, Wang H, Chen S, Baicalein inhibits cell growth and increases cisplatin sensitivity of A549 and H460 cells via miR-424-3p and targeting PTEN/PI3K/Akt pathway. J Cell Mol Med. Apr;22(4): 2478-2487;2018.
25. Liu Bingyan, Lingling Ding, Li Zhang, et al. Baicalein Induces Autophagy and Apoptosis Through AMPK Pathway in Human Glioma Cells Am J Chin Med ACTIONS.;47(6):1405-1418, 2019.
26. Matsumoto T, Takahashi T, Yamada H. A novel approach for screening of new anti-Helicobacter pylori substances. Biol Pharm Bull. Jan;31(1):143-5, 2008.
27. Motoo Y, Sawabu N. Antitumor effects of saikosaponins, baicalin and baicalein on human hepatoma cell lines. Cancer Lett. 86(1): 91-5;1994.
28. Konoshima T, Kokumai M, Kozuka M, et al. Studies on inhibitors of skin tumor promotion. XI. Inhibitory effects of flavonoids from Scutellaria baicalensis on Epstein-Barr virus activation and their anti-tumor-promoting activities. Chem Pharm Bull (Tokyo). 40(2): 531-3;1992.
29. Kavandi L, Lee LR, Bokhari AA, et al. The Chinese herbs Scutellaria baicalensis and Fritillaria cirrhosa target NFkappaB to inhibit proliferation of ovarian and endometrial cancer cells. Mol Carcinog. May;54(5):368-78, 2015.
30. Kuo HM, Tsai HC, Lin YL, et al. Mitochondrial-dependent caspase activation pathway is involved in baicalein-induced apoptosis in human hepatoma J5 cells. Int J Oncol. 35:717-24;2009.
31. , Yan W, Dai Z, et al. Baicalein suppresses metastasis of breast cancer cells by inhibiting EMT via downregulation of SATB1 and Wnt/β-catenin pathway. Drug Des Devel Ther. 10:1419-41;2016.
32. Mu J, Liu T, Jiang L, The Traditional Chinese Medicine Baicalein Potently Inhibits Gastric Cancer Cells. J Cancer. Jan 29;7(4):453-61;2016.
33. Ohkoshi E, Umemura N. Induced overexpression of CD44 associated with resistance to apoptosis on DNA damage response in human head and neck squamous cell carcinoma cells. Int J Oncol. Feb;50(2):387-395;2017.
34. Palko-Labuz A, Sroda-Pomianek K, Uryga A, et al. Anticancer activity of baicalein and luteolin studied in colorectal adenocarcinoma LoVo cells and in drug-resistant LoVo/Dx cells. Biomed Pharmacother. 88:232-41;2017.
35. Patwardhan RS, Pal D, Checker R, et al. Baicalein induces cell death in murine T cell lymphoma via inhibition of thioredoxin system. Int J Biochem Cell Biol. Oct;91(Pt A):45-52, 2017.
36. Su G, Chen H, Sun X. Baicalein suppresses non small cell lung cancer cell proliferation, invasion and Notch signaling pathway. Cancer Biomark. 22(1):13-18; 2018.
37. Takahashi H, Chen MC, Pham H, et al. Baicalein, a component of Scutellaria baicalensis, induces apoptosis by Mcl-1 down-regulation in human pancreatic cancer cells. Biochim Biophys Acta. 1813:1465-74;2011.
38. Tong WG, Ding XZ, Witt RC, Adrian TE. Lipoxygenase inhibitors attenuate growth of human pancreatic cancer xenografts and induce apoptosis through the mitochondrial pathway. Mol Cancer Ther. 1(11):929-35;2002.
39. Xue YZ, Sheng YY, Liu ZL, et al. Expression of NEDD9 in pancreatic ductal adenocarcinoma and its clinical significance. Tumour Biol. 34(2):895-9;2013.
40. Yan X, Rui X, Zhang K. Baicalein inhibits the invasion of gastric cancer cells by suppressing the activity of the p38 signaling pathway. Oncol Rep. 33:737-43;2015.
41. Yu M, Qi B, Xiaoxiang W, Baicalein increases cisplatin sensitivity of A549 lung adenocarcinoma cells via PI3K/Akt/NF-κB pathway. Biomed Pharmacother. Jun;90:677-685;2017.
42. Yu X, Li H, Zhu M, et al. Involvement of p53 Acetylation in Growth Suppression of Cutaneous T-Cell Lymphomas Induced by HDAC Inhibition. J Invest Dermatol. Oct;140(10):2009-2022.e4, 2020.
43. Wang Z, Jiang C, Chen W, et al. Baicalein induces apoptosis and autophagy via endoplasmic reticulum stress in hepatocellular carcinoma cells. BioMed Res Int. 2014:732516;2014.
44. Ye F, Wang H, Zhang L, et al. Baicalein induces human osteosarcoma cell line MG-63 apoptosis via ROS-induced BNIP3 expression. Tumor Biol. 36:4731-40;2015.
45. Yu X, Yang Y, Li Y, et al. Baicalein inhibits cervical cancer progression via downregulating long noncoding RNA BDLNR and its downstream PI3K/Akt pathway. Int J Biochem Cell Biol. Jan;94: 107-118, 2018.
46. Wang YF, Li T, Tang ZH, et al. Baicalein triggers autophagyand inhibits the protein kinase B/mammalian target of rapamycin pathway in hepatocellular carcinoma. HepG2 Cells. Phytother Res. 29:674-9;2015.
47. Wang Y, Han E, Xing Q, et al. Baicalein upregulates DDIT4 expression which mediates mTOR inhibition and growth inhibition in cancer cells. Cancer Lett. 358:170-9;2015.
48. Wang L, Ling Y, Chen Y, et al. Flavonoid baicalein suppresses adhesion, migration and invasion of MDA-MB-231 human breast cancer cells. Cancer Lett. 297:42-4;2010.
49. Wang Z, Ma L, Su M, et al. Baicalin induces cellular senescence in human colon cancer cells via upregulation of DEPP and the activation of Ras/Raf/MEK/ERK signaling. Cell Death Dis. Feb 13;9(2):217;2018.
50. Wu B, Li J, Huang D, et al. Baicalein mediates inhibition of migration and invasiveness of skin carcinoma through Ezrin in A431 cells. BMC Cancer. 11:527;2011.
51. Wu X, Yang Z, Dang H, et al. Baicalein Inhibits the Proliferation of Cervical Cancer Cells Through the GSK3β-Dependent Pathway. Oncol Res. Aug 23; 2017.
52. Wu X, Yang Z, Dang H, Peng H. Baicalein Inhibits the Proliferation of Cervical Cancer Cells Through the GSK3beta-Dependent Pathway. Oncol Res. 2018 May 7;26(4):645-653.
53. Zhang Y, Song L, Cai L, et al. Effects of baicalein on apoptosis, cell cycle arrest, migration and invasion of osteosarcoma cells. Food Chem Toxicol. 53:325-33;2013.
54. Zhang DY, Wu J, Ye F, Inhibition of cancer cell proliferation and prostaglandin E2 synthesis by Scutellaria baicalensis. Cancer Res. Jul 15;63(14):4037-43;2003.
55. Zhao X, Qu J, Liu X, et al. Baicalein suppress EMT of breast cancer by mediating tumor-associated macrophages polarization. Am J Cancer Res. Aug 1;8(8):1528-1540;2018.
56. Zhao X, Tang D, Chen X, Chen S. Functional lncRNA-miRNA-mRNA Networks in Response to Baicalein Treatment in Hepatocellular Carcinoma. Biomed Res Int. Jan 14;2021:8844261, 2021.
57. Zhou QM, Wang S, Zhang H, et al. The combination of baicalin and baicalein enhances apoptosis via the ERK/p38 MAPK pathway in human breast cancer cells. Acta Pharmacol Sin. 30:1648-58;2009.
58. Zhou RT, He M, Yu Z, et al. Baicalein inhibits pancreatic cancer cell proliferation and invasion via suppression of NEDD9 expression and its downstream Akt and ERK signaling pathways. Oncotarget. 8(34):56351-63;2017.

Scutellaria barbata

59. Chen LG, Hung LY, Tsai KW, et al. Wogonin, a bioactive flavonoid in herbal tea, inhibits inflammatory cyclooxygenase-2 gene ex-

pression in human lung epithelial cancer cells. Mol Nutr Food Res. Nov;52(11):1349-57;2008.
60. Chen CC, Kao CP, Chiu MM, Wang SH. The anti-cancer effects and mechanisms of Scutellaria barbata D. Don on CL1-5 lung cancer cells. Oncotarget. Nov 27;8(65):109340-109357;2017.
61. Cheng CY, Hu CC, Yang HJ, et al. Inhibitory effects of scutellarein on proliferation of human lung cancer A549 cells through ERK and NFκB mediated by the EGFR pathway. Chin J Physiol. 57(4):182-7;2014.
62. Guo F, Yang F, Zhu YH. Scutellarein from Scutellaria barbata induces apoptosis of human colon cancer HCT116 cells through the ROS-mediated mitochondria-dependent pathway. Nat Prod Res. Feb 19:1-4;2018.
63. Guo F, Yang F, Zhu YH. Scutellarein from Scutellaria barbata induces apoptosis of human colon cancer HCT116 cells through the ROS-mediated mitochondria-dependent pathway. Nat Prod Res. Feb 19:1-4;2018.
64. Jiang Q, Li Q, Chen H, et al. Scutellaria barbata D. Don inhibits growth and induces apoptosis by suppressing IL-6-inducible STAT3 pathway activation in human colorectal cancer cells. Exp Ther Med. 10(4):1602-8;2015.
65. Gao J, Lu WF, Dai ZJ, et al. Induction of apoptosis by total flavonoids from Scutellaria barbata D. Don in human hepatocarcinoma MHCC97-H cells via the mitochondrial pathway. Tumour Biol. 35(3):2549-59;2014.
66. Kan X, Zhang W, You R, et al. Scutellaria barbata D. Don extract inhibits the tumor growth through down-regulating of Treg cells and manipulating Th1/Th17 immune response in hepatoma H22-bearing mice. BMC Complement Altern Med. 17(1):41;2017.
67. Li J, Wang Y, Lei JC, et al. Sensitisation of ovarian cancer cells to cisplatin by flavonoids from Scutellaria barbata. Nat Prod Res. 28(10):683-9;2014.
68. Marconett CN, Morgenstern TJ, San Roman AK, et al. BZL101, a phytochemical extract from the Scutellaria barbata plant, disrupts proliferation of human breast and prostate cancer cells through distinct mechanisms dependent on the cancer cell phenotype. Cancer Biol Ther. Aug 15;10(4):397-405;2010.
69. Sang Eun H, Seong Min K, et al. Scutellarein Induces Fas-Mediated Extrinsic Apoptosis and G2/M Cell Cycle Arrest in Hep3B Hepatocellular Carcinoma Cells. Nutrients. Jan 24;11(2):263,2019.
70. Shi X, Chen G, Liu X, et al. Scutellarein inhibits cancer cell metastasis in vitro and attenuates the development of fibrosarcoma in vivo. Int J Mol Med. 35(1):31-8;2015.
71. Shiau AL, Shen YT, Hsieh JL, et al. Scutellaria barbata inhibits angiogenesis through downregulation of HIF-1 α in lung tumor. Environ Toxicol. 29(4):363-70;2014.
72. Shim JH, Gim H, Lee S, Kim BJ. Inductions of Caspase-, MAPK- and ROS-dependent Apoptosis and Chemotherapeutic Effects Caused by an Ethanol Extract of Scutellaria barbata D. Don in Human Gastric Adenocarcinom Cells. J Pharmacopuncture. 19(2): 129-36;2016.
73. Sun P, Sun D, Wang X. Effects of Scutellaria barbata polysaccharide on the proliferation, apoptosis and EMT of human colon cancer HT29 Cells. Carbohydr Polym. 167:90-6;2017.
74. Yang XK, Xu MY, Xu GS, et al. In vitro and in vivo antitumor activity of scutebarbatine A on human lung carcinoma A549 cell lines. Molecules. Jun 25;19(7):8740-51;2014.
75. Wang Q, Acharya N, Liu Z, et al. Enhanced anticancer effects of Scutellaria barbata D. Don in combination with traditional Chinese medicine components on non-small cell lung cancer cells. J Ethnopharmacol. May 10;217:140-151,2018.
76. Wei LH, Lin JM, Chu JF, et al. Scutellaria barbata D. Don inhibits colorectal cancer growth via suppression of Wnt/β-catenin signaling pathway. Chin J Integr Med. 23(11):858-63;2017.
77. Wong BY, Nguyen DL, Lin T, et al. Chinese medicinal herb Scutellaria barbata modulates apoptosis and cell survival in murine and human prostate cancer cells and tumor development in TRAMP mice. Eur J Cancer Prev. Aug;18(4):331-41;2009.
78. Xue GM, Xia YZ, Wang ZM, et al. Neo-clerodane diterpenoids from Scutellaria barbata mediated inhibition of P-glycoprotein in MCF-7/ADR cells. Eur J Med Chem. 121:238-49;2016.
79. Zhang L, Ren B, Zhang J, et al. Anti-tumor effect of Scutellaria barbata D. Don extracts on ovarian cancer and its phytochemicals characterisation. J Ethnopharmacol. 206:184-92; 2017.
80. Zhang L, Fang Y, Feng JY, et al. Chloroform fraction of Scutellaria barbata D. Don inhibits the growth of colorectal cancer cells by activating miR 34a. Oncol Rep. 37(6):3695-701;2017.
81. Zhang L, Ren B, Zhang J, et al. Anti-tumor effect of Scutellaria barbata D. Don extracts on ovarian cancer and its phytochemicals characterisation. J Ethnopharmacol. Jul 12;206:184-192; 2017a.
82. Zheng X, Kang W, Liu H, Guo S. Inhibition effects of total flavonoids from Sculellaria barbata D. Don on human breast carcinoma bone metastasis via downregulating PTHrP pathway. Int J Mol Med. Jun;41(6):3137-3146;2018.

CAPÍTULO 120

Selênio diminui a proliferação celular neoplásica, inibe a angiogênese tumoral e provoca apoptose

José de Felippe Junior

Selênio orgânico, grande valor e esquecido no tratamento dos pacientes com câncer. **JFJ**

O selênio foi descoberto pelo químico Sueco Jöns Jakob Berzelius em 1817 e em 1933 Spalholz estudando o fígado de animais domésticos que haviam consumido plantas "acumuladoras de selênio", Astragalus, Xylorriza, Oonopus e Stanleya, descobriu que o selênio era um elemento tóxico.

Em 1957, o selênio foi identificado como nutriente essencial para o rato, carneiro e galinhas, e somente 16 anos mais tarde, isto é, em 1973, foi considerado essencial nos mamíferos, ao se descobrir que a enzima glutationa peroxidase continha selênio em sua molécula. Nessa época, surgiram os primeiros estudos epidemiológicos mostrando evidências concretas que o selênio realmente possuía efeitos anticarcinogênicos.

A partir de 1975, os estudos em animais confirmaram as evidências epidemiológicas, evidenciando que muitos compostos de selênio possuíam grande atividade carcinostática.

O selênio é um nutriente essencial para todos os mamíferos, porém, quando em excesso, é tóxico. A toxicidade é devida à sua habilidade pró-oxidante, capaz de catalisar a oxidação dos tióis e simultaneamente gerar radical superóxido (O_2^{*-}). A citotoxicidade das substâncias que contêm selênio é limitada àquelas capazes de gerar o ânion selenito (RSe) ou di-selenito. A carcinostase e a carcinotoxicidade ocorrem com níveis supranutricionais de selênio e estão diretamente relacionadas aos efeitos tóxicos.

A toxicidade do selênio devido ao estresse oxidativo provoca morte celular por apoptose ou necrose das células cancerosas.

A toxicidade do selênio é combatida pelas reações de metilação e pela defesa antioxidante. A metilação do selênio gera metilselenitos, substâncias que não são tóxicas para o organismo. Quando a atividade pró-oxidante do selênio excede a capacidade de metilação e de defesa antioxidante, surge o aumento da geração dos radicais livres. Esse aumento dos radicais livres provoca aumento da fagocitose e da apoptose celular, o que faz do selênio um elemento muito útil como antibacteriano, antiviral, antifúngico e anticâncer.

Lembremos que as células de defesa, neutrófilos e macrófagos, matam os microrganismos e as células neoplásicas fagocitadas, por meio dos radicais livres gerados no seu interior.

Mais de 1 bilhão de pessoas no planeta estão deficientes em selênio e a suplementação com castanha do pará é boa estratégia de manter o selênio normal no organismo (Lima, 2019).

Selenito de sódio

Em 1988, a observação que a oxidação da glutationa (GSH) pelo selenito de sódio (Na_2SeO_3) produzia aumento da geração do radical superóxido abriu nova área de pesquisa do selênio como agente anticâncer.

Em 1999, Barbara Pence da Universidade do Texas publicou artigo de relevada importância, na conceituada revista médica Free Radical in Biology & Medicine: "Os compostos com selênio possuem disparada habilidade para provocar estresse oxidativo e induzir a apoptose no câncer". Neste trabalho ela mostra o imenso valor do selênio na erradicação de vários tipos de câncer, agindo com gerador de radicais livres dentro da célula tumoral.

Lu, em 1994, verificou que o selenito de sódio aumenta a atividade da **endonuclease**, a qual provoca a clivagem do DNA e a consequente apoptose das células neoplásicas.

Lanfear, em 1994, mostrou que o selenito de sódio aumenta a expressão da **proteína p53** e assim induz à apoptose. A proteína p53 é um supressor tumoral que inibe a progressão da proliferação das células neoplásicas por interferir no ciclo celular e na apoptose.

Muito interessante é que a apoptose pode ser desencadeada independentemente de lesão do DNA e mesmo em células que não possuam o fenótipo p53, pois se descobriu que várias substâncias que possuem selênio na sua estrutura inibem fortemente a **cdK2** e a **proteína quinase C (PKC)**, provocando a parada do ciclo celular e apoptose.

É fato conhecido que a mitocôndria possui papel central na indução da apoptose em muitos tipos de células. Pois bem, Kim, em 2002, na Universidade da Coreia, mostrou que o selenito de sódio provoca aumento da permeabilidade da mitocôndria, diminuição do potencial de membrana mitocondrial e liberação de citocromo c, que em conjunto induzem a apoptose via lesão mitocondrial. Acresce que a liberação de citocromo c ativa a cascata das caspases, outra via de apoptose.

Vemos por todos estes estudos que o selênio se aproveita de vários tipos de mecanismos para provocar apoptose nas células transformadas.

O selênio está envolvido em mecanismos inibitórios que modificam os resíduos de cisteína das proteínas, formando seleno-trissulfitos (S-Se-S), selenilssulfitos (S-Se) ou dissulfitos (S-S), diminuindo, portanto, a geração de GSH, o que acarreta diminuição da proliferação celular.

O selênio também interfere no estado funcional do sistema tioredoxina/tioredoxina redutase provocando diminuição da transcrição de genes e inibindo o crescimento e a proliferação celular.

Barbara Pence conseguiu demonstrar citotoxicidade de vários compostos de selênio sobre queratinócitos em meio de cultura. Nessas condições a concentração de GSH cai drasticamente, aumentando o potencial redox intracelular. Ocorre leve aumento da indução da glutationa peroxidase, enzima antioxidante dependente de selênio, porém, este leve aumento não é suficiente para interferir no potencial redox. Finalmente, acontece aumento da 8-hidroxiguanosina indicando lesão oxidativa do DNA que neste trabalho foi provocado pela geração de radical hidroxila (OH^{*-}) e do radical *oxigen singlet* (O^{*-}) sob a ação do selenito de sódio.

Dos compostos de selênio utilizados pela autora, selenito de sódio, selênio-cistamina e selênio-metionina, foi o selenito que se mostrou mais eficaz em provocar apoptose, seguido de perto pela selênio-cistamina. A selênio-metionina foi a única que não conseguiu gerar radical superóxido (estresse oxidativo) e consequentemente não foi capaz de provocar lesão de DNA ou apoptose. É justamente a selênio-metionina que utilizamos na prática clínica quando queremos suplementar o selênio, porque ela aumenta a expressão de inúmeros genes e não maltrata as células neoplásicas já em profundo sofrimento. O selênio complexado, erroneamente chamado de quelado, é um verdadeiro desastre.

O selenito provocou apoptose em 17% das células mesmo nas doses não tóxicas de 5mcg/ml. Quando se empregou a dose de 10mcg/ml, o número de células em apoptose aumentou drasticamente e chegou aos 99%. O selenito de sódio foi tóxico porque ele formou seleno-diglutationa que foi reduzida a ânion seleno-persulfide (GSSe), que na cadeia de oxido redução produz o radical superóxido. Aqui ele funcionou como verdadeira quimioterapia.

De grande valor prático é sabermos que o aumento da geração de radical superóxido e a oxidação do GSH são dose-dependente. Níveis tóxicos marginais de selênio aumentam os níveis intracelulares de GSH como mecanismo de proteção, entretanto quando os níveis tóxicos de selênio são alcançados acontece pronunciado estresse oxidativo seguido da drástica redução do GSH intracelular com a consequente lesão do DNA e apoptose das células neoplásicas.

Zhong, em 2001, mostrou o efeito do selenito de sódio sobre as células do câncer de próstata humano, LNCaP. Para comparar os efeitos agudos e crônicos do selênio, o autor utilizou dois tipos de linhagens: uma adaptada ao selênio durante 6 meses e outra não adaptada. Após exposição aguda ao selenito, ambas as linhagens exibiram lesão mitocondrial e morte celular por apoptose. Após exposição crônica ao selênio, ambas as linhagens mostraram inibição do crescimento provocada por parada do ciclo celular e somente leve apoptose. Este trabalho mostra que tanto o uso agudo como o crônico do selenito provocam os mesmos efeitos para as células do câncer de próstata humano.

Zheng, em 2002, mostrou que o ácido ascórbico em excesso, juntamente com o selenito de sódio, diminui marcantemente o índice mitótico e a velocidade de crescimento de células do hepatoma humano, BEL-7402. Eles provocaram diminuição dos sinais histológicos de malignidade, diminuição da alfafetoproteína, diminuição da gama-GT e melhoraram o índice de maturação, diferenciação celular. Observou-se também grande aumento da geração de peróxido de hidrogênio (H_2O_2) aliado à grande diminuição dos níveis de GSH. Os resultados indicam que as células do hepatoma humano experimentaram profunda inibição da proliferação celular e verdadeira rediferenciação celular (mudança do estado maligno para o estado benigno).

Outros trabalhos mostraram que o selenito de sódio induz apoptose e lesão oxidativa nas células da leucemia e do carcinoma colorretal humano em cultura.

Shen, em 2000, mostrou que o GSH possui duplo papel no efeito do selênio sobre as células cancerosas:

a) O GSH em baixa concentração age como antioxidante, protegendo a célula contra o estresse oxidativo e a apoptose.
b) O GSH em excesso transforma-se em GS-SG age como pró-oxidante, facilitando o estresse oxidativo e a apoptose induzida pelo selênio.

Entretanto, sabemos muito bem que qualquer antioxidante em excesso funciona como oxidante, química pura.

Fiala, em 1988, demonstrou que o benzil-selenocianato, o fenileno bis-selenocianato e o selenito de sódio são capazes de inibir as DNA-metiltransferases em células do carcinoma de cólon humano em concentrações baixíssimas, da ordem de 4 a 8 micromoles. O autor sugere que a inibição das DNA-metiltransferases é o principal mecanismo de quimioprevenção do selênio, no estágio de pós-iniciação da carcinogênese.

Estudo piloto no câncer ginecológico feito na Alemanha, empregando 300mcg/dia de selênio na forma de selenito de sódio, evidenciou estímulo dos linfócitos B19 e das células *Natural killer* e proporcionou às pacientes melhor qualidade de vida. Não foram observados efeitos colaterais.

Em estudo randomizado e duplo-cego no câncer de mama humano, Schumacher, em 1999, mostrou diminuição dos efeitos colaterais da quimioterapia e radioterapia quando concomitantemente usava o selenito de sódio. Muito importante é o fato de o selenito não interferir nos efeitos terapêuticos do tratamento convencional.

Absorção dos sais orgânicos e inorgânicos de selênio

Verificou-se que a seleno-metionina (orgânico) e o selenato (inorgânico) são significativamente mais difusíveis do que a seleno-cistina (orgânico) e o selenito (inorgânico) nas mesmas condições gastrointestinais. A tendência de disponibilidade superior *in vitro* de seleno-metionina e selenato e em comparação com selenito e seleno-cistina foi confirmada para uma faixa de suplementação de 5-40 ng/g de Se. Este estudo sugere que a alta difusibilidade de selenato e em um ambiente gastrointestinal controlado, contribui para sua alta absorção *in vivo*.

Seleno-metionina

Estudos anteriores demonstraram que o tratamento com seleno-metionina resultou em um acúmulo significativamente maior de selênio nos tecidos, particularmente no músculo esquelético, do que o tratamento com selenito. O objetivo era determinar se os produtos naturais com alto teor de selênio provocavam respostas semelhantes às do selenito ou da seleno-metionina. Os experimentos sugeriram que o alho e a cebola com alto teor de selênio podem ter alguns atributos únicos. Primeiro, sua ingestão não levou a um acúmulo exagerado de selênio nos tecidos, uma preocupação compartilhada tanto pela seleno-metionina quanto pela castanha-do-pará. Em segundo lugar, ao contrário do selenito, eles não causaram nenhuma perturbação na homeostase da glutationa. Terceiro, eles expressaram uma boa atividade anticâncer que era igual, senão melhor do que a do selenito (Ip, 1994).

Quantidades supra nutricionais de selênio em uma primeira fase aumentam os níveis de GSH como mecanismo de defesa (efeito antioxidante), porém, logo a seguir, com a continuidade e a permanência do selênio acontece grande produção de H2O2, que acarreta drástica diminuição do GSH e os efeitos citotóxicos para a célula cancerosa. A superóxido dismutase, a catalase e a desferroxamina atenuam significantemente os efeitos apoptóticos do selênio.

Outro efeito importante do selênio como agente anticâncer. Jiang, em 1999, mostrou que o aumento da ingestão de alho enriquecido com selênio na forma de Se-metilselenocisteína provoca redução da densidade dos microvasos dentro do tumor, no carcinoma de mama de rato. Isto significa que o selênio possui a propriedade de inibir a angiogênese, efeito de muita relevância para a inibição do crescimento dos tumores sólidos.

O selênio inibe a produção tumoral do VEGF (*vascular endotelial growth factor*), inibe a expressão da MMP-2 (matriz-metaloproteínase-2) nas células endoteliais e inibe a progressão do ciclo celular das células endoteliais. Outro modo do selênio inibir a angiogênese é por meio da inibição do NF-kappaB. Esses fatores em conjunto reduzem a densidade da rede de microvasos intratumoral e fazem do selênio excelente inibidor da neoangiogênese tumoral.

Outros efeitos importantes do selênio são: inibição do fator de transcrição nuclear NF-kappaB, ativação do sistema imune, efeito antitrombótico e inibição da DNA metiltransferase (demetilação).

Compostos orgânicos de selênio são eficazes como agentes quimiopreventivos, tanto na fase de iniciação como nas fases pós-iniciação em vários tipos de tumores induzidos quimicamente em animais. Vários trabalhos têm mostrado que a inibição das DNA-metiltransferases pode ser fator suficiente para a supressão ou mesmo para a reversão da carcinogênese – efeito epigenético (Fiala, 1988).

O NF-kappaB ativa genes associados à proliferação celular, à angiogênese e à supressão da apoptose, mecanismos que permitem a sobrevivência das células neoplásicas e promovem a resistência do câncer à quimioterapia e à radioterapia. Demonstrou-se que o selênio inibe o fator de transcrição NF-kappaB provocando, portanto, diminuição da proliferação celular, inibição da angiogênese tumoral e aumento da morte celular programada (apoptose).

O selênio em dose supranutricional aumenta a expressão da interleucina-2 (IL-2), ativa os linfócitos T e aumenta a função das células CD56 (células *Natural killer*).

O selênio inibe as DNA-metiltransferases provocando a demetilação das regiões promotoras CpG do DNA, o que aumenta a expressão de genes anticâncer que foram silenciados pela metilação.

Na prática médica devemos estar atentos para o seguinte fato: concentrações de selênio de até 10 vezes a dose letal são bem toleradas pelo rato quando ele recebe suplementação de cobre. Dessa forma, devemos evitar a ingestão de cobre nos pacientes sob tratamento selênio oxidante. Na verdade, o cobre está contraindicado nos pacientes com câncer por aumentar a angiogênese tumoral.

Levedura selenizada (Se-levedura) e sua principal forma Se-metionina (SeMet) foram testadas em vários ensaios em humanos na América do Norte para a prevenção do câncer de próstata (CaP) e todos eles concordaram que o selênio não diminui o risco de câncer próstata (in-Wang, 2016).

Castanha-do-pará ou castanha do Brasil

A castanha-do-pará (Bertholletia excelsa) é nativa da floresta amazônica sendo a fonte alimentar mais rica em selênio orgânico e assim deve ser consumida com moderação. O consumo de uma semente (5g) de uma área com alto teor de selênio atende à dose diária recomendada; o tamanho de porção que são recomendados por alguns de 30 g pode exceder a ingestão diária permitida (400 mcg) ou mesmo seu limite de toxicidade (1.200 mcg). Os consumidores devem ser avisados para não exceder o tamanho da porção. Além do selênio, a castanha-do-brasil apresenta relevante teor de outros micronutrientes como magnésio, cobre e zinco (Cardoso, 2017; Lima, 2019).

Entretanto, dependendo da região varia muito a concentração de selênio na castanha. A concentração mediana de Se na castanha do Brasil variou de 2,07 mg kg-1 (no estado de Mato Grosso) a 68,15 mg kg-1 (no estado do Amazonas). Portanto, dependendo de sua origem, uma única castanha-do-pará poderia fornecer de 11% (no estado de Mato Grosso) a 288% (no estado do Amazonas) da necessidade diária de Se de um homem adulto que é de 70mcg. A concentração total de Se no solo também variou consideravelmente, variando de <65,76 a 625,91 μg kg-1, com maiores concentrações de Se sendo observadas em amostras de solo do estado do Amazonas. O acúmulo de Se na castanha-do-brasil geralmente aumentou em solos com maior teor de Se total, mas diminuiu sob condições ácidas do solo. Isso indica que, além da concentração de Se total no solo, a acidez do solo desempenha um papel importante na absorção de Se pela castanheira, possivelmente devido à importância desta propriedade do solo para a retenção (Silva, 2017).

Em outro estudo, 162 castanhas de cada uma das duas regiões (Acre-Rondônia e Manaus-Belém) foram analisadas individualmente para selênio. A média +/- desvio padrão e faixa de concentração de selênio em ppm, peso fresco para castanhas das regiões Acre-Rondônia e Manaus-Belém foram, respectivamente, 3,06 +/- 4,01 (0,03-31,7) e 36,0 +/- 50,0 (1,25-512,0) (Chang, 1995). Lembrar 1ppm equivale a 1mg e 1mg de seleno-metionina equivale a 2mcg de selênio.

Seleno-metionina na tireoidite autoimune

Vinte e um pacientes caucasianos consecutivos com tireoidite autoimune crônica eutiroidiana recém-diagnosticada foram avaliados. Todos os indivíduos foram tratados com mio-inositol associado a comprimidos de selênio na forma de seleno-metionina (600 mg/83 mg), duas vezes ao dia, durante seis meses. Oitenta e três mg de seleno-metionina corresponde a 166mcg de selênio. Após o tratamento, os níveis de hormônio estimulador da tiroide (TSH) diminuíram significativamente em relação aos valores basais, em geral em pacientes com um valor inicial de TSH na faixa normal alta (2,1 <TSH <4,0), sugerindo que o tratamento combinado pode reduzir o risco de progressão para hipotireoidismo em indivíduos com doenças autoimunes da tireoide (DAIT). Interessante foi que após o tratamento, os níveis de autoanticorpos antitiroideanos diminuíram. Além disso, o efeito imunomodulador foi primeiro confirmado pelo fato de que, após o tratamento, os níveis de CXCL10 também diminuíram (Ferrari, 2017).

Câncer de tiroide

Selênio-metionina diminui o crescimento do câncer de tiroide ao aumentar a expressão da família GADD (growth arrest and DNA damage inducible). Seleno-metionina inibe a proliferação de células cancerígenas da tiroide por meio da supra regulação dependente do tempo da família de genes GADD e parada nas fases S e G2/M do ciclo celular. Este é o primeiro relato de inibição do crescimento de células cancerígenas da tiroide induzida por selênio (Kato, 2010).

Sistema imune

Pobre ingestão de selênio reduz a imunidade inata e a adaptativa, encontramos diminuição do selênio sérico nas infecções crônicas (tuberculose, AIDS) e muitas vezes nos idosos. Nestes casos o selênio sérico está abaixo de 60ng/ml. Quando o selênio está em condições ótimas, entre 80 e 175 ng/ml, e mais perto do valor superior do normal encontramos: aumento dos linfócitos T, aumento da função da imunidade inata e aumento das células *natural killer*. Resposta mais forte às vacinas, resposta imune robusta contra patógenos e lesões inflamatórias menos severas no intestino, pulmões e outros órgãos (Huang, 2012; Bentley, 2015, Tsuji, 2015; Ivory, 2017).

Nível plasmático de selênio nos pacientes com câncer e sem câncer

O selênio demonstrou ser um agente preventivo do câncer. Alguns estudos demonstraram que o nível elevado de selênio está associado à diminuição da incidência de câncer e à diminuição da mortalidade por câncer. O presente estudo foi realizado para descobrir a relação do nível de selênio com o local, extensão da doença, recorrência da doença, diagnóstico histopatológico, anemia e nível de proteína sérica de pacientes com câncer. O nível de selênio plasmático foi estudado em 100 pacientes e o nível médio de selênio de 75,35 ng/ml em pacientes com câncer foi significativamente menor do que os valores de controle (116,99 ng/ml) em indivíduos saudáveis normais (P <0,003). A associação mais forte do nível de selênio no plasma e câncer foi encontrada no câncer de mama (70,50 ng/ml) e no trato gastrointestinal (73,05 ng/ml). O nível de selênio diminuiu com o progresso da doença e a recorrência da doença. Não foi observada associação significativa entre o diagnóstico histopatológico e o nível de selênio. A anemia e a hipoproteinemia também não foram relacionadas com o nível de selênio (Gupta, 1994).

Os pacientes com concentrações plasmáticas de selênio basais nos dois tercis mais baixos (<121,6 ng/ml) experimentaram reduções na incidência total de câncer, enquanto aqueles no tercil mais alto mostraram uma incidência elevada (HR = 1,20, IC 95% = 0,77-1,86) (Duffield, 2002).

Os níveis de selênio no plasma pré-diagnóstico foram inversamente associados ao risco de câncer de próstata avançado (5º *versus* 1º quintil OR = 0,52, IC 95% = 0,28 a 0,98; P (tendência) = 0,05), mesmo entre os homens diagnosticados após 1990 (5º *versus* 1º quintil OR = 0,39, IC 95% = 0,16 a 0,97). A associação inversa com o risco de câncer de próstata foi observada apenas para casos de indivíduos com níveis basais de PSA elevados (PSA > 4 ng/ml, 5º *versus* 1º quintil OR = 0,49, IC de 95% = 0,28 a 0,86; P (tendência) = 0,002). Essas associações inversas foram observadas nas eras pré e pós-PSA. Desta forma, ocorre associação inversa entre os níveis basais de selênio no plasma e o risco de câncer de próstata avançado, mesmo entre homens diagnosticados durante a era pós-PSA, o que sugere que níveis mais elevados de selênio podem retardar a progressão do tumor do câncer de próstata (Stampfer, 2004).

A deficiência de selênio possui efeito adverso na imunocompetência e a sua suplementação parece melhorar a resposta imune. O Se parece ser nutriente essencial para combater certas infecções virais; assim, em hospedeiro deficiente em Se, o vírus Coxsackie benigno se torna virulento causando danos ao coração; o vírus influenza causa patologia pulmonar mais séria e a infecção pelo HIV progride mais rapidamente para a AIDS (Rayman, 2002).

A deficiência de selênio promove mutações, replicação e virulência de RNA vírus e o selênio tem benefício clínico em infecções de vírus RNA. O selenito de sódio (Na2SeO3) mostrou-se eficaz contra os RNA vírus: Hantavírus, Vírus da imunodeficiência humana Tipo 1, HIV-1, Coronavírus SARS-Cov-2 (Hiffler, 2020).

A deficiência de selênio associa-se com o aumento da incidência de trombose arterial porque o selênio diminui a liberação de tromboxane B2, o que inibe a agregação plaquetária. Esta inibição da agregação plaquetária é benéfica nos pacientes com câncer, pois diminui o aparecimento de metástases. O ácido acetilsalicílico e os anti-inflamatórios em geral inibem este efeito benéfico do selênio.

CUIDADO: estudos epidemiológicos mostram a possibilidade de que o excesso de exposição ambiental ao selênio orgânico ou inorgânico representa fator de risco para uma doença neurodegenerativa humana devastadora (Maraldi, 2011).

Dose sugerida: seleno-metionina 150mg (300mcg de Se) 2 a 3 vezes ao dia com estomago cheio.

Conclusão

Praticamente todos os nossos pacientes recebem suplementação de selênio na forma de seleno-metionina.

Referências

1. Beehler B, Przybyszewski J, Box HB, Kulesz-Martin MF. Formation of 8-hydroxydeoxyguanosine within DNA of mouse keratinocytes exposed in culture to UVB and H2O2. Carcinogenesis. 13:2003-7;1992.

2. Bentley-Hewitt K.L., Chen R.K., Lill R.E., Hedderley D.I., Herath T.D., Matich A.J., McKenzie M.J. Consumption of selenium-enriched broccoli increases cytokine production in human peripheral blood mononuclear cells stimulated ex vivo, a preliminary human intervention study. Mol. Nutr. Food Res. 58:2350–2357, 2014.
3. Biswas S, Talukder G, Sharma A. Comparison of clastogenic effects of inorganic selenium salts in micein vivo as relates to concentrations and duration of exposure. Biometals. 12(4):361-8;1999.
4. Björkhem-Bergman L, Jönsson K, Eriksson LC, et al. Drug-resistant human cancer cells are more sensitive to selenium cytotoxicity. Effects on thioredoxin reductase and glutathione reductase. Biochem Pharmacol. 63(10):1875-84;2002.
5. Cardoso BR, Duarte GBS, Reis BZ, Cozzolino SMF. Brazil nuts: Nutritional composition, health benefits and safety aspects. Food Res Int. Oct;100(Pt 2):9-18, 2017.
6. Chang JC, Gutenmann WH, Reid CM, Lisk DJ. Selenium content of Brazil nuts from two geographic locations in Brazil. Chemosphere. Feb;30(4):801-2, 1995.
7. Chen L, Spallholz JE. Cytolysis of human erythrocytes by a covalent antibody-selenium immunoconjugate. Free Radic Biol Med. 1 (6): 713-24;1995.
8. Clark LC, Graham GF, Crounse RG, et al. Plasma selenium and skin neoplasms: a case control study. Nutr Cancer. 6:13-21;1980.
9. Cohen LA. Nutrition and prostate cancer: a review. Ann N Y Acad Sci. 963:148-55;2002.
10. Combs GF. Impact of selenium and cancer-prevention findings on the nutrition-health paradigm. Nutr Cancer. 40(1): 6-11;2001.
11. Davis RL, Spallholz JE. Inhibition of selenite-catalyzed superoxide generation and formation of elemental selenium (Se (o)) by copper, zinc, and aurintricarboxylic acid (ATA). Biochem Pharmacol. 51(8):1015-20;1996.
12. Davis RL, Spallholz JE, Pence BC. Inhibition of selenite – induced cytotoxicity and apoptosis in human colonic carcinoma (HT-29) cells by copper. Nutr Cancer. 32(3):181-9;1998.
13. Diamond AM, Hu YJ, Mansur DB. Glutathione peroxidase and viral replication; implications for viral evolution and chemoprevention. Biofactors. 14(1-4):205-10;2001.
14. Duffield-Lillico A.J., Reid M.E., Turnbull B.W., et al. Baseline characteristics and the effect of selenium supplementation on cancer incidence in a randomized clinical trial: A summary report of the Nutritional Prevention of Cancer Trial. Cancer Epidemiol. Biomarkers Prev. 11:630–639, 2002.
15. Fiala ES, Staretz ME, Pandya GA, Hamilton SR. Inhinibition of DNA cytosine methyltransferase by chemopreventative selenium coumpounds, determined by an improved assay for DNA cytosine methyltransferase and DNA cytosine methylation. Carcinogenesis. 19(4):597-604;1998.
16. Finley JW, Davis CD. Selenium (Se) from high-selenium broccoli is utilized differently than selenite, selenate and selenomethionine, but is more effective in inhibiting colon carcinogenesis. Biofactors. 14(1-4):191-6;2002.
17. Finley JW, Ip C, Lisk DJ, et al. Cancer-properties of high-selenium broccoli. J Agric Food Chem. 49(5):2679-83;2001.
18. Ferrari SM, Fallahi P, Di Bari F, et al. Myo-inositol and selenium reduce the risk of developing overt hypothyroidism in patients with autoimmune thyroiditis. Eur Rev Med Pharmacol Sci. Jun;21(2 Suppl):36-42, 2017.
19. Funke AM. Potential of selenium in gynecologic oncology. Med Klin. 94 Suppl 3:42-4;1999.
20. Ganther HE. Selenium metabolism, selenoproteins and mechanisms of cancer prevention: complexities with thioredoxin reductase. Carcinogenisis. 20(9):1657-66;1999.
21. Garberg P, Stahl A, Warholm M, Hogberg J. Studies of the role of DNA fragmentation in selenium toxicity. Biochem Pharmacol. 37: 3401-6;1988.
22. Gupta S., Narang R., Krishnaswami K., Yadav S. Plasma selenium level in cancer patients. Indian J. Cancer. 31:192–197, 1994.
23. Hiffler L. Selenium and RNA viruses interactions: Potential implications for SARS-Cov-2 infection (Covid-19), Independent researcher, 77400 France. Corresponding author. Laurent Hiffler. laurenthiffler@gmail.com; 2020.
24. Hiraoka K, Komiya S, Hamada T, Zenmyo M. Osteosarcoma cell apoptosis induced by selenium. J Orthop Res. Sep;19(5):809-14, 2001.
25. Hoque A, Albanes D, Lippman SM, et al. Molecular epidemiologic studies within the Selenium and Vitamin E Cancer Prevention Trial (SELECT). Cancer Causes Control. 12(7):627-33;2002.
26. Huang G, Yong BC, Xu MH, Li JC. Analysis of Selenium Levels in Osteosarcoma Patients and the Effects of Se-Methylselenocysteine on Osteosarcoma Cells In Vitro. Nutr Cancer. 67(5):847-56, 2015.
27. Huang Z., Rose A.H., Hoffmann P.R. The role of selenium in inflammation and immunity: From molecular mechanisms to therapeutic opportunities. Antioxid. Redox Signal. 16:705–743, 2012.
28. Ip C, Hayes C, Budnick RM, Ganther H. Chemical form of selenium, critical metabolites and cancer prevention. Cancer Res. 51:595-600; 1991.
29. Ip C, Lisk DJ. Characterization of tissue selenium profiles and anticarcinogenic responses in rats fed natural sources of selenium-rich products. Carcinogenesis. Apr;15(4):573-6,1994.
30. Ivory K., Prieto E., Spinks C. et al. elenium supplementation has beneficial and detrimental effects on immunity to influenza vaccine in older adults. Clin. Nutr. 36:407–415, 2017.
31. Janghorbani M, Xia Y, Há P, et al. Metabolism of selenite in men with widely varying selenium status. J Am Coll Nutr. 18(5):462-9;1999.
32. Jiang C, Jiang W, Ip C, et al. Selenium-induced inhibition of angiogenesis in mammary cancer at chemopreventive levels of intake. Mol Carcinog. 26(4):213-25;1999.
33. Kato MA, Finley DJ, Lubitz CC, et al. Selenium decreases thyroid cancer cell growth by increasing expression of GADD153 and GADD34. Nutr Cancer. 62(1):66-73, 2010.
34. Kim ES, Hong WK, Khuri FR. Prevention of lung cancer. The new millennium. Chest Surg Clin North Am. 10(4):663-90;2000.
35. Kim IY, Stadtman TC. Inhibition of NF-kappaB DNA binding and nitric oxide induction in human T cells and lung adenocarcinoma cells by selenite trestment. Proc Natl Acad Sci U S A. 94(24):12904-7;1997.
36. Kim TS, Jeong DW, Yun BY, Kim IY. Dysfunction of rat liver mitochondria by selenite: induction of mitochondria permeability transition through thiol-oxidation. Biochem Biophys Res Commun. 294(5):1130-7;2002.
37. Kiremidjian-Schumacher L, Roy M. Effect of selenium on the immunocompetence of patients with head and neck cancer and on adoptive immunotherapy of early and established lesions. Biofactors. 14(1-4): 161-8;2001.
38. Lacetera N, Bernabucci U, Ronchi B, Nardone A. The effects of injectable sodium selenite on immune function and milk production in Sardinian sheep receiving adequate dietary selenium. Vet Res. 30(4):363-70;1999.
39. Lanfear J, Fleming J, Wu L, et al. The selenium metabolite selenoglutathione induces p53 and apoptosis:relevance to the chemopreventive effects of selenium? Carcinogenesis. 15:1387-92;1994.
40. Le Bon AM, Siess MH. Organosulfur compounds from Allium and the chemoprevention of cancer. Drug Metabol Drug Interact. 17(1-4):51-79;2000.
41. Lima LW, Stonehouse GC, Walters C. et al. Selenium Accumulation, Speciation and Localization in Brazil Nuts (Bertholletia excelsa H.B.K.). Plants (Basel). Aug 16;8(8):289, 2019.

42. Lu JX, Kaeck M, Jiang C, et al. Selenite induction of DNA strand breaks and apoptosis in mouse leukemic L1210 cells. Biochem Pharmacol. 47:1531-5;1994.
43. Maraldi T, Riccio M, Zambonin L, et al. Low levels of selenium compounds are selectively toxic for a human neuron cell line through ROS/RNS increase and apoptotic process activation. Neurotoxicology. Mar;32(2):180-7, 2011.
44. McCarty MF. Current prospects for controlling cancer growth with non-cytotoxic agents-nutrients, phytochemicals, herbal extracts, and available drugs. Med Hypotheses. 56(2):137-54;2001.
45. Nelson MA, Reid M, Duffield-Lillico AJ, Marshall JR. Prostate cancer and selenium. Urol Clin North Am. 29(1):67-70;2002.
46. Pang K-L, Chin K-Y. Emerging Anticancer Potentials of Selenium on Osteosarcoma Int J Mol Sci. Oct 25;20(21):5318, 2019.
47. Pence BC, Delver E, Dunn DM. Effects of dietary selenium on UVB induced skin carcinogenesis and epidermal antioxidant status. J Invest Dermatol. 102:759-61;1994.
48. Ruffin MT, Rock CL. Do antioxidants still have a role in the prevention of human cancer? Curr Oncol Rep. 3(4):306-13;2001.
49. Silva Junior EC, Wadt LHO, Silva KE, et al. Natural variation of selenium in Brazil nuts and soils from the Amazon region.Chemosphere. Dec;188:650-658, 2017.
50. Shin SH, Yoon MJ, Kim M, et al. Enhanced lung cancer cell killing by the combination of selenium and ionizing radiation. S.Oncol Rep. Jan;17(1):209-16, 2007.
51. Shen L, van Dyck K, Luten J, Deelstra H. Diffusibility of selenate, selenite, seleno-methionine, and seleno-cystine during simulated gastrointestinal digestion. Biol Trace Elem Res. Jul-Aug;58(1-2):55-63,1997.
52. Schrauzer GN. Anticarcinogenic effects of selenium. Cell Mol Life Sci. 57(13-14):1864-73;2000.
53. Schumacher K. Effect of selenium on the side effect profile of adjuvant chemotherapy/radiotherapy in patients with breast carcinoma. Design for a clinical study. Med Klin. 94 Suppl 3:45-8;1999.
54. Spallholz JE. Free radical generation by selenium compounds and their prooxidant toxicity. Biomed Environ Sci. 10(2-3): 260-70;1997.
55. Spallholz JE. On the nature of selenium toxicity and carcinostatic activity. Free Radic Biol Med. 17(1):45-64;1994.
56. Spallholz JE, Shriver BJ, Reid TW. Demethyldiselenide and methylseleninic acid generate superoxide in na vitrochemiluminescence assay in the presence of glutathione: implications for the anticarcinogenic activity of L-selenomethionine and L- Se- methylselenocysteine. Nutr Cancer. 40(1):34-41;2001.
57. Stampfer M.J., Giovannucci E.L., Morris J.S. et al. A prospective study of plasma selenium levels and prostate cancer risk. J. Natl. Cancer Inst. 96:696–703, 2004.
58. Stewart MS, Spallholz JE, Neldner KH, Pence BC. Selenium compounds have disparate abilities to impose oxidative stress and induce apoptosis. Free Radic Biol Med. 26(1-2):42-8;1999.
59. Stewart MS, Davis RL, Walsh LP, Pence BC. Induction of differentiation and apoptosis by sodium selenite in human colonic carcinoma cells (HT29). Cancer Lett. 117:35-40;1997.
60. Tatum L, Shankar P, Boylan LM, Spallholz JE. Effect of dietary copper on selenium toxicity in Fischer 344 rats. Biol Trace Elem Res. 77(3): 241-9;2000.
61. Tsuji P.A., Carlson B.A., Anderson C.B., et al. Dietary Selenium Levels Affect Selenoprotein Expression and Support the Interferon-gamma and IL-6 Immune Response Pathways in Mice. Nutrients. 7:6529–6549, 2015.
62. Wang L, Guo X, Wang J, et al. Methylseleninic Acid Superactivates p53-Senescence Cancer Progression Barrier in Prostate Lesions of Pten-Knockout Mouse. Cancer Prev Res (Phila). Jan;9(1):35-42, 2016.
63. Wong HK, Riondel J, Ducros V, et al. Effects of selenium supplementation on malignant lymphoproliferative pathologies associated with OF1 mouse ageing. Anticancer Res. 21(1A):393-402;2001.
64. Xu H, Feng Z, Yi C. Free radical mechanism of the toxicity of selenium compounds. Huzahong Longong Daxue Xuebao (English). 19:13-9;1991.
65. Yan L, Frenkel GD. Inhibition of cell attachmenty selenite. Cancer Res. 52:5803-7;1992.
66. Yan L, Spallholz JE. Generation of reactive oxygen species from the reaction of selenium compounds with thiols and mammary tumor cells. Biochem Pharmacol. 45:429-37;1993.
67. Yan L, Yee JA, Boylan LM, Spallholz JE. Toxicity of selenium compounds and thiols on human mammary tumor cells. Biol Trace Elem Res. 30:145-62;1991.
68. Zheng QS, Zheng RL. Effects of ascorbic acid and sodium selenite on growth and redifferentiation in human hepatoma cells and its mechanisms. Pharmazie. 57(4):265-9;2002.
69. Zhong W, Oberley TD. Redox-mediated effects of selenium on apoptosis and cell cycle in the LNCaP human prostate cancer cell line. Cancer Res. 61(19):7071-8;2001.
70. Zimmermann T, Albrecht S, Von Gagern G. Molecular biology studies of a multicenter phase III study (SIC Study). Med Klin. 94 Suppl 3:58-61;1999.

CAPÍTULO 121

Silibinina de hepatoprotetor a poderoso antineoplásico

Anti-Hepatite viral C, Hepatite viral B, vírus Chicungunha; inibidor direto da pSTAT3; ativa AMPK e inibe mTOR; inibe DHL-A; normaliza Delta-psimt; diminui as ciclinas D1/D3/E/AE e aumenta os inibidores das CDKs Cip1/p21, Kip1/27e p38; aumenta DR5; inibe hTERT e diminui os telômeros; inibe COX-2, NF-kappaB, GLUT-1, GLUT-4, EMT, HIF-1, STAT3, IGF-1, IGF-1Rbeta, MEK/ERK1/2; inibe as vias PI3K/Akt, Notch-1/ERK/Akt, WNT/beta-catenina; diminui iNOS, VEGF, BAX, MMP-2, MMP-9, uPAR; regula para baixo o receptor ER-alfa; aumenta JNK/SAPK e induz autofagia tumoral; aumenta a expressão do gene p53 e p43; aumenta a atividade da HDAC, acetila a zona CpG e diminui a função dos genes de sobrevivência celular neoplásico – Epigenética

José de Felippe Junior

Muito conhecida para o fígado e esquecida no câncer.
Desconhecido inconformado, eu

Silibinina é o principal constituinte ativo do *Silybum marianum*, extrato padronizado das sementes do leite de cardo. O *Silybum marianum* contém uma mistura de flavoglicanos: silibinina, isosilibinina, silicristina, silidianina e outros. A silibinina é constituída por dois diastereoisômeros, silibinina A e silibinina B, em razão quase equimolar. A silibinina B é o que chamamos de silimarina e como elas são diastereoisômeros ambas possuem a mesma fórmula e peso molecular, porém conformação estrutural diferentes. A mais potente é a silibinina A.

Cardo mariano

Sementes do cardo

Importante saber que a mistura 1:2 de silibinina para fosfatidilcolina aumenta a absorção da silibinina. E assim têm sido executados os trabalhos de fase I. Silibinina-fosfatidilcolina na razão 1:2 foi administrada na dose de 2, 4, 8 e 12g ao dia, em doses divididas, durante 12 semanas, a 3 pacientes em fase final de hepatocarcinoma. Não houve efeitos colaterais (Siegel, 2014). Tangeritina é potente inibidor do efluxo dos transportadores, BCRP, MRP2 e P-gp e aumenta a biodisponibilidade da silibinina (Yuan, 2018).

Silibinina provoca autofagia tumoral

A silibinina melhora a terapêutica de diversos tipos de neoplasias ao induzir apoptose, autofagia, inibir o ciclo celular e regular os microRNAs (Jahanafrooz, 2018).

As linhas de células de câncer pancreático humano SW1990 foram tratadas com silibinina e/ou inibidor JNK/SAPK SP600125. Silibinina promove apoptose celular. A expressão de ROS e ATP associados à função mitocondrial também foi promovida pelo tratamento com silibinina. Silibinina também promoveu autofagia em células de câncer pancreático. Todos esses efeitos biológicos da silibinina foram revertidos pelo inibidor JNK/SAPK. Assim sendo, os efeitos biológicos regulados por silibinina são mediados por sinalização JNK/SAPK a qual induz a autofagia tumoral (Zhang, 2019).

No glioblastoma multiforme a silibinina provoca apoptose concomitante com autofagia tumoral via inibição do mTOR e YAP (Bai, 2018). Em células do glioma a silibinina provoca autofagia ao induzir estresse oxidativo e translocação do fator indutor de apoptose da mitocôndria para o núcleo em células de glioma *in vitro* e *in vivo* (Wang, 2020).

No carcinoma renal a silibinina inibe EMT (epithelial-mesenchymal transition) e induz apoptose e diminuição das metástases ao provocar autofagia via sinalização Wnt/beta-catenina (Fan, 2020).

A silibinina provoca autofagia das células HepG2 do hepatocarcinoma humano via ativação do eixo de sinalização AMPK a qual inibe mTOR (Li, 2019).

A fórmula da silibinina A é $C_{25}H_{22}O_{10}$, peso molecular 482,4g/mol e nome químico: (2R,3R)-3,5,7-trihydroxy-2-[(2R,3R)-3-(4-hydroxy-3-methoxyphenyl)-2-(hydroxymethyl)-2,3-dihydro-1,4-benzodioxin-6-yl]-2,3-dihydrochromen-4-one. Outros nomes: Silibinin, Silybin, Silymarin e Flavobin.

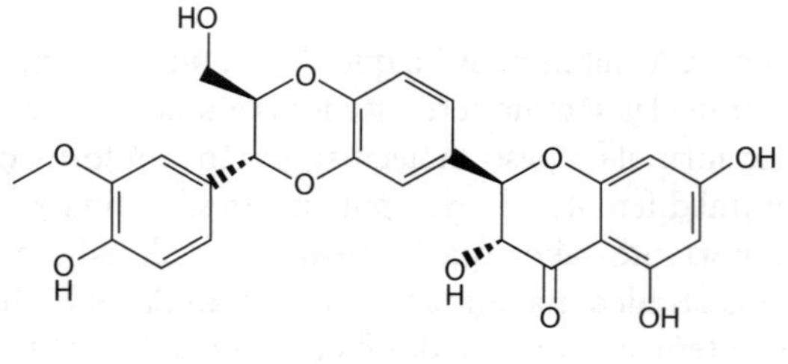

Silibinina A – $C_{25}H_{22}O_{10}$

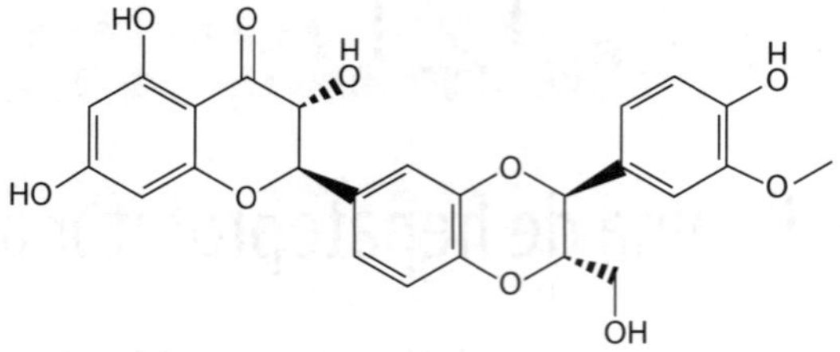

Silibinina B ou Silimarina – $C_{25}H_{22}O_{10}$

A silibinina A doa 5 e é aceptora de 10 elétrons e, portanto, a molécula é forte oxidante. A silibinina B é igual quanto a oxirredução.

Utilizamos o extrato padronizado das sementes do *Sylibum marianum* e não a silibinina na forma pura.

Alvos moleculares da silibinina

1. **Antiviral.**
   a) Potente agente na **Hepatite viral C**, sendo o declínio da carga viral 4 vezes mais rápido que o provocado pelo Interferon-pegilado (Guedi, 2012).
   b) Silibinina possui atividade anti-HCV e propriedades imunomoduladoras regulando a função das células dendríticas (Castellaneta, 2018).
   c) Inibe a **Hepatite viral B.**
   d) Possui significante atividade antiviral contra o **vírus Chicungunha**, reduzindo a replicação e regulando para baixo a produção de proteínas virais envolvidas na replicação (Lani, 2015).
   e) Não encontramos estudos sobre EBV e CMV.
2. **Antifungo.**
3. **Atividade antibacteriana**
   a) Contra os Gram-positivos, *Bacillus subtilis* e *Staphylococcus epidermidis* e Gram-negativos. Silibinina é mais potente que a silimarina, que não possui atividade contra bactérias Gram-negativas ou fungos.
   b) Contra ***Helicobacter pylori*** (Bittencourt, 2020; Cho, 2021).
4. **Anti-hepatotóxica** (Vogel, 1975; Flora, 1998; Hahn, 2011).
5. **Anti-*Mycobacteriun tuberculosis*.** A silimarina é eficaz sozinha ou combinada com antibióticos específicos (Rodrigues-Flores, 2019).
6. **IMPORTANTE**: A fosfatidilcolina aumenta a absorção da silibinina e a tangeritina aumenta a sua biodisponibilidade celular.

Efeito em várias neoplasias

7. Silibinina é inibidor direto da pSTAT3 (*signal transducer and activator of transcription 3 phosphorylated or active*) (Bosch-Barrera, 2015).

8. Silibinina é inibidor direto da STAT3 e o mais eficaz. Ela previne a translocação nuclear do STAT3, bloqueia a ligação do STAT3 ativo no DNA e suprime diretamente a sua transcrição (Verdura, 2018).
9. Inibe DHL-A: acidifica protoplasma, inibe glicólise anaeróbia e ativa fosforilação oxidativa.
10. Diminui potencial de membrana mitocondrial – delta-psi-mt.
11. Inibe a glicólise anaeróbia, motor da mitose proliferativa.
12. Diminui a expressão das ciclinas D1/D3/E/AE e aumenta os inibidores das CDKs: Cip1/p21, Kip1/27e p38.
13. Inibe HIF-1 por diminuir sua geração e por acidificar o protoplasma.
14. Diminui a expressão do HIF-1-alfa.
15. Inibe NF-kappaB.
16. Inibe IGF-1 e IGF-1Rbeta.
17. Inibe GLUT-1 e GLUT-4.
18. Aumenta a expressão do gene p43 e sua proteína.
19. Inibe via MEK/ERK.
20. Inibe via PI3K/Akt.
21. Inibe via Notch.
22. Inibe COX: é inibidor seletivo da COX-2.
23. Diminui a expressão da COX-2.
24. Diminui expressão da óxido nítrico sintase (NOS).
25. Antiangiogênese: diminui a expressão da óxido nítrico sintase (NOS) da COX, HIF-1-alfa e VEGF.
26. Inibe VEGF.
27. Ativa p53.
28. Inibe Bax.
29. Ativa caspase-3, a qual cliva PARP.
30. Inibe MMP-2.
31. Inibe moderadamente a P-gp – P-glicoproteína.
32. Silibinina inibe a produção de citocinas pró-inflamatórias via inibição do NF-kappaB em células HMC-1 dos mastócitos humanos (Kim, 2013).
33. Silibinina suprime o acúmulo de HIF-1alfa e inibe a atividade do mTOR (Singh, 2012).
34. Silibinina impede a resistência ao quimioterápico doxorubicina inibindo a expressão do GLUT1 (Catanzaro, 2018).
35. **Diversos**
    a) A eficácia da silibinina é evidente contra vários tipos de câncer e seus mecanismos de ação são diferentes nos diversos tipos de câncer: gliomas, pulmão, mama, próstata, fígado, estômago, cólon, pele, ovário e rins (Deep, 2010).
    b) A silibinina demonstrou efeitos anticâncer *in vitro* e *in vivo* contra o câncer de próstata, adenocarcinoma de mama estrogênio-dependente e -independente, carcinoma cervical humano, gliomas, melanoma, células do câncer de cólon e células do carcinoma de pulmão de pequenas células e não de pequenas células (Ramasamy, 2008).
    c) Silibinina estimula a apoptose em células do coriocarcinoma induzindo aumento da geração de ERTOS e provocando estresse do retículo endoplasmático (Ham, 2018).
36. **Gliomas**
    a) Aumenta a toxicidade de células do glioma resistentes à temozolomida e ao etoposide e que sofreram mutação do p53 e do PTEN (Elhag, 2015).
    b) Silibinina e luteolina agem sinergicamente na inibição do glioblastoma humano U87MG (*wild-type p53*) e T98G (*mutant p53*). Acontece significante apoptose e completa inibição da invasão e migração. Inibe RAPA (*rapamycin-induced autophagy*) com supressão da PKC-alfa e promoção da apoptose por regular para baixo o iNOS ao lado de aumentar a expressão do supressor tumoral miR-7-1-3p. A superexpressão desse supressor aumenta a eficácia da combinação silibinina e luteolina na indução da autofagia e apoptose e diminui o volume do tumor *in vivo* (Chakrabarti, 2016).
    c) Induz apoptose e inibição da proliferação em células do glioma U87, por meio de inativação do PI3K e regulação para baixo do FoxM1 (*oncogenic transcription factor Forkhead box M1*) levando à ativação da via mitocondrial de apoptose. FoxM1 é novo alvo contra os gliomas humanos (Zhang, 2015).
    d) Induz apoptose em células U87MG do glioma humano por translocação do fator indutor de apoptose (AIF) via calpaína-dependente (Jeong, 2011).
    e) Inibe a invasão do glioblastoma humano U87MG por meio da supressão da catepsina B e do NF-kappaB mediadores da indução das metaloproteinases (Momeny, 2010).
    f) Inibe a proliferação do glioma U87MG via Ca^{2+}/ROS/MAPK *in vitro* e *in vivo*. Ocorre estresse oxidativo com ativação das caspases (Choi, 2009).
    g) Sensibiliza células do glioma humano à apoptose pelo TRAIL (tumor necrosis factor-related apoptosis-inducing ligand) via aumento do DR5 (*death receptor-5*) e diminuição das proteínas antiapoptóticas, c-FLIP e survivina (Son, 2007).
    h) EGFR (*epidermal growth factor receptor*) é mediador da citotoxicidade induzida pela silibinina no glioma de rato (Qi, 2003).
    i) Silibinina inibe a proliferação celular de glioma via mecanismo dependente de Ca++/ERTOS/

MAPK *in vitro* e o crescimento tumoral de glioma *in vivo* (Kim, 2009).

j) Silibinina induz a autofagia em células de glioblastoma humano A172 e SR. Além de inibir as atividades metabólicas das células do glioblastoma, promove apoptose através da regulação da caspase-3 e da PARP-1 de maneira dependente da concentração e do tempo. Enquanto isso, a silibinina induz autofagia através da regulação positiva da proteína associada ao microtúbulo, uma cadeia leve-3 (LC3-) II. E a inibição da autofagia com a cloroquina, um agente lisossomo trópico, aumenta significativamente a apoptose das células de glioblastoma induzida pela silibinina. Além disso, a silibinina regula de maneira dependente da dose os níveis de fosforilação do mTOR na Ser-2448, p70S6K, Thr-389, 4E-BP1 e Thr-37/46. Além disso, a expressão de YAP, o efetor a jusante da via do sinal Hippo, também é suprimida pela silibinina (Bai, 2018).

k) Em células do glioma a silibinina provoca autofagia ao induzir estresse oxidativo e translocação do fator indutor de apoptose da mitocôndria para o núcleo em células de glioma *in vitro* e *in vivo* (Wang, 2020).

37. **Neuroblastoma**

a) A silibinina nas células estromais do neuroblastoma SK-N-MC provoca inibição da atividade metabólica e do potencial clonogênico de maneira dependente da dose. A silibinina também inibe os níveis transcricionais de MMP-2, MMP-9 e uPAR, como marcadores de invasão celular. Não foi observada alteração na apoptose e no ciclo celular. Por outro lado, a silibinina diminui bastante a expressão do mRNA de Akt e NF-kappaB e seus reguladores, IKK1 e IKK2. A silibinina possui maior efeito antiproliferativo na linha celular estromal SK-N-MC do que na neuroblástica SK-N-BE (2) (Yousefi, 2012).

b) Inibição da linhagem SK-N-MC do neuroblastoma humano *in vitro* e *in vivo* com a mistura nutricional estruturadora do citosol de Roomi (Waheed Roomi, 2013).

38. **Câncer de cabeça e pescoço**

a) Silimarina e seu componente ativo silibinina atuam como novas alternativas terapêuticas para o câncer da glândula salivar, visando a cascata de sinalização ERK1/2 – Bim (Choi, 2017).

b) A ativação do Bmi1 e do ADAM10 direcionados ao microRNA-494 pela silibinina elimina a rigidez do câncer e prediz um valor prognóstico favorável no carcinoma epidermoide de cabeça e pescoço (Chang, 2015).

c) A silibinina induziu apoptose da linha celular Hep-2 do carcinoma espinocelular da laringe através do estresse oxidativo e da expressão para baixo da survivina (Yang, 2013).

d) A silibinina causa inibição do crescimento celular e regulação negativa da survivina na linha celular SNU-46 de carcinoma espinocelular da laringe (Bang, 2008).

e) A silibinina inibe a invasão de células cancerígenas orais suprimindo a via MAPK (Chen, 2006).

39. **Câncer de esôfago**

Resultados de 49 pares de carcinoma espinocelular de esôfago humano (ESCC) e tecidos normais mostraram que a AMPK era constitutivamente inativa na maioria (69,4%) dos ESCC. A silibinina induziu apoptose e inibiu a proliferação de células ESCC *in vitro* e a tumorogenicidade *in vivo* sem efeitos adversos. A silibinina também suprimiu acentuadamente o potencial invasivo das células ESCC *in vitro* e sua capacidade de formar metástases pulmonares em camundongos atímicos. Os efeitos anticancerígenos da silibinina foram abolidos pela presença do composto C ou shRNA contra AMPK. Mais importante, a silibinina aumentou a sensibilidade das células e tumores ESCC aos medicamentos quimioterapêuticos, 5-fluorouracil e cisplatina (Li, 2016).

40. **Câncer de pulmão**

a) Silibinina induz apoptose regulando para baixo a survivina por meio da inibição do HIF-1-alfa no câncer de pulmão não de pequenas células (Kim, 2010).

b) Inibe a proliferação do câncer de pulmão por parada do ciclo celular ao modular a expressão e a função de reguladores-chave do ciclo celular (Mateen, 2010).

c) Silibinina regula o ciclo celular via CDKs, ciclinas e CDKIs (Mateen, 2013).

d) Interfere nas vias de sinalização EGFR/MAPK e IGF-IR/PI3k/Akt (Mateen, 2013).

e) Interfere na lesão/reparação do DNA via p53, ATM/ATR (Mateen, 2013).

f) Diminui a inflamação via STAT3, NF-kappaB, COX-2 e iNOS (Mateen, 2013).

g) Diminui a angiogênese via VGEF, MMPs e HIF-1-alfa (Mateen, 2013).

h) Diminui metástases via E-caderina e Zeb-1 (Mateen, 2013).

i) Modula epigenética. Aumenta a atividade da HDAC com acetilação global do H3 e H4 (Mateen, 2013).

j) Silibinina induz inibição moderada do crescimento e forte apoptose em células do carcinoma de pulmão A549 (Sharma, 2003).

k) Silibinina inibe as metástases do câncer pulmonar tendo como alvo a inibição do EGFR, o qual diminui a expressão da LOX (lisil oxidase) (Hou, 2018).

41. **Câncer de pulmão de pequenas células – *oat cell carcinoma***
   a) Silibinina reverte a resistência do *oat cell* resistente a múltiplas drogas, VPA17 (Sadava, 2013).
   b) Silibinina induz inibição moderada do crescimento e forte apoptose em células do carcinoma de pulmão SHP-77 de pequenas células (Sharma, 2003).
42. **Câncer de mama**
   a) Silibinina induz autofagia via radicais livres de oxigênio-disfunção mitocondrial e perda de ATP envolvendo o aumento da expressão do BNIP3 (*Bcl-2 adenovirus E1B 19-kDa-interacting protein 3*) em células MCF-7 do câncer de mama humano. Acontecem autorregulação do Atg12-Atg5, aumento da expressão da beclina-1 e diminuição da concentração do Bcl-2. Aumenta a geração de radicais livres de oxigênio concomitante com a dissipação do potencial transmembrana mitocondrial com drástico declínio dos níveis de ATP após a silibinina. NAC ou ácido ascórbico abolem tais efeitos (Jiang, 2015).
   b) *Crosstalk* de radicais livres de oxigênio/radicais livres de nitrogênio e autofagia provocada pela silibinina induzem apoptose em células MCF-7 do câncer de mama estrógeno-positivo (Zheng, 2017).
   c) Silibinina induz morte celular via espécies reativas de oxigênio regulando para baixo a via Notch-1/ERK/Akt em células do câncer de mama MCF-7 (Kim-Woo, 2014).
   d) Regulação para baixo do receptor ER-alfa pela silibinina é fator-chave na indução de autofagia e apoptose em células MCF-7 do câncer de mama. Acontece redução da expressão do Akt/mTOR e do ERK (*extracellular-signal-related kinase*), os quais, respectivamente, promovem a autofagia e a apoptose (Zheng, 2015).
   e) Silibinina melhora a falência hepática devido à infiltração carcinomatosa extensa em pacientes com câncer de mama (Bosch-Barrera, 2014).
   f) Silibinina inibe a via de sinalização WNT/beta-catenina suprimindo a expressão do co-receptor LRP6 do Wnt na transcrição no câncer de mama humano T-47D (Lu, 2012).
   g) Silibinina induz apoptose de modo tempo e dose-dependentes e regulação para baixo do MicroRNA-21 e MicroRNA-155 em células MCF-7 do câncer de mama humano. Acontece regulação para cima de vias apoptóticas como *CASP-9*, *BID*, *APAF-1*, *CASP-3*, *CASP-8* e *PDCD4*. Também ocorrem regulação para cima das proteínas caspase-9 (*CASP-9*) e *BID* (Zadeh, 2016).
   h) Silibinina provoca apoptose em células MCF-7 (Bayram, 2017).
   i) Silibinina e metformina possuem efeito antiproliferativo sinérgico no câncer de mama T47D via inibição do hTERT e ciclina D1 (Chatran, 2018).
43. **Câncer de mama triplo negativo**
   a) A expressão da fibronectina mRNA e os níveis da proteína estão de modo dose-dependente aumentados pelo EGF. A silibinina suprime a indução de fibronectina em resposta ao EGF por inibir o STAT3 no câncer de mama triplo negativo, MDA-MB468 e BT20. Acontece também diminuição da expressão do MEK1/2 e do PI3K (Kim, 2014).
   b) Silibinina inibe a motilidade das células do câncer de mama triplo negativo suprimindo a expressão do TGF-beta2 e acontece diminuição da fibronectina, MMP-2, MMP-9 e assim supressão das metástases (Kim, 2016).
   c) Aumento da expressão do TGF-beta1 e TGF-beta2 acelera a transição epitélio-mesenquimal no câncer de mama triplo negativo. Silibinina inibe o primeiro e talvez ambos (Kim, 2015).
   d) Silibinina induz morte celular via espécies reativas de oxigênio regulando para baixo a via Notch-1/ERK/Akt em células do câncer de mama triplo negativo MDA-MB-231 (Kim-Woo, 2014).
   e) Combinação da silibinina com a curcumina inibe a expressão da telomerase em células T47D do câncer de mama, de modo tempo e dose-dependentes (Nasiri, 2013).
   f) Silibinina possui efeito anticâncer em modelo murino xenotransplantado com células do carcinoma triplo negativo, MBA-MB-468. Acontece inibição da fosforilação do EGFR, diminuição da expressão do MMP-9, VEGF e COX-2. Houve diminuição do volume tumoral no grupo tratado (Kil, 2014).
   g) Silibinina inibe a via de sinalização WNT/beta-catenina suprimindo a expressão do co-receptor LRP6 do Wnt na transcrição no câncer de mama triplo negativo humano MDA-MB-231 (Lu, 2012).
   h) Silibinina provoca apoptose em células MDA-MB-231 (Bayram, 2017).
44. **Câncer de próstata**
   a) Silibinina provoca parada do ciclo celular em G1 e G2-M por diferentes vias em células PC3 do câncer de pâncreas (Deep, 2011).
   b) Silibinina interfere na sinalização: EGF, IGF, STAT, Wnt/beta-catenina, TGF-alfa, AR, ERK1/2, JNK1/2 e NF-kappaB (Ting, 2013).
   c) Diminui a angiogênese interferindo: VEGF, iNOS, HIF-1 e PECAM-1 (*platelet and endothelial cell adhesion molecule 1*) (Ting, 2013).

d) Diminui a invasão e metástases interferindo: E-caderina, Zeb-1, Slug, Snail, pAkt, nuclear-beta-catenina, pSrc, MMPs, vimentina e fibronectina (Ting, 2013).

e) Aumenta a apoptose via Bcl2, survivina e caspases (Ting, 2013).

f) Diminui a proliferação via parada do ciclo celular em G1 (ciclinas- CDKs-CDKIs), parada do ciclo celular em G2/M (Cdk2, Cdc25C, Cdc2, ciclina-B1, telomerase, topoisomerase II-alfa (Ting, 2013).

g) Silibinina inibe a via de sinalização WNT/beta-catenina suprimindo a expressão do co-receptor LRP6 do Wnt na transcrição no câncer de próstata humano PC-3 e DU-145 (Lu, 2012).

45. **Câncer gástrico**

a) A silibinina tem efeito sinérgico com o paclitaxel no câncer gástrico humano aumentando a apoptose (Zhang, 2018).

b) A silibinina inibe a migração e invasão das células SGC7901 do câncer gástrico humano, através da regulação negativa da expressão de MMP-2 e MMP-9 através da via de sinalização p38MAPK (Lu, 2017).

c) A silibinina promove apoptose das células BGC823 do câncer gástrico via caspases (Li, 2017).

d) A silibinina inibe a proliferação, induz apoptose e causa parada do ciclo celular em células MGC803 do câncer gástrico humano via inibição da via STAT3 (Wang, 2014).

e) A silibinina suprime a expressão da MMP-9 induzida por TNF-alfa em células cancerígenas gástricas através da inibição da via MAPK (Kim, 2009).

46. **Câncer colorretal**

a) Silibinina regula para cima a expressão de inibidores das CDKs e provoca parada do ciclo celular e apoptose em células HT-29 do carcinoma de cólon humano (Agarwal, 2003).

b) Silibinina inibe a proliferação e promove parada do ciclo celular no câncer de cólon humano (Hogan, 2007).

c) Silibinina inibe fortemente o crescimento das células-tronco do câncer de cólon modulando sinais de sobrevivência mediados pelas interleucinas-4/6 (Kumar, 2014).

d) É capaz de inibir significantemente a atividade das DNA metiltransferases em células SW480 e SW620 do adenocarcinoma de cólon. Não interfere na HDAC (Kauntz, 2013).

e) Silibinina e curcumina possuem efeitos sinérgicos na inibição da proliferação do câncer de colon (Montgomery, 2015).

47. **Câncer de fígado**

a) Silibinina inibe HIF-1-alfa e a via de sinalização mTOR/p70S6K/4E-BP1 em células do hepatoma humano (Garcia-Maceira, 2009).

b) A silibinina é eficaz no carcinoma hepatocelular humano, HepG2 e Hep3B. Acontece inibição forte da proliferação com relativa citotoxicidade nas células Hep3B associada com apoptose. Ocorre parada do ciclo celular em G1 ou G1 e G2/M. Silibinina induz Kip1/p27 e diminui ciclina D1, ciclina D3, ciclina E, CDK2 e CDK4. Inibe fortemente a atividade da CDK2, CDK4 e CDC2 nas células tumorais (Varghese, 2005).

c) Silibinina reduz o crescimento tumoral do carcinoma hepatocelular no camundongo xenotransplantado por meio da inibição da proliferação, da progressão do ciclo celular e pelas vias de sinalização PTEN/p-Akt e ERK induzindo apoptose e aumentando a acetilação e a expressão da SOD-1 (Cui, 2009).

d) Silibinina possui múltiplos alvos e tem potencial antimetastático em células HepG-2 (*hepatitis B virus (HBV)-negative and P53 intact*) e PLC/PRF/5 (*HBV-positive and P53 mutated*) do hepatoma humano. Ocorre supressão da transcrição do ANGPT2, ATP6L, CAP2, CCR6, CCR7, CLDN-10, cortactina, CXCR4, GLI2, HK2, ID1, KIAA0101, mortalina, PAK1, RHOA, SPINK1 e STMN1, assim como da atividade enzimática do MMP-2. Também acontece aumento da transcrição de CREB3L3, DDX3X e PROX1 em ambas as linhagens (Ghasemi, 2013).

e) Silibinina é mediadora da inibição da via de sinalização Notch e diminui a proliferação e aumenta a apoptose em células do carcinoma hepatocelular humano, HepG2 *in vitro* e *in vivo*. Acontece de modo dose e tempo-dependentes diminuição da viabilidade das células neoplásicas. Em adição, ocorre forte redução da adesividade, da migração, dos níveis de GSH e da capacidade antioxidante total das células tumorais com aumento da apoptose, da atividade da caspase-3 e das espécies reativas de oxigênio. A expressão do Notch1 diminui, o Bax é regulado para cima e o Bcl-2, survivina e ciclina D1 regulados para baixo (Zhang, 2013).

f) Silibinina inibe a proliferação e o potencial invasivo de células HepG-2 por meio da inibição da cascata ERK1/2 de dois modos: diretamente pela supressão da fosforilação do ERK1/2 e indiretamente pela regulação para cima do RKIP (*Raf kinase inhibitor protein*), Spred-1 (*sprouty-related protein 1 with EVH-1 domain*) e Spred-2 (*sprouty-related protein with EVH-1 domain 2*) (Momeny, 2008).

g) Silibinina e sorafenibe são sinérgicos em células-tronco e células tumorais do carcinoma hepatocelular aumentando a inibição da fosforilação do STAT3/ERK/AKT. AKT é a RAC-alpha serine/threonine-protein kinase. Inibindo a fosforilação inibe-se a função dos elementos apresentados (Mao, 2018).
h) A silibinina provoca autofagia das células HepG2 do hepatocarcinoma humano via ativação do eixo de sinalização AMPK a qual inibe mTOR (Li, 2019).

48. **Câncer de pâncreas**
a) Silibinina reprograma o metabolismo e atenua o crescimento tumoral e a caquexia no adenocarcinoma ductal de pâncreas. Acontece inibição da proliferação de modo dose-dependente com redução da atividade glicolítica. A expressão do c-MYC, regulador-chave do metabolismo neoplásico, diminui significantemente. O STAT3 ativo diminui. *In vivo* ocorre diminuição do volume tumoral em modelo murino ortotópico, ao lado de prevenir perda de peso e de musculatura (Shukla, 2015).
b) Silibinina é eficaz no câncer pancreático linhagens BxPC-3 e PANC-1 *in vitro* e *in vivo*. Acontece inibição da proliferação de modo dose e tempo-dependentes. Parada do ciclo celular em G1. O volume tumoral cai 47% no xenotransplante murino do BxPC-3 e 34% do PANC-1 (Nambiar, 2013).
c) Silibinina provoca apoptose e parada do ciclo celular em G1 em células do câncer pancreático, AsPC-1, mas não em células BxPC-3 e PANC-1 (Ge, 2011).
d) Combinação da silibinina com inibidor da histona desacetilase (HDAC) induz parada do ciclo celular e apoptose, tendo como alvo a survivina e ciclinaB1/Cdk1 em células do câncer de pâncreas, PANC1 e Capan2. Essa combinação induz profunda redução da expressão da ciclina A2, ciclinB1/Cdk1 e survivina (Feng, 2015).
e) Silibinina induz parada em G1, apoptose e regulação para cima do JNJ/SAP em células SW1990 do câncer de pâncreas humano (Zhang, 2018).
f) As linhas de células de foram tratadas com silibinina e/ou inibidor JNK/SAPK SP600125. Silibinina promove apoptose celular no câncer pancreático humano SW1990 via aumento de ROS e ativação da via JNK/SAPK o que induz morte celular por autofagia (Zhang, 2019).

49. **Câncer de ovário**
a) Silibinina aumenta o efeito do paclitaxel no câncer de ovário SKOV-3. Acontece amior efeito antiproliferativo e apoptótico, ao lado de maior regulação para cima do P53 e P21 (Pashaei-Asl, 2018).
b) A silibinina restaura a sensibilidade do paclitaxel às células de carcinoma do ovário humano resistentes a ele (Zhou, 2008).
c) A silibinina diminui o crescimento e as propriedades invasivas das células do carcinoma do ovário humano através da supressão da via da heregulina/HER3 (Momeny, 2016).
d) A silibinina inibe o crescimento do tumor através da regulação negativa da cinase regulada por sinal extracelular (ERK) e Akt *in vitro* e *in vivo* em células cancerígenas do ovário humano. Isso causou aumento na geração de espécies reativas de oxigênio (ERTOS) e induziu a regulação negativa do ERK e Akt. A administração oral de silibinina em animais com células A2780 injetadas no subcutâneo provocou redução do volume tumoral. O tratamento com silibinina induziu diminuição das células positivas para Ki-67, aumento nas células positivas para marcadores finais de dUTP mediados por transferase (TUNEL), ativação de caspase-3 e inibição de p-ERK e p-Akt (Cho, 2013).
e) O complexo Silibinina-fosfatidilcolina possui atividade antitumoral contra o câncer de ovário humano (Gallo, 2003).

50. **Câncer endometrial**

A silibinina induziu significativamente a parada do ciclo celular e promoveu apoptose *in vitro*. Inibiu o carcinoma endometrial através de vias de bloqueio da ativação do STAT3 e acúmulo de lipídios mediados por SREBP1. A silibinina inibiu notavelmente a expressão da fosforilação de STAT3 e regulou a expressão de genes a jusante envolvidos no ciclo celular e apoptose nos níveis de proteína e mRNA. Além disso, a silibinina diminuiu a expressão do SREBP1 intranuclear, que é um regulador chave do metabolismo lipídico no núcleo, e reduziu o acúmulo de lipídios na CE (Shi, 2018).

51. **Câncer cervical uterino**
a) Silibinina inibe HIF-1-alfa e a via de sinalização mTOR/p70S6K/4E-BP1 em células do câncer cervical humano (Garcia-Maceira, 2009).
b) A depleção de GSH mediada por P53 aumenta a citotoxicidade do NO nas células HeLa do carcinoma cervical humano tratadas com silibinina (Fan, 2012).
c) Os mecanismos celulares e moleculares da silibinina induzem a parada do ciclo celular e apoptose nas células HeLa. Ocorre, parada de G2 e diminuição das cinases dependentes de ciclina envolvidas na progressão de G1 e G2. Além disso, a silibinina provocou morte apoptótica dependente da dose e do tempo nas células HeLa, tanto via mitocondrial

(intrínseca) quanto na via mediada pelo receptor da morte (extrínseca) (Zhang, 2012).

52. **Coriocarcinoma**
Silimarina estimula apoptose ao gerar radicais livres de oxigênio e estresse do retículo endotelial em células do coriocarcinoma da placenta humano, JAR e JEG3. Ocorre apoptose via AKT, AMPK e UPR (*unfolded protein*) (Han, 2018).

53. **Linfoma não Hodgkin**
Silibinina suprime a NPM-ALK (Nucleophosmin-anaplastic lymphoma kinase) e induz apoptose e aumenta a quimio sensibilidade no linfoma anaplástico de grandes células ALK-positivo. A silibinina suprime com eficiência a fosforilação/ativação de NPM-ALK e seus substratos/mediadores a jusante, incluindo STAT3, MEK/ERK e Akt, de uma maneira dependente do tempo e da dose (Molavi, 2016).

54. **Fibrossarcoma/osteossarcoma**
   a) Silibinina ativa p53 e induz morte por autofagia em células HT1080 do fibrossarcoma humano via espécies reativas de oxigênio-p38 e via c-Jun-*terminal kinase* (Duan, 2011).
   b) Silibinina regula para cima o miR-494, para baixo o MMP-9 e altera os níveis da proteína beta-catenina e RUNX2 (Runt-related transcription factor 2) e inibe a proliferação e metástases no osteossarcoma (Sun, 2018).
   c) Silibinina suprime a invasão celular de osteossarcoma humano MG-63 inibindo a indução de MMP-2 dependente de ERK/c-Jun/AP-1 (Hsieh, 2007).
   d) A silibinina ativou o feedback positivo de ROS-p-38-NF-κB e induziu a morte autofágica em células HT1080 de fibrossarcoma humano (Duan, 2011a).
   e) A silibinina com complexo de óxido-vanádio (IV) possui atividade antiproliferativa e indutora de apoptose contra células de osteossarcoma (Leon, 2014).
   f) A silibinina com epigalocatequina-galato possui atividade antiproliferativa nas células de sarcoma de tecidos moles: fibrossarcoma (HT1080), lipossarcoma (SW872, T778 e MLS 402), sarcoma sinovial (SW982, SYO1 e 1273) e sarcoma pleiomórfico (U2197). O EGCG diminuiu a proliferação e a viabilidade de todas as linhas celulares, exceto a linha celular 1273 de sarcoma sinovial. A silibinina exibiu efeitos antiproliferativos em todas as linhas celulares de sarcoma sinovial, lipossarcoma e fibrossarcoma. As linhas celulares de lipossarcoma responderam particularmente bem ao EGCG, enquanto as linhas celulares de sarcoma sinovial foram mais sensíveis à silibinina (Harati, 2017).

55. **Melanoma**
   a) Induz parada do ciclo celular em G1 e inibe o crescimento de células do melanoma tendo como alvo o MEK1/2-ERK1/2-RSK2, o que reduz o NF-kappaB, AP-1 (activator protein-1) e o STAT3.
   b) Silibinina no melanoma A375-S2 interrompe a atividade do complexo IV mitocondrial e a expressão do citocromo c via IGF1R-PI3K-Akt e IGF1R-PLCgama-PKC (Jiang, 2011).
   c) Mecanismo de indução de autofagia e papel da autofagia no antagonismo da apoptose celular induzida por mitomicina C em células A375-S2 de melanoma humano tratado com silibinina (Jiang, 2011a).

56. **Mieloma múltiplo**
A silibina suprime a proliferação celular e induz apoptose de células U266 de mieloma múltiplo através da via de sinalização PI3K/Akt/mTOR (Feng, 2016).

57. **Rins**
   a) Silibinina inibe o crescimento e induz apoptose por ativação das caspases e por regular para baixo a survivina e bloquear a ativação do EGFR-ERK no carcinoma renal (Li, 2008).
   b) Silibinina induz apoptose em células do carcinoma renal por inibir a via mTOR-GLI1-BCL2. GLI1 (*GLI family zinc finger 1*) faz parte da via Hedgehog (Ma, 2015).
   c) A silibinina induz autofagia e contribui positivamente para sua capacidade antimetastática via AMPK/mTOR no carcinoma de células renais (Li, 2015).
   d) A silibinina inibe a progressão do carcinoma de células renais induzida por sinal EGFR através da supressão da via de sinalização EGFR/MMP-9 (Liang, 2012).
   e) A silibinina inibe a invasão e migração das células 786-O do carcinoma renal *in vitro*, inibe o crescimento de xenoenxertos *in vivo* e aumenta a quimio-sensibilidade ao 5-fluorouracil e paclitaxel (Chang, 2011).
   f) No carcinoma renal a silibinina inibe EMT (epithelial-mesenchymal transition) e induz apoptose e diminuição das metástases ao provocar autofagia via sinalização Wnt/beta-catenina (Fan, 2020).

58. **Câncer de bexiga**
   a) Silibinina ativa p53 e caspase-2 e induz apoptose no papiloma transicional de bexiga (Tyagi, 2006).
   b) Silibinina provoca parada do ciclo celular e apoptose em células do carcinoma transicional

de bexiga regulando a cascata das ciclinas CD-KI-CDK e caspase-3 com clivagem do PARP (Tyagy, 2004).

c) A silibinina suprime a malignidade e a quimiorresistência das células cancerígenas da bexiga de maneira dependente e independente do sinal de NF-kappaB (Sun, 2017).

d) Silibinin suprime o câncer de bexiga através da regulação negativa do citoesqueleto de actina e das vias de sinalização PI3K/Akt (Imai-Sumida, 2017).

Conclusão

Silybum marianum, uma magnífica obra da Natureza, na beleza das flores e em todos os seus predicados.

Referências

1. Abstracts and papers in full on site: www.medicinabiomolecular.com.br
2. Agarwal C, Singh RP, Dhanalakshmi S, et al. Silibinin upregulates the expression of cyclin-dependent kinase inhibitors and causes cell cycle arrest and apoptosis in human colon carcinoma HT-29 cells. Oncogene. 22:8271-82;2003.
3. Bai ZL, Tay V, Guo SZ, Ren J, Shu MG. Silibinin Induced Human Glioblastoma Cell Apoptosis Concomitant with Autophagy through Simultaneous Inhibition of mTOR and YAP. Biomed Res Int. Mar 26;2018:6165192;2018.
4. Bang CI, Paik SY, Sun DI, et al. Cell growth inhibition and down--regulation of survivin by silibinin in a laryngeal squamous cell carcinoma cell line. Ann Otol Rhinol Laryngol. Oct;117(10):781-5;2008.
5. Bayram D, Cetin ES, Kara M, et al. The apoptotic effects of silibinin on MDA-MB-231 and MCF-7 human breast carcinoma cells. Hum Exp Toxicol. 36(6):573-86;2017.
6. Bosch-Barrera J, Corominas-Faja B, Cuyàs E, et al. Silibinin administration improves hepatic failure due to extensive liver infiltration in a breast cancer patient. Anticancer Res. 34(8):4323-7;2014.
7. Bittencourt MLF, Rodrigues RP, Kitagawa RR, Gonçalves RCR. The gastroprotective potential of silibinin against Helicobacter pylori infection and gastric tumor cells. Life Sci. Sep 1;256:117977, 2020.
8. Bosch-Barrera J, Menendez JA. Silibinin and STAT3: a natural way of targeting transcription factors for cancer therapy. Cancer Treat Rev. 41(6):540-6;2015.
9. Castellaneta A, Antonio Massaro, Maria Rendina, et al. Immunomodulating effects of the anti-viral agent Silibinin in liver transplant patients with HCV recurrence. Transplant Res. Jan 20;5:1, 2016.
10. Catanzaro D, Gabbia D, Cocetta V, et al. Silybin counteracts doxorubicin resistance by inhibiting GLUT1 expression. Fitoterapia. Jan;124:42-48;2018.
11. Chang YC, Jan CI, Peng CY, et al. Activation of microRNA-494-targeting Bmi1 and ADAM10 by silibinin ablates cancer stemness and predicts favourable prognostic value in head and neck squamous cell carcinomas. Oncotarget. Sep 15;6(27):24002-16;2015.
12. Chang HR, Chen PN, Yang SF, et al. Silibinin inhibits the invasion and migration of renal carcinoma 786-O cells in vitro, inhibits the growth of xenografts in vivo and enhances chemosensitivity to 5-fluorouracil and paclitaxel.Mol Carcinog. Oct;50(10):811-23; 2011.
13. Chakrabarti M, Ray SK. Anti-tumor activities of luteolin and silibinin in glioblastoma cells: overexpression of miR-7-1-3p augmented luteolin and silibinin to inhibit autophagy and induce apoptosis in glioblastoma in vivo. Apoptosis. 21(3):312-28;2016.
14. Chatran M, Pilehvar-Soltanahmadi Y, Dadashpour M, et al. Synergistic Anti-proliferative Effects of Metformin and Silibinin Combination on T47D Breast Cancer Cells via hTERT and Cyclin D1 Inhibition. Drug Res (Stuttg). Jun 19;2018.
15. Chen PN, Hsieh YS, Chiang CL, et al. Silibinin inhibits invasion of oral cancer cells by suppressing the MAPK pathway. J Dent Res. Mar;85(3):220-5;2006.
16. Cho HJ, Suh DS, Moon SH, et al. Silibinin inhibits tumor growth thr ough downregulation of extracellular signal-regulated kinase and Akt in vitro and in vivo in human ovarian cancer cells. J Agric Food Chem. May 1;61(17):4089-96;2013.
17. Cho K, Lee HG, Piao JY, et al. Protective Effects of Silibinin on Helicobacter pylori-induced Gastritis: NF-kappaB and STAT3 as Potential Targets. J Cancer Prev. Jun 30;26(2):118-127, 2021.
18. Choi ES, Oh S, Jang B, et al. Silymarin and its active component silibinin act as novel therapeutic alternatives for salivary gland cancer by targeting the ERK1/2-Bim signaling cascade. Cell Oncol (Dordr). Jun;40(3):235-246;2017.
19. Cui W, Gu F, Hu KQ. Effects and mechanisms of silibinin on human hepatocellular carcinoma xenografts in nude mice. World J Gastroenterol. 15(16):1943-50;2009.
20. Deep G, Agarwal R. Antimetastatic efficacy of Silibinin: molecular mechanisms and therapeutic potential against cancer. Cancer Metast Rev. 29:447-63;2010.
21. Deep G, Singh RP, Agarwal C, et al. Silymarin and silibinin cause G1 and G2-M cell cycle arrest via distinct circuitries in human prostate cancer PC3 cells: a comparison of flavanone silibinin with flavanolignan mixture silymarin. Int J Mol Sci. 12:4871;2011.
22. Duan WJ, Li QS, Xia MY, et al. Silibinin activated p53 and induced autophagic death in human fibrosarcoma HT1080 cells via reactive oxygen species-p38 and c-Jun N-terminal kinase pathways. Biol Pharm Bull. 34:47-53;2011.
23. Duan WJ, Li QS, Xia MY, et al. Silibinin activated ROS-p38-NF-κB positive feedback and induced autophagic death in human fibrosarcoma HT1080 cells. J Asian Nat Prod Res. Jan;13(1):27-35;2011a.
24. Elhag R, Mazzio EA, Soliman KF. The effect of silibinin in enhancing toxicity of temozolomide and etoposide in p53 and PTEN-mutated resistant glioma cell lines. Anticancer Res. 35(3):1263-9;2015.
25. Fan S, Yu Y, Qi M, et al. P53-mediated GSH depletion enhanced the cytotoxicity of NO in silibinin-treated human cervical carcinoma HeLa cells. Free Radic Res. Sep;46(9):1082-92; 2012.
26. Fan Y, Hou T, Dan W, et al. Silibinin inhibits epithelial-mesenchymal transition of renal cell carcinoma through autophagy-dependent Wnt/beta-catenin signaling. Int J Mol Med. May;45(5):1341-1350, 2020.
27. Feng W, Cai D, Zhang B, et al. Combination of HDAC inhibitor TSA and silibinin induces cell cycle arrest and apoptosis by targeting survivin and cyclinB1/Cdk1 in pancreatic cancer cells. Biomed Pharmacother. 74:257-64;2015.
28. Feng N, Luo J, Guo X. Silybin suppresses cell proliferation and induces apoptosis of multiple myeloma cells via the PI3K/Akt/mTOR signaling pathway. Mol Med Rep. Apr;13(4):3243-8;2016.
29. Flora K, Hahn M, Rosen H, Benner K. Milk thistle (Silybum marianum) for the therapy of liver disease. Am J Gastroenterol. 93:139-43;1998.

30. Gallo D, Giacomelli S, Ferlini C, et al. Antitumour activity of the silybin-phosphatidylcholine complex, IdB 1016, against human ovarian cancer. Eur J Cancer. Nov;39(16):2403-10;2003.
31. Garcia-Maceira P, Mateo J. Silibinin inhibits hypoxia inducible factor-1alpha and mTOR/p70S6K/4E-BP1 signalling pathway in human cervical and hepatoma cancer cells: implications for anticancer therapy. Oncogene. 28:313-24;2009.
32. Ge Y, Zhang Y, Chen Y, et al. Silibinin causes apoptosis and cell cycle arrest in some human pancreatic cancer cells. Int J Mol Sci. 12(8): 4861-71;2011.
33. Ghasemi R, Ghaffari SH, Momeny M, et al. Multitargeting and antimetastatic potentials of silibinin in human HepG-2 and PLC/PRF/5 hepatoma cells. Nutr Cancer. 65(4):590-9;2013.
34. Guedj J, Dahari H, Pohl RT, et al. Understanding silibinin's modes of action against HCV using viral kinetic modeling. J Hepatol. May;56(5):1019-24;2012.
35. Hahn VG, Lehmann HD, Kürten M, et al. Pharmacology and toxicology of silymarin antihepatotoxic agent of Silybum marianum (L) gaertn. Arzneim Forsch Drug Res. 18:698-704;1968.
36. Ham J, Lim W, Bazer FW, Song G. Silibinin stimluates apoptosis by inducing generation of ROS and ER stress in human choriocarcinoma cells. J Cell Physiol. 233(2):1638-49;2018.
37. Ham J, Lim W, Bazer FW, Song G. Silibinin stimluates apoptosis by inducing generation of ROS and ER stress in human choriocarcinoma cells. J Cell Physiol. Feb;233(2):1638-1649;2018.
38. Harati K, Behr B, Wallner C, et al. Anti proliferative activity of epigallocatechin 3 gallate and silibinin on soft tissue sarcoma cells. Mol Med Rep. Jan;15(1):103-110;2017.
39. Hogan FS, Krishnegowda NK, Mikhailova M, Kahlenberg MS. Flavonoid, silibinin, inhibits proliferation and promotes cell-cycle arrest of human colon cancer. J Surg Res. 143:58-65;2007.
40. Hou X, Du H, Quan X, et al. Silibinin Inhibits NSCLC Metastasis by Targeting the EGFR/LOX Pathway. Front Pharmacol. Feb 8;9:21; 2018.
41. Imai-Sumida M, Chiyomaru T, Majid S, et al. Silibinin suppresses bladder cancer through down-regulation of actin cytoskeleton and PI3K/Akt signaling pathways. Oncotarget. Sep 8;8(54):92032-92042; 2017.
42. Hsieh YS, Chu SC, Yang SF, et al. Silibinin suppresses human osteosarcoma MG-63 cell invasion by inhibiting the ERK-dependent c-Jun/AP-1 induction of MMP-2. Carcinogenesis. May;28(5):977-87;2007.
43. Jahanafrooz Z, Motamed N, Rinner B, Mokhtarzadeh A. Silibinin to improve cancer therapeutic, as an apoptotic inducer, autophagy modulator, cell cycle inhibitor, and microRNAs regulator. Life Sci. Nov 15;213:236-247, 2018.
44. Jiang YY, Huang H, Wang HJ, et al. Interruption of mitochondrial complex IV activity and cytochrome c expression activated O_2•⊠-mediated cell survival in silibinin-treated human melanoma A375-S2 cells via IGF-1R-PI3K-Akt and IGF-1R-PLC γ-PKC pathways. Eur J Pharmacol. Oct 1;668(1-2):78-87;2011.
45. Jiang YY, Yang R, Wang HJ, et al. Mechanism of autophagy induction and role of autophagy in antagonizing mitomycin C-induced cell apoptosis in silibinin treated human melanoma A375-S2 cells. Eur J Pharmacol. May 20;659(1):7-14;2011a.
46. Jeong JC, Shin WY, Kim TH, et al. Silibinin induces apoptosis via calpain-dependent AIF nuclear translocation in U87MG human glioma cell death. J Exp Clin Cancer Res. 30:44;2011.
47. Jiang K, Wang W, Jin X, et al. Silibinin, a natural flavonoid, induces autophagy via ROS-dependent mitochondrial dysfunction and loss of ATP involving BNIP3 in human MCF7 breast cancer cells. Oncol Rep. 33(6):2711-8;2015.
48. Kauntz H, Bousserouel S, Gossé F, Raul F. Epigenetic effects of the natural flavonolignan silibinin on colon adenocarcinoma cells and their derived metastatic cells. Oncol Lett. 5(4):1273-7;2013.
49. Kil WH, Kim SM, Lee JE, et al. Anticancer effect of silibinin on the xenograft model using MDA-MB-468 breast cancer cells. Ann Surg Treat Res. 87(4):167-73;2014.
50. Kim KW, Choi CH, Kim TH, et al. Silibinin inhibits glioma cell proliferation via Ca2+/ROS/MAPK-dependent mechanism in vitro and glioma tumor growth in vivo. Neurochem Res. 34(8):1479-90; 2009.
51. Kim HO, Choi HK, Ha ES, et al. Silibinin induces apoptosis by downregulating survivin through inhibition of hypoxia-inducible factor-1 alpha in non-small cell lung cancer cells. J Thorac Oncol. 5:S248;2010.
52. Kim S, Han J, Jeon M, et al. Silibinin inhibits triple negative breast cancer cell motility by suppressing TGF-β2 expression. Tumour Biol. 37(8):11397-407;2016.
53. Kim S, Jeon M, Lee J, et al. Induction of fibronectin in response to epidermal growth factor is suppressed by silibinin through the inhibition of STAT3 in triple negative breast cancer cells. Oncol Rep. 32(5):2230-6;2014.
54. Kim S, Lee J, Jeon M, et al. Elevated TGF-β1 and -β2 expression accelerates the epithelial to mesenchymal transition in triple-negative breast cancer cells. Cytokine. 75(1):151-8;2015.
55. Kim BR, Seo HS, Ku JM, et al. Silibinin inhibits the production of pro-inflammatory cytokines through inhibition of NF-kappaB signaling pathway in HMC-1 human mast cells. Inflamm Res. 62(11):941-50;2013.
56. Kim TH, Woo JS, Kim YK, Kim KH. Silibinin induces cell death through reactive oxygen species-dependent downregulation of notch-1/ERK/Akt signaling in human breast cancer cells. J Pharmacol Exp Ther. 349(2):268-78;2014.
57. Kim S, Choi MG, Lee HS, et al. Silibinin suppresses TNF-alpha-induced MMP-9 expression in gastric cancer cells through inhibition of the MAPK pathway. Molecules. Oct 26;14(11):4300-11;2009.
58. Kumar S, Raina K, Agarwal C, Agarwal R. Silibinin strongly inhibits the growth kinetics of colon cancer stem cell-enriched spheroids by modulating interleukin 4/6-mediated survival signals. Oncotarget. 5(13):4972-89;2014.
59. Lani R, Hassandarvish P, Chiam CW, et al. Antiviral activity of silymarin against chikungunya virus. Sci Rep. Jun 16;5:11421;2015.
60. Leon IE, Porro V, Di Virgilio AL, et al. Antiproliferative and apoptosis-inducing activity of an oxidovanadium(IV) complex with the flavonoid silibinin against osteosarcoma cells. J Biol Inorg Chem. Jan;19(1):59-74;2014.
61. Li L, Gao Y, Zhang L, et al. Silibinin inhibits cell growth and induces apoptosis by caspase activation, down-regulating survivin and blocking EGFR-ERK activation in renal cell carcinoma. Cancer Lett. 272:61-9;2008.
62. Li J, Li B, Xu WW, et al. Role of AMPK signaling in mediating the anticancer effects of silibinin in esophageal squamous cell carcinoma. Expert Opin Ther Targets. 20(1):7-18;2016.
63. Li R, Yu J, Wang C. Silibinin promotes the apoptosis of gastric cancer BGC823 cells through caspase pathway. J BUON. Sep-Oct;22(5):1148-1153;2017.
64. Li F, Ma Z, Guan Z, Chen Y, Wu K, Guo P, Wang X, He D, Zeng J. Autophagy induction by silibinin positively contributes to its anti-metastatic capacity via AMPK/mTOR pathway in renal cell carcinoma. Int J Mol Sci. Apr 15;16(4):8415-29;2015.
65. Li Y, Ren L, Song G, et al. Silibinin Ameliorates Fructose-induced Lipid Accumulation and Activates Autophagy in HepG2 Cells. Endocr Metab Immune Disord Drug Targets. 19(5):632-642, 2019.

66. Liang L, Li L, Zeng J, et al. Inhibitory effect of silibinin on EGFR signal-induced renal cell carcinoma progression via suppression of the EGFR/MMP-9 signaling pathway. Oncol Rep. Sep;28(3):999-1005;2012.
67. Lu W, Lin C, King TD, et al. Silibinin inhibits Wnt/β-catenin signaling by suppressing Wnt co-receptor LRP6 expression in human prostate and breast cancer cells. Cell Signal. 24(12):2291-6;2012.
68. Lu S, Zhang Z, Chen M, et al. Silibinin inhibits the migration and invasion of human gastric cancer SGC7901 cells by downregulating MMP-2 and MMP-9 expression via the p38MAPK signaling pathway. Oncol Lett. Dec;14(6):7577-7582;2017.
69. Ma Z, Liu W, Zeng J, et al. Silibinin induces apoptosis through inhibition of the mTOR-GLI1-BCL2 pathway in renal cell carcinoma. Oncol Rep. 34(5):2461-8;2015.
70. Mao J, Yang H, Cui T, et al. Combined treatment with sorafenib and silibinin synergistically targets both HCC cells and cancer stem cells by enhanced inhibition of the phosphorylation of STAT3/ERK/AKT. Eur J Pharmacol. Aug 5;832:39-49;2018.
71. Mateen S, Raina K, Agarwal R. Chemopreventive and anti-cancer efficacy of silibinin against growth and progression of lung cancer. Nutr Cancer. 265 Suppl 1:3-11;2013.
72. Mateen S, Tyagi A, Agarwal C, et al. Silibinin inhibits human nonsmall cell lung cancer cell growth through cell-cycle arrest by modulating expression and function of key cell-cycle regulators. Mol Carcinog. 49:247-58;2010.
73. Molavi O, Samadi N, Wu C,et al. Silibinin suppresses NPM-ALK, potently induces apoptosis and enhances chemosensitivity in ALK-positive anaplastic large cell lymphoma. Leuk Lymphoma. May;57(5):1154-62, 2016.
74. Momeny M, Khorramizadeh MR, Ghaffari SH, et al. Effects of silibinin on cell growth and invasive properties of a human hepatocellular carcinoma cell line, HepG-2, through inhibition of extracellular signal-regulated kinase 1/2 phosphorylation. Eur J Pharmacol. 591(1-3):13-20;2008.
75. Momeny M, Malehmir M, Zakidizaji M, et al. Silibinin inhibits invasive properties of human glioblastoma U87MG cells through suppression of cathepsin B and nuclear factor kappa B-mediated induction of matrix metalloproteinase 9. Anticancer Drugs. 21(3): 252-60;2010.
76. Momeny M, Ghasemi R, Valenti G, et al. Effects of silibinin on growth and invasive properties of human ovarian carcinoma cells through suppression of heregulin/HER3 pathway. Tumour Biol. Mar;37(3):3913-23;2016.
77. Montgomery A, Daniel N, Ezekiel U. Effect of curcumin and silymarin in combination exerts synergistic inhibition of colon cancer cell proliferation. FASEB J. 29:721–2. 2015.
78. Nambiar D, Prajapati V, Agarwal R, Singh RP. In vitro and in vivo anticancer efficacy of silibinin against human pancreatic cancer BxPC-3 and PANC-1 cells. Cancer Lett. 334(1):109-17;2013.
79. Nasiri M, Zarghami N, Koshki KN, et al. Curcumin and silibinin inhibit telomerase expression in T47D human breast cancer cells. Asian Pac J Cancer Prev. 14(6):3449-53;2013.
80. Qi L, Singh RP, Lu Y, et al. Epidermal growth factor receptor mediates silibinin-induced cytotoxicity in a rat glioma cell line. Cancer Biol Ther. 2(5):526-31;2003.
81. Ramasamy K, Agarwal R. Multitargeted therapy of cancer by silymarin. Cancer Lett. 269:352-62;2008.
82. Rodríguez-Flores EM, Mata-Espinosa D, Barrios-Payan J, et al. A significant therapeutic effect of silymarin administered alone, or in combination with chemotherapy, in experimental pulmonary tuberculosis caused by drug-sensitive or drug-resistant strains: In vitro and in vivo studies. PLoS One. 2019 May 30;14(5): e0217457.
83. Sadava D, Kane SE. Silibinin reverses drug resistance in human small-cell lung carcinoma cells. Cancer Lett. 339(1):102-6;2013.
84. Sharma G, Singh RP, Chan DC, Agarwal R. Silibinin induces growth inhibition and apoptotic cell death in human lung carcinoma cells. Anticancer Res. 23(3B):2649-55;2003.
85. Singh PK, Brand RE, Mehla K. MicroRNAs in pancreatic cancer metabolism. Nature reviews Gastroenterology & hepatology. 9:334–344. 2012.
86. Shi Z, Zhou Q, Gao S, et al. Silibinin inhibits endometrial carcinoma via blocking pathways of STAT3 activation and SREBP1-mediated lipid accumulation. Life Sci. Nov 16. pii: S0024-3205(18) 30750-1;2018.
87. Shukla SK, Dasgupta A, Mehla K, et al. Silibinin-mediated metabolic reprogramming attenuates pancreatic cancer-induced cachexia and tumor growth. Oncotarget. 6(38):41146-61;2015.
88. Son YG, Kim EH, Kim JY, et al. Silibinin sensitizes human glioma cells to TRAIL-mediated apoptosis via DR5 up-regulation and down-regulation of c-FLIP and survivin. Cancer Res. 67(17):8274-84;2007.
89. Sun Y, Guan Z, Zhao W, et al. Silibinin suppresses bladder cancer cell malignancy and chemoresistance in an NF-κB signal-dependent and signal-independent manner. Int J Oncol. Oct;51(4):1219-1226;2017.
90. Sun T, Cheung KSC, Liu ZL, et al. Matrix metallopeptidase 9 targeted by hsa-miR-494 promotes silybin-inhibited osteosarcoma. Mol Carcinog. Feb;57(2):262-271;2018.
91. Ting H, Deep G, Agarwal R. Molecular mechanisms of silibinin-mediated cancer chemoprevention with major emphasis on prostate cancer. AAPS J. 15(3):707-16;2013.
92. Tyagi A, Agarwal C, Harrison G, et al. Silibinin causes cell cycle arrest and apoptosis in human bladder transitional cell carcinoma cells by regulating CDKI-CDK-cyclin cascade, and caspase 3 and PARP cleavages. Carcinogenesis. 25:1711-20;2004.
93. Tyagi A, Singh RP, Agarwal C, Agarwal R. Silibinin activates p53-caspase 2 pathway and causes caspase-mediated cleavage of Cip1/p21 in apoptosis induction in bladder transitional-cell papilloma RT4 cells: evidence for a regulatory loop between p53 and caspase 2. Carcinogenesis. 27:2269-80;2006.
94. Varghese L, Agarwal C, Tyagi A, et al. Silibinin efficacy against human hepatocellular carcinoma. Clin Cancer Res. 11(23):8441-8;2005.
95. Verdura S, Cuyàs E, Llorach-Parés L, et al. Silibinin is a direct inhibitor of STAT3. Food Chem Toxicol. Jun;116(Pt B):161-172;2018.
96. Vogel G, Trost W, Braatz R, et al. Pharmacodynamics, site and mechanism of action of silymarin, the antihepatoxic principle from Silybum mar. (L) Gaertn. 1. Acute toxicology or tolerance, general and specific (liver-) pharmacology. Arzneim Forsch Drug Res. 25:82-9;1975.
97. Waheed Roomi M, Kalinovsky T, Roomi NW, et al. Inhibition of the SK-N-MC human neuroblastoma cell line in vivo and in vitro by a novel nutrient mixture. Oncol Rep. 29(5):1714-20;2013.
98. Wang YX, Cai H, Jiang G, et al. Silibinin inhibits proliferation, induces apoptosis and causes cell cycle arrest in human gastric cancer MGC803 cells via STAT3 pathway inhibition. Asian Pac J Cancer Prev. 15(16):6791-8;2014.
99. Wang C, He C, Lu S, et al. Autophagy activated by silibinin contributes to glioma cell death via induction of oxidative stress-mediated BNIP3-dependent nuclear translocation of AIF. Cell Death Dis. Aug 14;11(8):630, 2020.

100. Yang X, Li X, An L, et al. Silibinin induced the apoptosis of Hep-2 cells via oxidative stress and down-regulating survivin expression. Eur Arch Otorhinolaryngol. Aug;270(8):2289-97;2013.
101. Yousef M, Ghaffari SH, Soltani BM, et al. Therapeutic efficacy of silibinin on human neuroblastoma cells: Akt and NF-κB expressions may play an important role in silibinin-induced response. Neurochem Res. 37(9):2053-63;2012.
102. Yuan ZW, Li YZ, Liu ZQ, et al. Role of tangeretin as a potential bioavailability enhancer for silybin: Pharmacokinetic and pharmacological studies. Pharmacol Res. Feb;128:153-166;2018.
103. Zadeh MM, Motamed N, Ranji N, et al. Silibinin-Induced Apoptosis and downregulation of MicroRNA-21 and MicroRNA-155 in MCF-7 human breast cancer cells. J Breast Cancer. 19(1):45-52;2016.
104. Zhang Y, Ge Y, Chen Y, et al. Cellular and molecular mechanisms of silibinin induces cell-cycle arrest and apoptosis on HeLa cells. Cell Biochem Funct. Apr;30(3):243-8;2012.
105. Zhang Y, Li Q, Ge Y, et al. Silibinin triggers apoptosis and cell-cycle arrest of human gastric carcinoma cell, SGC7901. Phytother Res. Mar;27(3):397-403;2013.
106. Zhang S, Yang Y, Liang Z, et al. Silybin-mediated inhibition of Notch signaling exerts antitumor activity in human hepatocellular carcinoma cells. PLoS One. 8(12):e83699;2013.
107. Zhang M, Liu Y, Gao Y, Li S. Silibinin-induced glioma cell apoptosis by PI3K-mediated but Akt-independent downregulation of FoxM1 expression. Eur J Pharmacol. 765:346-54;2015.
108. Zhang X, Liu J, Zhang P, et al. Silibinin induces G1 arrest, apoptosis and JNK/SAPK upregulation in SW1990 human pancreatic cancer cells. Oncol Lett. Jun;15(6):9868-9876;2018.
109. Zhang Y, Ge Y, Ping X, et al. Synergistic apoptotic effects of silibinin in enhancing paclitaxel toxicity in human gastric cancer cell lines. Mol Med Rep. Aug;18(2):1835-1841;2018.
110. Zhang M, Liu Y, Gao Y, Li S. Silibinin-induced glioma cell apoptosis by PI3K-mediated but Akt-independent downregulation of FoxM1 expression. Eur J Pharmacol. Oct 15;765:346-54; 2015.
111. Zhang X, Jiang J, Chen Z, Cao M. Silibinin inhibited autophagy and mitochondrial apoptosis in pancreatic carcinoma by activating JNK/SAPK signaling. Pathol Res Pract. Sep;215(9):152530, 2019.
112. Zheng N, Liu L, Liu WW, et al. Crosstalk of ROS/RNS and autophagy in silibinin-induced apoptosis of MCF-7 human breast cancer cells in vitro. Acta Pharmacol Sin. 38(2):277-89;2017.
113. Zheng N, Zhang P, Huang H, et al. ERα down-regulation plays a key role in silibinin-induced autophagy and apoptosis in human breast cancer MCF-7 cells. J Pharmacol Sci. 128(3):97-107;2015.
114. Zhou L, Liu P, Chen B, et al. Silibinin restores paclitaxel sensitivity to paclitaxel-resistant human ovarian carcinoma cells. Anticancer Res. Mar-Apr;28(2A):1119-27;2008.

CAPÍTULO 122

Sistema renina-angiotensina-aldosterona. A importante função dos bloqueadores da Angiotensina II nas neoplasias

ARBs (bloqueadores do receptor AT1 da angiotensina II) promovem apoptose, diminuição da proliferação, da angiogênese, das metástases e da fibrose/desmoplasia, ao lado de ativar vias de imunoestimulação e promover a tão almejada diferenciação celular

Jose de Felippe Junior

Deixar de aprender é omitir socorro. **JFJ**

Eu omiti socorro por vários anos ao não valorizar o papel do SRAA no câncer. **JFJ**

O Sistema Renina-Angiotensina-Aldosterona (SRAA) é um sistema complexo e ainda muito temos que aprender sobre ele e seus medicamentos efetores. São importantes no tratamento das neoplasias, entretanto, podem provocar hipotensão, muitas vezes já presente no paciente oncológico.

O SRAA afeta todas as características do câncer e o seu bloqueio melhora os resultados do tratamento em vários tipos de câncer. Também há evidências de que a inibição do SRAA pode ser capaz de aliviar ou mesmo prevenir certos tipos de efeitos adversos relacionados à quimioterapia e radioterapia. Inibidores do SRAA podem mitigar eventos adversos relacionados ao tratamento do câncer, com ênfase especial na cardiotoxicidade induzida por quimioterapia, lesão por radiação e hipertensão arterial (Pinter, 2018).

Lembrar que a aldosterona aumenta a absorção do sódio e diminui a de potássio, podendo provocar despolarização da membrana celular, a qual, se atingir níveis menores do que −15mv, desencadeia mitose por mecanismo ancião adquirido no oceano no tempo das células primitivas. A espironolactona é um forte inibidor da aldosterona, ela inibe a absorção do sódio e aumenta a de potássio e assim polariza a membrana celular. Entretanto, cuidado porque pode provocar hiperpotassemia e hiponatremia.

O SRAA está expresso em muitos tecidos e atua diretamente nas células e o SRAA local celular funciona de forma sinérgica e independente do SRAA sistêmico.

Este sistema desempenha papel crucial na biologia do câncer afetando o crescimento e a disseminação do tumor direta e indiretamente, remodelando o microambiente tumoral. A sinalização deste sistema nas células pode facilitar ou impedir o crescimento e a disseminação tumoral porque afeta a proliferação celular, migração, invasão, metástase, apoptose, angiogênese, inflamação associada ao câncer, imunomodulação e fibrose/desmoplasia tumoral (Ager, 2008; George, 2010; Pinter, 2017).

O importante é que ao utilizar inibidores do SRAA temos a probabilidade de promover apoptose, diminuição da proliferação e a tão almejada diferenciação celular, ao lado de ativar vias de imunoestimulação, as quais vão aumentar a eficácia do tratamento imunológico do câncer (Domińska, 2008; George, 2010; Shen, 2011; Cortez-Retamozo, 2013; Pinter, 2017).

A angiotensina II (AngII) é o principal efetor desse sistema e ela mantém a homeostase tecidual por exercer efeitos reguladores e contra-reguladores por meio de seus diferentes receptores agindo no ambiente tanto local como sistêmico. A figura 122.1 mostra as principais ações da angiotensina II, a qual promove estresse oxidativo, inflamação, disfunção endotelial e remodelação tissular (fibrose/desmoplasia). Cumpre a nós médicos bloquear os efeitos da AngII o que se consegue melhor com os **ARBs** (bloqueadores do receptor AT1 da angiotensina II) do que com os **ACEIs** (inibidores da enzima de conversão da AngI em AngII).

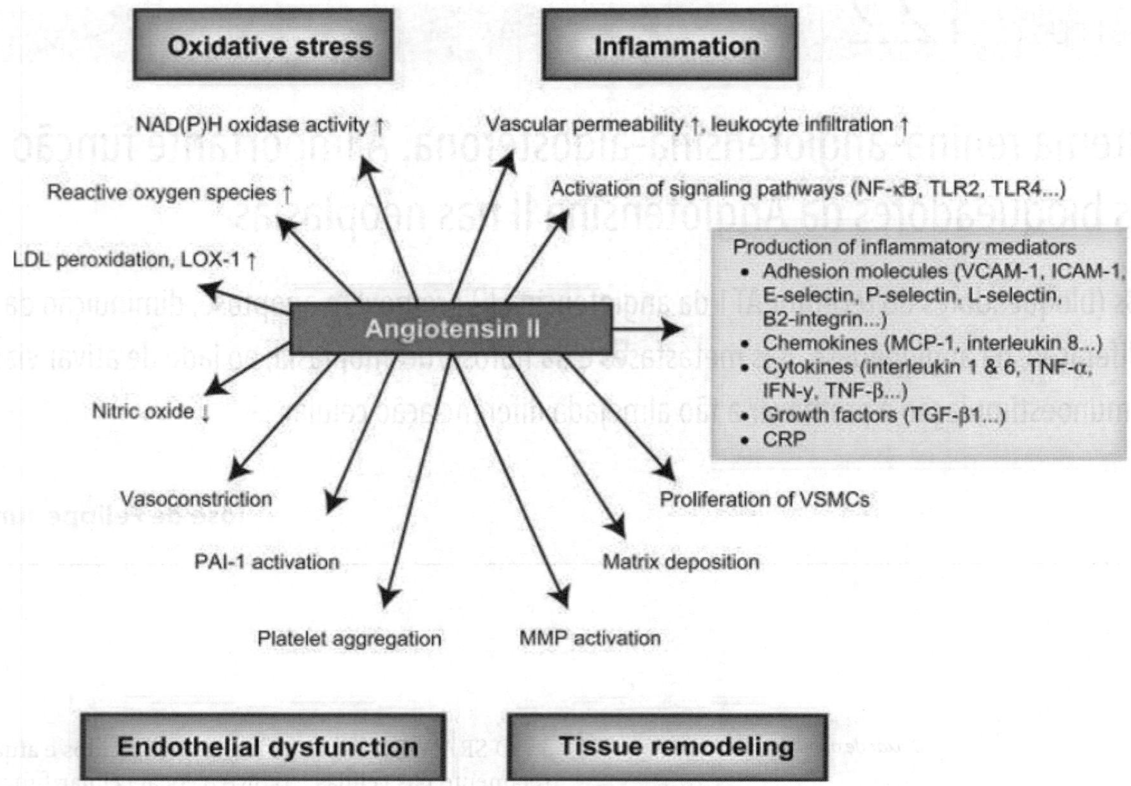

Figura 122.1 Efeitos locais e sistêmicos da angiotensina II (Schmieder, 2007). CRP, C-reactive protein; ICAM-1, intercellular adhesion molecule-1; IFN-γ, interferon-gamma; LDL, low-density lipoprotein; LOX-1, lectin-like oxidized LDL receptor; MCP-1, monocyte chemoattractant protein-1; MMP, matrix metalloproteinase; PAI-1, plasminogen activator inhibitor type-1; TGF-β1, transforming growth factor-beta-1; TNF, tumor necrosis factor; TLR, toll-like receptor; VSMCs, vascular smooth muscle cells; VCAM-1, vascular adhesion molecule-1.

Um pouco de história: O captopril foi descoberto ao redor de 1970, sendo assim o primeiro inibidor da ACE oralmente ativo (ACEI). Cerca de 10 anos depois foi descoberta a losartana, o primeiro ARB, bloqueador do receptor AT1 da AngII (AT1R).

São exemplos de ARBs – bloqueadores do receptor AT1 da angiotensina II:
Nota: os nomes dos sais terminam em "**ana**".

- Losartana (Cozaar).
- Olmesartana (Benicar).
- Candesartana (Atacand).
- Telmisartana (Micardis).
- Valsartana (Diovan).
- Eprosartana (Teveten).
- Azilsartana (Edarbi).
- Irbesartana (Avapro).

São exemplos de ACEIs – inibidores da enzima de conversão da AngI em AngII.
Nota: os nomes dos sais terminam em "**pril**".

- Captopril (Capoten).
- Enalapril (Renitec).
- Perindopril (Coversyl).
- Lisinopril (Prinivil, Zestril).
- Ramipril (Altace).
- Benazepril (Lotensin).
- Fosinopril (Monopril).
- Moexipril (Univasc).
- Quinapril (Accupril).
- Trandolapril (Gopten).

O angiotensinogênio gerado e liberado na circulação pelo fígado é hidrolisado pela renina, um produto das células justaglomerulares dos rins, para formar angiotensina I (AngI). A AngI é hidrolisada pela enzima de conversão da angiotensina I (ACEI), expressa predominantemente nas células endoteliais do território vascular dos pulmões para formar a biologicamente ativa angiotensina II (AngII). Além da AngII, outros peptídeos bioativos foram identificados, como a Ang(1-7). A AngII interage com dois importantes receptores transmembrana, AT1R e AT2R e a Ang (1-7) atua por meio do receptor MasR.

A figura 122.2 mostra a *cascata do Sistema Renina Angiotensina Aldosterona e suas vias de transdução de sinal na carcinogênese* (Rachow, 2021).

Note que os ARBs (bloqueadores do receptor AT1 da AngII), ao bloquearem ATIR, liberam a AngII para ativar o receptor AT2, o qual, através das vias mostradas na figura 122.2, promove: diminuição da proliferação, da angiogênese, da inflamação e da migração celular e metástases, além de provocar vasodilatação de arteríolas e diminuição da secreção de aldosterona (não mostrado).

Vemos na figura 122.2 que a ativação do receptor AT1 (AT1R) ativa várias vias proliferativas, o que provoca aumento da proliferação, da angiogênese, da inflamação e da migração celular e metástases, além de provocar vasoconstrição de arteríolas e aumento de aldosterona (não mostrado).

A figura 122.2 mostra ainda que o ACEI (inibidor da enzima de conversão da AngI) bloqueia a passagem de AngI para AngII, o que diminui a atividade de AT1R e AT2R. O que não sabemos é porque a inibição é maior em AT1R. Na verdade, sobra um pouco de AngII para ativar AT1R, o que explica por exemplo a maior incidência e mortalidade de câncer de pulmão com o uso dos ACEIs (inibidores da enzima de conversão da AngI em AngII) do que com o uso dos ARBs (bloqueadores diretos do receptor AT1da angiotensina II). Lembremos que a ACE, peptidase-chave do SRAA, é promiscua, pois cliva outras moléculas como bradicinina e substância P, além da AngI.

A superexpressão do receptor AT1, AT1R, está tipicamente associada a características tumorais mais agressivas como tumores maiores, grau de malignidade mais alto e densidade vascular mais alta acrescido de mau prognóstico com mortalidade maior. Este fato foi demonstrado em vários tipos de tumores, tais como astrocitoma, câncer de mama, ovário, estômago, bexiga, dentre outros (Ino, 2006; Rocken, 2007; Shirotake, 2011; Arrieta, 2008-2015).

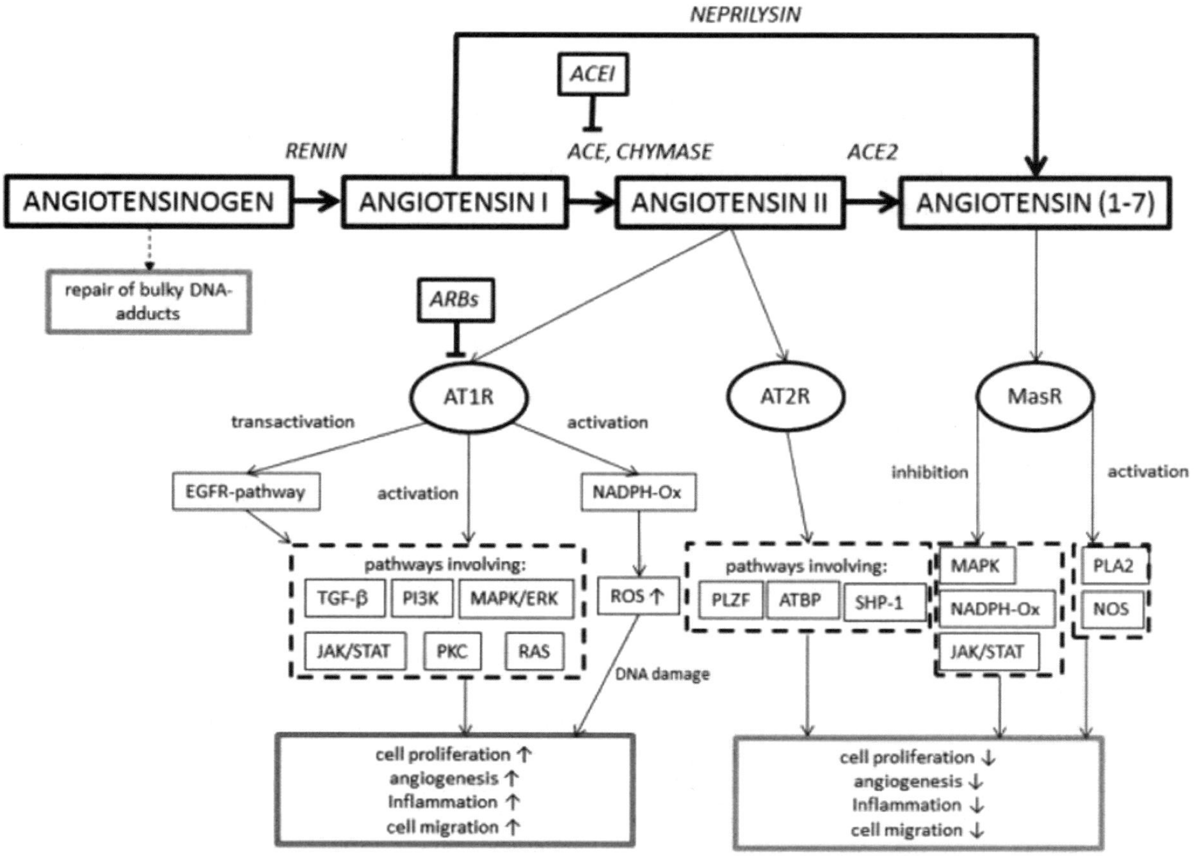

Figura 122.2 Cascata do Sistema Renina-Angiotensina-Aldosterona e vias de transdução de sinal na carcinogênese (Rachow, 2021). *ACEI* angiotensin converting enzyme inhibitor, *ACE* angiotensin converting enzyme, *ACE2* angiotensin converting enzyme-2, *ARBs* angiotensin receptor blockers, *AT1R* angiotensin-II-receptor type 1, *AT2R* angiotensin-II-receptor type 2, *MasR* Mas receptor, *EGFR* epidermal growth factor receptor, *NADPH-Ox* nicotinamide adenine dinucleotide phosphate oxidase, *ROS* reactive oxygen species, *TGF-beta* transforming growth factor beta, *PI3K* phosphoinositide 3-kinase, *MAPK/ERK* mitogen-activated protein kinase/extracellular signal-regulated kinase, *JAK* Janus kinase, *STAT* signal transducer and activator of transcription, *PKC* protein kinase C, *RAS* rat sarcoma protein, *PLZF* promyelocytic leukemia zink finger protein, *ATBP* AT2R binding protein, *SHP-1* Src homology region 2 domain-containing phosphatase-1, *PLA-2* phospholipase 2, *NOS* nitric oxide synthase.

De fato, em estudo de 133 tumores de pacientes com astrocitoma, encontrou-se para o de baixo grau AT1 positivos em 10%, enquanto astrocitomas de graus III e IV foram positivos em 67% para AT1 ($p < 0{,}001$).

Os inibidores do SRAA podem não apenas melhorar o resultado das imunoterapias, mas também reduzir ou mesmo prevenir os efeitos adversos associados a essas terapias. Além disso, os seus componentes também são expressos em muitos tipos de células do microambiente tumoral, como células endoteliais, fibroblastos, monócitos, macrófagos, neutrófilos, células dendríticas e células T (Balyasnikova, 1998; Danilov, 2003; George, 2010; Lin, 2011; Shen, 2011; Cortez-Retamozo, 2013).

Os inibidores do ponto de verificação imunológico (*imune checkpoint*) alcançaram recentemente sucesso convincente em vários tumores sólidos, principalmente no melanoma. No entanto, sua eficácia diminuí devido a uma barreira principal – o microambiente tumoral imunossupressor (Tumeh, 2014; Smyth, 2016; Munn, 2016).

A sinalização de AngII/AT1R molda o microambiente imunológico do tumor, para fibrose/desmoplasia, neoangiogênese, proliferação, inflamação e células imunossupressoras, enquanto os inibidores do SRAA melhoram o resultado da imunoterapia aliviando a imunossupressão/imunotolerância e os outros fatores (Munn, 2016).

Lembremos que uma excelente droga que alivia e até pode abolir a imunossupressão no ambiente peritumoral é a beta-glucana, já escrutinada em capítulo próprio.

O eixo AngII/AT1R molda o microambiente tumoral e promove ambiente imunossupressor

Os efeitos mediados por AngII AT1R na microvasculatura do tumor podem prejudicar a perfusão e a oxigenação, devido a vasoconstrição e provocar hipóxia e acidose no estroma tumoral. A regulação para cima de várias citocinas, fatores de crescimento e fatores de transcrição [incluindo HIF (fator induzível por hipóxia), VEGF e TGF-Beta] provoca microambiente imunossupressor, caracterizado por função prejudicada de células dendríticas e linfócitos T, acúmulo de células imunossupressoras (tipo macrófagos semelhantes a M2, MDSCs e Tregs) e expressão aumentada de moléculas de *checkpoint* imunológico inibitório, como PD-1, PD-L1 e CTL-4 em células tumorais e células imunes, figura 122.3 (Jain, 2014; Noman, 2015; Palazon, 2012; Huang, 2013; Pinter, 2017).

As citocinas imunomoduladoras da microcirculação regulam uma miríade de respostas imunossupressoras, tais como recrutamento e diminuição da função de células imunes mieloides e linfoides (George, 2010; Öhlund, 2014; Li, 2008). Mais precisamente, essas citocinas suprimem a diferenciação e função de células imunoestimulantes como por exemplo, T helper, CD8+, *natural killer* e células dendríticas e ativam o recrutamento e a função de tipos de células promotoras de tumor como células Tregs, TH17, TANs (neutrófilos associados a tumor), TAMs (macrófagos associados a tumor) e MDSCs (células supressoras derivadas de mieloides). Os fibroblastos são a principal fonte de citocinas e também desempenham papel fundamental no estabelecimento de um estroma desmoplásico por produção e deposição de matriz extracelular (ECM). A densa fibrose tumoral representa uma barreira física à infiltração de células imunes e comprime os vasos sanguíneos diminuindo a perfusão e aumentando a rigidez do tecido e o estresse sólido (Watt, 2013).

A redução da perfusão do tumor resulta em um meio hipóxico e ácido, que promove ainda mais a imunossupressão (Jain, 2013-2014). O VEGF ao induzir perda de líquido pelos vasos e a AngII ao provocar vasoconstrição prejudicam ainda mais a perfusão tumoral e agravam a hipóxia e a acidose (Tozer, 1995; Thews, 1995; Bell, 1996).

Mecanismos supressivos constitutivos e induzíveis no microambiente tumoral

As células T que tentam se ativar no microambiente tumoral podem enfrentar a expressão constitutiva do PD-L1 e do IDO (Indoleamino dioxigenase) pelas células tumorais. As células supressoras mieloide derivadas (MDSCs) no tumor podem produzir óxido nítrico (NO) imunossupressor, arginase-I ou espécies reativas de oxigênio (ROS). Macrófagos associados a tumores podem produzir TGFβ e VEGF, que podem ser inibidores de células T e células dendríticas.

As Tregs ativadas podem produzir IL-10 e TGFβ, que podem suprimir diretamente os linfócitos T. As Tregs também podem inibir a expressão de ligantes co-estimuladores CD80 e CD86 em células dendríticas locais, tornando-as assim ineficazes e tolerantes às células apresentadoras de antígenos. À medida que as células T efetoras tentam se ativar, sua produção de IFNγ e outras citocinas pró-inflamatórias pode aumentar ativamente a expressão de IDO e PD-L1 pelas **células dendríticas** provocando assim a supressão contra regulatória. Infelizmente, muitas células tumorais também podem responder ao IFNγ regulando para cima IDO e PD-L1. Vide figura 122.4.

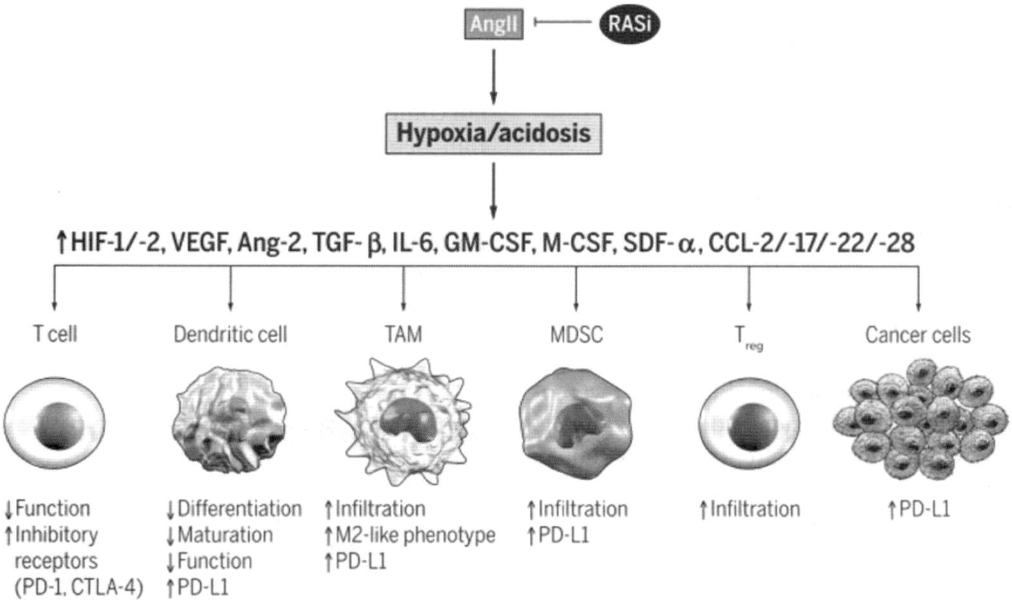

Figura 122.3 Angiotensina II provoca vasoconstrição e induz hipóxia e acidose peritumoral com a consequente imunossupressão (Pinter, 2017: Jain, 2014; Noman, 2015; Palazon, 2012; Huang, 2013). Ang-2, angiotensina-2; CCL, ligante de citocina CC; CTLA-4, proteína 4 associada a linfócitos T citotóxicos; SDF, fator derivado de células do estroma. Treg (células T reguladoras), MDSC (*myeloid-derived suppressor cell*), TAM (macrófago M2 associado a tumor), PD-1(*Programmed cell death protein 1*), PDL-1 (*programmed cell death ligand 1*), CTLA-4 (*protein-4 associated citotóxic T lymphocyte*). VEGF (fator de crescimento vascular endotelial).

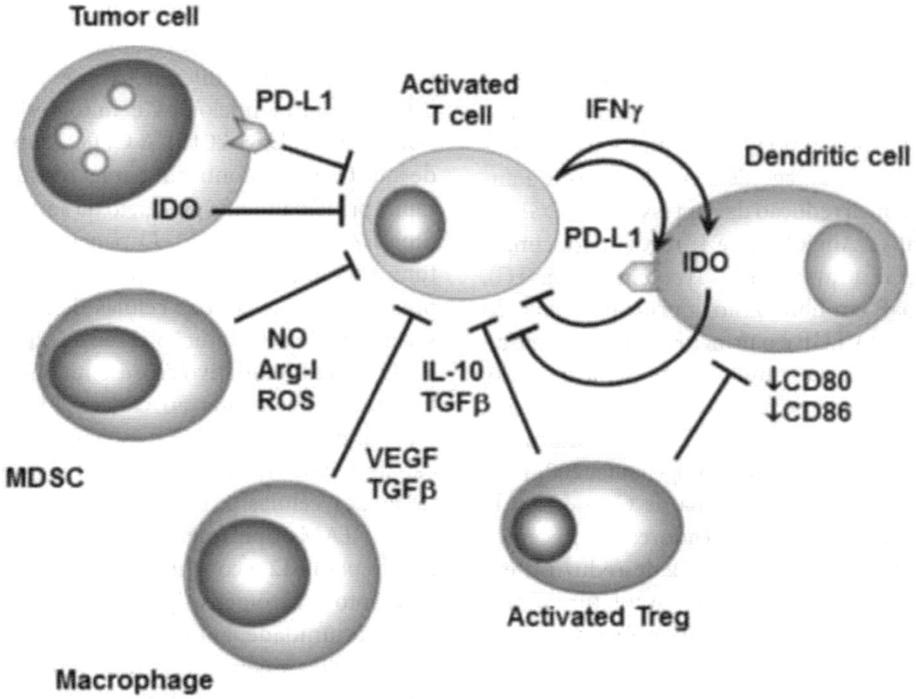

Figura 122.4 Mecanismos supressivos constitutivos e induzíveis no microambiente tumoral IDO: Indoleamine 2, 3-dioxygenase, PD-1: Programmed Death 1, PDL-1: Programmed Death Ligant-1, Arg-1: Arginase-1, NO: óxido nítrico, DC: células dendríticas, Macrofage = TAM: Tumor Macrophages Associated, MDSCs: células supressoras mieloide derivadas TGFβ: *Transforming Growth Factor Beta,* VEGF: *Vascular Endotelial Growth Factor*, CTLA-4: Citotoxic T-lymphocyte Associated- protein 4 (não mostrado) (Egami, 2003; Chehl, 2009; Shirotake, 2012; Cortez-Retamozo, 2013).

Em modelo ortotópico de adenocarcinoma ductal pancreático humano, a inibição da sinalização aberrante de TGF-β pelo losartan restaurou o diâmetro e a permeabilidade dos vasos (Arnold, 2912).

Angiogênese, microvasculatura tumoral e SRAA

Evidências consideráveis sugerem que a via AngII/AT1R promove angiogênese mediada por VEGF nos tumores sólidos. A presença de AT1R tumoral e/ou peritumoral aumenta a expressão do VEGF e seu receptor VEGFR o que aumenta a densidade de microvasos no câncer de mama, ovário, bexiga, entre outros (Fujita, 2005; Ino, 2006; Shirotake, 2011; Arrieta, 2015).

De relevância é o antagonista da Angiotensina-2/AT1R, candesartana, inibir a angiogênese em modelo xenoenxertado de **câncer de bexiga** (Kosugi, 2006) e o fato de inibidor da enzima de conversão da Angiotensina-1, perindopril, suprimir a angiogênese e o crescimento tumoral do **carcinoma hepatocelular** murino (Yoshiji, 2001). Estranho foi no mesmo estudo o autor não encontrar efeito inibitório com os bloqueadores diretos do receptor AT1R. Seria uma característica da imunoquímica tumoral ou conflito de interesse não declarado?

De fato, os tumores implantados no tecido subcutâneo de camundongos do tipo selvagem desenvolveram angiogênese intensiva provocada pela indução do VEGF no estroma tumoral. O receptor AT1R, mas não o receptor AT2R, estava expresso no estroma tumoral e a administração sistêmica do antagonista AT1R reduziu a angiogênese junto com a redução da expressão de VEGF no estroma tumoral. A Angiotensina II regula para cima a expressão do VEGF através da PKC (proteína quinase C), AP-1 e NF-kappaB em fibroblasto, a principal célula do estroma tumoral. O VEGF é o principal determinante da angiogênese associada ao tumor no presente modelo, uma vez que a angiogênese foi marcadamente reduzida por um anticorpo neutralizante de VEGF ou por um inibidor da quinase do receptor de VEGF (Fujita, 2005).

Assim sendo, os ACEIs (Enzima de Conversão da Angiotensina) e os ARBs (Bloqueadores do Receptor AT1 da Angiotensina II) são capazes de reduzir a expressão do VEGF e diminuir a microvasculatura tumoral e a neoangiogênese. Resta sabermos qual deles usar para cada tipo de tumor. Até agora estamos mais propensos a utilizar os ARBs, porque eles inibem diretamente o receptor AT1R.

A normalização do calibre dos vasos tumorais pode aliviar a hipóxia, reprogramar o microambiente imunossupressor e melhorar a eficácia da imunoterapia (Huang, 2012).

Pacientes com **glioblastoma** que apresentam perfusão sanguínea tumoral aumentada sob terapia antiangiogênica têm sobrevida acentuadamente prolongada em comparação com indivíduos que não experimentaram nenhuma alteração ou diminuição na perfusão (Batchelor, 2013; Emblem, 2013; Sorensen, 2012).

Em um estudo retrospectivo de pacientes com **glioblastoma** recebendo terapia anticâncer, o tratamento concomitante com medicamentos anti-hipertensivos depletores de matriz melhorou a função vascular avaliado com ressonância magnética (Emblem, 2016).

SRAA e inflamação/citocinas

Vários estudos têm demonstrado que a sinalização de AngII/AT1R pode aumentar a produção e liberação de várias citocinas pró-inflamatórias em células tumorais e estromais. Os fibroblastos representam o alvo principal do SRAA e desempenham papel fundamental na manutenção da resposta inflamatória. As citocinas liberadas de células tumorais e estromais após a ativação de AT1R por AngII incluem TGF-β, IL-1a, IL-1β, IL-6, IL-8, MCP-1 (proteína quimioatraente de monócito-1), M-CSF, COX- 2 (cicloxigenase-2) e CRP (proteína C-reativa) (George, 2004; Chauhan, 2013; Diop, 2011; Okazaki, 2014; Incio, 2016). As citocinas imunomoduladoras como TGF-β, IL-1β, MCP-1, IL-6 e IL-8 regulam para cima múltiplas vias, principalmente as imunossupressoras, interferindo na diferenciação e no recrutamento de células imunes mieloides e linfoides (Balkwill, 2012; Martin, 2012; Ugel, 2015). A COX-2 suprime a imunidade antitumoral e contribui para a resistência à imunoterapia, principalmente por meio da síntese de prostaglandina E2 (Zelenay, 2015). O papel da CRP derivada de tumor na imunidade tumoral é menos claro, mas pode prejudicar a função das células dendríticas, reduzindo sua atividade de migração (Frenzel, 2007).

O estresse oxidativo representa outro aspecto da inflamação relacionada ao câncer. Embora as espécies reativas de oxigênio (ROS) estejam envolvidas na ativação de células T, a exposição a ROS pode reduzir a aptidão das células T e aumentar a função de Tregs e TAMs. TAMs tipicamente mostram um fenótipo polarizado para M2 e contribuem para a imunossupressão, enquanto macrófagos tipo M1 são conhecidos por induzir imunidade antitumoral. A sinalização AngII/AT1R induz a geração de ROS em células tumorais e células estromais. Em células de **câncer de próstata**, a AngII aumenta a expressão de proteínas relacionadas ao estresse oxidativo, como a óxido nítrico sintase induzível e o radical superóxido, os quais são atenuados pelo ARB candesartan (Sena, 2013; Lahdenpohja 1998; Kim, 2014; Lim, 2013; Yemura, 2008).

Fibrodesmoplasia tumoral e SRAA

Ao regular os fibroblastos associados ao câncer (CAFs) e as vias pró-fibrogênicas, como o TGF-β (fator de crescimento transformador-β), o SRAA desempenha papel fundamental no estabelecimento de um ambiente fibrodesmoplásico (Diop-Frimpong, 2011; Chauhan, 2013), que afeta a resposta imune em múltiplas formas. Os CAFs podem manipular o sistema imunológico diretamente inibindo as funções das células T e *natural killer* promovendo o acúmulo de alguns tipos de células supressoras e mantendo o meio peritumoral inflamatório e assim pró-tumorogênico (Öhlund, 2014). O TGF-β também pode induzir diretamente a supressão imunológica ao inibir a resposta das células T (Li, 2008). A fibrose tumoral densa representa, como já escrevemos, uma barreira física à infiltração de células T e também comprime os vasos sanguíneos, aumentando o estresse sólido (Watt, 2013; Okwan, 2013; Jain, 2013-2014).

A redução da perfusão tumoral resulta em um meio hipóxico e ácido, que promove a reprogramação de macrófagos em um fenótipo imunossupressor (TAMs), impede a função das células imunes de matar células tumorais e regula para cima a expressão de moléculas *checkpoint* inibidoras de linfócitos, como o PDL-1 (Programed Death Ligant-1), por células imunes estromais e tumorais (Palazon, 2012; Jain, 2013-2014-2014a; Noman, 2015; Voron, 2015).

A normalização do meio fibrodesmoplásico (por exemplo, visando as vias pró-fibróticas e CAFs) pode melhorar a eficácia da imunoterapia e da entrada de drogas antineoplásicas (Feig, 2013; Chen, 2015; Jiang, 2016).

Estes trabalhos nos direcionam inibir o SRAA, especificamente a Angiotensina II/ATIR para reduzir a fibrodesmoplasia tumoral e assim aumentar a perfusão tumoral, reduzir a hipóxia, aumentar a infiltração de células T e a imunidade antitumoral e melhorar a entrega e eficácia de drogas anticâncer. São tumores altamente fibrodesmoplásicos, câncer de pâncreas e alguns subtipos de câncer de mama e de pulmão.

Feig, 2013, e Chen, 2015, usaram molécula em código para patentear. Eles descobriram que a inibição do receptor CXCR4 no microambiente tumoral facilita a imunoterapia no carcinoma hepatocelular murino tratado com sorafenibe. Entretanto, sabemos que são inibidores do receptor CXCR4: ácido ursólico, sulforafane e outros isotiocianatos, *Boswellia serrata*: ácido boswellico – *acetyl-11-keto-β-boswellic* acid (AKBA), emodin, anti-inflamatórios não hormonais, buteína (3,4,2,4'-tetrahydroxychalcone) e celastrol.

Jiang, em 2016, descobriu que a atividade da quinase de adesão focal (FAK) estava elevada em tecidos de adenocarcinoma ductal pancreático humano (PDAC), a qual se correlacionou com altos níveis de fibrose e pobre infiltração de células T citotóxicas CD8+. O inibidor de FAK seletivo VS-4718 limitou significativamente a progressão do tumor e duplicou a sobrevivência no modelo de camundongo p48-Cre LSL-KrasG12D/p53Flox/+ (KPC) de PDAC humano. Outra droga em código para patentear. Entretanto, sabemos que o p53 reprime o promoter PTK2 e diminui a expressão do FAK. O NF-kappaB provoca efeitos opostos. É de conhecimento público que a luteolina e a quercetina inibem o FAK (Huang, 2005).

Inibindo o SRAA podemos melhorar a função do sistema imune anticâncer

Vários estudos mostraram que os inibidores do SRAA podem reduzir a infiltração dos macrófagos associados ao tumor (TAMs). No câncer de próstata humano, a alta MCP-1 (Monocyte Chemoattractant Protein-1) e a infiltração de macrófagos caminham juntas e estão associadas a características tumorais mais agressivas e a MCP-1 se correlaciona independentemente com a recorrência do antígeno específico da próstata (Shirotake, 2012). A diminuição da sinalização AngII/AT1R promove a queda da produção e infiltração dos TAMs em modelos experimentais de tumor; a inibição da produção de AngII ou do receptor AT1R regula para baixo o MCP-1, restringe a resposta dos TAMs tumorais, reduz o crescimento do tumor e prolonga a sobrevida (Egami, 2003; Chehl, 2009; Shirotake, 2012; Cortez-Retamozo, 2013).

A inibição do Sistema Renina-Angiotensina-Aldosterona pode melhorar a evolução de vários tipos de câncer

1. **Vários tumores**
   a) Pré-exposição ao estresse oxidativo diminui a transcrição de NF-kappaB nos linfócitos T (Lahdenpohja, 1998).
   b) No passado sabíamos que era necessário o aumento da glicólise para ativação de células T. Agora sabemos que o metabolismo mitocondrial é crítico na ativação de células T via produção de ROS pelo complexo III mitocondrial (Sena, 2013).
   c) Células inflamatórias e mediadores são componentes essenciais do microambiente tumoral. Os circuitos inflamatórios podem diferir consideravelmente em diferentes tumores em termos de

redes celulares e de citocinas e drivers moleculares. No entanto, os macrófagos são um componente comum e fundamental do câncer que promove a inflamação. Os condutores da orientação funcional dos macrófagos incluem células tumorais, fibroblastos associados a câncer, células T e células B. A dissecção da diversidade da inflamação relacionada ao câncer é fundamental para o projeto de abordagens terapêuticas que têm como alvo a inflamação relacionada ao câncer (Balkwill, 2012).

2. **Glioblastomas e astrocitomas**
Em estudo de 133 tumores de pacientes com astrocitoma submetidos à cirurgia de 1997 a 2002, os receptores AT1 e AT2 estavam expressos em 52 e 44% dos tumores respectivamente. Dez por cento dos astrocitomas de baixo grau foram positivos para AT1, enquanto astrocitomas de grau III e IV foram positivos em 67% ($p < 0,001$). Os receptores AT2 foram positivos em 17% dos astrocitomas de baixo grau e em 53% dos astrocitomas de alto grau ($p = 0,01$). Os tumores AT1-positivos mostraram maior proliferação celular e densidade vascular e tiveram taxa de sobrevida menor do que aqueles com AT1-negativos ($p < 0,001$). Nenhuma associação com a sobrevida foi encontrada para AT2. A expressão de AT1 está associada a alto grau de malignidade, aumento da proliferação celular e angiogênese e, portanto, está relacionada a mau prognóstico (Arrieta, 2008). Aqui o emprego dos ARBs poderia melhorar a qualidade de vida e talvez a sobrevida. Entretanto, onde estão os estudos?

3. **Câncer de pulmão**
   a) O bloqueador do receptor AT1R da angiotensina II a losartana (ARB) prolonga a sobrevida de pacientes com câncer de pulmão de células não pequenas metastático recebendo erlotinibe, 34 [±13,8] *vs.* 25 [±5] meses, $p = 0,002$ (Aydiner, 2015).
   b) AngII induz a expressão de COX-2 em fibroblastos pulmonares de maneira dose-dependente por meio do receptor AT1 da AngII. Além disso, a AngII estimula sinergicamente a indução de COX-2 por citocinas pró-inflamatórias, IL-1beta ou TNF-alfa. Os resultados indicam que a função pró-tumorigênica da AngII é atribuída, em parte, ao seu forte efeito estimulador da expressão de COX-2 em fibroblastos pulmonares, nos quais a estimulação sinérgica com citocinas pró-inflamatórias é evidente. Também é sugerido que o receptor AT1 nos fibroblastos pulmonares pode ser um alvo racional para a quimioprevenção do câncer de pulmão (Matsuzuka, 2009).
   c) O emprego de inibidores da enzima de conversão da angiotensina (ACEIs) no tratamento da hipertensão arterial pode aumentar a incidência e a mortalidade do **câncer de pulmão**. Os estudos sem conflito de interesse mostraram que não é seguro utilizar inibidores da enzima de conversão da angiotensina I (ACEIs). Como já explicamos deve sobrar angiotensina II que ativa AT1. É mais seguro usar os ARBs, senão vejamos:
   c1. Uma coorte de 992.061 pacientes recém-tratados com medicamentos anti-hipertensivos entre 1º de janeiro de 1995 e 31 de dezembro de 2015 foi identificado e acompanhado até 31 de dezembro de 2016. Resultados: O coorte foi acompanhado por uma média de 6,4 (DP 4,7) anos, gerando 7.952 cânceres de pulmão (incidência bruta 1,3 (intervalo de confiança de 95% 1,2 a 1,3) por 1000 pessoas/ano). No geral, o uso de ACEIs foi associado a um risco aumentado de câncer de pulmão (taxa de incidência 1,6 *vs.* 1,2 por 1.000 pessoas/ano; razão de risco 1,14, intervalo de confiança de 95% 1,01 a 1,29), em comparação com o uso de ARBs (bloqueadores do receptor AT1 da angiotensina II). As taxas de risco aumentaram gradualmente com durações mais longas de uso, com uma associação evidente após cinco anos de uso (taxa de risco 1,22, 1,06 a 1,40) e pico após mais de 10 anos de uso (1,31, 1,08 a 1,59). Conclusão: Neste estudo de coorte de base populacional, o uso de ACEIs foi associado a um risco aumentado de câncer de pulmão. A associação foi particularmente elevada entre pessoas que usam ACEIs por mais de cinco anos (Hicks, 2018). Não houve conflito de interesse.
   c2. Estudo semelhante agora feito com asiáticos mostrou também que os ACEIs aumentam o risco de câncer de pulmão quando comparado com os usuários de ARBs. O coorte foi composto por 22.384 pacientes com idade ≥18 anos de idade com primeira prescrição de ACEIs. A comparação com ARBs consistiu em pacientes pareados por idade, sexo e comorbidades em uma proporção de 1:1. As taxas gerais de incidência de câncer de pulmão nos coortes de ACEIs e ARBs foram de 16,6 e 12,2 por 10.000 pessoas-ano, respectivamente. O coorte ACEI teve um risco significativamente maior de câncer de pulmão do que a coorte ARB (razão de risco ajustada [aHR]. = 1,36; intervalo de confiança de 95% [IC]. = 1,11-1,67). As análises de duração-

-resposta e dose-resposta revelaram que, em comparação com pacientes que não receberam ACEIs e pacientes que receberam ACEIs por mais de 45 dias por ano (aHR = 1,87; IC 95% = 1,48-2,36), tiveram risco significativamente maior de câncer de pulmão. A incidência cumulativa de câncer de pulmão também foi significativamente maior no coorte ACEI do que na coorte ARB (teste log-rank, p = 0,002). Portanto, o uso de ACEI está associado a risco aumentado de câncer de pulmão em comparação com o uso de ARB. Os pacientes que usam ARBs têm risco significativamente menor de câncer de pulmão do que os não usuários de ARBs (Lin, 2020).

c3. Estudo agora na Tailândia mostrou leve aumento do risco de câncer pulmonar com ACEIs ou ARBs (Hsu, 2020).

c4. O uso de inibidores da enzima de conversão da angiotensina (IECA) foi associado ao aumento do risco de câncer de pulmão em estudo de coorte no Reino Unido. Os autores replicam esses achados em uma população dinamarquesa. Eles conduziram estudo de caso-controle usando dados de 4 registros administrativos e de saúde nacionais dinamarquesas. Novos usuários de ACEIs ou ARBs (bloqueadores do receptor AT1 da angiotensina II) na Dinamarca a partir de 1º de janeiro de 2000 foram acompanhados até 31 de dezembro de 2015, para verificar incidência de câncer de pulmão e mortalidade. Cada caso de câncer de pulmão foi pareado com até 20 controles de idade, sexo, duração do acompanhamento e ano de entrada no estudo usando amostragem por conjunto de risco. A regressão logística condicional foi usada para estimar os *odds ratios* (OR) para câncer de pulmão incidente, histologicamente verificado, com alto uso de ACEIs definido como uma dose cumulativa acima de 3650 doses diárias definidas. Examinamos diferentes doses cumulativas de ACEIs (≤ 1.800, 1.801-3.650, > 3.650 doses diárias definidas) e repetiram as análises usando tiazidas como comparador ativo. Resultados: Incluímos 9.652 casos de câncer de pulmão pareados a 190.055 controles. O alto uso de ACEIs foi associado ao câncer de pulmão (OR ajustado, 1,33 [IC 95%, 1,08-1,62]). Doses cumulativas mais baixas mostraram associações neutras (≤ 1.800 doses diárias definidas OU, 1,01 [IC 95%, 0,94-1,09]; 1.801-3.650 doses diárias definidas OR, 1,03 [IC 95%, 0,90-1,19]). O uso de tiazidas como comparador ativo produziu resultados comparáveis (OR, 1,34 [IC 95%, 0,96-1,88]). Conclusões: O uso de altas doses cumulativas de ACEIs foi associado a chances modestamente aumentadas de câncer de pulmão, embora o uso de doses mais baixas tenha mostrado associações neutras. Os benefícios estabelecidos dos ACEIs devem ser considerados ao interpretar esses achados (Kristensen, 2021). Não houve conflito de interesse.

c5. Estudo britânico recente relatou risco aumentado de 14% de câncer de pulmão com prescrições de ACEIs versus ARBs (bloqueador do receptor AT1 da angiotensina II) e o risco aumentou com o uso prolongado. Os autores pesquisaram o Intermountain Enterprise Data Warehouse de 1996 a 2018 para pacientes recém-tratados com um ACEIs ou ARBs verificando incidência de câncer de pulmão e mortalidade. Razões de risco ajustadas e não ajustadas (HRs) para câncer de pulmão ou mortalidade por todas as causas foram calculadas para ACEIs em comparação com ARBs. Resultados: Um total de 187.060 pacientes preencheram os critérios de entrada (idade 60,2 ± 15,1 anos; 51% mulheres). Durante um seguimento médio de 7,1 anos (máx: 20,0 anos), ocorreram 3.039 cânceres de pulmão e 43.505 mortes. As taxas absolutas de câncer de pulmão foram 2,16 e 2,31 por 1000 pacientes-ano nos grupos ARB e ACEIs, respectivamente. O HR de câncer de pulmão aumentou modestamente com ACEIs (HR não ajustado = 1,11, CI: 1,02, 1,22, p = 0,014; HR ajustado = 1,18, CI: 1,06, 1,31, p = 0,002; número necessário para prejudicar [NNH] 6.667). As taxas de câncer de pulmão ou morte ao longo do tempo também favoreceram os ARBs. As curvas de eventos de câncer de pulmão se separaram gradualmente ao longo do acompanhamento longitudinal, começando aos 10-12 anos. Conclusões: Os autores notaram um pequeno aumento a longo prazo no risco de câncer de pulmão com ACEIs em comparação com ARBs. Embora os aumentos observados no risco de câncer de pulmão sejam pequenos, as implicações são potencialmente importantes devido ao amplo uso de ACEIs (Anderson, 2021). Não houve conflito de interesse.

c6. Agências regulatórias internacionais (FDA, EMA) concluíram que o uso de bloqueadores do SRAA não está associado ao risco aumentado de desenvolver câncer de pulmão. A co-administração de bloqueadores do SRAA à terapia sistêmica do câncer avançado de pulmão de células não pequenas parece ter efeitos positivos no resultado (Rachow, 2021). Quase certeza conflito de interesse.

4. **Câncer de mama**

A densa rede de colágeno em tumores reduz significativamente a penetração e a eficácia da nanoterapêutica. Testou-se a losartana – um antagonista do receptor da angiotensina II clinicamente aprovado com atividade antifibrótica notada – para aumentar a penetração e eficácia da nanomedicina. A losartana inibiu a produção de colágeno I por fibroblastos associados a carcinoma isolados de biópsias de câncer de mama. Além disso, levou a uma redução dependente da dose no colágeno estromal em modelos desmoplásicos de mama humana, tumores pancreáticos e de pele em camundongos. Além disso, a losartana melhorou a eficácia terapêutica dos vírus herpes simplex oncolíticos injetados por via intratumoral. Finalmente, também aumentou a eficácia de doxorrubicina lipossomal peguilada injetada. Assim, a losartana tem o potencial de aumentar a eficácia da nanoterapêutica em pacientes com tumores desmoplásicos (Diop-Frimpong, 2011).

5. **Câncer de próstata**

a) O sistema renina-angiotensina local foi identificado na próstata e a função fisiológica da angiotensina II é aumentar a proliferação celular benigna ou cancerosa. A angII induz a fosforilação da Akt e é inibida pela candesartana em células LNCaP do câncer prostático. As proteínas relacionadas ao estresse oxidativo foram reguladas para cima pela angiotensina II e inibidas pelo pré-tratamento com candesartana ou catalase. O nível de 8-hidroxi-2'-desoxiguanosina (produtos de degradação do DNA) aumenta com a angiotensina II e diminui com candesartana. Estudos imunocitoquímicos mostram que a angiotensina II aumenta um marcador inflamatório, a óxido nítrico sintase induzível e a produção do radical superóxido O_2^-. Dessa forma, a angiotensina II induz estresse oxidativo, que pode estar implicado na carcinogênese da próstata por meio da exposição a longo prazo da oxidação e inflamação crônicas (Uemura, 2008).

b) Os autores estudaram as linhagens NCaP, C4-2 e C4-2AT6 do câncer prostático. As amostras humanas com pontuação de Gleason alta (≥ 7), uma classificação oncopatológica alta e aquelas com câncer de próstata resistente à castração, mostraram expressão de MCP-1 significativamente maior e infiltração de macrófagos mais alta do que o câncer de próstata com baixo potencial maligno. Os autores foram os primeiros a demonstrar que tanto a alta expressão da proteína-1 quimioatraente de monócitos (MCP-1) quanto a alta infiltração de macrófagos em espécimes de câncer prostático se correlacionam com alta taxa de recorrência de PSA e que o ARB candesartan inibe a expressão de MCP-1 através da via PI3K/Akt e bloqueia a infiltração de macrófagos no câncer de próstata resistente à castração (Shirotake, 2012).

c) Anteriormente foi mostrado que a angiotensina II ativou a proliferação de células do câncer de próstata e que os bloqueadores do receptor de angiotensina II (ARBs) poderiam inibi-la. Aqui, investigou-se se a angiotensina II exerce efeitos mitogênicos no cross-talk entre as células do estroma e as células cancerosas e se um ARB pode inibir o crescimento do tumor através de ações nas células do estroma. Examinou-se a proliferação celular e a secreção de IL-6 de células PrSC do estroma da próstata estimuladas com angII, TNF-alfa ou EGF na ausência e presença de um ARB. A angiotensina II ativou a proliferação celular e a secreção de IL-6 das células PrSC e um ARB inibiu. A angiotensina II, fator de necrose tumoral alfa ou fator de crescimento epidérmico induziu a fosforilação de MAPK em células PrSC e essa fosforilação foi inibida por ARB. O crescimento tumoral e a angiogênese de uma mistura de PC-3 com PrSC foram inibidos pela administração de ARB, enquanto os de xenoenxertos de PC-3 não foram inibidos. O ARB exerceu efeito antiproliferativo no câncer de próstata por meio de fatores parácrinos das células do estroma. Como se pensa que as células do estroma da próstata estão envolvidas na iniciação e no desenvolvimento do câncer de próstata, os dados presentes sugerem a possibilidade de que os ARBs sejam uma nova classe terapêutica de agentes para o câncer de próstata (Uemura, 2005).

6. **Câncer colorretal**

a) As prostaglandinas (PGs) derivadas da cicloxigenase (COX) -2 desempenham um papel importante na inflamação intestinal e na carcinogênese colorretal. Como a COX-2 é a etapa limitante da taxa na produção de PGs, os mecanismos que regulam a expressão de COX-2 controlam a produção de PG na célula. Usando a célula epitelial intestinal de rato não tumorigênica, IEC-18, demonstrou-se que a coativação do receptor AT1 expresso endogenamente e EGFR resultou na expressão sinérgica de mRNA COX-

-2 e proteína envolvendo mecanismos de transcrição e pós-transcrição. A fosforilação transitória induzida por AngII e EGF de ERK, p38 (MAPK) e CREB. A coestimulação com AngII e EGF prolongou a fosforilação de ERK, p38 (MAPK) e CREB. A partir desse ponto o autor usou drogas em código (Pham, 2008).

b) AngII e EGF induzam a expressão do COX-2 no epitélio intestinal via GTPOases (Slice, 2005).

7. **Câncer gástrico**

O câncer gástrico com disseminação peritoneal tem prognóstico clínico ruim devido à presença de rica fibrose estromal e resistência adquirida aos medicamentos. Os bloqueadores dos receptores ATIR da angiotensina II, como candesartana (ARB), têm atividade antifibrótica. A candesartana reduz significativamente a expressão do TGF-β1 e a transição epitélio-mesenquimal (EMT), enquanto impede a proliferação tumoral e a fibrose estromal na linha celular de câncer gástrico MKN45. O direcionamento da via de sinalização da angiotensina II pode, portanto, ser estratégia eficiente para o tratamento da proliferação tumoral e fibrose (Okazaki, 2014).

8. **Câncer de pâncreas**

a) Obesidade induz inflamação e desmoplasia/fibrose e promove a progressão do câncer de pâncreas e resistência à quimioterapia. A inibição genética ou farmacológica do receptor ATIR da angiotensina II reverte a desmoplasia aumentada pela obesidade, diminui o crescimento do tumor e melhora a resposta à quimioterapia. A ativação aumentada de células estreladas pancreáticas (PSCs) na obesidade é induzida por neutrófilos associados a tumor (TANs) recrutados por IL1β secretada por adipócitos. PSCs também secretam IL1β, e a inativação de PSCs reduz a expressão de IL1β e o recrutamento de TANs. Além disso, a depleção de TANs, inibição de IL1β ou inativação de PSCs previne o crescimento tumoral acelerado pela obesidade. A conversa cruzada *(cross-talk)* entre adipócitos, TANs e PSCs exacerba a desmoplasia e promove a progressão do tumor na obesidade (Incio, 2016). Uma arma com grande potencial seria o emprego de um ARB (Incio, 2016).

b) Demonstrou-se a losartana um inibidor da angiotensina II reduz a produção de colágeno estromal e hialuronan junto com a diminuição da expressão dos sinais profibróticos tipo, TGF-β1, CCN2 e ET-1, a jusante da inibição do receptor AT1 da angiotensina II. Consequentemente a losartana reduz o estresse sólido em tumores provocando aumento da perfusão vascular. Por meio desse mecanismo físico ela melhora a distribuição de drogas e oxigênio aos tumores, potencializando a quimioterapia e reduzindo a hipóxia em modelos de câncer de mama e de pâncreas. Assim, os inibidores da angiotensina – medicamentos baratos com décadas de uso seguro – poderiam ser rapidamente reaproveitados como terapêuticas do câncer (Chauman, 2013).

c) Estroma fibrótico/desmoplásico é barreira para a infiltração do sistema imune (Watt, 2013).

9. **Carcinoma hepatocelular**

a) Linhagens celulares do hepatocarcinoma humano (HCC) (HepG-2, SMMC-7721, MHCC97-H) foram incubadas com AngII em várias concentrações durante 24, 48, 72h. Encontraram-se alta expressão do receptor AT1 de AngII e baixa expressão do receptor AT2 em células e tecidos do HCC. Em seguida, verificou-se que a AngII pode aumentar significativamente o crescimento e a proliferação celular. A AngII aumenta levemente a porcentagem de células HCC na fase G0/G1 pela análise de citometria de fluxo. Outros estudos sugeriram que a AngII poderia induzir diretamente a expressão de proteínas C-myc associadas à proliferação e antígeno nuclear de proliferação celular (PCNA) e produções de fator de necrose tumoral alfa de citocinas inflamatórias (TNF-α) e proteína C-reativa (CRP) em células de HCC. De fato, o bloqueio de AT1 inibiu a proliferação celular induzida por AngII e as respostas inflamatórias em células HCC. Mais importante, esses efeitos podem ser mediados pela via de sinalização AT1/PKC/NF-κB em linhas de células HCC (Ji, 2016).

10. **Melanoma**

O melanoma maligno é bem conhecido pelas abundantes espécies reativas de oxigênio (ROS) que existem no ambiente do tumor primário. Dentro deste microambiente, macrófagos associados a tumor (TAMs) desempenham papéis substanciais em várias etapas do desenvolvimento do tumor em termos de crescimento tumoral, invasão e metástase. Estresse oxidativo no melanoma maligno aumenta a secreção de TNF-alfa pelos macrófagos associados ao tumor (TAMs) e facilitam a invasão. Este é o primeiro estudo demonstrando que altos níveis de ROS no ambiente do melanoma primário podem influenciar o comportamento da TAM (Lin, 2013).

11. **Carcinoma renal**

Resveratrol promove a regressão de células do carcinoma renal via supressão do sistema renina-angiotensina-aldosterona. Os efeitos de AngII, AT1R, VEGF e COX-2 na inibição do crescimento celular induzida por resveratrol e apoptose foram examinados. Os resultados indicaram que o tratamento com resveratrol pode suprimir o crescimento, induzir apoptose e diminuir os níveis de AngII, AT1R, VEGF e COX-2 em células de carcinoma renal ACHN e A498. Além disso, a supressão do crescimento celular induzida pelo resveratrol e a apoptose foram revertidas durante a co-cultura com AT1R ou VEGF. Assim, o resveratrol pode suprimir a proliferação de células do carcinoma renal e induzir a apoptose por meio de uma via AT1R VEGF. (Li, 2017).

Resumindo

A sinalização AngII/AT1R provoca efeitos cancerígenos: estimula a expressão de diferentes citocinas e fatores de crescimento de células tumorais e estromais, que aumentam a inflamação relacionada ao câncer e promovem um microambiente imunossupressor e proliferativo. Enquanto a inibição do eixo AngI/AT1R provoca efeitos anticancerígenos: provoca imunoestumulação, antiproliferação, antiapoptose e diminuição da angiogênese, metástases e fibrose/desmoplasia. Acresce a diminuição dos efeitos colaterais provocados pela quimioterapia e radioterapia. O efeito limitante é a hipotensão em pacientes já propensos ou debilitados.

Conclusão

Realmente estas células que habitam nos pacientes tentando sobreviver a um insulto contínuo biológico, físico ou químico e que chamam de câncer é um quebra-cabeças de mil peças pequeninas. Vimos aqui mais algumas peças para preencher um pouco mais o tabuleiro da vida. O conhecimento profundo das células é o caminho para a cura de inúmeras doenças, senão todas. As pílulas e ampolas mágicas, que exterminam células doentes que tentam sobreviver, estão com os dias contados. Serão consideradas pertencentes ao lado negro da Medicina.

Referências

1. Anderson JL, Knowlton KU, Muhlestein JB, et al. Evaluation of TReatment With Angiotensin Converting Enzyme Inhibitors and the Risk of Lung Cancer: ERACER-An Observational Cohort Study. J Cardiovasc Pharmacol Ther. 2021. Jul;26(4):321-327.
2. Ager EI, Neo J, Christophi C. The renin-angiotensin system and malignancy. Carcinogenesis. Sep; 29(9):1675-84, 2008.
3. Arnold S. A., Rivera L. B., Carbon J. G., et al. Losartan slows pancreatic tumor progression and extends survival of SPARC-null mice by abrogating aberrant TGFb activation. PLOS ONE 7, e31384, 2012.
4. Arrieta O., Pineda-Olvera B., Guevara-Salazar P, et al. Expression of AT1 and AT2 angiotensin receptors in astrocytomas is associated with poor prognosis. Br. J. Cancer 99, 160–166. 2008.
5. Arrieta O., Villarreal-Garza C., Vizcaíno G., Pineda B. Association between AT1 and AT2 angiotensin II receptor expression with cell proliferation and angiogenesis in operable breast cancer. Tumour Biol. 36, 5627–5634, 2015.
6. Aydiner A., Ciftci R., Sen F., Renin-Angiotensin system blockers may prolong survival of metastatic non–small cell lung cancer patients receiving erlotinib. Medicine 94, e887, 2015.
7. Balkwill F. R., Mantovani A., Cancer-related inflammation: Common themes and therapeutic opportunities. Semin. Cancer Biol. 22, 33–40. 2012.
8. Balyasnikova I. V., Danilov S. M., Muzykantov V. R., Fisher A. B., Modulation of angiotensin-converting enzyme in cultured human vascular endothelial cells. In Vitro Cell. Dev. Biol. Anim. 34, 545–554, 1998.
9. Batchelor T. T., Gerstner E. R., Emblem K. E., et al. Improved tumor oxygenation and survival in glioblastoma patients who show increased blood perfusion after cediranib and chemoradiation. Proc. Natl. Acad. Sci. U.S.A. 110, 19059–19064, 2013.
10. Bell K. M., Prise V. E., Shaffi K. M., Chaplin D. J., Tozer G. M., A comparative study of tumour-blood-flow modification in two rat-tumour systems using endothelin-1 and angiotensin II: Influence of tumour size on angiotensin-II response. Int. J. Cancer 67, 730–738, 1996.
11. Chehl N., Gong Q., Chipitsyna G. et al. Angiotensin II regulates the expression of monocyte chemoattractant protein-1 in pancreatic cancer cells. J. Gastrointest. Surg. 13, 2189–2200, 2000.
12. Chauhan VP, Martin JD, Liu H, et al. Angiotensin inhibition enhances drug delivery and potentiates chemotherapy by decompressing tumor blood vessels. Nat Commun. 4(1):2516, 2013.
13. Chen Y., Ramjiawan R. R., Reiberger T., et al. CXCR4 inhibition in tumor microenvironment facilitates anti-programmed death receptor-1 immunotherapy in sorafenib-treated hepatocellular carcinoma in mice. Hepatology 61, 1591–1602, 2015.
14. Cortez-Retamozo V., Etzrodt M., Newton A. et al. Angiotensin II drives the production of tumor-promoting macrophages. Immunity 38, 296–308, 2013.
15. Danilov S. M., Sadovnikova E., Scharenborg N, et al. Angiotensin-converting enzyme (CD143) is abundantly expressed by dendritic cells and discriminates human monocyte-derived dendritic cells from acute myeloid leukemia-derived dendritic cells. Exp. Hematol. 31, 1301–1309, 2003.
16. Diop-Frimpong B., Chauhan V. P., Krane S. et al. Losartan inhibits collagen I synthesis and improves the distribution and efficacy of nanotherapeutics in tumors. Proc. Natl. Acad. Sci. U.S.A. 108, 2909–2914, 2011.
17. Domińska K, Lachowicz-Ochedalska A. The involvement of the renin-angiotensin system (RAS) in cancerogenesis.Postepy Biochem. 2008;54(3):294-300.
18. Egami K., Murohara T., Shimada T. et al. Role of host angiotensin II type 1 receptor in tumor angiogenesis and growth. J. Clin. Invest. 112, 67–75, 2003.
19. Emblem K. E., Mouridsen K., Bjornerud A., et al. Vessel architectural imaging identifies cancer patient responders to anti-angiogenic therapy. Nat. Med. 19, 1178–1183, 2013.
20. Emblem K. E., Gerstner E. R., Sorensen G., et al. Matrix-depleting anti-hypertensives decompress tumor blood vessels and improve perfusion in patients with glioblastoma receiving anti-angiogenic therapy. Cancer Res. 76 (suppl. 14), 3975, 2016.

21. Feig C., Jones J. O., Kraman M., et al Targeting CXCL12 from FAP-expressing carcinoma-associated fibroblasts synergizes with anti–PD-L1 immunotherapy in pancreatic cancer. Proc. Natl. Acad. Sci. U.S.A. 110, 20212–20217.2013.
22. Frenzel H., Pries R., Brocks C. P., et al. Decreased migration of myeloid dendritic cells through increased levels of C-reactive protein. Anticancer Res. 27, 4111–4115, 2007.
23. Fujita M., Hayashi I., Yamashina S. et al. Angiotensin type 1a receptor signaling-dependent induction of vascular endothelial growth factor in stroma is relevant to tumor-associated angiogenesis and tumor growth. Carcinogenesis 26, 271–279, 2005.
24. George AJ, Thomas WG, Hannan RD. The renin-angiotensin system and cancer: old dog, new tricks. Nat Rev Cancer. Nov; 10(11): 745-59, 2010.
25. Hicks BM, Filion KB, YH, et al. Angiotensin converting enzyme inhibitors and risk of lung cancer: population based cohort study. BMJ. Oct 24;363:k4209, 2018.
26. Huang YT, Lee LT, Lee, PPH et al. Targeting of Focal Adhesion Kinase by Flavonoids and Small-interfering RNAs Reduces Tumor Cell Migration Ability. Anticancer Research. 25: 2017-2026, 2005.
27. Huang Y., Goel S., Duda D. G., Fukumura D., Jain R. K., Vascular normalization as an emerging strategy to enhance cancer immunotherapy. Cancer Res. 73, 2943–2948, 2013.
28. Huang Y., Yuan J., Righi E., et al.Vascular normalizing doses of antiangiogenic treatment reprogram the immunosuppressive tumor microenvironment and enhance immunotherapy. Proc. Natl. Acad. Sci. U.S.A. 109, 17561–17566, 2012.
29. Hsu HL, Lee CH, Chen CH, Zhan JF, Angiotensin converting enzyme inhibitors and angiotensin II receptor blockers might be associated with lung adenocarcinoma risk: a nationwide population-based nested case-control study. Am J Transl Res. Oct 15;12(10): 6615-6625, 2020.
30. Incio J., Liu H., Suboj P., et al. Obesity-induced inflammation and desmoplasia promote pancreatic cancer progression and resistance to chemotherapy. Cancer Discov. 6, 852–869, 2016.
31. Ino K., Shibata K., Kajiyama H., et al. Angiotensin II type 1 receptor expression in ovarian cancer and its correlation with tumour angiogenesis and patient survival. Br. J. Cancer 94, 552–560, 2006.
32. Jain R. K., Normalizing tumor microenvironment to treat cancer: Bench to bedside to biomarkers. J. Clin. Oncol. 31, 2205–2218, 2013.
33. Jain R. K., Martin J. D., Stylianopoulos T., The role of mechanical forces in tumor growth and therapy. Annu. Rev. Biomed. Eng. 16, 321–346, 2014.
34. Jain R. K., Antiangiogenesis strategies revisited: From starving tumors to alleviating hypoxia. Cancer Cell 26, 605–622, 2014a.
35. Ji Y., Wang Z., Li Z., Zhang A., et al. Angiotensin II enhances proliferation and inflammation through AT1/PKC/NF-kB signaling pathway in hepatocellular carcinoma cells. Cell. Physiol. Biochem. 39, 13–32, 2016.
36. Jiang H., Hegde S., Knolhoff B. L., et al. Targeting focal adhesion kinase renders pancreatic cancers responsive to checkpoint immunotherapy. Nat. Med. 22, 851–860, 2016).
37. Kim H.-R., Lee A., Choi E.-J., et al. Reactive oxygen species prevent imiquimod-induced psoriatic dermatitis through enhancing regulatory T cell function. PLOS ONE 9, e91146, 2014.
38. Kosugi M., Miyajima A., Kikuchi E., Horiguchi Y., Murai M., Angiotensin II type 1 receptor antagonist candesartan as an angiogenic inhibitor in a xenograft model of bladder cancer. Clin. Cancer Res. 12, 2888–2893, 2006.
39. Kristensen KB, Hicks B, Azoulay L, Pottegård A. Use of ACE (Angiotensin-Converting Enzyme) Inhibitors and Risk of Lung Cancer: A Nationwide Nested Case-Control Study. Circ Cardiovasc Qual Outcomes. Jan;14(1):e006687, 2021.
40. Lahdenpohja N., Savinainen K., Hurme M., et al. Pre-exposure to oxidative stress decreases the nuclear factor-kB–dependent transcription in T lymphocytes. J. Immunol. 160, 1354–1358, 1998.
41. Li M. O., Flavell R. A., TGF-b: A master of all T cell trades. Cell 134, 392–404, 2008.
42. Li J, Qiu M, Chen L, et al. Resveratrol promotes regression of renal carcinoma cells via a renin-angiotensin system suppression-dependent mechanism. Oncol Lett. Feb;13(2):613-620, 2017.
43. Lin C., Datta V., Okwan-Duodu D., Chen X., Fuchs S., Alsabeh R., Billet S., Bernstein K. E., Shen X. Z., Angiotensin-converting enzyme is required for normal myelopoiesis. FASEB J. 25, 1145–1155, 2011.
44. Lin X., Zheng W., Liu J., Zhang Y., et al. Oxidative stress in malignant melanoma enhances tumor necrosis factor-alfa secretion of tumor-associated macrophages that promote cancer cell invasion. Antioxid. Redox Signal. 19, 1337–1355, 2013.
45. Lin SY, Lin CL, Lin CC, Association between Angiotensin-Converting Enzyme Inhibitors and Lung Cancer-A Nationwide, Population-Based, Propensity Score-Matched Cohort Study..Cancers (Basel). Mar 21;12(3):747, 2020.
46. Matsuzuka T., Miller K., Pickel L.,et al. The synergistic induction of cyclooxygenase-2 in lung fibroblasts by angiotensin II and pro-inflammatory cytokines. Mol. Cell. Biochem. 320, 163–171 2009.
47. Munn DH, Bronte V. Immune suppressive mechanisms in the tumor microenvironment. Curr Opin Immunol. Apr; 39():1-6, 2016.
48. Norman M. Z., Hasmim M., Messai Y. et al. Hypoxia: A key player in antitumor immune response. A review in the theme: Cellular responses to hypoxia. Am. J. Physiol. Cell Physiol. 309, C569–C579, 2015.
49. Öhlund D., Elyada E., Tuveson D., et al. Fibroblast heterogeneity in the cancer wound. J. Exp. Med. 211, 1503–1523, 2014.
50. Okwan-Duodu D., Landry J., Shen X. Z., Diaz R., Angiotensin-converting enzyme and the tumor microenvironment: Mechanisms beyond angiogenesis. Am. J. Physiol. Regul. Integr. Comp. Physiol. 305, R205–R215, 2013.
51. Okazaki M., Fushida S., Harada S., et al.The angiotensin II type 1 receptor blocker candesartan suppresses proliferation and fibrosis in gastric cancer. Cancer Lett. 355, 46–53, 2014.
52. Palazón A., Aragonés J., Morales-Kastresana A. et al. Molecular pathways: Hypoxia response in immune cells fighting or promoting cancer. Clin. Cancer Res. 18, 1207–1213, 2012.
53. Pinter M and Jain RK. Targeting the renin-angiotensin system to improve cancer treatment: Implications for immunotherapySci Transl Med. 9(410): eaan5616, 2017.
54. Pinter M, Kwanten WJ, Jain RK. Renin-Angiotensin System Inhibitors to Mitigate Cancer Treatment-Related Adverse Events. Clin Cancer Res. Aug 15;24(16):3803-3812, 2018.
55. Pham H., Chong B., Vincenti R., Slice L. W. Ang II and EGF synergistically induce COX-2 expression via CREB in intestinal epithelial cells. J. Cell. Physiol. 214, 96–109, 2008.
56. Rachow T, Helmut Schiffl and Susanne M. Lang. Risk of lung cancer and renin–angiotensin blockade: a concise review Cancer Res Clin Oncol. 147(1): 195–204, 2021.
57. Rocken C., Rohl F. W., Diebler E., et al. The angiotensin II/angiotensin II receptor system correlates with nodal spread in intestinal type gastric cancer. Cancer Epidemiol. Biomarkers Prev. 16, 1206–1212, 2007.
58. Sena L. A., Li S., Jairaman A., Prakriya M., et al. Mitochondria are required for antigen-specific T cell activation through reactive oxygen species signaling. Immunity 38, 225–236, 2013.

59. Shen X. Z., Billet S., Lin C., et al. The carboxypeptidase ACE shapes the MHC class I peptide repertoire. Nat. Immunol. 12, 1078–1085, 2011.
60. Shirotake S., Miyajima A., Kosaka T., et al. Angiotensin II type 1 receptor expression and microvessel density in human bladder cancer. Urology 77, 1009.e19–1009.e25, 2011.
61. Shirotake S., Miyajima A., Kosaka T. et al. Regulation of monocyte chemoattractant protein-1 through angiotensin II type 1 receptor in prostate cancer. Am. J. Pathol. 180, 1008–1016, 2012.
62. Schmieder RE, et al. Renin-angiotensin system and cardiovascular risk. The Lancet. 369:1208–1219, 2007.
63. Slice L. W., Chiu T., Rozengurt E. Angiotensin II and epidermal growth factor induce cyclooxygenase-2 expression in intestinal epithelial cells through small GTPases using distinct signaling pathways. J. Biol. Chem. 280, 1582–1593, 2005.
64. Smyth MJ, Ngiow SF, Ribas A, Teng MW. Combination cancer immunotherapies tailored to the tumour microenvironment. Nat Rev Clin Oncol. Mar; 13(3):143-58, 2016.
65. Sorensen A. G., Emblem K. E., Polaskova P., et al. Increased survival of glioblastoma patients who respond to antiangiogenic therapy with elevated blood perfusion. Cancer Res. 72, 402–407, 2012.
66. Thews O., Kelleher D. K., Vaupel P., Disparate responses of tumour vessels to angiotensin II: Tumour volume-dependent effects on perfusion and oxygenation. Br. J. Cancer 83, 225–231, 2000.
67. Tozer G. M., Shaffi K. M, The response of tumour vasculature to angiotensin II revealed by its systemic and local administration to 'tissue-isolated' tumours. Br. J. Cancer 72, 595–600, 1995.
68. Tumeh PC, Harview CL, Yearley JH, et al. PD-1 blockade induces responses by inhibiting adaptive immune resistance. Nature. 515:568–571, 2014.
69. Uemura H., Ishiguro H., Nagashima Y., et al. Antiproliferative activity of angiotensin II receptor blocker through cross-talk between stromal and epithelial prostate cancer cells. Mol. Cancer Ther. 4, 1699–1709, 2005.
70. Uemura H., Ishiguro H., Ishiguro Y., et al. Angiotensin II induces oxidative stress in prostate cancer. Mol. Cancer Res. 6, 250–258,2008.
71. Voron T., Colussi O., Marcheteau E., et al. VEGF-A modulates expression of inhibitory checkpoints on CD8+ T cells in tumors. J. Exp. Med. 212, 139–148, 2015.
72. Yoshiji H., Kuriyama S., Kawata M., et al. The angiotensin-I–converting enzyme inhibitor perindopril suppresses tumor growth and angiogenesis: Possible role of the vascular endothelial growth factor. Clin. Cancer Res. 7, 1073–1078, 2001.
73. Zelenay S., van der Veen A. G., Böttcher J. P., et al. Cyclooxygenase-dependent tumor growth through evasion of immunity. Cell 162, 1257–1270, 2015.
74. Watt J.and Kocher H. M. The desmoplastic stroma of pancreatic cancer is a barrier to immune cell infiltration. OncoImmunology 2, e26788, 2013.

CAPÍTULO 123

Somatostatina: efeitos anticâncer por suprimir o GH, inibir as enzimas glicose-6-fosfato desidrogenase e transcetolase e por acidificar o intracelular

José de Felippe Junior

A somatostatina ou fator inibidor de liberação da somatotropina é peptídeo de origem hipotalâmica, mas também é encontrado em várias partes do sistema nervoso central, ilhotas de Langherans e mucosa do trato digestivo superior. A somatostatina tem sido usada no tratamento de tumores, no sangramento intestinal e em processos inflamatórios como pancreatite e diarreia severa.

Entre seus efeitos no câncer destaca-se a supressão do GH (hormônios do crescimento), da insulina, do glucagon e a inibição das enzimas glicose-6-fosfato desidrogenase e transcetolase do ciclo das pentoses. Outro efeito recém-aceito da somatostatina no câncer é a acidificação intracelular, o que inibe as enzimas chaves da glicólise anaeróbia.

A somatostatina apresenta efeito antiproliferativo em vários modelos animais e em várias linhagens de células neoplásicas de seres humanos (Reubi, 1993).

Em animais, ela inibe o crescimento do tumor de próstata de rato, o tumor de mama de camundongos e o câncer pancreático de cobaia (Schally, 1990).

Em humanos descobriu-se que várias neoplasias humanas como as de mama, próstata, pâncreas, ovário, linfoma, meningeoma e glioblastoma apresentavam receptores altamente específicos para a somatostatina, o que explica seu efeito de inibir o crescimento e proliferação celular nesses tumores: efeito carcinostático (Srkalovic, 1990; Witzig, 1995).

A somatostatina e seus análogos, octreotide, lanreotide e vapreotide, possui efeitos antitumorais diretos e indiretos. Os efeitos diretos incluem parada do crescimento e estímulo da apoptose provocando diminuição do volume tumoral. Os efeitos indiretos são antiangiogênese, imunomodulação e supressão de fatores do crescimento. Durante 20 anos tem sido usada no tratamento de tumores neuroendócrinos e recentemente seu emprego se estendeu para outros tumores sólidos (Kvols, 2006).

A fórmula química da somatostatina é $C_{76}H_{104}N_{18}O_{19}S_2$, de peso molecular: 1637,9g/mol. Outros nomes: SOMATOSTATIN, Somatostatin-14, SRIF, Aminopan e Panhibin.

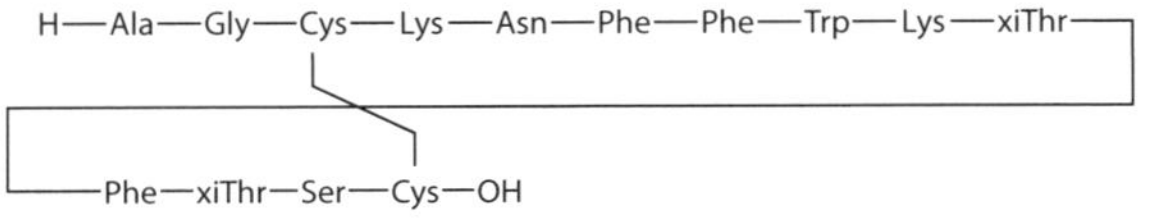

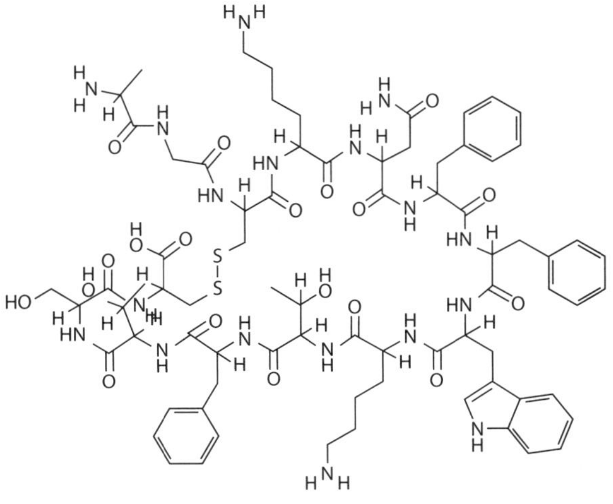

Somatostatina

A) Efeito da somatostatina sobre o hormônio do crescimento – GH

A somatostatina impede a transformação hepática do GH em IGF-I. O IGF-I é molécula que surgiu no organismo para aumentar a proliferação celular e diminuir a apoptose. É hormônio de sobrevivência celular democrático. A sua presença no câncer acelera a proliferação mitótica. Ele é carcinocinético e jamais pode ser considerado carcinogênico.

O GH assim como o IGF-I são carcinocinéticos.

B) Efeito da somatostatina no ciclo das pentoses

A glucose-6-fosfato desidrogenase (G6PD) e a transcetolase estão envolvidas na síntese de ribose, coluna dorsal dos ácidos nucleicos necessários para a formação de RNA e DNA, ao lado de gerar NADPH, o principal agente redutor intracelular e, portanto, facilitador da proliferação mitótica. A somatostatina inibe drasticamente ambas as enzimas, G6PD e transcetolase.

1. Reações oxidativas do ciclo das pentoses

A glicose na célula normal e tumoral pode ser utilizada por duas vias metabólicas: ciclo de Embden-Meyerhof (glicólise anaeróbia) e ciclo das pentoses.

Está bem estabelecido que a proliferação do tecido normal (Moller, 1994) e do tecido tumoral se associa com a alta atividade da enzima G6PD (Jonas, 1992; Geertrudia, 1993), a qual catalisa irreversivelmente a passagem da glucose-1-fosfato para ácido-6-fosfoglucorônico, cuja sequência vai produzir moléculas de ribose no ciclo das pentoses.

A G6PD é a enzima limitante de velocidade do ciclo das pentoses do ramo oxidativo e a enzima transcetolase é a limitante do ramo não oxidativo.

A G6PD gera 2 moles de NADPH a partir de 1 mol de glicose e está drasticamente elevada nos vários tipos de tumores metastáticos no fígado (Geertrudia, 1993).

É muito interessante o fato de indivíduos deficientes de G6PD apresentarem quantidades elevadas desta enzima quando desenvolvem tumores sólidos (Cocco, 1989).

Todos esses fatos mostram a importância da G6PD na fisiologia normal e tumoral e suportam a hipótese de ela estar envolvida na proliferação celular. Sua função é proliferar e a inibição da G6PD no câncer é uma das nossas metas (Felippe, 2005). Sulfonamidas e quinacrina (Atabrina) também inibem a G6PD.

2. Reações não oxidativas do ciclo das pentoses

As reações não oxidativas do ciclo das pentoses caminham para a síntese de ribose, via enzima transcetolase, a qual é estritamente dependente de tiamina.

Em 1976, Basu já demonstrava no câncer de mama e de pulmão humanos os efeitos estimulantes da tiamina em baixa dose sobre a transcetolase. A tiamina é captada pelas células tumorais em intensa proliferação, depletando o indivíduo e podendo provocar sinais e sintomas de beribéri.

A partir de 1986 surgem na literatura os trabalhos de pesquisadores da União Soviética sobre os efeitos de um potente inibidor da tiamina sobre tumores malignos, a hidroxitiamina (Zimatkina, 1986). Outro inibidor potente da tiamina, a oxitiamina, também possui efeitos antitumorais marcantes *in vitro*. Entretanto, essas estratégias diminuem a fosforilação oxidativa mitocondrial, fato indesejável no tratamento de tumores *in vivo*.

Recentemente, observou-se que 90% da ribose isolada do RNA em cultura de células Mia do adenocarcinoma pancreático são diretamente produzidas pelas reações oxidativas e não oxidativas do ciclo das pentoses. Nestas células, 70% da ribose é proveniente da via transcetolase e 20% da via G6PD (Lee, 1997).

Desta forma, a transcetolase é outra enzima importante do ciclo das pentoses na fisiologia tumoral, ao lado da G6PD. A genisteína inibe a transcetolase e parcialmente a G6PD, enquanto a somatostatina diminui marcantemente a atividade de ambas.

G6PD e transcetolase são carcinocinéticas.

C) Efeito da somatostatina sobre a insulina

A insulina é o principal ativador da glicólise e ciclo das pentoses nos mamíferos, porque ativa a glucoquinase, a piruvatoquinase, a G6PD e a transcetolase em muitos tecidos do organismo humano e nos mais variados tipos de neoplasias.

A administração de somatostatina suprime a liberação de insulina das células beta do pâncreas e, portanto, pode funcionar como inibidor das fases iniciais da glicólise anaeróbia, o que reduz também os metabólitos para o ciclo das pentoses do tumor. A somatostatina diminui a concentração de glicose no sangue – hipoglicemia.

A G6PD, insulina, glucagon e NADPH estão presentes em todo reino animal e a somatostatina no homem, assim como em trutas e salmão diminui a atividade da G6PD e os níveis de insulina, glucagon e NADPH (in Boros, 1998). A queda dos níveis de insulina diminui a produção de ATP via glicólise anaeróbia e diminui a proliferação celular mitótica (Felippe, 2005).

As células tumorais expressam tipicamente alta atividade da piruvatoquinase tipo M2. Esta alta atividade é tão constante nos tumores que tem sido usada em clínica como diagnóstico não específico da presença de câncer. A parcial inativação da piruvatoquinase e da enolase de um lado e a hiperativação da glucoquinase e fosfofrutoquinase de outro levam ao aumento dos catabólitos para a G6PD do ciclo das pentoses, com o consequente aumento da síntese de ribose e aumento de NADPH (Eigenbrodt, 1992; Rempel, 1996).

Este fato nos mostra a ineficácia terapêutica da inibição somente da glicólise anaeróbia. Inibimos de um lado e a célula neoplásica, ávida por sobreviver, escapa por outro lado, o ciclo das pentoses. É que acontece também com os tratamentos alvo usando anticorpos monoclonais; inibimos uma via e a célula caminha por outra.

As células humanas se esmeram para se manterem vivas há 3,8 bilhões de anos e têm guardado todas as artimanhas de sobrevivência no seu precioso genoma. Esta é a razão de nós estarmos no presente momento respirando neste pequeno planeta.

Insulina é carcinocinética.

D) Agonistas da dopamina

É importante sabermos do sinergismo entre os agonistas do receptor D2 da dopamina com a somatostatina em muitos tumores, não somente nos neuroendócrinos (Gatto, 2011).

A bromocriptina, agonista dopaminérgico, e o octreotide, análogo de longa duração da somatostatina, são substâncias que diminuem a captação de glicose pela membrana tumoral. Quando usadas no adenoma de hipófise promovem diminuição do volume tumoral (Francavilla, 1991).

A bromocriptina suprime em 57% a proliferação do câncer de mama humano, MCF-7 na pequena dose de 12,5 micromoles e induz apoptose também via receptor D2 da dopamina (Pornour, 2015).

Os agonistas do receptor dopamina D2 suprimem a invasão e a migração de células do câncer gástrico via inibição da via EGFR/AKT/MMP-13. Acontece também inibição do IGF-1 (Huang, 2016).

Conjugados do ômega-3 DHA e EPA com a dopamina induz o PPAR-gama e provoca morte celular por apoptose e autofagia em células do câncer de mama, MCF-7, SKBR3 e MDA-MB-231. Não afeta as células normais (Rovito, 2015).

Agonistas do receptor D2 da dopamina inibem a progressão e reduzem a angiogênese do câncer de pulmão, A549 (Hoeppner, 2015). A dopamina aumenta a eficácia de drogas anticâncer de mama e de cólon (Sarkar, 2008). Estresse diminui a concentração de dopamina e aumenta proliferação do câncer de ovário. Dopamina reverte tais efeitos (Moreno-Smith, 2011).

Agonistas da dopamina são carcinocinéticos.

E) Efeito da somatostatina sobre o glucagon

Glucagon ativa o AMP-cíclico e promove glicogenólise hepática. A ativação do AMP cíclico pode ativar o complexo proliferativo EGF/EGFR (fator de crescimento epitelial e seu receptor) e a glicogenólise pode produzir hiperglicemia. A hiperglicemia promove ativação do fator induzível pela hipóxia (HIF-1-alfa) e do fator de crescimento endotelial (VEGF) e induz neoangiogênese tumoral (Wang, 2014).

Somatostatina exógena inibe fortemente a secreção de insulina e glucagon das células pancreáticas beta e alfa, respectivamente (Vitam, 2014). Desse modo, cai a glicemia no sangue, o que é um dos benefícios no tratamento do câncer.

No câncer de reto, de cólon e do tubo digestivo em geral verificou-se que o glucagon aumenta a síntese de DNA e de proteínas, o que aumenta a velocidade da divisão celular neoplásica (Hartl, 1998; Moyer, 1985).

Glucagon é carcinocinético.

Alguns estudos

Combinação da melatonina, somatostatina e vitamina A em células MCF-7 do câncer de mama humano diminui a viabilidade e a proliferação inibindo a via Notch e o complexo EGF/EGF/R. Provoca também marcante redução do potencial de membrana mitocondrial e redução do ATP intracelular podendo induzir morte celular necrótica (Margheri, 2012).

As células do câncer de mama possuem receptores para a somatostatina que *in vitro* provoca diminuição da proliferação e apoptose tumoral e já em 1997 esperava-se por trabalhos sobre a eficácia da estratégia in vivo (Pollak, 1997), mas, infelizmente, os trabalhos não vieram.

Análogos da somatostatina e estrógenos, etinilestradiol, no tratamento do adenocarcinoma de próstata D3 refratário à ablação com andrógenos proporciona sobrevida de 10 meses, a mesma quando se usa quimioterapia (Sciarra, 2004).

Células do linfoma não Hodgkin expressam receptores para a somatostatina e são visíveis em radiocintilografias com somatostatina marcada. Na dose de 150mcg a cada 8 horas por 1 mês é bem tolerada e possui atividade contra o linfoma de baixo grau: 10 em 28 pacientes apresentaram remissão parcial (Witzig, 1995). Uma andorinha não faz verão.

Octreotide, análogo da somatostatina, 150mcg dada 8 horas é ineficaz no tratamento do carcinoma de colon avançado assintomático – Fase III (Goldberg, 1995). Somente uma substância para tratar algo complexo. Uma andorinha não faz verão.

Octeotride de longa duração é ineficaz no carcinoma hepatocelular avançado em trabalho randomizado, duplo-cego e controlado com placebo (Barbare, 2009). De novo, desenham trabalhos antiéticos utilizando somente uma substância para problema tão complexo e ainda fazem duplo-cego. Absurdo.

Conclusão

A somatostatina:

1. Suprime a geração de GH e diminui a síntese hepática do IGF-I provocando a diminuição da proliferação celular, diminuição da neoangiogênese tumoral e aumento da apoptose, efeitos carcinostáticos (Felippe, 2005).
2. Inibe as principais enzimas do ciclo das pentoses, G6PD e transcetolase e provoca dois efeitos: diminui drasticamente a geração de NADPH, principal redutor intracelular e, portanto, funciona como antiproliferativo e diminui a formação de ribose e, portanto, de RNA e DNA diminuindo ou até abolindo os elementos sem os quais não há proliferação tumoral.
3. Suprime a insulina e provoca diminuição parcial da glicólise anaeróbia, motor da mitose.
4. Suprime glucagon que é hiperglicêmico e aumenta a síntese de DNA e proteínas.
5. É sinérgico com os agonistas da dopamina, receptor D2.
6. Somente a supressão do ciclo das pentoses é insuficiente para abolir o crescimento tumoral *in vivo*. A somatostatina inibe esta via.
7. Somente a supressão do ciclo de Embden-Meyerhof é insuficiente para abolir o crescimento tumoral *in vivo*. O excesso de citrato inibe esta via.
8. Somente a supressão da via metabólica de um carbono é insuficiente para abolir o crescimento tumoral *in vivo*. O excesso de glicina inibe esta via.

Referências

1. Abstracts and papers in full on site: www.medicinabiomolecular.com.br
2. Barbare JC, Bouché O, Bonnrtain E, et al. Treatment of advanced hepatocellular carcinoma with long-acting octreotide: a phase III multicentre, randomised, double blind placebo-controlled study. Eur J Cancer. 45(10):1788-97;2009.
3. Bares R, Klever P, Hauptmann S et al. F-18 fluorodeoxy-glucose PET in vivo evaluation of pancreatic glucose metabolism for detection of pancreatic cancer. Radiology.192(1):79-86;1994.
4. Basu TK, Dickerson JW. The thiamin status of early cancer patients with particular reference to those with breast and bronchial carcinomas. Oncology. 33(5-6):250-2;1976.
5. Braun M. The somatostatin receptor in human pancreatic β-cells. Vitam Horm. 95:165-93;2014.
6. Cocco P, Dessi S, Avataneo G, et al. Glucose-6-phosphate drhydrogenase deficiency and cancer in a Sardinian male population: a case control study. Carcinogenesis. 10(5):813-6;1989.
7. Eigenbrodt E, Reinacher M, Schefers-Borchel U, et al. Double role for pyruvate kinase type M2 in the expansion of phosphometabolite pools found in tumor cells. Crit Rev Oncogenesis. 3(1-2):91-115.
8. Felippe JJr. Metabolismo das Células Cancerosas: A Drástica Queda do GSH e o Aumento da Oxidação Intracelular Provoca Parada da Proliferação Celular Maligna, Aumento da Apoptose e Antiangiogênese Tumoral. Revista Eletrônica da Associação Brasileira de Medicina Biomolecular. www.medicinabiomolecular.com.br. Tema do mês de setembro de 2004.
9. Felippe JJr. O Fator de Crescimento Semelhante a Insulina (IGF-I) aumenta a proliferação celular, diminui a apoptose das células malignas, promove a angiogênese tumoral e facilita o aparecimento e a manutenção de vários tipos de câncer. Revista Eletrônica da Associação Brasileira de Medicina Biomolecular. www.medicinabiomolecular.com.br Tema do mês de agosto de 2005.
10. Felippe, JJr. A insulinemia elevada possui papel relevante na fisiopatologia do infarto do miocárdio, do acidente vascular cerebral e do câncer. Revista Eletrônica da Associação Brasileira de Medicina Biomolecular. www.medicinabiomolecular.com.br. Tema do mês de março de 2005.
11. Francavilla T L, Miletich R S, DeMichele D et al. Positron emission tomography of pituitary macroadenomas: hormone production and effects of therapies. Neurosurgery. 28(6):826-33;1991.
12. Gatto F, Hofland LJ. The role of somatostatin and dopamine D2 receptors in endocrine tumors. Endocr Relat Cancer. 18(6):R233-51; 2011.
13. Geertrudia NJ, Ilse MC, Klazina SB, et al. Experimentally induced colon cancer metastases in rat liver increase the proliferation rate and capacity for purine catabolism in liver cells. Histochemistry. 100:41-51;1993.
14. Goldberg RM, Moertel CG, Wieand HS, et al. A phase III evaluation of a somatostatin analogue (octreotide) in the treatment of patients with asymptomatic advanced colon carcinoma. North Central Cancer Treatment Group and the Mayo Clinic. Cancer. 76(6): 961-6;1995.
15. Hartl WH, Demmelmair H, Jauch KW, et al. Effect of glucagon on protein synthesis in human rectal cancer in situ. Ann Surg. 227(3):390-7;1998.
16. Hoeppner LH, Wang Y, Charma A, et al. Dopamine D2 receptor agonists inhibit lung cancer progression by reducing angiogenesis and tumor infiltrating myeloid derived suppressor cells. Mol Oncol. 9(1):270-81;2015.
17. Huang H, Wu K, Ma J, et al. Dopamine D2 receptor suppresses gastric cancer cell invasion and migration via inhibition of EGFR/AKT/MMP-13 pathway. Int Immunopharmacol. 39:113-20;2016.
18. Jonas SK, Benedetto C, Flatman A, et al. Increased activity of 6-phosphogluconate dehydrogenase and glucose-6-phosphate dehydrogenase in purified cell suspension and single cells from the uterine cervix in cervical intraepithelial neoplasia. Br J Cancer. 66:185-91;1992.
19. Kvols LK, Woltering EA. Role of somatostatin analogs in the clinical management of non-neuroendocrine solid tumors. Anticancer Drugs. 17(6):601-8;2006.
20. Lee WNP, Boros LG, Brandes JL, et al. Non-oxidative pathway of ribose synthesis in cultured pancreatic adeno-carcinoma cells. American Federation for Clinical Research, February; Carmel, California, 1997.
21. Margheri M, Pacini N, Tani A, et al. Combined effects of melatonin and all-trans retinoic acid and somatostatin on breast cancer cell proliferation and death: molecular basis for the anticancer effect of these molecules. Eur J Pharmacol. 681(1-3):34-43;2012.
22. Moler C, Benito M, Lorenzo M. Glucose-6-phosphate dehydro-genase gene expresion in fetal hepatocyte primary cultures under nonproliferative and proliferative conditions. Exp Cell Res. 210: 26-32;1994.

23. Moreno-Smith M, Lu C, Stone RL, et al. Dopamine blocks stress-mediated ovarian carcinoma growth. Clin Cancer Res. 17(11): 3649-59;2011.
24. Moyer MP, Aust JB, Dixon PS, et al. Glucagon enhances growth of cultured human colorectal cancer cells in vitro. Am J Surg. 150(6):676-9;1985.
25. Pollak M. The potential role of somatostatin analogues in breast cancer treatment. Yale J Biol Med. 70(5-6):535-9;1997.
26. Pornour M, Ahangari G, Hejazi SH, Deezagi A. New perspective therapy of breast cancer based on selective dopamine receptor D2 agonist and antagonist effects on MCF-7 cell line. Recent Pat Anticancer Drug Discov. 10(2):214-23;2015.
27. Raylman RR, Fisher SJ, Brown RS, Wahl RL. Fluorine-18-fluorodeoxy-glucose guided breast cancer surgery with a positron-sensitive probe: Validation in preclinical studies. J Nucl Med. 36(10):1869-74;1995.
28. Rempel A, Mathupala SP, Perdersen PL. Glucose catabolism in cancer cells: regulation of the Type II hexokinase promoter by glucose and cyclic AMP. FEBS Lett. 385(3):233-7;1996.
29. Reubi JC, Krenning E, Lamberts SW, Kvols L. In vitro detection of somatostatin receptors in human tumors (review). Digestion. 54(Suppl. 1):76-83;1993.
30. Rovito D, Giordano C, Plastina P, et al. Omega-3 DHA- and EPA-dopamine conjugates induce PPARγ-dependent breast cancer cell death through autophagy and apoptosis. Biochim Biophys Acta. 1850(11):2185-95;2015.
31. Sarkar C, Chakroborty D, Chowdhury UR, et al. Dopamine increases the efficacy of anticancer drugs in breast and colon cancer preclinical models. Clin Cancer Res. 14(8):2502-10;2008.
32. Schally AV, Srkalovic G, Szende B, et al. Antitumor effects of analogs of LH-RH and somatostatin: experimental and clinical studies (review). J Steroid Biochem Mol Biol. 37(6):1061-7;1990.
33. Sciarra A, Bosman C, Monti G, et al. Somatostatin analogues and estrogens in the treatment of androgen ablation refractory prostate adenocarcinoma. J Urol. 172(5 Pt 1):1775-83;2004.
34. Srkalovic G, Cai RZ, Schally AV. Evaluation of receptors for somatostatin in various tumors using different analogs. J Clin Endocrinol Metabol. 70(3):661-9;1990.
35. Strauss LG, Conti PS. The application of PET in clinical oncology. J Nucl Med. 32:623-48;1991.
36. Torizuka T, Tamaki N, Inokuma T, et al. In vivo assessment of glucose metabolism in hepato-cellular carcinoma with FDG-PET. J Nucl Med. 36(10):1811-7;1995.
37. Wang Y, Zhu YD, Gui Q, et al. Glucagon-induced angiogenesis and tumor growth through the HIF-1-VEGF-dependent pathway in hyperglycemic nude mice. Genet Mol Res. 13(3):7173-83;2014.
38. Warburg O. On the origin of cancer cells. Science. 123:309-14;1956.
39. Witzig TE, Letendre L, Gerstner J, et al. Evaluation of a somatostatin analog in the treatment of lymphoproliferative disorders: results of a phase II North Central Cancer Treatment Group trial. J Clin Oncol. 13(8):2012-5;1995.
40. Zimatkina T, Zimatkin SM, Oparin DA, eta al. Comparative evaluation of the action of oxythiamine and its derivatives on animals with Erhlich's ascitic cancer (Russian). Eksperimentalnaia Onkologiia. 8(2):68-70;1986.

CAPÍTULO 124

STAT3 e seus inibidores: curcumina, partenolide, resveratrol, epigalocatequina-3-galato, silibinina e ácido ursólico

José de Felippe Junior

A verdadeira causa das DOENÇAS e a MEDICINA ainda não fizeram as pazes. É porque a MEDICINA ainda é muito jovem. **JFJ**

STAT ou *Signal-Transducer-and-Activator-of-Transcription* ou transdutores de sinal e ativadores da transcrição compreendem uma família de seis fatores envolvidos na transdução de sinais e na transcrição de fatores que desempenham importantes funções nas células normais do nosso organismo, tais como: resposta imune, diferenciação celular, inflamação, proliferação, regeneração e apoptose. Os STATs foram descobertos em 1993 por James Darnell e considerados oncogenes (Shuai, 1993). Em nosso entender são genes de sobrevivência que nos ajudaram a sobreviver no longo período de bilhões de anos de Evolução.

A principal proteína da família, o STAT3, possui papel relevante na carcinogênese e foi descoberta por Darnell e Akira em 1994, trabalhando em laboratórios diferentes (Zhong e Darnell, 1994; Akira, 1994). Esta proteína encontra-se no citoplasma em forma inativa e como a maioria das proteínas envolvidas na gênese do câncer é ativada por fosforilação. Uma vez ativa ela desencadeia a proliferação celular se houver energia proveniente da glicólise anaeróbia e impedimento da fosforilação oxidativa.

A ocupação dos receptores das citocinas na superfície celular provoca a ativação da família Janus kinase (JAK), uma das proteína-quinases que fosforilam e ativam o STAT3, o qual se encontra latente no citoplasma. A forma ativa é capaz de se translocar para o núcleo e induzir a transcrição de genes específicos. O principal componente da família JAK é o JAK2.

Várias outras kinases são capazes de fosforilar o STAT3: membros da família Src (hck, src), ErbB1, ErbB2, proteína-quinase C (PKC), c-fos, gp130 e receptor do fator de crescimento epitelial (EGF-R).

O STAT3 não funciona sozinho na sinalização da carcinogênese, ele se comunica (*cross-talk*) com vários outros fatores de transcrição como: PPAR-gama, beta-catenina, NF-kappaB, fator induzido pela hipóxia-1alfa (HIF-1alfa), c-myc, c-fos, c-jun, receptores dos glicocorticoides e receptores de estrógenos.

Fatores que ativam o STAT3

Vários fatores de crescimento e várias interleucinas, substâncias que sabidamente promovem a proliferação celular neoplásica, são capazes de fosforilar e ativar o STAT3 (Aggarwall, 2006; Gatsios, 1998; Carballo, 1999; Nagpal, 2002; Yoshida, 2002; Carl, 2004; Sarcar, 2004; Ahsan, 2005; Proietti, 2005):

1. Estresse oxidativo de curta duração.
2. Hormônio do crescimento (Gronowski, 1995).
3. EGF – fator de crescimento epidérmico.
4. IL-6.
5. IL-5, IL-9, IL-10, IL-12, IL-22.
6. TNF-alfa – fator de necrose tumoral-alfa.
7. TGF-alfa – fator transformador de crescimento alfa.
8. Oncostatin M.
9. Trombopoetina.
10. PDGF – fator de crescimento derivado das plaquetas.
11. Leptina.
12. Hepatite C.
13. Raios ultravioleta B – UVB.
14. Lipopolisacarídeos – LPS.
15. *Shock* osmótico.
16. Progestinas (progesteronas sintéticas).
17. Mascar tabaco.

Acredita-se que o fator de crescimento epidérmico (EGF), responsável pela proliferação neoplásica de quase 30% de diferentes tipos de tumores, funcione ativando o STAT3. A IL-6, que está relacionada com a proliferação do mieloma múltiplo, carcinoma renal, câncer de próstata e outras neoplasias também ativa o STAT3.

O EGF e a IL-6 promovem a fosforilação do resíduo tirosina do STAT3 o que desencadeia a proliferação celular neoplásica, a antiapoptose, metástases e neoangiogênese tumoral.

STAT3 regula a expressão de genes envolvidos na carcinogênese

Para Turkson (1998) e recentemente para Schlessinger (2005), o STAT3 é um dos principais mediadores da carcinogênese. O STAT3 ativo interfere na apoptose, na proliferação celular neoplásica, na neoangiogênese, nas metástases e na função do sistema imune (Gamero, 2004; Kortylewski, 2005). Ele provoca aumento da expressão dos genes Bcl-xL, Mcl-1 e survivina inibindo a apoptose; aumenta a expressão dos genes c-myc e ciclina D1 que auxiliam a proliferação celular, do gene matriz metaloproteinase-9 que é mediador da invasão celular e metástases e do gene VEGF mediador da neoangiogênese (Aggarwal, 2006).

STAT3 está constitutivamente ativo em muitos tipos de câncer. Ele é ativado por fatores de crescimento (e.g., EGF, TGF-alpha, IL-6, *hepatocyte growth factor*) e quinases oncogênicas (e.g., Src). STAT3 regula a expressão de genes que interferem na proliferação (e.g., c-myc and cyclin D1), suprimem a apoptose (e.g., Bcl-xL e survivina) ou promovem a angiogênese (e.g, VEGF). Ativação do STAT3 está ligado a quimiorresistência e radiorresistência.

Genes regulados pelo STAT3

A) Antiapoptose
1. Bcl-xL.
2. Bcl-2.
3. Mcl-1.
4. cIAP-2.
5. Survivina.

B) Progressão do ciclo celular
1. Ciclina D1.
2. c-Myc.
3. c-fos.
4. p 21.

C) Invasão tumoral e metástases
1. MMP-2.
2. MMP-9.
3. Beta-catequina.
4. VEGF.
5. hTERT.
6. IRF-1.
7. NLK.
8. MyD88.
9. RANKL.
10. TNF.
11. Betamacroglobulina.
12. SOCS.
13. Angiotensinogênio.
14. Antiquimotripsina.

O STAT3 está constitutivamente ativo em diversos tipos de tumores:

1. Tumor cerebral (Schaefer, 2002).
2. Carcinoma epidermoide de cabeça e pescoço (Masuda, 2002).
3. Câncer de nasofaringe (Hsiao, 2003).
4. Câncer de pulmão de células não pequenas (Song, 2003; Haura, 2005).
5. Câncer de mama (Sartor, 1997).
6. Câncer de próstata (Mora, 2002).
7. Câncer gástrico (To, 2004).
8. Câncer de cólon (Lin, 2005).
9. Câncer de pâncreas (Greten, 2002).
10. Câncer de ovário (Huang, 2000).
11. Mieloma múltiplo (Catlett, 1999).
12. Leucemias e linfomas (Zhang, 2002).
13. Sarcoma de Ewing (Lai, 2006).

Não se compreende porque o STAT3 está ativado constitutivamente em vários tipos de tumores. Bharat Aggarwall em revisão de 2006 discute várias possibilidades como mutação, deleção, desregulação das proteínas sinalizadoras etc.

Felippe Jr acredita que a ativação do STAT3 seja mais um dos mecanismos de sobrevivência das células normais. A célula normal quando agredida coloca em ação todo potencial adquirido nos bilhões de anos de planeta Terra para sobreviver e se transforma em neoplásica. A célula neoplásica, carne de nossa própria carne usa este potencial colocando em ação todos os mecanismos disponíveis de sobrevivência e assim ativa fatores que: 1. promovem a proliferação celular; 2. impedem a apoptose; e 3. aumentam a geração de novos vasos. Tudo isso para manter o seu genoma lapidado por bilhões de anos.

Um dos mecanismos que permitiu a sobrevivência do Homem no planeta foi a capacidade de regeneração e cicatrização das lesões, feridas e traumatismos. De fato, Dauer em 2005 mostrou que tanto a regeneração das feridas como o câncer são caracterizados por proliferação celular, remodelamento da matriz extracelular, invasão e migração celular e a formação de novos vasos e que tanto a regeneração tissular como o câncer utilizam mecanismos comuns de sinalização, entre eles o STAT3.

Essa é uma das razões de a cirurgia oncológica fazer crescer células tumorais que permaneceram no leito cirúrgico e despertar metástases à distância que até o momento estavam indolentes.

Papel dos inibidores do STAT3 na prevenção e no tratamento do câncer

A curcumina é um quimiopreventivo do câncer capaz de inibir várias vias de sinalização reguladas pelo STAT3: JAK2, Src, ERB2 e EGFR (receptor do EGF), ao lado de diminuir a expressão do Bcl-xL, da ciclina D1, do VEGF e do TNF. A curcumina também inibe a via JAK-STAT (Aggarwal, 2004 e 2006).

O partenolide inibe a ativação do STAT3 provocado pela IL-6 e pela Janus kinase1 (JAK1). Ele aumenta a produção intracelular de radicais livres de oxigênio e o pré-tratamento com antioxidantes, como a N-acetilcisteína, inibem os efeitos do partenolide sobre o STAT3 e o JAK1 (Kurdi, 2007).

Partenolide gera espécies reativas tóxicas de oxigênio (ERTOS) e autofagia das células MDA-MB231 do câncer de mama triplo negativo, *in vitro* e *in vivo*. A geração de ERTOS causa depleção da glutationa, ativação do c-Jun *N-terminal kinase* (JNK) e regulação para baixo do NF-kappaB. Nesta fase ocorre a estimulação do processo autofágico tumoral como sugerido pelo aumento da beclina-1, a conversão de microtúbulos LC3-I para LC3-II e aumento do número de células positivas para *monodansyl-cadaverine*. *In vivo* no camundongo xenotransplantado observam-se significante inibição do crescimento tumoral e incremento da sobrevida com marcante redução do número de metástases pulmonares (D'Anneo, 2013).

As atividades antitumorais do partenolide são devidas à inibição da ligação do DNA com o NF-kappaB e com o STAT3, à redução da atividade da MAPK e à geração de radicais livres de oxigênio. Ele também reverte a resistência das células do câncer de mama ao fator de necrose tumoral relacionado à apoptose (TRAIL) e provoca apoptose destas células (Nakshatri, 2004).

Na verdade, vários polifenóis de plantas podem suprimir a ativação do STAT3:

1. Curcumina (Korutla, 1994; Reddy, 1994; Hong, 1999; Natarajan, 2002; Bharti, 2003; Kin, 2003; Shishodia, 2005; Chakravarti, 2006; Blasius, 2006).
2. Partenolide (Sobota, 2000).
3. Resveratrol (Wung, 2005).
4. Epigalocatequina-3-galato (Masuda, 2001; Chung, 2015).
5. Cucurbitacina (Blaskovich, 2003).
6. Indirubina (Nam, 2005).
7. Piceatanol (Su, 2000).
8. Flavopiridol (Lee, 2006).
9. Magnolol (Chen, 2006).
10. Silibinina (Bosch-Barrera, 2015).
11. Chalcone

Outras moléculas capazes de inibir a ativação do STAT3:

1. Ácido ursólico (Prasad, 2016; Ma, 2014; Wang, 2013).
2. Guggulsterona.
3. Capsaicina.
4. Ácido retinoico.
5. Salicilato de sódio.
6. Estatinas.

Conclusão

Com o passar dos anos são descobertos mais e mais sinalizadores, transdutores e receptores relacionados com a proliferação celular, diferenciação, apoptose e neoangiogênese tumoral. São fatores intracelulares que existem há bilhões de anos na fisiologia das células que estão sendo descobertos somente agora com a moderna tecnologia.

Na verdade, o estudo profundo das células normais revela a existência dos mesmos fatores fisiológicos e bioquímicos existentes nas células neoplásicas, somente que em estados latente, não ativo, geralmente não fosforilado.

Todos esses fatores têm sido utilizados pelas células normais desde os primórdios de nossa existência, quando ainda éramos apenas seres unicelulares. Foram estes fatores que nos permitiram sobreviver aos extremos de temperatura, à escassez de alimentos, ao ar rarefeito (hipóxia e acidose), aos traumatismos, feridas e fraturas.

As agressões celulares ativam vias de sinalização que permitem a célula normal se proteger e sobreviver aos insultos e lesões. As células neoplásicas são carne da nossa própria carne e assim sabem muito bem colocar em ação todas essas artimanhas de sobrevivência.

Infelizmente as agressões fortes como a quimioterapia e a radioterapia, quando não conseguem erradicar 100% das células neoplásicas, que é o habitual, geram NF-kappaB e STAT3 nas células que não morreram, tornando as células sobreviventes ainda mais fortes e mais resistentes a novas investidas de extermínio.

Quando uma célula é exposta a insultos internos ou externos, químicos, físicos ou biológicos, ela entra em sofrimento. Sofrimento que a leva a um "estado de quase morte". Neste momento desencadeia-se a ação de fatores de sobrevivência e a célula desesperadamente começa a proliferar, a se proteger da apoptose e a criar novos vasos para se nutrir: câncer. Tudo isso para manter o bem mais precioso que a célula vem aprimorando nos bilhões de anos de Evolução, seu genoma.

Precisamos encontrar substâncias que interfiram neste emaranhado de vias de sinalização sem provocar sofrimento das células neoplásicas e tais substâncias já existem há muito tempo: curcumina, partenolide, resveratrol, epigalocatequina-galato, silibinina, vitamina A, ácido ursólico etc.

Outro tipo de estratégia anticâncer é convencer diplomaticamente as células neoplásicas se tornarem menos "malignas" ou até benignas, em um fenômeno factível e conhecido como diferenciação celular.

As células neoplásicas, células doentes por alguma razão, querem sobreviver a qualquer custo para manter o patrimônio genético que lapidou por bilhões de anos. Esta é a razão de não conseguirmos controlá-las com apenas um elemento ou substância. Torna-se necessário utilizar um conjunto de estratégias químicas e físicas que funcionem em vários locais da célula transformada para interferir em vários pontos do processo proliferativo e da diferenciação celular (Felippe, 2006 e 2007).

As enfermidades são muito antigas e nada a respeito delas mudou. Somos nós que mudamos ao aprender a reconhecer nelas o que antes não percebíamos. **Charcot**

Não vamos desistir desta luta.
No mundo não há fracassados e sim desistentes. **Confúcio**

Referências

1. Abstracts and papers in full on site: www.medicinabiomolecular.com.br
2. Aggarwal BB, Sethi G, Ahn KS, et al. Targeting signal-transducer-and-activator-of-transcription-3 for prevention and therapy of cancer: modern target but ancient solution. Ann NY Acad Sci. 1091:151-69;2006.
3. Aggarwal BB, Takada Y, Oommen OV. From chemoprevention to chemotherapy: common targets and common goals. Expert Opin Investig Drugs. 13(10):1327-38;2004.
4. Ahsan H, Aziz MH, Ahmad N. Ultraviolet B exposure activates Stat3 signaling via phosphorylation at tyrosine 705 in skin of SKH1 hairless mouse: a target for the management of skin cancer? Biochem Biophys Res Commun. 333:241-6;2005.
5. Akira S, Nishio Y, Inoue M, et al. Molecular cloning of APRF, a novel IFN-stimulated gene factor 3 p91-related transcription factor involved in the gp130-mediated signaling pathway. Cell. 77:63-71; 1994.
6. Bharti CAN, Donato, Aggarwal BB. Curcumin (diferuloylmethane) inhibits constitutive and IL-6-inducible STAT3 phosphorylation in human multiple myeloma cells. J Immunol. 171:3863-71;2003.
7. Blasius R, Reuter S, Henry E, et al. Curcumin regulates signal transducer and activator of transcription (STAT) expression in K562 cells. Biochem Pharmacol. 72(11):1547-54;2006.
8. Blaskovich MA, Sun J, Cantor A, et al. Discovery of JSI-124 (cucurbitacin I), a selective Janus Kinase/signal transducer and activator of transcription 3 signaling pathway inhibitor with potent antitumor activity against human and murine cancer cells in mice. Cancer Res. 63:1270-9;2003.
9. Bosch-Barrera J, Menendez JA. Silibinin and STAT3: a natural way of targeting transcription factors for cancer therapy. Cancer Treat Rev. 41(6):540-6;2015.
10. Carballo M, Conde M, El Bekay R, et al. Oxidative stress triggers STAT3 tyrosine phosphorylation and nuclear translocation in human lymphocytes. J Biol Chem. 274:17580-6;1999.
11. Carls VS, Gautam JK, Comeau LD, et al. Role of endogenous IL-10 in LPS-induced STAT3 activation and IL-1 receptor antagonist gene expression. J Leukoc Biol. 76:735-42;2004.
12. Catlett-Falcone R, Landowski TH, Oshiro MM, et al. Constitutive activation of Stat3 signaling confers resistance to apoptosis in human U266 myeloma cells. Immunity. 10:105-15;1999.
13. Chakravarti N, Myers JN, Aggarwal BB. Targeting constitutive and interleukin-6-inducible signal transducers and activators of transcription 3 pathway in head and neck squamous cells carcinoma cell by curcumin (diferuloylmethane). Int J Cancer. 119(6):1268-75; 2006.
14. Chen SC, Chang YL, Wang DL, et al. Herbal remedy magnolol suppresses IL-6-induced STAT3 activation and gene expression in endothelial cells. Br J Pharmacol. 148:226-32;2006.
15. Chung SS, et al. Curcumin and epigallocatechin gallate inhibit the cancer stem cell phenotype via down-regulation of STAT3-NFκB signaling. Anticancer Res. 35(1):39-46;2015.
16. D'Anneo A, et al. Parthenolide generates reactive oxygen species and autophagy in MDA-MB231 cells. A soluble parthenolide analogue inhibits tumour growth and metastasis in a xenograft model of breast cancer. Cell Death Dis. 4:e891;2013.
17. Dauer DJ, Ferraro B, Soung L, et al. Stat3 regulates genes common to both wound healing and câncer. Oncogene. 24(21):3397-408; 2005.
18. Felippe JJr Todos nós temos o poder de curar a nós mesmos. Revista Eletrônica da Associação Brasileira de Medicina Biomolecular. www.medicina biomolecular.com.br. Biblioteca de Câncer. Tema do mês de Janeiro de 2006.
19. Felippe JJr Sintomas de deficiência de Ácido Graxo Omega- 3 e fontes alimentares. Revista Eletrônica da Associação Brasileira de Medicina Biomolecular. www.medicinabiomolecular.com.br. Biblioteca de Câncer. Janeiro. Tema da semana de 24/04/06.
20. Felippe JJr. Efeitos da vitamina K no câncer: indução de apoptose e inibição da proliferação celular maligna. Revista Eletrônica da Associação Brasileira de Medicina Biomolecular, www.medicinabiomolecular.com.br. Biblioteca de Câncer. Tema da semana de 01/05/06.
21. Felippe JJr. Inflamação Crônica Subclínica – Peste Bubônica do Século XXI – Mecanismo Intermediário da Maioria das Moléstias que Afligem a Humanidade. Revista Eletrônica da Associação Brasileira de Medicina Biomolecular. www.medicinabiomolecular.com.br. Biblioteca de Câncer. Tema do mês de Maio de 2006.
22. Felippe JJr. Selênio: diminui a proliferação celular maligna, inibe a angiogênese tumoral e provoca apoptose. Revista Eletrônica da Associação Brasileira de Medicina Complementar. www.medicinabiomolecular.com.br. Biblioteca de Câncer. Tema da semana de 08/05/06.
23. Felippe JJr. Efeitos da deficiência de cobre no câncer : antiangiogênese . Revista Eletrônica da Associação Brasileira de Medicina Biomolecular. www.medicinabiomolecular.com.br. Biblioteca de Câncer. Tema da semana de 26/05/06.
24. Felippe JJr. Efeitos do vanádio no câncer: indução de apoptose e inibição da proliferação celular maligna. Revista Eletrônica da As-

sociação Brasileira de Medicina Biomolecular. www.medicinabiomolecular.com.br. Biblioteca de Câncer. Tema da semana de 01/06/06.

25. Felippe JJr. Efeitos da vitamina B12 (hidroxicobalamina) no câncer: indução de apoptose . Revista Eletrônica da Associação Brasileira de Medicina Biomolecular. www.medicinabiomolecular.com.br. Biblioteca de Câncer. Tema da semana de 05/06/06.
26. Felippe JJr. Efeitos da vitamina D no câncer: indução da apoptose, inibição da proliferação celular maligna e antiangiogênese Revista Eletrônica da Associação Brasileira de Medicina Biomolecular, www.medicinabiomolecular.com.br. Biblioteca de Câncer. Tema da semana de 12/06/06.
27. Felippe JJr. Efeito dos Ácidos Graxos Poli Insaturados no câncer: indução de apoptose, inibição da proliferação celular e antiangiogênese. Revista Eletrônica da Associação Brasileira de Medicina Biomolecular. www.medicinabiomolecular.com.br. Biblioteca de Câncer. Tema da semana de 19/06/06.
28. Felippe JJr. Naltrexone e câncer. Revista Eletrônica da Associação Brasileira de Medicina Biomolecular. www.medicinabiomolecular.com.br. Biblioteca de Câncer. Janeiro. Tema da semana de 23/10/06.
29. Felippe JJr. Disulfiram e câncer. Revista Eletrônica da Associação Brasileira de Medicina Biomolecular, www.medicinabiomolecular.com.br. Biblioteca de Câncer. Janeiro. Tema da semana de 30/10/06.
30. Felippe JJr. Benzaldeído e Câncer: leucemia mielocítica aguda, linfoma maligno, mieloma múltiplo, leiomiosarcoma e carcinomas de língua, parótida, pulmão, mama, esôfago, estomago, fígado, pâncreas, colon, reto, rins, cérebro, bexiga e seminoma de testículo. Revista Eletrônica da Associação Brasileira de Medicina Biomolecular. www.medicinabiomolecular.com.br. Biblioteca de Câncer. Tema do mês de novembro de 2006.
31. Felippe JJr. Molibdênio e Câncer. Revista Eletrônica da Associação Brasileira de Medicina Biomolecular. www.medicinabiomolecular.com.br. Biblioteca de Câncer Tema da semana de 06/11/06.
32. Felippe JJr. Ácido linoleico conjugado (CLA) e câncer: inibição da proliferação celular maligna, aumento da apoptose e diminuição da neoangiogênese tumoral. Revista Eletrônica da Associação Brasileira de Medicina Biomolecular. www.medicinabiomolecular.com.br. Biblioteca de Câncer. Tema da semana de 13/11/06.
33. Felippe JJr. Óleo de peixe ômega-3 e câncer: diminuição da proliferação celular maligna, aumento da apoptose, indução da diferenciação celular e diminuição da neoangiogênese tumoral. Revista Eletrônica da Associação Brasileira de Medicina Biomolecular. www.medicinabiomolecular.com.br. Biblioteca de Câncer. Tema da semana de 20/11/06.
34. Felippe JJr. Genisteína e câncer: diminui a proliferação celular maligna, aumenta a apoptose, suprime a neoangiogênese e diminui o efeito dos fatores de crescimento tumoral. Revista Eletrônica da Associação Brasileira de Medicina Biomolecular. www.medicinabiomolecular.com.br. Biblioteca de Câncer. Tema da semana de 27/11/06.
35. Felippe JJr. Glicose-6-fosfatodehidrogenase (G6PD) e câncer: a inibição da enzima diminui drasticamente a proliferação celular maligna, aumenta a apoptose e suprime os efeitos de fatores de crescimento tumoral. Revista Eletrônica da Associação Brasileira de Medicina Biomolecular. www.medicinabiomolecular. com.br. Biblioteca de Câncer. Tema do mês de Dezembro-2006.
36. Felippe JJr. Alcaçuz (Glycyrrhiza glabra) e câncer: inibição da proliferação celular maligna com aumento drástico da apoptose. Revista Eletrônica da Associação Brasileira de Medicina Biomolecular. www.medicinabiomolecular.com.br. Biblioteca de Câncer. Tema do mês de janeiro de 2007.
37. Felippe JJr. Tratamento nutricional e endócrino do câncer: benefícios da integração do médico clínico com o oncologista. Revista Eletrônica da Associação Brasileira de Medicina Biomolecular, www.medicinabiomolecular.com.br. Biblioteca de Câncer. Tema do mês de fevereiro de 2007.
38. Felippe JJr. Proposta de dieta inteligente para o tratamento coadjuvante do câncer. Revista Eletrônica da Associação Brasileira de Medicina Biomolecular. www.medicinabiomolecular.com.br. Biblioteca de Câncer. Tema do mês de março de 2007.
39. Felippe JJr. Câncer: Tratamento com Radiofrequência e Oxidação Sistêmica. Revista Eletrônica da Associação Brasileira de Medicina Biomolecular. Tema do mês de maio de 2007.
40. Felippe JJr. Dicloroacetato e Câncer: Aumenta a Apoptose e Diminui a Proliferação Celular Maligna. Revista Eletrônica da Associação Brasileira de Medicina Biomolecular. www.medicinabiomolecular.com.br. Biblioteca de Câncer. Tema do mês de maio de 2007.
41. Gamero AM, Yong HA, Wiltrout RH. Inactivation of Stat3 in tumor cells: releasing a brake on immune responses against cancer? Cancer Cell. 5:111-2;2004.
42. Gatsios P, TErstegen L, Schliess F, et al. Activation of the Janus kinase/signal transducer and activator of transcription pathway by osmotic shock. J Biol Chem. 273:22962-8;1998.
43. Greten FR, Weber CK, Greten TF, et al. Stat3 and NF-kappaB activation prevents apoptosis in pancreatic carcinogenesis. Gastroenterology. 123:2052-63;2002.
44. Gronowski AM, Zhong Z, Wen Z, et al. In vivo growth hormone treatment rapidly stimulates the thyrosine phosphorylation and activation of Stat3. Mol Endocrinol. 9:171-7;1995.
45. HAura EB, Zheng Z, Song L, et al. Activated epidermal growth factor receptor-Stat-3 signaling promotes tumor survival in vivo in non-small cell lung cancer. Clin Cancer Res. 11(23):8288-94;2005.
46. Hong RL, Spohn WH, Hung MC. Curcumin inhibits tyrosine kinase activity of p185neu and also depletes p185neu. Clin Cancer Res. 5:1884-1891;1999.
47. Hsiao JR, Jin YT, Tsai ST, et al. Constitutive activation of STAT3 and STAT5 is present in the majority of nasopharyngeal carcinoma and correlates with better prognosis. Br J Cancer. 89:344-9;2003.
48. Huang M, Page C, Reynolds RK, et al. Constitutive activation of stat 3 oncogene product in human ovarian carcinoma cells. Gynecol Oncol. 79:67-73;2000.
49. Kim HY, Park ELJ, Joe EH, et al. Curcumin suppresses Janus Kinase-STAT inflammatory signaling through activation of Src homology 2 domain-containing tyrosine phosphatase 2 in brain microglia. J Immunol. 171:6072-9;2003.
50. Kortylewski M, Kujawski M, Wang T, et al. Inhibiting Stat3 signaling in the hematopoietic system elicits multicomponent antitumor immunity. Nat Med. 11:1314-21;2005.
51. Korutla L, Kumar R. Inhibitory effect of curcumin on epidermal growth factor receptor kinase activity in A431 cells. Biochim. Biophys Acta. 1224:597-600;1994.
52. Kurdi M, Booz GW. Evidence that IL-6-type cytokine signaling in cardiomyocytes is inhibited by oxidative stress: parthenolide targets JAK1 activation by generating ROS. J.Cell Phsiol. 212(2):424-31;2007.
53. Lai R, Navid F, Rodriguez-Galindo C, et al. STAT3 is activated in a subset of the Ewing sarcoma family of tumours. J Pathol. 208:624-632;2006.
54. Lee YK, Isham CR, Kaufman SH, et al. Flavopiridol disrupts STAT3/DNA interactions, attenuates STAT3-directed transcription, and combines with the Jak kinase inhibitor AG490 to achieve cytotoxic synergy. Mol Cancer Ther. 5:138-48;2006.

55. Lin Q, Lai R, Chirieac LR, et al. Constitutive activation of JAK3/STAT3 in colon carcinoma tumors and cell lines: inhibition of JAK3/STAT3 signaling induces apoptosis and cell cycle arrest of colon carcinoma cells. Am J Pathol. 167:969-80;2005.
56. Liu YC, Hsieh CW, Wu CC, Wung BS. Chalcone inhibits the activation of NF-kappab and STAT3 in endothelial cells via endogenous electrophile. Life Sci. 80(15):1420-30;2007.
57. Ma JQ, et al. Ursolic acid ameliorates carbon tetrachloride-induced oxidative DNA damage and inflammation in mouse kidney by inhibiting the STAT3 and NF-κB activities. Int Immunopharmacol. 21(2):389-95;2014.
58. Masuda M, Suzui M, Weinstein IB. Effects of epigallocatechin-3-gallate on growth, epidermal growth factor receptor signaling pathways, gene expression, and chemosensitivity in human head and neck squamous cell carcinoma cell lines. Clin Cancer Res. 7:4220-9;2001.
59. Masuda M, Suzui M, Yasumatu R, et al. Constitutive activation of signal transducers and activators of transcription 3 correlates with cyclin D1 overexpression and may provide a novel prognostic marker in head and neck squamous cell carcinoma. Cancer Res. 62:3351-5;2002.
60. Mora LB, Buettner R, Seigne J, et al. Constitutive activation of Stat3 in human prostate tumors and cell lines: direct inhibition of Stat3 signaling induces apoptosis of prostate cancer cells. Cancer Res. 62:6659-66;2002.
61. Nagpal JK, Mishra R, Das BR. Activation of Stat-3 as one of the early events in tobacco chewing-mediated oral carcinogenesis. Cancer 94: 2393-2400; 2002.
62. NAkshatri H, Rice SE, Bhat-Nakshatri P. Antitumor agent parthenolide reverses resistance of breast cancer cells to tumor necrosis factor-related apoptosis-inducing ligand through sustained activation of c-Jun N-terminal kinase. Oncogene. 23(44):7330-44;2004.
63. Nam S, Buettner R, Turkson J, et al. Indirubin derivatives inhibit Stat3 signaling and induce apoptosis in human cancer cells. Proc Natl Acad Sci U S A. 102:5998-6003;2005.
64. Natarajan C, Bright JJ. Curcumin inhibits experimental allergic encephalomyelitis by blocking IL-12 signaling through Janus kinase-STAT pathway in T lymphocytes. J Immunol. 168:6506-13;2002.
65. Paula Viñas, Felippe JJr. Plantas que auxiliam no tratamento do câncer. Revista Eletrônica da Associação Brasileira de Medicina Complementar. www.medicinacomplementar.com.br. Biblioteca de Câncer. Tema da semana de 12/12/05.
66. Paula Viñas, Felippe JJ. Plantas com efeito na prevenção do câncer . Revista Eletrônica da Associação Brasileira de Medicina Complementar. www.medicinacomplementar.com.br. Biblioteca de Câncer. Tema da semana de 12/12/05.
67. Prasad S, Aggarwall BB, et al. Ursolic acid inhibits the growth of human pancreatic cancer and enhances the antitumor potential of gemcitabine in an orthotopic mouse model through suppression of the inflammatory microenvironment. Oncotarget. 7(11):13182-96; 2016.
68. Proietti C, Salatino M, Rosemblit C, et al. Progestin induce transcriptional activation of signal transducer and activator of transcription 3 (Stat3) via a Jak-and Src-dependent mechanism in breast cancer cells. Mol Cell Biol. 25:4826-40;2005.
69. Reddy S, Aggarwal BB. Curcumin is a non-competitive and selective inhibitor of phosphorylase kinase. FEBS Lett. 341:19-22;1994.
70. Sarcar B, Ghosh AK, Steele R, et al. Hepatitis C virus NS5A mediated STAT3 activation requires co-operation of Jak 1 kinase. Virology. 322:51-60;2004.
71. Sartor CI, Dziubinski ML, YU CL, et al. Role of epidermal growth factor receptor and STAT-3 activation in autonomous proliferation of SUM-102PT human breast cancer cells. Cancer Res. 57:978-87; 1997.
72. Schaefer LK, Ren Z, Fuller GN, et al. Constitutive activation of Stat3alpha in brain tumors: localization to tumor endothelial cells and activation by the endothelial tyrosine kinase receptor (VEGFR-2). Oncogene. 21:2058-65;2002.
73. Schlessinger K, Levy DE. Malignant transformation but not normal cell growth depends on signal transducer and activator of transcription 3. Cancer Res. 65:5828-34; 2005.
74. Shishodia S, Amin HM, Lai R, et al. Curcumin (diferuloylmethane) inhibits constitutive NF-KappaB activation, induces G1/S arrest, suppresses proliferation, and induces apoptosis in mantle cell lymphoma. Biochem Pharmacol. 70:700-13;2005.
75. Shuai K, Stark GR, Kerr IM, Darnell J. A single phosphotyrosine residue of Stat91 required for gene activation by interferon-gamma. Science 261: 1744-1746; 1993.
76. Sobota R, Szwed M, Kasza A, et al. Parthenolide inhibits activation of signal transducers and activators of transcription (STATs) induced by cytokines of the IL-6 family. Biochem Biophys Res Commun. 267:329-33;2000.
77. Song L, Turkson J, Karras JG, et al. Activation of Stat3 by receptor tyrosine kinases and cytokines regulates survival in human non-small cell carcinoma cells. Oncogene. 22:4150-65;2003.
78. Su L, David M. Distinct mechanisms of STAT phosphorylation via the interferon-alpha/beta receptor. Selective inhibition of STAT3 and STAT5 by piceatannol. J Biol Chem. 275:12661-6;2000.
79. To KF, Chan MW, Leung WK, et al. Constitucional activation of IL-6-mediated JAK/STAT pathway through hypermethylation of SOCS-1in human gastric cancer cell line. Br J Cancer. 91:1335-41; 2004.
80. Turkson J, Bowman T, Garcia R, et al. Stat3 activation by Src induces specific gene regulation and is required for cell transformation. Mol Cell Biol. 18:2545-52;1998.
81. Wang W. Ursolic acid inhibits the growth of colon cancer-initiating cells by targeting STAT3. Anticancer Res. 33(10):4279-84;2013.
82. Wung BS, Hsu MC, Wu CC, et al. Resveratrol suppresses IL-6-induced ICAM-1 gene expression in endothelial cells: effects on the inhibition of STAT3 phosphorylation. Life Sci. 78:389-97;2005.
83. Yoshida T, Hanada T, Tokuhisa T, et al. Activation of STAT3 by the hepatitis C virus core protein leads to cellular transformation. J Exp Med. 196:641-53;2002.
84. Zhang Q, Raghunath PN, Xue L, et al. Multilevel dysregulation of STAT3 activation in anaplastic lymphoma kinase-positive T/null-cell lymphoma. J Immunol. 168:466-74;2002.
85. Zhong Z, Z. Wen Z, Darnell JE Jr. Stat3: a STAT family member activated by tyrosine phosphorylation in response to epidermal growth factor and interleukin-6. Science 264:95-8;1994.

CAPÍTULO 125

Sulfeto de hidrogênio no câncer. O H_2S em baixa concentração promove e em alta diminui a proliferação, aumenta a apoptose e é antiangiogênico e antimetastático

José de Felippe Junior

O sulfeto de hidrogênio é um gás tóxico ambiental, altamente inflamável, solúvel em água e com cheiro de ovo podre, entretanto a maioria dos organismos do Planeta, desde os nematódeos até os seres humanos produzem este gás dentro do corpo.

No início dos estudos sobre os efeitos do H_2S no câncer havia muitas contradições, trabalhos que mostravam efeito inibidor da proliferação neoplásica e outros, ao contrário, indicavam considerável aumento do desenvolvimento tumoral. Os efeitos paradoxais e controversos caíram por terra quando se descobriu que os mecanismos que regem os efeitos do H_2S no câncer é *bell-shaped*: baixa concentração ativa e alta concentração inibe a proliferação celular neoplásica (Yagdi, 2016).

O H_2S é capaz de acelerar o ciclo celular e provocar antiapoptose e angiogênese. Dessa forma, a inibição da produção de H_2S poderia ser estratégia de tratamento do câncer. Ao contrário, em relativamente maiores concentrações o H_2S exógeno possui a habilidade de suprimir o crescimento tumoral *in vitro* e *in vivo* por promover antiproliferação, apoptose e inibir a angiogênese e as metástases. A atividade anticâncer envolve: inibição das vias de sinalização MAPK e STAT, regulação do ciclo celular, regulação dos microRNAs e regulação do metabolismo e do pH com acidificação intracelular (Lee, 2015; Wu, 2015). É o que acabamos de escrever: *bell-shaped mechanism*.

O H_2S é molécula de sinalização gasosa conservada na Evolução e como tal exerce importantes funções no organismo (Szabo, 2007). Interessante saber que as funções biológicas do H_2S apresentam intersecção íntima com os agentes sensores de nutrientes e aqueles envolvidos na resposta ao estresse, também conservados durante a Evolução e que se relacionam com a restrição calórica e consequentemente com a sobrevivência e a longevidade das espécies (Ng, 2018). A geração de H_2S é essencial para resposta da restrição calórica nos animais em toda escala da Evolução.

É de suma importância a fisiologia do H_2S e o conhecimento de drogas liberadoras ou doadoras de H_2S, tanto na população geral, por exemplo, para evitar obesidade, como nos pacientes com câncer, por exemplo, para prevenção e tratamento.

A diminuição da concentração de H_2S no organismo está associada com o recrudescimento e manifestação de várias patologias, entre elas, o *Diabetes mellitus* e as doenças glicometabólicas (Yang, 2017), como a síndrome X (União Soviética) ou metabólica (USA). No trato gastrintestinal o H_2S promove a cicatrização de úlceras e melhora a inflamação da mucosa. A supressão da síntese endógena de H_2S impede a defesa de mucosa e aumenta a infiltração de granulócitos (Wallace, 2012).

Em baixa concentração o H_2S estimula o transporte de elétrons na cadeia mitocondrial, funcionando como doador alternativo de elétrons no complexo II. Em alta concentração inibe o complexo IV (Szabo, 2015; Hellmichi, 2015).

Nos mamíferos o H_2S endógeno é produzido principalmente no metabolismo da L-cisteína e da homocisteína por duas enzimas, CBS (*cystathionine β-synthase*) e CSE (*cystathionine γ-lyase*), ambas dependentes do piridoxal-5-fosfato (Chiku, 2009; Singh, 2009). Elas funcionam com o pH normal de 7,35 a 7,45. Outro modo de geração do H_2S é através da 3-MST (*3-mercaptopyruvate sulfurtransferase*) e da CAT (*cysteine aminotransferase*) na presença de alfacetoglutarato. Elas funcionam com pH de 9,7 e, portanto, inertes em condições fisiológicas.

A CBS está superexpressa em várias linhagens de neoplasias, tais como mama, ovário e bexiga urinária. A superexpressão da CBS aumenta o GSH intracelular e a geração de H_2S, ambos carcinocinéticos. Ela está particularmente superexpressa em várias linhagens do câncer colorretal, HCT116, LoVo e HT29. A CBS está presente em vários tecidos normais como fígado, rins e tecido nervoso. Sua função é sintetizar cisteína, elemento-chave na biossíntese de GSH, agente redutor do citoplasma e que fomenta a proliferação celularcomo na cicatrização ou nas neoplasias. Outro efeito da CBS é degradar a cisteína e neste processo ocorre a geração de H_2S. Ele altera a atividade de proteína quinases, canais iônicos de membrana, fatores de transcrição nuclear e proteínas mitocondriais-chave envolvidas na bioenergética celular. Aumenta a proliferação neoplásica, a angiogênese e a migração celular e metástases. A inibição da CBS diminui a geração de GSH e de H_2S e inibe a proliferação celular *in vitro* e reduz o crescimento tumoral *in vivo*. Entretanto, não sabemos os motivos, mas a inibição da CBS no glioblastoma multiforme pode provocar aumento do volume tumoral. Recentemente em biblioteca de 8.871 drogas descobriu-se que a benserazida é uma das 4 substâncias inibidoras mais potentes da CBS. A benserazida é usada no tratamento da doença de Parkinson (Druzhyna, 2016).

Reações envolvendo a geração de H_2S e CBS (Cistationina):

1. Cisteína + Homocisteína → CBS + H_2S.
2. Cisteína + Cisteína → Lantionina + H_2S.
3. Cisteína + H_2O → Serina + H_2S.
4. Homocisteína + Serina → CBS + H_2O.

Proliferação celular e H_2S

Trabalhos com leve aumento do H_2S aumentam a proliferação mitótica. Células do carcinoma epidermoide linhagens, Cal27, GNM e WSU-HN6 foram expostas ao NaHS, doador de H_2S. Aconteceu significante regulação para baixo da expressão dos genes ativadores do ciclo celular, RPA70 e RB1, ao lado de regulação para cima de proteínas inibidoras do ciclo celular, CDK4 (*cyclin-dependent kinase 4*) ambas provocando elevação da proliferação neoplásica (Ma, 2015).

Em células HCT116 do câncer de cólon humano houve aumento da proliferação mitótica quando se adicionou NaHS e em células do carcinoma hepatocelular houve o mesmo efeito ao aumentar a expressão da enzima CSE, ambos os efeitos mediados pelo H_2S. Aconteceu diminuição das células na fase G0-G1, regulação para baixo do CDK p21 e aumento da proporção de células na fase S, possivelmente com ativação da forte via proliferativa PI3K/Akt (Cai, 2010; Yin, 2012).

H_2S exógeno com o NaHS promove o crescimento de células C6 do glioma murino via ativação da via p38 MAPK-ERK1-ERK2-COX-2. O co-tratamento com inibidor da CBS suprime os efeitos do H_2S (Zhen, 2015). Entretanto, usando concentrações mais elevadas de NaHS provocou-se redução do número de células e apoptose do glioma C6. Aconteceu aumento da expressão da caspase-3 e do Bax, enquanto reduziu a expressão do Bcl-2. Juntamente houve ativação do p38 MAPK e do p53 (Zhao, 2015).

Estes trabalhos mostram que o H_2S participa do desenvolvimento tumoral através do encurtamento do ciclo celular e indução da proliferação mitótica e, muito importante, todos eles provocaram apenas pequena elevação da concentração de H_2S no ambiente peritumoral.

Por outro lado, usando-se metodologia que aumenta notavelmente o H_2S no ambiente peritumoral observa-se efeito antiproliferativo. Ao utilizar o SPRC (*S-propargyl-L-cysteine*) como reagente estimulante do H_2S conseguiu-se parar o ciclo celular em G1/S e consequentemente inibir a proliferação mitótica de células SGC-7901 do câncer gástrico (Ma, 2011). O doador sintético de liberação lenta de H_2S, GYY4137, provoca diminuição da proliferação no carcinoma hepatocelular ou por aumentar drasticamente o H_2S peritumoral ou por bloquear a via STAT3 (Lu, 2014). Esta droga conseguiu em 8 dias parar o ciclo celular em G2/M no adenocarcinoma de mama MCF-7 (Lee, 2011).

Em cultura de células, 100microM de tioglicina provocam aumento acima de 50microM de H_2S, enquanto muito menos H_2S é liberado em cultura com a mesma concentração de GYY4137 (Yu, 2014).

Os trabalhos que apontam o H_2S como agente proliferativo utilizaram sais inorgânicos doadores pobres de H_2S como o NaHS e o Na2S, enquanto os trabalhos eficazes na antiproliferação utilizaram sais orgânicos com o ditiol-etionina, agentes de liberação lenta do gás como o GYY4137 e aminoácidos sulfurados como a tioglicina e tioserina.

Apoptose celular e H_2S

Vários doadores de H_2S promovem a apoptose celular em células cancerosas. O doador de liberação lenta de H_2S pode desencadear apoptose em vários tipos de células neoplásicas, MCF-7, HCT-116, Hep G2, HL-60, MV4-11, HeLa e U2OS provocando grande elevação do H_2S e significante inibição do crescimento tumoral (Lee, 2011). O mesmo acontece em células do carcinoma oral submetido ao gás H_2S durante 72 horas, onde se observou notável morte celular por apoptose, sem alteração dos queratinócitos normais (Murata, 2014).

Entretanto, o NaHS em baixa concentração aumenta dramaticamente a viabilidade celular e diminui a apoptose em células PLC/PRF/5 do hepatoma e outro motivo antiapoptótico foi devido à ativação do NF-kappaB, neste modelo (Zhen, 2015).

Angiogênese e H_2S

O H_2S pode ativar o receptor do VEGF, o VEGFR, via quebra da ponde de dissulfeto, Cys1045-Cys1024 (Tao, 2013). Na forma de NaHS, o H_2S induz a expressão do VEGF e promove angiogênese, por exemplo, em membro isquêmico de ratos (Wang, 2010) e também podem fazê-lo nas neoplasias. No câncer de cólon o H_2S produzido pela enzima CBS estimula a angiogênese, aumenta o fluxo sanguíneo tumoral e consequentemente aumenta o crescimento do tumor. No câncer de ovário também foram demonstrados efeitos angiogênicos das baixas doses do H_2S (Bhattacharyya, 2013; Hellmich, 2015).

A inibição seletiva da enzima CBS com o ácido amino-oxiacético impede a migração das células endoteliais e a proliferação e invasão tumoral (Szabo e Hellmich, 2013; Szabo, 2013).

Conclusão

Devemos ter muito cuidado com as substâncias que funcionam da forma *bell-shaped*.

Referências

1. Abstracts and papers in full on site: www.medicinabiomolecular.com.br
2. Bhattacharyya S, Saha S, Giri K, et al. Cystathionine beta-synthase (CBS) contributes to advanced ovarian cancer progression and drug resistance. PLoS One. 8:e79167;2013.
3. Cai WJ, Wang MJ, Ju LH, et al. Hydrogen sulfide induces human colon cancer cell proliferation: role of Akt, ERK and p21. Cell Biol Int. 34:565-72;2010.
4. Chiku T, Padovani D, Zhu W, et al. H2S biogenesis by human cystathionine gamma-lyase leads to the novel sulfur metabolites lanthionine and homolanthionine and is responsive to the grade of hyperhomocysteinemia. J Biol Chem. 284:11601-12;2009.
5. Druzhyna N, Szczesny B, Olah G, et al. Screening of a composite library of clinically used drugs and well-characterized pharmacological compounds for cystathionine β-synthase inhibition identifies benserazide as a drug potentially suitable for repurposing for the experimental therapy of colon câncer. Pharmacol Res. 113(Pt A):18-37;2016.
6. Hellmich MR, Coletta C, Chao C, Szabo C. The therapeutic potential of cystathionine beta-synthetase/hydrogen sulfide inhibition in cancer. Antioxid Redox Signal. 22:424-48;2015.
7. Lee ZW, Zhou J, Chen CS, et al. The slow-releasing hydrogen sulfide donor, GYY4137, exhibits novel anti-cancer effects in vitro and in vivo. PLoS One. 6:e21077;2011.
8. Lee ZW, Deng LW. Role of H2S Donors in Cancer Biology. Handb Exp Pharmacol. 230:243-65;2015.
9. Lu S, Gao Y, Huang X, Wang X. GYY4137, a hydrogen sulfide (H2S) donor, shows potent anti-hepatocellular carcinoma activity through blocking the STAT3 pathway. Int J Oncol. 44:1259-67;2014.
10. Ma K, Liu Y, Zhu Q, et al. H2S donor, S-propargyl-cysteine, increases CSE in SGC-7901 and cancer-induced mice: evidence for a novel anti-cancer effect of endogenous H2S? PLoS One. 6:e20525;2011.
11. Ma Z, Bi Q, Wang Y. Hydrogen sulfide accelerates cell cycle progression in oral squamous cell carcinoma cell lines. Oral Dis. 21:156-62; 2015.
12. Murata T, Sato T, Kamoda T, et al. Differential susceptibility to hydrogen sulfide-induced apoptosis between PHLDA1-overexpressing oral cancer cell lines and oral keratinocytes: role of PHLDA1 as an apoptosis suppressor. Exp Cell Res. 320:247-57;2014.
13. Ng LT, Gruber J, Moore PK. Is there a role of H2S in mediating health span benefits of caloric restriction? Biochem Pharmacol. pii: S0006-2952(18)30030-3;2018.
14. Singh S, Padovani D, Leslie RA, et al. Relative contributions of cystathionine beta-synthase and gamma-cystathionase to H2S biogenesis via alternative trans-sulfuration reactions. J Biol Chem. 284:22457-66;2009.
15. Szabo C. Hydrogen sulphide and its therapeutic potential. Nat Rev Drug Discov. 6:917-35;2007.
16. Szabo C, Coletta C, Chao C, et al. Tumor-derived hydrogen sulfide, produced by cystathionine-beta-synthase, stimulates bioenergetics, cell proliferation, and angiogenesis in colon cancer. Proc Natl. Acad Sci U S A. 110:12474-9;2013.
17. Szabo C, Hellmich MR. Endogenously produced hydrogen sulfide supports tumor cell growth and proliferation. Cell Cycle. 12:2915-6;2013.
18. Szabo C, Ransy C, Módis K, et al. Regulation of mitochondrial bioenergetic function by hydrogen sulfide. Part I. Biochemical and physiological mechanisms. Br J Pharmacol. 171(8):2099-122;2014.
19. Tao BB, Liu SY, Zhang CC, et al. VEGFR2 functions as an H2S-targeting receptor protein kinase with its novel Cys1045-Cys1024 disulfide bond serving as a specific molecular switch for hydrogen sulfide actions in vascular endothelial cells. Antioxid Redox Signal. 19:448-64;2013.
20. Yagdi E, Cerella C, Dicato M, Diederich M. Garlic-derived natural polysulfanes as hydrogen sulfide donors: Friend or foe? Food Chem Toxicol. 95:219-33;2016.
21. Yang CT, Chen L, Xu S, et al. Recent Development of Hydrogen Sulfide Releasing/Stimulating Reagents and Their Potential Applications in Cancer and Glycometabolic Disorders. Front Pharmacol. 8:664;2017.
22. Yin P, Zhao C, Li Z, et al. Sp1 is involved in regulation of cystathionine gamma-lyase gene expression and biological function by PI3K/Akt pathway in human hepatocellular carcinoma cell lines. Cell Signal. 24:1229-124;2012.
23. Wallace JL, Ferraz JG, Muscara MN. Hydrogen sulfide: an endogenous mediator of resolution of inflammation and injury. Antioxid Redox Signal. 17(1):58-67;2012.
24. Wang MJ, Cai WJ, Li N, et al. The hydrogen sulfide donor NaHS promotes angiogenesis in a rat model of hind limb ischemia. Antioxid Redox Signal. 12:1065-77;2010.
25. Wu D, Si W, Wang M, et al. Hydrogen sulfide in cancer: Friend or foe? Nitric Oxide. 50:38-45;2015.
26. Zhao Y, Biggs TD, Xian M. Hydrogen Sulfide (H2S) Releasing Agents: Chemistry and Biological Applications. Chem Commun (Camb). 50(80):11788-805;2014.
27. Zhao L, Wang Y, Yan Q, et al. Exogenous hydrogen sulfide exhibits anti-cancer effects though p38 MAPK signaling pathway in C6 glioma cells. Biol Chem. 396(11):1247-53;2015.
28. Zhen Y, Zhang W, Liu C, et al. Exogenous hydrogen sulfide promotes C6 glioma cell growth through activation of the p38 MAPK/ERK1/2-COX-2 pathways. Oncol Rep. 34(5):2413-22;2015.
29. Zhen Y, Pan W, Hu F, et al. Exogenous hydrogen sulfide exerts proliferation/anti-apoptosis/angiogenesis/migration effects via amplifying the activation of NF-kappaB pathway in PLC/PRF/5 hepatoma cells. Int J Oncol. 46:2194-204;2015.

CAPÍTULO 126

Tanacetum parthenium de antienxaqueca a potente antineoplásico

Anti-EBV, HSV-1, HSV-2; primeiro fitoterápico seletivo anticélulas-tronco; intenso efeito anti-NF-kappaB/COX-2; ativa AMPK e inibe mTOR; inibe NRF2, aumenta o potencial redox intracelular e reduz GSH; induz apoptose via estresse oxidativo; ativa o gene supressor tumoral p53; inibe STAT3 e as vias MAPK e Wnt/beta-catenina; induz autofagia via depleção do 4E-BP1; demetila e acetila a zona CpG do DNA e reativa genes supressores de tumor. Efeito epigenético duplo

José de Felippe Junior

Parthenolide primeiro fitoterápico a demonstrar efeito anticélulas-tronco

O *Tanacetum parthenium* ou *Chrysanthemum parthenium* é conhecido pela medicina indiana há muitos séculos. No Ocidente tem sido empregado há alguns anos no tratamento da enxaqueca e da artrite reumatoide, devido ao efeito anti-inflamatório. Até então se sabia que o seu princípio ativo, parthenolide, apresentava intenso efeito anti-NF-kappaB.

Tanacetum parthenium* ou *Chrysanthemum parthenium

Parthenolide foi a primeira molécula pequena descoberta como seletiva contra células-tronco cancerígenas (CTC). Sua função é direcionar vias de sinalização específicas e abolir as células neoplásicas a partir de suas raízes, as células tronco (Ghantous, 2013; Carlisi, 2016).

Parthenolide inibe a população de células-tronco ao suprimir a via NF-kappaB/COX-2 (Liao, 2015).

Nos últimos 5 anos começaram a surgir na literatura efeitos do parthenolide nos mais variados tipos de câncer e descobriu-se algo de notável: efeito epigenético duplo deste vegetal. Ele tem a capacidade de demetilar e acetilar a zona CpG do DNA ativando genes silenciados, entre os quais genes supressores de tumor.

O parthenolide possui atividade anticâncer contra grande variedade de tumores sólidos: gliomas, câncer pulmonar, de mama, próstata, colorretal, pâncreas, melanoma e outros (Zhang, 2004; D'Anneo, 2013; Liu, 2011; Sun, 2010).

O parthenolide induz apoptose em vários tipos de células neoplásicas e é capaz de erradicar células-tronco do câncer prostático e de leucemias (Zhao, 2014), via aumento do estresse oxidativo.

Parthenolide inibe NRF2 (Nuclear factor erythroid2-related factor2)

Parthenolide tendo como alvo NF-kappaB, JNK, STAT diminui a expressão do NRF2 segundo revisão de Panieri de 2019.

O parthenolide é um sesquiterpeno lactona isolado do *Chrysanthemum parthenium* L. ou *Tanacetum parthenium* L. (Asteraceae), da planta *feverfew*. A fórmula do parthenolide é $C_{15}H_{20}O_3$, peso molecular 248,3g/mol. Outros nomes: Parthenolide, 20554-84-, (-)-Parthenolide, NSC-157035 e NCGC00016748-01.

A molécula não doa e é aceptora de 3 elétrons: oxidante por natureza.

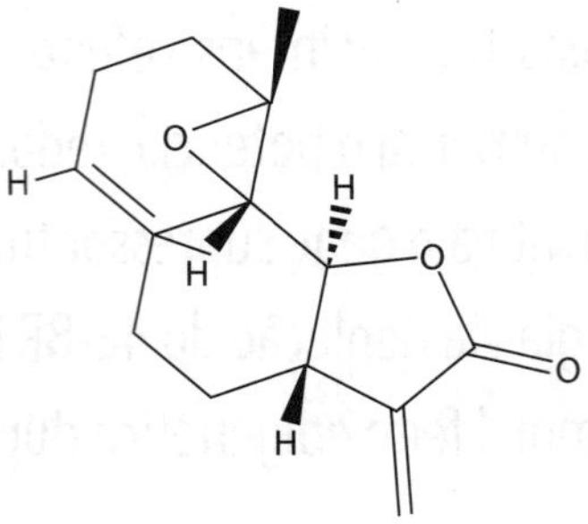

Parthenolide

Alvos moleculares no câncer – cada linha um trabalho

1. **Anti-EBV**
   a) Induz apoptose e citotoxicidade lítica no linfoma de Burkitt **EBV** positivo (Li, 2012).
   b) Induz apoptose e citotoxicidade lítica em linfoma **EBV** positivo.
2. **Anti-Herpes simplex 1**
   a) O Partenolide exerce atividade anti-**HSV-1** prejudicando a viabilidade celular, o que consequentemente interfere na infecção e na produção de novas partículas virais (Benassi, 2018).
   b) Tanacetum vulgare tem efeito anti **HSV-1** e anti-**HSV-2** (Onozato, 2009; Alvarez, 2011).
3. **Anti-inflamatório**
   a) Inibe drasticamente a produção de NF-kappaB e IL-12 por macrófagos estimulados por Lipopolisacarídeos.
   b) Inibe drasticamente o NF-kappaB.
4. **Anti *H. pylori*** (Lee, 2014).
5. **Antioxidante**
   Parthenolide induz dramaticamente a expressão da enzima antioxidante HO-1 (Jeong, 2005).
6. **Efeito epigenético duplo**
   Demetila e acetila zona CpG e acorda genes supressores de tumor.
7. **Várias neoplasias**
   a) Aumenta o potencial redox intracelular provocando queda do GSH.
   b) Parthenolide induz apoptose via estresse oxidativo em células neoplásicas (Wen, 2002).
   c) Novo mecanismo de apoptose: parthenolide induz autofagia via depleção do 4E-BP1 (*initiation factor eIF4E binding protein 1*) e provoca apoptose em vários tipos de câncer (Lan, 2015).
   d) Potente inibidor do importantíssimo fator NF-kappaB.
   e) Ativa o gene supressor de tumor p53.
   f) Inibe a via MAPK.
   g) Ativa AMPK a qual inibe mTOR.
   h) Ativa o JNK.
   i) Aumenta a apoptose, diminui a proliferação e aumenta a diferenciação em várias linhagens de células neoplásicas humanas.
   j) Inibe o STAT3.
   k) Parthenolide inibe a sinalização STAT3 (signal transducer and activator of transcription 3) tendo como alvo as Janus kinases. STAT3 ativa 3 das 4 Janus kinases, JAK1, JAK2 e Tyk2. A inibição das JAKs funciona como antiproliferativa e antinflamatória. Partenolide aumenta a geração de ERTOS, mas esse não é o mecanismo de sua potente inibição das JAKs (Liu, 2018).
   l) Parthenolide inibe de modo dose dependente a sinalização Wnt/beta-catenina bloqueando a síntese proteica dos reguladores transcricionais TCF/LEF (T-cell fator/lymphoid enhancer factor) (Zhu, 2018).
   m) Parthenolide provoca forte supressão transcricional mediada por inibição de NF-kappaB e STAT de genes pró-apoptóticos. Este composto atua tanto a nível transcricional quanto por inibição direta das kinases associadas (IKK-β) (Mathema, 2012).
   n) Inibe COX-2 (LIao, 2015).
8. **Gliomas**
   a) Parthenolide inibe survivina, para o ciclo celular em G2/M e promove morte por autofagia em células do glioblastoma humano maligno U373 (Tang, 2015).
   b) Parthenolide inibe a via Akt/NF-kappaB em células U87MG e U373 do glioblastoma maligno humano *in vitro* e *in vivo* (Nakabayashi, 2012).
   c) Parthenolide e curcumina, inibidores do NF-kappaB, induzem a morte celular nos glioblastomas linhagens U138MG, U87, U373 e C6. Acontece despolarização da membrana mitocondrial, diminuição do bcl-xl, liberação do citocromo c e parada do ciclo celular em G2/M.
   d) Parthenolide induz apoptose no glioblastoma ativando as caspases-3/7 mesmo sem interferir na via NF-kappaB.
   e) Agente epigenético duplo: demetila e acetila e assim reativa genes supressores de tumor nos gliomas.
   f) Pró-droga parthenolide, LC-1 (*dimethylamino-parthenolide*) lentifica o crescimento do glioma *in vivo* e *in vitro* (Hexum, 2015).

g) Gliomas humanos demonstram elevada concentração de NF-kappaB, o qual aumenta a expressão do MGMT (O6-methylguanine-DNA methyltransferase). Ambos se correlacionam com maior índice de proliferação e provocam quimiorresistência a temozolomida. Parthenolide inibe a atividade do NF-kappaB e diminui a expressão do MGMT revertendo a quimiorresistência à temozolomida (Yu, 2018).
h) Parthenolide, curcumina e trióxido de arsênio são inibidores de NF-kappaB e induzem a morte celular em glioblastomas (Zanotto, 2011).
i) Parthenolide induz apoptose em glioblastomas também de modo independente de NF-kappaB (Anderson, 2008).
j) A inibição de NF-kappaB resulta em atividade antiglioma e reduz a quimioresistência induzida por temozolomida por regulação negativa da expressão do gene O6-metilguanina-DNA metiltransferase (MGMT). Inibição genética ou farmacológica (especialmente provocada por partenolide) da expressão do gene MGMT regula negativamente a atividade de NF-kappaB e aumenta substancialmente a quimio sensibilidade à temozolomida (TMZ) *in vitro* e *in vivo*. É importante ressaltar que o efeito sensibilizante do partenolide sobre a TMZ foi resgatado pela expressão do cDNA de MGMT. Esses achados sugerem que o NF-kappaB é um alvo potencial para induzir a morte celular em gliomas. A estratégia de combinação direcionada na qual a resposta à TMZ é sinergicamente aprimorada pela adição de partenolide pode ser útil, especialmente em gliomas quimio resistentes com alta expressão de MGMT (Yu, 2018).

9. **Meduloblastoma**
   a) Parthenolide é antiproliferativo no meduloblastoma.
   b) Ele é antiproliferativo e apoptótico no meduloblastoma.
   c) A aplicação de inibidores de HDAC em combinação com medicamentos inibidores das DNA metiltransferases (DNMTs) podem representar opção promissora para o tratamento do meduloblastoma, Daoy e D283 Med (Yuan, 2017).
   d) Parhtenolide inibiu a proliferação de três tipos de células cancerígenas, carcinoma do pulmão humano (A549), meduloblastoma humano (TE671), adenocarcinoma do cólon humano (HT-29) e nas células endoteliais da veia umbilical humana (HUVEC) *in vitro*, com os seguintes valores de IC (50) (em muM): 4,3, 6,5, 7,0 e 2,8, respectivamente (Parada-Turska, 2007).

10. **Carcinoma nasofaringeal e oral**
   a) Parthenolide inibe células-tronco do carcinoma nasofaringeal via supressão da via NF-kappaB/COX-2 (Liao, 2015).
   b) Parthenolide induz apoptose em células do câncer oral humano e no camundongo xenotransplantado. Acontece aumento da caspase-3 com clivagem do PARP (*poly(ADP-ribose)polymerase*) e fragmentação nuclear de modo tempo e concentração-dependentes. A expressão do mRNA do Bim e sua proteína aumentam. O Bim citosólico se transloca para a mitocôndria e provoca apoptose. Parthenolide induz aumento do DR-5 (receptor da morte-5), o que aumenta a clivagem da caspase-8 e formação de t-Bid (*truncation of Bid*). Finalmente o tamanho tumoral diminui devido à morte apoptótica pelo aumento do Bim e DR-5, enquanto nada acontece com as células normais (Yu, 2015).
   c) Parthenolide atenua a carcinogênese da bolsa bucal de hamster induzida por 7,12-dimetilbenz [a] antraceno (Baskaranm, 2018).

11. **Câncer de pulmão**
   a) Parthenolide é antiproliferativo no adenocarcinoma de pulmão, de cólon e no meduloblastoma.
   b) Parthenolide e hipertermia inibem o NF-kappaB e induzem apoptose e parada do ciclo celular em G2/M no adenocarcinoma pulmonar.
   c) Parthenolide induz apoptose e parada do ciclo celular em células A549/Ctrl, A549/CFLAR, H157/Ctrl, H157/CFLAR, A549/shCtrl e A549/shCDH1 do câncer pulmonar via silenciamento do TNF-RSF10B (*Death receptor 5*) e do PMAIP1. Acontece apoptose via extrínseca por regulação para cima do TNF-RSF10B/DR5 e regulação para baixo do CFLAIR e apoptose via intrínseca por aumento da expressão de PMAIP1 e diminuição do MCL1. Ocorre aumento dos níveis de proteínas marcadoras de estresse do retículo endoplasmático: ERN1, HSPA5, p-EIF2A, ATF4 e DDIT3. Parthenolide prefere matar as células-tronco provocando intenso estresse do retículo endoplasmático (Zhao, 2014).
   d) Parthenolide suprime o crescimento de células GLC-82 do câncer pulmonar via B-Raf/MAPK/Erk (Lin, 2017).

12. **Câncer de mama**
   a) Vários fitoquímicos interferem com as propriedades das células-tronco no câncer de mama: parthenolide, curcumina, genisteína, resveratrol, epigalocatecina-3-galato, sulforafane, indol-3-carbinol, 3,3'di-indolil-metano, vitamina

E, ácido retinoico, quercetina, triptolide, 6-shogaol, pterostilbene, isoliquiritigenin, celastrol e koenimbina (Dandawate, 2016).

b) Parthenolide inibe a proliferação de modo concentração-dependente e aumenta a apoptose em células MCF-7 do câncer de mama estrógeno-positivo. Acontece regulação para cima do p53, Bax, caspase-3, caspase-6, genes da caspase-3 e regulação para baixo do gene Bcl-2. O gene p53 é regulado para cima 3 vezes (Al-Fatlawi, 2015).

c) A inibição do AMPK e a autofagia potencia a apoptose provocada pelo parthenolide no câncer de mama. Parthenolide provoca aumento dos radicais livres de oxigênio e induz morte celular apoptótica, ativa o AMPK e a autofagia e pára o ciclo celular na fase M. Antioxidantes abolem tais efeitos (Lu, 2014).

d) Superexpressão do RIP3 (*receptor-interacting protein 3*) sensibiliza células do câncer de mama, MCF-7 e T47D, ao acúmulo de radicais livres de oxigênio. RIP3 está envolvido com o receptor do TNF e promove morte celular programada (Lu, 2014).

e) Parthenolide reduz metástases inibindo a expressão da vimentina e induz apoptose suprimindo o Ef α-1 (Elongation factor α-1) em células MCF-7 do câncer de mama (Jafari, 2018).

f) Parthenolide possui atividades antiproliferativas contra duas linhas celulares de câncer de mama humano Hs605T e MCF-7 (Wu, 2006).

13. **Câncer de mama triplo negativo**

a) Parthenolide inibe a proliferação, migração e formação de células endoteliais promovendo a antiangiogênese na linhagem MDA-MB-231 do câncer de mama triplo negativo (Li, 2012).

b) Parthenolide gera espécies reativas de oxigênio e autofagia em células MDA-MB-231 do câncer de mama triplo negativo. Análogo solúvel inibe o crescimento e metástases em modelo xenotransplantado murino (D'Anneo, 2013).

c) Superexpressão do RIP3 (*receptor-interacting protein 3*) sensibiliza células do câncer de mama triplo negativo, MDA-MB-231 e MDA-MB-435 ao acúmulo de radicais livres de oxigênio. RIP3 está envolvido com o receptor do TNF e promove morte celular programada (Lu, 2014).

d) Parthenolide e dimetilparthenolide exerceram efeito citotóxico em células-tronco de três linhagens do câncer de mama triplo negativo por induzir estresse oxidativo, disfunção mitocondrial e necrose. Ocorre ativação das NADP-oxidases seguida de aumento dos radicais livres de oxigênio (Carlisi, 2016).

e) A eficácia do parthenolide no câncer de mama triplo negativo, MDA-MB-231 aumenta quando associado a um inibidor da histona desacetilase, neste trabalho o ácido hidroxâmico (Carlisi, 2015).

f) Parthenolide induz toxicidade em células MDA-MB-231 do câncer de mama triplo negativo via radicais livres de oxigênio. Ocorre rápida estimulação da NADPH-oxidase (NOX) e produção de ânion superóxido convertido em H_2O_2 pela SOD1 (*superoxide dismutase 1*). Na segunda fase o parthenolide aumenta a geração de radical superóxido mitocondrial independente do NOX. Depois aumenta radical hidroxila e peroxinitrito e finalmente temos a apoptose (Carlisi, 2014).

14. **Câncer de próstata**

a) Parthenolide é importante citotóxico para células do câncer de próstata. Estão envolvidos o src, uma tirosina quinase e vários componentes de vias de sinalização incluindo Cdk, FAK, beta-1-arrestina, FGFR2, PKC, MEK/MAPK, CaMK, ELK-1 e ELK-1-gene-dependente. Ocorre alteração da transcrição de importantes fatores de transcrição como C/EBP-alfa, fos relacionado ao antígeno-1 (FRA-1), HOXA-4, c-MYB, SNAIL, SP1, SRF (*serum response factor*), STAT3, X-box-binding protein-1 (XBP1) e p53.

b) Sensibiliza o tecido tumoral prostático à radioterapia enquanto protege os tecidos saudáveis (Morel, 2017).

c) Parthenolide um inibidor farmacológico do NF-kappaB aumenta a eficácia da quimioterapia em células LNCaP do câncer prostático (Parrondo, 2010).

d) A ativação da NADPH-oxidase (NOX) pelo parthenolide é mediadora da radio sensibilidade do câncer de próstata (Sun, 2010).

e) Análogo hidrossolúvel do parthenolide suprime o crescimento do câncer de próstata *in vivo* tendo como alvo a inibição do NF-kappaB e gerando radicais livres de oxigênio (Shanmugam, 2010).

f) NF-kappaB regula a expressão do receptor de andrógeno e o crescimento do câncer prostático. O fator de transcrição nuclear NF-kappaB está implicado na carcinogênese porque é importante ativador de vias proliferativas: MAPK (*mitogen-activated protein kinase*), PI3K (*phosphatidylinositol 3-kinase*), AKT e PKC (*protein kinase C*) (Zhang, 2009).

g) Parthenolide liga-se a importantes fatores de transcrição no câncer de próstata: C/EBP-alpha, FRA-1 (*fos related antigen-1*), HOXA-4, c-MYB, SNAIL, SP1, SRF (*serum response factor*), STAT3, XBP1 (*X-boxbinding protein-1*) e p53 (Kawasaki, 2009).

15. **Câncer gástrico**
   a) Parthenolide, um inibidor potente do NF--kappaB, por não permitir sua fosforilação suprime o crescimento tumoral das linhagens MKN-28, MKN-45 e MKN-74 e aumenta a resposta à quimioterapia (Sohma, 2011).
   b) Aumenta a apoptose e diminui a proliferação de células do câncer gástrico, SGC7901 (Zhao, 2009).
   c) Perda (Classe I) e inativação (Classe II) de genes supressores de tumor (TSG) resultam em deleção cromossômica, mutação ou hipermetilação e imortalidade das células neoplásicas (Kodama, 2000). O inibidor do crescimento 5 (ING 5) funciona como Classe II TSG devido a papel supressivo na iniciação, promoção e desenvolvimento dos tumores (Gunduz, 2008). ING 5 suprime a proliferação, migração e invasão e aumenta a apoptose, enquanto induz autofagia e diferenciação de células do câncer gástrico, MKN28, AGS, BGC-823, MGC-803, MNK45 e SGC-7901, KATO-III, HGC-27, GT-3 TKB, STKM2, SCH e GES-1. Parthenolide possivelmente ativa ING 5 (Gou, 2015).
   d) Parthenolide facilita apoptose e reverte a resistência a cisplatina em células do carcinoma gástrico humano SGC-7901/DDP inibindo a sinalização STAT3 (Li, 2018). Parthenolide e cisplatina são sinérgicos no câncer gástrico resistente à quimioterapia, ocorrendo diminuição da proliferação de modo dose e tempo-dependentes. Acontece apoptose e parada do ciclo celular em G1 com aumento do BAX, do p53, caspases-3 e 9 e diminuição do Bcl-2 e Bcl-xL. A expressão da ciclina D1 diminui, a expressão do inibidor CDK1 aumenta, enquanto a ativação do STAT3 é inibida. Diminuem a migração e a invasão (Li, 2018).
16. **Câncer de fígado**
   a) Parthenolide induz apoptose via estresse oxidativo em células do hepatoma humano e no carcinoma hepatocelular sarcomatoide (SH-J1). Acontece depleção da glutationa intracelular; geração de radicais livres de oxigênio; redução do potencial transmembrana mitocondrial; ativação das caspases-7, 8, 9 e superexpressão do GADD153 (*an oxidative stress or anticancer agent inducible gene*) e subsequente morte por apoptose. Tais efeitos são abolidos com antioxidantes (Wen, 2002).
   b) Parthenolide induz apoptose, autofagia e supressão da proliferação em células HepG2 do hepatoma humano (Sun, 2014).
   c) Parthenolide induz apoptose, autofagia e supressão da proliferação em células HepG2 (Sun, 2014).
   d) Parthenolide inverte a resistência do carcinoma hepático multirresistente, BEL-7402/5-FU. Inibe a atividade de NF-κB e a expressão da Pgp (glicoproteína P), MRP, Bcl-2 e WNT1 e aumenta a expressão de p53 (Liu, 2013).
   e) Parthenolide sensibiliza as células do carcinoma hepatocelular para o TRAIL, induzindo a expressão de receptores de morte através da inibição da ativação do STAT3 (Carlisi, 2011).
17. **Colangiocarcinoma**
   Parthenolide aumenta a apoptose.
18. **Câncer colorretal**
   a) Antiproliferativo no adenocarcinoma de cólon.
   b) Aumenta a apoptose no câncer colorretal. Os tióis intracelulares são rapidamente depletados, incluindo a glutationa e as proteínas tióis. Concomitantemente aumenta o íon Ca^{++} e as espécies reativas tóxicas de oxigênio de maneira dose-dependente. Aumenta a expressão da proteína GRP78 um marcador de estresse do retículo endoplasmático. Todas essas alterações precedem a apoptose. Desempenham papel crítico os níveis de Ca^{++} e tióis intracelulares.
   c) Parthenolide aumenta a sensibilidade de células do câncer colorretal HT-29 ao TRAIL (*necrosis factor-related apoptosis-inducing ligand*) induzindo o receptor da morte 5 (DR5) e promove a apoptose induzida pelo TRAIL (Kim, 2015).
   d) Promove morte celular apoptótica e inibe a migração e invasão de células SW620 do câncer colorretal (Liu, 2017).
   e) Células do câncer de cólon (HCT116/PT, HT-29/PT e Caco-2/PT) com o passar do tempo ficam resistentes ao parthenolide devido ao aumento da expressão do Smad4. A reexpressão do Smad4 aumenta a sensibilidade das células neoplásicas ao parthenolide (Li, 2017).
   f) Suprime o fator HIF-1alfa induzido pela transição epitélio-mesenquimal no câncer colorretal, *in vitro* e *in vivo* (Kim, 2017).
   g) Induz apoptose no câncer de cólon associado à colite inibindo a sinalização NF-kappaB (Kim, 2015).
   h) Parthenolide sensibiliza células do câncer colorretal ao TRAIL (*tumor necrosis factor-related apoptosis-inducing ligand*) via mitocondrial e dependente das caspases. Ocorre má regulação de membros da família Bcl-2 (*B-cell lymphoma 2*), liberação de citocromo c no citosol, ativação das caspases e aumento dos níveis do p53 (Trang, 2014).
   i) Parthenolide exerce efeitos inibitórios sobre a angiogênese regulando para baixo o VEGF/VEGFR no câncer colorretal, HT-29, SW620 e HCT116 (Kim, 2014).

19. **Câncer de pâncreas**
    a) Parthenolide e Sulindac cooperam na inibição do crescimento do câncer de pâncreas: inibição do NF-kappaB (Yip-Schneider, 2005).
    b) Inibe a proliferação celular, impede a migração e aumenta a apoptose de células do câncer de pâncreas.
    c) Parthenolide suprime o crescimento de células do câncer pancreático, Panc-1 e BxPC3, por autofagia mediando a apoptose (Liu, 2017).
    d) Parthenolide induz de maneira dose-dependente drástica inibição da proliferação e aumento da apoptose das células cancerígenas pancreáticas BxPC-3 *in vitro*. Ocorre regulação negativa de Bcl-2 e pró-caspase-3, enquanto o Bax e a caspase-9 foram regulados positivamente. Não foi encontrada alteração na expressão do Bad (Liu, 2010).
    e) O dimetilamino parthenolide aumenta os efeitos inibitórios da gemcitabina nas células cancerígenas do pâncreas humano (Holcomb, 2012).
    f) Nanodelivery do parthenolide usando nanografeno aumenta a sua atividade anticâncer (Karmakar, 2015).
    g) A regulação negativa cooperativa da via de sinalização da proteína ribossômica L10 e NF-κB é responsável pelos efeitos antiproliferativos do DMAPT – dimetilamino partenolídeo – derivado do parthenolide nas células cancerígenas do pâncreas, PANC-1 e MiaPaca-2 (Shi, 2017)
20. **Câncer de endométrio**. Nada encontrado.
21. **Câncer de colo uterino**
    a) Parthenolide inibe a proliferação de modo concentração-dependente e aumenta a apoptose em células SiHa do câncer de útero humano. Acontece regulação para cima do p53, Bax, caspase-3, caspase-6, genes da caspase-3 e regulação para baixo do gene Bcl-2. O gene p53 é regulado para cima 9 vezes (Al-Fatlawi, 2015).
    b) Parthenolide induz apoptose e autofagia no câncer cervical, linhagem HeLa, suprimindo a via PI3K/Akt. Induz apoptose via mitocondrial e apoptose e autofagia por ativação da caspase-3. Regulação para cima do Bax, Beclin-1, ATG3, ATG5 e regulação para baixo do Bcl-2 e mTOR (Jeyamoha, 2016).
    c) Parthenolide interage e inibe a tiorredoxina redutase (TrxR1) citosólica e mitocondrial, duas selenocisteínas contendo enzimas antioxidantes e ativa as NADP-oxidases. Ambos os efeitos promovem o aumento dos radicais livres, o que provoca apoptose das células HeLa (Duan, 2016).
    d) Parthenolide possui atividades antiproliferativas contra a linha celular SiHa do câncer do colo do útero humano (Wu, 2006).
22. **Linfoma não Hodgkin**
    a) Induz apoptose e citotoxicidade lítica no linfoma de Burkitt positivo para o Epstein-Barr vírus.
    b) Em linhas de células de linfoma B humano, o parthenolide inibe o fator de transcrição NF-kappB c-Rel (REL). Além disso, a sensibilidade de várias linhas de células de linfoma B humano à apoptose induzida por ele correlaciona-se inversamente com níveis de proteína anti-apoptose Bcl-X (L) (Yeo, 2012).
    c) Parthenolide induz apoptose e citotoxicidade lítica no linfoma de Burkitt EBV-positivo (Li, 2012).
23. **Melanoma**
    a) É anticâncer no melanoma humano. A morte celular é acompanhada por despolarização da membrana mitocondrial e ativação da caspase-3. Ocorre queda da glutationa intracelular, entretanto, sem estresse oxidativo importante.
    b) Aumenta apoptose no melanoma e no osteosarcoma humano, caspase independente. Ocorre depleção de grupos tióis e glutationa, inibição do NF-kappaB, destacamento celular da matriz e colapso da célula neoplásica. O estresse oxidativo junto com o acúmulo de Ca^{++} favorece a dissipação do delta-psi-mt.
    c) Parthenolide induz morte celular mediada pelo AIF (fator indutor da apoptose) e independente das caspases em células do melanoma humano SK-MEL-28. Acontece rápido estímulo da geração das espécies reativas de oxigênio por ativação do ERK1/2 e da NADP-oxidase. Este evento depleta o GSH celular, inibe NF-kappaB, ativa JNK (*c-Jun N-terminal kinase*) e promove encolhimento celular. O acúmulo de Ca^{++} junto com o aumento dos radicais livres favorece a dissipação do delta-psi-mt. Neste estágio o AIF se transloca para o núcleo e provoca apoptose (D'Anneo, 2016).
    d) Parthenolide induz regulação negativa e senescência da isoforma M da MITF-M (microphthalmia-associated transcription fator nas populações de células de melanoma MITF-M (Hartman, 2016).
24. **Mieloma múltiplo**
    a) A apoptose induzida por partenolide em células de mieloma múltiplo envolve a geração de espécies reativas de oxigênio e a sensibilidade celular depende da atividade da catalase. As células KMM-1 e MM1S sensíveis ao partenolide possuem menor atividade catalase do que as células menos sensíveis KMS-5 e NCI-H929, além de linfócitos normais. O NAC abole os efeitos anticâncer do partenolide (Wang, 2006).

b) Parthenolide diminui a atividade do NF-kappaB e suprime significativamente a expressão de mRNA e proteína VEGF e IL-6, o que pode contribuir para o mecanismo pelo qual inibe a angiogênese induzida por células do mieloma (Kong, 2008).
c) Parthenolide inibiu o crescimento de linhas celulares MM, incluindo linhas celulares resistentes a medicamentos e células primárias de maneira dependente da dose. O partenolide superou os efeitos proliferativos das citocinas interleucina-6 e o fator de crescimento semelhante à insulina I, enquanto a adesão das células MM às células estromais da medula óssea protegeu parcialmente as células MM contra o efeito do partenolide. Além disso, o partenolide bloqueou a secreção de interleucina-6 das células estromais da medula óssea desencadeada pela adesão de células MM. A citotoxicidade do partenolide é dependente da caspase e independente da caspase. O partenolide induziu rapidamente a ativação e clivagem da caspase, PARP, MCL-1, inibidor da proteína da apoptose ligada ao X e BID. O partenolide rapidamente regula a proteína inibidora da enzima conversora de IL-1beta do tipo FADD e o direcionamento direto da proteína inibidora da enzima conversora da IL-1beta do tipo FADD celular usando pequenos oligonucleotídeos de RNA interferentes o que inibiu o crescimento de células MM e reduziu a concentração de partenolide necessária para inibição da proliferação. Efeito aditivo: combinação do partenolide e dexametasona e efeito sinérgico combinação do partenolide com o ligante indutor de apoptose relacionado ao TNF (Suvannasankh, 2008).
d) Parthenolide inibe o mieloma múltiplo diminuindo a atividade do NF-kappaB regulando para baixo a expressão do TRAF6 (*necrosis factor receptor-associated factor* 6) e suas proteínas (Kong, 2015).

25. **Osteossarcoma**
   a) Parthenolide induz espécies reativas tóxicas de oxigênio e provoca morte celular autofágica em células do osteossarcoma humano. Acontece aumento da autofagia e mitofagia caracterizadas pelo aumento da translocação para mitocôndria do PINK1 e PARKIN e aumento das proteínas autofágicas. A autofagia está relacionada com o aumento dos radicais livres de oxigênio. Antioxidantes atenuam o efeito. Não há interferência das caspases (Yang, 2016).
   b) Parthenolide induz morte celular mediada pelo AIF (fator indutor da apoptose) e independente das caspases em células do osteossarcoma humano MG63. Acontece rápido estímulo da geração das espécies reativas de oxigênio por ativação do ERK1/2 e da NADP oxidase. Este evento depleta o GSH celular, inibe NF-kappaB, ativa JNK (*c-Jun N-terminal kinase*) e promove encolhimento celular. O acúmulo de Ca^{++} junto com o aumento dos radicais livres favorece a dissipação do delta-psi-mt. Neste estágio o AIF se transloca para o núcleo e provoca apoptose (D'Anneo, 2016).
   c) Parthenolide pode sensibilizar o osteossarcoma à radiação e reduz drasticamente a prevalência de recidiva e progressão metastática (Zuch, 2012).
26. **Linfoma e leucemias**
   a) Diminuição da proliferação e aumento da apoptose nas células da leucemia K562 e suas células-tronco.
   b) Diminui survivina em células de leucemias.
   c) São alvos no tratamento das leucemias: NF-κappaB p65/miR-23a-27a-24 (Zhang, 2015).
   e) Parthenolide induz significante apoptose e aumento de ERTOs em células da leucemis pré-B (Zunino, 2007).
27. **Carcinoma renal**
   Sesquiterpeno lactona do partenolídeo suprime o crescimento do tumor em modelo de xenoenxerto de carcinoma de células renais, inibindo a ativação do NF-kappaB (Oka, 2007).

Conclusão

Chrysanthemum parthenium uma belíssima planta a esconder segredos tão importantes para manter a saúde. Quantos segredos ainda temos para descobrir nas flores e plantas que Deus colocou neste mundo.

Referências

1. Abstracts and papers in full on site: www.medicinabiomolecular.com.br
2. Al-Fatlawi AA, Al-Fatlawi AA, Irshad M, et al. Effect of parthenolide on growth and apoptosis regulatory genes of human cancer cell lines. Pharm Biol. 53(1):104-9;2015.
3. Alvarez AL, Habtemariam S, Juan-Badaturuge M, et al. In vitro anti HSV-1 and HSV-2 activity of Tanacetum vulgare extracts and isolated compounds: an approach to their mechanisms of action. Phytother Res. 2011 Feb;25(2):296-301;2011.
4. Anderson KN, Bejcek BE. Parthenolide induces apoptosis in glioblastomas without affecting NF-kappaB. J Pharmacol Sci. Feb;106(2):318-20;2008.
5. Baskaran N, Selvam GS, Yuvaraj S, Abhishek A. Parthenolide attenuates 7,12-dimethylbenz[a]anthracene induced hamster buccal pouch carcinogenesis. Mol Cell Biochem. Mar;440(1-2):11-22;2018.
6. Benassi-Zanqueta É, Marques CF, Nocchi SR, et al. Parthenolide Influences Herpes simplex virus 1 Replication in vitro. Intervirology. 61(1):14-22;2018.

7. Carlisi D, Buttitta G, Di Fiore R, et al. Parthenolide and DMAPT exert cytotoxic effects on breast cancer stem-like cells by inducing oxidative stress, mitochondrial dysfunction and necrosis. Cell Death Dis. 7:e2194;2016.
8. Carlisi D, D'Anneo A, Martinez R, et al. The oxygen radicals involved in the toxicity induced by parthenolide in MDA-MB-231 cells. Oncol Rep. 32(1):167-72;2014.
9. Carlisi D, Lauricella M, D'Anneo A, et al. The synergistic effect of SAHA and parthenolide in MDA-MB231 breast cancer cells. J Cell Physiol. 230(6):1276-89;2015.
10. Carlisi D, D'Anneo A, Angileri L, et al. Parthenolide sensitizes hepatocellular carcinoma cells to TRAIL by inducing the expression of death receptors through inhibition of STAT3 activation. J Cell Physiol. 2011 Jun;226(6):1632-41.
11. Dandawate PR, Subramaniam D, Jensen RA, Anant S. Targeting cancer stem cells and signaling pathways by phytochemicals: Novel approach for breast cancer therapy. Semin Cancer Biol. 40-41:192-208;2016.
12. D'Anneo A, Carlisi D, Lauricella M, et al. Parthenolide induces caspase-independent and AIF-mediated cell death in human osteosarcoma and melanoma cells. J Cell Physiol. 228(5):952-67;2013.
13. D'Anneo A, Carlisi D, Lauricella M, et al. Parthenolide generates reactive oxygen species and autophagy in MDA-MB231 cells. A soluble parthenolide analogue inhibits tumour growth and metastasis in a xenograft model of breast cancer. Cell Death Dis. 4:e891;2013.
14. D'Anneo A, Carlisi D, Lauricella M, et al. Parthenolide induces caspaseindependent and AIF-mediated cell death in human osteosarcoma and melanoma cells. J Cell Physiol. 228:952-67;2013.
15. Duan D, Zhang J, Yao J, et al. Targeting Thioredoxin Reductase by Parthenolide Contributes to Inducing Apopto sis of HeLa Cells. J Biol Chem. 291(19):10021-31;2016.
16. Ghantous A., Sinjab A., Herceg Z., Darwiche N. Parthenolide: from plant shoots to cancer roots. Drug Discovery Today. 18(17-18):894–905, 2013.
17. Gunduz M, Demircan K, Gunduz E, et al. Inhibitor of Growth (ING) family: a emerging molecular target for cancer therapy. J Hard Tiss Biol. 17:1-10;2008.
18. Hartman ML, Talar B, Sztiller-Sikorska M, et al. Parthenolide induces MITF-M downregulation and senescence in patient-derived MITF-M(high) melanoma cell populations. Oncotarget. 2016 Feb 23;7(8):9026-40.
19. Hexum JK, Becker CM, Kempema AM, et al. Parthenolide prodrug LC-1 slows growth of intracranial glioma. Bioorg Med Chem Lett. Jun 15;25(12):2493-5;2015.
20. Holcomb BK, Yip-Schneider MT, Waters JA, et al. Dimethylamino parthenolide enhances the inhibitory effects of gemcitabine in human pancreatic cancer cells. J Gastrointest Surg. 2012 Jul;16(7):1333-40;2012.
21. Jafari N, Nazeri S, Enferadi ST. Parthenolide reduces metastasis by inhibition of vimentin expression and induces apoptosis by suppression elongation factor α - 1 expression. Phytomedicine. Mar 1; 41:67-73;2018.
22. Jeong WS, Keum YS, Chen C, et al. Differential expression and stability of endogenous nuclear factor E2-related factor 2 (Nrf2) by natural chemopreventive compounds in HepG2 human hepatoma cells. J Biochem Mol Biol. 2005 Mar 31;38(2):167-76.
23. Jeyamohan S, Moorthy RK, Kannan MK, Arockiam AJ. Parthenolide induces apoptosis and autophagy through the suppression of PI3K/Akt signaling pathway in cervical cancer. Biotechnol Lett. Aug;38(8):1251-60;2016.
24. Jeyamoha S, Moorthy RK, Kannan MK, Arockiam AJ. Parthenolide induces apoptosis and autophagy through the suppression of PI3K/Akt signaling pathway in cervical cancer. Biotechnol Lett. 38(8):1251-60;2016.
25. Karmakar A, Xu Y, Mustafa T, et al. Nanodelivery of Parthenolide Using Functionalized Nanographene Enhances its Anticancer Activity. RSC Adv. Jan 1;5(4):2411-2420;2015.
26. Kawasaki BT, Hurt EM, Kalathur M, et al. Effects of the sesquiterpene lactone parthenolide on prostate tumor-initiating cells: An integrated molecular profiling approach. Prostate. 69(8):827-37; 2009.
27. Kim SL, Lee ST, Trang KT, et al. Parthenolide exerts inhibitory effects on angiogenesis through the downregulation of VEGF/VEGFRs in colorectal cancer. Int J Mol Med. 33(5):1261-7;2014.
28. Kim SL, Liu YC, Park YR, et al. Parthenolide enhances sensitivity of colorectal cancer cells to TRAIL by inducing death receptor 5 and promotes TRAIL-induced apoptosis. Int J Oncol. 46(3):1121-30; 2015.
29. Kim SL, Liu YC, Seo SY, et al. Parthenolide induces apoptosis in colitis-associated colon cancer, inhibiting NF-κB signaling. Oncol Lett. 9(5):2135-2142;2015.
30. Kim SL, Park YR, Lee ST, Kim SW. Parthenolide suppresses hypoxia-inducible factor-1α signaling and hypoxia induced epithelial-mesenchymal transition in colorectal cancer. Int J Oncol. 51(6):1809-1820;2017.
31. Kodama M, Kodama T, Murakami M. Oncogene activation and tumor suppressor gene inactivation find their sites of expression in the changes in time and space of the age-adjusted cancer incidence rate. In Vivo. 14:725-34;2000.
32. Kong F, Chen Z, Li Q, et al. Inhibitory effects of parthenolide on the angiogenesis induced by human multiple myeloma cells and the mechanism. J Huazhong Univ Sci Technolog Med Sci. Oct;28(5): 525-30;2008.
33. Kong FC, Zhang JQ, Zeng C, et al. Inhibitory effects of parthenolide on the activity of NF-κB in multiple myeloma via targeting TRAF6. J Huazhong Univ Sci Technolog Med Sci. 35(3):343-9;2015.
34. Lan B, Wan YJ, Pan S, et al. Parthenolide induces autophagy via the depletion of 4E-BP1. Biochem Biophys Res Commun. Jan 2;456(1):434-9. 2015.
35. Lee HK, Ha Eun Song, Haeng-Byung Lee et al. Growth inhibitory, bactericidal, and morphostructural effects of dehydrocostus lactone from Magnolia sieboldii Leaves on antibiotic-susceptible and -resistant strains of Helicobacter pylori PLoS One. Apr 18;9(4):e95530, 2014.
36. Liao K, Xia B, Zhuang QY, et al. Parthenolide inhibits cancer stem-like side population of nasopharyngeal carcinoma cells via suppression of the NF-κB/COX-2 pathway. Theranostics. Jan 1;5(3):302-21. 2015.
37. Li Y, Zhang Y, Fu M, et al. Parthenolide induces apoptosis and lytic cytotoxicity in Epstein-Barr virus-positive Burkitt lymphoma. Mol Med Rep. 2012 Sep;6(3):477-82;2012.
38. Li CJ, Guo SF, Shi TM. Culture supernatants of breast cancer cell line MDA-MB-231 treated with parthenolide inhibit the proliferation, migration, and lumen formation capacity of human umbilical vein endothelial cells. Chin Med J (Engl). Jun;125(12):2195-9. 2012.
39. Li X, Yang H, Ke J, et al. Smad4 re-expression increases the sensitivity to parthenolide in colorectal cancer. Oncol Rep. Oct;38(4):2317-2324. 2017.
40. Li H, Lu H, Lv M, et al. Parthenolide facilitates apoptosis and reverses drug-resistance of human gastric carcinoma cells by inhibiting the STAT3 signaling pathway. Oncol Lett. Mar;15(3):3572-3579;2018.
41. Liao K, Xia B, Zhuang QY, et al. Parthenolide inhibits cancer stem-like side population of nasopharyngeal carcinoma cells via suppres-

sion of the NF-kappaB/COX-2 pathway. Theranostics. Jan 1;5(3):302-21, 2015.
42. Lin M, Bi H, Yan Y, et al. Parthenolide suppresses non-small cell lung cancer GLC-82 cells growth via B-Raf/MAPK/Erk pathway. Oncotarget. 8(14):23436-47;2017.
43. Liu JW, Cai MX, Xin Y, et al. Parthenolide induces proliferation inhibition and apoptosis of pancreatic cancer cells in vitro. J Exp Clin Cancer Res. 29:108;2010.
44. Liu JW, Cai MX, Xin Y, et al. Parthenolide induces proliferation inhibition and apoptosis of pancreatic cancer cells in vitro. J Exp Clin Cancer Res. Aug 10;29:108;2010.
45. Liu YC, Kim SL, Park YR, et al. Parthenolide promotes apoptotic cell death and inhibits the migration and invasion of SW620 cells. Intest Res. 15(2):174-181;2017.
46. Liu W, Wang X, Sun J, et al. Parthenolide suppresses pancreatic cell growth by autophagy-mediated apoptosis. Onco Targets Ther. 10:453-61;2017.
47. Liu M, Xiao C, Sun M, et al. Parthenolide Inhibits STAT3 Signaling by Covalently Targeting Janus Kinases. Molecules. Jun 19;23(6); 2018.
48. Liu D, Liu Y, Liu M, Ran L, Li Y. Reversing resistance of multidrug-resistant hepatic carcinoma cells with parthenolide. Future Oncol. 2013 Apr;9(4):595-604.
49. Lu C, Wang W, Jia Y, et al. Inhibition of AMPK/autophagy potentiates parthenolide-induced apoptosis in human breast cancer cells. J Cell Biochem. 115(8):1458-66;2014.
50. Lu C, Zhou LY, Xu HJ, et al. RIP3 overexpression sensitizes human breast cancer cells to parthenolide in vitro via intracellular ROS accumulation. Acta Pharmacol Sin. 35(7):929-36;2014.
51. Mathema V. B., Koh Y. S., Thakuri B. C., Sillanpaa M. Parthenolide, a sesquiterpene lactone, expresses multiple anti-cancer and anti-inflammatory activities. Inflammation. 35(2):560–565, 2012.
52. Morel KL, Ormsby RJ, Bezak E, et al. Parthenolide Selectively Sensitizes Prostate Tumor Tissue to Radiotherapy while Protecting Healthy Tissues In Vivo. Radiat Res. 187(5):501-12;2017.
53. Nakabayashi H, Shimizu K. Involvement of Akt/NF-κB pathway in antitumor effects of parthenolide on glioblastoma cells in vitro and in vivo. BMC Cancer. 2012 Oct 5;12:453;2012.
54. Onozato T, Nakamura CV, Cortez DA, et al. Tanacetum vulgare: antiherpes virus activity of crude extract and the purified compound parthenolide. Phytother Res. Jun;23(6):791-6;2009.
55. Oka D, Nishimura K, Shiba M, et al. Sesquiterpene lactone parthenolide suppresses tumor growth in a xenograft model of renal cell carcinoma by inhibiting the activation of NF-kappaB. Int J Cancer. Jun 15;120(12):2576-81;2007.
56. Parada-Turska J, Paduch R, Majdan M, et al. Antiproliferative activity of parthenolide against three human cancer cell lines and human umbilical vein endothelial cells. Pharmacol Rep. Mar-Apr; 59(2):233-7;2007.
57. Panieri E and Saso L. Potential Applications of NRF2 Inhibitors in Cancer TherapyOxid Med Cell Longev. 2019: 8592348, 2019.
58. Parrondo R, de las Pozas A, Reiner T, et al. NF-kappaB activation enhances cell death by antimitotic drugs in human prostate cancer cells. Mol Cancer. 9:182;2010.
59. Shanmugam R, Kusumanchi P, Cheng L, et al. A water-soluble parthenolide analogue suppresses in vivo prostate cancer growth by targeting NFkappaB and generating reactive oxygen species. Prostate. 70(10):1074-86;2010.
60. Shi C, Wang Y, Guo Y, et al. Cooperative down-regulation of ribosomal protein L10 and NF-κB signaling pathway is responsible for the anti-proliferative effects by DMAPT in pancreatic cancer cells. Oncotarget. May 23;8(21):35009-35018;2017.
61. Sohma I, Fujiwara Y, Sugita Y, et al. Parthenolide, an NF-κB inhibitor, suppresses tumor growth and enhances response to chemotherapy in gastric cancer. Cancer Genomics Proteomics. 8(1):39-47;2011.
62. Sobota R, Szwed M, Kasza A, et al. Parthenolide inhibits activation of signal transducers and activators of transcription (STATs) induced by cytokines of the IL-6 family. Biochem Biophys Res Commun. 2000 Jan 7;267(1):329-33.
63. Sun Y, St Clair DK, Xu Y, et al. A NADPH oxidase-dependent redox signaling pathway mediates the selective radiosensitization effect of parthenolide in prostate cancer cells. Cancer Res. 70(7):2880-90; 2010.
64. Sun J, Zhang C, Bao YL, et al. Parthenolide-induced apoptosis, autophagy and suppression of proliferation in HepG2 cells. Asian Pac J Cancer Prev. 15(12):4897-902;2014.
65. Suvannasankha A, Crean CD, Shanmugam R, et al. Antimyeloma effects of a sesquiterpene lactone parthenolide. Clin Cancer Res. Mar 15;14(6):1814-22;2008.
66. Tang TK, Chiu SC, Lin CW, et al. Induction of survivin inhibition, G_2/M cell cycle arrest and autophagic on cell death in human malignant glioblastoma cells. Chin J Physiol. 58(2):95-103;2015.
67. Trang KT, Kim SL, Park SB, et al. Parthenolide Sensitizes Human Colorectal Cancer Cells to Tumor Necrosis Factor-related Apoptosis-inducing Ligand through Mitochondrial and Caspase Dependent Pathway. Intest Res. 12(1):34-41;2014.
68. Yang C, Yang QO, Kong QJ, et al. Parthenolide Induces Reactive Oxygen Species-Mediated Autophagic Cell Death in Human Osteosarcoma Cells. Cell Physiol Biochem. 40(1-2):146-54;2016.
69. Yeo AT, Porco JA Jr, Gilmore TD. Bcl-XL, but not Bcl-2, can protect human B-lymphoma cell lines from parthenolide-induced apoptosis. Cancer Lett. May 1;318(1):53-60, 2012.
70. Yip-Schneider MT, Nakshatri H, Sweeney CJ, et al. Parthenolide and sulindac cooperate to mediate growth suppression and inhibit the nuclear factor-kappa B pathway in pancreatic carcinoma cells. Mol Cancer Ther. Apr;4(4):587-94;2005.
71. Yuan J, Llamas Luceño N, Sander B, Golas MM. Synergistic anti-cancer effects of epigenetic drugs on medulloblastoma cells. Cell Oncol (Dordr). 40(3):263-79;2017.
72. Yu HJ, Jung JY, Jeong JH, et al. Induction of apoptosis by parthenolide in human oral cancer cell lines and tumor xenografts. Oral Oncol. 51(6):602-9;2015.
73. Yu Z, Chen Y, Wang S, et al. Inhibition of NF-κB results in anti-glioma activity and reduces temozolomide-induced chemoresistance by down-regulating MGMT gene expression. Cancer Lett. Aug 1;428:77-89;2018.
74. Wang W, Adachi M, Kawamura R, et al. Parthenolide-induced apoptosis in multiple myeloma cells involves reactive oxygen species generation and cell sensitivity depends on catalase activity. Apoptosis. Dec;11(12):2225-35;2006.
75. Wen J, You KR, Lee SY, et al. Oxidative stress-mediated apoptosis. The anticancer effect of the sesquiterpene lactone parthenolide. J Biol Chem. 277(41):38954-64;2002.
76. Wu C, Chen F, Rushing JW, et al. Antiproliferative activities of parthenolide and golden feverfew extract against three human cancer cell lines. J Med Food. 2006 Spring;9(1):55-61;2006.
77. Zanotto-Filho A, Braganhol E, Schröder R, et al. NFκB inhibitors induce cell death in glioblastomas.Biochem Pharmacol. Feb 1;81(3):412-24;2011.
78. Zhang L, Altuwaijri S, Deng F, et al. NF-kappaB regulates androgen receptor expression and prostate cancer growth. Am J Pathol. 175(2):489-99;2009.
79. Zhang S, Ong CN, Shen HM. Critical roles of intracellular thiols and calcium in parthenolide-induced apoptosis in human colorectal cancer cells. Cancer Lett. 208:143-53;2004.

80. Zhang YC, Ye H, Zeng Z, et al. The NF-κB p65/miR-23a-27a-24 cluster is a target for leukemia treatment. Oncotarget. 6(32):33554-67; 2015.
81. Zhao X, Liu X, Su L, et al. Parthenolide induces apoptosis via TNFRSF10B and PMAIP1 pathways in human lung cancer cells. J Exp Clin Cancer Res. 33:3;2014.
82. Zhao LJ, Xu YH, Li Y. Effect of parthenolide on proliferation and apoptosis in gastric cancer cell line SGC7901. J Dig Dis. 10(3):172-80;2009.
83. Zhu X, Yuan C, Tian C, et al. The plant sesquiterpene lactone parthenolide inhibits Wnt/β-catenin signaling by blocking synthesis of the transcriptional regulators TCF4/LEF1. J Biol Chem. Apr 6;293 (14):5335-5344;2018.
84. Zuch D, Giang AH, Shapovalov Y. Targeting radioresistant osteosarcoma cells with parthenolide. J Cell Biochem. 113(4):1282-91; 2012.
85. Zunino S. J., Ducore J. M., Storms D. H. Parthenolide induces significant apoptosis and production of reactive oxygen species in high-risk pre-B leukemia cells. Cancer Letters. 254(1):119–127, 2007.

CAPÍTULO 127

Tiossulfato de sódio no câncer: forte estruturador de água intracelular que diminui a proliferação do carcinoma epidermoide humano

José de Felippe Junior

As enfermidades são muito antigas e nada a respeito delas mudou. Somos nós que mudamos ao aprender a reconhecer nelas o que antes não percebíamos. **Charcot**

Médicos: Não sejam camelôs da Indústria Farmacêutica. **Walter Edgar Maffei**

Médicos: deixar de estudar é parar de ser médico. **JFJ**

Médicos: a MEDICINA se aprende em trabalhos científicos sem conflito de interesse. **JFJ**

Médicos tenham cuidado: os Congressos da nossa Classe são financiados pelas Indústrias Farmacêuticas. **JFJ**

No intracelular coexistem dois tipos de água: tipo A (desestruturada) e tipo B (estruturada):

Água A: alta densidade, ativa e fluida por apresentar pontes de hidrogênio fracas.
É uma água sem estrutura (desestruturada), *com clusters* pequenos, isto é, com o "n" do $(H_2O)n$ muito baixo.
É a água predominante nas células em proliferação.
Densidade: 1,18g/ml.

Água B: baixa densidade, inativa e viscosa por apresentar pontes de hidrogênio fortes.
É uma água estruturada, com *clusters* maiores, isto é, com o "n" do $(H_2O)n$ elevado, e mais fortes.
É a água predominante nas células em estado quiescente, sem proliferação.
Densidade: 0,91g/m

Quando aumenta a quantidade de água desestruturada no intracelular (causas externas ou internas carcinogênicas), as células sofrem profundas modificações metabólicas, profundas modificações das vias de sinalização, aumento progressivo da entropia que culmina na diminuição do grau de ordem-informação do sistema termodinâmico aberto que é a célula. Na evolução deste processo a entropia atinge um ponto crucial máximo e o grau de ordem-informação um ponto crucial mínimo e como consequência a célula atinge um nível quase não tolerável de desestruturação: "estado de quase morte".

Ao chegar no "estado de quase morte" desencadeiam-se mecanismos milenares de sobrevivência celular e as células começam a se dividir, entram em proliferação, entram em estado de mitose contínua, único modo de manter o que lapidaram por bilhões de anos: seu precioso GENOMA.

A célula normal quando agredida coloca em ação todo potencial adquirido nos milhões de anos de planeta Terra para sobreviver. As células assim chamadas de "malignas" são carne de nossa própria carne e, portanto, também usam este potencial colocando em ação todos os mecanismos disponíveis de sobrevivência, isto é, a ativação de fatores que: 1. promovem a proliferação celular; 2. impedem a apoptose; 3. aumentam a geração de novos vasos e 4. impedem a diferenciação.

Dessa forma, ao atingir o "estado de quase morte" desencadeiam-se os fatores de sobrevivência e as células começam a proliferar, a se proteger da apoptose e a criar novos vasos para se nutrir.

O modo mais coerente de abordar o paciente com câncer e que está de acordo com a fisiopatologia do processo patológico seria proporcionar condições ideais para que as células doentes recuperem e restabeleçam as suas funções. Uma das estratégias é agir na água intracelular transformando-a de desestruturada (alta densidade, ativa, fluida) em estruturada (baixa densidade, inativa, viscosa).

O tiossulfato de sódio ($Na_2S_2O_3$), antigamente chamado hipossulfito de sódio, é um dos fortes estruturadores da água intracelular, ao lado de outras substâncias estruturadoras ou cosmotropas: ânions polivalentes, cátions monovalentes e polivalentes e alguns compostos não iônicos. Pois bem, Norbert Viallet, em 2005, empregando apenas o tiossulfato de sódio como estruturador, conseguiu diminuir significantemente (quase 50%) a proliferação do carcinoma epidermoide humano implantado no camundongo.

Na verdade, o autor utilizou o tiossulfato para verificar se ocorria proteção do animal da ototoxicidade e nefrotoxicidade provocada pelo cis-diaminonedicloroplatina (CDDP) e se havia interferência do tiossulfato na eficácia deste quimioterápico.

Os camundongos foram implantados com células FACU do carcinoma epidermoide humano e divididos em 2 grupos. Um grupo recebeu CDDP e o outro CDDP mais tiossulfato (1.600mg/kg). No grupo CDDP observou-se que o volume do tumor atingiu 1.200mm^3 em 25 dias de evolução e no grupo CDDP mais tiossulfato atingiu 650mm^3, isto é, houve diminuição de quase 50% do volume tumoral empregando-se apenas um dos tipos de estruturadores que as células utilizam na sua fisiologia normal.

Conclusão

Dispomos de mais uma estratégia para almejar a cura do câncer.

Não vamos desistir desta luta.

Referências

1. Felippe JJr. Câncer: população rebelde de células esperando por compaixão e reabilitação. Revista Eletrônica da Associação Brasileira de Medicina Biomolecular. www.medicinabiomolecular.com.br. Tema da semana de 16/05/05.
2. Felippe JJr. Todos nós temos o poder de curar a nós mesmos. Revista Eletrônica da Associação Brasileira de Medicina Biomolecular. www.medicinabiomolecular.com.br. Biblioteca de Câncer. Tema do mês de janeiro de 2006.
3. Felippe JJr. Água: vida – saúde – envelhecimento – doença – câncer. Revista Eletrônica da Associação Brasileira de Medicina Biomolecular. www.medicinabiomolecular.com.br. Tema do mês de fevereiro de 2008.
4. Viallet NR, Blakley BW, Begleiter A, Leith MK. Effect of sodium thiosulphate and cis-diamminedichloroplatinum on FADU tumor cells in nude mice. J Otolaryngol. 34:6;2005.

CAPÍTULO 128

Triptofano: não no câncer

José de Felippe Junior

Primun non nocere

O metabolismo do aminoácido essencial L-triptofano está implicado na melhora da depressão e doenças neurodegenerativas e na piora do câncer.

Triptofano é aminoácido precursor da serotonina e da melatonina e assim é considerado nutriente muito importante no metabolismo do cérebro normal. Entretanto, como todo nutriente, ele não distingue entre glia normal e glia neoplásica e serve a ambas com o mesmo empenho.

De fato, o triptofano é metabolizado na via kinurenina (VK) produzindo kinurenina, neuroprotetores (ácido kinurênico e ácido picolínico), excitotoxina (ácido quinolínico) e o essencial piridino-nucleotídeo NAD+ (Nicotinamida Adenina Dinucleotídeo).

As enzimas IDO-1(indoleamina 2,3-dioxigenase-1), IDO-2 (indoleamina 2,3-dioxigenase-2) e TDO-2 (triptofano 2,3-dioxigenase) iniciam as primeiras etapas da via kinurenina. A indução da IDO-1 e TDO-2 suprimem a imunidade antitumoral.

O papel da IDO-1 na imunidade tumoral foi primeiramente descrito por Uyttenhove em 2003 em modelo murino. Os metabólitos do triptofano aumentam Treg, diminuem a função das células dendríticas e suprimem Th1.

As IDOs promovem imunotolerância tumoral (Munn, 2013).

O escape do tumor ao sistema imune é um obstáculo ao sucesso terapêutico. Metabólitos do triptofano ao longo da via kinurenina induzem imunosupressão provocando apoptose das células efetoras do sistema imune. A produção destes metabólitos inicia-se com a enzima IDO-1 (indoleamine 2,3-dioxigenase) e passa pela enzima TDO-2 (Trp 2,3-dioxigenase). Nicotinamida é um dos inibidores da TDO-2 e a hipoalbuminemia e o excesso de ácidos graxos livres não esterificados são causas do aumento de triptofano livre no sangue (Badawy, 2018).

Em 18 pacientes com glioblastoma multiforme constatou-se que as substâncias neuroprotetoras da via kinurenina estão significantemente diminuídas em relação ao grupo controle. O triptofano, em última análise, vai aumentar a concentração de NAD+ intratumoral que é necessário na produção de energia e reparação do DNA, ao lado de diminuir a imunidade antitumoral. Dessa forma, o triptofano está formalmente contraindicado nos gliomas: glioblastoma multiforme, neuroblastoma e astrocitoma.

É interessante saber que o interferon-gama (IFN-gama) potencializa dramaticamente a expressão de algumas enzimas, enquanto diminui a expressão de outras da via da quinurenina nas células do glioblastoma causando diminuição das substâncias neuroprotetoras. IFN-gama possui efeito anticâncer considerável nos gliomas.

O Interferon gama (IFN-gama) em certas condições é um dos principais indutores da IDO-1 (Takikawa, 1999; Hwu, 2000). Compreendemos este fato como um dos modos de modular o sistema imune, visto o IFN-gama ser um dos agentes que polarizam o sistema imune de M2/Th2 para M1/Th1. É o constante e fisiológico acelerar e desacelerar do sistema imune.

Adans em 2014 relata a primeira caracterização abrangente da via da quinurenina (KP) em: 1) células de glioma humano cultivadas e 2) plasma de pacientes com glioblastoma multiforme (GBM). Os dados revelaram que a estimulação com interferon-gama potencializou significativamente a expressão das enzimas da via quinurenina, IDO-1, IDO-2, quinureninase (KYNU), quinurenina hidroxilase (KMO) e regulou para baixo de modo significante a expressão da enzima 2-amino-3--carboximuconate semialdeido decarboxilase (ACMSD) e kinurenine aminotransferase-I (KAT-I em células de glioma humano em cultura. Isto significantemente aumentou a atividade da via KP, mas, também de modo significante diminuiu a razão neuroprotetora KYNA/KYN na cultura de células do glioma humano. A ativação da KP (KYN/TRP) foi significativamente maior, enquanto as concentrações dos metabólitos neuro-reativos da KP, TRP, KYNA, QUIN e PIC e a razão KYNA/KYN foram significativamente menores no plasma dos pacientes com GBM (n =18) em comparação aos controles. Esses resultados fornecem mais evidências do envolvimento da KP na fisiopatologia do glioma e destacam o papel potencial dos produtos da KP como novos e altamente atraentes alvos para o tratamento de tumores cerebrais, visando restaurar a imunidade antitumoral e reduzir a capacidade de células malignas produzir NAD+, necessário na produção de energia e reparo do DNA (Adans, 2014).

Um dos produtos da via metabólica do triptofano é a serotonina. A serotonina tem sido relacionada com a progressão do câncer por estimular a proliferação celular e a angiogênese.

Antagonistas do sistema serotoninérgico diminuem bastante o número das células iniciantes do câncer de mama e são sinérgicos com a quimioterapia. Sertralina e fluoxetina, inibidores da recaptação da serotonina, aumentam o número destas células iniciantes e não devem ser empregadas.

O triptofano aumenta os linfócitos Treg, diminui a diferenciação dos linfócitos Th1 e polariza o sistema imune para Th2, propício ao desenvolvimento da proliferação neoplásica.

Metabólitos do catabolismo do triptofano estão elevados no soro de pacientes com síndrome mielodisplásica e inibem os progenitores hematopoiéticos.

O triptofano, catabolito da quinurenina (KYN) emergiu recentemente como importante fator neuro-ativo na patogênese do tumor cerebral, com estudos adicionais implicando a KYN em outros tipos de câncer. Muitas vezes destacado como contribuinte para o escape imune de tumores malignos, é sabido que KYN tem efeitos na produção da coenzima nicotinamida adenina dinucleotídeo (NAD+), que pode ter um impacto direto no reparo do DNA, replicação, divisão celular, sinalização redox e função mitocondrial. Efeitos adicionais da sinalização do KYN são transmitidos por seu papel como agonista endógeno do receptor do aril hidrocarbono (AhR), e é principalmente pela ativação do AhR que KYN parece mediar a progressão da proliferação nos gliomas. Recentemente, relatamos a capacidade da sinalização KYN em modular a expressão da DNA polimerase kappa humana (hpol κ), enzima de trans-lesão envolvida nas lesões volumosas de DNA e na ativação da resposta ao estresse de replicação. Dado o impacto da KYN na produção de NAD (+), sinalização AhR e síntese de DNA de trans-lesão, segue-se que a desregulação da sinalização KYN no câncer pode promover excesso de proliferação por meio de alterações no nível de dano endógeno ao DNA e estresse de replicação (Bostian, 2016).

Não empregamos o triptofano em nossas estratégias.

Triptofano ou 5-hidroxitriptofano (5-HTP): efeitos prejudiciais no câncer

1. **Cuidado**: não usar nos gliomas e outras neoplasias.
2. Diminui imunidade do hospedeiro contra o glioma e outras neoplasias.
3. Serotonina aumenta e seus antagonistas diminuem as células-tronco no câncer de mama e possivelmente em outros tumores.
4. Administração de 5g de resveratrol a voluntários reduz drasticamente os níveis de triptofano em 2,5 a 5 horas. A concentração de kinurenina aumenta levemente, o que aumenta a razão kinurenina/triptofano: efeito anticâncer.
5. Nicotinamida é um dos inibidores da TDO-2.
6. Devemos corrigir a hipoalbuminemia e excesso de ácidos graxos não esterificados no soro para evitar o aumento de triptofano livre no sangue.
7. Triptofano protege células-tronco, principalmente no cérebro, outro motivo de não usarmos nos pacientes com câncer, especialmente nos gliomas.
8. Metabólitos do triptofano contribuem para a reativação do glioblastoma pós-radioterapia. O emprego da radioterapia com inibidores da IDO-1 aumenta a resposta terapêutica porque tanto A RT como os metabólitos da via kinurenina são imunossupressores (Kesarwani, 2018).
9. Antagonistas da serotonina diminuem células iniciantes no câncer de mama e possivelmente em outros tumores.
10. Aumento da atividade da IDO-1, a qual transforma o triptofano em kinurenina, correlaciona-se com o aumento da densidade de microvasos e piora do prognóstico no câncer de mama (Wei, 2018).
11. Ativação da IDO-1 no carcinoma hepatocelular provoca imunotolerância. Nivolumabe, anticorpo anti PD-1, impede a regulação para cima da IDO-1 (Brown, 2018).
12. Aumento da sinalização da serotonina contribui para o efeito Warburg em células do tumor pancreático sob estresse metabólico e promove o crescimento neoplásico no camundongo.
13. Outros motivos para não usar:
    a) Triptofano e/ou 5-HTP aumentam Treg e suprimem a diferenciação das células Th1 – polarizam o sistema imune para Th2. Tratam doenças autoimunes e pioram o câncer.
    b) Catabólitos do triptofano induzem regulação para baixo da proliferação, da função e da sobrevida das células do sistema imune e estão relacionados com o escape tumoral da vigilância imunológica (Barreto, 2018).
    c) Triptofano e/ou 5-HTP aumentam a serotonina e viabilizam as células iniciantes de vários tipos de tumores.

L-triptofano → 5-hidroxitriptofano → 5-hidroxi-triptamina (serotonina).

14. Triptofano é precursor da melatonina, uma substância com potente atividade anticâncer. Entretanto, antes da formação da melatonina formam-se a serotonina e os metabólitos imunosupressores do triptofano.
15. Diminui o potencial de membrana mitocondrial e diminui geração de ATP via fosforilação oxidativa.
16. L-triptofano → 5-HTP → .....kinurenina → ...... 5-hidroxitriptamina (serotonina) → 5-Metoxi-N-acetiltriptamine (melatonina).

Conclusão

Não use triptofano. Esperamos por mais estudos para conseguirmos inibir as enzimas que catabolizam o triptofano: IDO-1, IDO-2 e TDO-2.

Referências

1. Abstracts and papers in full on site www.medicinabiomolecular.com.br
2. Adams S, Teo C, McDonald KL, et al. Involvement of the kynurenine pathway in human glioma pathophysiology. PLoS One. Nov 21;9(11):e112945;2014.
3. Badawy AA. Targeting tryptophan availability to tumors: the answer to immune escape? Immunol Cell Biol. Jun 10;2018.
4. Barreto FS, Chaves Filho AJM, de Araújo MCCR, et al. Tryptophan catabolites along the indoleamine 2,3-dioxygenase pathway as a biological link between depression and cancer._Behav Pharmacol. Apr;29(2 and 3 - Special Issue):165-180;2018.
5. Bostian AC, Eoff RL. Aberrant Kynurenine Signaling Modulates DNA Replication Stress Factors and Promotes Genomic Instability in Gliomas. Chem Res Toxicol. Sep 19;29(9):1369-80;2016.
6. Brown ZJ, Yu SJ, Heinrich B, et al. Indoleamine 2,3-dioxygenase provides adaptive resistance to immune checkpoint inhibitors in hepatocellular carcinoma. Cancer Immunol Immunother. Jun 29; 2018.
7. Hwu P, Du MX, Lapointe R, et al. Indoleamine 2,3-dioxygenase production by human dendritic cells results in the inhibition of T cell proliferation. J Immunol 164: 3596–3599;2000.
8. Kesarwani P, Prabhu A, Kant S, et al. Tryptophan Metabolism Contributes to Radiation-Induced Immune Checkpoint Reactivation in Glioblastoma. Clin Cancer Res. Apr 24;2018.
9. Munn DH, Mellor AL Indoleamine 2,3 dioxygenase and metabolic control of immune responses. Trends ImmunolMar; 34(3):137-43. 2013.
10. Wei L, Zhu S, Li M, et al. High Indoleamine 2,3-Dioxygenase Is Correlated With Microvessel Density and Worse Prognosis in Breast Cancer. Front Immunol. Apr 17;9:724;2018.
11. Site www.medicinabiomolecular.com.br. Resumos ou trabalhos na íntegra.
12. Takikawa O, Yoshida R, Kido R, Hayaishi O Tryptophan degradation in mice initiated by indoleamine 2,3-dioxygenase. J Biol Chem 261: 3648–3653;1986.
13. Uyttenhove C, Pilotte L, Stroobant V, et al. Evidence for a tumoral imune resistance mechanism based on tryptophan degradation by indoleamine 2,3-dioxygenase. Nat Med 9: 1269–1274;2003.

CAPÍTULO 129

Vanádio: inibe a proliferação celular neoplásica

José de Felippe Junior

O vanádio, potente inibidor reversível da proteíno-tirosino-fosfatase (PTP) e ativador da tirosino-fosforilase, aumenta os níveis de fosfotirosina em vários tipos de células neoplásicas e provoca parada da proliferação celular (Holko, 2008). Outro mecanismo de ação é a indução e estabilização de enzimas hepáticas, especialmente a gama-glutamiltranspeptidase (GGT) e a glutationa-S-transferase. Outro possível mecanismo é o bloqueio do ciclo celular na fase G2/M (Dabros, 2011; Desoize, 2004; Evangelou, 2002).

Derivados do vanádio exibem propriedades pró-tumorais e antitumorais, dependendo da dose e do tipo de composto (Srivastava, 2005; Dabros, 2011). Baixas concentrações de vanádio podem estimular, enquanto altas concentrações podem inibir a proliferação tumoral (Evangelou, 2002; Srivastava, 2005).

Estudos *in vitro* mostram forte efeito antitumoral dos compostos metavanadato de sódio e vanadil-sulfato, ambos com valência +4, em linfomas, leucemias de células T, eritroleucemia, leucemia basofílica, células do câncer de fígado, ovário, testicular, nasofaringeal, ósseo e neuroblastoma (Korbecki, 2012; Urban, 2001; Desoize, 2004; Evangelou, 2002).

O ortovanadato, valência +5, exibe efeito supressor indireto no câncer de pulmão, próstata e rabdomiossarcoma (Dabros, 2011; Holko, 2008). O efeito biológico do ortovanadato, potente inibidor da tirosino-fosfatase é multiplicado por 100-1.000 pelo peroxivanadato que é formado pela ação do H_2O_2 intracelular (Desoize, 2004).

Autores escrevem sobre o efeito ATPase do vanadil-sulfato – $VOSO_4$ (Matsugo, 2015).

Quando a concentração intracelular de glutationa reduzida (GSH) diminui, a concentração de fosfotirosina não se modifica, entretanto, as células neoplásicas apresentam-se mais sensíveis aos vanadatos. Nestas condições de diminuição de GSH e desvio do potencial redox para oxidação, o vanádio provoca inibição irreversível da proteíno-tirosino-fosfatase, seguida de maiores concentrações de fosfotirosina e maior efeito inibidor da proliferação celular. A sequência é a seguinte:

Diminuição do GSH (por qualquer estratégia) → aumenta a produção de H_2O_2 → H_2O_2 reage com o vanádio e produz peroxivanadato → inibição irreversível da proteíno-tirosino-fosfatase (PTP) → aumento da fosfotirosina → parada da proliferação celular neoplásica.

Nas células do osteossarcoma humano, o vanádio aumenta a geração de espécies reativas tóxicas de oxigênio de modo dependente da concentração e, dessa forma, provoca diminuição da proliferação celular e apoptose nestas células. O alfatocoferol inibe significativamente a produção de ERTOs e a formação de malondialdeído, porém não interfere com o efeito do vanádio sobre as células neoplásicas.

Em 2001, Cortizo mostra que o complexo vanádio-aspirina aumenta a peroxidação lipídica no osteossarcoma UMR 106 humano provocando inibição da proliferação celular.

Ghol, em 2001, mostra que um composto de vanádio, o vanadocene acetilacetonato, é potente agente anticâncer com efeitos antimitótico e antiangiogênico.

O vanádio, juntamente com o hormônio $1,25(OH)_2 D_3$, inibe a glutationa-S-transferase no câncer hepático do rato e assim inibe a hepatocarcinogênese provocada por carcinógenos específicos. Os dois elementos em conjunto, vanádio e hormônio D_3, são capazes de diminuir a incidência dos nódulos hiperplásicos do fígado e de manter a arquitetura quase normal desses nódulos.

O vanádio como monovanadato de amônio (0,5ppm na água a*d libtum*) confere proteção substancial contra a indução de câncer mamário provocado pelo antraceno em ratas. Tal composto reduz o número e o volume dos tumores, assim como o retardo do aparecimento do tumor.

O vanádio é considerado um agente promissor no combate ao câncer e, muito importante, já está prontamente disponível.

Lembrar do seu mecanismo *bell-shape*: baixa dose aumenta e alta dose diminui a proliferação celular neoplásica.

Referências

1. Abstracts and papers in full on site: medicinabiomolecular.com.br.
2. Basak R, Chatterjee M. Combined supplementation of vanadium and 1 alpha, 25-dihydroxyvitamin D3 inhibit placental glutathione S-transferase positive foci in rat liver carcinogenesis. Life Sci. 68(2): 217-31;2000.
3. Bishayee A, Oinam S, Basu M, Chatterjee M. Vanadium chemoprevention of 7,12-dimethylbenz(a)anthracene-induced rat mammary carcinogenesis: probable involvement of representative hepatic phase I and II xenobiotic metabolizing enzymes. Breast Cancer Res Treat. 63(2):133-45;2000.
4. Cortizo AM, Bruzzone L, Molinuevo S, Etcheverry SB. A possible role of oxidative stress in the vanadium-induced cytotoxicity in the MC3T3E1 osteoblast and UMR 106 osteosarcoma cell lines. Toxicology. 147(2):89-99;2000.
5. Cortizo MS, Alessandrini JL, Etcheverr SB, Cortizo AM. A vanadium/aspirin complex controlled release using a poly(beta-propiolactone) film. Effects on osteosarcoma cells. J Biomater Sci Polym Ed. 12(9):945-59;2001.
6. Cuncic C, Detich N, Ethier D, et al. Vanadate inhibition of protein tyrosine phosphatases in Jurkat cells: modulation by redox state. J Biol Inorg Chem. 4(3):354-9;1999.
7. Dabros W, Adamczyk A, Ciurkot K, Kordowiak AM.Vanadium compounds affect growth and morphology of human rhabdomyosarcoma cell line. Pol J Pathol. 4:262-8;2011.
8. Desmarais S, Friesen RW, Zamboni R, Ramachandran C. [Difluro(phosphono)methyl] phenylalanine-containing peptide inhibitors of protein tyrosine phosphatases. Biochem J. 2:219-23;1999.
9. Desoize B. Metals and metal compounds in câncer treatment. Anticancer Res. 24: 1529-44;2004.
10. Evangelou MA. Vanadium in cancer treatment. Crit Ver Oncol Hematol. 42: 249-65;2002.
11. Holko P, Ligeza J, Kisielewska J, et al. The effect of vanadyl sulphate (VOSO4) on autocrine growth of human epithelial cancer cell lines. Pol J Pathol. 59:3-8;2008.
12. Korbecki J, Baranowska-Bosiacka I, Gutowska I, Chlubek D. Biochemical and medical importance of vanadium compounds. Acta Biochim Pol. 59:195-200;2012.
13. Matsugo S, Kanamori K. Physiological roles of peroxido-vanadium complexes: Leitmotif as their signal transduction pathway. J Inorg Biochem. 147:93-8;2015.
14. Mukherjee B, Patra B, Mahapatra S, et al. Vanadium – an element of atypical biological significance. Toxicol Lett. 150:135-43;2004.
15. Ramachandran C, You W. Differential sensitivity of human mammary epithelial and breast carcinoma cell lines to curcumin. Breast Cancer Res Treat. 54(3):269-78;1999.
16. Srivastava AK, Mehdi MZ. Insulino-mimetic and antidiabetic effects of vanadium compounds. Diabets Med. 22:2-13;2005.
17. Urban J, Antonowicz-Juchniewicz J, Andrzejak R. Wanad-zagrozenia i nadzieje. Medycyna Praktyczna. 52:125-133;2001.

CAPÍTULO 130

Venus flytrap, planta carnívora. Contém muitos agentes eficazes para prevenir e tratar o câncer

José de Felippe Junior

Muitos povos ao redor do mundo têm por centenas de anos usado as plantas carnívoras, das mais variadas espécies, no tratamento de feridas e verrugas, coqueluche, expectorante, bronquite, dores de estômago, diurético, laxativo, na tuberculose e até como afrodisíaco.

O que nos interessa é a planta carnívora que cresce em áreas pantanosas da Carolina do Norte e do Sul nos Estados Unidos da América; a V*enus flytrap* – *Dionaea muscipula* Solander ex Ellis, do gênero *Dionaea*.

A planta é rica em naftoquinonas, ácidos fenólicos e flavonoides.

As principais naftoquinonas da *Venus flytrap* são a plumbagin e o 8,8'-biplumbagin com efeitos: antibacteriano, antifungo, antiparasita, gerador de radicais livres, apoptótico, antiproliferativo, bloqueador do ciclo celular, inibidor da via Akt, do NF-kappaB, da angiogênese, dos microtúbulos e ativador das vias JNK e p38.

Plumbagin provoca apoptose via p53 e geração de radicais livres em células U2OS e p21 do osteossarcoma humano. Apresenta efeito anti-inflamatório e analgésico por inibir fortemente o NF-kappaB.

No PubMed encontramos 191 referências quando colocamos: plumbagin cancer, em junho de 2018.

Os ácidos fenólicos compreendem: ácido elágico, ácido 3-*O*-methylellagic, ácido 3,3-di-*O*-methylellagic, ácido 3,3-di-*O*-methylellagic, ácido 4-*O*-glucoside, 3,3-di-*O*-methylellagic, ácido 4,4'-di-*O*-glucoside, 1-*O*-galloyl-β-glucose, ácido gálico, ácido vanílico, ácido catechuico, ácido cafeico, ácido clorogênico, ácido ferúlico, ácido salicílico, ácido siríngico, ácido hidroxibenzoico e ácido p-coumarico.

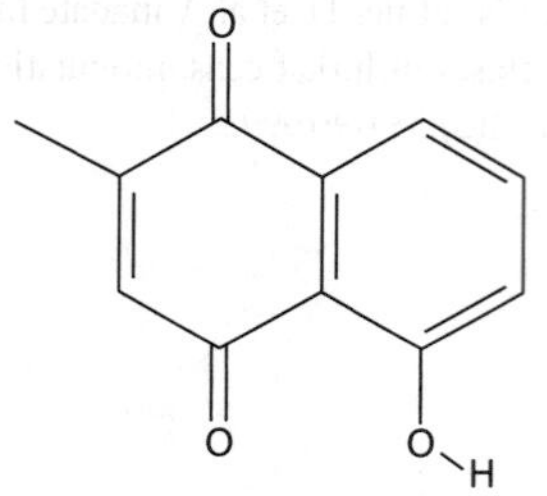

Plumbagin – $C_{11}H_8O_3$ – 188,2g/mol

Os efeitos dos ácidos fenólicos acima compreendem: geração de radicais livres, antiproliferativo, apoptótico, antiangiogênico, inibidor das vias PI3K/Akt e NF-kappaB, inibidor das MMPs e anti-inflamatório.

Os flavonoides são: Quercetina, Quercetin 3-*O*-glucoside, Quercetin 3-*O*-(2"-*O*-galloylglucoside), Quercetin 3-*O*-galactoside, Quercetin 3-*O*-(2"-*O*-galloyl) galactoside, Myricetin, Kaempferol, kaempferol 3-*O*--galactoside e kaempferol 3-*O*-glucoside.

Os flavonoides acima provocam os seguintes efeitos: antiproliferativo, apoptótico, antiangiogênese, gerador de radicais livres, bloqueador do ciclo celular, inibidor da via Akt, Wnt e do NF-kappaB, genotóxico, inibidor das MMPs, dos proteossomos e da topoisomerase.

A grande variedade de componentes da *Venus flytrap* fala por si só como potentes agentes anticâncer.

Venus flytrap

Referência

Site www.medicinabiomolecular.com.br. Resumos ou trabalhos na íntegra.

CAPÍTULO 131

Viscum album no tratamento do câncer

José de Felippe Junior

O *Viscum album* L. foi proposto para o tratamento complementar do câncer por Rudolf Steiner e usado pela primeira vez em 1917 pela médica Ita Wegman, na Suíça (in Husemann, 1987).

Em toda a Europa, os extratos de *Viscum album* L. (VAE ou visco europeu, que não deve ser confundido com as espécies Phoradendron ou "visco americano") estão entre os extratos de ervas mais comuns aplicados no tratamento do câncer. Na Suíça, Alemanha e Áustria, extratos derivados *Viscum album* L. como Iscador, Abnobaviscum, Helixor, Iscar, Iscucin e Isorel são utilizados em oncologia há muitos anos, como imunomoduladores e imunoestimulantes. Esses medicamentos não substituem o tratamento convencional do câncer e quando usados como coadjuvante podem melhorar a qualidade e a sobrevida dos pacientes.

Viscum album é um arbusto hemiparasitário e contém uma variedade de compostos biologicamente ativos. As mais estudadas foram as lectinas de visco (ML I, II e III). Outros compostos do VAE farmacologicamente relevantes são as viscotoxinas e outras proteínas de baixa peso molecular, VisalbCBA (aglutinina de ligação à quitina do *Viscum album),* óligo e polissacarídeos, flavonoides, ácidos triterpenos etc.

A planta inteira ou os seus compostos, são citotóxicos e as lectinas em particular são fortes indutores da apoptose. Em particular eles podem ser citotóxicos em células MDR (células cancerosas multirresistentes) e também conseguem aumentar a citotoxicidade da quimioterapia.

Para aplicação clínica, os extratos de VAE são feitos a partir de viscos cultivados em diferentes árvores hospedeiras por extração aquosa, parcialmente combinada com fermentação. São árvores hospedeiras: Abeto (Abies, A); bordo (Acer, Ac); amendoeira (Amygdalus, Am); bétula (Betula, B); espinheiro (Crataegus, C); freixo (Fraxinus, F); macieira (Malus, M); pinheiro (Pinus, P); álamo (Populus, Po); carvalho (Quercus, Qu); salgueiro (Salix, S); lima (Tilia, T), olmo (Ulmus, U).

Viscum

Dependendo da árvore hospedeira, tempo de colheita e procedimento de extração, os VAE variam em relação a seus compostos ativos e propriedades biológicas.

O VAE e seus compostos aumentam número e função, *in vitro* e *in vivo* de monócitos, macrófagos, granulócitos, células *natural killer* (NK), células T, células dendríticas e consequentemente induzem a geração de citocinas, como IL-1, IL- 2, IL-4, IL-5, IL-6, IL-8, IL-10, IL-12, GM-CSF, TNF-α e IFN-γ.

Compararam-se cinco preparações diferentes de *Viscum album* (VA) quanto à maturação e ativação de células dendríticas humanas (DCs) e seus efeitos subsequentes nas células T CD4+. As DCs humanas derivadas de monócitos foram tratadas com VA Qu Spez,

VA Qu Frf, VA M Spez, VA P e VA A. Entre as cinco preparações de viscum testadas somente a VA Qu Spez, extrato fermentado com alto nível de lectinas, induziu significativamente os marcadores de maturação das DCs, CD83, CD40, HLA-DR e CD86 e a secreção de citocinas pró-inflamatórias como IL-6, IL-8, IL-12 e TNF-alfa. Além disso, o VA Qu Spez estimulou significativamente a secreção de IFN-gama sem aumentar Treg (células T reguladoras) e as citocinas, T CD4+, IL-4, IL-13 e IL-17a (Saha, 2016).

As preparações de VAE diferem em muitos aspectos entre si, desse modo vamos encontrar autores que encontraram aumento da atividade antitumoral de macrófagos humanos nos extratos do Viscum (Iscador), macieira (Malus, VA-M) e pinho (Pinus, VA-P), mas não do carvalho (VA-Q) (Mossalay, 2006).

As preparações de VA reduzem seletivamente os níveis de COX-2 e regulam para baixo a atividade do COX-2 (Hegde, 2011; Saha, 2015).

Extratos de *Viscum album* e imunomodulação

Os extratos de VA contêm uma variedade de compostos, incluindo lectinas de visco e viscotoxinas que exercem efeitos imunomoduladores.

Estudo clínico com 43 voluntários saudáveis, observou-se que, em resposta imediata a uma aplicação de VA subcutânea acontece o aumento do número de leucócitos, granulócitos e células eosinófilos. Além disso, houve aumento da função dos linfócitos.

Em estudo controlado por placebo com 71 indivíduos saudáveis, foi observado que aplicações subcutâneas de extratos de VA resultaram em eosinofília e aumento de linfócitos T CD4. Além disso, o sistema imunológico específico é ativado, como é evidente a partir da produção de anticorpos específicos criados contra lectinas e viscotoxinas do VA, demonstrados em estudo controlado randomizado com 47 voluntários saudáveis.

Em estudo clínico com oito pacientes com câncer após a aplicação de extratos de VA, os níveis de citocinas no soro aumentaram. Em outro estudo clínico com 10 pacientes com câncer de mama, após injeções subcutâneas de lectinas do VA foi detectada forte estimulação de células *natural killer* (NK) e T-helper.

Experimentos de imunização com camundongos mostraram que as lectinas são imunoadjuvantes potentes para melhorar as respostas imunes celulares e humorais.

Em estudo com células tumorais cultivadas, as lectinas coreanas do visco exibiram propriedades imunomoduladoras melhorando a maturação das células dendríticas. Um efeito indutor de maturação em células dendríticas humanas por aplicação de extratos de VA também foi demonstrado em outros estudos *in vitro* usando um sistema celular humano.

Após a administração de extratos de VA em pacientes com tumor, o número de linfócitos e células NK aumentou.

Vários efeitos imunomoduladores em resposta a uma única infusão intravenosa de extratos de VA, como neutrofilía, aumento da atividade fagocítica de granulócitos e aumento de células NK foram relatados. As células NK desempenham um papel importante na imunidade antitumoral, pois mediam a eliminação de células tumorais e regulam a imunidade adaptativa.

Análises experimentais celulares revelaram que as viscotoxinas são responsáveis pelo aumento da citotoxicidade mediada por células NK. Em estudo clínico com 70 pacientes com câncer, observou-se que as aplicações de VA perioperatórias durante cirurgia digestiva aumentaram drasticamente o número de células NK, em particular a contagem de células T helper,

Um ensaio clínico com 62 pacientes com câncer colorretal revelou que os extratos de VA podem impedir a supressão das atividades das células NK.

Foi muito difícil discernir se os autores dos trabalhos científicos que analisamos se enquadravam no que se chama de **conflito de interesse não declarado.**

Alvos moleculares do *Viscum album*

1. **Antiviral**
   a) Antivírus tipo 2 da parainfluenza humana nas células Vero (rins de macaco) (Karagoz, 2003).
   b) Aumenta resposta imune contra herpes simplex glicoproteína D2 administrada intranasal (Lavelle, 2002).
2. **Vários tumores**
   Os três extratos aquosos de visco (Iscador M special, Iscador Qu special e Iscador P) foram avaliados quanto a efeitos antiproliferativos e/ou estimulantes em um painel de 16 linhagens de células tumorais humanas *in vitro*. Os resultados não mostram evidências de estimulação do crescimento tumoral por qualquer uma das três preparações de Iscador, incluindo células do sistema nervoso central, pulmão, estômago, câncer de mama, próstata, rim e útero, bem como linhas de malignidades hematológicas e melanomas. Pelo contrário, as preparações de Iscador contendo alta concentração de lectinas (Iscador M special e Iscador Qu special) mostraram atividade antitumoral na linha celular MAXF 401NL do câncer de mama na dose de 15 microg/ml com inibição de crescimento de mais de

70% em comparação com as não tratadas. Além disso, foi encontrada uma leve atividade antitumoral (inibição do crescimento de 30-70%) em três linhas celulares de tumor para Iscador M special e em sete linhas celulares de tumor para Iscador Qu special, respectivamente. O iscador P, que não contém a lectina I do visco, não mostrou atividade antiproliferativa Mayer, 2002).

3. **Sistema imune**
   a) *Viscum album* neutraliza a imunossupressão induzida por tumor humano *in vitro* (Steinborn, 2017).
   b) Diminui a imunossupressão provocada pela cirurgia.
   c) Aumenta número e função de células NK.
   d) Aumenta número e função de linfócitos T helper.
   e) Aumenta número e função de neutrófilos.
   f) Aumenta maturação de células dendríticas.
4. **VAE pode funcionar como antiangiogênico.**
5. **VAE é anti-inflamatório:** reduz concentração e atividade da COX-2.
6. **Gliomas**
   a) Viscum é sinérgico com a radioterapia e quimioterapia *in vitro* e *in vivo* no glioblastoma do camundongo. Aviscumine induz morte celular de modo dependente da concentração e reduz o crescimento celular parando o ciclo celular em G2/M (Schotterl, 2019).
   b) Em células do glioblastoma, ISCADOR M e ISCADOR Q, ricos em lectinas aumentam significativamente a lise celular mediada por células *natural killer*. Além de seu efeito estimulador imune, ISCADOR reduz o potencial migratório e invasivo das células do glioblastoma. No modelo singeneico assim como no modelo xenoenxertado de glioblastoma no camundongo acontece retardo do crescimento neoplásico com o Iscador Q (Podlech, 2012).
   c) Nas células de glioblastoma cultivadas, os extratos de VA inibiram o crescimento do tumor e aplicaram a lise de glioblastomas mediada por células NK.
7. **Carcinoma de cabeça e pescoço**
   a) Estudos *in vitro* demonstraram que vários tipos de VAE podem ter citotoxicidade em células de carcinoma espinocelular de cabeça e pescoço ativando a cascata apoptótica ou levando as células à necrose. Estudaram-se três tipos de extratos de VAE (Iscador Qu Spezial, Iscador P e Iscador M) no carcinoma espinocelular de cabeça e pescoço das linhas celulares da língua SCC9 e SCC25. Na concentração de 0,3mg/ml (IC50) os fármacos induziram apoptose, afetando a expressão gênica e os níveis das proteínas AKT, PTEN e CICLINA D1. O Iscador Qu Spezial e o Iscador M possuem maior atividade citotóxica do que o Iscador P (Klingbeil, 2013).
   b) Viscum tem sido injetado no tumor ou ao redor da massa tumoral da língua com remissão parcial ou total de longa duração (Werthmann, 2013 e 2014).
8. **Câncer de pulmão**
   a) Dos 158 pacientes com câncer pulmonar em estágio IV (adenocarcinoma, 72,2%, fumante atual ou passado, 70,9%, idade média de 64,1 anos e 56% do sexo masculino), 108 receberam apenas quimioterapia (QT) e 50 QT mais *Viscum album* (VA). A sobrevida mediana foi de 17,0 meses no grupo QT mais VA (IC 95%: 11,0-40,0) e de 8,0 meses (IC 95%: 7,0-11,0) no grupo QT apenas ($\chi 2 = 7,2$, $p = 0,007$). A sobrevida global foi significativamente prolongada no grupo VA (HR 0,44, IC 95%: 0,26-0,74, $p = 0,002$). As taxas de sobrevida global em um ano e em três anos foram maiores com QT mais VA em comparação com QT isoladamente (1 ano: 60,2% *vs.* 35,5%; 3 anos: 25,7% *vs.* 14,2%) (Schad, 2018).
   b) *Viscum album* Qu Spez inibe a secreção de PGE2 induzida por IL-1β de maneira dependente da dose em células de adenocarcinoma de pulmão humano linhagem A549. Essa ação inibidora se associa a expressão reduzida da COX-2 sem modular a expressão da COX-1. Juntos, esses resultados demonstram novo mecanismo de ação anti-inflamatório das preparações de VA, em que o VA exerce o efeito antinflamatório inibindo a PGE2 induzida por citocinas através da inibição seletiva da COX-2 (Hegde, 2011).
   c) Iscador promove ativação da imunidade adaptativa e inibe as metástases pulmonares. Sabe-se que a utilização de células do baço ativadas com Iscador inibe significativamente o crescimento tumoral ($p < 0,001$). Os animais metastáticos com tumores B16F10 tratados com dose única de células do baço ativadas com Iscador (*in vitro*) mostraram 100% de inibição da formação de nódulos tumorais no 21º dia. A injeção única de esplenócitos isolados de camundongos tratados com Iscador inibe a formação de nódulos tumorais em 93,8%. Os animais tratados com células do baço ativadas *in vivo* e *in vitro*, juntamente com Iscador, tiveram aumento na vida útil de 119% e 81%, respectivamente. O tratamento de animais com baixa dose de Iscador após imunoterapia adaptativa aumentou ainda mais a vida útil. Os animais submetidos a essa imunoterapia mostraram queda significante da hidroxiprolina de colágeno no pulmão e dos ní-

veis séricos de ácido siálico em comparação com o grupo controle. No grupo de animais tratados com esplenócitos ativados por Iscador houve queda dos níveis séricos de gama-glutamil transpeptidase (Antony, 1999).

9. **Câncer de mama**

a) Em estudo randomizado, pacientes com câncer de mama (estágio T1-3N0-2M0) foram submetidos a cirurgia e quimioterapia adjuvante com seis ciclos de ciclofosfamida, adriamicina e 5-fluorouracil. Dois extratos europeus diferentes de visco (Helixor A, Iscador M Spez) foram injetados três vezes por semana durante 18 semanas de quimioterapia no grupo visco. Os pacientes do grupo visco (QT mais VA) não desenvolveram mais sintomas de febre do que os pacientes do grupo controle (dois eventos de curto prazo em cada grupo). Não houve diferenças significativas na probabilidade de recidiva ou metástase entre os grupos (p = 0,7637). O grupo QT mais VA mostrou uma tendência em direção a menor neutropenia (p = 0,178) e melhora nos escores de perda apetite e de dor, tendo impacto positivo, mas não significativo, em outros escores. Os extratos de visco foram seguros neste estudo clínico. As injeções subcutâneas não induziram febre nem influenciaram a frequência de recidivas e metástases em cinco anos. Este resultado sugere que os extratos de visco não tiveram interações adversas com os agentes anticâncer utilizados neste estudo. Além disso, certos efeitos colaterais da quimioterapia diminuíram sob este tratamento complementar em pacientes com câncer de mama. Entretanto, não houve modificação das metástases (Pelzer, 2018).

b) *Viscum album* facilita a tolerância à quimioterapia em pacientes com câncer de mama avançado e inoperáveis. O co-tratamento de células ER+ MCF7 do câncer de mama com *Viscum album* (VA) e a doxorubicina em baixa dose (Dox) provocam parada do ciclo em G2/M, substituindo a senescência pelo programa apoptótico intrínseco. Mecanicamente, essa opção foi associada à regulação para baixo do p21, p53/p73, bem como à ativação do Erk1/2 e p38 (Sdic-Rajic, 2017).

c) A terapia adicional com extratos de *Viscum album* [L.] (VaL) aumenta a qualidade de vida de pacientes que sofrem de câncer de mama em estágio inicial durante a quimioterapia. No presente estudo, os pacientes receberam quimioterapia, consistindo em seis ciclos de ciclofosfamida, antraciclina e 5-Fluoro-Uracil (CAF). Dois grupos também receberam um dos dois extratos de VaL que diferem em sua preparação como injeção subcutânea três vezes por semana. Um grupo controle recebeu CAF sem terapia adicional. Seis dos 28 pacientes em um dos grupos VaL e oito dos 29 pacientes no grupo controle desenvolveram recaída ou metástase em cinco anos. A análise de subgrupos para hormônios e radioterapia também não mostrou diferença entre os grupos. A terapia com VaL adicional durante a quimioterapia em pacientes com câncer de mama em estágio inicial parece não influenciar a frequência de recaídas ou metástases em cinco anos (Troger, 2012).

d) Extratos de *Viscum album* L. em câncer de mama e ginecológico: uma revisão sistemática de pesquisas clínicas e pré-clínicas. 19 estudos randomizados (ECR), 16 estudos não randomizados (não ECR) e 11 estudos de coorte de braço único foram identificados para estudar os efeitos do VAE no câncer de mama ou ginecológico. Foram incluídas 2.420, 6.399 e 1.130 pacientes, respectivamente. Oito ECRs e 8 não ECRs foram incorporados no mesmo grande estudo de coorte epidemiológico. 9 ECR e 13 não ECR avaliaram a sobrevida; 12 relataram benefício estatisticamente significativo, os demais uma tendência ou nenhuma diferença. 3 ECRs e 6 não ECRs avaliaram o comportamento do tumor (remissão ou tempo para recidiva), 3 relataram benefício estatisticamente significante, os demais uma tendência, nenhuma diferença ou resultados mistos. A qualidade de vida (QV) e a tolerabilidade da quimioterapia, radioterapia ou cirurgia foram avaliadas em 15 ensaios clínicos randomizados e 9 não clínicos. 21 relataram resultado positivo estatisticamente significante, os demais foram tendência, sem diferença ou resultados mistos. A qualidade metodológica dos estudos diferiu substancialmente; alguns tinham grandes limitações, especialmente os ECRs sobre a sobrevivência e o comportamento do tumor apresentavam amostras muito pequenas. Alguns estudos recentes, no entanto, especialmente em QV, foram razoavelmente bem conduzidos. Estudos de coorte de braço único investigaram o comportamento do tumor, QV, farmacocinética e segurança do VAE. A remissão do tumor foi observada após alta dosagem e aplicação local. A aplicação do VAE foi bem tolerada. Trinta e quatro experimentos em animais investigaram VAE e compostos isolados ou recombinantes em vários modelos de câncer de mama e ginecológico em camundongos e ratos. O VAE mostrou aumento da sobrevida e remissão do tumor, especialmente em camundongos, enquanto a aplicação em ratos e a aplicação de compostos VAE tiveram resultados mistos. O VAE *in vitro* e seus compostos têm fortes efeitos citotóxicos nas células cancerígenas.

CONCLUSÃO: O VAE mostra alguns efeitos positivos no câncer de mama e ginecológico. É necessária mais pesquisa sobre eficácia clínica (Kienle, 2009).

10. **Câncer de próstata**
Não encontramos estudos convincentes no PubMed.

11. **Câncer de fígado**
    a) VA extrato de Fraxini inibe a proliferação do câncer de fígado linhagem Hep3B regulando para baixo a expressão do c-Myc, *in vitro* e *in vivo* (Yang, 2019).
    b) *Viscum album* Var (VAV) inibiu de modo dose dependente a proliferação de células SK-Hep1 sem provocar citotoxicidade na célula hepática normal de Chang (CCL-13). O extrato de VAV inibiu o ciclo celular com parada do ciclo em G1, a expressão do gene Cdk2 (ciclina dependente de kinase 2) e da ciclina D1 foi regulada para baixo, enquanto a p21 foi regulada para cima. A regulação combinada de Cdk2, ciclina D1 e a regulação positiva do p21 provocou morte celular (dela Cruz, 2015).
    c) Viscum fraxini-2 mostrou-se particularmente promissor em pacientes com carcinoma hepatocelular avançado em estudo de fase-2 (Mabed, 2004).

12. **Câncer de cólon**
Utilizaram-se cirurgia e quimioterapia combinada com bioterapia pelo extrato de *Viscum album* Isorel, com o objetivo de melhorar a resistência dos pacientes à doença e tornar os efeitos colaterais da quimioterapia mais toleráveis. Isorel é extrato aquoso conhecido por seus efeitos anticâncer, *in vitro* e *in vivo*, que foi validado por bioensaio *in vitro* em células de melanoma murino B16F10 e carcinoma cervical humano HeLa. O Isorel reduziu fortemente o crescimento da linha celular HT 29 do câncer de cólon humano *in vitro*. Por isso, foi posteriormente utilizado em estudo prospectivo, randomizado e controlado, que comparou os resultados pós-operatórios de pacientes com câncer colorretal em estágio Dukes C (40 pacientes) e D (24 pacientes) que, além da cirurgia, receberam apenas quimioterapia (5-FU), 6 ciclos (protocolo Mayo ou De Gramont) ou quimioterapia combinada com a bioterapia Isorel. Esses 64 pacientes foram alocados aleatoriamente em três grupos "quimioterapia única" para 21 casos, quimioterapia + bioterapia para 29 casos e 14 pacientes foram submetidos apenas à cirurgia como grupo controle. Não se observou mortes tóxicas devido à quimioterapia ou à bioterapia. Os pacientes operados e tratados com quimioterapia e bioterapia tiveram sobrevida mediana significativamente melhor e sobrevida proporcional cumulativa (Kaplan-Maier) superior à dos pacientes que receberam apenas quimioterapia pós-operatória. Assim, pacientes com câncer colorretal parecem se beneficiar em termos de sobrevida da quimioterapia combinada no pós-operatório e da bioterapia com Isorel, adjuvante ou paliativo (Cazacu, 2003).

13. **Câncer de pâncreas**
Estudo de fase III prospectivo, paralelo, em aberto, monocêntrico, sequencial em grupo e randomizado. Os pacientes com câncer localmente avançado ou metastático do pâncreas foram estratificados de acordo com um índice de prognóstico binário, composto pelo estágio do tumor, idade e *status* do desempenho; e foram randomizados uniformemente para injeções subcutâneas de extratos de VaL ou nenhuma terapia antineoplásica (controle). O VaL foi aplicado de maneira escalonada de dose de 0,01mg a 10mg três vezes por semana. O *endpoint* primário foi 12 meses de sobrevida. Os autores incluíram dados de 220 pacientes. As características da linha de base foram bem equilibradas entre os dois braços do estudo. A sobrevida mediana foi de 4,8 para VaL e 2,7 meses para pacientes controle (taxa de risco ajustada pelo prognóstico, HR = 0,49; $p < 0,0001$). No subgrupo de prognóstico "bom", a mediana da sobrevida foi de 6,6 *versus* 3,2 meses (HR = 0,43; $p < 0,0001$); no subgrupo de prognóstico "ruim", foi de 3,4 *versus* 2,0 meses, respectivamente (HR = 0,55; p = 0,0031). Não foram observados eventos adversos relacionados ao VaL (Troger, 2013).

14. **Melanoma**
    a) Extrato de viscum rico em ácidos triterpenos, ácido oleanólico, induz rápida apoptose em células B16.F10 do melanoma murino. O extrato foi altamente citotóxico causando fragmentação do DNA, seguido por perda da integridade da membrana e diminuição da adenosina-5'-trifosfato intracelular (ATP). O bloqueio da maquinaria das caspases interrompeu a fragmentação do DNA e atrasou os efeitos citotóxicos, mas não impediu a morte celular (Struh, 2012).
    b) Lectina-I do viscum (ML-I) aumenta os efeitos antiproliferativos da rosiglitazona, agonista PPAR-gama, em células do melanoma maligno humano. Já foi demonstrado o efeito antiproliferativo da ML-I e da rosiglitazona separadamente. A aplicação combinada aumentou tremenda-

mente o efeito antiproliferativo em todas as três linhagens celulares de melanoma em comparação com o tratamento com agente único. Em comparação com o uso único de rosiglitazona, a combinação com ML-I aumentou significativamente a inibição da proliferação celular em 51-79% e em comparação com o uso único de ML-I em 9-32%, respectivamente. Em conclusão, este estudo mostra que a combinação de ML-I com rosiglitazona aumenta significativamente o efeito antiproliferativo nas células de melanoma maligno em comparação com a aplicação de um único agente, o que pode ser ferramenta promissora para futuros estudos terapêuticos (Freudlsperger, 2012).

c) *Viscum album* inibe metástases pulmonares em camundongo com melanoma, linhagem B16F10. A administração simultânea de fármacos (1,66 mg/dose) e células de melanoma B16F10 inibiu a formação de nódulos pulmonares em 92%. A administração profilática de medicamentos produziu e inibição de 78,6% e a administração de medicamentos cinco dias após a indução do tumor produziu 68,16% de inibição da formação de nódulos pulmonares. Os níveis de hidroxiprolina pulmonar e de ácido siálico sérico também foram menores nos animais portadores de tumor tratados com *Viscum album*. Os animais tratados com administração simultânea de medicamentos tiveram um aumento de 71,34% em sua vida útil (Anthony, 1997).

d) Todos os pacientes sofriam de melanoma maligno (MM) primário tratado cirurgicamente e confirmado histopatologicamente na UICC/AJCC estágio II-III sem metástases distantes. No grupo de estudo, o Iscador FME foi administrado por via subcutânea 2-3 vezes por semana por pelo menos três meses, enquanto o grupo controle não tratado foi apenas observado ("espera vigilante"). Nos dois grupos, alguns pacientes também receberam radioterapia, quimioterapia e/ou imunoterapia O presente estudo avaliou a segurança terapêutica e a eficácia de uma terapia de longo prazo com um extrato de visco europeu fermentado padronizado (*Viscum album* L.) Iscador (FME) durante o tratamento pós-cirúrgico do melanoma maligno (MM) intermediário primário a alto risco (UICC/AJCC estágio II-III) e compará-lo com grupo controle paralelo não tratado da mesma coorte. 686 pacientes elegíveis (329 FME *vs.* 357 controles) de 35 centros foram observados para um tratamento mediano de 81 *vs.* 52 meses. A duração média da terapia com FME foi de 30 meses. No início do estudo, os dois grupos foram comparáveis em relação à demografia, história do tumor e fatores de risco para progressão. Quimioterapia adjuvante adicional foi mais frequente no grupo de estudo, enquanto a imunoterapia foi mais frequente no grupo controle. Onze pacientes (3,3%) desenvolveram ADRs sistêmicas atribuídas ao tratamento com EMF e 42 pacientes (12,8%) desenvolveram reações adversas (ADRs) locais, com gravidade leve a intermediária (OMS/CTC grau 1-2) e resolução espontânea na maioria dos casos. Em seis pacientes, as ADRs resultaram no término da terapia. Não foram observadas ADRs com risco de vida, mortalidade relacionada à ADR ou melhora do tumor. Pelo contrário, a taxa de incidência de metástases pulmonares e a taxa de risco ajustada para metástases cerebrais foram significativamente menores no grupo FME. No decorrer do estudo e durante os cuidados posteriores, um total de 212 (30,9%) pacientes recidivou ou progrediu e 107 (15,6%) morreram. Uma sobrevida relacionada ao tumor significativamente maior foi encontrada no grupo FME quando comparado aos controles não tratados (taxa de mortalidade relacionada ao tumor não ajustada 8,9% *vs.*10,7%, estimativa de Kaplan-Meier, teste Log-rank, p = 0,017), que foi confirmado após o ajuste para fatores de confusão em potencial pela estimativa da razão de risco de mortalidade relacionada ao tumor HR (intervalos de confiança de 95%) = 0,41 (0,23-0,71), p = 0,002. Os resultados de HR ajustados da sobrevida global, sobrevida livre de doença e sobrevida livre de metástases cerebrais também foram significativamente superiores no grupo FME. Conclusão: O tratamento a longo prazo da EMF em pacientes com MM primário e de alto risco parece seguro. Não foi observado aumento tumoral. Quando comparados com o grupo controle paralelo não tratado da mesma coorte, os resultados do tratamento com FME sugeriram benefício significativo de sobrevida em pacientes com MM primário em estágio II-III (Augustin, 2005).

15. **Linfoma de Hodgkin e não Hodgkin**

a) Não encontramos trabalhos experimentais no PubMed.

b) No final do livro temos casos de linfomas tratados com o *Viscum album*.

Conclusão

Apesar de o *Viscum album* ser utilizado há muito tempo no tratamento do câncer não se encontra na literatura médica ocidental trabalhos clínicos robustos. Quando encontrados fica difícil saber se estamos diante do famoso conflito de interesse não declarado.

Referências

1. Antony S, Kuttan R, Kuttan G. Effect of viscum album in the inhibition of lung metastasis in mice induced by B16F10 melanoma cells. J Exp Clin Cancer Res. Jun;16(2):159-62,1997.
2. Antony S, Kuttan R, Kuttan G. Inhibition of lung metastasis by adoptive immunotherapy using Iscador. Immunol Invest. Jan;28(1): 1-8,1999.
3. Augustin M, Bock PR, Hanisch J, Karasmann M, Schneider B. Safety and efficacy of the long-term adjuvant treatment of primary intermediate- to high-risk malignant melanoma (UICC/AJCC stage II and III) with a standardized fermented European mistletoe (Viscum album L.) extract. Results from a multicenter, comparative, epidemiological cohort study in Germany and Switzerland. Arzneimittelforschung.;55(1):38-49, 2005.
4. Cazacu M, Oniu T, Lungoci C, et al The influence of isorel on the advanced colorectal cancer. Cancer Biother Radiopharm. Feb;18(1): 27-34, 2003.
5. dela Cruz JF, Kim YS, Lumbera WM, Hwang SG.Viscum Album Var Hot Water Extract Mediates Anti-cancer Effects through G1 Phase Cell Cycle Arrest in SK-Hep1 Human Hepatocarcinoma cells. Asian Pac J Cancer Prev.;16(15):6417-21,2015.
6. Five-year follow-up of patients with early stage breast cancer after a randomized study comparing additional treatment with viscum album (L.) extract to chemotherapy alone. Breast Cancer (Auckl).;6:173-80,2012.
7. Freudlsperger C, Dahl A, Hoffmann J, et al. Mistletoe lectin-I augments antiproliferative effects of the PPARgamma agonist rosiglitazone on human malignant melanoma cells. Phytother Res. Sep;24(9): 1354-8, 2010.
8. Hegde P., Maddur M. S., Friboulet A., Bayry J., Kaveri S. V. Viscum album exerts anti-inflammatory effect by selectively inhibiting cytokine-induced expression of cyclooxygenase-2. *PLoS ONE.*;6(10) e26312, 2011.
9. Husemann F, Wolff O. A imagem do homem como base da arte médica. São Paulo: Associação Beneficente Tobias, 794-825, 1987.
10. Karagöz A, Onay E, Arda N, Kuru A. Antiviral potency of mistletoe (Viscum album ssp. album) extracts against human parainfluenza virus type 2 in Vero cells. Phytother Res, May;17 (5):560-2, 2003.
11. Kienle GS, Glockmann A, Schink M, Kiene H. Viscum album L. extracts in breast and gynaecological cancers: a systematic review of clinical and preclinical research. J Exp Clin Cancer Res. Jun 11; 28:79, 2009.
12. Klingbeil MF, Xavier FC, Sardinha LR, et al. Cytotoxic effects of mistletoe (Viscum album L.) in head and neck squamous cell carcinoma cell lines. Oncol Rep. Nov;30(5):2316-22, 2013.
13. Lavelle EC, Grant G, Pusztai A, et al. Mistletoe lectins enhance immune responses to intranasally co-administered herpes simplex virus glycoprotein D2. Immunology. Oct;107(2):268-74,2002.
14. Mabed M, El-Helw L, Shamaa S. Phase II study of viscum fraxini-2 in patients with advanced hepatocellular carcinoma. Br J Cancer. Jan 12;90(1):65-9, 2004.
15. Maier G, Fiebig HH. Absence of tumor growth stimulation in a panel of 16 human tumor cell lines by mistletoe extracts in vitro. Anticancer Drugs Apr;13(4):373-9, 2002.
16. Mossalayi MD, Alkharrat A, Malvy D. Nitric oxide involvement in the anti-tumor effect of mistletoe (Viscum album L.) extracts Iscador on human macrophages. Arzneimittelforschung. Jun;56(6A): 457-60, 2006.
17. Pelzer F, Tröger W, Nat DR. Complementary Treatment with Mistletoe Extracts During Chemotherapy: Safety, Neutropenia, Fever, and Quality of Life Assessed in a Randomized Study. J Altern Complement Med. Sep/Oct;24(9-10):954-961,2018.
18. Podlech O, Harter PN, Mittelbronn M, et al. Fermented mistletoe extract as a multimodal antitumoral agent in gliomas. Evid Based Complement Alternat Med.;2012:501796, 2012.
19. Saha C, Das Mrinmoy, Emmanuel Stephen-Victor, et al. Differential Effects of *Viscum album* Preparations on the Maturation and Activation of Human Dendritic Cells and $CD4^+$ T Cell Responses Molecules. Jul; 21(7): 912,2016.
20. Saha C., Hegde P., Friboulet A., Bayry J., Kaveri S. V. Viscum album-mediated COX-2 inhibition implicates destabilization of COX-2 mRNA. *PLoS ONE.*;10(2)e0114965 [PMC free article] [PubMed] [Google Scholar],2015.
21. Schad F, Thronicke A, Steele ML, et al. Overall survival of stage IV non-small cell lung cancer patients treated with Viscum album L. in addition to chemotherapy, a real-world observational multicenter analysis. PLoS One. Aug 27;13(8):e0203058,2018.
22. Schötterl S, Miemietz JT, Ilina EI, et al. Mistletoe-Based Drugs Work in Synergy with Radio-Chemotherapy in the Treatment of Glioma *In Vitro* and *In Vivo* in Glioblastoma Bearing Mice. Evid Based Complement Alternat Med. Jul 3;2019:1376140,2019.
23. Srdic-Rajic T, Santibañez JF, Kanjer K, et al. Iscador Qu inhibits doxorubicin-induced senescence of MCF7 cells. Sci Rep. Jun 19; 7(1):3763, 2017.
24. Steinborn C, Amy Marisa Klemd, Ann-Sophie Sanchez-Campillo, et al. V*iscum album* neutralizes tumor-induced immunosuppression in a human *in vitro* cell model PLoS One.; 12(7): e0181553. Published online 2017 Jul 18, 2017.
25. Strüh CM, Jäger S, Schempp CM, et al. A novel triterpene extract from mistletoe induces rapid apoptosis in murine B16.F10 melanoma cells. Phytother Res. Oct;26(10):1507-12,2012.
26. Tröger W, Galun D, Reif M, et al. Viscum album [L.] extract therapy in patients with locally advanced or metastatic pancreatic cancer: a randomised clinical trial on overall survival. Eur J Cancer. Dec; 49(18):3788-97,2013.
27. Tröger W, Zdrale Z, Stanković N, Matijašević M. Five-year follow-up of patients with early stage breast cancer after a randomized study comparing additional treatment with viscum album (L.) extract to chemotherapy aloneSci Rep. Apr 23;9(1):6428,2019.
28. Werthmann PG, Helling D, Heusser P, Kienle GS. Tumour response following high-dose intratumoural application of Viscum album on a patient with adenoid cystic carcinoma. BMJ Case Rep. Jul 31;2014. pii: bcr2013203180, 2014.
29. Werthmann PG, Sträter G, Friesland H, Kienle GS. Durable response of cutaneous squamous cell carcinoma following high-dose peri-lesional injections of Viscum album extracts--a case report. Phytomedicine. Feb 15;20(3-4):324-7,2013.
30. Yang P, Jiang Y, Pan Y, et et al. Mistletoe extract Fraxini inhibits the proliferation of liver cancer by down-regulating c-Myc expression PLoS One.;6(10):e26312, 2011.

CAPÍTULO 132

Vitamina B_1 administrada em baixa dose está contraindicada no câncer porque aumenta a proliferação celular neoplásica. Em alta dose ativa o complexo piruvato desidrogenase e diminui a proliferação celular

José de Felippe Junior

Já escrevi que a vitamina B_1 era contraindicada no câncer. Hoje sabemos que somente a baixa dose de tiamina é que está realmente contraindicada. **JFJ**

A ignorância é um pesado fardo que fica mais leve enquanto aprendemos. **JFJ**

A vitamina B_1, tiamina, combina-se com o fósforo para formar a coenzima pirofosfato de tiamina ou tiamina difosfato. Ela é necessária na descarboxilação oxidativa do piruvato para formar acetil-CoA que entra no ciclo de Krebs, na ativação da cetoglutarato desidrogenase do ciclo de Krebs e age como cofator da enzima transcetolase, para síntese de ribose.

A tiamina aumenta tanto a síntese como a atividade da transcetolase, enzima que entra na geração de ribose, molécula viga-mestre da purina e da pirimidina necessárias para a síntese de RNA e de DNA, elementos sem os quais não há proliferação celular (Cascante, 2000; Comin-Anduix, 2001).

Nos pacientes com câncer é comum a deficiência de vitamina B_1 e os médicos não hesitam em prescrevê-la. Entretanto, geralmente a deficiência é provocada não pela diminuição da ingestão e sim pelo excesso de consumo que ocorre na intensa proliferação celular. A tiamina é um incentivo proliferativo.

Desde o trabalho de Basu, em 1976, sabe-se que os pacientes com câncer apresentam deficiência de vitamina B_1, porque os tumores em desenvolvimento retiram da circulação sanguínea toda tiamina disponível. Isto explica porque os pacientes com cânceres hematológicos de rápido desenvolvimento apresentam sinais e sintomas de deficiência de tiamina como, por exemplo, fraqueza muscular, problemas gastrintestinais, problemas respiratórios e problemas cardiovasculares, incluindo a insuficiência cardíaca de alto débito – beribéri (Van Zaanen, 1992). Nestes casos a prioridade permite o uso da vitamina mitótica.

As células tumorais utilizam a via oxidativa da glicose-6-fosfato-desidrogenase (G6PD) para a produção de ribose, porém a principal via de síntese de ribose para a formação dos ácidos nucleicos, peças fundamentais da replicação celular, é a via não oxidativa da transcetolase (Horecker, 1958; Katz, 1967; Boros, 1967; Macallan, 1998).

Recentemente demonstrou-se que a transcetolase e seu cofator tiamina são cruciais para o desenvolvimento do tumor de Ehrlich (Cascante, 2000). Dessa forma, a modulação da transcetolase, a qual controla o fluxo de substratos através do ramo não oxidativo do ciclo das pentoses, poderia ser útil no controle do câncer.

Os estimulantes da transcetolase, como a tiamina da dieta, mantém a sobrevida proliferativa da célula tumoral e infelizmente os pacientes com câncer continuam a ingerir esta vitamina, sob as vistas dos seus médicos que desconhecem esses efeitos. Segundo Boros a tiamina é um suplemento administrado com grande frequência pelos médicos aos pacientes com câncer, como profilático de deficiência nutricional (Boros, 1998).

Reações do ciclo das pentoses na célula tumoral: NADPH e ribose

A função clássica do ciclo das pentoses nos mamíferos é a produção de NADPH através de um fluxo de carbonos provenientes de açúcares com 6 carbonos (hexoses) para açúcares com 5 carbonos (pentoses). As pentoses são a seguir recicladas de volta à glicólise em reações não oxidativas do ciclo das pentoses pelas enzimas: transcetolase, transaldolase, aldolase e isomerases.

Chesney, em 1999, mostrou em oito tipos diferentes de tumores que as reações não oxidativas do ciclo das pentoses desempenham papel central na proliferação celular devido à produção de 5-fosforribosil-1-pirofosfato.

Outro trabalho que mostra a importância da transcetolase é o de Boros em 1997, onde revela que a oxitiamina, um inibidor não competitivo da transcetolase, provoca parada da proliferação celular e da síntese de ribose *in vitro* e *in vivo*. Em 1999, Rais mostra que a oxitiamina induz drástica parada do ciclo celular na fase G0/G1 no tumor de Ehrlich de camundongo.

Vias de síntese de ácidos nucleicos nas células tumorais

São duas as principais enzimas que regulam a via oxidativa do ciclo das pentoses a glucoquinase (enzima da primeira reação da glicólise anaeróbia) e a glicose-6-fosfato desidrogenase (enzima da primeira reação do ciclo das pentoses). A enzima que regula a via não oxidativa é a transcetolase (enzima limitante da principal reação). As outras enzimas, transaldolase, epimerases e isomerases, têm pouca importância.

A forte ação controladora da transcetolase sobre a proliferação do tumor de Ehrlich faz da via não oxidativa do ciclo das pentoses um novo alvo terapêutico no câncer: inibir a síntese de ribose (Cascante, 1999). Como a G6PD não possui muita importância na formação de ribose, inibidores da G6PD como a desidroepiandrosterona apresentam somente leve eficácia na síntese de ribose (Boros, 1997).

A função da transcetolase é estritamente dependente da presença de tiamina e a presença desta vitamina coloca o paciente com câncer em grande desvantagem. Desse modo, a tiamina a qual promove tanto a síntese da enzima transcetolase como o aumento da sua atividade deveria ser contraindicada nos pacientes com câncer. Se porventura houver um aumento de 100% da atividade da transcetolase a velocidade de síntese de ribose e a proliferação tumoral aumentam quase 60% cada uma.

No tumor de Ehrlich de camundongo a administração de tiamina na dose 25 vezes do RDA estimula em 164% o crescimento tumoral comparado ao controle que não recebeu a vitamina B_1 (Comin-Anduix, 2001).

Estudos utilizando glicose marcada com isótopo de carbono em vários tipos de tumores experimentais, tanto *in vivo* (tumor de Yoshida) como *in vitro* (HeLa, Mia e Hep G2), demonstram sem sombras de dúvidas que é a parte não oxidativa do ciclo das pentoses que desempenha a principal função de síntese dos ácidos nucleicos (Horecker, 1958; Katz, 1967; Boros, 1967; Macallan, 1998). Mais de 70% da ribose destes tumores são derivadas da via não oxidativa do ciclo das pentoses, isto é, dependem da transcetolase e somente 10 a 15% são derivadas da G6PD, via oxidativa do ciclo das pentoses.

No carcinoma epitelial humano de pulmão H411 demonstrou-se que 99% da síntese de ribose eram provenientes da via transcetolase (Boros, 2000).

A intensa utilização de ribose para a síntese de nucleotídeos purínicos foi demonstrado nos quatro tipos de leucemia: leucemia linfoide aguda, leucemia linfoide crônica, leucemia mieloide aguda e leucemia mieloide crônica (Becher, 1978). Tais achados também foram confirmados em células humanas do tumor colorretal (Butler, 1998).

A oxitiamina, inibidor não competitivo e irreversível da transcetolase, diminui os níveis de DNA e RNA de células do tumor de Ehrlich e reduz a fração de ribose dos ácidos nucleicos em células do adenocarcinoma pancreático humano. Ambas as alterações são seguidas de grande diminuição da proliferação celular devido à parada do ciclo celular na fase G1. Não há sinais de toxicidade ou de lesões de células tumorais provocados pela oxitiamina, simplesmente ocorre parada da mitose seguida de apoptose. Qualquer célula cancerosa ou normal quando cessa a reprodução vive um determinado tempo e em seguida é eliminada por apoptose.

A vitamina B_1 aumenta a proliferação de células do endométrio humano (La Selva, 1996), de células do neuroblastoma (Bettendorff, 1996) e de células de tumor hepático (Lee, 1998).

Antagonistas da tiamina

Compostos naturais que degradam a tiamina:

a) Tiaminasa I – pescados.
b) Tiaminasa II – bactérias intestinais e poli-hidroxifenóis tais como: ácido cafeico, ácido clorogênico, taninos dos chás-preto/mate, couve-de-bruxelas e repolho roxo.

São alimentos ricos em tiaminase: peixe cru, peixe cru fermentado, insetos tostados (África e Ásia), casca do trigo, fígado de truta, noz de betel ou bete, planta sarmentosa e aromática da família das Piperaceas – *Piper chavica* betel –, originária da Índia cuja noz vermelha é empregada em tinturaria e muito usada pelo povo indiano para mascar e o molusco comestível: vieira ou concha de romeiro ou vieira de São Tiago. Os peixes mais ricos em tiaminase são o bordalo (*dace*) e o arenque do Báltico.

O fitoterápico cavalinha, *Equisetum arvense*, é rico em tiaminase; o antibiótico metronidazol converte-se em um análogo da tiamina que é antagonista da vitamina B_1 e existem bactérias produtoras de tiaminase: *Bacilus thiaminoliticus*, *Clostridium sporogenes*, e outras bactérias que podem infectar o homem e produzir quadro agudo de beribéri. A larva de *Anaphe venata* Butler (Lepidoptera) e o molusco *Anodonta cygnea* provocam muitos casos de beribéri agudo na Ásia. Outro elemento rico em tiaminase é o cogumelo *Lentinus edodes* (Berg).

Novos estudos mostram os benefícios da tiamina no tratamento do câncer quando em dose farmacológica: aumenta a atividade da piruvato desidrogenase e aumenta a eficácia da fosforilação oxidativa mitocondrial

A tiamina em alta dose provoca ativação do complexo PDH de duas maneiras: inibe a piruvato desidrogenase quinase (Hanberry, 2014) e ativa a piruvato desidrogenase fosfatase (Parkhomenko, 1987).

Em 2014, Hanberry trouxe novo alento para a compreensão do papel da vitamina B_1 no câncer. Demonstrou que em baixas doses a tiamina aumenta a proliferação neoplásica e em altas doses diminui a proliferação: efeito *bell-shape*. De um modo elegante o autor mostrou que a tiamina em doses farmacológicas ativa a piruvato desidrogenase (PDH), de modo semelhante ao dicloroacetato de sódio, isto é, inibindo a piruvato desidrogenase quinase (PDK).

As células cancerosas têm a capacidade de fosforilar a piruvato desidrogenase-quinase, aumentar a sua atividade e inibir a PDH, a qual fecha as portas da fosforilação oxidativa, o que permite a plena ação da glicólise anaeróbia e a consequente proliferação tumoral. A inibição da PDK pelo dicloroacetato de sódio (DCA) aumenta a atividade da PDH que aumenta a geração de ATPS via mitocondrial, que diminui a glicólise anaeróbia e suprime o crescimento de muitos tipos de câncer.

Recentemente, mostrou-se que a coenzima da tiamina, tiamina pirofosfato, reduz a fosforilação da PDK, o que ativa a PDH e abre as portas da fosforilação oxidativa. O problema está em descobrir qual é a alta dose de tiamina eficaz para reduzir a proliferação celular nos seres humanos.

In vitro foi demonstrado que tanto a tiamina como o DCA reduzem o consumo de glicose, a produção de lactato e o potencial de membrana mitocondrial em linhagens celulares SK-N-BE e Panc-1, do neuroblastoma e do câncer de pâncreas. Dicloroacetato ou altas doses de tiamina não aumentam a geração de radicais livres, enquanto aumenta a atividade da caspase-3, o que facilita a apoptose. Concluiu-se que altas doses de tiamina *in vitro* reduz a proliferação das células cancerosas por mecanismo similar ao descrito pelo dicloroacetato de sódio.

Em 2014, Gevorkyan mostrou eficácia de derivado da vitamina B_1, difosfato de hidroxietil-tiamina, no tumor de Ehrlich murino, *in vivo*, diminuindo em 73% o volume tumoral em 45 dias. Estudo anatomopatológico revelou zonas necróticas, infiltração inflamatória, necrose central com infiltração adjacente de neutrófilos mononucleados e polinucleados, mastócitos e hiperplasia folicular linfadenoide.

Foi mostrado por autores da União Soviética, em mitocôndria isolada de fígado de rato, que a tiamina difosfato provoca pronunciada ativação da PDH-fosfatase e inibição da PDK o que ativa o complexo PDH. A tiamina trifosfato inibe de modo competitivo a PDH-fosfatase e inibe a PDK e no final ativa o PDH-complexo (Parkhomenko, 1987).

Finalmente em 2018 chegou mais uma confirmação do papel benéfico da vitamina B_1 no câncer. Em alta concentração reduz em 63% a proliferação do câncer de mama humano MCF-7. Acontece aumento da atividade da piruvato desidrogenase (PDH) seguido de aumento da fosforilção oxidativa, ao lado de inibição do ciclo de Embden-Meyerhof (Liu, 2018).

Se fôssemos usar em clínica iríamos preferir a tiamina difosfato.

Alimentos ricos em tiamina (vitamina B_1 em mg)

Alimento (100gramas)	mg de vitamina B_1
Levedo de cerveja	13,3 (1 colher de chá)
Farelo de arroz	3,0 (2 colheres de sopa)
Cevada seca	2,7 (1 colher de sopa)
Semente de girassol seca	2,6 (2 colheres de sopa)
Gérmen de trigo	1,7 (3 colheres de sopa)
Aveia em flocos	1,3 (1 colher de sopa)
Pinhão cozido	1,3 (1 xícara)
Castanha-do-pará	1,0 (30g)
Semente de gergelim seca	0,75 (2 colheres de sopa)
Amêndoa	0,6 (30g)
Granola	0,6 (2 colheres de sopa)
Farinha de trigo sarraceno	0,6 (2 colheres de sopa)
Farinha de soja integral	0,5 (2 colheres de sopa)
Avelã	0,5 (30g)
Pistache torrado	0,5 (30g)
Farinha de trigo integral	0,45 (2 colheres de sopa)
Pão de centeio	0,41 1 fatia
Quinoa	0,36 (1 colher de sopa)
Grão-de-bico	0,31 (1 concha)
Milho verde	0,25 (1 espiga)
Amêndoa	0,24 (1 porção)
Feijão	0,22 (1 concha)
Arroz integral	0,1 (½ xícara)

A recomendação diária de ingestão de vitamina B_1 na dieta, segundo a Academia Nacional de Ciências dos Estados Unidos, é de 1,2mg para homens adultos e 1,1mg para mulheres adultas. Tais doses no câncer aumentam a velocidade mitótica. Dose de 300mg/dia diminui a proliferação neoplásica por ativar o complexo PDH.

Conclusão

A dose de tiamina necessária somente para corrigir deficiência, isto é, baixas doses, já são suficientes para estimular o crescimento do tumor. Entretanto, podemos utilizá-la em altas doses e melhor ainda juntamente com outros nutrientes que ativam a piruvato desidrogenase, como o ácido lipoico, o ácido ursólico, o DCA e a nicotinamida. Como vimos o complexo PDH ativa a fosforilação oxidativa a qual inibe a glicólise anaeróbia provocando a diminuição da proliferação mitótica.

Nunca vi na prática clínica, médicos ou nutricionistas se preocuparem com a vitamina B_1 no câncer. Dispomos das drogas mais modernas, os aparelhos mais sofisticados, mas não cumprimos os preceitos corretos de prescrição da tiamina. Parece que os médicos em geral não respeitam a bioquímica e a fisiologia.

Os professores de medicina mais dedicados e humanos nos ensinam que: "Em primeiro lugar, o médico não deve causar danos".

Plano estratégico

1. Suplementar por via oral 300mg ao dia de tiamina mais ingestão de alimentos ricos em vitamina B_1.
2. Livrar-se dos antagonistas da tiamina.
3. Não faça infusão de tiamina intravenosa: no livro de Clínica Médica Farreras está escrito: nunca administre vitamina B_1 intravenosa.

Nunca é tarde para aprender. **Dito popular que serviu de lição a JFJ**

Referências

1. Abstracts and papers in full on site: www.medicinabiomolecular.com.br
2. Basu TK, Dickerson JW. The thiamine status of early cancer patients with particular reference to those with breast and bronchial carcinomas. Oncology. 33:250-2;1976.
3. Becher H, Weber M, Lohr GW. Purine nucleotide synthesis in normal and leukemic blood cells. Klin Wochenschr. 56:275-83;1978.
4. Bettendorff L. A non-cofactor role of thiamine derivatives in excitable cells? Arch Physiol Biochem. 104:745-51;1996.
5. Boros LG, Brandes JL, Lee WN, et al. Thiamine supplementation to cancer patients: a double edged sword. Anticancer Res. 18(1B):595-602;1998.
6. Boros LG, Puigianer J, Cascante M, et al. Oxythiamine and dehydroepiandrosterone inhibit the nonoxidative synthesis of ribose and tumor cell proliferation. Cancer Res. 57:4242-8;1997.
7. Boros LG, Torday JS, Lim S, et al. Transforming growth factor-b_2 promotes glucose carbon incorporation into nucleic acid ribose through the nonoxidative pentose cycle in lung epithelial carcinoma cells. Cancer Res. 60:1183-5;2000.
8. Butler RN, Antoniou D, Butler W, et al. Maximal catalytic activity of the nonoxidative pentose pathway: a new marker for colonic transformation (abstr). Gastroenterology. 14:G2341;1998.
9. Cascante M, Centelles JJ, Veech RL, et al. Role of thiamin (vitamin B1) and transketolase in tumor cell proliferation. Nutr Cancer. 36(2):150-4;2000.
10. Cascante M. Application of metabolic control analysis to the design of a new strategy for cancer therapy (abstr). MCA 99, NATO advanced Research Workshop - Technical and Medical Implications of Metabolic Control Analysis. Budapest, Hungary, 10-16 April, p 14; 1999.
11. Chesney J, Mitchell,R, Benigni F, et al. An inducible gene product for 6-phosphofructo-2-kinase with an Au-rich instability element: role in tumor cell glycolysis and the Warburg effect. Proc Natl Acad Sci U S A. 96:3047-52;1999.
12. Comin-Anduix B, Boren J, Martinez S, et al. The effect of thiamine supplementation on tumour proliferation. A metabolic control analysis Study. Eur J Biochem. 278(15):4177-82;2001.
13. Felippe JJr. Vitamina B1 Intravenosa: Maior Eficácia sem Riscos de Anafilaxia no Beriberi Cerebral e Cardíaco. Biblioteca de Doenças. www.medicinabiomolecular.com.br. 2004.
14. Gevorkyan L, Gambashidze K. Anticancer efficacy of hydroxyethylthiamine diphosphate in vivo. Exp Oncol. 36(1):48-9;2014.
15. Hanberry BS, Berger R, Zastre JA. High-dose vitamin B1 reduces proliferation in cancer cell lines analogous to dichloroacetate. Cancer Chemother Pharmacol. 73(3):585-94;2014.
16. Horecker BL, Domagk, G, Hiatt HH. A comparison of 14C labeling patterns in deoxyribose and ribose in mammalian cells. Arch biochem Biophys. 78:510-7;1958.
17. Katz J, Rognstad R. The labeling of pentose phosphate from glucose-14C and estimation of the rates of transaldolase, transketolase, the contribution of the pentose cycle, and ribose phosphate synthesis. Biochemistry. 6:2227-47;1967.
18. La Selva M, Beltrano E, Pagnozzi F, et al. Thiamine corrects delayed replication and decreases production of lactate and advanced glycation end-products in bovine retinal and human umbilical vein endothelial cells cultured under high glucose conditions. Diabetologia. 39:1263-8;1996.
19. Lee WN, Boros LG, Puigianer J, Bassiliam S, et al. Mass isotopomer study of the nonoxidative pathways of the pentose cycle with (1,2-13 C2) glucose. Am J Physiol Endrocrinol Metab. 274:E83-51;1998.
20. Liu X, Montissol S, Uber A, et al. The Effects of Thiamine on Breast Cancer Cells. Molecules. Jun 16;23(6);2018.
21. Macallan DC, Fullerton CA, Neese RA, et al. Measurement of cell proliferation by labeling of DNA with stable isotope-labeled glucose: studies in vitro, in animals, and in human. Proc Natl Acad Sci U S A. 95:708-13;1998.
22. Parkhomenko IuM, Chernysh IIu, Churilova TIa, Khalmuradov AG. Effect of thiamine phosphates on the activity of regulatory enzymes of the pyruvate dehydrogenase complex. Ukr Biokhim Zh. 59(5):49-54;1987.
23. Rais B, Comin B, Puigjaner J, et al. Oxy-thiamine and dehydroepiandrosterone induce a G1 cycle arrest in Ehrlich tumor cells through inhibition of the pentose cycle. FEBS Lett. 456:113-8; 1999.
24. Van Zaanen HC, Van der Leile J. Thiamine deficiency in hematologic malignant tumors. Cancer. 69:1710-3;1992.

CAPÍTULO 133

Vitamina B_{12} induz apoptose em células neoplásicas

José de Felippe Junior

Em primeiro lugar devemos frisar que a vitamina B_{12} não aumenta o risco de câncer e não piora o câncer já instalado.

Em trabalho randomizado, duplo cego e controlado com placebo a ingestão de vitamina B_6, ácido fólico e vitamina B_{12} por 3 a 4 anos não aumentou o risco de aparecimento de câncer de qualquer tipo (Hankey, 2012). As concentrações séricas de ácido fólico e vitamina B_{12} não se correlacionam com o risco de câncer de próstata (Johansson, 2012). Não há associação de risco de câncer de pulmão no homem idoso e vitamina B_{12}, ácido fólico, vitamina B_6 e homocisteína (Hartman, 2001).

O problema é justamente o contrário. Em estudo populacional, *case-control* no *Surveillance, Epidemiology, and End Results-Medicare* database encontramos indivíduos com anemia perniciosa, deficiência de vitamina B_{12}, com elevado risco de tumor carcinoide gástrico, adenocarcinomas e outros tipos de tumores pelo corpo (Murphy, 2015).

Na verdade, empregando-se técnicas avançadas de *cytokinesis-block micronucleus cytome assay* constata-se que a deficiência de vitamina B_{12} induz lesões sérias no genoma (Wu, 2013).

Altos níveis de piridoxina e riboflavina no sangue diminuem o risco de câncer de mama, enquanto concentrações plasmáticas de homocisteína, ácido fólico e vitamina B_{12} não estão associadas com o risco deste tipo de câncer (Agnoli, 2016).

Para um pesquisador francês, a alta concentração de vitamina B_{12} no plasma, na ausência de suplementação, pode indicar doença hepática, tumor não diagnosticado ou púrpura trombocitopênica imune (Jammal, 2013).

Devemos ficar atentos na carcinomatose avançada para a dor neuropática ou a neuropatia periférica induzida pela quimioterapia. Pode haver diminuição de vitamina B_{12} não estrutural, mas funcional, isto é, concentração no sangue normal ou alta, mas sintomas que podem ser revertidos com a B_{12} sistêmica (Solomon, 2016).

O volume corpuscular médio da hemácia (VCM) é o marcador padrão ouro do estado intracelular da vitamina B_{12}. Valores próximos do limite superior do normal indicam sua deficiência. Este fato explica os sintomas clínicos incongruentes quando se usa a concentração sérica para avaliar o *status* desta vitamina.

Se acontecer elevação do CA15-3 sem evidências de recorrência do câncer de mama, devemos pensar em deficiência de vitamina B_{12} e administrá-la (Adachi, 2015).

A hiperinsulinemia no câncer deve ser tenazmente combatida porque aumenta o volume tumoral. A droga mais utilizada para diminuir a insulinemia é a metformina, que, porém, provoca deficiência de vitamina B_{12} de modo dose e tempo-dependentes em trabalho de revisão sistemática (Liu, 2014).

Cuidado, a anemia perniciosa com concentração sérica de B_{12} normal pode ser confundida com síndrome mielodisplásica (Shah, 2014).

Infecção por *H. pylori* é uma das mais frequentes nos seres humanos e pode passar assintomática. Aqui vamos frisar aumento do risco de infecção pelo *H. pylori* que são pouco habituais: deficiência de vitamina B_{12}, deficiência de ferro, trombocitopenia imune e linfoma MALT (Campuzano-Maya, 2014).

Em 523 pacientes com câncer metastático estudados retrospectivamente, o grupo que apresentava B_{12} sérica superior a 911pg/ml apresentou sobrevida média de 1,8 mês, enquanto o grupo com B_{12} sérica entre 211 e 911pg/ml a sobrevida média foi de 5,1 meses ($p < 0,001$) (Oh, 2018). Interpretamos tais resultados como baixa biodisponibilidade celular da vitamina no tecido hematopoiético com aumento sérico do parâmetro.

Trabalhos soviéticos, que conseguimos somente o resumo, já em 1998 apontavam que o sistema catalítico binário constituído por um complexo orgânico de cobalto e ácido ascórbico estava se mostrando como novo agente antitumoral.

Akatov, em 1999, no Instituto de Biofísica de Moscou, mostrou que a hidroxicobalamina, mas, não a cianocobalamina, juntamente com o ácido ascórbico se acumulam seletivamente nas células tumorais e provocam aumento da geração de radicais livres, lesão de DNA e morte celular por apoptose. Este efeito citotóxico é observado tanto *in vitro* como *in vivo*.

Complexos de cobalto combinados com agentes redutores como o ascorbato possuem atividade antinuclease na presença de oxigênio molecular e assim conseguem promover a clivagem do DNA, tipo internucleossomal.

Foram estudadas linhagens tumorais humanas e de animais: carcinoma epidermoide de laringe humano Hep-2, carcinoma ascítico de Ehrlich, linfoleucose de camundongo P-388 e mieloma de camundongo NS/D. A combinação de vitamina B_{12} na forma de hidroxicobalamina e ascorbato provoca apoptose em todas as linhagens testadas.

Quando a vitamina B_{12} ou a vitamina C são administradas isoladamente, elas não possuem nenhum efeito. Assim 2 milimoles de B_{12} ou 1 milimol de ácido ascórbico isolados não possuem efeito, entretanto, em concentrações 1.000 vezes menores e juntos provocam a morte das células tumorais por apoptose: 25 micromol de B_{12} e 500 micromol de vitamina C. A proporção de apoptose nas culturas controle é de apenas 3-5% e se elevam para 30-40% com a adição das duas vitaminas.

Os soviéticos bem que poderiam escrever seus belos estudos em francês, inglês, alemão, italiano ou castelhano.

Referências

1. Abstratos e trabalhos na íntegra no site: www.medicinabiomolecular.com.br
2. Adachi Y, Kikumori T, Miyajima N, et al. Postoperative elevation of CA15-3 due to pernicious anemia in a patient without evidence of breast cancer recurrence. Surg Case Rep.1(1):126;2015.
3. Agnoli C, Grioni S, Krogh V, et al. Plasma Riboflavin and Vitamin B-6, but Not Homocysteine, Folate, or Vitamin B-12, Are Inversely Associated with Breast Cancer Risk in the European Prospective Investigation into Cancer and Nutrition-Varese Cohort. J Nutr. pii:-jn225433;2016.
4. Akatov VS, Yu V, Evtodienko AI, et al. DNA damage and tumor cell death caused by the combined effect of vitamins B12b and C. Dokl Biol Sci. 373:373-5;2000.
5. Belkov VM, Krynetskaia NF, Volkov EM, et al. Cobalt-corrin oligonucleotide derivatives as reagents for selective cleavage of nucleic acids. Bioorg Khim. 21(6):446-53;1995.
6. Campuzano-Maya G. Hematologic manifestations of Helicobacter pylori infection. World J Gastroenterol. 20(36):12818-38;2014.
7. Chissov V, et al. Abstracts of Papers, Proc.X NCI-EORTCSymp.On New Drugs in Cancer Therapy, Amsterdam, p 142, 1988.
8. Hankey GJ, Eikelboom JW, Yi Q, et al. Treatment with B vitamins and incidence of cancer in patients with previous stroke or transient ischemic attack: results of a randomized placebo-controlled trial.; VITAmins TO Prevent Stroke (VITATOPS) Trial Study Group. Stroke. 43(6):1572-7;2012.
9. Hartman TJ, Woodson K, Selhub J, et al. Association of the B-vitamins pyridoxal 5'-phosphate (B(6)), B(12), and folate with lung cancer risk in older men. Am J Epidemiol. 153(7):688-94;2001.
10. Jammal M. High plasmatic concentration of vitamin B12: an indicator of hepatic diseases or tumors. Rev Med Interne. 34(6):337-41;2013.
11. Liu Q, Li S, Quan H, Li J. Vitamin B12 status in metformin treated patients: systematic review. PLoS One. 9(6):e100379;2014.
12. Murphy G, et al. Cancer Risk After Pernicious Anemia in the US Elderly Population. Clin Gastroenterol Hepatol. 13(13):2282-9;2015.
13. Oh HK, Lee JY, Eo WK, et al. Elevated Serum Vitamin B_{12} Levels as a Prognostic Factor for Survival Time in Metastatic Cancer Patients: A Retrospective Study. Nutr Cancer. Jan;70(1):37-44;2018.
14. Osinsky SP, Levitin IY, Bubnovskaya LN, et al. Modifying effect of organocobalt complexes on the tumor response to anticancer treatments. Anticancer Res. 17(5 A):3457-62;1997.
15. Shah DR, et al. Pernicious anemia with spuriously normal vitamin B12 level might be misdiagnosed as myelodysplastic syndrome. Clin Lymphoma Myeloma Leuk. 14(4):e141-3;2014.
16. Solomon LR. Functional vitamin B12 deficiency in advanced malignancy: implications for the management of neuropathy and neuropathic pain. Support Care Cancer. 24(8):3489-94;2016.
17. Syrkin AB, Zhukova OS, Kikot' B, et al. Ross Khim Zh. 42(5):140-5;1998.
18. Vol'pin ME, Krainova N Yu, Levitin I Ya, et al. Ross Khim Zh. 42(5): 116-27;1998.
19. Wu X, Cheng J, Lu L. Vitamin B12 and methionine deficiencies induce genome damage measured using the in human B lymphoblastoid cell lines. Nutr Cancer. 65(6):866-73;2013.
20. Yakubovskaya R, et al. Abstracts of Papers, Proc. X NCI-EORTC Symp. On New Drugs in Cancer Therapy, Amsterdam, p 163, 1988.
21. Yakubovskaya R, et al. Abstracts of Papers, Proc. XNCI-EORTC Symp. On New Drugs in Cancer Therapy, Amsterdam, p 164, 1988.

CAPÍTULO 134

Vitamina A – aumenta a diferenciação celular, antiproliferativa, apoptótica e antitelomerase

José de Felippe Junior

Vitamina A: excelente agente que provoca a sempre almejada diferenciação celular. **Vários autores**

Uma das doenças mais comuns provocadas pela deficiência de vitamina A é a cegueira noturna conhecida há mais de 3.500 anos. Os egípcios e gregos a tratavam com fígado de boi que sabemos hoje ser rico em vitamina A.

Na falta de vitamina A o organismo não consegue crescer, reproduzir e se livrar de doenças. Entretanto, o excesso de vitamina A também é prejudicial, especialmente nos pacientes com câncer, porque impede a ativação de genes supressores de tumor por inibir o receptor do hormônio D3, o VDR.

Vitamina A é um grupo de compostos orgânicos insaturados incluindo retinol e ácido retinoico. Nas plantas na forma de pró-vitamina A ou carotenoides (alfacaroteno e betacaroteno), encontra-se nas folhas verdes escuras e nas frutas e vegetais fortemente coloridos de amarelo e laranja. Nos animais a vitamina A pronta encontra-se no fígado, óleo de fígado de bacalhau, manteiga, creme de leite, queijos, leite integral e gema do ovo.

A Organização Mundial da Saúde recomenda a dose de 200.000UI de vitamina A a cada 4-6 meses para pessoas entre 12 e 59 anos ou 1.100 a 1.600UI/dia. No período neonatal até os 5 meses: não recomendada; dos 6 aos 11 meses 100.000UI por mês ou 3.300UI/dia.

Na prevenção da cegueira noturna em áreas de risco: 10.000UI/dia ou 25.000 UI/semana (WHO, guidelines, 2011). Na população em geral existe forte evidência que a vitamina A na dose de 10.000UI ao dia ou 25.000UI por semana é segura (McLaren, 1966).

Grávidas e pós-parto: não recomendada. Entretanto, em 1999, West mostrou que a suplementação semanal com 23.000UI de vitamina A reduz em 40% a mortalidade por todas as causas na gravidez em população deficiente.

Nos pacientes com câncer a dose diária por 2 anos de 300.000UI é segura (Infante, 1991; Pastorino, 1993).

A concentração sérica do retinol é mais precisa para diagnosticar a hipervitaminose A porque para o retinol sérico decrescer é necessário exaurir as reservas hepáticas da vitamina (Tanumihardjo, 2011). A hipervitaminose aguda provoca ondas de calor facial, náuseas, vômitos, diarreia, dor de cabeça, dores ósseas, descamação da pele, hipertensão intracraniana, e às vezes hipercalcemia. Quando estava no quinto ano da faculdade vi paciente com dor de cabeça intensa e edema de papila ser submetido a angiografia cerebral por indicação do Diretor do Departamento de Neurocirurgia em paciente que apresentava hipervitaminose A. São os "curtos-circuitos de raciocínio médico" colocados em pronta ação.

Retinol, ácido retinoico e seus metabolitos desempenham papel fisiológico em vários processos biológicos como epigenética, metabolismo das gorduras, crescimento ósseo, saúde da pele, espermatogênese e imunidade celular. A deficiência de vitamina A provoca aumento da mortalidade por infecção, especialmente na idade pré-escolar. Ela é muito importante durante o desenvolvimento fetal e na regeneração do tecido adulto, entretanto, seu excesso provoca efeitos teratogênicos e bloqueio do receptor do hormônio D3, o VDR. Na maioria das neoplasias aumenta a diferenciação celular e é antiproliferativo e apoptótico. No seminoma aumenta a proliferação (Young, 2011).

Os metabólitos bioativos mais bem caracterizados do retinol (vitamina A) são o 11-cis retinal e o ácido retinoico all-trans (ATRA).

Retinol de peso molecular 286g/mol e fórmula $C_{20}H_{30}O$ é também chamado: Vitamin A, All-trans-Retinol, Vitamin A1, Alphalin, 11-cis-Retinol, 3,7-dimethyl-9-(2,6,6-trimethyl-1-cyclohexen-1-yl)-2,4,6,8-nonatetraen-1-ol, (all-E)-Isomer, Aquasol A, Vitamin A1 e 68-26-8.

Ácido retinoico de peso molecular 300,4g/mol e fórmula $C_{20}H_{28}O$ também é denominado: Vitamin A acid, Tretinoin, Trans-Retinoic acid, All-trans-Retinoic acid, ATRA, Retin-A, Vesanoid e 302-79-4.

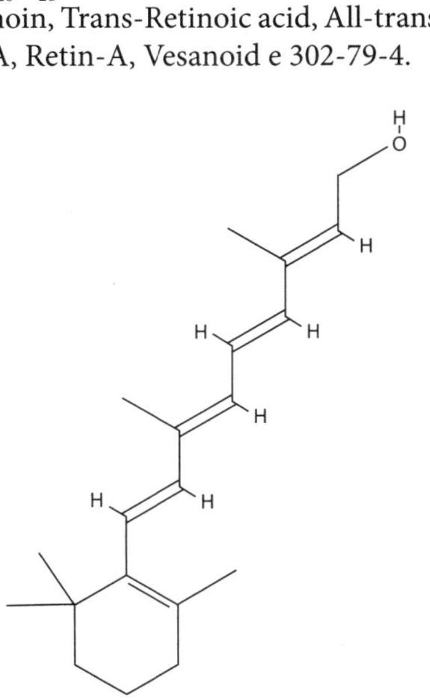

Retinol: álcool. $C_{20}H_{30}O$. PM: 286,5g/mol

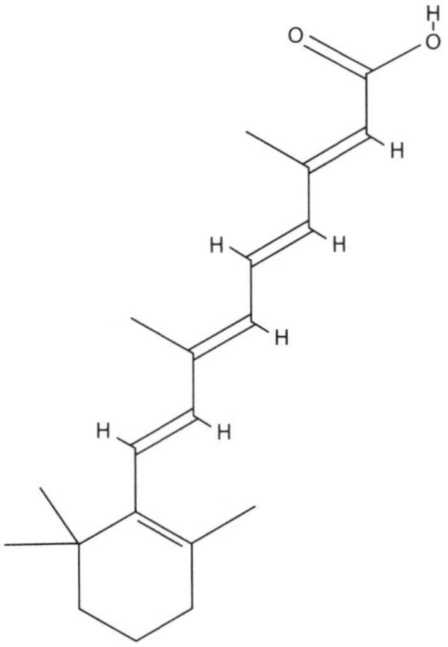

Ácido retinoico. $C_{20}H_{28}O$. PM: 300,4g/mol

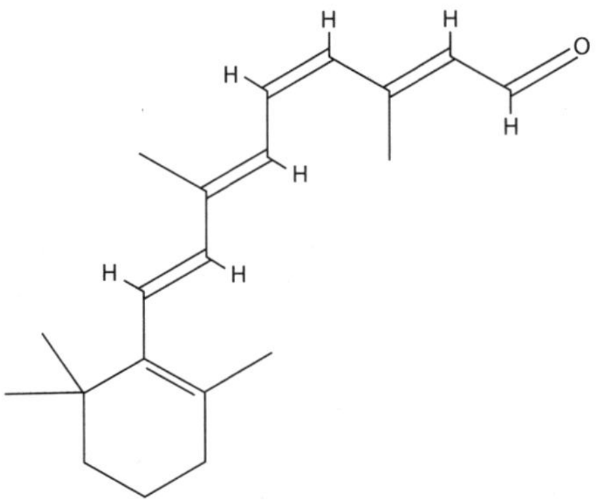

11-cis-Retinal: aldeído. $C_{20}H_{28}O$. PM: 284,4g/mol

Tráfego intracelular dos retinoides (Tanumihardjo, 2016)

A biodisponibilidade intracelular é regulada por proteínas específicas CRBPs (*cytoplamatic retinol binding proteins*) e CRABPs (*cytoplasmatic retinoic acid binding proteins*). A CRBP-1 foi conservada durante a evolução das espécies e é largamente expressa em muitos tecidos desempenhando sua principal função na cicatrização de feridas, nos processos de remodelação arterial e no câncer. A diminuição da expressão da CRBP-1 se associa a fenótipos mais malignos, digo mais proliferativos, no câncer de mama, próstata, pulmão, ovário, nasofaringe e outros. A sua reexpressão aumenta a sensibilidade ao retinol e reduz a viabilidade de células do câncer de ovário *in vitro* (Doldo, 2015).

No citoplasma a vitamina A e seus derivados se ligam às proteínas ligadoras CRBPs, 4 isoformas, sendo a mais importante a CRBP-1.

O ácido retinoico celular liga-se à CRABPs com 2 isoformas, 1 e 2.

Os retinoides podem ativar a expressão de genes através de dois receptores nucleares específicos, RARs (receptores do ácido retinoico) e RXRs (receptores dos retinoides X). Cada classe consiste de subtipos alfa, beta e gama. RAR é ativado pelo 9-cis RA e pelo all-trans RA e o RXR é ativado apenas pelo 9-cis RA.

Retinoides no tratamento do câncer

Estudos epidemiológicos mostram que uma boa ingestão de vitamina A na dieta diminui o risco de vários tipos de câncer, entretanto o excesso pode provocar aumento da incidência, particularmente de gliomas (Mawson, 2012; Niles, 2004). Retinoides naturais e sintéticos inibem o crescimento e o desenvolvimento de vários tipos de neoplasia: pele, mama, cavidade oral, pulmão, fígado, estômago, intestinos, próstata e bexiga urinária (Altucci, 2001; Bryan, 2011). Em modelos de tumores transplantados no camundongo o ácido retinoico provoca parada da proliferação, apoptose e diferenciação celular (Niles, 2004).

Os retinoides naturais são importantes agentes no tratamento da leucemia promielocítica aguda (LPA) bloqueando a hematopoese da medula óssea na fase promielocítica. Mais de 90% dos pacientes com LPA atingem remissão completa com o ATRA (Hillestad, 1957). ATRA no tratamento da LPA é considerado o primeiro exemplo de drogas-alvo.

Em modelos animais tratados com acetato de retinil vários estudos mostram reduções de até 52% na incidência do câncer de mama.

A vitamina A reduz a indução de carcinoma gástrico por hidrocarbonetos policíclicos (Shibata, 1993) e ratos deficientes são mais susceptíveis a indução de câncer de cólon pelas aflotoxinas (Rogers, 1973).

Meta-análise de 19 publicações envolvendo 10.261 pacientes com câncer de pulmão concluiu que a maior ingestão de vitamina A ou betacaroteno na dieta se associou com a redução do risco de contrair o câncer, tanto em populações da Ásia como no Ocidente (Yu, 2015).

A importância do CRBP-1

Os vários tipos de retinoides aumentam a expressão de seus correspondentes receptores.

Existe forte associação positiva entre a expressão nuclear do CRBP-1 e o acúmulo nuclear de beta-catenina (Schmitt, 2003; Behrens, 19930). A via Wnt/beta-catenina possui importante papel no desenvolvimento embrionário como proliferação celular, diferenciação e apoptose (Wong, 2002).

A concentração de CRBP-1 é menor no carcinoma pobremente diferenciado de endométrio, ovário e mama quando comparado com o tecido normal (Orlandi, 2006).

A CRBP-1 induz redução da transcrição e da atividade da forte via proliferativa PI3K/Akt (Doldo, 2014). Embora o gene Akt contribua para a diferenciação das células-tronco (Valerio, 2012), a ativação aberrante da pAkt mantém a progressão cancerosa (Doldo, 2014).

A restauração da sinalização da CRBP-1 em células A2780 do câncer de ovário induz regulação para baixo de genes proliferativos e de sobrevivência STAT1, STAT5 e JUN (127-141) e regulação para baixo do pErk. Lembrar que o Erk promove proliferação, sobrevivência e metástases (Roberts, 2007). O uso do ATRA sem inibir a via ERK induz proliferação, sobrevivência e migração de células A549 do câncer de pulmão (Quintero, 2015).

CRBP-1 inibe a importante via de proliferação neoplásica PI3K/Akt de modo independente de sua habilidade em ligar-se ao retinol (Kuppumbatt, 2000).

Silenciamento do CRBP-1 aumenta a proliferação neoplásica *in vivo* e o aumento da sua expressão reduz a carcinogenicidade *in vitro* e *in vivo* (Doldo, 2014; Farias, 2005; Farias e Marzan, 2005). Estes fatos nos mostram a possibilidade de futuras estratégias epigenéticas.

Vitamina A e compostos relacionados inibem a telomerase (Linn, 2002).

Alvos moleculares da vitamina A no câncer

1. **Cuidado:**
   a) Excesso de vitamina A impede a ativação do receptor VDR por formar excesso de complexos RXR-RXR no lugar de complexos RXR-VDR ativadores da função gênica (Doldo, 2015).
   b) Retinol: não no seminoma.
2. **Vários tumores**
   ATRA (ácido *all-trans* retinoico) simultaneamente bloqueia múltiplas vias reguladas pelo Pin-1 ativo de modo seletivo nas células cancerosas ligando-se diretamente ao sitio ativo do Pin-1. ATRA induz a ablação do Pin-1 e degrada a proteína codificada no oncogene PML-RARA podendo ser útil no câncer agressivo e no resistente a múltiplas drogas (Wei, 2015).
3. **Sistema imune**
   O ácido *all-trans* retinoico além do papel já conhecido na imunidade adaptativa é importante modulador de células imunes inatas, como células dendríticas tolerogênicas (DCs) e células linfoides inatas (ILCs) (Czarnewski, 2017).
4. **Glioblastoma multiforme - GBM**
   a) Nos gliomas acontece um desequilíbrio na expressão dos receptores retinoides iniciada por aumento da produção endógena de ácido retinoico nas células gliais, devido a fatores ambientais. Este desequilíbrio é caracterizado por excesso da expressão do RAR-alfa e diminuição da expressão do RAR-beta. A combinação de antagonistas do RAR-alfa com os agonistas do RAR-beta seria um potencial tratamento dos gliomas (Mawson, 2012).
   b) Nas linhagens U118 e U138 o ácido retinoico provoca inibição da proliferação e apoptose inibindo a expressão do Ezh2 via sinalização mitocondrial diminuindo o potencial de membrana mitocondrial, liberando citocromo c e parando o ciclo celular em G0/G1(Lu, 2015).
   c) Ácido retinoico rapidamente muda a morfologia, diminui a expressão da ciclina D1, aumenta a expressão da p27 e induz parada do ciclo celular em G1/G0 (Ying, 2012).
   d) ATRA (*all-trans-retinoic acid)* provoca diferenciação de células-tronco por diminuir EGFR e EGFRvII diminuindo o potencial tumorogênico das células-tronco (Stockhausen, 2014).
   e) ATRA droga padrão no tratamento da leucemia promielocítica aguda é eficaz em erradicar nichos de células-tronco do glioblastoma via diferenciação celular (Hide, 2013; Piccirillo, 2006).
   f) Ácido retinoico altera 350 genes envolvidos no metabolismo, regulação do ciclo celular, adesão, interação matriz-célula e remodelamento do citoesqueleto. A inibição da sinalização Notch é o efeito maior do ácido retinoico (Ying, 2011).
   g) Pode existir resistência e impedimento multifacetado do efeito do ATRA ou do retinol no glioblastoma multiforme (Campos, 2015), muitas vezes por metilação dos receptores.

h) Ácido retinoico em baixa dose aumenta a proliferação de células do glioma GL-15 por ativar o STAT3, entretanto, em alta dose induz apoptose e diminui a proliferação e não ativa o STAT3 (Paillaud, 2002).
i) ATRA e trióxido de arsênio podem potencialmente suprimir as células-tronco no GBM (Karsy, 2014).
j) ATRA mais inibidores da via mTOR e da via ERK1-ERK2 são sinérgicos em erradicar as células-tronco do GBM (Friedman, 2013).
k) Bloqueio duplo do mTOR e PI3K promove a pró-diferenciação de células-tronco do GBM (Sunayama, 2010).
l) Metformina e trióxido de arsênio ajudam a erradicar as células-tronco do GBM (Carmignani, 2014).
m) Hormônio D3 e ácido retinoico possuem efeitos sinérgicos em duas linhagens de glioblastoma humano em dosagens baixas, *in vitro* (Magrassi, 1995).

5. **Meduloblastoma**
a) No meduloblastoma a metilação do CRABP-2 reduz a sua expressão e torna o tumor refratário ao ácido retinoico (Fu, 2012). Tal fato mostra a importância do tratamento epigenético logo nas fases iniciais do câncer.
b) ATRA induz parada da proliferação celular em 3 linhagens do meduloblastoma humano, DAOY, D283 e D341 (Chang, 2007).
c) ATRA induz apoptose no meduloblastoma humano ativando a caspase-3 via PARP-1, nas linhagens DAOY, D283, D425 e D458 (Gumireddy, 2003).
d) Ácido retinoico induz a transcrição da caspase-8 via fosforilação do CREB e aumenta a apoptose em células do neuroblastoma (Jiang, 2008).

6. **Astrocitoma**
a) ATRA inibe a expressão do gene MDM2 e diminui a progressão da linhagem SHG-44 do astrocitoma (Zeng, 2008).
b) Ácido retinoico diminui a proliferação da linhagem glioblastoma-astrocitoma-14 em cultura (Mukherjee, 1995).

7. **Neuroblastoma**
O emprego de inibidores das histonas desacetilases juntamente com o ácido retinoico são grandes promessas no tratamento do câncer de pulmão e nos neuroblastomas (Han, 2010).

8. **Esôfago**
ATRA diminui em 43% a proliferação e inibe a angiogênese e metástases no carcinoma epidermoide de esôfago, linhagem EC-1. ATRA provoca marcante diminuição da transcrição dos receptores do Ang-1, Ang-2, Tie-2, VEGF e VEGF (Li, 2017).

9. **Câncer de pulmão de pequenas células**
Amida do ácido retinoico inibe a via JAK2, STAT3 e STAT5, aumenta a concentração do p21WAF1 e diminui a ciclina A, a ciclina B1 e a expressão do Bcl-XL e no final provoca drástica diminuição da apoptose no câncer de pulmão de pequenas células (Li, 2015).

10. **Câncer de pulmão não de pequenas células**
a) ATRA sem inibir a via ERK induz proliferação, sobrevivência e migração de células A549 do câncer de pulmão. O ATRA sozinho aumenta a proliferação, sobrevida e migração deste tipo de câncer (Quintero, 2015). São inibidores da via ERK: Ácido lipoico, Ácido gamalinolênico, Carnosina, Beta-alanina, Resveratrol (casca da uva), Tangeritina (casca das frutas cítricas), Ligustilidi, Silibinina, Genisteína, Berberina, Sanguinarina, Cheleritrine e *Annona muricata*.
b) ATRA sem inibir a via PI3K/Akt não provoca diminuição da proliferação e apoptose no adenocarcinoma pulmonar, linhagem A549 (Garcia-Regalado, 2013).
c) Retinol regula para baixo o receptor dos produtos finais da glicação avançados (RAGE) por ativação dependente de oxidação do p38MAPK e NF-kappaB no adenocarcinoma pulmonar, A549 (de Bittencourt, 2013).
d) Em 283 pacientes com câncer de pulmão o uso diário de 300.000UI de palmitato de retinol por 2 anos provocou aumento de 69% da enzima hepática gama-GT e os triglicerídeos aumentaram 43%. Não houve outras alterações bioquímicas (Infante, 1991).
e) Linhagens A549, NCI-H460 e HCC827 foram tratadas com ATRA e o pan inibidor da HDAC o panobinostat. Houve redução de pelo menos 50% na proliferação. Esta combinação possui efeitos aditivos e sinérgicos respectivamente sobre a inibição do crescimento e na diferenciação, sem provocar citotoxicidade. O efeito maior foi na linhagem A549 seguida do EGFR-mutante HCC827. Ocorre diminuição da expressão do fosfo-ERK e do fosfo-AKT, enquanto diminuem o p53 e o p21(CIP1/WAF1) (Greve, 2015).
f) Em 307 pacientes com câncer de pulmão em estágio I e ressecados cirurgicamente o palmitato de retinol 300.000UI ao dia por 12 meses diminuiu a recorrência de 48% (n=75) no grupo controle para 37% (n=56) no grupo vitamina A. Foi eficaz em reduzir o número de novos tumores relacionados ao tabaco e aumentou o intervalo livre de doença (Pastorino, 1993).

g) O emprego de inibidores das histonas desacetilases juntamente com o ácido retinoico são grandes promessas no tratamento do câncer de pulmão (Han, 2010).

11. **Câncer de mama**

a) O receptor beta do ácido retinoico (RAR-beta) não está expresso em 50% dos carcinomas invasivos de mama e se associa a metástases em linfonodos. Ácido retinoico induz a expressão do gene RAR-beta e reduz a migração e metástases do câncer de mama, linhagem T47D e MCF7 (Flamini, 2014).

b) ATRA induz parada do ciclo celular em células do câncer de mama humano modulando os inibidores das CDKs p21waf-1 e p27kipi, com defosforilação da proteína retinoblastoma (Wang, 2001).

c) *In vitro* o 9-cis-RA e outros retinoides inibem o crescimento de células do câncer de mama humano ER-positivo, mas não interferem no ER-negativo. As células ER-negativas expressam baixa densidade de RAR-beta comparado com as células ER-positivas. Importante é o fato de exibirem inibição do crescimento com o retinol quando transfectadas com o receptor RAR-beta (Zhao, 1993; Moon, 1976; Wang, 2001).

d) ATRA induz ablação do Pin-1 e potencialmente inibe o crescimento do câncer de mama triplo negativo humano (Wei, 2015).

e) Pin-1 ativo é o alvo principal do ATRA na leucemia promielocítica aguda e no câncer de mama.

f) Ácido retinoico é mais eficaz que o retinol em inibir a proliferação do câncer de mama. Ele funciona em baixa concentração, mas não em alta concentração (Li, 2016).

12. **Câncer de mama triplo negativo**

a) ATRA e ativação do TRAIL (TNF-related apoptosis-inducing ligand ou APO2 Ligant) são sinérgicos no câncer de mama linhagens, BT-20, BT-474, MDA-MB-231, MDA-MB-436, MDA-MB-453, MCF-7, SKBR3, T47D, ZR-75-1). Acontece aumento da fragmentação do DNA nuclear, regulação para cima do receptor do TRAIL, regulação para baixo da ciclina D1 e aumento da atividade das caspases (Reinhardt, 2018).

b) ATRA reduz a proliferação da maioria das neoplasias, incluindo a linhagem MDA-MB-468, entretanto aumenta a proliferação em células do câncer triplo negativo MDA-MB-231. A sinalização envolvida na ação pró-invasiva nesta linhagem envolve o eixo Src-YAP-interleucina-6 (Src-YAP-IL6) e a cerivastatina reverte tal efeito. Na linhagem MDA-MB-468 o ATRA inibe este eixo (Mezquita, 2018). Desta forma, ao empregarmos retinol no câncer de mama triplo negativo devemos sempre usar agonistas do TRAIL (Reinhardt, 2018). São agonistas do TRAIL a curcumina, o BCG e os geradores de IFN-gama (beta-glucana, resveratrol, silibinina, curcumina, berberina, DIM).

13. **Câncer de próstata**

a) Retinol exibe inibição dose-dependente sobre a proliferação do câncer de próstata refratário, enquanto o ácido retinoico e o palmitato de retinil quase não possuem efeito (Li, 2016).

b) Inibição simultânea do AR (*androgen receptor*) e ativação do elF4E por novos retinoides são eficazes no tratamento do câncer de próstata (Ramamurthy, 2015). Conflito de interesse desconhecido.

c) Vitamina A e vitamina D possuem efeitos sinérgicos no câncer de próstata na indução da apoptose e diminuição da proliferação. A inibição da proliferação é tempo e concentração dependente. Ocorre aumento da expressão da Bax e redução da expressão da ciclina D1 (Sha, 2013).

d) ATRA inibe a proliferação do câncer de próstata receptor andrógeno-negativo (AR–) linhagem DU145 reduzindo a metilação do gene HOXB13, o que aumenta sua expressão. Este gene é supressor tumoral e está inativo no câncer prostático (AR–) (Liu, 2012).

14. **Câncer colorretal**

a) No câncer colorretal com deficiência de vitamina A, o ácido retinoico normaliza a microbiota intestinal e estimula o CD8+ citotóxico com aumento da imunidade celular (Bhattacharya, 2016).

b) Regulação para baixo da SphK2 (*Sphingosine kinase 2*) geradora de esfingosina-1-fosfato (S1P) aumenta os efeitos do ATRA em células do câncer de cólon, HT-29. Ocorre parada do ciclo celular em G1 (Chu, 2014). A SphK2 é outro elemento que impede o efeito anticâncer do ATRA, ao lado da ativação das vias PI3K/Akt e ERK1/ERK2.

c) ATR ativa a expressão da E-caderina via hipometilação (efeito epigenético) em células HCT116 do carcinoma de cólon humano (Woo, 2012).

d) Retinoide IIF (6-OH-11-O-hydroxyphenanthrene) em conjunto com o acetilador ácido valproico possui efeitos anti-invasivo, pró-apoptótico e antiproliferativo (Papi, 2012).

e) Celecoxibe aumenta a sensibilidade da linhagem HT-29 do câncer de cólon humano ao retinoide (Liu, 2010).

15. **Câncer de fígado**
   a) ATRA e o hormônio 1,25 $(OH)_2D_3$ possuem efeito sinérgico sobre a diminuição da proliferação e aumento da apoptose de modo dependente do tempo e da concentração no hepatoma humano HepG2. O ciclo celular para em G1, sendo marcante o aumento das proteínas p21 (WAF/CIP1) e p27 (KIP1) (Lu, 2006).
   b) ATRA provoca deficiência da via Wnt/beta-catenina e aumenta a diferenciação de células-tronco no carcinoma hepatocelular. ATRA também inibe a via PI3K/Akt e a degradação da beta-catenina dependente da enzima GSK-3beta (Zhu, 2015).
   c) ATRA inibe a proliferação, migração, invasão e induz diferenciação em células hepa1-6 do hepatocarcinoma murino revertendo o EMT (*epithelial-mesenchymal transition*) *in vitro* (Cui, 2016).
16. **Melanoma**
   ATRA promove efeito antiproliferativo e diferenciação em células B16F0 de células do melanoma humano (Chen, 2016).
17. **Leucemia**
   a) Resveratrol fortemente aumenta a geração de radical superóxido pelo ácido retinoico via regulação para cima da expressão do gene gp91-phox em células U937 da leucemia monoblástica humana. Acontece aumento de 5 vezes na geração do O_2^{*-} comparado com somente o ácido retinoico. Ambos aumentam a transcrição de proteínas envolvidas na geração de O_2^{*-} dos fagócitos: 4 vezes a transcrição do gp91-phox (membrane bound cytochrome b_{558} composed), 5 vezes o p22-phoxe e 4 vezes o p47-phox quando comparado com somente o ácido retinoico. A falta deste sistema nos fagócitos provoca infecções graves de alta mortalidade (Kikuchi, 2018).
   b) Curcumina dramaticamente aumenta a geração de superóxido pelo ácido retinoico via acúmulo das proteínas p476-phox e p67-phox em células U937 da leucemia monoblástica humana (Kikuchi, 2018).
18. **Seminoma**
   Cuidado: Retinol aumenta a proliferação de células TCam-2 do seminoma humano (Young, 2011).

Considerações finais

Os nutrientes essenciais interferem na bioquímica e na fisiologia das células normais promovendo a saúde celular. A neoplasia é "carne da nossa própria carne" e portanto, tais nutrientes também promovem a saúde e a sobrevivência dos tumores.

Devemos lembrar que a vitamina A é outro nutriente antineoplásico com mecanismo *bell-shape*: baixa dose carcinocinético e alta dose carcinostático, entretanto, o excesso deste nutriente inibe o receptor VDR e assim inativa genes supressores de tumor. Como a medicina é complexa! Digo, como a ignorância atrapalha!

Referências

1. Abstracts and papers in full on site: www.medicinabiomolecular.com.br
2. Altucci L, Gronemeyer H. The promise of retinoids to fight against cancer. Nature Reviews Cancer, vol. 1, no. 3, pp.181–193, 2001.
3. Behrens J, Vakaet L, Friis R, et al. Loss of epithelial differentiation and gain of invasiveness correlates with tyrosine phosphorylation of the E-cadherin/β-catenin complex in cells transformed with a temperature-sensitive v-SRC gene. J Cell Biol. 120(3):757-66;1993.
4. Bhattacharya N, et al. Normalizing Microbiota-Induced Retinoic Acid Deficiency Stimulates Protective CD8(+) T Cell-Mediated Immunity in Colorectal Cancer. Immunity. 45(3):641-55;2016.
5. Bryan M, Pulte ED, Toomey KC, et al. A pilot phaseII trial of all-trans retinoic acid (Vesanoid) and paclitaxel (Taxol) in patients with recurrent or metastatic breast cancer. Invest N Drugs. 29(6):1482-7; 2011.
6. Campos B, Weisang S, et al. Retinoid resistance and multifaceted impairment of retinoic acid synthesis in glioblastoma. Glia. 63(10): 1850-9;2015.
7. Carmignani M, Volpe AR, Aldea M, et al. Glioblastoma stem cells: a new target for metformin and arsenic trioxide. J Biol Regul Homeost Agents. 28(1):1-15;2014.
8. Chang Q, Chen Z, You J, et al. All-trans-retinoic acid induces cell growth arrest in a human medulloblastoma cell line. J Neurooncol. 84(3):263-7;2007.
9. Chen X, Yang M, Hao W, et al. Differentiation-inducing and anti-proliferative activities of isoliquiritigenin and all-trans-retinoic acid on B16F0 melanoma cells: mechanisms profiling by RNA-seq. Gene. 592(1):86-98;2016.
10. Chu JH, Gao ZH, Qu XJ. Down-regulation of sphingosine kinase 2 (SphK2) increases the effects of all-trans-retinoic acid (ATRA) on colon cancer cells. Biomed Pharmacother. 68(8):1089-97;2014.
11. Cui J, et al. All-trans retinoic acid inhibits proliferation, migration, invasion and induces differentiation of hepa1-6 cells through reversing EMT in vitro. Int J Oncol. 48(1):349-57;2016.
12. Czarnewski P, Srustidhar Das , Sara M Parigi, Eduardo J Villablanca. Retinoic Acid and Its Role in Modulating Intestinal Innate Immunity .Nutrients. Jan 13;9(1):68, 2017.
13. de Bittencourt Pasquali MA, Gelain DP, et al. Vitamin A (retinol) downregulates the receptor for advanced glycation endproducts (RAGE) by oxidant-dependent activation of p38 MAPK and NF-kB in human lung cancer A549 cells. Cell Signal. 25(4):939-54;2013.
14. Doldo E. Vitamin A, cancer treatment and prevention: the new role of cellular retinol binding proteins. Biomed Res Int. 2015:624627; 2015.
15. Doldo E, Costanza G, Ferlosio A, et al. CRBP-1 expression in ovarian cancer: a potential therapeutic target. Anticancer Res. 34(7):3303-12; 2014.
16. Farias EF, Ong NBD, Ghyselinck ES, et al. Cellular retinol-binding protein I, a regulator of breast epithelial retinoic acid receptor activity, cell differentiation, and tumorigenicity. J Nat Cancer Instit. 97(1):21-9;2005.

17. Farias EF, Marzan C, Mira-Y-Lopez R. Cellular retinol-binding protein-I inhibits PI3K/Akt signaling through a retinoic acid receptor-dependent mechanism that regulates p85-p110 heterodimerization. Oncogene. 24(9):1598-606;2005.
18. Flamini MI, Gauna GV, Sottile ML, et al. Retinoic acid reduces migration of human breast cancer cells: role of retinoic acid receptor beta. J Cell Mol Med. 18(6):1113-23;2014.
19. Friedman MD, Jeevan DS, Tobias M, et al. Targeting cancer stem cells in glioblastoma multiforme using mTOR inhibitors and the differentiating agent all-trans retinoic acid. Oncol Rep. 30(4):1645-50;2013.
20. Fu YS, Wang Q, Ma JX, et al. CRABP-II methylation: a critical determinant of retinoic acid resistance of medulloblastomacells. Mol Oncol. 6(1):48-61;2012.
21. García-Regalado A, Vargas M, García-Carrancá A, et al. Activation of Akt pathway by transcription-independent mechanisms of retinoic acid promotes survival and invasion in lung cancer cells. Mol Cancer. 12:44;2013.
22. Gumireddy K, Sutton LN, Phillips PC, Reddy CD. All-trans-retinoic acid-induced apoptosis in human medulloblastoma: activation of caspase-3/poly(ADP-ribose) polymerase 1 pathway. Clin Cancer Res. 9(11):4052-9;2003.
23. Greve G, Schiffmann I, Lübbert M. Epigenetic priming of non-small cell lung cancer cell lines to the antiproliferative and differentiating effects of all-trans retinoic acid. J Cancer Res Clin Oncol. 141(12):2171-80;2015.
24. Han S, Fukazawa T, Yamatsuji T, et al. Anti-tumor effect in human lung cancer by a combination treatment of novel histone deacetylase inhibitors: SL142 or SL325 and Retinoic acids. PLoS One. 5(11): e13834;2010.
25. Hide T, Makino K, et al. New treatment strategies to eradicate cancer stem cells and niches in glioblastoma. Neurol Med Chir (Tokyo). 53(11):764-72; 2013.
26. Hillestad LK. Acute promyelocytic leukemia. Acta Med Scand. 159(3):189-94;1957.
27. Jiang M, Zhu K, Grenet J, Lahti JM. Retinoic acid induces caspase-8 transcription via phospho-CREB and increases apoptotic responses to death stimuli in neuroblastoma cells. Biochim Biophys Acta. 1783(6):1055-67; 2008.
28. Infante M, Pastorino U, Chiesa G, et al. Laboratory evaluation during high-dose vitamin A administration: a randomized study on lung cancer patients after surgical resection. J Cancer Res Clin Oncol. 117(2):156-62;1991.
29. Karsy M, Albert L, Murali R, Jhanwar-Uniyal M. The impact of arsenic trioxide and all-trans retinoic acid on p53 R273H-codon mutant glioblastoma. Tumour Biol. 35(5):4567-80;2014.
30. Kikuchi H, Kuribayashi F, Kiwaki N, Nakayama T. Curcumin dramatically enhances retinoic acid-induced superoxide generating activity via accumulation of p47-phox and p67-phox proteins in U937 cells. Biochem Biophys Res Commun. Apr 23;395(1):61-5;2010.
31. Kikuchi H, Mimuro H, Kuribayashi F. Resveratrol strongly enhances the retinoic acid-induced superoxide generating activity via up-regulation of gp91-phox gene expression in U937 cells. Biochem Biophys Res Commun. 2018.
32. Kuppumbatti YS, Bleiweiss IJ, et al. Cellular retinol-binding protein expression and breast cancer. J Nat Cancer Instit. 92(6):475-80;2000.
33. Li HX, Zhao W, Shi Y, et al. Retinoic acid amide inhibits JAK/STAT pathway in lung cancer which leads to apoptosis. Tumour Biol. 36(11):8671-8;2015.
34. Li C, Imai M, Matsuura T, et al. Inhibitory Effects of Retinol Are Greater than Retinoic Acid on the Growth and Adhesion of Huma Refractory Cancer Cells. Biol Pharm Bull. 39(4):636-40;2016.
35. Liu JP, et al. Celecoxib increases retinoid sensitivity in human colon cancer cell lines. Cell Mol Biol Lett. 15(3):440-50;2010.
36. Liu Z, et al. ATRA inhibits the proliferation of DU145 prostate cancer cells through reducing the methylation level of HOXB13 gene. PLoS One. 7(7):e40943;2012.
37. Lo-Coco F, Avvisati G, Vignetti M, et al. Retinoic acid and arsenic trioxide for acute promyelocytic leukemia. N Engl J Med. 369(2): 111-21;2013.
38. Lu HQ, Zheng J. Synergistic inhibitory effect of all-trans retinoic acid and 1,25-dihydroxy vitamin D3 on growth of human hepatoma cell line HepG2. Ai Zheng. 25(12):1470-6;2006.
39. Lu HC, Ma J, Zhuang Z, et al. Retinoic acidincorporated glycol chitosan nanoparticles inhibit the expression of Ezh2 in U118 and U138 human glioma cells. Mol Med Rep. 12(5):6642-8;2015.
40. Magrassi L, Butti G, Pezzotta S, et al. Effects of vitamin D and retinoic acid on human glioblastoma cell lines. Acta Neurochir (Wien). 133(3-4):184-90;1995.
41. Mawson AR. Retinoids in the treatment of glioma: a new perspective. Cancer Manag Res. 4(1):233-41;2012.
42. Mezquita B, Mezquita P, Pau M, et al. All-trans-retinoic acid activates the pro-invasive Src-YAP-Interleukin 6 axis in triple-negative MDA-MB-231 breast cancer cells while cerivastatin reverses this action. Sci Rep. May 4;8(1):7047;2018.
43. McLaren DS, Oomen HAPC, Escapini H. Ocular manifestations of vitamin A deficiency in man. BullWorld Health Organ. 34:357-61;1966.
44. Moon RC, Grubbs CJ, Sporn MB. Inhibition of 7,12 dimethylbenz(a)anthracene induced mammary carcinogenesis by retinyl acetate. Cancer Res. 36(7):2626-30;1976.
45. Mukherjee P, Das SK. Action of retinoic acid on human glioblastoma-astrocytoma--14 cells in culture. Neoplasma. 42(3):123-8;1995.
46. Murakami C, Takemura M, Sugiyama Y, et al. Vitamin A-related compounds, all-trans retinal and retinoic acids, selectively inhibit activities of mammalian replicative DNA polymerases. Biochim Biophys Acta. Feb 20;1574(1):85-92, 2002.
47. Niles RM. Signaling pathways in retinoid chemoprevention and treatment of cancer. Mutat Res. 555(1-2):81-96;2004.
48. Orlandi A, Ferlosio A, Ciucci A, et al. Cellular retinol binding protein-1 expression in endometrial hyperplasia and carcinoma: diagnostic and possible therapeutic implications. Modern Pathol. 19(6):797-803;2006.
49. Paillaud E, Costa S, Fages C, et al. Retinoic acid increases proliferation rate of GL-15 glioma cells, involving activation of STAT-3 transcription factor. J Neurosci Res. 67(5):670-9;2002.
50. Papi A, Ferreri AM, Guerra F, Orlandi M. Anti-invasive effects and proapoptotic activity induction by the rexinoid IIF and valproic acid in combination on colon cancer cell lines. Anticancer Res. 32(7):2855-62;2012.
51. Pastorino U, Infante M, Maioli M, et al. Adjuvant treatment of stage I lung cancer with high-dose vitamin A. J Clin Oncol. 11(7):1216-22;1993.
52. Piccirillo SG, Reynolds B, Zanetti N, et al. Bone morphogenetic proteins inhibit the tumorigenic potential of human brain tumour initiating cells. Nature. 444:761-5;2006.
53. Quintero Barceinas RS, García-Regalado A, et al. All-Trans Retinoic Acid Induces Proliferation, Survival, and Migration in A549 Lung Cancer Cells by Activating the ERK Signaling Pathway through a

Transcription-Independent Mechanism. Biomed Res Int. 2015:4 04368;2015.

54. Ramamurthy VP, et al. Simultaneous targeting of androgen receptor (AR) and MAPK-interacting kinases (MNKs) by novel retinamides inhibits growth of human prostate cancer cell lines. Oncotarget. 6(5):3195-210;2015.
55. Reinhardt A, Liu H, Ma Y, et al. Tumor Cell-selective Synergism of TRAIL- and ATRA-induced Cytotoxicity in Breast Cancer Cells. Anticancer Res. May;38(5):2669-2682;2018.
56. Roberts PJ, Der C.J. Targeting the Raf-MEK-ERK mitogen-activated protein kinase cascade for the treatment of cancer. Oncogene. 26(22):3291-310;2007.
57. Rogers AE, Herndon BJ, Newberne PM. Induction by dimethylhydrazine of intestinal carcinoma in normal rats and rats fed high or low levels of vitamin A. Cancer Res. 33(5):1003-9;1973.
58. Sha J, et al. Synergistic effect and mechanism of vitamin A and vitamin D on inducing apoptosis of prostate cancer cells. Mol Biol Rep. 40(4):2763-8;2013.
59. Shibata M-A, Hirose M, Masuda A, et al. Modification of BHA forestomach carcinogenesis in rats: inhibition by diethylmaleate or indomethacin and enhancement by a retinoid. Carcinogenesis. 14(7):1265-9;1993.
60. Schmitt-Gräff A, Ertelt V, Allgaier HP, et al. Cellular retinolbinding protein-1 in hepatocellular carcinoma correlates with β-catenin, Ki-67 index, and patient survival. Hepatology. 38(2)470-80;2003.
61. Stockhausen MT, Kristoffersen K, Stobbe L, Poulsen HS. Differentiation of glioblastoma multiforme stem-like cells leads to downregulation of EGFR and EGFRvIII and decreased tumorigenic and stem-like cell potential. Cancer Biol Ther. 15(2):216-24;2014.
62. Sunayama J, Sato A, Matsuda K, et al. Dual blocking of mTor and PI3K elicits a prodifferentiation effect on glioblastoma stem-like cells. Neuro Oncol. 12(12):1205-19;2010.
63. Tanumihardjo SA, Russell RM, Stephensen CB, et al. Biomarkers of Nutrition for Development (BOND)-Vitamin A Review. J Nutr. 146(9):1816S-48S;2016.
64. See comment in PubMed Commons belowTanumihardjo SA. Vitamin A: biomarkers of nutrition for development. Am J Clin Nutr. 94(2):658S-65S;2011.
65. Valerio C, Scioli MG, Gentile P, et al. Platelet-rich plasma greatly potentiates insulin-induced adipogenic differentiation of human adipose-derived stem cells through a serine/threonine kinase Akt-dependent mechanism and promotes clinicalfat graft maintenance. Stem Cells Transl Med. 1(3):206-20;2012.
66. Wang Z-Y, Chen Z. Acute promyelocytic leukemia: from highly fatal to highly curable. Blood. 111(5):2505-15;2008.
67. Wang Q, Lee D, Sysounthone V, et al. 1,25-Dihydroxyvitamin D 3 and retonic acid analogues induce differentiation in breast cancer cells with function- and cell-specific additive effects. Breast Cancer Res Treat. 67(2):157-68;2001.
68. Wei S, Kozono S, Kats L, et al. Active Pin1 is a key target of all-trans retinoic acid in acute promyelocytic leukemia and breast cancer. Nat Med. 21(5):457-66;2015.
69. West KP Jr, Katz J, Khatry SK, et al. Double blind, cluster randomised trial of low dose supplementation with vitamin A or b-carotene on mortality related to pregnancy in Nepal. BMJ. 318:570-5;1999.
70. WHO. Guideline: vitamin A supplementation for infants and childre 6–59 months of age. 2011 [cited 2014 Mar 14]. Available from: http://www.who.int/nutrition/publications/micronutrients/guidelines/vas_6to59_months/en/.
71. WHO. Guideline: vitamin A supplementation for infants 1–5 month of age. 2011 [cited 2014 Mar 14]. Available from: http://www.who.int/nutrition/publications/micronutrients/guidelines/vas_infants_1–5/en/.
72. WHO. Guideline: vitamin A supplementation in pregnant women. Geneva (Switzerland): WHO; 2011.
73. WHO. Guideline: vitamin A supplementation in postpartum women. Geneva (Switzerland): WHO; 2011.
74. WHO. Guideline: vitamin A supplementation in pregnancy for reducing the risk of mother-to-child transmission of HIV. Geneva (Switzerland): WHO; 2011.
75. Wong NACS, Pignatelli M. β-catenin – a linchpin in colorectal carcinogenesis? Am J Pathol. 160(2):389401;2002.
76. Woo YJ, Jang KL. All-trans retinoic acid activates E-cadherin expression via promoter hypomethylation in the human colon carcinoma HCT116 cells. Biochem Biophys Res Commun. 425(4):944-9; 2012.
77. Ying M, Wang S, Sang Y, et al. Regulation of glioblastoma stem cells by retinoic acid: role for Notch pathway inhibition. Oncogene. 30(31):3454-67;2011.
78. Young JC, Jaiprakash A, Mithraprabhu S, et al. TCam-2 seminoma cell line exhibits characteristic foetal germ cell responses to TGF-beta ligands and retinoic acid. Int J Androl. Aug;34(4 Pt 2):e204-17; 2011.
79. Yu N, Su X, Wang Z, et al. Association of Dietary Vitamin A and β-Carotene Intake with the Risk of Lung Cancer: A Meta-Analysis of 19 Publications. Nutrients. 7(11):9309-24;2015.
80. Zhao Z, Zhang ZP, Soprano DR, Soprano KJ. Effect of 9-cis-retinoic acid on growth and RXR expression in human breast cancer cells. Exp Cell Res. 219(2):555-61;1995.
81. Zeng Y, Yang Z, Long XD, You C. Inhibition of all-trans retinoic acid on MDM2 gene expression in astrocytoma cell line SHG-44. Neurosci Bull. 24(5):297-304;2008.
82. Zhu X, et al. All-Trans Retinoic Acid-Induced Deficiency of the Wnt/β-Catenin Pathway Enhances Hepatic Carcinoma Stem Cell Differentiation. PLoS One. 10(11):e0143255;2015.

CAPÍTULO 135

Vitamina D_3 (colecalciferol) se transforma em hormônio D3 (calcitriol), inibe a telomerase, suprime a proliferação celular neoplásica e induz diferenciação celular, apoptose e antiangiogênese. Controla e administra vírus e bactérias intracelulares

José de Felippe Junior

Por que os médicos somente solicitam a vitamina D3 (25-hidroxiD3) quando é o hormônio D_3 (1,25-dihidroxiD3) que ocupa o receptor VDR e faz funcionar 4.500 genes, muitos deles supressores de tumor?

Resposta: não sei.

O complexo D é constituído pela vitamina D, colecalciferol de fórmula $25(OH)D_3$, normal de 20 a 25ng/ml; e o hormônio D_3, calcitriol de fórmula $1,25(OH)_2D_3$, normal de 60 a 110pg/ml. É o calcitriol que ocupa o receptor VDR e faz funcionar 900, 2.200 e para outros 4.400 genes, entre eles os genes supressores de tumor.

A vitamina D_3 de fórmula $C_{27}H_{44}O$ e peso molecular 384,6g/mol, também é conhecida como Cholecalciferol; Calciol; Colecalciferol; 67-97-0; Arachitol.

O hormônio D_3 de fórmula $C_{27}H_{44}O_3$ e peso molecular 416,6g/mol também é conhecido como Calcitriol; Rocaltrol; Calcijex; 32222-06-3; Topitriol; Silkis.

O quadro 135.1 mostra os genes ativados ou suprimidos quando o hormônio $1,25(OH)_2D_3$ ocupa seu receptor VDR (Nagpal, 2005).

O hormônio D_3 possui atividade anticâncer *in vitro* e *in vivo*: inibe a proliferação e induz apoptose, antiangiogênese e a importante diferenciação celular. Nas doses antitumorais o calcitriol pode provocar hipercalcemia (Ferronato, 2015; Lorenza Diaz, 2015), entretanto, não é o que vemos na prática médica. O quadro 135.2 mostra o resumo dos efeitos do calcitriol no câncer.

A noção que o hormônio $1,25(OH)_2D_3$ desempenha atividade anticâncer surgiu a partir de estudos epidemiológicos que mostraram correlação inversa entre a exposição ao Sol, ingestão de vitamina D e níveis sanguíneos da vitamina D com a incidência de câncer de mama, próstata e colorretal (Ness, 2015; Studzinski, 1995; Saati, 1997).

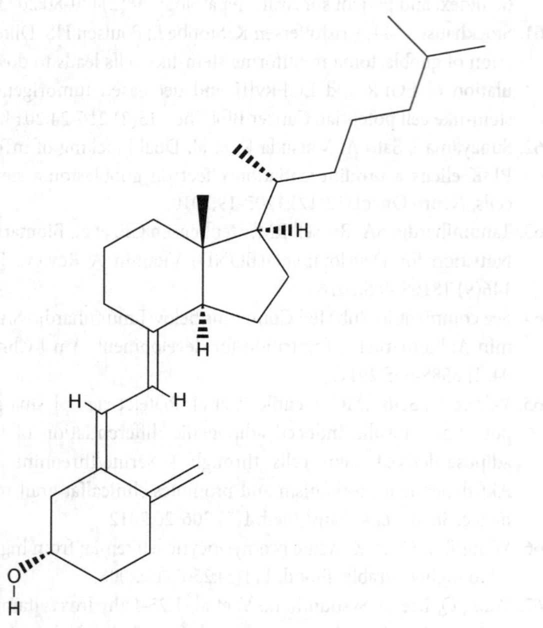

$25(OH)D_3$ – vitamina D_3-colecalciferol

O câncer de pulmão não de pequenas células aberrantemente expressa o CYP24, enzima catabolizante do hormônio D_3. A CYP24 restringe a regulação transcricional e o controle do crescimento tumoral pela $1,25(OH)_2D_3$. A mutação K-ras se associa a 4 vezes de

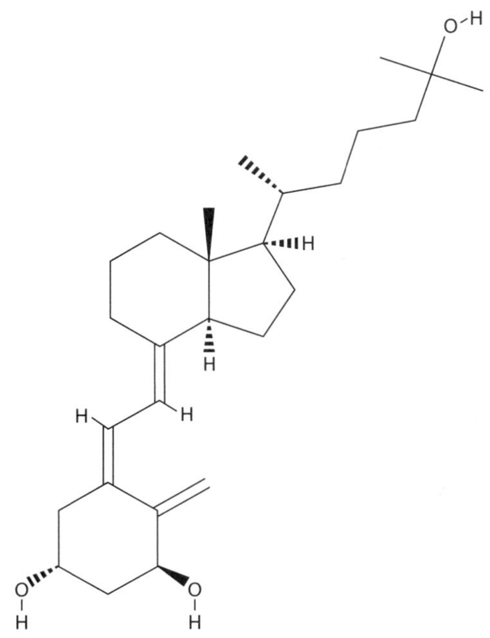

1,25$(OH)_2D_3$ – hormônio D_3-calcitriol

aumento da expressão do RNA do CYP24 comparada à mutação do EGFR em uma série de 147 adenocarcinomas de pulmão. Isto torna a mutação de EGFR mais responsiva ao calcitriol. A combinação calcitriol/erlotinib provoca maiores efeitos antitumorais do que esses agentes em separado (Zhang, 2013).

O hormônio D3, 1,25$(OH)_2D_3$ suprime a expressão da telomerase no câncer humano via microRNA-498 e diminui a proliferação celular neoplásica (Kasisppan, 2012).

O hormônio D3 induz diferenciação de células cancerígenas de cólon, mama, próstata, carcinoma de células escamosas, osteossarcoma, leucemia mieloide etc. (Gocek, 2009; Hu, 2014).

CUIDADO. A vitamina D em excesso suprime o sistema imune. Um dos inúmeros trabalhos que provam este fato foi escrito por Cao em 2018: A vitamina D agrava o câncer de mama do camundongo por induzir imunosupressão. A administração de vitamina D provoca declínio da sobrevida e aumento do volume do tumor. Acontece diminuição do número de células CD3+ CD4+ T, CD3+ CD8+ T, CD4+ T-bet, IFN-γ, Th1 e aumento de células supressoras derivadas de mieloides (MDSCs). O ideal é vitamina D3 em torno de 30ng/ml com PTH em nível inferior do normal o que significa hormônio D3 elevado.

O hormônio 1,25D induz a transcrição de PD-L1

A 1,25-dihidroxivitamina D hormonal (1,25D) é um indutor transcricional direto dos genes humanos que codificam PD-L1 e PD-L2 através do receptor VDR da vitamina D. A 1,25D estimula a transcrição do gene que codifica PD-L1 em células epiteliais e mieloides, enquanto o gene que codifica o PD-L2 mais restrito a tecidos é regulado apenas em células mieloides. Em experimentos de co-cultura com células T humanas pri-

VDR Regulated Genes in Cancer Cells

+				–			
Prostate	**Colon**	**Breast**	**Keratino/SCC**	**Prostate**	**Colon**	**Breast**	**Keratino/SCC**
P21	p2l	P21	TGase I	CDK2	c-myc	CDK2	EGF-R
P27	p27	p27	Involucrin	MMP-2	PPARδ	CDK4	c-myc
IGFBP-3	E-cadherin	TGF-β1	24-OHase		Tcf-1	Cyclin D1	K16
IGFBP-5	ZO-1	HoxB4	IL-10R		CD44	Cyclin A	SCCA
E-cadherin	ZO-2	IGFBP-3	PLC-β1		Cyclin D1	Cyclin D3	CRABPII
DUSP-10	24-OHase	IGFBP-5	PLC-γ1		Cylcin E	c-myc	N-cadherin
TRR1	CAT1	24-OHase	PLC-δ1		CDK2	MMP-9	
SOD2	CAT2		TGF-β1		CDK6	CDK6	
AR	c-Jun		Calcium receptor				
24-OHasc	JunB		c-Fos				
Metallo-thioneins	JunD		VDUP1				
	FREAC-1/Fox 1		Protease M				
	ZNF-4/KOX7		Cystatin M				
	Plectin		Amphiregulin				
	Filamin		Stromelysin I				
	K13		Collagenase I				
	Kallikrein 10						
	Protease M						

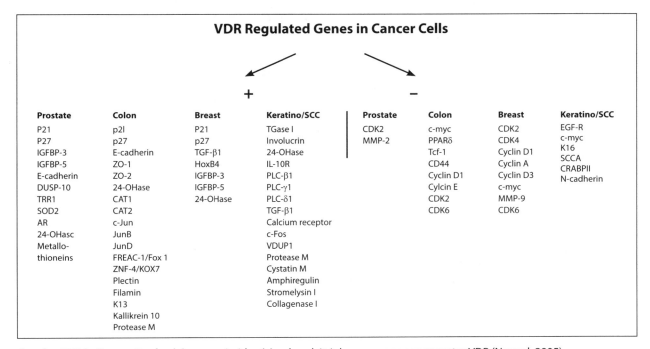

Quadro 135.1 Genes ativados (+) ou suprimidos (–) pelo calcitriol ao ocupar o seu receptor VDR (Nagpal, 2005).

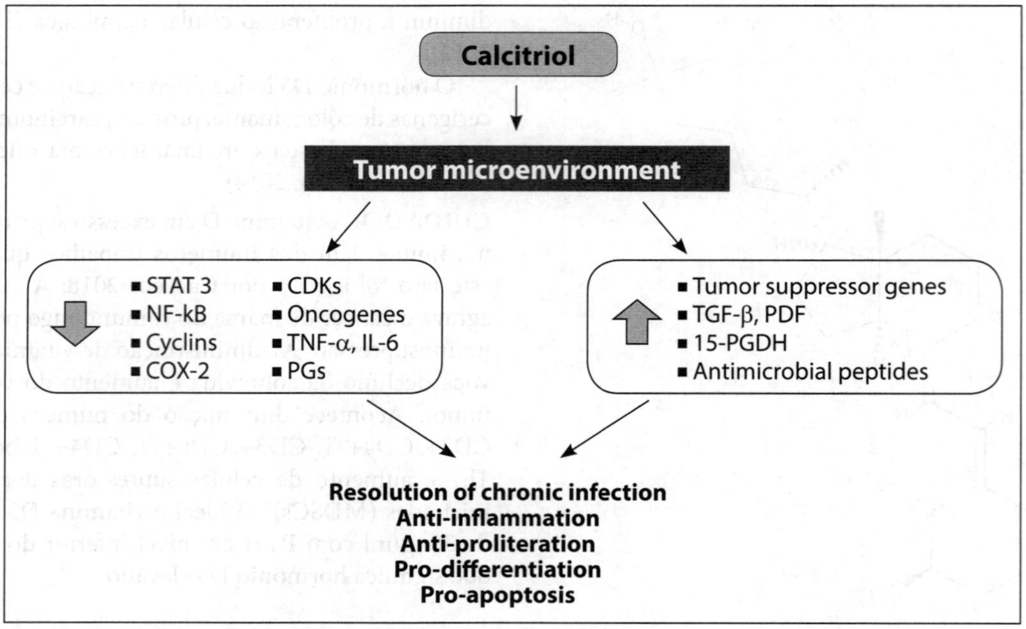

Quadro 135.2 Efeitos do calcitriol, hormônio D_3, no câncer (Lorenza Diaz, 2015).

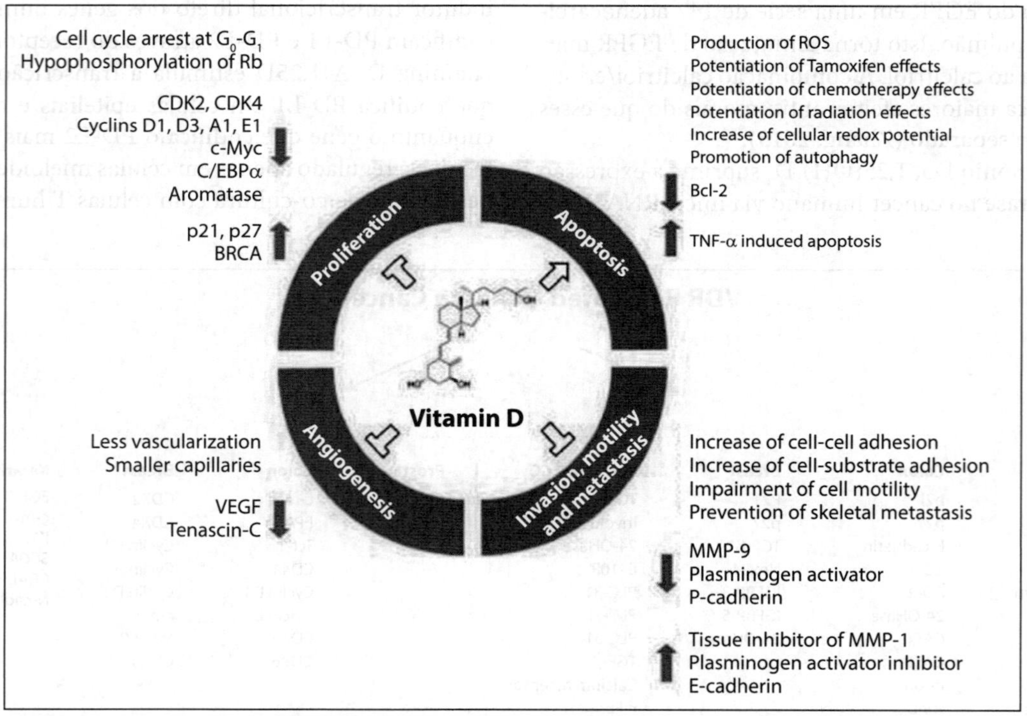

Quadro 135.3 Efeitos do calcitriol no câncer: proliferação, apoptose, angiogênese, invasão, motilidade e metástases (Nair Lopes, 2012). Na figura faltou o importante efeito: diferenciação celular. Note que na figura está escrito "Vitamin D", entretanto, mostra a fórmula do hormônio D_3.

márias, as células epiteliais pré-tratadas com 1,25D suprimiram a ativação das células CD4+ e CD8+ e inibiram a produção de citocinas inflamatórias. Consistente com observações anteriores de regulação específica pela vitamina D, os VDREs estão presentes em genes de primatas, mas nem os VDREs nem a regulação por 1,25D estão presentes em camundongos.

As ações pró-tolerogênicas de PD-L1 foram associadas a efeitos benéficos em uma infinidade de doenças relacionadas ao sistema imunológico (6), a saber, esclerose múltipla, DII, lúpus eritematoso sistêmico e diabetes. A vitamina D possui ações pleiotrópicas. Ele passa por hidroxilações sequenciais para produzir sua forma hormonal, 1,25-dihidroxivitamina D (1,25D), que sinaliza através do receptor de vitamina D (VDR). O VDR é expresso em todo o sistema imunológico e 1,25D emergiu como um regulador chave da imunidade inata por meio de suas ações nas células mieloides e epiteliais.

A 1,25D aumenta as respostas imunes inatas, entretanto, ela induz uma imunidade adaptativa mais tolerogênica associada devido predomínio de células Treg e citocina anti-inflamatórias (IL-10) em relação às citocinas inflamatórias (IFN-γ, TNF-α, IL-17 e IL -21).

É importante ressaltar, no entanto, que isso pode provar ser uma faca de dois gumes em termos de ações fisiológicas versus potenciais patofisiológicas de sinalização de VD, uma vez que a expressão elevada de PD-L1 induzida por 1,25D pode ser prejudicial à imunidade antitumoral (Gianchecchi, 2013; Wang, 2004-2010; Lin, 2004; White, 2012; Wang, 2010; Verway, 2012).

Alvos moleculares do hormônio D_3 no câncer

1. **Geral**
   a) **Cuidado:** o excesso de vitamina A impede a ativação do receptor VDR por formar excesso do complexo RXR-RXR no lugar de RXR-VDR (Doldo, 2015).
   b) O calcitriol induz oxidação e quebra de DNA em células neoplásicas ao interagir com íons cobre II e induzir aumento da geração de radicais livres (Rizvi, 2015).
   c) O antioxidante N-acetilcisteína impede a ação do calcitriol sugerindo o envolvimento dos radicais livres no seu mecanismo de ação. De fato, os efeitos do $1,25(OH)_2D_3$ são praticamente abolidos com a adição de quelantes de metais ou das enzimas antioxidantes, SOD-Mn ou SOD-CuZn.
   d) A vitamina D_3 e seus análogos inibem a via SHh, Sony Hedgehog de proliferação celular (De Berardinis, 2015).
   e) Receptor VDR da vitamina D antagoniza a sinalização da Beta-catenina (Johnson, 2015).
2. **Antimicobactérias**
   a) Catelicidina, antibiótico intracelular, inibe Mycobacterium marinum em monócitos humanos (Sato, 2013).
   b) Hormônio D3 polariza monócitos para M1 e promove o controle da infecção por Mycobacterium tuberculosis (Rao, 2020).
   c) A suplementação de vitamina D quando aumenta o hormônio D3 gera catelicidina intracelular o que reduz a morbidade e a mortalidade da co-infecção TB/HIV e sua progressão (Ayelign, 2020).
   d) **Cuidado**: hipervitaminose D pode piorar o quadro clínico e o infeccioso da tuberculose até de bodes (Risalde, 2019). Sabe-se que excesso de vitamina D é imunossupressora, tanto que é empregada em protocolos fixos para tratamento de doenças autoimunes.
   e) **Cuidado**: A Vitamina D3 é um secosteroide e funciona como imunossupressor da inflamação nas doenças autoimunes – diminui os sintomas, mas a doença persiste (Albert e Proal, 2009). A vitamina D3 (colecalciferol) existe para ser transformada em hormônio D3 (calcitriol).
3. **Vários tumores**
   a) O calcitriol *in vivo* retarda o crescimento de tumores humanos de mama, cólon, melanoma e retinoblastoma, implantados no camundongo (Welsh, 1994).
   b) O calcitriol administrado na dose de 4.000UI/dia a pacientes com câncer em fase final melhorou a qualidade de vida, diminuiu a fadiga e melhorou o desempenho físico, em estudo randomizado e controlado com placebo (Martinez-Alonso, 2014).
   c) *In vivo* o calcitriol aumenta a ação citotóxica dos macrófagos, linfócitos e células *natural killer* e também aumenta a potência citostática do fator de necrose tumoral-alfa (TNF-alfa) (Gavison, 1999; Rocker, 1994; Yacobi, 1996; Ravid, 1993).
4. **Gliomas**
   a) Estudo envolvendo 12.488 gliomas e 18.169 controles verificou-se ausência de associação entre 25D e risco de gliomas não GBM: OR = 1,21, 95% confidence interval [CI] = 0,90-1,62, P = 0,201. No glioblastoma multiforme a associação é inversa: OR = 0,62, 95%IC = 0,43-0,89, p = 0,010 (Takahashi, 2018).
   b) Expressão do receptor VDR do hormônio D_3 se associa com melhora da sobrevida no glioblastoma multiforme em humanos (Salomón, 2014).
   c) Metabólitos da vitamina D e análogos induzem apoptose em células do glioma C6 do rato (Elias, 2003).

d) Indução de morte celular por calcitriol em células do glioma C6 do rato e GHD humano (Naveilhan, 1994).
e) Noradrenalina inibe a morte celular programada provocada no glioma pela 1,25$(OH)_2D_3$ (Canova, 1997).
f) Tenascin-C é uma proteína da matriz extracelular com atividade proliferativa, invasiva e angiogênica. O hormônio 1,25$(OH)_2D_3$ e o ácido retinoico inibem a expressão da Tenascin-C em células C6 do glioma do rato, de modo dose dependente. Não há efeito sinérgico ou aditivo (Alvarez-Dolado, 1999).

5. **Câncer de esôfago**
a) Estudaram-se 373 pacientes com câncer esofageal. A exposição aos raios ultravioleta associou-se com a diminuição do risco de câncer de esôfago em geral: OR = 0,60; 95%IC: 0,45-0,80 e do adenocarcinoma esofageal, OR = 0,48; 95%IC: 0,34-0,68 (O'Sullivan, 2018).
b) No carcinoma epidermoide de esôfago o calcitriol revoga a IL-6 que induz um comportamento tumoral agressivo e recruta a MDSC (*myeloid-derived suppressor cell*) para inibir a promoção tumoral. O autor sugere a suplementação de calcitriol no carcinoma epidermoide humano (Chen, 2015).
c) Exposição aos raios ultravioleta possui correlação inversa com o câncer de esôfago, o que não acontece com o *status* da vitamina D circulante. Lesões pré-cancerosas como displasia epidermoide e esôfago de Barrett se correlacionam com deficiência de vitamina D (Rouphael, 2018; Hargrove, 2014).

6. **Câncer de pulmão**
a) Não há associação entre concentração de vitamina D circulante e risco de câncer pulmonar em análise de 20 estudos prospectivos envolvendo 5.313 casos com câncer e 5.313 controles (Muller, 2018).
b) Inibição da CYP24 preserva a 1,25D3 no câncer de pulmão linhagem H292 (Zhang, 2012).
c) 1,25D_3 aumenta a expressão da família de genes supressores tumorais has-let-7a-2 interagindo com o VDR/VDRE em células A549 do câncer pulmonar humano (Guan, 2013).
d) Expressão nuclear do receptor da vitamina D se associa com o aumento da sobrevida no carcinoma pulmonar humano. Analisaram-se 73 amostras cirúrgicas de carcinoma de pulmão sem terapia prévia. Pacientes com alta expressão do VDR nuclear, mas não citoplasmático, apresentaram maior sobrevida (Srinivasan, 2011).
e) 1,25D_3 regula a motilidade, invasão e potencial metastático do carcinoma epidermoide humano variante refratária, SCC-DR (Ma, 2013).

7. **Câncer de mama**
a) Meta-análise de 68 estudos mostrou apenas na pré-menopausa relação inversa entre a vitamina D circulante e o risco de câncer de mama. Nos estudos coorte RR = 0,85, 95%IC: 0,74-0,98 e nos case-control OR = 0,65, 95%IC: 0,56-0,76 (Esébanez, 2018).
b) Em células do câncer de mama o pré-tratamento com calcitriol aumenta a citotoxicidade induzida pela menadiona ou pelo quimioterápico doxorrubicina (Amiram, 1999).
c) O calcitriol e seus análogos aumentam a atividade antiproliferativa do gefitinibe em células do câncer de mama EGFR e HER2 positivo (Segovia-Mendoza, 2015).
d) Em células do câncer de mama MCF-7 tratadas com calcitriol observam-se redução marcante da atividade da SOD-CuZn e redução do RNA mensageiro desta enzima no citoplasma. Esta redução da capacidade antioxidante das células provocada pelo calcitriol explica a sua interação sinérgica com outras substâncias geradoras de radicais livres (Vink-Van Wijngaarden, 1994).
e) A suplementação com colecalciferol, mínimo de 1.000UI ao dia, aumenta a sobrevida das pacientes com câncer de mama, entretanto, a suplementação com calcitriol é mais eficaz (Martin-Hernandez, 2015). O colecalciferol somente é eficiente quando transformado em calcitriol.
f) O alquinilfosfonato, derivado do calcitriol sem efeito hipercalcêmico, possui efeitos antimetastáticos e adesivos por aumento da expressão do gene E-caderina no câncer de mama (Maria, 2015).
g) O hormônio 1,25$(OH)_2D_3$ mais ácido retinoico inibem a expressão da Tenascin-C em células câncer de mama.
h) 1,25D_3 inibe o potencial transcricional do NF-kappaB em células do câncer de mama, MCF-7 (Tse, 2010).
i) Hormônio D_3, calcitriol, aumenta de modo caspase dependente e caspase independente via TNF a morte de células do câncer de mama MCF-7 com aumento dos radicais livres de oxigênio. O calcitriol induz o aumento da atividade da caspase-3 e citotoxicidade e o TNF induz citotoxicidade de modo independente da caspase. Calcitriol decresce o potencial de membrana mitocondrial induzido pelo TNF e este aumenta os radicais livres de oxigênio (Weitsman, 2003).

j) Ruxolitinibe, inibidor da Janus kinase 1/2 e calcitriol possuem efeitos sinérgicos no câncer de mama ER+ e no HER2+ (human epidermal growth factor receptor 2), linhagem MCF7-HER18 (Lim, 2018).
k) Suplementação com 1,25(OH)$_2$D$_3$ diminui 27-hidroxicolesterol (27HC) em mulheres com câncer de mama MCF-7, possivelmente por inibir a CYP27A1, enzima que sintetiza a 27HC. 27HC é receptor seletivo endógeno de estrógeno (SERM) e promove o crescimento do câncer de mama estrógeno-positivo MCF-7 (Going, 2018).
l) Redução da expressão do VDR dentro de células do câncer mama acelera o crescimento do tumor e possibilita o desenvolvimento de metástases (Aggarwal, 2018).
m) Calcitriol regula para baixo a expressão: 1. da CYP19A1 que codifica a enzima aromatase a qual catalisa a síntese de estrógeno; 2. do ERα (estrogen receptor α); e 3. do WSTF (Williams syndrome transcription factor). Este tem por função ligar-se ao CYP19A1 e do ERα e promover a ativação de ambos. A 1,25D$_3$ dissocia o WSTF do CYP19A1 e do ERα e diminui a atividade de ambos (Lundqvist, 2018).

8. **Câncer de mama triplo negativo**
a) Revisão sistemática revelou que diminuição da vitamina D no soro aumenta o risco de câncer de mama triplo negativo (Tommie, 2018).
b) É crucial a manutenção dos níveis de 25D$_3$ em 25-30 ng/ml e o PTH em nível inferior do normal (15-16pg/ml) com colecalciferol 10.000UI ao dia em conjunto com riboflavina, 50mg e genisteína 200mg ao dia (La-Porta, 2014; Felippe Jr, 2018).
c) Em células do câncer de mama humano MDA-MB-231 o calcitriol inibe a proliferação e aumenta a apoptose. O mecanismo antitumoral envolve o mTOR e vias associadas que ativam a expressão da caspase-3, Bax e p-AMPK, assim como inibindo a expressão da p-Bcl-2, c-Myc, p-IGF-IR, p-mTOR, p-P70S6K, p-S6 (Guo, 2015b).
d) No câncer de mama triplo negativo 4T1 vitamina D-resistente existe sinergismo antiproliferativo com inibidores das histonas desacetilases (Bijan, 2018).
e) Em células MDA-MB-231 do câncer de mama triplo negativo e células MCF-7 do câncer de mama ER-positivo acontece efeito antiproliferativo com calcitriol (hormônio D$_3$) ou celecoxibe (inibidor da COX-2), entretanto a inibição aumenta fortemente com a combinação de ambos (Friedrich, 2018).
f) Vitamina D$_3$ diminui a glicólise e a invasividade, enquanto aumenta a rigidez de células do câncer de mama, tanto o pouco metastático MCF-7, como o altamente metastático MDA-MB-231. Em ambas as linhagens acontece regulação para baixo das enzimas glicolíticas e de seus genes, ao lado de diminuir a captação de glicose. De modo significativo induz apoptose via diminuição da expressão do mTOR e aumento da ativação da AMPK. Reverte EMT (epithelial to mesenchymal transition) e aumenta a expressão da E-caderina e F-actina (aumenta rigidez celular), ao lado de reduzir a expressão da vimentina (reduz migração) Os efeitos descritos são mais potentes na linhagem MDA-MB-231 (Santos, 2018).
g) Calcitriol inibe a proliferaão do cancer de mama triplo negativo via IL-1beta e TNF-alfa (Martinez-Reza, 2019).
h) Calcitriol mais curcumina ou resveratrol possuem efeitos sinérgicos via inibição da angiogênese *in vivo* em modelo de xeno-enxerto (Garcia-Quiroz, 2019).

9. **Câncer de próstata**
a) Vitamina D$_3$ se transforma em hormônio D$_3$, ocupa o receptor VDR e induz parada do ciclo celular em G1/S e assim inibe a proliferação de células do câncer de próstata, aumenta a apoptose e a expressão de genes que promovem a diferenciação celular, enquanto suprime a angiogênese e a migração celular (Ahn, 2012).
b) Muitos efeitos moleculares medeiam os efeitos antiproliferativos da vitamina D (Moreno, 2005).
c) Hormônio D$_3$ diminui a migração (Sung, 2005).
d) Calcitriol inibe a invasividade de células do câncer de próstata (Schartz, 1997).
e) Calcitriol inibe a proliferação, migração e invasão induzidas por lipopolissacarídeos, através da supressão da ativação do sinal STAT3 (Xing, 2020).

10. **Câncer colorretal**
a) O calcitriol remodela a composição lipídica de células do câncer de cólon, Caco-2, SW1417 e SW480-ADH, alongando e saturando a cadeia acil. O hormônio 1,25(OH)$_2$D$_3$ provoca mudanças em várias enzimas lipogênicas, como a ácido graxo sintase (FASN), acetil-CoA carboxilase (ACACA) e as ácido graxo elongases (ELOVLs) (Leyssens, 2015).
b) No câncer de cólon refratário ao calcitriol, a silibinina restabelece os efeitos antineoplásicos do hormônio (Bhatria, 2015).
c) Fujioka, em 1998, Iseki, em 1999, e Van den Bend, em 2000, demonstraram que a vitamina

D_3 apresenta propriedade antiangiogênica no carcinoma renal murino e no carcinoma de cólon humano.

d) Calcitriol provoca regulação para baixo de duas proteínas ribossomais, L37 e S100A10, ambas envolvidas fortemente na carcinogênese do câncer de cólon direito e esquerdo (Schroll, 2018).

e) Calcitriol inibe a proliferação e promove a diferenciação epitelial de linhagens celulares de carcinoma do cólon humano que expressam o receptor VDR da vitamina D, através da regulação de um número elevado de genes. Uma ação chave é a inibição da via de sinalização Wnt/β-catenina, a ativação de várias células do sistema imune e melhora da microbiota intestinal (Ferrer-Mayorga, 2019).

f) Calcitriol suprime o crescimento e a invasão do câncer de ovário tendo como alvo o oncogenico *long non-coding RNA (lncRNA) CCAT2* (colon cancer associated transcript 2) (Wang, 2020).

g) Apenas 1% do IGF-1 sérico total é livre e bioativo, e 80% dele se liga ao IGFBP-3. Sabe-se que o IGF-1 e seu receptor IGF-1R induzem a proliferação celular. Tanto o IGF-1 quanto o IGFBP-3 podem favorecer a angiogênese, aumentando a transcrição do gene VEGF. Uma alta proporção de IGF-1/IGFBP-3 no soro está associada a um risco aumentado de câncer colorretal. O VDR é um fator de transcrição para o gene IGFBP-3, e o IGF-1 aumenta a síntese de calcitriol (Ciulei, 2020).

11. **Câncer gástrico**
Estudaram-se 249 pacientes com câncer gástrico. A exposição aos raios ultravioleta está associada com a diminuição do risco de câncer gástrico (O'Sullivan, 2018).

12. **Câncer de pâncreas**

a) Calcitriol inibe a proliferação e o crescimento tumoral induzindo parada do ciclo células em G1/S, provoca apoptose e reprime a migração e invasão em linhagens humanas do câncer pancreático, *in vitro* e em modelo xenotransplantado. Acontece regulação para cima dos inibidores p21 e p27 das CDKs e regulação para baixo da ciclina D3 e CDK4 e 5. Promove diminuição da via hedgehog bloqueando a caderina, reprime a síntese de F-actina e diminui a secreção das MMPs 2 e 9. Seu análogo regula para baixo o Snail, Slug e Vimentina e inibe a transição epitélio-mesenquimal – EMT (Mahendra, 2018).

b) No câncer de pâncreas os efeitos anticâncer mais estudados foram sobre a CDKs p21 e p27 com diminuição da proliferação celular (Barreto, 2015).

13. **Câncer hepático**
Grande porcentagem dos hepatocarcinomas têm a zona CpG do VDR significantemente metiladas impedindo a sua importante função de ativar genes supressores de tumor. A curcumina marcantemente e de modo dose-dependente demetila e ativa o VDR (Abdalla, 2018).

14. **Câncer de ovário**

a) O calcitriol suprime a invasão peritoneal do câncer de ovário epitelial humano *in vitro* (Lungchukiet, 2015).

b) Vitamina D regula para baixo o DDX4 (Asp-Glu-Ala-Asp)-box helicase 4) e proíbe a proliferação e invasão de células do câncer de ovário humano (Chen, 2018).

c) H3K4me3 (histone 3 lysine 4 trimethylation) é mediador para os efeitos antiproliferativos do calcitriol no câncer de ovário (Han, 2020).

15. **Melanoma**

a) $1,25(OH)_2D_3$ inibe o ciclo celular em G1/S regulando para cima os inibidores das ciclinas dependentes das quinases p27 e p21 e inibindo a ciclina D1. Efeito indireto: inibe EGFR (Osborne, 2002).

b) Em células do melanoma maligno o 1,25D3 é antiproliferativo e induz diferenciação celular, *in vitro* e em modelo murino xenotransplantado (Osborne, 2002).

16. **Leucemias**

a) O hormônio D_3 provoca diferenciação em células da leucemia mieloide do camundongo – primeiro trabalho na literatura (Abe, 1981).

b) Hormônio D_3 bloqueia duplamente o ciclo celular, transição de g1 e fases G2 e M, em células da leucemia promielocítica humana, HL60 (Godyn, 1994).

c) $1,25(OH)_2D_3$ induz a diferenciação em células da leucemia humana regulando a expressão do C/EBPβ por meio do MEF2C (Zheng, 2015).

d) Na leucemia promielocítica aguda (UF– = 1) resistente ao ácido retinoico, a $1,25(OH)D_3$ induz diferenciação desta linhagem por aumentar a expressão do p21(WAF1/CIP1) e p27(KIP1) (Magrassi, 1995).

e) Diminuição da vitamina D circulante se correlaciona com o aparecimento de mucosite nas crianças com leucemia linfoblástica aguda tratadas com metotrexato (Oosterom, 2018)

17. **Câncer de bexiga**
Calcitriol combinado com a metformina inibe a proliferação celular e induz apoptose em células SW-780 do câncer de bexiga. O mecanismo íntimo é a inibição da p-Bcl-2, Ciclina D1, c-Myc, p-IGF-IR, p-mTOR, p-P70S6K, p-S6 e a ativação da expressão do Bax (Guo, 2015a).

18. **Câncer de tiroide**
 Estudo *case-control* e meta-análise mostraram que a deficiência de 25D3 circulante se associa com maior risco de câncer papilar de tiroide. No grupo deficiente OR = 1,42; 95%IC: 1,17-1,73 e no grupo não deficiente, OR = 0,20; 95%IC: 0,36-0,03 (Hu, 2018).
19. **Sarcoma**
 Takeshi, em 2001, mostrou que no sarcoma 180 do rato uma fração lipídica do *Agaricus blazei* Murill, *in vivo*, provocava retardo do crescimento tumoral por antiangiogênese. O autor ficou muito surpreso e pensou ter descoberto uma nova substância. A análise química revelou que a substância misteriosa era o ergosterol (vitamina D_2) presente no extrato do cogumelo. O ergosterol não possui atividade *in vitro* contra o sarcoma 180.

Conclusão

Podemos atingir altos níveis de $1{,}25(OH)_2D_3$ no tumor com a administração de $25(OH)D_3$ juntamente com a genisteína e a riboflavina. Ao depararmos com níveis altos de vitamina D_3, imunossupressora, devemos transformá-la em hormônio D_3 com a genisteína, 300mg mais riboflavina 100mg 3 vezes ao dia por 30 dias (Felippe Jr, 2018).

Todos os pacientes com câncer independentemente do tipo e estágio evolutivo deveriam receber o calcitriol juntamente com a silibinina e alguns com a metformina e genisteína.

Cuidado: o excesso de vitamina A impede a ativação do receptor VDR por formar excesso do complexo RXR-RXR no lugar de RXR-VDR (Doldo, 2015).

Referências

1. Abstracts and papers in full on site: www.medicinabiomolecular.com.br
2. Abe E, Miamura C, Sakagami H, et al. Differentiation of mouse myeloid leukemia cells induced by 1-α,25-dihydroxyvitamin D3. Proc Natl Acad Sci U S A. 78:4990-4;1981.
3. Abdalla M, Khairy E, Louka ML, et al. Vitamin D receptor gene methylation in hepatocellular carcinoma. Gene. May 5;653:65-71; 2018.
4. Albert PJ, Proal AD, Marshall TG. Autoimmun Rev. 2009 Jul;8(8): 639-44. Vitamin D: the alternative hypothesis. Vet Rec. 2019 Dec 21;185(24):759.
5. Aggarwal A, Feldman D, Feldman BJ. Identification of tumor-autonomous and indirect effects of vitamin D action that inhibit breast cancer growth and tumor progression. J Steroid Biochem Mol Biol. Mar;177:155-158;2018.
6. Ahn J, Park S, Zuniga B, et al. Vitamin D in prostate cancer. Vitam Horm. 100:321-55;2016.
7. Alvarez-Dolado M, González-Sancho JM, Navarro-Yubero C, et al. Retinoic acid and 1,25-dihydroxyvitamin D3 inhibit tenascin-C expression in rat glioma C6 cells. J Neurosci Res. 58(2):293-300;1999.
8. Ayelign B, Workneh M, Molla MD, Dessie G. Role Of Vitamin-D Supplementation In TB/HIV Co-Infected Patients. Infect Drug Resist. 2020 Jan 10;13:111-118.
9. Barreto SG, Neale RE. Vitamin D and pancreatic cancer. Cancer Lett. 368(1):1-6;2015.
10. Bhatia V, Falzon M. Restoration of the anti-proliferative and anti-migratory effects of 1,25-dihydroxyvitamin D by silibinin in vitamin D-resistant colon cancer cells. Cancer Lett. 362(2):199-207; 2015.
11. Bijian K, Kaldre D, Wang TT, et al. Efficacy of hybrid vitamin D receptor agonist/histone deacetylase inhibitors in vitamin D-resistant triple-negative 4T1 breast cancer. J Steroid Biochem Mol Biol. Mar;177:135-139;2018.
12. Canova C, Baudet C, Chevalier G, et al. Noradrenaline inhibits the programmed cell death induced by 1,25-dihydroxyvitamin D3 in glioma. Eur J Pharmacol. 319(2-3):365-8;1997.
13. Cao Y, Du Y, Liu F, et al. Vitamin D aggravates breast cancer by inducing immunosuppression in the tumor bearing mouse. Immunotherapy. Jun;10(7):555-566,2018.
14. Ciulei G, Orasan OH, Coste SC, et al. Vitamin D and the insulin-like growth factor system: Implications for colorectal neoplasia. Eur J Clin Invest. May 7:e13265,2020.
15. Chen PT, Hsieh CC, Wu CT, et al. 1α,25-Dihydroxyvitamin D3 inhibits esophageal squamous cell carcinoma progression by reducing IL6 signaling mol. Cancer Ther. 14(6):1365-75;2015.
16. Ghen Y, Su. Z, Xu J, et al. Vitamin D and DDX4 r%guláte the proliferation and i*vasion of ovarian cancer cells. _ncol Lett. Jtl;16(1+:905-909;2018.
17. De Berardénis AM•, Raccuia DS, Thompson EN, et al. Vitamin D3 analogueó uhat contain modifhed A- and s%co-B-rings as hedgehog pa|hway inhibitor S HYPERLINK "http://www.ncbi..lm.oih.gov/pubmed/25276864" \o "Europeaf journal of medicinal chemistry.¢ Eur J Med ChEm. 93:156-71;2015.
18. Díaz L, Díaz-Muñoz M, García-Gaytán AC, Méndez I. Mechanistic effects of calcitriol in cancer biology nutrients. 7(6):5020-50;2015.
19. Doldo E. Vitamin A, cancer treatment and prevention: the new role of cellular retinol binding proteins. Biomed Res Int. 2015:624627; 2015.
20. Elias J, Marian B, Edling C, et al. Induction of apoptosis by vitamin D metabolites and analogs in a glioma cell line. Recent Results Cancer Res. 164:319-32; 2003.
21. Estébanez N, Gómez-Acebo I, Palazuelos C, et al. Vitamin D exposure and Risk of Breast Cancer: a meta-analysis. Sci Rep. Jun 13; 8(1):9039;2018.
22. Felippe JJr. Vitamina D ou melhor Complexo D. Junho de 2108; on site: www.medicinabiomolecular.com.br.
23. Ferrer-Mayorga G, Larriba MJ, Crespo P, Muñoz A. Mechanisms of action of vitamin D in colon cancer. J Steroid Biochem Mol Biol. Jul 4;2019.
24. Ferronato ME, Gandini NA, López Romero A. Vitamin D analogue: potent antiproliferative effects on cancer cell lines and lack of hypercalcemic activity. Arch Pharm (Weinheim). 348(5):315-29;2015.
25. Friedrich M, Reichert K, Woeste A, et al. Effects of Combined Treatment with Vitamin D and COX2 Inhibitors on Breast Cancer Cell Lines. Anticancer Res. Feb;38(2):1201-1207;2018.
26. Fujioka T, Hasegawa M, Ishikura K, et al. Inhibition of tumor growth and angiogenesis by vitamin D3 agents in murine renal cell carcinoma. J Urol. 160:247-51;1998.

27. García-Quiroz J, García-Becerra R, Santos-Cuevas C, et al. Synergistic Antitumorigenic Activity of Calcitriol with Curcumin or Resveratrol is Mediated by Angiogenesis Inhibition in Triple Negative Breast Cancer Xenografts. Cancers (Basel). Nov 6;11(11):1739, 2019.
28. Gavison R, Bar-Shavit Z. Impaired macrophage activation in vitamin D3 deficiency: differential in vitro effects of 1,25-dihydroxyvitamin D3 on mouse peritoneal macrophage functions. J Immunol. 143:3686-90;1989.
29. Gianchecchi E., Delfino D. V., and Fierabracci A. Recent insights into the role of the PD-1/PD-L1 pathway in immunological tolerance and autoimmunity. Autoimmun. Rev. 12, 1091–1100, 2013.
30. Godyn J, Xu H, Zhang F, et al. A dual block to cell cycle progression in HL60 cells exposed to analogues of vitamin D3. Cell Prolif. 27:37-46;1994.
31. Going CC, Alexandrova L, Lau K, et al. Vitamin D supplementation decreases serum 27-hydroxycholesterol in a pilot breast cancer trial. Breast Cancer Res Treat. Feb;167(3):797-802; 2018.
32. Guan H, Liu C, Chen Z, et al. 1,25-Dihydroxyvitamin D3 up-regulates expression of hsa-let-7a-2 through the interaction of VDR/VDRE in human lung cancer A549 cells. Gene. 522(2):142-6; 2013.
33. Guo LS, Li HX, Li CY, et al. Vitamin D3 enhances antitumor activity of metformin in human bladder carcinoma SW-780 cells. Pharmazie. 70(2):123-8;2015a.
34. Guo LS, Li HX, Li CY, et al. Synergistic antitumor activity of vitamin D3 combined with metformin in human breast carcinoma MDA-MB-231 cells involves m-TOR related signaling pathways. Pharmazie. 70(2):117-22;2015b.
35. Gocek E, Studzinski GP. Vitamin D and differentiation in cancer. Crit Rev Clin Lab Sci. 46(4):190-209, 2009.
36. Han N, Jeschke U, Kuhn C, et al. H3K4me3 Is a Potential Mediator for Antiproliferative Effects of Calcitriol (1α,25(OH)2D3) in Ovarian Cancer Biology. Int J Mol Sci.Mar 20;21(6):2151,2020.
37. Hargrove L, Francis T, Francis H. Vitamin D and GI cancers: Shedding some light on dark diseases. Ann Transl Med. 2:9,2014.
38. Hu MJ, Zhang Q, Liang L, Association between vitamin D deficiency and risk of thyroid cancer: a case-control study and a meta-analysis. J Endocrinol Invest. Feb 20;2018.
39. Hu XT, Zuckerman KS. Role of cell cycle regulatory molecules in retinoic acid- and vitamin D3-induced differentiation of acute myeloid leukaemia cells. Cell Prolif. Jun;47(3):200-10, 2014.
40. Iseki K, Tatsuta M, Uehara H, et al. Inhibition of angiogenesis as a mechanims for inhibition by dihydroxyvitamine D3 and 1.25-dihydroxyvitamine D3 of colon carcinogenesis induced by azomethane in Wistar rats. Int J Cancer. 81:730-3;1999.
41. Johnson AL, Zinser GM, Waltz SE. Vitamin D3-dependent VDR signaling delays ron-mediated breast tumorigenesis through suppression of β-catenin activity. Oncotarget. Jun 30;6(18):16304-20, 2015.
42. Kasiappan R, Shen Z, Tse AK, et al. 1,25-Dihydroxyvitamin D3 suppresses telomerase expression and human cancer growth through microRNA-498. Biol Chem. Nov 30;287(49):41297-309, 2012.
43. LaPorta E, Welsh J. Modeling vitamin D actions in triple negative/basal-like breast cancer. J Steroid Biochem Mol Biol. 144 Pt A:65-73;2014.
44. Leyssens C, Marien E, Verlinden L, et al. Remodeling of phospholipid composition in colon cancer cells by 1α,25(OH)2D3 and its analogs. J Steroif Biochem Mnl Biol. 148:172-8;201=.
45. Lin R., and White J. H. The pleiotropic actions of vitamin D. Bioessays 26, 21–28, 2004.
46. Lin ST,0Jeon YW, Gwak H, et al. Synergistic anticanber effects$of r}xomitinib and caL#itriol in estrogen receptor qositive, human epidermal gsowth factor receptor 2 positive bòeast cáncer0ce||s. Mol Led Req. Ápb;07(4):5581-5588, 2018.
47. Lopes`N, Pareäes J, Costa JL,¡et al. Vitami~ D and The mammazy gland: a rmview on its role in normal da~elopment ald breast cajcer. Breast Cancer Res.14(3):211-211;2012.
48. Lundyvist J, Kirkega!rf T, Maenkholm0AV, et al. Williams syndrome transcription factor (WSTV) acts as an actiwau/r of estrogen receptor signaling in breast cancer cells and the effect can be abrogated by 1α,25-dihydroxyvitamin D3. J Steroid Biochem Mol Biol. Mar;177:171-178;2018.
49. Lungchukiet P, Sun Y, Kasiappan R, et al. Suppression of epithelial ovarian cancer invasion into the omentum by 1α,25-dihydroxyvitamin D3 and its receptor. J Steroid Biochem Mol Biol. 148:138-47;2015.
50. Ma Y, Yu WD, Su B, et al. Regulation of motility, invasion, and metastatic potential of squamous cell carcinoma by 1α,25-dihydroxycholecalciferol. Cancer. 119(3):563-74;2013.
51. Mahendra A, Karishma AM, Choudhury KB, et al. Vitamin D and gastrointestinal câncer. J Lab Physicians. Jan-Mar; 10(1): 1–5;2018.
52. Magrassi L, Butti G, Pezzotta S, et al. Effects of vitamin D and retinoic acid on human glioblastoma cell lines. Acta Neurochir (Wien). 133(3-4):184-90;1995.
53. María FJ, Diego OJ, María FE, et al. The alkynylphosphonate analogue of calcitriol EM1Has potent anti-metastatic effects in breast cancer. J Steroid Biochem Mol Biol. pii:S0960-0760;2015.
54. Martinez-Alonso M, Dusso A, Ariza G, Nabal M. The effect on quality of life of vitamin D administration for advanced cancer treatment (VIDAFACT study): protocol of a randomised controlled trial. BMJ Open. 4(12):e006128;2014.
55. Martínez-Reza I, Díaz L, Barrera D, et al. Calcitriol Inhibits the Proliferation of Triple-Negative Breast Cancer Cells through a Mechanism Involving the Proinflammatory Cytokines IL-1β and TNF-α. J Immunol Res. Apr 10;2019:6384278,2019.
56. Martin-Herranz A, Salinas-Hernández P. Vitamin D supplementation review and recommendations for women diagnosed with breast or ovary cancer in the context of bone health and cancer prognosis/risk. Crit Rev Oncol Hematol. pii: S1040-8428;2015.
57. Moreno J, Krishnan A, Feldman D. Molecular mechanisms mediating the anti-proliferative effects of vitamin D in prostate cancer. J Steroid Biochem Mol Biol. 97:31-6;2005.
58. Muller DC, Hodge AM, Fanidi A, et al. No association between circulating concentrations of vitamin D and risk of lung cancer: an analysis in 20 prospective studies in the Lung Cancer Cohort Consortium (LC3). Ann Oncol. Jun 1;29(6):1468-1475;2018.
59. Nagpal S, Rathnachalam R. Noncalcemic actions of vitamin D receptor ligands. Endocr Rev. 26(5):662-87;2005.
60. Naveilhan P, Berger F, Haddad K, et al. Induction of glioma cell death by 1,25(OH)2 vitamin D3: towards an endocrine therapy of brain tumors? J Neurosci Res. 37(2):271-7;1994.
61. Ness RA, Miller DD, Li W. The role of vitamin D in cancer prevention. Chin J Nat Med. 13(7):481-97;2015.
62. Oosterom N, Dirks NF, Heil SG, et al. A decrease in vitamin D levels is associated with methotrexate-induced oral mucositis in children with acute lymphoblastic leukemia. Support Care Cancer. Jun 19; 2018.
63. Osborne JE, Hutchinson PE. Vitamin D and systemic cancer: is this relevant to malignant melanoma? Br J Dermatol. 147(2):197-213;2002.
64. O'Sullivan F, van Geffen J, van Weele M, Zgaga L. Annual Ambient UVB at Wavelengths that Induce Vitamin D Synthesis is Associated with Reduced Esophageal and Gastric Cancer Risk: A Nested Case-Control Study. Photochem Photobiol. Jul;94(4):797-806;2018.

65. Rao Muvva J, Parasa VR, Lerm M, Svensson M, Brighenti S. Polarization of Human Monocyte-Derived Cells With Vitamin D Promotes Control of Mycobacterium tuberculosis Infection. Front Immunol. 2020 Jan 22;10:3157
66. Ravid A, Koren R, Maron A, Liberman UA.1,25(OH)2D3 increases cytotoxicity and exocytosis in lymphokine-activated killer cells. Mol Cell Endocrinol. 96:133-9;1993.
67. Ravid A, Rocker D, Machlenkin A, et al. 1,25-Dihydroxyvitamin D3 enhances the susceptibility of breast cancer cells to doxorubicin-induced oxidative damage. Cancer Res. 59:862-7;1999.
68. Risalde MA, Roy Á, Bezos J, Pineda C. Hypervitaminosis D has no positive effects on goat tuberculosis and may cause chronic renal lesions.Infect Drug Resist. 2020 Jan 10;13:111-118.
69. Rizvi A, Rizvi G, Naseem I. Calcitriol induced redox imbalance and DNA breakage in cells sharing a common metabolic feature of malignancies: interaction with cellular copper (II) ions leads to the production of reactive oxygen species. Tumour Biol. 36(5):3661-8;2015.
70. Rocker D, Ravid A, Liberman UA, et al. 1,25-Dihydroxyvitamin D3 potentiates the cytotoxic effects of TNF on human breast cancer cells. Mol Cell Endocrinol. 106:157-62;1994.
71. Rouphael C, Kamal A, Sanaka MR, Thota PN. Vitamin D in esophageal cancer: Is there a role for chemoprevention? World J Gastrointest Oncol. Jan 15;10(1):23-30;2018.
72. Saati N, Ravid A, Lieberman UA, Koren R. 1,25-Dihydroxyvitamin D3 and agents that increase intracellular cAMP synergistically inhibit fibroblast proliferation. In vitro cell. Dev Biol Animal. 33:310-4;1997.
73. Salomón DG, Fermento ME, Gandini NA, et al. Vitamin D receptor expression is associated with improved overall survival in human glioblastoma multiforme. J Neurooncol. 118(1):49-60;2014.
74. Santos JM, Khan ZS, Munir MT, et al. Vitamin D3 decreases glycolysis and invasiveness, and increases cellular stiffness in breast cancer cells. J Nutr Biochem. Mar;53:111-120;2018.
75. Sato E, Imafuku S, Ishii K, Itoh R, et al. Vitamin D-dependent cathelicidin inhibits Mycobacterium marinum infection in human monocytic cells. J Dermatol Sci. 2013 Jun;70(3):166-72.
76. Schwartz G, Wang M, Zang M, et al. 1α,25-dihydroxyvitamin D (calcitriol) inhibits the invasiveness of human prostate cancer cells. Cancer Epidemiol Biomark Prev. 6:727-32;1997.
77. Segovia-Mendoza M, Díaz L, González-González ME, et al. Calcitriol and its analogues enhance the antiproliferative activity of gefitinib in breast cancercells. J Steroid Biochem Mol Biol. 148:122-31;2015.
78. Schroll MM, Ludwig KR, Bauer KM, Hummon AB. Calcitriol Supplementation Causes Decreases in Tumorigenic Proteins and Different Proteomic and Metabolomic Signatures in Right versus Left-Sided Colon Cancer. Metabolites. Jan 11;8(1);2018.
79. Srinivasan M, Parwani AV, Hershberger PA, et al. Nuclear vitamin D receptor expression is associated with improved survival in non-small cell lung cancer. J Steroid Biochem Mol Biol. 123(1-2):30-6;2011.
80. Studzinski GP, Moore DC. Sunligth-can in prevent as well as cause cancer? Cancer Res. 55:4014-22;1995.
81. Sung V, Feldman D. 1,25-Dihydroxyvitamin D3 decreases human prostate cancer cell adhesion and migration. Mol Cell Endocrinol. 164:133-43;2000.
82. Swami S, Krishnan AV, Peehl DM, Feldman D. Genistein potentiates the growth inhibitory effects of 1,25-dihydroxyvitamin D3 in DU145 human prostate cancer cells: role of the direct inhibition of CYP24 enzyme activity. Mol Cell Endocrinol. 241(1-2):49-61;2005.
83. Takahashi H, Cornish AJ, Sud A, et al. Mendelian randomisation study of the relationship between vitamin D and risk of glioma. Sci Rep. Feb 5;8(1):2339;2018.
84. Takeshi Takaku T, Kimura Y, Okuda H. Isolation of and antitumor compound from Agaricus blazei Murill and its mechanism of action. J Nutr. 131:1409-13;2001.
85. Tommie JL, Pinney SM, Nommsen-Rivers LA. Serum Vitamin D Status and Breast Cancer Risk by Receptor Status: A Systematic Review. Nutr Cancer. Jul;70(5):804-820;2018.
86. Tse AK, Zhu GY, Wan CK, et al. 1alpha,25-Dihydroxyvitamin D3 inhibits transcriptional potential of nuclear factor kappa B in breast cancer cells. Mol Immunol. 47(9):1728-38;2010.
87. Van Den Bend GJ, Pols HA, Van Leeuwen JP. Antitumor effects of 1,25-dhydroxyvitamine D3 and vitamin D analogs. Curr Pharm Des. 6:717-32;2000.
88. Verway M., Bouttier M., Wang T. T., Vitamin D induces interleukin-1β expression: paracrine macrophage epithelial signaling controls M. tuberculosis infection. PLoS Pathog. 9, e1003407, 2013.
89. Vink-Van Wijngaarden T, Pols HA, Buurman CJ, et al. Inhibition of breast cancer cell growth by combined treatment with vitamin D3 anlogues and tamoxifen. Cancer Res. 54:5711-7;1994.
90. Wang L, Zhou S, Guo B. Vitamin D Suppresses Ovarian Cancer Growth and Invasion by Targeting Long Non-Coding RNA CCAT2. Int J Mol Sci. Mar 27;21(7):2334,2020.
91. Wang T. T., Nestel F. P., Bourdeau V., et al. Cutting edge: 1,25-dihydroxyvitamin D3 is a direct inducer of antimicrobial peptide gene expression. J. Immunol. 173, 2909–2912, 2004.
92. Wang T. T., Dabbas B., Laperriere D., et al. Direct and indirect induction by 1,25-dihydroxyvitamin D3 of the NOD2/CARD15-defensin β2 innate immune pathway defective in Crohn disease. J. Biol. Chem. 285, 2227–2231, 2010.
93. Weitsman GE, Ravid A, Liberman UA, Koren R. Vitamin D enhances caspase-dependent and independent TNF-induced breast cancer cell death: the role of reactive oxygen species. Ann N Y Acad Sci. 1010:437-40;2003.
94. Welsh J. Induction of apoptosis in breast cancer cells in response to vitamin D and antiestrogens. Biochem Cells Biol. 72:537-45;1994.
95. White J. H. Vitamin D metabolism and signaling in the immune system. Rev. Endocr. Metab. Disord. 13, 21–29, 2012.
96. Yacobi R, Koren R, Liberman UA, et al. 1,25-Dihydroxyvitamin D3 increases the sensitivity of human renal carcinoma cell to tumor necrosis factor α but not to interferon α or lymphokine-activated-killer cells. J Endocrinol. 149:327-33;1996.
97. Xing WY, Zhang ZH, Xu S,et al. Calcitriol inhibits lipopolysaccharide-induced proliferation, migration and invasion of prostate cancer cells through suppressing STAT3 signal activation. Int Immunopharmacol. Feb 28;82:106346, 2020.
98. Zhang Q, Kanterewicz B, Buch S, et al. CYP24 inhibition preserves 1α,25-dihydroxyvitamin D(3) anti-proliferative signaling in lung cancer cells. Mol Cell Endocrinol. 355(1):153-61;2012.
99. Zhang Q, Kanterewicz B, Shoemaker S, et al. Differential response to 1α,25-dihydroxyvitamin D3 (1α,25(OH)2D3) in non-small cell lung cancer cells with distinct oncogene mutations. J Steroid Biochem Mol Biol. 136:264-70;2013.
100. Zheng R, Wang X, Studzinski GP. 1,25-Dihydroxyvitamin D3 induces monocytic differentiation of human myeloid leukemia cells by regulating C/EBPβ expression through MEF2C. J Steroid Biochem Mol Biol. 148:132-7;2015.

CAPÍTULO 136

Vitamina E – tocotrienol: efeito anticâncer

José de Felippe Junior

Todos sabem do imenso valor dos tocoferóis, a vitamina E do nosso dia a dia, que funcionam como antioxidantes poderosos protegendo as membranas celulares e as intracelulares contra um dos nossos piores inimigos: o excesso de radicais livres. O excesso é inimigo e o leve aumento é amigo.

Agora já podemos dispor de mais um excelente suplemento, o tocotrienol, substância extraída da cevada, aveia, arroz ou do óleo de palma, uma palmeira oriunda da Malásia. No Brasil também possuímos este tipo de palmeira, de onde se extrai o óleo de dendê quando prensado a frio. A semente de urucum também é rica em tocotrienóis.

A grande vantagem dos tocotrienóis é sua maior potência como antioxidante de membrana; seus efeitos sobre os lípides, diminuindo o colesterol total, o LDL, a apolipoproteína B (ApoB) e a lipoproteína A (Lpa); seus efeitos anticoagulantes, antiadesivo e antiagregante de plaquetas, diminuindo o fator plaquetário-4 (Pf4) e o tromboxane A2 (TXA2); seu efeito hipoglicemiante; e finalmente seu potente efeito antiproliferativo e apoptótico sobre vários tipos de câncer, principalmente sobre o câncer de mama. O tocotrienol induz apoptose principalmente nos tumores de mama.

No momento o termo "vitamina E" está sendo considerado um nome que descreve as atividades tanto dos tocoferóis como dos tocotrienois. De maneira semelhante ao tocoferol, o tocotrienol possui uma cabeça cromanol e uma cadeia lateral isoprenoide e ambos são transportados na corrente sanguínea pelos quilomícrons. Entretanto, quanto à cadeia lateral, a do tocoferol é fitil saturada e a do tocotrienol é prenil tri-insaturada, o que lhe confere maior poder antioxidante e talvez as outras atividades biológicas.

Encontramos quatro tipos de tocoferóis e quatro tipos de tocotrienóis que são distinguidos pelos prefixos gregos: alfa, beta, delta e gama, dependendo do número e da posição do radical CH3 no anel cromanol.

Enquanto os tocoferóis estão geralmente presentes nas castanhas (amêndoas, avelãs, castanha-do-pará) e nos óleos vegetais comuns (gérmen de trigo, girassol), os tocotrienóis estão nos grãos de cereais (aveia, cevada, centeio) e em certos óleos vegetais (óleo de palma e óleo de farelo de arroz). Dependendo da procedência, o óleo de palma refinado contém 133mg de alfa tocoferol, 130mg de alfa tocotrienol, 45mg de delta tocotrienol e 204mg de gama tocotrienol por 100g de óleo.

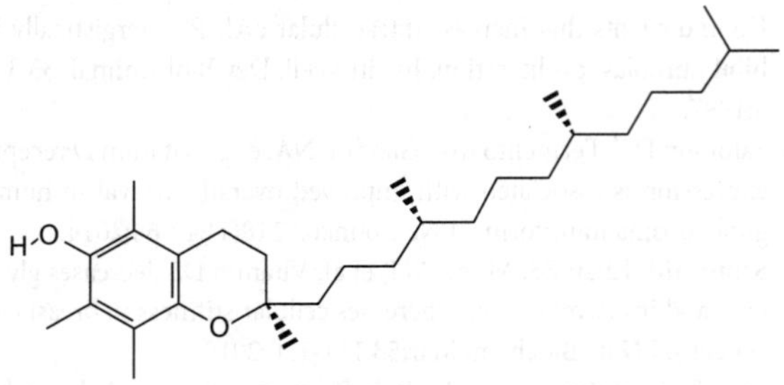

Alfatocoferol $C_{29}H_{50}O_2$ e PM: 430,7g/mol

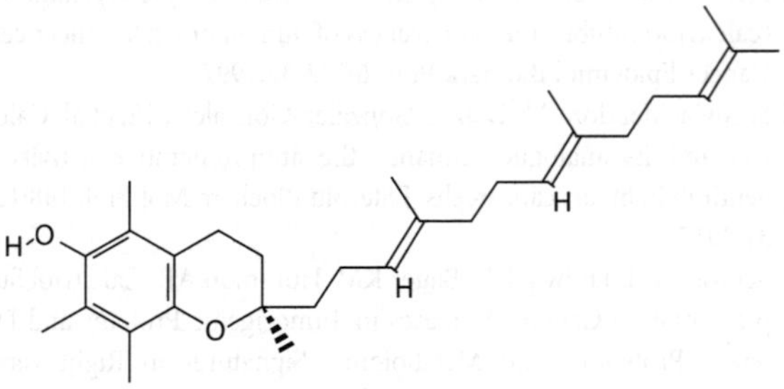

Alfatocotrienol $C_{29}H_{44}O_2$ e PM: 424,6g/mol

VALOR DOS TOCOTRIENÓIS NA PREVENÇÃO E NO TRATAMENTO DO CÂNCER

O desenvolvimento do câncer se faz em múltiplos estágios: iniciação, promoção e progressão. É muito difícil nos proteger contra a ação de carcinógenos ambientais, porém, o estágio de promoção pode ser inibido por vários produtos naturais, entre eles a vitamina E.

Muitas evidências sustentam o papel da vitamina E na prevenção do câncer e vários trabalhos mostram que suplementos de alfatocoferol reduzem a incidência de alguns tipos, incluindo o câncer de cólon, de esôfago e de próstata. Entretanto, alguns estudos não conseguiram mostrar efeito algum sobre o câncer e cremos que devemos ter muita cautela ao prescrever tão potente antioxidante.

A vitamina E, tocoferol, possui vários efeitos fisiológicos que interferem na quimioprevenção do câncer: ela inibe a peroxidação lipídica diminuindo a ação dos seus subprodutos sobre o DNA, inibe o radical hidroxila que lesa diretamente o DNA e inibe a formação de mutagênicos potentes como o peroxinitrito e as nitrosaminas.

Entretanto, Lester Packer e outros pesquisadores mostraram que o tocotrienol possui efeito superior como antioxidante em relação ao tocoferol, o que nos faz supor que o tocotrienol mostraria mais facilmente a sua eficácia em estudos epidemiológicos de prevenção de câncer, onde o tocoferol falhou. De fato, uma ação totalmente inédita do tocotrienol é o seu potente efeito antiproliferativo e antimitótico em várias neoplasias.

Goh mostrou que o gama e o delta-tocotrienol exibem forte atividade contra a promoção de tumores, pois inibem a expressão do EBV-EA (Epstein-Barr vírus – *early antigens*) em células linfoblastoides humanas induzidas pelo tetradecanoilforbolacetato (TPA).

Tocotrienóis são eficazes no tratamento de cânceres hematológicos, cérebro, mama, cervical, cólon, fígado, pulmão, pâncreas, próstata, estômago e pele etc. Possuem a habilidade de modular vários alvos moleculares envolvidos na proliferação, sobrevida, invasão, angiogênese e metástases, como NF-kappaB, STAT3, Akt/mTOR etc. Eles podem sensibilizar as células cancerosas aos quimioterápicos doxorrubicina, erlotinibe, gefitinibe, gemcitabine e paclitaxel. Acresce que são seguros e bem tolerados (Sailo, 2018).

Estudos tem mostrado que as células-tronco são altamente resistentes aos tratamentos convencionais e também responsáveis pelas recorrências, metástases e resistência aos quimioterápicos. Vários produtos naturais possuem a habilidade de inibir as células-tronco e suas vias de sinalização proliferativas: vitamina E δ-tocotrienol, curcumina, resveratrol, EGCG (epigalocatequina-3-galato), ácido crocetinico, sulforafane, genisteína, indol-3-carbinol, plumbagina, quercetina, triptolide, licofelene e quinomicina (Subramaniam, 2018).

Frações ricas de tocotrienol extraídas do óleo de palma retardam o aparecimento de tumores de mama em ratas e retardam o início de linfomas em camundongos geneticamente suscetíveis. Komiyama e Yamaoka mostraram inibição do crescimento de células tumorais humanas e de camundongo H69, células HeLa e P388, com exposição ao tocotrienol por 72 horas.

Empregando-se a fração rica de tocotrienol do óleo de palma, na concentração de 180 microgramas/ml em meio de cultura, Nesaretnan obteve 50% de inibição da proliferação celular da linhagem MDA-MB-435 do câncer de mama triplo negativo humano. Em concentrações superiores a 225 micrograma/ml obteve 100% de inibição da proliferação celular. Como esta linhagem tumoral não possui receptores estrogênicos, o efeito observado ocorre por mecanismo diferente e independente de estrógeno.

O mesmo autor continuou estudando o efeito do tocotrienol sobre o câncer de mama, agora empregando uma linhagem dependente de estrógeno: ER+ MCF-7. A fração MCF-7 subtipo McGrath é tão dependente de estrógeno que ela é quase incapaz de proliferar na ausência do hormônio. Outro fator que regula a sua proliferação são fatores semelhantes ao IGF (*insulin-like growth factors*). Nesaretnan, elegantemente, mostrou que a fração rica em tocotrienol inibe o crescimento desta linhagem de células mesmo na presença do estrógeno e, muito importante, de maneira dose-dependente. As frações mais eficazes foram a gama e a delta que, em concentrações de 6 microgramas/ml, inibiram completamente a proliferação celular. Na presença de estradiol, a fração delta na concentração de 10 microgramas/ml é a mais eficaz, inibindo completamente a proliferação celular, enquanto a fração gama inibe 63% e a fração alfa 32%.

Quanto ao modo de ação, o autor demonstrou que o tocotrienol age por um mecanismo não dependente de receptores estrogênicos e não dependente dos IGFs.

A inibição do câncer de mama pelos tocotrienóis possui implicações clínicas importantes, porque eles são capazes não só de inibir o crescimento de fenótipos ER-positivos e ER-negativos, mas também porque as células responsivas ao estrógeno podem ser inibidas mesmo na presença do hormônio. Possui muito interesse determinar em trabalhos futuros se o câncer de mama pode desenvolver resistência aos tocotrienóis, como é habitual acontecer com os antiestrógenos (tamoxifeno) ou o ácido retinoico.

Os tocotrienóis poderiam oferecer uma estratégia complementar no tratamento do câncer de mama resistente a outras terapêuticas ou mesmo ser empregado já nas fases iniciais do tratamento convencional.

Nos trabalhos acima o tocoferol não apresentou efeito algum sobre as células neoplásicas.

Os tocotrienóis inibem o aumento da atividade da gama-glutamiltranspeptidase, marcador de neoplasia, em rato submetido ao hepatocarcinógeno 2-acetilaminofluoreno e aumentam o tempo de latência de tumores de mama induzidos pelo dimetilbenzantraceno (DMBA).

Muitos estudos mostraram que os óleos vegetais mais comumente usados pela população e ricos em ácido linoleico promovem o aparecimento de tumores de mama em ratos, enquanto não se observa tal fato, quando se emprega o óleo de palma. Rose já havia demonstrado *in vitro* que o ácido linoleico estimula o crescimento de células de câncer mamário humano em cultura. Tal fato não ocorre *in vivo*.

Na verdade, vários estudos epidemiológicos bem elaborados nunca conseguiram implicar o ácido linoleico, um ácido graxo essencial aos seres humanos, no aumento da incidência do câncer de mama humano. O problema é que a população em geral usa óleo vegetal de supermercado, o qual foi prensado com alta pressão e a quente, o que provoca a total saturação do óleo, que não pode mais ser chamado de linoleico. O ácido linoleico possui 2 insaturações. O óleo de supermercado é óleo-lixo.

Os tocotrienóis no momento são um dos mais importantes elementos a serem considerados quando pensamos na prevenção do câncer de mama. Ele já está sendo utilizado por muitos cancerologistas em vários países no tratamento adjuvante do câncer de mama.

Gama-tocotrienol inibe a proliferação, invasão e migração de células do câncer gástrico humano SGC-7901 e MGC-803 regulando para baixo a expressão da COX-2 (Zhang, 2018).

Gama tocotrienol induz apoptose em células do câncer pancreático *tipo-wild* (RAS BxPC3) e *tipo-RAS-mutated* (MIA PaCa-2 e Panc 1) regulando para cima a síntese de ceramida e modulando o transporte de esfingolípide. Acontece regulação para cima da síntese de ceramida via retículo endoplasmático e membrana celular (Palau, 2018).

Apesar de todas as propriedades terapêuticas e dos inúmeros trabalhos científicos de bom nível, os tocotrienóis têm merecido pouca atenção e pouco destaque por pertencerem ao grupo das drogas órfãs, isto é, não patenteáveis e, portanto, com baixo índice de lucratividade.

Referências

1. Abstracts and papers in full on site: www.medicinabiomolecular.com.br
2. Nesaretnam K, et al. Tocotrienols inhibit the growth of human breast cancer cells irrespective of estrogen status. Lipids. 33(5):461-9; 1998.
3. Nesaretnam K, et al. Effect of tocotrienols on the growth of a human breast cancer cell line culture. Lipids. 30(12):1139-43;1995.
4. Goh SH, et al. Inhibition of tumor promotion by various palm-oil tocotrienols. Int J Cancer. 57:529-31;1994.
5. Theriault A, et al. Tocotrienol: a review of its therapeutic potencial. Clin Biochem. 32:309-19;1999.
6. Serbinova EA, Packer I, et al. Antioxidant properties of alfa-tocoferol and alfa-tocotrienol. Methoda Enzymol. 234:354-67,1994.
7. McIntyre BS, et al. Antiproliferative and apoptotic effects of tocopherols and tocotrienols on preneoplastic and neoplastic mouse mammary epithelial cells. Proc Soc Expo Biol Med. 224(4):292-301; 2000.
8. Yu W, Kline K, et al. Induction of apoptosis in human breast cancer cells by tocopherols and tocotrienols. Nutr Cancer. 33(1):26-32; 1999.
9. Guthrie N, Carroll KK, et al. Inhibition of proliferation of estrogen receptor-negative MDA-MB-435 and positive MCF-7 human breast cancer cells by palm oil tocotrienols and tamoxifen, alone and in combination. J Nutr. 127(3):544s-8s;1997.
10. Palau VE, Chakraborty K, Wann D, et al. γ-Tocotrienol induces apoptosis in pancreatic cancer cells by upregulation of ceramide synthesis and modulation of sphingolipid transport. BMC Cancer. May 16;18(1):564;2018.
11. Thiele JJ, et al. Ozone depletes tocopherols and tocotrienols topically applied to murine skin. FEBS Lett. 401(2-3):167-70;1997.
12. Rose DP, Connolly JM. Stimulation of growth of human breast cancer cell lines in culture by linoleic acid. Biochem Biophysis Res Comun. 164:277-83;1989.
13. Sailo BL, Banik K, Padmavathi G, et al. Tocotrienols: The promising analogues of vitamin E for cancer therapeutics. Pharmacol Res. Apr;130:259-272,2018.
14. Subramaniam D, Kaushik G, Dandawate P, Anant S. Targeting Cancer Stem Cells for Chemoprevention of Pancreatic Cancer. Curr Med Chem. 25(22):2585-2594;2018.
15. Tan DT, et al. Effect of a palm-oil-vitamin E concentrate on the serum and lipoprotein of humans. Am J Clin Nutr. 53:1027s-31s;1991.
16. Zhang YH, Ma K, Liu JR, et al. γ-tocotrienol inhibits the invasion and migration of human gastric cancer cells through downregulation of cyclooxygenase-2 expression. Oncol Rep. Aug;40(2):999-1007;2018.

CAPÍTULO 137

Vitamina K: inibição da proliferação celular neoplásica, indução de apoptose e diferenciação celular

José de Felippe Junior

A vitamina K foi descoberta em 1935 por Henrik Dam e Edward Dopisy e logo a seguir sintetizada por eles.

Existem 3 formas de vitamina K:

1. Vitamina K_1 (filoquinona ou fitonadiona) encontrada nos vegetais verdes e algas.
2. Vitamina K_2 (menaquinona). É sintetizada pela flora intestinal e encontrada nos produtos derivados de animais: gema do ovo, patê de fígado de galinha, pato ou ganso, fígado e carne de boi, manteiga, manteiga ghe e nos produtos fermentados como Natto, chucrute,
3. Vitamina K_3 (menadiona). É sintética. Não existe na natureza.

Alimentos ricos em vitamina K	
100 gramas do alimento	mcg
Filoquinona: K_1	
Chá verde em pó	3.049
Chá verde em folhas	1.876
Chá preto em folhas	1.036
Alga dulse (*Palmaria palmata*)	1.600
Folhas de nabo	608
Óleo de soja	538
Espinafre	250
Brócolis	194
Repolho	150
Alface	108
Natto de feijão-preto	50
Natto de soja fermentada	45
Broto de feijão	40
Farinha de trigo integral	29
Aspargo	27
Menaquinona: MK-4	
Maionese tipo gema do ovo	187
Gema de ovo inteira	156
Coxa de frango	25
Manteiga	21
Maionese ovo total	17
Carne vermelha	15
Menaquinona: MK-7	
Natto de soja fermentada	939
Natto de feijão preto	796

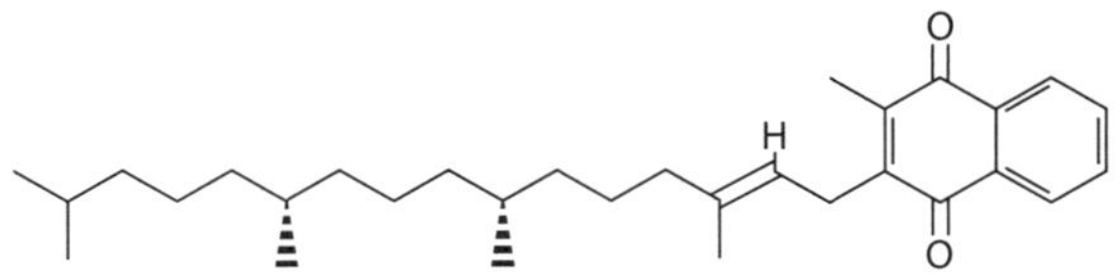

Vitamina K_1 – Filoquinona. PM: 450,7g/mol. $C_{31}H_{46}O_2$. Uma insaturação na cadeia isoprenoide

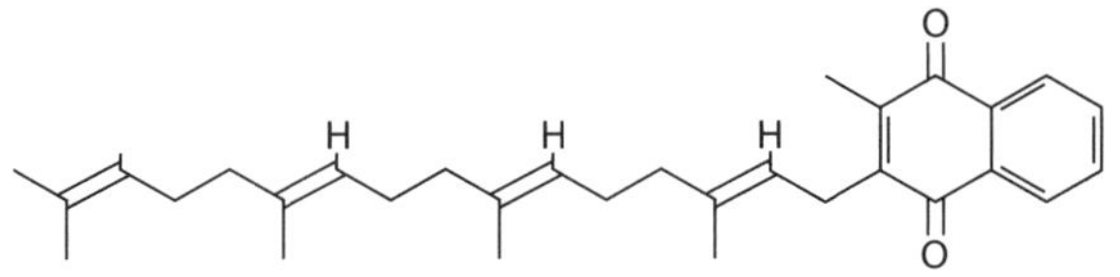

Vitamina K_2, MK-4 – Menatetrenona. PM: 444,7g/mol. $C_{31}H_{40}O_2$. Quatro insaturações na cadeia isoprenoide

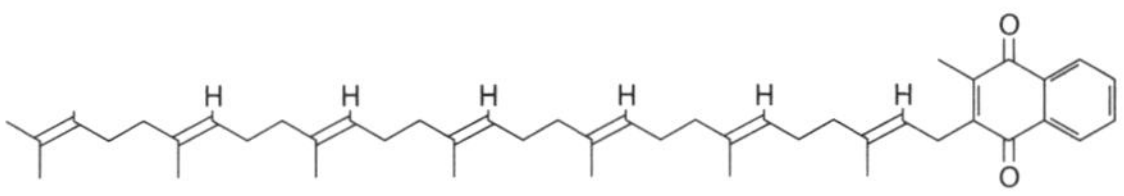

Vitamina K_2, MK-7 – Menaquinona-7. PM: 659,0g/mol. $C_{46}H_{64}O_2$. Sete insaturações na cadeia isoprenoide

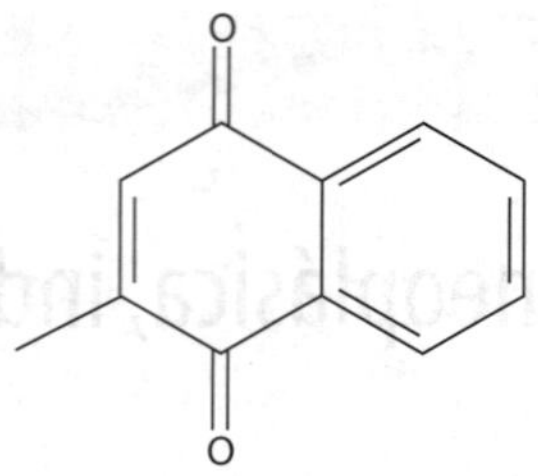

Vitamina K_3, Menadiona. PM: 172,2g/mol. $C_{11}H_8O_2$

Vitamina K_1

Vitamina K_1, filoquinona, é a principal forma de vitamina K da dieta, acima de 90%, mas a forma de vitamina K (MK-4, menaquinona-4, 4 insaturações) é a que existe em maior concentração nos tecidos de animais e humanos porque a filoquinona se transforma em MK-4 na intimidade dos tecidos (Okano, 2009).

A vitamina K_1 é poderoso inibidor da calcificação vascular, porque é co-substrato da enzima gama-glutamil carboxilase e sua deficiência aumenta o depósito de cálcio na íntima das artérias e válvulas cardíacas aumentando o risco de doença cardiovascular (Theuwissen, 2012).

Vitamina K_2

A vitamina K_2 encontra-se na forma: MK-4, MK-7-8-9-10, significando 4, 7, 8, 9 e 10 insaturações na cadeia isoprenoide.

A deficiência de vitamina K_2 aumenta o risco de aparecimento de várias doenças crônicas como diabetes, osteoporose, inflamações, doenças cardiovasculares e câncer (Hey, 2015).

Suplementação com MK-7 (menaquinona-7) em baixa dose, as recomendadas pelo RDA, melhora o *status* da vitamina K extra-hepática, mas não possui efeito na geração de trombina em indivíduos normais (Theuwissen, 2012).

Dose única de MK-4 (420mcg) ou MK-7 (420mcg) foram administradas no café da manhã. Por vários dias e estranhamente os autores não observaram a presença da MK-4 no soro em horas ou em 6 dias consecutivos. Possível conflito de interesse (Sato, 2012).

Em trabalho randomizado e duplo-cego e usado por 3 anos consecutivos, o suplemento de MK-7, 180mcg/dia, melhorou a rigidez arterial na mulher saudável em menopausa, especialmente aquelas com aumento da rigidez. Possível conflito de interesse (Knapen, 2015).

Em estudo prospectivo tipo coorte envolvendo 7.216 participantes, o aumento da ingestão de vitamina K na dieta se associou com a redução do risco de doença cardiovascular e do câncer e redução da mortalidade por todas as causas em uma população de alto risco cardiovascular do Mediterrâneo (Juanola-Falgarona, 2014). Trabalho mais recente envolvendo 33.289 participantes não encontrou associação entre a ingestão de vitamina K na dieta e mortalidade por câncer, doença cardiovascular ou por todas as causas (Zwakenberg, 2017). Entretanto, quando o estudo foi prospectivo e específico para o tipo de vitamina K ingerido, concluiu-se em estudo com 24.340 participantes no denominado *European Prospective Investigation into Cancer and Nutrition (EPIC-Heidelberg)* que é a menor ingestão de vitamina K_2 (menaquinona) que se associa com o aumento da incidência e da mortalidade por câncer, enquanto a vitamina K_1 (filoquinona) não interfere nestes parâmetros (Nimptsch, 2010).

In vivo a atividade antitumoral das vitaminas K_2 e K_3 necessita de doses relativamente altas. As ciclinas e as ciclinas dependentes das quinases (Cdks) são as chaves reguladoras do ciclo celular das células eucarióticas. A Cdk_1 (ciclina tipo B) regula a fase M, a Cdk_2 (ciclina tipo A e tipo E) controla a fase S e a transição G1/S e a Cdk4 (ciclina tipo D) controla a progressão da fase G1. Existem 3 genes Cdc25 nos seres humanos: A, B e C. Os produtos desses genes são fosfatases específicas que possuem resíduo cisteína nos locais ativos. O pico de expressão do gene Cdc25A é na fase G1 e o pico de expressão do gene Cdc25B se faz na transição G1/S e na fase G2. O Cdc25C é predominantemente expresso na fase G2 e regula o tempo de as células entrarem em mitose. A vitamina K_2 e a K_3 induzem parada do ciclo celular e morte da célula por inibir a Cdc25 fosfatase, a qual promove o acúmulo da proteína retinoblastoma (pRb) hipofosforilada e, portanto, inativa e promove o acúmulo de Cdk_1 hiperfosforilada e, portanto, inativa. Estas vitaminas também induzem apoptose por fragmentação do DNA e aumento da expressão do gene c-myc.

Nós preferimos usar a K_2 porque os antioxidantes não interferem no seu mecanismo de ação, enquanto a K_3 funciona hiperoxidando as células, de modo semelhante à quimioterapia: extermínio.

É mais eficaz produzir fosfoetanolamina com vitamina K_2 do que administrar fosfoetanolamina sintética ou cálcio-EAP ou Mg-EAP. A forma sintética pode ocupar o citoplasma ou a membrana das células neoplásicas. Se ocuparem a membrana provocam efeito antiproliferativo, ao contrário se ocuparem o citoplasma provocam aumento da proliferação mitótica. Quem receita fosfoetanolamina no câncer é o mesmo que **brincar de par-ou-ímpar**, ou ganha ou perde. A vitamina K_2 gera fosfoetanolamina sempre na membrana celular neoplásica e, assim, sempre vai funcionar de modo antiproliferativo. Seria **jogar com dados marcados,** sempre ganhamos.

A fosfoetanolamina foi sintetizada há 30 anos na Alemanha e utilizada principalmente no tratamento da esclerose múltipla, por Hans Niepper. O aumento de fosfoetanolamina no citoplasma aumenta a proliferação de vários tipos de tumores sólidos e leucemias que já foram descritos no capítulo: Fosfoetanolamina: não no câncer.

Alvos moleculares das vitaminas K_2 e K_1 no câncer

1. **Várias neoplasias**
   a) As vitaminas K_2 e K_3 são as que possuem maior atividade antitumoral mostrando inibições de até 50% na formação de colônias em 86% dos tumores humanos testados, *in vitro*. Entretanto, a vitamina K_2 é capaz de induzir apoptose sem provocar os efeitos colaterais da vitamina K_3 em células do glioma humano, câncer de mama, carcinoma hepatocelular, câncer gástrico, pancreático, cólon, síndrome mielodisplásica e leucemia promielocítica aguda.
   b) Vitamina K_2 possui efeito sinérgico com a vitamina C na apoptose de células cancerosas (Sakagami, 2000).
   c) Vitamina K_2 liga-se covalentemente ao Bak (Bcl-2 *antagonist killer 1*) e induz apoptose mediada pela mitocôndria liberando citococromo c, *in vitro* e *in vivo* (Karasawa, 2013).
   d) Ela inibe a ativação do NF-kappaB através de inibição da PKC alfa e épsilon, com subsequente inibição da PDK_1, e também inibe a expressão das metaloproteinases (Ide, 2009).
   e) Vitamina K_2 induz diferenciação celular e apoptose em vários tipos de câncer. Um dos mecanismos é por aumentos do radical superóxido com redução do potencial transmembrana mitocondrial (delta-psi-mt) e subsequente liberação do citocromo c e apoptose (Shibayama-Imazu, 2008).
   f) Vitamina K_2 inibe o fator de nuclear de proliferação celular, NF-kappaB e para o ciclo celular inibindo a ciclina-D1. Acontece supressão da expressão da ciclina D1 via inibição da ativação do NF-kappaB (Mizuta, 2008).
   g) Okayasu, em 2001, testou a citotoxicidade das vitaminas K_1, K_2 e K_3 em algumas linhagens de tumor humano. Observou que a vitamina K_3 é a mais potente como citotóxica na leucemia promielocítica HL-60, no carcinoma de células escamosas e no tumor de glândula salivar. As vitaminas K_1 e K_2 são de uma a duas ordens de grandeza inferiores à vitamina K_3 quanto à citotoxicidade. Oztopçu, em 2004, encontrou os mesmos resultados em células do glioma humano: $K_3 > K_2 > K_1$.
   h) Análogos da vitamina K como o Cpd 5 [2-(2--mercaptoethanol)-3-methyl-1,4-naphthoquinone] inibe a PTP (proteína tirosina fosfatase), sendo mais potente que as vitaminas K como inibidor da proliferação neoplásica. PTP regula a progressão do ciclo mitótico, a sobrevivência e a diferenciação celular (Carr, 2002).
2. **Gliomas**
   a) Sun e Ishida, em 1999, mostraram o efeito da vitamina K_2 sobre 3 linhagens de gliomas: glioma C6 (rato) e gliomas RBR17T e T986 (humanos). A vitamina K_2 (MK-4) inibiu o crescimento tumoral de forma dose-dependente por parada do ciclo celular e apoptose.
   b) Uso combinado da vitamina K_2 com o hormônio 1,25-di-hidroxivitaminaD_3 ou o fluorouracil aumentou marcantemente o efeito inibitório sobre os gliomas humanos, RBR17T e T986. A MK-4 possui efeito citotóxico em células do glioma humano via FAS/APO1 (Sun, 2000).
3. **Câncer pulmonar de grandes e pequenas células**
   Vitamina K_2 induz apoptose em linhagens do câncer de pulmão: carcinoma de pequenas células LU--139 e LU-130), adenocarcinoma (PC-14 e CCL--185), carcinoma epidermoide (LC-AI e LC-1/sq) e carcinoma de grandes células (IA-LM). Acontece diminuição da proliferação de modo dose-dependente em todas as linhagens. A apoptose ocorre com aumento da caspase-3. Os efeitos anticâncer aumentam com o uso concomitante da cisplatina (Yoshida, 2003).
4. **Câncer de mama**
   Menaquinona tipo 4 (MK-4), também chamada de menatetrenona, é a forma mais comum da vitamina K_2, sendo eficaz contra vários tipos de linhagens do câncer de mama. A diminuição da concentração de glicose no meio de cultura, na presença da MK-4, diminui mais ainda a proliferação e aumenta a adesão celular, o que diminui o risco de metástases (Kiely, 2015; Setoguchi, 2015). Este trabalho é um dos inúmeros existentes na literatura que mostram o valor da restrição de carboidratos refinados na dieta dos pacientes com câncer.
5. **Câncer de mama triplo negativo**
   Células MDA-MB-231, da linhagem triplo negativa, e MDA-MB-453 da linhagem HER2+ do câncer de mama foram tratadas com MK-4 em concentrações crescentes. Observaram-se dramática inibição da proliferação mitótica e aumento da adesão celular (Kiely, 2015).

6. **Câncer de próstata**
   a) MK-4 exerce efeito terapêutico no câncer de próstata hormônio dependente e hormônio independente. Ela provoca apoptose via caspases-3 e 8, redução da migração e da angiogênese e inibição da proliferação celular. Acontece diminuição significante do NF-kappaB e do AKT (Samykutty, 2013).
   b) Aumento da ingestão de MK-4, mas não de vitamina K_1, diminuiu o risco e a mortalidade do câncer de próstata (Nimptsch, 2010).
7. **Câncer gástrico**
   a) MK4 pára o ciclo celular em G0/G1 e aumenta a apoptose em células do câncer gástrico, MKN7, MKN74 (carcinoma diferenciado) e KATO III, FU97 (carcinoma indiferenciado) (Tokita, 2006).
   b) Deficiência de vitamina K promove o aparecimento da proteína induzida por antagonista da vitamina K provocando câncer gástrico avançado: antagonista II ou PIVKA-II (Takano, 2004).
   c) Vitamina K_1 inibe o crescimento e a síntese de poliaminas em linhagens do câncer gástrico (HGC-27) e do câncer de cólon (SW480). Ocorrem diminuição significante da síntese de poliaminas e aumento da fosfo-ERK 1/2 (Linsalata, 2015).
8. **Câncer de cólon**
   a) A vitamina MK-4 induz inibição do crescimento de células do câncer de cólon, PMCO1, COLO201 e DLD-1 via apoptose e autofagia (Kawakita, 2009).
   b) Vitamina K_2, mas não a K_1 exerce efeito antitumoral no câncer colorretal murino, cólon 26. Acontecem aumento da caspase-3 e apoptose (Ogawa, 2007).
   c) Vitamina K_2 possui anel 1,4-naftoquinona e inibe a proliferação e a angiogênese no câncer colorretal, HCT116 (Kayashima, 2009).
   d) Vitamina K_1 exerce efeitos antiproliferativos e induz apoptose em três diferentes linhagens de câncer de cólon, Caco-2, HT-29 e SW480 envolvendo a via MAPK. Acontece diminuição concomitante e drástica da síntese das poliaminas (Orlando, 2015).
   e) Vitamina K_1 plus *Lactobacillus rhamnous* GG possui efeito antiproliferativo em células do adenocarcinoma humano, Caco-2, HT-29 e SW480. Administrados separadamente provocam inibição da proliferação, indução de apoptose e parada do ciclo celular nas 3 linhagens. Quando administrados em conjunto o efeito antiproliferativo é potenciado (Orlando, 2016).
9. **Câncer de fígado**
   a) Vitamina K_2 possui efeito benéfico no carcinoma hepatocelular quando em conjunto com outros tratamentos (Mizuta, 2007).
   b) A vitamina K_2 diminui a proliferação do carcinoma hepatocelular humano, mas seu efeito é apenas parcial e deve ser usada com outras drogas antiproliferativas como o ácido retinoico (Mizuta, 2015; Kanamori, 2007), ou hormônio D_3.
   c) Vitaminas K_2 e D interferem nas vias de sinalização do carcinoma hepatocelular e diminuem a sua proliferação (Louka, 2017).
   d) Citocromo P450 2E1 aumenta a sensibilidade de células do hepatoma à vitamina K_2. Álcool etílico ativa o citocromo P450 2E1 (CYP2E1) e age de modo sinérgico com a K_2 em células do hepatoma QGY-7703. A linhagem HepG2 não expressa a CYP2E1 (Li, 2017).
   e) Estudo clínico randomizado conduzido em pacientes com cirrose viral por 6 anos revelou significante diminuição do risco de carcinoma hepatocelular naqueles que receberam vitamina MK-4 em alta dose nos dois primeiros anos da infecção viral (Habu, 2004).
   f) Vitamina K_2 inibe NF-kappaB através da inibição da atividade das PKCα e β e subsequente inibição da ativação do PKD1, no hepatoma humano (Xia, 2012).
   g) Vitaminas K_2, K_3 ou K_5 podem ser úteis no tratamento do carcinoma hepatocelular humano PLC/PRF/5, *in vivo*. Acontece marcante diminuição da proliferação celular, principalmente com a K_2, em modelo murino xenotransplantado em subcutâneo. O ciclo celular para em G2 com significante redução da expressão da Cdk4 e das proteínas envolvidas no ciclo celular (Kuriyama, 2005).
   h) Vitamina K_2 em conjunto com retinoide acíclico ou ácido retinoico 9-cis possuem efeitos sinérgicos no carcinoma hepatocelular, HuH7. Vitamina K_2 sozinha inibe a fosforilação do receptor retinoide X (RXR)-alfa via inibição da ativação do RAS/MAPK. Tais efeitos aumentam na associação com a vitamina A (Kanamori, 2007).
   i) Proteína sérica induzida pela ausência de vitamina K-II (PIVKA-II) é usada como marcador tumoral porque aumenta notavelmente nos pacientes com carcinoma hepatocelular. Para verificar o mecanismo deste fato dosou-se o conteúdo dos vários tipos de vitaminas K em 12 pacientes com carcinoma hepatocelular e verificou-se significativa diminuição das vitaminas K_1, MK-7, MK-8 e MK-10 no tecido tumoral quando comparada com o tecido hepático normal (Miyakawa, 2000).
10. **Câncer de pâncreas**
   a) Vitaminas K_1 e K_2 possuem efeito apoptótico no câncer de pâncreas e podem ser benéficas no tratamento clínico desta doença: aumentam a

atividade das caspases via ERK/MAP quinase de modo dose e tempo-dependentes. Foram testadas 4 linhagens e somente duas foram sensíveis, MiaPaCa2 e PL5 (IC50 valores $\leq$ 150 microM) (Showalter, 2010).

b) MK-4 induz seletivamente apoptose em células do câncer pancreático (MIA PaCa-2). Acontecem liberação de citocromo c e diminuição da proteína antiapoptótica Bcl-2 (Shibayama-Imazu, 2003).

11. **Colangiocarcinoma**
MK-4 inibe a proliferação celular do carcinoma colangiocelular via autofagia tumoral (Enomoto, 2007).

12. **Câncer de ovário**
a) MK-4 aumenta a concentração de fosfoetanolamina na membrana de células do câncer de ovário e provoca apoptose. Não há aumento da fosfoetanolamina nestas células quando submetidas à quimioterapia, queremos dizer que tal tratamento abole os efeitos da MK-4 (Dhakshinamoorthy, 2015). MK-4 não provoca aumento da fosfoetanolamina no citoplasma o que seria prejudicial, pois aumentaria a proliferação mitótica. É o que acontece em grande porcentagem de pessoas que ingerem a fosfoetanolamina sintética.
b) MK-4 induz seletivamente apoptose em células do câncer de ovário (TYK-nu). Acontece liberação de citocromo c e diminuição da proteína antiapoptótica Bcl-2 (Shibayama-Imazu, 2003).
c) Vitamina K_2 e câncer de ovário linhagem TYK-nu: apoptose via despolarização do potencial transmembrana mitocondrial, ativação de caspase e liberação de citocromo c. Acontece aumento da geração do radical superóxido ($O_2^{\bullet-}$) em 2 a 3 dias e a vitamina E e a N-acetilcisteína, antioxidantes potentes, abolem tal efeito (Shibayama-Imazu, 2006).

13. **Leucemias, linfomas, mieloma múltiplo**
a) MK4 juntamente com o ATRA (ácido all-trans-retinoico) induz completa remissão da leucemia promielocítica aguda (Fugita, 1998).
b) MK-4 inibe a proliferação da leucemia promielocitica via autofagia tumoral (Enomoto, 2007).
c) Vitamina K_2 induz apoptose no mieloma múltiplo e linfoma de células B via ativação da caspase-3 e fosforilação da MAP quinase (Tsujioka, 2006).
d) MK-4 aumenta a concentração de fosfoetanolamina nas membranas de células leucêmicas e provoca apoptose. Não há aumento da fosfoetanolamina nestas células quando submetidas à quimioterapia, queremos dizer que tal tratamento abole os efeitos da MK-4 (Dhakshinamoorthy, 2015).

14. **Osteossarcoma**
a) Muito importante é o fato de a MK-4 propiciar a diferenciação celular de células da medula óssea, dos osteoblastos e de várias linhagens de células neoplásicas, particularmente quando em conjunto com o hormônio $1,25(OH)_2D_3$.
b) Vitamina K_4 inibe a proliferação e induz apoptose em células U2OS do osteosarcoma via disfunção mitocondrial. Acontece parada do ciclo celular na fase S e indução de apoptose. As espécies reativas tóxicas de oxigênio aumentam, o potencial de membrana mitocondrial é dissipado, diminui a expressão da família antiapoptótica Bcl-2 e ativação das caspases (Di, 2017).

15. **Câncer de bexiga**
Vitamina K_2 induz apoptose via mitocondrial em células do câncer de bexiga humano relacionado com as vias de sinalização JNJ/p38 MAPK (Duan, 2017).

Devemos aprender a usar a menaquinona, MK-4, que provoca morte celular sem inflamação, sem alarde, por apoptose ao lado de inibir a proliferação celular mitótica e diminuir a invasão e as metástases por provocar aumento da adesão celular (Figura 137.1).

Vitamina K_3

A vitamina K_3 não deveria ter esse nobre nome: vitamina. Nas células cancerosas ela funciona como quimioterapia citotóxica provocando estresse oxidativo.

A chamada vitamina K_3 sintética possui maior atividade antitumoral *in vitro* do que as verdadeiras vitaminas K_1 e K_2. Ela provoca inibição de 50% na formação de colônias em 86% dos tumores humanos testados a 1 micrograma/ml. Estes tumores incluem o câncer de mama, de próstata, gliomas, tumores de cabeça e pescoço etc. *In vivo*, a atividade antitumoral necessita de doses relativamente altas.

A vitamina K_3 exerce efeito antitumoral inibindo a atividade da Cdk_1. A ligação da vitamina K_3 à fosfatase Cdc25 provoca a formação de Cdk_1 hiperfosforilado, que é inativo, o que subsequentemente induz parada do ciclo celular e morte das células (Wu, 1999).

A vitamina K_3 inibe a Cdc25 fosfatase que induz acúmulo da proteína retinoblastoma (RBp) e da Cdk_1 inativas o que provoca parada do ciclo celular e apoptose. A vitamina K_3 também induz apoptose por fragmentação do DNA e diminuição da expressão do gene c-myc.

Foram propostos dois mecanismos de ação primários para explicar a citotoxicidade da vitamina K_3. Um é gerando espécies reativas tóxicas de oxigênio através da cascata de oxirredução da estrutura quinona, e o outro mecanismo é pela arilação direta dos tióis intracelulares provocando drástica queda dos níveis de glutationa

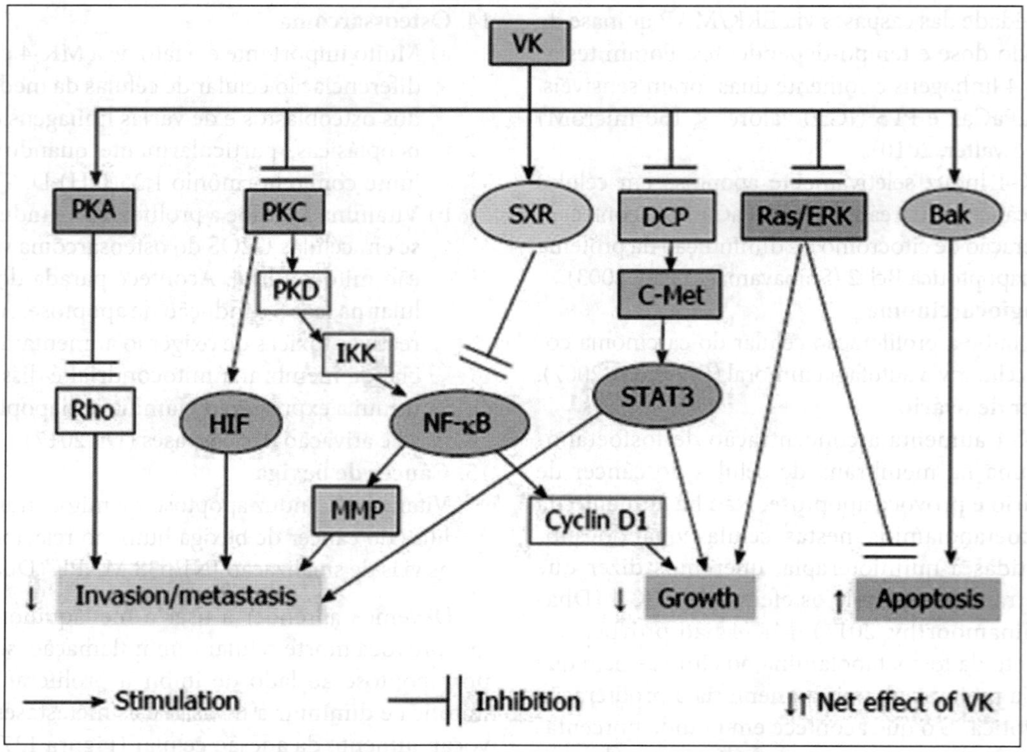

Figura 137.1 Efeitos da vitamina K_2 tipo MK-4 no câncer. PKA = *protein kinase A*; PKC = *protein kinase C*; PKD = *protein kinase D*; DCP = *Des-gamma-carboxy prothrombin*; SXR = steroid and xenobiotic receptor; ERK = *extracellular signal-regulated kinase*; IKK = IκB kinase; NF-κB = *nuclear factor-kappa B*; MMP = *matrix metalloproteinase*; HIF = *hypoxia-inducible factor*; VK = *vitamin MK-4*; STAT = *signal transducer and activator of transcription*; Bak = *Bcl-2 antagonist killer 1*. Retirado de Xia, 2015.

(GSH) e inibição de proteínas sulfidril dependentes. A vitamina K_3 gera semiquinonas, radical superóxido e H_2O_2, provocando depleção da glutationa (GSH), peroxidação lipídica e clivagem do DNA.

Devemos lembrar que a vitamina K_3 em pequenas doses é um antioxidante varredor de radical superóxido e em maiores quantidades funciona como pró-oxidante, aumentando a geração dos radicais livres.

Nutter, em 1992, mostrou que a menadiona aumenta a geração de radical hidroxila nas células do câncer de mama humano MCF-7 provocando quebra da mono-hélice e da dupla-hélice do DNA destas células.

Em 1998, Gilloteaux descreveu a *autoschizis*, processo de morte celular induzido por estresse oxidativo que mostra características morfológicas de necrose e de apoptose. Na *autoschizis* ocorre lesão exagerada da membrana celular e a perda progressiva das organelas livres no citoplasma. Durante o processo, o núcleo fica menor e o tamanho da célula se reduz para metade do tamanho original. A mitocôndria se condensa, porém, a morte da célula tumoral não resulta da deficiência de ATP.

A vitamina C e a vitamina K_3 administradas na razão 100:1 exibem atividade antitumoral sinérgica e preferencialmente matam as células tumorais por *autoschizis*. Esta dupla *dinâmica* induz o bloqueio da divisão celular na fase G1/S, diminui a síntese de DNA, aumenta a produção de radical superóxido e de H_2O_2 e diminui severamente os níveis de GSH e de outros tióis celulares. Neste ínterim ocorre aumento de 8 a 10 vezes na quantidade intracelular de cálcio ionizado. As vitaminas K_3 e C aumentam o estresse oxidativo até ele se sobrepor à defesa antioxidante endógena do GSH. Neste momento é que acontece a liberação de cálcio ionizado, que ativa a DNA-ase dependente de cálcio e provoca a clivagem do DNA.

Vitamina K_3 plus C é poderoso sistema-redox, o qual forma um *shunt* entre os complexos mitocondriais II e III e assim previne a disfunção mitocondrial, restaura a fosforilação oxidativa e a glicólise aeróbica, modula o estado redox, elimina o meio hipóxico das células cancerosas e induz a morte celular. A dupla C/K pode sensibilizar as células neoplásicas à quimioterapia permitindo diminuir a dose e minimizando os efeitos colaterais (Ivanova, 2018).

É importante salientar que a vitamina K_3 não funciona em células estacionárias, isto é, nas células que não estão em regime de proliferação e um fato importante ela tem funcionado muito bem em linhagens de tumores resistentes a múltiplas drogas.

Antioxidantes como a n-acetilcisteína, catalase, superóxido dismutase e desferroxamina podem diminuir ou até abolir o efeito da vitamina K_3. A aspirina e a indometacina conseguem suprimir quase que por completo a geração de radical superóxido pela menadiona.

É de capital importância que a vitamina K_3 empregada nos estudos seja hidrossolúvel, pois a solubilidade em água é um dos fatores que determinam a sua citotoxicidade.

O Prof. Gilloteaux descreve 3 pacientes com câncer de mama e um paciente com câncer de próstata ambos em estágio avançado, com sobrevida de longo prazo após o emprego da dupla de vitaminas, C e K_3.

A vitamina K_3 é sintética e muito tóxica. Ela não cuida das células doentes que chamamos de neoplásicas, ela simplesmente aniquila, extermina.

Referências

1. Abstracts and papers in full on site: www.medicinabiomolecular.com.br
2. Carr BI, Wang Z, Kar S. K vitamins, PTP antagonism, and cell growth arrest. J Cell Physiol. Dec;193(3):263-74;2002.
3. Chiou TJ, Chou YT, Tzeng WF. Menadione-induced cell degeneration is related to lipid peroxidation in human cancer cells. Proc Natl Sci Counc Repub China B. 22(1):13-21;1998.
4. Di W, Khan M, Gao Y, et al. Vitamin K4 inhibits the proliferation and induces apoptosis of U2OS osteosarcoma cells via mitochondrial dysfunction. Mol Med Rep. Jan;15(1):277-284;2017.
5. Dhakshinamoorthy S, Dinh NT, Skolnick J, Styczynski MP. Metabolomics identifies the intersection of phosphoethanolamine with menaquinone-triggered apoptosis in an in vitro model of leukemia. Mol Biosyst. 11(9):2406-16;2015.
6. Duan F, Yu Y, Guan R, et al. Vitamin K2 Induces Mitochondria-Related Apoptosis in Human Bladder Cancer Cells via ROS and JNK/p38 MAPK Signal Pathways. PLoS One. Aug 29;11(8):e0161886;2016.
7. Enomoto M, Tsuchida A, Miyazawa K, et al. Vitamin K2-induced cell growth inhibition via autophagy formation in cholangiocellular carcinoma cell lines. Int J Mol Med. Dec;20(6):801-8;2007.
8. Fujita H, Tomiyama J, Tanaka T. Vitamin K2 combined with all-trans retinoic acid induced complete remission of relapsing acute promyelocytic leukaemia. Br J Haematol. 103(2):584-5;1998.
9. Gant TW, Rao DN, Mason RP, Cohen GM. Redox cyclind and suphydryl arylation; their relative importance in the mechanism of quinone cytotoxicity to isolated hepatocytes. Chem Biol Interact. 65:157-73;1988.
10. Gilloteaux J, Jamison JM, Arnold D, et al. Cancer cell necrosis by autoschiziz: synergism of antitumor activity of vitamin C: vitamin K3 on human bladder carcinoma T24 cells. Scanning.20(8):564-75;1998.
11. Gilloteaux J, Jamison JM, Venugopal M, et al. Scanning electron microscopy and transmission electron microscopy aspects of synergistic antitumor activity of vitamin C – vitamin K3 combinations against human prostatic carcinoma cells. Scanning Microsc. 9(1): 159-73;1995.
12. Habu D, et al. Role of vitamin K2 in the development of hepatocellular carcinoma in women with viral cirrhosis of the liver. JAMA. 292:358-61;2004.
13. Hans N. The Curious man. New York: Publishing Group; 1999.
14. Hey H, Brasen CL. Vitamin K2 influences several diseases. Ugeskr Laeger. 177(32):V12140700;2015.
15. Hu OY, Wu CY, Chan WK, Wu FY. Determination of anticancer drug vitamin K3 in plasma by high – performance liquid chromatography. J Chromatogr B Biomed Appl. 666(2):299-305;1995.
16. Ide Y, Zhang H, Hamajima H, et al. Inhibition of matrix metalloproteinase expression by menatetrenone, a vitamin K2 analogue. Oncol Rep. 22(3):599-604;2009.
17. Ishihara M, Takayama F, Toguchi M, et al. Cytotoxic activity of polyprenylalcohols and vitamin K2 derivatives. Anticancer Res. 20(6B):4307-13;2000.
18. Ivanova D, Zhelev Z, Getsov P, et al. Vitamin K: Redox-modulation, prevention of mitochondrial dysfunction and anticancer effect. Redox Biol. Jun;16:352-358;2018.
19. Jamison JM, Gilloteaux J, Taper HS, et al. Autoschizis: a novel cell death. Biochem Pharmacol. 63(10):1773-83;2002.
20. Jamison JM, Gilloteaux J, Taper HS, Summers JL. Evaluation of the in vitro and in vivo antitumor activities of vitamin C and K-3 combinations against human prostate cancer. J Nutr. 131(1):158S-60S;2001.
21. Jamison M, Gilloteaux J, Venugopal M, et al. Flow cytometric and ultrastructural aspects of the synergistic antitumor activity of vitamin C-vitamin K3 combinations against human prostatic carcinoma cells. Tissue Cell. 28(6):687-701;1996.
22. Juan CC, Wu FYH. Vitamin K3 inhibits growth of human hepatoma, HepG2 cells by decreasing activities of both p34cdc2 kinase and phosphatase. Biochem Biophys Res Commun. 190:907-913;1993.
23. Juanola-Falgarona M, et al. Dietary intake of vitamin K is inversely associated with mortality risk. J Nutr. 144(5):743-50;2014.
24. Kanamori T, Shimizu M, Okuno M, et al. Synergistic growth inhibition by acyclic retinoid and vitamin K2 in human hepatocellular carcinoma cells. Cancer Sci. 98(3):431-7;2007.
25. Kayashima T, Mori M, Yoshida H, et al. 1,4-Naphthoquinone is a potent inhibitor of human cancer cell growth and angiogenesis. Cancer Lett. Jun 8;278(1):34-40;2009.
26. Karasawa S, Azuma M, Kasama T, et al. Vitamin K2 covalently binds to Bak and induces Bak-mediated apoptosis. Mol Pharmacol. 83(3):613-20;2013.
27. Kawakita H, Tsuchida A, Miyazawa K, et al. Growth inhibitory effects of vitamin K2 on colon cancer cell lines via different types of cell death including autophagy and apoptosis. Int J Mol Med. 23(6):709-16;2009.
28. Kiely M, Hodgins SJ, Merrigan BA. Real-time cell analysis of the inhibitory effect of vitamin K2 on adhesion and proliferation of breast cancer cells. Nutr Res. 35(8):736-43;2015.
29. Knapen MH, Braam LA, Drummen NE, et al. Menaquinone-7 supplementation improves arterial stiffness in healthy postmenopausal women. A double-blind randomised clinical trial. Thromb Haemost. May;113(5):1135-44, 2015.
30. Kuriyama S, Hitomi M, Yoshiji H, et al. Vitamins K2, K3 and K5 exert in vivo antitumor effects on hepatocellular carcinoma by regulating the expression of G1 phase-related cell cycle molecules. Int J Oncol. Aug;27(2):505-11;2005.
31. Liao WC, Wu FY, Wu CW. Binary/ternary combined effects of vitamin K3 with other antitumor agents in nasopharyngeal carcinoma CG1 cells. Int J Oncol. 17(2):323-8;2000.
32. Li L, Wang L, Song R, et al. Cytochrome P450 2E1 increases the sensitivity of hepatoma cells to vitamin K2. Int J Oncol. May;50(5):1832-1838;2017.

33. Linsalata M, Orlando A, Tutino V, et al. Inhibitory effect of vitamin K1 on growth and polyamine biosynthesis of human gastric and colon carcinoma cell lines. Int J Oncol. Aug;47(2):773-81;2015.
34. Louka ML, Fawzy AM, Naiem AM, et al. Vitamin D and K signaling pathways in hepatocellular carcinoma. Gene. Sep 20;629:108-116; 2018.
35. Margolin KA, Akman SA, Leong LA, et al. Phase I study of mitomycin C and menadione in advanced solid tumors. Cancer Chemother Pharmacol. 36(4):293-8;1995.
36. Miyakawa T, Kajiwara Y, Shirahata A, et al. Vitamin K contents in liver tissue of hepatocellular carcinoma patients. Jpn J Cancer Res. Jan;91(1):68-74;2000.
37. Mizuta T and Ozaki I. Clinical application of vitamin K for hepatocellular carcinoma. Clin Calcium. Nov;17(11):1693-9;2007.
38. Mizuta T, Ozaki I. Hepatocellular carcinoma and vitamin K. Vitam Horm. 78:435-42;2008.
39. Mizuta T, Ozaki I. Hepatocellular carcinoma and vitamin K2. Clin Calcium. 25(11):1645-51;2015.
40. Nath KA, Ngo EO, Hebbel RP, et al. Alpha-Ketoacids scavenge H2O2 in vitro and in vivo and reduce menadione-induced DNA injury and cytotoxicity. Am J Physiol; 268(1 Pt 1):C227-36;1995.
41. Ni R, Nishikawa Y, Carr BI. Cell growth inhibition by a novel vitamin K is associated with induction of protein tyrosine phosphorylation. J Biol Chem. 273(16):9906-11;1998.
42. Nimptsch K, et al. Dietary vitamin K intake in relation to cancer incidence and mortality: results from the Heidelberg cohort of the European Prospective Investigation into Cancer and Nutrition (EPIC-Heidelberg). Am J Clin Nutr. 91:1348-58;2010.
43. Nishikawa Y, Carr BI,Wang M, et al. Growth inhibotion of hepatoma cells induced by vitamin K and its analogs. J Biol Chem. 270(47):28304-10;1995.
44. Nimptsch K, Rohrmann S, Kaaks R, Linseisen J. Dietary vitamin K intake in relation to cancer incidence and mortality: results from the Heidelberg cohort of the European Prospective Investigation into Cancer and Nutrition (EPIC-Heidelberg). Am J Clin Nutr. May;91(5):1348-58;2010.
45. Noto V, Taper HS, Jiang YH, et al. Effects of sodium ascorbate (vitamin C) and 2-methyl-1,4-naphthoquinone (vitamin K3) treatment on human tumor cell growth in vitro. I. Synergism of combined vitamin A and K3 action. Cancer. 63:901-6;1989.
46. Novel form of vitamin K may stop liver cancer cell growth. Oncology (Huntingt). 12(10):1541;1998.
47. Nutter LM, Cheng AL, Hung HL, et al. Menadione: spectrum of anticancer activity and effects on nucleotide metabolism in human neoplastic cell lines. Biochem Pharmacol. 41:1283-92;1991.
48. Nutter LM, Ngo EO, Gutierrez PL. DNA strand scission and free radical production in menadionetreated cells. Correlation with cytotoxicity and role of NADPH quinone acceptor oxidoreductase. J Biol Chem. 267(4):2474-9;1992.
49. Ogawa M, Nakai S, Deguchi A, et al.Vitamins K2, K3 and K5 exert antitumor effects on established colorectal cancer in mice by inducing apoptotic death of tumor cells. Int J Oncol. Aug;31(2):323-31; 2007.
50. Okano T, Nakagawa K, Kamao M. In vivo metabolism of vitamin K: in relation to the conversion of vitamin K1 to MK-4. Clin Calcium. 19(12):1779-87;2009.
51. Okayasu H, Ishihara M, Satoh K, Sakagami H. Cytotoxic activity of vitamins K1, K2 and K3 against human oral tumor cell lines. Anticancer Res. 21(4A):2387-92;2001.
52. Orlando A, Linsalata M, Tutino V, et al. Vitamin K1 exerts antiproliferative effects and induces apoptosis in three differently graded human colon cancer cell lines. Biomed Res Int. 2015:296721;2015.
53. Orlando A, Linsalata M, Russo F. Antiproliferative effects on colon adenocarcinoma cells induced by co-administration of vitamin K1 and Lactobacillus rhamnosus GG. Int J Oncol. Jun;48(6):2629-38;2016.
54. Osada S, Osada K, Carr BI. Tumor cell growth inhibition and extracellular signal-regulated kinase (ERK) phosphorylation by novel K vitamins. J Mol Biol. 314(4):765-72;2001.
55. Osada S, Saji S, Osada K. Critical role of extracellular signal-regulated kinase phosphorylation on menadione (vitamin K3) induced growth inhibition. Cancer. 91(6):1156-65;2001.
56. Oztopçu P, Kabadere S, Mercangoz A, Uyar R. Comparison of vitamins K1, K2 and K3 effects on growth of rat glioma and human glioblastoma multiforme cells in vitro. Acta Neurol Belg. 104(3):106-10;2004.
57. Sakagami H, Satoh K, Hakeda Y, Kumegawa Apoptosis-inducing activity of vitamin C and vitamin K. M. Cell Mol Biol (Noisy-le-grand). Feb;46(1):129-43;2000.
58. Samykutty A, Shetty AV, Dakshinamoorthy G, et al. Vitamin K2, a naturally occurring menaquinone, exerts therapeutic effects on both hormone-dependent and hormone-independent prostate cancer cells. Evid Based Complem Alternat Med. 2013:287-358;2013.
59. Sato T, Schurgers LJ, Uenishi K. Comparison of menaquinone-4 and menaquinone-7 bioavailability in healthy women. Nutr J. Nov 12;11:93;2012.
60. Setoguchi S, Watase D, Matsunaga K. Enhanced antitumor effects of novel intracellular delivery of an active form of menaquinone-4, menahydroquinone-4, into hepatocellular carcinoma. Cancer Prev Res (Phila). 8(2):129-38;2015.
61. Shibayama-Imazu T, Sakairi S, Watanabe A, et al. Vitamin K(2) selectively induced apoptosis in ovarian TYK-nu and pancreatic MIA PaCa-2 cells out of eight solid tumor cell lines through a mechanism different from geranylgeraniol. J Cancer Res Clin Oncol. Jan;129(1):1-11;2003.
62. Shibayama-Imazu T, Sonoda I, Sakairi S, et al. Production of superoxide and dissipation of mitochondrial transmembrane potential by vitamin K2 trigger apoptosis in human ovarian cancer TYK-nu cells. Apoptosis. Sep;11(9):1535-43;2006.
63. Shibayama-Imazu T, Aiuchi T, Nakaya K. Vitamin K2-mediated apoptosis in cancer cells: role of mitochondrial transmembrane potential. Vitam Horm. 78:211-26;2008.
64. Showalter SL, Wang Z, Costantino CL, et al. Naturally occurring K vitamins inhibit pancreatic cancer cell survival through a caspase-dependent pathway. J Gastroenterol Hepatol. 25(4):738-44;2010.
65. Sun L, Yoshii Y, Miyagi K, Ishida A. Proliferation inhibition of glioma cells by vitamin K2. No Shinkei Geka. 27(2):119-25;1999.
66. Sun LK, Yoshii Y, Miyagi K. Cytotoxic effect through fas/APO-1 expression due to vitamin K in human glioma cells. J Neurooncol. 47(1):31-8;2000.
67. Takano S, Honda I, Watanabe S, et al. PIVKA-II-producing advanced gastric cancer. Int J Clin Oncol. Aug;9(4):330-3;2004.
68. Taper HS, de Gerlache J, Lans M, Roberfroid M. Non-toxic potentiation of cancer chemotherapy by combined C and K3 vitamin pre treatment. Int J Cancer. 40:575-9;1987.
69. Taper HS, Jamison JM, Gilloteaux J, et al. In vivo reactivation of DNases in implanted human prostate tumors after administration of a vitamin C/K (3) combination. J Histochem. 49(1):109-20;2001.
70. Taper HS, Keyeux A, Roberfroid M. Potentiation of radiotherapy by nontoxic pretreatment with combined vitamins C and K3 in mice bearing solid transplantable tumor. Anticancer Res. 16:499-504; 1996.

71. Taper HS, Roberfroid M. Non-toxic sensitization of cancer che motherapy by combined vitamin C and K3 pretreatment in a mouse tumor resistant to oncovin. Anticancer Res. 12:1651-4;1992.
72. Tetef M, Margolin K, Ahn C, et al. Mitmycin C and menadione for the treatment of advanced gastrointestinal cancers: a phase II trial. J Cancer Res Clin Oncol. 121(2):103-6;1995.
73. Tetef M, Margolin K, Ahn C, et al. Mitomycin C and menadione for the treatment of lung cancer: a phase II trial. Invest N Drugs. 13(2): 157-62;1995.
74. Theuwissen E, Smit E, Vermeer C. The role of vitamin K in soft-tissue calcification. Adv Nutr. 3:166-73;2012.
75. Theuwissen E, Cranenburg EC, Knapen MH, et al. Low-dose menaquinone-7 supplementation improved extra-hepatic vitamin K status, but had no effect on thrombin generation in healthy subjects. Br J Nutr. Nov 14;108(9):1652-7;2012.
76. Tokita H, Tsuchida A, Miyazawa K, et al. Vitamin K2-induced antitumor effects via cell-cycle arrest and apoptosis in gastric cancer cell lines. Int J Mol Med. Feb;17(2):235-43;2006.
77. Tsujioka T, Miura Y, Otsuki T, et al. The mechanisms of vitamin K2-induced apoptosis of myeloma cells. Haematologica. May;91(5): 613-9;2006.
78. Tsuchida A, Miyazawa K, et al. Vitamin K2-induced antitumor effects via cell-cycle arrest and apoptosis in gastric cancer cell lines. Tokita H, Int J Mol Med. Feb;17(2):235-43;2006.
79. Venogopal M, Jamison JM, Gilloteaux J, et al. Synergistic antitumor activity of vitamin C and K3 on human urologic tumor cell lines. Life Sci. 59(17):1389-400;1996.
80. Venugopal M, Jamison JM, Gilloteaux J, et al. Synergistic antitumour activity of vitamins C and K3 against human prostate carcinoma cell lines. Cell Biol Int. 20(12):787-97;1996.
81. Wang Z, Wang M, Finn F, Carr BI. The growth inhibitory effects of vitamins K and their actions on gene expression. Hepatology. 22(3): 876-82;1995.
82. Wu FYH, Chang NT, Chen WJ, Juan CC. Vitamin K3-induced cell cycle arest and apoptotic cell death are accompanied by altered expression of c-fos and c-myc in nasopharyngeal carcinoma cells. Oncogene. 8:2237-44;1993a.
83. Wu FYH, Liao WC, Chang HM. Comparison of antitumor activity of vitamins K1, K2 and K3 on human tumor cells by two (MTT and SRB) cell viability assays. Life Sci. 52:1797-804;1993b.
84. Wu FY, Sun TP. Vitamin K3 induces cell cycle arrest and cell death by inhibiting Cdc25 phosphatase. Eur J Cancer. 35(9):1388-93;1999.
85. Xia Jinghe, Toshihiko Mizuta, Iwata Ozaki. Vitamin K and hepatocellular carcinoma: The basic and clinic. World J Clin Cases. 3(9): 757-64;2015.
86. Xia J, Matsuhashi S, Hamajima H, et al. The role of PKC isoforms in the inhibition of NF-κB activation by vitamin K2 in human hepatocellular carcinoma cells. J Nutr Biochem. Dec;23(12):1668-75;2012.
87. Yoshida T, Miyazawa K, Kasuga I, et al. Apoptosis induction of vitamin K2 in lung carcinoma cell lines: the possibility of vitamin K2 therapy for lung cancer. Int J Oncol. Sep;23(3):627-32;2003.
88. Zwakenberg SR, den Braver NR, Engelen AIP, et al. Vitamin K intake and all-cause and cause specific mortality. Clin Nutr. Oct;36(5): 1294-1300;2017.

CAPÍTULO 138

Vitamina C nas neoplasias

Dose elevada induz estresse oxidativo e o equilíbrio da oxidorredução tende para oxidação que provoca queda do GSH citoplasmático com aumento da geração de GS-SG e H_2O_2 com parada do ciclo celular e apoptose; anti-*Mycobacterium tuberculosis*; ativa p53, cascata das caspases e deoxirribonuclease; inibe NF-kappaB, pRb, PTK, Cdc25 fosfatase, cdK1, MAPK e fatores de transcrição Sp; diminui Bcl-2 e aumenta Bax; diminui atividade da fosfofrutoquinase com diminuição do NADH; regula para baixo a expressão de subunidades translacionais das tRNA-sintetases e genes cruciais para a progressão do ciclo celular

José de Felippe Junior

Antioxidante em excesso funciona como oxidante.
Bioquímica médica

O ácido L-ascórbico foi descoberto nas suprarrenais e no pimentão e posteriormente sintetizado por um dos mais brilhantes cientistas que pisou no planeta Terra, Albert Szent Gyorgyi.

A vitamina C é encontrada naturalmente na acerola 1.548mg/250g, caju 220mg/unidade, pimentão vermelho 190mg/unidade, goiaba 183mg/unidade, salsa fresca 125mg/10g, kiwi 100mg/unidade, pimentão verde 90mg/unidade e finalmente nas frutas cítricas 30 a 55mg/unidade.

É o principal agente redutor (antioxidante) dos líquidos corporais e importante no controle das infecções, reações de desintoxicação e na formação do colágeno do tecido conjuntivo, dentes, ossos, pele e capilares. Sua deficiência provoca escorbuto, nos mais variados graus. Como todo agente antioxidante, funciona como oxidante em altas doses, dehidro ascorbato.

O ascorbato é requerido para manter a plena função de uma série de enzimas e sua concentração normal no corpo otimiza o metabolismo celular e previne o câncer e doenças degenerativas (Ames, 2006; Levine, 2009).

O ácido L-ascórbico de peso molecular 176,1g/mol e fórmula $C_6H_8O_6$ também é chamado de ascorbato, vitamina C, ácido ascórbico e ascoltin. O ácido ascórbico é doador de 2 elétrons e se transforma em dehidro ascorbato. O ácido ascórbico é, portanto, agente redutor ou antioxidante. O dehidro ascorbato formado é capaz de abstrair 2 elétrons e, portanto, é agente oxidante. O ácido ascórbico antioxidante ao fazer a sua função se

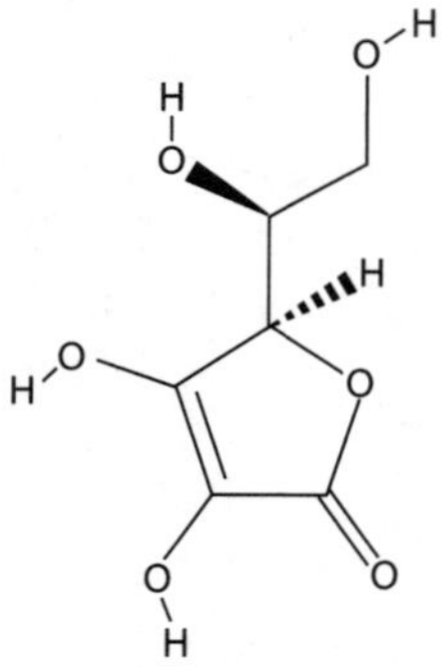

Ácido L-ascórbico. $C_6H_8O_6$. PM:176,1g/mol

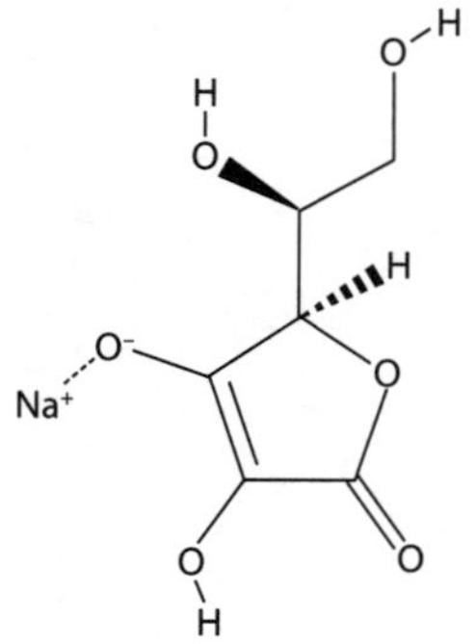

L-ascorbato de sódio. $C_6H_7O_6Na$. PM: 198,1g/mol

transforma em oxidante, desidro ascorbato. Este é regenerado no metabolismo no que se chama de cascata de Lester Parker envolvendo doze reações.

Mecanismo de ação mais estudado: estresse oxidativo

Em 1935, Dixon sugeriu que a presença de agentes oxidantes poderia controlar o câncer e Baker (1937 e 1938) e Arrick (1982) demonstraram essa hipótese verificando que o aumento da glutationa oxidada (GS-SG) era capaz de inibir a glicólise anaeróbia.

De fato, quando o meio intracelular é oxidante, isto é, o equilíbrio da oxidorredução tende para a oxidação (excesso de oxidantes), à medida que o GS-SG é formado ele inibe a glicólise anaeróbia. A inibição da glicólise anaeróbia faz parar o ciclo celular e a consequência é a diminuição da proliferação celular neoplásica com apoptose ou necrose da célula tumoral.

Quando o meio intracelular é redutor, isto é, o equilíbrio da oxidorredução tende para a redução (excesso de antioxidantes), à medida que o GS-SG vai sendo formado ele é reduzido para GSH, o qual ativa a glicólise anaeróbia, motor da mitose, aumentando a proliferação celular neoplásica.

O crucial para conseguir o efeito carcinostático é manter o meio intracelular oxidante por um período de tempo suficiente para a célula acumular GS-SG, inibir a glicólise anaeróbia, parar o ciclo celular e entrar em apoptose ou necrose.

O ácido ascórbico em doses elevadas, tanto *in vitro* como *in vivo*, induz estresse oxidativo e o equilíbrio da oxidorredução tende para oxidação e provoca queda do GSH citoplasmático com aumento da geração de GS-SG e H_2O_2. Catalisadores da reação de Fenton e Waber-Weiss como o ferro e o cobre, se presentes no plasma, aumentam a velocidade de oxidação do ácido ascórbico e aceleram a geração de GS-SG e H_2O_2 (Tao, 1988: Sestili, 1996; Chen e Espery, 2005; Chen, 2007; Verrax, 2009; Du, 2010).

Recentemente surgiram inúmeros trabalhos em animais de experimentação inoculados com células de vários tipos de cânceres humanos mostrando que o meio intracelular oxidante provoca parada do ciclo celular e apoptose pelos seguintes mecanismos:

a) Acúmulo da proteína p53.
b) Ativação da cascata das caspases.
c) Ativação da deoxirribonuclease.
d) Defosforilação e, portanto, inibição da proteína retinoblastoma.
e) Inibição da proteína tirosina quinase.
f) Inibição da Cdc25 fosfatase.
g) Inativação do cdK1.
h) Inibição da MAPK.
i) Diminuição da atividade da fosfofrutoquinase com diminuição do NADH.
j) Inibição da expressão da proteína Bcl-2.
k) Inibição do fator de transcrição nuclear NF-kappa-B.
l) Queda dos fatores de transcrição Sp.

Esses efeitos foram observados em mais de 20 tipos de câncer humano incluindo: mama, próstata, pulmão, astrocitomas, gliomas, carcinoma epidermoide, tumores de cabeça e pescoço, colorretal, de fígado, de pâncreas etc. (in Felippe, 2004a e 2004b).

Análise tipo *microarray* mostrou que a vitamina C regula para baixo a expressão de subunidades translacionais das tRNA-sintetases e genes cruciais para a progressão do ciclo celular com parada mitótica na fase-S (Belin, 2009).

Vitamina C é inibidor competitivo da adenilato ciclase e suprime a expressão de grande variedade de genes sob o controle do AMP-ciclico (Belin, 2010).

Além de interferir nas tRNA-sintetases, inibir a adenilato ciclase e aumentar a geração de H2O2 intracelular com queda do GSH, elevação do GS-SG e parada da glicólise anaeróbia foi descoberto outro mecanismo. É a estimulação da família de enzimas 2-OGDDs (2-oxoglutarato dependente dioxigenases). As 2-OGDDs são hidroxilases que regulam a resposta hipóxica, estando envolvidas na modulação da sobrevivência tumoral, angiogênese, células tronco, metástases e da epigenética, com demetilação e acetilação de genes supressores de tumor (Vissers, 2018). Desta forma, a vitamian C desempenha um novo papel como agente epigenético anticâncer (Cimmino, 2018).

Entretanto, muito ainda temos que apreender.

Efeito da vitamina C em micobactérias

A vitamina C em altas doses aumenta a morte da Mycobacterium tuberculosis por medicamentos antituberculose de primeira linha, isoniazida e rifampicina, em modelo murino (Vilcheze, 2018). Em outro estudo o mecanismo tuberculicida proposto pelo autor foi estresse oxidativo (Vilcheze, 2013), entretanto sabemos que estresse oxidativo sustentado pode piorar o quadro infeccioso.

A vitamina C é sinérgica com a pirazinamida, um medicamento esterilizante de bacilos de Kock, para matar bactérias adormecidas e replicantes, tanto nos modelos de infecção in vitro como in vivo (Sikri-2018).

Em 2019 Adnan no Himalaia descreve os efeitos da vitamina C na tuberculose.

O SapM é um fator de virulência secretado pelo Mycobacterium tuberculosis, sendo crítico para a sobrevivência intracelular do patógeno. Foram identificados dois inibidores do SapM, ácido L-ascórbico e 2-fosfo-L-ascórbico, que definem dois mecanismos diferentes pelos quais a atividade catalítica dessa fosfatase pode ser regulada e a bactéria controlada (Fernandez-Soto, 2019).

A vitamina C em alta concentração é eficaz no *M. tuberculosis* por inibir algumas funções da parede celular (Syal, 2018).

Lá nos idos de 1961 Saliba já escrevia que o ácido ascórbico possui efeito bactericida e bacteriostático em altas doses contra o bacilo de Kock (Saliba, 1961).

Vitamina C e *Helicobacter pylori*

A vitamina C pode ser usada na prevenção e na terapêutica do *H. pylori* (Hussain, 2018; Mei, 2018). Ela aumenta a eficácia dos antibióticos clássicos (Zojaji, 2009).

Efeito da Vitamina C na epigenética – demetilação

A vitamina C está envolvida em muitos processos biológicos que envolvem reações enzimáticas catalisadas por membros de dioxigenases que usam Fe (II) e 2-oxoglutarato como co-substrato. Dados recentes sugerem o envolvimento do ascorbato nas cromatinas catalisadas por dioxigenases e modificações no DNA que contribuem para a regulação epigenética. No que diz respeito à modificação da cromatina, as dioxigenases estão envolvidas em reações distintas de demetilação com especificidade variável para a posição da lisina na histona alvo (Guz, 2017).

Vitamina C intravenosa (IVC) melhora a qualidade de vida durante a quimioterapia (Riordan, 2003)

Vários outros estudos clínicos investigaram o efeito da vitamina C na qualidade de vida em pacientes com câncer. Em um estudo coreano, a terapia IVC melhorou significativamente os escores globais de qualidade de vida, com benefícios que incluem menos fadiga, redução de náuseas e vômitos e melhora do apetite (Yeom, 2007).

Em recente estudo alemão, pacientes com câncer de mama que receberam IVC junto com a terapia padrão foram comparados a indivíduos que receberam apenas a terapia padrão (Os pacientes que receberam IVC se beneficiaram de menos fadiga, redução das náuseas, melhora do apetite, redução da depressão e menos distúrbios do sono. Os escores de intensidade geral dos sintomas durante a terapia e pós-tratamento foram duas vezes mais altos no grupo controle do que no grupo IVC. Não foram observados efeitos colaterais devido ao ascorbato (Vollbracht, 2011).

Efeito da vitamina C em várias linhagens neoplásicas

A vitamina C em doses supra nutricionais induz estresse oxidativo e, por ativar o RAF-1 e a via ERK, provoca apoptose no **neuroblastoma, melanoma e células da leucemia mielógena aguda** em 24 horas (Park, 2005). Em concentração 10mM (mile-Molar) consegue provocar apoptose em algumas linhagens de células do **neuroblastoma e melanoma** (De Laurenzi, 1995).

Ascorbato de sódio e ácido ascórbico diminuem a sobrevivência de células **A-549 do câncer de pulmão humano** (Farah, 2011). Na concentração de 0,5 a 5mM a vitamina C, mais agente inibidor da glicólise, possui efeito sinérgico na indução de apoptose no **câncer de pulmão linhagens H1299, H661 e A549** (Vuyyur, 2013). A suplementação com 600mg/dia de ácido ascórbico a pacientes com **câncer pulmonar inoperável** e sob quimioterapia aumenta a concentração das vitaminas A e E no soro desses pacientes (Tokarski, 2013).

Vitamina C promove apoptose em células do **câncer de mama humano** regulando para cima a expressão do TRAIL. Perda genômica da 5hmC (5-hidroximetilcitosina) acompanha a transformação maligna do câncer de mama. Vitamina C serve como cofator para TET metilcitocina dioxigenase para aumentar a geração de 5hmC. A expressão e a transcrição do transportador sódio-dependente da vitamina C está diminuído no câncer de mama, em estudo com 113 casos quando comparado com o tecido normal das mesmas pacientes. O uso da vitamina C aumenta o conteúdo de 5hmC na linhagem MDA-MB-231 do câncer de mama triplo negativo e drasticamente altera o transcriptoma. Acontece apoptose nesta também, nas linhagens BT549 e HCC1937. O efeito apoptótico se faz via ativação dos receptores TRAIL com aumento de 2 a 3 vezes na sua transcrição. A apoptose pela vitamina C está associada com o Bax, ativação das caspases, sequestro do Bcl-xL e liberação do citocromo c (Sant, 2018).

Ingestão de vitamina C dos alimentos se associa inversamente ao risco de **câncer de próstata** em meta-análise envolvendo 103.658 participantes (Bai, 2015). Trabalho de fase II com único braço não conseguiu efeito benéfico de infusões semanais de 60g de vitamina C, em um total de 12 semanas, no câncer de próstata resistente a castração. O autor refere que não houve sinais de remissão da doença, mas a mediana do PSA caiu de 43mcg/l para 17mcg/l (Nielsen, 2017).

In vitro, o efeito metabolômico de altas doses de vitamina C em células MCF-7 do **adenocarcinoma de**

mama humano e células HT-29 do câncer de cólon humano provoca grande diminuição da concentração de NAD e ATP glicolítico, o que inviabiliza a sobrevivência de ambas as linhagens tumorais. A adição do antioxidante GSH impede o fenômeno (Uetaki, 2015).

Mais da metade dos **cânceres colorretais** carregam mutações do KRAS ou do BRAF. Estas células são seletivamente mortas com alta concentração de ácido ascórbico por estresse oxidativo e depleção do GSH. Radicais livres de oxigênio se acumulam no citoplasma e inativam a enzima glicolítica GAPDH (gliceraldeído 3-fosfato desidrogenase) provocando drástica diminuição da geração de ATP glicolítico e morte celular (Yun, 2015).

Ácido ascórbico em células RKO e SW480 do **câncer de cólon humano** na concentração entre 1 e 3mM provoca queda dos fatores de transcrição Sp1, Sp3 e Sp4 e diminuição da proliferação com aumento da apoptose e/ou necrose. Em adição, o ácido ascórbico diminui a expressão de vários genes Sp envolvidos em: 1. **proliferação celular** c-Met (*hepatocyte growth factor receptor*), EGFR (*epidermal growth factor receptor*) e ciclina D1; 2. **sobrevivência**: survivina e bcl-2; e 3. **angiogênese**: VEGF (*vascular endothelial growth factor*) e seus receptores VEGFR1 e VEGFR2. Peróxido de hidrogênio e outros pró-oxidantes também exibem as mesmas respostas de repressão dos fatores de transcrição Sp. A adição de GSH abole todos esses efeitos (Pathi, 2011).

Vitamina C mata preferencialmente as células tronco no **carcinoma hepatocelular humano** via SVCT-2 (sodium-dependent vitamin C transporter 2). Em 613 pacientes com hepatocarcinoma que tiveram ressecados o tumor hepático e utilizaram a vitamina C (2g intravenosa/dia por 5 dias após a cirurgia) houve aumento da sobrevida livre de doença (HR ajustado = 0.622, 95%IC 0,487 a 0,795, $p < 0,001$). É importante saber que o transportador da vitamina C sódio-dependente está superexpresso nas células tronco desta doença. O emprego farmacológico da vitamina C impede o crescimento do tumor, erradica as células-tronco e impede o crescimento tumoral pós-cirúrgico (Lv, 2018).

Concentrações de 0,25-4,0mM induzem apoptose drástica em linhagens da **LMA** por induzir oxidação do GSH e acúmulo do GSSG. Como resultado aumenta o H_2O_2 intracelular de modo dependente da concentração e em paralelo acontece a apoptose. A leucemia promielocítica aguda requer maior concentração, até 10mM (Park, 2004; Levine,1999).

In vitro o ácido L-ascórbico diminui a proliferação de quase 50% das amostras de sangue de pacientes com **leucemia mielógena aguda (LMA) ou com síndrome mielodisplásica (SMD).** Dezesseis pacientes com LMA refratária ao tratamento convencional foram submetidos à dieta pobre em vitamina C e depois administrou-se a vitamina em doses elevadas. Oito dos 16 pacientes apresentaram resposta clínica, principalmente com a administração intravenosa do ácido ascórbico (Kimler, 2009; Park, 2009).

Estudos *in vitro* e *in vivo* mostraram as ações do ascorbato sobre vários tipos de células. Na maioria das linhagens neoplásicas, o ascorbato provocou diminuição de 50% na sobrevida celular. Os valores do IC50 foram menores que 5mM nas células neoplásicas e todas as células normais testadas foram insensíveis a 20mM.

Na tabela a seguir, logo após a sigla da linhagem vem o IC50 com a notação média ± desvio padrão*. IC50 foi determinado pela incorporação do H3 em ensaio de 24 horas (Chen, 2005; Park, 2004; Park, 2013).

Linhagem	IC50 (mM)
HL-60	0,33 ± 0,18*
NB4	0,76 ± 0,14*
NB4-R1	0,45 ± 0,24*
NB4-R2	0,75 ± 0,3*
KG1	0,79 ± 0,22*
K562	0,5 ± 0,11*
U937	0,3 ± 0,16*
Medula óssea normal	1 ± 0,3*
Paciente com LMA	0,84 ± 0,16*
OVCAR	> 10*
SK-OV3	> 10*
JLP119	< 1
MCF7 câncer de mama ER+	2
MB231 câncer de mama triplo negativo	7
Hs587T carcinoma mamário	20
KLN205	< 1
RAG	< 2
CT26	4
B16	7
LL/2	11
Célula de mama humana normal	> 20
Célula de fibroblasto humano normal	> 20
Linfócito humano normal	> 20
Monócito humano normal	> 20

Nota: HL-60, leucemia mieloide humana; NB4, NB-4-R1, NB4-R2, leucemia promielocítica aguda humana; KG1, mieloblasto humano; K562, leucemia mielógena crônica humana; U937, linfoma histiocítico humano; OVCAR, SK-OV3, câncer de ovário; JLP119, linfoma humano; MCF7, MB231, Hs587T, câncer de mama humano; KLN205, câncer de pulmão murino;

RAG, câncer de rim murino; CT26, câncer de cólon murino; B16, melanoma murino; LL/2, câncer de pulmão murino; Hs587Bst, células normais de mama humana; CCD34SK, células de fibroblasto humano normais.

Combinação de vitamina C, resveratrol e glucana provoca efeitos sinérgicos e potentes no câncer de mama e de pulmão, via forte ativação da fagocitose e aumento da formação de anticorpos. Ocorre supressão drástica da proliferação celular nos tumores de mama e pulmão devido ao aumento da apoptose (Vetvika, 2012).

Combinação da quercetina com antioxidantes hidrossolúveis (vitamina C, n-acetilcisteína, GSH) aumenta a atividade anticâncer em células da leucemia mieloide humana, HL-60 (Chen, 2004). Lembrar que *in vivo* a quercetina é pobremente absorvida.

Combinação da vitamina B_2 (riboflavina) com a vitamina C possui efeito sinérgico na morte celular das linhagens MDA-MB-231, MCF-7 do câncer de mama humano e A549 do câncer pulmonar inibindo a via proliferativa Akt e provocando apoptose ao fosforilar o Bad (Chen, 2015).

Combinação da vitamina B_{12} (hidroxicobalamina) com a vitamina C aumenta a sobrevida de camundongos implantados com carcinoma de Ehrlich e leucemia L1210 (Poydock, 1991).

Emprego da vitamina C em altas doses no câncer

O emprego de altas doses de ascorbato no tratamento do câncer começou em 1970 com os trabalhos de Cameron no Instituto Linus Pauling. Os estudos mostraram melhora da qualidade de vida e aumento da sobrevida mesmo em pacientes com câncer avançado (Cameron e Pauling, 1976 e 1978; Cameron e Campbell, 1974 e 1975).

Trabalho randomizado e duplo-cego realizado na Clínica Mayo não mostrou benefícios desta técnica (Casciari, 2001). Entretanto, esse trabalho usou o ácido ascórbico por via oral, que sabemos não atingir níveis farmacológicos. Moertel, em 1985, em trabalho randomizado, duplo-cego e controlado com placebo não observou benefícios da vitamina C intravenosa na dose de 10g ao dia em 100 pacientes consecutivos com câncer avançado. Entretanto, o autor não dosou o ácido ascórbico no sangue para verificar a concentração farmacológica do ascorbato. Sabemos que a dose a ser administrada para atingir o efeito farmacológico depende do estado de oxidorredução de cada paciente.

Na revisão sistemática de 37 estudos, 2 randomizados e controlados, 15 não controlados, 6 observacionais e 14 casos clínicos de pacientes com câncer sob quimioterapia que receberam de 1g a 200g de vitamina C intravenosa, 2 a 3 vezes por semana, não se observaram efeitos colaterais ou interferência com a gemcitabina/erlotinib ou paclitaxel e carboplatina. Baseado em um estudo randomizado e controlado concluiu-se que a vitamina C em conjunto com a quimioterapia diminuiu a fadiga, náuseas, insônia, constipação e depressão. Em geral houve redução tumoral, algumas completas e melhora da sobrevida (Fritz, 2014).

Outro autor observou apenas 59 casos de letargia e fadiga em um universo de 20.109 pacientes ou 0,003% que receberam altas doses de vitamina C intravenosa em dose farmacológica (Padayatty, 2010).

É importante salientar: a captação da vitamina C pelas células se faz da mesma maneira que a glicose, pelas GLUTs. Dessa forma, a captação do ácido ascórbico é realizada com muita avidez pelas células neoplásicas, de forma semelhante ao que acontece com a glicose.

Em humanos a concentração sanguínea de vitamina C que devemos obter para atingir eficácia terapêutica é de 350 a 400mg% ou 19,9 a 22,7 mileMol/litro (Padayatty e Riordan, 2006). NOTA: mileMol/litro × 0,0176 = mg%.

Doses orais de 200mg ao dia atingem concentrações séricas de apenas 80microM. Quando a dose excede 200mg, a absorção relativa diminui, a excreção urinária aumenta e a fração biodisponível é reduzida (Graumlich, 1997). O pico plasmático não excede 220microM mesmo com doses orais de 3g, 6 vezes ao dia (Padayatty, 2004). Em contraste, quando o ácido ascórbico é administrado por via intravenosa alcançamos concentrações milimolares (mM). A infusão de 10g em pacientes com câncer pode chegar 1 a 5mM (Drisko, 2003; Riordan, 2003). Assim, somente a via intravenosa pode alcançar concentrações farmacológicas, isto é, eficácia anticâncer.

Dez pacientes com câncer de próstata metastático e função renal normal foram tratados com infusões intravenosas semanais de ascorbato de 5, 10 e 60g. Os pacientes pesavam em média 83kg (63-104kg) e a dose de 60g correspondeu a 723,3mg/kg ou 29,79g/m². A concentração de ácido ascórbico logo no final da infusão semanal de 5, 10 e 60g foi, respectivamente, de 1,9, 12,5 e entre 19,5-21,0mM. Na terceira semana, quando receberam a dose de 60g em 1 hora, o pico plasmático foi em média 20,3mM. A meia-vida de eliminação foi ao redor de 2 horas ± 0,40, o que significa que se conseguiu manter a dose farmacológica durante apenas 2 horas (Nielsen, 2015). Os pacientes também receberam doses diárias de 500mg de vitamina C começando no dia seguinte da primeira infusão para prevenir deficiência rebote após a alta dose da vitamina (Tsao, 1984).

Felippe Jr emprega a genisteína (600mg/dia) e o DHEA (100mg/dia) para inibir a geração do NADPH, ao lado da vitamina C (500mg/dia) para manter a janela farmacológica por mais tempo.

Em alta dose a vitamina C provoca queda do GSH e oxidação citoplasmática e como mecanismo de defesa aumenta a geração de NADPH pelo ciclo das pentoses. Dessa forma, ao empregar a vitamina C em altas doses administramos 3 dias antes e durante todo o tratamento inibidores da glicose 6-fosfatodesidrogenase e da transcetolase, DHEA (100mg/dia) e genisteína (600mg/dia) para diminuir a geração do NADPH, poderoso agente redutor. Assim fazendo diminuímos a dose de vitamina C necessária para provocar oxidação intracelular e atingir a janela terapêutica por período mais longo (comunicação pessoal JFJ). O ácido lipoico (Casciari, 2001) e todos os agentes que ativam a fosforilação oxidativa diminuem a dose requerida de ácido ascórbico. Esta é a importância de dosarmos o ácido ascórbico sérico no final das infusões.

Conclusão

O pesquisador que descobriu e sintetizou o ácido ascórbico, Albert Szent Gyorgyi, usou a vitamina C no tratamento de sua filha, porém não obteve sucesso. Na época o grande pesquisador já vislumbrava o papel da vitamina C como poderoso agente anticâncer.

Passados longos anos o emprego em altas doses da vitamina C resolveu o problema de muitos adultos e crianças acometidos de câncer, muitos deles refratários ao tratamento convencional, os quais descreveremos nos capítulos finais.

Referências

1. Abstracts and papers in full on site: www.medicinabiomolecular.com.br
2. Adnan M, Ali S, Sheikh K, Amber R. Review on antibacterial activity of Himalayan medicinal plants traditionally used to treat pneumonia and tuberculosis. J Pharm Pharmacol. 2019 Nov;71(11):1599-1625.
3. Ames BN. Low micronutrient intake may accelerate the degenerative diseases of aging through allocation of scarce micronutrients by triage. Proc Natl Acad Sci U S A. 103:17589-94;2006.
4. Arrick BA, Nathan CF, Griffith OW, Cohn ZA. Glutathione depletion sensitizes tumor cells to oxidative cytolysis. J Biol Chem. 257(3): 1231-7;1982.
5. Bai XY, Qu X, Jiang X et al. Association between Dietary Vitamin C Intake and Risk of Prostate Cancer: A Meta-analysis Involving 103,658 Subjects. J Cancer. Jul 28;6(9):913-21;2015.
6. Baker Z. Glutathione and the Pasteur reaction. Biochem J. 31:980-6; 1937.
7. Baker Z. Studies on the inhibition of glycolysis by glyceraldehydes. Biochem J. 32:332-41;1938.
8. Belin S, Kaya F, Duisit G, et al. Antiproliferative effect of ascorbic acid is associated with the inhibition of genes necessary to cell cycle progression. PLoS One. 4(2):e4409;2009.
9. Belin S, Kaya F, Burtey S, Fontes M Ascorbic Acid and gene expression: another example of regulation of gene expression by small molecules? Curr Genomics. Mar; 11(1):52-7;2010.
10. Casciari JJ, Riordan NH, Schmidt TL, et al. Cytotoxicity of ascorbate, lipoic acid, and other antioxidants in hollow fibre in vitro tumours. Br J Cancer. 84:1544-50;2001.
11. Cameron E, Campbell A. The orthomolecular treatment of cancer. II. Clinical trial of high-dose ascorbic acid supplements in advanced human cancer. Chem Biol Interact. 9:285-315;1974.
12. Cameron E, Campbell A, Jack T. The orthomolecular treatment of cancer. III. Reticulum cell sarcoma: double complete regression induced by high-dose ascorbic acid therapy. Chem Biol Interact. 11:387-93;1975.
13. Cameron E, Pauling L. Supplemental ascorbate in the supportive treatment of cancer: prolongation of survival times in terminal human cancer. Proc Natl Acad Sci U S A. 73:3685-9;1976.
14. Cameron E, Pauling L. Supplemental ascorbate in the supportive treatment of cancer: reevaluation of prolongation of survival times in terminal human cancer. Proc Natl Acad Sci U S A. 75:4538-42;1978.
15. Chen J, Kang J, Da W, Ou Y. Combination with water-soluble antioxidants increases the anticancer activity of quercetin in human leukemia cells. Pharmazie. 59(11):859-63;2004.
16. Chen N, Yin S, Song X et al. Vitamin B_2 Sensitizes Cancer Cells to Vitamin-C-Induced Cell Death via Modulation of Akt and Bad Phosphorylation. J Agric Food Chem. 63(30):6739-48;2015.
17. Chen Q, Espey MG, Krishna MC, et al. Pharmacologic ascorbic acid concentrations selectively kill cancer cells: action as a pro-drug to deliver hydrogen peroxide to tissues. Proc Natl Acad Sci U S A. 102(30):13604-9;2005.
18. Chen Q, Espey MG, Sun A, et al. Ascorbate in pharmacologic concentrations selectively generates ascorbate radical and hydrogen peroxide in extracellular fluid in vivo. Proc Natl Acad Sci U S A. 104:8749-54;2007.
19. Cimmino L, Neel BG, Aifantis I. Vitamin C in Stem Cell Reprogramming and Cancer. Trends Cell Biol. Apr 30,2018.
20. De Laurenzi V, Melino G, Savini I, et al. Cell death by oxidative stress and ascorbic acid regeneration in human neuroectodermal cell lines. Eur J Cancer. 31:463-6;1995.
21. Dixon KC. The oxidative disappearance of lactic acid from brain and the Pasteur reaction. Biochem J. 29:973-7;1935.
22. Drisko JA, Chapman J, Hunter VJ. The use of antioxidants with first-line chemotherapy in two cases of ovarian cancer. J Am Coll Nutr. 22:118-23;2003.
23. Du J, Martin SM, Levine M, et al. Mechanisms of ascorbate-induced cytotoxicity in pancreatic cancer. Clin Cancer Res. 16:509-20;2010.
24. Levine M, Rumsey SC, Daruwala RC, et al. Criteria and recommendation for vitamin C intake. J Am Med. 281:1415-23;1999.
25. Lv H, Wang C, Fang T, et al. Vitamin C preferentially kills cancer stem cells in hepatocellular carcinoma via SVCT-2. NPJ Precis Oncol. Jan 8;2(1):1;2018.
26. Farah IO, Lewis VL, Ayensu WK, Mahmud O. Assessing the survival of mrc-5 and a549 cell lines upon exposure to ascorbic acid and sodium ascorbate. Biomed Sci Instrum. 47:201-6;2011.
27. Felippe JJ. Metabolismo da Célula Tumoral – Câncer como um Problema da Bioenergética Mitocondrial: Impedimento da Fosforilação Oxidativa – Fisiopatologia e Perspectivas de Tratamento. Revista Eletrônica da Associação Brasileira de Medicina Biomolecular. Tema do mês de agosto de 2004a.
28. Felippe JJ. Metabolismo das Células Cancerosas: A Drástica Queda do GSH e o Aumento da Oxidação Intracelular Provoca Parada da Proliferação Celular Maligna, Aumento da Apoptose e Antiangiogênese Tumoral. Revista Eletrônica da Associação Brasileira de Medicina Biomolecular. Tema do mês de setembro de 2004b.
29. Fernandez-Soto P , Bruce AJE, Fielding AJ et al. Mechanism of catalysis and inhibition of Mycobacterium tuberculosis SapM, impli-

cations for the development of novel antivirulence drugs. Sci Rep. 2019 Jul 16;9(1):10315.

30. Fritz H, Flower G, Weeks L, et al. Intravenous Vitamin C and Cancer: A Systematic Review. 13(4):280-300;2014.
31. Graumlich JF, Ludden TM, Conry-Cantilena C, et al. Pharmacokinetic model of ascorbic acid in healthy male volunteers during depletion and repletion. Pharm Res. 14:1133-9;1997.
32. Guz J, Oliński R. The role of vitamin C in epigenetic regulation. Postepy Hig Med Dosw (Online). Aug 24;71(1):747-760, 2017.
33. Hussain A, Tabrez E, Peela J, et al. Vitamin C: A Preventative, Therapeutic Agent Against Helicobacter pylori. Cureus. Jul 30;10(7): e3062, 2018.
34. Kimler BF, Yi SY, Park SH, et al. Depletion of L-ascorbic acid alternating with its supplementation in the treatment of patients with acute myeloid leukemia or myelodysplastic syndromes. Eur J Haematol. 83(2):108-18;2009.
35. Levine M, Eck P. Vitamin C: working on the x-axis. Am J Clin Nutr. 90:1121-3;2009.
36. Mei H, Tu H. Vitamin C and Helicobacter pylori Infection: Current Knowledge and Future Prospects. Front Physiol. Aug 14;9:1103, 2018.
37. Moertel CG, Fleming TR, Creagan ET, et al. High-dose vitamin C versus placebo in the treatment of patients with advanced cancer who have had no prior chemotherapy. A randomized double-blind comparison. Engl J Med. 312(3):137-41;1985.
38. Nielsen TK, et al. Elimination of ascorbic acid after high-dose infusion in prostate cancer patients: a pharmacokinetic evaluation. Basic Clin Pharmacol Toxicol. 116(4):343-8;2015.
39. Nielsen TK, Højgaard M, Andersen JT, et al. Weekly ascorbic acid infusion in castration-resistant prostate cancer patients: a single-arm phase II trial. Transl Androl Urol. Jun;6(3):517-528;2017.
40. Padayatty SJ, Riordan HD, Hewitt SM, Katz AL, et al. Intravenously administered vitamin C as cancer therapy: three cases. CMAJ. 174(7):937- 42;2006.
41. Padayatty SJ, Sun H, Wang Y, et al. Vitamin C pharmacokinetics: implications for oral and intravenous use. Ann Intern Med. 140: 533-7;2004.
42. Padayatty SJ, Sun AY, Chen Q, et al. Vitamin C: intravenous use by complementary and alternative medicine practitioners and adverse effects. PLoS One. 5:e11411;2010.
43. Park S. The effects of high concentrations of vitamin C on cancer cells. Nutrients. 5(9):3496-505;2013.
44. Park S, Han SS, Park CH, et al. L-Ascorbic acid induces apoptosis in acute myeloid leukemia cells via hydrogen peroxide-mediated mechanisms. Int J Biochem Cell Biol. 36:2180-95;2004.
45. Park CH, Kimler BF, Yi SY, et al. Depletion of L-ascorbic acid alternating with its supplementation in the treatment of patients with acute myeloid leukemia or myelodysplastic syndromes. Eur J Haematol. 83:108-18;2009.
46. Park S, Park CH, Hahm ER, et al. Activation of Raf1 and the ERK pathway in response to L-ascorbic acid in acute myeloid leukemia cells. Cellular Signalling. 17:111-9; 2005.
47. Pathi SS, Lei P, Sreevalsan S, et al. Pharmacologic doses of ascorbic acid repress specificity protein (Sp) transcription factors and Sp-regulated genes in colon cancer cells. Nutr Cancer. 63(7):1133-42;2011
48. Poydock ME. Effect of combined ascorbic acid and B-12 on survival of mice implanted with Erlich carcinoma and L1210 leukemia. Am J Clin Nutr. 54(6 Suppl):1261S-5S;1991.
49. Riordan HD, Casciari JJ, Gonzalez MJ, et al. A pilot clinical study of continuous intravenous ascorbate in terminal cancer patients. P R Health Sci J. 24:269-76;2005.
50. Riordan, H. et al. Intravenous ascorbic acid: protocol for its application and use. PR Health Sci. J. 22:225-32;2003.
51. Saliba A, Pacini L. The bacteriocidal and bacteriostatic action in vitro of large doses of vitamin C on Koch bacilli. Lotta Tuberc. 1961 Mar-Apr;31:371-8. Italian.
52. Sant DW, Mustafi S, Gustafson CB, et al. Vitamin C promotes apoptosis in breast cancer cells by increasing TRAIL expression. Sci Rep. Mar 28;8(1):5306;2018.
53. Sestili P, Brandi G, Brambilla L, et al. Hydrogen peroxide mediates the killing of U937 tumor cells elicited by pharmacologically attainable concentrations of ascorbic acid: cell death prevention by extracellular catalase or catalase from cocultured erythrocytes or fibroblasts. J Pharmacol Exp Ther. 277:1719-25;1996.
54. Sikri K, Duggal P, Kumar C, et al. Multifaceted remodeling by vitamin C boosts sensitivity of Mycobacterium tuberculosis subpopulations to combination treatment by anti-tubercular drugs. Redox Biol. 2018 May;15:452-466.
55. Syal K, Chatterji D. Vitamin C: A Natural Inhibitor of Cell Wall Functions and Stress Response in Mycobacteria. Adv Exp Med Biol. 2018;1112:321-332.
56. Tao CS, Dunham WB, et al. In vivo antineoplastic activity of ascorbic acid for human mammary tumor. In vivo. 2:147-50;1988.
57. Tokarski S, Rutkowski M, Godala M, et al. [The impact of ascorbic acid on the concentrations of antioxidative vitamins in the plasma of patients with non-small cell lung cancer undergoing first-line chemotherapy]. Pol Merkur Lekarski. 35(207):136-40;2013.
58. Tsao CS, Salimi SL. Evidence of rebound effect with ascorbic acid. Med Hypotheses. 13:303-10;1984.
59. Uetaki M, et al. Metabolomic alterations in human cancer cells by vitamin C-induced oxidative stress. Sci Rep. 5:13896;2015.
60. Yeom, C. et al. High-dose concentration administration of ascorbic acid inhibits tumor growth in BALB/C mice implanted with sarcoma 180 cancer cells via the restriction of angiogenesis. J Transl Med, 7:70, 2009.
61. Yun J, Mullarky E, Lu C, et al. Vitamin C selectively kills KRAS and BRAF mutant colorectal cancer cells by targeting GAPDH. Science. 350(6266):1391-6; 2015.
62. Verrax J, Calderon PB. Pharmacologic concentrations of ascorbate are achieved by parenteral administration and exhibit antitumoral effects. Free Radic Biol Med. 47:32-40;2009.
63. Vetvicka V, Vetvickova J. Combination of glucan, resveratrol and vitamin C demonstrates strong antitumor potential. Anticancer Res. 32(1):81-7;2012.
64. Vilchèze C, Hartman T, Weinrick B, Jacobs WR Jr. Mycobacterium tuberculosis is extraordinarily sensitive to killing by a vitamin C-induced Fenton reaction. Nat Commun. 2013;4:1881
65. Vilchèze C, Kim J, Jacobs WR, Jr.. Vitamin C potentiates the killing of Mycobacterium tuberculosis by the first-line tuberculosis drugs isoniazid and rifampin in mice. Antimicrob Agents Chemother 62:e02165-17, 2018.
66. Vissers MCM, Das AB. Potential Mechanisms of Action for Vitamin C in Cancer: Reviewing the Evidence. Front Physiol. Jul 3;9:809;2018.
67. Vollbracht, C. et al. Intravenous vitamin C administration improves quality of life in breast cacner patients during chemo-radiotherapy and aftercare: results of a retrospective, multicentre, epidemiological cohort study in Germany. In Vivo, 82: 983-90, 2011.
68. Vuyyuri SB, Rinkinen J, Worden E, et al. Ascorbic acid and a cytostatic inhibitor of glycolysis synergistically induce apoptosis in non-small cell lung cancer cells. PLoS One. 8(6):e67081;2013.
69. Zojaji H, Talaie R, Mirsattari D, et al. The efficacy of Helicobacter pylori eradication regimen with and without vitamin C supplementation. Dig Liver Dis. Sep;41(9):644-7, 2009.

CAPÍTULO 139

Zinco nutriente esquecido no tratamento das neoplasias

Anti-HSV, Hepatite C, antiverrugas HPV, aumenta CD4, CD8, Th1, NK; inibe NF-kappaB e vias proliferativas Wnt/beta-catenina, ERK e Akt; aumenta a expressão do p21(waf1); reduz a expressão do Bcl-2, BclxL, survivina e aumenta Bax; inibe o reparo do dano ao DNA das células transformadas e diminui os níveis da E-caderina e da alfa-tubulina. Inibe a telomerase

José de Felippe Junior

Zinco quelado não possui efeitos benéficos no tratamento do câncer e outras doenças. **Vários autores**

Zinco inorgânico possui grande valor no tratamento do câncer e outras doenças. **Vários autores**

A insuficiência de zinco está associada com o desenvolvimento de tumores, sua suficiência inibe o desenvolvimento de alguns tumores e sua suplementação a curto prazo pode ter valor terapêutico.

O corpo humano não pode armazenar reservas de zinco, portanto, uma deficiência pode surgir de forma relativamente rápida, por exemplo, por meio de uma dieta inadequada ou o aparecimento de infecções ou câncer.

Modelos murinos demonstram que 30 dias de ingestão sub ótima de zinco pode levar perdas de 30 a 80% na capacidade de defesa (Fraker, 2000). A deficiência de zinco é problema de saúde global afetando quase 2 bilhões de pessoas (Wessels, 2012).

Em mais de 10% da população, a ingestão de zinco nas refeições é menos da metade do recomendado e sabemos que a deficiência de zinco aumenta o risco de câncer (Prasad, 2008-2014).

A suplementação de zinco na quantidade de 20 mg/dia de zinco por cinco semanas em crianças com deficiência de zinco aumenta a porcentagem de células CD4+ e CD8+ e em indivíduos mais velhos, a suplementação de 48 dias leva a um aumento nos linfócitos Th1 (Sandstead, 2008). A suplementação de zinco (5 mg/kg) por quatro semanas aumenta significativamente o número de células NK. As células NK desempenham papel fundamental não apenas na morte direta das células-alvo (vírus, células neoplásicas), mas também no envio de sinais que estimulam a resposta imunológica. Assim, as células NK estão envolvidas em processos de prevenção do câncer, sendo o zinco necessário para sua ativação (Sandstead, 2008; Bryant, 2007; Baltaci, 2018).

É importante frisar que a maioria dos pacientes com câncer, especialmente de cérebro, cabeça e pescoço, pulmão, mama, próstata, colo uterino, cólon e fígado possuem diminuição da concentração de zinco no sangue (Stepien, 2017; Khoshdel, 2015; Kumar, 2017; Zablocka, 2018; Wang, 2019).

Desta forma, o zinco é um dos agentes promissores para conseguirmos diminuir o risco de câncer no planeta (Dhawan, 2010).

Os sais de zinco inorgânicos possuem efeito anticâncer. O zinco quelado não possui efeito algum. Os minerais quelados são mais fáceis de absorver no intestino, porém mais difíceis de entrar no intracelular e o que desejamos de um sal é sua entrada no citoplasma das células-alvo. Os quelados absorvidos nos intestinos abarrotam os hepatócitos os quais retem a maior parte do absorvido. No caso do zinco glicina 90% fica retido no fígado e apenas 10% vai para circulação em geral. O contrário acontece com o zinco acetato, onde 90% atinge a circulação.

Zinco em concentrações na faixa de 10-1000 microM diminui a viabilidade das células cancerosas e este efeito, especialmente para baixas concentrações do elemento, foi muito mais pronunciado do que em células normais. O zinco não induz danos ao DNA em células normais, mas sim em células cancerosas. Acontece uma diferença fundamental entre a ação do zinco em células normais e neoplásicas na presença de H2O2, uma vez que o elemento exerce efeito protetor contra a ação citotóxica e genotóxica de H2O2 na primeira, ao passo que aumenta tal ação na segunda. O zinco inibe o reparo do dano ao DNA induzido por H2O2 em células cancerosas. Os resultados sugerem que o zinco pode proteger as células normais contra a ação danificadora do DNA e aumentar essa ação nas células cancerosas, o que indica a dupla ação desse elemento na dependência das células-alvo e assim pode ser útil na terapia do câncer (Sliwinski, 2009).

Zinco é nutriente essencial e a sua deficiência aumenta o risco de câncer de mama. Autores chineses após analisarem 14 estudos de câncer de mama, incluindo 662 casos e 775 controles onde foi dosado o nível sérico de zinco e 7 estudos que dosaram o zinco no tecido capilar (cabelo), 264 casos e 449 controles, concluíram que somente o zinco do tecido capilar possui valor clínico. De fato, o zinco do tecido capilar está em média 2 vezes menor nas pacientes com câncer de mama ao se comparar com as pacientes do grupo controle (SMD (95%IC): –1,99[-3,46, –0,52]), no extremo chega-se ao valor de até 7 vezes menor (Wu, 2015).

Entretanto, o excesso zinco no tecido mamário tumoral se correlaciona com o aumento da malignidade, digo aumento da proliferação mitótica neoplásica (Riesop, 2015).

Dosou-se butirilcolinesterase (BChe) e zinco sérico em 46 mulheres com diagnóstico recente de câncer de mama e em 50 voluntárias normais. A BChe sérica apresentou aumento significante e o Zn sérico diminuição significante em diferentes estágios do câncer de mama ($p < 0{,}001$) (Kumar, 2017).

O zinco inorgânico inibe o crescimento e a proliferação de vários carcinomas por induzir parada do ciclo celular e apoptose.

O acetato de zinco aumenta a expressão do p21(waf1), que é parte da via p53 independente de apoptose, além de induzir redução da atividade da telomerase. Ele reduz a expressão das proteínas antiapoptóticas BcL-2 e BclxL e aumenta a expressão das proteínas apoptóticas da família Bax. Induz apoptose nas células OVCAR-3 do câncer de ovário humano ativando as caspases-12 e 3.

ZnO é um óxido de metal de múltiplas funções. É antibacteriano, desinfetante e protetor contra os raios ultravioletas.

Nanopartículas de óxido de zinco inibem a proliferação, aumentam a sensibilidade de tumores resistentes a quimioterapia, previnem a recorrência e as metástases e restauram a imunocompetência de várias neoplasias. Entre elas, carcinoma hepatocelular (HEPG2), câncer de próstata humano (PC3), câncer de pulmão (A549), carcinoma epidermoide de cabeça e pescoço (HNSCC), adenocarcinoma colorretal e células linfoblastoides humanas (Wang, 2017; Hassan, 2017; Gehrke, 2017; Yin, 2015).

NF-kappaB em sua forma ativa induz a expressão de cerca de 200 genes associados com angiogênese, metástase, proliferação celular, resistência a certos quimioterápicos e a capacidade de inibir a apoptose de células tumorais, e também promove a formação de tumor. Em vários tipos de câncer, por exemplo, leucemia linfocítica crônica, melanoma e câncer de pâncreas, mama, próstata, cólon, bexiga e pulmão, foi observada uma atividade constitutiva permanente de NF-kappaB. Portanto, acredita-se que o NF-kappaB tenha papel crucial no aumento das reações inflamatórias. Um dos métodos importantes de bloqueio de NF-kappaB é evitar sua ativação, ou seja, sua transferência para o núcleo da célula. Como resultado, o NF-kappaB não tem acesso aos genes pró-inflamatórios que regula, o que impede a reação inflamatória e a ativação proliferativa neoplásica. Foram descritos vários mecanismos de inibição do NF-kappaB associados à presença de íons zinco. O zinco pode regular negativamente as vias de sinalização do NF-kappaB por meio de vários mecanismos (Foster, 2012).

Os principais sais de zinco são: citrato, acetato, cloreto, picolinato, sulfato e óxido de zinco. O zinco picolinato possui a vantagem de quelar o excesso de ferro intracelular. O íon ferro é proliferativo e eficaz carcinocinético.

Alvos moleculares dos sais de zinco (zinco inorgânico) no câncer

1. **CUIDADO**: Zinco sulfato diminui a apoptose provocada pela vimblastina e outros disruptores dos microtúbulos, em células BM 13674 do linfoma humano (Takano, 1993).
2. **Antiviral**
   a) Cloreto de zinco melhor que o sulfato inibe a replicação do vírus da **Hepatite C** e possui efeito aditivo com o interferon alfa-2a (Kanda, 2020).
   b) Zinco possui atividade contra **vírus RNA e DNA**.
   c) **Antiverrugas por HPV**
      - As verrugas são proliferações epiteliais na pele e na membrana mucosa causadas por vários tipos de HPV. Entre os 18 pacientes que participaram do estudo, nove tomaram cimetidina e nove sulfato de zinco. Apenas um paciente do grupo do sulfato de zinco não concluiu o tratamento devido a náuseas e vômitos. Cinco pacientes tratados com sulfato de zinco curaram-se e apenas um não apresentou modificações

nas lesões. Entre o grupo que foi tratado com cimetidina, cinco não apresentaram modificações nas lesões e quatro apresentaram diminuição da linha de base abaixo de 30%. A dose de sulfato de zinco 10 mg/kg/dia parece ser mais eficaz do que a cimetidina no tratamento de crianças e adultos com verrugas múltiplas e de difícil manuseio. No entanto, o pequeno número de pacientes não possibilita uma conclusão definitiva (Stefani, 2009).

- Em verrugas recalcitrantes encontra-se diminuição significativa de IL-17 e zinco sérico (Ghanem, 2020).

d) **Anti HSV**
- Anti HSV-1 (Fani, 2010).
- Zinco inibe a função da glicoproteína dos vírions após acumulação não específica do elemento em muitos componentes da membrana do vírions (Kumel, 1990).

e) A deficiência de zinco é fator de risco para o desenvolvimento de infecção por **CMV** (Zhang, 2008). Reativação do **CMV** ocorre em quase 14% dos pacientes imunocompetentes gravemente enfermos. O grau de inflamação e o número total de unidades de hemácias transfundidas constituem fatores de risco (Frantzeskaki, 2015).

3. **Câncer em geral**

a) **Baixa dose**: funciona como redutor (antioxidante) e como acontece com todo agente que provoca redução estimula a proliferação celular.
b) **Alta dose**: é oxidante e inibe a proliferação celular: ativa as ciclinas D1 e p21(Cip/WAF1) e inibe as CDKs.
c) **Baixa dose** é componente da superóxido dismutase-CuZn citoplasmática, importante enzima antioxidante que diminui a geração do radical superóxido.
d) **Alta dose** funciona aumentando a geração do radical livre superóxido provocando oxidação.
e) **Sobrecarga de zinco** mediada por nanopartículas de óxido de zinco é um modo antitumoral inovador. As nanopartículas de óxido de zinco (ZnO NP) demonstraram exercer citotoxicidade seletiva contra células tumorais por meio de mecanismo ainda desconhecido, provavelmente envolvendo a geração de espécies reativas de oxigênio (ERTOs) (Wiesmann, 2019), e não são deletérias para as células normais.
f) Despolariza a membrana mitocondrial e normaliza o delta-psi-mt o que aumenta a geração de ATP via fosforilação oxidativa.
g) Na forma de cloreto acidifica o intracelular e diminui a glicólise anaeróbia. Teremos assim diminuição dos ATPs que suprem o ciclo celular mitótico.
h) Diminui os tióis antioxidantes (GSH é o principal) e assim facilita a oxidação que promove a apoptose.
i) Ativa as caspases e facilita a apoptose.
j) Acetado de zinco: reduz a atividade da telomerase.
k) Acetato de zinco: reduz a expressão das proteínas antiapoptóticas BcL-2 e Bcl-xL e aumenta a expressão das proteínas apoptóticas Bax.
l) Cloreto de zinco – $ZnCl_2$. Provoca ativação das MAPKs em duas fases diferentes. Na fase inicial a ativação é fraca e acontece em 5 minutos, depois temos uma ativação forte e de duração prolongada. Concomitantemente ativa Raf-1-MEK-MAPK quinases e induz a expressão gênica do Elk-1*dependent trans-reporter*.
m) $ZnCl_2$: provoca parada do ciclo celular na fase G2/M.
n) Zinco quelado. Sem efeito.
o) Zinco inorgânico suprime ativação do STAT3.
p) Zinco inorgânico inibe NF-kappaB.
q) Zinco inorgânico inibe a importante enzima ácido graxo sintase (FASN) (Wang, 2003).

4. **Sistema imune**

a) Zinco inorgânico aumenta a liberação de citocinas tipo Th1 (IFN-gama) e impede liberação de citocinas Th2 (IL-10) devido ao aumento das células *Natural killer* e, portanto, polariza o sistema imune de M2/Th2 para M1/Th1.
b) Baixos níveis de zinco no corpo levam a uma redução no número total de linfócitos B, bem como à produção de anticorpos. As mudanças no número de células B são provavelmente causadas pela indução de apoptose. De fato, os glicocorticoides secretados em resposta à deficiência de zinco provocam aumento da apoptose em linfócitos B e T imaturos na matriz óssea e no timo (Chung, 2009; King, 2002).
c) Excesso de zinco pode ser perigoso devido ao seu efeito imunossupressor. Em altas doses, pode exercer um efeito imunossupressor ao inibir a função dos linfócitos e a produção de IFN-γ (Rink, 2000a – 200b). Este efeito imunossupressor do zinco pode ter uma nova aplicação terapêutica em doenças autoimunes, como artrite reumatoide ou doença do enxerto contra hospedeiro, em que a supressão seletiva da função dos linfócitos é benéfica (Rink, 200b).

5. **Gliomas**

Zinco ou ácido gálico inibem fortemente a proliferação do glioblastoma humano, linhagem U251 resistente ao BCNU (1,3-bis-(2-chloroethyl)-1-nitrosourea). Ambos os elementos, ao serem acrescentados em meio de cultura contendo concentrações estimulantes de ferritina e íons cálcio, seletiva e fortemente inibem a multiplicação das células do glioblastoma por mitógenos, enquanto não afetam a multiplicação dos astrócitos normais (Beljanski, 1994).

6. **Carcinoma de cabeça e pescoço**
   a) Nanopartículas de óxido de zinco induzem toxicidade em células do carcinoma epidermoide de língua CAL 27 ativando PINK1/Parkin (PTEN-induced putative kinase1/proteína Parkin) e ativando a mitofagia. Acontece aumento das espécies reativas tóxicas de oxigênio e diminuição do potencial de membrana mitocondrial de modo tempo dependente, assim como ativação do processo de mitofagia mediado pelo PINK1/Parkin. Mitofagia é processo que mantem as mitocôndrias saudáveis, funcionais e resistentes ao estresse (Wang, 2018).
   b) Deficiência de zinco aumenta o risco de câncer de língua, carcinoma de cabeça e pescoço e esôfago.
   c) Setenta e dois pacientes com câncer de cabeça e pescoço foram incluídos em estudo randomizado, duplo-cego e controlado por placebo. Sulfato de zinco 50 mg em 10ml e um placebo de aparência idêntica foram autoadministrados 3 vezes ao dia via oral nas refeições. A suplementação de sulfato de zinco durante a radioterapia de cabeça e pescoço não mostrou aumento no número absoluto de linfócitos T circulantes, subpopulações de linfócitos T ou alteração dos efeitos colaterais aceitáveis (Sangthawan, 2015).
7. **Câncer de esôfago**
   a) Selênio e zinco em alta concentração mostram um efeito sinérgico na inibição do crescimento da linhagem de células Eca109 de câncer de esôfago humano, possivelmente por causar parada do ciclo celular e promoção da apoptose celular, e seu uso combinado pode ser tóxico para células epiteliais normais do fígado humano (Xiao, 2008).
8. **Câncer de pulmão**
   a) Caso clínico: carcinoma epidermoide de pulmão com desaparecimento total do tumor após picolinato de zinco.
   b) Caso clínico: carcinoma epidermoide de pulmão e 90% de obstrução no brônquio-fonte tratado com picolinato de zinco: desaparecimento total da obstrução.
   c) Pacientes com carcinoma broncogênico frequentemente apresentam baixas concentrações de zinco sérico e, às vezes, perdas renais de zinco acentuadamente elevadas. A concentração média de zinco sérico (+/– SEM) em 75 pacientes com câncer foi de 67,4 +/– 2,2 microgramas/dl contra 96,0 +/– 8,0 microgramas/dl para indivíduos normais. Pacientes com baixos níveis séricos de zinco (menos de 70 microgramas/dl) tiveram excreção urinária de zinco significativamente maior do que pacientes com níveis séricos normais de zinco (1.385 +/– 240 microgramas por 24 horas versus 392 +/– 107 microgramas por 24 horas) (p menos de 0,001). Quando os dados de linfócitos foram analisados, a baixa concentração de zinco no soro e a alta excreção de zinco na urina se correlacionaram com a resposta deprimida da fitohemaglutinina das células T (p menor que 0,005 ep menor que 0,001, respectivamente). A atividade dos linfócitos do sangue periférico e das células natural killer não se correlacionou com os valores de zinco no soro ou na urina. Sulfato de zinco oral (220 mg (50mg Zn), três vezes ao dia durante seis semanas) foi então administrado a pacientes com hiper zincúria (média = 992 microgramas por 24 horas). Os pacientes suplementados com zinco tiveram normalização da resposta da fitohemaglutinina das células T após a terapia com zinco, enquanto os pacientes de controle demonstraram disfunção das células T contínua. A atividade das células *natural killer* não se alterou em nenhum dos grupos durante o período de estudo. Esses dados sugerem que um estado subclínico leve de deficiência de zinco pode existir em alguns pacientes com câncer de pulmão e pode ser uma causa importante da função anormal das células T. Além disso, a suplementação de zinco pode ser útil para melhorar a função dos linfócitos em pacientes selecionados (Bell, 1985).
9. **Câncer de mama**
   a) Cloreto de zinco envolve GPER (*G protein estrogen receptor*) na ativação do IGF-1R/EGFR (*insulin-like growth factor receptor I/epidermal growth factor receptor*) provocando diminuição da regulação das vias proliferativas ERK e Akt em células do câncer de mama e fibroblastos do meio ambiente neoplásico (Pisano, 2017).
   b) Caso de câncer de mama avançado que melhorou a qualidade de vida com pasta de Mohs (cloreto de zinco) e terapia hormonal (Miyazawa, 2012).
   c) Pasta de Mohs na lesão local irressecável do câncer de mama: melhoria da qualidade de vida – 3 casos (Ogawa, 2008).
   d) Em pacientes com câncer de mama encontrou-se diminuição significativa de Zn em comparação com os controles (Kumar, 2017).

10. **Câncer de mama triplo negativo**
Sinalização do WNT10B-beta-catenina induz HMGA2 (*high mobility group protein A2*) e aumenta a proliferação do câncer de mama triplo negativo metastático (Wend, 2013). Sua inibição pode ter valor terapêutico. Inibem a via Wnt/beta-catenina: sais bivalentes do zinco, genisteína, lítio, berberina, procaína, niclosamida e clotrimazol.
11. **Câncer colorretal**
   a) Ativação prolongada da MAPK pelo $ZnCl_2$ induz a localização nuclear do p21(Cip/WAF1) e está relacionada com a inibição da incorporação da timidina e do BrdU e assim inibe o crescimento e a proliferação celular no câncer colorretal.
   b) $ZnCl_2$: inibe a proliferação das células do câncer de cólon que carregam o gene mutante APC, por diminuir os níveis da E-caderina e da alfa-tubulina, rompendo, assim, as ligações intercelulares e a estabilidade dos microtúbulos.
12. **Câncer de fígado**
   a) Zinco atua direta e indiretamente sobre a mitocôndria e induz apoptose em células HEP-2 do hepatoma humano.
   b) Zinco sulfato induz apoptose em células HEP-2 do hepatoma via estresse oxidativo e mitocôndrias (Rudolf, 2005).
   c) Cloreto de zinco suprime o vírus da hepatite C no hepatoma humano, Huh7 (Kanda, 2010).
13. **Câncer de pâncreas**
   a) Exposição de células do câncer pancreático a elevadas concentrações de zinco provoca morte citotóxica caracterizada por ubiquitinação proteica e aumento da expressão do gene transportador de zinco, ZnT-1, despolarização mitocondrial, geração de radical superóxido, diminuição de GSH intracelular, acidose citoplasmática e ativação das caspases, o que caracteriza a morte das células do carcinoma induzida pelo zinco.
   b) Os autores mostraram, pela primeira vez, uma grande perda consistente de zinco no epitélio ductal e acinar no adenocarcinoma pancreático em comparação com o epitélio normal. Esta diminuição no zinco é evidente em estágios bem diferenciados a mal diferenciados de malignidade. O transportador de captação de zinco ZIP3 da membrana basilar está ausente no adenocarcinoma. O tratamento com zinco foi citotóxico para as células Panc1 malignas. A combinação de alterações simultâneas de zinco, e ZIP3 representam eventos iniciais no desenvolvimento de adenocarcinoma; e sugerem que o zinco pode ser um supressor de tumor de câncer pancreático (Costello, 2011).
   c) Quelação do zinco aumenta morte de células do câncer de pâncreas via ROS. O oligoelemento essencial zinco (Zn) é amplamente necessário nas funções celulares e a homeostase anormal de Zn causa uma variedade de problemas de saúde, incluindo imunodeficiência e disfunções sensoriais. Estudos anteriores mostraram que a disponibilidade de Zn também é importante para o crescimento e progressão do tumor. Investigou-se os mecanismos potenciais da morte de células cancerosas pancreáticas induzida por N, N, N, N-Tetrakis (2-piridilmetil)-etilenodiamina (TPEN) (um quelante de zinco membrana-permeável). As linhas de células de câncer pancreático Panc-1, 8988T, BxPc-3 e L3.6 foram usadas. O TPEN induz marcadamente a morte celular, aumentando as espécies reativas de oxigênio (ROS) e restringindo a autofagia. Os dados também indicaram que o metabolismo mitocondrial estimulado por TPEN aumentou a geração de ROS. Enquanto isso, o TPEN reduz os níveis de glutationa (GSH) e desencadeia o surto de ROS, que foram as principais causas de morte celular. Além disso, a autofagia celular foi significativamente deprimida em células Panc-1 tratadas por TPEN, o que foi devido à capacidade de interromper lisossomas por TPEN. Assim, pensamos que a depleção de zinco por TPEN é uma estratégia terapêutica potencial para o câncer de pâncreas (Yu, 2019).
14. **Câncer de próstata**
   a) Citrato de zinco possui efeito antiproliferativo no câncer de próstata refratário a hormônio. Este composto suprime genes antiapoptóticos e estimulam genes apoptóticos na linhagem HRPC e DU145 e possivelmente ativam a caspase-3. Não há menção do íon citrato.
   b) Zinco citrato atenua a proliferação do câncer de próstata linhagem PC-3 e DU-145.
   c) Zinco diminui a atividade da telomerase em células do câncer renal e prostático (Nemoto, 2000).
   d) Zinco administrado com resveratrol devolve a homeostasia da próstata e abole ou reverte a proliferação neoplásica (Singh, 2014).
   e) Quando células LNCaP e PC-3 foram expostas a várias concentrações de sulfato de zinco por 48 horas, seu crescimento foi inibido de maneira dependente da dose. Os níveis de zinco em ambas as linhagens celulares tratadas com sulfato de zinco por 24 horas foram maiores do que nas células não tratadas. O zinco induziu apoptose e necrose em células LNCaP e PC-3. A apoptose tornou-se mais extensa com o aumento do tem-

po de tratamento com zinco. Houve aumento significativo nos níveis de expressão gênica de ZnT-1 e ZnT-4 em ambas as linhas celulares tratadas com sulfato de zinco em comparação com as células não tratadas. A expressão de mRNA de Bax (apoptótico) foi regulada para cima, enquanto a expressão de Bcl-2 e survivina (anti apoptóticas) foram reguladas para baixo em ambas as linhas celulares após o tratamento com zinco (Ku, 2012).

f) ZnSO4 provoca aumento dependente da concentração da apoptose e atua como regulador do aumento do dano oxidativo e da apoptose por meio da supra regulação de TNF-α e IL-6 (Hacioglu, 2020).

15. **Câncer de ovário**
   a) Acetato de zinco: ativa as caspases-3 e 12 no câncer de ovário.
   b) Citrato de zinco induz apoptose em células OVCAR-3 do câncer epitelial de ovário humano por acumular altos níveis de zinco no intracelular. Previne a proliferação inativando a m-aconitase e induz apoptose por ativação do Bax e repressão de genes antiapoptóticos, Bcl-2 e Bcl-xL com consequente ativação da caspase-12. O autor não se refere aos efeitos antiproliferativos marcantes do citrato (Bae, 2006).
16. **Câncer ginecológico/puerperal**
   Zinco citrato possui efeito citotóxico em linhagens do coriocarcinoma e linhagem trofoblástica tumorogênica pobremente diferenciada.
17. **Câncer de endométrio**
   a) Um total de 47 mulheres com câncer de endométrio e 45 controles foram elegíveis para o estudo. As características clínico-patológicas e o perfil metabólico, bem como os níveis séricos de cobre e zinco foram avaliados em cada indivíduo. Pacientes com câncer de endométrio (Cu média 3,72 ± 2,15mg/L, mediana 3,54 [0,41-9,16]mg/L e Zn média 1,83 ± 0,71mg/L, mediana 1,77 [0,71-4,02]mg/L) exibiram Cu e Zn em mais baixos níveis do que aqueles dos controles (Cu média 6,06 ± 1,79mg/L, mediana 6,32 [2,95-9,05]mg/L e Zn média 2,48 ± 0,89mg/L, mediana 2,23 [1,23-4,54]mg/L) (p <0,001) A relação Cu/Zn também foi maior (0,85 ± 1,96 vs. 2,57 ± 0,73) nos controles em comparação com pacientes com câncer de endométrio (Atakul, 2020).
18. **Câncer de colo uterino**
   a) Alto nível sérico de zinco reduz o risco de câncer de colo uterino na mulher asiática – meta-análise (Xie, 2018).
   b) Zinco induz apoptose em células do câncer cervical de modo dependente e independente do p53. O acúmulo de zinco intracelular induz a regulação negativa das proteínas E6/E7 do HPV (Bae, 2017).
19. **Linfomas de Hodgkin e não Hodgkin**
   a) Trinta porcento dos pacientes com linfoma de Hodgkin e não Hodgkin não tratados apresentavam deficiência de zinco. A suplementação aumenta zinco no soro, mas não nos monócitos (Field, 1988).
20. **Melanoma**
   a) Caso clínico: Melanoma maligno melhorou muito com zinco picolinato: 300mg 3 vezes ao dia.
   b) Caso clínico: Melanoma maligno na perna com metástases em linfonodos inguinais e na cavidade abdominal tratado com picolinato de zinco: completa regressão das metástases e grande diminuição da lesão primária.
21. **Câncer de bexiga**
   Zinco citrato induz apoptose em células do câncer de bexiga, linhagem MBT-2. Acontece diminuição do número de células de modo tempo e dose-dependentes. Diminui a atividade da m-aconitase drasticamente. Aumenta a expressão do p21wqf1 e p53 enquanto reduz a expressão do Bcl-2 e Bcl-xL e aumenta a caspase-3.
22. **Osteossarcoma**
   Este estudo mostrou que o conteúdo de zinco no sangue e nos tecidos tumorais de pacientes com osteossarcoma está reduzido significativamente. O zinco inibe a proliferação e invasão e induz apoptose de células do osteosarcoma ao ativar a via Wnt-3a/beta catenina. O tratamento com zinco inibiu significativamente a capacidade de proliferação e invasão das células de osteossarcoma. Os níveis de expressão da caspase-3 e caspase-9 aumentaram significativamente, sugerindo que o zinco inibiu o crescimento e promoveu a apoptose das células de osteossarcoma. Além disso, os níveis de expressão de Wnt-3a e β-catenina, as proteínas marcadoras das vias de sinalização Wnt/β-catenina, aumentaram significativamente nas células de osteossarcoma após a intervenção com zinco, o que demonstrou que a via foi claramente ativada. Este estudo é o primeiro a relatar as alterações nos níveis de zinco no sangue e tecidos tumorais de pacientes com osteossarcoma e a verificar preliminarmente que o zinco inibe a proliferação e invasão e promove a apoptose de células de osteossarcoma pela indução de Wnt/β-catenina via de sinalização, que acaba por inibir o crescimento do câncer (Gao, 2020).
23. **Epidermodisplasia verruciformis com carcinoma epidermoide de pele**
   Regrediu em 12 meses tomando 10mg/Kg/dia de sulfato de zinco (Sharma, 2014).

24. **Outros**
    a) Óxido de zinco (NP) é anticâncer sinérgico com o Sorafenib e minimiza a sua toxicidade, no carcinoma sólido de Ehrlich (Nabil, 2020).
    b) Excesso de zinco inibe a atividade do complexo PDHc, aconitase, colina-acetiltransferase e a produção de ATP (Ronowska, 2007).
    c) Nem todos suportam o ZnCl2 – gastrite.
    d) O sulfato de zinco não é benéfico na prevenção de alterações de paladar induzidas por quimioterapia e radioterapia. As alterações do paladar e do olfato são comuns em pacientes com câncer e não melhoram com zinco (Khan, 2019).

Conclusão

Nunca devemos nos esquecer que o zinco existe. Ele é importante para manter o sistema imune ativo em Th1, ao lado de ser antiproliferativo e apoptótico.

Referências

1. Abstracts and papers in full on site: www.medicinabiomolecular.com.br
2. Allen JI, Bell E, Boosalis MG, et al. Association between urinary zinc excretion and lymphocyte dysfunction in patients with lung cancer. Am J Med. Aug;79(2):209-15,1985.
3. Atakul T, Altinkaya SO, Abas BI, Yenisey C. Serum Copper and Zinc Levels in Patients with Endometrial Cancer. Biol Trace Elem Res. May;195(1):46-54, 2020.
4. Bae SN; Yong Seok Lee; Mi Yun KimJae; et al; et al. Antiproliferative and apoptotic effects of zinc-citrate compound (CIZAR(R)) on human epithelial ovarian cancer cell line, OVCAR-3. Gynecol Oncol Oct;103(1):127-36, 2006.
5. Bae SN, Lee KH, Kim JH, et al. Zinc induces apoptosis on cervical carcinoma cells by p53-dependent and -independent pathway. Biochem Biophys Res Commun. Feb 26;484(1):218-223, 2017.
6. Bai DP, Zhang XF, Zhang GL, Huang YF, Gurunathan S. Zinc oxide nanoparticles induce apoptosis and autophagy in human ovarian cancer cells. Int J Nanomedicine. 12:6521–6535;2017.
7. Baltaci S.B., Mogulkoc R., Baltaci A.K., et al. The effect of zinc and melatonin supplementation on immunity parameters in breast cancer induced by DMBA in rats. Arch. Physiol. Biochem. 124:247–252, 2018.
8. Beljanski M, Crochet S. Differential effects of ferritin, calcium, zinc, and gallic acid on in vitro proliferation of human glioblastoma cells and normal astrocytes. J Lab Clin Med. 123(4):547-55;1994.
9. Bryant VL, Ma CS, Avery DT, et al. Cytokine-mediated regulation of human B cell differentiation into Ig-secreting cells: predominant role of IL-21 produced by CXCR5+ T follicular helper cells. J Immunol. Dec 15; 179(12):8180-90, 2007.
10. Chung Y., Chang S.H., Martinez G.J., et al. Critical regulation of early Th17 cell differentiation by interleukin-1 signaling. Immunity. 30:576–587, 2009.
11. Costello LC, Levy BA, Desouki MM. et al. Decreased zinc and downregulation of ZIP3 zinc uptake transporter in the development of pancreatic adenocarcinoma. Cancer Biol Ther. Aug 15;12(4):297-303, 2011.
12. Dhawan D.K., Chadha V.D. Zinc: A promising agent in dietary chemoprevention of cancer. Indian J. Med. Res. 132:676–682, 2010.
13. Fani M, Khodadad N, Ebrahimi S, et al. Zinc Sulfate in Narrow Range as an In Vitro Anti-HSV-1 Assay. Biol Trace Elem Res. Feb;193(2):410-413, 2020.
14. Field HP, Jones R, Walker BE, Leucocyte zinc in non-Hodgkin's lymphoma and Hodgkin's disease..Nutr Cancer. 11(2):83-92, 1988.
15. Foster M., Samman S. Zinc and Regulation of Inflammatory Cytokines: Implications for Cardiometabolic Disease. Nutrients. 4: 676–694, 2012.
16. Fraker, P.J.; King, L.E.; Laakko, T.; Vollmer, T.L. The dynamic link between the integrity of the immune system and zinc status. J. Nutr. 130, 1399S–1406S, 2000.
17. Frantzeskaki FG, Karampi ES, Kottaridi C, et al. Cytomegalovirus reactivation in a general, nonimmunosuppressed intensive care unit population: incidence, risk factors, associations with organ dysfunction, and inflammatory biomarkers. J Crit Care. Apr;30(2): 276-81, 2015.
18. Ghanem AH, Esawy AM, Khalifa NA, Kamal HM. Evaluation of serum interleukin 17 and zinc levels in recalcitrant viral wart. J Cosmet Dermatol. Apr;19(4):954-959, 2020.
19. Gao K, Zhang Y, Niu J, et al. Zinc promotes cell apoptosis via activating the Wnt-3a/beta-catenin signaling pathway in osteosarcoma. J Orthop Surg Res. Feb 19;15(1):57, 2020.
20. Gehrke T, Scherzad A, Ickrath P, et al. Zinc oxide nanoparticles antagonize the effect of Cetuximab on head and neck squamous cell carcinoma in vitro. Cancer Biol Ther. 18(7):513–518;2017.
21. Hacioglu C, Kacar S, Kar F, Kanbak G. Concentration-Dependent Effects of Zinc Sulfate on DU-145 Human Prostate Cancer Cell Line: Oxidative, Apoptotic, Inflammatory, and Morphological Analyzes. Biol Trace Elem Res. Jun;195(2):436-444, 2020.
22. Hassan HF, Mansour AM, Abo-Youssef AM, Elsadek BE, Messiha BA. Zinc oxide nanoparticles as a novel anticancer approach; in vitro and in vivo evidence. Clin Exp Pharmacol Physiol. 44(2):235–243;2017.
23. Kanda T, Sasaki R, Masuzaki R, et al. Additive Effects of Zinc Chloride on the Suppression of Hepatitis A Virus Replication by Interferon in Human Hepatoma Huh7 Cells. In Vivo. Nov-Dec;34(6): 3301-3308, 2020.
24. Khan AH, Safdar J, Siddiqui SU. Efficacy of zinc sulfate on concurrent chemoradiotherapy induced taste alterations in oral cancer patients: A double blind randomized controlled trial. Pak J Med Sci. 35(3):624-629, 2019.
25. King L.E., Osati-Ashtiani F., Fraker P.J. Apoptosis plays a distinct role in the loss of precursor lymphocytes during zinc deficiency in mice. J. Nutr. 132:974–979, 2002.
26. Khoshdel Z., Naghibalhossaini F., Abdollahi K., et al. Serum Copper and Zinc Levels Among Iranian Colorectal Cancer Patients. Biol. Trace Elem. Res. 170:294–299, 2015.
27. Ku JH, Seo SY, Kwak C, Kim HH. The role of survivin and Bcl-2 in zinc-induced apoptosis in prostate cancer cells. Urol Oncol. Sep;30(5):562-8, 2012.
28. Kümel G, Schrader S, Zentgraf H, et al. The mechanism of the antiherpetic activity of zinc sulphate. M.J Gen Virol. Dec;71 (Pt 12): 2989-97, 1990.
29. Kumar R, Razab S, Prabhu K, et al. Serum butyrylcholinesterase and zinc in breast cancer. J Cancer Res Ther. 13(2):367-70;2017.
30. Miyazawa K, Oeda Y, Yoshioka S, et al. A case of advanced breast cancer in which quality of life was improved by Mohs' paste and hormone therapy. Gan To Kagaku Ryoho. 39(12):2051-3;2012.

31. Nabil A, Elshemy MM, Asem M, et al. Zinc Oxide Nanoparticle Synergizes Sorafenib Anticancer Efficacy with Minimizing Its Cytotoxicity. Oxid Med Cell Longev. May 28;2020:1362104, 2020.
32. Nemoto K, Kondo Y, Himeno S, et al. Modulation of telomerase activity by zinc in human prostatic and renal cancer cells. Biochem Pharmacol. Feb 15;59(4):401-5, 2000.
33. Ogawa H, Masuda N, Masuda H, et al. [Mohs paste for unresectable local lesion of breast cancer]. Gan To Kagaku Ryoho. 35(9):1531-4; 2008.
34. Pisano A, Santolla MF, De Francesco EM, et al. GPER, IGF-IR, and EGFR transduction signaling are involved in stimulatory effects of zinc in breast cancer cells and cancer-associated fibroblasts. Mol Carcinog. 56(2):580-93;2017.
35. Prasad AS. Zinc in human health: effect of zinc on immune cells. Mol Med. May-Jun; 14(5-6):353-7, 2008.
36. Prasad AS. Impact of the discovery of human zinc deficiency on health. J Trace Elem Med Biol. Oct; 28(4):357-63, 2014.
37. Ronowska A, Gul-Hinc S, Bielarczyk H, et al. Effects of zinc on SN56 cholinergic neuroblastoma cells. J Neurochem. 103(3):972-83;2007.
38. Riesop D, Hirner AV, Rusch P, Bankfalvi A. Zinc distribution within breast cancer tissue: A possible marker for histological grading? J Cancer Res Clin Oncol. 141(7):1321-31;2015.
39. Rink L., Kirchner H. Zinc-Altered Immune Function and Cytokine Production. J. Nutr. 130:1407S–1411S, 2000a.
40. Rink L., Gabriel P. Zinc and the immune system. Proc. Nutr. Soc. 59:541–552, 2000b.
41. Rudolf E, Rudolf K, Cervinka M. Zinc induced apoptosis in HEP-2 cancer cells: the role of oxidative stress and mitochondria. Biofactors. 23(2):107-20, 2005.
42. Sandstead H.H., Prasad A.S., Penland J.G., et al. Zinc deficiency in Mexican American children: Influence of zinc and other micronutrients on T cells, cytokines, and antiinflammatory plasma proteins. Am. J. Clin. Nutr. 88:1067–1073, 2008.
43. Sangthawan D, Phungrassami T, Sinkitjarurnchai W. Effects of zinc sulfate supplementation on cell-mediated immune response in head and neck cancer patients treated with radiation therapy. Nutr Cancer. 67(3):449-56, 2015.
44. Sharma S, Barman KD, Sarkar R, et al. Efficacy of oral zinc therapy in epidermodysplasia verruciformis with squamous cell carcinoma. Indian Dermatol Online J. Jan;5(1):55-8, 2014.
45. Singh CK, Pitschmann A, Ahmad N. Resveratrol-zinc combination for prostate cancer management. Cell Cycle. 13(12):1867-74;2014.
46. Skrajnowska D, Bobrowska-Korczak B.Nutrients. Role of Zinc in Immune System and Anti-Cancer Defense Mechanisms. Sep 22; 11(10):2273, 2019.
47. Sliwinski T, Czechowska A, Kolodziejczak M, et al. Zinc salts differentially modulate DNA damage in normal and cancer cells. Cell Biol Int. Apr;33(4):542-7, 2009.
48. Stefani M, Bottino G, Fontenelle E, Azulay DR. Efficacy comparison between cimetidine and zinc sulphate in the treatment of multiple and recalcitrant warts. An Bras Dermatol. Jan-Feb;84(1):23-9, 2009.
49. Stepien M., Hughes D.J., Hybsier S., et al. Circulating copper and zinc levels and risk of hepatobiliary cancers in Europeans. Br. J. Cancer. 116:688–696, 2017.
50. Takano Y, Okudaira M, Harmon BV. Apoptosis induced by microtubule disrupting drugs in cultured human lymphoma cells. Inhibitory effects of phorbol ester and zinc sulphate. Pathol Res Pract. Mar;189(2):197-203,1993.
51. Xiao HJ, Huang CY, Wang HY, Li M. [Effect of selenium and zinc on the proliferation of human esophageal cancer Eca109 cell line in vitro]. Nan Fang Yi Ke Da Xue Xue Bao. 2008.
52. Xie Y, Wang J, Zhao X, et al. Higher serum zinc levels may reduce the risk of cervical cancer in Asian women: A meta-analysis. J Int Med Res. Dec;46(12):4898-4906, 2018.
53. Yin H, Casey PS, McCall MJ, Fenech M. Size-dependent cytotoxicity and genotoxicity of ZnO particles to human lymphoblastoid (WIL2-NS) cells. Environ Mol Mutagen. 56(9):767–776;2015.
54. Yu Z, Yu Z, Chen Z, et al. Zinc chelator TPEN induces pancreatic cancer cell death through causing oxidative stress and inhibiting cell autophagy.J Cell Physiol. Nov;234(11):20648-20661, 2019.
55. Wang J, Lee JS, Kim D, Zhu L. Exploration of Zinc Oxide Nanoparticles as a Multitarget and Multifunctional Anticancer Nanomedicine. ACS Appl Mater Interfaces. 9(46):39971–39984;2017.
56. Wang B, Zhang J, Chen C, et al. The size of zinc oxide nanoparticles controls its toxicity through impairing autophagic flux in A549 lung epithelial cells. Toxicol Lett. 285:51–59;2018.
57. Wang J, Gao S, Wang S, et al. Zinc oxide nanoparticles induce toxicity in CAL 27 oral cancer cell lines by activating PINK1/Parkin-mediated mitophagy. Int J Nanomedicine. Jun 20;13:3441-3450;2018.
58. Wang Y., Sun Z., Li A., Zhang Y. Association between serum zinc levels and lung cancer: A meta-analysis of observational studies. World J. Surg. Oncol. 17:78, 2019.
59. Wang F, Wang X, Liu Y, Tian WX. Inhibitive effect of zinc ion on fatty acid synthase from chicken liver. Int J Biochem Cell Biol. Mar;35(3):391-400, 2003.
60. Wend P, Runke S, Wend K, et al. WNT10B/β-catenin signalling induces HMGA2 and proliferation in metastatic triple-negative breast cancer. EMBO Mol Med. (2):264-79;2013.
61. Wessells KR, Singh GM, Brown KH. Estimating the global prevalence of inadequate zinc intake from national food balance sheets: effects of methodological assumptions. PLoS One. 7(11):e50565, 2012.
62. Wiesmann N, Kluenker M, Demuth P, et al. Zinc overload mediated by zinc oxide nanoparticles as innovative anti-tumor agent. J Trace Elem Med Biol. Jan;51:226-234;2019.
63. Wu X, Tang J, Xie M. Serum and hair zinc levels in breast cancer: a meta-analysis. Sci Rep. 5:12249;2015.
64. Zhang JP, Li F, Yu XW,et al. Trace elements and cytokine profile in cytomegalovirus-infected pregnancies: a controlled study. Gynecol Obstet Invest. 65(2):128-32, 2008.
65. Zabłocka-Słowińska K., Płaczkowska S., Prescha A., et al. Serum and whole blood Zn, Cu and Mn profiles and their relation to redox status in lung cancer patients. J. Trace Elem. Med. Biol. 45:78–84, 2018.

PARTE V

Estratégias terapêuticas para controlar, administrar e se possível curar o câncer se conseguirmos afastar definitivamente o fator causal

CAPÍTULO 140

Resumo dos eventos fundamentais acontecendo na célula neoplásica e possíveis estratégias terapêuticas. Células neoplásicas são células em sofrimento lutando para sobreviverem e necessitando de cuidados e afastamento das causas, não extermínio

José de Felippe Junior

Nunca é tarde para aprender. **JFJ**

A ignorância é um pesado fardo que fica mais leve enquanto aprendemos. **JFJ**

Estudava para ser amado, depois estudava para ser respeitado e agora estuda para diminuir o sofrimento. **JFJ**

They don´t believe what they see, rather they see what they already believe. **Joel Barker**

As pessoas comuns veem somente o que já conhecem. **Joel Barker**

Câncer não é doença e sim mecanismo de sobrevivência de células em sofrimento. **JFJ**

Câncer é estratégia de sobrevivência e não doença. **JFJ**

As células neoplásicas são carne da nossa própria carne e assim possuem todos os mecanismos de sobrevivência lapidados e guardados no genoma nos 3,8 bilhões de anos de nossa Evolução. **JFJ**

Nossas células lapidaram o genoma por bilhões de anos para conseguir sobreviver no Planeta e manter a nossa Espécie. **JFJ**

O tumor visível é apenas o sintoma de um organismo doente. **Vários Autores**

A verdadeira causa das doenças e a MEDICINA ainda não fizeram as pazes. É porque a MEDICINA ainda é muito jovem. E o que dizer dos tratamentos? **JFJ**

As enfermidades são muito antigas e nada a respeito delas mudou. Somos nós que mudamos ao aprender a reconhecer nelas o que antes não percebíamos. **Charcot**

We do not catch diseases. We build them. **Antoine Bechamp**

The majority believes that everything hard to comprehend must be very profound. This is incorrect. What is hard to understand is what is immature, unclear and often false. The highest wisdom is simple and passes through the brain directly to the heart. **Viktor Schauberger**

As long as there is breath in my body, I will never ever cease to be a seeker after truth. **Gautama Budda**

Introdução

A célula cancerosa não é célula maligna e sim célula doente tentando a todo custo sobreviver. Sendo carne da nossa própria carne ela utiliza todos os mecanismos de sobrevivência adquiridos durante os 3,8 bilhões de anos de Evolução no Planeta, desde o oceano até quando dele saímos para a terra e continuamos vivendo na Terra.

Quando células de um determinado órgão são atingidas por estresse moderado, contínuo e de longa duração, seja interno, seja externo, físico, químico ou biológico, elas começam a sofrer e lentamente caminham para um estado de alta entropia e baixo grau de ordem-informação, até atingir um "estado de quase morte". Neste momento são colocados em ação mecanismos anciãos de sobrevivência celular, justamente aqueles que mantiveram vivos os seres humanos durante a Evolução no planeta Terra. No início do sofrimento acontece vagarosamente o aumento da desestruturação da água intracelular com aumento da água livre e diminuição da água estruturada. Logo depois vem a hiperpolarização da membrana mitocondrial (delta-psimt) com impedimento respiratório e diminuição da geração de ATP via fosforilação oxidativa. A seguir cai o potencial de membrana celular (Em) e depois o *antiporter* Na^+/H^+ é drasticamente ativado provocando alcalinização intracelular e ativação das enzimas glicolíticas. Neste momento impera a glicólise anaeróbia que envia ATP para o núcleo onde acontece o aumento da expressão das ciclinas do ciclo celular e começa a multiplicação mitótica. Embora o número de ATPs pela via glicolítica seja menor por mol de glicose, ela é rápida, muito rápida. Concomitantemente são colocadas em movimento várias ações com o objetivo de sobrevivência celular para manter a identidade, para proteger o genoma.

Dessa forma, esse grupo de células carne da nossa própria carne em "estado de quase morte", para não morrer começa a se multiplicar. Multiplicam-se simplesmente para sobreviver e de fundamental importância manter seu patrimônio mais precioso, sua identidade, o bem maior, o genoma. Não são células malignas, são células em vias de morrer lutando para sobreviver e manter o seu bem mais precioso.

Tais células se transformam em verdadeiras células malignas de difícil controle quando submetidas a outros tipos de forte estresse como a quimioterapia citotóxica, a radioterapia e a própria cirurgia. Aqui elas adquirem um fenótipo muito resistente e passam a agir de modo autônomo porque atingiram o grau máximo de sobrevivência e já não possuem a expressão gênica antiga. Seu genoma tornou-se muito diferente, individualista e elas agora não pertencem ao conjunto harmônico do organismo original. Estas células submetidas à quimioterapia e/ou radioterapia atingiram o grau mínimo de ordem-informação e máximo de entropia, estando aptas somente à mitose proliferativa, redentora de suas vidas, em uma multiplicação suicida que leva o organismo original à falência.

Toda doença tem causa e o câncer é uma doença provocada 95% das vezes pelo estresse ambiental moderado, contínuo e de longa duração, 2-3 anos ou mais. Por estresse ambiental entendemos: intoxicação/contaminação por metais (chumbo, níquel, mercúrio, arsênio, cádmio etc.), excesso de ferro e de cobre, agrotóxicos, pesticidas, tabaco, flúor, xenobióticos, radiações eletromagnéticas, radiações ionizantes, zonas geopatogênicas, infecções virais, bacterianas, fúngicas, bactérias sem membrana (*stealth* bactéria, ciclogênicas) etc. Por moderado estresse interno entendemos o estresse metabólico, o oxidativo e o inflamatório.

O forte estresse ambiental provoca morte celular por necrose com sinais e sintomas específicos do órgão afetado. O estresse ambiental moderado provoca sinais e sintomas inespecíficos por anos até surgir a neoplasia.

Lembrar que a quimioterapia citotóxica é paliativa e contribui nos EEUU em somente 2,1% e na Austrália em apenas 2,3% para o aumento da sobrevida de 5 anos nos 22 tumores sólidos mais frequentes dos adultos. Este estudo envolveu quase 230 mil pacientes tratados nos melhores centros de referência em oncologia. A credibilidade no estudo aumenta porque os dados dos pacientes foram somente coletados de trabalhos randomizados e controlados de meta-análises ou revisões sistemáticas que reportavam sobrevida de 5 anos e ainda publicados em revistas científicas médicas de excelente nível. Muito importante é que foram afastados os pacientes que não apresentavam condições de sobreviver 5 anos, quer dizer a indicação foi curativa e não paliativa.

É quase certeza afirmar que se os pacientes soubessem o quão insignificante é o aumento da sobrevida com a quimioterapia não a escolheriam, nas palavras dos autores do trabalho.

Nos últimos 5 anos vários autores sem conflito de interesse têm demonstrado em trabalhos randomizados que a cirurgia do câncer é ineficaz. A cirurgia provoca aceleração do crescimento das metástases e aumento do crescimento do tumor residual.

Urge o encontro de novas estratégias terapêuticas eficazes e humanas.

Vamos começar visualizando algumas vias proliferativas que nossas células adquiriram nos 3,8 bilhões de anos de Evolução e que estão incrustadas no genoma. E creiam, elas existem não para provocar câncer e sim como mecanismo de sobrevivência da nossa Espécie.

Fatos comprovados e possíveis tratamentos

Vamos enumerar o que pesquisadores de alto nível descobriram na bioquímica e fisiologia das células neoplásicas (cancerosas) que vamos chamar de: **"Fatos"**. A seguir colocaremos os **"Possíveis tratamentos"** provenientes de trabalhos também de pesquisadores sérios e considerados sem conflito de interesse. A maioria desses tratamentos já está sendo utilizada na clínica diária por médicos atualizados, conscientes, éticos e principalmente humanos.

Todos os trabalhos consultados foram provenientes do PubMed e Medline. Você encontrará o resumo ou o artigo na íntegra entre os mais de 12.000 trabalhos da Biblioteca de Câncer e Doenças do *site* www.medicinabiomolecular.com.br da Associação Brasileira de Medicina Biomolecular e Nutrigenômica que escolhemos como referências.

Até final de 2021 haviamos encontrado 103 modos de sobrevivência das células que chamam de câncer maligno e que nada mais são que células doentes tentando sobreviver. E conseguem porquê estão lapidando o genoma triunfante há 3,8 bilhões de anos.

Fatos

1. Fato: Estresse biológico, químico ou físico moderado, contínuo e de longa duração, interno ou ambiental, que provocam inflamação crônica subclínica são possíveis causas do câncer.

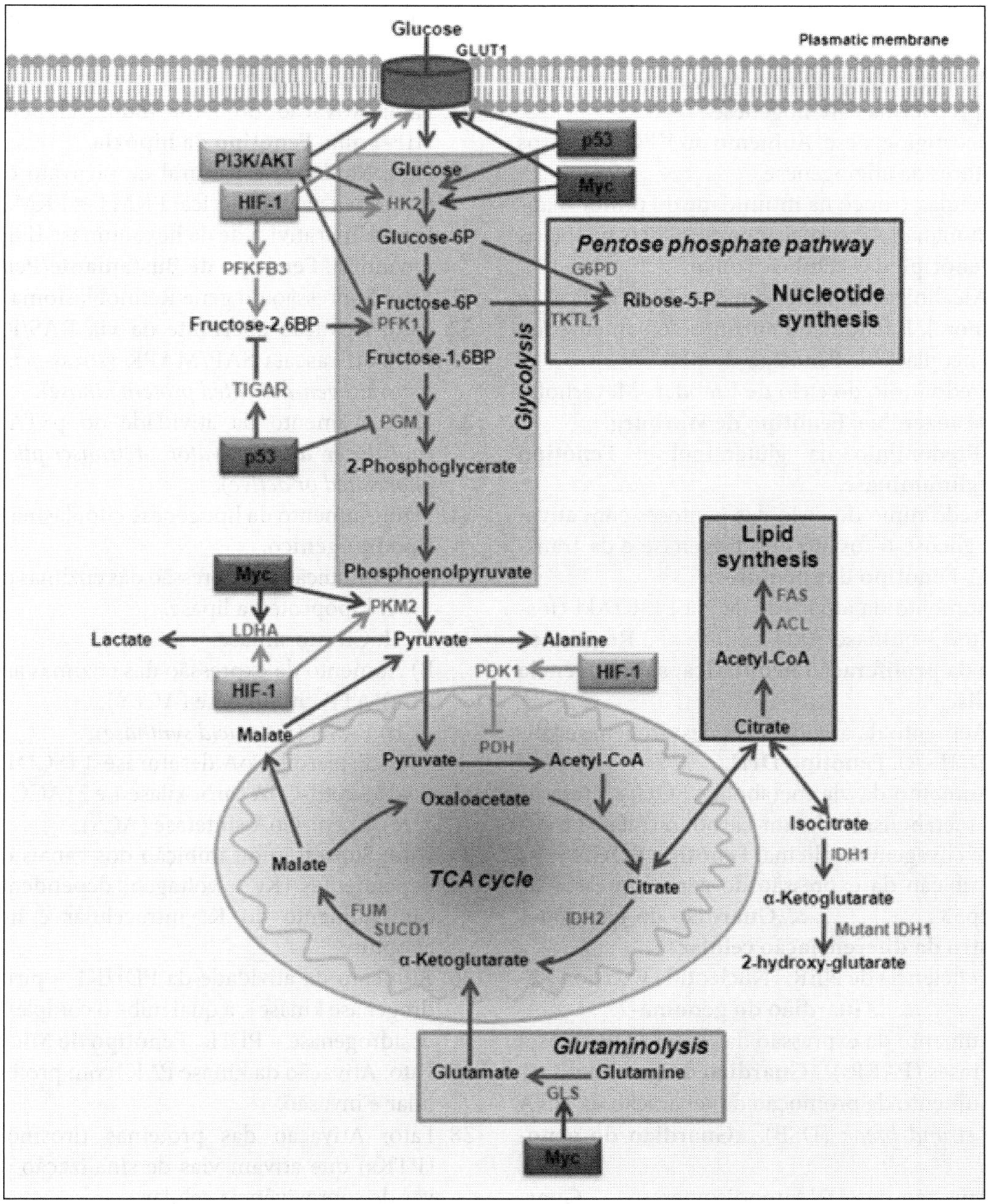

Figura 140.1 Metabolismo remodelado das células neoplásicas, retirado de Marie SK, Shinjo SM. Clinics (Sao Paulo). 66 Suppl 1:33-43;2011.

2. Fato: Aumento da água desestruturada intracelular. **Fenótipo de Damadian ou da água desestruturada.**
3. Fato: Aumento progressivo e contínuo da entropia com diminuição da ordem-informação do sistema termodinâmico aberto celular, até a célula transformada chegar ao estado de quase morte. **Fenótipo Szent-Györgyi.**
4. Fato: Aumento do Deltapsi-mt com hiperpolarização da membrana mitocondrial. **Fenótipo de Chen.**
5. Fato: Diminuição do potencial de membrana celular – Em – despolarização da membrana celular. **Fenótipo de Cone.**
6. Fato: Polarização do sistema imunológico de M1/Th1 para M2/Th2, incluído o precoce anti PD-1/PDL-1.
7. Fato: Epigenética – metilação e desacetilação. Ativação das DNA metiltransferases (metilação) e inibição das histonas-desacetilases (desacetilação)

com silenciamento de genes supressores de tumor. **Fenótipo epigenético.**

8. Fato: Aumento da atividade da telomerase: mecanismo precoce na carcinogênese.
9. Fato. Neoangiogênese. Aumento do VEGF, e outros promotores da angiogênese.
10. Fato: Células-tronco na intimidade do tumor mantêm um manancial fornecedor de células neoplásicas – **Fenótipo das células-tronco.**
11. Fato: Alcalinização intracelular com acidificação peritumoral. É fenômeno encontrado somente nas células neoplásicas. **Fenótipo do pH.**
12. Fato: Predomínio do ciclo de Embden-Meyerhof – glicólise anaeróbia. **Fenótipo de Warburg.**
13. Fato: Predomínio da glutaminólise. **Fenótipo c-Myc/glutaminase.**
14. Fato: Predomínio do ciclo das pentoses com ativação da glicose-6-fosfato desidrogenase e da transcetolase. **Fenótipo das pentoses.**
15. Fato: Aumento da atividade da via PI3K/Akt (fosfoinositol-3-quinase/Akt).....................**Regulador mestre da proliferação neoplásica, sobrevivência e glicólise.**
16. Fato: Aumento da atividade da desidrogenase lática-A (DHL-A). **Fenótipo DHL.**
17. Fato: Aumento da via metabólica SOG: síntese de serina, metabolismo de um-carbono (folato) e sistema de clivagem da glicina. **Fenótipo SOG.**
18. Fato: Inibição da expressão do gene supressor de tumor p53..........................**Guardião do_genoma-1** e **Maestro da diferenciação celular.**
19. Fato: Deficiência de NER. "Nucleotide Excision Repair".....................**Guardião do genoma-2.**
20. Fato: Aumento da expressão das Poli (ADP-ribose) polimerases (PARPs)....G**uardião do genoma-3.**
21. Fato: Aumento da promoção da reparação da DNA *double strand break* (DSB).....**Guardião do genoma-4.**
22. Fato: Ativação das DNA-topoisomerases......**Guardião do genoma-5.**
23. Fato: Inibição do complexo LKB1/AMPK (*liver kinase* B1/AMP- *activated protein kinase*).......***Principal sensor de energia da célula.***
24. Fato: Ativação do mTOR que suporta a sobrevivência da neoplasia.......................***Maestro da orquestra da síntese proteica.***
25. Fato. Ativação do fator de transcrição NRF2 (nuclear factor erythroid 2-related factor 2), potente agente redutor e, portanto, proliferativo........***Maestro da orquestra redutora e, portanto, proliferativo-1.***
26. Fato. Aumento da geração de NADPH2, potente agente redutor e, portanto, proliferativo.........***Maestro da orquestra redutora e, portanto, proliferativo-2.***
27. Fato: Ativação das CDKs e inibição do $p21^{WAF1}$ e $p27^{kip1}$ e superexpressão da CDK20, agora chamada de CCRK.
28. Fato: Ativação do fator induzível pela hipóxia-HIF-1 alfa. **Fenótipo da hipóxia.**
29. Fato: Mudança estrutural da piruvato quinase tetramérica para dimérica: PKM4 → PKM2.
30. Fato: Hiperatividade da hexoquinase II ligada à mitocôndria. **Fenótipo de Bustamante/Pedersen.**
31. Fato: Supressão do gene Retinoblastoma.
32. Fato: Ativação aberrante da via RAS/RAF/MEK/ERK ou cascata SAP/MAPK (*stress-activated protein/mitogen-activated protein kinase*).
33. Fato: Aumento da atividade do pSTAT3 (*signal transducer and activator of transcription 3 phosphorylated or active*).
34. Fato: Aumento da lipogênese citoplasmática. **Fenótipo lipogênico.**
    A) Diminuição da expressão das enzimas catabólicas.
       I. Lipoproteína lipase.
       II. Citrato sintase.
    B) Aumento da expressão das enzimas anabólicas.
       a) ATP-citrato liase (ACLY).
       b) FASN (*fatty acid synthase*).
       c) Estearoil-CoA desaturase-1 (SCD1).
       d) Acetil-CoA carboxilase 1 e 2 (ACC1 e ACC2).
       e) Acetil-CoA sintetase (ACS).
35. Fato: Supressão ou inibição dos canais de K^+ ATP dependentes (Kv – voltagem dependente) provocam aumento do K^+ intracelular e impedem a apoptose.
36. Aumento da atividade da PDHK1 – piruvato desidrogenase kinase1, a qual inibe o complexo piruvato desidrogenase – PDHc. **Fenótipo de Michelakis.**
37. Fato: Ativação da kinase PAK1com proliferação celular e invasão.
38. Fato: Ativação das proteínas tirosino quinases (PTKs) que ativam vias de sinalização proliferativas de sobrevivência celular.
39. Ativação das proteínas tirosino fosfatases (PTPs) que ativam vias de sinalização proliferativas de sobrevivência celular.
40. Fato: Ativação das metaloproteinases, principalmente MMP-2 e MMP-9 peritumoral.
41. Fato: Aumento do fator de crescimento. Insulina/IGF-1 e seu receptor IGF-1R.
42. Fato: Ativação do NF-kappaB.
43. Fato: Aumento da atividade das GLUTs 1 e 4.
44. Fato: Aumento do TNF-alfa com imunosupressão/imunotolerância das células tumorais.
45. Fato: Aumento da atividade da ornitina descarboxilase (ODC).
46. Fato: Aumento da atividade da aldeído desidrogenase que aumenta a proliferação das células-tronco.

47. Fato: Aumento da atividade da enzima GSK-3 – glicogênio sintase quinase-3.
48. Fato: Inibição da expressão do gene supressor de tumor PTEN.
49. Fato: Ativação da via Wnt/beta-catenina.
50. Fato: Ativação da via proliferativa Notch1.
51. Fato: Ativação de receptor de andrógenos – AR.
52. Fato: Diminuição da expressão de receptor estrogênico-beta – Erβ.
53. Fato: Redução drástica da função de supressores tumorais da família let-7 de microRNAs.
54. Fato: Inibição da expressão de vários microRNAs inibidores da migração, metástases, proliferação e apoptose.
55. Fato: Aumento da expressão da bomba Na^{+}/K^{+}/ATPase.
56. Fato: Ativação da peptil prolil cis/trans-isomerase.
57. Fato: Ativação do gene antiapoptótico XIAP.
58. Fato: Diminuição da expressão ou inibição da delta-6-desaturase com aumento do tromboxano e PGE2. **Fenótipo de Horrobin.**
59. Fato: Perda da caveolin-1 (Cav-1) do estroma peritumoral. Provoca estresse oxidativo e ativa o HIF-1 e o NF-kappaB com aumento da glicólise anaeróbia e autofagia do estroma fornecendo nutrientes para proliferação das células neoplásicas. **Fenótipo autofágico estromal.**
60. Fato: Ativação da família PRL de tirosina fosfatases: proliferativa.
61. Fato: Aumento da expressão do gene gerador de quimocina que ocupa o receptor CXCR4: aumenta a proliferação, angiogênese, invasão e metástases.
62. Fato: A quinase de adesão focal (FAK) está expressa em cânceres sólidos avançados sendo carcinocinética, aumenta a proliferação, angiogênese, invasão, metástases e ativa células tronco.
63. Fato: Ativação da cicloxigenase-2 (COX-2) e da lipoxigenase-5 (5-LO), as quais fomentam a proliferação celular neoplásica.
64. Fato: Glicosilação aberrante das proteínas de membrana.
65. Fato: Aumento da expressão do gene proibitina e sua proteína.
66. Fato: Diminuição da expressão **do Coxsackie** e **Adenovírus Receptor (CAR)**, o que provoca proliferação e antiapoptose.
67. Fato: Aumento da expressão do PPAR-gama.
68. Aumento da expressão do NMDA-NMDR.
69. Fato: Aumento da via ubiquitina proteassoma.
70. Fato: Aumento do fator de transcrição nuclear ET-1 em vários tipos de células de tumores sólidos, principalmente as epiteliais, promove proliferação, parada da apoptose e ativação da neoangiogênese (estimula a proliferação das células endoteliais e do músculo liso).
71. Fato: Aumento da expressão de proteínas príon (PrP) no tecido neoplásico. Fenótipo Príon.
72. Fato: Inibição do gene supressor de tumor PCYT2 que diminui a concentração de fosfatidilcolina no citoplasma e de fosfoetanolamina na membrana neoplásica provocando aumento da proliferação mitótica.
73. Fato: Alta expressão de genes codificadores da transcriptase reversa endógena.
74. Fato: Aumento da expressão do Pin1 humano (*human peptidyl prolyl cis*/trans isomerase) provoca proliferação mitótica.
75. Fato: Ativação da via aberrante de crescimento tumoral Hedgehog (Hh).
76. Fato: Ausência ou grande diminuição de receptores opioides de crescimento OGFr na maioria das linhagens neoplásicas.
77. Fato: Diminuição da expressão da proteína Cx43 na superfície celular tumoral.
78. Fato: Aumento da proteína metastatizante S100A.
79. Fato: Ativação de genes codificadores do complexo SWI/SNF.
80. Fato: Aumento da sinalização Hippo/YAP.
81. Fato: Aumento da expressão do NEDD4 (*neural precursor cell expressed developmentally down-regulated protein 4*).
82. Fato: Aumento da expressão da Tenascin-C.
83. Fato: Aumento da expressão da CYP24 que cataboliza o hormônio antitumoral $1,25(OH)_2D_3$.
84. Fato: Aumento da expressão do CYP1B1.
85. Fact: Aumento da expressão da *O-type glycosyltransferase*, GALNT6 (*polypeptide **N**-acetylgalactosaminyltransferase 6*) desempenha papel crítico na carcinogênese humana.
86. Superexpressão da CBS (cystathionine-β-synthase) que aumenta o GSH intracelular e a geração de H2S, ambos carcinocinéticos.
87. Fato: Aumento da expressão do NOX que suporta a elevação do ciclo de Embden-Meyerhof quando as mitocôndrias estão comprometidas.
88. Fato: Superexpressão da família de proteínas de ligação ao RNA Musashi-1 (MSI-1) que ativa genes pró-oncogênicos.
89. Fato: Aumento da expressão do EGF/EGFR (fator de crescimento epithelial e seu receptor).
90. Aumento da expressaõ do DIRK1A que aumenta a atividade do EGFR.
91. Fato: Aumento da expressão do fator de crescimento transformador beta (TGFβ).
92. Fato: Presença de câncer MDR.
93. Fato. Superexpressão da Beta-arrestina.
94. Fato: Aumento da expressão da IDO-1 (indoleamine 2,3-dioxygenase) e da TDO2 (indoleamine 2,3-dioxygenase) que provocam imunotolerância tumoral.

95. Diminuição da expressão dos receptores TRAIL/APO2-L (TNF-related apoptosis-inducing ligand/APO2-Ligant). TRAIL é apoptótico.
96. Fato: Ativação das proteínas tirosino fosfatases (PTPs) que ativam vias de sinalização proliferativas de sobrevivência celular.
97. Fato: aumento da expressão do ID-1 (Inhibitor of differentiation/DNA binding-1).
98. Fato: Aumento da atividade da beta-glucaronidase.
99. Fato. Diminuição da expressão do supressor tumoral TXNIP (Thioredoxin Interacting Protein).
100. Fato. Super-espressão da Beta2-microglobulina.
101. Fato: Perda dos componentes do complexo SWI/SNF (switching defective/sucrose nonfermenting).
102. Fato: Inibição do gene supressor tumoral KLF5.
103. Fato: c-Met é receptor de membrana que comanda sobrevivência celular.
104. Fato: Inibição do gene supressor de tumor MEG3.
105. Falta muito ainda.
106. Não desistiremos de tratamentos mais eficazes e mais humanos para a doença que ousam chamar de câncer.

Fatos e possíveis tratamentos

1. Fato: Estresse biológico, químico ou físico moderado, contínuo e de longa duração, interno ou ambiental, que provocam inflamação crônica subclínica, são possíveis causas do câncer.

Estresse ambiental: metais tóxicos, agrotóxicos, pesticidas, flúor, ferro, cobre, xenobióticos, tabaco (várias substâncias tóxicas), *Mycobacterium tuberculosis, Mycobacterium bovis, Mycoplasma pneumoniae, Chlamydophila pneumoniae*, bactérias sem parede (*stealth bacteria*), EBV, CMV, HPV, HSV, outros vírus, fungos etc. são a causa ou as causas fundamentais e mais frequentes que provocam o câncer.

Estresse interno: metabólico, oxidativo e inflamatório. O fator genético é responsável apenas por 5% dos cânceres.

O estresse externo ou interno provoca estresse oxidativo, metabólico ou inflamatório (inflamação crônica subclínica) e, dessa forma, são a razão biológica da multiplicação celular redentora da vida das células doentes neoformadas: sobrevivência como meta para manter o genoma.

Possíveis tratamentos

Retirar do organismo o motivo da multiplicação celular neoplásica (câncer) empregando agentes que eliminem do organismo a contaminação/intoxicação, que administrem os agentes biológicos e termine com o estresse metabólico/oxidativo/inflamatório.

A) Metais tóxicos

1. Quelantes (EDTA).
2. As técnicas de ultradiluições (homeopatia CH30) não são empregadas porque são de efeito muito lento.

B) Agentes biológicos (25% dos cânceres são comprovadamente provocados por agentes biológicos, cremos em muito mais).

1. Inibir as vias proliferativas PI3K/Akt/mTOR/NF-kappaB, Ras/Raf/MEK/ERK1/ERK2.
2. Polarizar sistema imune de M2/Th2 para M1/Th1: glucana, BCG, etc.
3. Acidificar o intracelular.
4. Antibióticos farmacêuticos e fitoterápicos: minociclina, berberina, etc.
5. ClO_2 – dióxido de cloro. É biocida universal: antibiótico, antifúngico, antiviral devido à capacidade oxidativa. Potencial oxidante de 0,96.
6. Ozonioterapia: método eficaz de eliminação de vírus, bactérias, fungos e bactérias sem parede, a curto prazo.

C) Tratar vigorosamente a síndrome metabólica

Nota 1: Prezados colegas devemos lembrar que todas as doenças causa/causas e que elas não aparecem do nada. Afastar a etiologia é o nosso dever para tratar a doença pela raiz.

Nota 2: É fundamental afastar do organismo doente o motivo biológico ou químico ou físico da multiplicação celular – sobrevivência das células doentes que chamam de câncer.

Nota 3: O tumor visível, nas imagens é a expressão sintomática de um organismo que está doente por muito tempo. Os oncologistas, com honrosas exceções, somente tratam o sintoma (tumor) não se importando com a causa que o provocou.

Nota 4: Somente organismos doentes podem apresentar o sintoma "tumor".

2. Fato: Aumento da água desestruturada intracelular. Fenótipo de Damadian ou da água desestruturada

Possivelmente este seja o primeiro evento que acontece na transformação de uma célula normal em neoplásica após ser submetida a estresse moderado, persistente e contínuo onde a célula doente atingiu o "estado de quase morte": aumento da água livre de alta densidade, alta mobilidade, com pontes de hidrogênio fracas: água desestruturada.

É o aumento da água desestruturada que permite o diagnóstico dos tumores pela ressonância nuclear magnética – RNM.

Possíveis tratamentos

O aumento da estruturação das pontes de hidrogênio diminui a entropia celular e aumenta o grau de ordem-informação do sistema termodinâmico aberto que é a célula, cerne do problema câncer, depois do fator causal.

a) Fosforilação oxidativa com geração de ATP mitocondrial – energia eletrônica.
b) Osmólitos cosmotropos: trimetilglicina, L-taurina, mio-inositol, óxido de silício (SiO_{2}), citrato, glicerofosfato, sorbitol, tiossulfato de sódio, benzaldeído.
c) Água rica em sais minerais estruturadores – água cosmotropa. Fosfato bibásico de magnésio, carbonato de magnésio, sulfato de magnésio, cloreto de magnésio, cloreto de potássio, hipossulfito de sódio, sulfato de cálcio, bicarbonato de potássio, citrato de sódio, dióxido de silício.
d) Acidificação intracelular.
e) Amiloride baixas doses.
f) Inibição do *antiporter* NHE1.

3. Fato: Aumento progressivo e contínuo da entropia com diminuição da ordem-informação do sistema termodinâmico celular até a célula transformada chegar ao estado de quase-morte. Fenótipo Szent-Györgyi

Possíveis tratamentos

Diminuir a entropia e aumentar o grau de ordem-informação:

1. Restrição calórica sem desnutrição. A restrição calórica e os corpos cetônicos atrasam a entropia. Como o câncer é doença de entropia elevada, essa estratégia atinge um dos cernes do problema.
2. Drogas que mimetizam a restrição calórica: resveratrol, citrato, oxaloacetato, metformina.
3. Acidificar o intracelular.
4. Nutrir-se com alimentos de alto grau de ordem-informação, os entrópicos negativos:
   a) Verduras e legumes crus sem agrotóxicos.
   b) Frutas frescas.
   c) Alimentação crudívora.

4. Fato: Aumento do deltapsi-mt com hiperpolarização da membrana mitocondrial (Fenótipo de Chen)

A hiperpolarização da membrana mitocondrial é um dos primeiros eventos que acontecem quando a célula normal se transforma em célula neoplásica. Este fato provoca o acúmulo de cátions lipofílicos na célula tumoral permitindo o diagnóstico de imagem empregando o tecnécio-99. A hiperpolarização da membrana mitocondrial, aumento do deltapsi-mt, diminui a geração de ATP da fosforilação oxidativa: impedimento mitocondrial.

Possíveis tratamentos

Diminuir o potencial de membrana mitocondrial – despolarizar e normalizar a polarização da membrana.

1. DHEA: Os efeitos do DHEA são mediados por:
   a) Inibição da Akt e subsequente ativação da GSK-3-beta levando à despolarização mitocondrial, aumento das espécies reativas de oxigênio, ativação dos canais K^{+} redox-sensíveis e diminuição do Ca^{++} intracelular.
   b) Inibição do NFAT (*nuclear factor of activated T cells transcription factor*) aumentando a expressão dos canais Kv1,5 dependente de ATP contribuindo assim para despolarização mitocondrial sustentada com normalização do delta-psi-mt.
2. Resveratrol.
3. Betaína (trimetilglicina) – melhora a sobrevida de células nas condições de estresse, recupera o deltapsi-mt, melhora a respiração e reverte o efeito Warburg.
4. Inibidores da Desidrogenase lática-A (DHL-A).
5. Inibidores do c-myc – Exemplo: $1{,}25(OH)_2D_3$.
6. EPA: ácido eicosa-hexaenóico.
7. Silibinina.
8. Calcitriol – promove a queda do deltapsi-mt e libera citocromo c da mitocôndria induzido pelo TNF-alfa.
9. Dicloroacetato de sódio.
10. Ácido ursólico. É encontrado na *Salvia officinalis* (sálvia), no *Rosmarinus officinalis* (alecrim), no *Ocimum basilicum* (manjericão), na casca da maçã e da pera, na amêndoa, no *Eucalyptus calmadulensis*, na *Verbena officinalis*, no *Physocarpus intermedius*, no *Crataegus pinatifida*, no *Plantago major*, na *Prunella vulgaris*, na quinoa desamargada, na *Terminalia arjuna*, nas frutas do *Ligustrum lucidus*, na *Gymnema sylvestre*, na *Garcinia vilersiana* etc.
11. Extrato de sálvia.
12. Extrato de manjericão.
13. Ácido lipoico.
14. Melatonina.
15. Berberina.
16. NDGA.
17. Sanguinarina.
18. Cheleritrine (*Chelidoneum majus*).
19. Indol-3-carbinol/DIM (di-indolil-metano)

20. Noscapine.
21. Bezafibrato aumenta a eficácia da mitocôndria, pois ativa o complexo IV de transferência de elétrons em 130%, aumenta em 33% o ATP celular e diminui em 25% a razão lactato/piruvato.
22. Curcumina.
23. Vitamina K_2.

5. Fato: Diminuição do potencial de membrana celular – Em – despolarização da membrana celular. Fenótipo de Cone.

Quando a despolarização da membrana celular atinge valores inferiores a −15mv desencadeiam-se mecanismos anciãos oceânicos de proliferação celular mitótica.

Possíveis tratamentos

Aumentar a polarização da membrana celular – Em.

1. Aumentar a fosforilação oxidativa, pois os ATPs da mitocôndria são os mais eficazes para polarizar a membrana celular.
   a) AMPK ativo.
   b) Dicloroacetato de sódio.
   c) Ácido ursólico.
   d) Ácido lipoico.
   e) Melatonina.
   f) *Ganoderma lucidum* (triterpenos).
   g) Bambu (triterpenos).
   h) Vitaminas K_1, K_2, B_1, B_2, B_3, B_5, Coenzima Q10.
   i) L-carnitina, citrulina, creatina.
2. Dieta rica em potássio e magnésio e pobre em sódio – *Sodi Pallares*.
3. Quercetina.
4. Ácidos graxos ômega-3.
5. Sal de Karpanem: Cloreto de sódio,40,0 %; Cloreto de Potássio, 35,0 %; Sulfato de Magnésio,22,5 %; L – Lisina 2,0 %; Iodeto de Potássio, 0,5 %.

6. Fato: Polarização do sistema imunológico de M1/Th1 para M2/Th2, incluindo a precoce inativação dos linfócitos T citotóxico ao aumentar a expressão do PD-1 e PDL-1

O câncer somente se desenvolve em terreno M2/Th2 (carcinocinético) e precisamos polariza-lo para M1/Th1 (carcinostático). Ao mesmo tempo devemos ativar linfócitos T citotóxicos utilizando moléculas anti-PD-1 e anti PDL-1. Ocorre diminuição da imunidade celular, humoral e do sistema complemento, com aumento dos macrófagos associados a tumores (TAMs), células supressoras derivadas de mielócitos (MDSCs) e células T reguladoras (Treg). Devemos lembrar que os metabólitos da COX-2, tais como o PGE2, contribuem para imunosupressão através da ativação das células supressoras derivadas da linhagem mieloide (MDSC – *myeloid-derived suppressor cells*) e da ativação dos linfócitos T reguladores (Treg).

A quimioterapia citotóxica diminui o número de neutrófilos, linfócitos, monócitos e suprime a função imune celular e humoral o que facilita o aparecimento de pneumonia e septicemia, ao lado de sangramentos graves e mortais e aumento do volume tiumoral.

Possíveis tratamentos

A) Polarizar sistema imune para M1/Th1

I – Glucanas. Pertencem à classe dos imunomoduladores e/ou imunoestimulantes conhecidos pelas nossas células há milhões de anos: beta 1-3 poliglicose com cadeias laterais 1-6. As glucanas são os imunomoduladores naturais mais potentes no câncer, sendo a forma particulada mais eficaz que a solúvel.

a) Glucana da parede celular do *Sacharomices cerevisae* (extraída em forma pura).
b) Glucana do *Ganoderma lucidum*.
c) Glucana do *Agaricus blazei* e outros cogumelos.

Funções da glucana:

1. Polariza sistema imune de M2/Th2 para M1/Th1.
2. Ativa a imunidade celular e não aumenta Treg: aumenta número e função dos monócitos e macrófagos. Aumenta produção de MCF (fator citotóxico dos macrófagos) que é citotóxico em altas doses e citostático em baixas doses.
3. Ativa a imunidade humoral: aumenta número e função dos plasmócitos.
4. Aumenta número e função das células *natural killer*.
5. Aumenta número e função das células dendríticas.
6. Aumenta número e função dos neutrófilos. Aumenta a atividade das CFU-G/M (unidades formadoras de colônias granulócitos/macrófagos), das CFU-M (unidades formadoras de macrófagos), CFU-e (unidades formadoras de eritrócitos) e das C-CFUs (unidades formadoras de *pluripotent stem cells*), todas presentes na medula óssea.
7. Aumenta número e função dos linfócitos T e B.
8. Aumenta número e função dos linfócitos T citotóxicos.
9. Diminui o risco de infecção hospitalar (Tese de Docência – Felippe Jr).
10. Efeito citostático direto (melanoma e sarcoma).
11. Protege o DNA do núcleo.
12. Diminui a proliferação celular.
13. Antiangiogênico.

14. Antimutagênico, antitumorogênico e anticitotóxico.
15. Inibe metástases pulmonares do câncer colorretal e do melanoma.

II – Naltrexone. Droga sintética, que usada em baixa dose (4-5mg), ao deitar, não apresenta efeitos colaterais de longo prazo. Mecanismos de ação: aumenta betaendorfinas e metaencefalinas, aumenta número de linfócitos, ativa Th1 (imunoestimulante) e inibe Th2 (imunossupressor), ativa células *Natural Killer* e CD8 citotóxico. Diminui a síntese de DNA e para o ciclo celular em G0/G1 com diminuição da proliferação celular e aumento da apoptose. É mais eficaz usando 3 semanas sim, uma semana não.

III – Inibidores da COX-2: anti-inflamatórios não hormonais, vários fitoterápicos.

IV – Benzaldeído: aumenta número e atividade das células *Natural killer*.

V – Inositol-6-Fosfato (IP6) mais mioinositol: aumenta a atividade das células *natural killer*.

VI – Nobiletina, flavona cítrica que ativa linfócitos T.

VII – *Chlorella vulgaris*: ativa linfócitos T citostáticos.

VIII – Ácidos graxos ômegas-3: ativa imunidade celular e citotoxicidade das células *natural killer*.

IX – Ácido betulínico ativa macrófagos.

X – Cheleritrine: aumenta número e atividade dos linfócitos T, aumenta atividade e número das células dendríticas e das células *natural killer*, aumenta função dos macrófagos, aumenta IL-2 e interferon gama.

XI – *Larrea divaricata*: ativa macrófagos.

XII – *Chenopodium ambrosioides*: ativa macrófagos e linfócitos do baço e gânglios linfáticos e aumenta NO pelos macrófagos ativos.

XIII – *Astragalus membranaceus*: aumenta CD3+, CD4+ e razão CD4+/CD8+, restaura função dos linfócitos T, aumenta atividade citotóxica dos macrófagos e das células LAK (*limphokine activated killer cell*).

XIV – Cimetidina: aumenta função e número de linfócitos T intratumoral, aumenta CD4 e neutrófilos no sangue, aumenta a atividade das células *natural killer* no baço, aumenta a produção de IL-18 pelos monócitos via ativação da caspase-1 e do aumento do AMPc, o que ativa a proteína quinase A (PKA). Diminui o Treg – linfócito T regulador.

XV – Dicloroacetato de sódio: alcaliniza o extracelular e polariza o sistema imune para M1/Th1: aumenta IL-6 e IFN gama, enquanto diminui IL-10.

XVI – BCG. + glucana.

XVII – Vacina de *Maruyama* – BCG modificada.

XVIII – Artemisinina.

a) Diminui significativamente a quantidade de células MDSC e Treg, enquanto as células T CD4 + IFN-γ + T e os CTL aumentam significativamente. Isto significa polarização do sistema imune para M1/Th1.
b) Forte ativadora das células Natural Killer de modo dose dependente.

XIX – Fucoidan.

a) Polariza sistema imune de M2/Th2 para M1/Th1.
b) Aumenta reposta imune inata e adaptativa.

XX – Viscum álbum e seus compostos aumentam número e função, in vitro e in vivo de monócitos, macrófagos, granulócitos, células Natural Killer (NK), células T, células dendríticas e consequentemente induzem a geração de citocinas, como IL-1, IL- 2, IL-4, IL-5, IL-6, IL-8, IL-10, IL-12, GM-CSF, TNF-α e IFN-γ.

XXI – Inositol hexafosfato mais inositol.

a) Polariza sistema imune pata M1/Th1.
b) Aumenta atividade das células Natural Killer.

B) Uso precoce de elementos anti-PD-1 e anti-PD-L1 para aumentar a atividade de linfócitos T citotóxicos

PD-L1 (ligante de morte programada 1) e PD-L2 são glicoproteínas de superfície celular que interagem com o receptor da morte programada 1 (PD-1) em células T para atenuar a inflamação.

O envolvimento do receptor da proteína 1 de morte celular programada (PD-1; codificado pelo gene PDCD1) expresso em células T ativadas e seu ligante, ligante de morte programada 1 (PD-L1) codificado pelo gene CD274 é o principal ponto de verificação inibitória que controla as atividades das células T.

Vários tipos de cânceres expressam altos níveis de PD-L1 e exploram a sinalização de PD-L1/PD-1 para escapar da imunidade das células T. O bloqueio da via PD-L1/PD-1 mostra efeitos antitumorais notáveis em pacientes com cânceres avançados com graus às vezes elevado de efeitos colaterais.Acresce, as taxas de resposta de anti-PD-L1 são limitadas em vários tumores sólidos.

A regulação precisa e complexa da expressão de PD-L1 inclui alteração genômica, regulação da transcrição, modificações pós-transcricionais e pós-tradução e transporte exossômico.

Os inibidores dos pontos de controle imunológicos bloqueiam as funções das moléculas dos pontos de controle. Vários tipos de inibidores de ponto de controle imunológico para tratamento de câncer foram aprovados recentemente – anticorpos monoclonais anti-PD-1 (como pembrolizumabe e nivolumabe); anticorpos monoclonais anti-PD-L1 (como atezolizumab); e anticorpos monoclonais CTLA-4 (tais como ipilimumab, avelumab e durmalumab). A consequência é geralmente cerca de 50% irreversível nas toxicidades endócrinas relacionadas ao sistema imunológico. Essas toxicidades incluem hipofisite, insuficiência adrenal, diabetes mellitus tipo 1 e disfunções da tireoide. Particularmente, a hipofisite é o evento adverso relacionado à imunidade mais comum relacionado ao anticorpo anti-CTLA-4. Por outro lado, anormalidades da tireoide como tireotoxicose, hipotireoidismo, tireoidite indolor e até mesmo tempestades tireoideanas estão mais comumente relacionadas à aplicação de anticorpos anti-PD-1.

Daí procurarmos na vegetação do planeta e na tabela periódica dos elementos alternativas seguras e isentas ou com menores efeitos colaterais.

Possíveis tratamento

Uso precoce de elementos anti-PD-1 e anti-PD-L1.

1. Ácido gálico.
2. Alcaçuz (Glycyrrriza glabra).
3. Azul de metileno.
4. Cloreto de lítio em alta dose.
5. Curcumina.
6. Hesperidina.
7. Luteolina.
8. Metformina.
9. Reveratrol.
10. Rhus vermiciflua.
11. Scutellaria baicalensis.

7. Fato: Epigenética – metilação e desacetilação

A ativação das DNA metiltransferases (metilação) e a inibição das histonas-desacetilases (desacetilação) ambas provocando silenciamento de genes supressores de tumor é acontecimento precoce no câncer.

Nas fases iniciais de praticamente todos os tumores sólidos encontramos metilação e desacetilação da zona CpG provocando o silenciamento de vários genes supressores de tumor. Este mecanismo é precoce e se constitui em forte elemento protetor da sobrevivência das células em "estado de quase morte". Elas diminuem a atividade do gene p53 e da SOD-Mn; ativam a via SAP/MAPK (JNK/MAPK, ERK/MAPK, p38/MAPK), ativam a via IGF-1R/Akt/Wnt e diminuem a transcrição do gene ATPase.

A desacetilação das histonas inibe a expressão do PTEN (*phosphatase and tensin homolog deleted on chromosome 10*), importante gene supressor de tumor, enquanto inibe a via Notch1, supressora tumoral. Todos esses mecanismos promovem a inibição de genes supressores de tumor e a ativação da proliferação celular, isto é, drasticamente mantém a sobrevivência das células tumorais.

Possíveis tratamentos

A) Demetilar – inibidores das DNAs metiltransferases

1. Protótipo: procaína.
2. Resveratrol.
3. Curcumina.
4. Genisteína.
5. Parthenolide.
6. Silibinima.
7. Ácido gálicoo.
8. Ácido fólico.
9. Vitamina B_{12}.
10. Selênio-metionina.
11. Cloridrato de hidralazina.
12. Procainamida.
13. NDGA: *Larrea tridentata.*

B) Acetilar – inibir os inibidores das histonas desacetilases

1. Protótipo: ácido valproico.
2. Resveratrol.
3. Curcumina.
4. Genisteína.
5. Parthenolide.
6. Silibinina.
7. Ácido gálico.
8. L-taurina.
9. Trimeltiglicina (betaína).
10. Butirato de sódio (biomassa de banana verde).
11. L-carnitina/beta-alanina.

C) Demetilar e acetilar

8. Resveratrol.
9. Curcumina.
10. Genisteína.
11. Parthenolide.
12. Epigalocatequina galato (chá-verde).
13. Crucíferas (brócolis, couve-de-bruxelas, couve-manteiga): isotiocianato e sulforofane.
14. Silibinina.
15. Ácido gálico.

8. Fato: Aumento da atividade das telomerase, fenômeno precoce

É fenômeno precoce e acontece em quase 90% das neoplasias malignas.

A manutenção do comprimento dos telômeros é o atributo mais consistente das células cancerígenas o que é alcançado pela ativação da telomerase ou por um mecanismo alternativo de Alongamento dos Telômeros (ALT).

Ativação da telomerase – 85% dos canceres.

Alongamento do Telômeros (ALT) – 15% dos cânceres.

O problema final da replicação, que ocorre nas células somáticas normais que induzem senescência replicativa é resolvido na maioria das células cancerígenas ativando a telomerase. A atividade da telomerase está altamente associada à carcinogênese, o que torna a enzima um biomarcador atraente no diagnóstico e tratamento do câncer.

É interessante saber que a atividade da telomerase está alta nas fases iniciais do desenvolvimento embrionário do feto humano, quando a glicólise anaeróbia e a proliferação celular estão elevadas. Nos tecidos adultos, onde predomina a fosforilação oxidativa, a expressão da telomerase é suprimida.

Promotores da telomerase, especialmente a transcriptase reversa da telomerase humana (hTERT), estão plenamente ativos no câncer humano.

Durante a proliferação neoplásica o aumento do c-Myc e do Sp-1 se correlacionam com o aumento do hTERT, entretanto, existe aumento da atividade da telomerase na ausência de c-Myc ou Sp1 em outros tipos de tumores. Dessa forma, existem outros fatores que ativam a telomerase como o NF-kappaB, proteína quinase C, AKT e a AP-1.

Infecções virais crônicas como CMV e HIV aceleram a perda de telômeros e envelhecem prematuramente o sistema imune, especialmente as células T citotóxicas responsáveis por matar células infectadas.

Possível tratamento

A) Inibição da telomerase:

1. Ginseng Indiano – Withaferim A: age impedindo a ativação da telomerase e no ALT (alongamento dos telomeros).
2. Curcumina.
3. Epigalocatequina galato.
4. Rhus verniciflua.
5. Chelidoneum majus.
6. IP6 reprime a atividade da telomerase e impede a translocação do hTERT para o núcleo em células do câncer de próstata humano. A fosforilação do hTERT por Akt e ou PKC-alfa é necessária para a translocação nuclear, pois bem o IP6 inibe a fosforilação do hTERT promovida pelo Akt e PKC-alpha.
7. Genisteína. Em concentração farmacológica (10 a 100 microM) reduz a atividade da telomerase. Entretanto, em concentrações inferiores a 2 microM aumenta a sua atividade. No câncer de próstata reprime a atividade transcricional da hTERT via c-myc e pela modificação pós-translacional do hTERT via Akt.
8. Silibinina.
9. 1,25$(OH)_2D_3$.
10. Acetato de zinco.
11. Ácido retinoico.
12. Timoquinona, princípio ativo da *Nigella sativa*.
13. *Astragalus sinensis* em baixa dose – 25mg. Controverso: retirado de trabalho com possível conflito de interesse.
14. Antiestrógenos.
15. Pirimetamina.
16. Inibição da hsp90.
17. Beta-lapachona.
18. Malouetine.
19. Telomestatin.
20. Ácidos graxos: ácido linoleico [18:2 Δ9-12cis], ácido gamalinolenico [18:3 Δ6-9-12cis], ácido alfalinolenico [18:2 Δ9-12-15cis], ácido oleico [18:1 Δ9cis], ácido palmoleico[16:1 Δ9cis], ácido eicosapentaenoico acid (EPA) [20:5 Δ5-8-11-14-17cis], ácido cis-13-16-19-Docosatrienoico [22:3 Δ13-16-19cis], ácido docosahexaenoic (DHA) [22:6 Δ4-7-10-13-16-19cis]. Sendo o DHA o mais potente.

B) Inibição dos promotores da telomerase. Exemplo: inibidores do hTERT

1. Reguladores do ciclo celular: p53, p21, p16, E2F1.
2. Agentes indutores da diferenciação: 1-25$(OH)_2D_3$, ácido retinoico, DMSO.
3. Supressores de tumor: p53, WT1.
4. Inibidores das histonas desacetilases.
5. Inibidores das DNA metiltransferases.
6. Sulforafane: inibe a expressão e atividade da hTERT em duas linhagens de câncer prostático e no câncer de cólon.
7. EPA/DHA.
8. Berberina.
9. Inibição da AMPK (AMP-activated protein kinase) regula para baixo a expressão do hTERT.
10. IP6 impede a translocação do TERT para o núcleo no câncer de próstata.

Atenção: ativam hTERT.

1. Fatores de transcrição: NF-kappaB, AP-1.
2. Hormônios: estrógeno, progesterona, testosterona.

11. Neongiogênese. Ativação do VEGF e outros fatores

Concomitante com a proliferação mitótica acontece a priliferação de novos vasos para nutrir a massa tumoral. Aumenta a expressão do VEGF (fator de crescimento vascular) e outros fotores.

Possíveis tratamentos

Inibir VEGF.

a) Inibidores da ECA – enzima de conversão da angiotensina, dependendo do tipo de tumor.
b) Bloqueadores do ATIR da angiotensina II, dependendo do tipo de tumor.

12. Fato: Células-tronco na intimidade do tumor mantêm um manancial fornecedor de células neoplásicas – Fenótipo das células-tronco

As células-tronco que habitam o tumor fornecem ativamente novas células para manter o estado neoplásico proliferativo.

Estudos tem mostrado que as células tronco são altamente resistentes aos tratamentos convencionais e também responsáveis pela resistência aos quimioterápicos, às recorrências e às metástases. Vários produtos naturais possuem a habilidade de inibir as células tronco e suas vias de sinalização: vitamina E δ- tocotrienol, curcumina, resveratrol, EGCG (epigalocatequina-3-galato), ácido crocetinico, sulforafane, genisteína, indol-3-carbinol, plumbagina, quercetina, triptolide, licofelene e quinomicina.

Possíveis tratamentos

Inibir as células-tronco.

1. Acidificação intracelular.
2. Curcumina.
3. Epigalocatequina galato (EGCG).
4. Curcumina mais EGCG.
5. Genisteína.
6. Indol-3-carbinol.
7. Resveratrol.
8. Sulforafane.
9. Quercetina.
10. Vitamina E tipo gama-Tocotrienol.

13. Fato: Alcalinização intracelular com acidificação peritumoral. É fenômeno encontrado somente nas células neoplásicas. Fenótipo do pH

Fato 11 A: ativação da bomba NHE1.

Fato11 B: outras bombas.

Fato 11C: Ioimbina, antagonista alfa-2 adrenérgico, evita alcalinização citoplásmatica.

Fato 11D: outros mecanismos.

Fato 11A: Ativação da bomba NHE1 (ANTIPORTER Na^+/H^+) com alcalinização do citoplasma, acidificação peritumoral (fenótipo da alcalinização citoplasmática) e despolarização da membrana citoplasmática (Fenótipo de Cone)

O *antiporter* NHE1 é uma glicoproteína dos tempos ancestrais, espalhada na natureza animal e vegetal com a finalidade de manter as células vivas: sobrevivência da espécie. O aumento da expressão da bomba NHE1 é o primeiro evento que acontece quando a célula já transformada começa a proliferar. Ela provoca alcalinização citoplasmática com ativação das enzimas glicolíticas e despolarização da membrana citoplasmática.

O NHE1 controla o pH intracelular, o volume celular e a polarização da membrana, sendo âncora do citoesqueleto e facilitador de metástases.

É ativado diretamente por hormônios, fatores de crescimento, agentes carcinogênicos e estresse hiperosmolar.

No estresse hiperosmolar o NHE1 é ativado por encolhimento osmótico via ativação da proteína quinase C (PKC). Ele pode ser ativado também pela ocupação de receptores: proteína-tirosino-quinases, Ca^{++} calmodulinas e integrinas.

O IGF-1 exerce suas funções proliferativas ativando a NHE1. A proteína quinase C (PKC), mTOR, via de sinalização PI3K/Akt e via ERK/MAPK também ativam o *antiporter* NHE1.

A ativação do NHE1 aumenta a passagem de Na^+ para o intracelular e mantém o volume celular, o que impede a apoptose, enquanto retira H^+ do citoplasma, provocando alcalose intracelular e acidose peritumoral.

A alcalinização intracelular ativa as enzimas do ciclo de Embden-Meyerhof, o qual gera ATP diretamente para o núcleo ativando o ciclo celular proliferativo: motor da mitose.

A acidificação peritumoral provoca:

1. Ativação dos macrófagos M2: promovem neoangiogênese.
2. Inibição dos linfócitos T citotóxicos, das células dendríticas e das células *natural killer*: protegem as células recém-formadas do ataque do sistema imune.
3. Ativação das metaloproteinases (MMPs) do extracelular e liberação de lisozimas da célula para o interstício: abre caminho no interstício tumoral para expansão das células neoformadas.
4. Inibição do complexo piruvato desidrogenase – PDHc.

In vitro o lítio compete com o Na^+ e pode inibir a NHE1, enquanto *in vivo* o lítio pode estimular os *antiporter* NHEs, os quais ativam o NF-kappaB e a IL-8.

Nota 1: Lítio inibe GSK-3-beta e atenua a via Wnt/beta-catenina: antiproliferativo.

Nota 2: Hiperosmolaridade por NaCl, ureia, $NaHCO_3$ etc.: a) ativa a bomba NHE1 e alcaliniza o intracelular (aumento de 0,2U de pH); b) aumenta Na^+ em 12,4mMol em média no intracelular: ativa proliferação; c) inibe NHE2 e NHE3: diminui proliferação.

Nota 3: No melanoma o NHE1 não é relevante. Os transportadores no melanoma são os MCT1/4.

Nota 4: Citomegalovírus estimula NHE1.

Nota 5: Metais tóxicos ativam NHE1.

Possíveis tratamentos

Inibidores da bomba NHE1.

1. Retirar do organismo agentes que ativam NHE1: metais tóxicos, citomegalovírus.
2. Amiloride. Além de inibir NHE1, inibe o canal de Na^+ epitelial ativado por proteínas virais.
3. 1,25-Di-hidroxivitamina D_3 após ocupar receptor VDR. Nota: aumento da $25(OH)D_3$ acima de 30ng/ml inibe o VDR e torna ineficaz a $1,25(OH)_2D_3$.
4. Genisteína.
5. Cimetidina.
6. Ruibarbo – *Aloe emodin*.
7. Lovastatina – parcialmente. Outro mecanismo de acidificação da lovastatina é a isoprenilação proteica com degradação do DNA.
8. Captopril.
9. Clonidina. Entretanto é agonista alfa-2 adrenérgico, alcalinizante do intracelular. Não usar.
10. Squalamina.
11. Sulindac.
12. Edelfosine.
13. Somatostatina.
14. Progesterona (não a 20 alfa-hidroxiprogesterona que é sintética): inibição não genômica.
15. Harmalina.
16. Agentes que despolimerizam o citoesqueleto: mebendazol, colchicina, cloroquina.
17. Inibidores da proteína quinase C (PKC): berberina, sanguinarina, cheleritrine.
18. Inibidores do mTOR e, portanto, todos agentes que ativam LKB1/AMPK.
19. Inibidores da via PI3K/AKT.
20. Inibidores da via ERK/MAPK.
21. Inibidores da Ca^{++} calmodulina.
22. Inibidores das proteínas tirosino quinases.
23. Inibidores das integrinas.
24. Inibidores do IGF-1/IGF-1R.
25. Hipertermia.
26. *Emodin* – antraquinona presente em várias plantas – acidifica o citoplasma e aumenta ROS.
27. Ativadores da via apoptótica Fas/FasL.
28. PPAR-gama coativador-1 alfa (PGC-1 alfa): através do aumento do SIRT-1 ou da ativação da AMPK: exemplo, citrulina melhor que arginina.
29. Ativadores do PARP-gama (*poly (ADP-ribose) polymerase-gama*): inibem a transcrição gênica e a síntese do *antiporter* NHE1:
    a) Olmesartana, telmisartana.
    b) Dieta cetogênica.
    c) Tiazolidinediona-roziglitazone – "AVANDIA" (diminui expressão do mRNA do NHE1).
    d) Óleo de gergelim.
    e) Ácido linoleico conjugado – CLA.

Fato 5B: O pH intracelular é tão importante em biologia que as células possuem vários mecanismos de regulação do equilíbrio acidobásico protoplasmático, todos voltados para a alcalinização do pH intracelular e, portanto, para a sobrevivência celular.

1. Anidrase carbônica – CAIX.
2. Bomba de extrusão do lactato.
3. ATP sintase: extrusão de H^+.
4. Vacuolar-ATPase: extrusão de H^+.
5. Bomba de troca Cl^-/HCO_3^-: sai Cl^- e entra HCO_3^-.
6. MCT4 (*simporter* H^+/lactato): MCT1/4 – *mono carboxylate transporters 1/4*: elimina H^+ e lactato do citoplasma.

Os transportadores MCT1/4 também possuem a função de transportar o piruvato para dentro das mitocôndrias.

Possíveis tratamentos

Inibidores das bombas que alcalinizam o citoplasma provocam acidificação do citoplasma e consequente aumento da apoptose e diminuição da proliferação celular.

1. Inibidores da CAIX: acetazolamida, sanguinarina, cheleritrine, L-carnosina, beta-alanina, inibidores do HIF-1.
2. Inibidores da extrusão de lactato: quercetina, berberina, lonidamina.
3. Inibidores das ATP-sintase: resveratrol.
4. Inibidores da vacuolar-ATPase: omeprazol, esomeprazol, lansoprasol, dissulfiram, dicloroacetato de sódio – DCA.
5. Inibidores da bomba Cl^-/HCO_3^-: DIDS – muito tóxico, não se usa.
6. Inibidores do MCT4 (*simporter* H^+/lactato): lonidamina, DCA, inibidores do HIF-1.
7. Inibidores do MCT1: lonidamina, efeito imediato e dramático no neuroblastoma, topiramato efeito agudo no glioblastoma multiforme.

Nota 1: Lonidamia é inibidora do MCT1, MCT2, MCT3 e MCT4.

Nota 2: A inibição dos MCTs impede a passagem do piruvato para dentro das mitocôndrias.

Fato 5C. Ioimbina antagonista alfa-2 adrenérgico evita alcalinização citoplasmática provocada pela adrenalina e noradrenalina.

A troca de NA+/H+ nas células híbridas de neuroblastoma X glioma (células NG108-15) alcalinizando o citoplasma é acelerada por receptores alfa 2-adrenérgicos. A epinefrina, norepinefrina e clonidina provocam alcalinização intracelular que é bloqueada pelo antagonista seletivo do receptor alfa 2-adrenérgico **ioimbina**, mas não pelo antagonista do receptor alfa 1-adrenérgico, prazosina, nem pelo antagonista beta-adrenérgico propranolol. Desta forma, a epinefrina, norepinefrina e clonidina provocam alcalinização intracelular a qual ativa as enzimas da glicólise anaeróbia que fornece ATP para o núcleo das células neoplásicas com início da atividade do ciclo celular mitótico proliferativo. A ioimbina seria estratégia para evitar a alcalinização.

Fato 5D: Outros mecanismos de acidificação do protoplasma

A acidificação do extracelular (sangue e interstício) provoca rápida e sustentada diminuição do pH intracelular, pHi. A acidose intracelular inibe as principais enzimas glicolíticas, suprime a via PI3K/Akt, despolariza a mitocôndria que está hiperpolarizada e aumenta a atividade das caspases e das DNA-nucleases. A acidose intracelular induz a fosforilação do ERK1/2 e do p38 e respectivamente das quinases MEK1/2 e MKK3/6 sendo independente da atividade das fosfatases, do EGFR, PKC, PKA, PI3K ou família da quinases Src.

Existem fortes evidências que a acidificação intracelular está associada com a apoptose, inibição da proliferação mitótica, degradação do genoma e morte celular.

A acidificação do extracelular quase sempre leva à acidificação do intracelular em vários tipos de câncer. No carcinoma colorretal provoca parada do ciclo celular em G1, diminuição da função da proteína retinoblastoma por hipofosforilação, aumento da expressão da proteína p21 e hipofosforilação de várias proteínas citoplasmáticas.

Possíveis tratamentos

Substâncias com potencial para acidificar o intracelular:

1. $ZnCl_2$. O Zn provoca despolarização da membrana mitocondrial, gera radical superóxido, diminui os tióis antioxidantes, provoca acidose celular que ativa as caspases e mata células dos carcinomas.
2. Niclosamida é ionofórica e transfere prótons dos lisossomas para o citoplasma, a favor de gradiente de concentração, e acidifica o citosol.
3. HCl: IV ou VO.
4. HCl + KCl.
5. Ativação do receptor da morte Fas.
6. Somatostatina.
7. Ceramide.
8. Etoposide. Quimioterápico inibidor da topoisomerase II que pode provocar câncer secundário.
9. Raiz de *Podophyllum peltatum*, do qual deriva o etoposide.
10. Inibidores da proteína quinase C – PKC.
11. GLA – DGLA – ALA.
12. Ácido oxálico: ácido oxálico inibe a piruvato quinase e aumenta o fosfoenol piruvato que vai para o ciclo das pentoses. Inibe a DHL em baixíssimas concentrações. *In vitro* provoca tanto a morte de células cancerosas como de células normais. Não usamos porque aumenta a permeabilidade da barreira hematoencefálica aos metais tóxicos, agrotóxicos, vírus e bactérias.

Possível estratégia para acidificar o intracelular e normalizar o pH peritumoral.

Amiloride 20mg
Acetazolamida..............................100mg
Resveratrol...................................200mg
Niclosamida 170mg
Cimetidina.....................................150mg
Progesterona fisiológica.............50mg
Lansoprazol 40mg
Piroxicam......................................13,5mg
Lovastatina 10mg
Olmesartana 6mg
Borato de sódio..............................2,5mg de boro
Ioimbina..7mg
(dose nas 24 h: 21,6mg)

Tomar 1 cp após o café da manhã, almoço e jantar/3 semanas. Parar 1 semana e recomeçar. Não parar. Checar K^+.

Cloridrato de hidrogênio 2,5% 100ml

Tomar 4 gotas com um pouco de água após as 3 refeições principais. Aumentar gota a gota até atingir 10 gotas 3 vezes ao dia. Parar 1 semana e recomeçar. Não parar.

Genisteína.................................500mg 120cp

Tomar 1 dose 3 vezes ao dia.

Cuidado: ficar atento para os pacientes que tomam bicarbonato de sódio diariamente porque se esta substância conseguir alcalinizar o intracelular provocará aumento do desenvolvimento e proliferação tumoral.

14. Fato: Predomínio do ciclo de Embden-Meyerhof – Glicólise aeróbia. Fenótipo de Warburg

A glicólise aeróbica (glicólise anaeróbica na presença de oxigênio) está plenamente ativa nas células do embrião humano. Estudos metabólicos de grande variedade de cânceres humanos mostram que a perda da função mitocondrial precede o aparecimento da ativação da glicólise e a subsequente proliferação mitótica neoplásica. Por outro lado, são poucos os tumores que expressam fosforilação oxidativa normal.

É o predomínio da glicólise que permite o diagnóstico dos tumores pelo PET-Scan com flúor deoxiglicose, um dos métodos diagnósticos do câncer mais seguros e sensíveis, justamente porque as células neoplásicas são mais ávidas pela glicose que as células normais.

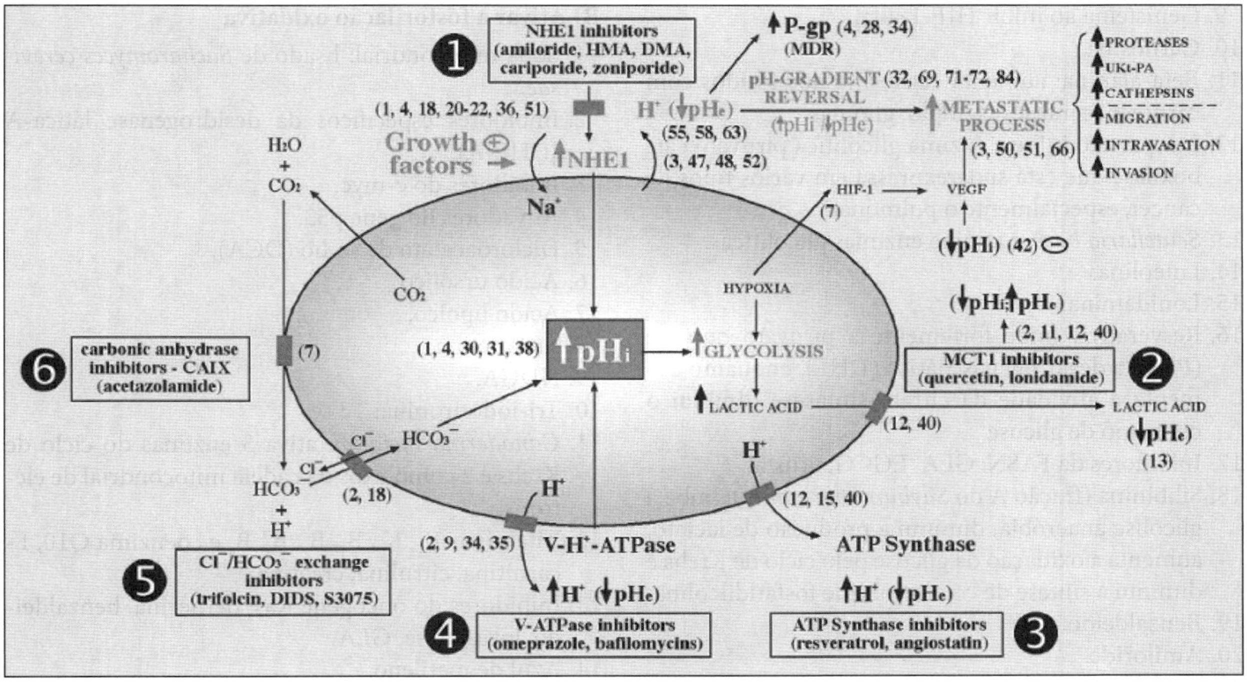

Figura 140.2 Mecanismos de acidificação intracelular. Retirado de Harguindey.

A despolarização da membrana citoplasmática (diminuição da Em) provocada pela ativação do *antiporter* NHE1 e a diminuição da fosforilação oxidativa polarizam ainda mais a membrana mitocondrial (aumenta delta-psi-mt) e pioram o impedimento mitocondrial já em evolução. Com o maior impedimento mitocondrial a geração de ATP passa da recém-adquirida na Evolução, fosforilação oxidativa, para o ancestral ciclo de Embden-Meyerhof. Os ATPs gerados nas células são compartimentalizados e aqueles formados pela glicólise suprem diretamente o núcleo e ativam as ciclinas do ciclo celular mitótico. O ciclo de Embden-Meyerhof (glicólise anaeróbia) é o motor da mitose porque gera ATPs para o núcleo. Os ATPs gerados na mitocôndria não suprem o núcleo e, portanto, não contribuem para o ciclo celular.

Concomitante com a alcalinização do citoplasma e a ativação da glicólise, ocorre aumento da expressão de grande quantidade de genes relacionados com a sobrevivência celular, ao lado da ativação de várias vias proliferativas, antiapoptóticas e angiogênicas. Ao mesmo tempo que o citoplasma é alcalinizado, o ambiente peritumoral é acidificado, e assim as lisozimas são liberadas e as metaloproteinases (MMPs) ativadas para abrir caminho, no extracelular tumoral, para novas células recém-formadas.

A angiogênese depende da via glicolítica, dessa forma, os inibidores da glicólise provocam diminuição ou parada da neoangiogênese.

Possíveis tratamentos

A) Inibir a glicólise anaeróbia.

B) Ativar a fosforilação oxidativa.

A) Inibir a glicólise anaeróbia

1. Acidificação intracelular.
2. Extrato de folha de oliveira: reduz a expressão do GLUT-1 (glucose transporter-1), MCT-4 (monocarboxylate transporter-4) e PKM2 (protein kinase isoform M2).
3. Citrato inibe a PFK-1 (fosfofrutoquinase-1) e a DHL-A.
4. Citrato inibe a PFK-2 e diminui a geração de frutose 2,6-difosfato.
5. Quando o citrato, primeiro produto do ciclo de Krebs, é suficientemente produzido ou administrado exogenamente, ele promove *feedback* negativo sobre a glicólise e o ciclo de Krebs e lentifica ou pára ambas as vias, enquanto estimula a gliconeogênese e a síntese de lipídeos consumidores de ATP.
6. Citrato (ácido cítrico): inibe as enzimas fosfofrutoquinase 1 e 2, o complexo piruvato desidrogenase (PDHc), a succinato desidrogenase e a ATP citrato liase.
7. Inibidores da ATP citrato liase: citrato, hidroxicitrato, GLA.
8. Hidroxicitrato possui o mesmo efeito que o citrato na inibição das fosfofrutoquinases, somente que com dose 20% maior.

9. Genisteína ao inibir HIF-1-alfa.
10. Carnosina.
11. Beta-alanina: aumenta carnosina nos tecidos com carnosina sintase, exemplo: gliomas.
12. L-aspartato inibe a enzima glicolítica piruvato carboxilase que está superexpressa em vários tipos de câncer, especialmente o pulmonar.
13. *Scutellaria barbata*: inibe enzimas glicolíticas.
14. Luteolina.
15. Lonidamina.
16. Resveratrol: inibe fortemente a piruvato quinase (PK) e a desidrogenase lática (DHL), enquanto aumenta a atividade da citrato sintase e diminui o consumo de glicose.
17. Inibidores da FASN: GLA, EGCG, orlistat.
18. Silibinina (fração A do *Silybum marianum*): inibe a glicólise anaeróbia, diminui a produção de lactato, aumenta a oxidação da glicose pelo ciclo de Krebs e diminui a síntese de colesterol e de fosfatidilcolina.
19. Benzaldeído.
20. Amiloride.
21. Quercetina.
22. Berberina por inibir CD147 e assim a extrusão do lactato e acidificar o citoplasma.
23. Cheleritrine por inibir NHE1 e CAIX e acidificar citoplasma.
24. Flavonoides em geral.
25. Acetogeninas anonáceas da *Annona muricata*.
26. Acetogeninas do *Pawpaw*.
27. Inibidores da via ERK ou cascata do MAPK.
28. Inibidores da DHL-A.
29. Inibidores do c-myc por inibir DHL-A.
30. Oxalato de sódio: inibe DHL, entretanto inibe a piruvato quinase e aumenta fosfoenolpiruvato, o que acarreta desvio para o ciclo das pentoses, portanto: contraindicado. Quando a piruvato quinase é inibida é ativada via alternativa de produção de ATP: via SOG (*serine/one-carbon/glicine*).
31. Ácido gamalinolênico (GLA) em quantidades suprafisiológicas inibe a glicólise porque inibe FASN, ATP – citrato liase, fosfofrutoquinase e hexoquinase II.
32. Dieta pobre em carboidratos com cetose:
    a) Ativa a SIRT-1 (*sirtuin-protein deacetilase-1*): aumenta a oxidação de ácidos graxos, diminui a síntese de proteínas, de ácidos graxos e de nucleotídeos e bloqueia a glicólise, via PGC-1-alfa (PPAR-gama 1-alfa).
    b) Aumenta a razão AMP/ATP que ativa a AMPK (AMP – *activated protein kinase*).

Ambos os mecanismos aumentam a oxidação de ácidos graxos, diminui a síntese de proteínas, de ácidos graxos e de nucleotídeos e ativam a biogênese mitocondrial e as enzimas do ciclo de Krebs, o que mantém a fosforilação oxidativa.

B) Ativar a fosforilação oxidativa

1. Sopa mitocondrial: lisado de *Sacharomyces cerevisae*.
2. Inibidores específicos da desidrogenase lática-A (DHL-A).
3. Inibidores do c-myc.
4. Ativadores do gene p53.
5. Dicloroacetato de sódio (DCA).
6. Ácido ursólico.
7. Ácido lipoico.
8. Melatonina.
9. NDGA.
10. Tri-iodotironina: T3.
11. *Ganoderma lucidum*: ativa 3 enzimas do ciclo de Krebs e 2 complexos da cadeia mitocondrial de elétrons.
12. Vitaminas K_1, K_2, B_1, B_2, B_3, B_5 e coenzima Q10, L-carnitina, citrulina, creatina.
13. Inibidores do oncogene Ras: berberina, benzaldeído, lovastatina, GLA.
14. Azul de metileno.

15. Fato: Predomínio da glutaminólise. Fenótipo c-Myc/Glutaminase

Este mecanismo de proliferação está plenamente ativo nas células do embrião humano. A superexpressão do gene c-Myc de transcrição nuclear aumenta a atividade da glutaminase e o consequente aumento da glutaminólise, o que acelera a glicólise proliferativa. As células dos mamíferos contêm dois genes que codificam a glutaminase: GLS-1 (tipo rins) e GLS-2 (tipo fígado).

Glutamina aumenta a atividade da glutaminase e da glutamato desidrogenase modulando a via mTOR/S6 e MAPK. Entretanto, a inibição da via mTOR, muitas vezes, provoca aumento compensatório da expressão da glutaminase.

A depleção de glutamina induz espécies reativas de oxigênio e estresse das proteínas do retículo endoplasmático.

A glutaminase é enzima-chave que catalisa a hidrólise da glutamina em glutamato. O glutamato serve como precursor da alfa-cetoglutarato, intermediário do ciclo de Krebs.

O gene c-Myc de transcrição nuclear está superexpresso em mais de 30% dos cânceres humanos. Uma de suas principais funções é aumentar a entrada de glutamina nas células em proliferação. A glutamina é o principal metabólito para muitos tumores, especialmente para as células da linhagem hematopoiética e mieloide.

O c-Myc regula a proliferação, a regeneração e a diferenciação celular e está plenamente ativo no embrião e órgãos em desenvolvimento, ficando inativo quando para o crescimento e a diferenciação. Dessa forma, não deve ser chamado de oncogene. É gene de sobrevivência e regeneração.

O gene c-Myc, erroneamente chamado de oncogene, possui efeitos pleiotrópicos como a maioria dos genes:

1. Aumenta a entrada de glutamina na célula tumoral ativando a glutaminase e provocando glutaminólise e ativa a glutamato-desidrogenase e aumenta a alfa-cetoglutarato do ciclo dos ácidos tricarboxílicos.
2. Aumenta o transporte de glicose nas células ativando as GLUTs.
3. Ativa as enzimas glicolíticas por indução transcricional. A superexpressão da maioria dos genes glicolíticos é abolida com a inibição da expressão do c-Myc.
4. Inibe a fosforilação oxidativa: ativa a PDHK1 que inibe o complexo piruvato desidrogenase (PDHc).
5. Ativa a expressão da DHL-A.
6. Aumenta a extrusão do lactato – alcalinização intracelular.
7. Estimula a produção da ornitina decarboxilase.
8. Ativa o ciclo celular via CDC25A.
9. Induz a expressão da telomerase.
10. Provoca instabilidade do DNA.
11. Aumenta a angiogênese por ativar o VEGF.
12. Ativa a transcrição do Lin28B que reduz a atividade da família Let-7 de microRNAs supressores de tumor.
13. A GDH, glutamato desidrogenase, regula a alfa-cetoglutarato mitocondrial e está superexpressa nos gliomas, aumentando a proliferação e sendo de mau prognóstico. O c-Myc ativa e o epigalocatequinagalato é poderoso inibidor da GDH. Os principais ativadores da GDH são o ADP e a leucina e os inibidores são o GTP, palmitoil-CoA e ATP.
14. No glioblastoma multiforme a glutaminase está superexpressa. Ao inibirmos o mTOR ocorre mecanismo compensador com aumento da expressão da glutaminase e proliferação celular via glutaminólise.
15. O gene supressor de tumor NDRG2 (*N-Myc downstream-regulated gene 2)* inibe a glicólise e a glutaminólise em células do câncer colorretal reprimindo a expressão do c-Myc, possivelmente por diminuir a expressão da betacatenina. NDRG2 inibe a expressão do GLUT1, HK2, PKM2 e LDHA na glicólise e inibe a expressão dos ASCT2 e GLS1, transportadores da glutamina.
16. A TXNIP (*thioredoxin-interacting protein*) é potente regulador negativo da entrada de glicose na célula, da glicólise aeróbica e da expressão de genes glicolíticos. C-Myc provoca repressão do TXNIP e diminui a proliferação no câncer de mama triplo negativo.
17. A Myc regula negativamente a expressão do gene metabólico HMGCS2 humano (hidroxometilglutaril CoA sintase-2) em 90% dos tumores de colon e reto. A expressão da proteína HMGCS2 é regulada negativamente, preferencialmente em carcinomas moderadamente e pouco diferenciados. Além disso, também é regulado negativamente em 80% dos tumores independentes de Myc do intestino delgado. A cetogênese aumenta a expressão do gene metabólico HMGCS2 e provoca diminuição pda proliferação celular.
18. Importante lembrar: HMGCS2 é um alvo direto de c-Myc, que reprime a atividade transcricional de HMGCS2. Consequentemente, a expressão de HMGCS2 humano é regulada negativamente em 90% dos tumores de cólon e reto dependentes de Myc. A expressão da proteína HMGCS2 é regulada negativamente, preferencialmente em carcinomas moderadamente e pouco diferenciados. Além disso, também é regulado negativamente em 80% dos tumores independentes de Myc do intestino delgado. Com base nesses achados, propomos que a cetogênese é uma característica metabólica indesejável da célula em proliferação, que é regulada negativamente por meio da repressão mediada por c-Myc do gene metabólico chave HMGCS2. (Mol Cancer Res 2006; 4 (9): 645-53).

Possível tratamento

Dieta cetogênica/fenofibrato.

Possíveis tratamentos

I – Inibir o c-Myc

1. Dieta cetogênica.
2. Baicaleína é forte inibidor da expressão do c-Myc. Em estudo de 13 preparações botânicas, a baicaleína foi a mais potente.
3. Trimetilglicina (betaína).
4. 1,25$(OH)_2D_3$, calcitriol.
5. Benzaldeído.
6. Genisteína.
7. *Chelidoneum majus* – benzofenantridina.
8. Ácido fólico.
9. Epigalocatequina galato.
10. Indol-3-carbinol e di-indolil metano.
11. Isoflavonas.
12. Inibidores das tirosinoquinases.
13. Butirato de sódio.
14. Dieta cetogênica por aumentar a atividade do PPAR-alfa (*peroxisome proliferator activated receptor α*).
15. Trióxido de arsênio.
16. Metformina, fenformina e/ou cloroquina diminuem a glutaminólise no osteossarcoma.

17. Outros mecanismos:
    a) Fenilacetato: droga que se liga à glutamina.
    b) Epigalocatequina-galato: por inibir a atividade da glutamato desidrogenase, em condições de baixa glicose.

II – Inibir glutaminase

a) Benzofenantridinas – *Chelidoneum majus, Sanguinarina*, berberina.
b) Composto 968 é uma dibenzofenantridina: 5-(3-bromo-4-(dimethylamino)phenyl)-2,2-dimethyl-2,3,5,6-tetrahydrobenzo[a]phenanthridin-4(1*H*)-one.

16. Fato: Predomínio do ciclo das pentoses com ativação da glicose-6-fosfato-desidrogenase (G6PD) e da transcetolase. Fenótipo das pentoses

Na via das pentoses, a G6PD é a enzima limitante do ramo oxidativo e sua principal função é gerar o mais importante agente redutor intracelular, o NADPH. No ramo não oxidativo a enzima limitante é a transcetolase cuja principal função é produzir ribose, coluna dorsal do DNA e RNA.

O ciclo das pentoses fornece a coluna dorsal de carbonos, ribose-5P, para a *de novo* síntese de RNA e DNA e gera NADPH agente redutor e, portanto, proliferativo.

A inibição de ambas as enzimas diminui drasticamente a proliferação celular neoplásica, aumenta a apoptose e suprime os efeitos de vários fatores de crescimento tumoral, incluindo o EGF.

A inibição da G6PD eleva o potencial redox e aumenta a morte celular, diminui as proteínas sulfeto entre elas o GSH e provoca mais facilmente a oxidação, inibe a via MAPK e impede a ativação do fator de crescimento epidérmico (EGF) e diminui a atividade das tirosino quinases.

Possíveis tratamentos

A) Inibir a G6PD

1. DHEA.
2. Somatostatina.
3. Genisteína (parcial).
4. Luteolina: por diminuir o precursor de nucleotídeos (RNA-ribose) do ciclo das pentoses, ramo oxidativo.
5. Dieta rica em ácidos graxos poli-insaturados: ácido gamalinolênico – GLA – e ácido alfalinolênico – ALA.
6. Ácido graxo ômega-3: principalmente o DHA – ácido docosapentaenoico.
7. Dissulfiram.

B) Inibir a transcetolase

1. Genisteína.
2. Somatostatina.
3. Gérmen de trigo fermentado.
4. Fenofibrato.

17. Fato: Aumento da atividade da via PI3K/Akt (fosfoinositol- 3-quinase/ Akt), altamente proliferativa. Regulador mestre da proliferação neoplásica, sobrevivência e glicólise

Um dos seus modos de agir é regulando para cima o NRF2 em diferentes tipos de tumores. A via PI3K/ Akt aumenta a captação da glicose pela célula neoplásica ativando o GLUT-1 e assim ativa a via glicolítica. Aumenta a proliferação, diminui a apoptose, aumenta a instabilidade genômica e altera o citoesqueleto. EGF ocupa o receptor EGFR, o qual ativa PI3K que ativa Akt. Esta via aumenta os linfócitos T reguladores – Treg, o que diminui a imunidade Th1e polariza para Th2. Esta via impede a apoptose e promove a proliferação celular, a motilidade, o metabolismo anaeróbio e a autofagia peritumoral: sobrevivência celular.

A via Akt inibe a enzima GSK3-beta, a qual fosforila o VDAC. O VDAC fosforilado liga-se à hexoquinase II e esta se liga às mitocôndrias, o que favorece a glicólise anaeróbia proliferativa.

Ativação da via Akt promove maior associação da HK II com a mitocôndria, assim como a captação de glicose pelas células cancerosas.

Acresce que a viaPI3k/Akt inibe o PTEN, genes supressores de tumor.

Esta via aumenta a replicação do EBV e CMV e facilita a infecção pelo micoplasma.

A via PI3K/AKT ativa promove vários efeitos proliferativos, redentores da vida da célula doente que chamam de câncer:

1. Estimula a glicólise.
2. Promove a ligação da hexoquinase II com a mitocôndria, o que aumenta a glicólise anaeróbia.
3. Inibe o complexo TSC2 e TSC1 e libera mTOR desta via inibitória e, portanto, ativa mTOR.
4. Inibe o PRAS40 inibidor do mTOR. No final a ativação da via PI-3K/Akt permite a ativação do mTOR.
5. Inibe caspase-9, BAD e assim impede apoptose.
6. Inibe GSK3-beta.
7. Inibe o PTEN: genes supressores de tumor.
8. Ativa NF-kappaB.
9. Ativa AR (*androgen-receptor*).

10. Ativa *antiporter* NHE1.
11. Estimula a lipogênese: Akt fosforila diretamente e ativa a enzima ACLY.
12. Facilita a infecção pelo EBV, CMV, micoplasma.
13. Lembrar: PI3K → Akt → mTOR → translação do PD-L1.

Possíveis tratamentos

Inibir a via de sinalização PI3K/Akt.

1. Inibidores das tirosino quinases.
2. Ativadores da AMPK inibem a fosforilação.
4. Carnosina e beta-alanina ao se transformar em carnosina: inibe Akt.
5. Silibinina inibe a via PP2A/AKT/mTOR e inibe via PI3K/Akt.
6. Genisteína e outras isoflavonas da soja.
7. Genisteína + indol-3-carbinol inibem via AKT e a autofagia peritumoral.
8. Indol-3-carbinol (DIC) e di-indolil metano (DIM).
9. Inibidores da ATP citrato liase (ACLY).
10. DHEA – dehidroepiandrosterona inibe o eixo Akt/GSK3-beta/NFAT.
11. Lactoferrina.
12. Curcumina.
13. Amiloride.
14. Ácido alfalipoico.
15. Vitamina A.
16. Dieta cetogênica por aumentar a atividade do PPAR--alfa.
17. Inositol-6-fosfato (IP6) mais mioinositol.
18. Inibidores da aldosterona: esplerenona, espironolactona.
19. Inibidores do Ras: berberina.
20. Antocianinas, amora, mirtilo, açaí, milho vermelho, batata roxa, arroz negro, feijão-preto, soja preta, couve vermelha, uva preta, vinho tinto (não usar).
21. *Wortmannin*: inibe PI3K que impede a ativação da ERK1/2 pela insulina.

18. Fato: Amento da atividade da Desidrogenase lática-A (DHL-A). Fenótipo DHL

É um dos principais elementos da glicólise. Catalisa a transformação do piruvato em lactato, o que diminui o aporte de piruvato para a mitocôndria e hiperpolariza o potencial de membrana mitocondrial, ambos provocam queda da geração de ATP via fosforilação oxidativa. No início da proliferação temos um acúmulo de ácido pirúvico que aumenta a expressão do gene pró-angiogênico APA-1 (*plasminogen activator inhibitor-1*).

Quando reduzimos a atividade da DHL-A diminuímos a geração de lactato e aumentamos o aporte de piruvato para a mitocôndria, ao lado de diminuir o potencial de membrana mitocondrial, o que provoca aumento da fosforilação oxidativa.

A DHL-A é o principal *link* entre a glicólise citoplasmática e a fosforilação oxidativa mitocondrial. Podemos tranquilamente agir vigorosamente inibindo a DHL-A porque o único sintoma da falta total de DHL--A no ser humano é a hematúria após grande esforço físico anaeróbico.

Sabemos que o fator induzível pela hipóxia HIF-1--alfa, o c-Myc, a proteína quinase A e a proteína quinase C aumentam a glicólise anaeróbia via ativação da DHL-A.

Reduzindo a atividade da DHL-A estimulamos a respiração mitocondrial e diminuímos o potencial de membrana delta-psi-mt.

Possíveis tratamentos

Inibir a DHL-A.

1. Inibidores do HIF.
2. Inibidores do c-Myc.
3. Inibidores da ATP citrato liase: citrato, oxaloacetato.
4. Cominho negro (*Nigella sativa*).
5. Citrato/hidroxicitrato.
6. Oxaloacetato.
7. Silibinina.
8. Quercetina.
9. Resveratrol.
10. Inibidores da aldosterona: esplerenone, espironolactona.
11. Bloqueadores da angiotensina.
12. Cheleritrine (*Chelidoneum majus*).
13. Sanguinarina.
14. Galoflavina.
15. Epigalocatequina galato (chá-verde – *Camelia sinensis*).
16. Ureia por via oral.
17. Alecrim (*Rosmarinus officinalis*), noz preta (*Juglans nigra*), cravo (*Syzygium aromaticum*), noz-moscada (*Myristica fragans*), raiz do alcaçuz (*Glycyrrhiza glabra*), coentro (*Coriandrum sativum*), canela (*Cinnamomun cassia*), gengibre (*Zingiber officinale*).
18. Goma de mirra (*Commiphora molmol*).
19. 2',3,4',5,7-penta-hidroxiflavona: comum em muitas ervas.
20. Ácido oxâmico.
21. Ácido tartrônico.
22. Oxalato – contaminante – microdose. Entretanto, está contraindicado porque inibe a piruvato quinase.

19. Fato: Aumento da via metabólica SOG: síntese de serina, metabolismo de um carbono (folato) e sistema de clivagem da glicina. SOG: Serine-One-carbon-Glycine

Fenótipo SOG.

Esta via provoca aumento de ATP pela terceira via, NADPH e purinas, elementos que facilitam a proliferação mitótica. A via SOG está plenamente ativa nas células do embrião humano, particularmente nas células-tronco. Essa via está super-regulada em sua expressão gênica em muitos tumores humanos e se correlaciona com o aumento da proliferação e a ativação do gene c-Myc. A via SOG, terceira via de geração de ATP, produz dois ATPs. A clivagem da glicina é verificada em praticamente todos os tumores sólidos, estando ausente somente nas leucemias. Esse consumo de glicina parece ser fator específico de aceleração da mitose nas células transformadas.

Importante saber que é a serina e não a glicina que suporta o metabolismo proliferativo de um-carbono (SOG). A glicina exógena não pode substituir a serina na proliferação mitótica neoplásica. As células cancerosas seletivamente consomem serina que se converte em glicina no intracelular e fornece 1 carbono para a síntese de nucleotídeos. A restrição de glicina exógena ou sua deficiência não impede a proliferação, na verdade é o excesso de glicina que impede a proliferação. Nessas condições, a glicina é convertida em serina, o que depleta a via metabólica de um-carbono. O excesso intracelular de glicina dirige o metabolismo para formação de serina e inibe o fluxo de glicina para formar nucleotídeos. A síntese de proteínas, lipídeos, ácidos nucleicos e outros cofatores requerem o metabolismo de um-carbono, um complexo metabólico baseado em reações do folato.

Serina ativa a enzima piruvato quinase, última etapa da glicólise para formar o piruvato, e, assim, acelera esta via metabólica proliferativa.

Quando inibimos a piruvato quinase da glicólise, a via SOG é super-regulada: mais um dos inúmeros escapes proliferativos de sobrevivência.

Possíveis tratamentos

a) Glicina exógena em excesso depleta a via de um-carbono: cuidado com a dose de glicina porque ela forma serina que ativa a piruvato quinase e ativa glicólise e a própria via SOG.
b) Inibir o gene c-Myc.
c) Agentes antifolato: metotrexate, 5-fluoruracil.

20. Fato: Inibição da expressão do gene supressor de tumor p53. O p53 é o Guardião do Genoma-1 e o Maestro da Diferenciação

A família do supressor de tumor p53 consiste em três membros, p53, p63 e p73, compartilhando funções anti-crescimento sobrepostas, como parada do ciclo celular, apoptose e reparo de DNA. TP53 é frequentemente alvo de mutação e perda no câncer.

A selênio-metionina aumenta a expressão do gene Ref-1 que transforma o p53 inativo (oxidado: p53-S-S) em p53 ativo (reduzido: p53-SH-SH).

A família p53 é constituída por três genes p53, p63 e p73, seis promotores e 50 isoformas. O gene supressor de tumor p53 possui valor primordial na manutenção da estabilidade do DNA mitocondrial e assim na biogênese mitocondrial e fosforilação oxidativa. Ativar p53 é ativar AMPK e ativar AMPK é ativar p53: sobrevivência. O gene p53 é o ***Guardião do Genoma-1*** e assim aumenta o BAX (apoptose), aumenta o GADD-45 (reparo do DNA) e aumenta p21(cessa ciclo celular). É considerado também o **Maestro da Diferenciação** porque orquestra a diferenciação das células-tronco, isto é, mantém o equilíbrio entre a diferenciação e a transformação neoplásica.

O gene p53 é ativado por lesão do DNA e privação de nutrientes. O aumento da expressão desse gene acidifica o intracelular e ativa as caspases e as endonucleases, duas vias apoptóticas cruciais. O gene p53 está inibido em mais de 50% dos tumores sólidos e em cerca de 90% dos tumores de pulmão. A inibição do gene p53 nas células neoplásicas diminui a defesa fisiológica contra a proliferação celular desenfreada e diminui a apoptose, a reparação do DNA nuclear e mitocondrial e a fosforilação oxidativa.

O p53 diminui a expressão do GLUT1, GLUT4 e das telomerases.

Lembrar que a digoxina e outros digitálicos inibem a síntese do *de novo* p53.

Possíveis tratamentos

Aumentar a expressão do gene p53 e/ou ativar a proteína p53.

1. Luteolina e selênio-metionina são os principais.
2. GLA aumenta expressão do p53 em 44% e diminui a ativação da proteína retinoblastoma em 62% nos gliomas.
3. Ativadores da AMPK.
4. Fatores que aumentam a adiponectina ativam a AMPK e, portanto, aumentam a expressão do gene p53: genisteína, vitamina E (por aumentar PPAR-

-gama), *Ganoderma lucidum*, glucana, *Agaricus blazei*, água rica em hidrogênio, DHEA, nozes, amêndoas, restrição calórica.
5. Apigenina.
6. Diosgenina.
7. Pentamidina.
8. Colecalciferol/calcitriol.
9. Nicotinamida.
10. Dicloroacetato de sódio.
11. Ácido alfa-lipoico.
12. Genisteína.
13. Indol-3-carbinol, di-indolil metano.
14. Silibinina.
15. Berberina.
16. Benzaldeído.
17. Resveratrol.
18. Flavonoide cítrico: hesperidina.
19. Inositol hexafosfato mais mioinositol.
20. Ácido linoleico conjugado (CLA).
21. Ácido graxo ômega-3.
22. Ácido betulínico.
23. Metformina (menos que a fenformina).
24. Cloroquina.
25. Capsaicina ativa e estabiliza o p53.
26. Bloqueadores da angiotensina II: Losartana, Ibersartana, Olmesartana.
27. Óleo LLC (1 parte de linhaça + 2 partes de coco).
28. Ácido valproico + hidralazina.
29. Mebendazol.
30. *Astragalus membranaceus* – astrágalo – *Huang-qi*.

21. Fato: Deficiência de NER. *Nucleotide excision repair* ...Guardião do genoma-2

A função do NER (*nucleotide excision repair*) é reparar os adutos alterados do DNA e regenerar essa molécula. A deficiência de NER é frequente nos tumores sólidos humanos.

O ascaridol possui a habilidade de provocar estresse oxidativo e lesar o DNA. A geração de espécies reativas tóxicas de oxigênio intracelular é dose-dependente, mas somente as células deficientes em NER é que sofrem citotoxicidade.

Foi constatado que a maioria dos tumores sólidos apresenta deficiência do NER e que o ascaridol produz 3 vezes mais lesão do DNA nas células deficientes em NER em comparação com as células sem deficiência. Para alguns autores o ascaridol é 1.000 vezes mais ativo em lesar o DNA, quando comparado com outros 53 fitoterápicos *in vitro*.

O ascaridol, substância presente em várias espécies de *Chenopodium*, torna as células neoplásicas mais sensíveis aos quimioterápicos.

No Brasil temos o *Chenopodium ambrosioides* – mastruz.

Possíveis tratamentos

Administrar ascaridol.
1. *Chenopodium ambrosioides*: 0,02 a 2% de ascaridol nas folhas de mastruz.
2. Óleo de *Chenopodium ambrosioides*: 40% de ascaridol mais carvacrol, *caryophyllene oxide* – tóxico.
3. Óleo de *Croton regelianus* Muell. Arg., popularmente conhecido como velame-de-cheiro, contém alta porcentagem de ascaridol.

22. Fato: Aumento da expressão das poli(ADP-ribose)polimerases (PARPs) – Guardião do genoma-3

PARPs são membros de enzimas proteicas nucleares altamente implicadas no reparo de danos ao DNA. O genoma humano está constantemente sob estresse devido a insultos de fontes endógenas (espécies reativas de oxigênio derivadas de processos metabólicos) e exógenas (irradiação, produtos químicos, medicamentos clínicos e vírus, entre outros). Isso resulta em danos de rotina ao DNA que por sua vez, podem levar a uma séria instabilidade genética e morte celular, se não for reparada. As poli(ADP-ribose)polimerases estão altamente implicadas no reparo de danos ao DNA. Entre as famílias PARP, as mais estudadas são PARP1, PARP2 e PARP 3. PARP1 é a mais abundante. Essas enzimas estão envolvidas principalmente no reparo de excisão de bases como um dos principais mecanismos de reparo de ruptura de fita única (SSB). Sendo de fita dupla, o DNA se envolve na reparação de um SSB sub-letal com a ajuda do PARP. Além disso, por ter uma cromátide irmã, o DNA também pode reparar quebras de fita dupla com recombinação homóloga (HR) livre de erros ou junção final não homóloga (NHEJ) propensa a erros. Para reparo eficaz da recombinação homóloga, o DNA requer genes funcionais heterozigotos do câncer de mama (BRCA) que codificam BRCA1/2. Atualmente, o desenvolvimento de inibidores das PARPs tem sido um dos avanços promissores na quimioterapia do câncer.

Possíveis tratamentos

Inibidores das PARPs. **Nota: não usamos.**
1. Olaparibe.
2. Rucaparibe.
3. Niraparibe.
4. Veliparibe.
5. Talazoparibe.

23. Fato: Aumento da promoção do reparo das duplas fitas do DNA (double strand break – DSBs). Guardião do Genoma-4.

Para evitar a parada do ciclo celular ou apoptose, as células cancerígenas em rápida proliferação precisam promover o reparo das duplas fitas do DNA para corrigir essas DSBs (*double strand break)* induzidos pelo estresse de replicação. Portanto, o desenvolvimento de medicamentos que bloqueiam as principais vias de reparo das DSBs da recombinação homóloga (HR) e da junção final não-homóloga (NHEJ) detém grande potencial para a terapia do câncer. Comparado com a HR, o NHEJ é funcional em todo o ciclo celular e restaura a continuidade cromossômica sem homologia de sequência.

Manter a proliferação é uma das principais características do câncer. A alta velocidade da divisão celular do câncer está associada ao aumento das taxas de replicação do DNA, o que inevitavelmente leva a mais erros de replicação do DNA colapsados nas células cancerígenas do que aqueles nas células normais em crescimento lento ou inativas. No entanto, os erros de replicação de DNA colapsados são uma das causas intrínsecas dos DSBs de DNA, que são considerados o tipo mais prejudicial entre todos os tipos de danos no DNA. DSBs inadequadamente reparados ou não reparados são extremamente prejudiciais para as células cancerígenas, pois podem resultar em morte celular. Portanto, é essencial que as células cancerígenas ativem as vias de reparo do DNA-DSB para aliviar o estresse de replicação, evitando a apoptose. HR ou NHEJ reparam predominantemente as DSBs. O HR é um caminho de reparo sem erros que requer uma cromatídeo irmã não danificada para servir como modelo para reparo. Fatores como o complexo MRN, CtIP, RPA, BRCA1, BRCA2 e Rad51 estão envolvidos na via da HR. O NHEJ é um caminho de reparo propenso a erros, mediado pela união direta das duas extremidades quebradas. Os fatores envolvidos no NHEJ incluem o complexo Ku70/Ku80, DNA-PKcs, Artemis, XLF, XRCC4 e DNA ligase IV.

Abreviações: DSB: quebra de fita dupla; HR: recombinação homóloga; NHEJ: união final não-homóloga; DDR: resposta a danos no DNA.

Possíveis tratamentos

1. Inibir HR: Harmina, *Pao pereira* (ambas beta-carbolinas)
2. Inibir NHEJ: inibidores das histona-desacetilases

24. Fato: Ativação das DNA topoisomerases. Guardião do genoma-5

DNA-topoisomerases são enzimas que regulam o enrolar e o desenrolar das fitas de DNA e são requeridas para a sobrevivência de todos os organismos.

Elas regulam importantes processos celulares como replicação, transcrição, segregação cromossômica e reparo do DNA. As principais DNA topoisomerases dos mamíferos são a TOP1 e a TOP2. Esta última altamente expressa no câncer.

Possíveis tratamentos

Inibir a DNA-topoisomerase 2.

1. Canabidiol inibe a TOP2
2. Etoposide, doxorrubicina (adriamicina), mitoxantrona e vários quimioterápicos.
3. Flavonas das plantas: *Gardenia carinata* (Rubiaceae) e *Garcinia mangostana* L. (Garcinona).
4. Fluoroquinolonas: ciprofloxacino, moxifloxacino, etc.

25. Fato: Inibição do complexo LKB1/AMPK (liver kinase B1/AMP- activated protein kinase). Este complexo é inibido/suprimido nas fases iniciais da carcinogênese como mecanismo de sobrevivência. O complexo LKB1/AMPK é o principal sensor de energia da célula.

LKB1 regula o metabolismo da energia celular, a divisão celular e afeta o microambiente imune. LKB1suprimida ou mutada promove a proliferação, migração, adesão da matriz e EMT (epitélio-mesnquimal transition) das células cancerígenas. Notavelmente, o silenciamento da LKB1 aumenta positivamente a expressão de PD-L1 na membrana das células cancerígenas. Tal fato diminui a função de linfócitos T citotóxicos contribuindo para a imunotolerância observada no câncer.

De fato, na fase inicial da carcinogênese acontece inibição do complexo LKB1/AMPK (*liver kinase* B1/AMP-*activated protein kinase*), gene supressor de tumor, e um dos efeitos é regular para cima o PDL-1 (Programmed Death Ligant -1) e diminuir a função dos linfócitos T citotóxicos provocando imunotolerância.

O gene AMPK, supressor tumoral, está inibido nas fases iniciais da carcinogênese. Sua função é ativar enzimas-chave da lipogênese por fosforilação direta (ACC, HMG-CoA redutase) ou por regulação da transcrição (ACLY, FASN) suprimindo o fator transcricional SREBP-1 (*sterol regulator elemen binding protein-1*). A inibição do gene AMPK ativa a via de sinalização proliferativa mTOR através da fosforilação direta do TSC-2 (*tuberous sclerosis complex 2 protein*) e do fator Raptor associado ao mTOR. No final temos aumento da proliferação mitótica, parada da apoptose e inibição da autofagia tumoral como estratégias de sobrevivência.

Nosso objetivo é ativar o gene AMPK. A ativação do gene AMPK induz parada do ciclo celular ou apoptose através da fosforilação do p53 e do FOXO3. Assim, AMPK ativo pode simultaneamente inibir duas vias carcinogênicas principais, via lipogênica e via PI3K/Akt/mTOR.

Quando um grupo de células é submetido a estresse moderado persistente e de longa duração pode atingir o máximo grau de entropia e o mínimo de ordem-informação e entrar em "estado de quase morte". Neste momento diminui muito a produção de ATP e consequentemente aumenta AMP. O aumento da razão AMP/ATP é o principal gatilho para ativar o mais poderoso sensor de energia adquirido na Evolução, o LKB1/AMPK. Entretanto, este mecanismo é ultrapassado por algo mais importante em biologia, a manutenção do patrimônio genético, a sobrevivência com identidade, e assim o AMPK é inibido, o que provoca potente ativação do mTOR e forte proliferação mitótica. Prolifera para manter o genoma adquirido nos últimos 3,8 bilhões de anos.

O AMPK pode ser inibido por 3 vias:

1. Fosforilação e ativação da via Akt.
2. Ativação da via PI3-K, a qual diminui o mRNA do AMPK alfa.
3. Ativação da via Raf/MEK/ERK1/2 dependente do KSR2 (*kinase supressor* do ras 2).

Outra hipótese para explicar a inibição da AMPK no câncer: quando uma célula normal é submetida à privação de nutrientes, como aconteceu em nossa Evolução no Planeta, caem os níveis de ATP e aumenta a concentração de AMP, isto é, aumenta a razão AMP/ATP provocando forte ativação do LKB1/AMPK que inibe o mTOR, o qual desencadeia diminuição da síntese proteica, parada da proliferação e quietude metabólica, até surgirem os nutrientes necessários para a sobrevivência celular. A célula fica em compasso de espera.

Quando um grupo de células é submetido a estresse moderado, contínuo e de longa duração, pode entrar em "estado de quase morte". Aqui vai imperar a glicólise anaeróbia. Os ATPs gerados pela glicólise, apesar de serem poucos (2 ATP/mol de glicose), são gerados em alta velocidade e, dessa forma, não se forma excesso de AMP e o LKB1/AMPK mantém-se vigorosamente inibido, o qual ativa o mTOR e desencadeia a síntese proteica e a proliferação celular mitótica.

Sabe-se que fatores altamente relacionados com o aparecimento do câncer inibem o AMPK: síndrome metabólica, insulinemia, IGF-I, ativação do eixo insulina/IGF1, mutação do LKB1 e mutação do PTEN.

Recentemente, descobriu-se que o aumento de ADP também aumenta a expressão da AMPK, que poderia ser chamada agora de ADPK: ADP proteína quinase. Altos níveis de NAD^+ ativam o AMPK, enquanto o NADH inibe a atividade do AMPK. Aumento da razão NAD^+/NADH ativam AMPK e aumentam não somente a sobrevida média como o potencial máximo de sobrevida em leveduras. Gene AMPK ativo pode simultaneamente inibir duas importantes vias carcinogênicas, via lipogênica e via PI3K/Akt/mTOR/NF-kappaB, como já escrevemos. No tratamento dos pacientes com câncer precisamos manter o gene AMPK ativo.

Gene AMPK ativo:

1. AMPK estimula o catabolismo e a cetogênese por meio da ativação de PPARα e PGC-1α.
2. Aumenta a polaridade de membrana e diminui a proliferação.
3. Diminui a função metabólica das vias que gastam energia: diminui a síntese de proteínas, ácidos graxos, nucleotídeos, esteróis e glicogênio para restaurar a homeostase energética.
4. Inibe a HMG-Coa redutase e diminui a síntese de colesterol.
5. Inibe diretamente as enzimas ACC1 e ACC2 (acetil-CoA carboxilase) que inibem a lipogênese. As ACCs são uma das mais importantes enzimas lipogênicas que fornecem energia para a proliferação mitótica.
6. Inibe o gene SREPB1c (*sterol regulatory element binding protein-1c*), o qual diminui a expressão ACCs, ACLY (ATP citrato liase), FASN (*fatty acid sintase*), HMG-CoA redutase, as quais inibem a lipogênese e a proliferação celular.
7. Inibe diretamente o mTOR, maestro da síntese proteica.
8. Ativa o TSC1 e o TSC2, os quais inibem o mTOR.
9. Aumenta a função das vias metabólicas que aumentam a produção de energia dos substratos que já existem, isto é, aumenta a oxidação de ácidos graxos e lípides de cadeia longa, aumenta a captação de glicose e por fim aumenta a geração do principal elemento gerador de ATP aumentando a biogênese mitocondrial. Todos esses procedimentos levam à restauração da homeostase energética.
10. Aumenta a atividade do NHE1, GLUT-1 e SGLT1 aumentando a glicólise anaeróbia. Este efeito é abolido por vários mecanismos.
11. Aumenta a sensibilidade à insulina.
12. Aumentando GLUT-1 aumenta entrada de glicose nas células.
13. Ativa TSC2 que inibe HIF-1-alfa.
14. Inibe a fosforilação da via Akt, a qual inibe o mTOR.
15. Ativa p27, o qual inibe o mTOR.

16. Ativa quinases-chave: TSC1/TSC2 (*tuberous sclerosis complex 1 e 2*) e fator Raptor associado ao mTOR, inibindo o mTOR e a glicólise anaeróbia.
17. Ativa ULK1/2 e inibe mTOR provocando aumento da autofagia.
18. Ativa a via apoptótica externa do Fas/FasL – receptores da morte.
19. Provoca aumento das SHPs (*small heterodimer partner*). As SHPs suprimem a função de vários receptores nucleares envolvidos na regulação do metabolismo hepático incluindo o PXR (Pregnane X Receptor) que é referido como "regulador mestre" do metabolismo de drogas e xenobióticos.
20. Aumenta a expressão do IL-1Rn (anti-inflamatório) e diminui a expressão do IL-15Ralfa (inflamatório).
21. Ativa o p53. A falta persistente de alimentos ativa a AMPK, a qual faz acumular a proteína p53 o que provoca parada do ciclo celular e apoptose. Finalmente, a p53 funciona também como sensor do meio químico extracelular iniciando uma cascata apoptótica em resposta a acidose constitutiva e hipóxia.
22. Ativa o FOXO3 e aumenta a apoptose.
23. Ativa a família let-7 de microRNAs que possui atividade supressora tumoral de valor relevante na supressão das células-tronco (*stem-cells*).
24. A AMPK ativada inibe a ACC: Acetil-CoA carboxilase.
25. AMPK inibe a oxidação de ácidos graxos: a AMPK fosforila e inibe a atividade da Acetil-CoA carboxilase (ACC) cuja função é estimular a síntese de ácidos graxos pela conversão de acetil-CoA em malonil-CoA.
26. AMPK ativo inibe o crescimento de glioblastomas que expressam EGFR por inibir a lipogênese.

Possíveis tratamentos

Manter o gene AMPK ativo.

A) Efeitos diretos

1. da AMPK.
2. Metformina.
3. Momordica charantia.
4. Crisina.
5. Graviola.
6. Parthenolide.
7. *Scutellaria barbata*. Azul de metileno é potente ativador.
8. *Scutellaria baicalensis.*
9. Restrição calórica.
10. Atividade física aeróbica.
11. Arginina aumenta a expressão no tecido adiposo de genes-chave responsáveis pela oxidação de ácidos graxos e glicose: AMPK (123%), NO sintase-1 (145%), hemeoxigenase-3 (789%) e PGC-1-alfa (500%).
12. Citrulina: mais potente que a arginina.
13. Citrato.
14. Oxaloacetato ativa a via AMPK/FOXO e mimetiza a restrição calórica.
15. Oxaloacetato por outros mecanismos.
16. Capsaícina.
17. Inibidores da COX-2 (AINH).
18. Digoxina – ativa AMPK (porém inibe *de novo* síntese de p53).
19. Hesperidina – naringina.
20. Hispidulina: a hispidulina além de ativar a AMPK diminui a lipogênese das células do glioblastoma multiforme por inibir a ácido graxo sintase (FASN) e a acetil-CoA sintetase.
21. Berberina ativa AMPK. Ela, na verdade, diminui a concentração da adiponectina, entretanto promove sua multimerização, o que aumenta drasticamente a atividade da adiponectina.
22. Arctigenina (*Arctum lappa*) por fosforilar diretamente o AMPK.
23. Rottlerin.
24. Resveratrol.
25. *Gynostemma pentaphylliun* – gipenosídeos – ativador de PPAR-alfa.
26. Adiponectina ativa PPAR-alfa e inibe a acetil-CoA carboxilase (ACC).

B) Todos os fatores que aumentam a adiponectina ativam o AMPK

1. Genisteína.
2. Curcumina.
3. *Ganoderma lucidum*, *Agaricus blazei*, outros cogumelos ricos em glucana.
4. Tocoferois aumentam dramaticamente a expressão de adiponectina e este efeito foi mediado por um processo dependente de PPARγ.
5. DHEA: aumenta a expressão do gene da adiponectina via aumento da expressão do PPAR-gama.
6. Lítio cloreto ativa PPAR-gama e, portanto, aumenta a adiponectina.
7. Óleo de gergelim ativa PPAR-alfa, PPAR-gama e NOSe.
8. Ácido linoleico conjugado ativa PPAR-gama.
9. Efatatuzone antidiabético agonista PPAR-gama.
10. Ácido elágico agonista PPAR-gama.
11. *Tiazolidinedonas liberam adiponectina por aumentar PPAR-gama.*
12. EGCG: efeitos direto e indireto.
13. Todas as drogas ou procedimentos que diminuem a resistência à insulina e diminuem a insulinemia: metformina, berberina, dieta com *índice glicêmico inferior a 60 e* baixa carga glicêmica mais frutose abaixo de 20-25g/dia.
14. *Água rica em hidrogênio.*
15. Nozes e amêndoas.

16. Restrição calórica.
17. Bloqueadores do receptor tipo 1 da angiotensina II ativam o PPAR-gama e aumentam a expressão da adiponectina. Exemplo: olmesartana, telmisartana.

B) Efeitos indiretos

1. *Acetogeninas anonaceae* por inibição do complexo I mitocondrial.
2. Espironolactona por diminuir a concentração de aldosterona, a qual diminui a expressão da adiponectina.
3. Inibidores do mTOR.
4. Inibidores da via Akt.
5. Inibidores da via PI3K.
6. Inibidores da via Raf/MEK1-2/ERK1-2.
7. Parthenolide: *Tanacetum parthenium*.
8. Epigalocatequina galato: ativa o ativador da AMPK, CaMKK (*calmodulin-dependent protein kinase kinase*).
9. Ácido alfalipoico: não determinado.
10. Resveratrol: possivelmente por ativar SIRT-1 (sirtuin 1) e consequente desacetilação do LKB1, ativador do AMPK e também aumenta a via pós-translacional e aumenta sua multimerização.
11. Metformina e tiazolidinedionas: aumenta a razão AMP/ATP por inibição do complexo I mitocondrial.
12. Lovastatina ativa AMPK na dose 1.000 vezes menor que a metformina.
13. Arctigenina (*Arctum lappa*): por inibir o complexo I mitocondrial.
14. Berberina: aumenta AMP/ATP por inibir o complexo I mitocondrial.
15. Antocianinas: arroz preto (*Oryza nigra*), groselha preta (*Black currant*), uva preta, feijão-preto, Sinadenium, batata roxa, couve vermelha, milho vermelho, repolho roxo.

26. Fato: Ativação do mTOR (serina/treonina proteína quinase), a qual suporta a sobrevivência da neoplasia

O mTOR é o ***maestro da orquestra da síntese proteica***; ele promove o anabolismo e inibe o catabolismo e inte-

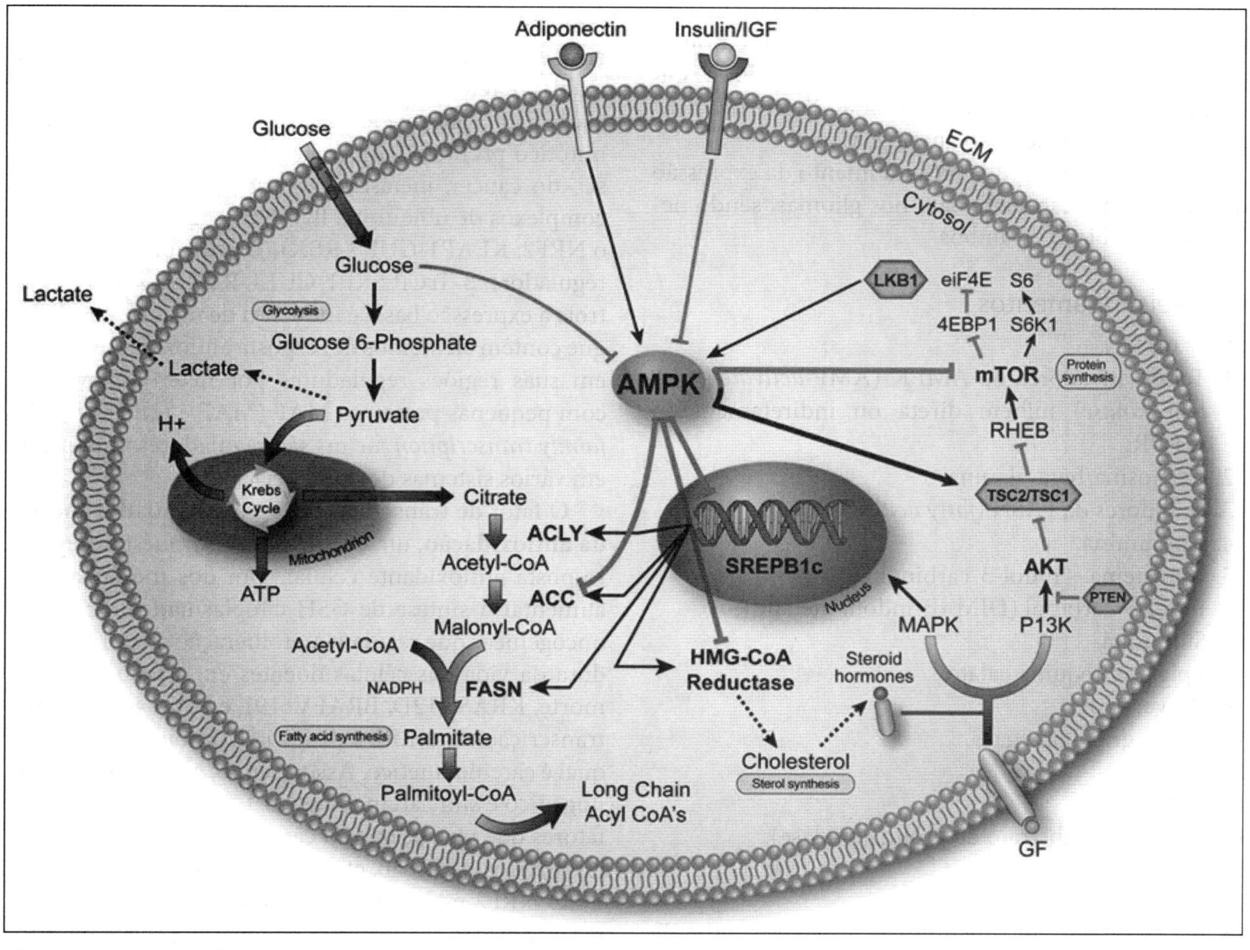

Figura 140.3 Inter-relação de várias vias proliferativas. Retirado de Steinberg, 2014.

gra as 3 grandes vias: insulina – IGF-1 – mitógenos. Está envolvido na proliferação celular, na motilidade, na transcrição e na inibição da autofagia da célula tumoral.

O mTOR aumenta a síntese das proteínas: ciclina D1, HIF-1-alfa, GLUT-1, LAT-1 e ativa enzimas glicolíticas, incluindo a enzima-chave hexoquinase II, aumenta p21 e survivina, aumenta a atividade do ciclo de Embden-Meyerhof e provoca aumento da proliferação celular, da angiogênese e inibe a autofagia tumoral e ainda promove a atividade da proteína ribossomal p70 S6 quinase (S6K1) e assim a biogênese dos ribossomas. Todos esses fatores promovem a sobrevivência das células em sofrimento, que chamam de câncer. É mais um dos mecanismos de sobrevivência de células doentes por alguma causa e que tentam manter seu bem mais precioso, lapidado por bilhões de anos, genoma.

O mTOR é o principal inibidor da autofagia da célula tumoral.

A autofagia é processo evolutivo altamente conservado, na qual porções do citosol e organelas são sequestradas em vesícula de dupla membrana, o autofagossoma, que é enviado para o lisosoma para quebra e reciclagem das macromoléculas utilizadas para manter a homeostasia. mTOR é o regulador negativo central da autofagia e a proteína reguladora associada do mTOR (Raptor) contendo o complexo mTORC1 provoca a interrupção da formação do autofagossoma.

Ao inibir mTOR pode haver aumento da expressão da glutaminase especialmente nos gliomas, sendo necessária a inibição de ambos.

Possíveis tratamentos

Inibir mTOR.

1. Todos ativadores da AMPK (AMP-*activated protein kinase*) inibem direta ou indiretamente o mTOR.
2. Carnosina/beta-alanina.
3. Inibidores da FASN (*fatty acid synthase*).
4. Curcumina.
5. Genisteína + indol-3-carbinol.
6. Indol-3-carbinol (DIM-di-indolil metano).
7. Silibinina.
8. Epigalocatequina galato.
9. Resveratrol.
10. Ácido graxo ômega-3.
11. Teína.
12. Cafeína.
13. L-prolina (substrato da prolina oxidase).
14. Everolimus.
15. Esomeprazol.
16. Niclosamida: anti-helmíntico (*Taenia*) estimula autofagia da célula tumoral e inibe de modo reversível o mTORC1 (não o mTORC2) e também acidifica o citoplasma, o que indiretamente inativa o mTOR.
17. Amiodarona antiarrítmico cardíaco inibe de modo irreversível o mTORC1.

27. Fato. Ativação do fator de transcrição NRF2 (nuclear factor erythroid 2-related factor 2), o qual está aberrantemente elevado e recorrente no câncer humano.......Maestro da orquestra redutora e, portanto, proliferativo-1

O fator de transcrição NRF2 é o principal regulador da resposta antioxidante celular. O NRF2 está aberrantemente elevado e recorrente no câncer humano e expresso em todos os tipos de células, entretanto, seus níveis basais de proteína são geralmente mantidos baixos durante as condições sem estresse. Nas condições de estresse oxidativo/inflamação/agentes químicos e físicos acontece aumento da sua expressão funcionando assim como preventivo de lesões e do câncer. Entretanto, se as condições de extresse/inflamação continuarem e provocarem um " estado de quase morte" o ambiente redutor proporcionado pelo NRF2 induz ativação a glicólise que fornecerá ATP para o ciclo celular mitótico proliferativo. A via NRF2 é fator de progressão do câncer, metástase e resistência à terapia. Três complexos de ubiquitina ligase E3 regulam para baixo o NRF2: KEAP1-CUL3-RBX1 (o principal mecanismo regulador), β-TrCP-SKP1-CUL1-RBX1. O NRF2 controla a expressão basal e induzível de mais de 200 genes que contêm elementos de resposta antioxidante (AREs) em suas regiões reguladoras por heterodimerização com pequenas proteínas MAF (MAF é um gene). *Maf family transcription factors* são reguladores importante em vários sistemas de diferenciação.

O fator de transcrição NRF2 é o **regulador mestre da antioxidação**, um dos principais orquestradores da resposta antioxidante celular. Um dos mecanismos é aumentar a síntese de GSH citoplasmático. Proteínas oncogênicas que regulam a proliferação mitótica salvadora da vida das células doentes em estado de quase morte, KRASG12D, BRAFV619E e MYC aumentam a transcrição do NRF2 e propiciam ambiente redutor o qual é carcinocinético. Assim sendo, NRF2 não é carcinogênico e sim carcinocinético. Carcinogênicos são os fatores que provocaram o câncer, vírus, bactérias, metais tóxicos, radiação, etc.

O NRF2 está expresso em todos tipos de células e nas condições sem estresse os níveis de sua proteína é mantido baixo. Ele controla, como já escrevemos, a expressão basal e induzível de mais de 200 genes que contêm elementos de resposta antioxidante (AREs). Os genes alvo de NRF2 regulam a homeostase redox, metabolismo e excreção de drogas, metabolismo energético, metabolismo do ferro, metabolismo de aminoácidos, sobrevivência, proliferação, autofagia, degradação proteossomal, reparo de DNA e fisiologia mitocondrial.

Em condições normais, o NRF2 evita a carcinogênese, garantindo a rápida modificação enzimática e excreção de agentes cancerígenos químicos e extinguindo o excesso de espécies reativas tóxicas de oxigênio (ERTOs) ou reparando os danos oxidativos através da expressão de seus genes-alvo. Nas condições sem neoplasia, a ativação do NRF2 reduz inflamação não somente reduzindo ERTOs como também reduzindo citocinas pró-inflamatórias, TNF-α, IL-6 e IL-1β. Entretanto, a ativação exagerada do NRF2 nas células cancerígenas promove a progressão do câncer, anti-apoptose, angiogênese sustentada, aumento da invasão e metástases, diminuição da diferenciação e confere resistência à quimioterapia e radioterapia. Este fenômeno foi descrito como o "**lado escuro**" da NRF2. **NADA DISSO.** É só compreender a fisiologia do processo de oxido-redução. Todos sabemos que excesso de antioxidação, promove estado redutor que é carcinocinético. Se uma pessoa tiver o sistema antioxidante geneticamente funcionante e for submetida a agente estressor oxidante reagirá e não terá problemas. Se a resposta for exagerada, com forte ativação do NRF2 as células entrarão em estado redutor, propício ao desenvolvimento do câncer. Se, e somente se houver agente carcinogênico presente e atuante.

Inibição do NRF2 marcantemente reduz PD-L1 em células com LKB1 intacta.

A inibição da via NRF2 (complexo Nrf2/Keap1) se relaciona com a ativação da apoptose via mitocondrial (oxidação).

CUIDADO: Ativação constitutiva do NRF2 pode promover recorrência de tumores dormentes.

Resumo:

1. **Câncer instalado**: devemos inibir o NRF2 e evitar citoplasma em estado redutor (antioxidado).
2. **Câncer ausente**: a ativação do NRF2 previne o aparecimento do câncer se a ativação não for exagerada.

Possíveis tratamentos

Inibir NRF2

a) Apigenina reduz a expressão do NRF2 e seus alvos HO-1, AKR1B10 e MRP5 a nível mRNA e proteína.
b) Luteolina. Idem.
c) Berberina inibe NRF2, entretanto, nas condições sem câncer ela ativa.
d) Parthenolide.
e) Ácido valproico diminui o conteúdo nuclear de NRF2.
f) Metformina diminui mRNA do NRF2 e seu conteúdo proteico e diminui a expressão do NRF2.
g) Isoniazida diminui a translocação nuclear do NRF2.
h) Crisina reduz significativamente a expressão de NRF2 a nível de mRNA e de proteínas.
i) Trigoneline, ervilhas, sementes de cânhamo, aveia, sementes do feno-grego e um dos principais alcaloides dos grãos de café cru, diminui o conteúdo nuclear e total de NRF2 e inibe a transativação dos seus genes alvo.
j) Neferine extraída das folhas da Nelumbo nucifera – lótus – inibe NRF2.
k) Triptolide, um diterpenóide do Tripterygium wilfordii é potente inibidor.
l) Ativação da BRSK2 (protein kinase brain-specific kinase 2).
m) Brusatol. Um quasinoide da planta Brucea javanica (L) Merr. (Simaroubaceae) e seus derivados depletam NRF2 por diminuir a sua síntese.
n) Halofuginona da planta Dichroa febrífuga inibe NRF2.
o) Plumbagin, naftoquinona do *Plumbago zeylanica L* diminui a translocação nuclear de NRF2 e suprime a indução de seus genes-alvo.
p) Wogonina, flavonoide isolado da raiz da *Scutellaria baicalensis Georgi,* diminui mRNA do NRF2 e níveis proteicos na leucemia mielógena crônica.
q) ATRA (All-*Trans* Retinoic Acid), metabolito da vitamina A induz a expressão do RARalfa que forma complexo proteico com NRF2 e antagoniza sua transativação nos genes-alvo.
r) Ailantone – aila – composto extraído do Ailanthus altíssima reduz fortemente a expressão proteica do NRF2.
s) Radiação UVA inibe NRF2 na pele.
t) Oridonina, diterpenoide isolado da *Rabdosia rubescens.*
u) Honokiol, um lignano isolado da casca, sementes e folhas de árvores do gênero Magnolia.
v) Procianidinas do extrato do córtex de Cinnamomi.
w. Convalatoxina, glicosídeo cardenolide extraído da *Convallaria majalis.*
x. Sorafenibe.
y. Camptothecina.
z. Auranofin, antiartrite reumatoide.

Sinérgicos com o NRF2

a) Vitamina E.
b) Vitamian C em baixa dose.
c) N-acetilcisteína.
d) Antioxidantes em geral.

28. Fato. Aumento da geração de NADPH2, potente agente redutor e, portanto, proliferativo.......Maestro da orquestra redutora e, portanto, proliferativo-2

A geração contínua de NADPH2 pelo metabolismo glicolítico mantem o ambiente celular reduzido e em condições plenas de proliferar: mitose.

Possíveis tratamentos

a) DHEA.
b) Genisteina.
c) Somatostatina.

29. Fato: Ativação das CDKs e inibição do p21WAF1 e p27+ e superexpressão da CDK20, agora chamada de CCRK

Ativam os vários momentos do ciclo celular proliferativo.

A CDK20 (ciclina dependente kinase 20), agora referida como CCRK é o mais recente membro da família CDK com forte ligação nos cânceres humanos. Existe super-expressão da CCRK no câncer do cérebro, cólon, fígado, pulmão e ovário. Essa regulação positiva aberrante do CCRK é clinicamente significativa, pois se correlaciona com o estadiamento do tumor, menor sobrevida do paciente e mau prognóstico. Curiosamente, as moléculas de sinalização perturbadas pelo CCRK são divergentes e específicas do câncer, incluindo os reguladores do ciclo celular CDK2, ciclina D1, ciclina E e proteína retinoblastoma no glioblastoma, carcinoma ovariano e câncer colorretal e a via citoprotetora KEAP1-NRF2 no câncer de pulmão. No carcinoma hepatocelular, o CCRK medeia a interação vírus-hospedeiro para promover a tumorogênese associada ao vírus da hepatite B.

Possíveis tratamentos

Inibir as CDKs ou ativar $p21^{WAF1}$ e $p27^{kip1}$ para inibir as CDKs, ciclinas que promovem a proliferação mitótica na presença de ATP da glicólise anaeróbia.

1. Betacaroteno aumenta a expressão do inibidor p21.
2. Silibinina: diminui a expressão da ciclina-E e ciclina-A e aumenta os inibidores das CDKs: Cip1/p21, Kip1/p27 e p38.
3. Zinco cloreto: ativa $p21^{Cip/WAF1}$ e por provocar acidose celular diminui a expressão da ciclina B1 e a atividade da CDC2, enquanto aumenta a expressão da Wee 1 quinase (parada do ciclo celular).
4. GLA ativa p27 (27%) e ativa ciclina D1 (42%) no glioma. A ativação da ciclina D1 aumenta o p53, o qual ativa o p27 e a aumenta apoptose e diminui a proliferação.
5. Curcumina inibe a ciclina D1 e a CDK4.
6. Genisteína: inibe a ciclina B, ativa p27kip1.
7. Isoflavonas: inibe ciclina D2.
8. Ácido alfalipoico diminui a expressão da ciclina A e aumenta a expressão do $p21^{CIP1}$ e do $p27^{kip1}$.
9. Inibidores da angiotensina II: Ibersartana.
10. Berberina: ativa p21, p27 e Weel e inibe Cdk1, Cdk2, Cdk4/6, Ciclina A, E, D1 e D2.
11. Cheleritrine: inibe ciclinas A, B, CDK1, CDK2 e ativa p27: para o ciclo celular em G2/M.
12. NDGA inibe ciclina D1 e ativa p38 (MAPK).
13. *Sanguinaria canadensis* diminui a expressão das ciclinas E, D1 e D2, inibe as CDKs: 2, 4 e 6 e induz os inibidores do ciclo celular, p21 e p27.
14. Arctigenina (*Arctum lappa*) inibe ciclina D1, ciclina E, CDK4, CDK2 e ativa p21Waf1/Cip1 e p15 INK4b.
15. *Annona muricata* induz p21 e p27 e inibe a expressão da ciclina D1.
16. Hormônio D3 aumenta a expressão do p27Kip1 e diminui a expressão da ciclina D1, ciclina D3 e CDK6. Calcitriol também aumenta a expressão do p18 e inibe a proliferação do carcinoma epidermoide de cabeça e pescoço.
17. Indol-3-carbinol e di-indolil metano: inibem a Cdc25A, Cdkp15(INK4b) gene, Cdk 4/6, ciclina D1, D2, E, Cdk 2, degrada o Cdc25A, ativa o gene inibidor da CDK p15(INK4b) e aumenta a expressão do $p21^{WAF1}$ e do $p27^{kip1}$. Inibe CDK6 e para o ciclo celular em G1, aumenta a expressão do p21/CDKN1 e induz a degradação do Cdc25A.
18. Epigalocatequina galato inibe ciclina D2.
19. Ácido docosaexaenoico inibe CDK2.
20. Inibindo c-myc inibe-se a Cdc25A.
21. Alcaçuz (*Glycyrrhiza glabra*).
    a) Diminui a CDK2, CDK4, CDK6.
    b) Diminui a expressão do fator de transcrição E2F e reduz a ciclina D1.
    c) Aumenta expressão da ciclina E (para alguns diminui).
22. Dendrotoxina K bloqueia o canal de K^+ *voltage gated* tipo Kv1.1, inibe a expressão da ciclina D3 e aumenta a expressão do p21, p27, p15.
23. Triterpenos do *Ganoderma lucidum* ativam p38MAPK e param o ciclo celular em G2.

24. Ácido betulínico inibe ciclina D1.
25. Acidose intracelular diminui a expressão da ciclina B1 e a atividade da Cdc2, enquanto aumenta a expressão da Wee 1 quinase (parada do ciclo celular).
26. Naltrexone em baixa dose inibe CDK e diminui a síntese de DNA.

30. Fato: Ativação do fator induzível pela hipóxia – HIF-1-alfa. Fenótipo da hipóxia

O HIF-1-alfa é o principal fator de transcrição induzível pela hipóxia. Ao atingir determinado volume as células cancerosas no cerne do tumor entram em hipóxia: potente estímulo para a expressão dos fatores de transcrição induzíveis pela hipóxia incluindo o gene/proteína HIF-1alfa. Os fatores de transcrição induzíveis pela hipóxia são continuamente degradados em condições de oxigenação normal. Nas condições de hipóxia o gene supressor de tumor von Hippel-Lindau (VHL) é inativado e o HIF-1alfa e outros fatores de transcrição semelhantes se estabilizam e estimulam a expressão de moduladores da glicólise, como GLUT-1, hexoquinases 1 e 2 (HK1 e HK2), DHL-A e piruvato desidrogenase quinase (PDK-1). O HIF-1 suprime ativamente a fosforilação oxidativa por ativar diretamente o gene codificador da piruvato desidrogenase quinase 1 (PDK1). A PDK1 inativa a piruvato desidrogenase (PDH) cuja função é converter o piruvato em acetil-CoA.Sabe-se que o HIF-1- alfa ativa a PDHK-1 e vice-versa. A ativação da PDHK-1 inibe o complexo piruvato desidrogenase (PDHc), o que impede a entrada do piruvato nas mitocôndrias.

O STAT3 também é ativado pela hipóxia e enquanto ativo aumenta a transcrição do HIF-1alfa. Outro importante fator induzido pela hipóxia é o gene/proteína antiapoptótico Bcl-XL.

Ativação dos oncogenes myc e ras ou perda de genes supressores como o VHL (von Hippel-Lindau) e FH (fumarato hidratase) elevam os níveis do HIF-1alfa. Aumento da expressão dos HIFs provoca aumento da transcrição de genes envolvidos no transporte e metabolismo da glicose, formação de lactato pela ativação da DHL-A (desidrogenase lática-A) e saída de lactato das células.

As principais funções do HIF-1alfa são:

1. Ativar as enzimas da glicólise anaeróbia, as quais geram ATP para o núcleo ativando o ciclo celular proliferativo.
2. Inibir a fosforilação oxidativa.
3. Inibir a biogênese mitocondrial.
4. Ativar a PDHK-1 inibindo a fosforilação oxidativa.
5. Ativar a GLUT-1 que aumenta a captação de glicose.
6. Ativar o c-myc que aumenta a captação de glutamina (glutaminólise).
7. Aumentar a expressão do VEGF e da angiopoetina-2 (Ang-2) que induzem a angiogênese.
8. Inibir a CDKNA1, uma das CDKs que inibem o ciclo celular.
9. Induzir a anidrase carbônica IX e XII que alcalinizam o citoplasma.
10. Induzir MCT4-*simporter* H^+/lactato: aumenta extrusão de lactato e H^+ e provoca alcalinização citoplasmática.
11. Ativar a enzima transcetolase que dirige o ciclo das pentoses para a via não oxidativa e assim: – aumenta a geração de ribose-5P que sintetiza DNA; – aumenta a geração deNADPH que mantém o citosol redutor ativando a proteína retinoblastoma (pRb).
12. Aumentar a expressão da eritropoetina.

Em condições de normoxia, ambas as subunidades de HIF, HIF-1alfa e HIF-1beta, são continuamente sintetizadas, mas HIF-1alfa é direcionada para ubiquitina dependente da degradação através de hidroxilação por uma família de hidroxilases prolil. Quando há abundância de oxigênio, o último receptor de elétrons da cadeia de transporte mitocondrial (ETC) aumenta o vazamento de elétrons no complexo III e gera ROS. Tanto ROS como hipóxia inibem a prolil hidroxilase, resgatando o HIF-1. Surpreendentemente, TP53 *knockout* e superexpressão do c-MYC também aumentam a atividade do HIF-1alfa. O HIF-1alfa é abundante em uma ampla gama de cânceres humanos e promove sua agressividade. É interessante notar que os resultados da superexpressão do c-myc, em cooperação entre MYC e HIF-1, induzem a mudança de fosforilação oxidativa para fermentação lática. Finalmente, o HIF-1 transcricionalmente ativa o fator de crescimento endotelial vascular (VEGF) e a angiopoietina-2 dando início a angiogênese.

Bloqueando as vias MAPK (*mitogen-activated protein kinase*) e PI3K (*phosphoinositol 3-kinase*) efetivamente inibimos o acúmulo do HIF-1alfa induzido pela hipóxia, a transativação do HIF-1alfa e diminuímos a atividade transcricional do HIF-1alfa.

Inibir HIF-1alfa provoca acidificação citoplasmática e no final acontece a diminuição do ciclo celular proliferativo.

Possíveis tratamentos

I – Inibir HIF-1alfa e outros fatores semelhantes

1. Inibidores da PDHK-1 (piruvato desidrogenase quinase-1).
   – Dicloroacetato de sódio (DCA).

- Ácido ursólico.
- Ácido alfalipoico.

2. Ativadores do PARP-gama (*poly*(ADP-ribose) *polymerase-gama*).
3. Ativadores da AMPK.
4. Inibidores do mTOR – inibe a translação do mRNA do HIF-1alfa.
5. Ativadores do SIRT-1
6. Inibidores do Ras: *trans-farnesylthiosalicylic acid.*
7. Inibidores do myc.
8. Melatonina.
9. Crisina inibe a expressão do HIF-1alfa por reduzir sua estabilidade e síntese proteica – não usar, porque funciona muito pouco *in vivo*.

II – Outros mecanismos

1. Niclosamida é inibidor direto do HIF-1 ao lado do trametinibe, micofenolato e mofetil. Entre 300 inibidores estudados esses 4 elementos foram os mais eficazes.
2. L-Prolina: aumenta a expressão da prolina-oxidase, que inibe o HIF-1.
3. Digoxina e outros digitálicos: inibem a síntese do HIF-1. O glicosídio cardíaco digoxina inibe a translação do HIF-1alfa e HIF-2alfa mRNA, mas, inibe a de novo síntese do importasnte p53.
4. Ácido ascórbico induz a degradação do HIF-1alfa e HIF-2alfa.
5. Acriflavina: um antimicrobiano que impede a dimerização do HIF-1alfa. ou HIF-2alfa com o HIF-1beta.
6. Inibidores da HDAC induzem a degradação do HIF-1alfa.
7. Apigenina: molho de tomate, vinho tinto, salsa, aipo.
8. Flavonoide: kaempferol.
9. Silibinina: diminui a velocidade de produção do HIF-1.
10. Berberina.
11. Sanguinarina.
12. Cheleritrine – *Chelidoneum majus.*
13. Acetogeninas da Annonaceae: *pawpaw*, graviola.
14. Manassantinas (nanomolar).
15. Emetinas e análogos.
16. Actinomicina D.
17. Isoflavonas da *Lonchocarpus glabrescens* – Leguminosae.
18. YC-1 (3-(5'-hydroxymethyl-2'-furyl) -1-benzylindazole): ativador da guanilato ciclase das plaquetas – inibidor da agregação.
19. Captopril.
20. Ácido betulínico: inibe o STAT3.
21. Noscapine: derivado do ópio que não vicia.
22. Albendazol: potente inibição (também do VEGF).
23. Pentamidina.

Nota: estar atento para manter níveis de hemoglobina acima de 12g% com débito cardíaco, saturação arterial de O_2 e p50 em ordem e paciente sem dor.

31. Fato: Mudança estrutural da piruvato quinase tetramérica para dimérica: PKM4 → PKM2

PKM2 está altamente expresso em células embrionárias e cancerosas, onde acredita-se que as ajude a poupar intermediários glicolíticos para a síntese de macromoléculas, como os lipídios. A isoforma M2 da piruvatoquinase (PKM2), responsável por catalisar a etapa final da glicólise, está altamente expressa nas células cancerosas e contribui para o fenótipo de Warburg. Esta mudança de estrutura proporciona menor eficácia da enzima na transformação do fosfoenol piruvato em piruvato, o que aumenta os substratos da glicólise à montante fornecendo metabólitos para o ciclo das pentoses produzir ribose-5P (coluna dorsal do DNA) e NADPH (ambiente citoplasmático redutor – proliferativo que mantém ativa a proteína retinoblastoma).

Possíveis tratamentos

Inibidores das tirosino quinases:

1. Delfinidina uma antocianidina abundante na uva, romã e mirtilo vermelho (cranberry).
2. Isotiocianatos: brócolis, couve-de-bruxelas, couve-manteiga.
3. Genisteína na dose de 1.200mg/24horas.
4. Sanguinarina.
5. Radicicol (monorden): macrolídeo isolado do *Monosporium bonorden* que funciona como antibiótico antifúngico.
6. Substratos do ciclo de Krebs: succinato, malato, piruvato.

32. Fato: Hiperatividade da hexoquinase II ligada à mitocôndria. Fenótipo de Bustamante/Pedersen

Aumenta a atividade glicolítica e, portanto, a produção de ATP diretamente para o núcleo mantendo o ciclo celular proliferativo. A conexão entre glicólise e apoptose é ao nível da hexoquinase II (HK II), a enzima que converte glicose em glicose-6-fosfato na intimidade mitocondrial. HK II mantém o canal iônico voltagem-dependente – VDAC – no estado aberto, hiperpolarizando a membrana mitocondrial o que diminui a sua função levando assim ao impedimento mitocondrial. Inibição da HK II leva à permeabilização da mitocôndria, normalização do deltapsi-mt e liberação do citocromo c com a subsequente ativação das caspases e apoptose.

Ativação da via Akt promove maior associação da HK II com a mitocôndria, assim como a captação de glicose pelas células cancerosas.

Possíveis tratamentos

Deslocar a HK II da mitocôndria/inibir ativação da HK II.

1. Lítio – induz deslocamento do HK II da mitocôndria de células B16 do melanoma e diminui a glicólise anaeróbia.
2. GLA – ácido gamalinolênico: óleo de prímula, de borage e de groselha negra (cassis): deslocam 40% da hexoquinase II da mitocôndria.
3. Metformina.
4. Citrato/hidroxicitrato.
5. Esteroides do *Ganoderma sinense*.
6. Tinidazol (VO).
7. Clotrimazol.
8. Pirimetamina – Daraprim.
9. 3-Bromopiruvato.
10. Lonidamina.
11. Trealose hexafosfato – não é absorvida, controverso.
12. Inibidores da via mTOR inibem a hexoquinase II.
13. Inibidores da ATP citrato liase (ACL) que também inibem a fosfofrutoquinase-1, a DHL-A e o GLUT-4.
14. Cerulenina – antibiótico fúngico e inibidor da FASN: mecanismo é a interrupção da interação HIF com hexoquinase II.
15. Inibição da via PI3K/Akt. Esta via promove a ligação da hexoquinase II à mitocôndria.
16. Metil jasmonade.
17. Benserazida. Outro efeito anticâncer é inibir a produção de H2S.
18. 2-Deoxiglicose.

33. Fato: Inibição do gene supressor Retinoblastoma

O gene do retinoblastoma (Rb) foi o primeiro gene supressor de tumor descrito. Envolve um mecanismo de "duas fases", baseado na cinética de aparecimento do retinoblastoma na forma hereditária (cinética de ordem única) e na forma esporádica (cinética de segunda ordem). Essa análise levou à hipótese de que o início da doença requer duas etapas envolvendo a perda da função de ambas as cópias do gene afetado. Assim, Rb foi reconhecido como tendo uma função supressora de tumor muito antes de o gene ser identificado e demonstrado ser inativado pela mutação de uma cópia e perda ou silenciamento da segunda cópia. A proteína Rb (pRb) também desempenha papel fundamental na integração de diversos sinais de fontes intra e extracelulares e, assim, conduzindo a progressão do ciclo celular. Em células na fase G0/G1, o pRb, que está em estado hipofosforilado, liga-se à família do fator de transcrição E2F e suprime a transcrição gênica mediada por E2F. A família E2F codifica uma variedade de genes envolvidos na progressão do ciclo celular, replicação do DNA, reparo de danos ao DNA, checkpoint do ciclo celular e apoptose. Portanto, a inibição da família E2F por pRb resulta na supressão da progressão do ciclo celular. No entanto, o complexo ciclina D/CDK4 fosforila o pRB e permite que os E2Fs se liguem aos seus genes alvo, interrompendo a formação do complexo pRB-E2F. Além de controlar a progressão do ciclo celular, o pRB também está envolvido na regulação da replicação, diferenciação e apoptose.

Possíveis tratamentos

1. Manutenção do estado oxidativo.
2. Epigalocatequina-3-galato (EGCG).

34. Fato: Ativação aberrante da via RAS/RAF/MEK/ERK ou cascata SAP/MAPK (*stress-activated protein/mitogen-activated protein kinase*)

É comum nos tumores humanos. Ela ativa o ciclo de Embden-Meyerhof, que é proliferativo, e aumenta a transcrição de genes que promovem a proliferação celular, diminuem a apoptose e aumentam a angiogênese e metástases.

Esta via consiste de 3 quinases: quinase Ras/Raf, quinase MEK e quinase ERK (*extracelular signal-regulated kinase*).

Ras/Raf – MEK/ERK: cascata MAPK. A via de sinalização MAPK envolve:

1. c-Jun-N-terminal quinase: JNK-1, 2 e 3 (JNK/MAPK).
2. p38 quinase: isoformas alfa, beta, gama e delta (p38/MAPK).
3. *Extracelular signal-regulated kinase*: ERK-1, 2 e 3 (ERK/MAPK).
4. Quinases: MEK/MLK/MKK.

Possíveis tratamentos

Inibir cascata do SAP/MAPK.

1. Baicaleína.
2. Ácido alfalipoico.
3. Genisteína inibe as moléculas do MAPK e promove apoptose, boqueia a ativação do p38 MAPK pelo TGF-beta.
4. Silibinina: inibe MEK/ERK e MAPK.
5. GLA no glioma inibe ERK1 (27%) e ERK2 (31%).
6. Carnosina/beta-alanina.
7. Resveratrol (casca da uva).
8. Tangeritina (casca das frutas cítricas).

9. Ligustilidi (*Angelica sinensis* e na China: Dong quai ou Dangqui).
10. Indol-3-Carbinol (I3C) e Di-Indolil-Metano (DIM): inibem MAPK.
11. Glucosamina inibe MAPK dos condrócitos.
12. Ácido graxo ômega-3.
13. Sanguinarina é inibidor seletivo do MAPK-1 (*mitogen-activated protein kinase phosphatase-1*).
14. Cheleritrine.
15. Berberina.
16. NDGA – *Larrea tridentata*.
17. *Annona muricata*: inativa ERK1/2, JNK e STAT3.
18. Ácido betulínico: inibe MAPK.
19. Betaglucana: inibe p38MAPK.
20. Inibidores de bomba de prótons.
21. Inibidores da angiotensina II: irbesartana.
22. Inibidores da aldosterona: esplerenona, espironolactona.
23. Dieta pobre em carboidratos com cetose por ativar o PPAR-alfa.
24. Radicicol (monorden) macrolídeo isolado do *Monosporium bonorden* que funciona como antibiótico antifúngico: inibe MAPK.
25. Inibidores do Ras:
    a) Berberina.
    b) Benzaldeído.
    c) GLA.
    d) Lovastatina – 40mg 2 vezes ao dia.
    e) *Trans-farnesylthio-salicylic acid* (FTS).

35. Fato: Aumento da atividade do pSTAT3 (*signal transducer and activator of transcription 3 phosphorylated or active*)

Os STATs compreendem uma família de seis fatores envolvidos na transdução de sinais e na transcrição de fatores que desempenham importantes funções nas células normais do nosso organismo, tais como resposta imune, diferenciação celular, inflamação, proliferação, regeneração e apoptose. STAT3 é o mais importante porque está constitutivamente ativo na maioria das neoplasias e desempenha papel crucial no crescimento tumoral e nas metástases. A expressão tumoral do STAT3 ativo ou fosforilado, pSTAT3 é de mau prognóstico no câncer de mama, próstata, cólon e pulmonar e outras neoplasias.

Possíveis tratamentos

Inibir a fosforilação do STAT3.

1. Silibinina.
2. Curcumina.
3. Parthenolide.
4. Resveratrol.
5. Epigalocatequina-3-galato.
6. Ácido ursólico.
7. Ácido retinoico.
8. Cucurbitacina.
9. Indirubina.
10. Piceatanol.
11. Flavopiridol.
12. Magnolol.
13. Chalcone.
14. Guggulsterona.
15. Caapisaicina.
16. Salicilato de sódio.
17. Estatinas.

36. Fato: Aumento da lipogênese citoplasmática (fenótipo lipogênico)

Nas neoplasias é quase regra acontecer a lipogênese. E assim acontece a diminuição da expressão das enzimas catabólicas e o aumento da expressão das enzimas anabólicas.

a) **Diminuição da expressão de enzimas catabólicas**
   I – Lipoproteína lipase
   II – Citrato sintase.
b) **Aumento da expressão de enzimas anabólicas**:
   I – ATP-citrato liase (ACLY).
   II – Ácido graxo sintase (FASN).
   III – Estearoil-CoA desaturase-1 (SCD1).,
   IV – Acetil-CoA carboxilase (ACC).
   V – Acetil-CoA sintetase (ACS).
   VI – Carnitina palmitoiltransferase 1A (CPT1A).

O efeito final é aumentar a glicólise anaeróbia.

A) Diminuição da expressão de enzimas catabólicas:

I – Diminuição da expressão da lipoproteína lipase

Gera ligantes ativos para o PPARα (*nuclear receptor peroxisome proliferator activated receptor alpha*), aumenta a síntese de triglicérides e permite que ácidos graxos sejam usados como combustível para proliferação celular.

Possível tratamento

Ativar a lipoproteína lipase.

Inibidores do citoesqueleto: tiabendazol, mebendazol, albendazol.

II – Diminuição da atividade da citrato sintase

A perda da enzima citrato sintase, que catalisa a primeira reação do ciclo de Krebs da respiração celular, provoca mudança bioenergética da respiração mitocondrial para fermentação glicolítica, a qual acelera a proliferação mitótica tumoral, enquanto induz mudanças para o fenótipo EMT – transição epitélio-mesenquimal. A diminuição da atividade da citrato sintase liga diretamente a glicólise anaeróbia à proliferação cancerosa através da indução do fenótipo EMT. Esse fenótipo pode ser revertido pela reativação do gene p53 ou tratamento com ATP. Células com falta de citrato sintase apresentam completa perda do delta-psi-mt (despolarização exagerada) e baixos níveis de ROS e H_2O_2, indicando que a fosforilação oxidativa está severamente impedida. Em contrapartida, a glicólise anaeróbia está grandemente acelerada. A inibição da citrato sintase provoca marcante diminuição da expressão do p53, TIGAR, SCO2 e HDM2.

Possíveis tratamentos

Ativar a citrato sintase.

1. Citrato/hidroxicitrato.
2. Oxaloacetato.
3. Evitar estresse oxidativo porque inibe a citrato sintase.
4. Ácido ascórbico, glutationa e oxaloacetato protegem a citrato sintase do estresse oxidativo.
5. **Cuidado**: a EGCG não somente não protege a citrato sintase como aumenta sua inativação.
6. Fenofibrato é capaz de ativar a enzima citrato sintase, porém ativa a NADH-oxidase que provoca estresse oxidativo, o qual pode inativar a enzima.

B) Aumento da expressão das enzimas anabólicas

I – ATP-citrato liase (ACLY).
II – Ácido graxo sintase (FASN). Muito importante.
III – Estearoil-CoA desaturase-1 (SCD1). Muito importante.
IV – Acetil-CoA carboxilase (ACC).
V – Acetyl-CoA synthetase (ACS) nos tumores de baixa atividade glicolítica.
VI – Carnitina palmitoiltransferase 1A (CPT1A).

I. Aumento da expressão da ATP-citrato liase (ACLY)

ACLY está superexpressa em vários tipos de câncer: mama, próstata, colorretal pulmão, fígado, estômago e bexiga urinária. Nas células cancerosas, a fosforilação e a ativação da ACLY são reguladas diretamente pela via AKT. Esta via também aumenta os níveis do mRNA ACLY via ativação do SREBP-1, um fator de transcrição para genes envolvidos na síntese de ácidos graxos e colesterol.

ACLY, enzima extramitocondrial, é a primeira enzima da lipogênese e o elo entre o metabolismo da glicose e dos lipídeos. Ela ativa o GLUT-4 e três enzimas-chave da glicólise: hexoquinase II, fosfofrutoquinase-1 e DHL-A. Ela aumenta a síntese de ácidos graxos (lipogênese) e de colesterol a partir do citrato que passou para o citosol, proveniente da mitocôndria. Citrato forma oxaloacetato e acetil-CoA por ação da ACLY. O oxaloacetato caminha para produção de malato, piruvato e finalmente lactato. A acetil-CoA caminha para síntese de colesterol e os ácidos graxos vão formar palmitato. O palmitato ativa a via PI3K/AKT, a qual, além de facilitar a entrada de glicose, ativa a ACLY.

A inibição da ACLY induz a queda da proliferação celular *in vitro* e *in vivo*, mediada por parada do ciclo celular. Não há apoptose por inibição da ACLY. Tumores altamente glicolíticos são mais sensíveis à sua inibição.

ACLY é realmente o elo entre o metabolismo da glicose e ou da glutamina com as vias de síntese de ácidos graxos e ou de mevalonatos.

Suplementação com insulina recupera a proliferação abolida pela inibição da ACLY. Em contraste, a suplementação com palmitato, que é o ácido graxo gerado pela FASN, resgata a apoptose induzida pela inibição da ACC ou FASN.

A inibição da ACLY afeta a proliferação celular por impedimento do metabolismo da glicose mais do que pela depleção de produtos lipídicos gerados pela síntese de ácidos graxos ou colesterol.

Possíveis tratamentos

Inibidores da ATP-citrato liase (ACLY).

1. Whithaferin A.
2. Citrato aumenta a produção de oxaloacetato que sai da mitocôndria para o citoplasma e inibe a desidrogenase lática (DHL-A), a qual inibe a glicólise. O aumento de piruvato gerado pela inibição da DHL-A supre a fosforilação oxidativa mitocondrial.
3. Hidroxicitrato é potente inibidor da ACLY, plantas ricas em hidroxicitrato: garcinia cambogia, indica e atroviridis.
4. Análogo do citrato: difluorocitrato.
5. GLA – ácido gamalinolênico.
6. Radicicol (monorden): macrolídeo isolado do *Monosporium bonorden* que funciona como antibiótico antifúngico.

II. Aumento da expressão da FASN (*fatty acid synthase*)

É uma das principais enzimas do metabolismo lipídico do câncer, ao lado da estearoil-CoA desaturase-1 (SCD1.

FASN promove a lipogênese da célula tumoral, sendo mais um dos mecanismos geradores de energia para proliferação que utiliza a via glicolítica. O piruvato que entra na mitocôndria gera acetil-CoA que reage com o oxaloacetato através da citrato sintase produzindo citrato que sai para o citosol. O citrato mais ATP na presença da ACLY forma oxaloacetato e acetil-CoA. Oxaloacetato forma malato, piruvato e lactato. A acetil-CoA na presença da enzima FASN forma palmitato que ativa a PI3K/AKT e aumenta a captação de glicose. Grande parte dos tumores sólidos e hematológicos expressa a FASN.

Após inibição da FASN, vários genes pró-apoptóticos são induzidos: BNIP3, TRAIL e DAPK2.

As células cancerosas são tão dependentes do *de novo* síntese de ácidos graxos que a inibição da lipogênese, tendo como alvo a FASN, provoca apoptose da célula cancerosa sem afetar as células normais.

Para diminuir a síntese de ácidos graxos podemos utilizar os ativadores da AMPK e a dieta cetogênica com cetose que: 1. Ativa a SIRT-1 (*sirtuin-protein deacetilase-1*) e aumenta a oxidação e diminui a síntese de ácidos graxos, via PGC-1-alfa (PPAR-gama 1-alfa); e 2. Diminui a razão ATP/AMP e ativa a AMPK (AMP-*-dependent protein kinase*) que aumenta a oxidação e diminui a síntese de ácidos graxos, via PGC-1-alfa (PPAR-gama 1-alfa).

Possíveis tratamentos

Inibir a FASN – *fatty acid synthase*.

1. Whithaferin A.
2. Zinco inorgânico.
3. GLA: ácido gamalinolênico – óleo de prímula ou de borage ou de *blackcurrant*.
4. Ácido linolênico – óleo de linhaça.
5. CLA – ácido linoleico conjugado: óleo de cártamo, creme de leite e manteiga inibem a expressão gênica do FASN e o Spot-14.
6. Ácido docosaexaenoico (óleo de peixe).
7. Ácido oleico (monossaturado) – azeite extravirgem.
8. Ácidos graxos ômegas-3.
9. Óleo ou extrato etanólico de *Camelia sinensis* inibem a FASN em baixas concentrações.
10. Curcumina: inibe FASN e Sp1.
11. Genisteína e soja da dieta.
12. Apigenina: molho de tomate, vinho tinto, salsa, aipo.
13. Ácido ursólico.
14. Luteolina.
15. Quercetina.
16. Ácido valproico.
17. DIM, o principal metabolito do indol-3 carbinol, além de inibir a expressão da FASN, inibe a expressão do fator de transcrição Sp1 que está envolvido na proliferação celular e na *de novo* lipogênese no câncer.
18. Ácido elágico.
19. Epigalocatequina galato (EGCG). As catequinas do chá-verde inativam a citrato sintase na primeira reação do ciclo de Krebs e assim podem diminuir a fosforilação oxidativa e aumentar a glicólise.
20. $1,25(OH)_2D_3$.
21. Orlistate.
22. Hispidulina (flavona isolada da planta Saussurea).
23. Bloqueadores tipo 2 da angiotensina II ativam AMPK e inibem a FASN.
24. NDGA – *Larrea tridentata*.
25. Rizoma da *Alpinia officinarum* Hance – galangal.
26. Betaglucana: cogumelos (*Ganoderma lucidum*, *Agaricus blazei*), parede celular do *Sacharomices cerevisae*, cevada, aveia.
27. Resveratrol – uva.
28. Kaempferol.
29. Cerulenina.
30. Polifenóis naturais: epigalocatechina, luteolina, taxifolin, kaempferol, quercetina, apigenina.
31. Compostos da dieta: catequinas, proteínas da soja, azeite de oliva extravirgem.

III. Aumento da expressão da estearoil-CoA desaturase-1 (SCD1)

É uma das principais enzimas do metabolismo lipídico do câncer, ao lado da FASN.

Estearoil coenzima A dessaturase 1 (SCD1) é uma enzima chave que catalisa a conversão de ácidos graxos saturados em ácidos graxos monoinsaturados e desempenha um papel vital no metabolismo lipídico das células tumorais. SCD1 é superexpressada em uma variedade de tumores malignos, e seus inibidores mostraram significativa atividade antitumoral em experimentos in vitro e in vivo, o que é um novo alvo para terapia tumoral. Todos sendo patenteados para tratar obesidade.

Sabemos que a insulina aumenta a atividade de SCD1 e os níveis de mRNA, enquanto o glucagon diminui drasticamente a atividade da enzima e os níveis de mRNA.

Possível tratamento

Inibir a SCD1.

1. Genisteína.
2. Glucagon, de modo transcricional.

IV. Aumento da acetil-CoA carboxilases 1 e 2 (ACC1 e ACC2)

Possível tratamento

Inibir as ACCs.

1. Whithaferin A.
2. Ativação da AMPK inativa ACC1 e ACC2.
3. Adiponectina ativa PPAR-alfa e inibe a acetil-CoA carboxilase (ACC).
4. Extrato etanólico da *Polygonum hypoleucum* Ohwi (EP), Tailândia.
5. Ativar AMP cíclico.
6. Salicilatos.

7. Soraphen A inibidor potente.
8. Derivados espirodiamínicos.
9. 2-tetradecanil-glutarato.

V. Aumento da acetil-CoA sintetase (ACS)

É importante inibir a ACS mesmo nos tumores de baixa atividade glicolítica como em alguns hepatocarcinomas.

Importante lembrar que as folhas do espinafre são ricas nesta enzima (ACS) e, portanto, contraindicadas em todos os tipos de câncer.

Possível tratamento

Inibir a acetil-CoA sintetase.

1. Whithaferin A.
2. Hispidulina-5,7,4'-tri-hidroxi-6-metoxiflavona. A hispidulina, uma flavona isolada da planta *Saussurea involucrate*, ativa a AMPK e inibe o glioblastoma multiforme de modo dose-dependente. A hispidulina, além de ativar a AMPK (efeito principal da dieta cetogênica), diminui a lipogênese das células do glioblastoma multiforme por inibir a ácido graxo sintase (FAS) e a acetil-CoA sintetase.
3. Não ingerir espinafre, pois é rico em acetil-CoA sintetase.

VI. Aumento da Carnitina palmitoiltransferase 1A (CPT1A).

Possível tratamento

Inibir a carnitina palmitoiltransferase.

1. Whithaferin A.

37. Fato: Supressão ou inibição dos canais de K^+ ATP dependentes (Kv-voltagem dependente) provocam aumento do K^+ intracelular e impedem a apoptose

Esse fato acontece em quase todas as células neoplásicas e provoca a manutenção ou aumento do K^+ intracelular que impede a apoptose e assim funciona como mecanismo de sobrevivência da célula tumoral. O aumento do K^+ intracelular é um dos mecanismos da despolarização da membrana celular (diminuição do Em).

A mitocôndria regula várias funções críticas, incluindo a concentração de Ca^{++} intracelular e o controle ROS-redox. Através do ROS a mitocôndria regula a abertura dos canais iônicos de membrana e controla o Ca^{++} intracelular e, portanto, a transcrição de fatores dependentes de cálcio e o K^+ intracelular e assim a maior resistência celular à apoptose. A inibição ou diminuição da função dos canais K^+ ATP dependentes diminui o efluxo celular de K^+, aumenta o K^+ intracelular e mantém o gradiente intra/extracelular de 145/5mEq/l, que é antiapoptótico. O K^+ intracelular exerce efeito inibitório tônico sobre as caspases e impede a apoptose.

O H_2O_2 e o citocromo c liberados pela mitocôndria abrem o canal redox sensível Kv1,5, sai K^+ da célula e aumenta o Em. A entrada de Ca^{++} é inibida e diminui o cálcio intracelular, o que suprime a ativação do NFAT. Este sai do núcleo e aumenta a expressão do Kv1,5 que aumenta a saída de potássio da célula, diminuindo o K^+ intracelular, o que propicia a apoptose. O efluxo de K^+ para fora das células aumenta a polaridade da membrana celular (Em) em nível superior a −15mv (−20 a −70mv), o que suprime a proliferação celular.

Possível tratamento

Ativadores da fosforilação oxidativa.

38. Aumento da atividade da PDHK1 (piruvato desidrogenase quinase 1), a qual inibe o complexo piruvato desidrogenase – PDHc. Fenótipo de Michelakis

O aumento da atividade da PDHK-1 inibe a PDHc (complexo desidrogenase) e fecha as portas da fosforilação oxidativa, não permitindo a entrada do piruvato na mitocôndria, diminuindo a geração de ATP ao lado de aumentar a expressão do HIF-1que aumenta o Bcl2 – antiapoptótico.

Possíveis tratamentos

Ativadores da fosforilação oxidativa.

1. Inibidores da PDHK1:
   - Ácido alfalipoico.
   - Dicloroacetato de sódio (DCA).
   - Ácido ursólico.
2. Ativadores do complexo PDH:
   - Dieta cetogênica.
   - DHEA.
   - Ácido alfalipoico.
   - Vitamina B_1 em alta dose: 300mg/dia.
3. Ativadores do ciclo de Krebs e da cadeia de elétrons mitocondrial.
   - Triterpenos do *Ganoderma lucidum*.
   - Triterpenos do bambu.
   - EGCG aumenta complexos 1 e 4.

39. Fato: Ativação da kinase PAK1 (P21-activated kinase 1)

As PAKs são uma família de serina treonina quinases de 6 membros, PAKs 1-6, que estão posicionados na interseção de múltiplas vias de sinalização implicadas na oncogênese. As PAKs foram originalmente identificadas como proteínas quinases que funcionam a jusante das Rho GTPases Cdc42 e Rac relacionadas com Ras. As PAK1 e PAK4, que pertencem ao Grupo I e Grupo II, respectivamente, estão mais frequentemente associadas à tumorogênese.

A ativação da kinase PAK1 é requerida para o crescimento de mais de 70% dos cânceres humanos, tais como, pâncreas, cólon, mama, próstata, tumores NF (neurofibromatose – Schwanoma).

Possíveis tratamentos

a) Ivermectina inativa a kinase PAK1 e provoca autofagia citostática com parada da proliferação e apoptose.
b) Própolis.
c) Curcumina.
d) Ketorolac. É um AINH, no comércio Toradol.
e) ARC (artepillin C).
f) Ácido cafêico.
g) Cucurbitacina I da Momordica charantia.

40. Fato: Ativação das proteínas tirosino quinases (PTKs) que ativam vias de sinalização proliferativas de sobrevivência celular

Na evolução dos organismos multicelulares foi necessário adquirir a habilidade de comunicação intracelular através de sinalização bioquímica para regular as respostas a estímulos extracelulares e intracelulares. Neste processo surgiu a fosforilação reversível com as PTKs (protein tyrosine kinases) e as PTPs (protein tyrosine phosphatases) a primeira fosforilando e a segunda defosforilando. Fosforilação e defosforilação de proteínas são elementos chave de praticamente todos os processos celulares estando associadas a muitas doenças genéticas e adquiridas. Dentro das células este processo é controlado minuciosamente pelas PTKs e PTPs. A desregulação deste duplo-sistema favorece a proliferação, sobrevida, diferenciação celular e metabolismo das neoplasias e de algumas doenças como diabetes e obesidade.

Por ex. a PKC ativa NHE-1 por mecanismo independente do MAPK. As proteinas tirosino quinases aumentam a expressão do EGFR – receptor do fator de crescimento epitelial, mecanismo forte de sobrevivência celular

Na intimidade das células neoplásicas o que realmente está ocorrendo é a desregulação do sistema PTK/PTP.

Possíveis tratamentos

Inibir as PTKs.

a) Genisteína.
b) Genisteína mais indol-3-carbinol (mais potente que a anterior).
c) Berberina.
d) Sanguinarina.
e) Cheleritrine.
f) Delfinidina, uma antocianidina abundante na uva, romã e mirtilo vermelho (cranberrie).
g) Isotiocianato: brócolis, couve-de-bruxelas, couve-manteiga, repolho.
h) Glucoronolactona – cálcio glucarato.
i) Vitamina A.
j) Arctigenina (*Arctum lappa*).
k) Quercetina.
l) Luteolina.
m) NDGA – inibidor da serina/treonina quinase: *Larrea tridentata*.
n) Emodin uma antraquinona encontrada nas raízes e rizomas de várias plantas é forte inibidor das tirosino quinases.

41. Fato: Ativação das proteínas tirosino fosfatases (PTPs) que ativam vias de sinalização proliferativas de sobrevivência celular.

Na evolução dos organismos multicelulares foi necessário adquirir a habilidade de comunicação intracelular através de sinalização bioquímica para regular as respostas a estímulos extracelulares e intracelulares. Neste processo surgiu a fosforilação reversível com as PTKs (protein tyrosine kinases) e as PTPs (protein tyrosine phosphatases) a primeira fosforilando e a segunda defosforilando. Fosforilação e defosforilação de proteínas são elementos chave de praticamente todos os processos celulares estando associadas a muitas doenças genéticas e adquiridas. Dentro das células este processo é controlado minuciosamente pelas PTKs e PTPs. A desregulação deste duplo-sistema favorece a proliferação, sobrevida, diferenciação celular e metabolismo das neoplasias e de algumas doenças como diabetes e obesidade.

Por ex. a PKC ativa NHE-1 por mecanismo independente do MAPK As proteinas tirosino quinases aumentam a expressão do EGFR – receptor do fator de crescimento epitelial, mecanismo forte de sobrevivência celular

Na intimidade das células neoplásicas o que realmente está ocorrendo é a desregulação do sistema PTK/PTP.

Possíveis tratamentos:

Inibir as PTPs.

a) Vanadil sulfato.
b) Ortovanadato de sódio.
c) Monovanadato de amônio.

d) Metavanadato de amônio.
e) Análogos da vitamina K como o Cpd 5 [2-(2-mercaptoethanol)-3-methyl-1,4-naphthoquinone].

42. Fato: Ativação das metaloproteinases, principalmente MMP-2 e MMP-9 peritumoral

Ao iniciar a proliferação mitótica redentora das células em sofrimento, tais células produzem substâncias que ativam a MMP-2 e 9 para abrir caminho no extracelular para as células recém-formadas. A acidificação peritumoral ativa MMP-2 e MMP-9.

Possível tratamento

Inibir as metaloproteinases.

a) Mistura nutricional de Roomi: L-lisina, L-prolina, arginina, extrato de chá-verde, L-cisteína, cobre, seleno metionina, manganês, ascorbato de magnésio e óxido de silício.
b) Berberina.

43. Fato: Aumento do fator de crescimento semelhante a insulina (IGF-1) e seu receptor IGF-1R

Aumentam a proliferação mitótica de maneira drástica e eficaz. Ativam a via PI3K/Akt que acaba ativando mTOR e o HIF-1. Ativam a via Ras/Raf/MEH1/2/ERK1/2. No final diminuem drasticamente a apoptose e aumentam a proliferação celular.É carcinocinético e não carcinogênico.

Possíveis tratamentos

Inibir IGF-1/IGF-1R e diminuir a insulinemia.

A) Inibir IGF-1/IGF-1R

1. Ativadores do AMPK: inibem IGF-1.
2. Amiloride: inibe o IGF-1/IGF-1R por inibir o uPA/uPAR.
3. Olmesartana inibe IGF-1 e IGF-1R intratumoral. Também inibe VEGF e seu receptor intratumoral.
4. Inibidores da angiotensina II inibem o IGF-1R.
5. Inibidores da aldosterona inibem o IGF-1: aldactone (espironolactona), inspra (eplerenone).
6. Silibinina diminui o receptor do IGF-1, IGF-1Rbeta e aumenta muito a proteína carregadora do IGF-1 a IGFBP-3, diminuindo assim a concentração plasmática do IGF-1.
7. Vitamina D_3-colecalciferol, 25(OH)D_3: aumenta IGFBP-3 e diminui o IGF-1.
8. Hormônio D_3, 1,25$(OH)_2D_3$ induz queda do PTH, o que suprime a geração de IGF-1.
9. Epigalocatequina galato: inibe IGF-1R.
10. Resveratrol: inibe IGF-1R e na dose de 2,5g/dia diminui os níveis séricos do IGF-1.
11. Genisteína: inibe IGF-1 e outros derivados da soja aumentam IGF-1.
12. NDGA: ácido nordi-hidroguaiarético, derivado da *Larrea tridentata* ou *Larrea divaricata*, "arbusto de creosoto" ou "chaparral": inibe drasticamente o IGF1-R.
13. DHEA inibe o eixo insulina-fator de crescimento, os quais promovem proliferação e migração.
14. *Scutelaria barbata*.
15. Luteolina inibe IGF-1R.

B) Diminuir insulinemia

1. Dieta com índice glicêmico inferior a 60 e baixa carga glicêmica mais frutose abaixo de 20-25g/dia.
2. Berberina.
3. Metformina.

44. Fato: Ativação do NF-kappaB

O fator de ativação nuclear NF-kappaB é um dos principais fatores de proliferação que se encontram ativados nas células neoplásicas em franca multiplicação. Ele ativa o ciclo celular, diminui a apoptose e aumenta a neoangiogênese. O NF-kappaB ativa a transcrição do Lin28B que reduz a atividade da família Le-7 de microRNAs supressoras de tumor.

Possíveis tratamentos

A) Inibir IKK alfa e IKK beta

Sulfassalazina.

B) Inibir o NF-kappaB:

1. Curcumina.
2. Amiloride.
3. Genisteína.
4. Berberina.
5. Cheleritrine.
6. Sanguinarina.
7. NDGA.
8. Silibinina.
9. Ácido alfa-lipoico.
10. Licopeno.
11. Epigalocatequina galato.
12. Indol-3-Carbinol (I3C) e Di-Indolil-Metano (DIM).
13. Ácidos graxos ômegas-3.
14. Ácido betulínico.
15. Noscapine.
16. Extrato de semente de uva: protoantocianidinas.
17. Flavonoide cítrico: hesperidina.
18. Benzaldeído.
19. Digitálicos: digitalina, estrofantina.
20. Inibidores da angiotensina II: telmisartana, irbesartana.

21. Inibidores da aldosterona: espironolactona, eplenorenona.
22. DHEA sulfato.
23. Alfa-tocoferol.
24. Diosgenina.
25. Óleo de alho.
26. Alopurinol.
27. Suco de maçã.
28. Ácido cafeico.
29. Betacaroteno.
30. Carvedilol.
31. Polifenóis do cacau.
32. Dissulfiram.
33. Ebeselen.
34. Exercício.
35. Flavonoides: *Crataegus*; *Boerhaavia diffusa* root; xanthohumol; *Eupatorium arnottianum*; genistein; kaempferol; quercetin, daidzein; flavone; isorhamnetin; naringenin; pelargonidin; finestin; *Sophora flavescens*; *Seabuckthorn fruit* Berry.
36. Ácido fólico.
37. *Ganoderma lucidum*.
38. *Garcinia indica* – extrato.
39. Glutationa.
40. L-cisteína.
41. Luteína.
42. SOD-Mn.
43. Melatonina.
44. Cebola *in natura* ou extrato: (*2,3-dihydro-3,5-dihydroxy-6-methyl-4H-pyranone*).
45. Espironolactona.
46. Morango *in natura* ou extrato.
47. Tocotrieno
48. Vitamina C.
49. Vitamina B_6.
50. Vinho.
51. Alimentos e temperos que inibem o NF-kappaB:

Abacate	Maçã	Pera	Romã	Amêndoa
Camomila	Erva-doce	Alecrim	Coentro	Manjericão
Brócolis	Couve-flor	Couve-de--bruxelas	Couve--verde	Alcachofra
Tomate	Alho	Cebola	Cenoura	Abóbora
Aspargo	Trigo integral	Limão	Laranja	
Cardo mariano	Gengibre	Marmelo	Chá-verde	Alcaçuz
Pimenta	Vermelha	Cravo-da--índia	Pimenta-do--reino preta	*Aloe vera* (babosa)
Uvas vermelhas	Cúrcuma (açafrão--da-índia)	Própolis	Soja	Sálvia
Ameixa seca	Uva passa	Cardamomo	Oleandro	Cacau

45. Fato: Aumento da atividade das GLUTs1 e 4

A GLUT1 aumenta a captação de glicose pela célula neoplásica fornecendo matéria-prima para a glicólise. A GLUT1 ativa o mTOR, maestro chefe da síntese proteica. A captação de glucose pelas células neoplásicas pode alcançar de 2 a 15 vezes o valor das células normais. Isto torna possível o exame FDG-PET.

Possíveis tratamentos

Inibir o GLUT1 e 4.

1. p53 diminui a expressão gênica do GLUT1 e GLUT4.
2. Dicloroacetato de sódio diminui a atividade da GLUT1 por aumentar p53 e diminuir HIF-1 e HSP70.
3. Ativadores da AMPK.
4. Inibidores do mTOR.
5. Inibidores do FASN.
6. Inibidores da ACLY.
7. Citrato.
8. Epigalocatequina galato – EGCG: polifenóis do chá-verde.
9. Silibinina: inibe GLUT1 e GLUT4.
10. Extrato polifenólico da canela.
11. Ácidos graxos ômega-3 dos peixes.
12. Flavonoides: quercetina, apigenina, kempferol.
13. Acetogeninas de Annonaceae: *pawpaw*, graviola.
14. Isoflavonas da *Lonchocarpus glabrescens* – Leguminosae.
15. L-prolina (substrato da prolina oxidase).
16. Everolimus.
17. Esomeprazol.
18. Apigenina: molho de tomate, vinho tinto, salsa, aipo.

46. Fato. Aumento do TNF-alfa com imunosupressão/imunotolerância das células tumorais.

Citocinas pró-inflamatórias produzidas no microambiente tumoral levam à erradicação da imunidade antitumoral e aumentam a sobrevivência das células em sofrimento. O principal fator desencadeador da imunossupressão de células cancerígenas contra a vigilância de células T é o TNF-α (fator de necrose tumoral alfa) por meio da estabilização do PD-L1 (ligante de morte celular programado 1). A inibição da expressão de PD-L1 das células cancerígenas sensibiliza as células cancerígenas à terapia anti-CTLA4 (Lim, 2016).

Possíveis tratamentos

Inibir a expressão do Pd-1/PD-L1.

a) Azul de metileno.

b) Cloreto de lítio em dose alta: 300mg 3x/dia.
c) Liquirrigetina.
d) Curcumina.
e) Apigenina, metabolito da luteolina.
f) Baicaleína, baicalina.

47. Fato: Aumento da atividade da ornitina decarboxilase (ODC)

As poliaminas se associam à proliferação celular nos tecidos normais e neoplásicos. A ODC é enzima limitante envolvida na biossíntese das poliaminas, sendo a responsável pela conversão da L-ornitina em putrescina. Nos tumores epiteliais, a ODC está aberrantemente elevada, o que aumenta a concentração de poliaminas com o consequente aumento da proliferação mitótica.

Possíveis tratamentos

Inibir a ODC.

1. Cloreto de lítio.
2. Inibidores da c-myc.
3. Estratégias para aumentar o óxido nítrico – NO.
4. $1{,}25(OH)_2D_3$.
5. Colecalciferol ao se transformar em $1{,}25(OH)_2D_3$.
6. Iodo metálico.
7. Iodeto de potássio.
8. Curcumina.
9. Amiloride.
10. *Chelidoneum majus.*
11. Ácido gamalinolênico – GLA. GLA → aumenta PGE1 → aumenta AMP cíclico → aumenta 13-HODE → inibe a ODC.
12. Alcaçuz (*Glycyrrhiza glabra*).
13. Inositol-6-fosfato (IP6) mais mioinositol.

48. Fato: Aumento da atividade da aldeído desidrogenase que aumenta a proliferação das células-tronco.

Esta enzima é marcador da presença de células-tronco tumorais que repovoam o tumor de células neoplásicas.

Possíveis tratamentos

Inibir a aldeído desidrogenase.

1. Azul de metileno.
2. Curcumina.
3. Carnosina.
4. Beta-alanina nos tecidos com carnosina sintase.
5. Dietilditiocarbamato de sódio mais zinco.
6. Cloranfenicol.
7. Dissulfiram.

49. Fato: Aumento da atividade da enzima GSK-3 – glicogênio sintase quinase-3

A GSK-3 é uma serina/treonina quinase reguladora chave de numerosos processos celulares, indo do metabolismo do glicogênio à regulação do ciclo celular e da proliferação. Ela promove a atividade da proteína ribossomal p70 S6 quinase (S6K1) e aumenta a biogênese dos ribossomos com a consequente proliferação e crescimento celular neoplásico, enquanto induz lesão mitocondrial.

Os inibidores da GSK3 aumentam a biogênese mitocondrial e a fosforilação oxidativa, ao mesmo tempo que diminuem a geração de radicais livres.

O lítio em alta dose é inibidor específico da GSK3-beta e sua administração nos pacientes com câncer tratados com quimioterapia reduz a incidência de infecções e de infecções relacionadas com a mortalidade, efeito atribuído ao aumento dos glóbulos brancos.

Importante lembrar que o lítio em baixa dose ativa a via proliferativa Wnt/betacatenina e em alta dose, ao inibir a enzima GSK-3-beta, suprime a via Wnt/betacatenina e diminui a proliferação de células do câncer esofageal e colorretal humano, parando o ciclo celular em G2/M e reduzindo a expressão da ciclina B1.

Inibir GSK-3-beta provoca supressão da via Wnt-betacatenina, que é altamente proliferativa, o que se consegue com altas doses de lítio, 150mg do elemento ao dia. Inibição da enzima GSK-3 induz diferenciação e impedimento do metabolismo da glicose no câncer renal.

Alguns inibidores da GSK-3 funcionam como anti-PD-1/PDL-1.

Possíveis tratamentos

Inibir a GSK-3

1. Cloreto de lítio.
2. Orotato de lítio.
3. Carbonato de lítio.
4. Berberina.
5. Zinco: sais bivalentes.
6. Flavonoides cítricos, luteolina, apigenina e quercetina.
7. Batata-doce roxa e outras plantas ricas em antocianinas.
8. Ácido valproico.
9. Insulina.

Nota: A procaína de modo dose-dependent ativa a GSK-3

50. Fato: Inibição da expressão do gene supressor de tumor PTEN (*phosphatase and tensin homolog deleted on chromosome 10*)

PTEN, como a maioria dos genes supressores de tumor (p53, VHL -von Hippel-Lindau ou LKB1 – *liver kinase*

B1) promove a fosforilação oxidativa e diminui a glicólise, impedindo assim a reprogramação metabólica característica das células cancerosas. Possui efeito anti-Warburg.

O PTEN é frequentemente perdido ou inativado em vários tipos de tumor sólido, incluindo próstata, mama, tireóide, tumores endometriais e outros. PTEN é um regulador crítico de sinalização através da via PI3K e por meio de sua ação como uma PIP3 fosfatase, regula negativamente a via PI3K-Akt-mTOR. Na ausência de PTEN, a proliferação celular desregulada ocorre por meio da ativação de uma cascata de sinais a jusante na via Akt.

O PTEN é um gene supressor de tumor que antagoniza a via PI3K/Akt e está comumente inibido nos mais diversos tipos de câncer. Nos tumores humanos a expressão do PTEN pode ser perdida por efeito epigenético: metilação e desacetilação.

Ativar PTEN é aumentar a atividade do Cdc42 que cliva o PARP aumenta as caspases e provoca apoptose. Nos gliomas grau IV a ativação do PTEN inibe o mTORC2.

O PTEN controla muitas funções celulares, incluindo a resistência a infecções por bactérias carcinogênicas como o *Mycoplasma pneumoniae* e o *Mycobacterium bovis*.

Infecção por micobactérias fosforila e ativa a via Akt e, portanto, a inibição do Akt ou do PI3K reduz a gravidade da infecção intracelular. Muito interessante é que a inibição do mTOR trata infecções pelo bacilo Calmette-Guérin em células do câncer de mama.

Dessa forma, PTEN ativo provoca inibição da via PI3K/Akt e controla infecções por micoplasma, micobactérias, Citomegalovírus e Epstein-Barr vírus.

Possíveis tratamentos

Ativar o PTEN.

1. Curcumina.
2. 1,25$(OH)_2D_3$.
3. Silimarina aumenta a expressão do PTEN e assim inibe Akt.
4. Ácido ursólico aumenta a expressão do PTEN mRNA.
5. Butirato de sódio.
6. Butirato mais 1,25$(OH)_2D_3$: efeito sinérgico.
7. **Inibidores das histonas desacetilases: agentes acetiladores**
   a) Divalproato de sódio/ácido valproico.
   b) *Tanacetum parthenium*.
   c) Curcumina.
   d) Genisteína (soja).
   e) Resveratrol.
   f) L-taurina.
   g) Trimeltiglicina (betaína).
   h) Butirato de sódio (biomassa de banana verde).
   i) Epigalocatequina galato (chá-verde).
   j) Óleo de *Nigella sativa* – cominho negro: timoquinona.
   k) Crucíferas – brócolis, couve-de-bruxelas, couve-manteiga: isotiocianato e sulfurofane.
   l) Sulfato de quinidina.
   m) *Astragalus membranaceus* – astrágalo – *Huang-qi*.

51. Fato: Ativação da via Wnt/beta-catenina

A via Wnt é um sistema conservado da evolução da espécie que possui função primordial durante o desenvolvimento nas fases iniciais da vida. Esta via possui importante papel no desenvolvimento embrionário como proliferação celular, diferenciação, apoptose e interação mesênquimo-epitelial.

Importante saber que a via Wnt/beta-catenina canônica é crítica na manutenção das células-tronco cancerosas, ela regula a auto-renovação destas células.

Nas células neoplásicas a super-regulação da via Wnt/beta-catenina induz dramáticas alterações em enzimas metabólicas-chave. Acontece: 1. ativação da piruvato desidrogenase quinase 1 (PDK-1) que induz inibição do complexo piruvato desidrogenase, o que impede o piruvato ser transformado em acetil-CoA na mitocôndria e assim somente parte da acetil-CoA formada pode entrar no ciclo de Krebs, funciona como um fechamento parcial das portas da fosforilação oxidativa mitocondrial; 2. ativação do transportador monocarboxilado (MCT) de lactato para fora das células. A consequência é a alcalinização intracelular, que ativa as enzimas glicolíticas.

Quando superativa esta via de sinalização provoca aumento dos ATPs glicolíticos e proliferação celular neoplásica como mecanismo de sobrevivência antigo utilizado nas situações de células em sofrimento, por exemplo, por metais tóxicos ou agentes biológicos. A ativação da via de sinalização Wnt promove aumento da proliferação celular e inibição da apoptose. A ativação desta via estabiliza a betacatenina citosólica que entra no núcleo e ativa os genes Wnt, sendo um dos eventos mais conhecidos na proliferação neoplásica e presente em vários tipos de tumores sólidos, principalmente no câncer de mama e de cólon. A via Wnt inibe o FOXO3 e impede a morte celular programada, ao lado de inibir a via Notch supressora tumoral. A inibição desta via lentifica ou impede a proliferação celular mitótica e aumenta a apoptose. A inibição da GSK-3-beta inibe a via Wnt e suprime a proliferação celular mitótica. Lembrar que o lítio em baixa dose ativa a via Wnt, entretanto, em alta dose ao inibir a enzima GSK-3-beta acaba inibindo a importante via Wnt.

Na maioria dos cânceres, a via Wnt/betacatenina está ativada e o PPAR-gama inibido. Esta mesma alteração é observada no diabetes tipo 2 e em certas doenças degenerativas: esclerose lateral amiotrófica, doença de Huntington, esclerose múltipla e ataxia de Friedreich. Ao contrário, isto é, PPAR ativo e Wnt inibido são observados na osteoporose e em certas doenças neurodegenerativas: doença de Alzheimer, doença de Parkinson, doença bipolar e esquizofrenia.

A via Wnt conduz a macropinocitose em células cancerosas, contribuindo assim para o crescimento do câncer em condições deficientes de nutrientes, principalmente no câncer de cólon e pâncreas.

A via Wnt/β-catenina regula a autorrenovação de células-tronco cancerígenas no câncer gástrico humano.

Possíveis tratamentos

Bloquear a via Wnt.

1. Genisteína e outras isoflavonas da soja.
2. Inibir a GSK-3-beta: sais de lítio (alta dose), berberina, sais bivalentes do zinco, flavonoides cítricos, luteolina, apigenina e quercetina e batata-doce roxa e outras plantas ricas em antocianinas.
3. Procaína demetila e reativa o gene WIF-1, o qual inibe a via Wnt em várias neoplasias.
4. Agonistas do PPAR-gama inibem a via Wnt/betacatenina em numerosos tecidos neoplásicos.
5. Niclosamida é anti-helmíntico bloqueador potente da via Wnt.
6. Pirvinium, aprovada pelo FDA como anti-helmítico. É potente inibidor da via Wnt.
7. Clotrimazol por inibir a aldolase, enzima da glicólise anaeróbia.
8. Salinomicina – antibiótico potássico ionóforo.
9. Ácidos graxos ômega-3, DHA (ácido docosa-hexaenoico) e EPA (ácido eicosapentaenoico) inibem a beta-catenina.
10. Ivermectina.

52. Fato: Ativação da via proliferativa Notch1

Existem 4 subtipos de Notchs. A ativação da via de sinalização Notch1 ativa o ciclo celular e aumenta a proliferação, impede a apoptose e aumenta a migração celular e metástases.

Diminuição da Notch1 inibe o crescimento do câncer de próstata, a migração e a invasão e induz apoptose via Akt/mTOR/NF-kappaB.

Ao inibir a via Notch1 no carcinoma epidermoide laringeal, o ciclo celular pára em G0/G1, diminui a proliferação, aumenta a apoptose e cessa a migração.

Possíveis tratamentos

Inibir a via Notch.

1. Ácido valproico.
2. Genisteína e outras isoflavonas da soja.
3. Silibinina.
4. Niclosamida.
5. Procaína.
6. Scutellaria baicalensis – baicalein.
7. Withaferin A.

53. Fato. Ativação de receptor de andrógenos – AR. AR é fator de transcrição nuclear, sendo mais importante no câncer de próstata

Possível tratamento

Inibir AR.
– Genisteína e outras isoflavonas da soja.

54. Fato: Diminuição da expressão de receptor estrogênico-beta – Erβ

ERβ possui potencial função de supressão tumoral. A diminuição da expressão do ERβ facilita a ação do ER-alfa que é altamente proliferativo. O ERβ diminui a proliferação mitótica nas seguintes neoplasias, mas, cremos não únicas: mama. ovário, próstata, colorretal e glioblastoma. A genisteína, uma isoflavona que se liga preferencialmente ao ERβ e que também inibe as proteínas tirosina quinases e a topoisomerase II, inibe rapidamente a síntese de DNA em células de glioma humano de uma maneira dependente da concentração.

Possivel tratamento

Genisteína.

55. Fato: Redução drástica da função de supressores tumorais da família let-7 de microRNAs

A família let-7 de microRNAs possui atividade supressora tumoral de valor relevante na supressão das células-tronco (*stem-cells*). Alterações dos microRNAs (miRNAs) estão envolvidas na iniciação e progressão do câncer humano. MicroRNAs são RNAs pequenos e não codificadores providos de importantes funções no desenvolvimento, diferenciação celular e regulação do ciclo celular e apoptose. A expressão dos miRNAs está desregulada no câncer por vários mecanismos, incluindo o silenciamento epigenético.

Possíveis tratamentos

Ativar a família let-7 de microRNAs (miRNAs).

1. Ácido boswéllico: aumenta a expressão da família let-7 e miR-200.
2. Ativadores da AMPK.
3. Inibidores do c-myc.
4. Inibidores do NF-kappaB.
5. Inibidores de tirosina quinase.
6. Inibidores de COX-2.
7. $1,25(OH)_2D_3$.
8. Salsalate – da classe dos salicilatos.
9. Ribaverina.
10. Inibidores da gama-segretase.

56. Fato: Inibição da expressão de vários microRNAs inibidores da migração, metástases, proliferação e apoptose

MicroRNAs (miRNAs) são pequenos RNA não codificadores que regulam a expressão gênica do RNA mensageiro (mRNA) por degradação ou translação ou repressão. Eles desempenham papel fundamental em muitos processos biológicos, como carcinogênese, angiogênese, morte celular programada, proliferação celular, invasão, migração e diferenciação agindo como supressor tumoral ou supressor de oncogenes. Aberrações na expressão do miRNAs estão relacionadas ao início e à progressão de várias neoplasias. Cada miRNA é capaz de alterar a expressão de muitos genes, o que regula múltiplas vias de sinalização celular bloqueando a proliferação, a migração, as metástases e impedindo a apoptose. Vários agentes naturais são capazes de regular um ou mais miRNAs.

Possíveis tratamentos

Diminuir a expressão dos miRNAs.

1. Curcumina.
2. Resveratrol.
3. Genisteína.
4. EGCG.
5. Indol-3-carbinol.
6. Di-indolil metano.
7. Ácido ursólico.

57. Fato: Aumento da expressão da bomba Na^+-K^+-ATPase

Eleva a concentração citoplasmática de glutationa e promove a proliferação e o impedimento da apoptose: aumenta os mecanismos de sobrevivência celular da célula doente: câncer.

Possíveis tratamentos

Inibir a bomba Na^+-K^+-ATPase

1. Sanguinarina.

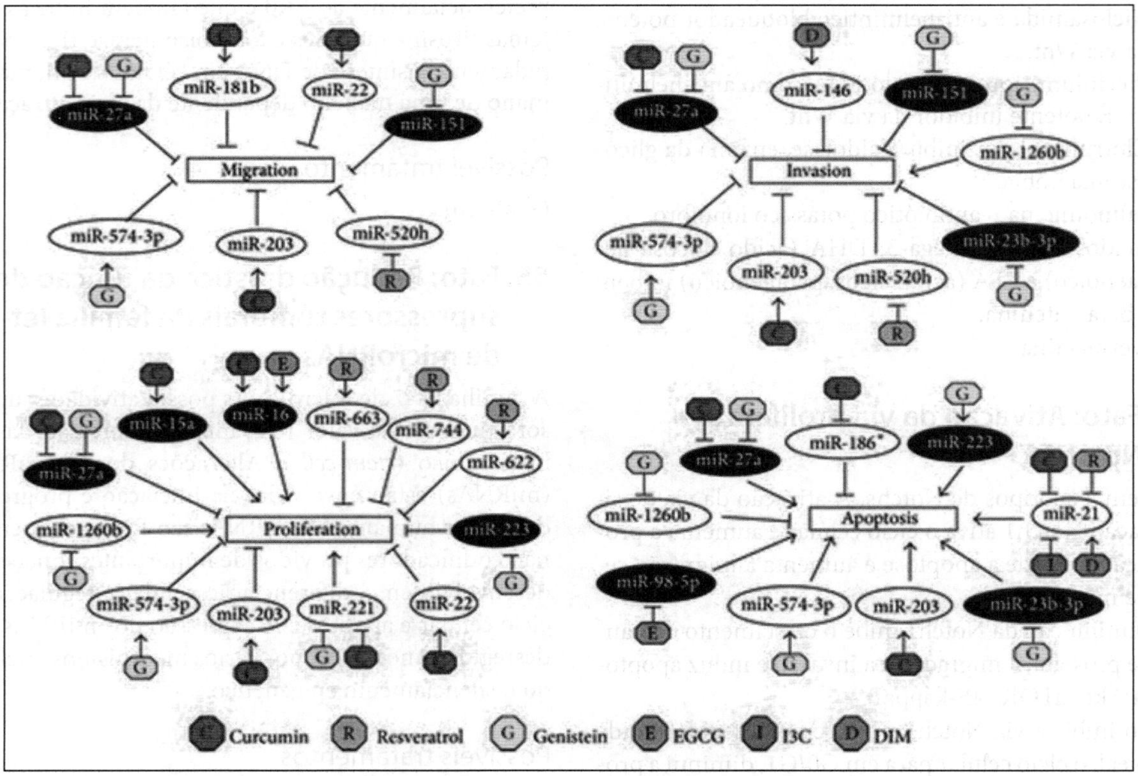

Figura 140.4 microRNAs suprimidos por agentes naturais.

2. Bloqueadores da angiotensina: losartana, candesartana, irbesartana e principalmente a telmisartana.
3. Digitoxina.
4. Digoxina.
5. Ouabaína.
6. *Nerium oleander* – oleandrim.
7. Plantas com glicosídeos digitálicos.

58. Fato: Ativação da peptil prolil cis/trans-isomerase

Responsável pela proliferação celular mitótica, ativação do c-Jun, da transcrição do NF-kappaB e da ativação da AP-1 (*protein activator-1*).

Possível tratamento

1. Epigalocatequina galato.
2. Chá-verde.

59. Fato: Ativação do gene antiapoptótico XIAP

O gene XIAP é gene central na regulação da apoptose por inibir as caspases. É considerado um dos principais genes de manutenção da sobrevivência celular. É membro da família IAP de inibidores endógenos da apoptose.

Possíveis tratamentos

Inibidores do XIAP.

1. Indol-3-carbinol (I3C) e di-indolil metano (DIM).
2. Gossypol. Aumenta a expressão do SMAC (*second mithochondrial-derived activator of caspases*), o qual inibe a XIAP, ativa p53 e ativa receptor da morte DR5.
3. Plantago fermentado aumenta SMAC.
4. Ativadores do receptor da morte DR5 ativa caspase-8 que aumenta BID e via mitocôndria aumenta geração do SMAC.

60. Fato: Diminuição da expressão ou inibição da delta-6-desaturase com aumento do tromboxane e PGE2. Fenótipo de Horrobin

A delta-6-desaturase converte o ácido linolênico em ácido gamalinolênico (GLA), que se transforma em di-homo gamalinolênico (DGLA) que forma prostaglandina E1 (PGL1). O desequilíbrio entre PGE1 e TXA2 provoca proliferação celular.

Possível tratamento

Administrar o GLA: óleo de borago para aumentar PGE1.

Evitar ácido linoleico de óleos de sapermercado, o qual aumenta o tromboxano.

61. Fato: Perda da caveolin-1 (Cav-1) do estroma peritumoral provoca estresse oxidativo e ativa o HIF-1 e o NF-kappaB com aumento da glicólise anaeróbia e autofagia do estroma fornecendo nutrientes para proliferação das células neoplásicas. Fenótipo autofágico estromal

O lactato peritumoral alimenta as células normais do estroma e a autofagia de tais células alimenta as células neoplásicas em proliferação. É a célula doente em "estado de quase morte" tentando sobreviver para manter seu *patrimônio mais precioso, o genoma.*

O aumento das ERTOS com estresse oxidativo torna as células tumorais mais agressivas. Ocorre aumento do TIGAR que é antiapoptótico e inibidor da autofagia das células tumorais. TIGAR (TP53 – *induced glycolysis and apoptosis regulator*).

Fibroblastos do estroma autofágico promovem o crescimento tumoral *in vivo*, independente da neoangiogênese, o que explica a viabilidade das metástases.

Isso tudo efetivamente resulta em uma nova forma de parasitismo onde o acoplamento dos fibroblastos do estroma com as células transformadas alimentam diretamente as células cancerosas com os intermediários glicolíticos do estroma peritumoral. É o chamado *Reverse Warburg Effect.*

Está explicado o paradoxo da autofagia.

Assim:

a) Autofagia da célula neoplásica provoca morte celular da célula neoplásica.
b) Autofagia do estroma peritumoral provê alimento para célula neoplásica e sobrevivência do tumor.

Possíveis tratamentos

A) Provocar autofagia da célula neoplásica.

B) Abolir autofagia do estroma peritumoral.

1. **Reverter queda do Cav-1**: inibidores do complexo I mitocondrial: acetogeninas das anonáceas, metformina, berberina, lovastatina.
2. **Diminuir a autofagia do estroma**: hidroxicloroquina ou difosfato de cloroquina que atravessa a barreira hematoencefálica.
3. **Prevenir e/ou diminuir a produção de MCT4 – bomba extrusora de lactato**: antioxidantes como NAC, creio melhor o hidrogênio atômico (acarbose, aterramento, água rica em átomos hidrogênio), lonidamine, DCA, inibidores do HIF-1.

4. **Inibir histona desacetilase**: ácido valproico.
5. **Vitamina K_2**.

62. Fato: Ativação da família PRL de tirosina fosfatases: proliferativa

Possível tratamento

Inibir as PRL-tirosina fosfatases.
- Pentamidina.

63. Fato: Aumento da expressão do gene gerador de quimocina que ocupa o receptor CXCR4: aumenta a proliferação, angiogênese, invasão e metástases

O receptor de quimocina CXCR4 responde seletivamente ao SDF-1. O eixo SDF-1/CXCR4 é o principal regulador do tráfico de células normais subjacente à homeostase do tecido. Ele também está envolvido no trafégo de células tumorais por superexpressão do CXCR4 em mais de 20 tipos de tumores humanos, como ovário, próstata, esôfago, melanoma, neuroblastoma e carcinoma renal. Os anti-inflamatórios não hormonais podem interferir com a concentração de SDF-1 interferindo na via: COX-2 → PGE → SDF-1.

Possíveis tratamentos

Inibir a quimocina que ocupa o receptor CXCR4.
1. Ácido ursólico.
2. Sulforafane e outros isotiocianatos.
3. *Boswellia serrata*: ácido boswéllico – *acetyl-11-keto-β-boswellic* acid (AKBA).
4. Emodin.
5. Anti-inflamatórios não hormonais.
6. Buteína (3,4,2,4'-tetrahydroxychalcone).
7. Celastrol.

64. Fato: A quinase de adesão focal (FAK) está expressa em cânceres sólidos avançados sendo carcinocinética, aumenta a proliferação, angiogênese, invasão, metástases e ativa células-tronco

A quinase de adesão focal (FAK) é uma proteína tirosina quinase citoplasmática superexpressada e ativada em vários cânceres sólidos em estágio avançado. FAK promove a progressão e metástase tumoral por meio de efeitos nas células cancerosas, bem como nas células estromais do microambiente tumoral. As funções dependentes e independentes da quinase da FAK controlam o movimento celular, a invasão, a sobrevivência, a expressão gênica e a autorrenovação das células-tronco do câncer. Os inibidores de FAK de pequenas moléculas diminuem o crescimento tumoral e metástases em vários modelos pré-clínicos e têm atividade clínica inicial em pacientes com eventos adversos limitados. Inibidores da FAK são potentes antiangiogênicos.

FAK pode promover o consumo de glicose, lipogênese e dependência de glutamina para promover a proliferação, motilidade e sobrevivência das células cancerosas.

Possíveis tratamentos

1. A região cromossomal 8q24.3 abarca o gene PTK2 responsável por codificar o FAK.
   a) O fator de transcrição p53 reprime o promoter PTK2.
   b) O fator de transcrição NF-kappaB ativa o promoter PTK2.
2. Luteolina.
3. Quercetina.
4. Ácido okadaico.

65. Fato: ativação da cicloxigenase-2 (COX-2) e da lipoxigenase-5 (5-LO), as quais fomentam a proliferação celular neoplásica

A ativação da COX-2 está bem estabelecida em vários tipos de câncer, incluindo os tumores cerebrais. O papel da via 5-LO no câncer é obscuro, mas possivelmente esteja envolvida no câncer de pâncreas, esôfago, próstata e recentemente em vários tipos de tumores cerebrais.

Os metabólitos da COX-2, tais como o PGE2, contribuem para imunossupressão através da ativação das células supressoras derivadas da linhagem mieloide (MDSC – *myeloid-derived sauppressor cells*) e da ativação dos linfócitos T reguladores (Treg).

Possíveis tratamentos

a) Vários fitoterápicos.
b) Anti-inflamatórios não hormonais.
c) Corticosteroides.

66. Fato: Glicosilação aberrante das proteínas de membrana

A glicosilação aberrante das membranas representa uma das pedras fundamentais do câncer porque reflete alterações das vias de biossíntese dos glicans, assim como a expressão alterada das glicosiltransferases e das glicosidases. Glicosilação das proteínas é uma das alterações que acompanham a transformação neoplásica onde acontece aumento das quantidades de N-glicans altamente ramificados e cadeias de poli-N-acetil-lactosamina. Correlaciona-se com mau prognóstico. A inibição deste processo aumenta a diferenciação celular, incluindo dos astrócitos.

Possível tratamento

Datura stramonium.

67. Fato: Aumento da expressão do gene proibitina e sua proteína

Geralmente presente nas neoplasias epiteliais, incluindo bexiga, endométrio, colorretal, esôfago, estômago. Efeito antiapoptótico.

Possível tratamento

Inibir a expressão da proibitina.

a) Genisteína.
b) Justicidina.

68. Fato: Diminuição da expressão do Coxsackie e Adenovírus Receptor (CAR), o que provoca proliferação e antiapoptose

Possível tratamento

Aumentar a expressão do CAR.

Genisteína.

69. Fato: Aumento da expressão do PPAR-gama

O PPAR-gama (*peroxisome proliferator activated receptor-gama*) está expresso no câncer de mama, próstata, cólon e outros, sendo sua presença de mau prognóstico. Entretanto, os agonistas externos do PPAR-gama nestes tumores diminuem a proliferação e a angiogênese, enquanto aumentam a apoptose e a diferenciação celular, incluindo o câncer de mama triplo negativo.

Os agonistas do PPAR-gama inibem o mTOR que inibe a hexoquinase-II, enzima glicolítica chave, ao lado de promoverem vários outros efeitos antiproliferativos.

Os agonistas ou ativadores do PARP-gama inibem a transcrição gênica e a síntese do *antiporter* NHE1, ao lado de inibirem a importante via proliferativa Wnt/betacatenina.

Possíveis tratamentos

Agonistas externos do PPAR-gama.

1. Dieta cetogênica.
2. BCG no câncer de bexiga.
3. BCG nos cânceres em geral.
4. Betacaroteno aumenta a expressão do PPAR mRNA e sua proteína no câncer de mama, ao lado de aumentar a expressão do inibidor do ciclo celular p21.
5. Cloreto de lítio ativa PPAR-gama.
6. Ácidos graxos ômega-3.
7. CLA – ácido linoleico conjugado ativa PPAR-gama.
8. Citrulina.
9. Arginina menos efeito que a citrulina.
10. Ácido elágico agonista PPAR-gama.
11. Óleo de gergerlim ativa PPAR-gama, PPAR-alfa e NOSe.
12. Inibidores da ECA.
13. Bloqueadores do receptor da angiotensina II: Olmesartana, telmisartana.
14. Indometacina.
15. Efatatuzona antidiabético agonista PPAR-gama.
16. Tiazolidinedonas aumentam PPAR-gama.
17. Vitamina E: aumenta PPAR-gama.
18. Conjugados do ômega-3, DHA e EPA com a dopamina.

70. Fato: Aumento da expressão do NMDA-NMDAR

Vários tipos de tumores expressam o receptor NMDA-NMDAR. Existem dois receptores NMDAR: 1 e 2. Ex. tumor neuroendócrino, câncer de mama, próstata, glioblastoma multiforme, ovário e tumor pulmonar de pequenas células (*oat cell*).

As subsatâncias que inativam o NMDAR diminuem a proliferação tumoral.

Possíveis tratamentos

1. Memantina.
2. Ifenprodil.
3. Dizocilpina.

71. Fato: Aumento da via ubiquitina-proteassoma

Esta via é importante na regulação da apoptose e do ciclo celular. A função dos proteossomas é mediada pela atividade de 3 enzimas catalíticas: a) *chymotrypsin-like* (CT-L); b) *trypsin-like* (T-L); e c) *peptidylglutamyl peptide hydrolyzing* (PGPH).

Possíveis tratamentos

1. Apigenina.
2. Luteolina.
3. Crisina: não usamos porque aumenta a proliferação de alguns tipos de neoplasias. *In vitro* é eficaz, mas *in vivo* não possui efeito anticâncer.

72. Fato: Aumento do fator de transcrição nuclear ET-1

Ocorre em vários tipos de células de tumores sólidos, principalmente as epiteliais, promove a proliferação, a parada da apoptose e a ativação da neoangiogênese. ET--1estimula a proliferação das células endoteliais e do músculo liso.

Possível tratamento

Melatonina – diminui a síntese do ET-1.

73. Fato: Aumento da expressão de proteínas príon (PrP) no tecido neoplásico. Fenótipo Príon

A expressão da PrP está aumentada em grande variedade de tumores humanos: carcinoma gástrico, osteossarcoma, câncer de mama, melanoma e câncer de pâncreas e está associada à resistência ao tratamento convencional e ao mau prognóstico. No câncer a proteína príon aumenta a proliferação celular, as metástases e é forte antiapoptótico, constituindo-se em poderoso agente de sobrevivência das células neoplásicas. Um dos mecanismos de ação do PrP é a ativação da via PI3K/Akt, a qual eleva os níveis da ciclina D.

Possíveis tratamentos

1. Muitas moléculas pequenas em estudo.
2. Inibir a via PI3K/Akt.
3. Aumentar a expressão das proteínas apoptóticas Bax.
4. Diminuir a expressão das proteínas antiapoptóticas Bcl-2.
5. Melatonina.
6. Metformina.
7. Sais de zinco.
8. Cloroquina e seu derivados, principalmente a manzamina A.

74. Fato: Inibição do gene supressor de tumor PCYT2 que diminui a concentração de fosfatidilcolina no citoplasma e de fosfoetanolamina na membrana neoplásica provocando aumento da proliferação mitótica

Nas células normais, o gene supressor de tumor PCYT2 está superexpresso, o que aumenta a síntese de fosfatidilcolina por ativação da via Kennedy-fosfatidilcolina. Nas células transformadas e nas neoplásicas, o gene PCYT2 está inibido, o que provoca diminuição da síntese de fosfatidilcolina e diminuição da síntese de fosfoetanolamina na membrana, o que aumenta a proliferação mitótica neoplásica. Agonistas do LXR (*Liver* X R*eceptor*), como o 25-hidroxicolesterol (25-OH), inibem o gene supressor de tumor, PCYT2.

Possíveis tratamentos

Ações inespecíficas.

1. Inibir a via PI3K/Akt.
2. Aumentar a expressão das proteínas apoptóticas Bax.
3. Diminuir a expressão das proteínas antiapoptóticas Bcl-2.
4. Ativar a via AMPK.

75. Fato: Alta expressão de genes codificadores da transcriptase reversa endógena

O sequenciamento da transcriptase reversa endógena no genoma humano mostra que os elementos retrotransponíveis são 45% do DNA humano. Somente 2% deles codificam proteínas. Quase todos estes elementos contêm genes responsáveis pela codificação da transcriptase reversa (TR). Na maioria dos tecidos adultos a expressão dos genes codificados da TR é muito pequena. Entretanto, em células indiferenciadas como no embrião, células-tronco e células tumorais a expressão da TR está caracteristicamente elevada.

A TR é silenciada ou expressa em baixos níveis nas células diferenciadas. Inibidores da TR são capazes de reduzir a proliferação e induzir diferenciação morfológica em linhagens de carcinoma.

A atividade da TR está historicamente associada com a replicação de retrovírus infecciosos.

Possíveis tratamentos

Inibir a transcriptase reversa.

1. Ácido ursólico.
2. Emetina – alcaloide da *Psychotria ipecacuanha* e *Cephaelis ipecacuanha*.
3. Sulfato de abacavir.
4. Actinomicina-d?

76. Fato: Aumento da expressão do Pin1 humano (human peptidyl prolyl cis/trans isomerase) provoca proliferação mitótica

O aumento do Pin1 humano nas células neoplásicas desempenha papel crítico na sinalização oncogênica. A inibição do Pin1diminui a concentração da ciclina D, da AP-1 e do NF-kappaB, enquanto impede a ação do c-Jun.

Possíveis tratamentos

1. EGCG inibe diretamente o Pin1.

2. *Vitis amurensin* – uva e vinho: resveratrol e derivados estilbenos e oligostilbenos.

77. Fato: Ativação da via aberrante de crescimento tumoral Hedgehog (Hh)

A via de sinalização Hh foi conservada durante a evolução e encontra-se presente já no embrião, vindo depois a servir na homeostase dos tecidos. Nos vertebrados foram identificados 3 tipos de ligantes Hh (Sonic hedgehog, Shh; Indian hedgehog, Ihh; Desert hedgehog, Dhh) que se ligam a 12 receptores Patched1 (PTCH1) na superfície transmembrana. Nos mamíferos a sinalização Hedgehog (Hh) depende de três membros de reguladores transcripcionais, Gli, Gli2 e Gli3. Gli = *oncogenic transcription fator*.

Ativação da sinalização Hh/Gli está ativa em vários tipos de câncer, incluindo meduloblastoma, pulmão, mama, próstata, gastrintestinal, pâncreas, leucemia, e carcinoma basocelular.

Sinalização do Sonic Hedgehog (SHh) induz lipogênese e aumento da glicólise, o que suporta o rápido crescimento tumoral. Ocorre aumento da transcrição de genes específicos, como ácido graxo sintase (FASN) e hexoquinase-2 e mediadores respectivamente da lipogênese e da glicólise.

Genes-alvo da sinalização Hedgehog

A) Proliferação celular e sobrevivência

CCND1 (cyclin D1)1, BMI-1 (BMI-1 polycomb ringer finger oncogene), P63 FOXM1 (forkhead box M1)1 e BCL-2 (B-cell CLL/Lymphoma 2).

B) Transição epitélio-mesenquimal (EMT)

SNAI1 (snail family zinc finger 1) FOXM1. Mecanismo: FOXM1- mediated upregulation of EMT transcription factor Slug by FOXM1 reported in TNBC FOXC22 (forkhead box C2 (MFH-1, mesenchyme forkhead 1). Downregulation of the E-cadherin stabilizing protein p-120 catenin by FOXC2 has been described in non-small-cell lung cancer.

C) Invasão, migração e angiogênese

EGF (vascular endothelial growth factor A) NRP2 (neuropilin 2) CYR61 (cysteine-rich, angiogenic inducer, 61) MMP (matrix metalloproteinase) 2, MMP 9, MMP 11 FOXM1 via regulating the expression of extracellular matrix degrading factors uPA (urokinase plasminogen activator), uPAR (urokinase plasminogen activator receptor), MMP2, MMP 9 along with VEGF CXCR4 (chemokine receptor 4).

D) Metástases osteolíticas

PTH-rP (parathyroid hormone-like hormone) OPN (SSP1, secreted phosphoprotein 1).

Possíveis tratamentos

1. Ciclopamine derivada do *Veratrum californicum* é o *gold-standard*.
2. Berberina: inibe significativamente a atividade da Hedgehog (Hh).
3. Curcumina.
4. Genisteína.
5. EGCG.
6. Resveratrol.
7. Quercetina.
8. Baicalaína.
9. Apigenin.
10. Análogos da vitamina D_3.
11. Silibinina.
12. Metformina.

78. Fato: Ausência ou grande diminuição de receptores opioides de crescimento OGFr na maioria das linhagens neoplásicas

A ausência dos receptores OGFr permite a proliferação celular mitótica das neoplasias: proliferar para sobreviver.

O fator de crescimento opioide OGF, um peptídeo opioide nativo de nome Met5-encefalina, interage com o receptor OGFr e inibe a proliferação neoplásica. OGF serve como tônico negativo para o crescimento das neoplasias, e o eixo OGF-OGFr contribui para a manutenção do equilíbrio da proliferação celular, tendo como alvo a via inibitória da ciclinas-dependente-quinases (CDKs). A ativação do OGFr provoca diminuição da proliferação mitótica neoplásica.

O naltrexone em baixa dose aumenta a expressão e a transcrição do eixo OGF-OGFr, sendo eficaz na diminuição da proliferação celular em vários tipos de neoplasias.

Possíveis tratamentos

1. Naltrexone em baixa dose: 3-5mg ao deitar.
2. Morfina no câncer de pulmão linhagem H1975.

ATENÇÃO: em várias neoplasias a morfina aumenta a proliferação.

79. Fato: Diminuição da expressão da proteína Cx43 na superfície celular tumoral

A proteína Cx43 está presente em abundância nos tecidos normais e ausente nos tumores altamente agressivos e proliferativos.

Possível tratamento

Sulforafane aumenta os níveis dessa proteína na superfície celular neoplásica.

80. Fato: Aumento da proteína metastatizante S100A4

Muitas neoplasias apresentam aumento da proteína S100A4, principalmente os tumores altamente metastáticos e sua presença são de mau prognóstico. S100A4 é uma pequena proteína ligada ao cálcio de 101 aminoácidos que está elevada em várias neoplasias, incluindo o câncer de cólon, mama, estômago, pulmão e fígado e está associada às metástases. Está implicado na EMT (*epithelial-mesenchymal transition*), aumento da migração e invasão, adesão celular, angiogênese e sobrevivência. A sinalização canônica Wnt/betacatenina está ativa em 80-90% dos tumores de cólon, e a S100A4 é alvo transcricional da via Wnt.

A niclosamida inibe a expressão da S100A4 resultando em inibição da migração e das metástases.

Possíveis tratamentos

Inibir a via Wnt para inibir a proteína S100A4.

1. Niclosamida, o mais potente inibidor.
2. Clotrimazol.
3. Genisteína.
4. Lítio em alta dose.

81. Fato: Ativação de genes codificadores do complexo SWI/SNF

O bloqueio de genes codificadores do complexo SWI/SNF aumenta a diferenciação e diminui o desenvolvimento proliferativo do câncer.

82. Fato: Aumento da sinalização Hippo/YAP

A sinalização Hippo/gene YAP está implicada na carcinogênese, progressão e invasão tumoral de várias neoplasias. A via do Hipo é fundamental no controle do tamanho dos órgãos e sua desregulação contribui para a tumorigênese.

Moléculas de porfirina inibem a atividade YAP/TEAD, sugerindo que os alvos regulados negativamente da via do Hippo podem ser reduzidos.

Possível tratamento

Resveratrol.

83. Fato: Aumento da expressão do NEDD4 (*neural precursor cell expressed developmentally down-regulated protein 4*)

NEDD4 está frequentemente superexpresso em vários tipos de câncer e facilita a carcinogênese degradando múltiplas proteínas supressoras do câncer, incluindo o PTEN. A inibição do NEDD4 provoca supressão da proliferação, migração e invasão de células do câncer com aumento, por exemplo, do PTEN e p73.

Possível tratamento

Inibir o NEDD4.
- Curcumina.

84. Fato: Aumento da expressão da Tenascin-C

Tenascin-C (Tn-C) é proteína da matriz extracelular com atividade proliferativa, invasiva e angiogênica. A Tn-C está regulada para cima nas feridas, traumatismos e carcinogênese. Sua expressão nos gliomas e câncer de mama é de mau prognóstico.

Possíveis tratamentos

a) Calcitriol-1,25$(OH)_2D_3$: de modo dose-dependente.
b) Ácido retinoico de modo dose-dependente.

85. Fato: Aumento da expressão do CYP24 que cataboliza o hormônio antitumoral 1,25$(OH)_2D_3$

Vários tipos de neoplasias ditas malignas expressam aberrantemente o CYP24. Essa enzima cataboliza o hormônio D_3, 1,25$(OH)_2D_3$ e restringe sua regulação transcricional e impede seu efeito sobre o controle da proliferação, apoptose e diferenciação celular. O hormônio D3 (calcitriol) aumenta a expressão de 4500 gernes, a maioris deles supressores de tumor.

Possíveis tratamentos

a) Genisteína: inibe o CYP24.
b) Altas doses de calcitriol (hormônio D3).
c) Colecalciferol em alta dose mais riboflavina e genisteína, os quais auentam a concentração de hormônio D3 a partir da vitramina D3.

86. Fato: Aumento da expressão do CYP1B1

A maioria dos tumores expressam o CYP1B1, diagnosticado por imunohistoquímica.

É fundamental na desintoxicação de pré-carcinógenos, como hidrocarbonetos aromáticos policíclicos e estrogênio. Catalisa sua conversão em metabólitos posteriormente eliminados do corpo. Em tumores malignos, o promotor CYP1B1 está hipometilado. A superexpressão de CYP1B1 resulta na conversão de estrogênios em formas de quinona, que se ligam ao DNA e criam uma predisposição para câncer em vários órgãos, como cérebro, mama e ovário.

Meta-análise de estudos clínicos indicam que o polimorfismo do CYP1B1 se associa a grande variedade de canceres, incluindo, pulmão, mama e colorretal. Super expressão das proteínas do CYP1B1 humanas tem sido detectada em grande variedade de tumores, porém, é indetectável nos tecidos normais.

Atualmente estão sendo usados os inibidores do CYP1B1no tratamento do câncer, da obesidade e da hipertensão arterial.

Co-administração de agentes anticâncer com inibidores do CYP1B1 diminui a resistência à quimioterapia e melhora a sobrevida.

Possíveis tratamentos

Inibir o CY1B1.

1. Resveratrol.
2. Apigenina/luteolina.
3. Quercetina.
4. Rutina.
5. Melatonina.
6. Vários flavonoides do Hypericum perfuratum: quercetina, rutina, apigenina, amento flavona.
7. Os quatro principais inibidores: coumarina, antraquinona, flavonoides naturais, estilbenos.
8. Inibidores competitivos: flutamide, paclitaxel, mitoxantrone, docetaxel.
9. Inibidor não competitivo: tamoxifeno.
10. Anticorpos monoclonais.

87. Fato: Aumento da expressão das O-type glycosyltransferases, GALNTs ou GalNAcTs

Existem mais de 20 tipos de polypeptide **N**-acetylgalactosaminyl-transferases os quais desempenham papel crítico na carcinogênese humana: leucemias, linfomas, carcinomas e tumores do sistema nervoso central.

A GALNT tipo 6 ou GalNAcT6 controla o início da O-glicosilação e está super-regulada nas células neoplásicas mamárias. Aqui essa enzima estabiliza a mucina-1 (MUC1) através da glicosilação. Logo a seguir vem o acúmulo da proteína MUC1 glicosilada que induz alterações nas moléculas de adesão E-caderina e betacatenina com efeito antiadesivo e, portanto, metastático. Também acontece aumento da proliferação celular via EGFR, c-Src, Grb2 e ER-alfa.

Produtos finais avançados da glicação (*advanced glycation end products* – AGEs) são produzidos por reações não enzimáticas irreversíveis entre proteínas e carboidratos. AGE-RAGE (receptor da AGE) esta relacionado com a proliferação, invasão, metástases e angiogênese e envolvem as várias vias de sinalização conhecidas da carcinogênese.

Possíveis tratamentos

Inibir AGEs/RAGEs.

1. Restrição calórica.
2. Ativadores do SIRT1.
3. EGCG.
4. 1,25$(OH)_2D_3$.
5. Genisteína.
6. Curcumina suprime a expressão gênica dos RAGEs.
7. Ácido cítrico
8. Água com ORP < – 450mv. ORP: potencial de oxidorredução.
9. Metformina.
10. Ácido elágico.
11. Sulforofane.
12. Quercetina.
13. Bloqueadores do receptor da angiotensina II: irbesartana, candesartana, telmisartana.
14. Agonistas do PPAR-gama: pioglitazona etc.
15. Procianidinas. Exemplo: extrato de semente de uva.
16. PGE2.
17. Óxido nítrico.
18. Silibinina, silimarina.
19. Arginina.
20. Supressão das vias Wnt, PI3K e ERK inibe RAGEs.
21. Pioglitazona.
22. Plantas da medicina tradicional são ricas em agentes antiglicação. Exemplo: *Auxemma oncocalyx* Taub (Boraginaceae) nativa do Brasil, estado do Ceará, popularmente conhecida como "pau-branco". Seu extrato etanólico é rico em *oncocalyxone A [rel-8α-hydroxy-5-hydroxymethyl-2-methoxy-8α, β-methyl-7, 8, 8a, 9-tetrahydro-1 4-anthracenedione]*.
23. MicroRNAs supressores de tumor podem reduzir a expressão dos GALNTs.

88. Superexpressão da CBS (cystathionine-β-synthase) que aumenta o GSH intracelular e a geração de H2S, ambos carcinocinéticos

A CBS está superexpressa em várias linhagens de neoplasias, tais como mama, ovário e bexiga urinária. Ela está particularmente superexpressa em várias linhagens do câncer coloretal, HCT116, LoVo e HT29.

A CBS está presente em vários tecidos normais como fígado, rins e tecido nervoso. Sua função é sintetizar cisteína, elemento chave na biossíntese de GSH, agente redutor do citoplasma e que fomenta a proliferação celular. Outro efeito da CBS é degradar a cisteína e neste processo ocorre a geração de H2S. O H2S é molécula sinalizadora que controla processos celulares fundamentais, incluindo crescimento, diferenciação e morte celular. Ele altera a atividade de proteína kinases, canais iônicos de membrana, fatores de transcrição nuclear e proteínas mitocondriais chave envolvidas na bioenergética celular. Aumenta a proliferação neoplásica, a angiogênese e a migração celular e metástases. A inibição da CBS diminui a geração de GSH e de H2S e inibe a proliferação celular in vitro e reduz o crescimento tumoral in vivo. Inibir CBS no glioblastoma multiforme provoca aumento do volume tumoral.

Lembrar que baixa concentração de H2S promove, enquanto alta concentração inibe a proliferação neoplásica (bell-shape mechanism).

Possíveis tratamentos

Inibir a enzima CBS.

1. Benserazida. Uma das 4 mais potentes em estudo de 8871 drogas. É inibidora da enzima dopa-descarboxilase e usada no tratamento da doença de Parkinson. Aumenta em 15% a homocisteína plasmática.
2. Ions cobre forte inibidor da CBS, porém sem efeito como antiproliferativo.

89. Fato: Aumento da expressão do NOX suporta a elevação do ciclo de Embden-Meyerhof quando as mitocôndrias estão comprometidas

Quando as mitocôndrias estão comprometidas a super regulação do NOX suporta a elevação do ciclo de Embden-Meyerhof proporcionando NAD+ adicionais. A super regulação do NOX é também consistentemente observada em células do câncer com mitocôndrias hipofuncionantes devido ativação do oncogêne Ras e perda do p53. A supressão do NOX provoca significante inibição do câncer de pâncreas humano, Panc-1, inoculado no subcutâneo, in vivo. A supressão da expressão do NOX diminui drasticamente a captação de glicose e a geração de lactato nas células do câncer pancreárico. Iodonium difenileno (DPI), inibidor químico da NOX, exibe significante retardo no crescimento tumoral, o volume tumoral passa de 1,068±309.7 mm^3 no grupo tratado para 139±80.4 mm^3 no grupo controle.

Possível tratamento

1. Iodonium difenileno (DPI), inibidor químico da NOX,

90. Fato: Superexpressão da família de proteínas de ligação ao RNA Musashi-1 (MSI-1) que ativa genes pró-oncogênicos

As proteínas de ligação a RNA (RBP) Musashi-1 (MSI1) e Musashi-2 (MSI2) estão emergindo como reguladoras de múltiplos processos biológicos críticos relevantes para o início, progressão e resistência a medicamentos. A família Musashi de proteínas de ligação ao RNA (MSI1 e MSI2) atua para promover a auto-renovação de células-tronco e se opõe à diferenciação celular predominantemente através da repressão translacional de mRNAs que codificam fatores de pro-diferenciação e inibidores da progressão do ciclo celular. MSI1 e MSI2 ligam e regulam a estabilidade do mRNA e a tradução de proteínas que operam em vias essenciais de sinalização oncogênica, incluindo NUMB/Notch, PTEN/mTOR, TGFβ/SMAD3, MYC, cMET e outros. Com base nessas atividades, as proteínas MSI mantêm populações de células-tronco cancerígenas e regulam a invasão, as metástases e o desenvolvimento de fenótipos mais agressivos, incluindo resistência a medicamentos.

No entanto, durante o desenvolvimento e reparo de tecidos, a função do repressor Musashi deve ser dinamicamente regulada para permitir a saída e diferenciação do ciclo celular.

Os níveis de expressão do MSI1 se correlacionam com o desfecho clínico ruim e geralmente são altos nos GBMs e em outros tipos de tumores, incluindo câncer colorretal, pulmonar, mama e pancreático e várias leucemias.

MSI1 modula uma gama de processos e caminhos relevantes para o câncer e regula a expressão de marcadores de células-tronco e fatores oncogênicos por meio da tradução/estabilidade do mRNA. Foi capaz de promover a proliferação e metabolismo da glicose e regular a atividade da sinalização Akt do carcinoma pulmonar de células não pequenas. O MSI1 foi alvo de miR-181a-5p, um microRNA envolvido na regulação do desenvolvimento do câncer.

Musashi2 é necessário para a sobrevivência celular e a osteoclastogênese ideal, afetando a sinalização de Notch e a ativação de NF-κB e regula as células-tronco hematopoiéticas. MSI1 tem sido implicado em químio e rádio-resistência.

Possível tratamento

Luteolina.

91. Aumento da expressão do EGF/EGF-R (fator de crescimento epitelial e seu receptor)

A maioria dos tumores mostra aumento de EGF/EGFR que proporcionam a proliferação celular resgatando a permanência do câncer no hospedeiro. É mais uma estratégia de sobrevivência para células doentes que chamam de câncer.

Possíveis tratamentos

Inibição EGF/EGFR.

a) Curcumina.
b) Genisteína.
c) Acetogeninas anôneas e abacate.
d) Agonistas da AMPK.
e) Inibidores da G6PD (DHEA, somatostatina, dieta pobre em carboidratos, dieta com ácidos graxos poli-insaturados).
f) Cimetidina.
g) Amilorida.
h) Berberina.
i) Chelidoneum majus.
j) EGCG.
k) Glicirrizina.
l) Receptor da dopamina D2.
m) Ácido alfa-linolênico, EPA, DHA, GLA.
n) Trio: melatonina, somatostatina e vitamina A.
o) Nimotuzumabe.
p) Gefitinibe.

92. Fato: O aumento da expressão de DIRK1A que aumenta a atividade do EGFR

O DYRK1A pertence à família de quinases reguladas por fosforilação da tirosina (Y) de dupla especificidade (DYRK), que é conhecida por ser ativada através da autofosforilação de resíduos de tirosina na alça de ativação e fosforila seus substratos nos resíduos de serina e treonina. Outros membros desta família incluem DYRK1B, DYRK2, DYRK3, DYRK4A e DYRK4B. Estudos revelaram que as quinases da família DYRK desempenham papel importante na regulação da proliferação e apoptose celular.

DYRK1A desempenha papel importante no desenvolvimento do sistema nervoso central (SNC), influenciando a proliferação, neurogênese, diferenciação neuronal, morte celular e plasticidade sináptica. O DYRK1A modula os níveis de proteína EGFR e a auto-renovação de linhas celulares GBM estabelecidas e influencia o crescimento do tumor. A interferência em DYRK1A suprime a capacidade de auto-renovação de GBM-TICs (células de início de tumor). A inibição farmacológica da atividade da DYRK1A quinase bloqueia a capacidade de autorrenovação dos GBM-TICs e diminui o volume tumoral. Praticamente todos os carcinomas de cabeça e pescoço aumentaram a expressão de DIRK1A.

Possível tratamento

Inibir DYRK1A com beta-carbolina.

a) *Pão Pereira.*
b) Rauwolfia vomitoria.

Outro inibidor

INDY, um composto benzotiazol.

93. Fato: Aumento da expressão do fator de crescimento transformador beta (TGFβ)

O TGFbeta é uma citocina pleiotrópica que tem funções reguladoras durante o desenvolvimento embrionário e a homeostase do tecido adulto sendo especialmente importante na diferenciação e função epitelial, neural e do sistema imunológico. Vários artigos apoiam seu papel nos processos mediados por TGF-beta autócrinos e parácrinos no câncer. A cascata de sinalização do TGF-β é considerada uma das principais vias oncogênicas na maioria dos cânceres precoces e avançados, promovendo a proliferação, invasão, metástase e fuga de tumores da vigilância imunológica. Foi postulado que a inibição da sinalização do TGF-β por antagonistas específicos, anticorpos neutralizantes ou pequenas moléculas é considerada uma estratégia eficaz para o tratamento de tumores e metástases.

O fator de crescimento transformador beta (TGF-beta) provoca uma variedade de atividades celulares principalmente por meio de uma cascata de sinalização mediada por dois fatores principais de transcrição, Smad2 e Smad3. Existem numerosos mecanismos reguladores para controlar a atividade do Smad3, modulando assim a força e a especificidade das respostas ao TGF-beta.

A transformação do fator de crescimento β1 (TGF-β1) aumenta o metabolismo da dehidroepiandrosterona (DHEA) em andrógenos e antígeno prostático específico (PSA) em tecido prostático.

Possíveis tratamentos

Inibir TGF-beta,

a) Derivados da beta-carbolina.
b) Genisteína diminui a expressão de TGF-beta.
c) Curcumina em células de câncer cervical humano.
d) Emodin regula a via de sinalização de TGF-β nas células cancerígenas do colo do útero humano.

e) O resveratrol inibe a transição epitelial-mesenquimal induzida pelo fator de crescimento induzido por fator de crescimento.
f) EGCG.
g) Luteolina.
h) Os polifenóis epigalocatequina-3-galato e luteolina inibem sinergicamente o TGF-β.
i) A restrição alimentar de sódio reduz a rigidez arterial e fibrose vascular dependente de TGF-β em ratos.
j) A melatonina e a baixa dose de vitamina D3 aumentam a liberação de TGF-beta1 e induzem a inibição do crescimento em culturas de células de câncer de mama.
k) Galunisertibe.

94. Fato: Presença de câncer MDR

A resistência a múltiplas drogas (MDR), mediada por transportadores ABC altamente expressos é um dos mecanismos mais importantes de manutenção das células tumorais durante a quimioterapia. A proteína de resistência ao câncer de mama (BCRP) é um membro da família de transportadores ABC. Esse transportador expele diferentes tipos de drogas anticâncer lipofílicas, que entraram nas células.

Possível tratamento

a) Inibir BCRP: harmina alcalóide (beta-carbolina). Harmina não inibiu o efluxo de drogas mediado por glicoproteína P (P-gp).
b) Inibir P-gp: várias moléculas.

95. Fato: Superexpressão da beta-arrestina

A beta-arrestina 2 desempenha papéis em muito processos patológicos, especialmente nas vias de sinalização e desenvolvimento do câncer. As beta-arrestinas incluem a beta-arrestina 1 e a beta-arrestina 2 e elas se localizam onipresentemente no citoplasma e na membrana celular. Mais recentemente, evidências crescentes sugeriram papel potencial da beta-arrestina 2 na viabilidade e nas metástases tumorais. A beta-arrestina 2 regula diretamente a migração e a invasão em linhagem celular MDA-MB-231 do câncer de mama triplo negativo; controla a sinalização do receptor de andrógeno no câncer de próstata e possui função anti-apoptose nas células de câncer de mama humano através das vias da caspase-8.

Possível tratamento

Resveratrol.

96. Fato. Aumento da expressão da IDO1 (indoleamine 2,3-dioxygenase) e da TDO2 (indoleamine 2,3-dioxygenase)

Promovem imunotolerância ou escape do tumor ao sistema imune diminuindo a função das células dendríticas e aumentando Treg (linfócitos T regulatórios). Este é mais um dos mecanismos de sobrevivência das células doentes que chamam de malignas. Escape do tumor ao sistema imune é um obstáculo ao sucesso terapêutico. Metabólitos do triptofano ao longa da via kinurenina induzem imunosupressão por apoptose de células efetoras do sistema imune. A produção destes metabólitos inicia-se com a enzima IDO-1 (indoleamine 2,3-dioxygenase) e passa pela enzima TDO2 (Trp 2,3-dioxygenase). Nicotinamida é um dos inibidores da TDO2. Uma das causas do aumento de triptofano livre no sangue é a hipoalbuminemia e o excesso de ácidos graxos livres não esterificados (Badawy, 2018).

Possíveis tratamentos

a) Nicotinamida: inibe TDO2.
b) Resveratrol em alta dose (5g): diminui concentração sérica de triptofano.
c) Corrigir hipoalbuminemia: idem.
d) Corrigir excesso de ácidos graxos não esterificados: idem.
e) Derivados dos indazois: inibidor de IDO1(patente).
f) Derivados dos aminoisoxazois: potente inibidor TDO2 (patente).
g) Nivolumabe, anticorpo ANTI-PD-1: inibe IDO1.

97. Fato: Diminuição da expressão dos receptores TRAIL/APO2-L (*TNF-related apoptosis-inducing ligand/APO2-Ligant*)

TRAIL é membro da super-familia TNF capaz de induzir apoptose em inúmeras linhagens de células neoplásicas incluindo as provocadas por vírus. Identificou-se 5 receptores do TRAIL todos apoptóticos, exceto dois deles: TRAIL-R3 e TRAIL-R4. O IFN-gama é capaz de regular para cima a expressão do TRAIL nos neutrófilos, monócitos, células dendríticas e células Natural Killer que é liberado solúvel e funcional. A curcumina e o Bacillus de Calmette-Guerin provocam ativação do TRAIL.

Possíveis tratamentos

Ativar os receptores do TRAIL.

a) Substâncias que aumentam o IFN-gama.
   – Beta-glucana.

- Resveratrol.
- Berberina.
- Silibinina.
- Di-Indolil-Metano é agonista do receptor AhR (Aryl hidrocarbon receptor) e aumenta IFN-gama e atividade das células NK.

b) BCG.
c) Curcumina.

98. Fato. Ativação das proteínas tirosino fosfatases (PTPs) que ativam vias de sinalização proliferativas de sobrevivência celular

99. Fato: aumento da expressão do ID-1 (*Inhibitor of differentiation/DNA binding-1*)

Id-1 (inibidor da diferenciação/ligação ao DNA) é um membro da família das proteínas hélice-alça-hélice expressa em células em plena proliferação ativa. Ele regula a transcrição gênica por heterodimerização com os fatores básicos de transcrição hélice-alça-hélice e, portanto, os inibe da ligação e transativação do DNA de seus genes-alvo. O Id-1 funciona principalmente como regulador na diferenciação celular das células musculares. O papel oncogênico do Id-1 foi revelado recentemente pela descoberta de que a expressão do Id-1 foi capaz de induzir o crescimento de células cancerígenas e promover a sobrevivência celular. Além disso, a proteína Id-1 está frequentemente superexpressa **em mais de 20 tipos de câncer**, apoiando seu papel na tumorigênese de ampla gama de tecidos. O Id-1 ativa várias vias envolvidas na progressão e desenvolvimento tumoral. A superexpressão do Id-1 induz a expressão da proteína MT1-MMP, levando à invasão de células do câncer de mama. Uma estreita associação entre a expressão de Id-1 e a angiogênese também foi demonstrada recentemente em células normais e de câncer. Nas células do câncer de próstata, a expressão de Id-1 ativa EGF-R e NFkappaB resultando na sua progressão de modo independente de andrógenos. Além disso, tanto no carcinoma nasofaríngeo quanto nas células de câncer de próstata, a expressão de Id-1protege as células da apoptose induzida por drogas quimioterapicas através da regulação das vias Raf-1/MAPK e JNK.

Possíveis tratamentos

1. Fucoidan.
2. Berberina.
3. As2O3.
4. Sulindac.
5. Canabidiol, particulatmente no glioblastoma.

100. FATO: Aumento da atividade da beta-glucoronidase

A atividade elevada de beta-glucuronidase está associada a risco aumentado de vários tipos de câncer, particularmente cânceres dependentes de hormônios, como câncer de mama e próstata. D-glucaro-1, 4-lactona aumenta a detoxificação de agentes cancerígenos e promotores de tumores, inibindo a beta-glucuronidase e impedindo a hidrólise de seus glicuronídeos. D-glucaro-1, 4-lactona aumenta a detoxificação de agentes cancerígenos e promotores de tumores, inibindo a beta-glucuronidase e impedindo a hidrólise de seus glicuronídeos.

Possível tratamento

Inibir a beta-glucoronidase.
- D-glucaro-1,4-lactona

101. Fato. Diminuição da expressão do supressor tumoral TXNIP (*Thioredoxin Interacting Protein*)

O TXNIP é supressor tumoral e está regulado para baixo em uma variedade de tumores humanos. A superexpressão de TXNIP pode inibir significativamente a proliferação, migração, invasão e captação de glicose das células tumorais. Expressão da TXNIP se correlaciona inversamente com a expressão GLUT1. Ele é reconhecido em vários tipos de tumores incluindo, fígado, mama e tiroide. TXNIP aumenta a expressão das proteínas da autofagia, Beclin 1 e LC3B. Metformina provoca regulação para cima significativa do TXNIP e dos índices relacionados à autofagia, Beclin1 e LC3B.

Possível tratamento

- Metformina.

102. Fato. Superexpressão da Beta2-microglobulina

A beta2-microglobulina (β2-m) está amplamente envolvido na regulação funcional do crescimento, sobrevivência, apoptose e até mesmo metástases de células cancerosas. β2-m é um fator de crescimento solúvel e uma molécula de sinalização pleiotrópica que interage com seu receptor, a proteína da hemocromatose, para modular a transição epitelio-mesenquimal (EMT) por meio de vias responsivas ao ferro. Anticorpos específicos contra β2-m têm notável atividade tumoricida no câncer, por meio da ação de β2-m sobre o fluxo de ferro, alterações das espécies reativas de oxigênio intracelular, danos ao DNA e atividades de reparo da enzima, ativação de β-catenina e troca de caderina e responsividade do tumor à hipóxia. Estas novas funções de sinalização β2-m podem ser comuns a vários tumores sólidos, incluindo câncer de pulmão, mama, renal e próstata.

A β2-microglobulina funciona como "chaperone" para manter a estabilidade estrutural do complexo MHC de classe I que está associado à apresentação de antígeno a linfócitos T citotóxicos (CD8 +). Beta2--microglobulina é sintetizada em todas as células nucleadas e está relacionada estruturalmente às imunoglobulinas, sendo uma subunidade dos antígenos de histocompatibilidade (MHCI) que se localiza na membrana celular. B2-m está presente no leite e colostro. Ela atua como fator oncogênico prototípico capaz de estimular o crescimento e progressão de vários cânceres. Superexpressão de B2-m promove o crescimento do tumor e aumenta a migração e invasão do câncer de próstata, mama, pulmão e renal pela indução de EMT (transição epitélio mesenquimal). B2-m presente nas células neoplásicas provoca crescimento, sobrevivência, angiogênese e aumenta o risco de metástases ósseas. Sua presença é mau prognóstico para estes tumores sólidos em modelos experimentais de camundongos.

B2-m aumenta osteocalcina (OC) e a expressão do gene da sialoproteína óssea (BSP) por ativação do AMP cíclico (cAMP) dependente da proteína quinase A (PKA), que fosforila o CREB (cAMP-responsive element-binding protein). Esta ativação induz o crescimento do tumor ósseo em camundongos via aumento de CREB fosforilado (pCREB) e a expressão de genes alvo de CREB, incluindo OC, BSP, ciclina A, ciclina D1, e o potente fator angiogênico, VEGF.

B2-m ativa a sinalização B2-m/PKA/CREB e a rede de sinalização de sobrevivência, PI3K/Akt/ERK.

IFN-alfa aumenta a formação de B2-m. B2-m pode induzir a expressão de interleucinas 6, 8, e 10 o que polariza sistema imune para M2/Th2, carcinogênico. Também regula a expressão do hormônio do crescimento. B2-m aumenta durante a infecção por alguns vírus, como citomegalovírus e HIV. Anticorpos anti-B2-m bloqueia os receptores da IL-6 e do IGF-I.

β2-m é excelente indicador prognóstico de neoplasias sólidas e líquidas.

Possíveis tratamentos

Inibição da B2-m.

1. Anticorpos contra B2-m ou MHC classe I.
2. Doxiciclina e Rifampicina são inibidorees do Cu++ induzindo B2-m a provocar formação amiloide na hemodiálise.
3. Suramin (muito fraco)+.
4. Moléculas sulfonadas.

103. Fato: Perda dos componentes do complexo SWI/SNF (*switching defective/sucrose nonfermenting*)

O complexo SWI/SNF (switching defective/sucrose nonfermenting) são múltiplas subunudades enzimática, depentetes de ATP e remodeladoras de cromatina sendo crítica para muitos processos biológicos, incluindo diferenciação e proliferação celular. Várias subunidades do complexo são cruciais para o controle da proliferação e funcionam como supressoras de tumor em vários tipos de câncer. Estima-se que a perda de componentes do complexo SWI/SNF é evento crítico na carcinogênese em 10–20% dos tumores sólidos. ARID1A (AT-rich interactive domain 1A) codifica um homólogo humano de levedura SWI1, que contém um motivo de ligação a DNA (domínio interativo rico em AT, ARID) e é membro integral do complexo SWI/SNF.

Possível tratamento

Resveratrol.

104. Fato: Inibição do gene supressor tumoral KLF5

KLF5 parece ser um supressor de tumor único, no sentido de que sua função depende do contexto. Sua função supressora de tumor pode ser dependente de sua acetilação, que pode ser induzida por TGF-β e possivelmente outras vias de sinalização. Uma vez confirmado experimentalmente, como TGF-β e KLF5 se tornam oncogênicos serão melhor compreendidos, e alguns alvos únicos poderiam ser identificados para seu uso potencial na detecção e tratamento de câncer.

A deleção do braço longo do cromossomo humano 13 (13q), especialmente a região envolvendo 13q21, é a segunda deleção cromossômica mais frequente revelada pela hibridização genômica comparativa entre um grande número de diferentes tipos de tumores humanos.

105. Fato: c-Met (tirosina-proteinoquinase MET) é receptor de membrana que comanda sobrevivência celular

c-Met é um receptor tirosina quinase com um ligante conhecido, fator de crescimento de hepatócitos (HGF). O c-Met é expresso por células epiteliais, células endoteliais, neurônios, hepatócitos e células hematopoiéticas. O c-Met está envolvido na transição epitelio-mesenquimal (EMT) e desempenha um papel crítico na modelagem do tecido durante a embriogênese. O HGF ativa c-Met, levando à estimulação de várias vias de sinalização a jusante, incluindo PI3K, MAPK e NF-kappaB. Essas vias executam efeitos da ativação de c-Met, incluindo aumento da proliferação, sobrevivência, mobilização, invasividade e transição epitelial-mesenquimal.

Possíveis tratamentos

Inibidores de c-Met:

1. Cabozantinibe.
2. Crizotinibe.

106. Fato: Inibição do gene supressor de tumor MEG3

MEG3 (maternal expressed gene 3) é um LncRNA supressor tumoral em vários tipos de câncer. Um de seus efeitos na fisiologia normal é aumentar a função do p53. No câncer acontece inibição do MEG3.

Possível tratamento

Fenofibrato.

107. Falta muito ainda

108. Não desistiremos de tratamentos mais eficazes, mais humanos e mais científicos para a doença que ousam chamar de câncer

Necessário é compreender a doença e não simplesmente exterminá-la com drogas citotóxicas ou drogas-alvo ou radioterapia ou simplesmente com a extirpação cirúrgica. É compreender a intimidade dos processos bioquímicos e fisiológicos de sobrevivência da célula doente que chamamos erroneamente de células malignas. Enquanto aprendemos e usamos estratégias para diminuir o volume tumoral devemos tenazmente afastar a/as causas do processo. E não afastar a/as causas é permitir que o processo se mantenha, é chamar de volta o problema, é ver recrudescer novamente o efeito é amargar as recidivas. Finalizando, estamos aguardando estratégias de diferenciação/desdiferenciação celular.

Enquanto eu tiver um sopro de vida, continuarei em busca da verdade. **Buda**

Referências

1. Resumos e trabalhos na íntegra no site www.medicinabiomolecular.com.br.
2. Aconselhamos a leitura de revisão com 97 páginas e 727 referências escrito por 28 autores: Sustained proliferation in cancer: Mechanisms and novel therapeutic targets. Semin Cancer Biol. 2015 Dec;35 Suppl:S25-S54. doi: 10.1016/j.semcancer. 2015.02.006. Epub 2015 Apr 17. Authors: Feitelson MA, Arzumanyan A, Kulathinal RJ, et al. Blain SW, Holcombe RF, Mahajna J, Marino M· Martinez-Chantar ML, Nawroth R, Sanchez-Garcia I, Sharma D, Saxena NK, Singh N, Vlachostergios PJ, Guo S, Honoki K, Fujii H, Georgakilas AG, Bilsland A, Amedei A, Niccolai E, Amin A, Ashraf SS, Boosani CS, Guha G, Ciriolo MR, Aquilano K, Chen S, Mohammed SI, Azmi AS, Bhakta D, Halicka D, Keith WN, Nowsheen S.

CAPÍTULO 141

Quimioterapia citotóxica aumenta a sobrevida de 5 anos no câncer sólido maligno de adultos em apenas 2,3% na Austrália e 2,1% nos Estados Unidos da América

Graeme Morgan – Diretor do Departamento de Radioterapia do Hospital Royal North Shore de Sydney, Austrália.

Robyn Wardt – Diretor do Departamento de Oncologia Clínica do St. Vincent Hospital, Sydney, Austrália.

Michael Barton – Responsável pelo setor de Estatística do Serviço de Saúde de Sydney, Austrália.

O mínimo impacto da quimioterapia sobre a sobrevivência entra em conflito com a percepção que muitos pacientes com câncer têm de estarem recebendo tratamento que aumentará suas chances de cura. **Morgan-Wardt-Barton**

Se os pacientes soubessem quão insignificante é o aumento da sobrevida com a quimioterapia, não a escolheriam. **Morgan-Wardt-Barton**

Primum non nocere. **Aforismo médico**

As enfermidades são muito antigas e nada a respeito delas mudou. Somos nós que mudamos ao aprender a reconhecer nelas o que antes não percebíamos. **Charcot**

A verdadeira causa das doenças e a MEDICINA ainda não fizeram as pazes. É porque a MEDICINA ainda é muito jovem. E o que dizer dos tratamentos? **Felippe Jr.**

Deixar de aprender é omitir socorro. **Felippe Jr**

Em 2004, Graeme Morgan e Robyn Wardt, diretores de Departamentos de Oncologia referência na Austrália, e Michael Barton, Diretor do Serviço de Estatística da cidade de Sydney, escreveram artigo contundente envolvendo 227.874 pacientes adultos com idade superior a 20 anos portadores dos 22 diferentes tipos mais frequentes de câncer, exceto leucemia, tratados na Austrália ou Estados Unidos da América em Centros de Referência que utilizaram quimioterapia citotóxica com ou sem cirurgia ou radioterapia.

A credibilidade aumenta porque os dados dos pacientes foram somente coletados de trabalhos randomizados e controlados de meta-análises ou revisões sistemáticas que reportavam sobrevida de 5 anos e ainda publicados em revistas científicas médicas de excelente nível. Muito importante é que foram afastados os pacientes que não apresentavam condições de sobreviver 5 anos, quer dizer a indicação foi curativa e não paliativa.

De maneira geral, o estudo revelou que a adição da quimioterapia citotóxica à cirurgia ou radioterapia em 72.903 adultos com câncer tratados na Austrália aumentou a sobrevida de 5 anos em apenas 2,3% e nos 154.971 pacientes tratados nos USA em apenas 2,1%.

É importante atentar que a sobrevida de 5 anos para os pacientes diagnosticados com câncer na Austrália foi de 63,4% no período do estudo. O que estamos escrevendo aqui é a contribuição da quimioterapia na sobrevida de 5 anos.

A seguir a contribuição para o aumento da sobrevida devido à quimioterapia citotóxica em cada câncer em particular.

1. **Câncer de cabeça e pescoço**
   Austrália: 2.486 pacientes. Sobrevida de 5 anos com a quimioterapia (QT) aumenta: 2,5%.
   USA: 5.139 pacientes. Sobrevida de 5 anos com a QT aumenta: 1,9%.

2. **Câncer de esôfago**
   Austrália: 1.003 pacientes. Sobrevida de 2 anos com a QT aumenta: 4,8%.
   USA: 1.521 pacientes. Sobrevida de 2 anos com a QT aumenta: 4,9%.
3. **Câncer de estômago**
   Austrália: 1.904 pacientes. Sobrevida de 3 anos com a QT aumenta: 0,7%.
   USA: 3.001 pacientes. Sobrevida de 3 anos com a QT aumenta: 0,7%.
4. **Câncer de cólon**
   Austrália: 7243 pts. Sobrevida de 5 anos com a QT aumenta: 1,8%
   USA: 13.936 pacientes. Sobrevida de 5 anos com a QT aumenta: 1,0%
5. **Câncer de reto**
   Austrália: 4.036 pacientes. Sobrevida de 5 anos com a QT aumenta: 5,4%.
   USA: 5.533 pacientes. Sobrevida de 5 anos com a QT aumenta: 3,4%.
6. **Câncer de pâncreas**
   Austrália: 1.728 pacientes. Sobrevida de 2 anos com a QT aumenta: 5,6%.
   USA: 3.567 pacientes. Sobrevida de 2 anos com a QT aumenta: 5,6%.
7. **Câncer de pulmão (não *oat cell*)**
   Austrália: 7.792 pacientes. Sobrevida de 5 anos com a QT aumenta: 5%.
   USA: 20.741 pacientes. Sobrevida de 5 anos com a QT aumenta: 5%.
8. **Sarcoma de partes moles**
   Austrália: 665 pacientes. Não há evidências que a QT melhore a sobrevida de 5 anos.
   USA: 858 pacientes. Não há evidências que a QT melhore a sobrevida de 5 anos.
9. **Melanoma maligno**
   Austrália: 7.811 pacientes. Não há evidências que a QT melhore a sobrevida de 5 anos.
   USA: 8.646 pacientes. Não há evidências que a QT melhore a sobrevida de 5 anos.
10. **Câncer de mama**
   Austrália: 10.661 pacientes. Sobrevida de 5 anos com a QT aumenta: 1,5%.
   USA: 31.133 pacientes. Sobrevida de 5 anos com a QT aumenta: 1,4%.
11. **Câncer uterino**
   Austrália: 1.399 pacientes. Não há evidências que a QT melhore a sobrevida de 5 anos.
   USA: 4.611 pacientes. Não há evidências que a QT melhore a sobrevida de 5 anos.
12. **Câncer de cérvix**
   Austrália: 867 pacientes. Sobrevida de 5 anos com a QT aumenta: 12%.
   USA: 1.825 pacientes. Sobrevida de 5 anos com a QT aumenta: 12%.
13. **Câncer de ovário**
   Austrália: 1.207 pacientes. Sobrevida de 5 anos com a QT aumenta: 8,7%.
   USA: 3.032 pacientes. Sobrevida de 5 anos com a QT aumenta: 8,9%.
14. **Câncer de próstata**
   Austrália: 9.869 pacientes. Não há evidências que a QT aumente a sobrevida de 5 anos.
   USA: 23.242 pacientes. Não há evidências que a QT aumente a sobrevida de 5 anos.
15. **Câncer de rim**
   Austrália: 2.176 pacientes. Não há evidências que a QT aumente a sobrevida de 5 anos.
   USA: 3.722 pacientes. Não há evidências que a QT aumente a sobrevida de 5 anos.
16. **Câncer de local primário desconhecido**
   Austrália: 3.161 pacientes. Não há evidências que a QT aumente a sobrevida de 5 anos.
   USA: 6.200 pacientes. Não há evidências que a QT aumente a sobrevida de 5 anos.
17. **Câncer de cérebro**
   Austrália: 1.116 pacientes. Sobrevida de 5 anos com a QT aumenta: 4,9%.
   USA: 1.824 pacientes. Sobrevida de 5 anos com a QT aumenta: 3,7%.
18. **Doença de Hodgkin**
   Austrália: 341 pacientes. Sobrevida de 5 anos com a QT aumenta: 35,8%.
   USA: 846 pacientes. Sobrevida de 5 anos com a QT aumenta: 40,3%.
19. **Linfoma não Hodgkin**
   Austrália: 3.145 pacientes. Sobrevida de 5 anos com a QT aumenta: 10,5%.
   USA: 6.217 pacientes. Sobrevida de 5 anos com a QT aumenta: 10,5%.
20. **Mieloma múltiplo**
   Austrália: 1.023 pacientes. Não há evidência que a QT aumente a sobrevida de 5 anos.
   USA: 1.721 pacientes. Não há evidência que a QT aumente a sobrevida de 5 anos.
21. **Câncer de bexiga**
   Austrália: 2.802 pacientes. Não há evidências que a QT aumente a sobrevida de 5 anos.
   USA: 6.667 pacientes. Não há evidências que a QT aumente a sobrevida de 5 anos.
22. **Câncer de testículo: tipo seminoma**
   Austrália: 529 pacientes. Sobrevida de 5 anos aumenta: 41,8%.
   USA: 989 pacientes. Sobrevida de 5 anos aumenta: 41,8%.

Em 1992 Ulrich R Abel um grande estudioso do câncer afirmava que com poucas exceções, não há boa base científica para a aplicação da quimioterapia em pacientes livres de sintomas com malignidade epitelial avançada.

Autores sérios e sem conflito de interesse, isto é, aqueles que não recebem proventos da Indústria Farmacêutica afirmam que as drogas quimioterápicas geralmente estão desenhadas no velho conceito de "combater o DNA" acreditando que quase todas as neoplasias sejam de origem genética. Assim, nos últimos 60 anos, persiste o velho modo de tratar o câncer atacando o DNA e deste modo invariavelmente os tratamentos do câncer continuam a fracassar (Gajate, 2002; Bhujwalla, 2001 in Gillies, 2001).

Na verdade, Illmensee, Mintz e Hope em 1975 demonstraram de modo elegante que a causa do câncer não está no núcleo celular (genética) e sim no citoplasma (metabolismo). Em 93 óvulos de camundongo fertilizados eles retiraram o núcleo e colocaram no lugar o núcleo de células de carcinoma de camundongo. O resultado foi o nascimento de camundongos perfeitamente normais, sem câncer. As ninhadas seguintes continuaram sem câncer (in Seerger, 1990).

Outros autores do mesmo grau de seriedade e independentes afirmam que os quimioterápicos são geralmente responsáveis por exacerbar o fenótipo maligno por induzir a parada da apoptose e, dessa maneira, facilitar a progressão do câncer (Torigoe, 2002; Rockwell, 2001).

Cremos que a quimioterapia seleciona as células mais agressivas, por não conseguir exterminar a plenitude de células neoplásicas. As células que restaram estão muito mais aptas a sobreviverem e desta forma termos as recidivas tardias ou precoces.

Neste trabalho os autores mostraram em quase 250 mil pacientes que os 5 cânceres mais "quimiossensíveis", como testículo, cérvix, ovário, doença de Hodgkin e linfoma não Hodgkin, são os responsáveis apenas por 8,4% do total dos cânceres diagnosticados nos adultos com idade superior a 20 anos. A grande maioria dos cânceres dos adultos (91,6%) são pouco responsivos à quimioterapia citotóxica, porque o aumento da sobrevida de 5 anos com esses medicamentos aumenta a sobrevida em apenas 2,3%.

Isto significa que a quimioterapia citotóxica não está sendo eficaz na imensa maioria dos tumores sólidos de adultos.

E por que os pacientes continuam a procurar a quimioterapia?

Nas palavras dos autores, "falta de informação", pois é quase certeza que **"se os pacientes soubessem quão insignificante é o aumento da sobrevida com a quimioterapia não a escolheriam".**

Os 5 cânceres mais comuns em adultos, colorretal, mama, próstata, melanoma e pulmão são os responsáveis por 56,6% do total de cânceres diagnosticados e neste grupo a taxa de sobrevida por 5 anos devido somente à quimioterapia citotóxica foi de apenas 1,6%.

O mínimo impacto sobre a sobrevida dos cânceres mais comuns conflita com a percepção de muitos pacientes que sentem estar recebendo um tratamento que aumentará significantemente suas chances de cura. Em parte, isto reflete a apresentação dos resultados como "redução no risco" mais do que um benefício absoluto na sobrevivência e por exagerarem as respostas daqueles com "doença estável".

O médico quimioterapeuta apresenta os resultados de um tratamento novo dizendo: "com este tratamento conseguimos aumentar o dobro da sobrevivência". Ele somente explica os dados relativos, não os concretos. Na verdade, uma eficácia de 1% que passa para 2% é o dobro da eficácia aritmeticamente.

Apesar das drogas novas e ditas melhores, das diversas combinações e a adição de novos agentes, como as drogas-alvo, continua a baixa eficácia da quimioterapia e continuam os efeitos colaterais que diminuem a qualidade de vida: neutropenia com sepse, enjoo, vômitos, diminuição do apetite, fraqueza geral, nefrotoxicidade, cardiotoxicidade, neurotoxicidade, diminuição da cognição (Bernhard, 1998; Tchen, 2003).

Apesar da baixa eficácia no aumento da sobrevida os quimioterapeutas prescrevem um segundo, um terceiro, um quarto conjunto de drogas citotóxicas, quando as respostas são mínimas ou a doença é progressiva.

Em vista do mínimo impacto da quimioterapia citotóxica na sobrevida de 5 anos e a falta de progressos sólidos nos últimos 20 anos, conclui-se **que a principal indicação da quimioterapia seja para tratamento paliativo e não curativo.**

Vamos escrever mais uma vez: É importante atentar que a sobrevivência de 5 anos para os pacientes diagnosticados com câncer na Austrália gira ao redor de 63,4%. O que estamos escrevendo aqui é a contribuição da quimioterapia citotóxica no aumento da sobrevida de 5 anos que nos adultos australianos é de apenas 2,3%.

Muitos pesquisadores do planeta têm a mesma opinião dos autores australianos.

Bria e colaboradores, do Instituto Nacional de Câncer de Roma, concluíram que o benefício da quimioterapia citotóxica após cirurgia de câncer de pulmão não de pequenas células é quase irrelevante: 2,5 a 4%. De fato, vários estudos randomizados investigaram se existe benefício da quimioterapia adjuvante após a cirurgia no câncer de pulmão não de pequenas células. De fato, no estudo destes autores foram elegíveis todos os ensaios de fase III randomizados e meta-análises publicadas como artigos científicos ou como resumos de 1994 a 2007. Foram examinadas sete subpopulações reunidas em doze ensaios, além de meta-análise de 7.334 pacientes. Os testes foram projetados para determinar se a quimioterapia à base de cisplatina ou carboplatina melhora a sobrevida absoluta após a cirurgia. Quando os dados foram reunidos e representados graficamente, observou-se **benefício absoluto de apenas 2,5 a 4,1%.** O benefício absoluto de quimioterapia adjuvante permanece essencialmente o mesmo, independentemente de como os dados são rastreados estatisticamente. A pequena magnitude do benefício observado com esta grande população levanta questões importantes ao pesar os riscos e benefícios do tratamento para pacientes individuais (Bria, 2009).

A quimioterapia pode induzir mutações nos fatores de transcrição que fomentam a transição epitélio-mesenquimal (EMT), o que aumenta o potencial metastático do câncer. EMT é processo que converte células epiteliais proliferativas em células mesenquimais invasivas. As células cancerosas perdem a ancoragem do sítio primário e escapam pelos vasos sanguíneos e nódulos linfáticos (Gos, 2009; Singh, 2010; De Craene, 2013; Kim, 2013).

A quimioterapia no câncer de próstata aumenta a agressividade do câncer via EMT. Estudos recentes sugerem que a quimioterapia em longo prazo de tumores sólidos, incluindo o câncer de próstata, possui efeitos prejudiciais provocando mutações e desvio para EMT (Kin e Verdome, 2013).

Gottesman, em 2002, afirma que não mais que 10% dos pacientes são curados pela quimioterapia. O frustrante fenômeno da resistência a múltiplas drogas (MDR) ocorre nas leucemias e nos tumores sólidos como de mama, ovário, colorretal e outros tumores.

Na verdade, a quimioterapia citotóxica aumenta a agressividade de vários tipos de neoplasias ditas malignas. Acrescenta-se que tumores sólidos submetidos a quimioterapia de repetição são os tumores mais agressivos e com maior grau de recorrência e metástases. Já comentamos que a quimioterapia seleciona as células neoplásicas mais capazes de sobreviver. *Grosso modo* é o que acontece com os antibióticos que selecionam as bactérias resistentes e elas reinam sozinhas no hospedeiro (Liang, 2002; Domingo-Domenech, 2012; Semenas, 2012; Kin e Yin, 2013).

Ao contrário da quimioterapia que é citotóxica para todas as células em divisão mitótica, as drogas-alvo são ativas somente contra a proliferação das células neoplásicas. Os alvos dessas drogas são Bcr-Abl quinase (imatinibe, nilotinibe e ponatinibe), EGFR (gefitinibe e erlotinibe), HER2/ErbB2 (lapatinibe), c-Met (crizotinibe) etc. Entretanto, tais drogas funcionam na fase inicial do tratamento, porque as células neoplásicas com genótipo lapidado por bilhões de anos conseguem ativar vias alternativas de sinalização e proliferação, sendo frequente as recidivas e as quimiorresistências.

A quimioterapia citotóxica e as drogas-alvo continuam sendo armas que não podemos esquecer. Cremos que o paciente deva ser primeiramente estudado para controlar perfeitamente o sistema endócrino, imunológico, nutricional para que o oncologista possa utilizar um conjunto de quimioterápicos ou drogas-alvo em dose plena.

O ideal seria provocar diferenciação, mas os conhecimentos atuais sobre este assunto estão somente no início.

E muito importante devemos afastar a ou as causas desta doença metabólica conhecida com o nome câncer. Sem afastar as causas chegará cedo ou tarde as recidivas e as metástases.

Conclusão

As medidas terapêuticas modernas que matam as células neoplásicas com quimioterapia citotóxica ou drogas-alvo, em última análise, estão selecionando células cancerosas resistentes e, portanto, mais aptas para sobreviverem.

Mais racional é fazer com que as células doentes que chamam de câncer voltem ao convívio junto às células normais com estratégias de diferenciação celular:

1. Transformamos células não tão "malignas" em benignas.
2. Exterminamos as células "malignas" irrecuperáveis, aquelas de grau máximo de ENTROPIA e mínimo de ORDEM-INFORMAÇÃO, com o uso racional da quimioterapia citotóxica ou drogas-alvo, evitando ao máximo o emprego da radioterapia.

Urge o encontro de novas estratégias terapêuticas.

Referências

1. Bernhard J, Cella DF, Coates AS, et al. Missing quality of life data in cancer clinical trials: serious problems and challenges. Stat Med. 17:517-32;1998.
2. Bhujwalla ZM, Artemov D, Abooagye E, et al. The physiological environ-ment in cancer vascularization, invasion and metastasis. In: Gillies RJ (ed). The Tumor Microenvironment: Causes and Consequences of Hypoxia and Acidity, Novartis Found. Symp., vol 240, Chichester, NY: John Wiley and Sons; pp. 23-38; 2001.
3. Biblioteca de Câncer coletada no PubMed e Medline pelo autor. www.medicinabiomolecular.com.br. Cerca de 6500 estudos sobre o tratamento do câncer sem o emprego da cirurgia, quimioterapia ou radioterapia.
4. Bria E, Gralla RJ, Raftopoulos H, et al. Magnitude of benefit of adjuvant chemotherapy for non-small cell lung cancer: meta-analysis of randomized clinical trials. Lung Cancer. 63(1):50-7;2009.

5. De Craene B, Berx G. Regulatory networks defining EMT during cancer initiation and progression. Nat Rev Cancer. 13:97-110;2013.
6. Domingo-Domenech J, Vidal SJ, Rodriguez-Bravo V, et al. Suppression of acquired docetaxel resistance in prostate cancer through depletion of notch- and hedgehog-dependent tumor-initiating cells. Cancer Cell. 22:373-88;2012.
7. Gajate C, Mollinedo F. Biological activities, mechanisms of action and biomedical prospect of the antitumor ether phospholipid ET-18-OCH3 (Edelfosine), a proapoptotic agent in tumor cells. Curr Drug Metab. 3:491-525;2002.
8. Gos M, Oszewska J, Przybyszewska M. [Epithelial-mesenchymal transition in cancer progression]. Postepy Biochem. 55:121-8;2009.
9. Gottesman MM. Mechanisms of cancer drug resistance. Annu Rev Med. 53:615-27;2002.
10. Kim JJ, Verdone JE, Mooney SM. Chemotherapy Increases Aggressiveness of Prostate Cancer via Epithelial Mesenchymal Transition. Cell Biol Res Ther. 2:2;2013.
11. Kim JJ, Yin B, Christudass CS, et al. Acquisition of paclitaxel resistance is associated with a more aggressive and invasive phenotype in prostate cancer. J Cell Biochem. 114:1286-93;2013
12. Liang Y, McDonnell S, Clynes M. Examining the relationship between cancer invasion/metastasis and drug resistance. Curr Cancer Drug Targets. 2:257-77;2002.
13. Morgan G, Wardt R, Barton M. The contribution of cytotoxic chemotherapy to 5-year survival in adult malignances. Clin Oncol. 16:549-60;2004. Neste trabalho encontramos 110 referências bibliográficas.
14. Rockwell S, Yuan J, Peretz S, Glazer PM. Genomic instability in cancer. In: Gillies R (ed). The Tumor Microenvironment: Causes and Consequences of Hypoxia and Acidity, Novartis Found. Symp., vol 240, Chichester, NY: John Wiley and Sons; pp. 133-42; 2001.
15. Seeger PG, Wolz S. Succesful biological control of câncer by combat against the causes. Germany: Neuwieder Verlagsgesellschaft GmbH; 1990.
16. Semenas J, Allegrucci C, Boorjian SA, et al. Overcoming drug resistance and treating advanced prostate cancer. Curr Drug Targets. 13:1308-23;2012.
17. Singh A, Settleman J. EMT, cancer stem cells and drug resistance: an emerging axis of evil in the war on cancer. Oncogene. 29:4741-51; 2010.
18. Tchen N, Juffs HG, Downie FP, et al. Cognitive function, fatigue, andmenopausal symptoms in women receiving adjuvant chemotherapy for breast cancer. J Clin Oncol. 21:4175-83;2003.
19. Torigoe T, Izumi H, Ise T, et al. Vacuolar H^+-ATPase: functional mechanisms and potential as a target for cancer chemotherapy, anti-cancer. Drugs. 13:237-43;2002.
20. U Abel. Chemotherapy of Advanced Epithelial Cancer--A Critical Review . Biomed Pharmacother, 46, n.10:439-52.1992.

CAPÍTULO 142

Cirurgia melhora ou piora a evolução do câncer? Ela é realmente necessária?

Geralmente a cirurgia piora a evolução do câncer e favorece as metástases

José de Felippe Junior

É compreensível o conceito enraizado nos pacientes que a retirada do tumor resolverá o problema. O difícil é aceitar esse conceito enraizado nos médicos. **JFJ**

Não é o tratamento com as mãos que vai modificar a história natural do câncer, **JFJ**

Quando me formei em 1970, o tratamento da úlcera gastroduodenal era cirúrgico. Entre os cirurgiões as discussões eram acaloradas e intermináveis, uns advogando a vagotomia plena, outros a vagotomia seletiva, a gastrectomia total ou a parcial. Como interno de quinto ano e já avesso ao tratamento com as mãos observava toda aquela discussão com descrédito. Surgiram os bloqueadores de prótons e a cirurgia da úlcera foi deixada no passado. Vai acontecer o mesmo com a cirurgia no câncer.

Não é o tratamento cirúrgico que vai modificar a história natural do câncer, porém, a cirurgia segue inabalável e absolutamente necessária nas obstruções, algumas hemorragias, drenagens, descompressões, traumas e transplantes.

A cirurgia oncológica aumenta a velocidade de crescimento do tumor residual do leito cirúrgico, pode ativar metástases à distância antes dormentes e aumenta o risco de recidivas. Em adição, a cirurgia provoca estado inflamatório e diminuição da imunidade celular e humoral devido a lesão tecidual, anestésicos, analgésicos, perda de sangue, transfusão, dor e ansiedade no pré e pós-operatório. Acresce a infecção hospitalar, pneumonia, septicemia, tromboembolismo, paralisia intestinal, anorexia, desnutrição, fadiga e longa convalescença (Lennard, 1985).

No quadro 142.1 transcrevemos as principais etapas históricas da homeostasia tumoral, dormência tumoral e cirurgia ativando o desenvolvimento de metástases (Demicheli, 2008).

Quadro 142.1 Etapas históricas da homeostasia tumoral, dormência tumoral e cirurgia ativando o desenvolvimento de metástases. Demicheli, 2008, modificado.

1905-1910 Identificação do fenômeno homeostático. Hipótese da atrepsia. Hipótese imunológica
1955-1960 Proposto a dormência tumoral e os efeitos estimulantes do crescimento tumoral pela cirurgia
1975-1985 a) Modificação da hipótese imunológica: agir no Th1/Th2/Th17/Treg b) Demonstrado os efeitos estimulantes do crescimento tumoral pela cirurgia
1995-2000 Demonstrado o aumento da angiogênese pela cirurgia em tumores antes dormentes
2000-2005 Demonstrado a dormência da célula tumoral e a importância do estroma peritumoral
2005-2010 Colocado em ação os conceitos adquiridos

Câncer é doença sistêmica

Frey em 1972 foi o primeiro a mostrar o efeito sistêmico do câncer. Observou que tecidos normais distantes do tecido canceroso também apresentavam alterações físicas da água intracelular, mostrada pelos valores de T1 mais elevados que o tecido normal correspondente do camundongo sem tumor. Os tecidos estudados foram: baço, rins e fígado.

Floyd em 1974 foi o primeiro a demonstrar as alterações físicas da água e, portanto, o efeito sistêmico do câncer no soro.

Inch em 1974 foi o primeiro a mostrar que tais alterações também ocorriam em seres humanos.

Neoplasias infiltrativas semeiam a circulação com células tumorais circulantes (CTCs) (Schiffman e Fisher, 2015; Elias, 2006).

Desta forma, não é possível considerar o câncer como doença localizada e devemos questionar se o tratamento cirúrgico, que é loco-regional, realmente seja eficaz.

Doença neoplásica residual mínima é doença oculta que permaneceu *in situ* no leito operatório. Existem muitas evidências que a remoção do tumor aumenta o crescimento da doença neoplásica residual mínima, provocando o crescimento do tumor no pós-operatório. Devido ao fato do câncer ser doença sistêmica este fenômeno é relevante em todos os pacientes que se submetem a cirurgia. Entretanto, no presente momento a cirurgia ainda é um dos tratamentos indicados pelos médicos.

Estudos em animais e humanos mostraram de modo definitivo que a cirurgia potencia o crescimento da doença neoplásica residual mínima do leito cirúrgico, ao lado de poder aumentar o número e o grau de proliferação de metástases à distância. É interessante o pensamento de muitas pessoas do povo quanto ao receio de a cirurgia poder "espalhar o câncer pelo corpo" (James, 2011).

Há mais de cem anos existe a ideia de as ressecções cirúrgicas provocarem aumento do crescimento tumoral das células que restaram no leito tumoral ou do recrudescimento de micrometástases à distância por ativação de células tumorais dormentes ou latentes (in Demicheli, 2006).

Entretanto, apesar de muita experimentação em animais e de inúmeros trabalhos clínicos recentes, tanto os próprios clínicos como os cirurgiões relutam em aceitar os novos conceitos. A maioria dos médicos pensam cometer sacrilégio ao não seguir aquilo que aprenderam na faculdade quando jovens, com os professores tidos como deuses do saber. E infelizmente continuam a pecar gravemente perante seus pacientes.

O problema maior é que o tumor visível é apenas o sintoma do organismo doente e não a própria doença. Pensam que retirando o tumor o problema está resolvido. Errado. É o organismo que precisa de ajuda e deve ser estudado minuciosamente para descobrir e afastar a causa do problema. Genético? Apenas 5% dos casos. A grande maioria das causas, 95%, são do ambiente onde vive a pessoa.

Keller, em 1983, já alertava que a cirurgia oncológica em humanos poderia provocar metástases macroscópicas em maior ou menor número, dependente da agressividade da intervenção cirúrgica. Em camundongos mostrou que a amputação do membro posterior com tumor provocou aumento marcante da incidência e volume de metástases macroscópicas à distância, antes não diagnosticadas. Em animais com tumor somente em membro posterior, a hepatectomia parcial de fígado normal provocou aumento da proliferação de metástases macroscópicas em várias localizações. Aventou a hipótese que os fatores promotores liberados para regenerar o fígado estimularia o crescimento do tumor primário ou de metástases à distância.

Donald Benjamin, em revisão de 1993, não encontrou evidências científicas que a cirurgia interferiu na evolução natural do câncer. Vinte e um anos depois, agora em 2014, ele estendeu a revisão baseando-se em trabalhos científicos publicados nos últimos 35 anos.

Como a ética impede os trabalhos randomizados e controlados com a cirurgia no câncer, o autor utilizou 7 métodos indiretos para avaliar a eficácia da cirurgia oncológica.

1. Método gráfico. Curvas de sobrevida para identificar subpopulações com câncer cuja mortalidade foi reduzida após a intervenção.
2. Método dose-resposta. Comparação da sobrevida após diferentes quantidades de ressecção. Exemplo: mastectomia radical, mastectomia simples, quadrantectomia, lumpectomia. A eficácia requer um ótimo grau de ressecção.
3. Análise dos resultados de RCTs (*randomised controlled clinical trials*) para avaliar os efeitos da prostatectomia comparado com "olhar-esperar" (*watchful waiting*).
4. Mudanças da sobrevida ao longo do tempo. Exemplo: melhora da porcentagem de sobrevida de 5 anos.
5. Comparação das tendências de incidência e mortalidade ao longo do tempo – a eficácia exige que as linhas dos gráficos sejam divergentes de maneira particular.
6. Análise epidemiológica para identificar os efeitos da intervenção sobre a mortalidade.
7. Comparação dos resultados do tratamento precoce com o tratamento tardio analisando os resultados de RCTs para o câncer de pulmão, mama, próstata, colorretal e ovário.

O resultado foi que a análise de cada um dos 7 métodos indiretos mostrou não haver evidência confiável sobre a eficácia da cirurgia no câncer de pulmão, mama, próstata, colorretal e ovário.

Esse elegante estudo confirmou que a razão da falta de evidências da eficácia cirúrgica se deve ao fato de o câncer ser doença sistêmica e não localizada. A cirurgia no câncer é baseada em paradigma inválido naquilo que é o câncer (Benjamin, 2014). De fato, o tumor visível nas imagens é apenas o sintoma de um corpo doente e não a doença em si e, assim, não podemos esperar resultados benéficos da extirpação de tumores.

Ferida cirúrgica de tecido normal, sim de tecido normal, promove proliferação tumoral à distância e aumenta o número das metástases. De fato, 16 tipos histológicos diferentes de tumores foram testados e se comportaram igualmente acontecendo aumento da proliferação neoplásica à distância da ferida cirúrgica do tecido normal, logo após o procedimento (Bogden, 1997).

A ferida cirúrgica ativa fatores de crescimento e citocinas (EGF, TGF-α/TGF-β, bFGF, IGF I/II e PDGF) liberadas fisiologicamente para promover a cicatrização do trauma e assim aumentam o crescimento tumoral à distância ou ativam massa residual que permaneceu no leito tumoral após a cirurgia (Hofer, 1999).

Coffey, em 2003, mostrou que a remoção cirúrgica do câncer, mesmo sobrando pequeníssima massa residual, provocava a aceleração do crescimento dessa massa no leito tumoral. A ressecção do tumor primário altera o microambiente tumoral e libera fatores de crescimento, quimocinas e citocinas, que serão utilizados na cicatrização da ferida cirúrgica e também na proliferação, invasão e angiogênese, ao lado de acelerar o crescimento das metástases (Ceelen, 2014).

Biópsias

Até as biópsias podem provocar danos ao hospedeiro. Em 1975, Hoover já mostrava fato preocupante quanto ao perigo das biópsias. Em três diferentes tipos de tumor murino, a biópsia antes da ressecção do tumor primário provocou pequeno mas significante aumento das metástases pulmonares presumivelmente devido às biópsias.

Recentemente, jovem de 28 anos com tomografia mostrando tumor de 5,6 × 1,7 × 3,6cm na língua apresentou, após a biópsia, a abertura da ferida operatória com posterior aumento drástico do volume tumoral. **Clínica JFJ**.

O quadro 142.2 mostra os efeitos adversos da cirurgia em vários tipos de câncer.

As espécies reativas tóxicas de oxigênio – ERTOs – possuem papel na sinalização celular e agem como um dos reguladores da sobrevivência da célula tumoral, no processo de proliferação e metástases. A descoberta da família NADPH-oxidase (Nox) de enzimas elucidou que as células neoplásicas geram as ERTOs a partir das Nox e promovem a carcinogênese.

A ativação das Nox ocorre via interação com citocinas pró-inflamatórias e fatores de crescimento, todos eles liberados no trauma cirúrgico. As ERTOs promovem estresse oxidativo, o qual interfere na invasão, adesão, angiogênese e proliferação celular (Manea, 2010; O'Leary, 2013). Outro efeito das Nox é ativar as vias de sinalização PI3K (*phosphatidylinositol 3-kinase*) p38MAPK (*p38 mitogen-activated protein kinase*), PKC (*protein kinase C*) e STAT3/5, através do aumento das ERTOs (Tamamori, 2000; Sun, 2008; Bourgeais, 2013; Han, 2016).

Quando as mitocôndrias estão comprometidas a super regulação do Nox suporta a elevação do ciclo de Embden-Meyerhof proporcionando NAD+ adicionais. A super regulação do NOX é também consistentemente observada em células do câncer com mitocôndrias comprometidas devido ativação do oncogênico Ras e perda do p53 Supressão do NOX provoca significante inibição do câncer de pâncreas humano, Panc-1, inoculado no subcutâneo de camundongo. A supressão da expressão

Quadro 142.2 Mostra que a remoção do tumor altera adversamente a doença neoplásica residual ou aumenta o número de metástases e piora a sobrevida em trabalhos randomizados e controlados ou controlados de corte (Coffey, 2003).

Nº pacientes	Tipo de tumor	Evolução
1.173	Adenocarcinoma mamário	Pico precoce de morte após mastectomia
111	Adenocarcinoma prostático	Não há benefício na sobrevida após prostatectomia no estágio final da doença
1.547	Adenocarcinoma mamário	Pico precoce de morte após mastectomia
8	Carcinoma testicular	Recrescimento acelerado após a cirurgia
197	Tumor de cabeça e pescoço	Rápida recidiva após ressecção
120	Tumor de cabeça e pescoço	Rápida recidiva local em 6 meses: 13 pacientes
219	Adenocarcinoma colorretal	Sobrevida é maior com laparoscopia quando comparada com cirurgia a céu aberto
2.795	Adenocarcinoma mamário	Sobrevida melhora com quimioterapia pré-operatória no câncer de mama precoce
1.175	Adenocarcinoma mamário	Prognóstico piora se a paciente for operada na fase folicular do ciclo menstrual

do Nox diminui drasticamente a captação de glicose e a geração de lactato nas células do câncer pancreático. Iodonium difenileno (DPI), inibidor químico da Nox, provoca significante retardo do crescimento tumoral e do volume tumoral que passa de 1,068 ± 309,7mm³ no grupo tratado para 139 ± 80,4mm³ no grupo controle (Lu, 2012).

Dessa forma, quanto menor o trauma cirúrgico melhor será a evolução dos pacientes com câncer. Nas palavras de O'Leary (2013): "Menor estresse maior sucesso".

O quadro 142.3 mostra a expressão das NADPH-oxidases em vários tipos de câncer (Han-2016).

Resumindo: Cirurgia → libera citocinas e fatores de crescimento → ativa NOX → ativa PI3K/Akt, p38MAPK, PKC, STAT3/5, VEGF, EGF, TGF-α/TGF-β, bFGF, IGF I/II e PDGF → ativa a cascata metastática de invasão, adesão, angiogênese e aumenta a proliferação do tumor residual do leito tumoral com reativação de metástases dormentes à distância.

Câncer de pulmão

O VEGF aumenta no soro de pacientes após cirurgia de pulmão (Maniwa, 1998) e de estômago (Ikeda, 2002).

A dinâmica da recorrência pós-ressecção foi investigada no câncer de pulmão e no câncer de mama em pacientes submetidos a ressecção potencialmente curativa na fase inicial da doença. O que aconteceu foi a aceleração do progresso do câncer devido ao aumento do crescimento de micrometástases dormentes (Democheli, 1994, 1996,1997; Retsky, 1997; Mitsudomi, 1996).

A cirurgia do câncer primário de pulmão em fase inicial acelera o crescimento de metástases antes dormentes e não diagnosticadas (Demicheli, 2012).

Setenta e cinco pacientes com câncer de pulmão foram randomizados e divididos em dois grupos, 38 foram submetidos à cirurgia minimamente invasiva e 37 submetidos à toracotomia convencional. No grupo menos invasivo a perda de sangue, drenagem pleural e dias de internação foram significantemente menores (Zheng, 2014).

Câncer de mama

1. Triagem com mamografia

Triagem com mamografia para precoce ressecção do câncer de mama nas mulheres em pré-menopausa resulta em maior mortalidade por câncer de mama do que um grupo controle randomizado e não operado. Este cenário negativo ocorreu em sete grandes estudos randomizados, persistiu por 6 a 8 anos e resultou em maior número de mortes precoces entre as mulheres triadas com mamografia (Retsky, 2001a). Nas mulheres na pós-menopausa a triagem possui seu valor (Retsky, 2001b).

Em 1997, estudo randomizado de triagem com mamografias envolvendo 40.318 mulheres entre 40 e 64 anos e 20.000 controles sem intervenção foram seguidas por 11 anos. Nas mulheres com idade entre 40 e 49 anos que se submeteram à triagem não houve alteração da mortalidade por câncer de mama, RR de 1,08 (IC 0,54-2,17) quando comparadas com as que não fizeram o exame. Entretanto, houve redução de 38% da mortalidade nas mulheres entre 50 e 64 anos de idade que se submeteram à triagem, RR de 0,62 (IC = 0,38-1,0), (Frisell, 1997).

Os resultados dos dois estudos acima não foram observados em estudo recente da Cochrane Database. Em 2013, estudo semelhante envolveu 600.000 mulheres

Quadro 142.3 Expressão das várias enzimas da família das NADPH-oxidases (Nox) nas neoplasias mais frequentes (Han, 2016 modificado).

Câncer	Expressão das NADPH-oxidases	Função
Próstata	Nox1, Nox2, Nox4, Nox5	Invasão, radiossensibilização
Mama	Nox1, Nox2, Nox4, Nox5, Duox1	Migração, adesão
Pâncreas	Nox4	Sobrevivência
Cólon	Nox1, Nox4	Invasão, migração
Gástrico	Nox1	Carcinogênese
Melanoma	Nox4	Ciclo celular, sobrevivência
Esôfago	Nox5	Sobrevivência, proliferação
Renal	Nox4	Angiogênese
Ovário	Nox1, Nox4	Tumorigenicidade
Pulmão	Nox1, Nox2, Duox1, Duox2	Migração

NADPH-oxidase: nicotinamide adenine dinucleotide phosphate-oxidase.

com idade entre 39 e 74 anos em 7 estudos. Nos 3 estudos com adequada randomização não houve redução significante da mortalidade por câncer de mama em 10 anos de seguimento, RR 1,02, 95% (IC 0,95-1,10), e não houve redução da mortalidade por todas as causas em seguimento de 13 anos, RR 0,99, 95% (IC 0,95-1,03) nas mulheres que se submeteram à triagem por mamografia quando comparadas com aquelas que não fizeram a triagem (Gøtzsche, 2013).

2. Cirurgia

O estudo dos fluidos biológicos em pacientes submetidos a procedimentos cirúrgicos é muito revelador. Após a cirurgia de câncer de mama encontram-se em concentrações elevadas no fluido de drenagem fatores de crescimento semelhantes ao EGF, VEGF, endostatina e outros indutores da proliferação celular. A concentração destes fatores se correlaciona com a quantidade de lesão cirúrgica associada à ressecção do tumor. Amostras do fluido de drenagem estimulam *in vitro* o crescimento de células do carcinoma mamário que superexpressam o HER2 (Tagliabue, 2003; Hormbrey, 2003; Wu, 2003).

Retsky, em 2005, estudou 1.173 pacientes com câncer de mama de modo retrospectivo e submetidas apenas à cirurgia. Nos primeiros 10 meses houve recorrência do tumor devido a micrometástases avasculares, já presentes e não diagnosticadas pelos métodos atuais, que foram estimuladas pela cirurgia a se vascularizar. Esta recorrência aconteceu somente nas mulheres na pré-menopausa com nódulo positivo e foi responsável por 20% das recidivas. O restante das recidivas foi devido a células dormentes que foram induzidas pela cirurgia a se dividirem. Este modo de recidiva foi muito comum e ocorreu em 50 a 83% dos casos de recidiva independentemente da idade, porém, dependente do tamanho do nódulo extirpado. O autor crê que o mecanismo biológico da influência cirúrgica sobre o aparecimento das metástases ou das recidivas seja por ativação da angiogênese. A angiogênese pode ser ativada por fatores de crescimento do processo de cicatrização da ferida operatória ou pela retirada de fatores inibitórios da angiogênese. Este trabalho levanta a questão sobre a real necessidade de mamografia nas mulheres entre 40 e 49 anos. De fato, na Europa a mamografia é indicada apenas após os 50 anos de idade.

Benjamin, em 1996, analisando 7 estudos randomizados sobre o tratamento do câncer de mama verificou não haver correlação entre redução da mortalidade e intervenção cirúrgica precoce. No estudo onde houve a intervenção cirúrgica mais precoce a mortalidade foi maior, enquanto que no estudo onde a cirurgia foi mais tardia houve a maior redução da mortalidade. No final concluiu que a cirurgia no câncer de mama é procedimento apenas paliativo.

Está bem documentado em modelos animais e em humanos que a remoção do tumor primário pode reduzir a inibição da angiogênese e está reconhecido que após a cirurgia aumenta a produção de citocinas que promovem a angiogênese e a produção de fatores de crescimento, os mesmos usados para cicatrização da ferida operatória. Não é surpresa que a angiogênese e a proliferação tumoral possam ser provocadas pela cirurgia indicada para controlar o tumor primário (Hormbrey, 2003; Demicheli, 2008; Chiarella, 2012). Para Chang é a robustez da expressão gênica em resposta ao grau da ferida cirúrgica que depende da sobrevivência das pacientes operadas de câncer de mama (Chang, 2005).

Simulações computadorizadas do padrão de recorrências na pré-menopausa (Retsky, 1997) indica que a causa mais provável da recaída precoce do câncer de mama é a ressecção cirúrgica do tumor primário que invariavelmente e quase imediatamente segue a sua descoberta. Pelo menos em parte, a responsabilidade desta sincronização é a interrupção da dormência metastática por aumento da angiogênese (Retsky, 2006; Demicheli, 2004, 2005).

Meng, em 2004, mostra forte e direto suporte para existência de células dormentes no câncer de mama. Ele estudou a incidência de células tumorais circulantes (CTCs) em pacientes, 7 a 22 anos após a mastectomia de quem não mostrava evidências clínicas e de imagem da doença. Verificou que 59% das mulheres exibiam CTCs. Devido ao fato de, após a remoção do tumor primário, a meia vida das CTCs ser de poucas horas, os autores concluíram que vários anos após a remoção do tumor existem focos de tumores clinicamente silenciosos que continuamente derramam CTCs na circulação sanguínea. Dessa forma, a sobrevida do câncer de mama depende do equilíbrio entre a replicação tumoral dos focos silenciosos e a morte destas células.

Baum, em 2005, concluiu que a cirurgia pode induzir angiogênese e proliferação de micrometástases dormentes à distância, especialmente em mulheres jovens com nódulos positivos detectados precocemente. A cirurgia perturba de modo desfavorável a "história natural" do câncer de mama diagnosticado precocemente por acelerar o aparecimento de metástases à distância.

Em 2010, Al-Sahaf nos brindou com este belo trabalho. Camundongos BALB/c foram inoculados com adenocarcinoma de mama metastático na gordura mamária e divididos em dois grupos: cirurgia (n = 12) onde o tumor foi completamente ressecado após 21 dias da inoculação e grupo controle sem cirurgia (n = 12). Foram analisados em ambos os grupos 84 genes envolvidos na produção de metástases. A ressecção do tumor primário associou-se com o aumento do número de metástases pulmonares (p = 0,001) e tais metástases pós-operatórias exibiram aumento da proliferação (p = 0,001), sem redução da apoptose. O PCR quantitativo em tempo real indicou que a cirurgia regulou para cima a expressão dos genes, Itgb3, Egfr, Hgf, Igf1, Pdgfb, TNF-α, Vegfa, Vegfc e MMP9, ao lado de regular para baixo os genes Cdkn2a, Cdh1e Syk. O significado final é que a lesão cirúrgica aumentou a expressão de genes que possibilitaram o aparecimento de metástases pulmonares a partir do câncer de mama, ao lado de propiciar a proliferação destas metástases.

Em 2012, Perez-Rivas dosou a concentração de várias proteínas em amostras de sangue coletadas antes e 24 horas após a cirurgia de pacientes com câncer de mama diagnosticadas precocemente. A cirurgia aumentou a concentração do CSF (*Colony Stimulating Factor*), HER2 (*Human Epidermal Growth Factor Receptor 2*), VEGF B (*Vascular Endothelial Growth Factor B*), THBS2 (*Thrombospondin-2*), IL-6, IL-7, IL-16, os quais incluem promotores da angiogênese e marcadores de inflamação.

Estudos sobre o ciclo menstrual sugerem que a dormência esteja relacionada diretamente com a fase do ciclo menstrual que a cirurgia foi realizada. Mulheres ressecadas na fase folicular sofrem mais frequentemente a recaída metastática quando comparadas com aquelas que foram operadas na fase lútea (Hrushesky, 1989, 1996; Fentiman, 1994; Jatoi, 1998; Hagen, 1998; Badwe, 2000). Lembremos que o estrógeno é carcinocinético, seu objetivo na fisiologia normal é proliferar e assim a recaída é mais precocemente diagnosticada. Estrógeno não é carcinogênico e sim carcinostático.

Metástases à distância é preditor bem conhecido e fiel da mortalidade associada ao câncer de mama.

Os inibidores da aromatase (anastrozol, letrozol, exemestane) têm mostrado eficácia maior que o tamoxifeno em reduzir as metástases à distância e melhorar a sobrevida livre de doença e a sobrevida total (Tang, 2008). O letrozol é geralmente bem tolerado e está associado com efeitos colaterais semelhantes ao tamoxifeno, entretanto com menor número de mortes (Forbes, 2016).

Qin, em 2011, administrou por via oral naringina, presente nas frutas cítricas e no pomelo, em modelo murino altamente propenso a metástases pulmonares após extirpação de câncer mamário. O autor observou diminuição significante do número de metástases pulmonares e aumento da sobrevida. Houve aumento da atividade das células T, IFN-gama e IL-2, isto é, houve polarização para M1/Th1. Estudo *in vitro* mostrou que a naringina alivia a imunossupressão por diminuir de modo significante as células T regulatórias (Treg). Depreende-se que a naringina seria bom adjuvante nas pacientes cirúrgicas.

Estudo semelhante executado 6 anos antes do anterior, agora com células MDA-MB-435/HAL implantadas na gordura mamária, mostrou que a genisteína da dieta foi capaz de diminuir em 10 vezes o aparecimento de metástases pulmonares no grupo tratado (Vantyghem, 2005).

No pós-operatório de cirurgias de grande porte e de câncer a imunidade requer a administração de arginina (Popovic, 2007). Devido à presença de arginases no tecido neoplásico e nas células mieloides supressoras da imunidade preferimos utilizar a citrulina (El-Hattab, 2012).

Pacientes que recebem melatonina no pré-operatório de cirurgia do câncer colorretal evoluem melhor e têm alta precoce (Pliss, 2015).

Patrice Forget da Bélgica em trabalho retrospectivo analisou em 327 pacientes com diagnóstico precoce de câncer de mama, quais foram os analgésicos e anestésicos administrados no período peroperatório e intraoperatório. As drogas usadas foram sufentanil, clonidina, ketamina ou keterolac (20-30mg pré-incisional). Concluiu que as pacientes que receberam o "keterolac" (trometamol), analgésico – anti-inflamatório comum e pouco dispendioso, apresentaram redução de 5 vezes nas recidivas, após 9-18 meses da cirurgia, ao lado de aumentar a sobrevida sem doença nos primeiros 5 anos após a intervenção (Forget, 2010). Dois anos depois foi demonstrada com o uso do keterolac a supressão da recidiva precoce no câncer de mama triplo negativo (Resky, 2012).

Lembrar que a inflamação é componente significante do microambiente tumoral e pode ser somente local, porém geralmente é também sistêmica (Balkwill, 2001; Retsky, 2013).

A falência das operações mais agressivas em curar as pacientes com câncer de mama levou os cirurgiões a serem mais parcimoniosos nas ressecções cirúrgicas. A hipótese de Fisher assumindo que o câncer já se espalhou por via hematogênica antes da detecção clínica do tumor prediz que o tratamento cirúrgico local não afetará a sobrevida. Todos esses estudos nos fazem pensar duas vezes antes de concordar com cirurgias mais agressivas e radicais ou concordar com a própria cirurgia em si.

Câncer colorretal

Lacy, em 2002, em estudo randomizado comparou a eficácia da colectomia por laparoscopia (n = 111) com a colectomia a céu aberto (n = 108) no tratamento do câncer de cólon não metastático. A terapia adjuvante no peroperatório foi a mesma para ambos os grupos. Constataram-se no grupo laparoscopia menor morbidade e menor permanência hospitalar. Houve significante redução da recidiva tumoral com aumento da sobrevida relacionada ao câncer. De fato, o modelo Cox mostrou que a laparoscopia foi independentemente associada com a redução do risco de recidiva tumoral (*Hazard Ratio* 0,39, 95%IC 0,19-0,82), redução da morte por qualquer causa (HR 0,48, IC 0,23-1,01) e redução da morte relacionada ao câncer (HR 0,38, IC 0,16-0,91). Esta superioridade da laparoscopia sobre a cirurgia a céu aberto foi devida às diferenças nos pacientes em estágio III da doença (p = 0,04, p = 0,02 e p = 0,006, respectivamente) (Lacy, 2002).

Veenhof, em 2011, em estudo randomizado verificou a resposta ao estresse cirúrgico e a função imune pós-operatória do câncer retal após dois tipos de procedimentos, laparoscopia e cirurgia a céu aberto. Observou que após a laparoscopia a função dos monócitos foi maior e a inflamação menor. No mesmo ano Pascual mostrou os benefícios da laparoscopia ante a cirurgia de céu aberto, menor liberação de fatores promotores da inflamação e da angiogênese (Pascual, 2011).

A menor liberação de citocinas e fatores de crescimento diminuem a inflamação e mantêm a função dos monócitos, o que explica em parte a menor recorrência tumoral, a redução da morte relacionada ao câncer e a redução da morte por qualquer causa no grupo laparoscopia. Assim, o menor trauma cirúrgico diminuiu o subsequente desenvolvimento das metástases e propiciou o aumento da sobrevida.

Novamente: Nas palavras de O'Leary (2013):
Less stress greater success.

Evidência mais direta que a cirurgia induz metástases em pacientes em equilíbrio com o tumor foi elaborada por Peeters em 2006. A densidade vascular das metástases hepáticas colorretais aumentou após a ressecção do tumor primário e sincronicamente aconteceu modesto aumento da proliferação e significante diminuição da apoptose, o que provocou aumento do volume tumoral metastático. A aceleração do crescimento tumoral foi confirmada estudando biópsias hepáticas retiradas do mesmo paciente antes e após a ressecção do tumor colorretal. Este trabalho mostrou em humanos os mesmos resultados observados em modelos murinos, o tumor primário parece inibir o crescimento de suas metástases hepáticas.

Na verdade, observou-se que a ressecção do tumor colorretal está associada com mudanças persistentes de proteínas plasmáticas pró-angiogênicas, VEGF e angiopoetina, as quais estimulam o crescimento endotelial, a invasão, a migração, as metástases, ao lado de aumentar a proliferação do tumor residual do leito cirúrgico. O VEGF está drasticamente elevado no pós-operatório do 5º ao 13º dia e a angiopoetina está elevada durante todo o pós-operatório (Kumara, 2009).

Angiostatina é um inibidor seletivo que ensina o endotélio a se tornar refratário ao estímulo angiogênico. Especificamente inibe a proliferação endotelial e induz a dormência de metástases, definida com o equilíbrio entre a proliferação e a apoptose. A administração parenteral da angiostatina humana potencialmente inibe o crescimento de três carcinomas humanos xenotransplantados e três carcinomas murinos, observando-se quase completa inibição do crescimento tumoral (O'Reilly, 1996). Infelizmente tais resultados não foram confirmados em humanos.

Estudaram-se dois grupos de pacientes com metástases hepáticas síncronas com o tumor colorretal utilizando o 18F-FDG PET para avaliar a atividade metabólica das metástases antes e após a ressecção do tumor primário. O grupo A consistiu de 8 pacientes submetidos à ressecção do tumor colorretal cujas metástases foram avaliadas com o 18F-FDG PET após 2-3 semanas da cirurgia. O grupo B consistiu de 9 pacientes que tiveram a avalição da atividade metabólica das metástases antes e semanas após o início de tratamento não cirúrgico. No grupo A houve aumento de 38% da atividade metabólica no pós-cirúrgico das metástases preexistentes e o aparecimento de focos adicionais de metástases com atividade metabólica. Isto significa que metástases hepáticas antes indolentes passaram a ter atividade metabólica, "acordaram" após o trauma cirúrgico. No grupo B a segunda avaliação das metástases mostrou ou diminuição da atividade metabólica, –11%, ou aumento de apenas 1% e não se observaram novos focos metastáticos – figura 142.1 (in Scheer, 2008).

Dois anos depois o mesmo grupo de pesquisadores mostrou que, após a ressecção do tumor colorretal primário, ocorreu aumento da atividade metabólica no 18F-FDG PET das metástases hepáticas indolentes. No grupo operado houve aumento do SUV máximo em 50% das metástases (significante), enquanto no grupo não operado houve diminuição de 11% no SUV máximo (não significante) (Scheer, 2008)

Este aumento da atividade metabólica e o aparecimento de novas metástases após a ressecção do tumor primário nos impelem a usar drogas antiangiogênicas ou outras estratégias antes da cirurgia ou a não empregar a cirurgia.

Ressecar ou não ressecar tumor colorretal em estágio IV assintomático? Eis a questão.

Em 798 estudos coletados pela Cochrane Review a conclusão dos autores foi: a ressecção do tumor primário em pacientes assintomáticos com câncer colorretal em estágio IV em uso de quimioterapia e/ou radioterapia não se associa com o aumento da sobrevida. Em adição, a ressecção não reduz o risco de complicações do tumor primário como obstrução, perfuração ou sangramento (Cirocchi, 2012).

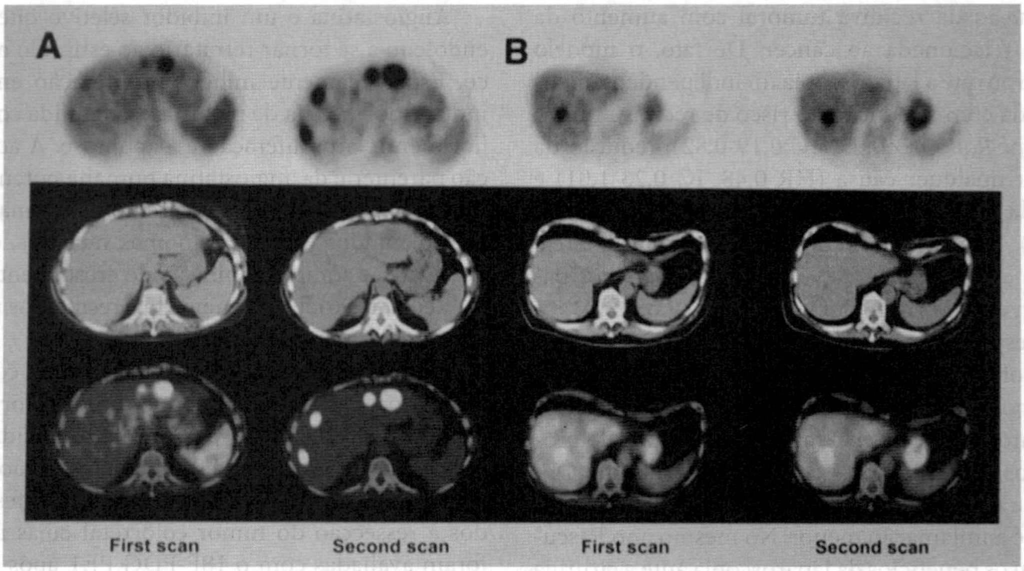

Figura 142.1 Pacientes com metástases hepáticas de tumor colorretal com imagens do18F-FDG PET. **A)** Antes da cirurgia e depois de 3 semanas de ser submetido à ressecção do tumor primário. **B)** Antes e depois de 3 semanas de ser submetido apenas a tratamento clínico. Note o aumento do volume das metástases já existentes e o aparecimento de outros focos no grupo operado.

Câncer hepático e metástases hepáticas

O parênquima hepático adjacente às metástases síncronas provê um ambiente angiogênico próspero para o crescimento metastático, significa que o fígado é terreno fértil para células neoplásicas (van der Wal, 2012).

Fisher e colaboradores mostraram que as células tumorais permanecem viáveis no fígado, porém em estado dormente, até serem ativadas por algum fator. A lesão do fígado estimula as células tumorais "dormentes" ou "latentes" que se transformam em metástases ativas em até 100% dos animais, sugerindo que o estado de "coexistência pacífica" com o hospedeiro transformou-se em crescimento tumoral ativo e o principal motivo foi devido à hepatectomia ou laparotomias de repetição (Fisher, 1959a-b-c; Fisher, 1963). Tais estudos foram confirmados por Sugarbaker em 1971.

Além do fígado, vários outros tecidos podem ser semeados após o ato cirúrgico, como é o caso dos pulmões (Lewis, 1958) e cérebro.

Ressecção hepática tumoral provoca desequilíbrio M1/Th1 (antiproliferativo) e polariza o sistema imune para M2/Th2 (proliferativo) ao lado de provocar hipermetabolismo e estado hiperdinâmico (Ishikawa, 2004).

Embolização de metástases hepáticas

Na Universidade de Amsterdam, 28 pacientes com câncer colorretal e metástases hepáticas foram submetidos à embolização pela veia porta seguida de ressecção cirúrgica. O desenlace foi o aumento do crescimento tumoral metastático e o aparecimento de novos tumores no fígado (Hoekstra, 2012, 2013; de Graaf, 2009).

Câncer de pâncreas

Após cirurgia convencional de pancreatectomia, o risco de produzir metástases hepáticas meses após o procedimento gira em torno de 50 a 80%.

Empregando ato cirúrgico convencional de extirpação do câncer de pâncreas o autor identificou na veia porta o mRNA de células tumorais em 5 de 10 pacientes (50%). Com a técnica *no touch* e franca lavagem peritoneal conseguiu-se reduzir o encontro do mRNA tumoral em apenas 1 de 8 pacientes (13%). Isto significa que esta nova técnica operatória diminuiu de 50 para 13% a passagem das células tumorais do câncer de pâncreas pela veia porta e, portanto, reduziram a incidência de metástases hepáticas após a ressecção dos tumores pancreáticos (Hirota, 2005).

Melanoma

Após excisão de melanoma ocorre recorrência do tumor em 33% dos pacientes de 1 a 10 anos após a cirurgia. O autor relata o caso de paciente que 1 mês após a cirurgia de melanoma apresentou recorrência local e metástases em vários linfonodos locorregionais, os quais estavam ausentes previamente à cirurgia. A cirurgia e outros fatores perturbadores podem modular a transição de células cancerosas dormentes para o rápido crescimento tumoral (De Giorgi, 2003).

Consultamos recentemente paciente que apresentava melanoma de polegar da mão direita por longos anos. Ao visitar dermatologista retirou o tumor. Em dois meses estava com metástases pulmonares e mais 3 meses metástases cerebrais e óbito. Clínica JFJ.

Câncer de bexiga urinária

A cistectomia radical do câncer de bexiga promove rápida progressão das metástases devido à extirpação de tecido rico em inibidores da angiogênese. A rápida ausência de moléculas antiangiogênicas e a presença de angiostatina, endostatina e trombospondina, como consequência da remoção cirúrgica do carcinoma de bexiga altamente proliferativo, explicam a rápida progressão de metástases não previamente diagnosticadas (Beecken, 2009).

Câncer de ovário

O estresse cirúrgico promove crescimento do carcinoma de ovário murino. A ressecção cirúrgica promove aumento da angiogênese, com o consequente aumento da proliferação tumoral. Os beta-bloqueadores impedem o efeito prejudicial proliferativo e o aumento da angiogênese provocados pela cirurgia (Lee, 2009).

Câncer de testículo

Lange em 1980 descreveu em detalhe as histórias clínicas de 8 pacientes submetidos à remoção cirúrgica de metástases volumosas de câncer testicular de células germinativas não seminomatosas. Após a cirurgia houve rápida e dramática exacerbação da doença. Alguns casos apresentaram elevação da alfafetoproteína e da gonadotrofina coriônica humana em 2 a 4 semanas da ressecção radical.

Casos típicos de aparecimento de metástases após procedimento cirúrgico ou trauma

1. Este caso foi mostrado pelo MedCenter como exemplo de técnica cirúrgica bem-sucedida. A literatura médica atual está repleta de trabalhos mostrando que a cirurgia do câncer, além de ineficaz, é carcinocinética, como mostra o presente relato de caso. Trata-se de paciente com 58 anos de idade encaminhado por recidiva cervical de melanoma nodular localizado na nuca. Apresentava 3 adenopatias cervicais palpáveis à esquerda sob o músculo trapézio, de 2cm cada, e punção aspirativa com agulha fina positiva para melanoma. Realizou-se esvaziamento cervical radical com pleno sucesso. Cirurgia difícil realizada por cirurgião habilitado e com muita experiência. A cirurgia foi um êxito e muito comemorada. O paciente desenvolveu metástases pulmonares e hepáticas logo após a cirurgia. Quatorze meses depois da intervenção recebe a quimioterapia paliativa.
2. Lá nos idos de 1914 a observação clínica já havia constatado: "A localização de tumores secundários em pontos de trauma é tão frequente observar que não é necessário citar instâncias específicas. A causa do fenômeno é desconhecida" (Jones, 1914).
3. Em 2005, El Saghir reportou caso de paciente fumante com câncer de pulmão não ressecável que após sofrer pequeno trauma encefálico desenvolveu em 30 dias tumor cerebral com 7cm no maior diâmetro. Não havia tumor cerebral antes do traumatismo.
4. Carcinoma de testículo descrito por Lange em 1980.
5. Casos de carcinoma de bexiga descritos por Beecken em 2009.
6. Cirurgia desnecessária nos pacientes com câncer colorretal grau IV assintomáticos descritos por Cirocchi em 2012.
7. Os casos de vários autores mostrados no quadro 142.2.
8. As recidivas frequentes no câncer de mama operado na pré-menopausa foram descritas por Retsky em 2005.
9. Menor o trauma, maior a sobrevida descrita em vários trabalhos.
10. Ressecção de melanoma com 33% de recidivas descritos por De Giorgi, 2003.
11. Etc.

No final concordamos plenamente com van der Bij que declara o período peroperatório uma janela de oportunidade subutilizada nos pacientes com câncer colorretal (van der Bij, 2009). Entretanto, nos outros tipos de câncer também se perde a oportunidade de diminuir o risco de infecção, por exemplo com glucana, *Ganoderma lucidum* e diminuir as metástases e a proliferação de células residuais do leito cirúrgico por ex. com naringina, genisteína anastrozol, letrozol, trometamol, citrulina, melatonina etc. A quimioterapia antes da cirurgia já provou seu valor em vários estudos.

Conclusão

A extirpação cirúrgica do câncer acorda células tumorais dormentes à distância, ao lado de acelerar o crescimento das células tumorais que restaram no leito cirúrgico.

A falta de eficácia da cirurgia confirma: "A cirurgia no câncer é baseada em paradigma inválido naquilo que é o câncer". Paradigma inválido: tumor é a doença.

Na verdade, o câncer não é doença localizada, ela é sistêmica, sendo o tumor apenas um dos seus sintomas. É o organismo que está doente e é o organismo que necessita ser cuidado, passando pelo afastamento das causas.

Daí concluímos que a cirurgia oncológica é mais prejudicial do que benéfica, entretanto se a cirurgia foi aceita pelo paciente não esqueçamos da existência de um arsenal de substâncias adjuvantes a ser usado no peroperatório: glucana, *Ganoderma lucidum*, naringina, genisteína, anastrozol, letrozol, trometamol, arginina etc.

É compreensível o conceito arraigado nos pacientes que a retirada do tumor resolverá o problema. O difícil é aceitar esse conceito arraigado nos médicos.

Referências

1. Al-Sahaf O, Wang JH, Browne T. Surgical Injury Enhances the Expression of Genes That Mediate Breast Cancer Metastasis to the Lung. Ann Surg. 252 (6)1037-43;2010.
2. Badwe RA, Mittra I, Havalda R. Timing of surgery during the menstrual cycle and prognosis of breast cancer. J Biosci. 25:113-20;2000.
3. Balkwill F, Mantovani A. Inflammation and cancer: back to Virchow? Lancet. 357(9255):539-45;2001.
4. Baum M, Demicheli R, Hrushesky W, Retsky M. Does surgery unfavourably perturb the "natural history" of early breast cancer by accelerating the appearance of distant metastases? Eur J Cancer. 41(4):508-15;2005.
5. Beecken WDC, Engl T, Jonas D, Blaheta RA. Expression of angiogenesis inhibitors in human bladder cancer may explain rapid metastatic progression after radical cystectomy. Int J Mol Med. 23(2):261-266;2009.
6. Benjamin DJ. The efficacy of surgical treatment of cancer. Med Hypotheses. 40(2):129-38, 1993.
7. Benjamin DJ. The efficacy of surgical treatment of breast cancer. Med Hypotheses. 47(5):389-97;1996.
8. Benjamin DJ. The efficacy of surgical treatment of cancer – 20 years later. Medical Hypotheses. 82:412-20;2014.
9. Bogden AE, Moreau J-P, Eden PA. Proliferative response of human and animal tumors to surgical wounding of normal tissues: onset, duration and inhibition. Br J Cancer. 75(7):1021-7;1997.
10. Bourgeais J, Gouilleux-Gruart V, Gouilleux F. Oxidative metabolism in cancer: A STAT affair? JAKSTAT. 2(4):e25764;2013.
11. Ceelen W, Pattyn P, Mare M. Surgery, wound healing, and metastasis: recent insights and clinical implications. Crit Rev Oncol Hematol. 89:16-26;2014.
12. Cirocchi R, Trastulli S, Abraha I, et al. Non-resection versus resection for an asymptomatic primary tumour in patients with unresectable stage IV colorectal cancer (Review). Prepared and maintained by The Cochrane Collaboration and published in The Cochrane Library 2012, Issue 8.798 studies.
13. Coffey JC, Wang JH, Smith MJF, et al. Excisional surgery for cancer cure: therapy at a cost. Lancet Oncol. 4:760-68;2003.
14. Chang HY, Nuyten DS, Sneddon JB, et al. Robustness, scalability, and integration of a wound-response gene expression signature in predicting breast cancer survival. Proc Natl Acad Sci U S A. 102(10):3738-43;2005.
15. Chiarella P, Bruzzo J, Meiss RP, Ruggiero RA. Concomitant tumor resistance. Cancer Lett. 324(2):133-41;2012.
16. De Giorgi V, Massi D, Gerlini G, et al. Immediate local and regional recurrence after the excision of a polypoid melanoma: tumor dormancy or tumor activation? Dermatol Surg. 29(6):664-7;2003.
17. de Graaf W, van den Esschert JW, van Lienden KP, van Gulik TM. Induction of tumor growth after preoperative portal vein embolization: is it a real problem? Ann Surg Oncol. 16(2):423-30;2009.
18. Demicheli R, Terenziani M, Valagussa P, et al. Local recurrences following mastectomy: support for the concept of tumour dormancy. J Natl Cancer Inst. 86:45-8;1994.
19. Demicheli R, Abbattista A, Miceli R, et al. Time distribution of the recurrence risk for breast cancer patients undergoing mastectomy: further support about the concept of tumour dormancy. Breast Cancer Res Treat. 41:177-85;1996.
20. Demicheli R, Retsky MW, Swartzendruber DE, Bonadonna G. Proposal for a new model of breast cancer metastatic development. Ann Oncol. 8:1075-80;1997.
21. Demicheli R, Bonadonna G, Hrushesky WJM, et al. Menopausal status dependence of the timing of breast cancer recurrence following primary tumour surgical removal. Breast Cancer Res. 6:R689-96;2004.
22. Demicheli R, Miceli R, Moliterni A, et al. Breast cancer recurrence dynamics following adjuvant CMF is consistent with tumour dormancy and mastectomydriven acceleration of the metastatic process. Ann Oncol. 16:1449-57;2005.
23. Demicheli R, Retsky MW, Hrushesky WJ, et al. The effects of surgery on tumor growth: a century of investigations. Ann. Oncol. 19(11):1821-8;2008.
24. Demicheli R, Fornili MA, Higgins K, et al. Recurrence dynamics for non-small-cell lung cancer: effect of surgery on the development of metastases. J Thor Oncol. 4:723-30;2012.
25. El-Hattab AW, Emrick LT, et al. Citrulline and arginine utility in treating nitric oxide deficiency in mitochondrial disorders. Mol Genet Metab.107(3):247-52;2012.
26. El Saghir NS, Elhajj II, Geara FB, Hourani MH. Trauma associated growth of suspected dormant micrometastasis. BMC Cancer. 5:94;2005.
27. Elias D. Rational of oncological surgery in multimodality treatment of cancers. Bull Cancer. 93(8):775-81;2006.
28. Fentiman IS, Gregory WM, Richards MA. Effects of menstrual phase on surgical treatment of breast cancer. Lancet. 344:402;1994.
29. Fisher B, Fisher ER. Experimental studies of factors influencing hepatic metastases. II. Effect of partial hepatectomy. Cancer.12: 929-32;1959a.
30. Fisher B, Fisher ER. Experimental studies of factors influencing hepatic metastases. III. Effect of surgical trauma with special reference to liver injury. Ann Surg.150:731-43;1959b.
31. Fisher B, Fisher ER. Experimental evidence in support of the dormant tumour cell. Science.130:918-9;1959c.
32. Fisher ER, Fisher B. Experimental studies of factors influencing hepatic metastases. XIII. Effect of hepatic trauma in parabiotic pairs. Cancer Res. 23:896-900;1963.

33. Fisher B. Laboratory and clinical research in breast cancer: a personal adventure: the David A. Karnofsky memorial lecture. Cancer Res. 40:3863-74;1980.
34. Floyd RA, Leigh JS, Chance B. Time course of tissue water proton spin-lattice relaxation in mice developing ascites tumor. Cancer Res. 34:89-91;1974.
35. Forbes JF. The use of early adjuvant aromatase inhibitor therapy: contributions from the BIG 1-98 letrozole trial. Semin Oncol. 33(2 Suppl 7):S2-7;2006.
36. Forget P, Vandenhende J, Berliere M, et al. Do intraoperative analgesics influence breast cancer recurrence after mastectomy? A retrospective analysis. Anesth Analg. 110(6):1630-5;2010.
37. Frey HE, Knispel RR, Kruuv J, et al. Proton spin-lattice relaxation studies of nonmalignant tissues of tumorous mice. J Natl Cancer Inst. 49:903-6;1972.
38. Frisell J, Lidbrink E, Hellström L, Rutqvist LE. Followup after 11 years--update of mortality results in the Stockholm mammographic screening trial. Breast Cancer Res Treat. 45(3):263-70;1997.
39. Gøtzsche PC, Jørgensen KJ. Screening for breast cancer with mammography. Cochrane Database Syst Rev. 6:CD001877;2013.
40. Hagen A, Hrushesky W. Menstrual timing of breast cancer surgery. Am J Surg. 104:245-61;1998.
41. Han M, Zhang T, Yang L, et al. Association between NADPH oxidase (NOX) and lung cancer: a systematic review and meta-analysis. J Thorac Dis. 8(7):1704-11;2016.
42. Hirota M, Shimada S, Yamamoto K, et al. Pancreatectomy using the no-touch isolation technique followed by extensive intraoperative peritoneal lavage to prevent cancer cell dissemination: a pilot study. JOP. 6(2):143-51;2005.
43. Hofer SOP, Molema G, Hoekstra HJ. The effect of surgical wounding on tumour development. Surg Oncol. 25 (3): 231-43;1999.
44. Hoekstra LT, van Lienden KP, Doets A, et al. Tumor progression after preoperative portal vein embolization. Ann Surg. 256(5):812-7;2012.
45. Hoekstra LT, van Lienden KP, Verheij J, et al. Enhanced tumor growth after portal vein embolization in a rabbit tumor model. J Surg Res. 180(1):89-96;2013.
46. Hormbrey E, Han C, Roberts A, et al. The relationship of human wound vascular endothelial growth factor (VEGF) after breast cancer surgery to circulating VEGF and angiogenesis. Clin Cancer Res. 9:4332-9;2003.
47. Hoover HC, Ketcham AS. Techniques for inhibiting tumor metastases. Cancer. 35:5-14;1975.
48. Hrushesky WJM, Bluming AZ, Gruber SA, Sothern RB. Menstrual influence on surgical cure of breast cancer. Lancet. 334:949-52;1989.
49. Hrushesky WJM. Breast cancer, timing of surgery, and the menstrual cycle: call for prospective trial. J Women's Health. 5:555-65; 1996.
50. Ishikawa M, Nishioka M, Hanaki N, et al. Hepatic resection induces a shift in the Th1/2 balance toward Th 2 and produces hypermetabolic and hyperhemodynamic states. Hepatogastroenterology. 51(59):1422-7;2004.
51. Ikeda M, Furukawa H, Imamura H. Surgery for gastric cancer increases plasma levels of vascular endothelial growth factor and von Willebrand factor. Gastric Cancer. 5:137-41;2002.
52. Inch WR, McCredie JA, Knispel RR, et al. Water content and proton spin relaxation time for neoplastic and non-neoplastic tissues from mice and humans. J Natl Cancer Inst. 52:353-6;1974.
53. James A, Daley CM, Greiner KA. "Cutting" on cancer: attitudes about cancer spread and surgery among primary care patients in the USA. Social Sci Med. 73(11):1669-73;2011.
54. Jatoi I. Timing of surgery for primary breast cancer with regard to the menstrual cycle phase and prognosis. Breast Cancer Res Treat. 52:217-25;1998.
55. Jones FS, Rous P. On the cause of the localization of secondary tumors at points of injury. J Exp Med. 20(4):404412,1914. In Retsky-2013.
56. Keller R. Elicitation of macroscopic metastases via surgery: various forms of surgical intervention differ in their induction of metastatic outgrowth. Invasion Metastasis. 3(3):183-92;1983.
57. Kumara HM, Feingold D, Kalady M, et al. Colorectal resection is associated with persistent proangiogenic plasma protein changes: postoperative plasma stimulates in vitro endothelial cell growth, migration, and invasion. Ann Surg. 249(6):973-7;2009.
58. Lacy AM, García-Valdecasas JC, Delgado S, et al. Laparoscopy-assisted colectomy versus open colectomy for treatment of non-metastatic colon cancer: a randomised trial. Lancet. 359(9325):2224-9;2002.
59. Lee JW, Shahzad MMK, Ling YG, et al. Surgical stress promotes tumor growth in ovarian carcinoma. Clin Cancer Res.15(8):2695-702;2009.
60. Lennard TW, Shenton BK, Borzotta A, et al. The influence of surgical operations on components of the human immune system. Br J Surg. 72(10):771-6;1985.
61. Lewis MR, Cole WH. Experimental increase of lung metastases after operative trauma (amputation of limb with tumour). Arch Surg. 77:621-6;1958.
62. Lu W, Hu Y, Chen G, et al. Novel role of NOX in supporting aerobic glycolysis in cancer cells with mitochondrial dysfunction and as a potential target for cancer therapy. PLoS Biol. 10(5):e1001326, 2012.
63. Manea A. NADPH oxidase-derived reactive oxygen species: involvement in vascular physiology and pathology. Cell Tissue Res. 342(3):325-39;2010.
64. Maniwa Y, Okada M, Ishii N, Kiyooka K. Vascular endothelial growth factor increased by pulmonary surgery accelerates the growth of micrometastases in metastatic lung cancer. Chest. 114:1668-75;1998.
65. Meng S, Tripathy D, Frenkel EP. Circulating tumour cells in patients with breast cancer dormancy. Clin Cancer Res. 10:8152-62;2004.
66. Mitsudomi T, Nishioka K, Maruyama R, et al. Kinetic analysis of recurrence and survival after potentially curative resection of nonsmall cell lung cancer. J Surg Oncol. 63:159-65;1996.
67. Nakanishi A, Wada Y, Kitagishi Y, Matsuda S. Link between PI3K/AKT/PTEN Pathway and NOX Proteinin Diseases. Aging Dis. 5(3):203-11;2014.
68. O'Leary DP, Wang JH, Cotter TG, Redmond H P. Less stress, more success? Oncological implications of surgery-induced oxidative stress. Gut. 62:461-70;2013.
69. O'Reilly MS, Holmgren L, Chen C, Folkman J. Angiostatin induces and sustains dormancy of human primary tumors in mice. Nat Med. 2(6):689-92;1996.
70. Pascual M, Alonso S, Parés D, et al. Randomized clinical trial comparing inflammatory and angiogenic response after open versus laparoscopic curative resection for colonic cancer. Br J Surg. 98(1):50-9;2011.
71. Peeters CF, de Waal RM, Wobbes T. Outgrowth of human liver metastases after resection of the primary colorectal tumor: a shift in the balance between apoptosis and proliferation. Int J Cancer.119:1249-53;2006.
72. Perez-Rivas LG, Jerez JM, Fernandez-De Sousa CE, et al. Serum protein levels following surgery in breast cancer patients: a protein microarray approach. Int J Oncol. 41(6):2200-6;2012.

73. Pliss MM, Sedov VM, Fishman MB. Assesmente of efficacy of melatonina in surgical treatment of colon tumors. Vestn Khir Im I I Grek. 174(5):71-4;2015.
74. Popovic PJ, Zeh HJ 3rd, Ochoa JB. Arginine and immunity. J Nutr. 137(6 Suppl 2):1681S-6S;2007.
75. Qin L, Jin L, Lu L, et al. Naringenin reduces lung metastasis in a breast cancer resection model. Protein Cell. 2(6):507-16;2011.
76. Retsky MW, Demicheli R, Swartzendruber DE, et al. Computer simulation of a breast cancer metastasis model. Breast Cancer Res Treat. 45:193-202;1997.
77. Retsky MW, Demicheli R, Hrusheksy WJM. Breast cancer screening for women aged 40-49 years: screening may not be the benign process usually thought. J Natl Cancer Inst. 93:1572;2001a.
78. Retsky MW, Demicheli R, Hrushesky W. Premenopausal status accelerates relapse in node positive breast cancer: hypothesis links angiogenesis, screening controversy. Breast Cancer Res Treat. 65:217-24;2001b.
79. Retsky M, Demicheli R, Hrushesky W. Does surgery induces angiogenesis in brast cancer. Int J Surg. 3:179-87,2005.
80. Retsky M, Hrushesky WJM, Baum M. Correspondence: sociodemographic determinants of cancer treatment health literacy. Cancer. 106: 26-7;2006.
81. Retsky M, Rogers R, Demicheli R, et al. NSAID analgesic ketorolac used perioperatively may suppress early breast cancer relapse: particular relevance to triple negative subgroup. Breast Cancer Res Treat. 134(2):881-8;2012.
82. Retsky M, Demicheli R, Hrushesky WJM, Forget P. Reduction of Breast Cancer Relapses with Perioperative Non-Steroidal Anti-Inflammatory Drugs: New Findings and a Review. Curr Med Chem. 20(33): 4163-76;2013.
83. Roy K, Wu Y, Meitzler JL, et al. NADPH oxidases and cancer. Clin Sci (Lond). 128(12):863-75;2015.
84. Scheer MG, Stollman TH, Vogel WV, et al. Increased metabolic activity of indolent liver metastases after resection of a primary colorectal tumor. J Nucl Med. 49(6):887-91;2008.
85. Schiffman JD, Fisher PG, Gibbs P Early detection of cancer: past, present, and future. Am Soc Clin Oncol Educ Book. 57-65;2015.
86. Sugarbaker EV, Ketcham AS, Cohen AM. Studies of dormant tumour cells. Cancer. 28:545-52;1971.
87. Sun HN, Kim SU, Lee MS, et al. Nicotinamide adenine dinucleotide phosphate (NADPH) oxidase-dependent activation of phosphoinositide 3-kinase and p38 mitogen-activated protein kinase signal pathways is required for lipopolysaccharide-induced microglial phagocytosis. Biol Pharm Bull. 31(9):1711-5;2008.
88. Tagliabue E, Agresti R, Carcangiu ML. Role of HER2 in wound-induced breast carcinoma proliferation. Lancet. 362:527-33;2003.
89. Tang SC. Reducing the risk of distant metastases: a better end point in adjuvant aromatase inhibitor breast cancer trials? Cancer Invest. 26(5):481-90;2008.
90. van der Bij GJ, Oosterling SJ, Beelen RH, et al. The perioperative period is an underutilized window of therapeutic opportunity in patients with colorectal cancer. Ann Surg. 249(5):727-34;2009.
91. van der Wal GE, Gouw AS, Kamps JA. Angiogenesis in synchronous and metachronous colorectal liver metastases: the liver as a permissive soil. Ann Surg. 255(1):86-94;2012.
92. Vantyghem SA, Wilson SM, Postenka CO, et al. Dietary genistein reduces metastasis in a postsurgical orthotopic breast cancer model. Cancer Res. 65(8):3396-403;2005.
93. Veenhof AAFA, Sietses C, von Blomberg BME. The surgical stress response and postoperative immune function after laparoscopic or conventional total mesorectal excision in rectal cancer: a randomized trial. Int J Colorectal Dis. 26:53-59;2011.
94. Yamamori T, Inanami O, Nagahata H, et al. Roles of p38 MAPK, PKC and PI3-K in the signaling pathways of NADPH oxidase activation and phagocytosis in bovine polymorphonuclear leukocytes. FEBS Lett. 467(2-3):253-8;2000.
95. Wu FPK, Hoeckman K, Meijer S, Cuesta MA. VEGF and endostatin levels in wound fluids and plasma after breast surgery. Angiogenesis. 6:255-7;2003.
96. Zheng S. The comparation of the efficacy of surgical treatment for lung cancer by minimally invasive thoracoscopic and by traditional thoracotomy. Zhongguo Yi Liao Qi Xie Za Zhi. 38(3):235-6;2014.

CAPÍTULO 143

Estratégias para polarizar o sistema imune de M2/Th2 para M1/Th1

Macrófagos associados a Tumores (TAMs), Células Supressoras Derivadas de Mielócitos (MDSCs) e Células T reguladoras (Treg)

José de Felippe Junior

O propósito da imunologia é muito simples: curar ou prevenir doenças. **Vários autores**

O sistema imune reconhece o self vs self transformado, daí o seu sucesso no tratamento de muitas neoplasias. **Vários autores**

Nos pacientes sem câncer o sistema imune está polarizado para M1/Th1 e nos pacientes com câncer o sistema passa a operar polarizado em M2/Th2. No tratamento dos pacientes com câncer devemos dirigir nossos esforços para polarizar o sistema imune novamente para M1/Th1.

Os macrófagos M1 são *Fight* e produzem NO, a enzima é o iNOS e a função é antiproliferativa e antimicrobiana.

Os macrófagos M2 são *Fix* e produzem ornitina, a enzima é a arginase e a função é proliferativa e regeneradora.

Macrófagos não dependem de linfócitos. Estes sim dependem dos macrófagos para produzir citocinas; mas por quê? Porque o primeiro a surgir na Evolução foi o sistema INATO: macrófagos, monócitos, células dendríticas, células *natural killer* e granulócitos: neutrófilos, eosinófilos, basófilos. Depois é que surgiram as células do sistema ADAPTATIVO, linfócitos T e B.

A civilização e o aumento da longevidade trouxeram novos desafios, câncer e aterosclerose, que não apresentam antígenos clássicos. Estas doenças estão frequentemente associadas ou mesmo são causadas por respostas tipo M1 ou M2 que nos tempos remotos eram úteis para lutar contra as infecções agudas e agora são inapropriadas em uma sociedade "livre de germes".

Importante é que existe potencial considerável para modularmos as respostas inatas dos macrófagos M1 e M2 e seus correspondentes adaptativos Th1 e Th2 para prevenirmos o aparecimento do câncer e aterosclerose e assim alcançarmos melhor saúde. Tudo isso aliados à **ESTRATÉGIA BIOMOLECULAR.**

Em clínica podemos distinguir o indivíduo M1/Th1 do M2/Th2.

M1/Th1: É o bravo, o inflamado, é o **Pitbull**, calmo, quieto, parece deprimido, não demonstra estar estressado, mas responde ao estresse com raiva e hipertensão, na briga/fuga: briga. É o calmo perigoso.

M2/Th2: É o medroso, assustado, é o **Passarinho**, não inflamado, estressado, ansioso, responde ao estresse desmontando e com hipotensão, na briga/fuga: fuga. É o que ladra, mas não morde.

No laboratório o M1/Th1: > NE, < E, NE/E > 5, < serotonina livre, < cortisol, > CD4/CD8 (> 2,0) e FAN: positivo.

No laboratório o M2/Th2: < NE, > E, NE/E < 5, > serotonina livre, > cortisol, < CD4/CD8 (< 1,5) e FAN: negativo.

NE: norepinefrina; E: epinefrina, FAN: fator antinúcleo.

Macrófagos associados ao tumor (TAMs) é a população predominante de células inflamatórias presentes nos tumores sólidos e o ator principal no palco tumoral é o macrófago M2. São principalmente os macrófagos M2 que orquestram a progressão tumoral e contribuem para a resistência à quimioterapia e radioterapia e se associam com a falência do tratamento e mau prognóstico.

Os macrófagos M2 são provenientes dos monócitos circulantes que se diferenciam no microambiente tumoral e a maioria provoca a promoção tumoral, incluindo a sempre presente IMUNOTOLERÂNCIA.

As células doentes, que chamam de câncer, estão tentando sobreviver para manter a identidade lapidada durante bilhões de anos, genoma. Dessa forma, lançam mão da imunotolerância como mais um mecanismo de sobrevivência.

Os macrófagos M2 ativam linfócitos Th2 implicados na proliferação mitótica, angiogênese, imunossupressão, tolerância imunológica, ativação de metaloproteinases e metástases. Os macrófagos M1, diferentemente do macrófago M2, é tumoricida e microbicida.

Para polarizar o sistema de M2/Th2 para M1/Th1 dispomos de seis categorias de estratégias:

A) Inibir o recrutamento de macrófagos M2 no estroma tumoral.
B) Diminuir o número e atividade do M2 no estroma tumoral.
C) Aumentar o número e a atividade do M1 no estroma tumoral.
D) Diminuir os linfócitos T reguladores – Treg.
E) Desacelerar o Sistema Nervoso Autônomo Simpático.
F) Ativar os receptores do TRAIL.

A) Inibir o recrutamento de macrófagos M2 no estroma tumoral

Modulação de quimioatractantes. Inibir CCL-2 (*C-C motif chemokine ligand-2*).

a) A trabectedina é um alcaloide natural, tetra-hidro-isoquinolina, derivado da *Ecteinascidia turbinata* marinha e pode suprimir o recrutamento de monócitos ao lado de inibir a sua diferenciação.
b) A inibição do M-CSF (*macrophage colony-stimulating factor*) diminui o M2 do estroma tumoral, entretanto, essa estratégia aumenta drasticamente o risco de infecção.
c) Inibir o VEGF e o VEGFR-2 (Avastin) ou inibir HIF-1-alfa diminui M2 no estroma tumoral. Inibir HIF-1-alfa é inibir VEGF. A deficiência de HIF-1alfa reduz a densidade de macrófagos M2 e diminui a angiogênese e a invasão no glioblastoma multiforme murino por bloqueio da metalo proteinase-9.

B) Diminuir o número e a atividade do M2 no estroma tumoral

Bifosfonatos são capazes de depletar os macrófagos M2.

a) Clodronato – citotóxico seletivo de macrófagos M2 provoca regressão do tumor, da angiogênese e das metástases.
b) Ácido zoledrônico ("Zometa"). Inibe a infiltração de macrófagos M2, impede a diferenciação de células mieloides em macrófagos associados ao tumor e aumenta a atividade tumoricida dos macrófagos M1. É o mais usado e apresenta boa eficácia. Prolonga vida no câncer de mama.

C) Aumentar o número e a atividade dos macrófagos M1 no estroma tumoral

A maioria dos macrófagos associados ao tumor são do tipo M2, mas eles mantêm a plasticidade e podem perfeitamente se transformar em macrófagos M1.

Se no estroma tumoral houver alta concentração de IL-12, IFN-gama e TNF-alfa, os macrófagos M2 passam para M1.

Se no estroma tumoral houver alta concentração de IL-4, IL-10, IL-13, TGF-beta, os macrófagos M1 passam para M2.

São primordiais para polaridade o NF-kappaB e as proteínas STATs (*signalling transducer and activator of transcription*).

NF-kappaB e STAT1 aumentam a expressão de genes que geram IL-12, IFN-gama e TNF e a polaridade vai para M1.

STAT3 e STAT6 aumentam a expressão de genes que geram IL-4, IL-10, IL-13, TGF-beta e a polaridade vai para M2.

Se inibirmos o NF-kappaB: M1 → M2.

Se inibirmos STAT3 e STAT6: M2 → M1.

Precisamos: ATIVAR NF-kappaB e STAT1 e inibir STAT3 e STAT 6 para M2 → M1.

O NF-kappaB é o regulador central dos macrófagos tumorais.

1. **Ativadores do NF-kappaB**
   Agonistas dos *Toll-like* receptores (TLRs): lipopolissacarídeos (LPS) são ativadores bem conhecidos do NF-kappaB.
   Entretanto, ativar NF-kappaB:
   a) Possui efeito pró-tumoral.
   b) Possui efeito na ativação do HIF-1-alfa e aumenta a angiogênese e a proliferação.
2. **Ativadores do STAT1**
   Agonista natural do STAT1 é o IFN-alfa, IFN-beta e IFN-gama.
   Os IFNs ativam STAT1 e aumentam IL-12, óxido nítrico sintase-2 e polarizam sistema imune de M2 para M1.
   Entretanto, possui efeito pró-tumoral.
3. **Inibidores do STAT3 e STAT6**
   Sunitinibe e esorafenibe inibem STAT3, aumentam a IL-12 e reduzem a imunotolerância.
   Inibir a via PI3K e ou c-myc inibe o STAT6 e M2 passa para M1.

No final, ativar o fator de transcrição NF-kappaB e o STAT1 é manter a sobrevivência das células neoplásicas, manter a proliferação tumoral e, portanto, precisamos encontrar outras técnicas carcinostáticas.

D) Diminuir os linfócitos T reguladores – Treg

Os pacientes com câncer invariavelmente possuem linfócitos T regulatórios (Treg) elevados, um dos mecanismos de diminuir a eficácia da vigilância imunológica. Devemos sempre ter este aspecto clínico em mente e não podemos nos esquecer de agir vigorosamente.

É uma lei fundamental do sistema imune o equilíbrio: se estimulamos o sistema surge logo a seguir inibidores do sistema. É o acelerar e o desacelerar constante e fisiológico do sistema imune.

O uso de imunoestimulantes potentes é ineficaz se não inibirmos concomitantemente as células Treg.

O sistema imunológico funciona como o piloto brasileiro no autódromo de Interlagos, Ayrton Senna, quando venceu o campeonato mundial de Fórmula 1 no Brasil dirigindo sob chuva forte: ele acelerava e freava; acelerava e freava; acelerava e freava.

Atualmente contamos com uma série enorme de substâncias que podem ser usadas em clínica capazes de polarizar o sistema de M2/Th2 para M1/Th1, de inibir os macrófagos M2, de ativar os macrófagos M1 e finalmente algo que jamais podemos esquecer, inibir drasticamente os linfócitos Treg. Esqueça esta parte e verás cair por terra a eficácia do tratamento do câncer.

Descobriu-se recentemente que as células Treg sofrem apoptose potente no microambientes de tumores humanos e de camundongos devido ao estresse oxidativo. Como surpresa, descobriu-se que as células Treg apoptóticas são mais eficientes do que as células Treg vivas na supressão das células T *in vitro* e *in vivo*. Mais importante ainda, demonstrou-se que a eficácia terapêutica do bloqueio de PD-L1 é abolida por células Treg apoptóticas em modelos de camundongos portadores de tumor.

A imunossupressão mediada por células Treg apoptóticas pode ser um dos principais modos de ação das células Treg no câncer e servir como mecanismo potencial para resistência ao *checkpoint-blockade* por PD-1/PDL-1. É o estresse oxidativo que provoca a apoptose das células Treg e este é um novo mecanismo de evasão imunológica do tumor no microambiente tumoral (Maj, 2017).

E) Sistema nervoso autônomo simpático

As catecolaminas são secretadas no tumor sob o controle do sistema nervoso simpático para manter o microambiente de sobrevivência tumoral. *In vivo*, a depleção do estoque natural de catecolaminas reduz a sua liberação nos tecidos tumorais, restringe a função dos macrófagos M2 ativados, atenua a neovascularização do tumor e inibe o seu crescimento. *In vitro*, as catecolaminas desencadeiam polarização M2 dos macrófagos, aumentam a expressão do VEGF e promovem angiogênese tumoral. Todos esses efeitos das catecolaminas podem ser revertidos pelo propranolol, um betabloqueador não específico. A diminuição dos níveis de catecolaminas além de diminuir o recrutamento de macrófagos associados a tumores (TAMs), também altera o microambiente imunossupressor, diminuindo o recrutamento de células supressoras derivadas de mielócitos (MDSCs) e facilitando a ativação de células dendríticas resultando em uma boa resposta imune antitumoral.

Deve-se lembrar que os macrófagos têm um sistema colinérgico completo que consiste em receptores acetilcolínicos, muscarínicos e nicotínicos. O estímulo vagal libera acetilcolina e diminui o recrutamento de neutrófilos e macrófagos, diminui o TNF-alfa, IL-1, IL-6 e IL-8, inibe o NF-KappaB e, finalmente, inibe a inflamação. A injeção de acetilcolina inibe a IL-1 e o TNF-alfa de macrófagos e micróglias e polariza o sistema imunológico para Th2, carcinocinético.

Lá em 1990 os cientistas da antiga Rússia já escreviam: agentes que agem em receptores dopaminérgicos, alfa e beta-adrenérgicos podem aumentar o efeito dos imunoestimulantes (Shigaev, 1990). Não podemos acreditar neste trabalho, porquê o propranolol bloqueia o sistema simpático e provoca diminuição da proliferação mitótica. Vide Capítulo: Propranolol no Câncer.

F) Ativar os receptores do TRAIL/APO2-Ligand

TRAIL (TNF-*related apoptosis-inducing ligand*) é molécula efetora do sistema imune com potencial apoptótico, sendo regulada pelo gene TRAIL.

TRAIL é membro da superfamília TNF que induz morte seletiva de células tumorais engajando receptores da morte pró-apoptóticos DR4 e DR5. Ao contrário de outros membros da família o TRAIL ligado a membrana, após estimulação com interferons alfa, beta e gama se expressa nas células imunes: Natural Killer, células B, monócitos e células dendríticas. Reserva intracelular de TRAIL também se encontra nos neutrófilos e são liberadas após vários estímulos como as micobactérias e o Bacilo de Calmette-Guérin (**BCG**).

TRAIL é capaz de induzir apoptose em inúmeras linhagens de células neoplásicas incluindo as provocadas por vírus.

O IFN-gama é capaz de regular para cima a expressão dos receptores do TRAIL nos neutrófilos, monócitos, células dendríticas e células Natural Killer, os quais são liberados de uma forma solúvel e funcional (Kamohara, 2004).

O IFN-gama é potente indutor do TRAIL mRNA e de sua proteína em várias células do sistema imune. Enquanto o TNF-alfa regula para baixo, o IFN-gama regula para cima a expressão dos receptores do TRAIL, exceto o TRAIL-R2. Os neutrófilos liberam formas solúveis e funcionais do TRAIL quando estimulados com BCG in vitro e a atividade está localizada predominantemente na parede celular (Kamohara, 2004; Simons,

2007). BCG é potente imunoestimulante ativando as citocinas Th1, incluindo o IFN-gama e este é agonista do TRAIL/APO2-L (Ludwig, 2004).

São também ativadores do IFN-gama, berberina, DIM, silibinina, resveratrol, beta-glucana, curcumina, DHEA, melatonina, ácido ursólico, zinco e amiloride.

A curcumina potencía os efeitos antitumorais do BCG contra o câncer de bexiga regulando para baixo o NF-kappaB e regulando para cima os receptores do TRAIL (Kamat, 2009).

O gene TRAIL pode ser silenciado por hipermetilação da sua zona promotora, CpG, daí a importância de logo na fase inicial do tratamento do paciente interferir na epigenética demetilando a zona CpG.

Polarizam M1/Th1

1. Inibidores do CTLA-4 e PD-1 aumentam IFN-gama.
2. Glucana ativa a imunidade inata (monócitos, macrófagos, células dendríticas, granulócitos e células NK) e a adaptativa (linfócitos T).
3. *Ganoderma lucidum*: glucana.
4. *Agaricus blazei*: glucana.
5. BCG – bacilo de Calmette-Guérin – forte indutor Th1 e assim induz Treg.
6. BCG + glucana em baixa dose são sinérgicos – forte indutor Th1 e não induz Treg devido a glucana.
7. Naltrexone em baixa dose.
8. Ácido ursólico ativa células dendríticas humanas via TLR2 e/ou TLR4 e induz produção de IFN-gama pelas células T células *naive* CD4+.
9. Berberina, sanguinarina, *Chelidoneum majus*.
10. *Chenopodium ambrosioides* aumenta a função de macrófagos M1 com produção de NO e ativa linfócitos do baço e gânglios linfáticos.
11. Zinco aumenta IFN-gama, ativa células NK e diminui IL-10.
12. Iodo molecular.
13. DHEA. Aumenta IFN-gama e IL-2.
14. Melatonina aumenta IFN-gama, IL-1, IL-2, IL-6, IL12, citocinas opioides e diminui IL-10.
15. Resveratrol aumenta IL-12 e IFN-gama e diminui Treg e TGF-beta.
16. Silibinina aumenta a proliferação de monócitos.
17. Artemisinina.
    a) Diminui significativamente a quantidade de células MDSC e Treg, enquanto as células T CD4 + IFN-γ + T e os CTL aumentam significativamente (Cao,2019). Isto significa polarização do sistema imune para M1/Th1.
    b) Forte ativadora das células *Natural Killer* de modo dose dependente (Houth, 2017).
18. Fucoidan.
    a) Polariza sistema imune de M2/Th2 para M1/Th1.
    b) Aumenta reposta imune inata e adaptativa.
19. Inositol hexafosfato mais inositol.
    a) Polariza sistema imune pata M1/Th1.
    b) Aumenta atividade das células Natural killer.
20. Viscum álbum e seus compostos aumentam número e função de monócitos, macrófagos, granulócitos, células Natural Killer, células T, células dendríticas e consequentemente induzem a geração de citocinas, como IL-1, IL- 2, IL-4, IL-5, IL-6, IL-8, IL-10, IL-12, GM-CSF, TNF-α e IFN-γ.
21. Ciclofosfamida em baixa dose diminui Treg e assim acontece predomínio Th1.
22. Inibidores da COX-2 inibem PGE2 e polarizam macrófagos associados ao tumor de M2 para M1.
23. Extrato de *Scutellaria baicalensis*, mas não a baicalina isolada inibe o COX-2.
24. Doxiciclina inibe o macrófago M2.
25. Espironolactona ao deitar em baixa dose (2-5mg) aumenta TNF-alfa, IFN-gama, IL-2, CD4+ e CD8+ durante a fase inicial do sono noturno.
26. Cimetidina desativa Treg e inibe Th1 e Th2 e no final provoca desvio para Th1.
27. Omeprazol.
28. Capsaicina ativa células dendríticas.
29. Amiloride inibe NHE1 e aumenta o desenvolvimento pleno da função do CD8 citolítico, incluindo a expressão do IFN-gama, perforina e granzima-B nas células T, CD8+.
30. Celecoxibe inibe COX-2 e diminui PGE.
31. Drogas que aumentam PGE1 como hormônio da tiroide (baixa dose) e ácido gamalinolênico (GLA). Exemplo, óleo de borage, 24% de GLA e óleo de prímula,12% de GLA.
32. *Lactobacillus casei* Shirota.
33. *Lactobacillus casei casei.*
34. Óleo de linhaça mais *Lactobacillus plantarum*.
35. Luteolina.
36. Licopeno.
37. Hesperidina é antagonista do Th2.
38. Ácido retinoico aumenta IL-2 e assim aumenta a proliferação dos linfócitos T e células NK no homem.
39. Carbono 60 (Fullerene).
40. Hipertermia tumoral.
41. Alimentos.
    a) Cogumelos comestíveis ricos em beta-glucana.
    b) Cereais como cevada (*Hordeum vulgare*), aveia (*Avena sativa*), cardamomo (*Elettaria cardamomum*), centeio (*Secale cereale*), espelte (*Triticum spelta*) e trigo (*Triticum*) são ricos em beta-glucana.
    c) Óleo de coco rico em ômega-9.
    d) Ômega-7 do óleo de coco aumenta IFN-gama.
    e) Pimenta vermelha: capsaicina.
    f) Estévia.

g) Ostra, lagosta, caranguejo, gema do ovo, soja fermentada, amêndoas cruas, nozes, farinha de centeio, semente de girassol, castanha-do-pará, noz pecan, fígado de boi: ricos em zinco.
h) Algas ricas em iodo.
i) Molho de tomate: licopeno.
j) *Rosmarinus officinalis* (alecrim), *Salvia officinalis* (sálvia), *Ocimum basilicum* (manjericão), *Artemisia absinthium* (losna), *Plantago major*, *Prunella vulgaris*, quinoa desamargada, casca da maçã e da pera, (entretanto, rica em agrotóxicos), amêndoa crua, hortelã, ameixa: ricos em ácido ursólico.

Reduzem as células Treg – T regulatórias e facilitam a polarização M1/Th1

Novamente lembramos: ao ativar M1/Th1 o sistema imune aumenta as células Treg para manter o equilíbrio, dessa forma, sempre ao polarizar M1/Th1 devemos inibir Treg.

1. Ciclofosfamida baixa dose: forte inibidor do Treg.
2. Cimetidina diminui Treg ao lado de reduzir IL-10 e aumentar células dendríticas.
3. Beta-glucana.
4. Resveratrol.
5. Inibidores da via PI3K/Akt inibem seletivamente o Treg.
6. Ativadores do PTEN inibem a via PI3K/Akt.
7. *Scutellaria barbata* diminui Treg e aumenta a razão Th1/Th17.
8. Momorcica charantia.
9. Artemisinina.

Polarizam Treg e provocam imunotolerância

1. Altas doses de imunoestimulantes Th1 sem abolir Treg.
2. Triptofano, 5HTP.
3. EGCG.
4. Inibidores da ECA.
5. PGE2.
6. 17-Alfa-estradiol.
7. Agonistas dos receptores alfa do estradiol.
8. IGF-1 no camundongo.
9. Ativação da via PI3K/Akt: acontece em praticamente todas as neoplasias.

Polarizam M2/Th2

1. Triptofano/5-hidroxitriptofano aumentam Treg e suprimem Th1.
2. EGCG aumenta Treg e Th17.
3. Inibidores da ECA diminuem a razão Th1/Th2 e aumentam Treg.

Propranolol, bloqueador inespecífico beta-adrenérgico no per-operatório atenua a elevação de células Tregs (Zhou, 2016).

4. Bloqueadores beta-adrenérgicos específicos como o Beta3 (nebivolol) provocam imunotolerância no melanoma (Calvani, 2019).
5. Inibidores de NHE1 inibem IL-12.
6. **Curcumina**. Na maioria dos modelos diminui IFN-gama e em outros aumenta.
7. **Genisteína**. Diminui a produção de IFN-gama, TNF-alfa e IL-12, enquanto aumenta IL-10.
8. Diminuição do DHEA-sulfato sérico.
9. **Ácido valproico**.
10. **Ácido lipoico** estimula a produção de AMPc via receptores prostanoides EP2 e EP4 e inibe a síntese de IFN-gama e a citotoxicidade das células NK.
11. Quercetina inibe IFN-gama, IL-2 e polariza Th2.
12. **Parthenolide**.
13. Astaxantina.
14. Insulina.
15. **Nicotinamida**.
16. Própolis.
17. Epinefrina inibe TNF-alfa e células NK, enquanto aumenta IL-10.
18. Diminuição de tirosina e fenilalanina.
19. Sertralina, clomipramina e trazodona diminuem a razão IFN-gama/IL-10.
20. Sistema nervoso simpático diminui a razão Th1/Th2.
21. Sinvastatina, lovastatina.
22. Corticosteroides.
23. Dor por aumentar cortisol.
24. Estresse, sobrecarga emocional: aumenta cortisol.
25. Ansiedade por aumentar a epinefrina (adrenalina).
26. Antidepressivos que diminuem a norepinefrina e aumentam a epinefrina.
27. Disbiose intestinal.
28. PGE2 recruta os macrófagos M2 para o intratumoral e suprime a polarização do macrófago M2 para o M1.
29. PGE2 inibe Th1 e células NK e aumenta Th2, Th17 e Treg: suprime M2 para M1.
30. IGF-I aumenta IL-10 e Treg.
31. Ácido elágico.
32. Hipóxia.
33. Histamina.
34. Metotrexato 2,5-5mg/semana diminui IL-1, IL-2, IL-6, IFN-gama e inibem Th1, enquanto aumenta a expressão do IL-4, IL-10 e ativa Th2.
35. Óleo de palma (óleo dendê) diminui TNF por ser rico em tocotrienóis.
36. Óleo de peixe e de girassol diminuem IFN-gama.
37. Óleo de gergelim diminui IFN-gama.
38. Hipotermia tumoral.

Efeitos neutros

1. Benzaldeído.
2. *Annona muricata*.
3. Hidroxicitrato.
4. Citrato.

Efeitos mistos

1. Lítio em alta dose ativa citocinas pró-inflamatórias IFN-gama, TNF-alfa, IL-8 e polariza para Th1.
2. Lítio em baixa dose ativa citocinas anti-inflamatórias IL-10, IL-1RA (receptor inibidor da IL-1) e polariza para Th2.

Imunoestimulação com glucana no câncer em pacientes submetidos à radiofrequência com o oscilador de múltiplas ondas

Felippe Jr estudou os efeitos da radiofrequência mais o imunoestimulante glucana sobre o sistema imune de 12 pacientes com câncer. Em média receberam 24 aplicações de RF: 15'-2 a 3 vezes por semana, durante 3 meses, e glucana 10mg 1 vez por semana. Ano de 2009.

Resultados

Células *natural killer* (CD56)

75 ± 23 .... 226 ± 47 .... + 201% p < 0,01

Linfócitos T

865 ± 99 .... 1149 ± 144 .... + 33% p < 0,05

Linfócitos B

152 ± 49 .... 285 ± 73 .... + 89% p < 0,05

CD4

433 ± 70 .... 637 ± 92 .... + 47% p < 0,05

CD8

292 ± 62 .... 364 ± 46 .... + 25% NS

A radiofrequência juntamente com a glucana foi capaz de aumentar significantemente e drasticamente o número de células do sistema imunológico que funcionam na defesa anticâncer, isto é, as células *natural killer*, os linfócitos T e B e o CD4 que polarizam o sistema imune de Th2 (facilitador do câncer) para Th1(forte efeito carcinostático).

Conclusão

É de importância crucial polarizar o sistema imune para M1/Th1, nunca se esquecendo de inibir Treg. Devemos estar atentos para a interação medicamentosa entre os fitonutrientes. Cuidado com os corticosteroides, EGCG e triptofano.

Referências

1. Resumos ou trabalhos na íntegra no site www.medicinabiomolecular.com.br
2. Bhattacharya S, Muhammad N, Steele R, et al. Immunomodulatory role of bitter melon extract in inhibition of head and neck squamous cell carcinoma growth. Oncotarget. May 31;7(22):33202-9, 2016.
3. Cao Y, Feng YH, Gao LW, et al. Artemisinin enhances the anti-tumor immune response in 4T1 breast cancer cells in vitro and in vivo. Int Immunopharmacol. May;70:110-116. 2019.
4. Calvani M, Bruno G, Dal Monte M L. et al. β3 -Adrenoceptor as a potential immuno-suppressor agent in melanoma. Br J Pharmacol. Jul;176(14):2509-2524, 2019.
5. Felippe Jr. A Medicina 50 anos depois. Advento da Medicina Biomolecular. Ed. Livro Novo, São Paulo, 1ª Ed. 2017.
6. Houh YK, Kim KE, Park S, et al. The Effects of Artemisinin on the Cytolytic Activity of Natural Killer (NK) Cells. Int J Mol Sci. Jul 24;18(7), 2017.
7. Kamat AM, Tharakan ST, Sung B, Aggarwal BB. Curcumin potentiates the antitumor effects of Bacillus Calmette-Guerin against bladder cancer through the downregulation of NF-kappaB and upregulation of TRAIL receptors. Cancer Res. Dec 1;69(23):8958-66;2009.
8. Kamohara H, Matsuyama W, Shimozato O, et al. Regulation of tumour necrosis factor-related apoptosis-inducing ligand (TRAIL) and TRAIL receptor expression in human neutrophils. Immunology. 111:186–194;2004.
9. Maj T, Wang W, Crespo J, et al. Oxidative stress controls regulatory T cell apoptosis and suppressor activity and PD-L1-blockade resistance in tumor. Nat Immunol. Dec;18(12):1332-1341, 2017.
10. Ludwig AT, Moore JM, Luo Y, et al. Tumor necrosis factor-related apoptosis-inducing ligand: a novel mechanism for Bacillus Calmette-Guérin-induced antitumor activity. Cancer Res. May 15;64(10):3386-90;2004.
11. Simons MP, Moore JM, Kemp TJ, Griffith TS. Identification of the mycobacterial subcomponents involved in the release of tumor necrosis factor-related apoptosis-inducing ligand from human neutrophils. Infect Immun. 75:1265–1271;2007.
12. Shigaev NI, Lazareva DN. The effect of catecholaminergic agents on the efficacy of immunostimulants]. Farmakol Toksikol. 1990 Nov-Dec;53(6):33-6.
13. Zhou L, Li Y, Li X, et alPropranolol Attenuates Surgical Stress-Induced Elevation of the Regulatory T Cell Response in Patients Undergoing Radical Mastectomy. J Immunol. 2016 Apr 15;196(8):3460-9.

CAPÍTULO 144

Antimicrobianos: antibióticos e fitoterápicos no tratamento do câncer

José de Felippe Junior

Uma das causas do câncer são os agentes biológicos.
Vários autores do século XX

Muito difícil exterminar os agentes biológicos causadores do câncer, entretanto, é possível, e muito bem, administrá-los. **JFJ**

Uma das prevenções do câncer passa por administrar os agentes microbianos cancerígenos antes de provocarem a neoplasia: cuidar do sistema imune. **JFJ**

IgG elevada pode significar infecção crônica em atividade e não cicatriz sorológica. **Médicos atentos**

Os arsenais terapêuticos dispõem há séculos de uma série de substâncias da Natureza que funcionam como antimicrobianos. Com o advento dos antibióticos, era Fleming, este arsenal melhorou em qualidade e quantidade e nós médicos precisamos empregá-los com a devida maestria, porque mais de 25% das neoplasias humanas são provocadas diretamente por agentes biológicos. Infelizmente, este conceito não impera na classe médica e as neoplasias refratárias e recidivantes continuam acontecendo.

De valor realmente inestimável e de fácil compreensão é o fato de os antibióticos usados no tratamento de infecções comuns da prática médica possuírem também tantos efeitos benéficos no tratamento do câncer. E também é verdade que a maioria das substâncias da Natureza com efeito anticâncer são ativas contra bactérias, vírus ou fungos.

Precisamos distinguir muito bem os efeitos *in vitro* e farmacológico dos efeitos *in vivo* e biológicos das substâncias que estudamos. E, cuidado, uma substância pode ser benéfica em humanos e não funcionar em murinos, e vice-versa. Os ratos e os camundongos são munidos de maior número de CYPs, enzimas desintoxicantes, porque vivem há milhões de anos em ambiente altamente poluído.

No tratamento de infecções instaladas nos pacientes com câncer, principalmente aqueles sob quimioterapia ou radioterapia, devemos sempre empregar o binômio antibiótico-imunoestimulante.

A eficácia terapêutica aumenta com o antibiótico certo acrescido do aumento da imunidade celular, M1/Th1, por exemplo com glucana por via oral ou intravenosa. Vide tratamento das infecções agudas e crônicas com glucana no livro de Felippe Jr: A Medicina 50 anos depois – Advento da Medicina Biomolecular. Ano 2017. Volume I. Ed. Livro Novo. São Paulo.

I – ANTIBIÓTICOS

1. MINOCICLINA

Minociclina é a segunda geração das tetraciclinas semissintéticas usadas há mais de 30 anos no combate às infecções por bactérias gram-positivas e gram-negativas. É eficaz nas bactérias sem parede, CWD, ciclogênicas ou *stealth* bactérias.

Mecanismos moleculares no câncer

1. Eficaz nas bactérias sem parede.
2. Anti-inflamatório.
3. Imunomodulador.
4. Inibe a proliferação celular neoplásica e a formação de colônias.
5. Diminui as ciclinas A, B e E parando o ciclo celular em G0.
6. Suprime a síntese de DNA.
7. Ativa a caspase-3: apoptose.
8. Cliva a PARP-1: apoptose.
9. Suprime a via Akt/mTOR/p70S6K e induz autofagia da célula tumoral.
10. Ativa a via ERK 1/2 e induz autofagia da célula tumoral.

11. Estimula Raf-1/MEK1/2/ERK1/2 e induz a autofagia da célula tumoral.
12. Bloqueia a expressão e a atividade da MT1-MMP e diminui a invasão tumoral.
13. Atua inibindo TLR 2 (*Toll-like receptor-2*) e MMP9, fato já demonstrado *in vivo* em ensaio clínico no *Clinical Trials.*
14. Câncer de ovário – minociclina inibe a proliferação celular, para o ciclo em G0 e suprime síntese do DNA e provoca apoptose por ativar caspase-3.
15. Pode atuar na infecção pelo HIV. Minociclina reduz a replicação e reativação viral e diminui a ativação das células T CD4+. Os efeitos anti-HIV da minociclina são mediados pela alteração do ambiente celular mais do que ação direta nos vírus, e assim este antibiótico entra nas drogas anti-HIV, classe anticelular.

2. DOXICICLINA – pertence à mesma família da minociclina.

Mecanismos moleculares no câncer

1. Eficaz nas bactérias sem parede.
2. Potente efeito antiangiogênico.
3. Inibe a polarização para macrófago M2 que é angiogênico e carcinocinético e provoca antiangiogênese e diminuição da proliferação no glioma.
4. Inibe EGFR.
5. Talvez iniba o VEGF.
6. Inibe as MMPs, sendo potente anti-invasivo e antimetastático.
7. Para o ciclo celular em G0/G1.
8. Ativa a caspase-3: apoptose.
9. Atenção: a doxiciclina quela o zinco e assim pode diminuir a imunidade celular. Sempre administrar zinco ao usar a doxiciclina.
10. Atenção: a doxiciclina perturba a atividade metabólica mitocondrial e induz alterações da expressão de seus genes. Dessa forma, não devemos usá-la a longo prazo no câncer, porque no tratamento das neoplasias em geral necessitamos de uma ótima atuação da fosforilação oxidativa mitocondrial.

3. CLARITROMICINA

A claritromicina é um macrolídeo indicado para infecções de vias aéreas, para o *Helicobacter pylori* e, muito interessante, é ativo contra micobactérias, incluindo o *Mycobacterium bovis*. As micobactérias foram implicadas como agentes causais do câncer por muitos pesquisadores de um passado recente, Virginia Wuerthele-Caspe Livingston-Wheeler, Florence Seibert, Lida Mattman, Gerald Dominigue e Alan Cantwell, que encontraram bacilos álcool ácido-resistentes no tecido de vários tipos de câncer, incluindo mama, próstata, pulmão, pâncreas, colorretal, linfoma de Hodgkin e não Hodgkin, leucemias e sarcomas.

Mecanismos moleculares no câncer

1. Ativa células *natural killer*.
2. Inibe TNF-alfa.
3. Na peritonite diminui a apoptose dos linfócitos e monócitos diminuindo a liberação do TNF-alfa.
4. Diminui a expressão do VEGF, fator de crescimento vascular endotelial.
5. Inibe o importante fator, NF-kappaB.
6. Em altas doses é ativo como monoterapia em pacientes refratários ou com recidiva de linfoma marginal extranodal da MALT (*mucosa-associated lymphoid tissue*). Houve completa remissão em 6 pacientes e parcial em 6 de 23 pacientes tratados.
7. Dois casos com linfoma pulmonar associado à mucosa de tecido linfoide (MALT) foram tratados com sucesso com a claritromicina.
8. A roxitromicina inibe a angiogênese em células do hepatoma humano suprimindo a produção de VGEF.
9. No linfoma indolente não operável em 1 mês de claritromicina, 500mg 2 vezes ao dia, observou-se resposta total em 7 de 32 pacientes (21,9%). Dois pacientes adicionais responderam em dois meses de tratamento, 9/32 (28,1%). A sobrevida dos que responderam foi de 70 meses, e daqueles que não responderam, 30 meses.
10. Anti-inflamatório além de antibiótico. Um paciente respondeu ao tratamento com claritromiciona após efeito colateral do ipilimumabe: bronquiolite obliterante com pneumonite.
11. Possível efeito benéfico no mieloma múltiplo.
12. No mieloma múltiplo possui efeito sinérgico com a talidomida.
13. Erradicação do MALT, linfoma gástrico de baixo grau com a erradicação do *H. pylori* com esquema tríplice, incluindo a claritromicina.
14. O gefitinibe potencia a autofagia peritumoral e é pró-sobrevivência das células neoplásicas e a claritromicina atenua essa autofagia. Quando juntos aumentam o efeito citotóxico sobre células do câncer de pulmão não de pequenas células, PC-9, A549 e H226g.
15. O gefitinibe potencia a autofagia peritumoral e a claritromicina atenua a autofagia. Quando juntos, aumentam o efeito citotóxico sobre as células do câncer de pâncreas BxPC-3 e PANC-1.
16. Claritromicina e azitromicina, dois macrolídeos, atenuam a autofagia peritumoral do estroma do mieloma múltiplo.

17. Claritromicina em monoterapia atenua autofagia peritumoral e, portanto, facilita a morte celular neoplásica em vários tipos de câncer. A estratégia quanto à autofagia é inibi-la no estroma peritumoral para não fornecer nutrientes para as células neoplásicas e conjuntamente aumentar a autofagia tumoral. A claritromicina atenua a autofagia peritumoral.
18. Eficaz no linfoma de células B junto com a ciclofosfamida e prednisona.
19. Aumenta a eficácia da bortezomibe em células do câncer de mama triplo negativo, MDA-MB-231 e MDA-MB-468.
20. Claritromicina induz apoptose diretamente em células do linfoma de células B do camundongo com ativação das caspases-3, 8 e 9 e do FAS.

4. METRONIDAZOL

Por quase 4 décadas o metronidazol, família dos 5-nitroimidazóis, foi o tratamento de escolha para o *Trichomonas vaginalis*. Atualmente é usado no tratamento de infecções provocadas por bactérias anaeróbias, incluindo o *Helicobacter pylori*. Cuidado: diminui a vitamina B_1.

Mecanismos de ação

1. Ativo contra bactérias gram-negativas e anaeróbias.
2. **Gliomas**
   a) Glioblastoma e gliomas tratados com metronidazol. Dez pacientes em coma responderam bem a 2g semanais da droga e saíram do coma. Houve regressão parcial da hemiplegia.
   b) Glioblastoma multiforme controlado com vários antibióticos e a inibição do sistema EGFR/PI3K/Akt/mTOR. Desaparecimento total do tumor em 50 dias: metronidazol, minociclina, difosfato de cloroquina, amiloride e iodo molecular para controlar o *Mycoplasma pneumoniae* e o Epstein-Barr vírus.
   c) Pode provocar encefalopatia, com um dos sintomas sendo a vertigem central.
3. **Câncer de mama**
   Em células do câncer de mama triplo negativo suprime a proliferação da linhagem MDA-MB-231em 24 horas, com apenas 0,1micrograma/ml.
4. **Câncer de cólon**
   a) Aumenta apoptose das células do câncer colorretal.
   b) Aumenta a eficácia da hipertermia no câncer retal.
   c) Um caso: câncer de cólon transverso regrediu com enemas de metronidazol.
   d) Diminui a viabilidade de células do câncer de cólon linhagem DLD-1 aumentando mais a apoptose do que a necrose.
   e) Cuidado, é genotóxico e pode aumentar a formação de câncer colorretal, principalmente em mulheres.
5. **Câncer de pâncreas**
   Paciente do sexo masculino, 56 anos de idade e câncer de pâncreas com metástases hepáticas, foi tratado por 6 meses e não mais apresentou as imagens tumorais usando metronidazol, amoxicilina, rifampicina, azitromicina, Valtrex, curcumina, luteolina, ursodiol, pangestyme e iodo.
6. Metronidazol tópico combate o mau odor de úlceras cancerosas.

5. SULFASSALAZINA

A sulfassalazina, comumente utilizada nos casos de retocolite ulcerativa e doença de Chron, possui atividade anticâncer. No PubMed aparecem 393 referências da sulfassalazina e câncer e 356 com mesalazina e câncer em agosto de 2018.

O princípio ativo no câncer é a mesalazina. No comércio temos o Mesacol em comprimidos revestidos de 800mg e a dose é de 3 a 6 cp ao dia.

Mecanismos moleculares no câncer

1. Inibe a captação da cistina provocando depleção crônica do GSH citoplasmático e, portanto, provoca oxidação intracelular.
2. Inibe a glutationa-S-transferase (GST) e, portanto, diminui GSH intracelular, o que aumenta o estresse oxidativo. A GST está super-regulada em vários tipos de câncer, incluindo o glioblastoma multiforme.
3. A mesalazina é clivada pelas bactérias do cólon em sulfapiridina e ácido 5-aminossalicílico (mesalamina e 5-ASA). É a mesalamina que suprime a atividade do NF-kappaB.
4. A supressão da atividade do NF-kappaB pela mesalamina é mediada pela inibição direta da IkappaB-quinase alfa e beta.
5. É a mesalamina, e não a 5-ASA, que provoca inibição dose-dependente dos gliomas, independente do NF-kappaB e via aumento de GSH citoplasmático.
7. Pode ser útil no tratamento dos gliomas humanos.
8. **Leucemia**
   Leucemia linfoide crônica respondeu a 800mg duas vezes ao dia de sulfassalazina.

6. NICLOSAMIDA

É um anti-helmíntico que bloqueia importante via proliferativa de sobrevivência neoplásica, a via Wnt/beta-catenina. Exibe efeito anticâncer em diferentes tipos de tumores, incluindo o câncer de cólon, gliomas, carcinoma hepatocelular, câncer de ovário, de mama, de próstata, osteossarcoma, leucemias e até adrenocortical. No câncer colorretal a via Wnt/beta-catenina está expressa em até 80% dos pacientes.

No comércio até pouco tempo dispúnhamos do medicamento ATENASE, em comprimidos de 500mg. Era usado no tratamento da himenolepíase: 2g pela manhã, em dose única, durante 7 dias consecutivos. Se necessário, para *Hymenolepis nana* o esquema seria repetido após 7 a 14 dias.

Vide capítulo: Niclosamida: de anti-helmíntico a poderoso antineoplásico.

7. FLUOROQUINOLONAS

Pertencem ao grupo das fluoroquinolonas os antibióticos sintéticos de largo espectro, especialmente sobre as bactérias aeróbias gram-negativas, que apresentam efeitos anticâncer em várias linhagens de células. Pertencem a este grupo: ciprofloxacino, levofloxacino, moxifloxacino, gatifloxacino, gemifloxacino etc.

Por muito tempo pensou-se que estes antibióticos somente afetavam as bactérias, entretanto, sabe-se atualmente que afetam as células eucarióticas, incluindo as humanas. Seu efeito bactericida se deve ao fato de inibir a topoisomerase II, enzima responsável por manter a estrutura tridimensional do DNA durante a replicação, transcrição e condensação da cromatina. Este efeito é o responsável por provocar apoptose e diminuição da proliferação nas células neoplásicas.

Os efeitos antineoplásicos das fluoroquinolonas foi observado no glioblastoma multiforme, câncer de cabeça e pescoço, pulmão, mama, próstata, colorretal, pâncreas, bexiga, leucemias e osteossarcoma.

Existe verdadeira corrida da *Big Pharma* para sintetizar derivados das principais quinolonas na procura de drogas mais eficazes no câncer e patenteáveis.

Devemos evitar o uso destes antibióticos nos pacientes idosos, sem câncer, porque diminuem a memória e a cognição.

Mecanismos moleculares das fluoroquinolonas no câncer

1. *Mycobacterium tuberculosis* pode ser sensível ao levofloxacino.
2. Levofloxacino por via oral 500mg/dia durante 20 dias diminui o PSA em metade de 26 pacientes com prostatite crônica.
3. Levofloxacino faz parte da segunda linha de tratamento do *Helicobacter pylori*.
4. **Glioblastoma multiforme**
   Ciprofloxacino ou moxifloxacino em células U87MG do glioblastoma diminuem a viabilidade e possuem efeito antiproliferativo. Acontece diminuição do GSH citoplasmático e apoptose com ativação das caspases-3/7 e externalização da fosfatidilserina, parada do ciclo celular em S e sub-G e fragmentação do DNA. A apoptose se relaciona também com a perda do potencial de membrana mitocondrial, isto é, apoptose via intrínseca mitocondrial.
5. **Carcinoma de cabeça e pescoço**
   Ciprofloxacino aumenta o efeito citotóxico da cisplatina no carcinoma epidermoide de cabeça e pescoço.
6. **Câncer de pulmão**
   a) Ciprofloxacino inibe a topoisomerase II em células A549 do câncer de pulmão e provoca parada do ciclo celular em G2/M.
   b) Levofloxacino inibe a proliferação e induz apoptose em células do câncer pulmonar induzindo disfunção mitocondrial e lesão oxidativa, *in vitro* e *in vivo*, no modelo murino xenotransplantado. Acontece inibição das cadeias respiratórias I e III, o que leva a inibição da fosforilação oxidativa e redução da produção de ATP. Em adição aumentam os radicais livres de oxigênio, superóxido e peróxido de hidrogênio *in vivo*. Antioxidantes com n-acetilcisteína e vitamina C abolem os efeitos do antibiótico.
7. **Câncer de mama triplo negativo**
   a) Ciprofloxacino desencadeia apoptose no câncer de mama triplo negativo MDA-MB-231 via sinalização p53-Bax-Bcl-2. Acontece diminuição da viabilidade de modo tempo e dose-dependentes. A concentração de GSH intracelular diminui e provoca queda da proliferação e o potencial de membrana mitocondrial diminui via Bax/Bcl-2 provocando apoptose. A topoisomerase II está inibida e acontece parada do ciclo celular em S. Aumenta a fragmentação do DNA e a expressão do p53 está elevada.
   b) Gemifloxacino inibe a migração e a invasão e induz transição epitélio-mesenquimal em células do adenocarcinoma triplo negativo de mama humano, MDA-MB-231 e MDA-MB-453, *in vitro* e *in vivo*. Esta fluoroquinolona inibe a DNA girase bacteriana e a topoisomerase IV. Acontece supressão da ativação do NF-kappaB, assim como da migração e invasão celular induzida pelo TNF-alfa. *In vivo* diminui as metástases.
8. **Câncer de próstata**
   Ciprofloxacino suprime o crescimento de células do câncer de próstata PC3 provocando parada do ciclo celular e apoptose. O inibidor de apoptose CDK p21WAF1 está regulado para baixo, a razão Bax/Bcl-2 aumentada por aumento do Bax e a caspase-3 ativada. A parada do ciclo celular ocorre em S e G2/M.
9. **Câncer de cólon**
   a) Ciprofloxacino induz apoptose e inibe a proliferação de células do carcinoma colorretal humano, CC-531, SW-403 e HT-29. Acontece supres-

são da síntese de DNA em todas as células neoplásicas de modo tempo e dose-dependentes sem afetar as células hepáticas normais. O Bax é regulado para cima, a atividade das caspases-3, 8, 9 está aumentada e o potencial de membrana mitocondrial diminuído.

b) Gemifloxacino inibe a migração e a invasão de células SW620 e LoVo do câncer de cólon.

10. **Câncer de pâncreas**

a) Moxifloxacino e ciprofloxacino induzem parada do ciclo celular e aumentam apoptose em células do câncer pancreático, MIA PaCa-2 e Panc-1, via ativação do ERK1/2, ao lado de aumentar o efeito apoptótico da cisplatina nestas linhagens. Acontece diminuição da proliferação celular com parada do ciclo em S e apoptose. O bloqueio na fase S está associado com diminuição da concentração do p27, p21, CDK2, ciclina-A e ciclina-E. A apoptose ocorre por via extrínseca e intrínseca com ativação das caspases-8, 9, 3 e do Bax, respectivamente. Todos esses eventos se acompanham da regulação para baixo da proteína antiapoptótica Bcl-xL e regulação para cima da proteína apoptótica Bak. Os resultados apontam para forte ativação da via ERK1/2. Estes antibióticos aumentam o efeito apoptótico da cisplatina.

b) Gatifloxacino induz parada do ciclo celular e S e G2 em células do câncer pancreático, MIA PaCa-2 e Panc-1 via p21, p27 e p53.

11. **Câncer de bexiga**

Ciprofloxacino *per os* inibe o crescimento de células transicionais do carcinoma de bexiga, HTB29, parando o ciclo celular em S-G2-M e provocando apoptose. Acontece regulação para baixo da ciclina B, ciclina e defosforilação do cdk2 nas células tumorais, enquanto ocorre regulação para cima do Bax. Sabe-se que p21WAF1 diminui a apoptose. O antibiótico diminui essa proteína.

12. **Osteossarcoma**

a) Ciprofloxacino inibe a proliferação de células do osteossarcoma humano.

b) Ciprofloxacino inibe o crescimento para o ciclo celular em S-G2/M e provoca apoptose em linhagens do osteossarcoma canino. Inibe a proteína inibidora da apoptose p21 WAF1 e diminui a proliferação, enquanto aumenta o acúmulo de células na fase S-G2/M. O PARP é ativado e cliva as caspases-3/7.

13. **Melanoma**

Em células B6 do melanoma maligno, o ciprofloxacino não possui efeito antiproliferativo ou apoptótico.

14. **Leucemia**

Ciprofloxacino provoca parada do ciclo celular em G2 e apoptose com aumento da razão Bcl-2/Bax na linhagem WEHI-3B da leucemia mielomonocítica. Existe a linhagem WEHI-3B/CPX que é resistente ao ciprofloxacino.

8. ISONIAZIDA

É droga potente contra o *Mycobacterium tuberculosis* e também provoca apoptose em células PC3 do câncer de próstata, possivelmente por inibir a MAO-A. Gliomas, doença de Hodgkin clássica e câncer de próstata possuem a MAO-A superexpressa e podem se beneficiar com a isoniazida.

A isoniazida mostrou alguma citotoxicidade em células OVCAR-8 (câncer de ovário), SF-295 (glioblastoma multiforme) e HCT-116 (adenocarcinoma de colon). PMID: 27591998.

A isoniazida diminui a translocação nuclear do NRF2.

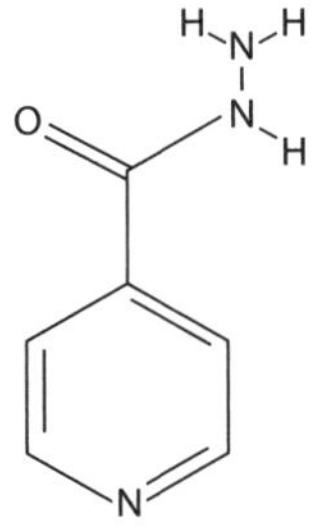

Isoniazida, $C_6H_7N_3O$, 137,1g/mol

II – FITOTERÁPICOS

Nas infecções bacterianas, virais e fúngicas devemos, de um lado, exterminar/administrar o agente causal e, de outro, estimular o sistema imune de defesa M1/Th1. A glucana particulada derivada do Saccharomyces cerevisae por via intravenosa ou subcutânea aumenta a imunidade celular e humoral e polariza o sistema imune para M1/Th1 ao lado de diminuir o Treg (linfócito T regulador). Outras opções é prescrever por via oral o extrato de Ganoderma lucidum ou Agaricus blazei, ricos em glucana biodisponível.

Devemos tomar cuidado com os níveis da vitamina D, um secosteroide imunossupressor. O normal da vitamina 25(OH)D_3 é de 25 a 30ng/ml. Acima de 30ng/ml ela é antagonista do receptor VDR e, portanto, inibe a função de genes provocando forte imunossupressão. O hormônio 1,25$(OH)_2D_3$, por outro lado, é agonista do receptor VDR e imunoestimulante. O ideal é mantê-lo entre 60 e 110pg/ml e assim o receptor VDR é ativado e a célula é capaz de fabricar dois antibióticos intracelulares, catelecidina e beta-defensina, além de ativar 4.500 genes, entre eles genes supressores de tumor.

Um modo interessante e eficaz de controlar vários tipos de infecções é inibir a via PI3K/Akt. Os inibidores da via PI3K/Akt controlam/administram/exterminam micobactérias, *Mycoplasma pneumoniae*, Epstein-Barr vírus, citomegalovírus e suprimem seletivamente o Treg, o que polariza o sistema imune para M1/Th1.

1. **Fitoterápicos antibacterianos, antivirais e antifúngicos**
   a) Berberina, incluindo cepas resistentes do *Mycobacterium tuberculosis*.
   b) Sanguinarina.
   c) *Chelidoneum majus*.
   d) *Chenopodium ambrosioides*, incluindo o *Mycobacterium bovis*.
   e) Silibinina.
   f) Graviola.
   g) *Moringa oleifera*.
   h) *Plantago major*.
   i) Não fitoterápicos: iodo, lactoferrina e ozônio.
2. **Fitoterápicos antibacterianos e antivirais**
   a) *Scutellaria baicalensis*.
   b) *Scutellaria barbata*.
   c) *Aloe arborescens*.
   d) *Aloe vera*.
3. **Fitoterápicos antibacterianos**
   a) *Boswellia serrata*.
   b) *Nigella sativa*.
4. **Fitoterápico antiviral**
   a) *Momordica charantia*.
   b) Sulforafane.
   c) Orégano (Oreganum vulgare) ativo contra HSV1/2, Coxsackie vírus B3 etc.
5. **Fitoterápico antiviral e antifúngico**
   Nerium oleander.
6. **Fitoterápicos anti-*Mycobacterium tuberculosis* e anti-*Mycobacterium bovis***
   1. Ácido alfalipoico.
   2. Ácido alfalinolênico.
   3. Ácido ursólico.
   4. Extrato do *Ocimum basilicum*, independente do ácido ursólico.
   5. *Allium sativum*.
   6. *Annona sylvatica*.
   7. Ácido valproico.
   8. Acetazolamida inibe a enzima produzida pelo gene Rv3588c.
   9. Azul de metileno.
   10. *Glycyrrhiza glabra* – alcaçuz.
   11. Azul de metileno.
   12. Artemisia capillaris contendo ácido ursólico e hidroquinona.
   13. Berberina: ativo contra cepas resistentes a múltiplas drogas.
   14. Calcitriol.
   15. $1,25(OH)_2D_3$.
   16. *Chelidoneum majus*.
   17. *Chenopodium ambrosioides*.
   18. Cloroquina aumenta a atividade antimicobactéria da isoniazida.
   19. Curcumina.
   20. Dihidroartemisinina e seus análogos.
   21. EGCG em altas doses (oxidante).
   22. Extrato da casca do limão, do *Citrus sinensis* e do *Citrus aurantifolia*, incluindo cepas resistentes a múltiplas drogas.
   23. Ganoderma lucidum.
   24. Ginseng indiano – Withania somnifera.
   25. Ivermectina.
   26. Luteolina.
   27. Melatonina.
   28. *Momordica charantia* por inibir a Isocitrate liase.
   29. *Moringa oleifera*.
   30. Neem – *Azadirachta indica*.
   31. Nigella sativa.
   32. Óleo essencial de eucalipto.
   33. *Piper nigrum*.
   34. *Red clover* por conter a isoflavona biochanina A.
   35. Quercetina.
   36. Resveratrol.
   37. Rutina é menos ativa que a quercetina.
   38. Sanguinarina.
   39. Scutellaria baicalensis.
   40. Silibinina.
   41. Vitamina C dose oxidante.
   42. Não fitoterápicos: exposição ao Sol, ozônio, DHEA, isoniazida, nicotinamida, alfa e betaglucanas, ácido ascórbico em concentração oxidante.
   43. **CUIDADO**: genisteína acima de 1200mg/dia, dose com efeito epigenético, fomenta a infecção pelo bacilo de Koch (não usamos esta dose).
   44. **CUIDADO**: H2S em baixa concentração aumenta a proliferação do bacilo de Koch e em alta concentração diminui (não usamos H2S).
7. **Fitoterápicos anti-*Helicobacter pylori***
   1. Ácido alfalinolênico.
   2. Ácido gálico.
   3. Acetazolamida.
   4. Artemisinina.
   5. Berberina.
   6. Chelidoneum majus.
   7. *Chenopodium ambrosioides*: ativo contra cepas resistentes a antibióticos.
   8. Curcumina.
   9. EGCG.
   10. Fucoidans.
   11. *Ganoderma lucidum*.

12. *Glycyrrhiza glabra* – alcaçuz.
13. Hesperidina/Extrato de frutas cítricas.
14. Luteolina.
15. Melatonina.
16. *Momordica charantia.*
17. Neen – *Azadirachta indica.*
18. Nigella sativa.
19. Oleuropeína.
20. Piper nigrum.
21. Resveratrol.
22. Sanguinarina.
23. *Scutellaria baicalensis.*
24. Silibinina.
25. Sulforafane.
26. Parthenolide.
27. Vitamina C.
28. Withania somnifera.
29. Não fitoterápico: acetazolamida, claritromicina, amoxacilina, rifampicina.

A berberina possui forte atividade antimicrobiana: *Klebsiella pneumoniae, Proteus vulgaris, Mycobacterium tuberculosis* e *smegmatis* e *bovis, Candida albicans, Helicobacter pylori* e o protozoário parasita intestinal *Blastocystis hominis.* A berberina inibe *in vitro* com um MIC (*minimum inhibitory concentration*) de 12,5mg/ml o *Staphylococcus aureus*, diferentes cepas de *Candida* spp., *Entamoeba histolytica, Giardia lamblia, Trichomonas vaginalis* e *Leishmania donovani.* Na hepatite B a berberina reduz drasticamente a carga viral. É ativa contra cepas de bactérias multirresistentes aos antibióticos e anti-*H. pylori.*

Conclusão

No tratamento do câncer nada é mais importante do que eliminar o fator ou os fatores causais e uma das estratégias são os antibióticos. E dispomos de antibióticos anticarcinogênicos (exterminam agentes biológicos) e ao mesmo tempo carcinostáticos (inibem vias moleculares proliferativas), sejam eles sintéticos, semissintéticos ou provenientes da dadivosa Natureza.

Referências com resumos ou trabalhos na íntegra

Site: www.medicinabiomolecular.com.br

CAPÍTULO 145

Bactérias sem parede L-formas: administrar e conviver pacificamente

José de Felippe Junior

Vivendo tanto tempo juntos na mesma casa é impossível se separar: Bactérias L-formas e Células Humanas. **JFJ**

Quando bactérias são submetidas a algum tipo de estresse elas mudam sua morfologia para sobreviver. É o que acontece, por exemplo, com a *Mycobacterium bovis* que na privação de nutrientes ou excesso de frio se transformam em L-formas ou bactérias sem parede como estratégia adaptativa para sobreviver à espera de se reproduzir quando as condições ambientais forem favoráveis (Slavchev, 2013).

Antibióticos é outro tipo de estresse e um dos mecanismos de escape das bactérias aos antibióticos é a perda da parede celular, transformando-se em L-formas; desse modo, as bactérias se escondem no citoplasma ou persistem infectando o estroma tissular. Tal fato acontece em infecções graves como septicemias e pneumonias e também acontece na carcinogênese bacteriana, sendo de importância crucial sabermos administrar as bactérias sem parede.

Escrevemos administrar e não matar porque é impossível exterminar por completo agentes biológicos acostumados a viver nas células dos seres humanos por bilhões de anos. Entretanto, podemos administrar a sua proliferação e conviver pacificamente com estes agentes e uma das estratégias fundamentais de administração é manter o sistema imune em perfeita ordem.

Desde a sua descoberta por Emmy Klieneberger, em 1935, no Instituto Lister, e daí o nome L-formas, estes agentes causadores de doenças crônicas e persistentes dão muito trabalho para os clínicos (Klieneberger, 1935; Gutman, 1965 in Matman, 2001; Domingue, 1997).

O uso indiscriminado de antibióticos indubitavelmente contribuiu para o aparecimento das bactérias na L-forma, ou polimórficas, ou ciclogênicas, ou *sthealth bacteria* ou CWD; bactérias deficientes de parede ou sem parede, nomes para o mesmo conceito.

Em 2004, Belianin na Rússia mostrou que o ozônio, poderoso oxidante, aumenta a suscetibilidade de micobactérias resistentes a múltiplas drogas antituberculosas. Suspensões de *Mycobacterium tuberculosis* resistentes a estreptomicina, rifampicina, isoniazida e kanamicina foram tratadas com ozônio por 60 minutos. Logo a seguir procedeu-se o cultivo das bactérias colocando em meio de cultura cada um desses antibióticos. Após 3 meses, observou-se algo que, além de interessante, possui grande valor prático: maior suscetibilidade às drogas antituberculosas, algumas delas com desaparecimento total da resistência.

Kawai, em 2015, explicou os resultados obtidos por Belianin. De modo elegante demonstrou que bactérias que se tornaram resistentes a múltiplas drogas modificando sua estrutura para L-formas são mais suscetíveis ao estresse oxidativo. Verificou que a diminuição celular dos níveis de radicais livres, isto é, o ambiente redutor provocado por menor atividade mitocondrial, adição de antioxidantes ou condições anaeróbicas promovem o crescimento das bactérias sem parede, assim como das bactérias Gram-positivas ou Gram-negativas. Ao provocarmos pequeno aumento do estresse oxidativo, no ambiente celular bacteriano induzimos a parada do crescimento destas bactérias (Kawai, 2015).

Em clínica devemos cuidar para aumentar a eficácia da fosforilação oxidativa mitocondrial, por exemplo, com o *Ganoderma lucidum*, ácido ursólico, ácido lipoico; aumento da oxigenação tissular, por exemplo, corrigindo anemia, exercício aeróbico, oxigênio; aumentar o estresse oxidativo, por exemplo, com ozônio e não empregar antioxidantes.

Os peptideoglicanos são indispensáveis para a sobrevivência, crescimento e reprodução das bactérias L-formas. A inibição da sua síntese é uma das formas de controlar essas bactérias, entretanto, ainda não sabemos como proceder sem provocar efeitos colaterais sérios para o hospedeiro.

Micoplasma é o protótipo das bactérias sem parede. O mecanismo pelo qual os micoplasmas afetam a homeostasia celular e provocam câncer parece ser a ativação do fator NF-kappaB que irá provocar a supressão do p53, com a subsequente proliferação celular mitótica das células do hospedeiro. Além disso, o micoplasma possui uma lipoproteína de membrana denominada P37 com função vital no aumento da clonigenicidade, mobilidade, invasão e migração celular, esta última por ativação da MMP2, matriz metaloproteinase-2. Outro mecanismo que explica a invasividade tumoral é abolindo a inibição por contato via operon p37 (Dudler, 1988; Gong, 2008; Urbanek, 2011).

Os micoplasmas e as micobactérias ativam vias de sinalização de proliferação celular, PI3K/Akt/mTOR. O número de células aumenta e as bactérias L-formas têm mais condições de viver. Uma das estratégias de controle destas bactérias é a inibição dessas vias de sinalização celular.

Huang e Jiang, em 2012, mostraram que a ativação do supressor tumoral PTEN inibe a via PI3K/Akt/mTOR, o que controla a infecção por micoplasmas e *Mycobacterium bovis*. O ácido ursólico, a silimarina e o hormônio D_3, 1-25$(OH)_2D_3$ e os inibidores das histonas desacetilases aumentam a expressão do PTEN.

De acordo com Lida Matman, em geral, a sensibilidade das bactérias sem parede assim se comporta: claritromicina > minociclina > rifampicina/lincomicina. São antibióticos que diminuem a síntese proteica. Em caso de resistência, usa-se o moxifloxacino. Também podemos utilizar o ciprofloxacino e o levofloxacino. Outra maneira é a ozonioterapia seguida ou não por antibióticos. O ozônio torna susceptível muitas bactérias antes resistentes aos antibióticos.

Em 2002, Fujiki mostra que a *Mycobacterium tuberculosis*, bactéria carcinogênica, aumenta a expressão do TNF-alfa, o que ativa a proteína quinase C (PKC) e pode provocar câncer de pulmão. O *Helicobacter pylori*, por meio do HP-MP1 (*H. pylori membrane protein 1*), também aumenta a expressão do TNF-alfa, ativa PKC e pode provocar câncer de estômago. O controle se faz inibindo o TNF-alfa e a PKC.

Em 1992, Chosa no Japão já escrevia sobre o papel microbicida do extrato de chá-verde (EGCG) contra o *Mycoplasma pneumoniae* e o *Mycoplasma orale* e agora sabemos que o epigalocatequina galato (EGCG) inibe a expressão gênica do TNF-alfa via inibição da ativação do NF-kappaB (Fujiki, 2002).

Sciumè, em 2004, relata regressão total de linfoma primário de baixo grau da mucosa gástrica associada a tecido linfoide (MALT) com a erradicação da infecção por *H. pylori*.

Alpem, em 2001, no linfoma não Hodgkin de alto grau da mucosa gástrica (NHL) já havia conseguido com a erradicação do *H. pylori* a regressão total em um paciente e a regressão parcial de outro usando a claritromicina 500mg/dia, metronidazol 800mg/dia e omeprazol 40mg/dia durante 7 dias.

Peptídeos antimicrobianos gerados no citoplasma como as catelicidinas, beta-defensinas e outros são sintetizados e secretados pelas células imunes e epiteliais que estão constantemente expostas a micróbios do ambiente. Estes peptídeos são essenciais como barreira de defesa e sua deficiência aumenta o risco de infecção. Os peptídeos antimicrobianos são ativos contra bactérias, fungos e vírus e vários agentes da dieta aumentam a sua expressão e transcrição. O hormônio 1-25$(OH)_2D_3$ é o principal elemento ativador da síntese dos antimicrobianos intracelulares, vem em seguida a vitamina A, as histonas desacetilases da dieta e os subprodutos das bactérias intestinais como butiratos e ácidos biliares secundários (Campbel, 2012).

Vários trabalhos de Wuerthele Caspe (Livingston), Alexander-Jackson, Diller IC e Seibert FB, pesquisadores pioneiros na busca de bactérias sem parede no câncer podem ser consultados no site: www.medicinabiomolecular.com.br

Referências

1. Alexander-Jackson E. A specific type of microorganism isolated from animal and human cancer: bacteriology of the organism. Growth. 18(1):37-51;1954.
2. Alpen B, Röbbecke J, Wündisch T, et al. Helicobacter pylori eradication therapy in gastric high grade non Hodgkin's lymphoma (NHL). Ann Hematol. 80 Suppl 3:B106-7;2001.
3. Belianin II. Decreased resistance of multiresistant mycobacteria to isoniazid during the treatment of experimental tuberculosis with ozone and isoniazid. Zh Mikrobiol Epidemiol Immunobiol. 3:95-8;2004.
4. Campbell Y, Fantacone ML, Gombart AF. Regulation of antimicrobial peptide gene expression by nutrients and by-products of microbial metabolism. Eur J Nutr. 51(8):899-907;2012.
5. Chosa H, Toda M, Okubo S, et al. Antimicrobial and microbicidal activities of tea and catechins against Mycoplasma. Kansenshogaku Zasshi. 66(5):606-11;1992.
6. Diller IC. Growth and morphological variability of pleomorphic, intermittently acid-fast organisms isolated from mouse, rat, and human malignant tissues. Growth. 26:181-208;1962.
7. Diller IC, Diller WF. Intracellular acid-fast organisms isolated from malignant tissues. Trans Amer Micr Soc. 84:138-48;1965.
8. Domingue Gerald J. Cell Wall-Deficient Bacteria. Basic Principles And Clinical significance. London: Addison-Wesley Pub. Company; 1997.

9. Dudler R, Schmidhauser C, Parish RW, et al. A mycoplasma high-affinity transport system and the in vitro invasiveness of mouse sarcoma cells. EMBO J. 7(12):3963-70;1988.
10. Fujiki H, Suganuma M, Okabe S, et al. Involvement of TNF-alpha changes in human cancer development, prevention and palliative care. Mech Ageing Dev. 123(12):1655-63;2002.
11. Gong M, et al. p37 from Mycoplasma hyorhinis promotes cancer cell invasiveness and metastasis through activation of MMP-2 and followed by phosphorylation of EGFR. Mol Cancer Ther. 7(3):530-7;2008.
12. Huang G, Jiang X. Inhibition of Mycobacterial Infection by the Tumor Suppressor PTEN Biol Chem. 287(27):23196-202;2012.
13. Kawai Y, Mercier R, Wu LJ, et al. Cell growth of wall-free L-form bacteria is limited by oxidative damage. Curr Biol. 25(12):1613-8;2015.
14. Matman LH. Cell Wall Deficient Forms – Stealth Pathogens. 3ª ed. London: CRC Press LLC; 2001.
15. Seibert FB, Farrelly FK, Shepherd CC. DMSO and other combatants against bacteria isolated from leukemia and cancer patients.Ann N Y Acad Sci. 141(1):175-201;1967.
16. Seibert FB, Feldmann FM, Davis RL, Richmond IS. Morphological, biological, and immunological studies on isolates from tumors and leukemic bloods. Ann N Y Acad Sci. 174(2):690-728;1970.
17. Seibert FB, Yeomans F, Baker JA, et al. Bacteria in tumors. Trans N Y Acad Sci. 34(6):504-33;1972.
18. Sciumè C, Geraci G, Pisello F, et al. Regression of primary low-grade gastric mucosa-associated lymphoma by eradication of Helicobacter pylori infection: case report. Ann Ital Chir. 75(1):63-8;2004.
19. Slavchev G, Michailova L, Markova N. Stress-induced L-forms of Mycobacterium bovis: a challenge to survivability. New Microbiol. 36(2):157-66;2013.
20. Urbanek C, Goodison S, Chang M, et al. Detection of antibodies directed at M. hyorhinis p37 in the serum of men with newly diagnosed prostate cancer. BMC Cancer.11(233):1-6;2011.
21. Wuerthele Caspe (Livingston) V, Alexander-Jackson E, Anderson JA, et al. Cultural properties and pathogenicity of certain microorganisms obtained from various proliferative and neoplastic diseases. Am J Med Sci. 220;628-46;1950.

CAPÍTULO 146

EBV – Epstein-Barr vírus. Agente carcinogênico classe I – administrar e conviver pacificamente

José de Felippe Junior

Vivendo tanto tempo juntos na mesma casa
impossível se separar: EBV e Células Humanas. **JFJ**

É impossível exterminar por completo agentes biológicos acostumados a viver nas células dos seres humanos por bilhões de anos. Entretanto, podemos administrar sua proliferação e conviver pacificamente com estes agentes. Uma das estratégias fundamentais de administração é manter o sistema imune em perfeita ordem.

O EBV é um herpes-vírus que existe em praticamente 90% dos seres humanos. Na fase aguda, aumenta IgM e provoca mononucleose infecciosa e na fase crônica ativa provoca aumento do IgG e vários tipos de doenças. Após a infecção primária, ele executa transitoriamente um programa lítico curto e, então, estabelece predominantemente a infecção latente. Apenas uma pequena porcentagem de células infectadas muda do estágio latente para o ciclo lítico e produz vírus descendentes.

O exame de sangue que devemos pedir é o EBNA-EBV – antígeno nuclear do EBV, IgG e IgM.

Na fase crônica ativa de reativação viral infecta principalmente dois tipos de células, linfócitos B e células epiteliais e pode provocar linfoma de células B e carcinoma de nasofaringe.

Na verdade, o EBV está na etiopatogenia de muitas doenças: espondilite anquilosante, artrite reumatoide, lúpus eritematoso sistêmico, colite ulcerativa, doença de Crohn, doença celíaca, síndrome de Sjögren, hepatite autoimune, esclerose múltipla, síndrome de Guillain-Barré, encefalomielite aguda disseminada, cistite intersticial, púrpura trombocitopênica idiopática, granulomatose de Wegener e até esquizofrenia. Pode ainda causar muito tipos de câncer, linfoma de Burkitt, linfoma de Hodgkin, doenças linfoproliferativas pós-transplante, câncer gástrico, câncer de mama, ao lado do linfoma de células B e do carcinoma de nasofaringe. Alguns creem que esteja implicado na hipertensão arterial.

Em estudo envolvendo 509 pacientes, encontrou-se o mRNA do EBV dentro de células do câncer de mama em 31,8% das pacientes (Fina, 2001).

O Epstein-Barr vírus é considerado pela *International Agency for Research on Cancer* (IARC) comprovadamente carcinogênico – grupo I.

Nós clínicos, diante de qualquer nome que a doença tenha, necessitamos ir à busca da sua causa, da sua etiologia, e assim pedimos a IgG quantitativa para o EBV. Médicos gostam de fazer diagnósticos, mas no dia a dia os sintomas e os sinais são diversos e não se encaixam em síndromes descritas nos livros e muito menos em nome de doenças. Dessa forma, temos a obrigação de pesquisar uma causa biológica e o EBV é apenas uma delas, porém muito frequente. Firmamos o diagnóstico de infecção crônica ativa no aumento sequencial da IgG, não somente na IgG estacionaria.

É conveniente não esquecermos que pode haver vários agentes biológicos provocando o aparecimento do câncer. Por exemplo, desde 1987 sabe-se que a infecção crônica ativa das células do linfoma B pelo Epstein-Barr vírus pode coexistir com infecção dos linfócitos pelo *Mycobacterium tuberculosis* (Lombardi, 1987) e assim por diante.

O EBV em franca replicação ativa a via proliferativa celular PI3K/Akt porque ele apresenta em sua periferia proteínas latentes de membrana (LMPs), mais especificamente LMP1 (*latent membrane protein 1*) e LMP2A (*latent membrane protein 2A*), as quais, *in vitro*, ativam a via descrita (Pan, 2008; Nadour, 2012).

O EBV ativa a proliferação celular para ter mais células para infectar. Se ele estava em quiescência, dormente nas células, por exemplo, da nasofaringe e a imunidade do hospedeiro homem diminui o vírus começa a se multiplicar, ativa a via PI3K/Akt; as células da nasofaringe proliferam e temos o que chamam de carcinoma da nasofaringe. Para nós apenas mecanismo de sobrevivência do EBV e não câncer. Mas, o EBV não fica por aqui. Para assegurar a multiplicação celular provoca metilação da zona CpG e desacetilação da mesma zona, efeitos epigenéticos que inibem a transcrição de genes supressores da mitose e temos mais proliferação mitótica, mais células para o vírus ocupar.

Se o EBV estava dormente nos linfócitos B, por mecanismos semelhantes irá provocar o linfoma de células B.

Estamos tratando de paciente com 37 anos com linfoma de Hodgkin com EBV positivo. A estratégia que mostraremos a seguir, administrando o EBV, provocou a diminuição de gânglio supra clavicular de 6cm para 1,8cm em 60 dias, sem quimioterapia. No momento ela está em quimioterapia.

Devemos salientar que não devemos utilizar drogas inibidoras das histonas desacetilases (HDACs) na presença de infecção por herpes-vírus, particularmente o EBV, porque a acetilação da zona CpG ativa o ciclo lítico viral. Entretanto, o ácido valproico, potente agente acetilador, inibe o ciclo lítico de reativação do EBV por outros mecanismos, e ainda antagoniza a capacidade de outros inibidores das histonas desacetilases ativarem o ciclo lítico do EBV (Gorres, 2016; Crespillo, 2016; Fujii, 2012).

Revisão sistemática e meta-análise encontrou forte associação ($p < 0,0001$) entre a infecção por Epstein-Barr vírus e o fenótipo hipermetilado da zona CpG (Zong, 2014). Este fenômeno consiste na adição de radicais metila (CH_3) na citosina que faz par com a guanina (dinucleotídeo CpG), silenciando precisamente os genes supressores de tumor.

É importante saber que a *curcumina* inibe a via PI3K/Akt/mTOR/NF-kappaB, sendo útil no tratamento de neoplasias especificamente as EBV positivas (Choi, 2008; Chen, 2012) e que a *Scutellaria baicalensis* possui efeito inibitório direto sobre o EBV e suprime a promoção e dois estágios da carcinogênese do tumor de pele murino, *in vivo*, provocado pelo EBV (Konoshima, 1992).

A **glicirrizina** é ativa contra replicação do EBV em células Raji superinfectadas de modo dose-dependente, via inibição da DNA polimerase viral. Deste modo, a glicirrizina se constitui em uma nova maneira de controlar o EBV (Lin, 2003).

A **glicirrizina** é antiviral de largo espectro: inibe a DNA polimerase do EBV e abole a replicação viral; diminui significativamente os níveis do dímero D plasmático e do fator de von Willebrand na hepatite por CMV infantil; é anti-herpes simples vírus tipo 1; é forte indutor da Beclin 1, um ativador da autofagia, o qual estabelece estado de resistência à replicação viral; e finalmente interfere na replicação dos seguintes vírus: influenza A H1N1, vírus da hepatite C, rotavírus, HCV1, H5N1, CVA16, EV71 e HRCV.

A expressão do antígeno nuclear 1 do Epstein-Barr (EBNA1) é prevalente em todos os tumores associados ao EBV e pode ser alvo atraente como anti-EBV. Pois bem, o **epigalocatequina galato** debilita a persistência do EBV latente bloqueando a ligação do EBNA1 ao orip-DNA, *in vitro* e *in vivo* e, portanto, é um poderoso inibidor da infecção por EBV (Chen e Tsai, 2012). Outros mecanismos: o EGCG, inibidor da histona acetiltransferase, inibe a indução do EBV na transformação dos linfócitos B via supressão da acetilação do Rel-A (p65), fator crítico para ativação do NF-kappaB (Choi, 2009) e ainda inibe AP-1, JNK, c-Jun e ciclina D1, o que interfere na sobrevivência do EBV (Zhao, 2004).

O **epigalocatequina galato** é potente agente antiviral:

1. inibe a iniciação da cascata lítica do EBV, via supressão da transcrição de genes-imediatos;
2. inibe a via PI3-K/Akt e ERK1/2 e assim inibe a infecção lítica espontânea do EBV;
3. codifica o sinal de transdução AP-1 e inibe AP-1, JNK, c-Jun e ciclina D1, o que interfere na sobrevivência do EBV;
4. bloqueia a ligação do EBNA1 (Epstein-Barr nuclear antígeno 1) ao orip-DNA, *in vitro* e *in vivo*, e debilita a persistência do EBV latente;
5. inibe a histona acetiltransferase; e finalmente,
6. inibe a indução do EBV na transformação dos linfócitos B via supressão da acetilação do Rel-A (p65), fator crítico para a ativação do NF-kappaB.

O **sulforafane**, acetilador de genes, inibe a reativação do EBV no carcinoma da nasofaringe, bloqueando o ciclo lítico viral (Wu, 2012).

O ácido gálico é um excelente antiviral pluripotente: anti-EBV, anti-HPV, anti-CMV e anti-HSV Tipos 1 and 2 (Hsu-2008, Vilhelmova- 2011, Sanches-2018).

A **luteolina** é capaz de inibir a reativação do EBV. Inibe a expressão da proteína lítica do EBV e reprime as atividades promotoras de dois principais genes imediatos e precoces, Zta e Rta (Wu-2016). A LMP1 derivada do EBV promove a lipogênese via proteína de ligação a elementos reguladores 1 (SREBP1) e aumenta a proliferação do câncer nasofaríngeo. A inibição de mTOR reduz LMP1 e lipogênese. A luteolina inibe a lipogênese (Lo, 2018).

Dois trabalhos da década de 1970 inferiram que a **cloroquina**, *in vitro*, aumentava a multiplicação do EBV, entretanto, 10 anos antes, *in vivo*, vários autores já haviam mostrado a eficácia da cloroquina na mononucleose infecciosa em trabalhos duplo-cegos e controlados com placebo (Gothberg, 1960; Dalrymple, 1961; Cowley, 1962; Robert, 1962; Talsted, 1964; Norfleet, 1964; Updike, 1967).

Encontramos na literatura dois casos clínicos interessantes. Paciente com leucemia linfoide crônica respondeu a 200mg/dia de cloroquina e viveu durante 12 anos. Vários pacientes com moléstia de Hodgkin e outros linfomas responderam muito bem à cloroquina 240mg/dia por 50 dias, com marcante redução dos linfonodos e, nos casos com envolvimento peritoneal, a ascite desapareceu completamente. Sabe-se que o EBV é o fator causal de tais neoplasias. A cloroquina é detentora de várias ações inibidoras do câncer com alvos moleculares (vide Capítulo da Cloroquina).

Goldstein, em 1986, tratou várias moléstias crônicas provocadas pelo EBV com bloqueadores H2, incluindo a **cimetidina**. Usamos a cimetidina no máximo até 30 dias porque seu uso prolongado aumenta a produção de prolactina, excelente agente proliferativo.

A *Moringa oleifera* inibe o EBV, ao lado de possuir profundo efeito antimicrobiano e tuberculostático. Niazimicin, extraída das sementes da *Moringa oleifera*, inibe EBV-EA (Epstein-Barr vírus – *early antigen*) e a Niaziminin, extraída das folhas, inibe a promoção tumoral (células Raji) induzida pela ativação do EBV (Guevara, 1999; Murakami, 1998). Em clínica utilizamos o extrato da planta inteira.

Tanacetum parthenium induz apoptose e citotoxicidade lítica no linfoma de Burkitt positivo para o Epstein-Barr vírus (Li, 2012).

O **resveratrol** previne a transformação e inibe o crescimento de células B humanas imortalizadas pelo EBV (Espinosa, 2012). Ele inibe o ciclo lítico desse vírus em células do linfoma de Burkitt afetando múltiplos alvos: inibe a síntese proteica, diminui ERTOS e suprime a transcrição de fatores redox-sensíveis que induzem o NF-kappaB e o AP-1 via EBV (De Leo, 2012).

O c-FLIP (*cellular FLICE-inhibitory protein*, onde FLICE é *Fas-associated death domain* (FADD)-*like interleukin-1 beta-converting enzyme*) é um regulador negativo para apoptose provocado pelo receptor da morte, Fas. Vários estudos mostraram que o c-FLIP está altamente expresso nas linhagens de células derivadas do linfoma de Hodgkin e nas células de Reed-Stermberg. A diminuição do cFLIP é acompanhada pela morte espontânea das células do linfoma de Hodgkin, mesmo na ausência do CH11, um agonista do Fas. Inibem o c-FLIP: curcumina, genisteína, ácido **valproico**, **berberina** e **sanguinarina**. Acresce que o **óleo** de alho combinado com resveratrol são sinérgicos, aumentando a expressão do Fas (Mathas, 2004; Thomas, 2002; Dutton, 2006).

O **indol-3-carbinol** suprime a atividade do NF-kappaB e estimula a via p53 em células da leucemia linfoblástica B pré-aguda (Safa, 2015), uma das neoplasias provocadas pelo EBV. Ele induz diminuição do c-MYC e da família IAP e promove apoptose do linfoma de Burkitt EBV positivo, mas não no EBV negativo (Perez-Chacon, 2014).

Amiloride inibe a replicação do RNA do Coxsackie vírus B3. Amiloride é inibidor competitivo da polimerase deste vírus em cultura de células e também inibe a atividade enzimática do CVB3 3D(*pol*), *in vitro*. Essa droga é conhecida bloqueadora do *antiporter* NHE1 e do canal de Na^+ epitelial. Mais recentemente, demonstrou-se que o amiloride também inibe canais iônicos formados por inúmeras proteínas virais. O vírus ebola entra nas células por macropinocitose e endocitose mediada pela clatrina. O amiloride inibe a macropinocitose. Outro mecanismo antiviral do amiloride é provocar acidose citoplasmática e inibir o ciclo glicolítico proliferativo e, desse modo, impedir a progressão da replicação do EBV.

Administrar o EBV é problema muito sério porque, para conter sua replicação, devemos cuidar da macropinocitose, e para isso não é somente inativar a via PI3k/Akt, mas também, a *myosin light-chain kinase*, a *Ras-related C3 botulinum toxin substrate 1*, a *p21-activated kinase 1*, a *ADP-ribosylation factor 6* e a *cell division control protein 42 homolog*. Assim fazendo, conseguiremos significante redução da transcitose apical que passa a basolateral. A boa notícia é que a **nistatina** reduz substancialmente a passagem transcitose apical para basolateral, por inibir a entrada viral mediada pela caveolina (Tugizov, 2013).

A **nistatina** é agente antifungo que possui efeito anti-EBV por perturbar microdomínios enriquecidos com colesterol e o faz ligando-se especificamente ao colesterol, porque o EBV requer colesterol para eficaz multiplicação.

O **ácido ursólico** possui efeito anti-EBV potente (Banno, 2004).

Dispomos nas farmácias do agente antiviral **valaciclovir**. No homem, o Valtrex, nome comercial do valaciclovir, é convertido rápido e quase completamente em aciclovir[14] e valina pela enzima[17] valaciclovir hidrolase. O aciclovir[14] é inibidor específico dos herpes-vírus[18] com atividade *in vitro* contra o vírus[18] Epstein-Barr (EBV), citomegalovírus[5] (CMV), vírus[18] do herpes simples (HSV) tipos 1 e 2, vírus[18] varicela[19]-zóster (VVZ) e herpes-vírus[18] humano 6 (VHH-6). O aciclovir[14], uma vez fosforilado na forma ativa de trifosfato, inibe a síntese de DNA dos herpes-vírus[18]. Nos casos muito graves ou rebeldes dispomos do **valganciclovir** para uso oral (Valcyte) ou intravenoso (Foscavir) e ainda o **foscanert**.

Oertel, em 2012, escreve que entre as diferentes drogas antivirais o aciclovir e o ganciclovir não são drogas de escolha porque nas doenças linfoproliferativas associadas ao EBV a enzima timidina quinase não está regularmente codificada. Se ativarmos essa enzima com butirato de arginina, o ganciclovir passa a ser eficaz (Mentzer, 1998 e 2001; Faller, 2001; Perrine, 2007). O foscanert provoca contínua e completa remissão nas mieloproliferações EBV positivas, porque age contra o DNA viral de modo independente da timidina quinase (Oertel, 2012).

O **extrato da beterraba** possui efeito inibitório, *in vitro*, sobre o Epstein-Barr vírus (EBV-EA), mostrando maior atividade do que a capsantina (pigmento da pimenta), cranberrry, cebola vermelha e pimentão vermelho. *In vivo* possui atividade antiproliferativa contra o câncer de pulmão e de pele do camundongo. Dessa forma, a beterraba é carcinostática, diminuindo a proliferação mitótica e anticarcinogênica, inibindo o Epstein-Barr vírus (Kapadia, 1996).

O **tenofovir** é uma pródroga que potencialmente inibe o ciclo lítico do EBV impedindo a replicação do DNA via DNA polimerase viral . Esta droga usada para profilaxia do HIV é potente inibidora do EBV (Drosu, 2020). Tenofovir disoproxil fumarato (TDF) e tenofovir alafenamida (TAF) são medicamentos com excelentes perfis de segurança utilizados clinicamente para prevenção do HIV que inibem a replicação lítica do DNA do EBV, com respectivos valores de IC50 de 0,30 μM e 84 nM.

Apresentação: fumarato de
tenofovir desoproxila ....300mg.

Tomar 1cp ao dia após uma das refeições.

Pergunta:

O que é preciso fazer nas neoplasias EBV positivas?

Respostas:

1. Polarizar o sistema imune de M2/Th2 para M1/Th1.
2. Inibir a via PI3K/Akt.
3. Reativar genes metilados e desacetilados.
4. Administrar/controlar a replicação viral.

Conclusão

Vivemos e convivemos com o EBV cada um respeitando seu território. Quando o paciente sofre uma sobrecarga de trabalho, mas principalmente uma sobrecarga emocional, o sistema imune passa de M1/Th1 para M2/Th2 e a carga viral aumenta e provoca determinada doença, uma delas o câncer.

É com um conjunto de estratégias que administram o EBV que temos a esperança de controlar esses vírus. E a principal continua sendo manter o organismo em M1/Th1.

Administrar o EBV é mais um desafio que devemos enfrentar para cuidar dos pacientes com câncer fazendo regredir os tumores e evitando recidivas.

Referências

1. Abstracts in site: www.medicinabiomolecular.com.br
2. Abdel-Rahman, et al. Epstein barr vírus and breast câncer. Epidemiological and Molecular study. J Egyp Nat Cancer Inst. 24:123-31;2012.
3. Ahmed HG, Osman SI, Ashankyty IM. Incidence of Epstein-Barr virus in pediatric leukemia in the Sudan. Clin Lymphoma Myeloma Leuk. 12(2):127-31;2012.
4. Banerjee AS, Pal AD, Banerjee S. Epstein-Barr virus-encoded small non-coding RNAs induce cancer cell chemoresistance and migration. Virology. 443(2):294-305;2013.
5. Bocci V. Ozonization of blood for the therapy of viral diseases and immunodeficiencies. A hypothesis. Enhancement of pulmonary metastasis of murine fibrosarcoma NR-FS by ozone exposure. Med Hypotheses. 39(1):30-4;1992.
6. Bocci V. Ozone. A New Medicial Drug. 2. ed. Springer Science – 2011.
7. Brown SG, Parsons PG, Pope JH. Search for human tumour viruses by transfection: uptake of melanoma and Epstein-Barr virus DNA by human cells. Aust J Exp Biol Med Sci. 57(1):1-7;1979.
8. Cimino PJ, Zhao G, Wang D, et al. Detection of viral pathogens in high grade gliomas from unmapped next-generation sequencing data. Exp Mol Pathol. 96(3):310-5;2014.
9. Chen J. Roles of the PI3K/Akt pathway in Epstein-Barr virus-induced cancers and therapeutic implications. Review. World J Virol. 1(6):154-61;2012.
10. Chen YL, Tsai HL, Peng CW. EGCG debilitates the persistence of EBV latency by reducing the DNA binding potency of nuclear antigen 1.Biochem Biophys Res Commun. 417(3):1093-9;2012.
11. Choi BH, Kim CG, Lim Y, et al. Curcumin down-regulates the multidrug-resistance mdr1b gene by inhibiting the PI3K/Akt/NF kappa B pathway. Cancer Lett. 259(1):111-8;2008.
12. Choi KC, Jung MG, Lee YH, et al. Epigallocatechin-3-gallate, a histone acetyltransferase inhibitor, inhibits EBV-induced B lymphocyte transformation via suppression of RelA acetylation. Cancer Res. 69(2):583-92;2009.
13. Cowley RG, Myers JE Jr. Chloroquine in the treatment of infectious mononucleosis. Ann Intern Med. 57:937-45;1962.
14. Dalrymple W, Contratto AW. Failure of chloroquine phosphate in the treatment of infectious mononucleosis. Studenteraad Med. 10: 254-60;1961.
15. De Falco G, Rogena EA, Leoncini L. Infectious agents and lymphoma. Semin Diagn Pathol. 28(2):178-87;2011.
16. De Leo A, Arena G, Lacanna E, et al. Resveratrol inhibits Epstein Barr Virus lytic cycle in Burkitt's lymphoma cells by affecting multiple molecular targets. Antiviral Res. 96(2):196-202;2012.
17. Drosu N.C., Edelman E.R., Housman D.E. Tenofovir prodrugs potently inhibit Epstein-Barr virus lytic DNA replication by targeting the viral DNA polymerase. Proc. Natl. Acad. Sci. USA. 117:12368–12374, 2020.
18. Dutton A, Burns AT, Young LS, Murray PG. Targeting cellular FLICE-like inhibitory protein as a novel approach to the treatment of Hodgkin's lymphoma. Expert Rev Anticancer Ther. 10(1):27-35; 2006.

19. Espinoza JL, Takami A, Trung LQ, et al. Resveratrol prevents EBV transformation and inhibits the outgrowth of EBV-immortalized human B cells. PLoS One. 7(12):e51306;2012.
20. Faller DV, Mentzer SJ, Perrine SP. Induction of the Epstein-Barr virus thymidine kinase gene with concomitant nucleoside antivirals as a therapeutic strategy for Epstein-Barr virus-associated malignancies. Curr Opin Oncol.13(5):360-7;2001.
21. Fina F, et al. Frequency and genome load of Epstein-Barr virus in 509 breast cancers from different geographical areas. Br J Cancer. 84(6):783-90;2001.
22. Fujii K, Suzuki N, Yamamoto T, et al. Valproic acid inhibits proliferation of EB virus-infected natural killer cells. Hematology. 17(3): 163-9;2012.
23. Glenn WK, Heng B, Delprado W, et al. Epstein-Barr virus, human papillomavirus and mouse mammary tumour virus as multiple viruses in breast cancer. PLoSOne. 7(11):e48788;2012.
24. Goldstein JA. Treatment of chronic Epstein-Barr virus disease with H2 blockers. J Clin Psychiatry. 47(11):572;1986.
25. Gorres KL, Daigle D, Mohanram S, et al. Valpromide inhibits lytic cycle reactivation of Epstein-Barr virus. mBio. 7(2):e00113-16;2016.
26. Gothberg LA. Severe infectious mononucleosis treated with chloroquine phosphate. J Am Med Assoc. 173:53-7;1960.
27. Gruhn B, Meerbach A, Häfer R, et al. Pre-emptive therapy with rituximab for prevention of Epstein-Barr virus-associated lymphoproliferative disease after hematopoietic stem cell transplantation. Bone Marrow Transplant. 31(11):1023-5;2003.
28. Guevara AP, Vargas C, Sakurai H, et al. An antitumor promoter from Moringa oleifera Lam. Mutat Res. 440(2):181-8;1999.
29. Hiroshi Uozaki and Masashi Fukayama. Epstein-Barr Virus and Gastric Carcinoma Viral Carcinogenesis through Epigenetic Mechanisms Review Article. Int. J. Clin. Exp. Pathol. 1, 198. 2008.
30. Hsu Hsue-Yin. The effect of protoberberine on nasopharyngeal carcinoma with Epstein-Barr virus infection. Chem Biol Interact. Feb 1;281:60-68;2008.
31. Hsu SS, Chou CT, Liao WC, et al. The effect of gallic acid on cytotoxicity, Ca(2+) homeostasis and ROS production in DBTRG-05MG human glioblastoma cells and CTX TNA2 rat astrocytes. Chem Biol Interact. 252:61-73;2016.
32. Kapadia GJ, Tokuda H, Konoshima T, Nishino H. Chemoprevention of lung and skin cancer by beta vulgaris (beet) root extract. Cancer Lett. 100(1-2):211-4;1996.
33. Konoshima T, Kokumai M, Kozuka M, et al. Studies on inhibitors of skin tumor promotion. XI. Inhibitory effects of flavonoids from Scutellaria baicalensis on Epstein Barr virus activation and their anti-tumor-promoting activities. Chem Pharm Bull (Tokyo). 40(2): 531-3;1992.
34. Krueger GR, Kudlimay D, Ramon A, et al. Demonstration of active and latent Epstein-Barr virus and human herpesvirus-6 infections in bone marrow cells of patients with myelodysplasia and chronic myeloproliferative diseases. In Vivo. 8(4):533-42;1994.
35. Li Y, Zhang Y, Fu M, et al. Parthenolide induces apoptosis and lytic cytotoxicity in Epstein-Barr virus-positive Burkitt lymphoma. Mol Med Rep. 6(3):477-82;2012.
36. Lin JC. Mechanism of action of glycyrrhizic acid in inhibition of Epstein-Barr virus replication in vitro. Antiviral Res. 59(1):41-7; 2003.
37. Lo AK, Lung RW, Dawson CW, et al. Activation of sterol regulatory element-binding protein 1 (SREBP1)-mediated lipogenesis by the Epstein-Barr virus-encoded latent membrane protein 1 (LMP1) promotes cell proliferation and progression of nasopharyngeal carcinoma. J Pathol. Jul 3;2018.
38. Lombardi G, del Gallo F, Vismara D, et al. Epstein-Barr virus-transformed B cells process and present Mycobacterium tuberculosis particulate antigens to T-cell clones. Cell Immunol. 107(2):281-92;1987.
39. Mathas S, Lietz A, Anagnostopoulos I, et al. C-Flip mediates resistance of Hodgkin/Reed-Sternberg cells to death receptor-induced apoptosis. J Exp Med. 199(8):1041-52;2004.
40. Mentzer SJ, Fingeroth J, Reilly JJ, et al. Arginine butyrate-induced susceptibility to ganciclovir in an Epstein-Barr-virus-associated lymphoma. Blood Cells Mol Dis. 24(2):114-23;1998.
41. Mentzer SJ, Perrine SP, Faller DV. Epstein--Barr virus post-transplant lymphoproliferative disease and virus-specific therapy: pharmacological re-activation of viral target genes with arginine butyrate. Transpl Infect Dis. 3(3):177-85;2001.
42. Murakami A, Kitazono Y, Jiwajinda S, et al. Niaziminin, a thiocarbamate from the leaves of Moringa oleifera, holds a strict structural requirement for inhibition of tumor-promoter-induced Epstein-Barr virusactivation. Planta Med. 64(4):319-23;1998.
43. Nadour PA, Brocqueville G, Ouk TS, et al. Inhibition of latent membrane protein 1 impairs the growth and tumorigenesis of latency II Epstein-Barr virus-transformed T cells. J Virol. 86:3934-43;2012.
44. Norfleet RG, Rickenbach HF. Infeccious mononucleosis treated with chloroquine: a double-blind study of 25 cases. Arch Intern Med. 113:412-4;1964.
45. Ohnoa Zentaro et al. Primary lung cancer complicated by malignant lymphoma in two cases of Epstein-Barr virus infection. Case Rep Oncol. 5:367-72;2012.
46. Oertel SH, Riess H. Antiviral treatment of Epstein-Barr virus-associated lymphoproliferations. Recent Results Cancer Res. 159:89-95; 2002.
47. Pagano JS, Blaser M, Buendia MA, et al. Infectious agents and cancer: criteria for a causal relation. Semin Cancer Biol. 14(6):453-71.
48. Pan YR, Vatsyayan J, Chang YS, Chang HY. Epstein-Barr virus latent membrane protein 2A upregulates UDP-glucose dehydrogenase gene expression via ERK and PI3K/Akt pathway. Cell Microbiol. 10(12):2447-60;2008.
49. Perez-Chacon G, de Los Rios C, Zapata JM. Indole-3-carbinol induces cMYC and IAP-family downmodulation and promotes apoptosis of Epstein-Barr virus (EBV)-positive but not of EBV-negative Burkitt's lymphoma cell lines. Pharmacol Res. 89:46-56;2014.
50. Perrine SP, Hermine O, Small T, et al. A phase 1/2 trial of arginine butyrate and ganciclovir in patients with Epstein-Barr virus-associated lymphoid malignancies. Blood. 109(6):2571-8;2007.
51. Purtilo DT, Liao SA, Sakamoto K, et al. Diverse familial malignant tumors and Epstein-Barr virus. Cancer Res. 41(11 Pt 1):4248-52; 1981.
52. Qi XK, Shu Y, Qin R, et al. Effects of Epstein-Barr virus and cytomegalovirus infection on childhood acute lymphoblastic leukemia gene methylation. 33(11):1678-81;2013.
53. Robert L, Grossi CE. Preliminary observations on the treatment of infectious mononucleosis with chloroquine. Clin Ter. 22:46-52;1962.
54. Safa M, Tavasoli B, Manafi R, et al. Indole-3-carbinol suppresses NF-κB activity and stimulates the p53 pathway in pre-B acute lymphoblastic leukemia cells.Tumour Biol. 36(5):3919-30;2015.
55. Sánchez-Carranza JN, Díaz JF, Redondo-Horcajo M, et al. Gallic acid sensitizes paclitaxel-resistant human ovarian carcinoma cells through an increase in reactive oxygen species and subsequent downregulation of ERK activation. Oncol Rep. Jun;39(6):3007-3014;2018.
56. Sars PR, Molenaar WM, Koudstaal J, Hoekstra HJ. Simultaneous Epstein-Barr virus and cytomegalovirus infection accompanied by

leiomyomatous change in a well-differentiated liposarcoma in a patient with long-term corticosteroid treatment. Sarcoma. 1(1): 55-8;1997.

57. Souza EM, Baiocchi OC, Zanichelli MA, et al. Matrix metalloproteinase-9 is consistently expressed in Hodgkin/Reed-Sternberg cells and has no impact on survival in patients with Epstein-Barr virus (EBV)-related and non-related Hodgkin lymphoma in Brazil. Med Oncol. 29(3):2148-52;2012.
58. Talsted I. Chloroquine treatment of infectious mononucleosis. Nord Med. 72:1327-8;1964.
59. Thomas RK, Kallenborn A, Wickenhauser C. Constitutive expression of c-FLIP in Hodgkin and Reed-Sternberg cells. Am J Pathol. 160:1521-8;2002.
60. Tugizov SM, Herrera R, Palefsky JM. Epstein-Barr virus transcytosis through polarized oral epithelial cells. J Virol. 87(14):8179-94;2013.
61. Updike SJ, Eichman PL. Infectious mononucleosis treated with chloroquine. A double-blind study of 40 cases. Am J Med Sci. 254(1): 69-70;1967.
62. Vilhelmova N, Jacquet R, Quideau S, et al. Three-dimensional analysis of combination effect of ellagitannins and acyclovir on herpes simplex virus types 1 and 2. Antiviral Res. Feb;89(2):174-8;2011.
63. Wu CC, Chuang HY, Lin CY, et al. Inhibition of Epstein-Barr virus reactivation in nasopharyngeal carcinoma cells by dietary sulforaphane. Mol Carcinog. 52(12):946-58;2013.
64. Wu CC, Fang CY, Hsu HY, et al. EBV reactivation as a target of luteolin to repress NPC tumorigenesis. Oncotarget. Apr 5;7(14):18999-9017;2016.
65. Zhao Y, Wang H, Zhao XR, et al. Epigallocatechin-3-gallate interferes with EBV-encoding AP-1 signal transduction pathway. Zhonghua Zhong Liu Za Zhi. 26(7):393-7;2004.
66. Zong L, Seto Y. CpG island methylator phenotype, helicobacter pylori, Epstein-Barr virus, and microsatellite instability and prognosis in gastric cancer: a systematic review and meta-analysis. PLoS One. 9(1):e86097;2014.

CAPÍTULO 147

CMV – Citomegalovírus humano. Agente carcinogênico classe I: administrar e conviver pacificamente

José de Felippe Junior

Vivendo tanto tempo juntos na mesma casa impossível se separar: HCMV e Células Humanas. **JFJ**

Voltamos a escrever, é impossível exterminar por completo agentes biológicos acostumados a viver nas células dos seres humanos por bilhões de anos. Entretanto, podemos administrar a sua proliferação e conviver pacificamente com estes agentes. A estratégia principal de administração é manter o sistema imune em perfeita ordem.

Nós clínicos diante de qualquer nome que a doença tenha, necessitamos ir à busca da sua causa, da sua etiologia, e assim solicitamos IgG quantitativa para o HCMV (CMV). Nós médicos gostamos de fazer diagnósticos, mas no dia a dia os sintomas e os sinais são diversos e não se encaixam em síndromes descritas nos livros e muito menos em nome de doenças. Dessa forma, temos a obrigação de pesquisar uma das causas biológicas, e o HCMV é apenas uma delas.

Após detectar a presença de um vírus as células do nosso corpo podem induzir centenas de genes que geram proteínas antivirais. CEACAM1 (*carcinoembryonic antigen-related cell adhesion molecule 1*) pode ser induzido pelos sistemas inatos do nosso corpo e o HCMV é um dos principais indutores desta proteína de defesa. Essa proteína é capaz de suprimir quase totalmente a proliferação do HCMV (Vitenshtein, 2016). O problema está em como aumentar a geração da CEACAMI.

Na infecção por CMV existem divergências quanto à via mTOR. Alguns acreditam que a inibição direta do mTOR pela rapamicina ou everolimus aumenta agressivamente a virulência do CMV (Zhou, 2014). Outros afirmam que a ativação da via mTOR é essencial para diminuir a replicação do CMV, o que explica o potente efeito anti-CMV dos inibidores indiretos do mTOR após transplante de órgãos.

Nossa conduta está do lado daqueles que verificaram que a inibição da via PI3K/Akt, a qual inibe a via mTOR e o NF-kappaB, é que proporciona o controle da infecção pelo CMV. Isto é, inibição indireta do mTOR aliada a inibição do NF-kappaB é que funciona como potente antiviral.

Pascual, em 2016, além de concordar que a inibição indireta da via mTOR funciona como antiviral, estende essa importante atividade para outros vírus, além do citomegalovírus humano (HCMV): poliomavírus, Epstein-Barr vírus (EBV), herpes-vírus humano 8 (HHV8) e vírus da hepatite C (Pascual, 2016; Ismail, 2014).

Sabemos que os vírus utilizam as proteínas do hospedeiro para ativar vias de sinalização proliferativas para sua sobrevivência intracelular e, dessa forma, temos uma maneira de administrar a infecção viral: inibição dessas vias.

De fato, o citomegalovírus humano possui a capacidade de ativar várias vias de transcrição gênica, sendo as principais a PI3K/Akt/mTOR/NF-kappaB, a Ras/Raf/MEK/ERK1/ERK2, o HIF-1alfa/piruvato quinase dimérica (PKM2) e diretamente a via JNK provocando aumento da proliferação mitótica, diminuição da apoptose, neoangiogênese e aumento da invasão e metástases em vários tipos de tumores humanos. O vírus faz proliferar células para ter mais espaço para infectar.

A figura 147.1, retirada de Michaelis, 2009, mostra as várias vias proliferativas ativadas pelo CMV, tanto diretamente como ativando o PDGFR.

Temos assim a nossa primeira estratégia para inibir a infecção por citomegalovírus humano (HCMV): inibição da via PI3K/Akt que inibe o mTOR e o NF-kappaB e a inibição do Ras que inibe a via Raf e a MEKK1.

O citomegalovírus humano induz aumento da expressão da acetilcoenzima A carboxilase-1 (ACC1) com aumento do mRNA e da proteína ACC1. Mostrou-se que a inibição farmacológica do mTOR bloqueia a atividade e expressão da ACC1, o que atenua a

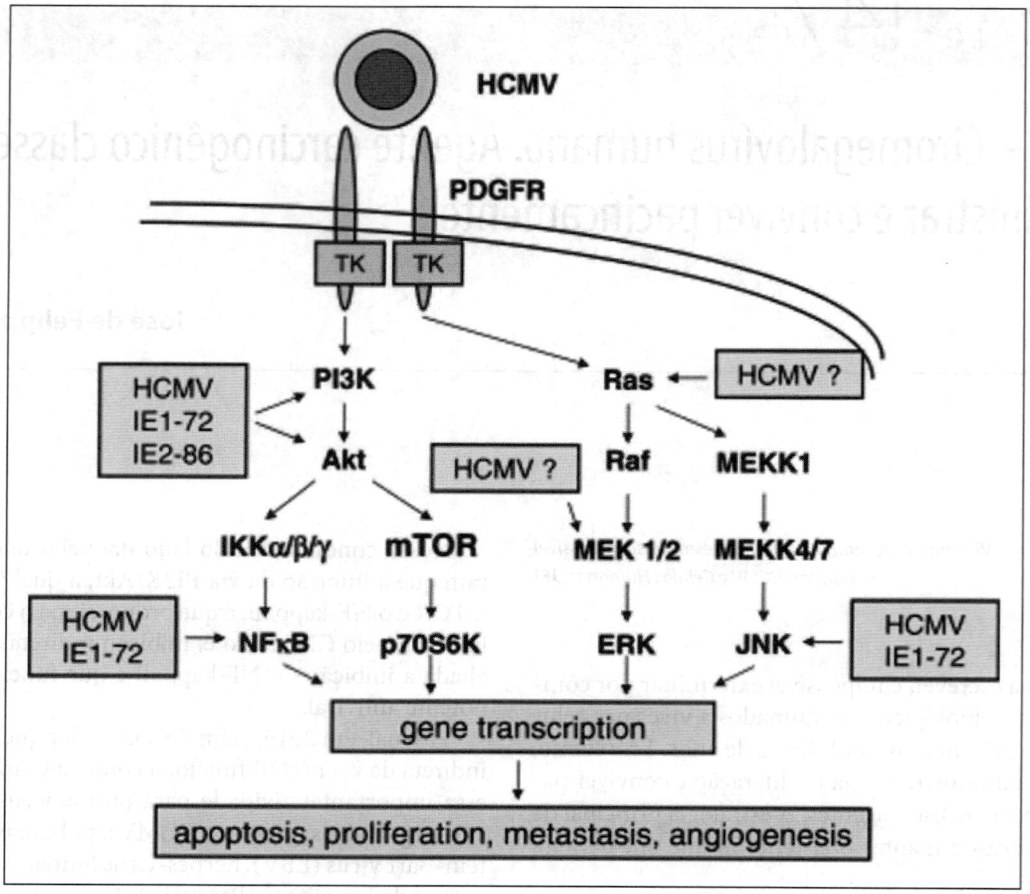

Figura 147.1 Vias de sinalização ativadas pelo HCMV diretamente ou ligando-se ao receptor PDGFR (Michaelis, 2009).

replicação do HCMV, tanto nas fases iniciais como finais da infecção (Spencer, 2011).

Willian Crowe, em 1997, demonstrou que o citomegalovírus humano ativava o *antiporter* NHE1 provocando alcalinização citoplasmática, despolarização da membrana e aumento do volume celular, citomegalia. A ativação do NHE1, bomba de Na^+/H^+, retira H^+ da célula e coloca no lugar o Na^+, em uma troca simples. A retirada de H^+ provoca citoplasmática e propicia a proliferação celular e a entrada do Na^+ aumenta o volume celular e despolariza a membrana, o que induz proliferação celular. Provoca proliferação para ter mais células para parasitar.

A inibição do *antiporter* NHE é nossa segunda estratégia contra o HCMV.

Para administrar ou diminuir a carga viral do HCMV e outros tipos de vírus devemos ficar atentos e inibir as vias descritas acima (silibinina, $1,25(OH)_2D_3$, beta-alanina, ácido lipoico, amiloride) ao lado de inibir o *antiporter* NHE1 (amiloride, genisteína, somatostatina, cimetidina, $1,25(OH)_2D_3$).

O óleo de peixe eicosapentaenoico, ômega-3, nas doses de 180 a 350mg, dependendo do peso do paciente, 4 vezes ao dia durante 2 a 6 semanas frequentemente elimina infecções virais do tipo herpes-vírus: Epstein-Barr vírus, citomegalovírus e herpes-vírus simples (Omura, 1990).

Nanopartículas de prata são antibacterianas e antivirais (Galdiero, 2011; Lara, 2011). Ácido caprílico é eficaz no tratamento de infecções por HCMV, *H. pylori* e *Candida albicans*, com ou sem intoxicação por mercúrio (Omura, 2011).

A glicirrizina diminui significativamente os níveis do dímero D plasmático e do vWF (*von Willebrand factor*) na hepatite infantil por HCMV (Shi, 2010).

A atividade anti-HCMV de 0,68microM de berberina é equivalente a 0,91microM de ganciclovir (Hayashi, 2007). O ácido ursólico comunga com a mesma eficácia. O efeito anticitomegalovírus do ácido ursólico é significativamente maior que o ganciclovir e seu efeito citotóxico jaz na habilidade de inibir a síntese viral (Zhao, 2012).

Maribavir, droga órfã, na dose de pelo menos 400 mg duas vezes ao dia teve eficácia semelhante à do valganciclovir para eliminar a viremia de CMV entre receptores de transplantes de células hematopoiéticas ou de órgãos sólidos (Maertens, 2019).

Estratégia para administrar o HCMV

1. Polarizar o sistema imune de M2/Th2 para M1/Th1.
2. Inibir a via PI3K/Akt e HIF-1/PKM2.
3. Administrar/controlar a replicação viral.

Conclusão

Vivemos e convivemos com o CMV cada um respeitando seu território. Quando o paciente sofre uma sobrecarga de trabalho, mas principalmente uma sobrecarga emocional, o sistema imune passa de M1/Th1 para M2/Th2 e a carga viral aumenta e provoca determinada doença, uma delas o câncer.

É com um conjunto de estratégias que administram o CMV que temos a esperança de controlar esses vírus. E a principal continua sendo manter o organismo em M1/Th1.

Administrar o CMV é mais um desafio que devemos enfrentar para cuidar dos pacientes com câncer fazendo regredir os tumores e evitando recidivas.

Referências

1. Banno N, Akihisa T, Watanabe K, Nishino H. Triterpene acids from the leaves of Perilla frutescens and their anti-inflammatory and antitumor-promoting effects. Biosci Biotechnol Biochem. 68(1):85-90;2004.
2. Bocci V. Ozonization of blood for the therapy of viral diseases and immunodeficiencies. A hypothesis. Enhancement of pulmonary metastasis of murine fibrosarcoma NR-FS by ozone exposure. Med Hypotheses. 39(1):30-4;1992.
3. Bocci V. Ozone. A New Medicinal Drug. 2nd ed. Springer Science; 2011.
4. Crespillo AJ, Praena B, Bello-Morales R, et al. Inhibition of herpes virus infection in oligodendrocyte cultured cells by valproic acid. Virus Res. 214:71-9;2016.
5. Crowe WE, Altamirano AA, Russell JM. Human cytomegalovirus infection enhances osmotic stimulation of Na^+/H^+ exchange in human fibroblasts. Am J Physiol. 273(5 Pt 1):C1739-48;1997.
6. Galdiero S, Falanga A, Vitiello M, et al. Silver nanoparticles as potential antiviral agents. Molecules. 16(10):8894-918;2011.
7. Hayashi K, Minoda K, Nagaoka Y, et al. Antiviral activity of berberine and related compounds against human cytomegalovirus. Bioorg Med Chem Lett. 17(6):1562-4;2007.
8. Ismail S, Stokes CA, Prestwich EC, et al. Phosphoinositide-3 kinase inhibition modulates responses to rhinovirus by mechanisms that are predominantly independent of autophagy. Proteomics. 15(12): 2087-97;2015.
9. Khan Z1, Yaiw KC, Wilhelmi V, et al. Human cytomegalovirus immediate early proteins promote degradation of connexin 43 and disrupt gap junction communication: implications for a role in gliomagenesis. Carcinogenesis. 35(1):145-54;2014.
10. Lara HH, Garza-Treviño EN, Ixtepan-Turrent L, Singh DK. Silver nanoparticles are broad-spectrum bactericidal and virucidal compounds. J Nanobiotechnology. 9:30;2011.
11. Maertens J, Cordonnier C, Jaksch P, et al. Maribavir for Preemptive Treatment of Cytomegalovirus Reactivation. N Engl J Med. Sep 19;381(12):1136-1147, 2019.
12. Michaelis M, Cinatl J. The story of human cytomegalovirus and cancer: increasing evidence and open questions. Neoplasia. 11(1): 1-9;2009.
13. Omura Y. Treatment of acute or chronic severe, intractable pain and other intractable medical problems associated with unrecognized viral or bacterial infection. Part 1 Acupunct Electrother Res. 15(1): 51;1990.
14. Omura Y, O'Young B, Jones M, et al. Caprylic acid in the effective treatment of intractable medical problems of frequent urination, incontinence, chronic upper respiratory infection, root canalled tooth infection, ALS, etc., caused by asbestos & mixed infections of Candida albicans, Helicobacter pylori & cytomegalovirus with or without other microorganisms & mercury. Acupunct Electrother Res. 36(1-2):19-64;2011.
15. Pagano JS, Blaser M, Buendia MA, et al. Infectious agents and cancer: criteria for a causal relation. Semin Cancer Biol. 14(6):453-71; 2004.
16. Pascual J, Royula A, Fernández A, et al. Role of mTOR inhibitors for the control of viral infection in solid organ transplant recipients. Transpl Infect Dis. 18(6):819-31;2016.
17. Pusztai R, Abrantes M, Serly J, et al. Antitumor-promoting activity of lignans: inhibition of human cytomegalovirus IE gene expression. Anticancer Res. 30(2):451-4;2010.
18. Shi HF, Chen YP, DI JB, Xu ZW. Plasma levels of D-dimer and von Willebrand factor and the therapeutic effect of compound glycyrrhizin in children with cytomegalovirus hepatites. Dang Dai Er Ke Za Zhi. 12(4):272-4;2010.
19. Spencer CM, Schafer XL, Moorman NJ, Munger J. Human cytomegalovirus induces the activity and expression of acetyl-coenzyme A carboxylase, a fatty acid biosynthetic enzyme whose inhibition attenuates viral replication. J Virol. 85(12):5814-24;2011.
20. Söderberg-Nauclér C, Rahbar A, Stragliotto G. Survival in patients with glioblastoma receiving valganciclovir. N Engl J Med. 369:985-6;2013.
21. Vitenshtein A, et al. CEACAM1-mediated inhibition of virus production. Cell Rep. 15(11):2331-9;2016.
22. Weniger MA, Küppers R. NF-κB deregulation in Hodgkin lymphoma. Semin Cancer Biol. 39:32-9;2016.
23. Zhao J, Chen J, Liu T, et al. Anti-viral effects of urosolic acid on guinea pig cytomegalovirus in vitro. J Huazhong Univ Sci Technolog Med Sci. 32(6):883-7;2012.
24. Zhou X, Wang Y, Metselaar HJ, et al. Rapamycin and everolimus facilitate hepatitis E virus replication: revealing a basal defense mechanism of PI3K-PKB-mTOR pathway. J Hepatol. 61(4):746-54; 2014.

CAPÍTULO 148

HPV – Papilomavírus humano. Agente carcinogênico classe I: administrar e conviver pacificamente

José de Felippe Junior

Vivendo tanto tempo juntos na mesma casa impossível se separar: HPV e Células Humanas. **JFJ**

Voltamos a escrever, é impossível exterminar por completo agentes biológicos acostumados a viver nas células dos seres humanos por bilhões de anos. Entretanto, podemos administrar a sua proliferação e conviver pacificamente com estes agentes. A estratégia principal de administração é manter o sistema imune em perfeita ordem.

Nós clínicos diante de qualquer nome que a doença tenha, necessitamos ir à busca da sua causa, da sua etiologia. Nós médicos gostamos de fazer diagnósticos, mas no dia a dia os sintomas e os sinais são diversos e não se encaixam em síndromes descritas nos livros e muito menos em nome de doenças. Dessa forma, temos a obrigação de pesquisar causas biológicas, e o HPV é apenas uma delas.

É impossível exterminar por completo agentes biológicos acostumados a viver nas células dos seres humanos por bilhões de anos. Entretanto, podemos administrar sua proliferação e conviver pacificamente com estes agentes. Uma das estratégias fundamentais de administração é manter o sistema imune em perfeita ordem.

Todas as substâncias que polarizam o sistema imune para M1/Th1 são eficazes contra todos os tipos de vírus. A própria ciclofosfamida em baixas doses inibindo Treg, ativa TH1 e age contra o papilomavírus (Zhao, 2014).

O papilomavírus humano (HPV) é um vírus de DNA de fita dupla que infecta células epiteliais da camada basal através de abrasões microscópicas ou cisalhamento. Existem mais de 100 tipos de HPV, e cerca de 40 desses tipos são conhecidos por infectar células epiteliais genitais. O HPV genital é transmitido por contato sexual e é a infecção sexualmente transmissível mais comum entre os americanos com idades entre 15 e 49 anos. Para a maioria das pessoas, as infecções anogenitais pelo HPV desaparecem por conta própria e apresentam poucos ou nenhum sintoma clinicamente aparente. No entanto, as mulheres que são incapazes de eliminar a infecção pelo HPV cervical e estão persistentemente infectadas com certos tipos de HPV têm risco aumentado para o desenvolvimento de câncer.

Nem todos os tipos de HPV estão associados ao câncer. Atualmente, os tipos 16, 18, 31, 33, 35, 39, 45, 51, 52, 56, 58, 59, 68, 73 e 82 são classificados como infecções oncogênicas de "alto risco". Desses, os tipos 16 e 18 são os tipos mais comuns.

Mais de quatro décadas atrás, a ligação entre a infecção pelo papilomavírus humano (HPV) e o câncer do colo do útero foi proposta por um médico-cientista alemão Harald zur Hausen. Seu grupo começou a trabalhar no HPV no início dos anos 1970 e isolou quase uma década depois duas cepas de alto risco oncogênicas, o HPV tipo 16 e o HPV 18. Vários estudos clínico-epidemiológicos e moleculares finalmente estabeleceram o vínculo causal entre a infecção pelo HPV e o câncer do colo do útero.

Este trabalho seminal rendeu a zur Hausen o Prêmio Nobel de Medicina em 2008. Vários estudos posteriores mostraram que as infecções por HPV constituem cerca de 5% da carga global de cânceres humanos estando implicado em vários tipos de câncer (zur Hausen, 2002).

A infecção pelo papilomavírus humano é a principal causa de mortalidade por câncer entre as mulheres em todo o mundo (Kumar, 2014). O HPV de alto risco (HR), tipos 16 e 18 prevalece em cerca de 90% dos cânceres do colo do útero, 90% dos cânceres anais, 70% dos cânceres vaginais, 50% do pênis, 40% dos vulvares, 20 a 60% dos cânceres de orofaringe e 30% dos carcinomas epidermoides de esôfago.

Em nove estudos de caso-controle, todos eles mostraram associação positiva entre infecção por HPV e neoplasia colorretal. As estimativas da OR associada a esses estudos variaram de 2,7 (IC95% = 1,1 a 6,2) a 9,1 (IC95% = 3,7 a 22,3). Outros estudos não concordam afirmando que não há relação entre câncer colorretal e HPV (Gornick, 2010; Burnett, 2013).

Infelizmente, os cânceres de orofaringe e/ou cabeça e pescoço relacionados ao HPV estão aumentando com uma taxa alarmante entre homens e mulheres nos países em desenvolvimento.

Até o momento, não existe terapia realmente eficaz contra o HPV. Entretanto, um conjunto de fitoterápicos agindo em conjunto cada um com seu próprio mecanismo de ação pode ser a esperança no controle deste vírus. Tradicionalmente, diferentes compostos naturais, como curcumina, berberina, artemisinina, ácido gálico, ácido ursólico, epigalocatequina-3-galato, indol-3-carbinol, withaferin A, luteolina, aferina A e ácido ferúlico mostraram efeito bloqueador contra a oncoproteína E6 de HPV18 de alto risco, que é conhecido por inativar a proteína supressora de tumor p53. A análise mostrou que esses inibidores naturais ajudam a restabelecer o funcionamento normal da p53, além de inibir a oncoproteína do HPV18 (Kumar, 2015; Shi, 2016; Bell, 2000; Ham, 2014).

Curcumina

A curcumina, o ingrediente polifenólico bioativo do açafrão, tem sido extensivamente estudada por seus efeitos na infecção pelo vírus do papiloma humano, especialmente aquelas relacionadas aos tipos 16 e 18 do HPV, além do câncer cervical e do espinocelular primário (Mishra, 2015; Teymouri, 2017).

A incidência de carcinoma espinocelular orofaríngeo aumentou significativamente nas últimas décadas devido à oncogênese mediada por HPV. Infelizmente, um número crescente de sobreviventes positivos para HPV+ estão vivendo com os efeitos colaterais irreversíveis do tratamento cirúrgico mutilante acrescido dos efeitos devastadores da quimioterapia. Curcumina e metformina são capazes de retardar a proliferação e induzir apoptose nas linhas celulares HPV+ e HPV–. Os efeitos da curcumina são mais pronunciados nas linhas celulares do HPV. A metformina é mais eficaz na redução do número total de células nas linhas celulares de HPV+. A metformina e a curcumina combinadas não parecem ter efeitos sinérgicos na proliferação ou apoptose das linhas celulares tratadas (Lindsay, 2019).

A expressão de dois oncogenes virais E6 e E7 que interagem e degradam as proteínas p53 e a retinoblastoma (pRb), respectivamente, é essencial para a transformação tumorogênica e depende da disponibilidade de um fator de transcrição celular AP-1 derivado da célula hospedeira. A transativação e a atividade de ligação ao DNA do fator de transcrição celular AP-1 (Activator Protein-1) e do fator de transcrição pró-inflamatório NF-kappaB podem ser modulados por alterações do status redox intracelular por agentes antioxidantes. É como antioxidante que a curcumina provoca a supressão seletiva da transcrição do HPV em células cancerígenas cervicais. A curcumina suprime o crescimento celular e a formação de tumores, desregulando quinases críticas como PKC, JNK, EGFR e MAPK etc. Também inibe as vias de NF-kappaB, AP-1, incluindo ciclina D1 e citocinas e quimiocinas inflamatórias. A curcumina induz a expressão de enzimas da fase II e efeitos antiangiogênicos, inibindo o CYP450, o receptor VEGF e a angiopoietina. Sabe-se que a curcumina induz apoptose ativando vias mitocondriais que levam à ativação das caspases-3, 7 e 9, à clivagem do PARP e a inibição dos genes antiapoptóticos Bcl2 e BclxL. *In vitro* em células cancerígenas do colo uterino e orais, a curcumina mostrou ter um forte efeito anti-HPV (Dyvia, 2006; Mishra, 2015).

Curcumina e rutina regulam para baixo a COX2 e reduzem tumores associados ao HPV16 in vivo no camundongo transgênico (Moutinho, 2018).

Paciente do sexo feminino, 48 anos foi diagnosticada com vírus do papiloma humano positivo após exame ginecológico de rotina. Recebeu supositórios vaginais de 250mg de curcumina e creme vaginal a 15% de extrato de chá verde, a serem aplicados em dias alternados por um período de 3 meses. Após apenas 1 mês de tratamento, a citologia apresentou resultado negativo para o HPV (Agbi, 2018).

Epigalocatequina-galato

A epigalocatequina-3-galato (EGCG), a catequina mais abundante e ativa do chá, possui propriedades antivirais e antitumorais. De acordo com um estudo clínico, o EGCG foi eficaz em pacientes com lesões cervicais infectadas por HPV quando administradas na forma de pomada ou cápsula (Ahn, 2003). O EGCG de maneira dependente do tempo e da concentração inibe crescimento de células CaSki (HPV-16 positivas) e HeLa (HPV-18 positivas) e inibe também a expressão do HPV E6/E7 (Qiao, 2009).

EGCG possui efeito positivo na supressão de oncogenes e oncoproteínas do HPV. Ele inibe fortemente a degradação do E7 na proteína retinoblastoma (pRb), restringindo a atividade ubiquitina-proteasomal e suprimindo o crescimento do tumor. O estrogênio desempenha papel crítico no câncer cervical positivo para HPV. A aromatase, como principal enzima na biossíntese de estrogênio, regula positivamente a expressão do receptor de estrogênio (ER). EGCG suprime a expressão do mRNA, da proteína do receptor de estrogênio-α (ER-α) e da aromatase restringindo, assim, as expressões E6 e E7. Como resultado, o EGCG inibe indiretamente a proliferação e induz a apoptose das células cancerígenas cervicais. O estudo imuno-histoquímico mostra resultado semelhante nas células HeLa e nas células TCL-1 epiteliais cervicais imortalizadas pelo HPV (Wang, 2018).

EGCG inibe o crescimento celular e regula a expressão de miRNA em linhas celulares SiHA, CaSki e HeLa do carcinoma cervical infectadas por diferentes tipos do HPV de alto risco (Zhu, 2019).

Ácido valproico

O ácido valproico em oligodendrócitos infectados por HSV-1 provoca leve diminuição da carga viral, aborta a entrada do vírus nas células e reduz de modo significante a transcrição e expressão de proteínas virais (Crespilho, 2016; Praena, 2019).

Cloroquina

Foi demonstrado que os cânceres associados ao HPV, incluindo cânceres anal e cervical, com sorotipos de alto risco do HPV (HPV-16 e 18) inibem a via autofágica do hospedeiro. A inibição da autofagia pelo HPV é uma resposta adaptativa para evitar a depuração viral. O HPV-16 ativa a via mTOR, resultando em inibição autofágica. O HPV produz oncoproteínas que inibem a autofagia, fornecendo um mecanismo para infecção viral, persistência e replicação. Cloroquina inibe a autofagia e reduz a proliferação de câncer provocado por HPV (Carchman, 2016; Rademacher, 2017).

Berberina

Berberina modula a atividade do AP-1 suprimindo a transcrição do HPV e regulando para baixo a sinalização o que provoca parada do crescimento e apoptose das células do câncer cervical (Mahata, 2011).

A berberina na linha celular do câncer cervical HPV16 positivo, na linha celular SiHa e no câncer cervical HPV18 positivo e HeLa inibe seletivamente AP-1 ativada constitutivamente de maneira dependente da dose e do tempo e regula para baixo a expressão dos oncogenes do HPV. A inibição de AP-1 foi acompanhada por alterações na composição do seu complexo de ligação ao DNA. A berberina desregulou especificamente a expressão do c-Fos, provocou repressão dos oncogenes E6 e E7 e aumentou concomitante a expressão da p53 e pRb. A berberina também suprimiu a expressão da proteína telomerase, hTERT, que se traduz na inibição do crescimento das células cancerígenas cervicais. Concentração mais elevadas são necessárias para reduzir a viabilidade celular através da via mediada por mitocôndrias e assim ativar a caspase-3 e induzir apoptose. Resumindo, a inibição da atividade da AP-1 pela berberina pode ser um dos mecanismos responsáveis pelo efeito anti-HPV. Berberina regula para baixo a transcrição do HPV16 e HPV18, suprime a expressão do E6, E7 e do hTERT e aumenta a expressão das proteinas p53 e pRb em células do câncer cervical.

Ácido ursólico

O ácido ursólico suprime o vírus do papiloma, o vírus da influenza tipo A (Kazakova, 2010) e o vírus da hepatite B, efeito anti-hepatoma (Wu, 2011).

Rutina

Rutina induz forte resposta imune específica contra o HPV-relacionado a tumor de cabeça e pescoço, *in vivo* (Song, 2020).

Rutina em células cervicais C33 induzido pelo HPV reduz a viabilidade celular, induz aumento significativo na produção de ERTOs e aumenta a condensação nuclear de maneira dose-dependente. Além disso, provoca apoptose ao induzir diminuição do Delta-psimitocondrial e ativação da caspase-3. A análise do ciclo celular confirmou ainda a sua eficácia mostrando a parada do ciclo celular na fase G0/G1 (Khan, 2020).

Rutina e curcumina regulam para baixo a COX-2 e reduz inflamação associada a tumor induzido por HPV16 no camundongo transgênico (Moutinho, 2018).

Artemisinina

Um composto natural, artemisinina e seus, têm atividade contra células infectadas e transformadas por HPV e células cancerígenas cervicais. Os estudos também demonstraram eficácia em situações clínicas (Goodrich, 2014).

Os três compostos artemisinina, di-hidroartemisinina (DHA) e o artesunato exibem fortes efeitos citotóxicos em células cervicais imortalizadas e transformadas por HPV in vitro, com pouco efeito nas células epiteliais normais. A morte celular induzida por DHA envolveu a ativação da via da caspase mitocondrial com a resultante apoptose. A apoptose foi independente do p53 e não foi consequência de redução na expressão do oncogene viral. Devido à sua citotoxicidade seletiva, hidrofobicidade e capacidade conhecida de penetrar nas superfícies epiteliais, postulou-se que o DHA pode ser útil no tratamento tópico de lesões de papilomavírus na mucosa. Para testar essa hipótese foi aplicado DHA à mucosa oral de cães infectados pelo vírus do papiloma oral canino. Embora aplicado apenas de forma intermitente, o DHA inibiu fortemente a formação de tumores induzidos por vírus. Curiosamente, nos cães infectados, mas sem tumores e tratados com DHA desenvolveram anticorpos contra a proteína da cápside L1 viral, sugerindo que o DHA havia inibido o crescimento do tumor nas primeiras rodadas de replicação do vírus do papiloma. Esses achados indicam que o DHA e outros derivados da artemisinina podem ser úteis para o tratamento tópico de lesões de vírus do papiloma epitelial, incluindo aquelas que progrediriam para o estado neoplásico (Disbrow, 2005).

A jaceosidina isolada do extrato metanólico da *Artemisia argyi* inibe a ligação entre as oncoproteínas do HPV e o supressor tumoral p53 (Lee, 2005).

A artemisinina induz apoptose em células do câncer cervical infectadas com HPV-39 (Mondal, 2015).

Ácido gálico

Três polifenóis inibem a proliferação de células HeLa dependentes da dose. Além disso, um dos polifenóis examinados, ácido gálico (AG), também inibe a proliferação de células HPVep e exibe especificidade significativa em relação às células positivas para HPV. O efeito antiproliferativo do ácido gálico nas células HPVep e HeLa se associou à apoptose e à regulação para cima da proteína p53. Ácido gálico é um agente anti-HPV induzindo apoptose em células do epitélio cervical humano contendo papilomavírus humano – HPV tipo 16 (Shi, 2016).

Foi realizado estudo em células de câncer do colo do útero não infectadas (C33A), células de câncer do colo do útero infectadas com HPV tipo 16 (CaSki) ou 18 (HeLa). Os resultados mostraram que o ácido gálico inibe a proliferação de células cancerígenas ao induzir apoptose. Para aumentar a eficácia dessa atividade anticâncer, nanopartículas esféricas de ouro (PNB) de 15 nm foram usadas para fornecer GA às células cancerígenas. Entretanto, o complexo GNPs-GA teve capacidade reduzida em comparação com o ácido gálico não modificado para inibir o crescimento de células neoplásicas (Daduang, 2015).

Indol-3-carbinol

O I3C tem mostrado eficácia contra o câncer cervical HPV+ em trabalhos clínicos com pouco número de casos (Stanley, 2003).

Trinta pacientes com biópsia câncer cervical II-II foram randomizados para receber placebo ou 200 ou 400mg/dia de I-3-C administrados por via oral por 12 semanas. Se a lesão for persistente por biópsia cervical no final do estudo foi realizado o procedimento de excisão por eletro cautério de alça da zona de transformação. O *status* do HPV foi avaliado em todos os pacientes. Resultados: Nenhum (0 de 10) dos pacientes do grupo placebo apresentou regressão completa da NIC. Em contraste, 4 de 8 pacientes no braço de 200mg/dia e 4 de 9 pacientes no braço de 400mg/dia tiveram regressão completa com base na biópsia de 12 semanas. Esse efeito protetor do I-3-C é mostrado por um risco relativo (RR) de 0,50 ((IC 95%, 0,25 a 0,99) p = 0,023) para o grupo de 200mg/dia e um RR de 0,55 ((IC 95%, 0,31 a 0,99) p = 0,032) para o grupo de 400mg/dia. O HPV foi detectado em 7 de 10 pacientes tratados com placebo, em 7 de 8 no grupo de 200mg/dia e em 8 de 9 no grupo de 400 mg/dia. Conclusões: houve regressão estatisticamente significante da NIC nos pacientes tratados com I-3-C por via oral em comparação com o placebo (Bell, 2000).

Lembrar que o I3C, encontrado em vegetais crucíferos, como couve-flor, brócolis, couve manteiga e couve-de-bruxelas possui atividades antiestrogênicas nas células cervicais (Yuan, 1999).

Os autores analisam a eficácia da terapia antirrecidiva da papilomatose respiratória juvenil recorrente em 87 crianças de 2 a 15 anos com o uso de indole-3-carbinol. Antes da inclusão neste estudo, os pacientes foram submetidos de 2 a 86 (média 12 +/- 14) intervenções cirúrgicas para a ablação de papilomas. O intervalo médio entre recidivas sucessivas de papilomas variou entre 2 semanas e 12 meses (média de 4,9 ± 2,33 meses). Os pacientes permaneceram em observação em média de 44,8 ± 15,93 meses. A duração da terapia com indol-3-carbinol variou de 12 semanas a 2 anos (média de 8,9 ± 4,72 meses). A remissão estável da patologia foi documentada em 28,7% dos pacientes no período de 2 a 6 anos de acompanhamento. Um aumento significativo (1,5 a 10 vezes) na duração do intervalo entre recidivas subsequentes ocorreu em 41,1% das crianças. Em 29,9% dos pacientes, a terapia não produziu efeito clínico aparente; 18,4% deles mostraram um encurtamento insignificante do intervalo entre recaídas que permaneceu inalterado nos 11,5% restantes. Nenhum efeito adverso do tratamento foi registrado. Conclui-se que o tratamento com indol-3-carbinol pode ser recomendado como modalidade terapêutica inicial para o tratamento da papilomatose respiratória recorrente juvenil e a redução dos intervalos entre as recidivas da doença (Soldatskiĭ, 2011).

Withaferina A

A withaferina A (WFA) é o principal componente ativo da planta medicinal indiana *Withania somnifera* (Ginseng Indiano), com atividade antitumoral, antiangiogênica e radiossensibilizante (Sharada, 1996; Barbagna, 2007). Estudo *in vitro* e *in vivo* mostrou o efeito inibitório da WFA contra a proliferação de células cancerígenas cervicais. Foi demonstrado que o WFA regula para baixo a expressão da oncoproteína HPV E6 e restaura a via da p53, resultando em apoptose das células cancerígenas cervicais (Munagala, 2011).

WFA é eficaz contra a oncoproteína E6 do HPV 18 de alto risco de câncer cervical. Esta oncoproteína inativa a proteína supressora de tumor p53 (Kumar, 2015).

Extrato de Alcaçuz (*Glycyrrhiza glabra*)

Isoliquiritigenina, um dos componentes do extrato do alcaçuz diminui a viabilidade celular, induz o acúmulo de células em G2/M e mostra características morfológicas e bioquímicas de apoptose em quatro linhas celulares de câncer estudadas. Como exemplo nas células Ca Ski, a isoliquiritigenina regula para baixo a expressão do HPV16 E6 associada ao aumento dos níveis de p53 e p21, à expressão aumentada de Bax e à expressão diminuída de Bcl-2 e Bid. Acresce a dissipação do potencial da membrana mitocondrial (Delta-psimt), liberando o citocromo c para citosol seguido pela ativação das caspase-8, 9, 3 e da clivagem do PARP (Hirchaud, 2013).

Luteolina

A luteolina mostrou efeito citotóxico significativo dependente da dose apenas em células cancerígenas cervicais positivas para papilomavírus humano (HPV), quando comparado ao seu efeito em células C33A de câncer cervical negativas para HPV. Os níveis de expressão dos oncogenes dos vírus E6 e E7 do papiloma humano foram suprimidos, os fatores relacionados pRb e p53 foram recuperados e o E2F5 foi aumentado pelo tratamento com luteolina. Além disso, a luteolina aumentou a expressão de receptores da morte e fatores a jusante do receptor da morte, como Fas/FasL, DR5/TRAIL e FADD nas células HeLa, e ativou de modo dose dependente a cascata das caspases-3 e 8. A luteolina também induziu o colapso do potencial da membrana mitocondrial (Delta-psimt), liberou citocromo c e inibiu a expressão do Bcl-2 e Bcl-xL. Em conclusão, a luteolina exerce atividade anticarcinogênica através da inibição da expressão de E6 e E7 e da ativação cruzada da caspase-3 e 8. Tomados em conjunto, esses resultados sugerem que a luteolina induz a inativação da expressão e apoptose do oncogene HPV-18, ativando as vias intrínseca e extrínseca (Cherry, 2013; Ham, 2014).

Genisteína

A ingestão de genisteína aumenta significativamente a proliferação linfocitária e a liberação de LDH e também causa aumento drástico do interferon gama (IFN-γ). Estes resultados indicam que o efeito da genisteína no crescimento tumoral pode ser atribuído ao seu efeito na proliferação de linfócitos, atividade citolítica e produção de IFN-γ. Os resultados demonstram que esta isoflavona exerce efeito imunomodulador em modelo de camundongo do câncer cervical associado ao papilomavírus humano (Ghaemi, 2012).

Vitamina A

Vitamina A (retinol) e outros retinoides são importantes na manutenção da função normal das células cervicais e na inibição do crescimento de tumores cervicais.

Os queratinócitos humanos (HKc) imortalizados por transfecção com o DNA do papilomavírus humano tipo 16 (HKc/HPV16) são mais sensíveis que os queratinócitos HKc normais à inibição do crescimento pelo ácido retinóico (RA) e que o tratamento com RA do HKc/HPV16 inibe o HPV16 E6/expressão de mRNA de E7 (in Kham, 1993).

Os mRNAs de E2 e E5 do HPV16 também são reduzidos pela ação do ácido retinoico (AR) sobre HKc/HPV16, indicando uma inibição geral da AR na expressão dos genes precoces do HPV16. Além disso, os níveis de proteína de E6 e E7, medidos por imunofluorescência, também diminuíram de maneira dependente da dose. Como E6 e E7 são considerados os oncogenes do HPV16, explorou-se a possibilidade de a AR interferir na imortalização do HKc mediada pelo HPV16. O tratamento com AR (1nM) de HKc normal, imediatamente após a transfecção com DNA de HPV16, inibiu a imortalização em cerca de 95%. No geral, esses resultados fornecem uma base bioquímica direta para um papel da AR na prevenção quimioprevenção de cânceres induzidos pelo papilomavírus humano (Kham, 1993).

Ácido graxo ômega-3 dos peixes – ácido docosaexaenoico

As proteínas E6/E7 oncogênicas do papilomavírus humano (HPV) são essenciais para o início e manutenção de doenças neoplásicas associadas ao HPV. O ácido docosaexaenoico induz a degradação das oncoproteínas HPV E6/E7 ativando o sistema ubiquitina-proteassomo. O DHA talvez seja o agente anticâncer mecanicamente único para a quimioprevenção e tratamento de tumores associados ao HPV (Jing, 2014).

O ácido docosaexaenoico inibe seletivamente o crescimento de queratinócitos imortalizados do papilomavírus humano (Chen, 1999).

Ácido ômega-3 vegetal – ácido alfalinolênico

O ácido alfalinolênico (ALA) regula para baixo a via COX2/VEGF/MAPK e diminui a expressão das oncoproteinas E6 e E7 restaurando a expressão das proteínas p53 e pRb em células do câncer cervical humano (Deshpande, 2017).

Nas linhas celulares de câncer cervical, SiHa e HeLa, o ALA modula significativamente a cinética de crescimento das células e reduz a migração celular com diminuição concomitante da expressão das proteínas VEGF, MMP-2 e MMP-9. Além disso, o ALA diminui significativamente a expressão das proteínas fosforiladas p38, pERK1/2, c-JUN, NF-kappaB e COX2. Mais importante ainda reduz a expressão das oncoproteínas E6 e E7 do HPV, resultando na restauração da expressão das proteínas supressoras de tumor, p53 e pRb.

Sais de zinco

A epidermodisplasia verruciforme (EV) é um distúrbio hereditário raro que predispõe os pacientes a uma infecção generalizada pelo vírus do papiloma humano (HPV) e a carcinomas epidermoides cutâneos. Ainda não há modalidade terapêutica definitiva para o VE. Paciente do sexo masculino, 24 anos, com VE foi tratado com sulfato de zinco por via oral 550mg (10mg/kg/dia), um dos imunomoduladores mais baratos e seguros disponíveis como agente terapêutico, com resultado satisfatório (Sharma, 2014).

Um total de 194 mulheres diagnosticadas com infecção por High Risk-HPV usando o ensaio de captura hibrida sem evidência de lesões intraepiteliais escamosas de alto grau foram estudadas. Entre elas, 76 mulheres foram tratadas por infusão intravaginal autoadministrada duas vezes por semana de solução de citrato de zinco 0,5mM por 12 semanas e foram avaliadas quanto à eliminação da infecção por High Risk-HPV em comparação com 118 mulheres sem tratamento (grupo controle). O tratamento com solução de citrato de zinco por 12 semanas resultou na eliminação do HR-HPV em 49/76 (64,47%) pacientes em comparação com a depuração espontânea de 15,25% (18/118) no grupo controle (Kim, 2011).

Ivermectina

A ivermectina é potente agente antiviral de largo espectro. É eficaz contra HPV, CMV, EBV, HIV e Covid-19 (Li, 2021).

Extrato de folhas de neem – *Azadirachta indica*

Os componentes do extrato das folhas de neem possuem efeito drástico na inibição do HPV (Shukla, 2016; Moga, 2018).

Resveratrol

Resveratrol inibe a progressão do câncer cervical suprimindo a transcrição e a expressão dos genes HPV E6 e HPV E7 (Sun, 2021) e no HPV 16 e HPV 18 (Garcia, 2013).

Baicaleína

Wogonina, do extrato de *Scutellaria baicalensis* é citotóxico para células de câncer cervical HPV 16 (+), SiHa e CaSki, mas não para células negativas para HPV. Wogonina induziu apoptose suprimindo as expressões dos oncogenes virais E6 e E7 em células CaSki e SiHa de câncer cervical infectadas por HPV. Wogonina foi citotóxico para células de câncer cervical HPV 16 (+), SiHa e CaSki, mas não para células negativas para HPV (Kim, 2013).

Oreganum vulgare – Orégano

Óleo essencial de orégano e seu componente ativo carvacrol são eficazes contra vários tipos de vírus: Norovirus humano (gastroenterite), Coxsackie B3, HSV1/2 etc. (Gilling, 2014).

O carvacrol é um monoterpenoide fenólico e vários relatos sugerem suas diferentes propriedades biológicas, incluindo atividade antioxidante, anti-inflamatória, anticâncer e antiviral. O carvacrol suprime fortemente a proliferação de células de câncer cervical por meio de apoptose dependente de caspase e anulação da progressão do ciclo celular. Além disso, o carvacrol exibe efeito sinérgico com drogas quimioterápicas como 5-FU e carboplatina (Ahmad, 2020).

Acidificação citoplasmática

A acidificação citoplasmática faz cessar a proliferação mitótica e a alcalinização é estimulo para a proliferação. Este princípio geral também é válido para células infectadas com HPV – vide capítulo específico.

De fato, a alcalinização intracelular provocada pela bomba de troca iônica Na^+/H^+ (NHE1) é evento inicial na transformação neoplásica e desempenha papel essencial no desenvolvimento de fenótipos subsequentes associados à transformação, câncer. Infectando células NIH3T3 com retrovírus recombinantes que expressam o HPV 16 E7 ou um mutante deficiente em transformação o autor mostrou que a alcalinização é específica da transformação. Nas células NIH3T3 nas quais a transformação pode ser ativada e seguida pela indução da expressão do oncogene HPV 16 E7, demonstrou-se que a alcalinização citoplasmática é o evento mais precoce e foi impulsionada pela estimulação da atividade da bomba NHE1. A anulação da alcalinização citoplasmática por inibição específica do NHE-1 ou acidificação do meio de cultura impede o desenvolvimento de fenótipos mais tarde transformados, como aumento da taxa de proliferação, crescimento independente da ancoragem e estimulação do metabolismo glicolítico. Esses achados foram verificados em queratinócitos humanos (HPKIA), hospedeiro natural do HPV. O tratamento de camundongos atímicos com inibidor específico do NHE-1 atrasa o desenvolvimento de tumores de queratinócitos HPV 16. Os dados confirmam que a ativação do NHE-1 e a alcalinização celular resultante são um mecanismo essencial na transformação oncogênica e são necessárias para o desenvolvimento e manutenção do fenótipo transformado (Reshkim, 2000).

Este é mais um dos inúmeros trabalhos que mostram que as estratégias de acidificação do citoplasma são importantes para administrar e até fazer cessar a proliferação mitótica do câncer.

Pergunta: O que é preciso fazer nas neoplasias HPV positivas?

Respostas:

1. Polarizar o sistema imune de M2/Th2 para M1/Th1.
2. Acidificação intracelular.
3. Administrar/controlar a replicação viral.

Conclusão

Vivemos e convivemos com o HPV cada um respeitando seu território. Quando o paciente sofre uma sobrecarga de trabalho, mas principalmente emocional, o sistema imune passa de M1/Th1 para M2/Th2, a carga viral aumenta e provoca determinada doença, uma delas o câncer.

É com o conjunto de estratégias que administram o HPV, que temos a esperança de controlar esses vírus. E a principal continua sendo manter o organismo em M1/Th1.

Administrar o HPV é mais um desafio que devemos enfrentar para cuidar dos pacientes com câncer fazendo regredir os tumores e evitando recidivas.

Referências

1. Agbi KE, Hover S, Carvalho M. Case Report of a Human Papillomavirus Infection Treated with Green Tea Extract and Curcumin Vaginal Compounded Medications. Int J Pharm Compd. May-Jun;22(3):196-202, 2018.
2. Ahmad A , Irfan A Ansari. Carvacrol Exhibits Chemopreventive Potential against Cervical Cancer Cells via Caspase-Dependent Apoptosis and Abrogation of Cell Cycle Progression. Anticancer Agents Med Chem, Dec 30, 2020
3. Ahn WS, Yoo J, Huh SW, Kim CK, Lee JM, Namkoong SE, et al. Protective effects of green tea extracts (polyphenon E and EGCG) on human cervical lesions. Eur J Cancer Prev.12:383–390,2003.
4. Carchman EH, Matkowskyj KA, Meske L, Lambert PF. Dysregulation of Autophagy Contributes to Anal Carcinogenesis. PLoS One. Oct 5;11(10):e0164273,2016.
5. Bargagna-Mohan P, Hamza A, Kim YE, Khuan Abby Ho Y, Mor-Vaknin N, Wendschlag N, et al. The tumor inhibitor and antiangiogenic agent withaferin A targets the intermediate filament protein vimentin. Chem Biol. 14:623–634, 2007.
6. Bell M C , P Crowley-Nowick, H L Bradlow, et al Placebo-controlled Trial of indole-3-carbinol in the Treatment of CIN Gynecol Oncol Actions. Aug;78(2):123-9, 2000.
7. Burnett-Hartman AN, Feng Q, et al. Human papillomavirus DNA is rarely detected in colorectal carcinomas and not associated with microsatellite instability: the Seattle colon cancer family registry. Cancer Epidemiol Biomarkers Prev. Feb;22(2):317, 2013.
8. Chen D, Auborn K. Fish oil constituent docosahexa-enoic acid selectively inhibits growth of human papillomavirus immortalized keratinocytes. Carcinogenesis. Feb;20(2):249-54,1999.
9. Cherry JJ, Rietz A, Malinkevich A, et alStructure based identification and characterization of flavonoids that disrupt human papillomavirus-16 E6 function. PLoS One. Dec 23;8(12):e84506,2013.
10. Crespillo AJ, Praena B, Bello-Morales R, et al. Inhibition of herpes virus infection in oligodendrocyte cultured cells by valproic acid. Virus Res. 2016 Mar 2;214:71-9.
11. Daduang J, Palasap A, Daduang S,et al. Gallic acid enhancement of gold nanoparticle anticancer activity in cervical cancer cells. Asian Pac J Cancer Prev.16(1):169-74, 2015.
12. Disbrow GL, Baege AC, Kierpiec KA, et al. Dihydroartemisinin is cytotoxic to papillomavirus-expressing epithelial cells in vitro and in vivo. Cancer Res. Dec 1;65(23):10854-61,2005.
13. Divya CS, Pillai MR. Antitumor action of curcumin in human papillomavirus associated cells involves downregulation of viral oncogenes, prevention of NFkB and AP-1 translocation, and modulation of apoptosis. Mol Carcinog. May;45(5):320-32, 2006.

14. Deshpande R, Prakash Mansara, Ruchika Kaul-Ghanekar. Alpha-linolenic Acid Regulates Cox2/VEGF/MAP Kinase Pathway and Decreases the Expression of HPV Oncoproteins E6/E7 Through Restoration of p53 and Rb Expression in Human Cervical Cancer Cell Lines.Tumour Biol Actions. Mar;37(3):3295-305, 2016.
15. García-Zepeda SP, García-Villa E, Díaz-Chávez J, Hernández-Pando R. Resveratrol induces cell death in cervical cancer cells through apoptosis and autophagy. Eur J Cancer Prev. Nov;22(6):577-84, 2013.
16. Ghaemi A, Soleimanjahi H, Razeghi S, et al. **Genistein** induces a protective immunomodulatory effect in a mouse model of cervical cancer. Iran J Immunol. Jun;9(2):119-27,2012.
17. Gilling DH, Kitajima M, Torrey JR, Bright KR. Antiviral efficacy and mechanisms of action of oregano essential oil and its primary component carvacrol against murine norovirus. J Appl Microbiol. May;116(5):1149-63, 2014.
18. Goodrich SK, Schlegel CR, Wang G, Belinson JL. Use of artemisinin and its derivatives to treat HPV-infected/transformed cells and cervical cancer: a review. Future Oncol. Mar;10(4):647-54,2014.
19. Gornick MC, Castellsague X, Sanchez G, et al. Human papillomavirus is not associated with colorectal cancer in a large international study. Cancer Causes Control. May;21(5):737-43, 2010.
20. Ham S, Kim KH, Kwon TH, et al. Luteolin induces intrinsic apoptosis via inhibition of E6/E7 oncogenes and activation of extrinsic and intrinsic signaling pathways in HPV-18-associated cells. Oncol Rep. Jun;31 (6):2683-91,2014.
21. Hirchaud F, Hermetet F, Ablise M, et al. Isoliquiritigenin induces caspase-dependent apoptosis via downregulation of HPV16 E6 expression in cervical cancer Ca Ski cells. Planta Med. Nov;79(17): 1628-35, 2013.
22. Jing K, Shin S, Jeong S, et al. Docosahexaenoic acid induces the degradation of HPV E6/E7 oncoproteins by activating the ubiquitin-proteasome system. Cell Death Dis. Nov 13;5(11):e1524, 2014.
23. Khan MA, Jenkins GR, Tolleson WH, et al. Retinoic acid inhibition of human papillomavirus type 16-mediated transformation of human keratinocytes. Cancer Res. Feb 15;53(4):905-9,1993.
24. Khan F, Pandey P, Upadhyay TK, Anti-Cancerous Effect of Rutin Against HPV-C33A Cervical Cancer Cells via G0/G1 Cell Cycle Arrest and Apoptotic Induction. Endocr Metab Immune Disord Drug Targets. 20(3):409-418, 2020.
25. Kim JH, Bae SN, Lee CW, et al. A pilot study to investigate the treatment of cervical human papillomavirus infection with zinc-citrate compound. Gynecol Oncol. Aug;122(2):303-6, 2011.
26. Kim MS, Bak Y, Park YS, et al. Wogonin induces apoptosis by suppressing E6 and E7 expressions and activating intrinsic signaling pathways in HPV-16 cervical cancer cells. Cell Biol Toxicol. Aug; 29(4):259-72, 2013.
27. Kumar S, Jena L, Galande S, et al Elucidating Molecular Interactions of Natural Inhibitors with HPV-16 E6 Oncoprotein through Docking Analysis. Genomics Inform. Jun;12(2):64-70,2014.
28. Kumar S, Jena L, Sahoo M, et al. In Silico Docking to Explicate Interface between Plant-Originated Inhibitors and E6 Oncogenic Protein of Highly Threatening Human Papillomavirus 18. Genomics Inform. Jun;13(2):60-7, 2015.
29. Kazakova OB, Giniyatullina GV, Yamansarov EY, Tolstikov GA. Betulin and ursolic acid synthetic derivatives as inhibitors of Papilloma virus. Bioorg Med Chem Lett. 20(14):4088-90;2010.
30. Kumar S, Jena L, Sahoo M, et al. In Silico Docking to Explicate Interface between Plant-Originated Inhibitors and E6 Oncogenic Protein of Highly Threatening Human Papillomavirus 18. Genomics Inform. Jun;13(2):60-7, 2015.
31. Li Na, Lingfeng Zhao, Xianquan Zhan. Quantitative proteomics reveals a broad-spectrum antiviral property of ivermectin, benefiting for COVID-19 treatment. J Cell Physiol. Apr;236(4):2959-2975, 2021.
32. Lee HG, Yu KA, Oh WK, Baeg TW, Oh HC, Ahn JS, et al. Inhibitory effect of jaceosidin isolated from Artemisiaargyi on the function of E6 and E7 oncoproteins of HPV 16. J Ethnopharmacol. 98:339–343, 2005.
33. Lindsay C, Kostiuk M, Conrad D, Antitumour effects of metformin and curcumin in human papillomavirus positive and negative head and neck cancer cells. Mol Carcinog. Nov;58(11):1946-1959, 2019.
34. Mahata S, Bharti AC, Shukla S,et al. Berberine modulates AP-1 activity to suppress HPV transcription and downstream signaling to induce growth arrest and apoptosis in cervical cancer cells. Mol Cancer. Apr 15;10:39, 2011.
35. Mishra A, Das BC. Curcumin as an anti-human papillomavirus and anti-cancer compound. Future Oncol. Sep;11(18):2487-90, 2015.
36. Mondal A, Chatterji U. Artemisinin Represses Telomerase Subunits and Induces Apoptosis in HPV-39 Infected Human Cervical Cancer Cells. J Cell Biochem. Sep;116(9):1968-81, 2015.
37. Moga MA, Andreea Bălan , Costin Vlad Anastasiu, et al. An Overview on the Anticancer Activity of Azadirachta indica (Neem) in Gynecological Cancers Int J Mol Sci, Dec 5;19(12):3898, 2018.
38. Moutinho MSS, Aragão S, Carmo D, et al. Curcumin and Rutin Down-regulate Cyclooxygenase-2 and Reduce Tumor-associated Inflammation in HPV16-Transgenic Mice. Anticancer Res. Mar; 38(3):1461-1466, 2018.
39. Moutinho MSS, Aragão S, Carmo D, et al. Curcumin and Rutin Down-regulate Cyclooxygenase-2 and Reduce Tumor-associated Inflammation in HPV16-Transgenic Mice. Anticancer Res. Mar; 38(3):1461-1466, 2018.
40. Munagala R, Kausar H, Munjal C, Gupta RC. Withaferin A induces p53-dependent apoptosis by repression of HPV oncogenes and upregulation of tumor suppressor proteins in human cervical cancer cells. Carcinogenesis. 32:1697–1705, 2011.
41. zur Hausen H. Papillomaviruses and cancer: from basic studies to clinical application. Nat Rev Cancer. May;2(5):342-50, 2002.
42. Praena B, Bello-Morales R, de Castro F, López-Guerrero JA. Amidic derivatives of valproic acid, valpromide and valnoctamide, inhibit HSV-1 infection in oligodendrocytes. Antiviral Res. Aug;168:91-99,2019.
43. Qiao Y, Cao J, Xie L, Shi X. Cell growth inhibition and gene expression regulation by (-)-epigallocatechin-3-gallate in human cervical cancer cells. Arch Pharm Res. 32:1309–1315, 2009.
44. Rademacher BL, Matkowskyj KA, Meske LM, et al. The role of pharmacologic modulation of autophagy on anal cancer development in an HPV mouse model of carcinogenesis. Virology. Jul;507: 82-88, 2017.
45. Reshkin SJ , A Bellizzi, S Caldeira, et al. Na+/H+ Exchanger-Dependent Intracellular Alkalinization Is an Early Event in Malignant Transformation and Plays an Essential Role in the Development of Subsequent Transformation-Associated Phenotypes. FASEB J Actions. Nov;14(14):2185-97, 2000.
46. Sharada AC, Solomon FE, Devi PU, Udupa N, Srinivasan KK. Antitumor and radiosensitizing effects of withaferin A on mouse Ehrlich ascites carcinoma *in vivo*. Acta Oncol. 35:95–100, 1996.
47. Sharma S, Barman KD, Sarkar R, et al. Efficacy of oral zinc therapy in epidermodysplasia verruciformis with squamous cell carcinoma. Indian Dermatol Online J. Jan;5(1):55, 2014.
48. Shi L, Lei Y, Srivastava R,et al Gallic acid induces apoptosis in human cervical epithelial cells containing human papillomavirus type 16 episomes. J Med Virol. Jan;88(1):127-34, 2016.

49. Shukla D.P., Shah K.P., Rawal R.M., Jain N.K. Anticancer and Cytotoxic Potential of Turmeric (Curcuma longa), Neem (*Azadirachta indica*), Tulasi (Ocimum sanctum) and Ginger (Zingiber officinale) Extracts on HeLa Cell line. Int. J. Life Sci. Sci. Res. 2:309–315, 2016.
50. Song YC, Huang HC, Chang CY, A Potential Herbal Adjuvant Combined With a Peptide-Based Vaccine Acts Against HPV-Related Tumors Through Enhancing Effector and Memory T-Cell Immune Responses. Front Immunol. Feb 20;11:62, 2020.
51. Soldatskiĭ IuL, Onufrieva EK, Steklov AM, et al. [The results of adjuvant therapy of juvenile recurring respiratory papillomatosis with the use of indole-3-carbinol]. Vestn Otorinolaringol. (5):47-50, 2011.
52. Stanley M. Chapter 17: Genital human papillomavirus infections--current and prospective therapies. J Natl Cancer Inst Monogr.(31):117-24, 2003.
53. Sun X, Fu P, Xie L,et al. Resveratrol inhibits the progression of cervical cancer by suppressing the transcription and expression of HPV E6 and E7 genes. Int J Mol Med. Jan;47(1):335-345, 2021.
54. Teymouri M, Pirro M, Johnston TP, Sahebkar A. Curcumin as a multifaceted compound against human papilloma virus infection and cervical cancers: A review of chemistry, cellular, molecular, and preclinical features. Biofactors. May 6;43(3):331-346, 2017.
55. Yuan F, Chen DZ, Liu K, Sepkovic DW, Bradlow HL, Auborn K. Anti-estrogenic activities of indole-3-carbinol in cervical cells: implication for prevention of cervical cancer. Anticancer Res.19:1673–1680, 1999.
56. Zhao J1, Zeng W, Cao Y, et al. Immunotherapy of HPV infection-caused genital warts using low dose cyclophosphamide Expert Rev Clin Immunol. Jun;10(6):791-9, 2014.
57. Zhu Y, Huang Y, Liu M,et al. Epigallocatechin gallate inhibits cell growth and regulates miRNA expression in cervical carcinoma cell lines infected with different high-risk human papillomavirus subtypes. Exp Ther Med. Mar;17(3):1742-1748, 2019.
58. Wang YQ, Lu JL, Liang YR, Li QS. Suppressive Effects of EGCG on Cervical Cancer. Molecules. Sep 12;23(9):2334, 2018.
59. Wu HY, Chang CI, Lin BW, et al. Suppression of hepatitis B virus x protein-mediated tumorigenic effects by ursolic acid. J Agric Food Chem. 59(5):1713-22;2011.

CAPÍTULO 149

HSV – Vírus do herpes simplex. Agente carcinogênico classe I: administrar e conviver pacificamente

José de Felippe Junior

Vivendo tanto tempo juntos na mesma casa impossível se separar: HSV e Células Humanas. **JFJ**

Voltamos a escrever, é impossível exterminar por completo agentes biológicos acostumados a viver nas células dos seres humanos por bilhões de anos. Entretanto, podemos administrar essa convivência e a estratégia principal de administração é manter o sistema imune em perfeita ordem.

Nós clínicos diante de qualquer nome que a doença tenha, necessitamos ir à busca da sua causa, da sua etiologia, e assim solicitamos IgG quantitativo para o HSV-1 e 2. Nós médicos gostamos de fazer diagnósticos, mas no dia a dia os sintomas e os sinais são diversos e não se encaixam em síndromes descritas nos livros e muito menos em nome de doenças. Dessa forma, temos a obrigação de pesquisar causas biológicas e o HSV é apenas uma delas.

A OMS relata que 90% da população humana está infectada por vírus do herpes simplex que desenvolvem latência ou podem provocar herpes oral e genital, gengivoestomatite, faringite, conjuntivite, ceratite com cegueira, eczema herpético, encefalite, incluindo câncer. O herpes vírus quase sempre acompanha a infecção pelo HIV e complica o tratamento dos tumores sólidos, leucemias e linfomas. O vírus herpes simplex tipo 1 é um dos vírus mais disseminados da família Herpesviridae. A palavra herpes significa assustar.

Estudos soroepidemiológicos sugerem que os vírus herpes simplex humano tipo 1 (HSV-1) e 2 (HSV-2) estão ligados a vários tipos de câncer. Vários mecanismos foram propostos para explicar as ações desses vírus. De acordo com o mecanismo de ação rápida, o DNA viral inicia a transformação interagindo com o DNA celular, assim induzindo mutações e alterações epigenéticas. Por outro lado, de acordo com o mecanismo de sequestro, os produtos virais nas células infectadas podem ativar as vias de sinalização e, assim, causar aumento da proliferação mitótica. Tais produtos incluem RR1PK, uma oncoproteína que ativa a via Ras e é codificada pelo gene HSP-2 ICP10.

Os microRNAs codificados por vírus podem atuar como cofatores na tumorogênese do **carcinoma ovariano seroso** e em alguns **tumores da próstata**. Há muitas evidências de que o HSV-2 aumenta o risco de **câncer do colo do útero** após a infecção pelo vírus do papiloma humano – HPV (Veronika, 2018).

Sarcoma de Kaposi e linfomas também podem ter como etiologia o HSV (Pagano, 2004), incluindo linfoma de grandes células B.

Embora alguns retrovírus aviários possam induzir gliomas em modelos animais, os herpes vírus humanos, especificamente, o citomegalovírus e os menos estudados roseolovírus HHV-6 e os vírus herpes simplex 1 e 2, atualmente são impugnados como possíveis contribuintes ou iniciantes no desenvolvimento de **tumores cerebrais** humanos (Kofman, 2011).

O vírus herpes simplex tipo 2 (HSV-2) foi identificado como possível agente etiológico do **câncer de próstata** e **melanoma**. Os autores utilizaram uma abordagem de geografia médica baseada na incidência nacional de vários tipos de câncer e na soro-prevalência do HSV-2 em 64 países em todo o mundo. Os dados foram corrigidos para latitude e dieta. A análise não apenas confirma que o câncer de próstata e a soroprevalência do HSV-2 estão associados positivamente, mas também revela a existência de uma relação positiva entre o HSV-2 e a incidência de melanoma em homens e mulheres (Elguero, 2011).

Deram resultados positivos dosando no soro antígenos tumorais específicos (que são idênticos ao antígeno *nonvirion* intratumoral) para HSV-1 ou HSV-2 os seguintes tipos de câncer: **lábio**, **boca**, **orofaringe**, **nasofaringe**, **bexiga**, **próstata**, **colo uterino** e **vulva**. Foram testados 56 pacientes no total. Deram resultados negativos no soro para HSV-1 ou HSV-2 os seguintes tipos de câncer, gengiva, língua, epiglote, amígdala, glândula salivar, rim, pulmão e brônquio, estômago, cólon, corpo do útero, ovário, testículo, fígado, tiroide, tumor de Wilms, melanoma, linfoma de Hodgkin, leucemia linfocítica aguda e mielocítica aguda. Foram testados 81 pacientes (Sabin, 1973).

Os riscos relativos de **câncer oral** estão associados a infecções por HSV-1, RR 0,8 (IC95% 0,3-1,7) e HSV-2, RR 1,8 (IC95% 0,7-4,6) detectadas sorologicamente (Maden, 1992). Após ajuste para idade, tabaco, uso de álcool e número de parceiros sexuais, o risco de câncer de cabeça e pescoço não aumentou significativamente naqueles com HSV-1 [*odds ratio* ajustada (OR) = 0,7] ou HSV-2 (OR = 0,8) em comparação com pacientes negativos para HSV (Parker, 2006).

Associação entre herpes zóster e subsequente risco de câncer

Em estudo de coorte retrospectivo, os autores estudaram o risco de câncer em pacientes após herpes zóster e pacientes não herpes zóster de mesma idade e sexo, em um banco de dados de morbidade contínua com base em atenção primária. A razão de risco (RR) comparando risco de câncer em herpes zóster *vs.* os pacientes controle foram significativos em todas as mulheres com idade superior a 65 anos e subgrupos de câncer de mama e colorretal (RRs 1,60 e 2,19, respectivamente). Para os homens, foi encontrada associação significativa para cânceres hematológicos (RR 2,92). Não foram encontradas associações com o herpes simplex (Buntinx, 2014).

Sistema imune

Os herpes vírus desenvolveram estratégias diferentes para reduzir a eficiência da eliminação de células infectadas por linfócitos T citotóxicos (CTLs), principalmente por interferir na apresentação do antígeno mediado por MHC I nas células infectadas. Como consequência, os níveis das moléculas de MHC-I na superfície celular são tipicamente reduzidos nas células infectadas por herpes vírus. Como as moléculas de MHC-I na superfície celular representam o antígeno "self" mais importante reconhecido pelos receptores inibitórios das células NK, a evasão de CTL pelos vírus do herpes tem o custo de maior suscetibilidade das células infectadas ao ataque mediado por células NK.

A extraordinária diversidade de estratégias de evasão de células NK exibidas pelos vírus do herpes ilustra a pressão evolutiva substancial que esse ramo do sistema imunológico exerceu sobre esses patógenos. Uma miríade de diferentes mecanismos de evasão para suprimir NK foi desvendada e várias estratégias adicionais provavelmente ainda aguardam descoberta. O próximo passo será traduzir essa riqueza crescente de conhecimento em aplicações terapêuticas (de Pelsmaeker, 2018).

Lisina

O tratamento do HSV com lisina 400mg 3 vezes ao dia não provoca efeito algum na infecção do herpes simplex recorrente (DiGiovana, 1984; Simon, 1985). Outros autores utilizaram 1.000mg ao dia com resultados muito pobres (Milman, 1980), entretanto, na dose de 1.000mg 3 vezes ao dia durante 6 meses em trabalho randomizado e duplo cego consegue-se reduzir a ocorrência, o tempo de cicatrização e a recorrência da infecção por HSV (Griffith, 1987).

Artemisinina

A artemisinina e o artesunato inibem certos vírus, como citomegalovírus humano, vírus Epstein-Barr, vírus da hepatite B, vírus da hepatite C, incluindo o vírus herpes simplex tipo 1 (Efferth, 2008).

O óleo essencial de *Artemisia arborescens* possui efeito viricida direto contra o HSV-1 e o HSV-2. Foi observado uma fraca atividade contra o HSV-1 em concentrações mais altas quando adicionada a culturas de células infectadas. Não foi observada inibição pelo ensaio de fixação, ensaio de penetração e ensaio de neutralização do vírus pós-inserção. Entretanto, o ensaio de inibição do desenvolvimento das placas mostrou que o óleo essencial de *A. arborescens* inibe a difusão lateral do HSV-1 e do HSV-2. Este estudo demonstra a atividade antiviral do óleo essencial *in toto* obtido da *Artemisia arborescens* contra HSV-1 e HSV-2. O modo de ação do óleo essencial como agente anti-herpes vírus parece ser a capacidade de inativar o vírus e inibir a difusão do vírus célula a célula (Saddi, 2007).

Das 500 espécies de ervas chinesas a *Artemisia anomala* ficou entre as 10 mais eficazes contra os herpes vírus (Zheng, 1989-1990).

Valaciclovir

A reativação de infecções virais é comum em pacientes com tumor sólido ou malignidade hematológica. A incidência e a gravidade dependem da extensão da imunossupressão. A profilaxia antiviral com valaciclovir ("Valtrex" R) pode ser eficaz para impedir a reativação do vírus do herpes simplex (HSV) e do vírus da varicela zóster (Sandherr, 2015).

O aciclovir pode diminuir o índice de recorrência quando usado precocemente na infecção, mas atualmente é incapaz de prevenir ou curar infecções devido o aparecimento de cepas resistentes.

Ácido valproico

O ácido valproico em oligodendrócitos infectados por HSV-1 provoca leve diminuição da carga viral, aborta a entrada do vírus nas células e reduz de modo significante a transcrição e expressão de proteínas virais (Crespilho, 2016; Praena, 2019).

Cloroquina

A autofagia das células infectadas suprime significativamente a infecção pelo HSV-1 em vários tipos de tecidos, sem afetar a viabilidade celular. A autofagia é importante para regular a infecção pelo HSV-1 e se constitui em novo mecanismo antiviral. A indução de autofagia em células hospedeiras provoca significativa supressão da replicação viral nestas células manifestado pela queda significativa na porcentagem e intensidade média de fluorescência do HSV-1-RFP positiva em células tratadas com MG132, uma substância que provoca autofagia (Abraan, 2015). A cloroquina é um dos agentes mais eficazes em provocar autofagia de células tumorais e células infectados por vírus.

Cloroquina e cloreto de amônio inibem a multiplicação da cepa HF do vírus herpes simplex tipo 1 (HSV-1) em células Vero. Uma série de experimentos de crescimento em uma etapa mostrou que a maturação do vírus intracelular foi impedida imediatamente após a adição de bases fracas na fase tardia da infecção, indicando que o local de inibição por bases fracas é uma etapa do processo de maturação do HSV-1 (Koyama, 1984).

O Interferon tipo I (IFN) é central na defesa do hospedeiro contra vários tipos de vírus porque induz uma ampla gama de proteínas antivirais. A cloroquina aumenta o efeito do Interferon (Singh, 1996).

Cloroquina provoca alterações do metabolismo de células de mamíferos e diminui a replicação viral (Lanez, 1971).

Berberina

A berberina reduz a transcrição do RNA viral, síntese de proteínas e a carga viral de maneira dependente da dose. Ela atua no estágio inicial do ciclo de replicação do HSV, entre a ligação/entrada viral e a replicação genômica do DNA, provavelmente no estágio imediato-precoce da expressão gênica. Reduz significativamente a ativação do NF-kappaB induzido pelo HSV, bem como a degradação do IκB-α e a translocação nuclear do p65. Além disso, a berberina diminui a fosforilação da c-Jun N-terminal quinase (JNK) c-Jun induzida pelo HSV, mas tem pouco efeito na fosforilação da p38 (Song, 2014).

A berberina a partir do extrato do rizoma de Ching-Wei-San, Coptidis possui atividade anti-HSV-1 e anti-HSV-2 em células Vero. O índice de seletividade da berberina pura foi cerca de 1,2-1,5 vez maior que o do extrato do rizoma. Além disso, as atividades antivirais correspondem ao conteúdo de berberina na solução aquosa. A berberina interfere no ciclo de replicação viral após a penetração do vírus e na etapa mais tardia de síntese do DNA viral (Chin, 2010).

Ácido ursólico

O ácido ursólico inibe a formação de placas de HSV-1 e HSV-2 em níveis superiores a 80%, com atividade antiviral dependente da dose, em comparação com o aciclovir. O estudo de resposta ao tempo revelou que a atividade anti-HSV do ácido ursólico isolado é mais alta em 2-5 h após a infecção, entretanto a disseminação viral mais tardia também é inibida (Bag, 2012).

Extratos aquosos e etanólicos brutos de *Ocimum basilicum* (manjericão) e componentes purificados selecionados, nomeadamente apigenina, linalol e ácido ursólico, exibem amplo espectro de atividade antiviral. Destes compostos, o ácido ursólico mostrou a atividade mais forte contra o **HSV-1** (EC50 = 6,6mg/l; índice de seletividade (SI) = 15,2), **adenovírus-8** (EC50 = 4,2 mg/l; SI = 23,8), **vírus Coxsackie B1** (EC50 = 0,4mg/l; SI = 251,3) e **enterovírus-71** (CE50 = 0,5m/l; SI = 201), enquanto a apigenina apresentou maior atividade contra o **HSV-2** (CE50 = 9,7mg/l; SI = 6,2), **adenovírus-3** (EC50 = 11,1m/l; SI = 5,4), **antígeno de superfície da hepatite B** (EC50 = 7, mg/l; SI = 2,3) e **antígeno da hepatite B** (EC50 = 12,8mg/l; SI = 1,3) e o linalol mostrou atividade mais forte contra **adenovírus-II** (EC50 = 16,9 mg l; SI = 10,5). Nenhuma atividade foi observada para carvona, cineol, beta-cariofileno, farnesol, fenchona, geraniol, beta-mirceno e alfa-tujona. A ação do ácido ursólico contra **vírus Coxsackie B1 e enterovírus-71** ocorreu durante o processo de infecção e na fase de replicação (Chiang, 2005).

Ilex paraguariensis (erva mate – chimarrão)

O extrato bruto obtido de *Ilex paraguariensis* possui atividade antiviral contra o HSV-1 e o HSV-2. Ocorrem redução da infectividade viral, inibição da entrada do vírus nas células e sua disseminação célula a célula e impedimento das proteínas ICP27, ICP4, gD e gE do HSV-1. Essa fração contém saponinas monodemosídicas triterpenoides, matesaponina-1 (bidesmosídica), ácidos cafeico e clorogênico e rutina, o que sugere que essas substâncias agem sinergicamente e são as responsáveis pela atividade anti-herpes detectada (Lückemeyer, 2012).

Rutina

Rutina inibe de modo potente o HSV-1 (Orhan, 2010).

Extrato de folha de neen (*Azadirachta indica*)

A preparação de extrato aquoso das cascas da planta de neem, *Azardirachta indica*, atua como potente inibidor de entrada contra a infecção pelo HSV-1 nas células-alvo naturais. O extrato de casca de neem (NBE) bloqueia significativamente a entrada do HSV-1 nas células em concentrações que variam de 50 a 100mcg/ml. A atividade de bloqueio do NBE foi observada quando o extrato foi pré-incubado com o vírus, mas não com as células-alvo, sugerindo uma propriedade anti-HSV-1 direta da casca do neem. Além disso, os vírions tratados com NBE não conseguiram se ligar às células o que implica um papel do NBE como bloqueador da etapa de fixação. As células tratadas com NBE também inibiram a fusão célula-célula mediada pela glicoproteína HSV-1 e a formação de policariócitos, sugerindo um papel adicional de NBE na etapa de fusão viral. Essas descobertas abrem novo caminho potencial para o desenvolvimento do NBE como novo microbicida anti-herpético (Tiwari, 2010).

Ganoderma lucidum e outros basidiomicetos

Os metabólitos das seguintes espécies de basidiomicetos *Ganoderma lucidum*, *Lentinus edodes*, *Grifola frondosa*, *Agaricus brasiliensis* exibem efeito antiviral direto no vírus herpes simplex tipos I e II, vírus da imunodeficiência humana (HIV), vírus da hepatite B, vírus da estomatite vesicular, vírus da influenza e vírus de Epstein-Barr (Avtonomova, 2014).

Extrato aquoso do G. lucidum é eficaz contra HSV-1 e HSV-2. O mecanismo de ação é porque o polissacarídeo ligado a proteína ácida (PLPA) do cogumelo se liga a glicoproteínas específicas do HSV e impede a penetração viral, acresce que o PLPA também impede as interações complexas dos vírus com as membranas plasmáticas das células (Eo, 2000).

Glucana

A beta 1,3-1,6-poliglicose, glucana, isolada dos corpos de frutificação do Agaricus brasiliensis, assim como as beta-glucanas isoladas de outras fontes não apresentam atividade *in vitro* contra o vírus HSV-1 e HSV-2. A glucana é eficaz via polarização do sistema imune para M1/Th1.

As β-glucanas representam um tipo de moléculas biologicamente ativas *in vivo* que possuem propriedades antivirais. A β-1,3/1,6-D-glucana particulada isolada do *Pleurotus ostreatus* (ou do *Saccharomices cerevisiae*) foi utilizada em trabalho randomizado e controlado com placebo em 90 pacientes. O tratamento em aplicação sistêmica reduziu significativamente o número dos sintomas em comparação ao grupo placebo. Durante a fase preventiva (120 dias), a duração e a gravidade dos sintomas respiratórios foram menores no grupo ativo em comparação ao grupo placebo; no entanto, apenas no caso de tosse a diferença foi significativa. Não foram observados efeitos colaterais nas duas fases do estudo clínico, aguda e preventiva. Os resultados obtidos sugerem que o uso de glucana parece ser uma abordagem promissora no tratamento do HSV-1 agudo.

Beta 1,3-1,6-glucana inibe significativamente a replicação do vírus do herpes simplex tipo 1 nas células Vero. A concentração antiviral eficaz deste polissacarídeo está longe do limiar de citotoxicidade e, consequentemente, este produto natural possui bom índice de seletividade. Os resultados obtidos em experimentos realizados com o objetivo de esclarecer o mecanismo de ação desse carboidrato indicam que o bloqueio da infecção ocorre durante as fases muito precoces do ciclo de multiplicação viral, uma vez que o maior efeito inibitório ocorreu quando foi adicionado durante a etapa de fixação. O efeito antiviral da glucana parece estar relacionada à sua ligação às glicoproteínas da membrana das partículas do HSV-1, o que impede as interações complexas do vírus com a membrana plasmática da célula (Marchetti, 1996; Cardoso, 2014).

Pergunta: O que é preciso fazer nas neoplasias HSV positivas?

Respostas:

1. Polarizar o sistema imune de M2/Th2 para M1/Th1.
2. Administrar/controlar a replicação viral.

Conclusão

Vivemos e convivemos com o HSV cada um respeitando do seu território. Quando o paciente sofre uma sobrecarga de trabalho, mas principalmente uma sobrecarga emocional, o sistema imune passa de M1/Th1 para M2/

Th2 e a carga viral aumenta e provoca determinada doença, uma delas o câncer.

É com um conjunto de estratégias que administram o HSV que temos a esperança de controlar esses vírus. E a principal continua sendo manter o organismo em M1/Th1.

Administrar os HSV-1 e HSV-2 é mais um desafio que devemos enfrentar para cuidar dos pacientes com câncer fazendo regredir os tumores e evitando recidivas. Acabamos de tratar paciente com linfoma de células B que regrediram totalmente com a estratégia biomolecular, atestado pelo PET-Scan. Pois bem, o paciente apresentou uma infecção por HSV1 no braço e logo em seguida apareceram linfonodos na face lateral do pescoço com o mesmo tipo de tumor. Concluímos que demos manter tenazmente a administração do HSV, no caso o HSV-1.

Referências

1. Abraam M. Yakoub and Deepak Shukla Autophagy Stimulation Abrogates Herpes simplex Virus-1 Infection. Sci Rep. 2015; 5: 9730.
2. Avtonomova AV, Krasnopolskaya LM. [Antiviral properties of basidiomycetes metabolites]. Antibiot Khimioter. 2014;59(7-8):41-8
3. Bag P, Chattopadhyay D, Mukherjee H, et al. Anti-herpes virus activities of bioactive fraction and isolated pure constituent of Mallotus peltatus: an ethnomedicine from Andaman Islands. Virol J. 2012 May 24;9:98.
4. Buntinx F, Bartholomeeusen S, Belmans A, et al. Association between recent herpes zoster but not herpes simplex infection and subsequent risk of malignancy in women: a retrospective cohort study. Epidemiol Infect. 2014 May;142(5):1008-17.
5. Cardozo FT, Camelini CM, Leal PC,et al. Antiherpetic mechanism of a sulfated derivative of Agaricus brasiliensis fruiting bodies polysaccharide. Intervirology. 2014;57(6):375-83.
6. Chiang LC, Ng LT, Cheng PW, et alAntiviral activities of extracts and selected pure constituents of Ocimum basilicum. Clin Exp Pharmacol Physiol. 2005Oct;32(10):811-6.
7. Chin LW, Cheng YW, Lin SS,et alAnti-herpes simplex virus effects of berberine from Coptidis rhizoma, a major component of a Chinese herbal medicine, Ching-Wei-San. Arch Virol. 2010 Dec;155(12): 1933-41.
8. Crespillo AJ, Praena B, Bello-Morales R, et al. Inhibition of herpes virus infection in oligodendrocyte cultured cells by valproic acid. Virus Res. 2016 Mar 2;214:71-9.
9. De Pelsmaeker S, Romero N, Vitale M, Favoreel HW. Herpesvirus Evasion of Natural Killer Cells. J Virol. 2018 May 14;92(11):e02105-17.
10. DiGiovanna JJ, Blank H. Failure of lysine in frequently recurrent herpes simplex infection. Treatment and prophylaxis. Arch Dermatol. 1984 Jan;120(1):48-5.
11. Efferth T, Romero MR, Wolf DG, The Antiviral Activities of Artemisinin and Artesunate Clin Infect Dis Actions. 2008, Sep 15; 47(6):804-11.
12. Eo SK, Kim YS, Lee CK, Han SS. Possible mode of antiviral activity of acidic protein bound polysaccharide isolated from Ganoderma lucidum on herpes simplex viruses. J Ethnopharmacol. 2000 Oct; 72(3):475-81.
13. Griffith RS, Walsh DE, Myrmel KH, et al. Success of L-lysine therapy in frequently recurrent herpes simplex infection. Treatment and prophylaxis. Dermatologica. 1987;175(4):183-90.
14. Kofman A, Marcinkiewicz L, Dupart E, et al. The roles of viruses in brain tumor initiation and oncomodulation. J Neurooncol. Dec;105(3):451-66, 2011.
15. Koyama AH, Uchida T. Inhibition of multiplication of herpes simplex virus type 1 by ammonium chloride and chloroquine. Virology. 1984 Oct 30;138(2):332-5
16. Lancz GJ, McLaren LC, James CG, Scaletti JV. Chloroquine mediated alterations in mammalian cell metabolism and viral replication. Proc Soc Exp Biol Med. 1971 Apr;136(4):1289-93.
17. Lückemeyer DD, Müller VD, Moritz MI, et al. Effects of Ilex paraguariensis A. St. Hil. (yerba mate) on herpes simplex virus types 1 and 2 replication. Phytother Res. Apr;26(4):535-40, 2012.
18. Maden C, Beckmann AM, Thomas DB, Human papillomaviruses, herpes simplex viruses, and the risk of oral cancer in men. Am J Epidemiol. 1992 May 15;135(10):1093-102.
19. Marchetti M, Pisani S, Pietropaolo V, et al. Antiviral effect of a polysaccharide from Sclerotium glucanicum towards herpes simplex virus type 1 infection. Planta Med. 1996 Aug;62(4):303-7.
20. Milman N, Scheibel J, Jessen O. Lysine prophylaxis in recurrent herpes simplex labialis: a double-blind, controlled crossover study. Acta Derm Venereol. 1980;60(1):85-7.
21. Orhan DD, Ozçelik B, Ozgen S, Ergun F. Antibacterial, antifungal, and antiviral activities of some flavonoids. Microbiol Res. Aug 20;165(6):496-504, 2010.
22. Pagano JS, Blaser M, Buendia MA, et al. Infectious agents and cancer: criteria for a causal relation. Semin Cancer Biol. 14(6):453-71;2004.
23. Parker TM, Smith EM, Ritchie JM,et al. Head and neck cancer associated with herpes simplex virus 1 and 2 and other risk factors. Oral Oncol. 2006 Mar;42(3):288-96.
24. Praena B, Bello-Morales R, de Castro F, López-Guerrero JA. Amidic derivatives of valproic acid, valpromide and valnoctamide, inhibit HSV-1 infection in oligodendrocytes. Antiviral Res. Aug;168:91-99,2019.
25. Sabin AB, Tarro G. Herpes simplex and herpes genitalis viruses in etiology of some human cancers. Proc Natl Acad Sci U S A. 1973 Nov;70(11):3225-9
26. Saddi M, Sanna A, Cottiglia F, et al. Antiherpevirus activity of **Artemisia** arborescens essential oil and inhibition of lateral diffusion in Vero cells. Ann Clin Microbiol Antimicrob. 2007 Sep 26;6:10.
27. Sandherr M, Hentrich M, von Lilienfeld-Toal M,et al. Antiviral prophylaxis in patients with solid tumours and haematological malignancies--update of the Guidelines of the Infectious Diseases Working Party (AGIHO) of the German Society for Hematology and Medical Oncology (DGHO). Ann Hematol. 2015 Sep;94(9):1441-50.
28. Simon CA, Van Melle GD, Ramelet AA. Failure of lysine in frequently recurrent herpes simplex infection. Arch Dermatol. 1985 Feb;121(2):167-8.
29. Singh AK, Sidhu GS, Friedman RM, Maheshwari RK. Mechanism of enhancement of the antiviral action of interferon against herpes simplex virus-1 by chloroquine. J Interferon Cytokine Res. 1996 Sep;16(9):725-31.
30. Song S, Qiu M, Chu Y, Chen D, et al. Downregulation of cellular c-Jun N-terminal protein kinase and NF-κB activation by berberine may result in inhibition of herpes simplex virus replication. Antimicrob Agents Chemother. 2014 Sep;58(9):5068-78.

31. Tiwari V., Darmani N. A., Yue B. Y. J. T., Shukla D. In vitro antiviral activity of neem (*Azardirachta indica* L.) bark extract against herpes simplex virus type-1 infection. *Phytotherapy Research*. 24(8):1132–1140, 2010.
32. Thomas F, Elguero E, Brodeur J,et al. Herpes simplex virus type 2 and cancer: a medical geography approach. Infect Genet Evol. 2011 Aug;11(6):1239-42
33. Urbancikova I, Hudackova D, Majtan J, Rennerova Z,et al Efficacy of Pleuran (β-Glucan from Pleurotus ostreatus) in the Management of Herpes Simplex Virus Type 1 Infection. Evid Based Complement Alternat Med. 2020 Apr 13;2020:8562309.
34. Veronika M, František G, Búda. A Possible Role of Human Herpes Viruses Belonging to the Subfamily Alphaherpesvirinae in the Development of Some Cancers. Klin Onkol. 2018 Spring;31(3):178-183, 2018.
35. Zheng MS. An experimental study of the anti-HSV-II action of 500 herbal drugs. J Tradit Chin Med. 1989 Jun;9(2):113-6.
36. Zheng M. Experimental study of 472 herbs with antiviral action against the herpes simplex virus. Zhong Xi Yi Jie He Za Zhi. 1990 Jan;10(1):39-41, 6.

CAPÍTULO 150

Metais tóxicos: retirar com EDTA

José de Felippe Junior

EDTA é o medicamento mais antigo, mais rápido, mais eficaz e mais seguro para retirar metais tóxicos do organismo. **JFJ**

No capítulo sobre as causas das neoplasias ficou bem claro o papel dos metais tóxicos em praticamente todos os tipos de câncer. O EDTA continua sendo a substância mais antiga, mais rápida, mais eficaz e mais segura para retirar metais tóxicos e alguns agrotóxicos do organismo.

EDTA é o ácido etilenodiamino tetra-acético, de fórmula $C_{10}H_{16}N_2O_8$ e peso molecular 292,2g/mol, também conhecido como Ethylenediamine tetraacetic acid; Edetic acid; 60-00-4; Edathamil; Havidote , Versenate. É doador de 4 elétrons e aceptor de 10: molécula oxidante e *in vitro*, entretanto, como diminui a concentração de metais tóxicos, funciona na fisiologia como poderoso antioxidante.

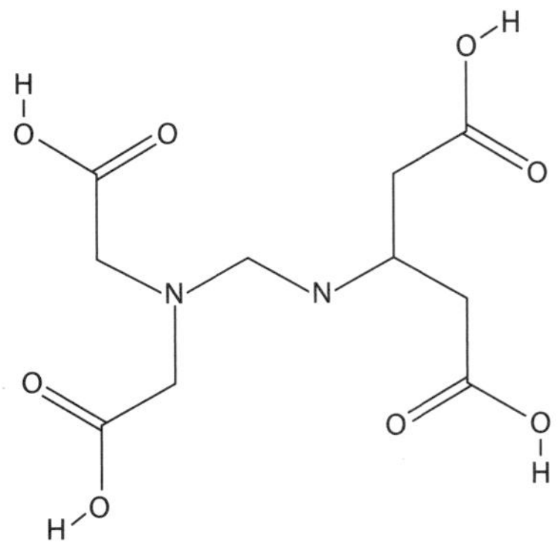

EDTA: ácido etilenodiamino tetra-acético

Quelação é o processo de um mineral ser envolvido por exemplo por um aminoácido. O aminoácido pode ser o EDTA intravenoso e os minerais podem ser o cálcio, magnésio, chumbo, mercúrio, níquel, cádmio, arsênio etc. do sangue. Depois de quelado, o mineral é eliminado pelos rins na forma do complexo EDTA-metal.

Não utilizamos o método de ultradiluições, a CH30 ou o DMSA, porque são métodos vagarosos.

A primeira quelação com EDTA foi empregada em adolescente com câncer terminal intoxicada com chumbo, em 1947. Não houve efeitos colaterais e a terapia foi eficaz.

Nesta época, usavam-se altas doses do fármaco, ao redor de 5g por infusão, e nos casos de alto grau de intoxicação a passagem pelos rins de grande quantidade de metal provocou alguns casos de insuficiência renal, a maioria deles por necrose tubular aguda que foram tratados com diálise. A maioria se recuperou totalmente.

Com o tempo passou-se a utilizar 3g e atualmente utilizamos apenas 1,5g por infusão. Nesta baixa dosagem não mais se observou lesões renais. Pelo contrário, às vezes notamos diminuição da creatinina ou aumento da sua depuração.

Devem-se fazer as infusões após leve refeição devido ao fato do EDTA às vezes estimular a produção de insulina e provocar hipoglicemia.

Nos casos de infusão rápida inadvertida o paciente pode apresentar hipocalcemia com crise de tetania, facilmente reversível com 1-2 ampolas de 10ml cloreto ou sulfato de magnésio a 10% lentamente na veia.

Uso externo

Soro glicosado a 5%	200ml	Intravenoso em 1:30
Cloreto de magnésio a 10%	10ml	
Vitamina C	3 gramas	
EDTA sódico a 15%	1 ampola	
Vitamina B_6 (100mg)	1 ampola	
Bicarbonato de sódio a 8,4%	10ml	

Aplicar por via intravenosa em ± 1½ hora 3 a 5 vezes por semana. Total: 10 a 20 aplicações.

Se houver dor ou ardor no trajeto venular fazer compressa quente ou colocar no soro 1-2ml de lidocaína ou procaína. O bicarbonato de sódio muitas vezes não é necessário, para corrigir o pH.

Ferrero, em novembro de 2016, escreve que a quelação com EDTA é o único procedimento capaz de remover metais tóxicos dos órgãos e tecidos humanos para tratar intoxicação aguda ou crônica.

Na minha experiência, desde 1984 usando 3g de EDTA 3 a 5 vezes por semana e posteriormente 1,5g, 3 a 5 vezes por semana não observamos aumento de creatinina ou outros efeitos colaterais.

Referências

1. Ferrero ME. Rationale for the Successful Management of EDTA Chelation Therapy in Human Burden by Toxic Metals. Biomed Res Int. 2016:8274504;2016.
2. Site: www.medicinabiomolecular.com.br.

CAPÍTULO 151

Estratégia geral

José de Felippe Junior

Estratégia para induzir oxidação intratumoral, inibir o NF-kappaB, aumentar a fluidez de membrana, demetilar o DNA, acetilar o DNA, ativar a delta-6 desaturase e aumentar a oxigenação tissular para provocar: apoptose, inibição da proliferação celular, inibição da angiogênese e diferenciação celular das células transformadas.

I – Dieta anti-inflamatória de base

1. Dieta tipo vegetariana com baixo índice glicêmico (IG < 60) e frutose < 25g/dia, pobre em gordura artificialmente saturada, pobre em colesterol, pobre em ácidos nucleicos, isenta de carboidratos refinados, com baixo teor de sal e rica em potássio e magnésio.
2. Comer à vontade: soja, leite de soja, tofu, proteínas da soja, proteína texturizada de soja: são pobres em metionina e ricas em isoflavonas. Não usar missô ou shoyo (molho de soja) com parcimônia porque são ricos em sódio (sal).
3. Comer à vontade: verduras, legumes, frutas, brócolis, alho, cebola, açafrão, curcumina (*Curcuma longa*).
4. Os alimentos devem ser ricos em selênio, molibdênio, zinco, vanádio, vitaminas A e K_2.
5. Os alimentos devem ser ricos em ácidos graxos poli-insaturados do tipo ômega-3 (ALA – peixe) e ômega-6 (GLA):
   a) Vegetal: semente de linhaça ou óleo de linhaça de sementes cultivadas em regiões frias (zero a –5°C) e óleo de borago/boragem.
   b) Animal: óleo de peixe e peixes de águas frias (por exemplo: salmão, sardinha).
6. Abolir a carne vermelha, carne de porco, laticínios, leite e derivados (vaca, cabra, búfala), iogurte: são ricos em ácido araquidônico ou caseína que aumentam a inflamação, aumentam a proliferação celular e diminuem a expressão do nm23 (provoca aumento de metástases) e ativam vias proliferativas mitóticas no câncer: PI3K/Akt/mTOR/NF-kappaB/Erk1/2.
7. Abolir a maionese de supermercado e as margarinas, pois são ricas em ácidos graxos trans e diminuem a produção de ácidos graxos ômega-3 de cadeias mais longas e inibem a delta-6-desaturase.
8. Abolir os frutos do mar, marisco, vongole, ostra, pois são ricos em ácidos nucleicos. Discutível.
9. Azeite de oliva extravirgem e manteiga são saudáveis, exceto nos linfomas.
10. Os alimentos devem ser pobres em cobre.
11. Os alimentos devem ser pobres em ferro. O ferro ativa a proliferação celular.
12. Os alimentos devem ser pobres em substâncias que se transformam em glutationa (GSH: glutamina--cisteína-lisina) e, portanto, pobres em: cisteína e cistina. A glutamina nunca deve ser administrada a pacientes com câncer. A cisteína é fator limitante e a lisina não tem importância. Alimentos ricos em cisteína: iogurte, carne de porco, semente de girassol, óleo de girassol, carne vermelha.
13. Dieta pobre em alimentos com sal e rica em potássio e magnésio. O sódio despolariza a membrana celular e facilita a mitose, diminui a produção de energia (ATP) e estimula diretamente a proliferação de células transformadas.

II – Medidas para diminuir a angiogênese

1. Dieta vegetariana com baixo índice glicêmico e pobre em gordura saturada artificialmente, como os óleos vegetais de supermercado diminui a atividade do IGFI. Os óleos de supermercado suportam a angiogênese e é carcinocinético.
2. Zinco e tetratiomolibdato de amônio (TM) para diminuir o cobre intratumoral. O controle é feito pe-

los níveis de ceruloplasmina que deve cair para 5 a 7mg% (valor normal: 25-35mg%).

Cuidado: pode acontecer anemia. Lembrar vida média das hemácias: 120 dias. Todas as etapas da angiogênese requerem a presença do cobre.

3. Selênio em doses supranutricionais. Inibe a produção tumoral de VEGF (*vascular endotelial growth factor*), inibe a expressão da MMP-2 (matriz metaloproteína-2) das células endoteliais e inibe a progressão do ciclo celular das células endoteliais.
4. Óleos de peixe ricos em ômega-3. Inibem a expressão endotelial do FLK-1, funcionalmente um receptor crucial para o VEGF e suprimem a produção tumoral de eicosanoides angiogênicos.
5. Extrato de chá-verde. Os polifenóis do chá-verde (exemplo: epigalocatequina galato) suprimem a reatividade endotelial ao VEGF e ao fator de crescimento do fibroblasto.
6. Glicina em altas doses (10g/dia). A glicina possui atividade angiostática: inibe a mitose da célula endotelial. O excesso de glicina depleta a via de um carbono para gerar serina e assim não fornece carbono para síntese de nucleotídeos.

III – Medidas para ativar a enzima delta-6 desaturase

A delta-6 desaturase diminui a proliferação celular, diminui o aparecimento de metástases e aumenta a diferenciação celular (maturação).

1. Baixa ingestão de colesterol.
2. Baixa ingestão de gorduras saturadas artificialmente.
3. Baixa ingestão de açúcar.
4. Evitar condições de estresse, pois ocorre grande liberação de adrenalina e de corticosteroides.
5. Alta ingestão de GLA (ácido gama linolênico) e EPA (ácido eicosapentaenoico).
6. Vitaminas: B_3, B_6.

IV – Fluidez de membrana

IVa – Altamente recomendadas as substâncias que aumentam a fluidez da membrana celular

Elas diminuem a estabilidade e desorganizam a membrana celular neoplásica, tornando-a mais sensível à hipertermia e mais susceptível ao sistema imune – M1/Th1.

1. Ácidos graxos poli-insaturados: óleos de peixe, óleo de prímula, óleo de borage, óleo de linhaça, óleo de palma, ácido eicosapentaenoico, ácido docosaexaenoico.
2. Ácidos graxos poli-insaturados: peixes de águas geladas.
3. Anestésicos locais: procaína, lidocaína, dibucaína, por via oral ou parenteral.
4. Procainamida: é antiarrítmico que requer estreito controle médico.
5. Curcumina (*Curcuma longa*).
6. Genisteína. É uma isoflavona presente na soja.
7. Fosfatidilcolina (lecitina).
8. Fosfatidiletanolamina.
9. Fosfolípides.

IVb – Contraindicadas as substâncias que diminuem a fluidez da membrana celular

Elas aumentam a resistência das células neoplásicas à hipertermia e ao ataque do sistema imune.

1. Ácidos graxos saturados: carne de porco, carne vermelha e óleos de supermercado.
2. Ácidos graxos trans: margarinas, maionese de supermercado por diminuírem a incorporação do ômega-3 na membrana celular.
3. Colesterol.
4. Esfingomielina.
5. Fosfoetanolamina.
6. Álcool etílico. O consumo moderado ou social aumenta a incorporação de colesterol nas membranas e ativa o crescimento tumoral e as metástases.

V – Fator de transcrição nuclear: NF-kappaB

Va – Altamente recomendados os inibidores do NF-kappaB

Eles provocam diminuição da proliferação celular neoplásica, inibição da angiogênese tumoral e aumento da apoptose, ao lado de inibir a inflamação.

1. Manutenção do estado redox intracelular: oxidante.
2. Agentes oxidantes em uso contínuo.
3. Quelantes de metais tóxicos.
4. Zinco.
5. Selênio.
6. Molibdênio.
7. Vitamina C.
8. *Curcuma longa* (curcumina).
9. *Arnica montana* (helenalina) – tóxico.
10. *Panax ginseng*. Também inibe o fator de transcrição AP-1.
11. Polifenóis do chá-verde (epigalocatequina galato).
12. Própolis.
13. Quercetina (bioflavonoide).
14. Glucana em doses altas.

15. Trióxido de arsênio.
16. Talidomida.
17. *Tanacetum parthenium* (*feverfew*), partenolide quando junto com a vitamina D_3.
18. Capsaicina.
19. Outros: óxido nítrico, cromo, ouro.

Vb – Contraindicados as substâncias e os procedimentos que ativam o NF-kappaB

Eles provocam o aumento da proliferação celular neoplásica, o aumento da angiogênese tumoral e fazem cessar a apoptose, permitindo a sobrevivência das células doentes que chamam de câncer.

1. Manutenção do estado redox intracelular: redutor.
2. Agentes antioxidantes em geral.
3. Metais tóxicos.
4. Manganês.
5. Vitamina K_3 em doses baixas.
6. Astrágalo.
7. Estresse físico: radiação ultravioleta, raios X, raios gama, cigarro.
8. Taxol.
9. Haloperidol.
10. Quimioterapia de repetição (longo prazo).
11. Radioterapia de repetição.
12. Infecções: bactérias, fungos, vírus (gripe, HIV etc.), endotoxina. Tratar prontamente as infecções.
13. Lesões ambientais internas: hipóxia, isquemia e pH ácido.
14. Mediadores fisiológicos: excesso de produção de insulina (carboidratos refinados ou de elevado índice glicêmico), angiotensina II, PAF.

VI – Agentes demetilantes do DNA: mecanismo epigenético

VIa – Altamente recomendados os agentes demetilantes do DNA

Eles reativam a expressão de genes supressores de tumor que foram silenciados pela metilação do DNA nas ilhas promotoras CpG e provocam inibição da proliferação celular e aumento da apoptose.

1. Curcumina.
2. Genisteína (soja).
3. Resveratrol.
4. *Tanacetum parthenium.*
5. Ácido gálico.
6. Epigalocatequina galato.
7. Selenometionina. Selênio quelado não tem efeito.
8. Ácido fólico.
9. Vitamina B_{12}.
10. Calcitriol.
11. Procainamida: antiarrítmico.
12. Procaína.
13. Di-indolil metano (DIM).
14. Indol-3-carbinol (I3C).
15. Isotiocianato das crucíferas.
16. Ácido retinoico.
17. Hidralazina.

VIb – Contraindicadas as substâncias doadoras de radical metila ou que aumentam a metilação do DNA

A metilação do DNA nas ilhas CpG diminui ou abole a expressão de genes supressores de tumor e provoca o silêncio destes genes promovendo o aumento da proliferação celular e a inibição da apoptose.

1. S-adenosilmetionina. É doador de radical metila e inibe a demetilação do DNA.
2. Não permitir deficiência de ácido fólico. A baixa ingestão de folato se associa em estudos animais e epidemiológicos à metilação aberrante da região promotora do DNA, que é agravada pela ingestão de álcool. Fonte de ácido fólico: folhas verdes.
3. Não permitir deficiência de vitamina B_{12}. Provoca efeitos semelhantes à depleção de ácido fólico.
4. Carne vermelha, carne de porco. São ricos em radicais metila.
5. Álcool facilita a metilação.

VII – Agentes acetilantes das histonas: mecanismo epigenético

Altamente recomendadas as substâncias que inibem a enzima histona desacetilase porque aumentam a acetilação do DNA e induzem a parada do crescimento tumoral, o aumento da diferenciação celular, o aumento da apoptose e o aumento da expressão de genes supressores de tumor.

1. Curcumina.
2. Genisteína (soja).
3. Resveratrol.
4. *Tanacetum parthenium.*
5. Ácido gálico.
6. Taurina.
7. Trimetilglicina.
8. Ácido valproico.
9. Sulforafane das crucíferas: brócolis, couve-de-bruxelas, couve-manteiga.
10. Butiratos – biomassa de banana verde.
11. Ácido hidroxâmico.
12. Benzamidas.
13. Trióxido de arsênio.
14. Piroamida.

VIII – Ajudam no tratamento nos 3 primeiros meses

1. Hormônio da glândula tiroide: aumenta a resistência da substância fundamental e dificulta a proliferação ao lado de aumentar a geração de ATP mitocondrial.
2. Papaverina.
3. Citrulina.
4. Banhos de Sol: fótons da energia solar.
5. Todas as substâncias que aumentam o AMP cíclico são bem-vindas porque aumentam a maturação celular, diferenciação: teofilina e todos inibidores da fosfodiesterase.
6. Todas as substâncias que aumentam PGE1 e diminuem PGE2 são bem-vindas.

IX – Atividade física regular

1. Aumenta a sensibilidade à insulina e diminuem a insulinemia
2. Diminui a atividade sistêmica do IGF-1.
3. Ativa AMPK que inibe mTOR e NF-kappaB.

X – Contraindicadas as seguintes substâncias ou medicamentos

1. Qualquer fórmula com efeito antioxidante.
2. Vitamina E na forma de tocoferol: antioxidante potente.
3. NAC (N-acetilcisteína): não ingerir qualquer xarope, tablete ou medicamento que contenha fluimucil ou N-acetilcisteína.
4. Ferro de qualquer tipo e por qualquer via de administração: ativa a mitose.
5. Cobre, glutamina, cisteína, cistina, metionina, GSH, glutationa, SAMe.
6. Imunocal.
7. *Wey protein.*
8. AAS, aspirina e salicilatos: apesar de inibirem o NF-kappaB, impedem a citotoxicidade do selênio.
9. Indometacina: igual item 8.
10. Anti-inflamatórios não hormonais de qualquer tipo: igual item 8.
11. Corticosteroides, corticoides, cortisol, Meticorten, Calcort, Diprospan, Solucortef ou qualquer medicamento que contenha corticosteroide. Diminuem as defesas imunológicas e impedem a citotoxicidade do selênio. Uso somente a curto prazo, pois deslocam o sistema imune para M2/Th2.
12. Diuréticos: furosemida clorana, higroton, natrilix: uso permitido somente a curto prazo. Não esqueça de repor Mg^{++} e K^{+}.
13. Diazepan, Valium, Dienpax e similares.
14. Bloqueadores dos canais de cálcio: geralmente usados para hipertensão arterial ou *angina pectoris*: Adalat, Verapamil, Balcor, nifedipina etc. Dificultam o processo de apoptose.

XI – Medidas para aumentar o transporte periférico de oxigênio

1. Hemoglobina ao redor de 14g%: transfusão somente com sangue fresco (hemácia jovem), utilizando sangue doado por parente.
2. Aumentar a pressão parcial de O_2 arterial com máscara tipo von Ardene com oxigênio a 5 litros/min.
3. Manter a normovolemia.
4. Prevenção e tratamento dos fatores que diminuem o p50 (por ação direta eles diminuem a liberação de oxigênio na periferia): alcalose, hiperventilação, hipotermia, carboxi-Hb, meta-Hb.
5. Medidas que aumentam agudamente o p50 (por ação direta eles aumentam a liberação de oxigênio pela oxi-hemoglobina na periferia): acidose, hipoventilação, hipertermia, aldosterona.
6. Manter produção adequada de 2-3 difosfoglicerato (2-3 DPG) para aumentar a liberação de oxigênio para a periferia:
   a) Hemácia jovem, fosfato normal, tiroide normal.
   b) Evitar acidose crônica, hipotiroidismo, hipopituitarismo, hemácias velhas.
7. Reduzir os gastos de oxigênio, tratando prontamente a dor, a infecção, a agitação e a ansiedade.
8. Diagnosticar prontamente: derrame pleural, pneumotórax, atelectasias e infecções pulmonares.

XII – Afastar o paciente de zonas geopatogênicas e de campos eletromagnéticos prejudiciais

XIII – Afastar alergias alimentares

XIV – Retirar metais tóxicos

XV – Retirar agrotóxicos

Referência

Site www.medicinabiomolecular.com.br.

CAPÍTULO 152

Estratégia oxidante nutricional

José de Felippe Junior

I – O aumento do potencial redox intracelular (oxidação) provoca apoptose tumoral porque promove:

1. Aumento da proteína P53.
2. Ativação da cascata das caspases.
3. Ativação da deoxirribonuclease.
4. Defosforilação da proteína retinoblastoma: pRb.
5. Inibição das proteínas tirosino quinases: Cdc25 fosfatase, CdK1.
6. Diminuição da Bcl_2.

II – Fatores que promovem diminuição do GSH intracelular provocam aumento da oxidação intracelular

1. Selenito de sódio.
2. Curcumina (*Curcuma longa*).
3. Vitamina C + menadiona.
4. Vitamina C + hidroxicobalamina.
5. Vitamina C + glucana.
6. Ácidos graxos poli-insaturados: GLA (ácido gamalinolênico), ALA (ácido alfa-linolênico), EPA (ácido eicosapentaenoico) e DHA (ácido docosaexaenoico).
7. Espécies reativas tóxicas de oxigênio: peróxido de hidrogênio, radical superóxido e radical hidroxila. A diminuição da glutationa reduzida (GSH) no intracelular aumenta a glutationa oxidada (GSSG), a qual:
   a) Inibe a glicólise anaeróbia, combustível da proliferação celular mitótica.
   b) Inibe o fator de transcrição nuclear – NF-kappaB – provocando a diminuição da proliferação celular, aumento da apoptose e diminuição da angiogênese.

III – Diminuem a angiogênese

1. Selenito de sódio.
2. Excesso de zinco: diminui o cobre.
3. Tetratiomolibdato de amônio: diminui o cobre.
4. Alho.

IV – Fatores que aumentam o AMP cíclico aumentam a atividade da proteína quinase A e provocam o aumento da diferenciação celular de células transformadas. Entretanto: podem aumentar o EGF – fator de crescimento epitelial

1. Histamina: efeito bloqueado pelos bloqueadores H2: cimetidina, ranitidina e famotidina.
2. Ácido gamalinolênico (GLA) via aumento de PGE1.
3. Helenalina (sesquiterpeno lactona): *Balduina angustifolia* e *Arnica montana* (menor efeito).
4. Trióxido de arsênio.
5. Aminofilina e outros inibidores da fosfodiesterase.
6. Tadalafil: aumenta linfócitos T e diminui as células supressoras da imunidade (*myeloid-derived suppressor cells*).
7. Ácido retinoico.

Nota: cuidado – um dos mecanismos de inibir o importante fator de crescimento, EGF, é diminuindo o AMPc intracelular. A cimetidina diminui o AMPc intracelular e inibe o EGF, não permitindo a autofosforilação do EGFR.

V – Selenito de sódio

1. Aumenta a expressão da proteína p53: aumenta a apoptose e diminui a proliferação.
2. Aumenta a atividade das endonucleases, enzimas que clivam o DNA nuclear e induzem apoptose.
3. Inibe a cdK2 e a proteína quinase C: parada do ciclo celular.
4. Na mitocôndria: aumenta a permeabilidade, diminui o potencial transmembrana, libera citocromo c e ativa a cascata das caspases: aumento da apoptose.
5. Diminui a geração de TXB2: inibe a agregação plaquetária e assim diminui as metástases.
6. Aumenta a oxidação intracelular e a consequente queda do GSH: diminuição da proliferação.
7. Diminui a angiogênese tumoral por provocar aumento da oxidação nas células endoteliais.

VI – Vitamina K_3 – menadiona (não usamos)

1. Diminui a atividade da Cdk1: parada do ciclo celular.
2. Inibe a Cdc25 fosfatase e, portanto,
   a) aumenta o Cdk1 hiperfosforilado (inativo);
   b) aumenta a pRb hipofosforilada (inativo), ambos os efeitos provocam a diminuição da proliferação celular.
3. Aumenta a fragmentação do DNA: apoptose.
4. Aumenta a expressão do gene c-myc: apoptose.
5. Aumenta o estresse oxidativo intracelular com a queda do GSH.

VII – Ácidos graxos poli-insaturados: GLA (ácido gamalinolênico)

1. Aumentam a expressão da E-caderina: aumentam a adesão célula a célula e a atividade das caspases e diminuem a invasão celular. Todos esses efeitos diminuem as metástases.
2. Aumentam a adesão celular via desmossoma, mesmo em tumores sem E-caderina.
3. Aumentam a expressão do MASPIN: diminuem a motilidade celular e, portanto, as metástases.
4. Aumentam a expressão do nm-23: diminuem a motilidade e a invasão e, portanto, diminuem as metástases.
5. Aumentam o 13-HODE (ácido13-hidroxidienoico): diminuem a motilidade e adesão e, portanto, diminuem as metástases.
6. Diminuem a atividade da ornitina descarboxilase (ODC) provocada pelo aumento do 13-HODE: diminuição da proliferação celular.
7. Diminuem a fosforilação do p27Kip1 e do p52Kip2: bloqueio do ciclo celular.
8. Aumentam a expressão da alfa-catenina: diminuem a invasão e a proliferação.
9. Diminuem a síntese de DNA nuclear.
10. Diminuem a proliferação celular por efeito tóxico direto em cultura de células.
11. Peróxidos lipídicos: diminuem a expressão do $Bcl_{2,}$ aumentam a atividade das caspases e encurtam os telômeros: aumentam a apoptose.

Nota: GLA → aumenta PGE1 → aumenta AMPc → aumenta 13-HODE → aumenta ODC

Aumentam a fosforilação oxidativa

1. Riboflavina: 100mg/dia.
2. Nicotinamida: 200 a 3.000mg/dia.
3. Vitamina C: 2-4g/dia.
4. Coenzima Q10: 100-200mg/dia.
5. L-carnitina: 100mg/dia.
6. Creatina: 10g/dia.
7. Magnésio.
8. Exercício aeróbio.
9. Boa oxigenação tissular: Hb, 14g%; débito cardíaco, normal; curva de dissociação da oxi-hemoglobina, não deslocada.

Inibem a fosforilação oxidativa

1. Cálcio em excesso.
2. MAO: monoaminoxidase.
3. Clorpromazina.
4. Sesquiterpenos nos neutrófilos. Exemplo: helenalina.
5. Aumento de ácidos graxos não esterificados (NEFA).
6. Agentes simpatomiméticos: aumentam o NEFA noturno.
7. Quimioterapia anticâncer.
8. Somatostatina.
9. Oxitiamina: inibidor competitivo da transcetolase.
10. Diminuição da metionina exógena e da etionina.
11. Inibidores da síntese proteica mitocondrial: cloranfenicol e tetraciclina.
12. Inibidores da cadeia respiratória: barbitúricos.
13. Quelantes da carnitina: valproatos.
14. Envelhecimento.
15. Mutação de DNA mitocondrial.
16. Bloqueadores da síntese de ATP.
17. Cianeto.
18. Adrenocromo: adrenalina oxidada.

Referência

Site www.medicinabiomolecular.com.br.

CAPÍTULO 153

Estratégia M1/Th1, acidificação intracelular e proteção mitocondrial

José de Felippe Junior

Fundamentos

A) Substâncias e nutrientes que aumentam M1/Th1, IL-12 e IFN-gama.
Substâncias e nutrientes que diminuem células T regulatórias (Treg) e IL-10.
Evitar substâncias que aumentem M2/Th2.
B) Administrar, controlar ou exterminar: bactéria-vírus-fungos.
C) Diminuir Treg com ativadores da AMPK e PTEN e inibidores diretos da via PI3K/Akt.
D) Acidificar intracelular e consequentemente alcalinizar o ambiente peritumoral.
E) Utilizar antioxidante que protege as mitocôndrias do excesso de radicais livres agindo nos *clusters* Fe-Cu: hidrogênio atômico ou hidrogênio molecular.

A) Substâncias e nutrientes

I – Aumentam M1/Th1 e/ou diminuem Treg

1. Naltrexone.
2. DHEA.
3. Beta-Glucana.
4. BCG.
5. *Lactobacillus casei* Shirota.
6. Ciclofosfamida baixa dose.
7. Amiloride.
8. Resveratrol.
9. *Ganoderma lucidum*.
10. Hormônio D_3: 1-alfa-25$(OH)_2D_3$.
11. Silibinina.
12. Luteolina.
13. Licopeno.
14. Zinco.
15. Cimetidina.
16. Omeprazol, pantoprazol, lanzoprazol.
17. Celecoxibe e os inibidores de PGE2.
18. Berberina, sanguinarina, *Chelidoneum majus*.
19. Ácido retinoico aumenta IL-2 e assim aumenta a proliferação dos linfócitos T e *células natural killer*.

II – Diminuem Treg

1. Ciclofosfamida em baixa dose.
2. Cimetidina: também diminui IL-10 e aumenta células dendríticas.
3. Inibidores do PI3K/Akt: são inibidores seletivos do Treg.
4. Ativadores do AMPK/PTEN: são inibidores seletivos do Treg.
5. Resveratrol.
6. Curcumina. Ativa IFN-gama, potencia o BCG e ativa receptores do TRAIL, que é apoptótico.

III – Aumentam IL-12, IFN-gama, a função das células *natural killer* e as células T citotóxicas

1. Beta-glucana.
2. Resveratrol: aumenta IFN-gama.
3. Berberina.
4. Silibinina.
5. Curcumina
6. Di-indolil-metano (DIM) é agonista do receptor AhR (*aryl hidrocarbon receptor*) e aumenta IFN-gama e atividade das células NK.

IV – Aumentam Th2 e ou Treg

1. Curcumina aumenta Th2 em vários trabalhos, entretanto, recentemente mostrou-se que a curcumina converte células T regulatórias Foxp3+ (Tregs) em T helper-1 em pacientes com câncer de pulmão.

Polariza sistema imune de Th2 proliferativo para Th1 antiproliferativo. A curcumina converte Tregs em Th1 reprimindo a transcrição do gene forkhead protein-3 e aumentando a expressão do Interferon-gama (Zou, 2018).
2. Genisteína.
3. EGCG aumenta a razão Treg/Th17.
4. Ácido valproico.
5. Parthenolide.
6. Astaxantina.
7. Insulina.
8. Inibidores de NHE1.
9. Nicotinamida.
10. Captopril, inibidores da ECA: aumenta Treg que é igual a imunotolerância, diminui TH1 e aumenta Th2.
11. Betabloqueadores.
12. Timo.
13. Própolis.
14. Sinvastatina, lovastatina.
15. PGE2: inibe Th1 e células *natural killer* e aumenta Th2 e Treg.
16. Isquemia/hipóxia.
17. Diminuição de DHEA sulfato.
18. Ácido elágico via aumento de IL-10 e diminuição de TNF-alfa: no final aumenta Th2.

V – Diminuem IL-12

1. Inibidores de NHE1.
2. Parthenolide.
3. Vitamina B_3 – nicotinamida.

VI – Ativadores de macrófagos M1

1. Berberina: inibe COX-2 e iNOS. Apesar de inibir iNOS ativa M1.
2. Sanguinarina: inibe COX-2 e iNOS. Apesar de inibir iNOS ativa M1.
3. *Chelidoneum majus*: inibe COX-2 e iNOS. Apesar de inibir iNOS ativa M1.
4. Estévia.
5. Silibinina: aumenta a proliferação de monócitos.
6. Beta-Glucana.
7. *Chenopodium ambrosioides* (mastruz) aumenta a função de macrófagos M1 com produção de NO e ativa linfócitos do baço e gânglios linfáticos.

VII – Inibidores dos macrófagos M1

1. PGE2.
2. Polifenóis.
3. Antocianinas e falconoides estão presentes nas frutas, vegetais e chá concentrado, sendo fortes inibidores da ativação dos macrófagos M1.

VIII – Neutros

1. Benzaldeído.
2. *Annona muricata*.
3. Hidroxicitrato.
4. Citrato.

B) Controlar/administrar/exterminar (difícil): bactérias – vírus – fungos

Vide capítulo próprio, **Antimicrobianos: antibióticos e fitoterápicos no tratamento do câncer**.

C) Diminuir Treg com ativadores da AMPK e do PTEN e inibidores da via PI3K/Akt

C1. Ativadores do AMPK: diminui Treg

a) *Annona muricata* extrato seco das folhas e talo....................400mg
Annona muricata das folhas e talo finamente triturados....................100mg, 120 cps.
Tomar 2 cps 3 vezes ao dia.

b) Difosfato de cloroquina 300mg
Vitamina B_6 ....20mg.........120 cps.
1 cp 3 vezes ao dia com o estômago cheio.

c) Digoxina 0,25mg..................1 cp ao dia

d) Extrato fluido de berberina...500ml, 5-10ml 3 vezes ao dia.

e) *Scutellaria barbata*.................150mg
Hesperidina..............................250mg
EGCG.......................................200mg
Acarbose 80mg
Resveratrol...............................100mg
Lovastatina...............................10mg
Espironolactona.........................20mg
Ácido lipoico.............................300mg, 120 doses
Tomar 1 dose 3 vezes ao dia.

f) Genisteína...............................500mg
Di-indolil-metano ....200mg, 120 doses
Tomar 1 dose 3 vezes ao dia.

g) Curcumina extrato a 95% 500mg
Quercetina.................................25mg
Piperine.....................................200mg, 120 doses
Tomar 1 dose 3 vezes ao dia.

h) *Ganoderma lucidum* (extrato)..................450mg
Excelen – seleno-metionina ......50mg (100mcg de Sel.)
mande 60 doses
Tomar 1 dose 3 vezes ao dia após as refeições/não parar.

i) *Agaricus blazei* – (> 240mg de glucana/grama)............................2 frascos
Tomar 2 cps após desjejum, almoço e jantar. Total 6 cps/dia. Não parar.

j) Olmesartana 20mg: 1 cp 12/12 horas.

k) DHEA 50mg: 1 cp 2 a 3 vezes ao dia de acordo com a dosagem sérica do DHEA sulfato por 30 dias e depois 50mg/dia no homem e 25mg na mulher.

l) Óleo de gergelim ....1 colher das de sopa 2 vezes ao dia nas saladas/sopas/ou puro.

m) Atividade física: é o mais importante ativador da AMPK.

C2. Ativadores do PTEN: diminui Treg

Os ativadores do PTEN inibem a via PI3k/Akt e controlam/administram ou exterminam (difícil): micobactérias, *Mycoplasma pneumoniae*, Epstein-Barr vírus ao lado de suprimir seletivamente o Treg.

a) 1,25-D_3.
b) Butirato de sódio: 2 colheres das de sopa ao dia.
c) Butirato mais vitamina D_3: efeito sinérgico.
d) Silimarina aumenta a expressão do gene supressor de tumor PTEN e assim inibe a via Akt.
e) Inibidores das histonas desacetilases: agentes acetiladores.
   1. Curcumina.
   2. L-taurina.
   3. Trimetilglicina (betaína).
   4. Butirato de sódio (biomassa de banana verde).
   5. Divalproato de sódio.
   6. Ácido valproico.
   7. Epigalocatequina galato (chá-verde).
   8. Genisteína (soja).
   9. Resveratrol.
   10. Óleo de *Nigella sativa* – cominho negro: timoquinona.
   11. Isotiocianato e sulforafane: crucíferas dos brócolis, couve-de-bruxelas, couve- manteiga, mostarda.
   12. *Tanacetum parthenium*.
   13. Sulfato de quinidina.
   14. *Astragalus membranaceus* – astrágalo – *Huang-qi*.

C3. Inibidores do PI3K/Akt: diminui Treg

a) Ativadores da AMPK.
b) Ativadores do PTEN.
c) DHEA – desidroepiandrosterona.
d) Silibinina.
e) DIM – di-indolil metano.
f) Amiloride.
g) Ácido alfa-lipoico.
h) Inibidores da ATP citrato liase: citrato, hidroxicitrato, radicicol.
i) Carnosina.
j) Lactoferrina.
k) Dieta cetogênica.
l) Inositol 6-fosfato (IP6) mais mioinositol.
m) Inibidores da aldosterona: espironolactona.
n) Inibidores do Ras: berberina.
o) Wortmannin.

D) Acidificar intracelular e consequentemente alcalinizar o ambiente peritumoral tendo como alvo a inibição das bombas alcalinizadoras do intracelular localizadas na membrana da célula neoplásica

Amiloride 7,5mg
Acetazolamida.............................100mg
Lansoprazol 40mg
Cimetidina...................................150mg
Resveratrol..................................200mg
Piroxicam....................................13,5mg
Olmesartana 6mg
Borato de sódio...........................2,5mg, 120 cps
Tomar 1 cp após o café da manhã, almoço e jantar. Não parar.

Cloridrato de hidrogênio a 2,5% 100ml
Tomar 5 gotas em um pouco de água após as 3 refeições principais. Aumentar gota a gota até atingir 10 gotas 3-4 vezes ao dia. Não parar.

Squalamax ....600mg ....1 frasco de 100 cps.
http://www.nu-gen.net – Squalamax – Natural Shark Squalamine Extract 650mg/100 cps
Tomar 1 cp 2 vezes ao dia.

Genisteína..................................500mg, 120 cps.
Tomar 1 dose 3 vezes ao dia.

E) Utilizar antioxidante que protege as mitocôndrias do excesso de radicais livres agindo nos clusters Fe-S: hidrogênio atômico e hidrogênio molecular

O hidrogênio molecular se transforma em hidrogênio atômico e protege as mitocôndrias do excesso de radicais livres de oxigênio em um local inatingível por outros antioxidantes: ***clusters* de ferro-enxofre (Fe-S).**

a) Água com potencial de óxido redução (ORP): –450 a –800mv.
b) Acarbose e inibidores das dissacaridases.
c) Aterramento.

Possíveis modos de prescrever algumas das substâncias acima elencadas

1. **BCG sonicado**........................1,5ml
Glucana – 10mg/5ml..............5,0ml........1 frasco 6,5ml.
Agitar e aplicar 0,3ml por via subcutânea, às 2ª-4ª-6ª feiras. Guardar na porta da geladeira.
2. **Genuxal – Ciclofosfamida** – 50mg.........1 caixa.
Tomar 8 cps (400mg) 10/10 dias por 6 vezes e colher exames: CD4/CD8/hemograma/NE/E.
Referência: Genuxal (Baxter). www.araujo.com.br ou www.farmaclass.com.br
Ou por via intravenosa:
Ciclofosfamida ....500mg em 250ml de SG5%. Correr em 1 hora de 10/10 dias
1 frasco 200mg ou 1.000mg por via intravenosa.
Referência: Genuxal (Baxter).
Tomar Mitexan (Mesna) 400mg, 4 e 8 horas após a infusão da ciclofosfamida.
ASTA MEDICA ONCOLOGIA
Site: http://www.astamedica.com.br
3. **Naltrexone**..............................4,5mg
Espironolactona ....2mg..........90 cps
1 cp ao deitar. Quarto escuro.
4. **L-Citrulina**.............................600mg......120 cps
Tomar 2 cps 30' antes do desjejum e ao deitar (estômago vazio).
5. **Maltedextrina**.........................1.375mg
Extrato de amêndoas (benzaldeído).........125mg
mande 120 doses
Tomar 1 dose 2 vezes ao dia com estômago cheio por 7 dias. Depois 1 dose 3 vezes ao dia por 7 dias e depois 4 vezes ao dia. NÃO TIRAR DAS CÁPSULAS (1 dose 4 vezes ao dia = 500mg do extrato).
6. **Licopeno**................................20mg
Silibinina................................300mg
Tomar 1 cp 2 vezes ao dia junto com ½ copo de água, 30 minutos antes do desjejum e ao deitar, sempre com o estômago vazio.
7. **Tintura de berberina**.............50ml
Tintura de sanguinarina..........50ml.
Tintura de *Chelidoneum majus*...50ml.
Chenopodium ambrosioides....150ml, 1 frasco de 400ml.
Tomar 1 medida de 5ml (500mg) em um pouco de água 3 vezes ao dia, após as refeições. Não parar.
8. ***Annona muricata* extrato seco das folhas e talo**.............400mg
Annona muricata das folhas e talo finamente triturados...............q.s.p. 500mg, 120 cps
Tomar 1 cp 3 vezes ao dia.
9. **Ganoderma lucidum (extrato)**.................................400mg
Selenometionina ....100mg (200mcg Se)
Ácido ascórbico......................100mg
Resveratrol.............................20mg ....60 doses
Tomar 1 a 2 doses 3 vezes ao dia após as refeições/4 meses.
10. ***Agaricus blazei* – Vitalis** (> 240mg de glucana/grama) ....1 frasco
Tomar 1 cp após almoço e jantar.
11. **Óleo de borago** a 24%............1.000mg, 180cp
Tomar 2 cps 3 vezes ao dia.
12. **Ácido alfa lipoico**..................300mg
Hidroxicitrato 300mg
CoQ10 ....200mg
Manganês glicina 2,0mg
Seleno-metionina....................100mg (200mcg/selênio)
Ácido fólico.............................3mg
Ácido retinoico........................300.000UI
Luteolina 50mg
Vitamina K_1.............................100 microgramas
Vitamina K_2.............................200 microgramas
120 doses
1 dose 2 vezes ao dia.
13. **Picolinato de zinco**................300mg (60mgZn) 120 cps
Di-indolil metano 150mg
Tomar 1 cp 2 vezes/dia: após desjejum, almoço e jantar.
14. ***Lactobacillus casei casei***.........5×10^5.
....30ml
Tomar 5 gotas ao dia. Guardar em geladeira, não no congelador.

Referência

Site www.medicinabiomolecular.com.br.

CAPÍTULO 154

Estratégia anticâncer: ativar p53, inibir telomerase, ativar AMPK etc.

José de Felippe Junior

Estratégia

Ativar p53 (inativo em 50% dos cânceres), inibir telomerase (ativa em 90%), ativar AMPK (inativo em quase 100%), inibir mTOR (ativo na maioria), destacar a hexoquinase II e inibir c-MYC (ativo em 30%).

Acresce: diminuir a expressão do EGFR; acidificar intracelular enquanto alcalinizamos o peritumoral; reverter fenótipo autofágico; inibir diretamente várias CDKs ou ativar $p21^{WAF1}$ e $p27^{kip1}$ para inibir as CDKs; inibir DHL-A, ativar PDHc; inibir IGF-1/IGF-1R, inibir NF-kappaB; ativar PTEN; inibir cascata MAPK; inibir via PI3K/AKT; inibir HIF-1; inibir lipogênese, acetilar e demetilar zona CpG do DNA; inibir as GLUTs; estimular sistema imune para M1/Th1; inibir transcetolase, inibir ornitina decaboxilase; diminuir atividade da aldeído desidrogenase; inibir GSK-3-beta; ativar família let-7 de micro-RNAs; inibir a peptil prolil cis/transisomerase; inibir família PRL de tirosina-fosfatases (pentamidina) e inibir tirosina quinases.

1. Tratar deficiência de NER com ascaridol *Chenopodium ambrosioides*.
2. Inibir gene antiapoptótico XIAP.
3. Inibir via Wnt/beta-catenina com a niclosamid.
4. Etc.

Não usar digitálicos: inibem a síntese do *de novo* p53.

Calcitriol ....3 cps ao dia por 30 dias

Difosfato de cloroquina ....300mg, 120 cps
1 cp 3 vezes ao dia com estômago cheio.

Sulfato de cobre 15mg...............90 cp
Tomar 1cp 3 vezes ao dia.

Naltrexone ....4,5mg, 90 cps
1 cp ao deitar.

Cloreto de lítio ....300mg (50mg Li), 120 cps
Tomar 1 cp de manhã, às 15 horas e ao deitar.

Extrato de *Boswellia serrata* ......400mg ....ácido boswéllico (AKBA)
Tomar 1 cp 3 vezes ao dia.

Pancreatina (tripsina, quimotripsina, lipase) 600mg
Papaína...200mg
Bromelina 150mg
Rutina...150mg ....120 cps de dissolução entérica
Acarbose 75mg
Tetra-hidrolipostatina................100mg
Tomar 1 dose no meio do desjejum – no meio do almoço – no meio do jantar.

Annona muricata extrato seco das folhas e talo 300mg
Annona muricata das folhas e talo finamente triturados ....200mg, 120 cps
Tomar 2 cps 3 vezes ao dia.

Óleo de boragem 24%................500mg, 120 cps
Tomar 3 cps 4 vezes ao dia.

Depakote ER (divalproato de sódio).........500mg, 2 caixas.
Tomar 1 cp ao deitar por 5 dias e depois 2 cps.
ATENÇÃO: NÃO DIRIGIR.

Cloreto de zinco.........................40mg (20mgZn) 120 cps
Acetato de zinco 65mg (20mgZn)
Picolinato de zinco 300mg (60mgZn)
Tomar 1 cp 3 vezes/dia: após desjejum, almoço e jantar. Não parar.

Iodo molecular...........................20mg
Maltedextrina.............................q.s.p.500mg, 120 cps
Tomar 1 cp 3 vezes ao dia. Não tirar das cápsulas.

Berberina 500mg
Sanguinarina 500mg

Chelidoneum majus ....500mg ....3-4 vezes ao dia

Ácido alfa lipoico.......................300mg
CoQ10..200mg
Nicotinamida 200mg
Manganês glicina........................2,5mg
Excelen (seleno-metionina).......150mg (300mcg/selênio)
Ácido fólico 3mg
Ácido retinoico 34mg (100milUI)
Luteolina 300mg
Vitamina K_1 ....200mcg
Vitamina K_2 ....200mcg, 120 doses
1 dose 3 vezes ao dia.

Scutellaria barbata......................150mg
Hesperidina 250mg
Mebendazol 75mg
Lovastatina ....10mg, ativa AMPK na dose de 1.000 vezes menor que a metformina
Espironolactona ....20mg, 120 doses
Tomar 1 dose 3 vezes ao dia.

Epigalo catequinagalato 200mg
Resveratrol..................................200mg
Tanacetum parthenium 150mg
Trimetilglicina............................250mg
Carnosina ....200mg, 120 doses
Tomar 1 dose 3 vezes ao dia

Genisteína....................................500mg
Silibinina.....................................300mg
Di-indolil metano........................200mg, 120 doses
1 dose 3 vezes ao dia..................DIM é sinérgico com genisteína e com a silibinina.

Curcumina extrato a 95%..........500mg
Quercetina...................................25mg
Piperine..200mg, 120 doses
Tomar 1 dose 3 vezes ao dia.

Ganoderma lucidum (extrato) ..500mg
Glucana 300mg
Excelen – seleno-metionina ......50mg (100mcg Se) 60 doses
Resveratrol..................................20mg
Ácido ascórbico 100mg
Tomar 1 dose 3 vezes ao dia após as refeições. Não parar.

Olmesartana 20mg: 1 cp 12/12 horas e depois tentar 8/8 horas
DHEA 50mg: 1 cp 2 vezes ao dia/30 dias e depois 1 vez ao dia.

Diosgenina..................................500mg
Hidroxicitrato ....400mg ....120 doses
1 dose 3 vezes ao dia.

Fórmula 40:
Maltedextrina.............................1.375mg....
Extrato de amêndoas (benzaldeído) ....125mg ....120 doses
Tomar 1 dose 2 vezes ao dia com o estômago cheio por 7 dias. Depois 1 dose 3 vezes ao dia por 7 dias. NÃO TIRAR DAS CÁPSULAS (1 dose 2 vezes ao dia = 250mg do extrato).

Acidificar intracelular e alcalinizar peritumoral
Amiloride 7,5mg
Acetazolamida............................50mg
Omeprazol..................................30mg
Cimetidina..................................300mg (não no Ca mama/próstata)
Resveratrol.................................100mg 90cp
Tomar 1 cp 1 vez ao dia após o café da manhã. Em 3 dias 1 cp manhã e almoço. Em 3 dias 1 cp manhã, almoço e jantar. Manter 1 cp 3 vezes ao dia. Dosar K^+ e Na^+ 10/10 dias.
Atividade física: é importantíssimo ....ativa AMPK, o qual ativa p53.

USAR:
Biomassa de banana verde (butirato): 2 colheres das de sopa 1 a 2 vezes ao dia nas sopas ou sucos.
Óleo LLC (1 parte de linhaça + 2 partes coco): 1-2 colheres das de sopa 2 vezes ao dia. Óleo de gergelim: 1 colher das de sobremesa 2 vezes ao dia nas saladas/sopas/ou puro.
Tomar suco da fruta ou polpa da graviola; 1 copo 1 a 2 vezes ao dia.
Abacate com mel e limão: 1 vez ao dia.
Fruta-do-conde ou atemoia ou cherimoia: 1 fruto 2 vezes/semana.
Comer 6 amêndoas frescas sem sal diariamente.

Comer à vontade:
Antocianinas: arroz preto (*Oryza nigra*), groselha preta (*Black currant*), uva preta, feijão-preto, batata roxa, couve vermelha, milho vermelho, repolho roxo.
Suco de lima mexicana (*Citrus aurantifolia*).
Isotiocianato e sulforafane das crucíferas: brócolis, couve-de-bruxelas, couve-manteiga, repolho.
Água rica em hidrogênio.
Tamoxifeno a curto prazo: é bem-vindo para mama, não para endométrio.

Referência

Referências no site: www.medicinabiomolecular.com.br.

CAPÍTULO 155

Estratégias para inibir a glicólise anaeróbia

José de Felippe Junior

Ativar AMPK + Inibir DHL-A + Inibir IGF-1 + Inibir HIF-1

Restrição calórica

DHEA 50mg: 1 cp 2 vezes ao dia por 60 dias e depois 1 vez ao dia
Sigmatriol (calcitriol)................3 cps ao dia somente por 30 dias
Benicar 40mg: 1 cp 12/12 horas ou pelo menos 40mg ao deitar
Espironolactona.........................50mg pela manhã
Digoxina 0,25mg ....1 cp ao dia
Depakene 500mg: 2 cp ao deitar. Iniciar com 1 cp ao deitar por 5 dias

Cloreto de lítio..........................183mg (30mg Li)
– destaca hexoquinase-2 da mitocôndria
Tomar 1 cp antes do desjejum – 1 cp às 15 horas e 1 cp ao deitar.

Pancreatina (tripsina, quimotripsina, lipase)...600mg
Papaína...200mg
Bromelina 150mg
Rutina..150mg ....120 cps de dissolução entérica.
Acarbose 75mg
Tomar 1 dose no meio do desjejum – no meio do almoço – no meio do jantar.

Ganoderma lucidum (extrato) ... 450mg
Glucana..300mg
Excelen – seleno-metionina ......50mg (100mcg Se)
....60 doses
Resveratrol..................................20mg
Ácido ascórbico 100mg
Tomar 1 dose 3 vezes ao dia após as refeições.
Não parar.

Amiloride 20mg
Luteolina.....................................50mg
Mebendazol................................70mg
Scutellaria barbata.....................100mg
Genisteína...................................200mg
Di-indolil metano.......................100mg
Curcumina a 95%.......................200mg
Piperine.......................................20mg
Ácido lipoico 200mg
CoQ10...100mg
Resveratrol..................................100mg
Epigalocatequina galato.............200mg
Lovastatina 5mg
Metformina 100mg
Silibinina.....................................300mg
Hidroxicitrato 400mg
Glycyrrhiza glabra.......................150mg ....120 doses
Ácido fólico 3mg
Ascorbato de sódio.....................300mg
Tomar 1 dose após as refeições 3 vezes ao dia.
Depois do desjejum, do almoço e do jantar.

L-prolina 300mg
Trimetilglicina.............................300mg
L-taurina 250mg
L-carnitina..................................100mg
Hesperidina.................................150mg
Quercetina..................................50mg
Tomar 1 dose em jejum 3 vezes ao dia.
Antes do desjejum, do almoço e ao deitar.

Citrato de sódio ....10g ou ácido cítrico
Omeprazol..................................20mg
1 sache 4 vezes ao dia em água ou suco.

Extrato fluido de berberina.......200ml
Extrato fluido de sanguinarina.150ml

Extrato fluido de *Chelidoneum majus*..........150ml, 1 frasco de 500ml

Tomar 1 medida (5ml) 3 vezes ao dia.

Nota: estar atento para manter níveis de hemoglobina acima de 12g% com débito cardíaco, saturação arterial de O_2 e p50 em ordem.

Também inibem a glicólise

Ativadores do SIRT-1.

Inibidores do Ras: *trans-farnesylthiosalicylic acid.*

Inibidores do myc.

Flavonoide: kaempferol.

Acetogeninas da Annonaceae: pao-pao, graviola.

Emetinas e análogos.

Ácido betulínico: inibe o STAT3.

Noscapine: derivado do ópio que não vicia.

Pentamidina.

Azul de metileno.

Fenofibrato.

Withaferin-A.

CAPÍTULO 156

Estratégias para inibir DHL-A

José de Felippe Junior

No exame de sangue podemos encontrar aumento da desidrogenase lática – DHL significando proliferação em franca atividade. As estratégias para diminuir essa enzima podem ser as seguintes:

Trimetilglicina............................300mg
Genisteína..................................200mg
Silibinina....................................300mg
Di-indolilmetano........................100mg
Quercetina..................................50mg
Epigalocatequina galato............200mg
Hidroxicitrato 400mg
Glycyrrhiza glabra......................150mg ....120 doses
Ácido fólico 3mg
Tomar 1 dose 3 vezes ao dia.

Espironolactona..........................50mg pela manhã

Oxalato excitalopran ....10mg 2 vezes ao dia (devido ao oxalato).

Sigmatriol (calcitriol)................1 frasco
3 cps ao dia somente por 30 dias.

Butirato de sódio: 1 colher sopa/dia. Cuidado se IgG francamente positiva para EBV, não usar.

Extrato fluido de *Chelidoneum majus*..........250ml
Extrato fluido de sanguinarina .250ml ....1 frasco 500ml
Tomar 1 medida de 5ml 3 vezes ao dia.

Espinafre, amêndoa (ricos em oxalato).

Inibir c-myc: inibe DHL-A.

Usar nos temperos:

a) Alecrim (*Rosmarinus officinalis*).
b) Noz preta (*Juglans nigra*).
c) Cravo (*Syzygium aromaticum*).
d) Noz moscada (*Myristica fragans*).
e) Coentro (*Coriandrum sativum*).
f) Canela (*Cinnamomun cássia*).
g) Gengibre (*Zingiber officinale*).

CAPÍTULO 157

Estratégia epigenética para demetilar e acetilar a zona CpG do DNA

José de Felippe Junior

Epigenética: demetilar DNA com inibidores das DNA-metiltransferases e acetilar as histonas com inibidores das histonas desacetilases

Resveratrol................................200mg
Extrato de curcumina a 95%.....200mg
Tanacetum parthenium.............150mg
Genisteína................................200mg
Ácido gálico..............................200mg
Epigalocatequina galato............200mg
Manganês glicina.......................2,5mg
Excelen (seleno-metionina).......50mg
(100mcg/selênio)
Ácido fólico 5mg
Piperine.....................................100mg ....90 doses
Tomar 1 dose 2 vezes ao dia.

Depakote ER ....500mg, 2 cps ao deitar. Protótipo dos acetiladores.

Procaína 2%...............................5ml intramuscular 3 vezes por semana. Protótipo dos demetiladores isento de efeitos colaterais.

Biomassa de banana verde: 2 colheres das de sopa ao dia.

1. Demetilar: ácido fólico, B_{12}, epigalo catequinagalato (chá-verde), genisteína (soja), selênio (*nuts*), resveratrol, isotiocianato das crucíferas, hidralazina, procaína, procainamida.
2. Acetilar: taurina, trimetilglicina, genisteína (soja), curcumina, butirato de sódio (biomassa de banana verde), resveratrol, sulforafane (crucíferas do brócolis, couve-de-bruxelas, couve-manteiga), valproato de sódio, *Tanacetum parthenium*.

CAPÍTULO 158

Acidificação intracelular com alcalinização peritumoral

José de Felippe Junior

Amiloride 7,5mg
Acetazolamida.............................100mg
Lansoprazol 40mg
Cimetidina...................................150mg
Resveratrol..................................200mg
Lovastatina 10mg
Piroxicam....................................13,5mg
Olmesartana 6mg
Borato de sódio...........................2,5mg
Progesterona fisiológica.............50mg
Tomar 1 cp após o café da manhã, almoço e jantar. Não parar.

Cloridrato de hidrogênio 2,5% ..100ml
Tomar 5 gotas em um pouco de água após as 3 refeições principais. Aumentar gota a gota até atingir 10 gotas 3 vezes ao dia. Não parar.

Squalamax ....650mg ....1 frasco de 100 cps
http://www.nu-gen.net – Squalamax – Natural Shark Squalamine Extract
Tomar 1 cp 2 vezes ao dia.

Genisteína....................................500mg ....120 cp.
Tomar 1 dose 3 vezes ao dia.

Atenção: checar K^+ no soro 15/15 dias.

CAPÍTULO 159

Estratégia para ativar AMPK e inibir mTor

José de Felippe Junior

Restrição calórica

Annona muricata extrato seco
das folhas e talo........................400mg
Annona muricata das folhas e talo finamente
triturados..................................100mg 120cps
Tomar 2 cps 3 vezes ao dia.

Difosfato de cloroquina...........300mg 120cps
Vitamina B_6 ....20mg
1cp 3 vezes ao dia com o estômago cheio.

Digoxina 0,25mg ....1cp ao dia

Extrato fluido de berberina.......400ml
5-10ml, 2 a 3 vezes ao dia.

Azul de metileno ....< 2mg/kg/dia em duas tomadas

Scutellaria barbata.....................150mg
Hesperidina...............................250mg
EGCG..200mg
Acarbose 80mg
Resveratrol.................................100mg
Lovastatina 10mg
Espironolactona..........................20mg
Ácido lipoico..............................300mg ....120 doses
Tomar 1 dose 3 vezes ao dia.

Genisteína..................................500mg
Di-indol metano.........................200mg ....120 doses
Tomar 1 dose 3 vezes ao dia.

Extrato de curcumina a 95%.....500mg
Quercetina..................................25mg
Piperine......................................200mg ....120 doses
Tomar 1 dose 3 vezes ao dia.

Ganoderma lucidum (extrato) .. 500mg
Glucana 300mg
Excelen – seleno-metionina ......50mg (100mcg Se)
.... 120 doses
Resveratrol.................................20mg
Ácido ascórbico 200mg
Tomar 1 dose 3 vezes ao dia após as refeições. Não parar.

Olmesartana 40mg: 1cp 12/12 horas ou 20 e 40mg ao deitar.
DHEA 50mg: 1cp 2 vezes ao dia.

Óleo de gergelim........................1 colher das de sopa
2 vezes ao dia nas saladas/sopas/ou puro.

Fenofibrato 200mg/dia.

Atividade física: é importantíssimo porque ativa AMPK.
Nozes e amêndoas.
Antocianinas: arroz preto (*Oryza nigra*), groselha preta (*black currant*), uva preta, feijão-preto, batata roxa, couve vermelha, milho vermelho, repolho roxo.
Fruto do abacate.
Fruta-do-conde.
Atemoia.
Água rica em hidrogênio.

CAPÍTULO 160

Estratégias para controlar o IGF-I/IGF-R

José de Felippe Junior

Amiloride 7,5mg
Silibinina.....................................300mg
Di-indolil-metano 100mg
EGCG..100mg
Resveratrol..................................100mg
Genisteína...................................200mg
Scutellaria barbata......................200mg
Luteolina.....................................200mg ....180 doses
Tomar 1 dose 3 vezes ao dia.

Olmesartana: 20mg pela manhã e 40mg ao deitar (inibe IGF-1 e IGF-1R intratumoral. Também inibe VEGF e seu receptor intratumoral).

DHEA 50mg: 1 cp 12/12 horas.

Espironolactona 50mg...............1 cp pela manhã.

Sigmatriol (calcitriol).................frascos
Tomar 3 cps ao dia por somente 1 mês.

Restrição calórica

Digoxina 0,25mg ....1 cp ao dia

Tintura de *Hydrastis barbera* 50%
Tintura de sanguinarina ....50%............200ml
Tomar 1 colher das de sobremesa 3 vezes ao dia.

Hesperidina................................250mg
Extrato de curcumina a 95%.....300mg
Piperine......................................100mg
Ácido lipoico 100mg
Metformina 100mg
Tomar 1 dose 3 vezes ao dia.

Ganoderma lucidum (extrato) ..500mg
Glucana.......................................300mg
Excelen – seleno-metionina......50mg (100mcg de Se)
....60 doses
Resveratrol.................................20mg
Ácido ascórbico 200mg
Tomar 1 dose 3 vezes ao dia após as refeições.
Não parar.

Larrea tridentata.........................500mg
Infusão em 1 xícara de água quente de 2 cápsulas 3 vezes ao dia. Não coar.

Ou melhor NDGA: ácido nordihidroguaiarético, derivado da *Larrea tridentata* ou *Larrea divaricata*, "arbusto de creosoto" ou "chaparral": inibe drasticamente o IGF1-R.

Nota: retinoides aumentam a expressão da IGFBP-3 (*insulin-like growth factor-binding protein-3*) no adenocarcinoma prostático LNCaP e diminuem a concentração do IGF-1. Os andrógenos diminuem a IGFBP-3.

Ácido retinoico ....500milUI, 3 vezes ao dia.

CAPÍTULO 161

Estratégias para ativar PTEN e estratégias com agonistas do PPAR-gama

José de Felippe Junior

Ativar PTEM

PTEM é gene supressor de tumor e está inibido em várias neoplasias humanas. Devemos ativá-lo. Os ativadores do PTEN inibem a via PI3k/Akt e controlam/administram/exterminam micobactérias, *Mycoplasma pneumoniae*, Epstein-Barr vírus e suprimem seletivamente o Treg, o que polariza o sistema imune para M1/Th1.

1. Hormônio D_3 – 1,25$(OH)_2D_3$.
2. Butirato de sódio.
3. Butirato mais hormônio D_3: efeitos sinérgicos.
4. Silimarina aumenta a expressão do gene supressor de tumor PTEN.
5. Inibidores das histonas desacetilases: agentes acetiladores.
   a) Curcumina.
   b) L-taurina.
   c) Trimeltiglicina (betaína).
   d) Butirato de sódio (biomassa de banana verde).
   e) Divalproato de sódio.
   f) Ácido valproico.
   g) Epigalocatequina galato (chá-verde).
   h) Genisteína (soja).
   i) Resveratrol.
   j) Óleo de *Nigella sativa* – cominho negro: timoquinona.
   k) Crucíferas da brócolis, couve-de-bruxelas, couve-manteiga: isotiocianato e sulforafane.
   l) *Tanacetum parthyenium*.
   m) Sulfato de quinidina.
   n) *Astragalus membranaceus* – astrágalo – *Huang-qi*.

Ativar o PPAR-gama

PPAR-gama, poli(ADP-ribose) polimerase-gama, aumenta a diferenciação celular e a apoptose, diminui a proliferação tumoral, ativa p53 e inibe NF-kappaB.

Ativadores do PARP-gama (poly (ADP-ribose) polymerase-gama): inibem a transcrição gênica e a síntese do antiporter NHE1:

a) Olmesartana, telmisartana.
b) Dieta cetogênica.
c) Tiazolidinediona-roziglitazone – "AVANDIA" (diminui expressão do mRNA do NHE1).
d) Óleo de gergelim.
e) Ácido linoleico conjugado – CLA.

I – Via inibição do NHE1
Ativadores do PARP-gama via inibição do NHE1.
   1. Inibem a transcrição e a síntese do *antiporter* NHE1: olmesartana, telmisartana, dieta cetogênica, tiazolidinediona – Roziglitazone – "AVANDIA" (diminui expressão do gene NHE1 (mRNA).
   2. Diminuem a atividade do NHE1: óleo de gergelim e ácido linoleico conjugado – CLA, amiloride etc.

II – Via aumento da expressão da adiponectina com ativação da AMPK que inibe mTOR e aumenta p53.

III – Alguns flavonoides são agonistas do PPAR-gama.

IV – Alfa tocoferol, gama e delta tocotrienol aumentam a expressão do PPAR-gama.

V – Agonistas do PPAR-gama
   1. BCG.
   2. Citrulina, mais eficaz que arginina.
   3. Arginina. Células neoplásicas são ricas em arginase e diminuem a eficácia da arginina.
   4. Ômega-3.
   5. Ácido elágico (amoras, cranberries, nozes, romãs, framboesas, morangos, nozes, wolfberries – Gogi–, uvas e pêssegos).
   6. Cloreto de lítio.

7. Ácido linoleico conjugado – CLA. Aumenta a produção de PPAR-gama, diminui a inflamação, aumenta a diferenciação celular e reverte o fenótipo neoplásico para fenótipo normal.
8. Óleo de gergerlim.
9. Hesperidina.
10. Efatatuzona.
11. Indometacina.
12. Olmesartana, telmisartana.
13. Dieta cetogênica.
14. Tiazolidinediona – Roziglitazone – "AVANDIA".

Referência

Site www.medicinabiomolecular.com.br.

CAPÍTULO 162

Estratégias para ativar o p53-SH-SH

José de Felippe Junior

A proteína p53 ativa está na forma reduzida p53-SH-SH

Ativadores do p53

1. Selênio-metionina aumenta a expressão do gene Ref-1 que transforma o p53 oxidado inativo (p53--S-S) em p53 reduzido ativo (p53-SH-SH).
2. GLA aumenta a expressão do p53 em 44% e diminui a proteína retinoblastoma em 62% nos gliomas.
3. Ativar AMPK é ativar p53 e vice-versa.
4. Nicotinamida.
5. Hormônio 1,25$(OH)_2D_3$, calcitriol.
6. Ácido alfalipoico.
7. Genisteína.
8. Indol-3-carbinol.
9. Silibinina.
10. Hesperidina via ativação do PPAR-gama ativa p53, inibe NF-kappaB e provoca apoptose.
11. Berberina.
12. Benzaldeído.
13. Ácido linoleico conjugado (CLA).
14. Ácido graxo ômega-3.
15. Metformina (menos que a fenformina).
16. Cloroquina.
17. Bloqueadores da angiotensina II: losartana, irbesartana, olmesartana.
18. Óleo LLC (1 parte de óleo de linhaça + 2 partes de óleo de coco).
19. Ácido valproico + hidralazina.
20. Mebendazol.
21. Resveratrol.
22. *Ganoderma lucidum*, *Agaricus blazei*.
23. DHEA.
24. Água rica em hidrogênio.
25. Diosgenina.
26. Pentamidina.
27. Suco de lima mexicana (*Citrus aurantifolia*).
28. Di-indolil-metano.
29. Hesperidina.
30. Dicloroacetato de sódio.
31. Nozes, amêndoas.
32. Restrição calórica.
33. Óleo de gergelim.
34. Aumentar a expressão do gene p53 e/ou ativar a proteína p53.
    a) Inositol hexafosfato mais mioinositol.
    b) Ácido betulínico.
    c) *Astragalus membranaceus* – Astrágalo – *Huang-qi*.
    d) Apigenina.

CAPÍTULO 163

Estratégias para destacar a hexoquinase II da mitocôndria para aumentar a fosforilação oxidativa

José de Felippe Junior

Deslocar a hexoquinase II da mitocôndria

1. Inibidores da via mTOR inibem a hexoquinase II.
2. Inibidores da ATP citrato liase (ACL), citrato, hidroxicitrato, que também inibem a fosfofrutoquinase-1, a DHL-A e o GLUT-4.
3. Inibição da via PI3K/Akt. Essa via promove a ligação da hexoquinase II à mitocôndria inibindo a GSK-3-beta.
4. GLA – ácido gamalinolênico: óleo de borage, de prímula ou de groselha negra (*cassis*): deslocam 40% da hexoquinase II da mitocôndria.
5. Lítio.
6. Pirimetamina – Daraprim.
7. 3-Bromopiruvato.
8. Clotrimazol (pomada).
9. Tinidazol (VO).
10. Lonidamina.
11. Trealose hexafosfato – não absorve, controverso.
12. Cerulenina – antibiótico fúngico e inibidor da FASN: mecanismo é a interrupção da interação HIF com a hexoquinase II.
13. Metil jasmonade.

Modos de administrar

1. Tinidazol (clotrimazol) 500mg..............1 cp
   8/8 horas
2. Cloreto de lítio ....180mg (30mg Li)
   120 cps
   Tomar 1 cp de manhã, às 15 horas e ao deitar.
3. Daraprim 25mg....................4 cps no primeiro dia
   e depois 1-2 cps ao dia
4. Óleo de boragem 24%.........500mg 1frasco
   (desloca 40%)
   Tomar 3 cps 3 vezes ao dia.
5. Carnosina 500mg: 2 vezes ao dia.
6. Hidroxicitrato.......................1.000mg ....2 doses
   4 vezes ao dia ou melhor
7. Citrato de sódio 10g 3 vezes ao dia
   com omeprazol 20mg 2 vezes ao dia para evitar gastrite.

CAPÍTULO 164

Estratégias para inibir a via PI3K/Akt e a via Wnt/beta-catenina

José de Felippe Junior

Câncer: inibidores PI3K/Akt

1. Ativadores da AMPK.
2. Ativadores do PTEN.
3. Carnosina.
4. Beta-alanina.
5. Silibinina.
6. I3C – Indol-3-carbinol.
7. DIM – Di-indolil metano.
8. Inibidores da ATP citrato liase: citrato, hidroxicitrato, GLA – ácido gamalinolênico.
9. DHEA – dehidroepiandrosterona.
10. Lactoferrina.
11. Amiloride.
12. Ácido alfa-lipoico.
13. Dieta cetogênica.
14. Inositol-6 fosfato (IP6) mais mioinositol.
15. Inibidores da aldosterona: espironolactona.
16. Inibidores do Ras: berberina.
17. Wortmannin.
18. Óleo essencial de cravo-da-índia, canela, pimenta negra e goiaba – cariofileno – inibe crescimento e induz apoptose por suprimir vias PI3K-AKT-mTOR-S6K1 mediado por ativação da MAPK por ROS.

Inibidores da via Wnt/beta-catenina

1. Genisteína e outras isoflavonas da soja.
2. Inibir a GSK-3-beta: sais de lítio (alta dose), berberina, sais bivalentes do zinco, flavonoides cítricos, luteolina, apigenina e quercetina, batata-doce roxa e outras plantas ricas em antocianina
3. Procaína demetila e reativa o gene WIF-1, o qual inibe a via Wnt em várias neoplasias.
4. Niclosamida anti-helmíntico poderoso bloqueador da via Wnt.
5. Clotrimazol por inibir a aldolase, enzima da glicólise anaeróbia.
6. Salinomicina – antibiótico potássico ionóforo.

CAPÍTULO 165

Estratégia para inibir a telomerase

José de Felippe Junior

A) Inibição da telomerase

1. Curcumina.
2. Pirimetamina.
3. Antiestrógenos.
4. Progesterona fisiológica (bioidêntica).
5. Vitamina D_3 ou, melhor, o hormônio 1,25-D_3.
6. Ácido retinoico.
7. Inibição da hsp90.
8. Genisteína. No câncer de próstata reprime a atividade transcricional da hTERT via c-myc e modificação pós-translacional do hTERT via Akt.
   Em 2005, Ouchi mostrou que a genisteína inibia o câncer de próstata pela supressão da atividade da telomerase.
9. Silibinina.
10. Epigalocatequina galato.
11. Beta-Lapachona.
12. Malouetine.
13. Telomestatin.

B) Inibição dos promotores da telomerase

1. **Inibem hTERT** (transcriptase reversa da telomerase humana) **e suprimem a telomerase e, portanto,** úteis: reguladores do ciclo celular – p21, p16, E2F1, p27, E2F1, p14, p16, agentes indutores da diferenciação: hormônio D_3, ácido retinoico, DMSO; supressores de tumor: p53, WT1; inibidores das histonas desacetilases, agentes demetilantes, vias TGF-β, pTEN e tamoxifeno na mama.
2. **Ativam hTERT e aumentam telomerase e, portanto, proscritos no tratamento**: MDM2, via PI3K/Akt, NF-kappaB (canonical), via MAPK (RAS, MEK, ERK), via ErbB-EGF, EGFR, HER2/neu, AP-1, proteína quinase C, cMyc, Sp-1, tamoxifeno no endométrio, hormônios: estrógeno, progestina (progesterona sintética), testosterona.

CAPÍTULO 166

Estratégias para inibir EGF/EGF-R (fator de crescimento epitelial e seu receptor)

José de Felippe Junior

Ômega-3 ....1.000mg ....120 cps
(não esquecer de inibir G6PD).
2 cp 3 vezes ao dia, após as refeições.

Depakote ER (divalproato de sódio) ....500mg ....1 caixa
Tomar 1 cp ao deitar por 5 dias, depois 2 cps.
ATENÇÃO: NÃO DIRIGIR.

Annona muricata extrato seco das folhas e talo 400mg
Annona muricata das folhas e talo finamente triturados ....100mg ....120 cps.
Tomar 2 cps 3 vezes ao dia.

Ácido alfa lipoico.......................200mg
EGCG...200mg
Silibinina A..................................200mg
Extrato seco da *Glicyrrizza glabra*...200mg
Piperine.......................................200mg ....120 doses
Cimetidina...................................300mg
Extrato de curcumina a 95%.....500mg
Di-indolil metano.......................100mg
Tomar 1 dose 3 vezes ao dia.

Aloe vera Gel puro (Forever – Código:15)....1 litro
(Internet para local de compra)
Tomar 2 colheres das de sopa com estômago vazio, 3 vezes ao dia antes do desjejum, antes do almoço e ao deitar.

Iodo molecular...........................40mg..........120 cps
Tomar 1 cp após desjejum, almoço e jantar. Não repetir.

DHEA 50mg 12/12 horas (para inibir a G6PD).

Biomassa de banana verde: 2 colheres das de sopa 2 vezes ao dia (Casa de Produtos Naturais), inibe EGFR e ER (receptor do estrógeno). Colocar no suco ou sopas ou feijão.
Abacate + mel + limão: 1 copo dia sim/dia não.
Suco de graviola – fruta ou polpa: 1 vez ao dia.
Fruta-do-conde/atemoia/cherimoia: 1 fruto 2-3 vezes por semana.

São inibidores do EGF/EGFR: nimotuzumabe, curcumina, genisteína, acetogeninas anonáceas e do abacate, agonistas do AMPK, inibidores da G6PD (DHEA, somatostatina, dieta pobre em carboidratos, dieta rica em ácidos graxos poli-insaturados), cimetidina, amiloride, berberina, *Chelidoneum majus*, EGCG, silibinina, I3C/DIM, glicirrizina, receptor D2 da dopamina, ácido alfalinolênico, EPA, DHA, GLA, o trio melatonina, somatostatina e vitamina A.

CAPÍTULO 167

Estratégia para inibir invasão e metástases – fórmula de Roomi

José de Felippe Junior

L-lisina 1.000mg
L-prolina 1.000mg
L-citrulina.................................... 500mg
Extrato de chá-verde padronizado a 80%.... 1.000mg
L-cisteína 250mg
Cobre glicina 2mg
Ascorbato de magnésio.............. 700mg
Ácido ascórbico 700mg
Sseleno-metionina...................... 15mg (30mcg/selênio)
Manganês glicina 1mg
Óxido de silício .... 30mg.......... 180 doses
Tomar 1 dose 2 vezes ao dia em jejum: 15 minutos antes do desjejum e ao deitar por 7 dias e depois 3 doses ao dia acrescentando esta dose 2 a 3 horas após o almoço. NOTA: PODE ABRIR AS CÁPSULAS E COLOCAR no suco de mamão ou abacate.

A mistura de substâncias nutricionais original empregada por Roomi e colaboradores consistia em: L-lisina: 1.000mg, L-prolina: 750mg, L-arginina: 500mg, extrato de chá-verde padronizado para 80% de polifenóis: 1.000mg, vitamina C como ácido ascórbico, ascorbato de magnésio e ascorbato de cálcio: 700mg, N-acetilcisteína: 200mg, selênio: 30mcg, cobre: 2mg, manganês: 1mg.

Difosfato de cloroquina 150mg
Vitamina B_6 .... 20mg
Luteolina .... 600mg .... 120 cps
Tomar 2 cps 3 vezes ao dia.

CAPÍTULO 168

Estratégias para inibir autofagia da célula neoplásica e do estroma peritumoral

José de Felippe Junior

Inibe autofagia/lisossoma do estroma peritumoral

Difosfato de cloroquina 250mg
Vit. B6...20mg
Extrato de glicirrizina 100mg
Clomipramina..........................20mg.........120 cps
Acetato de zinco ....20mg de zinco
Tomar 1 cp 3 vezes ao dia.

Antioxidante – previne formação do MCT4

Fluimucil oral – 1 envelope = 600mg (Zambon)
....16 envelopes
Tomar 1 envelope 3 vezes ao dia/3 dias e depois 2 vezes ao dia.

Induz autofagia da célula neoplásica nos gliomas, incluindo o glioblastoma

Minomax (cloridrato de minociclina)
100mg..12/12 horas
por 15 dias

Induz autofagia da célula neoplásica

Depakote ER (divalproato de sódio) 500mg
1 caixa
Tomar 1 cp ao deitar por 5 dias, depois 2 cps.
ATENÇÃO: NÃO DIRIGIR.

Induz autofagia da célula neoplásica. Reverte queda da Caveolin-1

Annona muricata extrato seco
das folhas e talo..........................400mg
Annona muricata das folhas e
talo finamente triturados..........100mg
Luteolina ....50mg.........120 doses
Vitamina K_2 ....200 mcg
Tomar 2 doses 3 vezes ao dia.

Atenção: dose da luteolina: 5mg/kg/dia; 60kg: 300mg/dia ou 50mg 2 doses 3 vezes/dia.

Induz autofagia da célula neoplásica

Ativadores do AMPK.

1. Digoxina 0,25mg ....1 cp ao dia.
2. Berberina ....500mg.
   L-prolina 500mg
   Silibinina...............................300mg
   Acarbose 80mg
   Hesperidina 150mg
   Resveratrol.............................100mg
   Espironolactona......................20mg
   Genisteína..............................200mg
   Di-indolil metano...................50mg
   Curcumina 200mg
   Piperine..................................40mg
   Scutellaria barbata.................100mg ....120 doses
   Ácido lipoico 100mg
   Albendazol 100mg
   Tomar 1 dose 3 vezes ao dia.
3. *Ganoderma lucidum*
   (extrato) 500mg
   Glucana...................................300mg
   Excelen – seleno-metionina... 50mg
   (100mcg Se)...60 doses

Resveratrol..............................20mg
Ácido ascórbico 200mg
Tomar 1dose 3 vezes ao dia após as refeições.
Não parar.

4. Olmesartana: 20mg pela manhã e 40mg ao deitar.
5. DHEA 50mg: 1 cp 2 vezes ao dia/60 dias e depois 1 vez ao dia.

Antocianinas: arroz preto (*Oryza nigra*), groselha preta (*Black currant*), uva preta, feijão-preto, batata roxa, couve vermelha, milho vermelho, repolho roxo.

Fruto do abacate, fruta-do-conde, atemoia, cherimolia, nozes e amêndoas.

Água rica em hidrogênio.

Apigenina: molho de tomate, vinho tinto, salsa, aipo.

Tomar suco da fruta da graviola; 1 copo 1 a 2 vezes ao dia. Abacate com mel e limão: 1 vez ao dia.

Fruta-do-conde ou atemoia ou cherimolia: 1 fruto 2 vezes/semana.

Comer 6 amêndoas frescas sem sal diariamente.

CAPÍTULO 169

Hipertermia no câncer

José de Felippe Junior

Na arte de curar, deixar de aprender é omitir socorro e retardar tratamentos esperando maiores evidências científicas é ser cientista e não médico. **JFJ**

Em primeiro lugar sempre a Medicina Convencional. **JFJ**

Se a Medicina Convencional não surtiu os efeitos desejados devemos utilizar os recursos da Medicina não Convencional orientada por médicos. **JFJ**

Nunca devemos trocar uma Medicina pela Outra, podemos sim complementá-la com outras Estratégias bem estudadas. **JFJ**

Curar muitas vezes, aliviar e consolar sempre, desistir nunca.
Médicos Humanos

Na verdade, a MEDICINA é uma só.
Vários Autores

O câncer é doença sistêmica, não é apenas algo localizado crescendo desordenadamente; não é apenas o tumor visível. Alguns o consideram como um desequilíbrio entre a proliferação e a diferenciação celular. Consideramos o câncer células doentes tentando apenas sobreviver para manter seu bem mais precioso lapidado nos últimos 3,8 bilhões de anos, genoma.

O câncer só começa a existir em um terreno, em um organismo preparado para aceitá-lo. São pessoas que por muitos anos não respeitaram as suas próprias células. Abusaram do fumo, das gorduras saturadas, dos alimentos enlatados, dos embutidos e dos defumados, contaminaram-se com metais tóxicos, foram infectados por vírus, bactérias e fungos e se intoxicaram com o medo, a inveja, a raiva e a depressão.

Em 2003, eu escrevia "sempre é necessário o concurso de várias estratégias para aniquilar por completo esse inimigo tão astuto, tão traiçoeiro, com tanta vontade de sobreviver a qualquer custo, que chega a ser insano, pois a sua vitória significa o seu próprio desaparecimento".

O tempo passa, e ao aprender um pouco mais a bioquímica, a fisiologia e a biologia do câncer em 2007 mudei o meu conceito: "Câncer não são células malignas e sim células doentes tentando sobreviver para manter seu bem mais precioso, genoma. Elas ficaram doentes por alguma causa e o tratamento é afastar a causa enquanto cuidamos do organismo como um todo".

Atualmente são cinco as modalidades convencionais empregadas no tratamento do câncer: cirurgia, quimioterapia, radioterapia, hipertermia e imunoterapia. Destas cinco modalidades, nenhuma delas por si só consegue a erradicação total da doença.

A hipertermia pertence à lista dos tratamentos convencionais aceitos pela *American Cancer Society*, juntamente com a cirurgia, quimioterapia, radioterapia e imunoterapia. A hipertermia foi o 4º método convencional aceito pela comunidade científica. O 5º foi a imunoterapia.

Olav Dahl, em recente artigo original de 1999, afirma que a hipertermia continua sendo uma das mais poderosas modalidades terapêuticas para melhorar a evolução dos pacientes com câncer e também é um dos melhores coadjuvantes que aumenta a eficácia da radioterapia e da quimioterapia.

A hipertermia por radiofrequência (micro-ondas) é uma forma de radiação não ionizante que melhora significativamente os resultados dos outros tratamentos. As células neoplásicas morrem ao atingir temperaturas superiores a 42°C e assim afastamos seu efeito de massa, de compressão nos tecidos vizinhos. Dessa forma, temos tempo para descobrir e afastar o principal, a causa do problema.

Em experimentos clínicos de fase III quando a hipertermia foi associada com a radioterapia, ela melhorou o controle local do melanoma de 28% para 46% em 2 anos de seguimento; provocou aumento da remissão total do câncer recorrente de mama de 38% para 60%, aumentou o índice de remissão total do câncer avançado cervical de 57% para 82% e no glioblastoma multiforme aumentou a sobrevida de 2 anos de 15% para 31%.

Dos vários modos de produzir calor no organismo: febre artificial, banhos de água quente, banhos de parafina, diálise peritoneal, hemodiálise, inalação de ar quente e ultrassom, a radiofrequência (RF) é o método mais simples e mais eficaz. Além do calor, a RF submete as células neoplásicas aos efeitos de um campo eletromagnético.

Os pesquisadores que estudaram os efeitos da hipertermia no câncer já empregaram as seguintes frequências de ondas: 13; 13,56; 27; 70; 360; 434; 915; e 2.450 MHz. A maioria dos pesquisadores e médicos preferem 13,56MHz. Sabe-se que quanto menor for a frequência, maior será a penetração das ondas nos tecidos, aquecendo regiões mais profundas do tumor.

O organismo sozinho não consegue, mas com o emprego de vários tipos de diferentes modalidades estratégicas, cada uma atuando em locais distintos da célula, da massa tumoral e do meio ambiente onde está alojado o tumor, tem-se obtido a erradicação total de vários tipos de neoplasias. A erradicação somente será persistente se afastarmos as causas do problema, o que raramente é realizado e assim temos as recorrências.

O objetivo deste trabalho é rever a literatura médica de bom nível onde se empregou a radiofrequência localizada, com ou sem a oxidação sistêmica, com ou sem quimioterapia ou radioterapia, no tratamento do câncer. Muitas vezes foram eleitos para o estudo pacientes que já haviam esgotado os recursos da medicina convencional (cirurgia, quimioterapia, radioterapia) ou se encontravam em estado tão avançado da doença que o tratamento convencional se restringia apenas aos cuidados paliativos.

Breve histórico sobre a hipertermia

Em 1866, o médico alemão W. Busch relatou o desaparecimento de um sarcoma facial por 2 anos em paciente que apresentou febre alta secundária a dois episódios de erisipela.

Em 1893, Coley reuniu 38 pacientes com câncer avançado que haviam sido submetidos à inoculação de toxina bacteriana da erisipela para a indução de febre alta. Constatou que 12 pacientes foram completamente curados, incluindo um caso de sarcoma extenso que sobreviveu 7 anos e outro também com sarcoma que sobreviveu 27 anos.

Em 1913, Muller na época que surgiu a radioterapia, descreveu 100 pacientes com câncer avançado que foram tratados com raios X e calor. Observou que em 36 pacientes a regressão foi temporária e em 32 a regressão foi total. Somente com raios X as regressões totais foram menores.

Em 1918, Rohdendurg publica trabalho de revisão sobre 166 casos de câncer com regressão espontânea. Verificou que 72 pacientes (43%) haviam desenvolvido febre alta ou recebido aplicações de calor local.

A partir de 1940 surgiram na literatura trabalhos descrevendo os efeitos do calor em culturas de células, em animais de experimentação e em pacientes com câncer (Shoulders, 1942).

Recentemente os estudos foram intensificados por Holt na Austrália, Hornback e Le Veen nos Estados Unidos, Overgaard na Dinamarca e Cavalieri na Itália que provocaram hipertermia por intermédio da radiofrequência.

Efeitos da hipertermia por radiofrequência

Especificidade

O calor não possui especificidade, sendo igualmente eficaz em qualquer tipo de tumor, independentemente da localização ou da histologia. Possíveis exceções foram observadas por Hornback. Muitas vezes com a RF e a radioterapia se verifica drástica diminuição do volume palpável do tumor nos pacientes com adenocarcinoma de pâncreas e estômago. Felippe Jr também notou esses efeitos dramáticos de redução tumoral, no adenocarcinoma de cólon, no hepatocarcinoma e em metástases hepáticas de tumor de reto, empregando a RF mais a oxidação sistêmica.

É importante salientar que não há dor quando o tumor é aquecido a temperaturas que provocariam dor em tecido normal. Assim, os pacientes podem ser tratados sem a necessidade de anestesia e sem a necessidade de internação.

Efeitos físicos

A RF provoca calor pela vibração das moléculas polares da água e das proteínas. O calor é produzido no tumor e nos tecidos normais, porém estes possuem um sistema vascular mais rico que dissipa o calor mais rapidamente. As células normais resistem muito mais ao calor (52-54°C), enquanto as células neoplásicas morrem ao atingir os 42-43°C.

Em 1980, Joines mediu a condutividade do tecido canceroso e não canceroso e mostrou que a razão entre a potência absorvida no tecido canceroso e a potência absorvida no tecido não canceroso variava com a frequência do campo magnético aplicado. Na frequência de 180MHz, a razão era de 5,2/1, mostrando que os efeitos biológicos da RF sobre os tecidos neoplásicos eram 5,2 vezes maiores.

Johnson, em 1987, aventou outro mecanismo de lesão. Ele fez interessante observação sobre o efeito térmico e a informação biológica comparando o sistema de sinalização celular com um circuito eletrônico. O calor limita a eficiência de todos os sistemas que manuseiam informações (*thermal noise*). Esse princípio, que é uma rotina que acontece nos circuitos eletrônicos, passa a ser fundamental nos organismos vivos, que processam informações altamente específicas. O calor provoca a perda da função celular e as células neoplásicas são muito mais suscetíveis que as células normais.

Efeitos fisiológicos

Há mais de 100 anos sabe-se que as células neoplásicas são termolábeis e morrem quando expostas a temperaturas superiores a 42°C.

Tecidos submetidos a um campo de radiofrequência (RF) absorvem energia que se transforma em calor. A microcirculação dos tecidos aquecidos funciona como um dissipador, transportando o calor para longe e esse dissipador é tanto mais eficaz quanto mais rápido for o fluxo sanguíneo. De fato, uma das razões do sucesso da termoterapia por RF na erradicação do câncer é que o tecido tumoral atinge temperaturas muito elevadas por possuírem pobre microcirculação, enquanto nos tecidos vizinhos normais o calor é rapidamente dissipado pelo alto fluxo de sangue.

A maioria dos autores concorda que a terapia por radiofrequência provoca consistentemente a morte do tecido canceroso com um mínimo de destruição do tecido normal vizinho.

Le Veen e colaboradores demonstraram pela técnica de diluição isotópica que o fluxo de sangue no tumor é muito pequeno, somente 2 a 15% do tecido adjacente normal. Os menores valores de fluxo são encontrados nos grandes carcinomas de rim e os maiores nos tumores de intestino. Quanto maior o tumor, menor é o fluxo de sangue que o nutre.

Nos animais de experimentação a RF chega a provocar aumentos de temperatura da ordem de 7 a 9°C acima dos valores encontrados nos tecidos adjacentes normais. Esses tumores são rápida e completamente necrosados. Em seres humanos, consegue-se muitas vezes provocar aumentos de 8 a 10°C acima dos tecidos normais. Le Veen, em 7 pacientes, conseguiu atingir no tumor a temperatura média de 48,4°C, que é bem superior ao ponto de morte térmica do tecido tumoral.

Alterações histológicas

Sugaar e Le Veen, em 1979, descreveram 3 estágios de alterações histológicas provocadas pela RF localizada em tumores sólidos.

No primeiro estágio as células tumorais apresentam alterações degenerativas altamente variáveis com aumento local de granulócitos e plasmócitos. A área tumoral apresenta-se isquêmica (diminuição do fluxo sanguíneo) e a área peritumoral apresenta-se com congestão (alto fluxo sanguíneo).

No segundo estágio em áreas focais do tumor, a parede dos capilares mostra necrose fibrinoide e o estroma tumoral, ao redor dos capilares necróticos, está intensamente infiltrado por pequenos linfócitos. Este fenômeno é específico da RF.

No terceiro estágio encontram-se áreas de necrose de coagulação distribuídas ao redor dos vasos necróticos, cujas paredes estão intensamente infiltradas com pequenos linfócitos. Em outras áreas observam-se células tumorais severamente lesadas, envoltas por linfócitos ou tecido tumoral necrótico com focos hemorrágicos e depósitos de hemossiderina. A maior parte das células neoplásicas degeneradas está em contato direto com pequenos linfócitos. Na porção mais central dos grandes tumores encontra-se necrose extensa de todos os elementos do estroma tumoral e na porção periférica encontram-se as alterações descritas no segundo estágio.

Os efeitos biológicos provocados pela RF lesam seletivamente os capilares neoformados dos tumores sólidos, incluindo as próprias células neoplásicas, e o hospedeiro torna-se particularmente mais reativo a tais células, o que é confirmado pelo grande acúmulo de linfócitos ao redor dessas estruturas.

Efeitos imunológicos

Quando em experimentos *in vivo* um grande número de linfócitos está em contato direto com as células neoplásicas, observa-se logo a seguir drástica destruição do tecido tumoral (Galili, 1977). Sabemos muito bem que, em geral, o hospedeiro não reage aos tumores como um tecido estranho. Pois bem, as lesões celulares provocadas pela RF facilitam a função do sistema imune de defesa, potenciando a antigenicidade do tumor e sua destruição pelo sistema imune (Mondovi, 1972).

Le Veen cita autor que mostrou que a fulguração de carcinoma retal suprimiu o câncer restante por mecanismo imunológico. Nessa mesma linha observa-se que a destruição térmica de câncer implantado de um lado do corpo produz a regressão do câncer implantado no lado contralateral (in Le Veen 1976).

Efeitos bioquímicos

A RF destrói as células cancerosas lesando a membrana celular, o citoesqueleto e o núcleo celular.

O mecanismo de ação da hipertermia é multifatorial. A hipertermia exerce efeito direto sobre o DNA, desnatura proteínas do citoplasma e membrana e induz a expressão das proteínas *heat-shock*. Após a hipertermia, as proteínas *heat-shock* estão presentes na superfície da membrana celular e funcionam como receptores para as células *natural killer*, uma das principais células de defesa imunológica contra o câncer. A hipertermia também induz a apoptose, morte celular programada e inibe a angiogênese tumoral.

Outro efeito recém-descrito é a depleção do NAD intracelular (NAD, NAD+, NADP, NADPH), o que impede a reparação do DNA que foi lesado pela hipertermia. Quando o NAD está deficiente, as células param de se reproduzir na quarta geração, isto é, a mitose cessa na quarta geração por falta de NAD.

Dahl, em 1995, mostrou que a hipertermia aumenta os efeitos da quimioterapia: agentes alquilantes (ifosfamida, ciclofosfamida e melphalan), das nitrosoureias e da cisplatina. As antraciclinas e a bleomicina possivelmente também entram nesta lista.

Termotolerância

Em 1983, Overgaard chama a atenção para o fenômeno da termotolerância nas falhas terapêuticas observadas com a hipertermia. Termotolerância é uma temporária resistência das células ao calor, que se segue a um tratamento prévio. Ela é um fenômeno geral e ocorre tanto nos tecidos tumorais como nos tecidos normais. Existe considerável variação na cinética e na magnitude da termotolerância entre diferentes tecidos e não é possível predizer quando ela irá se desenvolver no tumor, entretanto sabemos que ela depende da lesão calorífica induzida no primeiro tratamento hipertérmico. Se uma temperatura homogênea não for alcançada no tecido, diferentes partes desenvolverão termotolerância em diferentes padrões cinéticos. Portanto, a cada tratamento o tecido expressará diferentes sensibilidades ao calor em diferentes áreas. O melhor meio de resolver o problema é a aplicação de grandes frações de calor a cada tratamento, em intervalos de tempo que permita a termotolerância desaparecer antes que seja administrado o tratamento seguinte.

Trabalhos randomizados têm falhado em mostrar que maior número de sessões são melhores que poucas ou que 2 sessões por semana é pior por causa da termotolerância.

Fatores potenciadores da hipertermia

A resposta sintomática da hipertermia como único tratamento é de cerca de 50% e as remissões completas, para alguns autores, são de apenas 10 a 15% dos casos (in Overgaard, 1995 no livro de Peckelmam), isto é, a hipertermia sozinha possui valor limitado. Entretanto, ela possui a habilidade de aumentar os efeitos da radioterapia e da quimioterapia e possui um grande valor quando associada à oxidação intracelular, a qual aumenta a potência da radiofrequência.

Várias drogas ou procedimentos aumentam os efeitos antitumorais da hipertermia, funcionando como fatores potenciadores:

Vasodilatação sistêmica – hipotensão arterial

O aquecimento seletivo dos tumores pela RF pode ser acentuado quando provocamos hipotensão arterial controlada. A hipotensão sistêmica reduz ainda mais o fluxo venoso sanguíneo de retorno tumoral aquecendo-o mais intensamente.

Em 1989, Horsman, do mesmo grupo de Overgaard da Dinamarca, mostra que a hidralazina aumenta os efeitos da lesão hipertérmica no carcinoma C3H do camundongo, *in vivo*.

Sabe-se que a privação prolongada de oxigênio aumenta a sensibilidade das células ao calor, tanto *in vivo*, como *in vitro*. A hidralazina, vasodilatador periférico usado no tratamento da hipertensão arterial, é capaz de reduzir o fluxo sanguíneo tumoral e aumentar o grau de hipóxia tumoral. No camundongo, uma única injeção por via intravenosa de hidralazina aumenta significativamente a lesão pelo calor (banho-maria a 41,5, 42,5 ou 43,5ºC) em vários tempos de exposição. O efeito não é dose-dependente e a maior resposta acontece quando se aplica o calor 1 hora após a injeção da hidralazina.

O autor concluiu que os resultados potenciadores da hidralazina são consequência do aumento da hipóxia tumoral, porém, hoje sabemos que a hidralazina aumenta a fluidez da membrana citoplasmática, possivelmente um fator mais forte de termossensibilidade. Outro efeito da hidralazina é acordar genes silenciados pela hipermetilação das ilhas CpG do DNA (efeito epigenético).

Hipóxia e acidose

Overgaard, em 1977, já escrevia sobre a influência da hipóxia e da acidose na resposta da célula neoplásica à hipertermia *in vitro*. O efeito da hipertermia é aumentado consideravelmente quando se faz o tratamento com pH de 6,4 com ou sem hipóxia. Ainda em 1977, Overgaard e Poulsen mostraram que a incubação a 42,5ºC com pH de 6,4 aumenta significantemente a atividade proteolítica intracelular tumoral. Esse fato suporta a hipótese que o aumento da atividade lisossomal é muito importante na destruição das células tumorais pela hipertermia *in vivo*.

Número de macrófagos

Urano e Suit, em 1984, empregando a hipertermia mais o *Corynebacterium parvum*, um imunoestimulante, no fibrossarcoma de camundongo, constataram que o aumento de macrófagos induzido pelo *C. parvum* aumentou a resposta térmica das células tumorais (morte celular). A hipertermia foi feita por imersão em água quente. Uma só injeção de *C. parvum* não conseguiu aumentar a resposta térmica. Para se obter o efeito são necessários 3 dias seguidos de administração do extrato da bactéria, que é o modo de se provocar aumento do número de macrófagos no animal.

Cheng, em 1976, já havia administrado o *C. parvum* a seres humanos e constatado que seu emprego é seguro e bem tolerado, apesar de os efeitos adversos serem moderadamente severos. Atualmente podemos provocar aumento do número de macrófagos praticamente sem efeitos adversos empregando-se a glucana por via intravenosa (Felippe Jr, 1990).

Metronidazol

O metronidazol aumenta os efeitos antitumorais da hipertermia e da quimioterapia. O mecanismo permanece desconhecido, porém Finegold acredita que o metronidazol é citotóxico para as células em hipóxia dos mamíferos, sejam elas normais ou transformadas e Falk acredita que tal substância provoque maior aumento da temperatura tumoral.

Falk, em 1983, no Canadá, estudou o metronidazol como coadjuvante da hipertermia em 135 pacientes com vários tipos de tumores metastáticos que não haviam respondido à melhor terapia convencional disponível na época. O metronidazol foi administrado por via oral na dose de 500mg, de 30 em 30 minutos, por 3 vezes, imediatamente antes da hipertermia com 13,56MHz.

O autor observou maior aumento da temperatura tumoral nos pacientes que receberam o metronidazol. De fato, nos pacientes com tumores profundos, a temperatura no cerne do tumor no grupo sem o coadjuvante atingiu 40°C e no grupo com o coadjuvante atingiu valor bem maior, 43°C. Essa diferença de temperatura influenciou os resultados benéficos da estratégia, constatando-se regressão superior a 50% em metade dos pacientes do grupo metronidazol. No grupo sem a droga a regressão atingiu apenas 29% dos pacientes. Entretanto, mesmo este resultado é muito bom sabendo-se que eram pacientes com tumores metastáticos que não haviam respondido ao melhor regime terapêutico convencional.

Anfotericina B

A anfotericina B reduz a temperatura necessária para matar células de cobaia crescendo em cultura.

Procaína e outros anestésicos

A procaína é um agente anestésico que aumenta a fluidez de membrana e, desse modo, consegue potenciar os efeitos da hipertermia. Ela aumenta a fluidez, diminui a viscosidade e diminui a estabilidade da membrana celular, isto é, a procaína desorganiza a membrana e essa desorganização aumenta com a aplicação de calor a um ponto onde a alteração estrutural provoca a morte celular.

Ao lado da procaína, outros agentes anestésicos também possuem efeitos semelhantes: dibucaína, lidocaína, tetracaína e marcaína. Em bases molares, a dibucaína é o mais eficaz, enquanto a procaína é o menos eficaz em potenciar a morte celular por hipertermia:

Dibucaína > Lidocaína > Tetracaína >
Marcaína > Procaína

Yau, em 1980, mostra que a procaína é mais eficaz como radioprotetor óxico e a lidocaína é mais eficaz como radiossensibilizante hipóxico.

Os anestésicos locais exercem seu efeito farmacológico impedindo o acesso dos íons sódio ao interior do neurônio, isto é, eles promovem a polarização da membrana citoplasmática. Como esse efeito é inespecífico, a procaína nas células tumorais também provoca polarização da membrana citoplasmática. Se esta polarização elevar o potencial de ação para níveis superiores a −15mv cessa a proliferação celular, para a mitose. Em adição, os anestésicos locais alteram importantes funções celulares dependentes da integridade funcional do citoesqueleto.

A procaína inibe as DNA metiltransferases e, portanto, é um agente demetilante que "acorda" genes supressores de tumor silenciados pela hipermetilação das ilhas CpG (efeito epigenético). Por meio de outros mecanismos, a procaína inibe o crescimento tumoral, provocando parada da mitose.

Agentes oxidantes

Todas as substâncias capazes de provocar peroxidação lipídica na membrana citoplasmática aumentam sua fluidez e consequentemente aumentam os efeitos da hipertermia sobre as células tumorais.

Caracteristicamente, a membrana celular da célula neoplásica já apresenta maior fluidez de membrana: maior permeabilidade, menor viscosidade e menor rigidez. Dessa forma, o uso concomitante de oxidantes sistêmicos por via intravenosa e oral, como empregado em clínica, aumenta mais ainda os efeitos da radiofrequência sobre o tumor (Felippe Jr, 2003).

Há muitos anos, precisamente em 1935, Dixon sugeriu que a presença de agentes oxidantes poderia controlar o câncer e Baker, em 1937, demonstrou essa hipótese verificando que o aumento da glutationa oxidada (GS-SG) era capaz de inibir a glicólise anaeróbia.

De fato, quando o meio intracelular é oxidante, isto é, o equilíbrio da oxirredução tende para a oxidação, à medida que a GS-SG (glutationa oxidada) é formada ela inibe a glicólise anaeróbia. A inibição da glicólise anaeróbia faz parar o ciclo celular (mitose) e a consequência é a diminuição da proliferação celular neoplásica com apoptose ou necrose da célula tumoral (Felippe, 2004).

Quando o potencial redox é alto, as células estão em estágio quiescente, sem proliferação. Quando o potencial redox é alto, isto é, quando o meio intracelular é oxidante se formam pontes S-S de dissulfeto (por exemplo: GS-SG). Essas pontes estabilizam a estrutura tridimensional das proteínas e nessas condições a proteína retinoblastoma (RBp) está defosforilada e, portanto, não ocorre a transcrição nuclear necessária para o avanço do ciclo celular e as células continuam no estado quiescente, sem proliferação. Fato importante é outro efeito do potencial redox alto. Ele inibe o fator de transcrição nuclear NF-kappaB, o qual diminui a proliferação celular, promove a apoptose e dificulta a neoangiogênese tumoral (Felippe, 1990, 1994, 2003, 2004, 2005).

Se o meio intracelular é mantido oxidante consegue-se bloquear a proliferação mitótica e a célula pode entrar na fase G0 ou sofrer citotoxicidade, posteriormente caminhando para apoptose e ou necrose.

É muito interessante saber que as células cancerosas requerem apenas um leve aumento do potencial redox para cessarem a proliferação, entretanto este leve aumento deve ser contínuo e ininterrupto até acontecer a apoptose, porque se houver queda do potencial redox restaura-se a fosforilação da proteína retinoblastoma e as células voltam a proliferar (Felippe, 2004, 2005).

Devemos lembrar de que as substâncias que provocam queda do GSH estimulam a atividade da glicose-6--fosfatodesidrogenase, como mecanismo de defesa, o que aumenta a produção de NADPH na tentativa de corrigir o excesso de oxidação. Esta é a razão da necessidade de se inibir a G6PD e também a transcetolase do ciclo das pentoses para provocarmos uma oxidação sustentada e assim aumentarmos a eficácia desta estratégia anticâncer.

Recentemente surgiram inúmeros trabalhos em animais de experimentação inoculados com células de vários tipos de câncer humano e em cultura de vários tipos de células neoplásicas humanas, mostrando que o meio intracelular oxidante provoca parada do ciclo celular e apoptose pelos seguintes mecanismos:

a) Acúmulo da proteína p53.
b) Ativação da cascata das caspases.
c) Ativação da deoxirribonuclease.
d) Defosforilação da proteína retinoblastoma.
e) Inibição da proteína tirosina quinase.
f) Inibição da Cdc25 fosfatase.
g) Inativação do cdK1.
h) Diminuição da atividade da fosfofrutoquinase com diminuição do NADH.
i) Inibição da expressão da proteína Bcl-2.
j) Inibição do fator de transcrição nuclear NF-kappaB.

Estes efeitos foram observados em mais de 20 tipos de câncer humano incluindo: mama, próstata, pulmão, astrocitomas, gliomas, tumores de cabeça e pescoço, colorretal, fígado, pâncreas, carcinoma epidermoide etc. (Felippe, 1990, 2003, 2004, 2005, 2006, 2007).

Fluidez de membrana

Milton B Yatvin, em 1977, mostra que a fluidez da membrana é o principal fator que contribui para a morte da célula exposta à hipertermia.

Todas as substâncias que aumentam a fluidez de membrana provocam aumento dos efeitos da hipertermia. Por ser de relevada importância no mecanismo tumoral, a fluidez de membrana será descrita em tópico especial.

Termometria

Van der Zee, do grupo de Rotterdam, relata, em 1998, que a termometria invasiva tumoral provoca aumento da morbidade. Cerca de 64% dos cateteres introduzidos para a medida da temperatura necessitam ser removidos por algum tipo de complicação, incluindo infecção e sangramento e principalmente dor. Outro problema é que a temperatura não é uniforme no tumor.

Trabalhos clínicos e experimentais

Em 1976, Le Veen publica estudo intitulado "Erradicação Tumoral pela Radiofrequência" mostrando necrose tissular e substancial regressão tumoral em 21 pacientes. Ele empregou RF a 13,56MHz.

O primeiro paciente desta série, com carcinoma epidermoide de pulmão e metástase em cabeça do fêmur, experimentou imediata melhora da dor, porém logo a seguir ocorreu fratura espontânea que na cirurgia revelou extensas áreas de necrose e somente em locais limitados era possível identificar o tumor.

Em seis pacientes com carcinoma primário de pulmão em estágio avançado, foi possível fazer de 1 a 5 exposições de RF antes da toracotomia. Todos se sentiram melhor após o tratamento. No espécime cirúrgico ao exame microscópico encontraram-se extensas áreas de necrose tumoral. Em um paciente com carcinoma inoperável de células gigantes de pulmão, o tumor necrosou após 2 aplicações de RF e pôde ser extirpado, isto é, tornou-se operável. O tumor não operável de pulmão em outro paciente desapareceu por completo após a RF.

Os pacientes com câncer de cabeça e pescoço que falharam em responder ao tratamento cirúrgico e à radioterapia responderam bem à RF. Conseguiu-se a destruição do tumor com necrose das células tumorais e grande melhoria dos pacientes.

Nos carcinomas recorrentes de abdome o tratamento foi mais difícil. Um paciente com adenocarcinoma de cólon com 15cm de diâmetro na parede abdominal e recidivante foi considerado inoperável. Nove tratamentos semanais provocaram aumento da temperatura da massa tumoral para 50°C, enquanto os tecidos adjacentes permaneciam em 39,4°C. Quando a massa atingiu 4cm retirou-se o tumor cirurgicamente.

Em quatro pacientes com carcinoma intra-abdominal, a temperatura tumoral não atingiu os valores terapêuticos e os resultados terapêuticos foram limitados, entretanto, em três observou-se extensa necrose tumoral.

Um paciente com carcinoma anaplástico envolvendo a metade direita do abdome foi tratado com RF durante a cirurgia. Em consequência da extensa necrose tumoral observou-se grande aumento do ácido úrico (17mg%) juntamente com grandes elevações dos níveis de TGO, DHL e CPK.

Um paciente com hipernefroma foi tratado 2 vezes antes da cirurgia. O tumor removido apresentava-se totalmente necrótico, exceto por uma pequena área não atingida pela radiofrequência.

Em 1980, Le Veen tratou 32 pacientes com câncer de pulmão somente com a hipertermia por RF (13,65MHz). A histologia era de 26 carcinomas epidermoides e 6 adenocarcinomas. Todos os pacientes apresentavam tumores não ressecáveis cirurgicamente. Houve regressão do tumor em 11 dos 32 casos (34%). Constatou-se dramática melhoria sistêmica em 27 dos 32 pacientes, com aumento da disposição, do apetite e do peso. A doença foi completamente erradicada em seis pacientes (18,75%), 2 deles já com 3 anos de sobrevida.

Em 1984, Le Veen afirma que a RF por si só consegue diminuir o volume dos tumores sólidos, porém sozinha não é capaz de erradicar totalmente a massa tumoral.

Overgaard foi outro grande estudioso do assunto. Em 1987, Overgaard sugere o uso da unidade biológica de calor, para ser utilizada na comparação de protocolos clínicos. Ela é expressa como "equivalente de tempo de exposição a 43°C" e depende do tempo de exposição e da temperatura alcançada no tumor.

Em clínica existem muitas variáveis que influenciam fortemente esta unidade. Primeiro, a distribuição do calor geralmente é heterogênea e flutua com o tempo. Segundo, os tratamentos clínicos são feitos de uma forma fracionada e é quase certo que a termo tolerância irá influenciar no efeito biológico do calor. Podemos ainda acrescentar um terceiro fator, esquecido por muitos pesquisadores. A hipertermia por radiofrequência acrescenta ao calor a influência de um campo eletromagnético, que interfere positivamente na erradicação tumoral. A RF dependendo da frequência e potência pode diminuir a entropia negativa e assim diminuir o grau de ordem-informação do sistema termodinâmico tumoral, contribuindo para sua desintegração.

Desde 2004 todas as nossas estratégias visam aumentar a entropia negativa para aumentar o grau de ordem-informação do sistema termodinâmico aberto celular, enquanto estruturamos a água citoplasmática e afastamos as causas do problema.

Overgaard resumiu sua experiência sobre o efeito adjuvante da hipertermia na radioterapia, em um total de 2.234 pacientes com tumores das mais variadas histologias. Somente com a radioterapia observou completa remissão dos tumores em 35% dos pacientes e com o efeito combinado com a hipertermia esse número se elevou para 65%. Os melhores efeitos foram observados no câncer de mama, câncer de cabeça e pescoço e melanoma maligno.

Nos Estados Unidos, Universidade de Washington, Hornback se destacou por seus inúmeros trabalhos sobre a hipertermia no câncer.

Em 1977, ele descreve os resultados clínicos preliminares do uso da hipertermia por micro-ondas (434MHz) juntamente com a radioterapia. Setenta pacientes com câncer avançado refratário ao tratamento convencional foram tratados com a combinação de micro-ondas e radiação ionizante. Somente 21 pacientes completaram o protocolo e em 9 semanas de tratamento 90% dos pacientes experimentaram melhora completa dos sintomas e 10% melhora parcial. Observou o espetacular resultado de completa remissão de todos os tumores em 16 de 20 pacientes (80%). Nove dos pacientes que responderam completamente ficaram livres de recidiva por 9 a 14 meses pelo menos (data da publicação do trabalho).

Cada paciente recebeu 20 minutos de micro-ondas local e imediatamente depois a radiação ionizante. Constavam do estudo: 9 carcinomas de cabeça e pescoço com ou sem metástase ganglionar; 4 carcinomas recorrentes de mama; 2 Ca de cérvix invadindo a bexiga e reto; 1 Ca recorrente de lábio e língua com metástase no pescoço; 1 Ca recorrente de reto com metástase em sacro; 1 melanoma recorrente anal com metástase pulmonar e cerebral; 1 carcinoma de testículo; 1 leiomiossarcoma de intestino delgado e 1 rabdomiossarcoma retroperitoneal.

A opinião dos clínicos envolvidos no protocolo foi que o calor administrado por micro-ondas potenciou os efeitos ionizantes da radioterapia e os resultados terapêuticos foram acima daqueles esperados somente com a radiação.

Pelo fato que todos os pacientes no estudo apresentavam câncer refratário ao tratamento médico, a marcante melhora dos sintomas e a regressão tumoral observada foram consideradas encorajadoras pelo modesto autor.

Em 1977, Hornback escreve outro trabalho, agora para desvendar quando a hipertermia era mais eficaz, antes ou depois da radioterapia. Empregou a RF a 434MHz, a qual penetra mais profundamente do que a RF a 2.450MHz. Todos os pacientes apresentavam câncer sintomático avançado, diagnosticados por histologia, que não estavam respondendo ao tratamento convencional.

A histologia tumoral era assim distribuída: 33 pacientes com carcinoma epidermoide, 25 com adenocarcinoma, 3 com melanoma maligno, 2 tumores cerebrais e o restante miscelânea.

A hipertermia foi aplicada por 30 minutos, e a radiação, 500 a 600 rads ao dia com dose total de 3.000 a 6.500 rads.

Dos 102 pacientes, 72 completaram o protocolo. Aqueles que receberam calor antes da radiação, 32/60 ou 53% experimentaram remissão completa dos sintomas. No grupo exposto ao calor depois da radiação o efeito foi muito maior; 11/12 ou 92% alcançaram remissão completa dos sintomas (não do tumor).

Apesar da excelente resposta sintomática, 40 dos 72 pacientes faleceram. A causa da maioria dos óbitos foi por metástases. Entretanto, é digno de se ressaltar que 12 dos 72 pacientes (17%) ficaram sem evidências clínicas e radiológicas da doença. Eles não podem ser considerados curados, porém permaneceram vivos por pelo menos 14 meses, época que foi publicado este trabalho. Muitos pacientes que inicialmente falharam em responder a altas doses de radiação ionizante apresentaram resposta dramática a menores doses quando feita em conjunto com a RF.

Scott e Hornbaack, em 1988, empregam a RF com a radiação ionizante em tumores superficiais malignos com menos de 4cm de profundidade (resolução do aparelho gerador de RF). A dose total de radiação foi de 60Gy, administrada em frações de 2Gy, 5 vezes por semana. A hipertermia foi administrada 2 vezes por semana, 15 minutos após a radiação, com tempo de exposição de 60 minutos, o que provocou aumento da temperatura tumoral para 43°C. Dos 133 pacientes iniciais, 117 completaram o protocolo e estavam assim distribuídos: 46% adenocarcinoma de mama, 35% carcinoma epidermoide de cabeça e pescoço e 19% em outros locais. Observou-se remissão completa do tumor em 85% dos pacientes. Após 2 anos de evolução não houve recidiva tumoral.

A partir de 1967, surge na Itália, liderados por Cavalieri, uma série de trabalhos sobre hipertermia e a associação com quimioterapia. O grupo estudou os mecanismos bioquímicos, os lisossomas e a respiração celular das células cancerosas submetidas ao calor.

Em 1983, Monticelli e Cavalieri descreveram os princípios teóricos e as investigações clínicas sobre a técnica de perfusão seletiva dos membros com ou sem agentes antiblásticos juntos com a hipertermia. Descrevem 29 casos de neoplasias: osteossarcoma, histiocitoma, fibroma maligno, adamantinoma, fibrossarcoma, sarcoma de células gigantes, tumor de Ewing e sinovioma. O seguimento de longo prazo mostrou que a técnica reduz significantemente o risco de recidiva local e em alguns casos transforma as desarticulações em simples amputações.

Di Filippo e Cavalieri, em 1989, mostram a importância da temperatura alcançada no tumor e o tempo de exposição na erradicação do melanoma recorrente de membros.

Calabro e Cavalieri, também em 1989, testam *in vitro* a termoquimiossensibilidade de vários tumores humanos e mostram os efeitos potenciadores da cisplatina, mas não da adriamicina. Quanto maior a temperatura alcançada e maior o tempo de exposição, maior é a quimiossensibilidade do tumor à cisplatina. Com a adriamicina observa-se muitas vezes um antagonismo com a hipertermia *in vitro*. Em 1976, Overgaarg já havia mostrado *in vivo* os efeitos antagônicos entre a hipertermia e a adriamicina no carcinoma mamário murino.

Marmor, em 1977, mostra que a RF com 13,5MHz é eficaz contra sarcomas (EMT-6) e carcinomas (KHJJ) de camundongos. Os sarcomas são mais sensíveis ao calor: 5 minutos de exposição a 44°C cura quase 50% dos camundongos. Os carcinomas são um pouco mais resistentes, porém quase todos os animais tratados a 43,5°C ou mais foram curados dos seus tumores. Em ambos os tipos de câncer a taxa de cura é função da temperatura tumoral e da duração da exposição. Devido ao câncer nos camundongos ser por transplante das células tumorais, uma vez necrosadas o animal está curado. Diferente dos seres humanos, onde precisamos detectar a causa do tumor e afastá-la, enquanto diminuímos o efeito de massa com a RF ou outro método. Não retirar a causa é condenar o paciente à recidiva, metástases e morte.

Conclusão

A hipertermia interfere diretamente na vida das células neoplásicas provocando necrose por efeito físico na membrana celular, no núcleo e no citoesqueleto. A oxidação sistêmica interfere em várias vias de transdução de sinais aumentando a apoptose, diminuindo a proliferação celular mitótica e provocando antiangiogênese. Da maior relevância é que tudo isso acontece nos mais variados tipos de tumores, isto é, independente da histologia.

As células neoplásicas são carne da nossa própria carne que após sofrimento intenso provocado por agentes químicos, físicos ou biológicos entram em "estado de quase-morte". Neste momento elas colocam em ação mecanismos de sobrevivência adquiridos nos últimos 3,8 bilhões e se multiplicam para não morrerem, mantendo assim seu bem mais precioso: genoma.

Quando estas células já doentes e em sofrimento são duramente agredidas pela quimioterapia ou radioterapia, parte delas morre e a outra parte fica mais forte e mais resistente a novas investidas sanguinárias, pois as células doentes colocam em funcionamento os mecanismos de sobrevivência adquiridos nos bilhões de anos de luta pela vida; os mesmos mecanismos que fizeram os seres humanos permanecerem vivos até hoje no planeta Terra.

Estes fatos mostram que devemos usar um conjunto de elementos terapêuticos quando empregamos as estratégias que agridem exageradamente estas células que estão tentando sobreviver.

Atualmente dispomos de muitas substâncias que funcionam transformando as células neoplásicas em células benignas num processo chamado de diferenciação celular: genisteína, óleo de peixe ômega-3, ácido linoleico conjugado (CLA), ácido retinoico, trióxido de arsênio, quercetina, curcumina, dicloroacetato de sódio, ácido ursólico etc.

As células doentes, em sofrimento e desesperadas, querem sobreviver a qualquer custo e para isto colocam em ação todos os mecanismos potentes de sobrevivência. Esta é a razão de não conseguirmos com apenas um elemento ou substância controlar o problema.

Dessa maneira, devemos montar estratégia química e física para sermos eficazes em vários locais da célula transformada e assim interferir em vários pontos do processo neoplásico: estratégia de indução da oxidação intratumoral com inibição das enzimas- chave de defesa metabólica (G6PD e transcetolase), emprego do CLA, ômega-3 e genisteína acrescido da hipertermia por radiofrequência localizada e uma dieta coadjuvante inteligente (Felippe, 2007), ao lado de afastar a causa, seria uma hipótese.

Se a causa permanece continuam os efeitos. Não está longe a cura, a verdadeira cura desta doença. É a esperança de todos nós. **JFJ**

Referências

1. Algire GH, Legallais FY. Vascular reactions of normal and malignant tissues in vivo: IV. The effect of peripheral hypotension on transplanted tumors. J Natl Cancer Inst. 12:399-410;1951.
2. Baker Z. Glutathione and the Pasteur reaction. Biochem J. 31:980-6;1937.
3. Baker Z. Studies on the inhibition of glycolysis by glyceraldehydes. Biochem J. 32:332-41;1938.
4. Busch W. Uber den Einfluss welchen heftigere Erysipelen zuweilen auf organisierte Neubildungen ausuben. Verhandlungen des Naturh, Verein Preuss. Rheinl. 23:28-30;1866 (resumo em inglês).
5. Calabro A, Singletary SE, Tucker S, et al. In vitro thermo-chemosensitivity screening of spontaneous human tumors: significant potentiation for cisplatin but not adriamycin. Int J Cancer. 43(3):385-90;1989.
6. Cater DB, Grigson CMB, Watkins DA. Changes of oxygen tension of tumors induced by vasoconstrictor and vasodilator drugs. Acta Radiol. 58:401-34;1962.
7. Cavaliere R, Ciocatto EC, et al. Selective heat sensitivity of cancer cells. Biochemical and clinical studies. Cancer. 20(9):1351-81;1967.
8. Cavaliere R, Moricca G, Di Filippo F, et al. Hyperthermic perfusion 16 years after its first clinical applications. Henry Ford Hosp Med J. 29(1):32-6;1981.
9. Cavaliere R, Ciocatto ED, Giovanella BC. Selective heat sensitivity of cancer cells. Cancer. 20:1351-81;1967.
10. Cheng VS, Suit HD, Wang CC, Cummings C. Nonspecific immunotherapy by Corynebacterium parvum: phase I toxicity study in 12 patients with advanced cancer. Cancer. 37(4):1687-95;1976.
11. Congresso de Hipertermia – outubro de 1998. Vide www.medicinacomplementar.com.br. Setor – Biblioteca de câncer.
12. Congresso de Hipertermia – setembro de 1999. Vide www.medicinacomplementar.com.br. Setor – Biblioteca de câncer.
13. Congresso de Hipertermia – outubro de 2002. Vide www.medicinacomplementar.com.br. Setor – Biblioteca de câncer.
14. Crile GJr. Selective destruction of cancers after exposure to heat. Ann Surg. 156:404-7;1962.
15. Dahl O. Interaction of heat and drugs in vitro and in vivo. In: Seegenschmiedt MH, Fessenden P, Vernon CC (eds). Medical radiology-diagnostic imaging and radiation oncology. Berlin: Springer-Verlag; vol. 1. p 103-21. 1995.
16. Dahl O, Dalene R, Schem BC, Mella O. Status of clinical hyperthermia. Acta Oncologica. 38(7):863-73;1999.
17. Dahl O, Overgaard J. A century with hyperthermic oncology in Scandinavia. Acta Oncol. 34:1075-83;1995.
18. Das SK, Clegg ST, samulski TV. Electromagnetic thermal therapy power optimization for multiple source applicators. Int J Hyperthermia. 15:291-308;1999.
19. Dewhirst MV, Phillips TL, Samulski TV. RTOG quality guidelines for clinical trials using hyperthermia. Int J Radiat Oncol Biol Phys. 18:1249-59;1990.
20. Di Filippo F, Calabrò A, Giannarelli D, et al. Prognostic variables in recurrent limb melanoma treated with hyperthermic antiblastic perfusion. Cancer. 63(12):2551-61;1989.
21. Dixon KC. The oxidative disappearance of lactic acid from brain and the Pasteur reaction. Biochem J. 29:973-7;1935.
22. Falk RE, Moffat FL, Falk JA, et al. The effect of radiofrequency hyperthermia and chemotherapy upon human neoplasms when used with adjuvant metronidazole. Surg Gynecol Obstet. 157(6):505-12;1983.

23. Felippe JJr. Bioeletromagnetismo: Medicina Biofísica. Journal of Biomolecular Medicine & Free Radicals. 6(2):41-4;2000.
24. Felippe JJr. Estratégia de indução de apoptose, de inibição da proliferação celular e de inibição da angiogênese com a oxidação intratumoral no tratamento do câncer. Revisão com 256 referências bibliográficas. www.medicinabiomolecular.com.br.
25. Felippe JJr. Georges Lakhovsky: Efeito das Ciências Físicas na Biologia. Journal of Biomolecular Medicine & Free Radicals. 6(1):16-21;2000.
26. Felippe JJr.Tratamento de doenças envolvendo frequência de ondas. Journal of Biomolecular Medicine & Free Radicals. 6(2):39-40;2000.
27. Felippe JJr. A hiperinsulinemia é importante fator causal do câncer e o seu controle possui valor na prevenção e tratamento desta doença metabólica. Revista Eletrônica da Associação Brasileira Medicina Biomolecular. www.medicinabiomolecular.com.br. Tema do mês de maio de 2005.
28. Felippe JJr. A hipoglicemia induz citotoxicidade no carcinoma de mama resistente à quimioterapia. Revista Eletrônica da Associação Brasileira de Medicina Biomolecular. www.medicinabiomolecular.com.br. Tema do mês de fevereiro de 2005.
29. Felippe JJ. A insulinemia elevada possui papel relevante na fisiopatologia do infarto do miocárdio, do acidente vascular cerebral e do câncer. Revista Eletrônica da Associação Brasileira de Medicina Biomolecular www.medicinabiomolecular.com.br. Tema do mês de abril de 2005.
30. Felippe JJr. Desacetilação como mecanismo de controle epigenético do Câncer: Inibição da Proliferação Celular Maligna, Aumento da Diferenciação Celular e Aumento da Apoptose. Revista Eletrônica da Associação Brasileira de Medicina Biomolecular. www.medicinabiomolecular.com.br. Tema do mês de julho de 2004.
31. Felippe JJr. Dieta Inteligente. Journal of Biomolecular Medicine & Free Radicals.6(3):85-95;2000.
32. Felippe JJr. Eficácia da Indução Oxidante Intracelular e da Aplicação de Radio Freqüência no Tratamento do Câncer: Estratégia Química e Física. Revista Eletrônica da Associação Brasileira de Medicina Biomolecular. www.medicina biomolecular.com.br. Tema do mês de abril de 2003.
33. Felippe JJr. Estratégia Biomolecular: uma das Bases da Medicina do Futuro. Revista Brasileira de Medicina Complementar. 7(1):8-9;2001.
34. Felippe JJr. Estratégia Terapêutica de Indução da Apoptose, da Inibição da Proliferação Celular e da Inibição da Angiogênese com a Oxidação Tumoral Provocada por Nutrientes Pró-Oxidantes. Revista Eletrônica da Associação Brasileira de Medicina Biomolecular. www.medicinabiomolecular.com.br. Tema do mês de fevereiro de 2003.
35. Felippe JJr. Fluidez da membrana: possivelmente o ponto mais fraco das células malignas. Revista Eletrônica da Associação Brasileira de Medicina Biomolecular. www.medicinabiomolecular.com.br. Tema do mês de maio de 2004.
36. Felippe JJr. Medicina Biomolecular. Revista Brasileira de Medicina Biomolecular e Radicais Livres. 1(1):6-7;1994.
37. Felippe JJr. Metabolismo da Célula Tumoral – Câncer como um Problema da Bioenergética Mitocondrial: Impedimento da Fosforilação Oxidativa – Fisiopatologia e Perspectivas de Tratamento. Revista Eletrônica da Associação Brasileira de Medicina Biomolecular. www.medicinabiomolecular.com.br. Tema do mês de agosto de 2004.
38. Felippe JJr. Metabolismo das Células Cancerosas: A Drástica Queda do GSH e o Aumento da Oxidação Intracelular Provoca Parada da Proliferação Celular Maligna, Aumento da Apoptose e Antiangiogênese Tumoral. Revista Eletrônica da Associação Brasileira de Medicina Biomolecular. www.medicinabiomolecular. com.br. Tema do mês de setembro de 2004.
39. Felippe JJr. O Controle do Câncer com um Método Muito Simples e Não Dispendioso: Provocar a Hiperpolarização celular com Dieta Pobre em Sódio e Rica em Potássio. Estratégia Química e Física. Revista Eletrônica da Associação Brasileira de Medicina Biomolecular. www.medicinabiomolecular.com.br. Tema do mês de janeiro de 2004.
40. Felippe JJr. Radicais Livres como Mecanismo Intermediário de Moléstia. In Felippe Jr. Pronto Socorro: Fisiopatologia – Diagnóstico – Tratamento. Rio de Janeiro: Guanabara Koogan; p 1168-73. 1990.
41. Felippe JJr. Tratamento imunológico das infecções com o imunoestimulante glucana. In: Felippe Jr. Pronto Socorro: Fisiopatologia – Diagnóstico – Tratamento. Rio de Janeiro: Guanabara Koogan; p 1168-73. 1990.
42. Felippe JJr. Substância Fundamental: Elo Esquecido no Tratamento do Câncer. Revista Eletrônica da Associação Brasileira de Medicina Biomolecular. www.medicinabiomolecular.com.br. Tema do mês de março de 2004.
43. Felippe JJr. Tratamento do Câncer com Medidas e Drogas que Acordam Genes Silenciados pela Metilação das ilhas CpG do DNA. Revista Eletrônica da Associação Brasileira de Medicina Biomolecular. www.medicinabiomolecular.com.br. Tema do mês de abril de 2004.
44. Felippe JJr. Tratamento do Câncer com medidas e drogas que Inibem o fator nuclear NF-kappaB. Revista Eletrônica da Associação Brasileira de Medicina Biomolecular. www.medicinabiomolecular.com.br. Tema do mês de fevereiro de 2004.
45. Felippe JJr. Câncer: população rebelde de células esperando por compaixão e reabilitação. Revista Eletrônica da Associação Brasileira de Medicina Biomolecular. www.medicinabiomolecular.com.br. Biblioteca de Câncer, 2005.
46. Felippe JJr. Genisteína e câncer: diminui a proliferação celular maligna, aumenta a apoptose, suprime a neoangiogênese e diminui o efeito dos fatores de crescimento tumoral. Revista Eletrônica da Associação Brasileira de Medicina Biomolecular www.medicinabiomolecular.com.br. Biblioteca de Câncer, 2006.
47. Felippe JJr. Benzaldeído e câncer: leucemia mielocítica aguda, linfoma maligno, mieloma múltiplo, leiomiossarcoma e carcinomas de língua, parótida, pulmão, mama, esôfago, estômago, fígado, pâncreas, cólon, reto, rins, cérebro, bexiga e seminoma de testículo. Revista Eletrônica da Associação Brasileira de Medicina Biomolecular. www.medicinabiomolecular.com.br. Biblioteca de Câncer, 2007.
48. Felippe JJr. Ácido linoleico conjugado (CLA) e câncer: inibição da proliferação celular maligna, aumento da apoptose e diminuição da neoangiogênese tumoral. Revista Eletrônica da Associação Brasileira de Medicina Biomolecular. www.medicinabiomolecular.com.br. Biblioteca de Câncer, 2006.
49. Felippe JJr. Glicose-6-fosfatodehidrogenase (G6PD) e câncer: a inibição da enzima diminui drasticamente a proliferação celular maligna, aumenta a apoptose e suprime os efeitos de fatores de crescimento tumoral. Revista Eletrônica da Associação Brasileira de Medicina Biomolecular. www.medicinabiomolecular. com.br. Biblioteca de Câncer, 2006.
50. Felippe JJr. Selênio: diminui a proliferação celular maligna, inibe a angiogênese tumoral e provoca apoptose. Revista Eletrônica da Associação Brasileira de Medicina Biomolecular. Biblioteca de Câncer, 2006.
51. Felippe JJr. Óleo de peixe ômega-3 e câncer: diminuição da proliferação celular maligna, aumento da apoptose, indução da diferen-

ciação celular e diminuição da neoangiogênese tumoral. Revista Eletrônica da Associação Brasileira de Medicina Biomolecular. Biblioteca de Câncer, 2006.
52. Felippe JJr. Molibdênio e Câncer. Revista Eletrônica da Associação Brasileira de Medicina Biomolecular. Biblioteca de Câncer, 2006.
53. Felippe JJr. A vitamina B1 – tiamina – é contraindicada no câncer porque aumenta a proliferação celular maligna via ciclo das pentoses: contraindicação formal. Revista Eletrônica da Associação Brasileira de Medicina Biomolecular. Biblioteca de Câncer, 2005.
54. Felippe JJr. Os antioxidantes diminuem a eficácia da quimioterapia anticâncer. Revista Eletrônica da Associação Brasileira de Medicina Biomolecular. Biblioteca de Câncer, 2005.
55. Felippe JJr. O Fator de Crescimento Semelhante a Insulina (IGF-I) aumenta a proliferação celular, diminui a apoptose das células malignas, promove a angiogênese tumoral e facilita o aparecimento e a manutenção de vários tipos de câncer. Revista Eletrônica da Associação Brasileira de Medicina Biomolecular, Biblioteca de Câncer, 2005.
56. Felippe JJr. Somatostatina: efeitos anticâncer ligados ao seu papel no metabolismo dos carboidratos porque ela inibe as enzimas glicose-6-fosfatodehidrogenase e transcetolase. Revista Eletrônica da Associação Brasileira de Medicina Biomolecular. Biblioteca de Câncer, 2005.
57. Felippe JJr. Todos nós temos o poder de curar a nós mesmos. Revista Eletrônica da Associação Brasileira de Medicina Biomolecular. Biblioteca de Câncer, 2005.
58. Felippe JJr. O álcool perílico e as limoninas são agentes anti câncer: diminuem a proliferação celular, aumentam a apoptose, diminuem a neoangiogênese tumoral e induzem a diferenciação celular. Revista Eletrônica da Associação Brasileira de Medicina Biomolecular. Biblioteca de Câncer, 2005.
59. Felippe JJr. Bloqueadores dos canais de cálcio – mais um classe de drogas perigosas para a saúde: podem provocar câncer. Revista Eletrônica da Associação Brasileira de Medicina Biomolecular. Biblioteca de Câncer, 2005.
60. Felippe JJr. Efeito dos Ácidos Graxos Poli Insaturados no câncer: indução de apoptose, inibição da proliferação celular e antiangiogênese. Revista Eletrônica da Associação Brasileira de Medicina Biomolecular, Biblioteca de Câncer, 2004.
61. Felippe JJr. Nicotinamida: Relevante papel na prevenção e no tratamento da carcinogênese humana, porque regula o NAD+ celular. Revista Eletrônica da Associação Brasileira de Medicina Biomolecular, Biblioteca de Câncer, 2004.
62. Felippe JJr. Estratégia terapêutica de indução de apoptose, de inibição da proliferação celular e de inibição da angiogênese com a oxidação intratumoral das células cancerosas. Revista Eletrônica da Associação Brasileira de Medicina Biomolecular. Biblioteca de Câncer; 2004.
63. Felippe JJr. Eficácia da indução oxidante intracelular e da aplicação de radio freqüência no tratamento do câncer: Estratégia Química e Física. Revista Eletrônica da Associação Brasileira de Medicina Biomolecular, Biblioteca de Câncer, 2004.
64. Felippe JJr. Dieta inteligente no tratamento coadjuvante do câncer. Revista Eletrônica da Associação Brasileira Biblioteca de Câncer, 2007.
65. Felippe JJr. Tratamento nutricional e endócrino do câncer: benefícios da integração do médico clínico com o oncologista. Revista Eletrônica da Associação Brasileira de Medicina Biomolecular. www.medicinabiomolecular.com.br. Biblioteca de Câncer, 2007.
66. Finegold SM. Metronidazole. Ann Intern Med. 93:585-7;1980.
67. Galili U, Caine M, Servadio C, Schlesinger M. Specific attachment of T-lymphocytes from câncer patients to tumor cells. Cancer Lett. 3:121-4;1977.
68. Gellermann J, Wust P, Stalling D. Clinical evaluation and verification of the hyperthermia treatment planning system hyperplan. Int J Radiat Oncol Biol Phys. 47(4):1145-56;2000.
69. Gershon RK. The effect of stromatization on tumor susceptibility to immune attack. Fed Proc. 25:231;2001.
70. Hand JW, Lagendijk JJW, Andersen BJ, Bolomey JC. Quality assurance guidelines for ESHO protocols. Int J Hyperthermia. 5:421-8; 1989.
71. Henderson MA, Pettigrew RT. Induction of controlled hyperthermia in treatment of cancer. Lancet. 297:1275-7;1971.
72. Holman RA. Hyperthermia and cancer. Lancet. 1:1027;1975.
73. Holt JAG. The cure of cancer. A preliminary hypothesis. Aust Radiol. 18:15-7;1974.
74. Holt JAG. The use of UHF radiowaves in cancer therapy. Aust Radiol. 19:223-41;1975.
75. Holt JAG. The metabolism of sulphur in relation to the biochemistry of cystine and cysteine. Med Hypotheses. 58(5):658-76;2001.
76. Hornback NB. Historical aspects of hyperthermia in cancer therapy. Radiol Clin North Am. 27(3):481-8;1989.
77. Hornback NB, Shupe RE, Shidnia H, et al. Radiation and microware therapy in the treatment of advanced cancer. Radiology. 130(2):459-64;1979.
78. Hornback NB, Shupe RE, Shidnia H, et al. Preliminary clinical results of combined 433 Megahertz microware therapy and radiation therapy on patients with advanced cancer. Cancer. 40(6):2854-63;1977.
79. Horsman MR, Christensen KL, Overgaard J. Hydralazine-induced enhancement of hyperthermic damage in a C3H mammary carcinoma in vivo. Int J Hyperthermia. 5(2):123-36;1989.
80. Joe BT, Sayoc E, Marshall C. Preliminary clinical results of combined 433,92 megahertz microwave therapy and radiation therapy on patients with advanced cancer. Cancer. 40:2854-63;1977.
81. Johnson HA. Thermal noise and biological information. Q Rev Biol. 62(2):141-52;1987.
82. Johnson HA, Pavelec M. Thermal noise in cells. A cause of spontaneous loss of cell function. Am J Pathol. 69(1):119-30;1972.
83. Joines WT, Jirtle RL, Rafal MD, Schaefer DJ. Microwave power absorption differences between normal and malignant tissue. Int J Radiat Oncol Biol Phys. 6:681-7;1980.
84. Kruv JA, Inch WR, McCredie JA. Blood flow and oxygenation of tumors in mice: II. Effects of vasodilator drugs. Cancer. 20:60-5; 1967.
85. Lagendijk JJW. Hyperthermia treatment planning. Phys Med Biol. 45:R61-76;2000.
86. Lagendijk JJW, Rhoon GC, Hornsleth SN. ESHO quality assurance guidelines for regional hyperthermia. Int J Hyperthermia. 14:125-33;1998.
87. Le Veen HH, Ahmed N, Piccone VA, et al. Radio-frequency therapy: clinical experience. Ann N Y Acad Sci. 335:362-71;1980.
88. Le Veen HH, Pontiggia P. Radiofrequency thermotherapy (RFTT) in the treatment of cancer. Prog Clin Biol Res. 107:731-8;1982.
89. Le Veen HH, Rajagopalan PR, Vujic I, et al. Radiofrequency thermotherapy, local chemotherapy, and arterial occlusion in the treatment of nonresectable cancer. Am Surg. 50(2):61-5;1984.
90. Le Veen HH, Wapnick S, Piccone V, et al. Tumor eradication by radiofrequency therapy. Responses in 21 patients. JAMA. 235(20): 2198-200;1976.
91. Marmor JB, Hahn N, Hahn GM. Tumor cure and cell survival after localized radiofrequency heating. Cancer Res. 37(3):879-83;1977.

92. Mendecki J, Friedenthal E, Botstein C. Effects of microware-induced local hyperthermia on mammary adenocarcinoma in C3H mice. Cancer Res. 36:2113-4;1976.
93. Mondovì B, Strom R, Rotilio G, et al. The biochemical mechanism of selective heat sensitivity of câncer cells. I. Studies on cellular respiration. Eur J Cancer. 5(2):129-36;1969.
94. Mondovi B, Santoro AS, Strom R, et al. Increased immunogenicity of Ehrlich ascites cells after heat treatment. Cancer. 30:885-8;1972.
95. Monticelli G, Santori FS, Folliero A, et al. Antiblastic hyperthermic regional perfusion in the treatment of malignant neoplasms of the limbs. Ital J Orthop Traumatol. 9(2):167-80;1983.
96. Moricca G, Cavaliere R, Caputo A, et al. Hyperthermic treatment of tumours: experimental and clinical applications. Recent Results Cancer Res. (59):112-52;1977.
97. Muckle DS, Dickson JA. The selective inhibitory effect of hyperthermia on the metabolism and growth of malignant cells. Br J Cancer. 25:771-8;1971.
98. Muller C. Die Rontgenstrahlenbehandlung der Malignen Tumoren und ihre Kombinationen. Strahlentherapie. 3:177;1913.
99. Multhoff G, Hightower LE. Cell surface expression of heat shock proteins and the immune response. Cell Stress Chaperones. 1:167-76;1996.
100. Overgaard J. Combined adriamycin and hyperthermia treatment of a murine mammary carcinoma in vivo. Cancer Res. 36(9 pt. 1): 3077-81;1976.
101. Overgaard J. Effects of hyperthermia on malignant cells in vivo. A review and hypothesis. Cancer. 39:2637-46;1977.
102. Overgaard J. Some problems related to the clinical use of thermal isoeffect doses. Int J Hyperthermia. 3(4): 329-36;1987.
103. Overgaard J. The current and potential role of hyperthermia in radiotherapy. Int J Radiat Oncol Biol Phys. 16:535-49;1989.
104. Overgaard J, Bichel P. The influence of hypoxia and acidity on the hyperthermic response of malignant cells in vitro. Radiology. 123(2):511-4;1977.
105. Overgaard J, Nielsen OS. The importance of thermotolerance for the clinical treatment with hyperthermia. Radiother Oncol. 1(2):167-78;1983.
106. Overgaard J, Poulsen HS. Effect of hyperthermia and environmental acidity on the proteolytic activity in murine ascites tumor cells. J Natl Cancer Inst. 58(4):1159-61;1977.
107. Park MM, Hornback NB, Endres S, Dinarello CA. The effect of whole body hyperthermia on the immune cell activity of cancer patients. Lymphokine Res. 9(2):213-23;1990.
108. Schereschewsky JW. Biological effects of very high frequency electromagnetic radiation. Radiology. 20:246-53;1933.
109. Scott R, Gillespie B, Perez CA, et al. Hyperthermia in combination with definitive radiation therapy: results of a Phase I/II RTOG Study. Int J Radiat Oncol Biol Phys. 15(3):711-6;1988.
110. Seebass M, Beck R, Gellermann J. Electromagnetic phased arrays for regional hyperthermia-optimal frequency and antenna arrangement. Int J Hyperthermia. 17:321-36;2001.
111. Shidnia H, Hornback NB, Shen RN, et al. An overview of the role of radiation therapy and hyperthermia in treatment of malignant melanoma. Adv Exp Med Biol. 267:531-45;1990.
112. Sneed PK, Stauffer PR, McDermott MW. Survival benefit of hyperthermia in a prospective randomized trial of brachytherapy boost ± hyperthermia for glioblastoma multiforme. Int J Radiat Oncol Biol Phys. 40:287-95;1998.
113. Sreenivasa G, Gellermann J, Rau B, et al. Clinical Use of the hyperthermia treatment planning system hyperplan to predict effectiveness and toxicity. Int J Radiat Oncolo Biol Phys. 55:407-19;2003.
114. Strom R, Santoro AS, Bozzi CCA. The biochemical mechanism of selective heat sensitivity of cancer cells: IV. Inhibition of RNA synthesis. Eur J Cancer. 9:103-12;1973.
115. Sugaar S, Le Veen HH. A histopathologic study on the effects of radiofrequency thermotherapy on malignant tumors of the lung. Cancer. 43(2):767-83;1979.
116. Suit HD. Hyperthermic effects on animal tissues. Radiology. 123: 483-7;1977.
117. Turano C, Ferrano A, Strom R, et al. The biochemical mechanism of selective heat sensitivity of câncer cells. 3. Studies on lysosomes. Eur J Cancer. 6(2):67-72;1970.
118. Urano M, Yamashita T, Suit HD, Gerweck LE. Enhancement of thermal response of normal and malignant tissues by Corynebacterium parvum. Cancer Res. 44(6):2341-7;1984.
119. Urbach F. The blood supply of tumors. Adv Biol Skin. 21:123-49; 1961.
120. Warren SL. Preliminary study of the effect of artificial fever upon hopeless tumor cases. Am J Roentgenol. 33:75-87;1935.
121. Zee J, Peer-Valstar JN, Rietveld PJM, et al. Practical limitations of interstitial thermometry during deep hyperthermia. Int J Radiat Oncol Biol Phys. 40:1205-12;1998.

CAPÍTULO 170

Radiofrequência Harmônica. Tratamento do câncer com o Oscilador de Múltiplas Ondas – MWO – de Georges Lakhovsky em conjunto com a Medicina Biomolecular

José de Felippe Júnior

A verdadeira causa das doenças e a MEDICINA ainda não fizeram as pazes. É porque a MEDICINA ainda é muito jovem. E o que dizer dos tratamentos. **JFJ**

Deixar de aprender é omitir socorro. **JFJ**

The majority believes that everything hard to comprehend must be very profound. This is incorrect. What is hard to understand is what is immature, unclear and often false. The highest wisdom is simple and passes through the brain directly to the heart. **Viktor Schauberger**

A célula cancerosa não é célula maligna e sim célula doente tentando a todo custo sobreviver. Sendo carne da nossa própria carne ela utiliza todos os mecanismos de sobrevivência adquiridos nos 3,8 bilhões de anos de Evolução do Homem no Planeta.

Quando um grupo de células é atingido por forte estresse interno (dentro do corpo) ou externo (fora do corpo – ambiental), químico, físico ou biológico, elas começam a sofrer e lentamente caminham para um estado de alta entropia e baixo grau de ordem-informação, isto é, um "estado de quase morte". Neste momento são colocados em ação mecanismos anciãos de sobrevivência celular, justamente aqueles que mantiveram vivos os seres humanos durante os 3,8 bilhões de anos de Evolução. No início do sofrimento acontece vagarosamente o aumento da desestruturação da água intracelular com aumento da água livre e diminuição da água estruturada. Logo depois vem a hiperpolarização da membrana mitocondrial (delta-psi-mt) com impedimento respiratório e diminuição da geração de ATP pela fosforilação oxidativa. A seguir cai o potencial de membrana (Em), o *antiporter* Na/H é ativado, a glicólise anaeróbia predomina e envia ATP para o núcleo onde acontece o aumento da expressão das ciclinas do ciclo celular e começa a multiplicação mitótica.

Desta forma esse grupo de células em "estado de quase morte" e carne da nossa própria carne, para não morrer começa a se multiplicar simplesmente para sobreviver e de fundamental importância manter o seu patrimônio mais precioso, a sua identidade: o genoma. **Não são células malignas, são células em vias de morrer lutando para sobreviver.**

Tais células se transformam em verdadeiras células malignas de difícil controle quando são submetidas a outros tipos de forte estresse como a quimioterapia citotóxica e a radioterapia. Aqui elas adquirem um fenótipo muito resistente e passam a agir de modo autônomo porque atingiram o grau máximo de sobrevivência e já não possuem a expressão gênica antiga, seu genoma tornou-se diferente, individualista e elas agora não pertencem ao conjunto harmônico do organismo original. Estas células submetidas à quimioterapia e/ou radioterapia atingem um grau máximo de entropia e mínimo de ordem-informação e estão aptas somente à mitose proliferativa, redentora de suas vidas, em uma multiplicação suicida que leva o organismo original à falência: morte.

Por forte estresse ambiental entendemos: intoxicação/contaminação por metais (chumbo, níquel, mercúrio, cádmio etc.), excesso de ferro e de cobre, agrotóxicos, pesticidas, tabaco, flúor, xenobióticos, radiações eletromagnéticas, radiações ionizantes, zonas geopatogênicas, infecções etc. Por forte estresse interno entendemos as infecções virais, bacterianas, fúngicas etc.

Lembrar que a quimioterapia citotóxica é paliativa e contribui nos USA em somente 2,1% e na Austrália em apenas 2,3% para o aumento da sobrevida de 5 anos nos 22 tumores sólidos mais frequentes dos adultos (Morgan, 2004).

Dessa maneira, urge a aplicação de outras modalidades terapêuticas e assim começamos a estudar a influência dos campos magnéticos como promotora da saúde ou da doença.

Em 1998 Hans Nieper, presidente da Associação Alemã de Cancerologia escrevia que 70% dos seus pacientes com câncer dormiam ou trabalhavam em zonas geopatogênicas: rio subterrâneo, ruptura de placas tectônicas ou cruzamento de rede Hartman. O diagnóstico poderia ser feito por aparelhos eletrônicos muito dispendiosos ou por radiestesista.

Assim fui procurar livros de radiestesia em sebo e encontramos um livreto de outubro de 1935 de autor brasileiro, Alfredo Ernesto Becker onde havia a fotografia do ano de 1932 de senhora com 82 anos de idade diagnosticada com epitelioma de face, não responsivo ao tratamento convencional da época, que desapareceu totalmente quando submetida a tratamento puramente físico-eletromagnético com o aparelho do engenheiro soviético Georges Lakhovsky. Como sabíamos do fracasso dos tratamentos químicos no câncer investi meu tempo no estudo da Física na Medicina. Foram 3 anos de estudos e a construção de vários protótipos pelo Engenheiro eletrônico, Prof. de Pós-Graduação em Microeletrônica da Escola Politécnica da USP, Silvio Lino Luigi Corgnier até atingirmos aparelho o mais próximo do engenheiro soviético.

A vida de Georges Lakhovsky é um exemplo de perseverança de engenheiro que viveu em época onde era criticado por físicos que nada entendiam de Biologia e por biólogos que nada entendiam de Física.

Atualmente, os achados de Lakhovsky poderiam ser explicados pela creação de uma onda guia, como descreveu De Broglie, onda guia esta gerada no espaço vazio dos átomos e capaz de reorganizar o "spin" destes átomos. A organização do *spin* das partículas atômicas agrega e ordena as funções do conjunto e assim facilita a separação ou a união de moléculas incompletas, aumenta a reparação do DNA, estimula os processos de reorganização e reparação celular, em uma palavra facilita a expressão gênica. As moléculas intactas e completas não sofrem transformações, pois o *spin* dos seus átomos não requer reorganização, por esta razão não se observam efeitos colaterais com o MWO.

As sucessivas exposições ao campo gerado pelo MWO provocam mudanças na escala atômica que acabam por se expressar na escala biológica, aparecendo clinicamente como modificações da própria estrutura da matéria. É uma metodologia capaz de mudar a estrutura da matéria, funcionando de maneira natural, a baixa energia e iniciando pela parte informacional das partículas subatômicas. Esta onda guia no vazio dos átomos, que alguns chamam de efeito túnel, é o meio primordial de comunicação ou de informação que a natureza viva possui e cuja finalidade é a construção e a reparação da própria natureza.

A teoria frequencial elaborada por Lakhovsky, em 1925, pode ser contestada à luz do que conhecemos hoje, sobre a Física Quântica, porém os fatos que ele nos brindou através de seus experimentos são incontestáveis. Seria o envolvimento de uma energia curativa estática, não hertziana e que preenche o ambiente sem vetores – Energia Escalar.

Particularmente acreditamos que o oscilador de múltiplas ondas funciona no câncer aumentando a geração de ATP via fosforilação oxidativa mitocondrial o que provoca inibição do ciclo de Embden-Meyerhof com diminuição da geração de energia eletrônica (ATP) para o ciclo celular proliferativo.

Pouco importa a teoria, o importante é que Lakhovsky mostrou, por intermédio de fatos, que é possível influenciar a evolução natural das doenças através de campos eletromagnéticos extremamente débeis.

Oscilador de múltiplas ondas construído no Brasil

Em 1999, o aparelho MWO foi construído por Professor de Pós-Graduação e pesquisador do Departamento de Microeletrônica da Escola Politécnica da Universidade de São Paulo, Eng. Silvio Lino Luigi Corgnier, de acordo com as patentes de Lakhovsky, que já expiraram há algumas décadas e que escondiam muitos segredos. O engenheiro soviético não deixou para humanidade como construir seu aparelho.

A seguir vamos mostrar nossa experiência com o oscilador de múltiplas ondas construído no Brasil. São casos clínicos onde utilizamos a radiofrequência harmônica de Lakhovsky, sempre com o consentimento dos pacientes e naqueles onde falharam a cirurgia, a quimioterapia e a radioterapia.

Figura 170.1 Primeiro gerador de múltiplas ondas construído no Brasil.

Figura 170.2 Última geração do gerador de múltiplas ondas construído no Brasil.

Cumpre salientar que a radiação emanada está muito aquém do permitido pela legislação mundial de segurança em ondas eletromagnéticas, atestada pelo Chefe do Departamento de Microeletrônica da Escola Politécnica da Universidade de São Paulo, Prof. José Kleber da Cunha Pinto. O valor da potência das radiações é de 0,1mW/cm^2.

Na última parte deste livro encontram-se os casos clínicos de câncer tratados com o oscilador de múltiplas ondas.

O emprego do aparelho gerador de múltiplas ondas de Lakhovsky construído no Brasil mostrou ausência de efeitos colaterais ao lado de muitos efeitos benéficos.

Necessitamos de maior casuística, porém os resultados iniciais mostram efeitos significantes e realmente muito importantes sobre o sistema imunológico e as glândulas de secreção interna, acrescidos dos benefícios proporcionados aos pacientes com câncer.

Na verdade, eu fiquei impressionado e admirado com resultados tão expressivos somente irradiando os pacientes com campo eletromagnético de baixíssima potência e frequências altíssimas e variadas para não dizer infinitas. Note que nunca nos esquecemos dos fundamentos da Estratégia Biomolecular. É a Física e a Química de mãos dadas.

Estamos recomeçando agora novos estudos com outra geração de aparelho utilizando eletrônica moderna e o primeiro caso foi o número 36 de carcinoma de mama.

Até hoje pensávamos que as informações biológicas estivessem somente armazenadas nas estruturas moleculares. Pode ser que as informações estejam armazenadas em locais do organismo na forma de campos eletromagnéticos que podem ser usados na regulação biológica e na comunicação celular ou ainda que as próprias ondas eletromagnéticas façam com que as estruturas moleculares voltem novamente a funcionar corretamente.

A medicina seria mais eficaz se houvesse integração entre os médicos que apenas pensam na Química com os médicos que pensam na Física e na Química, como os biomoleculares. E quem agradeceria seriam os pacientes. Tudo isso vai enriquecer a Biologia, aumentar a eficácia terapêutica e minorar o sofrimento daqueles que mais necessitam de nós.

Referências

1. Becker AE. Radiações maléficas do subsolo. Typographia Gutenberg, Alfredo Ernesto Becker & CIA, 1935.
2. Benjamin DJ. The efficacy of surgical treatment of cancer – 20 years later. Med Hypotheses. 82:412-20;2014.
3. Bhujwalla ZM, Artemov D, Abooagye E, et al. The physiological environment in cancer vascularization, invasion and metastasis. In: Gillies RJ (ed). The tumor microenvironment: causes and consequences of hypoxia and acidity, novartis found. Symp., vol. 240, Chichester, NY: John Wiley and Sons; p 23-38. 2001.
4. Ceelen W, Pattyn P, Mare M. Surgery, wound healing, and metastasis: recent insights and clinical implications. Crit Rev Oncol Hematol. 89:16-26;2014.
5. De Cigna, Annals of International Short Wave Congress, July 12th-17th -, Viena, 1937.
6. Farrell K. Hyperthermia for malignant disease – a history of medicine note – the work of Georges Lakhovsky. Adv Exp Med Biol. 157: 9-10;1982.
7. Felippe JJr. Carcinoma neuroendócrino metastático do pâncreas – o valor do pH intracelular e peritumoral: relato de caso e revisão da literatura. Revista Brasileira de Oncologia Clínica, 24-30, 2010.
8. Felippe JJr. Interrupção do ciclo celular com aumento da apoptose de células de câncer induzido por hiperosmolalidade com cloreto de sódio hipertônico: relato de caso e revisão da literatura. Revista Brasileira de Oncologia Clínica. 6(18):23-28,2009.
9. Felippe JJr. Alcaçuz (Glycyrrhiza glabra) e câncer: inibição da proliferação celular maligna com aumento drástico da apoptose. Revista Eletrônica da Associação Brasileira de Medicina Biomolecular. www.medicinabiomolecular.com.br. Biblioteca de Câncer Tema do mês de janeiro de 2007.
10. Felippe JJr. Dicloroacetato e Câncer: Aumenta a Apoptose e Diminui a Proliferação Celular Maligna. Revista Eletrônica da Associação Brasileira de Medicina Biomolecular. www.medicinabiomolecular.com.br. Biblioteca de Câncer. Tema do mês de maio de 2007.
11. Felippe JJr. Direito de Tratar o Paciente como um Ser Humano Único e Individual. Revista Eletrônica da Associação Brasileira de Medicina Biomolecular. www.medicinabiomolecular.com.br. Biblioteca de Câncer. Tema do mês de janeiro de 2005.
12. Felippe JJr. Disulfiram e câncer. Revista Eletrônica da Associação Brasileira de Medicina Biomolecular. www.medicinabiomolecular.com.br. Biblioteca de Câncer. Tema da semana de 30/10/06.
13. Felippe JJr. Eficácia da indução oxidante intracelular e da aplicação de radio frequência no tratamento do câncer: Estratégia Química e Física. Revista Eletrônica da Associação Brasileira de Medicina Biomolecular. www.medicina biomolecular.com.br. 2004.
14. Felippe JJr. Estratégia Oxidante Nutricional Antineoplásica. Revista Eletrônica da Associação Brasileira de Medicina Biomolecular. www.medicinabiomolecular.com.br. Biblioteca de Câncer. Janeiro. Tema da semana de 30/10/04.
15. Felippe JJr. Estratégia Terapêutica para induzir a oxidação intratumoral, inibir o NF-kappaB, aumentar a fluidez de membrana,

demetilar o DNA, acetilar o DNA, ativar a delta-6 desaturase e aumentar a oxigenação tissular para provocar: apoptose, inibição da proliferação celular e inibição da angiogênese das células transformadas. Revista Eletrônica da Associação Brasileira de Medicina Biomolecular. www.medicinabiomolecular.com.br. Biblioteca de Câncer. Janeiro. Tema da semana de 03/01/05.
16. Felippe JJr. Glicose-6-Fosfatodehidrogenase (G6PD) e câncer: a inibição da enzima diminui drasticamente a proliferação celular maligna, aumenta a apoptose e suprime os efeitos de fatores de crescimento tumoral. Revista Eletrônica da Associação Brasileira de Medicina Biomolecular. www.medicinabiomolecular.com.br. Biblioteca de Câncer. Tema do mês 12/2006.
17. Felippe JJr. Micronutrientes e Elementos Traço no Câncer. Revista Eletrônica da Associação Brasileira de Medicina Biomolecular. www.medicinabiomolecular.com.br. Biblioteca de Câncer. Tema da semana de 21/02/2005.
18. Felippe JJr. Naltrexone e câncer. Revista Eletrônica da Associação Brasileira de Medicina Biomolecular. www.medicinabiomolecular.com.br. Biblioteca de Câncer. Tema da semana de 23/10/06.
19. Felippe JJr. Nicotinamida: Relevante papel na prevenção e no tratamento da carcinogênese humana, porque regula o NAD+ celular. Revista Eletrônica da Associação Brasileira de Medicina Biomolecular. www.medicinabiomolecular.com.br. Biblioteca de Câncer. Tema da semana de 27/12/04.
20. Felippe JJr. O Fator de Crescimento Semelhante à Insulina (IGF-I) aumenta a proliferação celular, diminui a apoptose das células malignas, promove a angiogênese tumoral e facilita o aparecimento e a manutenção de vários tipos de câncer. Revista Eletrônica da Associação Brasileira de Medicina Biomolecular. www.medicinaviomolecular.com.br. Biblioteca de Câncer. Tema do mês de agosto de 2005.
21. Felippe JJr. Óleo de peixe ômega-3 e câncer: diminuição da proliferação celular maligna, aumento da apoptose, indução da diferenciação celular e diminuição da neoangiogênese tumoral. Revista Eletrônica da Associação Brasileira de Medicina Biomolecular. www.medicinabiomolecular.com.br. Biblioteca de Câncer. Tema da semana de 20/11/06.
22. Felippe JJr. Selênio: diminui a proliferação celular maligna, inibe a angiogênese tumoral e provoca apoptose. Revista Eletrônica da Associação Brasileira de Medicina Biomolecular. www.medicinabiomolecular.com.br. Biblioteca de Câncer. Tema da semana de 08/05/06.
23. Felippe JJr. Somatostatina: efeitos anticâncer ligados ao seu papel no metabolismo dos carboidratos porque ela inibe as enzimas glicose-6-fosfatodehidrogenase e transcetolase. Revista Eletrônica da Associação Brasileira de Medicina Biomolecular. www.medicinabiomolecular.com.br. Biblioteca de Câncer. Tema da semana de 22/08/05.
24. Felippe JJr. A hipoglicemia induz citotoxicidade no carcinoma de mama resistente à quimioterapia. Revista Eletrônica da Associação Brasileira de Medicina Biomolecular. www.medicinabiomolecular.com.br. Tema do mês de fevereiro de 2005.
25. Felippe JJr. A insulinemia elevada possui papel relevante na fisiopatologia do infarto do miocárdio, do acidente vascular cerebral e do câncer. Revista Eletrônica da Associação Brasileira de Medicina Biomolecular. www.medicinabiomolecular.com.br. Tema do mês de abril de 2005. 01/04/05.
26. Felippe JJr. Ácido linoleico conjugado (CLA) e câncer: inibição da proliferação celular maligna, aumento da apoptose e diminuição da neoangiogênese tumoral. Revista Eletrônica da Associação Brasileira de Medicina Biomolecular. www.medicinabiomolecular.com.br. Biblioteca de Câncer. Tema da semana de 13/11/06.
27. Felippe JJr. Benzaldeído e Câncer: leucemia mielocítica aguda, linfoma maligno, mieloma múltiplo, leiomiossarcoma e carcinomas de língua, parótida, pulmão, mama, esôfago, estomago, fígado, pâncreas, cólon, reto, rins, cérebro, bexiga e seminoma de testículo. Revista Eletrônica da Associação Brasileira de Medicina Biomolecular. www.medicinabiomolecular.com.br. Biblioteca de Câncer. Tema do mês 09 de 2006.
28. Felippe JJr. Câncer: Tratamento com Radio Frequência e Oxidação Sistêmica. Revista Eletrônica da Associação Brasileira de Medicina Biomolecular. www.medicinabiomolecular.com.br. Tema do mês de junho de 2007.
29. Felippe JJr. Efeito dos Ácidos Graxos Poli Insaturados no câncer: indução de apoptose, inibição da proliferação celular e antiangiogênese. Revista Eletrônica da Associação Brasileira de Medicina Biomolecular. www.medicinabiomolecular.com.br. Biblioteca de Câncer. Tema da semana de 19/06/06.
30. Felippe JJr. Efeitos da deficiência de cobre no câncer: antiangiogênese. Revista Eletrônica da Associação Brasileira de Medicina Biomolecular. www.medicinabiomolecular.com.br. Biblioteca de Câncer. Tema da semana de 26/05/06.
31. Felippe JJr. Efeitos da vitamina B12 (hidroxicobalamina) no câncer: indução de apoptose. Revista Eletrônica da Associação Brasileira de Medicina Biomolecular. www.medicinabiomolecular.com.br. Biblioteca de Câncer. Tema da semana de 05/06/06.
32. Felippe JJr. Efeitos da vitamina D no câncer: indução da apoptose, inibição da proliferação celular maligna e antiangiogênese Revista Eletrônica da Associação Brasileira de Medicina Biomolecular. www.medicinabiomolecular.com.br. Biblioteca de Câncer. Tema da semana de 12/06/06.
33. Felippe JJr. Efeitos da vitamina K no câncer: indução de apoptose e inibição da proliferação celular maligna. Revista Eletrônica da Associação Brasileira de Medicina Biomolecular. www.medicinabiomolecular.com.br. Biblioteca de Câncer. Tema da semana de 01/05/06.
34. Felippe JJr. Efeitos do vanádio no câncer: indução de apoptose e inibição da proliferação celular maligna. Revista Eletrônica da Associação Brasileira de Medicina Biomolecular. www.medicinabiomolecular.com.br. Biblioteca de Câncer. Tema da semana de 01/06/06.
35. Felippe JJr. Eficácia da Indução Oxidante Intracelular e da Aplicação de Radio Frequência no Tratamento do Câncer: Estratégia Química e Física. Revista Eletrônica da Associação Brasileira de Medicina Biomolecular. www.medicinabiomolecular.com.br. Tema do mês de abril de 2003.
36. Felippe JJr. Estão Contra Indicados nos Pacientes com Câncer. Revista Eletrônica da Associação Brasileira de Medicina Biomolecular. www.medicinabiomolecular.com.br. Biblioteca de Câncer. Tema da semana de 17/01/05.
37. Felippe JJr. Estratégia Oxidante Nutricional Antineoplásica. Revista Eletrônica da Associação Brasileira de Medicina Biomolecular. www.medicinabiomolecular.com.br. 2004.
38. Felippe JJr. Estratégia Terapêutica de Indução da Apoptose, da Inibição da Proliferação Celular e da Inibição da Angiogênese com a Oxidação Tumoral Provocada por Nutrientes Pró Oxidantes. Revista Eletrônica da Associação Brasileira de Medicina Biomolecular. www.medicinabiomolecular.com.br. Tema do mês de fevereiro de 2003.
39. Felippe JJr. Estratégia terapêutica de indução de apoptose, de inibição da proliferação celular e de inibição da angiogênese com a oxidação intratumoral das células cancerosas. Revista Eletrônica da Associação Brasileira de Medicina Biomolecular. www.medicinabiomolecular.com.br. Biblioteca de Câncer – 2004.

40. Felippe JJr. Fluidez da Membrana: possivelmente o ponto mais fraco das células malignas. Revista Eletrônica da Associação Brasileira de Medicina Biomolecular. www.medicinabiomolecular.com.br. Tema do mês de maio de 2004.
41. Felippe JJr. Metabolismo da Célula Tumoral - Câncer como um Problema da Bioenergética Mitocondrial: Impedimento da Fosforilação Oxidativa - Fisiopatologia e Perspectivas de Tratamento. Revista Eletrônica da Associação Brasileira de Medicina Biomolecular. www.medicinabiomolecular.com.br. Tema do mês de agosto de 2004.
42. Felippe JJr. Metabolismo das Células Cancerosas: A Drástica Queda do GSH e o Aumento da Oxidação Intracelular Provoca Parada da Proliferação Celular Maligna, Aumento da Apoptose e Antiangiogênese Tumoral. Revista Eletrônica da Associação Brasileira de Medicina Biomolecular. www.medicinabiomolecular.com.br. Tema do mês 07 de 2004.
43. Felippe JJr. O álcool perílico e as limoninas são agentes anticâncer: diminuem a proliferação celular, aumentam a apoptose, diminuem a neoangiogênese tumoral e induzem a diferenciação celular. Revista Eletrônica da Associação Brasileira de Medicina Biomolecular. www.medicinabiomolecular.com.br. Biblioteca de Câncer. Tema da semana de 08/08/05.
44. Felippe JJr. O Controle do Câncer com um Método Muito Simples e Não Dispendioso: Provocar a Hiperpolarização celular com Dieta Pobre em Sódio e Rica em Potássio. Estratégia Química e Física. Revista Eletrônica da Associação Brasileira de Medicina Biomolecular. www.medicina biomolecular.com.br. Tema do mês de janeiro de 2004.
45. Felippe JJr. Os antioxidantes diminuem a eficácia da quimioterapia anticâncer. Revista Eletrônica da Associação Brasileira de Medicina Biomolecular. www.medicinabiomolecular.com.br. Biblioteca de Câncer. Tema da semana de 30/05/05.
46. Felippe JJr. Substância Fundamental: Elo Esquecido no Tratamento do Câncer. Revista Eletrônica da Associação Brasileira de Medicina Biomolecular. www.medicinabiomolecular.com.br. Tema do mês de março de 2004.
47. Felippe JJr. Tratamento do Câncer com medidas e drogas que inibem o fator nuclear NF-kappaB. Revista Eletrônica da Associação Brasileira de Medicina Biomolecular. www.medicinabiomolecular.com.br. Tema do mês de fevereiro de 2004.
48. Felippe JJr. Os genes do núcleo funcionam apenas com o ATP gerado na glicólise anaeróbia porque o ATP celular é compartimentalizado: no câncer o impedimento da fosforilação oxidativa muda o metabolismo para o ciclo de Embden-Meyerhof que é o verdadeiro motor do ciclo celular proliferativo. Revista Eletrônica da Associação Brasileira de Medicina Biomolecular. www.medicinabiomolecular.com.br. Tema do mês de outubro de 2010.
49. Felippe JJr. Câncer: população rebelde de células esperando por compaixão e reabilitação. Revista Eletrônica da Associação Brasileira de Medicina Biomolecular. www.medicinabiomolecular.com.br. Biblioteca de Câncer. Tema da semana de 16/05/05.
50. Felippe JJr. A vitamina B1 - tiamina - é contraindicada no câncer porque aumenta a proliferação celular maligna via ciclo das pentoses: contraindicação formal. Revista Eletrônica da Associação Brasileira de Medicina Biomolecular. www.medicinabiomolecular.com.br. Biblioteca de Câncer. Tema da semana de 15/08/05.
51. Felippe JJr. Genisteína e câncer: diminui a proliferação celular maligna, aumenta a apoptose, suprime a neoangiogênese e diminui o efeito dos fatores de crescimento tumoral. Revista Eletrônica da Associação Brasileira de Medicina Biomolecular. www.medicinabiomolecular.com.br. Biblioteca de Câncer. Tema da semana de 27/11/06.
52. Felippe JJr. Molibdênio e Câncer. Revista Eletrônica da Associação Brasileira de Medicina Biomolecular. www.medicinabiomolecular.com.br. Tema da semana de 06/11/06.
53. Gajate C, Mollinedo F. Biological activities, mechanisms of action and biomedical prospect of the antitumor ether phospholipid ET-18-OCH3 (Edelfosine), a proapoptotic agent in tumor cells. Curr Drug Metab. 3:491-525;2002.
54. Gentile N. Medicina Nuova. XXVI, (5): Roma;1935.
55. Gurwitsch & Frank in Le secret de la vie. G. Lakhovsky, Paris; 1929.
56. Lakhovsky G. The secret of life: eletricity, radiation and yoor body. The noontide Pres, publishers 1822 Newport Blvd, Costa Mesa, California;1992.
57. Lakhovsky G. La terre et nous. Paris; 1933.
58. Lakhovsky G. Le secret de la vie. Paris; 1929.
59. Morgan G, Wardt R, Barton M. The contribution of cytotoxic chemotherapy to 5-year survival in adult malignances. Clin Oncol. 16:549-60; 2004. Neste trabalho encontramos 110 referências bibliográficas.
60. Reid B. On the nature of growth and new growth based on experiments designed to reveal a structure and function for laboratory space. Med Hypotheses. 29(3):199-216;1989.
61. Reiter & Gabor: in Le secret de la vie. Paris; 1929.
62. Rigaux. Institute de Physique Biologique. Paris, in The Waves That Heal, by Mark Clement, Health Research, mokelumne Hill, California; 1963.
63. Rockwell S, Yuan J, Peretz S, Glazer PM. Genomic instability in cancer. In: Gillies R (ed). The tumor microenvironment: causes and consequences of hypoxia and acidity, Novartis Found. Symp., vol 240, Chichester, NY: John Wiley and Sons; p. 133-42. 2001.
64. Torigoe T, Izumi H, Ise T, et al. Vacuolar H^+-ATPase: functional mechanisms and potential as a target for cancer chemotherapy, anti-cancer. Drugs. 13:237-43;2002.

Eficácia da indução oxidante intracelular e da aplicação de radiofrequência no tratamento do câncer: Estratégia Química e Física

José de Felippe Junior

Vamos analisar vários trabalhos científicos, alguns muito antigos, que nos mostram possível caminho para o tratamento do câncer baseados nos conhecimentos da Química e da Física. Logo a seguir mostraremos a eficácia clínica desta estratégia em alguns tipos de câncer.

Warburg, em 1924, demonstrou que a glicólise anaeróbia sempre está presente nas células cancerosas e, embora a glicólise aeróbia geralmente também esteja presente, ela não guarda relação direta com o crescimento do câncer. Este trabalho foi corroborado por Dickens e Simer em 1931, analisando o quociente respiratório de células cancerosas e células normais. Esses pesquisadores foram capazes de verificar que a energia para o crescimento do câncer é proveniente da glicólise anaeróbia e que não há relação entre crescimento tumoral e glicólise aeróbia ou fosforilação oxidativa.

Hopkins e Elliott, em 1931, descobriram que nas células normais existe uma conexão entre a glutationa e o metabolismo da glicose e que a glutationa é constituinte universal de todas as células capazes de se replicarem por mitose. Juntamente com Needham e Lehmann, conseguiram demonstrar que as primeiras mitoses de um embrião apenas necessitam da energia da glicólise anaeróbia, e isto acontece somente na presença da glutationa.

De fato, o conteúdo extranuclear de todas as células que se reproduzem contém glutationa reduzida (GSH) e glutationa oxidada (GS-SG). Sabe-se que os neurônios e as células adultas estáticas (*non-stem*) não conseguem se reproduzir e também que elas não possuem o ciclo glutationa: GSH/GS-SG. Acredita-se que somente as células que possuam este ciclo são capazes de se tornar cancerosas.

Foram Kosower e Kosower, em 1976, que estabeleceram o ciclo da glutationa:

$$2GSH \rightarrow GS\text{-}SG \rightarrow 2GSH$$

A segunda lei da termodinâmica é respeitada pelo fornecimento de um elétron proveniente do metabolismo anaeróbio.

Combinando todos os experimentos acima Holt chegou ao sistema apresentado na figura 171.1.

Já vimos que há muito tempo se conhece o acoplamento entre glicólise anaeróbia e glutationa (observar figura 171.1). Em 1976, Fiala também provou esta correlação ao provocar carcinogênese experimental, pela aplicação de aminobenzeno em cultura de células hepáticas. Esse carcinógeno aumenta a exponencialmente à produção de glutationa e também aumenta exponencialmente a proliferação celular por mitose.

Warburg propôs que a glicólise anaeróbia do câncer produz ácido lático e que a sua produção é inibida pelo oxigênio. Este fenômeno também ocorre na produção do vinho, que somente fermenta em recipiente fechado sem oxigênio. Este fenomeno é conhecido como reação de Pasteur. No organismo esta reação acontece nas células cancerosas, as quais somente se reproduzem em condições de metabolismo anaeróbio.

A reação de Pasteur ficou sem explicação por muitos anos. Foram Baker e Dixon, na década de 1930, que desvendaram seu mecanismo mostrando que a glicólise anaeróbia é inibida na proporção direta da concentração da glutationa oxidada (GS-SG).

Quando ocorre aumento da glicólise anaeróbia, mais GS-SG é formado. À medida que mais GS-SG é produzido, a glicólise anaeróbia vai sendo inibida por um mecanismo de *feedback* negativo.

Quando o meio intracelular é redutor, isto é, o equilíbrio da oxirredução tende para a redução (excesso de

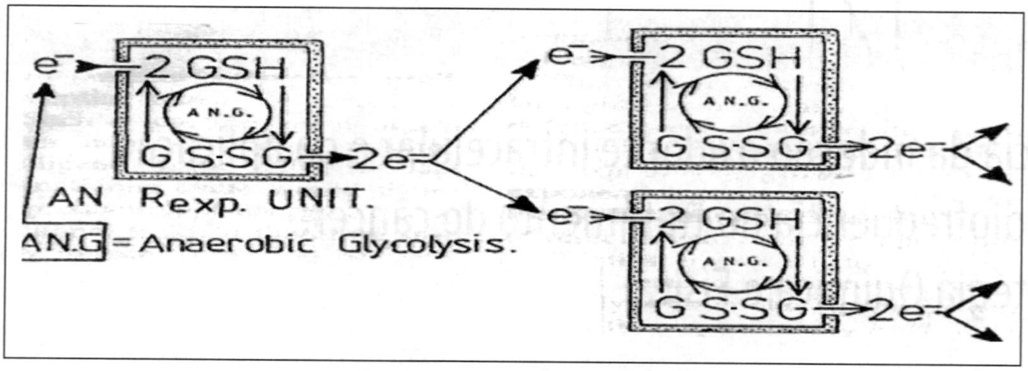

Figura 171.1 Sugestão em diagrama das unidades GSH/GS-SG (unidade Rexp.): quando a glicólise anaeróbia está ativa, a produção de elétrons é exponencial.

antioxidantes), à medida que o GS-SG vai sendo formado ele é reduzido para GSH. O GSH reduzido é o combustivel da mitose e mantém o ciclo celular em atividade e assim aumenta a proliferação celular neoplásica.

Quando o meio intracelular é oxidante, isto é, o equilíbrio da oxirredução tende para a oxidação, à medida que o GS-SG é formado ele se acumula e inibe a glicólise anaeróbia. A inibição da glicólise anaeróbia faz parar o ciclo celular e a consequência é a diminuição da proliferação celular neoplásica com apoptose ou necrose da célula tumoral.

O crucial para vencermos esta luta é manter o meio intracelular oxidante por um período de tempo suficiente para a célula acumular GS-SG, inibir a glicólise anaeróbia, parar o ciclo celular e entrar em apoptose.

A fermentação anaeróbia de Pasteur é reversível e, como o câncer, ela cessa com o acúmulo de quantidades adequadas de GS-SG. Dessa forma, o fluxo contínuo e exponencial de elétrons criados pelo acoplamento glicólise anaeróbia – ciclo GSH, o qual somente pode ser usado para a mitose – é controlado diretamente pelo GS-SG.

Aqui fica fácil compreender que, neste momento de manutenção da mitose, estes componentes são os mais eletricamente condutivos quando comparados com qualquer outra parte da célula.

De fato, em 1980, Joines mediu a condutividade do tecido canceroso e não canceroso e mostrou que a razão entre a potência absorvida no tecido canceroso e a potência absorvida no tecido não canceroso era de 5,2/1, mostrando que os efeitos biológicos do UHF sobre os tecidos normais e, portanto, em metabolismo aeróbio são muito menores que no tecido neoplásico.

Dixon, em 1935, sugeriu que a presença de agentes oxidantes poderia controlar o câncer, e Baker, em 1937, demonstrou essa hipótese verificando que o aumento da glutationa oxidada é capaz de inibir a glicolise anaeróbia. Recentemente surgiram inúmeros trabalhos em cultura de células neoplásicas humanas mostrando que o meio intracelular oxidante provoca parada do ciclo celular e apoptose por outros mecanismos: acúmulo da proteína p53, ativação da cascata das caspases, ativação da deoxirribonuclease, defosforilação da proteína retinoblastoma, inibição da proteína tirosina quinase, inibição da Cdc25 fosfatase, inativação do cdK1 etc. Estes efeitos foram observados em mais de 20 tipos de câncer humano, incluindo: mama, próstata, pulmão, gliomas, astrocitomas, tumores de cabeça e pescoço, tumor colorretal, tumor de fígado, tumor de pâncreas etc. Vide revisão sobre o assunto escrita pelo autor no site: www.medicinabiomolecular.com.br, setor Biblioteca de Câncer.

Nossas células normais são inteligentes e as células neoplásicas, carne de nossa própria carne, também são. Elas têm aguçado o instinto maior da Natureza. Elas desenvolveram um método fantástico de sobrevivência baseado em um compasso biológico de espera. Elas sabem esperar o momento certo de ficarem quiescentes e o momento certo de se reproduzirem. As células neoplásicas se reproduzem quando o potencial redox é baixo, isto é, o meio intracelular é redutor e rico em GSH. Quando o potencial redox é alto, isto é, o meio é oxidante e rico em GS-SG, elas simplesmente param de se reproduzir e entram na fase G0. Ficam quiescentes esperando o meio intracelular se tornar novamente redutor até que se forme GSH, o qual fornece combustível para a proliferação celular.

Na verdade, quando o potencial redox intracelular é oxidante, muitas células neoplásicas são eliminadas por apoptose, mas o mecanismo que acabamos de descrever as protege e sempre permanece uma linhagem no compasso de espera. Esta hipótese foi confirmada em culturas de tecidos, onde a vitamina K_3 em concentração oxidante provoca morte celular por apoptose somente nas células neoplásicas em franca proliferação. Quando a mesma linhagem de células neoplásicas entra na fase quiescente a vitamina K_3 não funciona, não provoca apoptose.

Se submetermos as células neoplásicas a um excesso de oxidação e a colocarmos em proliferação, elas serão plenamente suscetíveis a apoptose. É aqui que a descoberta de Holt, pesquisador australiano no campo do câncer há mais de 30 anos, reveste-se da mais profunda importância. Empregando UHF nas frequências de 8, 12, 27, 70, 360, 434, 915 e 2.450MHz, descobriu que somente a frequência de 434MHz é capaz de criar ressonância e fluorescência na glicólise anaeróbia. Qualquer agente oxidante presente enquanto se ativa a glicólise anaeróbia e, portanto, a proliferação celular é capaz de destruir algumas ou todas as unidades de glicólise fazer cessar a proliferação celular neoplásica e apoptose. Calcula-se que cada célula neoplásica contenha de 3 a 40 unidades de glicólise anaeróbia. Todas as unidades devem ser destruídas para se obter o completo controle ou a cura do câncer.

Holt, em 1980, estimulando somente a glicólise anaeróbia com UHF de frequência 434MHz demonstrou que a fosforilação oxidativa controla a glicólise anaeróbia.

Com o emprego do UHF de 434MHz e uma terapia oxidante, Holt obteve o desaparecimento de inúmeros tipos de câncer por períodos superiores a 5 anos. A maioria dos tumores tratados não havia respondido a cirurgia, quimioterapia ou radioterapia.

A seguir 11 casos consecutivos que foram tratados por Holt e publicados em 1993, na conceituada revista médica *Medical Hypotheses*. Protocolo: infusão de GS-SG por via intravenosa enquanto submetido à RF: 434MHz. Não há efeitos colaterais.

1. J.D., sexo feminino, data do nascimento: 31/05/1946. Glioblastoma grau 3, já submetido à cirurgia e à radioterapia em dezembro de 1983 e fevereiro de 1984. Recorrência diagnosticada por biópsia em 1984 e iniciado o protocolo em agosto de 1984 e repetido em janeiro de 1985. A tomografia anual até junho de 1990 mostrou a ausência de tumor.
2. R.H., sexo masculino, data do nascimento: 23/01/1939. Linfoma não Hodgkin envolvendo o pescoço dos dois lados e gânglios axilares e mediastinais. Radioterapia em julho de 1983, recorrência diagnosticada por biópsia em novembro de 1984, protocolo em dezembro de 1984 e janeiro de 1985. Completa resolução, sem a doença em janeiro de 1991.
3. C.M., sexo feminino, data do nascimento: 26/11/1959. Fibrossarcoma de parede pélvica. Cirurgia em outubro de 1979 e outubro de 1981. Recorrência diagnosticada por biópsia em fevereiro de 1985 quando fez o protocolo. Agora, em março de 1991 está sem evidências de câncer e apresenta raios X e exame clínico normais.
4. J.O.J., sexo masculino, data do nascimento: 1/4/1955. Carcinoma anaplástico inoperável na virilha e nódulos retroperitoneal, cirurgia somente para a biópsia. Protocolo em março e abril de 1980. Está livre do câncer desde então e agora em maio de 1991 apresenta raios X e exame clínico normais.
5. A.P., sexo feminino, data do nascimento: 6/1/1924. Carcinoma nasofaringeal com metástase bilateral nos linfonodos de pescoço. Radioterapia em agosto de 1975, setembro de 1979 e abril de 1984. Recorrência diagnosticada por biópsia em julho de 1984, quando fez o protocolo e se livrou do câncer. Em março de 1990 está livre do câncer.
6. C.P., sexo masculino, data do nascimento: 13/10/1938. Carcinoma nasofaringeal com metástase unilateral em linfonodo de pescoço. Radioterapia em agosto de 1980 e maio de 1984. Recorrência diagnosticada por biópsia e início do protocolo em março de 1986. Ficou livre do câncer e assim permaneceu até o último exame em junho de 1991, inclusive com biópsia negativa.
7. M.R., sexo feminino, data do nascimento: 3/5/1930. Cistoadenocarcinoma bilateral de ovário. Cirurgia e radioterapia em abril de 1986. Desenvolveu metástases em osso e pulmão. Recorrência diagnosticada por biópsia e protocolo em julho de 1986. Completa remissão do tumor primário e melhora do *scan* ósseo em julho de 1990.
8. J.R., sexo masculino, data do nascimento: 5/5/1934. Astrocitoma grau 1. Biópsia e protocolo em setembro de 1983. Permaneceu bem por 6 anos e meio quando apresentou recorrência. Não permitiu nova biópsia e fez novamente o protocolo em abril de 1991. Apresentou novamente a regressão do tumor cerebral, incluindo a parada das convulsões tipo jacksoniana.
9. G.S., sexo feminino, data do nascimento: 14/1/1921. Não permitiu cirurgia ou biópsia de melanoma maligno progressivo de retina. Radioterapia em janeiro de 1987 foi ineficaz. Protocolo em março de 1987 inativou o melanoma, o qual permaneceu estático. Até junho de 1991 não se observaram sinais clínicos do melanoma.
10. A.S., sexo feminino, data do nascimento: 1/7/1929. Leiomiossarcoma uterino em novembro de 1986 quando foi submetida à cirurgia. Recorrência diagnosticada por biópsia e protocolo em dezembro de 1986 e janeiro de 1987. Em junho de 1991, apresentou exame clínico e tomografia normais.
11. M.H., sexo feminino, data do nascimento: 25/9/1921. Carcinoma nasofaringeal com metástases dos dois

lados do pescoço. Radioterapia em janeiro de 1979 e março de 1980. Recorrência diagnosticada por biópsia e protocolo em outubro de 1980. Livre da doença em outubro de 1990.

No carcinoma escamoso de pele empregando o tratamento convencional com radioterapia sem a aplicação de campo eletromagnético, Holt observou 17% de falhas no tratamento (47 falhas em 300 pacientes). Quando empregou a radioterapia após aplicação do UHF de 434MHz, observou apenas 0,3% de falhas no tratamento (2 falhas em 600 pacientes).

Em 1980, 40 pacientes com linfoma grau IV intratável, isto é, que já haviam esgotado os recursos do tratamento convencional, foram submetidos à aplicação de campo eletromagnético de 434MHz combinado com pequenas doses de citotóxicos e/ou radioterapia. O resultado foi a remissão completa do linfoma em 34 pacientes e a remissão parcial em quatro. Somente dois pacientes não responderam. Tanto os citotóxicos como a radioterapia funcionaram como agentes oxidantes.

Conclusão

Apresentamos mais um tipo de estratégia empregada em pacientes já submetidos a todas as terapêuticas convencionais sem resposta, onde um médico australiano chamado Holt não se conformou e aplicou nova abordagem conseguindo sucesso terapêutico, sucesso médico, sucesso humano.

Referências

1. Baker Z. Glutathione and the Pasteur reaction. Biochem J. 31:980-6;1937.
2. Baker Z. Studies on the inhibition of glycolysis by glyceraldehydes. Biochem J. 32:332-41;1938.
3. Dickens F, Simer F. The metabolism of normal and tumour tissue: the RQ in bicarbonate media. Biochem J. 25:985-96;1931.
4. Dixon K C. The oxidative disappearance of lactic acid from brain and the Pasteur reaction. Biochem J. 29:973-7;1935.
5. Felippe JJr. Georges Lakhovsky: Efeito das Ciências Físicas na Biologia. Journal of Biomolecular Medicine & Free Radicals. 6(1):16-21;2000.
6. Felippe JJr. Bioeletromagnetismo: Medicina Biofísica. Journal of Biomolecular Medicine & Free Radicals. 6(2):41-4;2000.
7. Felippe JJr. Tratamento de doenças envolvendo frequência de ondas. Journal of Biomolecular Medicine & Free Radicals. 6(2):39-40; 2000.
8. Felippe JJr. Radiofrequencia Harmônica; Caso Clínico. Revista de Medicina Complementar. (8)2:28;2002.
9. Fiala S, Mohindru A, Kettering WG, et al. Glutathione and gamma glutamyl transpeptidase in rat liver during chemical carcinogenesis. J Natl Cancer Inst. 57: 591-8;1976.
10. Holt JAG. Increase of X-ray sensitivity of cancer after exposure to 434 MHz electromagnetic radiation. J Bioeng. 1(5/6):479-85;1977.
11. Holt JAG. Microwaves are not hyperthermia. Radiographer. 35(4):151-62;1988.
12. Holt JAG. The cause of cancer; biochemical defects in the cancer cell demonstrated by the effects of EMR, glucose and oxygen. Med Hypotheses. 5:109-44;1979.
13. Holt JAG. The extranuclear control of mitosis and cell function. Med Hypotheses. 6:145-92;1980.
14. Holt JAG. The glutathione cycle is the creative reaction of life and cancer. Cancer causes oncogenes and not vice versa. Med Hypotheses. 40:262-266;1993.
15. Holt JAG. The principles of hyperbaric and anoxic radiotherapy. Br J Radiol. 48:819-26;1975.
16. Holt JAG. The use of UHF radiowaves in cancer therapy. Australas Radiol. 19(2):223-41;1975.
17. Hopkins FG, Elliott KAC. Relationship of glutathione to cell respiration with special reference to hepatic tissue. Proceedings of the Royal Society London. 109:58-88;1931; J Biol Chem 84:269-320;1929.
18. Joines WT, Jirtle RL, Rafal MD, Schaefer DJ. Microwave power absorption differences between normal and malignant tissue. Int J Radiat Oncol Biol Phys. 6: 681-7;1929.
19. Kosower NS, Kosower EM. The glutathione – glutathione disulphide system. In: Pryer WE (Ed). Free Radicals in Biology. Vol 2, New York: Academic Press; p 55-84. 1976.
20. Needham J, Lehmann H. Intermediary carbohydrate metabolism in embryonic life. V. The phosphorylation cycles. VI. Glycolysis without phosphorylation. Biochem J. 31:1210-38;1937.
21. Nelson AJM, Holt JAG. Combined microwave therapy. Med J Australia. 2:88-90;1985; 13:707-8;1978.
22. Nelson AJM, Holt JAG. Microwave adjunt to radiotherapy and chemotherapy for advanced lynphoma. Med J Aust. 1:311-3;1980.
23. Warburg O, et al. Ubre den Stoffwechsel der Carcinomzelle. Biochem Zeitschr. 152:308;1924.
24. Warburg O. On the origin of cancer cells. Science. 123:309-14;1956.

CAPÍTULO 172

Chi Kung ou Qi Qong no câncer

José de Felippe Junior

Há alguns anos a Associação Brasileira de Medicina Complementar e Estratégias Integrativas em Saúde recebeu carta de Promotor de Justiça do Grupo Especial da Saúde Pública e da Saúde do Consumidor sobre a validade técnica do emprego do Chi-Kung ou Qi Qong no tratamento do câncer.

A seguir a resposta

São Paulo, 24 de outubro de 2007

Ao Ilustríssimo Senhor

Dr. Reynaldo Mapelli Júnior

DD. Promotor de Justiça do Grupo de Atuação Especial da Saúde Pública e da Saúde do Consumidor

Ref. GAESP número: 421/2007-10-24

Senhor Promotor

A Associação Brasileira de Medicina Complementar (ABMC) foi fundada com o objetivo de estudar cientificamente técnicas de diagnósticos e terapêuticas, novas e antigas, com a finalidade de submetê-las à REGULAMENTAÇÃO no Conselho Federal de Medicina.

O estudo destas técnicas é feito em grupos de estudos, Congressos, Simpósios e Painéis, onde se discutem os trabalhos científicos publicados na literatura médica indexada, revistas especializadas de bom nível.

Nas "Estratégias e Planos de Ação" de 2002 a 2005, elaboradas pela Organização Mundial da Saúde (www.who.int) existe a preocupação em estudar as técnicas da Medicina Tradicional e da Medicina Complementar, principalmente nas "populações pobres e marginalizadas". O Chi Kung pertence à Medicina Tradicional Chinesa.

Parecer Técnico da Associação Brasileira de Medicina Complementar – ABMC

Chi Kung e Oncologia

Utilizamos a base de dados que reúne a maior parte dos trabalhos científicos da literatura médica indexada de bom nível: "PubMed".

Quando colocamos o nome Chi Kung encontramos apenas 76 referências bibliográficas entre 1966 e 2007, entretanto o nome mais utilizado para essa técnica é Qi Gong e o "PubMed" a coloca em situação de destaque, catalogando tal procedimento como "Descritor Assunto".

Quando utilizamos o nome Qi Gong encontramos 1.893 referências, mostrando que no Ocidente essa técnica está sendo muito estudada. A maioria dos trabalhos refere-se aos benefícios para as pessoas acometidas de estresse físico e mental, hipertensão, para diminuir o número de quedas em idosos e para melhorar as condições cardiorrespiratórias no pós-infarto e no pós-operatório de cirurgia torácica e cardíaca. São trabalhos sérios e elaborados de forma prospectiva, randomizada, duplo-cegos e controlados com placebo.

Ao correlacionar no sistema PubMed de busca, "Qi Gong and Cancer" encontramos, entre 1966 e 1996, 19 trabalhos. Este número se elevou para 29 trabalhos entre 1997 e 2007, revelando que aumentou o interesse pelo estudo do Qi Gong no câncer.

Em outra base de dados muito utilizada em pesquisa médica, no "PubMed" encontramos 2.062 referências bibliográficas com o termo "Qi Gong" e 59 referências quando cruzamos com a palavra "Cancer".

Resumos de alguns trabalhos relevantes

1. Li, em 2005, mostra estudo ousado sobre o Qi Gong interferindo na expressão gênica.
   Sabemos que as células são capazes de fabricar energia, hormônios e anticorpos de defesa contra vírus, bactéria e células neoplásicas, fazendo funcionar os genes, isto é, aumentando a expressão gênica. Neste trabalho o autor empregando voluntários normais mostrou que a técnica Qi Gong exerce efeito na regulação transcricional de genes aumentando a imunidade celular, o que foi mostrado pelo aumento da fagocitose dos neutrófilos.
   J Altern Complement Med.11(1):29-39;2005.
   País: Estados Unidos da América
2. Lei em 1991 estuda os efeitos antitumorais do Qi Gong no tumor experimental de ratos. Mostrou que o Qi Gong aumentou drasticamente o efeito antitumoral da quimioterapia, ao lado de aumentar a função do sistema imune. A técnica não permitiu o efeito deletério, leucopenia e anemia, da quimioterapia sobre o sistema imune.
   J Tongji Med Univ. 11(1):253-6;1991.
   País: China
3. Lev-Ari, em 2006, escreveu sobre o grande benefício, incluindo longo período de sobrevivência, em 1 caso de tumor ovariano com metástases generalizadas onde se empregou o tratamento convencional e o Qi Gong. Os autores referem que este foi o primeiro caso da literatura oncológica que apresentou tal sobrevida.
   Integr Câncer Ther. 5(4): 395-9;2006.
   País: Israel
4. Yan, em 2006, mostrou que o Qi Gong regula a via Akt e as vias quinases de sinalização nas células cancerosas, sendo citotóxico para as células cancerosas, mas não para as células normais. Em outras palavras, o autor está entre os poucos pesquisadores de ponta na literatura médica que estão mostrando os efeitos da FÍSICA (campos energéticos e eletromagnéticos) sobre a QUÍMICA do organismo.
   O estudo em cultura de células humanas de câncer de pâncreas mostrou o efeito da técnica sobre os mecanismos bioquímicos e moleculares das células. As vias Akt e as vias dependentes das quinases são vias que ativam a proliferação celular neoplásica. Por mecanismo físico, o Qi Gong aplicado por apenas 5 minutos inibe tais vias, inibe o fator de crescimento epidérmico e inibe o fator NF-kappaB, diminuindo a proliferação celular e aumentando a morte das células neoplásicas por apoptose. O fator de transcrição nuclear NF-kappaB é um dos principais fatores que perpetuam o câncer. É um dos mecanismos de sobrevivência celular.
   Int J Biochem Cell Biol. 38(12):2102-13;2006.
   País: China
5. Yeh, em 2006, mostrou que o Qi Gong não permitiu a queda de leucócitos em mulheres com câncer de mama submetidas à quimioterapia. Foram estudadas 32 mulheres no grupo quimioterapia e Qi Gong e 35 no grupo controle com somente quimioterapia. Houve significante diferença do número de leucócitos nos dois grupos: grande queda no grupo controle e somente leve queda no grupo Qi Gong.
   Câncer Nurs. 29(2):149-55;2006.
   País: Taiwan
6. Em pacientes com câncer de mama, Lee em 2006 conseguiu diminuir o estresse psicológico e melhorar vários sintomas físicos nas mulheres submetidas à quimioterapia utilizando o Qi Gong, quando comparadas com grupo controle sem a técnica.
   Am J Chin Med; 34(1):37-46, 2006.
   País: Singapura
7. O Qi Gong foi aplicado em um paciente em fase terminal de câncer – Grau IV – com metástases no pulmão e ossos. Após tratamento durante 8 dias com aplicações locais de Qi Gong houve efeitos benéficos sobre a dor, vômitos, dispneia, fadiga, anorexia, insônia, ansiedade e atividade diária. Tais benefícios se mantiveram por 2 semanas após cessar a aplicação da técnica. Conclusão: melhoria da qualidade de vida.
   Eur J Câncer Care (Engl). 14(5):457-62;2005.
   País: Koreia
8. Outro autor efetuou trabalho semelhante em dois pacientes com câncer em fase final e observou melhoria em vários parâmetros físicos e psicológicos.
   Complement Ther Clin Pract. 11(3):211-3;2005.
   País: Inglaterra
9. Chen, em 2002, fez revisão de 50 casos de câncer tratados com Qi Gong. O trabalho foi controlado com placebo, porém não foi randomizado. No grupo que empregou o tratamento convencional com o Qi Gong a qualidade de vida foi melhor e houve aumento do tempo de sobrevida quando comparado com o grupo que recebeu somente o tratamento convencional.
   Nos estudos *in vitro* observou-se que a técnica possui efeito inibitório sobre o crescimento tumoral e nos experimentos *in vivo*, além de diminuir o volume tumoral, verificou-se aumento da sobrevida dos animais que receberam o Qi Gong.
   Integr Câncer Ther. 1(4):345-70;2002.
   País: China

10. Chen e Keller, em 2002, estudaram o efeito da aplicação do Qi Gong no crescimento de linfoma transplantado em camundongo. No grupo tratado o volume do linfoma foi significantemente menor, mostrando que a técnica diminui a proliferação celular neoplásica. O experimento foi repetido com pessoa não treinada em Qi Gong que imitou fielmente os movimentos da técnica e não houve nenhum tipo de efeito benéfico.
    J Altern Complement Med. 8(5):615-21;2002.
    País: Estados Unidos da América

11. Sancier KM do Instituto Qi Gong da Califórnia, organização sem fins lucrativos, fez revisão no banco de dados do Instituto e encontrou 1.300 trabalhos científicos de 1986 a 1994 versando sobre 3 assuntos principais: câncer, hipertensão arterial e doenças respiratórias. Foram usados grupos controle. Nos pacientes com câncer, o emprego do Qi Gong reduziu os efeitos colaterais da quimioterapia. Nos pacientes hipertensos houve diminuição da incidência de derrame cerebral, redução da mortalidade e da dose de medicamentos necessários para a manutenção da pressão arterial. Nos pacientes asmáticos houve redução da necessidade de medicamentos para o controle das crises e diminuição do tempo de hospitalização e custo da terapia.
    J Altern Complement Med. 5(4):383-9;1999.
    País: Estados Unidos da América

Anexamos a este parecer 37 sumários coletados na base de dados do "PubMed" sobre o emprego do Qi Gong ou Chi Kung em oncologia.

Resumindo

Todos os trabalhos consultados utilizaram o Qi Gong como tratamento complementar do câncer e mostraram efeitos benéficos sobre a qualidade de vida, minimizando e até abolindo sintomas muito difíceis de serem tratados com a medicina convencional. Alguns mostraram aumento da sobrevida.

Trabalhos de profundidade científica esmerada mostraram os efeitos do Qi Gong sobre a biologia das células cancerosas: efeitos da Física sobre a Química. O emprego da técnica conseguiu diminuir a proliferação tumoral e aumentar a morte celular somente das células neoplásicas, o que abre portas para a pesquisa e posterior emprego da técnica no tratamento desta doença que tanto aflige a humanidade.

Outros trabalhos agora em seres humanos com câncer mostram que a técnica diminui os efeitos colaterais da quimioterapia, o que se constitui em grande alento e alívio para os pacientes.

Em vários locais do Ocidente tais técnicas são utilizadas pelo corpo de enfermagem ou fisioterapeutas.

Cumpre salientar que a técnica não utiliza medicamentos, sendo totalmente desprovida de efeitos colaterais.

Conclusão

Diante do exposto, o Qi Gong ou Chi Kung mostra-se benéfico como técnica complementar no tratamento de pacientes oncológicos e por essa razão vem sendo empregado em vários países do Planeta e não somente na China.

Devemos intensificar os estudos por pesquisadores brasileiros em benefício da ciência e dos pacientes sobre técnica que vem sendo utilizada há milênios e que a literatura Ocidental tem mostrado a objetiva eficácia, para que possamos submetê-la ao Conselho Federal de Medicina para apreciação e posterior Regulamentação.

Deixar de aprender é omitir socorro. **JFJ**

Nota: Em agosto de 2018 o PubMed apresenta 232 trabalhos ao colocarmos na busca "Qi Gong cancer" e 206 ao colocarmos "Chi Kung cancer".

PARTE VI

Drogas comuns usadas em clínica que aumentam a proliferação neoplásica e/ou impedem a apoptose e, portanto, contraindicadas

CAPÍTULO 173

Bloqueadores dos canais de cálcio impedem a apoptose e aumentam drasticamente o risco de contrair câncer

José de Felippe Junior

Verapamil, Diltiazem, Amlodipina e Nifedipina aumentam o risco de câncer. **Pahor**

Primun non nocere.

Somente o médico que não estuda usa as últimas novidades da Indústria Farmacêutica. **JFJ**

A maioria dos médicos são camelôs da Indústria Farmacêutica. **Walter Edgar Maffei**

O cardiologista deveria conhecer melhor os graves efeitos colaterais das drogas que prescreve. **JFJ**

Há muitos anos os bloqueadores dos canais de cálcio são amplamente usados pelos cardiologistas e nefrologistas devido a sua alta eficácia no controle da hipertensão arterial. Eles são bem tolerados e não apresentam efeitos colaterais dignos de nota quando utilizados em curto prazo.

De maneira semelhante ao que acontece com muitos medicamentos lançados pela indústria farmacêutica e aprovados pelo FDA, a agência reguladora de medicamentos dos Estados Unidos da América do Norte, somente ficamos sabendo dos efeitos colaterais de longo prazo quando pesquisadores independentes e sem conflito de interesse resolvem alertar os médicos que os empregam. Muitas vezes tais pesquisadores perdem o emprego de professor nas universidades.

Tais drogas beneficiam o paciente de um lado (amplamente comentado e divulgado) e prejudicam de outro (nunca comentado e escondido de todos, até dos próprios médicos). Pertencem a essa classe de drogas o verapamil, o diltiazem, a amlodipina e a nifedipina, todos eles bloqueadores do cálcio.

Foi Pahor, em 1996, o primeiro autor a alertar sobre o aumento da incidência de câncer nos pacientes que usam há pelo menos 3 anos este tipo de droga. Os bloqueadores dos canais de cálcio, impedindo a entrada de cálcio no intracelular, inibem a apoptose, importante mecanismo de morte de células transformadas, de células com DNA alterado, de células infectadas por vírus ou lesadas por estresse oxidativo (excesso de radicais livres).

Em julho de 1996 Pahor publica na conceituada revista "Americam Journal Hipertension" estudo envolvendo 750 pacientes com hipertensão arterial sem historia de câncer, avaliados no período de 1988 a 1992. O risco relativo de câncer nos pacientes que receberam beta-bloqueadores (n = 424 com 28 eventos) e nos pacientes que receberam inibidores da enzima de conversão (n = 124 com 6 eventos) foi de 0,73 (0,30 a 1,78). Quando comparados com os pacientes que receberam os bloqueadores dos canais de cálcio (n = 202 com 27 eventos) notou-se drástico aumento do risco da incidência de câncer para 2,02 (1,16 a 3,54).

Estes dados indicam que o uso dos bloqueadores dos canais de cálcio aumenta significantemente o risco de aparecimento de câncer de 2,2 a 7,1 vezes com média de 4 vezes.

Em julho de 1996, Pahor publica, na conceituada revista *Americam Journal Hipertension*, estudo envolvendo 750 pacientes com hipertensão arterial sem história de câncer, avaliados no período de 1988 a 1992. O risco relativo de câncer nos pacientes que receberam betabloqueadores (n = 424 com 28 eventos) e nos pacientes que receberam inibidores da enzima de conversão (n = 124 com 6 eventos) foi de 0,73. Quando comparados com os pacientes que receberam os bloqueadores dos canais de cálcio (n = 202 com 27 eventos), notou-se drástico aumento do risco da incidência de câncer para 2,02.

Estes dados indicam que o uso dos bloqueadores dos canais de cálcio aumenta significantemente o risco de aparecimento de câncer.

Em agosto de 1996, o mesmo autor publica em outra conceituada revista médica, *Lancet*, conclusões semelhantes comparando a incidência de câncer em três regiões de Massachusetts: pacientes que ingeriram verapamil, diltiazem ou nifedipina apresentaram incidência de câncer superior à da população onde viviam.

Após essas observações inéditas surgiram muitos estudos semelhantes, alguns concordando e outros discordando de Pahor. Alguns autores mostraram que os bloqueadores de cálcio não provocam câncer, porém, é muito difícil sabermos se há conflito de interesse, isto é, se tais trabalhos são na verdade "encomendas" dos laboratórios farmacêuticos com interesse no produto.

A enorme avalanche de inibidores da enzima de conversão, os betabloqueadores seletivos, os diuréticos (curto prazo) e a diminuição da ingestão de sal, juntamente com os exercícios regulares e o controle do peso permitem controlar a pressão arterial sem a necessidade de corrermos riscos sérios e desnecessários empregando drogas sob suspeita.

Lindberg, em 2002, mostra que os bloqueadores de cálcio aumentam a mortalidade por infarto do miocárdio e acidente vascular cerebral.

Interessante saber que o cálcio é um cátion estruturador da água intracelular e, portanto, é uma substância necessária para manter o grau de ordem-informação do sistema termodinâmico aberto que é a célula.

Por precaução há muitos anos não temos empregado os bloqueadores dos canais de cálcio no tratamento da hipertensão ou em qualquer outro tipo de doença e tais drogas não fizeram falta alguma.

MEDICO BIOMOLECULAR é aquele que cuida do corpo humano com todo respeito bioquímico e fisiológico. É aquele que cuida da: MATÉRIA –INFORMAÇÃO – ENERGIA. JFJ

Quarenta e três resumos dos trabalhos originais de Pahor e de outros autores mostrando que os bloqueadores dos canais de cálcio aumentam o risco de câncer

1. **Pahor M; Guralnik JM; Salive ME; Corti MC; Carbonin P; Havlik RJ**

   Do calcium channel blockers increase the risk of cancer?

   Comment In: Am J Hypertens. 1996 Oct;9(10 Pt 1):1045-6, author reply 1051-3.

   Am J Hypertens; 9(7):695-9, 1996 Jul.

   Calcium channel blockers can block calcium signals that trigger cell differentiation and apoptosis, which are important mechanisms of cancer growth regulation. To ascertain whether calcium channel blocker use was associated with an increased risk of cancer, 750 hypertensive persons age > or = 71 years, with no history of cancer at baseline, were followed from 1988 through 1992. The patients were using either beta-blockers, angiotensin converting enzyme inhibitors or calcium channel blockers (verapamil, nifedipine, and diltiazem; mainly of the short-acting variety). Compared to beta-blockers (n = 424, 28 events), after adjusting for age, gender, race, smoking, body mass index, and number of hospital admissions not related with cancer, the relative risks of cancer (95% confidence interval) for angiotensin converting enzyme inhibitors (n = 124, 6 events) and calcium channel blockers (n = 202, 27 events) were 0.73 (0.30 to 1.78) and 2.02 (1.16 to 3.54), respectively. These findings indicate that calcium channel blocker therapy might increase the risk of cancer. New data are needed in patients using modern calcium channel blocker agents with more gradual absorption. This report should encourage further study of cancer outcomes in elderly patients who are vulnerable to cancer and who are receiving calcium channel blockers.

2. **Pahor M; Guralnik JM; Ferrucci L; Corti MC; Salive ME; Cerhan JR; Wallace RB; Havlik RJ**

   Calcium-channel blockade and incidence of cancer in aged populations.

   Comment In:Lancet. 1996 Aug 24;348(9026):487.

   Lancet; 348(9026):493-7, 1996 Aug 24.

   BACKGROUND: Calcium-channel blockers can alter apoptosis, a mechanism for destruction of cancer cells. We examined whether the long-term use of calcium-channel blockers is associated with an increased risk of cancer. METHODS: Between 1988 and 1992 we carried out a prospective cohort study of 5052 people aged 71 years or more and who lived in three regions of Massachusetts, Iowa, and Connecticut USA. Those taking calcium-channel blockers (n = 451) were compared with all other participants (n = 4601). The incidence of cancer was assessed by survey of hospital discharge diagnoses and causes of death. These outcomes were validated by the cancer registry in the one region where it was available. Demographic variables, disability, cigarette smoking, alcohol consumption, blood pressure, body-mass index, use of other drugs, hospital admissions for other causes, and comorbidity were all assessed as possible confounding factors. FINDINGS: The hazard ratio for cancer associated with calcium-channel blockers (1549 person-years, 47 events) compared with those not taking calcium-channel blockers (17225 person-years, 373 events) was 1.72 (95% CI 1.27-2.34, p = 0.0005), after adjustment for confounding factors. A significant dose-response gradient was found. Hazard ratios associated with verapamil, diltiazem, and nifedipine did not differ significantly from each other. The results remained unchanged in community-specific analyses. The association between calcium-channel blockers and cancer was found with most of the common cancers. INTERPRETATION: Calcium-channel blockers were associated with a general increased risk of cancer in the study populations, which suggested a common mechanism. These observational findings should be confirmed by other studies.

3. **Pahor M; Furberg CD**

Is the use of some calcium antagonists linked to cancer? Evidence from recent observational studies.

Drugs Aging; 13(2):99-108, 1998 Aug.

In animal and in vitro studies, several calcium antagonists have been shown to block apoptosis (programmed cell death), a natural cellular defence against cancer. On the basis of these studies, it has been hypothesised that calcium antagonists may function as cancer promoters and that they might cause cancer in humans. The association between the use of calcium antagonists and cancer has been addressed recently in 6 independent epidemiological studies. Four of these studies--2 cohort and 2 case-control--found a significantly higher risk of cancer among users of certain calcium antagonists as compared with either non-users or with users of other antihypertensive agents. The other 2 studies failed to find support for this association. All studies had limitations of varying types and significance. The emerging pattern from these investigations includes the following features: (i) the strength of the association appears to be dependent on daily dosage, ranging from no association in users of low dosages to a 2-fold (or possibly higher) increased risk in users of higher dosages; (ii) the time lag to the appearance of this association appears to be at least 2 to 3 years; (iii) an association with a higher risk of cancer has been found primarily for verapamil, while no such relationship has been reported for diltiazem; and (iv) no highly consistent associations have been shown with specific cancer sites or histological types. More data, preferably from long-term randomised clinical trials, are required before firm conclusions can be drawn.

4. **Kaplan NM**

Do calcium antagonists cause cancer?

Comment On: Lancet. 1996 Apr 20;347(9008):1061-5.

Lancet; 348(9026):541-2, 1996 Aug 24.

Quase certeza de haver conflito de interesse não declarado.

5. **Jackson G**

Calcium antagonists: a scandal in need of an inquiry.

Int J Clin Pract; 57(6):455, 2003 Jul-Aug.

6. **Beiderbeck-Noll AB; Sturkenboom MC; van der Linden PD; Herings RM; Hofman A; Coebergh JW; Leufkens HG; Stricker BH**

Verapamil is associated with an increased risk of cancer in the elderly: the Rotterdam study. Comment In: Eur J Cancer 39(1):98-105, 2003 Jan.

Eur J Cancer; 39(1):98-105, 2003.

The association between the use of calcium channel blockers (CCB) and cancer has received ample attention, but is still controversial. In this study, we have tested the hypothesis that the observed association between CCB and cancer in earlier studies could be explained by residual confounding or by misclassification of exposure because of the use of cross-sectional data on drug use. Data from the Rotterdam Study, a prospective population-based cohort study in the municipal area Ommoord, were used. The study population consisted of a cohort of 3204 participants aged 71 years or older who were followed from a baseline interview in the period 1991-1993 for the occurrence of incident cancer. Data on drug use were gathered at baseline and through the seven community pharmacies which served the Ommoord region during the study period between 1 January 1991 and 1 January 1999. Incident cancer events were gathered from a nationwide registry of hospitalisation data and from a specialised cancer centre in the Rotterdam region. We performed three analyses. First, we followed the method, and adjusted for the same risk factors, as in the earlier studies. In the second analysis, we included all risk factors that were univariately associated with cancer in the Rotterdam Study. In the third analysis, we included exposure to CCBs as time-varying co-variates, while adjusting for potential confounders. The relative risk (RR) of cancer associated with CCB was 1.4 (95% Confidence Interval (CI): 0.9-2.0) in the first analysis and lowered to 1.2 (95% CI: 0.8-1.8) upon adjustment for the different co-variates in the second.

In both analyses, however, verapamil was significantly associated with cancer with RRs of 2.1 (95% CI: 1.1-4.0) and 2.0 (1.01-3.9), respectively, whereas no associations were found with the other CCB in this study, i.e. diltiazem and nifedipine. A significantly increased risk of cancer was found for intermediate daily doses of verapamil and diltiazem. Intake of other antihypertensives such as beta-blocking agents, diuretics and ACE-inhibitors was not associated with cancer. In the third analysis with exposure to CCB as time-varying co-variates, the risk increase was non-significant for use of 2 years or less, 1.0 (95% CI: 0.7-1.5), and for use for a cumulative period of more than 2 years, 1.3 (95% CI: 0.8-2.0). However, in all models the hazard ratio was statistically significantly increased for verapamil, but not for diltiazem and nifedipine. On the basis of these analyses, we found no increase in cancer in users of diltiazem and nifedipine, nor in users of other antihypertensives. In line with earlier studies, however, we found an increased risk of cancer in users of verapamil. At variance with the conclusions from several other studies, we think that it is too early to conclude that CCB are not associated with cancer.

7. **La Vecchia C; Bosetti C**

Calcium channel blockers, verapamil and cancer risk.

Comment On: Eur J Cancer. 2003 Jan;39(1):98-105

Eur J Cancer; 39(1):7-8, 2003 Jan.

8. **Preobrazhenskii DV; Sidorenko BA; Stetsenko TM; Kiktev VG**

[Antihypertensive drugs and malignant neoplasia]

Antigipertenzivnye preparaty i zlokachestvennye novoobrazovaniia.

Kardiologiia; 42(5):62-7, 2002.

Analysis of epidemiological, cohort and randomized studies of antihypertensive drugs containing reports of development of malignant neoplasms shows that long term use of some antihypertensive drugs while preventing cardiovascular complications has been associated with increased risk of malignancies. Most convincing evidence exists for association between the use of diuretics and renal cancer. Association between the use of reserpine and breast cancer in women, between atenolol and some types of cancer in elderly men also can not be ruled out. There is no proof of existence of either negative or positive correlation between malignant neoplasia and long-term use of calcium antagonists, angiotensin converting enzyme inhibitors or angiotensin receptor blockers.

9. **Lindberg G; Lindblad U; Löw-Larsen B; Merlo J; Melander A; Råstam L**

Use of calcium channel blockers as antihypertensives in relation to mortality and cancer incidence: a population-based observational study.

Pharmacoepidemiol Drug Saf; 11(6):493-7, 2002 Sep.

PURPOSE: Treatment with blood pressure lowering drugs may reduce morbidity and mortality. However, the efficacy and effectiveness may differ between antihypertensive agents. The current investigation aimed to compare mortality and cancer incidence in hypertensive patients treated with calcium channel blockers (CCB) or with other antihypertensive drugs (AHD). METHODS: All patients in two outpatient clinics treated with AHD who underwent an annual check-up during 1989 or 1990 were selected. Fatal events were identified through 1997 and incident cancers through 1998. RESULTS: Two hundred and fourteen patients on CCB and 1029 on other AHD were identified. Overall mortality and the combined mortality from myocardial infarction and stroke were higher in CCB users; hazard ratios adjusted for sex, age, comorbidity and other and risk factors were 1.84 (95% CI 1.25-2.72) and 2.37 (95% CI 1.27-4.44), respectively. The risk estimates for cancer mortality and for cancer incidence did not differ significantly. CONCLUSIONS: Results from clinical trials as well as observational studies, including the present one, indicate a higher mortality risk and a higher cardiovascular morbidity risk associated with use of CCB. Accordingly, CCB should not be regarded as first line drugs in hypertension.

10. **Zhu K; Daling JR; Pahor M**

African-American ethnicity in epidemiological studies of calcium antagonists in relation to cancer.

Ethn Dis; 12(1):144-8, 2002 Winter.

11. **Felmeden DC; Lip GY**

Antihypertensive therapy and cancer risk.

Drug Saf; 24(10):727-39, 2001.

The aim of this article is to provide an overview of the available data linking antihypertensive drug therapy to cancer risk. In recent years, a number of mainly retrospective studies have reached different conclusions on the risk of cancer in patients with hypertension being treated with different antihypertensive drugs. At some point or another nearly all antihypertensive drugs have been suggested to increase the risk of cancer. Some studies have even found an association between hypertension itself and increased carcinogenesis. For calcium channel antagonists, beta-blockers and alpha-blockers, the available evidence seems to favour a neutral effect on cancer development and death rate. For ACE inhibitors, the overall data suggest a similar neutral effect on cancer or, possibly, a small protective effect. Perhaps the strongest evidence in favour of a link, although probably weak, between cancer and antihypertensive drugs is with the diuretics. Until further solid data are available from prospective clinical trials, we suggest that the management of hypertension should continue according to current treatment guidelines with little fear of any substantial cancer risk.

12. **Grossman E; Messerli FH; Goldbourt U**

    Antihypertensive therapy and the risk of malignancies.

    Eur Heart J; 22(15):1343-52, 2001 Aug.

    AIMS: To assess the relationship between antihypertensive therapy and malignancy. METHODS AND RESULTS: A MEDLINE search for English-language articles published between January 1966 and August 1999 identified 29 prospective studies that reported cancer incidence or mortality and 28 case-control studies that reported specific drug use in cancer patients and controls. The association between rauwolfia derivatives and breast cancer was analysed in 5852 cases and 9776 controls, yielding an odds ratio (OR) of 1.25 (95% CI, 1.09-1.44). The association between diuretics and renal cell carcinoma was analysed in 4389 cases and 6566 controls, yielding a pooled OR of 1.54 (95% CI, 1.41-1.68). The association between atenolol and cancer death was analysed pooling three randomized controlled studies, including 1879 treated patients and 3078 non-treated patients, yielding a pooled OR of 1.36 (95% CI, 1.02-1.82); however, data from non-randomized studies did not confirm the latter. The association between calcium antagonists and malignancy was analysed pooling five randomized controlled studies, including 5451 treated patients and 5207 untreated ones, yielding a pooled OR of 0.78 (CI, 0.60-1.00). A meta-analysis of an additional five longitudinal studies, including 9087 treated patients and 15 559 non-treated patients, yielded a pooled OR of 1.04 (CI, 0.91-1.19). The association between ACE inhibitors and malignancy was analysed pooling two randomized controlled trials involving 1585 treated patients and 1567 non-treated patients, yielding a pooled OR of 1.57 (95% CI, 0.97-2.57); however, non-randomized studies showed no association or a decreased risk for malignancy with ACE inhibitors. CONCLUSIONS: With the exception of diuretics and renal cell carcinoma, the association between antihypertensive drugs and malignancy was either low grade (rauwolfia), uncertain (atenolol), absent (ACE inhibitors), or absent with a yet to be investigated inverse association (calcium antagonists). Ongoing long-term prospective studies with cardiovascular drugs should carefully monitor the risk of malignancy.

13. **Goldstein MR**

    Does amlodipine increase cancer incidence?

    Comment On:Circulation. 2000 Sep 26;102(13):1503-10.

    Circulation; 104(2):E5, 2001 Jul 10.

14. **Kizer JR; Kimmel SE**

    Epidemiologic review of the calcium channel blocker drugs. An up-to-date perspective on the proposed hazards.

    Comment In:Arch Intern Med. 2001 Nov 26;161(21):2627-8.

    Arch Intern Med; 161(9):1145-58, 2001 May 14.

    In the setting of soaring popularity, postmarketing studies of calcium channel blockers came to suggest an increase in a variety of major adverse end points. The evidence, however, was largely observational, and large-scale trials capable of addressing the concerns were wanting. Clinical trials now support the safety and efficacy of the long-acting dihydropyridines for patients with both uncomplicated and diabetic hypertension, although conventional therapies and, in the latter case, angiotensin-converting enzyme inhibitors have superior proof of benefit. By contrast, short-acting dihydropyridines should be avoided. In the acute coronary syndromes, beta-blockers remain the treatment of choice; the evidence for nondihydropyridines remains inconclusive. Stable angina calls for beta-blockers as first-line therapy and nondihydropyridines as second-line therapy, whereas in ventricular dysfunction, safety data for nondihydropyridines are lacking. Initial reports of cancer, bleeding, and suicide have been contradicted by subsequent data, making the associations uncertain or unlikely. Remaining questions await completion of ongoing trials to better define the indications for these agents.

15. **Nakagawa Y; Shimada K**

    [Anti-hypertensive agents and cancer]

    Nippon Rinsho; 58 Suppl 2:180-2, 2000 Feb.

16. **Sorensen HT; Olsen JH; Mellemkjaer L; Steffensen FH; McLaughlin JK; Baron JA**

Cancer risk and mortality in users of calcium channel blockers. A cohort study.

Cancer; 89(1):165-70, 2000 Jul 1.

BACKGROUND: Data regarding the association between the use of calcium channel blockers and cancer risk have been conflicting. In the current study, the authors examined the cancer risk and mortality in users of calcium channel blockers in North Jutland County, Denmark. METHODS: The authors conducted a cohort study using record linkage between a population-based prescription database, the Danish Cancer Registry, and the Danish Death Registry including 23.167 users of calcium channel blockers who received >/=2 prescriptions between January 1, 1989 and December 31, 1995. The authors calculated the standardized incidence ratios and standard mortality ratios for cancer, along with corresponding 95% confidence intervals (95% CI). RESULTS: Overall, 967 incident cases of cancer occurred, resulting in a standardized incidence ratio of 1.04 (95% CI, 0.98-1.11). There was a slightly elevated nonsignificant risk of tobacco-related cancer. No increased risk of breast or colon carcinoma was observed. The cancer mortality was close to that expected in the background population (standardized mortality ratio of 0.97; 95% CI, 0.89-1.04). CONCLUSIONS: This large-scale, population-based cohort study adds to the increasing evidence indicating no substantial association between the use of calcium channel blockers and the incidence rate of cancer or cancer mortality.

17. **Stahl M; Bulpitt CJ; Palmer AJ; Beevers DG; Coles EC; Webster J**

Calcium channel blockers, ACE inhibitors, and the risk of cancer in hypertensive patients: a report from the Department of Health Hypertension Care Computing Project (DHCCP).

Comment In:J Hum Hypertens. 2000 May;14(5): 285-6.

J Hum Hypertens; 14(5):299-304, 2000 May.

OBJECTIVE: Recent studies have shown inconsistent results on the risk of cancer in hypertensive patients using calcium channel blockers (CCBs) and angiotensin-converting enzyme (ACE) inhibitors. We investigated a large number of patients from the Department of Health Hypertension Care Computing Project (DHCCP) observational database treated with these drugs for hypertension to see whether the use of CCBs for hypertension is associated with an increased risk of cancer mortality and the use of ACE inhibitors with a reduction. DESIGN: Matched case-control study and a longitudinal study of survival from 1 year after presentation. PATIENTS: A total of 11.663 patients treated for hypertension from 1971 through 1987. They were recruited on presentation to one of the hospital hypertension clinics or general practices involved. MAIN OUTCOME MEASURES: Death with any mention of cancer on the death certificate in patients treated with an Index drug group; CCBs, ACE inhibitors, beta adrenergic blocking drugs (BBs), or receiving a diuretic. The treatment groups were mutually exclusive. RESULTS: A total of 391 cases of cancer were matched with 1050 controls. In this case-control study the adjusted relative risk estimate in comparison to diuretic treatment for CCBs was 0.79 (95% CI 0.37 to 1.69), and for CCBs plus a diuretic, 1.05 (0.65 to 1.69). Non-significant results were also observed for ACE inhibitors (1.48 (0.43 to 5.1), and 1.40 (0.56 to 3.50) with a diuretic), and also for the BB and methyldopa groups. In the longitudinal survival study, the adjusted relative risk estimate for CCBs was 1.1 (0.60 to 1.94) and 1.0 (0.53 to 1.86) for CCBs plus a diuretic, and for ACE inhibitors 1.33 (0.37 to 4.76) and 1.47 (0.67 to 3.23), respectively. CONCLUSIONS: In this population there was no increased cancer mortality with the use of CCBs and a relative risk greater than 1.7 to 2.0 was excluded with 95% confidence. The suggestion that ACE inhibitors reduce cancer mortality was not supported with best estimates of relative risk of 1.3 to 1.5 and exclusion of values less than 0.4 to 0.7.

18. **Grossman E; Messerli FH**

Calcium antagonists, ACE inhibitors, and the risk of cancer in hypertensive patients.

Comment On:J Hum Hypertens. 2000 May;14(5): 299-304.

J Hum Hypertens; 14(5):285-6, 2000 May.

19. **Cohen HJ; Pieper CF; Hanlon JT; Wall WE; Burchett BM; Havlik RJ**

Calcium channel blockers and cancer.

Am J Med; 108(3):210-5, 2000 Feb 15.

PURPOSE: We sought to explore the relation that has been previously reported between calcium channel blockers and an increased risk of cancer. SUBJECTS AND METHODS: We followed 3,511 participants, age 65 years or older, in the Duke Established Populations for Epidemiologic Studies of the Elderly for up to 10 years. Information about use of medications was obtained at baseline and 3 and 6 years later. Information about hospitalization for cancer, or death from cancer, was obtained from Health Care Financing Administration data and death certificates. RESULTS: Of the 133 users of calcium channel blockers, 16 (12%) developed cancer, compared with 548 (16%) of 3,378 nonusers (hazard ratio = 0.9; 95% confidence interval, 0.5 to 1.5). Adjusting for baseline and time-dependent covariates, such as race, diabetes, or blood pressure, for dose or class of calcium channel blockers, or for length of follow-up, had no effect. CONCLUSIONS: Use of calcium channel blockers does not appear to be related to cancer risk. Earlier reports showing such a relation may have been the result of chance.

20. **Lever AF; Hole DJ; Gillis CR; McInnes GT; Meredith PA; Murray LS; Reid JL**

Is cancer related to hypertension or to its treatment?

Clin Exp Hypertens; 21(5-6):937-46, 1999 Jul-Aug.

Three questions related to cancer and blood pressure are discussed. (i) Is cancer related in some way to hypertension, or to blood pressure? Several studies show a relation of blood pressure and cancer in populations. However, our own experience, based on a cohort of 15,411 subjects with BP measured in the 1970s and with 1,392 fatal cancers since, shows no relation of cancer risk and diastolic pressure. Nor were cancer numbers (n=72) observed in the 1,078 untreated hypertensives of the Glasgow Blood Pressure Clinic different from those expected (n=71.2) in a control population matched for age, sex and smoking habit. (ii) Do antihypertensive drugs promote cancer? Atenolol and calcium channel blockers have been suspected of this, but evidence of larger studies, including two of our own, is negative: relative risk for cancer in our patients taking CCB was 1.02 (CI 0.82-1.27). (iii) Do antihypertensive drugs protect against cancer? A study of ours based on the Glasgow Clinic raises this possibility: relative risk for incident cancer amongst 1,559 patients taking ACE inhibitor was 0.72 (CI 0.55-0.92).

21. **Mason RP**

Effects of calcium channel blockers on cellular apoptosis: implications for carcinogenic potential.

Cancer; 85(10):2093-102, 1999 May 15.

BACKGROUND: A small number of well-publicized, retrospective epidemiologic reports have suggested a causal relation between the use of calcium channel blockers (CCBs) for the treatment of hypertension and an increased risk for cancer. The biologic mechanism proposed to explain this possible relation is that CCBs interfere with apoptosis, an active cell death process required for the regulation of normal cell populations in the body. Because an elevation in cellular calcium (Ca2+) is thought to be involved in apoptosis, it has been argued that CCBs could inhibit apoptosis, leading directly to tumor promotion. METHODS: A comprehensive and critical review of the scientific literature was conducted specifically to evaluate the effects of pharmacologic CCBs on apoptosis and tumor development in various experimental models. RESULTS: A review of the scientific literature revealed that CCBs have complex and often contradictory effects on cellular apoptosis. In various experimental models of cancer, CCBs did not promote neoplastic growth. By contrast, CCB treatment was associated with an inhibition of tumor growth in certain models of neoplasia and was also an effective adjuvant therapy in the treatment of certain drug-resistant tumors. Additional large epidemiologic studies have failed to support the hypothesis that CCB use is associated with an increased susceptibility for cancer. CONCLUSIONS: A biologic link between the use of CCBs and increased human risk for cancer development as a result of modulating cellular apoptosis is not supported by the scientific literature.

22. **Sajadieh A; Storm HH; Hansen JF**

Verapamil and risk of cancer in patients with coronary artery disease. DAVIT Study Group. Danish Verapamil Infarction Trial.

Am J Cardiol; 83(9):1419-22, A9, 1999 May 1.

The risk of cancer in users of verapamil was assessed in a long-term follow-up of 1,775 patients who were randomized to verapamil or matching placebo in the Danish Verapamil Infarction Trial-II in the years 1985 to 1987. During 10,474 patient-years, no increased risk of cancer was observed for the verapamil-treated men or women compared with the age- and sex-matched background population.

23. **Kanamasa K; Kimura A; Miyataka M; Takenaka T; Ishikawa K**

Incidence of cancer in postmyocardial infarction patients treated with short-acting nifedipine and diltiazem. Secondary Prevention Group.

Cancer; 85(6):1369-74, 1999 Mar 15.

BACKGROUND: Recent reports suggest a possible link between nifedipine (but not diltiazem) and an increased risk of cancer in patients being treated with calcium antagonists. METHODS: A total of 1054 postmyocardial infarction patients were divided randomly into those being treated with calcium antagonists (n = 566 [nifedipine, 425 patients and diltiazem, 141 patients]) and controls (no calcium antagonist; n = 488). The patients were followed for 26.3 months, and the incidences of cardiac events as well as cancer were compared among the 3 groups. RESULTS: Thirteen patients (2.7%) in the control group developed cancer, whereas 15 patients in the nifedipine group (3.5%; odds ratio, 1.34; 95% confidence interval [95% CI], 0.63-2.85) and 3 patients in the diltiazem group (2.1%; odds ratio, 0.89; 95% CI, 0.27-2.93) developed cancer. CONCLUSIONS: Diltiazem appears to present no increased risk of cancer. The incidence of cancer was slightly higher in the patients receiving nifedipine than in those not being treated with a calcium antagonist, which is consistent with earlier reports; however, this increase was not statistically significant.

24. Mason RP

Calcium channel blockers, apoptosis and cancer: is there a biologic relationship?

J Am Coll Cardiol; 34(7):1857-66, 1999 Dec.

Calcium channel blockers (CCBs) represent a chemically and pharmacologically diverse group of agents that are widely used for the treatment of hypertension and angina. A small number of retrospective, observational analyses have raised concern about a potential causal link between CCB use and an increased risk for cancer development. Despite the absence of cancer findings in extensive preclinical studies, it has been proposed that CCBs may work differently in humans by interfering with apoptosis, leading to an increased potential for abnormal cell proliferation and tumor growth. This biologic hypothesis has attracted considerable attention in the medical community but has not been critically evaluated. An analysis of the basic and clinical literature was conducted to examine biologic relationships among cell Ca2+ modulation, apoptosis, and cancer. In addition to a comprehensive review of the cellular and animal data, the results of large observational studies were included in this analysis. Results of this review demonstrated that the effects of CCBs on apoptosis are complex as both increases and decreases in intracellular Ca2+ have been linked to this form of programmed cell death. Most studies show that an effect (either positive or negative) of CCBs on apoptosis requires doses in the supra-pharmacologic range, and are therefore not clinically relevant. Results of large and methodologically robust observational studies fail to provide support for the hypothesis that CCB use is associated with an increased susceptibility for cancer incidence. A comprehensive analysis of the basic and clinical evidence does not support a causal relationship between the therapeutic use of CCBs and an increased incidence of cancer development as a result of interfering with apoptosis.

25. Messerli FH; Grossman E

The calcium antagonist controversy: a posthumous commentary.

Am J Cardiol; 82(9B):35R-39R, 1998 Nov 12.

In 1995, some retrospective reports showed that certain patients treated with short-acting calcium antagonists were at increased risk for myocardial infarction and had a higher mortality rate compared with patients treated with other cardiovascular drugs. Subsequent reports attempted to establish a connection between calcium antagonists and disorders as diverse as malignancy, Parkinsonism, cognitive dysfunction, and suicide. However, other retrospective studies and, more compelling, several prospective studies have reported that calcium antagonists exert a beneficial effect on morbidity and mortality in a variety of cardiovascular disorders such as hypertension, ischemic heart disease after myocardial infarction, and congestive heart failure due to dilated cardiomyopathy. Calcium antagonists are a heterogeneous drug class, and distinct differences have been documented between short- and long -acting, as well as between dihydropyridine and nondihydropyridine, agents. Sympathetic activation, which is a risk factor for coronary events, occurs with short-acting agents only and is absent with long-acting calcium antagonists. Recent data make it extremely unlikely that calcium antagonists increase the risk of malignancy by affecting apoptosis or immunosuppression or both. Long-acting calcium antagonists have distinct benefits in patients with hypertension and diabetes and may be more beneficial than other drugs in patients with diabetes and left ventricular hypertrophy.

26. Degaute JP

[Which calcium antagonists for hypertension?]

Quels antagonistes calciques dans l'hypertension artérielle?.

Rev Med Brux; 19(4):A389-92, 1998 Sep.

Calcium antagonists have been used for treatment of cardiovascular diseases for more than 25 years. Several recent retrospective studies have suggested that chronic treatment with short-acting dihydropyridines increased the incidence of cardiac events, cancer and gastrointestinal bleedings. Randomized prospective studies have, however, never been able to confirm these observations. In addition, well-conducted studies using verapamil and diltiazem have suggested that these calcium antagonists may even improve cardiovascular mortality and morbidity of the hypertensive patient. There is therefore no reason to believe that the questionable results derived from retrospective studies of the effects of short-acting calcium antagonists on cardiac and noncardiac events may apply to the newer generation of long-acting calcium antagonists.

27. **Michels KB; Rosner BA; Walker AM; Stampfer MJ; Manson JE; Colditz GA; Hennekens CH; Willett WC**

    Calcium channel blockers, cancer incidence, and cancer mortality in a cohort of U.S. women: the nurses' health study.

    Cancer; 83(9):2003-7, 1998 Nov 1.

    BACKGROUND: Some studies have suggested that the use of calcium channel blockers may increase the risk of cancer. A possible association of the use of calcium channel blockers with cancer incidence and cancer mortality was addressed using data from the Nurses' Health Study. METHODS: In this study, a total of 18,635 female nurses reported regularly taking at least 1 of 4 cardiovascular medications in 1988: diuretics, beta-blockers, calcium channel blockers, and/or angiotensin-converting enzyme (ACE) inhibitors. Cancer incidence and cancer deaths were ascertained until 1994. RESULTS: During 6 years of follow-up, 852 women were newly diagnosed with cancer and 335 women died of cancer. Women who reported the use of calcium channel blockers had no increased risk of newly diagnosed cancer compared with those taking other cardiovascular drugs (relative risk=1.02; 95% CI 0.83-1.26). The relative risk of dying from cancer associated with the self-reported use of calcium channel blockers was 1.25 (95% CI 0.91-1.72). Relative risks were adjusted for the following self-reported factors: age; weight; height; cholesterol level; systolic and diastolic blood pressure; smoking; alcohol intake; physical activity; menopausal status; postmenopausal hormone use; aspirin use; and history of diabetes, cancer, stroke, myocardial infarction, coronary artery bypass graft or percutaneous transluminal coronary angioplasty, angina, and hypertension. Regarding site specific cancer incidence and mortality, only lung cancer incidence was somewhat increased (RR=1.61; 95% CI 0.88-2.96). CONCLUSIONS: These data suggest no important increase in overall cancer incidence or cancer mortality related to the self-reported use of calcium channel blockers.

28. **McCarty MF**

    Selenium, calcium channel blockers, and cancer risk--the Yin and Yang of apoptosis?

    Med Hypotheses; 50(5):423-33, 1998 May.

    It is increasingly clear that apoptosis plays a crucial role in the promotional phase of cancer development. Initiated pre-neoplastic clones in rat liver experience a high rate of apoptosis, and this rate has an important impact on the survival and growth of these clones. Suppression of apoptosis appears to be a universal property of cancer promoters, suggesting conversely that agents which inhibit cancer induction during the promotional phase increase the rate of apoptosis in initiated cells. Modulation of apoptosis is a likely explanation for recent striking evidence that use of calcium channel blockers substantially increases, whereas supplemental selenium substantially decreases, human cancer incidence. Non-genotoxic measures which are likely to upregulate apoptosis in pre-neoplastic/neoplastic cells--and thus may be useful in prevention and/or therapy--include selenium, retinoids/carotenoids, green tea polyphenols, caloric restriction, downregulation of IGF-I activity, high-dose tamoxifen and other protein kinase C antagonists, withdrawal or blockade of trophic hormones, isoflavones, limonene, vitamin D and cholecalciferol analogs, dietary fiber/sodium butyrate, hyperthermia, benzaldehyde derivatives, and creatine.

29. **Jonas M; Goldbourt U; Boyko V; Mandelzweig L; Behar S; Reicher-Reiss H**

    Nifedipine and cancer mortality: ten-year follow-up of 2607 patients after acute myocardial infarction.

    Cardiovasc Drugs Ther; 12(2):177-81, 1998 May.

    Recent publications contended that the use of short-acting calcium antagonists may double the risk of cancer incidence and possibly increase mortality in hypertensive patients. The purpose of this study was to assess the risk ratio for cancer mortality associated with nifedipine in a large population of patients post-myocardial infarction. Cancer mortality data, over a 10-year period, were obtained on 2607 hospital survivors of acute myocardial infarction who were screened, but not included, in the Secondary Prevention Reinfarction Israeli Nifedipine Trial (SPRINT I) study. In this group of patients, 526 (20%) were on nifedipine, according to their treating physicians' decision. In the cohort of screened patients not included in SPRINT I, there were 22 (4.2%) cancer-related deaths in the patients on nifedipine compared with 114 (5.5%) in the group not treated with nifedipine (P = 0.23). In multivariate analysis, the 10-year cancer mortality risk ratio associated with nifedipine therapy was 1.06 (95% CI 0.52-2.18). The current analysis shows no evidence of an increased risk of cancer mortality in a large number of patients treated at baseline with nifedipine.

30. **Duprez DA; De Buyzere ML; Clement DL**

Calcium antagonists, is there a real concern about safety?

Acta Clin Belg; 53(2):61-5, 1998 Apr.

Calcium antagonists are widely used in the treatment of arterial hypertension and, or in ischemic heart disease. During the last 3 years, controversial articles and editorials have been published concerning the potential risk of calcium antagonists in regard to mortality, cancer and haemorrhage. The information has been mainly derived from case-control studies. The major concern about such observational studies of treatment outcome is the large potential for systematic error to affect the results. However, overviews of controlled trials with calcium antagonists do not provide clear evidence of an effect of calcium antagonists on mortality, risk of cancer and risk of bleeding.

31. **Straka RJ; Swanson AL; Parra D**

Calcium channel antagonists: morbidity and mortality--what's the evidence?

Comment In:Am Fam Physician. 1998 Apr 1;57(7): 1484, 1492.

Am Fam Physician; 57(7):1551-60, 1998 Apr 1.

Recent studies have shown an association between the use of calcium channel antagonists for the treatment of hypertension and an increased risk of myocardial infarction, gastrointestinal hemorrhage and cancer. The interpretation of the results of these studies and their application to clinical practice requires an understanding of study design constraints, conflicting results and limitations in extrapolating study findings to other dosage strengths, formulations or agents within the calcium channel antagonist class. A review and critique of these studies provides background information on the controversial subject of using calcium channel antagonists for the treatment of hypertension. Despite the limitations of these studies, clinicians may want to select other classes of agents, including diuretics and beta blockers, as first-line therapy until the morbidity and mortality effects related to the use of calcium channel antagonists are clearly known.

32. **Rosenberg L; Rao RS; Palmer JR; Strom BL; Stolley PD; Zauber AG; Warshauer ME; Shapiro S**

Calcium channel blockers and the risk of cancer.

Comment In:JAMA. 1998 Aug 19;280(7):600

JAMA; 279(13):1000-4, 1998 Apr 1.

CONTEXT: Recent epidemiologic studies have raised the concern that calcium channel blocker use may increase the risk of cancer overall and of several specific cancers. OBJECTIVE: To assess whether calcium channel blocker use increases the risk of cancer overall and of specific cancers. DESIGN: Case-control drug surveillance study based on data collected from 1983 to 1996. SETTING: Hospitals in Baltimore, Md, New York, NY, and Philadelphia, Pa. PATIENTS: A total of 9513 patients aged 40 to 69 years with incident cancer of various sites and 6492 controls aged 40 to 69 years admitted for nonmalignant conditions. MAIN OUTCOME MEASURES: Incident cancer overall and 23 specific cancers. RESULTS: Calcium channel blocker use was unrelated to the risk of cancer overall (relative risk [RR], 1.1; 95% confidence interval [CI], 0.9-1.3). Use was not significantly associated with increased risks of individual cancers, including those previously implicated, except cancer of the kidney (RR, 1.8; 95% CI, 1.1 -2.7). Recent use, use for 5 or more years, and use of individual calcium channel blocker drugs were also not associated with cancer incidence. Use of beta-blockers and angiotensin-converting enzyme inhibitors was generally unrelated to cancer overall or individual cancers, but both were associated with kidney cancer (RR, 1.8; 95% CI, 1.3-2.5; and RR, 1.9; 95% CI, 1.2-3.0, respectively). CONCLUSIONS: The present study suggests that the use of calcium channel blockers is unrelated to an increase in the overall risk of cancer or of individual cancers, except kidney cancer, which has been associated with hypertension or drugs to treat hypertension in previous studies.

33. **Hole DJ; Gillis CR; McCallum IR; McInnes GT; MacKinnon PL; Meredith PA; Murray LS; Robertson JW; Lever AF**

Cancer risk of hypertensive patients taking calcium antagonists.

J Hypertens; 16(1):119-24, 1998 Jan.

OBJECTIVE: To measure rates of incident and fatal cancer in hypertensive patients taking calcium antagonists and to compare these with rates in three control groups. DESIGN: A retrospective analysis of cancer in patients of the Glasgow Blood Pressure Clinic prescribed either a calcium antagonist or other antihypertensive drugs (non-calcium antagonist group). Record linkage of the clinic with the West of Scotland Cancer Registry and with the Registrar General, Scotland provided information on incidence of cancer and on deaths and their causes. PATIENTS: 2297 patients were prescribed calcium antagonist and 2910 were prescribed antihypertensive drugs other than calcium antagonist. MAIN OUTCOME MEASURES: Relative risk of cancer, the ratio of observed to expected cancers in the calcium antagonist group, was estimated using expected values based on three control groups; namely the non-calcium antagonist group, a middle-aged population of Renfrew and Paisley and the West of Scotland population. RESULTS: There were 134 incident cancers in the calcium antagonist group, representing relative risks of 1.02 [95% confidence interval (CI) 0.82-1.271 compared with the non-calcium antagonist group, 1.01 (95% CI 0.84-1.18) compared with Renfrew-Paisley controls and 1.02 (95% CI 0.85-1.19) compared with West of Scotland controls. Findings for cancer mortality were similarly negative. Risks were no higher for older patients. CONCLUSIONS: Our study lends no support to the suggestion that calcium antagonists cause cancer.

34. **Braun S; Boyko V; Behar S; Reicher-Reiss H; Laniado S; Kaplinsky E; Goldbourt U**

Calcium channel blocking agents and risk of cancer in patients with coronary heart disease. Benzafibrate Infarction Prevention (BIP) Study Research Group.

Comment In:J Am Coll Cardiol. 1998 Mar 15;31(4):809-10.

J Am Coll Cardiol; 31(4):804-8, 1998 Mar 15.

OBJECTIVES: This analysis sought to estimate the risk ratio for cancer incidence and cancer-related mortality associated with the use of calcium channel blocking agents (CCBs) in a large group of patients with chronic coronary heart disease (CHD). BACKGROUND: Recent publications contend that the use of short-acting CCBs may double the risk of cancer incidence and possibly increase mortality in hypertensive patients. METHODS: Cancer incidence data were obtained for 11,575 patients screened for the Bezafibrate Infarction Prevention (BIP) study, one-half of whom were treated at the time of screening with CCBs, over a mean follow-up period of 2.8 years. Cause-specific mortality was available through September 1996 (mean follow-up 5.2 years). The statistical power of detecting an odds ratio > or = 1.5 (given the cancer incidence rate of 2.1 in the nonusers of CCBs) was 0.91. The power declined to 0.77, 0.54 and 0.41, with declining odds ratios of 1.4, 1.3 and 1.25, respectively. RESULTS: Of 246 incident cancer cases, 129 occurred among the users (2.3%) and 117 among nonusers of CCBs (2.1%). After adjustment for age, gender and smoking, the odds ratio estimates for all cancers combined was 1.07 (95% confidence interval [CI] 0.83 to 1.37) for CCB users relative to nonusers. The adjusted risk ratio for all-cause mortality for age, gender and smoking and pertinent prognostic clinical characteristics was estimated at 0.94 (95% CI 0.85 to 1.04). The adjusted risk ratio for cancer-related mortality was 1.03 (95% CI 0.75 to 1.41). CONCLUSIONS: Patients with CHD treated with CCBs exhibited a similar risk of cancer incidence and total and cancer-related mortality compared with nonusers of CCBs. This analysis provides a certain assurance that CCB use in middle-aged and elderly patients with CHD is not associated with a meaningful difference in cancer incidence and related mortality.

35. **Howes LG; Edwards CT**

Calcium antagonists and cancer. Is there really a link?

Drug Saf; 18(1):1-7, 1998 Jan.

Recent publications have raised concerns about a possible link between calcium antagonist therapy and the development of cancer. Comparisons of the methodology and results of these studies with other studies where an association between calcium antagonist therapy and cancer has not been apparent suggests that the association is most likely to be due to selection bias or chance. Clinical and biochemical studies have not produced a consistent plausible mechanism for a causative link between calcium antagonists and the development of cancer. Further prospective data that will be available from long-term morbidity and mortality trials of the use of calcium antagonists in cardiovascular diseases will be of value in establishing the safety of these drugs.

36. **Cheng JW; Behar L**

Calcium channel blockers: association with myocardial infarction, mortality, and cancer.

Clin Ther; 19(6):1255-68; discussion 1253-4, 1997 Nov-Dec.

The purpose of this study was to review the results of trials assessing the association between the use of calcium channel blockers (CCBs) and mortality, myocardial infarction (MI), and cancer. Possible mechanisms of such relationships are discussed and recommendations regarding the use of CCBs made. Since 1995, 10 controversial studies have been published that associate the use of CCBs with an increased risk of mortality, MI, and cancer; these **findings** have caused widespread anxiety and frustration among patients and physicians. For health care professionals to properly advise patients, the facts surrounding this controversy should be reviewed. To do this, we reviewed and assessed English-language clinical studies, abstracts, editorials, and review articles pertaining to the use of CCBs and mortality, MI, and cancer in humans. The designs of ongoing prospective, randomized studies are discussed. Based on current published studies, the US Food and Drug Administration has agreed to a label warning against off-label use of short-acting nifedipine in patients with hypertension, acute MI, or nonvasospastic unstable angina. Practitioners should exercise caution when prescribing CCBs, especially to high-risk patients (e.g., those with congestive heart failure or clinical or subclinical coronary artery disease). When possible, long-acting CCBs should be used.

37. Dong EW; Connelly JE; Borden SP; Yorzyk W; Passov DG; Kupelnick B; Luo D; Ross SD

A systematic review and meta-analysis of the incidence of cancer in randomized, controlled trials of verapamil.

Pharmacotherapy; 17(6):1210-9, 1997 Nov-Dec.

We conducted a systematic review of all published randomized, controlled trials to assess the risk of cancer or death in patients receiving verapamil for hypertension, angina pectoris, or cardiac arrhythmias. Meta-analysis comparing the risk of new cancers, cancer deaths, and all deaths was performed. Thirty-nine trials comprising 11,201 patients were eligible. Study durations ranged from 8 days-6 years (mean 29.5 wks). Nine trials (6507 patients) were 24 weeks in duration or longer. For cancer and cancer death, OR was 1.20 (95% CI = 0.60-2.42) for verapamil versus active controls and 0.73 (95% CI = 0.39-1.39) for verapamil versus placebo. For all deaths, OR was 1.13 (95% CI = 0.70-1.82) for verapamil versus active controls and 0.85 (95% CI = 0.71-1.00) for verapamil versus placebo. Sensitivity analysis for the 9 trials 24 weeks' duration or longer gave similar results. There is no statistically significant increased risk of cancer or deaths with verapamil compared with active controls or placebo.

38. Kritchevsky SB; Pahor M

Calcium-channel blockers and risk of cancer.

Comment In:Lancet. 1997 Jun 7;349(9066):1699-700.

Lancet; 349(9062):1400, 1997 May 10.

39. Olsen JH; Sorensen HT; Friis S; McLaughlin JK; Steffensen FH; Nielsen GL; Andersen M; Fraumeni JF; Olsen J

Cancer risk in users of calcium channel blockers.

Comment In:Hypertension. 1997 Dec;30(6):1641-2.

Hypertension; 29(5):1091-4, 1997 May.

Ca2+ channel blockers may cause cancer by inhibiting apoptosis or reducing intracellular Ca2+ in certain tissues. Recent findings suggest that drug users are at increased risk for cancer in general and for colon cancer in particular. We conducted a study in one Danish county of 17911 patients who received at least one prescription of Ca2+ channel blockers between 1 January 1991 and 31 December 1993. The patients were identified from records in the National Health Insurance Program, which refunds part of the price of such drugs. Cancer occurrence and rate were determined by use of the files of the Danish Cancer Registry and compared with county-specific incidence rates for various categories of cancer. During the follow-up period of up to 3 years, 412 cancers were observed among users of Ca2+ channel blockers, compared with 414 expected, to yield an age- and sex-standardized incidence ratio (SIR) of 1.00 (95% confidence interval, 0.90 to 1.10). There was no indication of an excess risk in the subgroup of likely long-term users or users of specific drugs. The SIR of colon cancer, a site of a priori interest, was 0.8 (95% confidence interval, 0.5 to 1.1) on the basis of 34 cases. Although the results are reassuring, the lack of association could reflect the relatively short follow-up after registration in the prescription database. Continued monitoring of cancer risk is planned.

40. Jick H; Jick S; Derby LE; Vasilakis C; Myers MW; Meier CR

Calcium-channel blockers and risk of cancer.

Lancet; 349(9051):525-8, 1997 Feb 22.

BACKGROUND: Previous studies have been interpreted as suggesting an increase in risk of cancer among users of calcium-channel blockers compared with users of beta-blockers. To explore this issue further, we studied a large group of hypertensive patients to investigate the relation of calcium-channel blockers and cancer. METHODS: In cohorts of users of calcium-channel blockers, angiotensin-converting-enzyme (ACE) inhibitors, and beta-blockers, we identified all cases of cancer diagnosed in 1995. We used a nested case-control analysis to estimate the risk of cancer among users of calcium-channel blockers and ACE inhibitors, with users of beta-blockers as a reference group. The study was based on information taken from the General Practice Research Database, and the study population was restricted to patients with at least 4 years of medical history recorded on computer. FINDINGS: The study was based on 446 cases of cancer and 1750 controls. The relative risk estimates for all cancers combined were 1.27 (95% CI 0.98-1.63) and 0.79 (0.58-1.06) for users of calcium-channel blockers and ACE inhibitors, respectively, relative to users of beta-blockers. There was little difference in risk estimates with duration of use of calcium-channel blockers of less than 1.0 year (relative risk 1.46), 1.0-3.9 years (1.26), and 4.0 years or more (1.23). INTERPRETATION: The small positive association between calcium-channel blockers and risk of cancer is unlikely to be causal since there is no increase in risk with increasing duration of calcium-channel blocker use.

41. **Zimlichman R**

Questioning the study size in Pahor et al.

Comment On: Am J Hypertens. 1996 Jul;9(7):695-9.

Am J Hypertens; 9(10 Pt 1):1046-7, author reply 1051-3, 1996 Oct.

42. **Kaplan NM**

Do calcium antagonists cause death, gastrointestinal bleeding, and cancer?

Am J Cardiol; 78(8):932-3, 1996 Oct 15.

Recent reports from an uncontrolled, retrospective cohort study in elderly hypertensives implicate short-acting calcium antagonists in causing increased mortality, gastrointestinal bleeding, and cancer. Multiple serious flaws in the study make the validity of these findings highly suspect and there remains absolutely no evidence that long-acting calcium antagonists are unsafe.

43. **Daling JR**

Calcium channel blockers and cancer: is an association biologically plausible?

Am J Hypertens; 9(7):713-4, 1996 Jul.

CAPÍTULO 174

Estatinas – O LDL-colesterol abaixo de 100mg% aumenta o risco de câncer

José de Felippe Junior

LDL-colesterol abaixo de 100mg% diminui o risco de infarto do miocárdio e aumenta o risco de câncer. **Alsheikh-Ali**

Os cardiologistas deveriam lembrar que pacientes cardíacos também podem desenvolver câncer. **JFJ**

Os médicos em geral deveriam saber mais sobre os graves efeitos colaterais das drogas que prescrevem. **JFJ**

Os médicos em geral e os cardiologistas em particular dão importância ao LDL- colesterol alto (LDL: chamado de colesterol "ruim") devido ao maior risco de aterosclerose coronariana, cerebral e periférica. **ERRADO.**

Muitos sabem que somente uma parte do colesterol LDL que é a parte "ruim" porque está oxidada e se chama APOB. A APOB é oxidada pelos radicais livres gerados por metais tóxicos, pesticidas, excesso de cobre, excesso de ferro e provoca aterosclerose **CERTO.** O melhor exame a fazer é a APOB. **CERTO.**

Cincoenta porcento dos pacientes com infarto apresentam colesterol LDL normal, são justamente aqueles com APOB elevada. **CERTO.**

Muitos médicos sabem que é a parte do LDL-oxidado o vilão da história, pois são médicos atualizados conhecedores do pesquisador que descobriu tal fato e ganhou o prêmio Nobel de Medicina, mas nada fazem a respeito. Pior ainda, fazem de tudo para diminuir o LDL-colesterol a níveis inferiores a 100mg% com a intenção, e somente a intenção, de diminuir o risco de infarto do miocárdio e acabam aumentando o risco de câncer. Estes médicos deveriam afastar a/as causas do estresse oxidativo gerador da APOB. **CERTO.**

Senão vejamos. Em 2007, o médico e pesquisador Alsheikh-Ali da Universidade de Medicina de Tufts – Boston, USA, em estudo prospectivo e randomizado envolvendo 23 trabalhos onde foram registradas 309.506 pessoas tratadas por ano com algum tipo de estatina (simvastatina, lovastatina, atorvastatina, fluvastatina, rosuvastatina etc.), mostrou um fato de real valor prático e orientador: o risco de câncer está significantemente associado com os baixos níveis de LDL-colesterol no sangue provocados pelas estatinas. O autor acresce que os benefícios dos baixos níveis do LDL-colesterol que se alcança com o uso das estatinas são perdidos, pois esses pacientes vão morrer de câncer e não de infarto do miocárdio.

Em 2008, o autor volta a escrever sobre o risco de câncer provocado pela grande diminuição do LDL-colesterol em pacientes tratados com estatinas. Uma revisão sistemática de 15 trabalhos randomizados de bom nível registrou 437.017 pessoas/ano tratadas com estas drogas.

O estudo revelou que a diminuição dos níveis de LDL-colesterol no sangue se associava significantemente com o maior risco de câncer. O risco de câncer aumentava 2,2% para cada 10mg% de diminuição do LDL-colesterol e quando o LDL-colesterol estava abaixo de 100mg% o risco de câncer aumentava em média 4,4 vezes variando de 1,4 até 7,2 vezes.

Em 2009, o autor chegou à mesma conclusão no terceiro estudo sobre o mesmo assunto.

Entretanto, podemos imaginar a pressão política que Alsheikh-Ali foi submetido, pois sua conclusão final nos trabalhos de 2008 e 2009 lembra os sofistas da antiga Grécia: *However, statins, despite producing marked reductions in LDL-C, are not associated with an increased risk of câncer.*

São os pesquisadores nas mãos da indústria vergonhosa. É a Ciência mentirosa nas mãos de empresários inescrupulosos.

Quantos trabalhos de aparência séria são jogados na literatura médica e considerados de bom nível pelos Editores de Revistas consagradas e reconhecidas como sérias? Geralmente, com honrosas exceções, os Editores também têm conflitos de interesse não declarados.

Recentemente com experimentos farmacológicos e genéticos revelaram que a ativação da via de síntese do colesterol, mas não a síntese do próprio colesterol, é essencial para o treinamento das células mieloides – "imunidade treinada". Em vez disso, o metabólito mevalonato é o mediador do treinamento via ativação de IGF1-R e mTOR e modificações subsequentes de histonas nas vias inflamatórias. As estatinas bloqueiam a geração de mevalonato e impedem a indução de imunidade treinada (Bekkering, 2018).

Referências

1. Alsheikh-Ali AA, Maddukuri PV, Han H, Karas RH. Effect of the magnitude of lipid lowering on risk of elevated liver enzymes, rhabdomyolysis, and cancer: insights from large randomized statin trials. J Am Coll Cardiol. 50(5):409-18;2007.
2. Alsheikh-Ali AA, Trikalinos TA, Kent DM, Karas RH. Statins, low-density lipoprotein cholesterol, and risk of câncer. J Am Coll Cardiol. 52(14):1141-7;2008.
3. Alsheikh-Ali AA, Karas RH. The relationship of statins to rhabdomyolysis, malignancy, and hepatic toxicity: evidence from clinical trials. Curr Atheroscler Rep. 11(2):100-4;2009.
4. Bekkering S, Arts RJW, Novakovic B, et al. Metabolic induction of trained immunity through the mevalonate pathway. Cell. 172:135-46.e9, 2018.

Resumos dos 3 estudos de Alsheikh-Ali e

1. **Alsheikh-Ali AA, Maddukuri PV, Han H, Karas RH.**

   Effect of the magnitude of lipid lowering on risk of elevated liver enzymes, rhabdomyolysis, and cancer: insights from large randomized statin trials. J Am Coll Cardiol. 2007 Jul 31;50 (5):409-18. **2007**. Molecular Cardiology Research Institute and Division of Cardiology, Department of Medicine, Tufts-New England Medical Center and Tufts University School of Medicine, Boston, Massachusetts 02111, USA.

   OBJECTIVES: We sought to assess the relationship between the magnitude of low-density lipoprotein cholesterol (LDL-C) lowering and rates of elevated liver enzymes, rhabdomyolysis, and cancer.

   BACKGROUND: Although it is often assumed that statin-associated adverse events are proportional to LDL-C reduction, that assumption has not been validated.

   METHODS: Adverse events reported in large prospective randomized statin trials were evaluated. The relationship between LDL-C reduction and rates of elevated liver enzymes, rhabdomyolysis, and cancer per 100,000 person-years was assessed using weighted univariate regression.

   RESULTS: In 23 statin treatment arms with 309,506 person-years of follow-up, there was no significant relationship between percent LDL-C lowering and rates of elevated liver enzymes ($R2 <0.001$, $p = 0.91$) or rhabdomyolysis ($R2 = 0.05$, $p = 0.16$). Similar results were obtained when absolute LDL-C reduction or achieved LDL-C levels were considered. In contrast, for any 10% LDL-C reduction, rates of elevated liver enzymes increased significantly with higher statin doses. Additional analyses demonstrated a significant inverse association between cancer incidence and achieved LDL-C levels ($R2 = 0.43$, $p = 0.009$), whereas no such association was demonstrated with percent LDL-C reduction ($R2 = 0.09$, $p = 0.92$) or absolute LDL-C reduction ($R2 = 0.05$, $p = 0.23$).

   CONCLUSIONS: Risk of statin associated elevated liver enzymes or rhabdomyolysis is not related to the magnitude of LDL-C lowering. However, **the risk of cancer is significantly associated with lower achieved LDL-C levels.** These findings suggest that drug- and dose-specific effects are more important determinants of liver and muscle toxicity than magnitude of LDL-C lowering. ***Furthermore, the cardiovascular benefits of low achieved levels of LDL-C may in part be offset by an increased risk of cancer.***

2. **Alsheikh-Ali AA, Trikalinos TA, Kent DM, Karas RH. Statins, low-density lipoprotein cholesterol, and risk of câncer.** J Am Coll Cardiol. **2008** Sep 30;52(14):1141-7 Institute for Clinical Research and Health Policy Studies, Department of Medicine, Tufts Medical Center and Tufts University School of Medicine, Boston, Massachusetts 02111, USA.

   OBJECTIVES: We sought to assess whether statin-mediated reductions in low-density lipoprotein cholesterol (LDL-C) are associated with an increased risk of cancer.

   BACKGROUND: We recently reported an inverse association between on-treatment LDL-C levels and incident cancer in statin-treated patients enrolled in large randomized controlled trials, raising concern that LDL-C lowering by statins may increase cancer risk. However, meta-analyses suggest a neutral overall effect of statins on incident cancer.

   METHODS: A systematic literature search identified 15 eligible randomized controlled trials of statins with >or=1,000 person-years of follow-up that provided on-treatment LDL-C levels and rates of incident cancers (19 statin and 14 control arms, 437,017 person-years cumulative follow-up, and 5,752 incident cancers).

RESULTS: **In the statin arms, meta-regression analysis demonstrated an inverse association between on-treatment LDL-C and incident cancer,** with an excess of 2.2 (95% confidence interval: 0.7 to 3.6) cancers per 1,000 person-years for every 10 mg/dl decrement in on-treatment LDL-C (p=0.006). The corresponding difference among control arms was 1.2 (95% confidence interval: -0.2 to 2.7, p=0.09). Compared with the control arms, the statin regression line was significantly shifted leftward, such that similar rates of incident cancer were associated with lower on-treatment LDL-C (p<0.05). Meta-regression demonstrated that statins lack an effect on cancer risk across all levels of on-treatment LDL-C.

CONCLUSIONS: **There is an inverse association between on-treatment LDL-C and incident cancer. However, statins, despite producing marked reductions in LDL-C, are not associated with an increased risk of cancer.**

Esta última frase é sofismo puro.

3. **Alsheikh-Ali AA, Karas RH. The relationship of statins to rhabdomyolysis, malignancy, and hepatic toxicity: evidence from clinical trials.** Curr Atheroscler Rep. **2009** Mar;11(2):100-4Institute for Clinical Research and Health Policy Studies, Tufts Medical Center, 800 Washington Street, Boston, MA 02111, USA. aalsheikh-ali@tuftsmedicalcenter.org

Abstract: 3-Hydroxy-3-methylglutaryl coenzyme A reductase inhibitors (statins) are among the most commonly prescribed and studied drugs in modern medicine. Their proven benefit in prevention of cardiovascular events is driven by their ability to markedly reduce low-density lipoprotein cholesterol (LDL-C). Recent analyses have provided insight into the relationship between statin-induced reductions in LDL-C and risk of rhabdomyolysis, liver toxicity, and cancer. Risk of statin-associated elevated liver enzymes and rhabdomyolysis is not related to the magnitude of LDL-C lowering. Instead, drug- and dose-specific effects of statins are more important determinants of liver and muscle toxicity than magnitude of LDL-C lowering. Furthermore, **although there is an inverse association between LDL-C and cancer risk in both statin-treated and comparable control cohorts, statin therapy, despite significantly reducing LDL-C, is not associated with an increased risk of cancer.**

Sofismo ingênuo

CAPÍTULO 175

Uso de diuréticos por longo tempo em pacientes com doença coronariana aumenta a mortalidade por câncer colorretal e carcinoma renal

A. Tenenbaum (traduzido por JFJ)

Estudos recentes sugerem que o uso de diuréticos por longo tempo pode se associar com o aumento do risco de carcinoma renal. Este carcinoma não é um câncer comum e compartilha fatores de risco com o câncer colorretal. Neste estudo os autores testaram a hipótese de a terapia diurética de longo prazo, 5,6 anos, estar associada com o aumento da mortalidade por câncer colorretal.

Pacientes e métodos

O estudo envolveu 14.166 pacientes com idade variando entre 45 e 74 anos que apresentaram infarto do miocárdio e/ou angina estável no passado e que pertenceram ao estudo de prevenção do infarto com bezafibrato (estudo BID). Neste estudo, 2.153 pacientes receberam diuréticos e 12.013 não receberam.

Resultados

Durante o seguimento de 5,6 anos, 139 novos casos de câncer (6,5%) foram diagnosticados no grupo tratado com diuréticos comparado com 622 (5,2%) no grupo não recebendo diuréticos (p = 0,02 e, portanto, significante). A mortalidade por câncer colorretal foi marcantemente alta no grupo tratado com diuréticos (0,1 *vs.* 0,5%, p = 0,001), enquanto a mortalidade para outros tipos de câncer não foram documentadas (possivelmente também foram maiores).

A análise multivariada, procedimento estatístico de grande valor, identificou os diuréticos como fator independente da maior incidência e de fator independente de maior risco de morte por câncer colorretal (índice de confiança de 95%).

Conclusão

O uso de diuréticos por longo tempo pode se associar com o aumento da incidência e da mortalidade por câncer colorretal.

Referência

Tenenbaum A, Grossman E, Fisman EZ, et al. Long-term diuretic therapy in patients with coronary disease: increased colon cancer-related mortality over a 5-year follow-up. J Hum Hypertens. 15(6):373-9;2001.

Nota do tradutor: o uso de diuréticos aumenta a excreção de potássio e de magnésio, além de outros eletrólitos. Os médicos se lembram de repor potássio, mas se esquecem do magnésio e o paciente apresenta câimbras e tremores e vemos aumentar o aparecimento de arritmias, algumas fatais. Por outro lado, este trabalho revela o aumento da incidência e mortalidade por câncer, possivelmente pela perda de um forte estruturador da água intracelular. A perda de magnésio aumenta a desestruturação da água, o que prepara o terreno para o aparecimento dos mais variados tipos de câncer. A perda intracelular de magnésio despolariza a membrana celular. Se a despolarização atingir –15mv dispara mecanismo ancião de mitose, proliferação celular. Recentemente a deficiência de magnésio foi relacionada ao aumento da incidência de câncer de pâncreas. Em pouco tempo encontraremos na literatura a associação entre deficiência de magnésio e a maior incidência dos mais variados tipos de câncer. Lembrar que o valor normal do magnésio no sangue é de 2,2-2,4mEq/l, o de potássio 4,5-5mEq/l e o de sódio 137-139mEq/l, valores para o funcionamento ideal da termodinâmica celular.

CAPÍTULO 176

Amiodarona: outro medicamento cardiológico que aumenta o risco de câncer

José de Felippe Junior

A **amiodarona**, *in vitro*, ativa o receptor da morte Fas e provoca apoptose. Ela diminui a concentração de angiotensina II e o mRNA do angiotensinogênio em células do tumor de pulmão A549, o que diminui a proliferação celular, induz apoptose e propicia a diferenciação celular. Sendo bloqueadora de canal de potássio Kv1.3 voltagem dependente a amiodarona provoca efeito antiproliferativo e apoptótico em células do câncer de mama MCF-7 (90% de inibição com 1,5mcg/ml) e em 3 linhagens de câncer prostático. Poderíamos assim concluir que a amiodarona seria uma droga a ser utilizada nos pacientes com câncer. **ERRADO.**

Infelizmente, outros trabalhos *in vitro* mostraram que a amiodarona provoca inchaço mitocondrial em células do câncer de pulmão e de próstata e diminui a fosforilação oxidativa. *In vivo*, em camundongos, a amiodarona provoca marcante proliferação em lesões pré-neoplásicas KRT-19 do hepatocarcinoma murino com forte aumento do volume tumoral: efeito carcinocinético.

Finalmente, em seres humanos, a amiodarona associa-se com o aumento do risco de neoplasia de fígado e de ductos biliares intra-hepáticos, OR de 18,0 (95%IC = 15,7-20,5) em pacientes com comorbidades, comparado com OR de 2,43 (95%IC = 1,92-3,06) para os pacientes sem comorbidades. A amiodarona diminui a sobrevida de pacientes com glioblastoma multiforme.

Em estudo envolvendo 6.418 pessoas tomando amiodarona com seguimento de 2,6 anos, 280 pacientes desenvolveram câncer, SIR, 1,12; 95%. Os homens apresentaram maior risco, SIR, 1,18; 95%. Quando se ajustou para idade, sexo e comorbidades, o risco de aparecimento de câncer elevou-se 2 vezes e foi dose-dependente, principalmente nos homens. Outros trabalhos mostram aumento do risco de câncer de pulmão, tiroide e pele.

Resumindo, a amiodarona aumenta em 2 vezes o risco de câncer.

A amiodarona pode ainda provocar fibrose pulmonar, hipertiroidismo, hipotiroidismo, fotossensibilidade e manchas cinza-escuras na pele.

Lembrar que dispomos do antiarrítmico propafenona que aumenta o p53 e provoca apoptose e diminuição da proliferação em células HeLa do câncer de colo uterino. Possui efeito antiproliferativo em outras linhagens neoplásicas: Fem-X, PC-3, MCF-7, LS174 e K562. Inibe a glicoproteína extrusora de quimioterápicos, P-gp.

Quando os antiarrítmicos falham utilizamos a estratégia biomolecular e muitas vezes somente a utilizamos. Vide: A Medicina 50 anos Depois – Advento da Medicina Biomolecular. 1ª Edição.

Referência

Site www.medicinabiomolecular.com.br. Palavra-chave: amiodarona.

CAPÍTULO 177

A morfina favorece o vírus da hepatite C, o vírus da AIDS e o câncer por vários mecanismos, incluindo ativação do NF-kappaB

José de Felippe Junior

Primun non nocere.

A morfina, o principal componente do ópio, é talvez a droga mais antiga conhecida pelo homem. A morfina pura foi isolada em 1803 por Sertürner e sua estrutura foi elucidada 120 anos depois. O nome químico da morfina é 7,8-didehidro-4,5-epoxi-17-metil-(5α,6α)-morfinan-3,6-diol. A morfina é um analgésico e sedativo particularmente bom, muito mais eficaz do que o ópio puro. A morfina exerce sua ação através dos receptores opioides μ, δ e κ localizados no cérebro.

Além de seu forte efeito analgésico, a morfina exerce vários efeitos colaterais adversos, incluindo dependência, tolerância, depressão respiratória, imunossupressão e constipação. A falta de analgésicos igualmente fortes é a razão pela qual, apesar das desvantagens mencionadas acima, a morfina ainda é o analgésico mais comumente utilizado para o tratamento da dor intensa, incluindo a dor do câncer (Mantyh, 2006).

A morfina aumenta significativamente a expressão do mRNA do vírus da hepatite C (HCV) e inibe a produção de citocinas protetoras contra o vírus HIV no cérebro, o que significa que a morfina favorece a infecção por esses dois tipos de vírus.

Hepatite C-vírus HCV

Somente em 1989 que os médicos passaram a diagnosticar este tipo de doença. Antes o diagnóstico era Hepatite não A e não B. Esta falta de conhecimento provocou uma verdadeira epidemia nos cirurgiões que na época se contaminaram com o HCV e agora estão padecendo das consequências tardias da infecção: cirrose e principalmente câncer de fígado. É um tributo que os cirurgiões não mereciam pagar. O tratamento é pouco eficaz com o uso dos diversos tipos de interferon (efeitos colaterais sérios e bons resultados em apenas 50% dos casos) ou com a ozonioterapia (sem efeitos colaterais e resultados em mais do que 50% dos casos) (Felippe JJ, julho/2003).

O que gostaríamos de ressaltar é o perigo do uso da morfina nos pacientes acometidos de hepatite C. Escrevemos acometidos e não portadores, palavra que deve ser abolida do jargão leigo e médico.

Yuan Li, em 2003, mostrou que a morfina provoca ativação do NF-kappaB, fator nuclear que promove a replicação viral e impede os efeitos protetores do interferon-alfa. *In vitro*, a morfina aumenta a replicação do vírus nos hepatócitos e compromete o tratamento com o interferon-alfa e outras drogas.

Importante saber que a inibição do NF-kappaB diminui a replicação viral.

AIDS-vírus HIV

Sou da época onde não sabíamos da existência deste tipo de vírus. Em UTI eu e meus colegas intensivistas entubamos as traqueias de muitos pacientes para proceder à ventilação artificial, e nos expusemos seriamente à contaminação pelo HIV.

A morfina é prejudicial nos pacientes contaminados com o HIV, de fato, sabe-se que o abuso de opioides é fator de risco tanto para a infecção pelo HIV-1 como para a progressão da AIDS. As citocinas e seus receptores foram implicados na neuropatogênese das infecções por HIV-1, mas os mecanismos intrínsecos destes eventos são desconhecidos.

Supriya Mahajan, em 2002, demonstrou que a morfina regula a expressão gênica das citocinas alfa e beta e dos seus receptores nos astrócitos (células gliais) via receptor opioide "mu". A consequência é o aumento da suscetibilidade do sistema nervoso central (SNC) ao HIV-1 e a subsequente encefalopatia:

a) pela inibição das citocinas protetoras contra o HIV-1. IL-8 e proteína inflamatória IL-1beta do macrófago;
b) pelo aumento da expressão de genes co-receptores do HIV-1: CCR3, CCR5 e CXCR2, dentro do SNC.

Estes efeitos são mediados por meio do receptor opioide "mu".

Câncer

Vários dados de pesquisa indicam que a morfina pode acelerar ou inibir o crescimento de células cancerosas in vitro e in vivo por diferentes mecanismos. Kim, em 2016, mostrou que a morfina suprime a proliferação de células do câncer de pulmão humano H1975 interagindo com o receptor do fator opioide de crescimento OGFr. Entretanto, muitos autores postulam que a morfina pode promover o crescimento tumoral e reduzir a taxa de sobrevivência de animais portadores de tumor devido à imunossupressão, uma vez que os efeitos negativos da morfina sobre o sistema imunológico estão bem estabelecidos (Odunayo et al., 2010).

Embora a morfina atue diretamente no sistema nervoso central para aliviar a dor, suas atividades nos tecidos periféricos podem provocar complicações. O efeito da morfina no crescimento tumoral ainda é contraditório, pois foram observados efeitos promotores e inibidores do crescimento. Evidências sugerem que a morfina pode afetar a proliferação e migração de células tumorais, bem como a angiogênese. Várias vias de sinalização têm sido sugeridas como envolvidas nesses efeitos extra-analgésicos da morfina. A supressão do sistema imunológico pela morfina é uma complicação adicional.

A morfina pode desencadear a estimulação da proliferação de células T98G do glioblastoma humano (Lazarczyk, 2010). A morfina, em doses clinicamente importantes promove neovascularização tumoral em modelo de xenoenxerto de tumor de mama humano em camundongos, levando ao aumento da progressão tumoral (Gupta, 2002).

A maioria das mortes por câncer é devido às metástases e as estratégias para reduzir essa ocorrência é crucial. Foi levantada a hipótese, após muitos estudos in vitro e in vivo, de que a morfina pode provocar aumento das metástases no câncer, mas a evidência de dados retrospectivos em humanos é inconclusiva (Juneja, 2014).

Dados experimentais apoiam fortemente a hipótese de que o receptor μ-opioide promove o crescimento do tumor e as metástases.

Existem evidências da atividade antiapoptótica da morfina (Suzuki, 2003). A morfina pode antagonizar a atividade pró-apoptótica da doxorrubicina, em células SH-SY5Y do neuroblastoma (Lin, 2007). O efeito não pode ser revertido pela naloxona, indicando via de sinalização não mediada por receptores opioides. Outros estudos mostraram que a morfina atenua a apoptose induzida pela doxorrubicina pela inibição da geração das ERTOs e da liberação do citocromo-c mitocondrial, bem como pelo bloqueio da ativação transcricional do NF-kappaB. Este é um fator de transcrição nuclear onipresente que desempenha papel regulador importante na apoptose e na inflamação.

Em células do neuroblastoma SH-SY5Y, a morfina (10-7 a 10-5 M) promove a sobrevivência celular sem induzir a proliferação e este efeito foi totalmente revertido pela naloxona. Foi demonstrado que em células neuronais, os agonistas μ-opioides não induzem diretamente a apoptose, mas são capazes de ativar a via de transdução de sinal PI3K/Akt, levando à proliferação celular (Iglesias, 2003).

Em concentrações clinicamente relevantes, a morfina estimula a proliferação de células endoteliais microvasculares humanas e a angiogênese in vitro e in vivo e provoca maior neovascularização do tumor no modelo de câncer de mama MCF-7 (Gupta, 2002). Além disso, a morfina promove ativação do VEGF (fator de crescimento endotelial vascular), aumenta as metástases e reduz a sobrevida em modelo animal de câncer de mama hormônio-dependente (Chen, 2006; Farooqui, 2007). Nestes modelos a naloxona, antagonista do receptor opioide, não inibe a atividade pró-angiogênica da morfina, indicando que o efeito não é mediado pelos receptores opioides típicos.

A etapa crítica da disseminação do câncer é a migração das células cancerosas através da matriz extracelular (MEC). Indispensável neste processo é a ativação do sistema ativador do plasminogênio uroquinase, que inclui uma serina proteinase, ativador do plasminogênio uroquinase (uPA), dois inibidores, PAI-1 e PAI-2 e o receptor ligado à membrana (uPAR), plasmina e matriz-metaloproteinases (MMPs).

Os níveis de uPA, PAI-1 e uPAR estão regulados para cima na maioria dos tipos de câncer (Shapiro et al., 1996). O efeito da morfina nos níveis de uPA foi muito estudado *in vitro*.

A morfina provoca drástico aumento da secreção de uPA em células do câncer de mama MCF-7, que se correlaciona com a regulação para cima dos níveis de mRNA de uPA e uPAR. A naloxona reverte a regulação positiva dos níveis de mRNA de uPA e uPA induzida pela morfina, confirmando o envolvimento dos receptores opioides neste processo (Gach, 2009). Resultado semelhante foi demonstrado em células de câncer de cólon HT-29, onde a morfina estimula a secreção de uPA (Nylund, 2008).

O papel dos opioides no desenvolvimento das metástases e recorrência do câncer está longe de ser claro e parece diferir dependendo do tipo de célula cancerosa em questão. O impacto negativo da dor no sistema imunológico está bem documentado e parece que a analgesia adequada é primordial para minimizá-la.

Eu e maioria dos meus colegas já prescrevemos morfina e seus derivados a muitos pacientes com câncer, queríamos amainar a dor, mas, não sabíamos que a morfina poderia provocar amento da proliferação e da angiogênese ao lado de diminuir a apoptose. Entretanto, amainar a dor é diminuir a secreção de epinefrina e norepinefrina sabidamente carcinocinéticas.

Os opioides ainda se constituem em papel central no manejo da dor oncológica moderada a grave.

"Sedare Dolorem Opus Divinus Est"

A seguir vamos enumerar vários temperos, frutas, verduras e legumes ricos em substâncias que inibem o NF-kappaB.

Abacate	Maçã	Pêra	Romã	Amêndoa
Camomila	Erva-doce	Alecrim	Coentro	Manjericão
Brócolis	Couve-flor	Couve-de-bruxelas	Couve verde	Alcachofra
Tomate	Alho	Cebola	Cenoura	Abóbora
Aspargo	Trigo integral	Limão	Laranja	"Berries"
Cardo mariano	Gengibre	Marmelo	Chá verde	Alcaçuz
Pimenta vermelha	Cravo da índia	Pimenta do reino preta	*Aloe vera*	
Uvas vermelhas	Cúrcuma (açafrão da india)	Própolis	Soja	Sálvia
Ameixa seca	Uva passa	Cardamomo	Oleandro	Cacau

Comentário

Sedare doloren opus divinus est, entretanto, vamos pensar séria e vagarosamente antes de usarmos a morfina. Atualmente existem muitas drogas eficazes que não pertencem ao grupo morfina.

Referências

1. Chen C, Farooqui M, Gupta K. Morphine stimulates vascular endothelial growth factor-like signaling in mouse retinal endothelial cells. *Curr Neurovasc Res.* 3:171–180, 2006.
2. Farooqui M, Li Y, Rogers T, Poonawala T, Gupta K. COX-2 inhibitor celecoxib prevents chronic morphine-induced promotion of angiogenesis, tumour growth, metastasis and mortality, without compromising analgesia. *Br J Cancer.* 97:1523–1531, 2007.
3. Felippe JJ. Tratamento do câncer com medidas e drogas que inibem o fator nuclear NF-KappaB. Revista Eletrônica da Associação Brasileira de Medicina Biomolecular. Tema do mês de fevereiro de 2004.
4. Gach K, Szemraj J, Fichna J, et al. The influence of opioids on urokinase plasminogen activator on protein and mRNA level in MCF-7 breast cancer cell line. *Chem Biol Drug Des.* 74:390–396, 2009.
5. Gach K, Wyrębska A, Fichna J, Janecka A. The role of morphine in regulation of cancer cell growth. Naunyn Schmiedebergs Arch Pharmacol. Sep;384(3):221-30, 2011.
6. Gupta K, Kshirsagar S, Chang L, Hebbel RP. Morphine stimulates angiogenesis by activating proangiogenic and survival-promoting signaling and promotes breast tumor growth. *Cancer Res.* 62:4491–4498, 2002.
7. Iglesias M, Segura MF, Comella JX, Olmos G. Mu-opioid receptor activation prevents apoptosis following serum withdrawal in differentiated SH-SY5Y cells and cortical neurons via phosphatidylinositol 3-kinase. *Neuropharmacology.* 44(4):482–492, 2003.
8. Juneja R. Opioids and cancer recurrence. Curr Opin Support Palliat Care. Jun;8(2):91-101, 2014.
9. Kim JY, Ahn HJ, Kim JK, Chae HB. Morphine Suppresses Lung Cancer Cell Proliferation Through the Interaction with Opioid Growth Factor Receptor: An In Vitro and Human Lung Tissue Study. Anesth Analg. May 10;2016.
10. Lazarczyk M, Matyja E, Lipkowski AW. A comparative study of morphine stimulation and biphalin inhibition of human glioblastoma T98G cell proliferation in vitro. *Peptides.* 31:1606–1612, 2010.
11. Li Y et al. Morphine enhances hepatitis C virus (HCV) replicon expression. Am J Pathol. 163:1167-75;2003.
12. Lin X, Li Q, Wang YJ, Ju YW, Chi ZQ, Wang MW, Liu JG. Morphine inhibits doxorubicin-induced reactive oxygen species generation and nuclear factor kappaB transcriptional activation in neuroblastoma SH-SY5Y cells. *Biochem J.* 406:215–221, 2007.
13. Mahajan SP et al. Morphine regulates gene expression of alfa and beta chemokines and their receptors on astroglial cells via the opioid "mu" recptor. J Immunol. 169:3589-99; 2002.
14. Mantyh PW. Cancer pain and its impact on diagnosis, survival and quality of life. *Nat Rev Neurosci.* 7:797–809, 2006.
15. Nylund G, Pettersson A, Bengtsson C, et al. Functional expression of mu-opioid receptors in the human colon cancer cell line, HT-29, and their localization in human colon. *Dig Dis Sci.* 53:461–466, 2008.
16. Odunayo A, Dodam JR, Kerl ME, DeClue AE. Immunomodulatory effects of opioids. *J. Vet. Emerg. Crit Care.* 20:376–385, 2010.
17. Suzuki S, Chuang LF, Doi RH, Chuang RY. Morphine suppresses lymphocyte apoptosis by blocking p53-mediated death signaling. *Biochem Biophys Res Commun.* 308:802–808, 2003.

CAPÍTULO 178

Mortalidade por câncer é maior nos diabéticos tipo 2 que usam sulfonilureia ou insulina quando comparados com a metformina

Bowker SL (traduzido por JFJ)

A humildade objetiva e a vontade de aprender devem nortear aqueles que cuidam da saúde. **JFJ**

Vários estudos têm identificado o maior risco de câncer nos pacientes com diabetes tipo 2. O autor explorou a associação entre a terapêutica antidiabética utilizada e a mortalidade por câncer postulando que agentes que aumentam os níveis séricos de insulina podem promover o câncer.

Método

Usou o banco de dados de um Serviço de Saúde do Canadá, onde procurou pacientes com diabetes tipo 2 sob uso em monoterapia com metformina ou sulfonilureia, isto é, pacientes que tomavam apenas um destes medicamentos. Foi feito o ajuste para a idade, sexo, uso de insulina e índice de gravidade para doença crônica.

Resultados

Foram identificados 10.309 novos pacientes tomando metformina ou sulfonilureia com seguimento clínico de 5,4 ± 1,9 anos. A idade média foi de 63,4 ± 13 anos e 55% eram homens.

A mortalidade por câncer no grupo metformina em monoterapia foi de 3,5% (245 de 6.969), no grupo sulfonilureia em monoterapia de 4,9% (162 de 3.340) e no grupo sulfonilureia que recebiam insulina 5,8% (84 de 1.443). A comparação entre os grupos foi significante.

Conclusão

Pacientes com diabetes tipo 2 expostos a sulfonilureia e insulina exógena apresentam aumento significante do risco de morrer por câncer quando comparado com os pacientes expostos somente à metformina. É incerto se este aumento de risco está relacionado ao efeito deletério da sulfonilureia e insulina ou ao efeito protetor da metformina.

Comentários do tradutor

Já tratamos de vários pacientes com câncer que apresentavam metástases de repetição e a dosagem de insulina no sangue estava alta. Um deles, tratado em hospital referência em câncer de São Paulo e com insulinemia de 40 microUI/ml (normal: 8 ± 2) chegou a ser operado 6 vezes, uma vez por ano. Nenhum médico interferiu na insulinemia em 4 anos de evolução. Não resistiu à última cirurgia. Os cancerologistas devem dar ouvidos aos clínicos. A humildade objetiva e a vontade de aprender devem nortear aqueles que cuidam da saúde.

Referência

Bowker SL. Increased cancer-related mortality for patients with type 2 diabetes who use sulfonylureas or insulin. Diabetes Care. 29(2):254-8;2006.

CAPÍTULO 179

Drogas comuns que não podem ser usadas nos pacientes com câncer porque aumentam a proliferação mitótica, diminuem a apoptose ou bloqueiam a diferenciação

José de Felippe Junior

Os médicos em geral deveriam saber mais sobre os graves efeitos colaterais das drogas que prescrevem. **JFJ**

Atualmente, muitos pacientes acometidos da doença crônica denominada câncer são tratados com as técnicas mais avançadas de cirurgia, os mais modernos aparelhos de radioterapia e os quimioterápicos e drogas-alvo mais potentes e de última geração. Entretanto, alguns médicos esquecem que existem medicamentos comuns que facilitam a proliferação celular, dificultam a apoptose, favorecem a angiogênese tumoral e impedem a diferenciação das células transformadas. Tais medicamentos são habitualmente prescritos para aliviar sintomas ou simplesmente como suplementos vitamínicos ou fitoterápicos, erroneamente considerados inócuos.

Muitos medicamentos usados na medicina interna e em especial na cardiologia e psiquiatria podem aumentar a proliferação celular neoplásica e ou diminuir a apoptose, o que vai aumentar o volume tumoral. Precisamos estar alertas para não utilizar tais medicamentos.

Já escrevemos sobre os bloqueadores de cálcio amplamente utilizados pelos cardiologistas e clínicos, excelentes como anti-hipertensivo e antianginoso, porém ao custo de aumentar em 2 a 7 vezes o risco dos mais variados tipos de câncer e o uso da amiodarona aumentando 2 vezes o risco de câncer.

O uso dos **diuréticos** deve ser acompanhado pela reposição de magnésio, além do potássio, sob o risco de aumentar o risco e a mortalidade do câncer coloretal e renal. Nos diabéticos o emprego da **insulina** aumenta e o da metformina diminui o risco de câncer. A **morfina** aumentando a geração do fator nuclear NF-kappaB aumenta a proliferação e diminui a apoptose nas células neoplásicas.

Dexametasona, empregada de rotina no edema cerebral nos tumores cerebrais, ocupa receptor ER-alfa do estradiol e provoca o aumento da proliferação do glioblastoma multiforme e outros gliomas. **Dexametasona** de modo consistente estimula a proliferação dos gliomas malignos de modo concentração dependente (Langeveld, 1992; Kabat, 2010).

Nós médicos clínicos devemos estar atentos para não prejudicar a evolução dos pacientes com câncer prescrevendo medicamentos carcinocinéticos, aqueles que facilitam a proliferação celular neoplásica, impedem a apoptose, facilitam a angiogênese tumoral ou bloqueiam a diferenciação celular.

Ansiolíticos

A ansiedade aumenta o número de metástases e os ansiolíticos diminuem. O diazepam pode ser antiproliferativo no adenocarcinoma colorretal e câncer de mama. Os benzodiazepínicos, diazepam (Valiun, Ansiliv, Somaplus), lorazepan (Lorax), clordiazepóxido (Librium), clobazam (Frizium, Urbanil), medazepam, nitrazepam e oxazepam parecem não aumentar o risco de câncer. Entretanto, o clonazepam (Rivotril, Clonotril) está associado ao maior risco de câncer quando usado em longo prazo. Entretanto, ao comparar os benzodiazepínicos com ansiolíticos não benzodiazepínicos observa-se significante aumento de 98% para tumor cerebral, 25% para tumor colorretal e 10% para tumor pulmonar no grupo benzodiazepínico. Entretanto, o diazepam em particular inibe a proliferação de células do glioblastoma via parada do ciclo celular em G0-G1.

Dessa forma, devemos nos abster de empregar os benzodiazepínicos, exceto o diazepam, no glioglastoma, segundo alguns trabalhos.

Excelente ansiolítico não benzodiazepínico é a buspirona (Buspar, Ansitec, Brozepax, Buspanil), pois tranquiliza sem provocar sono. Outro seria o cloxazolam (Olcadil, Elum). Existem os ansiolíticos naturais para os casos mais brandos, como a valeriana, passiflora e o famoso chá de camomila. Este último inibe o NF-kappaB, fator promotor da proliferação celular neoplásica e antiapoptótico.

Na ansiedade usamos o cloridrato de buspirona (5-10mg) e nunca os benzodiazepínicos.

Antidepressivos

Quanto aos antidepressivos, é muito comum recebermos pacientes tomando amitriptilina (Amitryl, Tryptanol) para aumentar o limiar da dor, entretanto, este antidepressivo aumenta a proliferação mitótica e impede a apoptose de várias linhagens de células neoplásicas, incluindo o hepatocarcinoma. A amitriptilina, nortriptilina, desipramina e fenelzina podem aumentar o risco de câncer de mama.

Usamos a imipramina (Tofranil, Elepsin, Depramina, Imipra). A imipramina, além de aumentar o limiar da dor, reduz a proliferação celular via inibição da via PI3K/Akt/mTOR e induz autofagia da célula tumoral, por exemplo, das células do glioma humano.

A clomipramina (Anafranil), inibidor da recaptação da norepinefrina e da serotonina, provoca autofagia do estroma peritumoral, o que fornece nutrientes para as células neoplásicas proliferarem (efeito Warburg-reverso), ao lado de polarizar o sistema imune para M2/Th2.

A nortriptilina (Pamelor) induz apoptose mediada pelas mitocôndrias (aumento da expressão do Bax, Bak, caspase-3, 8, 9 e da poli/ADP-ribose/polimerase) e os receptores da morte (Fas e FasL) e inibe o crescimento de células do câncer de bexiga, *in vitro* e *in vivo*. Esta droga é ativa, *in vitro*, contra o melanoma metastático, em concentrações muito baixas, 27 micromoles/l. No osteossarcoma a nortriptilina aumenta o Ca^{++} intracelular e provoca citotoxicidade. Ela pode aumentar o risco de câncer de mama.

Dos tricíclicos usamos a imipramina e nunca a clomipramina ou a amitriptilina.

Antidepressivo muito utilizado e tido como inócuo é a fluoxetina (Prozac, Daforin), porém, ela pode provocar aumento do crescimento tumoral de células do fibrossarcoma humano e do melanoma B16f10 por se ligar a receptores histamínicos reguladores do crescimento tumoral. Entretanto, a fluoxetina suprime o crescimento do câncer de cólon induzido pela hidrazina e pode inibir linfomas por ativar os linfócitos T.

Sertralina, clomipramina e trazodona diminuem a atividade do IFN-gama e ativam o IL-10 polarizando o sistema imune para M2/Th2, proliferativo.

Antidepressivo muito eficaz é o bromidrato de citalopram. Ele inibe os complexos I e II da cadeia mitocondrial e aumenta a geração de radicais livres, mas não inibe o complexo IV e assim não interfere na produção de ATP e ainda ativa a citrato-sintase, que aumenta o oxaloacetato, que inibe a DHL-A, o que inibe o ciclo celular proliferativo via glicólise anaeróbia. O citalopram ativa o canal Kv1.5, bloqueador da entrada de K^+ no intracelular e, portanto, é apoptótico. O citalopram suprime o crescimento do câncer de colon induzido pela hidrazina. O problema do citalopram é que possui bromo na molécula, que pode reduzir a função da glândula tiroide.

A maioria dos antidepressivos e estabilizadores do humor inibe a cadeia de elétrons da mitocôndria, complexos I e IV, o que diminui a eficácia da fosforilação oxidativa e aumenta a proliferação celular.

Inibem a atividade do complexo I e, portanto, aumentam a geração de radicais livres: amitriptilina, imipramina, citalopram, desipramina, mirtazapina, valproato e olanzapina. Inibem a atividade do complexo II, amitriptilina, imipramina, citalopram e venlafaxina.

É importante saber que todas as drogas acima inibem o complexo IV, exceto o citalopram e a moclobemida.

O aumento da atividade da citrato sintase, antiproliferativo, foi observado com o citalopram, a tianeptina e a olanzapina.

O risco de câncer de mama pode aumentar com o uso de sertralina ou paroxetina, antidepressivos muito utilizados nas mulheres. Entretanto, não seria a própria depressão que provocaria este aumento de risco? Outra hipótese: a pessoa contaminada com alguma substância tóxica (pesticida, agrotóxico, chumbo etc.) apresenta depressão, ingere antidepressivos e o verdadeiro culpado do câncer e da depressão fica escondido e não diagnosticado.

Paroxetina, fluoxetina, clomipramina provocam apoptose em duas linhagens de glioma humano, com ativação do c-Jun, via liberação de citocromo c e ativação da caspase-3. Provoca apoptose no câncer MCF-7, estrógeno positivo e câncer colorretal, *in vitro*.

As evidências do risco de morte súbita inesperada, morte cardíaca súbita ou mortalidade total para citalopram e escitalopram em altas doses não difere significativamente de doses comparáveis de fluoxetina, paroxetina e sertralina (Ray, 2017).

Atenção não use paroxetina junto com o tamoxifeno, pois diminui os efeitos deste, que já são tão irrisórios. O tamoxifeno diminui o risco de câncer de mama em 0,9% no período de 5 anos e pode provocar câncer de endométrio.

A paroxetina está sendo usada no câncer avançado como sintomático em pacientes com tosse persistente e intratável.

Cloridrato de duloxetina. Em baixas concentrações (1-5 μM), duloxetina inibe a produção de S100B e CCL2 em células de glioma GL261 de camundongo, mas, possui atividade citotóxica mínima *in vitro*. *In vivo*, entretanto, (30 mg/kg/14 dias) inibe a produção de S100B, altera a polarização e o tráfego de células derivadas de mieloides associadas a tumores e inibe o crescimento de gliomas GL261 intracranianos.

Os autores examinaram os efeitos dos inibidores da recaptação da serotonina (IRSs) individuais e observaram risco significativamente menor de câncer renal associado ao uso de citalopram (aHR = 0,67, 95% CI = 0,47-0,96) e paroxetina (aHR = 0,75, 95% CI = 0,58-0,97) em período de indução de 2 anos. Essas descobertas apoiam que os IRSs estão associados à redução do risco de câncer renal e indicam que o citalopram e a paroxetina têm efeitos protetores em pacientes deprimidos com câncer renal.

Indivíduos com prescrição de fluoxetina, paroxetina ou citalopram tiveram um risco reduzido de câncer de bexiga em grande banco de dados internacional.

O uso de inibidores seletivos da recaptação da serotonina foi associado a uma diminuição do risco de câncer epitelial de ovário; implicando assim potenciais propriedades quimiopreventivas dessas drogas.

Todos os tipos IRSs estão associados a diminuição do risco de hepatocarcinoma.

Nota: muitos trabalhos estão em andamento sobre os efeitos dos ansiolíticos e antidepressivos no câncer e as afirmações acima devem ser revistas constantemente.

Drogas que suprimem a acidez gástrica aumentam o risco de câncer gástrico (omeprazol e similares – inibidores de bomba de prótons)

Onze estudos de observação (n = 94.558) que incluiu 5.980 pacientes com câncer gástrico mostrou que as drogas supressoras da acidez (antagonistas do receptor 2 da histamina e inibidores da bomba de prótons) aumentam o risco de câncer de estomago. O risco para os que ingeriam bloqueadores da histamina foi: OR= 1,40; 95% IC; 1,24-1,59, p = 0,008; e o risco para os usuários de inibidores da bomba de prótons foi: OR = 1,3995% IC; 1,19-1,65, p = 0,377 (Ahn, 2013).

Embora faltem ensaios clínicos randomizados para estabelecer a causalidade entre o uso de inibidores de bomba de prótons (IBP) em longo prazo e o câncer gástrico, as evidências atuais baseadas em estudos observacionais sugerem que os IBPs estão associados a um risco aumentado de câncer gástrico. No entanto, as opiniões sobre a causalidade permanecem divergentes devido a confusão residual não medida e possível em vários estudos. Em estudo recente, mesmo após a erradicação do *H. pylori*, o uso de IBP em longo prazo ainda está associado a risco aumentado de câncer gástrico em mais de duas vezes (Ka, 2019).

Miscelânea

A **prednisona** e o **triantereno** ativam o fator induzível pela hipóxia HIF-1-alfa e podem aumentar a proliferação tumoral.

Não podemos usar **molibdênio** nas pacientes com câncer de mama, porque ele aumenta a proliferação celular.

Não podemos usar **lítio** nos pacientes com câncer gástrico, porque ele aumenta a proliferação celular.

A **simvastatina** e **outras estatinas** inibem a delta-5--desaturase e aumentam a síntese de ácido araquidônico que aumenta a inflamação e a proliferação celular.

Pacientes com câncer de próstata tratados com **hormonioterapia para castração química** têm maior risco de apresentarem síndrome metabólica, diabetes e morrerem de infarto do miocárdio.

Aspirina em longo prazo aumenta o risco de câncer de pâncreas.

A **crisina**, inibidor de aromatase, inibe também e de modo não competitivo a geração de ATP, ao lado de ser mutagênica e assim não podemos utilizá-la. Ela é um flavonoide natural, 5,7-di-hidroxiflavona, presente em muitas plantas e *in vitro* possui propriedade contra várias linhagens de células neoplásicas. Entretanto, *in vivo* os resultados são desapontadores ao lado de inibir a fosforilação oxidativa.

A **amiodarona** aumenta 2 vezes o risco de câncer de modo dose-dependente, principalmente no homem, ao lado de aumentar o risco de fibrose pulmonar. Temos um capítulo somente para ela.

Devemos minimizar o emprego de drogas que polarizam o sistema imune para M2/Th2 explanadas neste livro.

Atenção para as seguintes contraindicações:

I – Contraindicadas as substâncias que diminuem a fluidez da membrana celular. Elas aumentam a resistência das células neoplásicas à hipertermia e ao ataque do sistema imune

1. Ácidos graxos saturados artificialmente: óleos de supermercado, carne vermelha, carne processada, carne de porco e cordeiro.

2. Ácidos graxos trans: margarinas, maionese de supermercado, pois diminuem a incorporação de ômega-3 na membrana celular.
3. Colesterol.
4. Álcool etílico. O consumo moderado ou social aumenta a incorporação de colesterol nas membranas, ativando o crescimento tumoral e as metástases.

II – Contraindicados as substâncias e os procedimentos que ativam o NF-kappaB. Eles provocam o aumento da proliferação celular neoplásica, o aumento da angiogênese tumoral e fazem cessar a apoptose, permitindo a sobrevivência das células e o aumento do volume tumoral

1. Manutenção do estado redox intracelular: redutor.
2. Agentes antioxidantes em geral.
3. Metais tóxicos.
4. Manganês – importante manter normal, nunca elevado.
5. Vitamina K_3 em doses baixas.
6. Astrágalo.
7. Estresse físico: radiação ultravioleta, raios X, raios gama, cigarro.
8. Taxol.
9. Haloperidol.
10. Quimioterapia de repetição (longo prazo).
11. Radioterapia.
12. Tratar prontamente as infecções.
13. Lesões ambientais internas: hipóxia, isquemia.
14. Mediadores fisiológicos: excesso de produção de insulina (carboidratos refinados ou carboidratos de elevado índice glicêmico e alta carga glicêmica), angiotensina II.

III – Contraindicadas as substâncias doadoras de radical metila ou que aumentam a metilação do DNA. A metilação do DNA nas ilhas CpG diminui ou abole a expressão de genes supressores de tumor e provoca o silêncio desses genes promovendo o aumento da proliferação celular e a inibição da apoptose

1. S-adenosilmetionina. É doador de radical metila e inibe a demetilação do DNA.
2. Não permitir deficiência de ácido fólico. A baixa ingestão de folato se associa em estudos animais e epidemiológicos à metilação aberrante da região promotora do DNA, que é agravada pela ingestão de álcool. Fonte de ácido fólico: folhas verdes.
3. Não permitir deficiência de vitamina B_{12}. Provoca efeitos semelhantes à depleção de ácido fólico.
4. Carne vermelha, carne de porco. São ricos em radicais metila.
5. Álcool facilita a metilação.

IV – Contraindicadas as seguintes substâncias ou medicamentos

1. Qualquer fórmula com efeito antioxidante.
2. Vitamina E na forma de acetato de tocoferol: antioxidante potente.
3. NAC (N acetilcisteína): não ingerir nenhum xarope, tablete ou medicamento que contenha N-acetilcisteína.
4. Ferro de qualquer tipo e por qualquer via de administração: ativa a mitose.
5. Cobre, manganês, glutamina, cisteína, cistina, metionina, GSH, glutationa, SAMe.
6. Immunocal.
7. AAS, aspirina e salicilatos: apesar de inibirem o NF-kappaB, impedem a citotoxicidade do selênio.
8. Indometacina: igual item 7.
9. Anti-inflamatórios não hormonais de qualquer tipo: igual item 7.
10. Corticosteroides, corticoides, cortisol, Meticorten, Calcort, Diprospan, Solucortef ou qualquer medicamento que contenha corticosteroide. Diminuem as defesas imunológicas e impedem a citotoxicidade do selênio. Uso somente em curto prazo, pois deslocam o sistema imune para M2/Th2.
11. Diuréticos: furosemida clorana, higroton, natrilix (uso permitido somente em curto prazo): não esqueça de repor Mg^{++} e K^{+}.
12. Diazepan, Valium, Dienpax, Rivotril.
13. Bloqueadores dos canais de cálcio: geralmente usados para hipertensão arterial ou *angina pectoris*: Adalat, Verapamil, Balcor, nifedipina, amlodipina etc. Dificultam o processo de apoptose e aumentam o risco de câncer.
14. Paracetamol, acetaminofeno por provocar lesão hepática. Muitos pacientes oncológicos recebem Tylex, Tylenol para dor. Podemos usar com segurança: tramal, codeína, ibuprofeno, lisador, dipirona, etc.

Drogas que possuem atividade antineoplásica, porém suas indicações são bem diferentes

1. Anti-helmínticos benzimidazois: albendazole, mebendazole, flubendazole.
2. Anti-hipertensivos: captopril (diminui risco de câncer de próstata), doxazosin (antagonista alfa-1 adrenérgico), propranolol.

3. Antipsicóticos: clorpromazina.
4. Antidiabéticos: metformina, pioglitazona.
5. Antiasmáticos inibidores da fosfodiesterase por aumentar AMP cíclico e induzir diferenciação celular: teofilina, aminofilina. Cuidado, impedem a acetilação da zona CpG e portanto não usamos.
6. Antiarrítmico – propafenona: aumenta o p53 e provoca apoptose e diminuição da proliferação em células HeLa do câncer de colo uterino. Possui efeito antiproliferativo em outras linhagens neoplásicas: Fem-X, PC-3, MCF-7, LS174 e K562. Inibe a glicoproteína extrusora de quimioterápicos, P-gp.
7. Digitálicos: digitoxina, digoxina.
8. Tramadol: inibe a proliferação e invasão de células do câncer de mama via receptor alfa-2 adrenérgico.
9. Yoimbina: inibe o crescimento de células do câncer de pâncreas por induzir apoptose, via inibição alfa-2 adrenérgica.
10. Norepinefrina: atenua a expressão do CXCR4 e diminui a invasão do câncer de mama MDA-MB-231.

Bharat B. Aggarwal, Ph. D. Director of Cytokine Research Laboratory, Department of Experimental Therapeutics, The University of Texas, M.D. Anderson Cancer Center, Houston, Texas, U.S.A. na 10th International Conference on Mechanisms of Anti-mutagenesis and Anti-carcinogenesis International Conference on Nutrigenomics September 26-29, 2010; Guarujá, SP, Brazil, colocou a seguinte questão para a plateia:

Se alguém inventar uma pílula que corte o risco de câncer pela metade, você tomaria?

Estava se referindo ao tamoxifeno, às razões científicas para não o utilizar.

1. Entre 1.000 mulheres espera-se que 19 desenvolvam câncer de mama nos próximos 5 anos, mas, se essas mulheres tomarem tamoxifeno, 9 delas se livrarão do câncer. Proteção 9 em 1.000 ou 0,9%. Outro modo de escrever: o tamoxifeno reduziu para metade o risco de câncer de mama: de 19 para 9. É o que chamamos de sofismo, porque na verdade a proteção foi de apenas 9 em 1.000 pacientes.
2. Espera-se que o tamoxifeno cause 21 casos adicionais de câncer endometrial.
3. Trombose acontece em mais 21 mulheres, catarata em mais 31 mulheres e problemas sexuais em mais 12.
4. Mais da metade das 1.000 mulheres vão desenvolver naturalmente sintomas hormonais como calores da menopausa, corrimento vaginal, ciclos menstruais irregulares. O tamoxifeno provocará esses mesmos sintomas em 120 mulheres adicionais, sem estarem em menopausa.
5. Raloxifene também reduz a incidência de câncer de mama e fala-se em menos efeitos colaterais. Acredita-se que os efeitos colaterais são os mesmos do tamoxifeno.

O Dr. Tufi Dippe Jr. traduziu artigo "Diagnóstico de câncer aumenta o risco de morte cardiovascular ou suicídio" escrito pelo Dr. Fang, médico do Instituto Karolinska, Estocolmo, Suécia, cuja fonte foi o The New England Journal of Medicine.

O diagnóstico de câncer é uma experiência traumática que pode acarretar consequências adversas à saúde, as quais podem ultrapassar os efeitos próprios da doença ou do seu tratamento.

Grande estudo demonstrou que pacientes que recentemente receberam um diagnóstico de câncer tinham risco aumentado de morte por suicídios ou doenças cardiovasculares.

Pesquisadores suecos avaliaram 6.073.240 indivíduos para examinar as associações entre o diagnóstico de câncer e o risco imediato de morte por suicídio ou doenças cardiovasculares no período de 1991 até 2006.

Em comparação com pessoas livres de câncer, o risco relativo de suicídio entre pacientes que receberam o diagnóstico de câncer foi 12,6 vezes maior na primeira semana e 3,1 vezes maior durante o primeiro ano. O risco relativo de morte cardiovascular após o diagnóstico de câncer foi 5,6 vezes maior durante a primeira semana e 3,3 vezes maior durante o primeiro mês.

O risco de suicídio e morte cardiovascular diminuiu rapidamente após o primeiro ano do diagnóstico de câncer. O aumento do risco foi particularmente proeminente para os casos de câncer com pior evolução.

Termina o artigo com a frase: "Esperamos que os resultados de nosso estudo ajudem a melhorar os cuidados de pacientes recém-diagnosticados de câncer e, eventualmente, diminuir o risco de estresse relacionado com a doença e a morte".

Conclusão

Os médicos precisam estar conscientes que drogas aparentemente inócuas e de prescrição de rotina podem apresentar efeitos muito prejudiciais nos pacientes com câncer.

Nunca é demais escrever sobre o cuidado que devemos ter ao explicar para o paciente sobre sua doença.

Quão frequente é recebermos pacientes contando que o oncologista lhe disse: "Não se iluda, sua doença não tem cura". "Você tem 3 meses de vida, cuide para deixar tudo em ordem para a família". "Quase nada podemos fazer por você". Tais oncologistas não são médicos, são apenas técnicos vestidos de branco.

O médico tem um poder enorme em incutir esperança e provocar efeito placebo, fator que melhora a qualidade de vida e creio firmemente que ajudará na recuperação do paciente.

O efeito placebo é poderoso elemento que o médico deve saber colocar em prática. **JFJ**

Médico como remédio: devemos aprender. **JFJ**

Referências

Referências com resumos e trabalhos na íntegra das afirmações deste capítulo no site www.medicinabiomolecular.com.br.

1. Kabat GC, Etgen AM, Rohan TE. Do steroid hormones play a role in the etiology of glioma? Cancer Epidemiol Biomarkers Prev. Oct;19(10):2421-7, 2010.
2. Ka Shing Cheung and Wai K. Leung Long-term use of proton-pump inhibitors and risk of gastric cancer: a review of the current evidence. Therap Adv Gastroenterol. 12: 1756284819834511, 2019.
3. Langeveld CH, van Waas MP, Stoof JC, et al. Implication of glucocorticoid receptors in the stimulation of human glioma cell proliferation by dexamethasone. J Neurosci Res. Mar;31(3):524-31.1992
4. Ray WA, Chung CP, Murray KT, et al. High-Dose Citalopram and Escitalopram and the Risk of Out-of-Hospital Death. J Clin Psychiatry. Feb;78(2):190-195, 2017.

PARTE VII

Arsenal terapêutico geral e específico

CAPÍTULO 180

Arsenal terapêutico geral

José de Felippe Junior

Vamos discorrer sobre as estratégias utilizadas no tratamento dos 842 casos clínicos aqui descritos. Cumpre salientar que grande parte dos 842 pacientes era refratário ao melhor tratamento convencional da época e muito importante não foram computados os pacientes que apresentaram somente melhoria da qualidade de vida. Somente foram computados os casos que realmente apresentaram regressão total dos tumores após os tratamentos descritos no livro e apresentaram aumento da sobrevida.

A regressão espontânea de neoplasias malignas, um fenômeno raro, mas bem documentado encontra sua primeira menção no Papiro Ebers de 1550 a.C. Apresentaremos inúmeros casos de pacientes com tumores avançados e múltiplas metástases com regressão espontânea. Esta afirmativa aliada ao crescente e constante conhecimento sobre o que é realmente o câncer nos leva a nunca desistir dos nossos pacientes. E de maneira alguma nunca fecharmos o prognóstico. Somente facínoras vestidos de branco proclamam: "Seu marido tem 3 meses de vida".

A) Principais efeitos moleculares de fitoterápicos e nutrientes

1. **Efeito epigenético**
   a) Demetilam: **curcumina, genisteína, parthenolide, ácido gálico, Nigella sativa, oleuropeína,** resveratrol, melatonina, fucoidans, procainamida e procaína (padrão-ouro).
   b) Acetilam: **curcumina, genisteína, parthenolide**, ácido gálico, ***Nigella sativa*, oleuropeína,** crisina, EGCG, silibinina, taurina, derivados do ácido butírico, ácido alfalipoico, artemisinina, fibratos, hesperidina, isotiocianatos e ácido valproico (padrão- ouro).
2. **Efeito anti-PD-l/PD-L1**
   Ácido gálico, alcaçuz, azul de metileno, antocianidinas, curcumina, resveratrol, EGCG, berberina, *Ganoderma lucidum*, beta-glucana, hesperidina, luteolina, metformina, *Rhus verniciflua*, *Scutellaria baicalensis* e lítio.
3. **Inibem o oncogene HER2/neu, conhecido também como ErbB2**
   Ácido alfalipoico, DHA/EPA, ácido ursólico, ácido valproico, *Aloe vera*, amiloride, carnosina, curcumina, mebendazol, metformina e oleuropeína.
4. **Aumentam a expressão ou ativam o p53**
   Artemisinina, *Boswellia serrata*, cloroquina, curcumina, DHEA, EGCG, Ginseng indiano, DIM, IP6 + inositol, luteolina, mebendazol, melatonina, *Momordica charantia*, *Moringa oleifera*, neem, *Nigella sativa*, propranolol, resveratrol, *Scutellaria baicalensis*, silibinina e parthenolide.
5. **Inibem células-tronco neoplásicas**
   Ácido alfalipoico, ácido valproico, carnosina, curcumina, parthenolide, *Withania somnifera*, ivermectina, melatonina, mebendazol e metformina.
6. **Inibem a telomerase**
   DHA/EPA, berberina, *Chelidoneum majus*, crisina, curcumina, isotiocianatos (sulforafane), *Withania somnifera*, IP6 + inositol, melatonina, *Nigella sativa*, resveratrol, *Rhus verniciflua*, sanguinarina, silibinina, $1,25(OH)_2D_3$, vitamina A e Zinco.
7. **Antiangiogênicos – anti-VEGF**
   Ácido alfalinolênico, acetazolamida, artemisinina, BCG, CBD/THC, *Canabis sativa*, *Chelidoneum majus*, fucoidans, *Ganoderma lucidum*, IP6 + inositol, isotiocianatos (sulforafane), ivermectina, luteolina, mebendazol, melatonina, neem, *Nigella sativa*, oleuropeína, resveratrol, sanguinarina, *Scutellaria baicalensis*, silibinina, selênio, glicina.
8. **Inibem NRF2 poderoso antioxidante e assim carcinocinético**
   Ácido valproico, DIM, luteolina e metformina.
9. **Inibem a G6PD – ramo oxidativo do ciclo das pentoses**
   DHEA, resveratrol, genisteína inibição parcial.

10. **Inibem a transcetolase – ramo não oxidativo do ciclo das pentoses**
Genisteína, fibratos.
11. **Inibem COX-2**
Ácido gálico, ácido ursólico, alcaçuz, antocianinas, artemisinina, ácido alfalinolênico, DHA/EPA, berberina, *Boswellia serrata*, *Cannabis sativa*, *Chelidoneum majus*, cloroquina, *Curcuma longa*, EGCG, genisteína, hesperidina, IP6 + inositol, melatonina, *Moringa oleifera*, resveratrol, *Rhus verniciflua*, sanguinarina, *Scutellaria baicalensis*, silibinina e *Tanacetum parthenium*.
12. **Aumentam a diferenciação**
Ácido ursólico, DHA/EPA, ALA/GLA, carnosina, cloroquina, fucoidans, *Withania somnifera*, IP6 + inositol, melatonina, resveratrol, 1,25$(OH)_2D_3$, *Scutellaria baicalensis* e bloqueadores do receptor da angiotensina II (ARBs).

B) Considerações gerais

I – Atenção com o Sistema Digestivo

Na população em geral é comum a deficiência de ácido clorídrico após os 40 anos. Nos pacientes com câncer é mais comum ainda a deficiência de ácido clorídrico e pancreatina. Sempre verificar se existe a presença de síndrome hipostênica (má digestão, come pouco parece que comeu muito, aumento de gases, eructação, plenitude, azia, refluxo – sintomas pós-prandiais).

1. **Pancreatina......... 400mg......... Mande 120 cápsulas entéricas**
Tomar: 1 cápsula no meio do desjejum
1 cápsula no meio do almoço
1 cápsula no meio do jantar
2. **Ácido clorídrico 3,7%..........50ml**
Tomar 3 a 5 gotas em pouco de água após cada refeição: desjejum, almoço e jantar.
a) Aumentar gota a gota se necessário para conseguir uma melhor digestão dos alimentos: máximo 20gts/dose.
b) Se comer pouco: 1-2 gotas já podem ser suficientes.
c) Se comer muito: 5-10-15-20 gotas.
d) Você descobre o número de gotas para cada **tipo** de alimento e **quantidade** ingerida: carne requer maior número de gts e macarrão/pão/doces requerem menor número de gts.
e) Lembre-se o ácido clorídrico é produzido no estômago para digerir os alimentos.
Se você tomar pouco, não fará a digestão como deveria.
Se tomar muito, pode sentir um vazio ou queimação na boca do estômago.
Neste caso ingerir um pouco de alimento para neutralizar o excesso de ácido.
3. **Não comece as fórmulas na dose prescrita e todas elas de uma vez.** Comece com 3 fórmulas apenas e acrescente 1 fórmula cada 3 dias. Se estiver prescrito 3× ao dia use 2×, se 2× ao dia use 1× e se 1× ao dia mantenha. Pode tirar das cápsulas e colocar em suco espesso (ex., mamão, abacate), exceto o iodo e o óleo de amêndoas (benzaldeído). Faça pausa aos domingos. Em 20-30 dias tome como prescrito. Se sintomas de gastrite use folha de couve batida com água no liquidificador: ½ copo 3× ao dia, outros fitoterápicos ou Sucrafilm, envelopes de 2g 3× ao dia. Não use omeprazol e correlatos.

II – DHEA

O DHEA é responsável por 70% dos hormônios esteroides do corpo, A diminuição da deidroepiandrosterona nos pacientes com câncer é quase que a regra. Devemos manter o DHEA-sulfato acima de 150mcg/ml.

III – Insulinemia. Manter ao redor de 8μU/ml

IV – Atenção com as doses

1. **Cuidado.** Resveratrol: diminui a concentração sérica de DHEA-sulfato e DHEA na dose de 1.000mg/dia. Pode agravar infecção por SARS-2 do Covid-19.
2. **Cuidado.** *Momordica charantia* ativa autofagia peritumoral. Deve sempre ser usada em conjunto com inibidor da autofagia: cloroquina 400-600mg/dia.
3. **Cloroquina difosfato:** dose máxima 10mg/kg/dia, ou pouco superior.
4. **Ácido gálico**: 600 a 800mg/dia.
5. **Albendazol:** máxima dose oral tolerada: 1.200 mg 2 vezes ao dia por 14 dias em ciclos de 21 dias.
6. **Cloreto de lítio:** dose habitual 300mg 3× ao dia o que equivale a quase 150mg do elemento ao dia. **Cuidado**. Não usar no câncer gástrico.
7. **Curcumina extrato a 95%:** dose habitual 1.500mg/dia com piperina 300mg/dia.
8. **DIM:** dose máxima 1.000mg/dia.
9. **Genisteína:** dose para inibir PTK é 600mg/dia/70kg (usamos). A dose para demetilar e acetilar a zona CpG é 30mg/kg/dia (não usamos).
10. **Glicirrizina:** 300mg ao dia.
11. **Luteolina:** dose habitual, 1,7mg/kg/dose (total 3 doses sublingual). Dose para aumentar autofagia tumoral.
12. **Apigenina:** junto com a luteolina: 60mg.
13. **Nicotinamida** pelo menos 300mg/dia por 60 dias.
14. **Tiamina** pelo menos 300mg/dia.

15. Ficar atento para os pacientes que tomam **bicarbonato de sódio** diariamente porque se esta substância conseguir alcalinizar o intracelular provocará aumento do desenvolvimento e proliferação tumoral.
16. **DHEA.** Importante prescrever se abaixo de 150ng/dl.
17. **Amiloride:** máximo 7,5mg 3× ao dia, por perigo de hiperpotassemia.

V – São sinérgicos

1. Ácido alfalipoico e naltrexone no câncer pâncreas e outros.
2. Ácido alfalipoico e hidroxicitrato no câncer pâncreas e outros.
3. Ácido alfalipoico e azul de metileno na fosforilação oxidativa.
4. Ácido valproico e metformina carcinoma renal e outros.
5. Ácido valproico e melatonina no GBM.
6. Silibinina e cloroquina no GBM.
7. Quercetina e cloroquina no GBM.
8. Luteolina e cloroquina no carcinoma epidermoide de cabeça e pescoço.
9. Luteolina e silibinina no carcinoma pulmonar.
10. Beta-glucana e BCG em vários cânceres.
11. Beta-glucana e *Ganoderma lucidum* em vários cânceres.
12. Beta-glucana, seleno-metionina, ácido ascórbico e resveratrol em vários.

VI – Atenção ao prescrever fitonutrientes ou outras substâncias anticâncer

1. **Artemisinina:**
   Cuidado: Não usar junto com doxorrubicina.
2. **EGCG**
   a) **Cuidado:** Não usar junto com sunitinibe.
   b) **Cuidado:** EGCG inibe a citrato sintase, portanto, não usar junto com o citrato.
   c) EGCG é rapidamente metilado e inativado pela COMT (catecol-O-metiltransferase).
3. **Azul de metileno**
   CUIDADO: O azul de metileno (AM) inibe a monoaminaoxidase-A (MAO-A) e quando associado com antidepressivos que aumentam serotonina pode desencadear síndrome serotoninérgica se administrado via intravenosa. Não usamos AM intravenoso.
4. ***Euphorbia tirucalli* (avelós)** e ***Synadenium umbellatum* (chorona).**
   Cuidado: não usar nas neoplasias EBV-positivas.
5. **Resveratrol**
   a) **CUIDADO**: pode piorar infecção por Covid-19.
   b) **Cuidado.** Não usar junto com taxol.
   c) O hormônio da tiroide T4, mesmo em concentrações fisiológicas, diminui os efeitos anticâncer do resveratrol.
   d) Resveratrol inibe o efeito da genisteína na reversão do fenótipo MDR.
   e) Resveratrol dietético: suco de uva ou vinho raramente atingem concentrações anticâncer no sangue.
6. ***Aloe vera* e *Aloe arborescens***
   a) **Cuidado**, a *Aloe vera* diminui o efeito da cisplatina.
   b) **Cuidado,** não usar *Aloe emodim* no melanoma em tratamento quimioterápico.
   c) *Aloe arborescens* e quimioterapia são sinérgicos nos cânceres gástrico, pancreático e pulmonar metastático humano.
7. **Lítio**
   a) **Cuidado:** não usar no adenocarcinoma de pulmão tratado com cisplatina.
   b) **Cuidado**: inibe diferenciação terminal de células da eritroleucemia.
   c) **Cuidado:** por estimular a medula óssea não pode ser usado nas leucemias e no câncer hematológico em geral,
   d) **Cuidado:** o lítio pode elevar o marcador tumoral CEA, sem significar piora do câncer.
8. **Ácido valproico**
   Cuidado: a teofilina e a aminofilina diminuem o efeito epigenético do ácido valproico.
9. **Genisteína**
   Na infecção por micobactérias, a genisteína, por inibir PTK, aumenta a multiplicação dessas bactérias no interior de macrófagos.
10. **BCG: ATENÇÃO**
    a) Pode provocar BCG-ite: múltiplas lesões de pele parecidas com as lesões da própria vacina.
    b) Pode provocar granulomas no pulmão que pode mimetizar metástases.
    c) Pode provocar granulomas em outros órgãos.

VII – Estratégias gerais

Tomar banhos de Sol diariamente: 15-30 minutos entre 11 e 14 horas. Ficar sem tomar banho por 1 hora.

Atividade física: é importantíssima, porque ativa AMPK e faz cessar a proliferação. Comece a andar devagar 15 minutos/dia e ir aumentando até 40 minutos/dia em passo firme e suando. Faça musculação.

Forrar com manta térmica de alumínio (casa de material de construção): 1. entre o estrado e a superfície inferior do colchão, da cabeceira aos pés;2. embaixo do sofá onde assiste televisão;e 3. embaixo da cadeira do escritório. Tudo isso para livrar-se das radiações de pequena amplitude e baixa frequência que emanam da

Terra. Zona geopatogênica ou radiações de mananciais ou rios subterrâneos.

Não comer: carne vermelha, de frango, de porco e de cordeiro. Peixe, ovos e 1×/semana fígado bovino: podem.

Não ingerir: caseína (leite e derivados proteicos do leite). Manteiga, creme de leite e chantili podem.

Carboidratos: ingerir apenas alimentos com Índice Glicêmico < 60, TABELA. Não abuse da quantidade.

Frutas: ingerir no máximo 25g/frutose/dia, TABELA.

C) Medicamentos por via oral

I – Melhorar qualidade de vida, diminuir limiar da dor e desacelerar a glicólise

Withaferin A 400mg
Fenofibrato 100mg
Oxalato de escitalopram ....10mg.........60cps

Tomar 1cp no desjejum e almoço

II – Estruturar citosol e água corporal total

Fosfato bibásico de magnésio: 25mg, carbonato de magnésio: 10mg, sulfato de magnésio: 10mg, cloreto de magnésio: 10mg, cloreto de potássio: 10mg, hipossulfito de sódio: 10mg, sulfato de cálcio: 30mg, bicarbonato de potássio: 20mg, citrato de sódio: 25,0mg, dióxido de silício: 40mg......... mande 60 doses.

Colocar 1 dose em 1 litro de água mineral pobre em flúor e em garrafa de vidro, nunca em PET. O ideal é usar osmose-reversa ou água destilada. Use para toda família de rotina para matar a sede. Ou tome 1.000ml a 1.500ml ao dia.

Colocar 1 dose em 1 litro de água mineral pobre em flúor e em garrafa de vidro, nunca em PET. Melhor usar osmose reversa ou água destilada. **Esta** é a água **estruturada com osmólitos cosmotropos.**

Colocar a água estruturada no aparelho hidrogenador de água para conseguir alta concentração de hidrogênio aferida pelo ORP (potencial de oxidorredução) mais negativo do que –450mv.

Beber 1.000 a 1.500ml durante o dia. Não parar.

Hidrogenador de água que forneça ORP (potencial de óxido redução) –450mv ou mais negativo. Internet E-Bay, Aliexpress, Mercado Livre etc.

Osmólitos estruturadores do citosol e água corporal

Trimetilglicina...........................100mg
L-taurina 100mg
Myo-inositol...............................100mg
Óxido de silício inorgânico (SiO_2) 80mg
....60 doses

Tomar 1 dose 30 minutos antes do desjejum, 2 horas após almoço, sempre com o estômago vazio. Não repetir.

III – Polarizar membrana celular e despolarizar o Deltapsi-mitocondrial

1. **Não abusar do sódio. Use o sal de Karpanen com baixo teor de sódio e alto em potássio e magnésio para polarizar a membrana celular.**
   Cloreto de sódio.................40,0%
   Cloreto de potássio 35,0%
   Sulfato de magnésio...........22,5%
   L-lisina..................................2,0%
   Iodeto de potássio..............0,5%
   ....mande 250g
   Use como sal de cozinha para toda família. Colocar o sal após o cozimento.
2. **Recuperam o Deltapsi-mt**: DHEA, resveratrol, betaína (trimetilglicina), inibidores da desidrogenase lática-A (DHL-A), inibidores do c-myc – Ex.: $1,25(OH)_2D_3$, EPA: ácido eicosa-hexaenoico e silibinina.
3. **Promovem a queda do Deltapsi-mt**: dicloroacetato de sódio, ácido ursólico, extrato de salvia, extrato de manjericão, ácido alfalipoico, melatonina, berberina, NDGA, sanguinarina, cheleritrine (*Chelidoneum majus*), indol-3-carbinol, noscapine, curcumina e vitamina K_2.

IV – Reverter efeito Warburg, aumentar a fosforilação oxidativa, promover a biogênese mitocondrial, inibir receptor beta-adrenérgico, antiviral e inibir PD-1/PD-L1

1. Cloreto de metiltioninium..1mg/kg
   Glucoronolactona 400mg
   Extrato de *Glycyrrhiza glabra* 250mg
   Extrato de *Scutellaria baicalensis*............................250mg
   L-citrulina 300mg
   Ácido alfalipoico 400mg
   Coenzima Q10.....................75mg
   Nicotinamida.......................150mg
   (dose de 300mg)
   Tiamina 150mg
   (dose 300mg no mínimo)
   Riboflavina..........................50mg
   Hesperidina 150mg
   PQQ.....................................10mg.........120 doses

Tomar 1 dose após desjejum e jantar. Pode dividir o número de cápsulas e tomar durante todo o dia para diminuir a carga de cápsulas.

2. Cloreto de lítio.....................300mg ....120 doses
   Tomar 1dose 3× ao dia.
3. Artemisinina tintura............300ml
   Tomar 3ml em pouco de água 3× ao dia 7 dias sim/7 dias não.
4. Tintura mãe de *Rhus verniciflua* (*Toxodendrum vermicifluun* 300ml
   Tomar 5ml em pouco de água 3× ao dia.
5. Luteolina 1,7mg/kg/cápsula
   Apigenina.............................40mg
   120 cápsulas
   Abrir a cápsula e colocar embaixo da língua 3× ao dia. Espere absorver.
6. Metformina em creme pentravam.........350mg
   Vitamina B_{12}.........................200mcg......120 doses
   Usar 1 pump 3×/dia na pele mais fina da coxa ou braço ou pescoço.
7. Propranolol 20mg manhã e 40mg ao deitar.
8. Ivermectina: 0,4mg/kg dividido em duas doses por 5 dias, de 7/7 dias, por 2 meses. Paciente com 70kg: 14mg 12/12h de segunda a sábado, durante 2 meses. Rever carga viral em 2 meses.
9. Crisina 500mg
   Beta-ciclodextrina...............500mg ....120 doses
   Tomar 1cp 3× ao dia.
10. *Cannabis sativa* CBD/THC a 1/1...........1fr.
    3 gts 3× ao dia/5 dias.4 gts 3× ao dia/5 dias e depois 5 gts 3× ao dia. Observar.

V – Epigenética: Demetilar e acetilar a zona CpG

1. **Demetilador Gold-standard**
   Para-aminobenzoil-dietilenoamina-etanol-2% (procaína)............................ampolas de 5ml.
   Aplicar intramuscular 3× por semana/2 meses, durante tratamento intravenoso.
2. **Acetilador Gold-standard**
   Depakote ER (divalproato de sódio) 500mg#1cx.
   Tomar 1cp jantar por 5 dias, depois 2cp/4 meses. ATENÇÃO NÃO DIRIGIR.
3. **Demetiladores e acetiladores**
   Extrato de curcumina 95%.......................................500mg
   Genisteína 200mg
   Extrato de *Tanacetum parthenium*..........................200mg
   Extrato das sementes do *Silybum marianum*..............200mg
   Resveratrol 200mg
   Extrato das sementes de uva (ácido gálico) 250mg
   Epigalocatequina-galato......200mg
   Manganês glicina 2,5mg
   Selenometionina 50mg (100mcg/selênio)
   Ácido fólico..........................5mg
   Piperina 200mg
   1 dose 3× ao dia/60 dias.

VI – Polarizar sistema imune para M1/Th1, enquanto inibe, Treg, TAMs e MDSCs

1. BCG sonicado 1,5ml
   Glucana 1mg/ml ....5.0ml ....1 frasco 6,5ml (2×)
   Agitar e aplicar 0,5ml subcutâneo às 2ª/4ª/6ª feiras/24×. Guardar na geladeira, não no congelador.
2. Glucana 5-10-20mg intravenoso 5/5 ou 7/7 dias.
3. Naltrexone 5mg
   Espironolactona ....2mg...........90cps
   1cp via oral ao deitar de segunda a sábado. DORMIR NO ESCURO TOTAL. Não parar.
4. Melatonina 20mg sublingual ao deitar à noite quando for dormir. Dissolver na cavidade bucal/4 meses.
5. *Ganoderma lucidum* (extrato) 400mg
   Glucana 300mg
   Fucoidans..............................200mg
   Seleno-metionina..................100mg (200mcg Se)
   Ácido ascórbico.....................200mg
   Resveratrol ....20mg..........mande 60 doses
   Tomar 1 a 2 doses 3× ao dia após as refeições/ 4 meses.
6. Sigmatriol 3cp/dia somente por 30 dias.
   Nota: opcional para inibir Treg (não foi usado nos nossos pacientes)

Genuxal – Ciclofosfamida – 50mg.............1cx
Tomar 8cp (400mg) 10/10 dias por 6× e colher exames.
Referência: Genuxal (Baxter). www. araujo. com. br ou www. farmaclass. com. br
Ou intravenoso:
Ciclofosfamida .... 500mg em 250ml de SG5%. Correr em 1 hora de 10/10 dias
1 frasco 200mg ou 1.000mg para uso IV. Referência: Genuxal (Baxter).

Tomar Mitexan (Mesna) 400mg, 4h e 8h após a infusão da ciclofosfamida para prevenir de maneira confiável efeitos colaterais urotóxicos.

ASTA MEDICA ONCOLOGIA Site: http://www. astamedica. com. br

VII – Normalizar o 1,25(OH)2D3 para manter em funcionamento 4.500 genes, incluindo os supressores de tumor. PTH em nível inferior do normal significa hormônio D3 em nível superior. Normalizar retinol

1. Colecalciferol............................600.000UI ....intramuscular.
   Dose única.
2. Colecalciferol solução oleosa – 5gts = 10.000 UI 40ml
   Usar 5 gotas ao dia após alguma refeição/6 meses. Checar PTH em 30 dias. Não é necessário guardar em geladeira. É a forma preferível, oleosa. Meta: PTH em nível inferior do normal.
3. Vitamina K_2............................300mcg
   Riboflavina............................150mg
   Genisteína............................250mg
   Vitamina A ....300.000UI.....90 doses
   Tomar 1 dose após alguma refeição.

Nota1: No câncer de mama triplo negativo, sempre utilize a vitamina A em conjunto com agonistas do TRAIL: BCG, curcumina, silibinina, DIM, berberina, resveratrol.

Nota2: Riboflavina transforma a vitamina D_3 (colecalciferol) em hormônio D3 (calcitriol) e a genisteína inibe a degradação da vitamina D_3 e aumenta sua concentração no sangue.

VIII – Ácidos graxos poli-insaturados modificam a composição da membrana celular tumoral, aumentam o estresse oxidativo, bloqueiam a atividade da FASN, polarizam a membrana celular e induzem a ativação de múltiplas vias de sinalização pró-apoptóticas e antiproliferativas como p53, p21WAF1/CIP1, ERK1/2 MAPK, p27KIP1, BRCA1 e NF-kappaB

1. Óleo de borago ou borage ou boragem 24% 1.000mg
   Tomar 1cp 3× ao dia/4 meses.
2. Óleo de peixe superômega-3 (3/2 de DHA/EPA) 1.000mg
   Tomar 1cp 3× ao dia/4 meses.
3. Mistura básica de Budwig
   Óleo LLC (1 parte/linhaça + 2 partes/coco)............................1 colher de sopa
   Queijo Cottage ....1/2 a 1 xícara
   Use o mix Budwig com frutas picadas etc. Tome duas a três colheres das de sopa do óleo LLC ao dia/4 meses, ou somente o óleo de linhaça prensado a frio.
   Melhor é a mistura linhaça 1 parte/coco 2 partes.
   Nota: óleo de linhaça e de coco devem ser prensados a frio. Cottage: único tipo de queijo permitido.
4. **Semente de linhaça dourada** triturada no momento do uso: 1 colher das de sopa (10g) junto com as 3 principais refeições do dia. Total: 30g/dia.

IX – Inibir mecanismos fisiológicos de redução ou antioxidação do intracelular

A) **Inibir NADPH**
   1. DHEA micronizado sublingual 50mg: 2cp ao deitar por 4 meses.
   2. Genisteína#300mg: 1cp 2× ao dia.

B) **Inibir NRF2/ARE**
   Apigenina, luteolina, berberina, parthenolide, ácido valproico, metformina, ácido retinoico, isoniazida, trigonelina, neferina, brusatol, plumbagin, crisina, wogonina, aorafenibe, camptotecina.

X – Acidificar o intracelular e normalizar o pH peritumoral

1. **Alfa.** Amiloride............................7,5mg
   Acetazolamida............................200mg
   Resveratrol............................200mg
   Niclosamida............................170mg
   Cimetidina............................150mg
   Progesterona fisiológica............................50mg
   Lansoprazol............................40mg
   Piroxicam............................13,5mg
   Lovastatina............................10mg
   Olmesartana............................6mg
   Borato de sódio............................2,5mg de Boro
   Ioimbina............................7mg
   (dose nas 24h: 21,6mg)

Tomar 1 dose após o café da manhã, almoço e jantar/3 semanas. Parar 1 semana, junto com a fórmula do cloridrato de hidrogênio e recomeçar. Total: 4 meses. Checar K^+.

2. **Beta.** Cloridrato de hidrogênio 2,5%......200ml

Tomar 4gts em pouco de água após as 3 refeições principais. Aumentar gota a gota a cada 3 dias até atingir 10 gts 3× ao dia. Parar 1 semana, junto com a fórmula do amiloride, e recomeçar. Total 4 meses.

Atenção: Sincronizar a fórmula 1-Alpha com a fórmula 2-Beta.

Genisteína..............................200mg 120cp

Tomar 1 dose 3× ao dia.

XI – Carcinostáticos e anticarcinogênicos

Picolinato de zinco 300mg
Difosfato de cloroquina 200mg
Amiloride 20mg
Piridoxina 20mg
Propranolol.................................15mg..........120 doses

Tomar 1 dose 3× ao dia/4 meses.

Extrato das sementes do *Silybum marianum* 500mg
Fosfatidilcolina...........................1.000mg ....90 doses

Tomar 1 dose 3× ao dia/4 meses.

Nota: tangeritina (tangerina) aumenta a absorção e a fosfatidilcolina aumenta a biodisponibilidade da silibinina.

Iodo molecular (I2) 0,75mg/kg/dose
....120 doses

Tomar 1 dose após almoço e após o jantar/2 meses. Cápsulas escuras.
Não tirar das cápsulas/4 meses

Lisado de levedo de cerveja.......85%
Beet vulgaris liofilizada ....15%............500g

Tomar 1 medida de 5g em água ou suco 3× ao dia/ 4 meses.

Ácido cítrico...............................500mg
Omeprazol..................................2mg...........120cps

Tomar 8 a 16 cápsulas divididas durante o dia (6 a 8g/dia)
Se sintomas de gastrite: flaconetes de Sucrafilm.

Maltedextrina............................1.375mg Óleo de amêndoas (benzaldeído) ....125mg ....mande 120 doses

Tomar 1 dose 2× ao dia com estomago cheio por 7 dias. Depois 1 dose 3× ao dia por 7 dias e depois 4× ao dia. NÃO TIRAR DAS CÁPSULAS (1dose 4× ao dia = 500mg do extrato).

Extrato fluido de Berberina.......200ml
Extrato fluido de Sanguinarina.50ml
Extrato fluido de *Chelidoneum majus* 150ml
Extrato fluido de *Chenopodium ambrosioides*.............................. 125ml ....1 frasco

Tomar 1 medida de 5ml (= 500mg) em pouco de água 3× ao dia, após as refeições/6 meses.

Extrato seco de *Rosmarinus officinalis*.........300mg
Extrato seco de *Ocimum basilicum* 100mg
Extrato seco de *Salvia off*...........100mg ....120 doses

Tomar 1 dose 3× ao di/4 meses.

Extrato seco de *Momordica charantia* ....500mg ....3× ao dia

Nota importante: difosfato de cloroquina 400-600mg junto ou em outras fórmulas para evitar aumento da autofagia peritumoral provocado pela *Momordica*.

Extrato seco de *Moringa oleifera* ....500mg ....3× ao dia
L-carnosina.................................400mg ....duas vezes ao dia.
Ou
Beta-alanina 800-1.000mg
....3 vezes ao dia em jejum.
Extrato seco de folhas de *Annona muricata* ....1.000mg ....120 doses

Tomar 1 dose 2 a 3× ao dia/4 meses.

XII – Antimetastáticos e anti-invasivos

Roomi modificado

L-lisina 1.000mg
L-prolina 1.000mg
L-citrulina..................................500mg
Extrato de chá-verde padronizado a 80%....1.000mg
Cobre glicina 2mg
Ascorbato de magnésio.............700mg
Ácido ascórbico 700mg
Excelen (seleno-metionina) 15mg (30mcg/selênio)
Manganês glicina.......................1mg
Óxido de silício ....30mg..........180 doses

Tomar 1 dose 2 vezes ao dia em jejum: 15 minutos antes do desjejum e ao deitar por 7 dias e depois 3 doses ao dia acrescentando esta dose 2 a 3 horas após o almoço. NOTA: PODE ABRIR AS CÁPSULAS E COLOCAR no suco de mamão ou abacate.
Ou
L-lisina 1.000mg
L-prolina 1.000mg
L-citrulina..................................500mg
Extrato de chá-verde padronizado 80% de polifenóis..1.000mg
Ascorbato de magnésio.............1.400mg ....mande 180 doses

Tomar 1 dose 2× ao dia em jejum: 15 minutos antes do desjejum e ao deitar por 7 dias e depois 3 doses ao dia, 2 a 3 horas após o almoço. PODE ABRIR AS CÁPSULAS E COLOCAR no suco de mamão ou abacate (suco espesso).

XIII – Inibir polimerização de tubulinas e romper microtúbulos do citoesqueleto

Albendazol 1.200mg

1 dose 2× ao dia por 14 dias. Ciclos de 21 dias.

Flubendazol: a ser determinada.

XIV – Inibir autofagia peritumoral e aumentar autofagia tumoral

1. ***Inibe lisossoma e a autofagia do estroma peritumoral***
   Difosfato de cloroquina 400mg
   Extrato de *Glycyrrhiza glabra* 250mg
   Vitamina B_6........................20mg
   Clomipramina........................20mg
   mande ....120 cps
   Acetato de zinco....................56mg (20mg de Zinco)
   Tomar 1cp 3× ao dia.
2. ***Antioxidante – previne a formação do MCT4***
   Fluimucil oral – 1 envelope = 600mg......16 envelopes
   Tomar 1 envelope 3× ao dia/3 dias e depois 2× ao dia.
3. ***Induz autofagia da célula neoplásica,*** *incluindo o glioblastoma multiforme*
   Minomax (minociclina)........100mg ....12/12h por 15 dias
4. ***Induz autofagia da célula neoplásica***
   Depakote ER (divalproato de sódio) ... 500mg 1cx
   Tomar 1cp ao deitar por 5 dias, depois 2cp. ATENÇÃO: NÃO DIRIGIR.
5. ***Induz autofagia da célula neoplásica.*** Reverte queda da Caveolin-1
   Annona muricata extrato seco das folhas e talo....................400mg
   Luteolina ....50mg.........120 doses
   Vitamina K_2 ....200microgramos
   Tomar 2 doses 3× ao dia.
6. ***Induzir autofagia da célula neoplásica***
   Ativadores da AMPK
   a) Digoxina 0,25mg ....1cp ao dia
   b) Berberina............................500mg
   L-prolina 500mg
   Silibinina................................300mg
   Acarbose 80mg
   Hesperidina 150mg
   Resveratrol.............................100mg
   Espironolactona 20mg
   Genisteína..............................200mg
   Di-indolilmetano 50mg
   Curcumina..............................200mg
   Piperina..................................50mg
   Scutellaria barbata ....100mg ....120 doses
   Ácido alfalipoico 100mg
   Albendazol..............................100mg
   Tomar 1 dose 3× ao dia.
   c) *Ganoderma lucidum* (extrato)................400mg
   Glucana ....300mg ....mande 60 doses
   Fucoidan 200mg
   Seleno-metionina..................100mg (200mcg Se)
   Ácido ascórbico......................200mg
   Resveratrol 20mg
   Tomar 1 dose 3× ao dia após as refeições/não parar.
   d) Olmesartana 20mg: 1cp 12/12 horas.
   e) DHEA 50mg: 1cp 2× ao dia/60 dias e depois 1× ao dia.

XV – Miscelânea

No Glioblastoma multiforme, astrocitoma e meduloblastoma. Método Banerji (Índia)

1ª linha de medicamentos: usar 3 meses se melhorar continue por 1 ano caso negativo passar para a 2ª linha
Ruta graveolens 6CH em líquido: 2 vezes ao dia
Calcarea phosphorica 3DH tabletes: 2 vezes ao dia

2ª linha de medicamentos: usar por 3 meses se melhorar continue por 1 ano caso negativo passar para a 3ª linha
Ruta graveolens 6CH em líquido: 2 vezes ao dia.
Calcarea phosphorica 3DH tabletes: 2 vezes ao dia.
Thuja occidentalis 1000CH em líquido 1 dose uma vez por semana.

3ª linha de medicamentos
Ruta graveolens 6CH em líquido: 2 vezes ao dia.
Calcarea phosphorica 3DH tabletes: 2 vezes ao dia.
Conium maculatum 1000CH em líquido: 1 dose uma vez por semana.

Se houver edema ou hidrocefalia
Lycopodium 30CH: duas vezes ao dia.

Ou já começar desta forma (nossa preferência)
Ruta graveolens..........................6C ....2gts 2× ao dia em colherinha de água.
Calcarea phosphorica................3D ....1 dose = 2 grânulos. Tomar 2 grânulos 2× ao dia.
Thuja occidentalis 1000CH em líquido 1 dose uma vez por semana.

Acrescenta
– Letrozol – 2,5mg.......................1cp/dia

Se edema ou hidrocefalia

- Dexametasona. Cuidado pode aumentar a proliferação mitótica dos gliomas malignos.
- Lycopodium 30CH..................30ml ....**5gts pela manhã e 5 gotas ao deitar.**
- Boswellia serrata......................1200mg .....120cps **Tomar 1cp 4× ao dia (adultos).**

Em crianças com tumores cerebrais progressivos ou recorrentes, mostrou melhoria clínica na dose de 40-120mg/kg.

1. Receita brasileira dos Aloes – *Aloe vera* e *Aloe arborescens*

a) 300g de folhas frescas, lavadas, preferencialmente da *Aloe arborescens* Miller ou como segunda escolha a *Aloe vera* L, cortando-se antes os espinhos das bordas. Com faca cortar em pedaços de 1-2cm e colocar no liquidificador.

b) Despejar, em cima dos pedaços, 500g de mel puro de abelhas.

c) Adicionar 40-50ml (5-6 colheres das de sopa) de destilado com teor alcoólico de pelo menos 40%. Cachaça. Pode-se usar: whisky, conhaque, vodca, rum, Aquavit (Dinamarca – batata), Pisco (Peru), Stenhaeger, gim (zimbro), grapa (Itália), Calvados (França – maçã), áraque/arak (uvas, tâmaras e anis), kirsch (cereja), tequila (agave) etc. Não usar licores.

d) Para aumentar a eficácia acrescentar 24g de cloreto de magnésio (não pertence à receita original e fica muito amargo).

e) Bater no liquidificador até formar um suco, geralmente 5 minutos. Guardar em geladeira em frasco escuro/âmbar. Validade 30 dias.

f) Evite a incidência de luz solar ou artificial durante o preparo e armazenamento.

g) Tomar 1 colher das de sopa 10-20 minutos antes do café da manhã, almoço e jantar. Agitar o frasco antes de se servir.

2. Receita brasileira do Avelós – *Euphorbia tirucalli*

Colocar 16 gotas do líquido branco da planta (*leite* – látex) em 1 litro de água e tomar 1 xícara das de café 3-4 vezes ao dia. O *leite* desta planta já cegou muitas pessoas por lesão de córnea. O ideal é livrar-se do látex. Contraindicado nos pacientes com IgG elevado para o Epstein- Barr vírus.

3. Receita brasileira para a chorona – *Synadenium umbellatum* e *grantii*

Colocar 18 gotas do látex em 1 litro de água e conservar na geladeira. Tomar pela manhã, à tarde e à noite uma xícara das de café ou substituir a água pela solução bebendo várias vezes ao dia. Logo em seguida ao tomar a solução costuma provocar leve irritação da garganta. Contraindicado nos pacientes com IgG elevado para o Epstein-Barr vírus.

D) Soluções intravenosas

1. Retirar metais tóxicos

Soro glicosado 5%.................200ml
Cloreto de magnésio 10%......10ml
Vitamina C............................3 gramas
EDTA sódico 15%.................1 a 2 ampolas
Vitamina B_6 (100mg)............1 ampola
Bicarbonato de sódio 8,4%....10ml (facultativo)

Aplicar intravenoso em ± 1 hora 2-3 vezes por semana. Total: 10-20×.

Intravenos em 1 hora

2. Soro com ácido clorídrico

Soro fisiológico ou glicosado 5%..........................250ml
Cloreto de magnésio 10%......10ml
Cloridrato de hidrogênio 2mg/ml.................................10ml

Aplicar intravenoso em ± 1 1/2 hora 2 vezes por semana. Total: 10-20×.

Intravenos

3. Solução polarizante de Sodi-Pallares

Uso Externo

Soro glicosado 10%...............500ml
Sulfato de magnésio 10%.......10ml
Insulina simples.....................4 unidades
Cloreto de potássio 19,1%.....1 ampola
DMSO.................................25ml ***(facultativo)***

Aplicar intravenoso em ± 3 horas/90 microgotas/min/3× por semana.
ATENÇÃO EQUIPO DE MICROGOTAS.
Usar cama magnética de Sodi-Pallares 120 Gauss/60Hz.
Total: 10-20 soros

a) Se doer reduzir gotejamento para 60 microgotas/min.
b) Cada 30 minutos agitar o frasco.
c) Colherinha de mel de hora em hora.
d) Alimentar-se no meio do soro.

SG5% 250ml + 25ml Glicose 50% = quase SG10% com volume de 275ml.

Intraveno

4. Soro de ácido alfalipoico escalonado

Soro fisiológico......................250ml
Ácido lipoico (ALA).............600mg/24ml
....1 fr/24ml (600mg)
Coenzima Q10.......................10mg/5ml
....5 ampolas = 50mg
L-prolina 500mg/2ml......... 1 ampola = 500mg
Biotina 5mg/ml......................1 ampola de 2ml (10mg)
Vitamina B_6...........................1 ampola de 5ml = 100mg

Correr intravenoso em 2 horas na cama magnética 120 Gauss.

E depois passar para:

Soro fisiológico......................250ml

Ácido lipoico (ALA) 600mg/24ml 1 fr/24ml (600mg)

Coenzima Q10 10mg/5ml....5 ampolas = 50mg

Zinco acetato-2H2O 0,5mEq/ml = 54,9mg/ml ....2 ampolas de 5ml (110mg)

L-prolina 500mg/2ml .... 1 ampola = 500mg

Ácido fólico 5mg/ml 1fr = 10ml)............2ml 10mg)

Biotina 5mg/ml ....1 ampola de 2ml (10mg)

Vitamina B_6...........................1 ampola de 5ml = 100mg

Complexo B sem B1 ....1 ampola

B2-Riboflavina/10mg.....30mg.

B3-Nicotinamida/10mg...30mg

B6-Piridoxina/10mg.......30mg

B5-D-pantenol/50mg............ 150mg

Correr intravenoso em 2 horas na cama magnética, 120 Gauss/60Hz.

Pode ser logo após o EDTA 2ª à 6ª feiras.

Complementos:

a) Vitamina K_1 – 1mg/2ml (1.000mcg) com 0,5ml de xilocaína/lidocaína. Aplicar intramuscular às 2ª feiras.
b) Metilcobalamina ....25.000mcg/1ml. Fazer de 15/15 dias. Total: 3×.
c) Fazer no primeiro dia os 4 testes de imunidade celular – leitura de 48 horas e repetir no final do tratamento (lembrar leitura de 48 horas).

5. Vitamina C intravenosa gradativa – Riordan/Rath

a) Colher G6PD antes de prescrever o soro. Se baixa ou inferior do normal não administre.
b) Colher ácido ascórbico logo após o término do 1º soro: 350-400mg% ou 19,9 a 22,7mM/litro.
c) Destrostix: falso positivo devido à presença de vitamina C.
d) Se ardor na veia: aumentar magnésio ou diminuir velocidade de infusão.
e) Alimentar-se antes do soro: flutuação da glicemia mesmo em não diabéticos.
f) Usar Jelco 24.
g) Velocidade normal: 0,5g/mim. Pode alcançar 1g/min. Velocidade maior pode provocar náuseas, tremores e calafrios.
h) Iniciar as infusões com 0,5g/kg de vitamina C.

1º) Ácido ascórbico 25g
Cloreto de magnésio 10% 4ml
Água destilada..................250ml ....correr em 1 hora

2º) Ácido ascórbico 50g
Cloreto de magnésio 10% 6ml
Água destilada..................500ml ....correr em 1:40 (maioria requer 50g)

a) Fazer 3 soros seguidos 2 ou 3×/semana (3× os mais graves) sempre dosando vitamina C ao término dos soros: meta: 350-400mg% ou 19,9 a 22,7mM/litro.
Nota: mileMol/litro × 0,0176 = mg%.
b) Se vitamina C no plasma < 100mg% após 1º soro sugere a presença de alto grau de **ESTRESSE OXIDATIVO:** alta lise tumoral, QT, RT, infecção escondida, cigarro.
c) Se alcançar 350mg% manter os 25 ou 50g, 2 ou 3× por semana e dosar mensalmente a vitamina C.
d) Se não alcançar com 50g, repetir mais uma vez. Ainda assim se não alcançar 350mg% passar para 75g 2×/semana por 4×. Se não alcançarmos a meta passamos para 100g/2× semana ou 3×/semana
e) Crianças e pessoas pequenas (< 45kg): em geral necessitam 2×/semana para alcançar a meta.
f) Pessoas grandes (> 95ikg): em geral, 3×/semana para alcançar a meta.

3º) Ácido ascórbico 75g
Cloreto de magnésio 10%.....6ml
Água destilada.......................500ml ....correr em 2:30 horas

4º) Ácido ascórbico 100g
Cloreto de magnésio 10%.....6ml
Água destilada.......................500ml ....correr em 2:30 a 3 horas

Nota: para diminuir a geração de NADPH pelo ciclo das pentoses, nos 3 dias que antecedem as infusões e durante o tratamento receitar – Felippe Jr.

1. DHEA 50mg 12/12 horas
2. Genisteína..........................200mg
Vitamina C............................150mg
Riboflavina...........................50mg
Rutina...................................25mg
Hesperidina ....25mg..........120 doses
Tomar 1dose 3× ao dia.

6. Solução hipertônica de cloreto de sódio a 5,2% – Felippe Jr

Soro Glicosado 5%................200ml NaCl 20%/ ....10 ml 70ml
Intravenoso
Xilocaína 2%/procaína..........1-2ml
Aplicar intravenoso em ± 1 hora. Total: 20 soros.

Modo de preparo:

1. Desprezar 50ml de soro do frasco de soro glicosado 250ml na proveta graduada: vai sobrar 200ml de soro no frasco

2. Colocar 7 ampolas de cloreto de sódio 20% que equivale a 70m
3. Solução a 5,2% de Na^+.

MUCOSITE

1. Lavagem oral com solução de *Plantago major* a 0,12% junto com a solução de bicarbonato de sódio a 5% (randomizado e triplo cego).
2. Lavagem oral com azul de metileno a 0,5% é modalidade eficaz e não dispendiosa que pode ser usada com segurança para amenizar a dor oral intratável em pacientes com mucosite associada à quimioterapia.

NUTRIÇÃO

a) **Seguir dieta inteligente carcinostática e anticarcinogênica**
b) **Aumentar a ingestão de:**
   1. **Acetogeninas anonáceas: graviola** – tomar suco da fruta da graviola 1 copo 2-3× semana, fruta-do-conde ou fruta pinha (*Annona squamosa*), cherimoia (*Annona cherimoia*), atemoia (vetada. pois é rica em cobre).
   2. Ácido alfalipoico: óleo de linhaça, semente de linhaça dourada, levedura de cerveja, bife de fígado bovino.
   3. Ácido gálico: polifenóis e procianidinas das sementes de uva, mirtilo, amora, morango, berries em geral, ameixa, uvas, manga e sua casca, café levemente torrado, castanha-de-caju, avelã, noz, semente de linhaça, chá-mate, chá verde, cevada, casca do feijão, chocolate amargo, ruibarbo, rosa mosqueta, sorgo, noz-de-galha, sumagre (bagas vermelhas usadas como tempero nas cozinhas libanesa, turca e síria), hamamélis, casca ou súber do carvalho e faz parte dos taninos adstringentes e amargos.
   4. Ácido **ursólico:** alecrim, manjericão, sálvia, amêndoa, *Plantago major* (tanchagem), *Prunella vulgaris*, quinoa desamargada, *Terminalia arjuna*, frutas do *Ligustrum lucidus*, *Gymnema sylvestre*, *Garcinia vilersiana*.
   5. **Alanina**: ovo, peixe, lentilha, aspargo, cenoura, abacate, berinjela, beterraba, aveia, cacau, centeio, cevada, coco, avelã, nozes, castanha-de-caju, castanha-do-pará, milho e feijão.
   6. **Aloe emodin:** *Aloe vera* L. e *Aloe arborescens*.
   7. **Antocianinas:** amoras, cerejas, framboesas, morangos, groselhas, uvas roxas, mirtilo e vinho tinto. A porção de 100g de frutas vermelhas contém 400 a 500mg de antocianinas. Outras fontes: açaí, repolho roxo, arroz negro, uva negra, soja negra, feijão preto, batata roxa, batata doce, cebola roxa, beterraba e milho vermelho.
   8. **Apigenina:** molho de tomate Adventista ou Italiano, salsa, aipo.
   9. **Ativadores do PPAR-gama:** óleo de gergelim, ácido linoleico conjugado – CLA.
   10. **Ativadores do p53-Sh-Sh**: suco de lima mexicana (*Citrus aurantifolia*), nozes, amêndoas, óleo de gergelim, hesperidina, IP6, di-indolilmetano e apigenina.
   11. **Baicalaína:** *Plantago majus* (tanchagem, tansagem, transagem, tanchá, taiova, orelha de veado ou sete nervos), trevo vermelho (*red clover*), alfafa e couve.
   12. **Benzaldeído:** amêndoas, amêndoas amargas, folhas do louro (*Laurus nobilis*), semente do pêssego (amigdalina), café, chocolate amargo.
   13. ***Chenopodium ambrosioides*:** mastruz ou erva de Santa Maria, também conhecida como: canudo, cravinho do campo, erva de bicho e anserina.
   14. **Crisina:** mel, própolis e flores do maracujá.
   15. **Curcumina**: raiz do açafrão, açafrão da terra, açafroa ou gengibre amarelo.
   16. **Epigalocatequina galato (EGCG):** chá-verde e preto.
   17. **Genisteína**: leite de soja, missô, tofu.
   18. ***Glycyrrhiza glabra:*** raiz do alcaçuz.
   19. **Glucana**: cogumelos, aveia, cevada, cardamomo, centeio, trigo, trigo selvagem ou ancestral (espelta).
   20. **Graviola**: suco da fruta, chá das folhas.
   21. **Iodo**: maior para menor teor, sal de Karpanen, alga kombu, alga ágar-ágar, alga arame, sal iodado, alga nori.
   22. **Hesperidina**: casca do limão, casca da laranja, lima-da-pérsia, mexerica, mandarina, bergamota, banana, pomelo (*grapefruit),* alho-poró, crucíferas com raízes e nas gramíneas inteiras. Maior teor na casca das frutas cítricas. Limonada Italiana: suco de 1 limão com a casca e suco de 1 laranja com a casca. Liquidificador. Tomar 1 copo pelo menos 4×/semana.
   23. **Indol-3-carbinol (DIM):** vegetais crucíferos como couve, brócolis, couve-flor e couve-de-bruxelas.
   24. **Inositol- 6-Fosfato – IP-6**: maiores concentrações no farelo de arroz e nas sementes ou farinha do gergelim, semente de abóbora, sementes de oleaginosas, linhaça, sementes de chia, amêndoas, castanha-do-pará, farelo de trigo e de centeio, milho e soja. Farelo de arroz: uma colher das de sopa dias alternados
   25. **Isotiocianatos (Sulforafane e irmãos)**: brócolis, couve-de-bruxelas, sementes da mostarda, cou-

ve manteiga, mostarda, agrião, couve-flor, rábano (*horse-radish*), nabo e rabanete.

26. **Iodo:** maior para menor teor, sal de Karpanen, alga kombu, alga ágar-ágar, alga arame, sal iodado, alga nori.
27. **Luteolina**: cenoura, pimentão, aipo, menta, *Aloe vera*, óleo de oliva, alcachofra, salsa e camomila.
28. **Resveratrol:** uvas, especialmente nas cascas, frutas vermelhas e amendoim.
29. **Silimarina:** sementes do cardo mariano.
30. **Timoquinona, Alfa-hederina:** *Nigella sativa*, cominho negro (semente abençoada).
31. **Oleuropeína:** azeite de oliva, azeitonas, folhas da oliveira.
32. **Vitamina A.** Maior para menor teor: óleo de fígado de bacalhau, bife de fígado bovino, fígado galináceos, atum fresco. Nas plantas: folhas verdes escuras e nas frutas e vegetais fortemente coloridos de amarelo e laranja. Nos animais: fígado de boi, óleo de fígado de bacalhau, manteiga, creme de leite e gema do ovo.
33. **Vitamina D**: maior para menor teor: **SOL**, óleo de fígado de bacalhau, arenque cru, salmão, atum, gema de ovo, fígado de galinha.
34. **Tocoferóis:** castanhas (amêndoas, avelãs, castanha-do-pará) e óleos vegetais comuns (gérmen de trigo, girassol).
35. **Tocotrienóis**: grãos de cereais (aveia, cevada, centeio) e certos óleos vegetais (óleo de palma, óleo dendê e óleo de farelo de arroz).
36. **Vitamina K_1 – Filoquinona:** chá-verde em pó, chá-verde em folhas, chá preto em folhas alga dulse (*Palmaria palmata*), folhas do nabo, óleo de soja, espinafre, brócolis, repolho, alface.
37. **Vitamina K_2 – Menaquinona.** É sintetizada pela flora intestinal e encontrada nos produtos derivados de animais: gema do ovo, patê de fígado de galinha, pato ou ganso, fígado bovino, manteiga, manteiga ghe e nos produtos fermentados como Natto e chucrute.
    a) **Vitamina MK4:** maionese de gema do ovo, gema de ovo inteira, coxa de frango, manteiga, maionese de ovo inteiro.
    b) **Vitamina MK7:** Natto de soja fermentada e Natto de feijão preto.
38. **Vitamina C:** acerola 1.548mg/250g, caju 220mg/unidade, pimentão vermelho 190mg/unidade, goiaba 183mg/unidade, salsa fresca 125mg/10g, kiwi 100mg/unidade, pimentão verde 90mg/unidade e finalmente nas frutas cítricas 30 a 55mg/unidade.
39. **Vitamina B_2 – Riboflavina:** maior para menor teor: levedo de cerveja, fígado de boi, fígado de galinha, farinha de soja integral, gérmen de trigo, amêndoas secas, gema de ovo, pimenta vermelha, soja, ovo inteiro.
40. **Zinco:** gérmen de trigo, semente de abóbora, semente de girassol, noz pecan, farinha de centeio, castanha-do-pará.
41. **Selênio:** maior para menor teor – corvina, bacalhau, atum, sardinha, farinha de trigo integral, castanha-do-pará, gérmen de trigo, salmão, *haddock*, fígado de boi, linguado.
42. **Magnésio:** maior para menor teor – farelo de arroz, semente de abóbora, farinha de soja, semente de girassol, castanha-de-caju, farinha de centeio, castanha-do-pará, aveia em flocos, noz, trigo para quibe, farinha de trigo integral, cavala.
43. **Potássio**: maior para menor teor – farinha de soja, fécula de batata, damascos secos, alga espirulina, alga ágar-ágar, pistache, folha de beterraba cozida, truta, abacate, acelga cozida, inhame cozido, broto de soja, banana, batata, melão, suco de maracujá, suco de laranja.
44. **OUTROS**:
    a) Aspargos à vontade.
    b) Sementes de linhaça dourada trituradas no momento da ingestão.
    c) Cozinhar com: óleo/gordura de coco e azeite de oliva extra virgem.
    d) Maionese de gema de ovo feita em casa.
    e) Creme de chantili feito em casa.
    f) **Usar nos temperos:** alecrim (*Rosmarinus officinalis*), noz-preta (*Juglans nigra*). cravo (*Syzygium aromaticum*), noz-moscada (*Myristica fragans*), coentro (*Coriandrum sativum*), canela (*Cinnamomun* cássia), gengibre (*Zingiber officinale*), cominho negro (*Nigella sativa*).

O poeta diz "Ser mãe é padecer no paraíso", nós clínicos de consultório que enfrentamos todo tipo de dor parafraseamos "Ser médico é padecer na ingratidão". Se o paciente melhora não fizemos mais do que a obrigação e se não melhora somos taxados no mínimo de incompetentes. **JFJ**

CAPÍTULO 181

Câncer tratamento inespecífico. ESTRATÉGIAS

José de Felippe Junior

ATENÇÃO: Não comece as fórmulas na dose prescrita e todas elas de uma vez. Comece com 3 fórmulas apenas e acrescente 1 fórmula a cada 3 dias. Se estiver prescrito 3x ao dia use 2×, se 2× ao dia use 1× e se 1× ao dia mantenha. Pode tirar das cápsulas e colocar em suco espesso (ex., mamão, abacate), exceto o iodo e o óleo de amêndoas (benzaldeído). Faça pausa aos domingos. Em 30-40 dias tome como prescrito. Se sintomas de gastrite: parar por 3 a 5 dias todas as fórmulas e use folha de couve batida com água no liquidificador: ½ copo 3× ao dia, guaçatonga (*Casearia sylvestris)* 1 colher das de sobremesa em meio copo de água 3× ao dia, Espinheira-santa ou Sucrafilm em envelopes de 2g 3× ao dia. Não use omeprazol e correlatos.

DHEA: prescrever sempre se abaixo de 150mcg/dl.

Tomar banhos de Sol 3×/semana: 15-30 minutos entre 11 e 14 horas. Ficar sem tomar banho por 1 hora.

Atividade física: andar passo firme 30'dia/3-4×/semana. Natação. Hidroginástica com carga. Musculação com aumento de peso gradativo. Musculação.

Forrar com manta térmica de alumínio (casa de material de construção):

1. entre o estrado da cama e o colchão da cabeceira aos pés;
2. embaixo do sofá onde assiste televisão;
3. embaixo da cadeira do escritório. Tudo isso para se livrar de radiações de pequena amplitude e baixa frequência que emanam da Terra: Zona Geopatogênica e de radiações provenientes de lençóis freáticos ou mananciais subterrâneos.

Todos os dias tomar água estruturada e hidrogenada assim preparada:

Fosfato bibásico de magnésio: 25mg, carbonato de magnésio: 10mg, sulfato de magnésio:10mg, cloreto de magnésio: 10mg, cloreto de potássio: 10mg, hipossulfito de sódio:10mg, sulfato de cálcio: 30mg, bicarbonato de potássio: 20mg, citrato de sódio: 25,0mg, dióxido de silício: 40mg.........mande 60 doses.

Colocar 1 dose em 1 litro de água mineral pobre em flúor e em garrafa de vidro, nunca em PET. O ideal é usar osmose-reversa ou água destilada.

Usar essa água em hidrogenador portátil que forneça potencial de oxidorredução (ORP) mais negativo do que –450mv. Beber 1.000 a 1.500ml durante o dia. Não parar.

O hidrogenador de água portátil deve produzir ORP –450mv ou mais negativo: Aliexpress, Mercado livre.

Não comer: carne vermelha, frango, porco e cordeiro. Peixe e ovos podem.

Não ingerir: leite e derivados proteicos do leite. Manteiga, creme de leite e chantili podem.

Carboidratos: ingerir apenas alimentos de Índice Glicêmico < 60, TABELA. Não abuse da quantidade.

Frutas: ingerir no máximo 25g/frutose/dia, TABELA.

Osmólitos estruturadores do citoplasma e água corporal

Trimetilglicina............................100mg
L-taurina...................................100mg
Myo-inositol...............................100mg
Óxido de silício inorgânico
(SiO_2)..80mg.........60 doses

Tomar 1 dose 30 minutos antes do desjejum, 2 horas após almoço, sempre com o estômago vazio. Não repetir.

Não abusar do sódio. Use o sal de Karpanen com baixo teor de sódio e alto em potássio e magnésio para polarizar a membrana celular

Cloreto de sódio..........................40,0%
Cloreto de potássio.....................35,0%
Sulfato de magnésio 22,5%
L-lisina 2,0%
Iodeto de potássio.......................0,5%.........mande 250g

Use como sal de cozinha para toda a família. Colocar o sal após cozinhar.

Melhorar qualidade de vida, diminuir limiar da dor e inibir a glicólise
Withaferin A 400mg
Fenofibrato 100mg
Oxalato de escitalopram ....10mg..........60cps
(colocar em apenas 1 cápsula)

Tomar 1cp no desjejum e almoço.

Estruturador da água citoplasmática, ativa PDH (fosforilação oxidativa) e antimúltiplos vírus – ácido ursólico. Inibe glicólise e ativa drasticamente a fosforilação mitocondrial
Extrato seco de *Rosmarinus officinalis* 300mg
Extrato seco de *Ocimum basilicum* 100mg
Extrato seco de *Salvia officinalis* 100mg
Amiloride ....7,5mg.........120 doses

Tomar 1 dose 2× ao dia/4 meses.

Cloreto de metioninium...........1mg/kg
Ácido alfalipoico........................200mg
CoQ10..75mg
Nicotinamida 100mg
Tiamina..100mg
Acetato de zinco ....42mg (15mg de Zn)
Extrato das sementes do *Silybum marianum* 200mg
Genisteína...................................125mg 120doses

Tomar 1cp 2× ao dia.

Demetilar e acetilar zona CpG – Epigenética – antiproliferativo
Extrato de curcumina 95%........500mg
Extrato de *Tanacetum parthenium* 200mg
Extrato de semente de uva (ácido gálico).............................250mg
Piperina.......................................150mg ....90 doses

1 dose 2× ao dia/60 dias.

Colecalciferol oleosa 5 gts/10.000UI
....50ml

Tomar 5 gts ao dia no desjejum.

Transformar colecalciferol em calcitriol etc.
Retinol...300mil UI
Vitamina K_1 ....200mcg
Genisteína...................................250mg
Riboflavina ....150mg 120cps

1 cp após o desjejum.

BCG sonicado 1,5ml
Glucana – 10mg/ml....................5,0ml ....1 frasco 6,5ml (2×)

Agitar e aplicar 0,5ml subcutâneo às 2ª/4ª/6ª feiras/16×. Guardar na geladeira, não no congelador.

Naltrexone 5,0mg
Espironolactona..........................2,0mg.........90cp

1 cp ao deitar de segunda a sábado.

Melatonina 20mg sublingual.....120 cps sublinguais

Abra a pequena cápsula e coloque embaixo da língua ao deitar para dormir.

Ganoderma lucidum (extrato) ..300mg
Glucana (extrato de *S. cerevisae*).............200mg
Fucoidans....................................100mg
Seleno-metionina ....100mg (200mcg Se)
Ácido ascórbico 50mg
Resveratrol..................................200mg ....mande 90 doses

Tomar 1 dose 2× ao dia após as refeições/4 meses.

Acetilador Gold-standard – Epigenética
Depakote ER (divalproato de sódio)/500mg ....1 cx

Tomar 1 cp no jantar por 5 dias e depois 2 cp no jantar por 4 meses. ATENÇÃO NÃO DIRIGIR.

Demetilador Gold-standard – Epigenética
Procaína benzoica 2%/5ml intramuscular lento (mais ou menos 1 minuto) às segundas, quartas e sextas-feiras no primeiro mês.
Extrato fluido de Berberina.......400ml
Extrato fluido de Sanguinarina..75ml
Extrato fluido de *Chelidoneum majus* 150ml
Extrato fluido de *Chenopodium ambrosioides* ....100ml ....1 frasco

Tomar 1medida de 5ml (= 500mg) em pouco de água 3× ao dia, após as refeições.

Metformina em creme pentravam.................................350mg de metformina
Vitamina B_{12} ....200mcg......180 doses

Usar 1 pump 3×/dia na pele mais fina da coxa ou braço ou pescoço ou abdome. Faça rodízio dos lugares.

Luteolina 1,7mg/kg/dose
....180 doses
Apigenina....................................60mg

Abra a cápsula e coloque embaixo da língua 2× ao dia. Espere absorver.

<u>Nota: não colocar excipiente.</u>

Iodo molecular (I2) 0,75mg/kg/dose
....120 doses

Tomar 1 dose após almoço e após o jantar/4 meses.

Cápsulas escuras. **N**ão tirar das cápsulas.
Extrato de *Scutellaria baicalensis* 250mg
Extrato de *Nigella sativa* 250mg
Extrato de alcaçuz........................100mg
Extrato de casca de cítricos (Hesperidina)..............................150mg
Vitamina K_1 ....200mcg......120 doses

Tomar 1 dose após desjejum e jantar

Óleo de peixe ômega-3 – (DHA/EPA na proporção 3/2).......................1 vidro

Tomar 1cp após desjejum, almoço e jantar

Artemisinina tintura 300ml

Tomar 3ml em pouco de água 3× ao dia 7 dias sim/7 dias não

Ivermectina............................. 6mg.......... 80 cps

1 cp 12/12 horas de segunda à sexta-feira por 2 meses.

CAPÍTULO 182

Glioblastoma multiforme – astrocitomas. ESTRATÉGIAS

José de Felippe Junior

ATENÇÃO: Não comece as fórmulas na dose prescrita e todas elas de uma vez. Comece com 3 fórmulas apenas e acrescente 1 fórmula a cada 3 dias. Se estiver prescrito 3× ao dia use 2×, se 2x ao dia use 1× e se 1× ao dia mantenha. Pode tirar das cápsulas e colocar em suco espesso (ex., mamão, abacate), exceto o iodo e o óleo de amêndoas (benzaldeído). Faça pausa aos domingos. Em 30-40 dias tome como prescrito. Se sintomas de gastrite: parar por 3 a 5 dias todas as fórmulas e use folha de couve batida com água no liquidificador: ½ copo 3× ao dia, guaçatonga (*Casearia sylvestris)* 1 colher das de sobremesa em meio copo de água 3× ao dia. Espinheira-santa ou Sucrafilm em envelopes de 2g 3× ao dia. Não use omeprazol e correlatos.

***Usar ARBs* - bloqueadores do receptor AT1 da angiotensina II**

DHEA: prescrever sempre se DHEA-sulfato abaixo de 150mcg/dl.

Tomar banhos de Sol 3×/semana: 15-30 minutos entre 11 e 14 horas. Ficar sem tomar banho por 1 hora.

Atividade física: andar passo firme 30'dia/3-4×/semana. Natação. Hidroginástica com carga. Musculação com aumento de peso gradativo. Musculação.

Forrar com manta térmica de alumínio (casa de material de construção): 1. entre o estrado e a superfície inferior do colchão, da cabeceira aos pés, 2. embaixo do sofá onde assiste televisão ou cadeira que fica muito tempo e 3. embaixo da cadeira do escritório. Tudo isso para livrar-se das radiações de pequena amplitude e baixa frequência que emanam da Terra. Zona geopatogênica ou radiações de lençóis freáticos ou mananciais subterrâneos.

Todos os dias tomar água estruturada e hidrogenada assim preparada:

Fosfato bibásico de magnésio: 25mg, carbonato de magnésio: 10mg, sulfato de magnésio: 10mg, cloreto de magnésio: 10mg, cloreto de potássio: 10mg, hipossulfito de sódio: 10mg, sulfato de cálcio: 30mg, bicarbonato de potássio: 20mg, citrato de sódio: 25,0mg, dióxido de silício: 40mg..........mande 60 doses

Colocar 1 dose em 1 litro de água mineral pobre em flúor e em garrafa de vidro, nunca em PET. O ideal é usar osmose-reversa ou água destilada.

Usar essa água em hidrogenador portátil que forneça potencial de oxidorredução (ORP) mais negativo do que –450mv. Beber 1000 a 1500ml durante o dia. Não parar.

O hidrogenador de água portátil deve produzir ORP –450 ou mais negativo: Aliexpress, Mercado livre.

Não comer: carne vermelha, de frango, de porco e de cordeiro. Peixe e ovos podem.

Não ingerir: leite e derivados proteicos do leite. Manteiga, creme de leite e chantili podem.

Carboidratos: ingerir apenas alimentos de Índice Glicêmico < 60, TABELA. Não abuse da quantidade.

Frutas: ingerir no máximo 25g/frutose/dia, TABELA.

Quercetina..................................400mg sub lingual 2× ao dia

Losartana 50mg ao deitar

Letrozol 2,5mg............................1 cx

Tomar 1 cp ao dia (farmácia comum)

Lycopodium 30CH.....................30ml (antiedema)

5 gts pela manhã e 5 gotas ao deitar

Boswellia serrata..........................500mg ....120 cps (antiedema)

Tomar 1cp 2× ao dia

Em crianças com tumores cerebrais progressivos ou recorrentes, mostrou melhoria clínica na dose de 40-120mg/kg.

Withaferin A 400mg

Oxalato de escitalopram............10mg..........60 cps

Tomar 1cp no desjejum e almoço.

Trimetilglicina.............................100mg

L-taurina.......................................100mg
Myo-inositol...................................100mg
Óxido de silício
inorgânico (SiO_2)........................80 mg.........60 doses

Tomar 1 dose 30 minutos antes do desjejum, 2 horas após almoço, sempre com o estômago vazio. Não repetir.

Não abusar do sódio. Use o sal de Karpanen com baixo teor de sódio e alto em potássio e magnésio para polarizar a membrana celular.

Cloreto de sódio..........................40,0%
Cloreto de potássio.....................35,0%
Sulfato de magnésio 22,5%
L-lisina 2,0%
Iodeto de potássio.......................0,5%
....Mande 250g

Use como sal de cozinha para toda família. Colocar o sal após cozinhar.

Extrato seco de *Rosmarinus officinalis*......................................300mg
Extrato seco de *Ocimum basilicum*......................................100mg
Extrato seco de *Salvia off*...........100mg ....120 doses
Extrato de folhas de oliveira (oleuropeína)..............................200mg
Amiloride 7,5mg

Tomar 1 dose 2× ao dia.

Cloreto de metioninium............1mg/kg
Ácido alfalipoico.........................200mg
CoQ10..75mg
Nicotinamida 100mg
Tiamina.......................................100mg
Acetato de zinco ....42mg (15mg de Zn)
Extrato das sementes do *Silybum marianum* 200mg
Genisteína..................................125mg ....120 doses

Tomar 1 cp 2× ao dia.

Extrato de curcumina 95%........500mg
Extrato de *Tanacetum parthenium*.................................200mg
Extrato das sementes de uva (ácido gálico)..............................250mg
Piperina.......................................200mg ....90 doses

1 dose 2× ao dia.

Colecalciferol oleosa 5gts/10.000Ui 50ml

Tomar 5 gts ao dia no desjejum.

Retinol...300mil UI
Vit. K_2 (MK4) 300mcg
Genisteína...................................250mg
Riboflavina ....150mg 120cps

1 cp após o desjejum.

BCG sonicado 1,5ml
Glucana – 10mg/ml.....................5.0ml ....1 frasco 6,5ml (2×)

Agitar e aplicar 0,5ml subcutâneo às 2ª/4ª/6ª feiras/16×. Guardar na geladeira, não no congelador.

Naltrexone 5,0mg
Espironolactona..........................2,0mg.........90cp

1 cp ao deitar de segunda a sábado.

Melatonina.20mg sublingual.....120 cps sublinguais

Use sublingual ao deitar.

Ganoderma lucidum (extrato)..300mg
Glucana (extrato de *S. cerevisae*) 200mg
Fucoidans....................................100mg
Seleno-metionina ....100mg (200mcg Se)
Ácido ascórbico 50mg
Resveratrol..................................200mg ....mande 90 doses

Tomar 1 dose 2× ao dia após as refeições/4 meses.

Depakote ER (divalproato de sódio)/ 500mg.. ....1cx

Tomar 1 cp jantar por 5 dias, depois 2cp/4 meses. ATENÇÃO NÃO DIRIGIR.

Extrato fluido de Berberina.......200ml
Extrato fluido de Sanguinarina.75ml
Extrato fluido de *Chelidoneum majus*....................150m
Extrato fluido de *Chenopodium ambrosioides*.......100ml ....1 frasco

Tomar 1 medida de 5ml (= 500mg) em pouco de água 3× ao dia, após as refeições.

Metformina em creme pentravam..................................350mg de metformina
Vitamina B_{12} ....200mcg......180 doses

Usar 1 pump 3×/dia na pele mais fina da coxa ou braço ou pescoço ou abdome. Faça rodízio.

Luteolina 90mg
Apigenina....................................50mg..........180 cps

Abra a cápsula e coloque embaixo da língua 2× ao dia. Espere absorver.

Iodo molecular (I2) ....40mg..........120 doses

Tomar 1 dose após almoço e após o jantar. Cápsulas escuras. Não tirar das cápsulas/4 meses.

Óleo de borago ou borage ou boragem 24%..............................1.000mg

Tomar 1 cp 3× ao dia.***

Óleo de peixe superômega-3 (3/2 de DHA/EPA) 1.000mg

Tomar 1 cp 3× ao dia.

Mistura básica de Budwig
Óleo LLC (1 parte/linhaça + 2 partes/coco)............................1 colher de sopa
Queijo Cottage..........................1/2 a 1 xícara

Use o mix Budwig com frutas picadas etc. Tome duas a três colheres das de sopa do óleo LLC ao dia/4 meses, ou somente o óleo de linhaça prensado a frio.

Melhor é a mistura linhaça 1 parte/coco 2 partes.**

Nota: ólo de linhaça e de coco devem ser prensados a frio. Cottage: único tipo de queijo permitido.

Cloreto de lítio ....300mg ......120 doses

Tomar 1 dose 3× ao dia.**

Nigella sativa 250mg
Glicirrizina (extrato de alcaçuz) 100mg
Scutellaria barbata (extrato)......200mg
Vitamina K_1 ....100mcg

Tomar 1 dose 3x ao dia

Artemisinina tintura 300ml

Tomar 3ml em pouco de água 3× ao dia 7 dias sim/ 7 dias não.**

Crisina.......................................500mg
Beta-ciclodextrina ....500mg ......120 cps

Tomar 1 cp 2 a 3× ao dia.

No Glioblastoma multiforme, astrocitoma e meduloblastoma.** Método Banerji (Índia)

Ruta graveolens ....6C ....2 gts 2× ao dia em colherinha de água.

Calcarea phosphorica...................3D ....1 dose = 2 grânulos. Tomar 2 grânulos 2× ao dia.

Thuja occidentalis 1000CH em líquido 1 dose uma vez por semana.

Aumentar a ingestão:

1. **Ácido alfalinolênico**: óleo de linhaça, semente de linhaça dourada, levedura de cerveja, bife de fígado bovino.
2. **Antocianinas:** amoras, cerejas, framboesas, morangos, groselhas, uvas roxas, mirtilo e vinho tinto. A porção de 100g de frutas vermelhas contém 400 a 500mg de antocianinas. Outras fontes: açaí, repolho roxo, *Oryza sativa* (arroz negro), uva negra, soja negra, feijão preto, batata roxa, batata doce, cebola roxa, beterraba e milho vermelho.
3. **Inositol-6-osfato – IP-6**: maiores concentrações no farelo de arroz e nas sementes ou farinha do gergelim, semente de abóbora, sementes de oleaginosas, linhaça, sementes de chia, amêndoas, castanha-do-pará, farelo de trigo e de centeio, milho e soja. Farelo de arroz: uma colher das de sopa dias alternados.
4. **Isotiocianatos Sulforafane e irmãos)**: brócolis, couvede-bruxelas, sementes da mostarda, couve manteiga, mostarda, agrião, couve-flor, rábano (*horse-radish*), nabo e rabanete.

CAPÍTULO 183

Carcinoma de cabeça e pescoço. ESTRATÉGIAS

José de Felippe Junior

ATENÇÃO: Não comece as fórmulas na dose prescrita e todas elas de uma vez. Comece com 3 fórmulas apenas e acrescente 1 fórmula cada 3 dias. Se estiver prescrito 3× ao dia use 2×, se 2× ao dia use 1× e se 1× ao dia mantenha. Pode tirar das cápsulas e colocar em suco espesso (ex., mamão, abacate), exceto o iodo e o óleo de amêndoas (benzaldeído). Faça pausa aos domingos. Em 30-40 dias tome como prescrito. Se sintomas de gastrite: parar por 3 a 5 dias todas as fórmulas e use folha de couve batida com água no liquidificador: ½ copo 3× ao dia, guaçatonga (*Casearia sylvestris*) 1colher das de sobremesa em meio copo de água 3x ao dia, Espinheira-santa ou Sucrafilm em envelopes de 2g 3× ao dia. Não use omeprazol e correlatos.

DHEA: prescrever sempre se DHEA-sulfato abaixo de 150mcg/dl.

Tomar banhos de Sol 3×/semana: 15-30 minutos entre 11 e 14 horas. Ficar sem tomar banho por 1 hora.

Atividade física: andar passo firme 30'dia/3-4×/semana. Natação. Hidroginástica com carga. Musculação com aumento de peso gradativo. Musculação.

Forrar com manta térmica de alumínio (casa de material de construção):

1. entre o estrado da cama e o colchão da cabeceira aos pés;
2. embaixo do sofá onde assiste televisão;e
3. embaixo da cadeira do escritório.

Tudo isso para se livrar de radiações de pequena amplitude e baixa frequência que emanam da Terra: Zona Geopatogênica e de radiações provenientes de lençóis freáticos ou mananciais subterrâneos.

Todos os dias tomar água estruturada e hidrogenada assim preparada:

Fosfato bibásico de magnésio: 25mg, carbonato de magnésio: 10mg, sulfato de magnésio: 10mg, cloreto de magnésio: 10mg, cloreto de potássio: 10mg, hipossulfito de sódio: 10mg, sulfato de cálcio: 30mg, bicarbonato de potássio:2 0mg, citrato de sódio: 25,0mg, dióxido de silício: 40mg.........mande 60 doses.

Colocar 1 dose em 1 litro de água mineral pobre em flúor e em garrafa de vidro, nunca em PET. O ideal é usar osmose-reversa ou água destilada.

Usar essa água em hidrogenador portátil que forneça potencial de oxidorredução (ORP) mais negativo do que –450mv. Beber 1.000 a 1.500ml durante o dia. Não parar.

O hidrogenador de água portátil deve produzir ORP –450 ou mais negativo: Aliexpress, Mercado livre.

Não comer: carne vermelha, de frango, de porco e de cordeiro. Peixe e ovos podem.

Não ingerir: leite e derivados proteicos do leite. Manteiga, creme de leite e chantili podem.

Carboidratos: ingerir apenas alimentos de Índice Glicêmico < 60, TABELA. Não abuse da quantidade.

Frutas: ingerir no máximo 25g/frutose/dia, TABELA.

Withaferin A 400mg
Oxalato de escitalopram ....10mg..........60cps

Tomar 1cp no desjejum e almoço.

Trimetilglicina............................100mg
L-taurina 100mg
Myo-inositol...............................100mg
Óxido de silício
inorgânico (SiO_2)........................80 mg.........60 doses

Tomar 1dose trinta minutos antes do desjejum, 2 horas após almoço, sempre com o estômago vazio. Não repetir.

Não abusar do sódio. Use o sal de Karpanen com baixo teor de sódio e alto em potássio e magnésio para polarizar a membrana celular.

Cloreto de sódio..........................40,0%
Cloreto de potássio.....................35,0%
Sulfato de magnésio 22,5%
L-lisina 2,0%
Iodeto de potássio.......................0,5%...........mande 250g

Use como sal de cozinha para toda família. Colocar o sal após cozinhar.

Extrato de *Azadirachta indica* (neem) 500mg***
Extrato seco de *Rosmarinus officinalis* 100mg
Extrato seco de *Ocimum basilicum* 50mg
Extrato seco de *Salvia officinalis* 50mg
Amiloride ....7,5mg........120 doses

Tomar 1 dose 2× ao dia/4 meses

Cloreto de metioninium 1mg/kg
Ácido alfalipoico 200mg
CoQ10 ....75mg
Nicotinamida 100mg
Tiamina 100mg
Acetato de zinco ....42mg (15mg de Zn)
Extrato das sementes do *Silybum marianum* 200mg
Genisteína ....125mg ....120 doses

Tomar 1cp 2× ao dia.

Extrato de curcumina 95% 500mg
Extrato de *Tanacetum parthenium* 200mg
Extrato de semente de uva (ácido gálico) 250mg
Piperina ....150mg ....90 doses

1 dose 2× ao dia/60 dias.

Colecalciferol oleosa 5gts/10.000UI
....................50ml

Tomar 5gts ao dia no desjejum.

Retinol ....300mil UI
Vitamina K_1 ....200mcg
Genisteína 250mg
Riboflavina ....150mg 120cps

1cp após o desjejum.

BCG 1,5ml
Glucana (10mg/ml) ....5ml..........1fraco
6,5ml

Aplicar subcutâneo 0,5ml segundas, quartas e sexta-feiras. Guardar em geladeira. Não no congelador.

Naltrexone 5,0mg
Espironolactona ....2,0mg.........90cp

1cp ao deitar de segunda a sábado.

Melatonina. 20mg sublingual....120cps sublinguais

Use sublingual ao deitar.

Ganoderma lucidum (extrato)..300mg
Glucana (extrato de *S. cerevisae*) 200mg
Fucoidans 100mg
Seleno-metionina ....100mg (200mcg Se)
Ácido ascórbico 50mg
Resveratrol ....200mg ....mande 90 doses

Tomar 1 dose 2× ao dia após as refeições/4 meses.

Depakote ER (divalproato de sódio)/500mg 1cx

Tomar 1cp jantar por 5 dias, depois 2cp/4 meses. ATENÇÃO NÃO DIRIGIR.

Extrato fluido de Berberina.......400ml
Extrato fluido de Sanguinarina.100ml
Extrato fluido de *Chelidoneum majus* 150m
Extrato fluido de *Chenopodium ambrosioides*.......100ml ....1 frasco

Tomar 1 medida de 5ml (= 500mg) em pouco de água 3× ao dia, após as refeições.

Metformina em creme pentravam ....350mg de metformina
Vitamina B_{12} ....200mcg......180 doses

Usar 1 pump 3×/dia na pele mais fina da coxa ou braço ou pescoço ou abdome. Faça rodízio.

Luteolina 90mg
Apigenina ....60mg..........180 doses.

Abra a cápsula e coloque embaixo da língua 2× ao dia. Espere absorver.

Iodo molecular (I2) ....40mg.........120 doses

Tomar 1 dose após almoço e após o jantar. Cápsulas escuras. Não tirar das cápsulas/4 meses.

Extrato de *Scutellaria baicalensis* 250mg
Extrato de *Nigella sativa* 250mg
Extrato de alcaçuz 100mg
Extrato da casca de cítricos (Hesperidina)..150mg
Vitamina K_1 ....200mcg.......120 doses

Tomar 1 dose após desjejum e jantar

Óleo de peixe ômega-3 – (DHA/EPA na proporção 3/2) ....1 vidro

Tomar 1cp após desjejum, almoço e jantar.

Artemisinina tintura 300ml

Tomar 3ml em pouco de água 3× ao dia 7 dias sim/ 7 dias não

Aloe vera ou melhor *Aloe arborescens*..........1 vidro

Tomar 1 colher da de sopa 4x ao dia

Difosfato de cloroquina 200mg
Piridoxina 10mg
DIM 200mg
EGCG ....150mg 120cp

1cp 2× ao dia

Aumentar a ingestão de:

1. **Aloe emodin:** *Aloe vera* L. e *Aloe arborescens.*
2. **Epigalocatequina galato (EGCG):** chá-verde e preto.
3. **Graviola**: suco da fruta, chá das folhas.
4. **Indol-3-carbinol (DIM):** vegetais crucíferos como couve, brócolis, couve-flor e couve-de-bruxelas.
5. **Inositol- 6-fosfato – IP-6**: maiores concentrações no farelo de arroz e nas sementes ou farinha do gergelim, semente de abóbora, sementes de oleaginosas, linhaça, sementes de chia, amêndoas, castanha-do-pará, farelo de trigo e de centeio, milho e soja. Farelo de arroz: uma colher das de sopa dias alternados.
6. **Isotiocianatos (Sulforafane e irmãos)**: brócolis, couve-de-bruxelas, sementes da mostarda, couve -manteiga, mostarda, agrião, couve-flor, rábano (*horse-radish*), nabo e rabanete.

CAPÍTULO 184

Câncer de pulmão. ESTRATÉGIAS

José de Felippe Junior

ATENÇÃO: Não comece as fórmulas na dose prescrita e todas elas de uma vez. Comece com 3 fórmulas apenas e acrescente 1 fórmula cada 3 dias. Se estiver prescrito 3x ao dia use 2×, se 2× ao dia use 1× e se 1× ao dia mantenha. Pode tirar das cápsulas e colocar em suco espesso (ex. mamão, abacate), exceto o iodo e o óleo de amêndoas (benzaldeído). Faça pausa aos domingos. Em 30-40 dias tome como prescrito. Se sintomas de gastrite: parar por 3 a 5 dias todas as fórmulas e use folha de couve batida com água no liquidificador: ½ copo 3× ao dia, guaçatonga (*Casearia sylvestris)* 1colher das de sobremesa em meio copo de água 3x ao dia. Espinheira-santa ou Sucrafilm em envelopes de 2g 3× ao dia. Não use omeprazol e correlatos.

DHEA: prescrever sempre se DHEA-sulfato abaixo de 150mcg/dl.

Tomar banhos de Sol 3×/semana: 15-30 minutos entre 11 e 14 horas. Ficar sem tomar banho por 1 hora.

Atividade Física: andar passo firme 30'dia/3-4×/semana. Natação. Hidroginástica com carga. Musculação com aumento de peso gradativo. Musculação.

Forrar com manta térmica de alumínio (casa de material de construção):

1. entre o estrado da cama e o colchão da cabeceira aos pés;
2. embaixo do sofá onde assiste televisão; e
3. embaixo da cadeira do escritório.

Tudo isso para se livrar de radiações de pequena amplitude e baixa frequência que emanam da Terra: Zona Geopatogênica e de radiações provenientes de lençóis freáticos ou mananciais subterrâneos.

Todos os dias tomar água estruturada e hidrogenada assim preparada:

Fosfato bibásico de magnésio: 25mg, carbonato de magnésio: 10mg, sulfato de magnésio: 10mg, cloreto de magnésio: 10mg, cloreto de potássio: 10mg, hipossulfito de sódio: 10mg, sulfato de cálcio: 30mg, bicarbonato de potássio: 20mg, citrato de sódio: 25,0mg, dióxido de silício: 40mg.........mande 60 doses.

Colocar 1 dose em 1 litro de água mineral pobre em flúor e em garrafa de vidro, nunca em PET. O ideal é usar osmose-reversa ou água destilada.

Usar essa água em hidrogenador portátil que forneça potencial de oxidorredução (ORP) mais negativo do que –450mv. Beber 1.000 a 1.500ml durante o dia. Não parar.

O hidrogenador de água portátil deve produzir ORP –450 ou mais negativo: Aliexpress, Mercado livre.

Não comer: carne vermelha, de frango, de porco e de cordeiro. Peixe e ovos podem.

Não ingerir: leite e derivados proteicos do leite. Manteiga, creme de leite e chantili podem.

Carboidratos: ingerir apenas alimentos de Índice Glicêmico < 60, TABELA. Não abusar da quantidade.

Frutas: ingerir no máximo 25g/frutose/dia, TABELA.

Withaferin A 400mg
Oxalato de escitalopram ....10mg..........60cps

Tomar 1cp no desjejum e almoço

Trimetilglicina.............................100mg
L-taurina 100mg
Myo-inositol.................................100mg
Óxido de silício
inorgânico (SiO_2).........................80mg..........60 doses

Tomar 1 dose 30 minutos antes do desjejum, 2 horas após almoço, sempre com o estômago vazio. Não repetir.

Não abusar do sódio. Use o sal de Karpanen com baixo teor de sódio e alto em potássio e magnésio para polarizar a membrana celular.

Cloreto de sódio...........................40,0%
Cloreto de potássio......................35,0%
Sulfato de magnésio 22,5%
L-lisina 2,0%
Iodeto de potássio.........................0%..............mande 250g

Use como sal de cozinha para toda família. Colocar o sal após cozinhar.

Extrato seco de *Rosmarinus officinalis*......300mg
Extrato seco de *Ocimum basilicum*......100mg
Extrato seco de *Salvia officinalis*......100mg
Amiloride......7,5mg......120 doses

Tomar 1 dose 2× ao dia/4 meses

Cloreto de metioninium......1mg/kg
Ácido alfalipoico......200mg
CoQ10......75mg
Nicotinamida......100mg
Tiamina......100mg
Acetato de zinco......42mg (15mg de Zn)
Extrato das sementes do *Silybum marianum*......200mg
Genisteína......125mg......120doses

Tomar 1cp 2× ao dia

Extrato de curcumina 95%......500mg
Extrato de *Tanacetum parthenium*......200mg
Extrato de semente de uva (ácido gálico)......250mg
Piperina......150mg......90 doses

1 dose 2× ao dia/60 dias.

Colecalciferol oleosa......5gts/10.000UI
......50ml

Tomar 5gts ao dia no desjejum.

Retinol......300mil UI
Vitamina K_2 (MK4)......300mcg
Genisteína......250mg
Riboflavina......150mg......120cps

1cp após o desjejum.

BCG sonicado......1,5ml
Glucana – 10mg/ml......5.0ml......1 frasco 6,5ml (2×)

Agitar e aplicar 0,5ml subcutâneo às 2ª/4ª/6ª feiras/16×. Guardar na geladeira, não no congelador.

Naltrexone......5,0mg
Espironolactona......2,0mg......90cp

1cp ao deitar de segunda a sábado.

Melatonina 20mg sublingual......120cps sublinguais

Use sublingual ao deitar.**

Ganoderma lucidum (extrato)..400mg
Glucana......300mg
Fucoidans......200mg
Selenometionina......75mg (150mcg Se)
Ácido ascórbico......200mg
Resveratrol......150mg......mande 90 doses

Tomar 1 dose 2× ao dia após as refeições/4 meses.

Depakote ER (divalproato de sódio)/500mg
......1cx

Tomar 1cp jantar por 5 dias, depois 2cp/4 meses. ATENÇÃO NÃO DIRIGIR.

Extrato fluido de Berberina......400ml
Extrato fluido de Sanguinarina..75ml
Extrato fluido de *Chelidoneum majus*......150m
Extrato fluido de *Chenopodium ambrosioides*......100ml......1 frasco

Tomar 1 medida de 5ml (= 500mg) em pouco de água 3× ao dia, após as refeições.**

Metformina em creme pentravam......350mg de metformina
Vitamina B_{12}......200mcg......180 doses

Usar 1 pump 3x/dia na pele mais fina da coxa ou braço ou pescoço ou abdome. Faça rodízio.

Luteolina......90mg
Apigenina......60mg......180 doses/2 meses

Abra a cápsula e coloque embaixo da língua 2× ao dia. Espere absorver.**

Iodo molecular (I2)......40mg......120 doses

Tomar 1 dose após almoço e após o jantar. Cápsulas escuras.
Não tirar das cápsulas/4 meses.

Mistura básica de Budwig
Óleo LLC (1 parte/linhaça + 2 partes/coco)
......1 colher de sopa
Queijo Cottage......1/2 a 1 xícara

Use o mix Budwig com frutas picadas etc. Tome duas a três colheres das de sopa do óleo LLC ao dia/4 meses, ou somente o óleo de linhaça prensado a frio.
Melhor é a mistura linhaça 1 parte/coco 2 partes.**

Nota: óleo de linhaça e de coco devem ser prensados a frio. Cottage: único tipo de queijo permitido.

Cloreto de lítio......300mg......120 doses

Tomar dose 3× ao dia.

Extrato de *Scutellaria baicalensis*......200mg
Extrato de *Nigella sativa*......200mg
Extrato de alcaçuz......100mg
Extrato da casca de cítricos (Hesperidina)......500mg

EGCG...150mg ....120 doses

Tomar 1 dose após desjejum e jantar.

Óleo de borago ou borage
ou boragem 24%.........................1.000mg .....1fr.

Tomar 1cp 3× ao dia.

Óleo de peixe ômega-3 –
(DHA/EPA na proporção 3/2)..1.400mg .....1fr.

Tomar 1cp após desjejum, almoço e jantar.

Artemisinina tintura 300ml

Tomar 3ml em pouco de água 3× ao dia 7 dias si/7 dias não.***

Tintura mãe de Rhus verniciflua
(*Toxodendrum vermicifluun*) 300ml

Tomar 5ml em pouco de água 3× ao dia.

Picolinato de zinco 300mg
Difosfato de cloroquina 200mg
Piridoxina 10mg

Tomar 1cp após almoço e jantar

Aumentar a ingestão de:

1. **Ácido alfalipoico**: óleo de linhaça, semente de linhaça dourada, levedura de cerveja, bife de fígado bovino.
2. **Antocianinas:** amoras, cerejas, framboesas, morangos, groselhas, uvas roxas, mirtilo e vinho tinto. A porção de 100g de frutas vermelhas contém 400 a 500mg de antocianinas. Outras fontes: açaí, repolho roxo, *Oryza sativa* (arroz negro), uva negra, soja negra, feijão preto, batata roxa, batata doce, cebola roxa, beterraba e milho vermelho.
3. **Inositol-6-fosfato – IP-6**: maiores concentrações no farelo de arroz e nas sementes ou farinha do gergelim, semente de abóbora, sementes de oleaginosas, linhaça, sementes de chia, amêndoas, castanha-do-pará, farelo de trigo e de centeio, milho e soja. Farelo de arroz: uma colher das de sopa dias alternados.
4. **Isotiocianatos Sulforafane e irmãos)**: brócolis, couve-de-bruxelas, sementes da mostarda, couve-manteiga, mostarda, agrião, couve-flor, rábano (*horse-radish*), nabo e rabanete.

CAPÍTULO 185

Câncer de mama usual. ESTRATÉGIAS

José de Felippe Junior

ATENÇÃO: Não comece as fórmulas na dose prescrita e todas elas de uma vez. Comece com 3 fórmulas apenas e acrescente 1 fórmula cada 3 dias. Se estiver prescrito 3× ao dia use 2×, se 2× ao dia use 1× e se 1× ao dia mantenha. Pode tirar das cápsulas e colocar em suco espesso (ex., mamão, abacate), exceto o iodo e o óleo de amêndoas (benzaldeído). Faça pausa aos domingos. Em 30-40 dias tome como prescrito. Se sintomas de gastrite: parar por 3 a 5 dias todas as fórmulas e use folha de couve batida com água no liquidificador: ½ copo 3× ao dia, guaçatonga (*Casearia sylvestris*) 1 colher das de sobremesa em meio copo de água 3× ao dia, espinheira-santa ou Sucrafilm em envelopes de 2g 3× ao dia. Não use omeprazol e correlatos.

DHEA: prescrever sempre se DHEA-sulfato abaixo de 150mcg/dl

Tomar banhos de Sol 3×/semana: 15-30 minutos entre 11 e 14 horas. Ficar sem tomar banho por 1 hora.

Atividade física: andar passo firme 30'dia/3-4×/semana. Natação. Hidroginástica com carga. Musculação com aumento de peso gradativo. Musculação.

Forrar com manta térmica de alumínio (casa de material de construção):

1. entre o estrado da cama e o colchão da cabeceira aos pés;
2. embaixo do sofá onde assiste televisão; e
3. embaixo da cadeira do escritório. Tudo isso para se livrar de radiações de pequena amplitude e baixa frequência que emanam da Terra: Zona Geopatogênica e de radiações provenientes de lençóis freáticos ou mananciais subterrâneos.

Todos os dias tomar água estruturada e hidrogenada assim preparada:

Fosfato bibásico de magnésio: 25mg, carbonato de magnésio: 10mg, sulfato de magnésio: 10mg, cloreto de magnésio: 10mg, cloreto de potássio: 10mg, hipossulfito de sódio: 10mg, sulfato de cálcio: 30mg, bicarbonato de potássio: 20mg, citrato de sódio: 25,0mg, dióxido de silício: 40mg.........mande 60 doses.

Colocar 1 dose em 1 litro de água mineral pobre em flúor e em garrafa de vidro, nunca em PET. O ideal é usar osmose reversa ou água destilada.

Usar essa água em hidrogenador portátil que forneça potencial de oxidorredução (ORP) mais negativo do que –450mv. Beber 1.000 a 1.500ml durante o dia. Não parar.

O hidrogenador de água portátil deve produzir ORP –450 ou mais negativo: Aliexpress, Mercado livre.

Não comer: carne vermelha, de frango, de porco e de cordeiro. Peixe, ovos e 1 bife de fígado/semana: podem.

Não ingerir: leite e derivados proteicos do leite. Manteiga, creme de leite e chantili podem.

Carboidratos: ingerir apenas alimentos de índice glicêmico < 60, TABELA. Não abuse da quantidade.

Frutas: ingerir no máximo 25g/frutose/dia, TABELA.

Withaferin A 400mg
Oxalato de escitalopram ....10mg..........60cps

Tomar 1cp no desjejum e almoço.

Trimetilglicina............................100mg
L-taurina 100mg
Myo-inositol................................100mg
Óxido de silício
inorgânico (SiO_2).......................80mg..........60 doses

Tomar 1 dose 30 minutos antes do desjejum, 2 horas após almoço, sempre com o estômago vazio. Não repetir.

Não abusar do sódio. Use o sal de Karpanen com baixo teor de sódio e alto em potássio e magnésio para polarizar a membrana celular.

Cloreto de sódio.........................40,0%
Cloreto de potássio.....................35,0%
Sulfato de magnésio 22,5%
L-lisina 2,0%
Iodeto de potássio.......................0,5%...........mande 250g

Use como sal de cozinha para toda família. Colocar o sal após cozinhar.

Extrato seco de *Rosmarinus officinalis*...100mg
Extrato seco de *Ocimum basilicum*...50mg
Extrato seco de *Salvia officinalis*...50mg
Amiloride...7,5mg
Extrato de *Azadirachta indica* (neem)...300mg
Extrato de folhas de oliveira (oleuropeína)...300mg ...120 doses

Tomar 1 dose 2× ao dia/4 meses.

Cloreto de metioninium...1mg/kg
Ácido alfalipoico...200mg
CoQ10...75mg
Nicotinamida...100mg
Tiamina...100mg
Acetato de zinco...42mg (15mg de Zn)
Extrato das sementes do *Silybum marianum* 200mg
Genisteína...125mg ...120 doses

Tomar 1cp 2× ao dia.

Extrato de curcumina 95%...500mg
Extrato de *Tanacetum parthenium*...200mg
Extrato de semente de uva (ácido gálico)...250mg
Piperina...150mg ...90 doses

1 dose 2× ao dia/60 dias.

Colecalciferol oleosa...5gts/10.000UI 50ml

Tomar 5gts ao dia no desjejum.

Retinol...300mil UI
Vitamina K_1...300mcg
Genisteína...250mg
Riboflavina...150mg ...120cps

1cp após o desjejum.

BCG sonicado...1,5ml
Glucana 10mg/ml...5,0ml ...1 frasco 6,5ml (2×)

Agitar e aplicar 0,5ml subcutâneo às 2ª/4ª/6ª feiras/16×. Guardar na geladeira, não no congelador.

Naltrexone...5,0mg
Espironolactona...2,0mg...90cp

1cp ao deitar de segunda a sábado.

Melatonina 20mg sublingual...120cps sublinguais

Use sublingual ao deitar.**

Ganoderma lucidum (extrato) ..300mg
Glucana (extrato de *S. cerevisae*)...200mg
Fucoidans...100mg
Seleno-metionina...100mg (200mcg Se)
Ácido ascórbico...50mg
Resveratrol...200mg ...mande 90 doses

Tomar 1 dose 2× ao dia após as refeições/4 meses.***

Depakote ER (divalproato de sódio)/500mg...1cx

Tomar 1cp jantar por 5 dias, depois 2cp/4 meses. ATENÇÃO NÃO DIRIGIR.

Extrato fluido de Berberina...400ml
Extrato fluido de Sanguinarina.100ml
Extrato fluido de *Chelidoneum majus*...150ml
Extrato fluido de *Chenopodium ambrosioides*...100ml ...1 frasco

Tomar 1 medida de 5ml (= 500mg) em pouco de água 3× ao dia, após as refeições.***

Metformina em creme pentravam...350mg de metformina
Vitamina B_{12}...200mcg...180 doses

Usar 1 pump 3×/dia na pele mais fina da coxa ou braço ou pescoço ou abdome. Faça rodízio.**

Luteolina...90mg
Apigenina...60mg...180 doses.

Abra a cápsula e coloque embaixo da língua 2× ao dia. Espere absorver.**

Iodo molecular (I2)...40mg...120 doses

Tomar 1 dose após almoço e após o jantar. Cápsulas escuras.

Não tirar das cápsulas/4 meses.

Extrato seco de folhas de *Annona muricata* 1.000mg 120 doses

Tomar 1 dose 2× ao dia/4 meses.

Extrato de *Scutellaria baicalensis*...250mg
Extrato de *Nigella sativa*...250mg
Extrato de alcaçuz...100mg
Extrato da casca de cítricos (hesperidina)..150mg
Vitamina K_1...100mcg...120 doses

Tomar 1 dose após almoço e jantar.**

Óleo de borago ou borage ou boragem 24%...1.000mg ....1 frasco

Tomar 1cp 3× ao dia/4 meses.***

Óleo de peixe ômega-3 – (DHA/EPA na proporção 3/2) ..1 vidro

Tomar 1cp após desjejum, almoço e jantar.***

Mistura básica de Budwig***

Óleo LLC (1 parte/
linhaça + 2 partes/coco) .... 1 colher de sopa
Queijo Cottage .... 1/2 a 1 xícara

Use o mix Budwig com frutas picadas, etc. Tome duas a três colheres das de sopa do óleo LLC ao dia/4 meses, ou somente o óleo de linhaça prensado a frio.

Melhor é a mistura linhaça 1 parte/coco 2 partes.

Nota: óleo de linhaça e de coco devem ser prensados a frio. Cottage: único tipo de queijo permitido.

Difosfato de cloroquina 200mg
Piridoxina 10mg
DIM .... 250mg 120cp

Tomar 1cp 2× ao dia.

Artemisinina tintura 300ml

Tomar 3ml em pouco de água 3× ao dia 7 dias sim/7 dias não.

Di-indolilmetano 250mg
Crisina 250mg
Maltedextrina .... 250mg .... 120 doses

Tomar 1 dose 2× ao dia.

CLA – Ácido linoleico conjugado .... 500mg 1 frasco

Tomar 1cp 3× ao dia.***

Aumentar a ingestão de:

1. **Antocianinas:** amoras, cerejas, framboesas, morangos, groselhas, uvas roxas, mirtilo e vinho tinto. A porção de 100g de frutas vermelhas contém 400 a 500mg de antocianinas. Outras fontes: açaí, repolho roxo, *Oryza sativa* (arroz negro), uva negra, soja negra, feijão preto, batata roxa, batata doce, cebola roxa, beterraba e milho vermelho.
2. **Apigenina:** molho de tomate adventista ou italiano, salsa, aipo.
3. **Inositol- 6-Fosfato – IP-6**: maiores concentrações no farelo de arroz e nas sementes ou farinha do gergelim, semente de abóbora, sementes de oleaginosas, linhaça, sementes de chia, amêndoas, castanha-do-pará, farelo de trigo e de centeio, milho e soja. Farelo de arroz: uma colher das de sopa dias alternados.
4. **Isotiocianatos (Sulforafane e irmãos)**: brócolis, couve-de-bruxelas, sementes da mostarda, couve -manteiga, mostarda, agrião, couve-flor, rábano (hor*se-radish*), nabo e rabanete.
5. **Indol-3-carbinol (DIM):** vegetais crucíferos como couve, brócolis, couve-flor e couve-de-bruxelas.

CAPÍTULO 186

Câncer de mama triplo negativo. ESTRATÉGIAS

José de Felippe Junior

ATENÇÃO: Não comece as fórmulas na dose prescrita e todas elas de uma vez. Comece com 3 fórmulas apenas e acrescente 1 fórmula cada 3 dias. Se estiver prescrito 3× ao dia use 2×, se 2× ao dia use 1× e se 1× ao dia mantenha. Pode tirar das cápsulas e colocar em suco espesso (ex., mamão, abacate), exceto o iodo e o óleo de amêndoas (benzaldeído). Faça pausa aos domingos. Em 30-40 dias tome como prescrito. Se sintomas de gastrite: parar por 3 a 5 dias todas as fórmulas e use folha de couve batida com água no liquidificador: ½ copo 3× ao dia, guaçatonga (*Casearia sylvestris)* 1 colher das de sobremesa em meio copo de água 3× ao dia, espinheira-santa ou Sucrafilm em envelopes de 2g 3× ao dia. Não use omeprazol e correlatos.

Tomar banhos de Sol 3×/semana: 15-30 minutos entre 11 e 14 horas. Ficar sem tomar banho por 1 hora.

Atividade física: andar passo firme 30'dia/3-4×/semana. Natação. Hidroginástica com carga. Musculação com aumento de peso gradativo. Musculação.

Forrar com manta térmica de alumínio (casa de material de construção):

1. entre o estrado da cama e o colchão da cabeceira aos pés;
2. embaixo do sofá onde assiste televisão; e
3. embaixo da cadeira do escritório.

Tudo isso para se livrar de radiações de pequena amplitude e baixa frequência que emanam da Terra: Zona Geopatogênica e de radiações provenientes de lençóis freáticos ou mananciais subterrâneos.

Todos os dias tomar água estruturada e hidrogenada assim preparada:

Fosfato bibásico de magnésio: 25mg, carbonato de magnésio: 10mg, sulfato de magnésio: 10mg, cloreto de magnésio: 10mg, cloreto de potássio: 10mg, hipossulfito de sódio: 10mg, sulfato de cálcio: 30mg, bicarbonato de potássio: 20mg, citrato de sódio: 25,0mg, dióxido de silício: 40mg..........mande 60 doses.

Colocar 1 dose em 1 litro de água mineral pobre em flúor e em garrafa de vidro, nunca em PET. O ideal é usar osmose reversa ou água destilada.

Usar essa água em hidrogenador portátil que forneça potencial de oxidorredução (ORP) mais negativo do que –450mv. Beber 1.000 a 1.500ml durante o dia. Não parar.

O hidrogenador de água portátil deve produzir ORP –450 ou mais negativo: Aliexpress, Mercado livre.

Não comer: carne vermelha, de frango, de porco e de cordeiro. Peixe e ovos podem.

Não ingerir: leite e derivados proteicos do leite. Manteiga, creme de leite e chantili podem.

Carboidratos: ingerir apenas alimentos de índice glicêmico < 60, TABELA. Não abuse da quantidade.

Frutas: ingerir no máximo 25g/frutose/dia, TABELA.

Withaferin A 400mg
Oxalato de escitalopram ....10mg..........60cps

Tomar 1cp no desjejum e almoço.

Trimetilglicina............................100mg
L-taurina....................................100mg
Myo-inositol...............................100mg
Óxido de silício
inorgânico (SiO_2).......................80mg..........60 doses

Tomar 1dose trinta minutos antes do desjejum, 2 horas após almoço, sempre com o estômago vazio. Não repetir.

Não abusar do sódio. Use o sal de Karpanen com baixo teor de sódio e alto em potássio e magnésio para polarizar a membrana celular.

Cloreto de sódio..........................40,0%
Cloreto de potássio.....................35,0%
Sulfato de magnésio 22,5%
L-lisina 2,0%
Iodeto de potássio.......................0,5%...........mande 250g

Use como sal de cozinha para toda família. Colocar o sal após cozinhar.

Extrato seco de *Rosmarinus officinalis* 200mg
Extrato seco de *Ocimum basilicum* 50mg

Extrato seco de *Salvia officinalis*..................50mg
Amiloride 7,5mg
Extrato de *Azadirachta indica* (neem) ....300mg ....120 doses

Tomar 1 dose 2× ao dia/4 meses.

Cloreto de metioninium...........1mg/kg
Ácido alfalipoico........................200mg
CoQ10.......................................75mg
Nicotinamida 100mg
Tiamina......................................100mg
Acetato de zinco ....42mg (15mg de Zn)
Extrato das sementes do *Silybum marianum* 200mg
Genisteína..................................125mg ....120 doses

Tomar 1cp 2× ao dia.

Extrato de curcumina 95%........500mg
Extrato de *Tanacetum parthenium* 200mg
Extrato de semente de uva (ácido gálico).............................250mg
Piperina......................................150mg ....90 doses

1 dose 2× ao dia/60 dias.***

Colecalciferol oleosa 5gts/10.000UI 50ml

Tomar 5gts ao dia no desjejum.

Retinol..300mil UI
Vitamina K_2................................300mcg
Genisteína..................................250mg
Riboflavina ....150mg 120cps

1cp após o desjejum.

BCG sonicado............................1,5ml
Glucana – 10mg/ml...................5,0ml ....1 frasco 6,5ml (2×)

Agitar e aplicar 0,5ml subcutâneo às 2ª/4ª/6ª feiras/16×. Guardar na geladeira, não no congelador.

Naltrexone.................................5,0mg
Espironolactona.........................2,0mg.........90cp

1cp ao deitar de segunda a sábado.

Melatonina 20mg sublingual.....120cps sublinguais

Use sublingual ao deitar.

Ganoderma lucidum (extrato) ..300mg
Glucana (extrato de *S. cerevisae*)................................200mg
Fucoidans...................................100mg
Seleno-metionina ....100mg (200mcg Se)
Ácido ascórbico 50mg
Resveratrol..................................200mg ....mande 90 doses

Tomar 1 dose 2× ao dia após as refeições/4 meses.

Depakote ER (divalproato de sódio)/ 500mg...1cx

Tomar 1cp jantar por 5 dias, depois 2cp/4 meses. ATENÇÃO NÃO DIRIGIR.

Extrato fluido de Berberina.......400ml
Extrato fluido de Sanguinarina.100ml
Extrato fluido de *Chelidoneum majus*..................150ml
Extrato fluido de *Chenopodium ambrosioides*.......100ml ....1 frasco

Tomar 1medida de 5ml (= 500mg) em pouco de água 3× ao dia, após as refeições.

Metformina em creme pentravam ....350mg de metformina
Vitamina B_{12}..............................200mcg......180 doses

Usar 1 pump 3×/dia na pele mais fina da coxa ou braço ou pescoço ou abdome. Faça rodízio.

Luteolina 90mg
Apigenina..................................60mg..........180 doses.

Abra a cápsula e coloque embaixo da língua 2× ao dia. Espere absorver.

Iodo molecular (I2)...................40mg..........120 doses

Tomar 1 dose após almoço e após o jantar. Cápsulas escuras.
Não tirar das cápsulas/4 meses.

Extrato de *Scutellaria baicalensis*...................................250mg
Extrato de *Nigella sativa* 250mg
Extrato de alcaçuz.....................100mg
Extrato da casca de cítricos (hesperidina).............................150mg ....120 doses

Tomar 1 dose após almoço e jantar.

Óleo de borago ou borage ou boragem 24% 1.000mg.......................................1fr.

Tomar 1cp 3× ao dia/4 meses.**

Óleo de peixe superômega-3 (3/2 de DHA/EPA) 1.400mg.......................................1fr.

Tomar 1cp 3× ao dia/4 meses.**

Mistura básica de Budwig**
Óleo LLC (1 parte/linhaça + 2 partes/coco)............................1 colher de sopa
Queijo Cottage...........................1/2 a 1 xícara

Use o mix Budwig com frutas picadas etc. Tome duas a três colheres das de sopa do óleo LLC ao dia/4 meses, ou somente o óleo de linhaça prensado a frio.

Melhor é a mistura linhaça 1 parte/coco 2 partes.

Nota: óleo de linhaça e de coco devem ser prensados a frio. Cottage: único tipo de queijo permitido.

Picolinato de zinco 500mg
Difosfato de cloroquina 200mg
Cloridrato de piridoxina............20mg
EGCG ....250mg 120doses

Tomar 1cp 2× ao dia.

Cloreto de lítio ....300mg ....120 doses

Tomar 1 dose 3× ao dia.

Artemisinina tintura 300ml

Tomar 3ml em pouco de água 3× ao dia 7 dias sim/7 dias não.

DHEA 50mg.................................3fr

Tomar 1cp 2× ao dia por 30 dias e depois 1cp ao dia.

Crisina..500mg
Beta-ciclodextrina 500mg

Tomar 1cp 2× ao dia.

Aumentar a ingestão de:

1. **Antocianinas:** amoras, cerejas, framboesas, morangos, groselhas, uvas roxas, mirtilo e vinho tinto. A porção de 100g de frutas vermelhas contém 400 a 500mg de antocianinas. Outras fontes: açaí, repolho roxo, *Oryza sativa* (arroz negro), uva negra, soja negra, feijão preto, batata roxa, batata-doce, cebola roxa, beterraba e milho vermelho.
2. **Apigenina:** molho de tomate adventista ou italiano, salsa, aipo.
3. **Isotiocianatos (Sulforafane e irmãos)**: brócolis, couve-de-bruxelas, sementes da mostarda, couve -manteiga, mostarda, agrião, couve-flor, rábano (*horse-radish*), nabo e rabanete.
4. **Inositol- 6-fosfato – IP-6**: maiores concentrações no farelo de arroz e nas sementes ou farinha do gergelim, semente de abóbora, sementes de oleaginosas, linhaça, sementes de chia, amêndoas, castanha-do-pará, farelo de trigo e de centeio, milho e soja. Farelo de arroz: uma colher das de sopa dias alternados.

CAPÍTULO 187

Câncer de próstata. ESTRATÉGIAS

José de Felippe Junior

ATENÇÃO: Não comece as fórmulas na dose prescrita e todas elas de uma vez. Comece com 3 fórmulas apenas e acrescente 1 fórmula a cada 3 dias. Se estiver prescrito 3× ao dia use 2×, se 2× ao dia use 1× e se 1× ao dia mantenha. Pode tirar das cápsulas e colocar em suco espesso (ex., mamão, abacate), exceto o iodo e o óleo de amêndoas (benzaldeído). Faça pausa aos domingos. Em 30-40 dias tome como prescrito. Se sintomas de gastrite: parar por 3 a 5 dias todas as fórmulas e use folha de couve batida com água no liquidificador: ½ copo 3× ao dia, guaçatonga (*Casearia sylvestris)* 1 colher das de sobremesa em meio copo de água 3× ao dia, espinheira-santa ou Sucrafilm em envelopes de 2g 3× ao dia. Não use omeprazol e correlatos.

DHEA: prescrever sempre que DHEA-sulfato abaixo de 150mcg/dl.

Tomar banhos de Sol 3×/semana: 15-30 minutos entre 11 e 14 horas. Ficar sem tomar banho por 1 hora.

Atividade Física: andar passo firme 30'dia/3-4×/semana. Natação. Hidroginástica com carga. Musculação com aumento de peso gradativo. Musculação.

Forrar com manta térmica de alumínio (casa de material de construção):

1. entre o estrado da cama e o colchão da cabeceira aos pés;
2. embaixo do sofá onde assiste televisão; e
3. embaixo da cadeira do escritório.

Tudo isso para se livrar de radiações de pequena amplitude e baixa frequência que emanam da Terra: Zona Geopatogênica e de radiações provenientes de lençóis freáticos ou mananciais subterrâneos.

Todos os dias tomar água estruturada e hidrogenada assim preparada:

Fosfato bibásico de magnésio: 25mg, carbonato de magnésio: 10mg, sulfato de magnésio: 10mg, cloreto de magnésio: 10mg, cloreto de potássio: 10mg, hipossulfito de sódio: 10mg, sulfato de cálcio: 30mg, bicarbonato de potássio: 20mg, citrato de sódio: 25,0mg, dióxido de silício: 40mg..........mande 60 doses.

Colocar 1 dose em 1 litro de água mineral pobre em flúor e em garrafa de vidro, nunca em PET. O ideal é usar osmose reversa ou água destilada.

Usar essa água em hidrogenador portátil que forneça potencial de oxidorredução (ORP) mais negativo do que –450mv. Beber 1.000 a 1.500ml durante o dia. Não parar.

O hidrogenador de água portátil deve produzir ORP –450 ou mais negativo: Aliexpress, Mercado livre.

Não comer: carne vermelha, de frango, de porco e de cordeiro. Peixe e ovos podem.

Não ingerir: leite e derivados proteicos do leite. Manteiga, creme de leite e chantili podem.

Carboidratos: ingerir apenas alimentos de índice glicêmico < 60, TABELA. Não abuse da quantidade.

Frutas: ingerir no máximo 25g/frutose/dia, TABELA.

Withaferin A 400mg
Oxalato de escitalopram ....10mg..........60cps

Tomar 1cp no desjejum e almoço.

Trimetilglicina.............................100mg
L-taurina 100mg
Myo-inositol...............................100mg
Óxido de silício
inorgânico (SiO_2).......................80 mg.........60 doses

Tomar 1 dose 30 minutos antes do desjejum, 2 horas após almoço, sempre com o estômago vazio. Não repetir.

Não abusar do sódio. Use o sal de Karpanen com baixo teor de sódio e alto em potássio e magnésio para polarizar a membrana celular.

Cloreto de sódio..........................40,0%
Cloreto de potássio.....................35,0%
Sulfato de magnésio 22,5%
L-lisina 2,0%
Iodeto de potássio.......................0,5%...........mande 250g

Use como sal de cozinha para toda família. Colocar o sal após cozinhar.

Extrato seco de *Rosmarinus officinalis*......300mg
Extrato seco de *Ocimum basilicum*......100mg
Extrato seco de *Salvia officinalis*......100mg
Amiloride......7,5mg
Extrato de *Azadirachta indica* (neem)......300mg ......120 doses

Tomar 1 dose 2× ao dia/4 meses.

Cloreto de metioninium......1mg/kg
Ácido alfalipoico......200mg
CoQ10......75mg
Nicotinamida......100mg
Tiamina......100mg
Acetato de zinco......42mg (15mg de Zn)
Extrato das sementes do *Silybum marianum*......200mg
Genisteína......125mg ......120 doses

Tomar 1cp 2× ao dia.

Extrato de curcumina 95%......500mg
Extrato de *Tanacetum parthenium*......200mg
Extrato de semente de uva (ácido gálico)......250mg
Piperina......150mg ......90 doses

1 dose 2× ao dia/60 dias.

Colecalciferol oleosa......5gts/10.000UI
......50ml

Tomar 5gts ao dia no desjejum.

Retinol......300mil UI
Vitamina K_1......200mcg
Genisteína......250mg
Riboflavina......150mg 120cps

1cp após o desjejum.

Ácido lipoico......400mg
Hidroxicitrato......1.000mg ....120 doses

Tomar 1 dose 2× ao dia.

Naltrexone......5,0mg
Espironolactona......2,0mg......90cp

1cp ao deitar de segunda a sábado.

BCG sonicado......1,5ml
Glucana – 10mg/ml......5,0ml ......1 frasco
6,5ml (12 doses)

Agitar e aplicar 0,5ml subcutâneo às 2ª/4ª/6ª feiras. Total 24×. Guardar na geladeira, não no congelador.

Ganoderma lucidum (extrato).300mg
Glucana (extrato de *S. cerevisae*)......200mg
Fucoidans......100mg
Seleno-metionina......100mg (200mcg Se)
Ácido ascórbico......50mg
EGCG......150mg
Resveratrol......200mg ......mande 90 doses

Tomar 1 dose 2× ao dia após as refeições/4 meses.

Melatonina. 20mg sublingual....120cps sublinguais
Use sublingual ao deitar.

Para-aminobenzoil-dietilenoamina-etanol-2%......8 ampolas de 5ml

Aplicar intramuscular 2× por semana/1 mês.

Depakote ER (divalproato de sódio)/ 500mg......1cx

Tomar 1cp jantar por 5 dias, depois 2cp/4 meses. ATENÇÃO NÃO DIRIGIR.

Metformina em creme pentravam......350mg de metformina
Vitamina B_{12}......200mcg......180 doses

Usar 1 pump 3×/dia na pele mais fina da coxa ou braço ou pescoço. Faça rodízio.

Iodo molecular (I2)......40mg......120 doses

Tomar 1 dose após almoço e após o jantar. Cápsulas escuras/4 meses.
Não tirar das cápsulas.

Luteolina......90mg
Apigenina......60mg......180 doses/2 meses

Abra a cápsula e coloque embaixo da língua 2× ao dia. Espere absorver.

Extrato fluido de Berberina......400ml
Extrato fluido de Sanguinarina.. 75ml
Extrato fluido de *Chelidoneum majus*......150m
Extrato fluido de *Chenopodium ambrosioides*......100ml ......1 frasco

Tomar 1 medida de 5ml (= 500mg) em pouco de água 3× ao dia, após as refeições.

Extrato de *Scutellaria baicalensis*......250mg
Extrato de *Nigella sativa*......250mg
Extrato de alcaçuz......100mg
Extrato de casca de cítricos (hesperidina)......150mg
Vitamina K_1......100mcg......120 doses

Tomar 1 dose após almoço e jantar

Óleo de peixe ômega-3 – (DHA/EPA na proporção 3/2)......1 vidro

Tomar 1cp após almoço e jantar

Artemisinina tintura 300ml

Tomar 3ml em pouco de água 3× ao dia 7 dias sim/ 7 dias não.

Picolinato de zinco 300mg
Difosfato de cloroquina 200mg
Piridoxina 20mg
Propranolol..................................10mg..........120 doses

Tomar 1 dose 3× ao dia.

Extrato seco de folhas de *Annona muricata* ....1.000mg ....120 doses

Tomar 1 dose 2× ao dia.

DIM 200mg
Crisina..150mg
Maltedextrina...............................qsp 500mg 120cps

Tomar 1cp 2× ao dia

Letrozol 2,5mg ....1cp ao dia (Farmácia comum)

Aumentar a ingestão de:

1. **Antocianinas:** amoras, cerejas, framboesas, morangos, groselhas, uvas roxas, mirtilo e vinho tinto. A porção de 100g de frutas vermelhas contém 400 a 500mg de antocianinas. Outras fontes: açaí, repolho roxo, *Oryza sativa* (arroz negro), uva negra, soja negra, feijão preto, batata roxa, batata-doce, cebola roxa, beterraba e milho vermelho.
2. **Apigenina:** molho de tomate adventista ou italiano, salsa, aipo.
3. **Inositol- 6-fosfato – IP-6**: maiores concentrações no farelo de arroz e nas sementes ou farinha do gergelim, semente de abóbora, sementes de oleaginosas, linhaça, sementes de chia, amêndoas, castanha-do-pará, farelo de trigo e de centeio, milho e soja. Farelo de arroz: uma colher das de sopa dias alternados.
4. **Isotiocianatos (Sulforafane e irmãos)**: brócolis, couve-de-bruxelas, sementes da mostarda, couve -manteiga, mostarda, agrião, couve-flor, rábano (*horse-radish*), nabo e rabanete.
5. **Indol-3-carbinol (DIM):** vegetais crucíferos como couve, brócolis, couve-flor e couve-de-bruxelas.

CAPÍTULO 188

Câncer de esôfago. ESTRATÉGIAS

José de Felippe Junior

ATENÇÃO: Não comece as fórmulas na dose prescrita e todas elas de uma vez. Comece com 3 fórmulas apenas e acrescente 1 fórmula a cada 3 dias. Se estiver prescrito 3× ao dia use 2×, se 2× ao dia use 1× e se 1× ao dia mantenha. Pode tirar das cápsulas e colocar em suco espesso (ex., mamão, abacate), exceto o iodo e o óleo de amêndoas (benzaldeído). Faça pausa aos domingos. Em 30-40 dias tome como prescrito. Se sintomas de gastrite: parar por 3 a 5 dias todas as fórmulas e use folha de couve batida com água no liquidificador: ½ copo 3× ao dia, guaçatonga (*Casearia sylvestris)* 1 colher das de sobremesa em meio copo de água 3× ao dia, espinheira-santa ou Sucrafilm em envelopes de 2g 3× ao dia. Não use omeprazol e correlatos.

Tomar banhos de Sol 3×/semana: 15-30 minutos entre 11 e 14 horas. Ficar sem tomar banho por 1 hora.

Atividade física: andar passo firme 30'dia/3-4×/semana. Natação. Hidroginástica com carga. Musculação com aumento de peso gradativo. Musculação.

Forrar com manta térmica de alumínio (casa de material de construção):

1. entre o estrado da cama e o colchão da cabeceira aos pés;
2. embaixo do sofá onde assiste televisão; e
3. embaixo da cadeira do escritório.

Tudo isso para se livrar de radiações de pequena amplitude e baixa frequência que emanam da Terra: Zona Geopatogênica e de radiações provenientes de lençóis freáticos ou mananciais subterrâneos.

Todos os dias tomar água estruturada e hidrogenada assim preparada:

Fosfato bibásico de magnésio: 25mg, carbonato de magnésio: 10mg, sulfato de magnésio: 10mg, cloreto de magnésio: 10mg, cloreto de potássio: 10mg, hipossulfito de sódio: 10mg, sulfato de cálcio: 30mg, bicarbonato de potássio: 20mg, citrato de sódio: 25,0mg, dióxido de silício: 40mg..........mande 60 doses.

Colocar 1 dose em 1 litro de água mineral pobre em flúor e em garrafa de vidro, nunca em PET. O ideal é usar osmose reversa ou água destilada.

Usar essa água em hidrogenador portátil que forneça potencial de oxidorredução (ORP) mais negativo do que -450mv. Beber 1.000 a 1.500ml durante o dia. Não parar.

O hidrogenador de água portátil deve produzir ORP -450mv ou mais negativo: Aliexpress, Mercado livre.

Não comer: carne vermelha, frango, porco e cordeiro. Peixe e ovos podem.

Não ingerir: leite e derivados proteicos do leite. Manteiga, creme de leite e chantili podem.

Carboidratos: ingerir apenas alimentos de índice glicêmico < 60, TABELA. Não abuse da quantidade.

Frutas: ingerir no máximo 25g/frutose/dia, TABELA.

DHEA 50mg.............................1cx ....Net

Tomar 1cp 12/12h/30 dias e depois 1cp ao dia/2 meses e depois 1/2cp.

Withaferin A 400mg
Oxalato de escitalopram ....10mg.........60cps

Tomar 1cp no desjejum e almoço.

Trimetilglicina............................100mg
L-taurina 100mg
Myo-inositol..............................100mg
Óxido de silício
inorgânico (SiO_2).......................80mg.........60 doses

Tomar 1 dose 30 minutos antes do desjejum, 2 horas após almoço, sempre com o estômago vazio. Não repetir.

Não abusar do sódio. Use o sal de Karpanen com baixo teor de sódio e alto em potássio e magnésio para polarizar a membrana celular.

Cloreto de sódio........................40,0%
Cloreto de potássio....................35,0%
Sulfato de magnésio 22,5%
L-lisina 2,0%
Iodeto de potássio......................0,5%..........mande 250g

Use como sal de cozinha para toda a família. Colocar o sal após cozinhar.

Extrato seco de *Rosmarinus officinalis* 300mg
Extrato seco de *Ocimum basilicum* 100mg
Extrato seco de *Salvia officinalis* 100mg
Amiloride ....7,5mg.........120 doses

Tomar 1 dose 2× ao dia/4 meses.

Cloreto de metioninium............1mg/kg
Ácido alfalipoico.........................200mg
CoQ10.......................................75mg
Nicotinamida 100mg
Tiamina......................................100mg
Acetato de zinco ....42mg (15mg de Zn)
Extrato das sementes do *Silybum marianum* 200mg
Genisteína..................................125mg ....120 doses

Tomar 1cp 2× ao dia.

Extrato de curcumina 95%........500mg
Extrato de *Tanacetum parthenium* 200mg
Extrato de semente de uva (ácido gálico).............................250mg
Piperina......................................150mg ....90 doses

1 dose 2× ao dia/60 dias.

Colecalciferol oleosa 5gts/10.000UI

Tomar 5gts ao dia no desjejum.

Retinol.......................................300mil UI
Vitamina K_1 ....200mcg
Genisteína..................................250mg
Riboflavina ....150mg 120cps

1cp após o desjejum.

BCG sonicado 1,5ml
Glucana – 10mg/ml.....................5,0ml ....1 frasco 6,5ml (2×)

Agitar e aplicar 0,5ml subcutâneo às 2ª/4ª/6ª feiras/16×. Guardar na geladeira, não no congelador.

Naltrexone 5,0mg
Espironolactona..........................2,0mg.........90cp

1cp ao deitar de segunda a sábado.

Melatonina.20mg sublingual.....120cps sublinguais

Abra a pequena cápsula e coloque embaixo da língua ao deitar.

Ganoderma lucidum (extrato) ..300mg
Glucana (extrato de *S. cerevisae*)...................................200mg
Fucoidans....................................100mg
Seleno-metionina ....100mg (200mcg Se)
Ácido ascórbico 50mg
EGCG...300mg
Resveratrol..................................200mg ....mande 90 doses

Tomar 1 dose 2× ao dia após as refeições/4 meses.

Depakote ER (divalproato de sódio)/ 500mg..1cx

Tomar 1cp no jantar por 5 dias e depois 2cp no jantar por 4 meses. ATENÇÃO NÃO DIRIGIR.

Extrato fluido de Berberina.......400ml
Extrato fluido de Sanguinarina..75ml
Extrato fluido de *Chelidoneum majus* 150ml
Extrato fluido de *Chenopodium ambrosioides*.......100ml ....1 frasco

Tomar 1 medida de 5ml (= 500mg) em pouco de água 3× ao dia, após as refeições.

Metformina em creme pentravam..................................350mg de metformina
Vitamina B_{12}...............................200mcg......180 doses

Usar 1 pump 3×/dia na pele mais fina da coxa ou braço ou pescoço ou abdome. Faça rodízio dos lugares.

Luteolina ....90mg..........180 doses
Apigenina....................................60mg

Abra a cápsula e coloque embaixo da língua 2× ao dia. Espere absorver.
Nota: não colocar excipiente.

Iodo molecular (I2) ....50mg..........120 doses

Tomar 1 dose após o almoço e após o jantar/4 meses. Cápsulas escuras. Não tirar das cápsulas.

Cloreto de lítio ....300mg ....120 doses

1cp 3× ao dia.

Extrato de *Scutellaria baicalensis* 250mg
Extrato de *Nigella sativa* 250mg
Extrato de alcaçuz.......................100mg
Extrato de casca de cítricos (hesperidina)............................150mg
Vitamina K_1 ....100mcg......120 doses

Tomar 1 dose após almoço e jantar.

Óleo de peixe ômega-3 – (DHA/EPA na proporção 3/2)......................1.400mg ....1fr.

Tomar 1cp após desjejum, almoço e jantar.

Artemisinina tintura 300ml

Tomar 3ml em um pouco de água 3× ao dia 7 dias sim/7 dias não

Aumentar a ingestão de:

1. **Isotiocianatos (Sulforafane e irmãos):** brócolis, couve-de-bruxelas, sementes da mostarda, couve-manteiga, mostarda, agrião, couve-flor, rábano (*horse-radish*), nabo e rabanete.
2. **Inositol- 6-fosfato – IP-6:** maiores concentrações no farelo de arroz e nas sementes ou farinha do gergelim, semente de abóbora, sementes de oleaginosas, linhaça, sementes de chia, amêndoas, castanha-do-pará, farelo de trigo e de centeio, milho e soja. Farelo de arroz: uma colher das de sopa dias alternados
3. **Antocianinas:** amoras, cerejas, framboesas, morangos, groselhas, uvas roxas, mirtilo. A porção de 100g de frutas vermelhas contém 400 a 500mg de antocianinas. Outras fontes: açaí, repolho roxo, arroz negro, uva negra, soja negra, feijão preto, batata roxa, batata-doce, cebola roxa, beterraba e milho vermelho.
4. Ácido gálico: polifenóis e procianidinas das sementes de uva, mirtilo, amora, morango, berries em geral, ameixa, uvas, manga e sua casca, café levemente torrado, castanha-de- caju, avelã, noz, semente de linhaça, chá mate, chá verde, cevada, casca do feijão, chocolate amargo, ruibarbo, rosa mosqueta, sorgo, noz-de-galha, sumagre (bagas vermelhas usadas como tempero nas cozinhas libanesa, turca e síria), hamamélis, casca ou súber do carvalho e faz parte dos taninos adstringentes e amargos.
5. **Aloe emodin:** *Aloe vera* L. e *Aloe arborescens*.
6. **Apigenina:** molho de tomate adventista ou italiano, salsa, aipo.

CAPÍTULO 189

Câncer gástrico. ESTRATÉGIAS

José de Felippe Junior

ATENÇÃO: Não comece as fórmulas na dose prescrita e todas elas de uma vez. Comece com 3 fórmulas apenas e acrescente 1 fórmula a cada 3 dias. Se estiver prescrito 3× ao dia use 2×, se 2× ao dia use 1× e se 1× ao dia mantenha. Pode tirar das cápsulas e colocar em suco espesso (ex., mamão, abacate), exceto o iodo e o óleo de amêndoas (benzaldeído). Faça pausa aos domingos. Em 30-40 dias tome como prescrito. Se sintomas de gastrite: parar por 3 a 5 dias todas as fórmulas e use folha de couve batida com água no liquidificador: ½ copo 3× ao dia, guaçatonga (*Casearia sylvestris)* 1 colher das de sobremesa em meio copo de água 3× ao dia, espinheira-santa ou Sucrafilm em envelopes de 2g 3× ao dia. Não use omeprazol e correlatos.

DHEA: prescrever sempre se DHEA-sulfato abaixo de 150mcg/dl.

Cloridrato de betaína .... 400mg...... 120cps

Tomar 1cp após almoço e jantar. Digestão e melhorar estado geral. Importante.

Ou

Ácido clorídrico 3,7% 50ml

Tomar 3 a 5 gotas em um pouco de água após cada refeição: desjejum, almoço e jantar.

a) Aumentar gota a gota se necessário para conseguir melhor digestão dos alimentos: máximo 20gts/dose.
b) Se comer pouco: 1-2 gotas já podem ser suficientes.
c) Se comer muito: 5-10-15 – 20 gotas.
d) Você descobre o número de gotas para cada **tipo** de alimento e **quantidade** ingerida: carne requer maior número de gotas e macarrão/pão/doces/requerem menor número de gotas.
e) Lembre-se, o ácido clorídrico é produzido no estômago para digerir os alimentos.
   Se você tomar pouco, não fará a digestão como deveria.
   Se tomar muito, pode sentir um vazio ou queimação na boca do estômago.
   Nesse caso, ingerir um pouco de alimento para neutralizar o excesso de ácido.

Tomar banhos de Sol 3×/semana: 15-30 minutos entre 11 e 14 horas. Ficar sem tomar banho por 1 hora.

Atividade física: andar passo firme 30'dia/3-4×/semana. Natação. Hidroginástica com carga. Musculação com aumento de peso gradativo. Musculação.

Forrar com manta térmica de alumínio (casa de material de construção):

1. entre o estrado da cama e o colchão da cabeceira aos pés;
2. embaixo do sofá onde assiste televisão; e
3. embaixo da cadeira do escritório.

Tudo isso se para se livrar de radiações de pequena amplitude e baixa frequência que emanam da Terra: Zona Geopatogênica e de radiações provenientes de lençóis freáticos ou mananciais subterrâneos.

Todos os dias tomar água estruturada e hidrogenada assim preparada:

Fosfato bibásico de magnésio: 25mg, carbonato de magnésio: 10mg, sulfato de magnésio: 10mg, cloreto de magnésio: 10mg, cloreto de potássio: 10mg, hipossulfito de sódio: 10mg, sulfato de cálcio: 30mg, bicarbonato de potássio: 20mg, citrato de sódio: 25,0mg, dióxido de silício: 40mg..........mande 60 doses

Colocar 1 dose em 1 litro de água mineral pobre em flúor e em garrafa de vidro, nunca em PET. O ideal é usar osmose reversa ou água destilada.

Usar essa água em hidrogenador portátil que forneça potencial de oxidorredução (ORP) mais negativo do que –450mv. Beber 1.000 a 1.500ml durante o dia. Não parar.

O hidrogenador de água portátil deve produzir ORP –450 ou mais negativo: Aliexpress, Mercado livre.

Não comer: carne vermelha, de frango, de porco e de cordeiro. Peixe e ovos podem.

Não ingerir: leite e derivados proteicos do leite. Manteiga, creme de leite e chantili podem.

Carboidratos: ingerir apenas alimentos de índice glicêmico < 60, TABELA. Não abusar da quantidade.

Frutas: ingerir no máximo 25g/frutose/dia, TABELA.
Withaferin A 400mg
Oxalato de escitalopram ....10mg.........60cps
Tomar 1cp no desjejum e almoço.

Trimetilglicina..........................100mg
L-taurina....................................100mg
Myo-inositol..............................100mg
Óxido de silício
inorgânico (SiO_2).......................80mg.........60 doses
Tomar 1 dose 30 minutos antes do desjejum, 2 horas após o almoço, sempre com o estômago vazio. Não repetir.

Extrato seco de *Rosmarinus officinalis*.................................300mg
Extrato seco de *Ocimum basilicum*...................................100mg
Extrato seco de *Salvia officinalis*...................................100mg
Amiloride ....7,5mg........120 doses
Tomar 1 dose 2× ao dia/4 meses

Cloreto de metioninium...........1mg/kg
Ácido alfalipoico........................200mg
CoQ10..75mg
Nicotinamida 100mg
Tiamina......................................100mg
Acetato de zinco ....42mg (15mg de Zn)
Extrato das sementes do
Silybum marianum 200mg
Genisteína..................................125mg ....120 doses
Tomar 1cp 2× ao dia.

Extrato de curcumina 95%........500mg
Extrato de *Tanacetum parthenium* 200mg
Extrato de semente de uva
(ácido gálico)...............................250mg
Piperina.......................................150mg ....90 doses
1 dose 2× ao dia/60 dias.

BCG sonicado.............................1,5ml ....2 frascos
Glucana 5,0ml
Agitar e aplicar 0,5ml subcutâneo às 2ª/4ª/6ª feiras/3 meses. Guardar na geladeira, não no congelador.

Naltrexone...................................5mg
Espironolactona..........................2mg............90cps
1cp via oral ao deitar de segunda a sábado. Não parar.

Colecalciferol solução oleosa – 5gts = 10.000UI 40ml
Usar 5 gotas ao dia após alguma refeição. Não é necessário guardar em geladeira.

Vitamina K_1 ....300mcg
Riboflavina 150mg
Genisteína...................................300mg
Retinol..300mil UI ..90 doses
Tomar 1 dose após alguma refeição.

Tintura mãe de *Rhus verniciflua* (*Toxodendrum vermicifluun*) 300ml
Tomar 5ml em um pouco de água 3× ao dia.

Ácido lipoico 100mg
Hidroxicitrato 1.000mg
Extrato das sementes do
Silybum marianum 300mg
Extrato de semente de uva (ácido gálico)....300mg
CoQ10...200mg
DIM (Di-indolil-metano)..........300mg
Nicotinamida 100mg
Tiamina.......................................100mg (300mg/24h)
Manganês glicina........................3mg
Ácido fólico ....2mg..........120 doses
Tomar 1 dose 2× ao dia.

Extrato seco de *Momordica charantia*..........500mg 120cp
Tomar 1cp ....2× ao dia
(sempre com cloroquina no conjunto das fórmulas).

Curcumina extrato 400mg
Piperina.......................................100mg
EGCG..250mg
Scutellaria baicalensis extrato....250mg
Tomar 1cp 2× ao dia.

Melatonina. 20mg sublingual....120cps sublinguais
Use sublingual ao deitar.

Ganoderma lucidum (extrato) ..300mg
Glucana (extrato de
S. cerevisae)..................................200mg
Fucoidans....................................100mg
Seleno-metionina ....100mg (200mcg Se)
Ácido ascórbico 50mg
Resveratrol..................................200mg ....mande 90 doses
Tomar 1 dose 2× ao dia após as refeições/4 meses.

Super ômega-3 da Schraber ......1.440mg ....1fr. Ou algum que tenha: EPA/DHA: 3/2
Tomar 1cp após desjejum, almoço e jantar.

Óleo de Borago ....1.000mg 1tubo
Tomar 1cp após almoço e jantar.

Mistura básica de Budwig
Óleo LLC (1 parte/linhaça + 2 partes/coco)............................1 colher das de sopa

Queijo Cottage............................1/2 a 1 xícara

Use o mix Budwig com frutas picadas etc. Tome duas a três colheres das de sopa do

óleo LLC ao dia/4 meses, ou somente o óleo de linhaça prensado a frio.

Melhor é a mistura linhaça 1 parte/coco 2 partes.

Nota: óleo de linhaça e de coco devem ser prensados a frio. Cottage: único tipo de queijo permitido.

Difosfato de cloroquina 200mg
Piridoxina..................................10mg
Extrato de *Scutellaria baicalensis*...................................250mg
Extrato de *Nigella sativa* 250mg
Extrato de alcaçuz.......................100mg
Extrato de casca de cítricos (hesperidina)..............................150mg ....120 doses

Tomar 1 dose após almoço e jantar.

Artemisinina tintura 300ml

Tomar 3ml em pouco de água 3× ao dia 7 dias sim/ 7 dias não.

Extrato fluido de Berberina.......500ml
Extrato fluido de Sanguinarina ....1.000ml 1frasco

Tomar 1 medida de 5ml (= 500mg) em um pouco de água 3× ao dia, após as refeições.

DHEA 50mg: 1cp 2× ao dia/60 dias e depois 1× ao dia. Comprar na internet.

Crisina...500mg
Beta-ciclodextrina 500mg

Tomar 1cp 2× ao dia.

Aumentar a ingestão de:

1. **Ingerir crucíferas à vontade, é importante devido aos isotiocianatos.**
2. **Isotiocianatos:** brócolis, couve-de-bruxelas, sementes da mostarda, couve-manteiga, mostarda, agrião, couve-flor, rábano (*horse-radish*), nabo e rabanete.
3. **Antocianinas:** amoras, cerejas, framboesas, morangos, groselhas, uvas roxas, mirtilo e vinho tinto. A porção de 100g de frutas vermelhas contém 400 a 500mg de antocianinas. Outras fontes: açaí, repolho roxo, *Oryza sativa* (arroz negro), uva negra, soja negra, feijão preto, batata roxa, batata-doce, cebola roxa, beterraba e milho vermelho.
4. **Apigenina:** molho de tomate adventista ou italiano, salsa, aipo.
5. **Inositol- 6-fosfato – IP-6:** maiores concentrações no farelo de arroz e nas sementes ou farinha do gergelim, semente de abóbora, sementes de oleaginosas, linhaça, sementes de chia, amêndoas, castanha-do-pará, farelo de trigo e de centeio, milho e soja. Farelo de arroz: uma colher das de sopa dias alternados
6. **Indol-3-Carbinol (DIM):** vegetais crucíferos como couve, brócolis, couve-flor e couve-de-bruxelas.

CAPÍTULO 190

Câncer colorretal. ESTRATÉGIAS

José de Felippe Junior

ATENÇÃO: Não comece as fórmulas na dose prescrita e todas elas de uma vez. Comece com 3 fórmulas apenas e acrescente 1 fórmula a cada 3 dias. Se estiver prescrito 3× ao dia use 2×, se 2× ao dia use 1× e se 1× ao dia mantenha. Pode tirar das cápsulas e colocar em suco espesso (ex., mamão, abacate), exceto o iodo e o óleo de amêndoas (benzaldeído). Faça pausa aos domingos. Em 30-40 dias tome como prescrito. Se sintomas de gastrite: parar por 3 a 5 dias todas as fórmulas e use folha de couve batida com água no liquidificador: ½ copo 3× ao dia, guaçatonga (*Casearia sylvestris)* 1 colher das de sobremesa em meio copo de água 3× ao dia, espinheira-santa ou Sucrafilm em envelopes de 2g 3× ao dia. Não use omeprazol e correlatos.

DHEA: prescrever sempre se DHEA-sulfato abaixo de 150mcg/dl.

Tomar banhos de Sol 3×/semana: 15-30 minutos entre 11 e 14 horas. Ficar sem tomar banho por 1 hora.

Atividade física: andar passo firme 30'dia/3-4×/semana. Natação. Hidroginástica com carga. Musculação com aumento de peso gradativo. Musculação.

Forrar com manta térmica de alumínio (casa de material de construção):

1. entre o estrado da cama e o colchão da cabeceira aos pés;
2. embaixo do sofá onde assiste televisão; e
3. embaixo da cadeira do escritório.

Tudo isso para se livrar de radiações de pequena amplitude e baixa frequência que emanam da Terra: Zona Geopatogênica e de radiações provenientes de lençóis freáticos ou mananciais subterrâneos.

Todos os dias tomar água estruturada e hidrogenada assim preparada:

Fosfato bibásico de magnésio: 25mg, carbonato de magnésio: 10mg, sulfato de magnésio: 10mg, cloreto de magnésio: 10mg, cloreto de potássio: 10mg, hipossulfito de sódio: 10mg, sulfato de cálcio: 30mg, bicarbonato de potássio: 20mg, citrato de sódio: 25,0mg, dióxido de silício: 40mg.........mande 60 doses

Colocar 1 dose em 1 litro de água mineral pobre em flúor e em garrafa de vidro, nunca em PET. O ideal é usar osmose reversa ou água destilada.

Usar essa água em hidrogenador portátil que forneça potencial de oxidorredução (ORP) mais negativo do que −450mv. Beber 1.000 a 1.500ml durante o dia. Não parar.

O hidrogenador de água portátil deve produzir ORP −450 ou mais negativo: Aliexpress, Mercado livre.

Não comer: carne vermelha, de frango, de porco e de cordeiro. Peixe e ovos podem.

Não ingerir: leite e derivados proteicos do leite. Manteiga, creme de leite e chantili podem.

Carboidratos: ingerir apenas alimentos de índice glicêmico < 60, TABELA. Não abuse da quantidade.

Frutas: ingerir no máximo 25g/frutose/dia, TABELA.

Withaferin A 400mg
Oxalato de escitalopram ....10mg..........60cps

Tomar 1cp no desjejum e almoço.

Trimetilglicina...........................100mg
L-taurina.....................................100mg
Myo-inositol.................................100mg
Óxido de silício
inorgânico (SiO_2).......................80mg..........60 doses

Tomar 1 dose 30 minutos antes do desjejum, 2 horas após o almoço, sempre com o estômago vazio. Não repetir.

Extrato seco de *Rosmarinus officinalis*.........300mg
Extrato seco de *Ocimum basilicum*..............100mg
Extrato seco de *Salvia officinalis*..................100mg
Extrato de folhas de oliveira......150mg
Amiloride ....7,5mg.........120 doses

Tomar 1 dose 2× ao dia/4 meses.

Cloreto de metioninium 1mg/kg
CoQ10...75mg
Nicotinamida 100mg

Tiamina..100mg
Acetato de zinco ....42mg (15mg de Zn)
Extrato das sementes do
Silybum marianum 200mg
Genisteína....................................125mg 120doses

Tomar 1cp 2× ao dia.

Extrato de curcumina 95%........500mg
Extrato de *Tanacetum*
parthenium 200mg
Extrato de semente de uva
(ácido gálico)...............................250mg
Piperina...150mg ....90 doses

1 dose 2× ao dia/60 dias.
Não abusar do sódio. Use o sal de Karpanen com baixo teor de sódio e alto em potássio e magnésio para polarizar a membrana celular.

Cloreto de sódio..........................40,0%
Cloreto de potássio.....................35,0%
Sulfato de magnésio 22,5%
L-lisina 2,0%
Iodeto de potássio.......................0,5%...........mande 250g

Use como sal de cozinha para toda a família. Colocar o sal após cozinhar.

Colecalciferol oleosa 5gts/10.000UI
50ml

Tomar 5gts ao dia no desjejum.

Retinol..300mil UI
Vitamina K_1 ....200mcg
Genisteína....................................250mg
Riboflavina ....150mg 120cps

1cp após o desjejum.

BCG sonicado 1,5ml
Glucana – 10mg/ml....................5,0ml ....1 frasco
6,5ml (2×)

Agitar e aplicar 0,5ml subcutâneo às 2ª/4ª/6ª feiras/16×. Guardar na geladeira, não no congelador.

Naltrexone 5,0mg
Espironolactona..........................2,0mg.........90cp

1cp ao deitar de segunda a sábado.

Melatonina. 20mg sublingual....120cps sublinguais

Use sublingual ao deitar.

Ganoderma lucidum (extrato) ..300mg
Glucana (extrato de
S. cerevisae)................................200mg
Fucoidans.....................................100mg
Seleno-metionina ....100mg (200mcg Se)
Ácido ascórbico 50mg
EGCG..150mg
Resveratrol..................................200mg ....mande 90 doses

Tomar 1 dose 2× ao dia após as refeições/4 meses.

Depakote ER (divalproato de sódio)/
500mg..1cx

Tomar 1cp ao jantar por 5 dias, depois 2cp/4 meses.
ATENÇÃO NÃO DIRIGIR.

Extrato fluido de Berberina.......400ml
Extrato fluido de Sanguinarina..150ml ....1 frasco

Tomar 1 medida de 5ml (= 500mg) em pouco de água 3× ao dia, após as refeições.

Mistura básica de Budwig
Óleo LLC (1 parte/linhaça +
2 partes/coco).............................1 colher das de sopa
Queijo Cottage............................1/2 a 1 xícara

Use o mix Budwig com frutas picadas etc. Tome duas a três colheres das de sopa
do óleo LLC ao dia/4 meses, ou somente o óleo de linhaça prensado a frio.
Melhor é a mistura linhaça 1 parte/coco 2 partes.
Nota: óleo de linhaça e de coco devem ser prensados a frio. Cottage: único tipo de queijo permitido.

Iodo molecular (I2) ....40mg..........120 doses

Tomar 1 dose após o almoço e após o jantar.
Cápsulas escuras.
Não tirar das cápsulas/4 meses.

Ácido alfalipoico........................100mg
Hidroxicitrato ....1000mg .....120 doses

Tomar 1 dose 3× ao dia/60 dias e depois 2× ao dia, após as refeições.

Picolinato de zinco 300mg
Difosfato de cloroquina 200mg
Piridoxina 20mg
Propranolol..................................15mg..........120 doses

Tomar 1 dose 2× ao dia.

Extrato de *Scutellaria*
baicalensis 250mg
Boswellia serrata..........................200mg
Extrato de *Nigella sativa* 250mg
Extrato de alcaçuz.......................100mg
Extrato de casca de cítricos
(hesperidina)..............................150mg ....120 doses

Tomar 1 dose após almoço e jantar.

Óleo de peixe ômega-3
(DHA/EPA na proporção 3/2).......................1 vidro

Tomar 1cp após desjejum, almoço e jantar.

Artemisinina tintura 300ml

Tomar 3ml em um pouco de água 3× ao dia 7 dias sim/7 dias não.

Cloreto de lítio ....300mg ....120 doses

Tomar 1 dose 3× ao dia.

Luteolina 90mg

Apigenina...................................60mg..........120 cápsulas

Abrir a cápsula e colocar embaixo da língua 2× ao dia. Esperar absorver (não usar excipientes).

Metformina em creme pentravam ....350mg de metformina

Vitamina B_{12} ....200mcg......180 doses

Usar 1 pump 3×/dia na pele mais fina da coxa ou braço ou pescoço.

Carnosina ....400mg ....120 doses

1cp após almoço e jantar.

DIM ....500mg 120cp

Tomar 1cp após as duas refeições principais.

Aumentar a ingestão:

1. Ácido gálico: polifenóis e procianidinas das sementes de uva, mirtilo, amora, morango, berries em geral, ameixa, uvas, manga, castanha-de-caju, avelã, noz, semente de linhaça, chá mate, chá verde, cevada, casca do feijão, chocolate amargo, ruibarbo, rosa mosqueta, sorgo.
2. Ácido ursólico: *Rosmarinus officinalis* (alecrim), *Ocimum basilicum* (manjericão), *Salvia officinalis* (salvia), amêndoa, *Plantago major* (tanchagem), *Prunella vulgaris*, quinoa desamargada, *Terminalia arjuna*, frutas do *Ligustrum lucidus*, *Gymnema sylvestre*, *Garcinia vilersiana*.
3. **Antocianinas:** amoras, cerejas, framboesas, morangos, groselhas, uvas roxas, mirtilo e vinho tinto. A porção de 100g de frutas vermelhas contém 400 a 500mg de antocianinas. Outras fontes: açaí, repolho roxo, *Oryza sativa* (arroz negro), uva negra, soja negra, feijão preto, batata roxa, batata-doce, cebola roxa, beterraba e milho vermelho.
4. **Apigenina:** molho de tomate, salsa, aipo.
5. **Ativadores do PPAR-gama:** óleo de gergelim.
6. **Ativadores do p53**: suco de lima mexicana (*Citrus aurantifolia*), nozes, amêndoas, óleo de gergelim, hesperidina, IP6, di-indolilmetano e apigenina.

CAPÍTULO 191

Câncer de fígado. ESTRATÉGIAS

José de Felippe Junior

ATENÇÃO: Não comece as fórmulas na dose prescrita e todas elas de uma vez. Comece com 3 fórmulas apenas e acrescente 1 fórmula cada 3 dias. Se estiver prescrito 3× ao dia use 2×, se 2x ao dia use 1× e se 1× ao dia mantenha. Pode tirar das cápsulas e colocar em suco espesso (ex., mamão, abacate), exceto o iodo e o óleo de amêndoas (benzaldeído). Faça pausa aos domingos. Em 30-40 dias tome como prescrito. Se sintomas de gastrite: parar por 3 a 5 dias todas as fórmulas e use folha de couve batida com água no liquidificador: ½ copo 3× ao dia, guaçatonga (*Casearia sylvestris)* 1 colher das de sobremesa em meio copo de água 3× ao dia, espinheira-santa ou Sucrafilm em envelopes de 2g 3× ao dia. Não use omeprazol e correlatos.

Extrato de *Rhus verniciflua* ....500mg 120cps

Tomar 1cp após desjejum e jantar.***

DHEA50mg................................3 frascos

Tomar 1cp após desjejum e ao deitar por 30 dias e depois somente ao deitar.**

DIM 500mg...............................120cp

Tomar 1cp após as duas refeições principais.**

Tomar banhos de Sol 3×/semana: 15-30 minutos entre 11 e 14 horas. Ficar sem tomar banho por 1 hora.

Atividade física: andar passo firme 30'dia/3-4×/semana. Natação. Hidroginástica com carga. Musculação com aumento de peso gradativo. Musculação.

Forrar com manta térmica de alumínio (casa de material de construção):

1. entre o estrado da cama e o colchão da cabeceira aos pés;
2. embaixo do sofá onde assiste televisão; e
3. embaixo da cadeira do escritório.

Tudo isso para se livrar de radiações de pequena amplitude e baixa frequência que emanam da Terra: Zona Geopatogênica e de radiações provenientes de lençóis freáticos ou mananciais subterrâneos.

Todos os dias tomar água estruturada e hidrogenada assim preparada:

Fosfato bibásico de magnésio: 25mg, carbonato de magnésio: 10mg, sulfato de magnésio: 10mg, cloreto de magnésio: 10mg, cloreto de potássio: 10mg, hipossulfito de sódio: 10mg, sulfato de cálcio: 30mg, bicarbonato de potássio: 20mg, citrato de sódio: 25,0mg, dióxido de silício: 40mg..........mande 60 doses

Colocar 1 dose em 1 litro de água mineral pobre em flúor e em garrafa de vidro, nunca em PET. O ideal é usar osmose reversa ou água destilada.

Usar essa água em hidrogenador portátil que forneça potencial de oxidorredução (ORP) mais negativo do que –450mv. Beber 1.000 a 1.500ml durante o dia. Não parar.

O hidrogenador de água portátil deve produzir ORP -450 ou mais negativo: Aliexpress, Mercado livre.

Não comer: carne vermelha, de frango, de porco e de cordeiro. Peixe, ovos e 1×/semana fígado bovino: podem.

Não ingerir: leite e derivados proteicos do leite. Manteiga, creme de leite e chantili podem.

Carboidratos: ingerir apenas alimentos com índice glicêmico < 60, TABELA. Não abuse da quantidade.

Frutas: ingerir no máximo 25g/frutose/dia, TABELA.

Withaferin A 400mg

Oxalato de escitalopram ....10mg..........60cps

Tomar 1cp no desjejum e almoço.

Trimetilglicina...........................100mg

L-taurina 100mg

Myo-inositol..............................100mg

Óxido de silício

inorgânico (SiO_2).......................80mg..........60 doses

Tomar 1 dose 30 minutos antes do desjejum, 2 horas após o almoço, sempre com o estômago vazio. Não repetir.

Não abusar do sódio. Use o sal de Karpanen com baixo teor de sódio e alto em potássio e magnésio para polarizar a membrana celular.

Cloreto de sódio........................40,0%
Cloreto de potássio...................35,0%
Sulfato de magnésio 22,5%
L-lisina 2,0%
Iodeto de potássio......................0,5%..........mande 250g

Use como sal de cozinha para toda a família. Colocar o sal após cozinhar.

Extrato seco de folhas de *Annona muricata* ....1.000mg ....120 doses

Tomar 1 dose 3× ao dia.***

Extrato seco de *Rosmarinus officinalis* 300mg
Extrato seco de *Ocimum basilicum* 100mg
Extrato seco de *Salvia officinalis* 100mg
Amiloride ....7,5mg........120 doses

Tomar 1 dose 2× ao dia/4 meses.

Cloreto de metioninium............1mg/kg
Ácido alfalipoico.......................200mg
CoQ10...75mg
Nicotinamida.............................100mg
Tiamina......................................100mg
Acetato de zinco ....42mg (15mg de Zn)
Extrato das sementes do *Silybum marianum* 200mg
Genisteína...................................125mg ....120 doses

Tomar 1cp 2× ao dia.

Extrato de curcumina 95%........500mg
Extrato de *Tanacetum parthenium* 200mg
Extrato de semente de uva (ácido gálico)..............................250mg
Piperina.......................................150mg ....90 doses

1 dose 2× ao dia/60 dias.

Colecalciferol oleosa 5gts/10.000UI
....50ml

Tomar 5gts ao dia no desjejum.

Retinol...300mil UI
Vitamina K_1 ....100mcg
Genisteína....................................250mg
Riboflavina..................................150mg 120cps

1cp após o desjejum.

BCG sonicado 1,5ml
Glucana – 10mg/ml...................5,0ml ....1 frasco 6,5ml (2×)

Agitar e aplicar 0,5ml subcutâneo às 2ª/4ª/6ª feiras/16×. Guardar na geladeira, não no congelador.

Naltrexone 5,0mg
Espironolactona..........................2,0mg.........90cp

1cp ao deitar de segunda a sábado.

Melatonina. 20mg sublingual....120cps sublinguais

Use sublingual ao deitar. Não parar.

Ganoderma lucidum (extrato) ..300mg
Glucana (extrato de *S. cerevisae*)................................200mg
Fucoidans...................................100mg
Seleno-metionina ....100mg (200mcg Se)
Ácido ascórbico 50mg
Resveratrol..................................200mg ......mande 90 doses

Tomar 1 dose 2× ao dia após as refeições/4 meses.**

Depakote ER (divalproato de sódio)/ 500mg..1cx

Tomar 1cp ao jantar por 5 dias, depois 2cp/repetir 1×. ATENÇÃO NÃO DIRIGIR.

Extrato fluido de Berberina.......400ml
Extrato fluido de Sanguinarina..100ml
Extrato fluido de *Chelidoneum majus* 150m
Extrato fluido de *Chenopodium ambrosioides*.......100ml ....1 frasco

Tomar 1 medida de 5ml (= 500mg) em um pouco de água 3× ao dia, após as refeições.**

Metformina em creme pentravam....................................350mg de metformina
Vitamina B_{12} ....200mcg......180 doses

Usar 1 pump 3×/dia na pele mais fina da coxa ou braço ou pescoço ou abdome. Faça rodízio.

Luteolina 90mg
Apigenina....................................60mg.........180 doses/2 meses

Abra a cápsula e coloque embaixo da língua 2x ao dia. Espere absorver. Não parar.**

Iodo molecular (I2) ....40mg.........120 doses

Tomar 1 dose após o almoço e após o jantar. Cápsulas escuras.

Não tirar das cápsulas/4 meses

Extrato de *Scutellaria baicalensis*...................................250mg
Extrato de *Nigella sativa* 250mg

Extrato de alcaçuz........................100mg
Extrato de casca de cítricos
(hesperidina)................................150mg ....120 doses

Tomar 1 dose após almoço e jantar.**

Óleo de peixe ômega-3 (DHA/EPA na proporção 3/2)
....1fr.

Tomar 1cp após desjejum, almoço e jantar.

Artemisinina tintura 300ml

Tomar 3ml em um pouco de água 3× ao dia 7 dias sim/7 dias não.

Crisina..300mg
Maltedextrina...............................200mg

Tomar 1cp 2× ao dia com o estômago cheio.

Extrato de *Momordica charantia* 250mg
Difosfato de cloroquina 150mg
Cloridrato de piridoxina............20mg
Boswellia serrata...........................200mg ....120 doses

Tomar 1 dose 2× ao dia com o estômago cheio.**

Aumentar a ingestão de:

1. **Antocianinas:** amoras, cerejas, framboesas, morangos, groselhas, uvas roxas, mirtilo e vinho tinto. A porção de 100g de frutas vermelhas contém 400 a 500mg de antocianinas. Outras fontes: açaí, repolho roxo, *Oryza sativa* (arroz negro), uva negra, soja negra, feijão preto, batata roxa, batata-doce, cebola roxa, beterraba e milho vermelho.
2. **Apigenina:** molho de tomate adventista ou italiano, salsa, aipo.
3. **Inositol-6-fosfato – IP-6:** maiores concentrações no farelo de arroz e nas sementes ou farinha do gergelim, semente de abóbora, sementes de oleaginosas, linhaça, sementes de chia, amêndoas, castanha-do-pará, farelo de trigo e de centeio, milho e soja. Farelo de arroz: uma colher das de sopa dias alternados
4. **Isotiocianatos (Sulforafane e irmãos):** brócolis, couve-de-bruxelas, sementes da mostarda, couve m-nteiga, mostarda, agrião, couve-flor, rábano (*horse-radish*), nabo e rabanete.
5. **Indol-3-carbinol (DIM):** vegetais crucíferos como couve, brócolis, couve-flor e couve-de-bruxelas.

CAPÍTULO 192

Carcinoma de vias biliares. ESTRATÉGIAS

José de Felippe Junior

ATENÇÃO: Não comece as fórmulas na dose prescrita e todas elas de uma vez. Comece com 3 fórmulas apenas e acrescente 1 fórmula a cada 3 dias. Se estiver prescrito 3× ao dia use 2×, se 2× ao dia use 1× e se 1× ao dia mantenha. Pode tirar das cápsulas e colocar em suco espesso (ex., mamão, abacate), exceto o iodo e o óleo de amêndoas (benzaldeído). Faça pausa aos domingos. Em 30-40 dias tome como prescrito. Se sintomas de gastrite: parar por 3 a 5 dias todas as fórmulas e use folha de couve batida com água no liquidificador: ½ copo 3× ao dia, guaçatonga (*Casearia sylvestris)* 1 colher das de sobremesa em meio copo de água 3× ao dia, espinheira-santa ou Sucrafilm em envelopes de 2g 3× ao dia. Não use omeprazol e correlatos.

DHEA: prescrever sempre se DHEA-sulfato abaixo de 150mcg/dl.

Tomar banhos de Sol 3×/semana: 15-30 minutos entre 11 e 14 horas. Ficar sem tomar banho por 1 hora.

Atividade física: andar passo firme 30'dia/3-4×/semana. Natação. Hidroginástica com carga. Musculação com aumento de peso gradativo. Musculação.

Forrar com manta térmica de alumínio (casa de material de construção):

1. entre o estrado da cama e o colchão da cabeceira aos pés;
2. embaixo do sofá onde assiste televisão; e
3. embaixo da cadeira do escritório.

Tudo isso para se livrar de radiações de pequena amplitude e baixa frequência que emanam da Terra: Zona Geopatogênica e de radiações provenientes de lençóis freáticos ou mananciais subterrâneos.

Todos os dias tomar água estruturada e hidrogenada assim preparada:

Fosfato bibásico de magnésio: 25mg, carbonato de magnésio: 10mg, sulfato de magnésio: 10mg, cloreto de magnésio: 10mg, cloreto de potássio: 10mg, hipossulfito de sódio: 10mg, sulfato de cálcio: 30mg, bicarbonato de potássio: 20mg, citrato de sódio: 25,0mg, dióxido de silício: 40mg.........mande 60 doses.

Colocar 1 dose em 1 litro de água mineral pobre em flúor e em garrafa de vidro, nunca em PET. O ideal é usar osmose reversa ou água destilada.

Usar essa água em hidrogenador portátil que forneça potencial de oxidorredução (ORP) mais negativo do que −450mv. Beber 1.000 a 1.500ml durante o dia. Não parar.

O hidrogenador de água portátil deve produzir ORP −450mv ou mais negativo: Aliexpress, Mercado livre.

Não comer: carne vermelha, frango, porco e cordeiro. Peixe e ovos podem.

Não ingerir: leite e derivados proteicos do leite. Manteiga, creme de leite e chantili podem.

Carboidratos: ingerir apenas alimentos de índice glicêmico < 60, TABELA. Não abuse da quantidade.

Frutas: ingerir no máximo 25g/frutose/dia, TABELA.

Withaferin A 400mg
Oxalato de escitalopram ....10mg..........60cps

Tomar 1cp no desjejum e almoço.

Trimetilglicina..........................100mg
L-taurina 100mg
Myo-inositol..............................100mg
Óxido de silício
inorgânico (SiO_2)......................80mg.........60 doses

Tomar 1 dose 30 minutos antes do desjejum, 2 horas após o almoço, sempre com o estômago vazio. Não repetir.

Não abusar do sódio. Use o sal de Karpanen com baixo teor de sódio e alto em potássio e magnésio para polarizar a membrana celular.

Cloreto de sódio.........................40,0%
Cloreto de potássio.....................35,0%
Sulfato de magnésio 22,5%
L-lisina 2,0%
Iodeto de potássio.......................0,5%...........mande 250g

Use como sal de cozinha para toda a família. Colocar o sal após cozinhar.

Hidroxicitrato 1.000mg
Ácido alfalipoico........................200mg ....120 dose
Tomar 1 dose 3× ao dia.

Extrato seco de *Rosmarinus officinalis*....................................300mg
Extrato seco de *Ocimum basilicum*....................................100mg
Extrato seco de *Salvia officinalis*....................................100mg
Amiloride ....7,5mg.........120 doses
Tomar 1 dose 2× ao dia/4 meses.

Cloreto de metioninium............1mg/kg
Ácido alfalipoico........................200mg
CoQ10..75mg
Nicotinamida 100mg
Tiamina.......................................100mg
Acetato de zinco ....42mg (15mg de Zn)
Extrato das sementes do *Silybum marianum* 200mg
Genisteína..................................125mg ....120 doses
Tomar 1cp 2× ao dia.

Extrato de curcumina 95%........500mg
Extrato de *Tanacetum parthenium* 200mg
Extrato de semente de uva (ácido gálico)..............................250mg
Piperina......................................150mg ....90 doses
1 dose 2× ao dia/60 dias.

Colecalciferol oleosa 5gts/10.000UI
....50ml
Tomar 5gts ao dia no desjejum.

Retinol..300mil UI
Vitamina K_1 ....200mcg
Genisteína..................................250mg
Riboflavina ....150mg 120cps
1cp após o desjejum.

BCG sonicado 1,5ml
Glucana – 10mg/ml....................5,0ml ....1 frasco 6,5ml (2×)
Agitar e aplicar 0,5ml subcutâneo às 2ª/4ª/6ª feiras/16×. Guardar na geladeira, não no congelador.

Naltrexone 5,0mg
Espironolactona..........................2,0mg.........90cp
1cp ao deitar de segunda a sábado.
Melatonina. 20mg sublingual....120cps sublinguais
Abra a pequena cápsula e coloque embaixo da língua ao deitar.

Ganoderma lucidum (extrato) ..300mg
Glucana (extrato de *S. cerevisae*)................................200mg
Fucoidans...................................100mg
Seleno-metionina ....100mg (200mcg Se)
Ácido ascórbico 50mg
Resveratrol.................................250mg ....mande 90 doses
Tomar 1 dose 2× ao dia após as refeições/4 meses.

Depakote ER (divalproato de sódio)/ 500mg..1cx
Tomar 1cp no jantar por 5 dias e depois 2cp no jantar por 4 meses. ATENÇÃO NÃO DIRIGIR.

Extrato fluido de Berberina.......400ml
Extrato fluido de Sanguinarina.75ml
Extrato fluido de *Chelidoneum majus*..........150ml
Extrato fluido de *Chenopodium ambrosioides* 100ml..1 frasco
Tomar 1 medida de 5ml (= 500mg) em um pouco de água 3× ao dia, após as refeições.

Metformina em creme pentravam ....350mg de metformina
Vitamina B_{12} ....200mcg......180 doses
Usar 1 pump 3×/dia na pele mais fina da coxa ou braço ou pescoço ou abdome. Faça rodízio dos lugares.

Luteolina 90mg
Apigenina...................................60mg..........180 doses
Abra a cápsula e coloque embaixo da língua 2× ao dia. Espere absorver.
Nota: não colocar excipiente.

Iodo molecular (I2) ....40mg..........120 doses
Tomar 1 dose após o almoço e após o jantar/4 meses. Cápsulas escuras. **N**ão tirar das cápsulas.

Extrato de *Scutellaria baicalensis*.........................250mg
Extrato de *Nigella sativa* 250mg
Extrato de alcaçuz......................100mg
Extrato da casca de cítricos (hesperidina)..............................150mg ....120 doses
Tomar 1 dose após o almoço e jantar.

Óleo de peixe ômega-3 (DHA/EPA na proporção 3/2) ....1 vidro
Tomar 1cp após desjejum, almoço e jantar.

Artemisinina tintura 300ml
Tomar 3ml em um pouco de água 3× ao dia 7 dias sim/7dias não.

Tintura mãe de *Rhus verniciflua* (*Toxodendrum vermicifluun*) 300ml

Tomar 5ml em um pouco de água 3× ao dia.

Maltedextrina............................1.375mg Óleo de amêndoas (benzaldeído) ....125mg ....mande 120 doses

Tomar 1 dose 2× ao dia com o estômago cheio por 7 dias. Depois 1 dose 3× ao dia por 7 dias e depois 4× ao dia. NÃO TIRAR DAS CÁPSULAS (1 dose 4× ao dia = 500mg do extrato).

Cannabis sativa CBD/THC 1/1

3gts 3× ao dia/5 dias. 4gts 3× ao dia/5 dias e depois 5-8gts 3× ao dia e manter.

Aumentar a ingestão de:

1. **Antocianinas:** amoras, cerejas, framboesas, morangos, groselhas, uvas roxas, mirtilo e vinho tinto. A porção de 100g de frutas vermelhas contém 400 a 500mg de antocianinas. Outras fontes: açaí, repolho roxo, *Oryza sativa* (arroz negro), uva negra, soja negra, feijão preto, batata roxa, batata-doce, cebola roxa, beterraba e milho vermelho.
2. **Apigenina:** molho de tomate adventista ou italiano, salsa, aipo.
3. **Inositol- 6-fosfato – IP-6:** maiores concentrações no farelo de arroz e nas sementes ou farinha do gergelim, semente de abóbora, sementes de oleaginosas, linhaça, sementes de chia, amêndoas, castanha-do-pará, farelo de trigo e de centeio, milho e soja. Farelo de arroz: uma colher das de sopa dias alternados
4. **Isotiocianatos (Sulforafane e irmãos)**: brócolis, couve-de-bruxelas, sementes da mostarda, couve -manteiga, mostarda, agrião, couve-flor, rábano (*horse-radish*), nabo e rabanete.
5. **Indol-3-carbinol (DIM):** vegetais crucíferos como couve, brócolis, couve-flor e couve-de-bruxelas.

CAPÍTULO 193

Câncer de pâncreas. ESTRATÉGIAS

José de Felippe Junior

ATENÇÃO: Não comece as fórmulas na dose prescrita e todas elas de uma vez. Comece com 3 fórmulas apenas e acrescente 1 fórmula a cada 3 dias. Se estiver prescrito 3× ao dia use 2×, se 2× ao dia use 1× e se 1× ao dia mantenha. Pode tirar das cápsulas e colocar em suco espesso (ex., mamão, abacate), exceto o iodo e o óleo de amêndoas (benzaldeído). Faça pausa aos domingos. Em 30-40 dias tome como prescrito. Se sintomas de gastrite: parar por 3 a 5 dias todas as fórmulas e use folha de couve batida com água no liquidificador: ½ copo 3× ao dia, guaçatonga (*Casearia sylvestris*) 1 colher das de sobremesa em meio copo de água 3× ao dia, espinheira-santa ou Sucrafilm em envelopes de 2g 3× ao dia. Não use omeprazol e correlatos.

Pancreatina..................................500mg ....mande 120 cápsulas entéricas. Não parar

Tomar: 1 cápsula no meio do desjejum
1 cápsula no meio do almoço
1 cápsula no meio do jantar

Tomar banhos de Sol 3×/semana: 15-30 minutos entre 11 e 14 horas. Ficar sem tomar banho por 1 hora.

Atividade física: andar passo firme 30'dia/3-4×/semana. Natação. Hidroginástica com carga. Musculação com aumento de peso gradativo. Musculação.

Forrar com manta térmica de alumínio (casa de material de construção):

1. entre o estrado da cama e o colchão da cabeceira aos pés;
2. embaixo do sofá onde assiste televisão; e
3. embaixo da cadeira do escritório.

Tudo isso para se livrar de radiações de pequena amplitude e baixa frequência que emanam da Terra: Zona Geopatogênica e de radiações provenientes de lençóis freáticos ou mananciais subterrâneos.

Todos os dias tomar água estruturada e hidrogenada assim preparada:

Fosfato bibásico de magnésio: 25mg, carbonato de magnésio: 10mg, sulfato de magnésio: 10mg, cloreto de magnésio: 10mg, cloreto de potássio: 10mg, hipossulfito de sódio: 10mg, sulfato de cálcio: 30mg, bicarbonato de potássio: 20mg, citrato de sódio: 25,0mg, dióxido de silício: 40mg..........mande 60 doses.

Colocar 1 dose em 1 litro de água mineral pobre em flúor e em garrafa de vidro, nunca em PET. O ideal é usar osmose reversa ou água destilada.

Usar essa água em hidrogenador portátil que forneça potencial de oxidorredução (ORP) mais negativo do que –450mv. Beber 1.000 a 1.500ml durante o dia. Não parar.

O hidrogenador de água portátil deve produzir ORP –450 ou mais negativo: Aliexpress, Mercado livre.

Não comer: carne vermelha, de frango, de porco e de cordeiro. Peixe e ovos podem.

Não ingerir: leite e derivados proteicos do leite. Manteiga, creme de leite e chantili podem.

Carboidratos: ingerir apenas alimentos de índice glicêmico < 60, TABELA. Não abusar da quantidade.

Frutas: ingerir no máximo 25g/frutose/dia, TABELA.

Withaferin A 400mg
Oxalato de escitalopram ....10mg..........60cps

Tomar 1cp no desjejum e almoço.

Trimetilglicina.............................100mg
L-taurina.....................................100mg
Myo-inositol................................100mg
Óxido de silício
inorgânico (SiO_2).......................80mg..........60 doses

Tomar 1 dose 30 minutos antes do desjejum, 2 horas após almoço, sempre com o estômago vazio. Não repetir.

Não abusar do sódio. Use o sal de Karpanen com baixo teor de Na^+ e alto de K^+ e Mg^+

Cloreto de sódio..........................40,0%
Cloreto de potássio.....................35,0%
Sulfato de magnésio 22,5%

L-lisina 2,0%
Iodeto de potássio.......................0,5%...........mande 200g

Use como sal de cozinha para toda a família. Colocar o sal após cozinhar.

DHEA 50mg.................................1 frasco...... importadora – net.

Tomar 1cp 12/12 por 60 dias e depois 1cp ao dia.***

Ácido alfalipoico.........................400mg
Hidroxicitrato ....1.000mg ....120 doses

Tomar 1 dose 3× ao dia.****

Depakote ER (divalproato de sódio)/500mg 1cx

Tomar 1cp jantar por 5 dias, depois 2cp/2 meses. ATENÇÃO NÃO DIRIGIR.*

Sulforafane..................................500mg

Tomar 1cp 3× ao dia. Não parar.**

Extrato seco de *Rosmarinus officinalis* 200mg
Extrato seco de *Ocimum basilicum* 100mg
Extrato seco de *Salvia officinalis* 100mg
Propranolol...................................15mg
EGCG...300mg
Amiloride ....7,5mg.........120 doses

Tomar 1 dose 2× ao dia/4 meses.

Cloreto de metioninium.............1mg/kg
Ácido alfalipoico..........................200mg
CoQ10...75mg
Nicotinamida 100mg
Tiamina...100mg
Acetato de zinco ....42mg (15mg de Zn)
Extrato das sementes do *Silybum marianum* 200mg
Genisteína.....................................125mg ....120 doses

Tomar 1cp 2× ao dia.*

Extrato de curcumina 95%.........500mg
Extrato de *Tanacetum parthenium* 200mg
Extrato de semente de uva (ácido gálico).................................250mg
Piperina..150mg ....90 doses

1 dose 2× ao dia/60 dias.*

Colecalciferol oleosa ....5gts/ 10.000UI 50ml

Tomar 5gts ao dia no desjejum.

Retinol...300mil UI
Vitamin K_2 (MK4)..........................300mcg
Genisteína.....................................250mg
Riboflavina ....150mg 120cps

1cp após o desjejum.

BCG sonicado 1,5ml
Glucana – 10mg/ml.....................5.0ml ....1 frasco 6,5ml (2×)

Agitar e aplicar 0,5ml subcutâneo às 2ª/4ª/6ª feiras/16×. Guardar na geladeira, não no congelador.

Naltrexone 5,0mg
Espironolactona ....2,0mg.........90cp

1cp ao deitar de segunda a sábado.

Melatonina. 20mg sublingual....120cps sublinguais

Use sublingual ao deitar.

Ganoderma lucidum (extrato) ..300mg
Glucana (extrato de *S. cerevisae*)..................................200mg
Fucoidans......................................100mg
Seleno-metionina ....100mg (200mcg Se)
Ácido ascórbico 50mg
EGCG...200mg
Resveratrol....................................200mg ....mande 90 doses

Tomar 1 dose 2× ao dia após as refeições/4 meses.

Depakote ER (divalproato de sódio)/ 500mg..1cx

Tomar 1cp jantar por 5 dias, depois 2cp/4 meses.
ATENÇÃO NÃO DIRIGIR.

Extrato fluido de Berberina.......400ml
Extrato fluido de Sanguinarina ..75ml
Extrato fluido de *Chelidoneum majus* 150m
Extrato fluido de *Chenopodium ambrosioides*.......100ml ....1 frasco

Tomar 1 medida de 5ml (= 500mg) em um pouco de água 3× ao dia, após as refeições.

Metformina em creme pentravam.....................................350mg de metformina
Vitamina B_{12} ....200mcg......120 doses

Usar 1 pump 3×/dia na pele mais fina da coxa ou braço ou pescoço ou abdome. Faça rodízio.*

Luteolina 90mg
Apigenina......................................60mg..........180 doses/2 meses

Abra a cápsula e coloque embaixo da língua 2× ao dia. Espere absorver.*

Cloreto de lítio ....300mg ....120 doses

Tomar 1dose 3× ao dia.

Extrato de *Scutellaria baicalensis*....................................250mg
Extrato de *Boswellia serrata* 200mg
Extrato de *Nigella sativa* 250mg
Extrato de alcaçuz.......................100mg
Extrato de casca de cítricos (hesperidina)..............................150mg
Vitamina K_1 ....200mcg......120 doses

Tomar 1 dose após almoço e jantar.

Óleo de peixe ômega-3 (DHA/EPA na proporção 3/2) ....1 vidro

Tomar 1cp após desjejum, almoço e jantar.

Artemisinina tintura..................300ml

Tomar 3ml em um pouco de água 3× ao dia 7 dias sim/7 dias não.

Extrato seco de folhas de *Annona muricata*........................1.000mg ....120 doses

Tomar 1 dose 3× ao dia.*

Óleo de borago/boragem...........1.000mg ....1 frasco

Tomar 1cp 3× ao dia.*

Aumentar a ingestão de:

1. Muito importante aumentar a ingestão de: **Sulforafane:** brócolis, couve-de-bruxelas, sementes da mostarda, couve-manteiga, mostarda, agrião, couve-flor, rábano (*horse-radish*), nabo e rabanete.
2. **Antocianinas:** amoras, cerejas, framboesas, morangos, groselhas, uvas roxas, mirtilo e vinho tinto. A porção de 100g de frutas vermelhas contém 400 a 500mg de antocianinas. Outras fontes: açaí, repolho roxo, *Oryza sativa* (arroz negro), uva negra, soja negra, feijão preto, batata roxa, batata-doce, cebola roxa, beterraba e milho vermelho.
3. **Indol-3-carbinol (DIM):** vegetais crucíferos como couve, brócolis, couve-flor e couve-de-bruxelas.

CAPÍTULO 194

Carcinoma neuroendócrino. ESTRATÉGIAS

José de Felippe Junior

ATENÇÃO: Não comece as fórmulas na dose prescrita e todas elas de uma vez. Comece com 3 fórmulas apenas e acrescente 1 fórmula a cada 3 dias. Se estiver prescrito 3× ao dia use 2×, se 2× ao dia use 1× e se 1× ao dia mantenha. Pode tirar das cápsulas e colocar em suco espesso (ex., mamão, abacate), exceto o iodo e o óleo de amêndoas (benzaldeído). Faça pausa aos domingos. Em 30-40 dias tome como prescrito. Se sintomas de gastrite: parar por 3 a 5 dias todas as fórmulas e use folha de couve batida com água no liquidificador: ½ copo 3× ao dia, guaçatonga (*Casearia sylvestris)* 1 colher das de sobremesa em meio copo de água 3× ao dia, espinheira-santa ou Sucrafilm em envelopes de 2g 3× ao dia. Não use omeprazol e correlatos.

Pancreatina.................................500mg ....mande 120 cápsulas entéricas

Tomar: 1 cápsula no meio do desjejum
1 cápsula no meio do almoço
1 cápsula no meio do jantar

Não parar

Tomar banhos de Sol 3×/semana: 15-30 minutos entre 11 e 14 horas. Ficar sem tomar banho por 1 hora.

Atividade física: andar passo firme 30'dia/3-4×/semana. Natação. Hidroginástica com carga. Musculação com aumento de peso gradativo. Musculação.

Forrar com manta térmica de alumínio (casa de material de construção):

1. entre o estrado da cama e o colchão da cabeceira aos pés;
2. embaixo do sofá onde assiste televisão; e
3. embaixo da cadeira do escritório.

Tudo isso para se livrar de radiações de pequena amplitude e baixa frequência que emanam da Terra: Zona Geopatogênica e de radiações provenientes de lençóis freáticos ou mananciais subterrâneos.

Todos os dias tomar água estruturada e hidrogenada assim preparada:

Fosfato bibásico de magnésio: 25mg, carbonato de magnésio: 10mg, sulfato de magnésio: 10mg, cloreto de magnésio: 10mg, cloreto de potássio: 10mg, hipossulfito de sódio: 10mg, sulfato de cálcio: 30mg, bicarbonato de potássio: 20mg, citrato de sódio: 25,0mg, dióxido de silício: 40mg..........mande 60 doses.

Colocar 1 dose em 1 litro de água mineral pobre em flúor e em garrafa de vidro, nunca em PET. O ideal é usar osmose reversa ou água destilada.

Usar essa água em hidrogenador portátil que forneça potencial de oxidorredução (ORP) mais negativo do que –450mv. Beber 1.000 a 1.500ml durante o dia. Não parar.

O hidrogenador de água portátil deve produzir ORP –450 ou mais negativo: Aliexpress, Mercado livre.

Não comer: carne vermelha, de frango, de porco e de cordeiro. Peixe e ovos podem.

Não ingerir: leite e derivados proteicos do leite. Manteiga, creme de leite e chantili podem.

Carboidratos: ingerir apenas alimentos de índice glicêmico < 60, TABELA. Não abusar da quantidade.

Frutas: ingerir no máximo 25g/frutose/dia, TABELA.

Withaferin A 400mg
Oxalato de escitalopram ....10mg..........60cps

Tomar 1cp no desjejum e almoço.

Trimetilglicina.............................100mg
L-taurina 100mg
Myo-inositol.................................100mg
Óxido de silício
inorgânico (SiO_2).........................80mg..........60 doses

Tomar 1 dose 30 minutos antes do desjejum, 2 horas após o almoço, sempre com o estômago vazio. Não repetir.

Não abusar do sódio. Use o sal de Karpanen com baixo teor de Na^+ e alto de K^+ e Mg^+

Cloreto de sódio..........................40,0%
Cloreto de potássio.....................35,0%
Sulfato de magnésio 22,5%
L-lisina 2,0%

Iodeto de potássio........................0,5%...........mande 200g

Use como sal de cozinha para toda família. Colocar o sal após cozinhar.

DHEA 50mg................................1 frasco importadora – net.

Tomar 1cp 12/12 por 60 dias e depois 1cp ao dia.***

Ácido alfalipoico..........................400mg
Hidroxicitrato ....1.000mg ....120 doses

Tomar 1 dose 3× ao dia.****

Depakote ER (divalproato de sódio)/ 500mg..1cx

Tomar 1cp ao jantar por 5 dias, depois 2cp/2 meses. ATENÇÃO NÃO DIRIGIR.*

Sulforafane..................................500mg

Tomar 1cp 2× ao dia. Não parar.**

Extrato seco de *Rosmarinus officinalis*......................................300mg
Extrato seco de *Ocimum basilicum*......................................100mg
Extrato seco de *Salvia officinalis*......................................100mg
Propranolol...................................15mg
Amiloride ....7,5mg.........120 doses

Tomar 1 dose 2× ao dia/4 meses.

Cloreto de metioninium............1mg/kg
Ácido alfalipoico..........................200mg
CoQ10..75mg
Nicotinamida 100mg
Tiamina...100mg
Acetato de zinco ....42mg (15mg de Zn)
Extrato das sementes do *Silybum marianum* 200mg
Genisteína....................................125mg 120doses

Tomar 1cp 2× ao dia.

Extrato de curcumina 95%........500mg
Extrato de *Tanacetum parthenium* 200mg
Extrato de semente de uva (ácido gálico)................................250mg
Piperina..150mg ....90 doses

1 dose 2× ao dia/4 meses.*

Colecalciferol oleosa ....5gts/ 10.000UI 50ml

Tomar 5gts ao dia no desjejum.

Retinol..300mil UI
Vitamina K_2 (MK4) 300mcg
Genisteína....................................250mg
Riboflavina ....150mg 120cps

1cp após o desjejum.

BCG sonicado 1,5ml
Glucana – 10mg/ml.....................5,0ml ....1 frasco 6,5ml (2x)

Agitar e aplicar 0,5ml subcutâneo às 2ª/4ª/6a feiras/16×. Guardar na geladeira, não no congelador.

Naltrexone 5,0mg
Espironolactona...........................2,0mg.........90cp

1cp ao deitar de segunda a sábado.

Melatonina. 20mg sublingual....120cps sublinguais

Use sublingual ao deitar.

Ganoderma lucidum (extrato) ..300mg
Glucana (extrato de *S. cerevisae*)..................................200mg
Fucoidans.....................................100mg
Seleno-metionina ....100mg (200mcg Se)
Ácido ascórbico 50mg
EGCG...200mg
Resveratrol...................................200mg ....mande 90 doses

Tomar 1 dose 2× ao dia após as refeições/4 meses.

Extrato fluido de Berberina.......400ml
Extrato fluido de Sanguinarina ..75ml
Extrato fluido de *Chelidoneum majus* 150m
Extrato fluido de *Chenopodium ambrosioides*.......100ml ....1 frasco

Tomar 1 medida de 5ml (= 500mg) em um pouco de água 3× ao dia, após as refeições.

Metformina em creme pentravam...................................350mg de metformina
Vitamina B_{12} ....200mcg......120 doses

Usar 1 pump 3×/dia na pele mais fina da coxa ou braço ou pescoço ou abdome. Faça rodízio.*

Luteolina 90mg
Apigenina.....................................60mg..........180 doses/ 2 meses

Abra a cápsula e coloque embaixo da língua 2× ao dia. Espere absorver.*

Cloreto de lítio ....300mg ....120 doses

Tomar 1 dose 3× ao dia.

Extrato de *Scutellaria baicalensis* 250mg
Extrato de *Boswellia serrata* 200mg
Extrato de *Nigella sativa* 250mg
Extrato de alcaçuz.......................100mg

Extrato da casca de cítricos (hesperidina)..............................150mg ......120 doses

Tomar 1 dose após o almoço e jantar.*

Óleo de peixe ômega-3 (DHA/EPA na proporção 3/2) ....1 vidro

Tomar 1cp após desjejum, almoço e jantar.

Óleo de borago/boragem...........1.000mg ....1 frasco

Tomar 1cp 3× ao dia.*

Artemisinina tintura 300ml

Tomar 3ml em um pouco de água 3× ao dia 7 dias sim/7 dias não.

Extrato seco de folhas de *Annona muricata* ....1.000mg ....120 doses

Tomar 1 dose 2× ao dia.*

Aumentar a ingestão de:

1. Muito importante aumentar a ingestão de **Sulforafane:** brócolis, couve-de-bruxelas, sementes da mostarda, couve-manteiga, mostarda, agrião, couve-flor, rábano (*horse-radish*), nabo e rabanete.
2. **Antocianinas:** amoras, cerejas, framboesas, morangos, groselhas, uvas roxas, mirtilo e vinho tinto. A porção de 100g de frutas vermelhas contém 400 a 500mg de antocianinas. Outras fontes: açaí, repolho roxo, *Oryza sativa* (arroz negro), uva negra, soja negra, feijão preto, batata roxa, batata-doce, cebola roxa, beterraba e milho vermelho.
3. **Apigenina:** molho de tomate adventista ou italiano, salsa, aipo.
4. **Inositol-6-fosfato – IP-6:** maiores concentrações no farelo de arroz e nas sementes ou farinha do gergelim, semente de abóbora, sementes de oleaginosas, linhaça, sementes de chia, amêndoas, castanha-do-pará, farelo de trigo e de centeio, milho e soja. Farelo de arroz: uma colher das de sopa em dias alternados.
5. **Isotiocianatos (Sulforafane e irmãos):** brócolis, couve-de-bruxelas, sementes de mostarda, couve-manteiga, mostarda, agrião, couve-flor, rábano (*horse-radish*), nabo e rabanete.
6. **Indol-3-carbinol (DIM):** vegetais crucíferos como couve, brócolis, couve-flor e couve-de-bruxelas.

CAPÍTULO 195

Câncer de endométrio. ESTRATÉGIAS

José de Felippe Junior

ATENÇÃO: Não comece as fórmulas na dose prescrita e todas elas de uma vez. Comece com 3 fórmulas apenas e acrescente 1 fórmula a cada 3 dias. Se estiver prescrito 3× ao dia use 2×, se 2× ao dia use 1× e se 1× ao dia mantenha. Pode tirar das cápsulas e colocar em suco espesso (ex., mamão, abacate), exceto o iodo e o óleo de amêndoas (benzaldeído). Faça pausa aos domingos. Em 30-40 dias tome como prescrito. Se sintomas de gastrite: parar por 3 a 5 dias todas as fórmulas e use folha de couve batida com água no liquidificador: ½ copo 3× ao dia, guaçatonga (*Casearia sylvestris)* 1 colher das de sobremesa em meio copo de água 3× ao dia, espinheira-santa ou Sucrafilm em envelopes de 2g 3× ao dia. Não use omeprazol e correlatos.

DHEA sempre que DHEA-sulfato for menor do que 150mcg/dl

Tomar banhos de Sol 3×/semana: 15-30 minutos entre 11 e 14 horas. Ficar sem tomar banho por 1 hora.

Atividade física: andar passo firme 30'dia/3-4×/semana. Natação. Hidroginástica com carga. Musculação com aumento de peso gradativo. Musculação.

Forrar com manta térmica de alumínio (casa de material de construção):

1. entre o estrado da cama e o colchão da cabeceira aos pés;
2. embaixo do sofá onde assiste televisão; e
3. embaixo da cadeira do escritório.

Tudo isso para se livrar de radiações de pequena amplitude e baixa frequência que emanam da Terra: Zona Geopatogênica e de radiações provenientes de lençóis freáticos ou mananciais subterrâneos.

Todos os dias tomar água estruturada e hidrogenada assim preparada:

Fosfato bibásico de magnésio: 25mg, carbonato de magnésio: 10mg, sulfato de magnésio: 10mg, cloreto de magnésio: 10mg, cloreto de potássio: 10mg, hipossulfito de sódio: 10mg, sulfato de cálcio: 30mg, bicarbonato de potássio: 2.060mgmg, citrato de sódio: 25,0mg, dióxido de silício: 40mg.........mande 60 doses

Colocar 1 dose em 1 litro de água mineral pobre em flúor e em garrafa de vidro, nunca em PET. O ideal é usar osmose reversa ou água destilada.

Usar essa água em hidrogenador portátil que forneça potencial de oxidorredução (ORP) mais negativo do que –450mv. Beber 1.000 a 1.500ml durante o dia. Não parar.

O hidrogenador de água portátil deve produzir ORP –450mv ou mais negativo: Aliexpress, Mercado livre.

Não comer: carne vermelha, frango, porco e cordeiro. Peixe e ovos podem.

Não ingerir: leite e derivados proteicos do leite. Manteiga, creme de leite e chantili podem.

Carboidratos: ingerir apenas alimentos de índice glicêmico < 60, TABELA. Não abuse da quantidade.

Frutas: ingerir no máximo 25g/frutose/dia, TABELA.

Withaferin A 400mg
Oxalato de escitalopram ....10mg..........60cps

Tomar 1cp no desjejum e almoço.

Trimetilglicina............................100mg
L-taurina 100mg
Myo-inositol...............................100mg
Óxido de silício
inorgânico (SiO_2).......................80mg..........60 doses

Tomar 1 dose 30 minutos antes do desjejum, 2 horas após o almoço, sempre com o estômago vazio. Não repetir.

Não abusar do sódio. Use o sal de Karpanen com baixo teor de sódio e alto em potássio e magnésio para polarizar a membrana celular.

Cloreto de sódio.........................40,%
Cloreto de potássio....................35,0%
Sulfato de magnésio 22,5%
L-lisina 2,0%
Iodeto de potássio......................0,5%...........mande 250g

Use como sal de cozinha para toda a família. Colocar o sal após cozinhar.

Extrato seco de *Rosmarinus officinalis*..................................300mg
Extrato seco de *Ocimum basilicum*....................................100mg
Extrato seco de *Salvia officinalis*....................................100mg
Amiloride ....7,5mg........120 doses
Tomar 1 dose 2× ao dia/4 meses.

Cloreto de metioninium...........1mg/kg
Ácido alfalipoico.......................200mg
CoQ10...75mg
Nicotinamida..............................100mg
Tiamina.......................................100mg
Acetato de zinco ....42mg (15mg de Zn)
Extrato das sementes do *Silybum marianum*.....................200mg
Genisteína...................................125mg ....120 doses
Tomar 1cp 2× ao dia.

Extrato de curcumina 95%........500mg
Extrato de *Tanacetum parthenium*.................................200mg
Extrato de semente de uva (ácido gálico)...............................250mg
Piperina..150mg ....90 doses
1 dose 2× ao dia/60 dias.

Extrato de curcumina 95%........500mg
Genisteína....................................125mg
Ácido gálico.................................250mg
Extrato das sementes do *Sylibum marianum* 200mg
Piperina..200mg ....120 doses
1 dose 2× ao dia/60 dias.
Colecalciferol oleosa 5gts/10.000UI
Tomar 5gts ao dia no desjejum.

Retinol..300mil UI
Vitamina K_1 ....200mcg
Genisteína....................................250mg
Riboflavina ....150mg 120cps
1cp após o desjejum.

BCG sonicado 1,5ml
Glucana – 10mg/ml....................5.0ml ....1 frasco
6,5ml (2×)
Agitar e aplicar 0,5ml subcutâneo às 2ª/4ª/6ª feiras/16×.
Guardar na geladeira, não no congelador.

Naltrexone 5,0mg
Espironolactona..........................2,0mg.........90cp
1cp ao deitar de segunda a sábado.

Melatonina. 20mg sublingual....120cps sublinguais
Abra a pequena cápsula e coloque embaixo da língua ao deitar.

Ganoderma lucidum (extrato) ..300mg
Glucana (extrato de *S. cerevisae*)...................................200mg
Fucoidans.....................................100mg
Seleno-metionina ....100mg (200mcg Se)
Ácido ascórbico 50mg
EGCG...200mg
Resveratrol...................................200mg ....mande 90 doses
Tomar 1 dose 3× ao dia após as refeições/4 meses.

Depakote ER (divalproato de sódio)/ 500mg..1cx
Tomar 1cp no jantar por 5 dias e depois 2cp no jantar por 4 meses. ATENÇÃO NÃO DIRIGIR.

Extrato fluido de Berberina.......400ml
Extrato fluido de Sanguinarina..75ml
Extrato fluido de *Chelidoneum majus* 150ml
Extrato fluido de *Chenopodium ambrosioides*.......100ml ....1 frasco
Tomar 1 medida de 5ml (= 500mg) em um pouco de água 3× ao dia, após as refeições.
Metformina em creme pentravam......................................350mg de metformina
Vitamina B_{12} ....200mcg......180 doses
Usar 1 pump 3×/dia na pele mais fina da coxa ou braço ou pescoço ou abdome. Faça rodízio.

Luteolina.......................................90mg.........180 doses
Apigenina.......................................60mg
Abra a cápsula e coloque embaixo da língua 2× ao dia. Espere absorver.
Nota: não colocar excipiente.

Iodo molecular (I2).........................45mg..........120 doses
Tomar 1 dose após o almoço e após o jantar/4 meses. Cápsulas escuras. Não tirar das cápsulas.

Extrato de *Scutellaria baicalensis*....................................250mg
Extrato de *Nigella sativa* 250mg
Extrato de alcaçuz..........................100mg
Extrato da casca de cítricos (hesperidina)...............................150mg ....120 doses
Tomar 1 dose após o almoço e o jantar.

Óleo de peixe superômega-3 (3/2 de DHA/EPA) 1.000/1.400mg
Tomar 1cp 3× ao dia/4 meses.

Artemisinina tintura 300ml

Tomar 3ml em um pouco de água 3× ao dia 7 dias sim/7 dias não.

DIM...500mg 120cp

Tomar 1cp após as duas refeições principais

Aumentar a ingestão de:

1. **Importante: Isotiocianatos (Sulforafane e irmãos):** brócolis, couve-de-bruxelas, sementes da mostarda, couve-manteiga, mostarda, agrião, couve-flor, rábano (*horse-radish*), nabo e rabanete.
2. **Importante: Indol-3-carbinol (DIM):** vegetais crucíferos como couve, brócolis, couve-flor e couve-de-bruxelas.
3. **Antocianinas:** amoras, cerejas, framboesas, morangos, groselhas, uvas roxas, mirtilo e vinho tinto. A porção de 100g de frutas vermelhas contém 400 a 500mg de antocianinas. Outras fontes: açaí, repolho roxo, *Oryza sativa* (arroz negro), uva negra, soja negra, feijão preto, batata roxa, batata-doce, cebola roxa, beterraba e milho vermelho.
4. **Apigenina:** molho de tomate adventista ou italiano, salsa, aipo.
5. **Inositol- 6-fosfato – IP-6:** maiores concentrações no farelo de arroz e nas sementes ou farinha do gergelim, semente de abóbora, sementes de oleaginosas, linhaça, sementes de chia, amêndoas, castanha-do-pará, farelo de trigo e de centeio, milho e soja. Farelo de arroz: uma colher das de sopa em dias alternados.

CAPÍTULO 196

Câncer de colo uterino. ESTRATÉGIAS

José de Felippe Junior

ATENÇÃO: Não comece as fórmulas na dose prescrita e todas elas de uma vez. Comece com 3 fórmulas apenas e acrescente 1 fórmula cada 3 dias. Se estiver prescrito 3× ao dia use 2×, se 2× ao dia use 1× e se 1× ao dia mantenha. Pode tirar das cápsulas e colocar em suco espesso (ex., mamão, abacate), exceto o iodo e o óleo de amêndoas (benzaldeído). Faça pausa aos domingos. Em 30-40 dias tome como prescrito. Se sintomas de gastrite: parar por 3 a 5 dias todas as fórmulas e use folha de couve batida com água no liquidificador: ½ copo 3× ao dia, guaçatonga (*Casearia sylvestris)* 1 colher das de sobremesa em meio copo de água 3× ao dia, espinheira-santa ou Sucrafilm em envelopes de 2g 3× ao dia. Não use omeprazol e correlatos.

DHEA se DHEA-sulfato inferior a 150mcg/dl.

Tomar banhos de Sol 3×/semana: 15-30 minutos entre 11 e 14 horas. Ficar sem tomar banho por 1 hora.

Atividade física: andar passo firme 30'dia/3-4×/semana. Natação. Hidroginástica com carga. Musculação com aumento de peso gradativo. Musculação.

Forrar com manta térmica de alumínio (casa de material de construção):

1. entre o estrado da cama e o colchão da cabeceira aos pés;
2. embaixo do sofá onde assiste televisão; e
3. embaixo da cadeira do escritório.

Tudo isso para se livrar de radiações de pequena amplitude e baixa frequência que emanam da Terra: Zona Geopatogênica e de radiações provenientes de lençóis freáticos ou mananciais subterrâneos.

Todos os dias tomar água estruturada e hidrogenada assim preparada:

Fosfato bibásico de magnésio: 25mg, carbonato de magnésio: 10mg, sulfato de magnésio: 10mg, cloreto de magnésio: 10mg, cloreto de potássio: 10mg, hipossulfito de sódio: 10mg, sulfato de cálcio: 30mg, bicarbonato de potássio: 20mg, citrato de sódio: 25,0mg, dióxido de silício: 40mg.........mande 60 doses.

Colocar 1 dose em 1 litro de água mineral pobre em flúor e em garrafa de vidro, nunca em PET. O ideal é usar osmose reversa ou água destilada.

Usar essa água em hidrogenador portátil que forneça potencial de oxidorredução (ORP) mais negativo do que –450mv. Beber 1.000 a 1.500ml durante o dia. Não parar.

O hidrogenador de água portátil deve produzir ORP –450mv ou mais negativo: Aliexpress, Mercado livre.

Não comer: carne vermelha, frango, porco e cordeiro. Peixe e ovos podem.

Não ingerir: leite e derivados proteicos do leite. Manteiga, creme de leite e chantili podem.

Carboidratos: ingerir apenas alimentos de índice glicêmico < 60 e sal baixo, TABELA. Não abuse da quantidade.

Frutas: ingerir no máximo 25g/frutose/dia, TABELA.

Withaferin A 400mg
Extrato de folhas do neem.........400mg
Oxalato de escitalopram ....10mg..........60cps

Tomar 1cp no desjejum e almoço.

Trimetilglicina............................100mg
L-taurina....................................100mg
Myo-inositol...............................100mg
Óxido de silício
inorgânico (SiO_2).......................80mg..........60 doses

Tomar 1 dose 30 minutos antes do desjejum, 2 horas após o almoço, sempre com o estômago vazio. Não repetir.

Não abusar do sódio. Use o sal de Karpanen com baixo teor de sódio e alto em potássio e magnésio para polarizar a membrana celular.

Cloreto de sódio..........................40,0%
Cloreto de potássio.....................35,0%
Sulfato de magnésio 22,5%
L-lisina 2,0%

Iodeto de potássio......................0,5%..........mande 250g

Use como sal de cozinha para toda a família. Colocar o sal após cozinhar.

Extrato seco de *Rosmarinus officinalis*....................................300mg
Extrato seco de *Ocimum basilicum*.................................... 100mg
Extrato seco de *Salvia officinalis*....................................100mg
Amiloride ....7,5mg.........120 doses

Tomar 1 dose 2× ao dia/4 meses.

Cloreto de metioninium...........1mg/kg
Ácido alfalipoico........................200mg
CoQ10..75mg
Nicotinamida 100mg
Tiamina.......................................100mg
Acetato de zinco ....42mg (15mg de Zn)
Extrato das sementes do *Silybum marianum* 200mg
Genisteína..................................125mg ....120 doses

Tomar 1cp 2× ao dia.

Extrato de curcumina 95%........500mg
Extrato de *Tanacetum parthenium* 200mg
Extrato de semente de uva (ácido gálico).............................250mg
Piperina.......................................150mg ....120 doses

1 dose 2× ao dia/60 dias.

Óleo de borago..........................1.000mg 120cps

Tomar 1cp 3× ao dia.

Óleo de peixe. DHA/ EPA a 3/2 ....1.000/1.400mg..120cps

Tomar 1cp após desjejum, almoço e jantar.

Mistura básica de Budwig
Óleo LLC (1 parte/linhaça + 2 partes/coco)............................1 colher de sopa
Queijo Cottage...........................1/2 a 1 xícara

Use o mix Budwig com frutas picadas etc. Tome duas a três colheres das de sopa do óleo LLC ao dia/4 meses, ou somente o óleo de linhaça prensado a frio.
Melhor é a mistura linhaça 1 parte/coco 2 partes.

Nota: óleo de linhaça e de coco devem ser prensados a frio. Cottage: único tipo de queijo permitido.

Colecalciferol oleosa 5gts/10.000UI

Tomar 5gts ao dia no desjejum.

Retinol..300mil UI
Vitamina K_1 ....200mcg
Genisteína..................................250mg
Riboflavina ....150mg 120cps

1cp após o desjejum.

BCG sonicado 1,5ml
Glucana – 10mg/ml...................5,0ml ....1 frasco 6,5ml (2×)

Agitar e aplicar 0,5ml subcutâneo às 2ª/4ª/6ª feiras/16×. Guardar na geladeira, não no congelador.

Naltrexone 5,0mg
Espironolactona.........................2,0mg.........90cp

1cp ao deitar de segunda a sábado.

Melatonina. 20mg sublingual....120cps sublinguais

Abra a pequena cápsula e coloque embaixo da língua ao deitar.

Ganoderma lucidum (extrato) ..300mg
Glucana (extrato de *S. cerevisae*)................................200mg
Fucoidans...................................100mg
Seleno-metionina ....100mg (200mcg Se)
Ácido ascórbico 50mg
EGCG...200mg
Resveratrol.................................200mg ....mande 90 doses

Tomar 1 dose 2× ao dia após as refeições/4 meses.

Depakote ER (divalproato de sódio)/ 500mg..1cx

Tomar 1cp no jantar por 5 dias e depois 2cp no jantar por 4 meses. **ATENÇÃO NÃO DIRIGIR.**

Extrato fluido de Berberina.......400ml
Extrato fluido de Sanguinarina..75ml
Extrato fluido de *Chelidoneum majus*..................150ml
Extrato fluido de *Chenopodium ambrosioides*.......100ml ....1 frasco

Tomar 1 medida de 5ml (= 500mg) em pouco de água 3× ao dia, após as refeições.

Metformina em creme pentravam...............................350mg de metformina
Vitamina B_{12}.............................200mcg......180 doses

Usar 1 pump 3×/dia na pele mais fina da coxa ou braço ou pescoço ou abdome. Faça rodízio.

Luteolina 90mg
Apigenina...................................60mg..........180 doses

Abra a cápsula e coloque embaixo da língua 2× ao dia. Espere absorver.
Nota: não colocar excipiente.

Iodo molecular (I2)....................40mg..........120 doses

Tomar 1 dose após o almoço e após o jantar/4 meses. Cápsulas escuras. Não tirar das cápsulas.

Extrato de *Scutellaria baicalensis*....................................250mg
Extrato de *Nigella sativa*............250mg
Extrato de alcaçuz.......................100mg
Extrato da casca de cítricos (hesperidina)..............................150mg
Rutina..75mg..........120 doses

Tomar 1 dose após o almoço e jantar.

Artemisinina tintura.................300ml

Tomar 3ml em um pouco de água 3× ao dia 7 dias sim/7 dias não.

Aumentar a ingestão de:

1. **Isotiocianatos (Sulforafane e irmãos):** brócolis, couve-de-bruxelas, sementes da mostarda, couve manteiga, mostarda, agrião, couve-flor, rábano (*horse-radish*), nabo e rabanete.
2. **Indol-3-carbinol (DIM):** vegetais crucíferos como couve, brócolis, couve-flor e couve-de-bruxelas.
3. **Antocianinas:** amoras, cerejas, framboesas, morangos, groselhas, uvas roxas, mirtilo e vinho tinto. A porção de 100g de frutas vermelhas contém 400 a 500mg de antocianinas. Outras fontes: açaí, repolho roxo, *Oryza sativa* (arroz negro), uva negra, soja negra, feijão preto, batata roxa, batata-doce, cebola roxa, beterraba e milho vermelho.
4. **Apigenina:** molho de tomate adventista ou italiano, salsa, aipo.
5. **Inositol-6-fosfato – IP-6**: maiores concentrações no farelo de arroz e nas sementes ou farinha do gergelim, semente de abóbora, sementes de oleaginosas, linhaça, sementes de chia, amêndoas, castanha-do-pará, farelo de trigo e de centeio, milho e soja. Farelo de arroz: uma colher das de sopa em dias alternados.

CAPÍTULO 197

Câncer de ovário. ESTRATÉGIAS

José de Felippe Junior

ATENÇÃO: Não comece as fórmulas na dose prescrita e todas elas de uma vez. Comece com 3 fórmulas apenas e acrescente 1 fórmula a cada 3 dias. Se estiver prescrito 3× ao dia use 2×, se 2× ao dia use 1× e se 1× ao dia mantenha. Pode tirar das cápsulas e colocar em suco espesso (ex., mamão, abacate), exceto o iodo e o óleo de amêndoas (benzaldeído). Faça pausa aos domingos. Em 30-40 dias tome como prescrito. Se sintomas de gastrite: parar por 3 a 5 dias todas as fórmulas e use folha de couve batida com água no liquidificador: ½ copo 3× ao dia, guaçatonga (*Casearia sylvestris*) 1 colher das de sobremesa em meio copo de água 3× ao dia, Espinheira santa ou Sucrafilm em envelopes de 2g 3× ao dia. Não use omeprazol e correlatos.

DHEA: prescrever sempre se DHEA-sulfato abaixo de 150mcg/dl.

Tomar banhos de Sol 3×/semana: 15-30 minutos entre 11 e 14 horas. Ficar sem tomar banho por 1 hora.

Atividade física: andar passo firme 30'dia/3-4×/semana. Natação. Hidroginástica com carga. Musculação com aumento de peso gradativo. Musculação.

Forrar com manta térmica de alumínio (casa de material de construção):

1. entre o estrado da cama e o colchão da cabeceira aos pés;
2. embaixo do sofá onde assiste televisão; e
3. embaixo da cadeira do escritório.

Tudo isso para se livrar de radiações de pequena amplitude e baixa frequência que emanam da Terra: Zona Geopatogênica e de radiações provenientes de lençóis freáticos ou mananciais subterrâneos.

Todos os dias tomar água estruturada e hidrogenada assim preparada:

Fosfato bibásico de magnésio: 25mg, carbonato de magnésio: 10mg, sulfato de magnésio: 10mg, cloreto de magnésio: 10mg, cloreto de potássio: 10mg, hipossulfito de sódio: 10mg, sulfato de cálcio: 30mg, bicarbonato de potássio: 20mg, citrato de sódio: 25,0mg, dióxido de silício: 40mg..........mande 60 doses

Colocar 1 dose em 1 litro de água mineral pobre em flúor e em garrafa de vidro, nunca em PET. O ideal é usar osmose reversa ou água destilada.

Usar essa água em hidrogenador portátil que forneça potencial de oxidorredução (ORP) mais negativo do que –450mv. Beber 1.000 a 1.500ml durante o dia. Não parar.

O hidrogenador de água portátil deve produzir ORP –450 ou mais negativo: Aliexpress, Mercado livre.

Não comer: carne vermelha, de frango, de porco e de cordeiro. Peixe e ovos podem.

Não ingerir: leite e derivados proteicos do leite. Manteiga, creme de leite e chantili podem.

Carboidratos: ingerir apenas alimentos de Índice Glicêmico < 60, TABELA. Não abuse da quantidade.

Frutas: ingerir no máximo 25g/frutose/dia, TABELA.

Withaferin A 400mg
Oxalato de escitalopram ....10mg..........60cps

Tomar 1cp no desjejum e almoço.

Osmólitos estruturadores do citoplasma e água corporal

Trimetilglicina............................100mg
L-taurina....................................100mg
Myo-inositol...............................100mg
Óxido de silício
inorgânico (SiO_2)........................80mg..........60 doses

Tomar 1 dose 30 minutos antes do desjejum, 2 horas após o almoço, sempre com o estômago vazio. Não repetir.

Não abusar do sódio. Use o sal de Karpanen com baixo teor de sódio e alto em potássio e magnésio para polarizar a membrana celular.

Cloreto de sódio..........................40,0%
Cloreto de potássio.....................35,0%
Sulfato de magnésio 22,5%
L-lisina 2,0%

Iodeto de potássio.......................0,5%...........mande 250g
Use como sal de cozinha para toda a família. Colocar o sal após cozinhar.
Extrato seco de *Rosmarinus officinalis*....................................300mg
Extrato seco de *Ocimum basilicum*....................................100mg
Extrato seco de *Salvia officinalis*....................................100mg
Amiloride ....7,5mg.........120 doses
Tomar 1 dose 2× ao dia/4 meses.

Cloreto de metioninium...........1mg/kg
Ácido alfalipoico.........................200mg
CoQ10...75mg
Nicotinamida 100mg
Tiamina...100mg
Acetato de zinco ....42mg (15mg de Zn)
Extrato das sementes do *Silybum marianum*....................200mg
Genisteína.....................................125mg ....120 doses
Tomar 1cp 2× ao dia.

Extrato de curcumina 95%........500mg
Extrato de *Tanacetum parthenium*...............................200mg
Extrato de semente de uva (ácido gálico)..............................250mg
Piperina...150mg ....120 doses
1 dose 2× ao dia/60 dias.
Extrato seco de folhas de *Annona muricata*.......................1.000mg ....120 doses
Tomar 1 dose 3× ao dia.**

DIM 500mg...................................120cp
Tomar 1cp após as duas refeições principais.**

Colecalciferol oleosa ....5gts/ 10.000UI 50ml
Tomar 5gts ao dia no desjejum.

Retinol..300mil UI
Vitamina K_2 (MK4) 300mcg
Genisteína.....................................250mg
Riboflavina ....150mg 120cps
1cp após o desjejum.

BCG sonicado 1,5ml
Glucana – 10mg/ml.....................5.0ml ....1 frasco 6,5ml (2×)
Agitar e aplicar 0,5ml subcutâneo às 2ª/4ª/6ª feiras/16×. Guardar na geladeira, não no congelador.

Naltrexone 5,0mg
Espironolactona ....2,0mg.........90cp
1cp ao deitar de segunda a sábado.

Melatonina. 20mg sublingual....120cps sublinguais
Use sublingual ao deitar.
Ganoderma lucidum (extrato) ..300mg
Glucana (extrato de *S. cerevisae*)................................200mg
Fucoidans......................................100mg
Seleno-metionina ....100mg (200mcg Se)
Ácido ascórbico 50mg
Resveratrol...................................200mg ....mande 90 doses
Tomar 1 dose 2× ao dia após as refeições/4 meses.

Depakote ER (divalproato de sódio)/ 500mg..1cx
Tomar 1cp jantar por 5 dias, depois 2cp/4 meses. ATENÇÃO NÃO DIRIGIR.

Extrato fluido de Berberina.......400ml
Extrato fluido de Sanguinarina..75ml
Extrato fluido de *Chelidoneum majus*..................150m
Extrato fluido de *Chenopodium ambrosioides*.......100ml ....1 frasco
Tomar 1 medida de 5ml (= 500mg) em um pouco de água 3× ao dia, após as refeições.
Metformina em creme pentravam.................................350mg de metformina
Vitamina B_{12} ....200mcg......180 doses
Usar 1 pump 3×/dia na pele mais fina da coxa ou braço ou pescoço ou abdome. Faça rodízio.

Luteolina 90mg
Apigenina.....................................60mg..........180 doses/ 2 meses
Abra a cápsula e coloque embaixo da língua 2× ao dia. Espere absorver.

Iodo molecular (I2) ....40mg..........120 doses
Tomar 1 dose após o almoço e após o jantar. Cápsulas escuras. Não tirar das cápsulas.

Superômega-3 (3/2 de DHA/EPA).................................1.000/1.440mg
....1 frasco
Tomar 1cp após desjejum, almoço e jantar.

Óleo de borago............................1000mg
Tomar 1cp após desjejum, almoço e jantar.

Picolinato de zinco 300mg
Difosfato de cloroquina 200mg
Piridoxina 20mg

Propranolol.................................15mg.........120 doses

Tomar 1 dose 2× ao dia.

Cloreto de lítio ....300mg ....120 doses

Tomar 1 dose 3× ao dia.

Tintura mãe de *Rhus verniciflua* (*Toxodendrum vermicifluun*) 300ml

Tomar 5ml em um pouco de água 3× ao dia.

Ivermectina ....6mg...........40cps

1cp 12/12 horas de segunda à sexta-feira por 1 mês

Crisina...500mg

Beta-ciclodextrina ....500mg ....120 doses

Tomar 1cp 2× ao dia.

Extrato de *Scutellaria baicalensis*..................................250mg

Extrato de *Nigella sativa* 250mg

Extrato de alcaçuz.......................100mg

Extrato de casca de cítricos (hesperidina)..............................150mg ....120 doses

Tomar 1 dose após desjejum, almoço e jantar.

Artemisinina tintura 300ml

Tomar 3ml em um pouco de água 3× ao dia 7 dias sim/7 dias não.

Aumentar a ingestão de:

1. **Antocianinas:** amoras, cerejas, framboesas, morangos, groselhas, uvas roxas, mirtilo e vinho tinto. A porção de 100g de frutas vermelhas contém 400 a 500mg de antocianinas. Outras fontes: açaí, repolho roxo, *Oryza sativa* (arroz negro), uva negra, soja negra, feijão preto,

batata roxa, batata-doce, cebola roxa, beterraba e milho vermelho.

2. **Apigenina:** molho de tomate adventista ou italiano, salsa, aipo.
3. **Inositol-6-fosfato – IP-6:** maiores concentrações no farelo de arroz e nas sementes ou farinha do gergelim, semente de abóbora, sementes de oleaginosas, linhaça, sementes de chia, amêndoas, castanha-do-pará, farelo de trigo e de centeio, milho e soja. Farelo de arroz: uma colher das de sopa em dias alternados
4. **Isotiocianatos (Sulforafane e irmãos)**: brócolis, couve-de-bruxelas, sementes da mostarda, couve m-nteiga, mostarda, agrião, couve-flor, rábano (*horse-radish*), nabo e rabanete.
5. **Indol-3-carbinol (DIM):** vegetais crucíferos como couve, brócolis, couve-flor e couve-de-bruxelas.
6. **Alanina:** ovo, peixe, lentilha, aspargo, cenoura, abacate, berinjela, beterraba, aveia, cacau, centeio, cevada, coco, avelã, nozes, castanha de caju, castanha-do-pará, milho e feijão.

CAPÍTULO 198

Câncer renal. ESTRATÉGIAS

José de Felippe Junior

ATENÇÃO: Não comece as fórmulas na dose prescrita e todas elas de uma vez. Comece com 3 fórmulas apenas e acrescente 1 fórmula cada 3 dias. Se estiver prescrito 3× ao dia use 2×, se 2× ao dia use 1× e se 1× ao dia mantenha. Pode tirar das cápsulas e colocar em suco espesso (ex., mamão, abacate), exceto o iodo e o óleo de amêndoas (benzaldeído). Faça pausa aos domingos. Em 30-40 dias tome como prescrito. Se sintomas de gastrite: parar por 3 a 5 dias todas as fórmulas e use folha de couve batida com água no liquidificador: ½ copo 3× ao dia, guaçatonga (*Casearia sylvestris*) 1 colher das de sobremesa em meio copo de água 3× ao dia, espinheira-santa ou Sucrafilm em envelopes de 2g 3× ao dia. Não use omeprazol e correlatos.

DHEA: prescrever sempre se abaixo de 150mcg/dl.

Tomar banhos de Sol 3×/semana: 15-30 minutos entre 11 e 14 horas. Ficar sem tomar banho por 1 hora.

Atividade física: andar passo firme 30'dia/3-4×/semana. Natação. Hidroginástica com carga. Musculação com aumento de peso gradativo. Musculação.

Forrar com manta térmica de alumínio (casa de material de construção):

1. entre o estrado da cama e o colchão da cabeceira aos pés;
2. embaixo do sofá onde assiste televisão; e
3. embaixo da cadeira do escritório.

Tudo isso para se livrar de radiações de pequena amplitude e baixa frequência que emanam da Terra: Zona Geopatogênica e de radiações provenientes de lençóis freáticos ou mananciais subterrâneos.

Todos os dias tomar água estruturada e hidrogenada assim preparada:

Fosfato bibásico de magnésio: 25mg, carbonato de magnésio: 10mg, sulfato de magnésio: 10mg, cloreto de magnésio: 10mg, cloreto de potássio: 10mg, hipossulfito de sódio: 10mg, sulfato de cálcio: 30mg, bicarbonato de potássio: 20mg, citrato de sódio: 25,0mg, dióxido de silício: 40mg… mande 60 doses

Colocar 1 dose em 1 litro de água mineral pobre em flúor e em garrafa de vidro, nunca em PET. O ideal é usar osmose reversa ou água destilada.

Usar essa água em hidrogenador portátil que forneça potencial de oxidorredução (ORP) mais negativo do que −450mv. Beber 1.000 a 1.500ml durante o dia. Não parar.

O hidrogenador de água portátil deve produzir ORP −450mv ou mais negativo: Aliexpress, Mercado livre.

Não comer: carne vermelha, frango, porco e cordeiro. Peixe e ovos podem.

Não ingerir: leite e derivados proteicos do leite. Manteiga, creme de leite e chantili podem.

Carboidratos: ingerir apenas alimentos de índice glicêmico < 60, TABELA. Não abuse da quantidade.

Frutas: ingerir no máximo 25g/frutose/dia, TABELA.

Withaferin A 400mg
Oxalato de escitalopram ....10mg..........60cps

Tomar 1cp no desjejum e almoço.

Trimetilglicina............................100mg
L-taurina 100mg
Myo-inositol...............................100mg
Óxido de silício
inorgânico (SiO_2)........................80mg..........60 doses

Tomar 1 dose 30 minutos antes do desjejum, 2 horas após o almoço, sempre com o estômago vazio. Não repetir.

Não abusar do sódio. Use o sal de Karpanen com baixo teor de sódio e alto em potássio e magnésio para polarizar a membrana celular.

Cloreto de sódio..........................40,0%
Cloreto de potássio.....................35,0%
Sulfato de magnésio 22,5%
L-lisina 2,0%
Iodeto de potássio........................0,5%...........mande 250g

Use como sal de cozinha para toda a família. Colocar o sal após cozinhar.

Cloreto de metioninium............1mg/kg
Ácido alfalipoico.........................200mg
CoQ10...75mg
Nicotinamida 100mg
Tiamina..100mg
Acetato de zinco ....42mg (15mg de Zn)
Extrato das sementes do
Silybum marianum ....200mg ....120 doses

Tomar 1cp 2× ao dia.

BCG sonicado.............................1,5ml
Glucana – 10mg/ml.....................5,0ml ....1 frasco
6,5ml (2×)

Agitar e aplicar 0,5ml subcutâneo às 2ª/4ª/6ª feiras/16×. Guardar na geladeira, não no congelador.

Iodo molecular (I2) ....0,75mg mg/kg/dose
120 doses

Tomar 1 dose após o almoço e após o jantar/4 meses. Cápsulas escuras. Não tirar das cápsulas

Pedro não cansegui tirar a linha debaixo
Colecalciferol oleosa 5gts/10.000UI
50ml

Tomar 5gts ao dia no desjejum.

Retinol..300mil UI
Vitamina K_1 ....200mcg
Genisteína...................................250mg
Riboflavina ....150mg 120cps

1cp após o desjejum.

Depakote ER (divalproato de sódio)/500mg
1cx

Tomar 1cp no jantar por 5 dias e depois 2cp no jantar por 4 meses. ATENÇÃO NÃO DIRIGIR.

Naltrexone 5,0mg
Espironolactona..........................2,0mg.........90cp

1cp ao deitar de segunda a sábado.

Metformina em creme pentravam ....350mg de metformina
Vitamina B_{12} ....200mcg......180 doses

Usar 1 pump 3×/dia na pele mais fina da coxa ou braço ou pescoço ou abdome. Faça rodízio dos lugares.

Extrato seco de *Rosmarinus officinalis* 300mg
Extrato seco de *Ocimum basilicum* 100mg
Extrato seco de *Salvia officinalis* ....100mg ....120 doses
Amiloride 7,5mg

Tomar 1 dose 2× ao dia/4 meses.

Óleo de boragem 24%................1.000mg ....1fr.

Tomar 1cp 3× ao dia.

Óleo de peixe ômega-3 (DHA/EPA na proporção 3/2)
....1 vidro

Tomar 1cp após desjejum, almoço e jantar.

Mistura básica de Budwig.***
Óleo LLC (1 parte/linhaça +
2 partes/coco).............................1 colher das de sopa
Queijo Cottage............................1/2 a 1 xícara

Use o mix Budwig com frutas picadas etc. Tome duas a três colheres das de sopa
do óleo LLC ao dia/4 meses, ou somente o óleo de linhaça prensado a frio.
Melhor é a mistura linhaça 1 parte/coco 2 partes.
Nota: óleo de linhaça e de coco devem ser prensados a frio. Cottage: único tipo de queijo permitido.

Carnosina ....1.000mg 120cps

1cp 3× ao dia.

Cimetidina...................................250mg
Acetazolamida.............................200mg

Tomar 1 dose 2× ao dia/4 meses

Difosfato de cloroquina 250mg
Piridoxina 10mg
Picolinato de zinco ....250mg 120cps

Tomar 1cp 2× ao dia.

Extrato de curcumina 95%........500mg
Extrato de *Tanacetum parthenium* 400mg
Extrato de semente de uva
(ácido gálico)..............................250mg
Piperina.......................................150mg ....90 doses

1 dose 2× ao dia.

Ganoderma lucidum (extrato) ..200mg
Glucana (extrato de
S. cerevisae)................................300mg
Seleno-metionina ....100mg (200mcg Se)
Ácido ascórbico 50mg
Resveratrol..................................200mg ....mande 90 doses

Tomar 1 dose 2× ao dia após as refeições/4 meses.

Sulforafane..................................500mg 120cps

Tomar 1cp 3× ao dia.

Cloreto de lítio 300mg

Tomar 1cp 3× ao dia.

Resveratrol..................................300mg
EGCG...300mg
Genisteína...................................250mg 120cp

Tomar 1cp 2× ao dia.

Luteolina..1,7mg/kg/
dose 180doses
Apigenina..60mg

Abra a cápsula e coloque embaixo da língua 2× ao dia. Espere absorver.
Nota: não colocar excipiente.

Melatonina. 20mg sublingual....120cps sublinguais

Abra a pequena cápsula e coloque embaixo da língua ao deitar para dormir.

Extrato de *Scutellaria baicalensis*....................................250mg
Extrato de *Nigella sativa* 400mg
Extrato de alcaçuz.......................100mg
Extrato da casca de cítricos (hesperidina)..............................150mg ....120 doses

Tomar 1 dose após o almoço e o jantar.

Artemisinina tintura.................300ml

Tomar 3ml em um pouco de água 3× ao dia 7 dias sim/7 dias não.

Tintura mãe de *Rhus verniciflua* (*Toxodendrum vermicifluun*).....300ml

Tomar 5ml em um pouco de água 3× ao dia.

Extrato fluido de Berberina.......400ml
Extrato fluido de Sanguinarina.75ml
Extrato fluido de *Chelidoneum majus*..................150ml
Extrato fluido de *Chenopodium ambrosioides*.......100ml ....1 frasco

Tomar 1 medida de 5ml (= 500mg) em pouco de água 3× ao dia, após as refeições.

Aumentar a ingestão de:

1. **Importante. Antocianinas:** amoras, cerejas, framboesas, morangos, groselhas, uvas roxas, mirtilo e vinho tinto. A porção de 100g de frutas vermelhas contém 400 a 500mg de antocianinas. Outras fontes: açaí, repolho roxo, arroz negro, uva negra, soja negra, feijão preto, batata roxa, batata-doce, cebola roxa, beterraba e milho vermelho.
2. **Importante. Isotiocianatos (Sulforafane e irmãos):** brócolis, couve-de-bruxelas, sementes da mostarda, couve-manteiga, mostarda, agrião, couve-flor, rábano (*horse-radish*), nabo e rabanete.
3. **Importante. Indol-3-carbinol (DIM):** vegetais crucíferos como couve, brócolis, couve-flor e couve-de-bruxelas.
4. **Apigenina:** molho de tomate adventista ou italiano, salsa, aipo.
5. **Inositol- 6-fosfato – IP-6:** maiores concentrações no farelo de arroz e nas sementes ou farinha do gergelim, semente de abóbora, sementes de oleaginosas, linhaça, sementes de chia, amêndoas, castanha-do-pará, farelo de trigo e de centeio, milho e soja. Farelo de arroz: uma colher das de sopa dias alternados
6. Ácido gálico: polifenóis e procianidinas das sementes de uva, mirtilo, amora, morango, berries em geral, ameixa, uvas, manga e sua casca, café levemente torrado, castanha-de-caju, avelã, noz, semente de linhaça, chá mate, chá verde, cevada, casca do feijão, chocolate amargo, ruibarbo, rosa mosqueta, sorgo, noz-de-galha, sumagre (bagas vermelhas usadas como tempero nas cozinhas libanesa, turca e síria), hamamélis, casca ou súber do carvalho e faz parte dos taninos adstringentes e amargos.

CAPÍTULO 199

Câncer de bexiga urinária. ESTRATÉGIAS

José de Felippe Junior

ATENÇÃO: Não comece as fórmulas na dose prescrita e todas elas de uma vez. Comece com 3 fórmulas apenas e acrescente 1 fórmula cada 3 dias. Se estiver prescrito 3× ao dia use 2×, se 2× ao dia use 1× e se 1× ao dia mantenha. Pode tirar das cápsulas e colocar em suco espesso (ex., mamão, abacate), exceto o iodo e o óleo de amêndoas (benzaldeído). Faça pausa aos domingos. Em 30-40 dias tome como prescrito. Se sintomas de gastrite: parar por 3 a 5 dias todas as fórmulas e use folha de couve batida com água no liquidificador: ½ copo 3× ao dia, guaçatonga (*Casearia sylvestris)* 1 colher das de sobremesa em meio copo de água 3× ao dia, espinheira-santa ou Sucrafilm em envelopes de 2g 3× ao dia. Não use omeprazol e correlatos.

DHEA: prescrever sempre se DHEA-sulfato abaixo de 150mcg/dl.

Tomar banhos de Sol 3×/semana: 15-30 minutos entre 11 e 14 horas. Ficar sem tomar banho por 1 hora.

Atividade física: andar passo firme 30'dia/3-4×/semana. Natação. Hidroginástica com carga. Musculação com aumento de peso gradativo. Musculação.

Forrar com manta térmica de alumínio (casa de material de construção):

1. entre o estrado da cama e o colchão da cabeceira aos pés;
2. embaixo do sofá onde assiste televisão; e
3. embaixo da cadeira do escritório.

Tudo isso para se livrar de radiações de pequena amplitude e baixa frequência que emanam da Terra: Zona Geopatogênica e de radiações provenientes de lençóis freáticos ou mananciais subterrâneos.

Todos os dias tomar água estruturada e hidrogenada assim preparada:

Fosfato bibásico de magnésio: 25mg, carbonato de magnésio: 10mg, sulfato de magnésio: 10mg, cloreto de magnésio: 10mg, cloreto de potássio: 10mg, hipossulfito de sódio: 10mg, sulfato de cálcio: 30mg, bicarbonato de potássio: 20mg, citrato de sódio: 25,0mg, dióxido de silício: 40mg..........mande 60 doses.

Colocar 1 dose em 1 litro de água mineral pobre em flúor e em garrafa de vidro, nunca em PET. O ideal é usar osmose reversa ou água destilada.

Usar essa água em hidrogenador portátil que forneça potencial de oxidorredução (ORP) mais negativo do que −450mv. Beber 1.000 a 1.500ml durante o dia. Não parar.

O hidrogenador de água portátil deve produzir ORP −450mv ou mais negativo: Aliexpress, Mercado livre.

Não comer: carne vermelha, frango, porco e cordeiro. Peixe e ovos podem.

Não ingerir: leite e derivados proteicos do leite. Manteiga, creme de leite e chantili podem.

Carboidratos: ingerir apenas alimentos de índice glicêmico < 60, TABELA. Não abuse da quantidade.

Frutas: ingerir no máximo 25g/frutose/dia, TABELA.

Withaferin A 400mg
Oxalato de escitalopram ....10mg..........60cps

Tomar 1cp no desjejum e almoço.

Trimetilglicina............................100mg
L-taurina....................................100mg
Myo-inositol...............................100mg
Óxido de silício
inorgânico (SiO_2)........................80mg..........60 doses

Tomar 1 dose 30 minutos antes do desjejum, 2 horas após o almoço, sempre com o estômago vazio. Não repetir.

Não abusar do sódio. Use o sal de Karpanen com baixo teor de sódio e alto em potássio e magnésio para polarizar a membrana celular.

Cloreto de sódio..........................40,0%
Cloreto de potássio.....................35,0%
Sulfato de magnésio 22,5%
L-lisina 2,0%
Iodeto de potássio.......................0,5%...........mande 250g

Use como sal de cozinha para toda a família. Colocar o sal após cozinhar.

Extrato seco de *Rosmarinus officinalis*..................................300mg
Extrato seco de *Ocimum basilicum*..................................100mg
Extrato seco de *Salvia officinalis*..................................100mg
Amiloride ....7,5mg.........120 doses

Tomar 1 dose 2× ao dia/4 meses.

Cloreto de metioninium...........1mg/kg
Ácido alfalipoico........................200mg
CoQ10..75mg
Nicotinamida 100mg
Tiamina...100mg
Acetato de zinco ....42mg (15mg de Zn)
Extrato das sementes do *Silybum marianum* 200mg
Genisteína.....................................125mg ....120 doses

Tomar 1cp 2× ao dia

Extrato de curcumina 95%.......500mg
Extrato de *Tanacetum parthenium* 200mg
Extrato de semente de uva (ácido gálico)...............................250mg
Piperina...150mg ....120 doses

1 dose 2x ao dia/60 dias.

Colecalciferol oleosa 5gts/
10.000UI 50ml

Tomar 5gts ao dia no desjejum.

Retinol...300mil UI
Vitamina K_1 ....200mcg
Genisteína.....................................250mg
Riboflavina ....150mg 120cps

1cp após o desjejum.

BCG sonicado 1,5ml
Glucana- 10mg/ml ....5.0ml ....1 frasco
6,5ml (2x)

Agitar e aplicar 0,5ml subcutâneo às 2ª/4ª/6ª feiras/16×. Guardar na geladeira, não no congelador.

Naltrexone 5,0mg
Espironolactona............................2,0mg.........90cp

1cp ao deitar de segunda a sábado.

Melatonina. 20mg sublingual....120cps sublinguais

Abra a pequena cápsula e coloque embaixo da língua ao deitar.

Ganoderma lucidum (extrato) ..300mg
Glucana (extrato de *S. cerevisae*)..................................200mg
Fucoidans.......................................100mg
Seleno-metionina ....100mg (200mcg Se)
Ácido ascórbico 50mg
EGCG..250mg
Resveratrol...................................150mg ....mande 90 doses

Tomar 1 dose 2× ao dia após as refeições/4 meses.

Depakote ER (divalproato de sódio)/
500mg...1cx

Tomar 1cp no jantar por 5 dias e depois 2cp no jantar por 4 meses. ATENÇÃO NÃO DIRIGIR.

Extrato fluido de Berberina.......400ml
Extrato fluido de Sanguinarina..75ml
Extrato fluido de *Chelidoneum majus* 150ml
Extrato fluido de *Chenopodium ambrosioides* ....100ml.........1 frasco

Tomar 1 medida de 5ml (= 500mg) em pouco de água 3× ao dia, após as refeições.

Metformina em creme pentravam......................................350mg de metformina
Vitamina B_{12} ....200mcg.......180 doses

Usar 1 pump 3×/dia na pele mais fina da coxa ou braço ou pescoço ou abdome. Faça rodízio dos lugares.

Luteolina.......................................90mg
Apigenina......................................60mg.........180 doses

Abra a cápsula e coloque embaixo da língua 2× ao dia. Espere absorver.
Nota: não colocar excipiente.

Iodo molecular (I2)......................40mg..........120 doses

Tomar 1 dose após o almoço e após o jantar/4 meses. Cápsulas escuras. Não tirar das cápsulas.

Extrato de *Scutellaria baicalensis*.....................................250mg
Extrato de *Nigella sativa* 250mg
Extrato de alcaçuz.......................100mg
Extrato de casca de cítricos (hesperidina)..150mg.................120 doses

Tomar 1 dose após o almoço e jantar.

Óleo de peixe ômega-3 (DHA/EPA na proporção 3/2)
....1 vidro

Tomar 1cp após desjejum, almoço e jantar.

Artemisinina tintura 300ml

Tomar 3ml em um pouco de água 3× ao dia 7 dias sim/7 dias não.

Crisina...500mg
Beta-ciclodextrina ....500mg ....120 doses

Tomar 1cp 2× ao dia.

Maltedextrina............................1.375mg Óleo de amêndoas (benzaldeído) ....125mg ....mande 120 doses

Tomar 1 dose 2× ao dia com o estômago cheio por 7 dias. Depois 1 dose 3× ao dia por 7 dias e depois 4× ao dia. NÃO TIRAR DAS CÁPSULAS (1dose 4× ao dia = 500mg do extrato).

Aumentar a ingestão

1. **Inositol-6-fosfato – IP-6:** maiores concentrações no farelo de arroz e nas sementes ou farinha do gergelim, semente de abóbora, sementes de oleaginosas, linhaça, sementes de chia, amêndoas, castanha-do-pará, farelo de trigo e de centeio, milho e soja. Farelo de arroz: uma colher das de sopa dias alternados.
2. **Aloe emodin:** *Aloe vera* L. e *Aloe arborescens.*
3. **Apigenina:** molho de tomate adventista ou italiano, salsa, aipo.
4. **Benzaldeído:** amêndoas, amêndoas amargas, folhas do louro (*Laurus nobilis*), semente do pêssego (amigdalina), café, chocolate amargo.
5. **Crisina:** mel, própolis e flores do maracujá.
6. **Luteolina**: cenoura, pimentão, aipo, menta, *Aloe vera*, óleo de oliva, alcachofra, salsa e camomila.

CAPÍTULO 200

Câncer de tiroide. ESTRATÉGIAS

José de Felippe Junior

ATENÇÃO: Não comece as fórmulas na dose prescrita e todas elas de uma vez. Comece com 3 fórmulas apenas e acrescente 1 fórmula a cada 3 dias. Se estiver prescrito 3× ao dia use 2×, se 2× ao dia use 1× e se 1× ao dia mantenha. Pode tirar das cápsulas e colocar em suco espesso (ex., mamão, abacate), exceto o iodo e o óleo de amêndoas (benzaldeído). Faça pausa aos domingos. Em 30-40 dias tome como prescrito. Se sintomas de gastrite: parar por 3 a 5 dias todas as fórmulas e use folha de couve batida com água no liquidificador: ½ copo 3× ao dia, guaçatonga (*Casearia sylvestris)* 1 colher das de sobremesa em meio copo de água 3× ao dia, espinheira-santa ou Sucrafilm em envelopes de 2g 3× ao dia. Não use omeprazol e correlatos.

DHEA: prescrever sempre se DHEA-sulfato abaixo de 150mcg/dl.

Tomar banhos de Sol 3×/semana: 15-30 minutos entre 11 e 14 horas. Ficar sem tomar banho por 1 hora.

Atividade física: andar passo firme 30'dia/3-4×/semana. Natação. Hidroginástica com carga. Musculação com aumento de peso gradativo. Musculação.

Forrar com manta térmica de alumínio (casa de material de construção):

1. entre o estrado da cama e o colchão da cabeceira aos pés;
2. embaixo do sofá onde assiste televisão; e
3. embaixo da cadeira do escritório.

Tudo isso para se livrar de radiações de pequena amplitude e baixa frequência que emanam da Terra: Zona Geopatogênica e de radiações provenientes de lençóis freáticos ou mananciais subterrâneos.

Todos os dias tomar água estruturada e hidrogenada assim preparada:

Fosfato bibásico de magnésio: 25mg, carbonato de magnésio: 10mg, sulfato de magnésio: 10mg, cloreto de magnésio: 10mg, cloreto de potássio: 10mg, hipossulfito de sódio: 10mg, sulfato de cálcio: 30mg, bicarbonato de potássio: 20mg, citrato de sódio: 25,0mg, dióxido de silício: 40mg.........mande 60 doses.

Colocar 1 dose em 1 litro de água mineral pobre em flúor e em garrafa de vidro, nunca em PET. O ideal é usar osmose reversa ou água destilada.

Usar essa água em hidrogenador portátil que forneça potencial de oxidorredução (ORP) mais negativo do que –450mv. Beber 1.000 a 1.500ml durante o dia. Não parar.

O hidrogenador de água portátil deve produzir ORP –450 ou mais negativo: Aliexpress, Mercado livre.

Não comer: carne vermelha, de frango, de porco e de cordeiro. Peixe e ovos podem.

Não ingerir: leite e derivados proteicos do leite. Manteiga, creme de leite e chantili podem.

Carboidratos: ingerir apenas alimentos de Índice Glicêmico < 60, TABELA. Não abuse da quantidade.

Frutas: ingerir no máximo 25g/frutose/dia, TABELA.

Withaferin A 400mg
Oxalato de escitalopram ....10mg.........60cps

Tomar 1cp no desjejum e almoço.

Trimetilglicina...........................100mg
L-taurina 100mg
Myo-inositol..............................100mg
Óxido de silício
inorgânico (SiO_2).....................80mg.........60 doses

Tomar 1 dose 30 minutos antes do desjejum, 2 horas após almoço, sempre com o estômago vazio. Não repetir.

Não abusar do sódio. Use o sal de Karpanen com baixo teor de sódio e alto em potássio e magnésio para polarizar a membrana celular.

Cloreto de sódio.........................40,0%
Cloreto de potássio....................35,0%
Sulfato de magnésio 22,5%
L-lisina 2,0%
Iodeto de potássio.......................0,5%...........mande 250g

Use como sal de cozinha para toda a família. Colocar o sal após cozinhar.

Extrato seco de *Rosmarinus officinalis*....................................300mg
Extrato seco de *Ocimum basilicum*....................................100mg
Extrato seco de *Salvia officinalis*....................................100mg
Amiloride ....7,5mg.........120 doses

Tomar 1 dose 2× ao dia/4 meses.

Cloreto de metioninium............1mg/kg
Ácido alfalipoico..........................200mg
CoQ10..75mg
Nicotinamida 100mg
Tiamina...100mg
Acetato de zinco ....42mg (15mg de Zn)
Extrato das sementes do *Silybum marianum*.....................200mg
Genisteína...................................125mg ....120 doses

Tomar 1cp 2× ao dia.

Extrato de curcumina 95%........500mg
Extrato de *Tanacetum parthenium*...............................200mg
Extrato de semente de uva (ácido gálico)...............................250mg
Piperina..150mg ....90 doses

1 dose 2× ao dia/60 dias.

Colecalciferol oleosa ....5gts/ 10.000UI 50ml

Tomar 5gts ao dia no desjejum.

Retinol...300mil UI
Vitamina K_2 (MK4)...................300mcg
Genisteína...................................250mg
Riboflavina ....150mg 120cps

1cp após o desjejum.

BCG sonicado 1,5ml
Glucana – 10mg/ml...................5,0ml ....1 frasco 6,5ml (2×)

Agitar e aplicar 0,5ml subcutâneo às 2ª/4ª/6ª feiras/16×. Guardar na geladeira, não no congelador.

Naltrexone 5,0mg
Espironolactona..........................2,0mg.........90cp

1cp ao deitar de segunda a sábado.

Melatonina. 20mg sublingual....120cps sublinguais

Use sublingual ao deitar.

Ganoderma lucidum (extrato) ..300mg
Glucana (extrato de *S. cerevisae*)................................200mg
Fucoidans....................................100mg

Seleno-metionina ....100mg (200mcg Se)
Ácido ascórbico 50mg
EGCG...200mg
Resveratrol..................................200mg ....mande 90 doses

Tomar 1 dose 2× ao dia após as refeições/4 meses.

Depakote ER (divalproato de sódio)/ 500mg..1cx

Tomar 1cp jantar por 5 dias, depois 2cp/4 meses. ATENÇÃO NÃO DIRIGIR.

Extrato fluido de Berberina.......400ml
Extrato fluido de Sanguinarina..75ml
Extrato fluido de *Chelidoneum majus*...................150m
Extrato fluido de *Chenopodium ambrosioides*.......100ml ....1 frasco

Tomar 1 medida de 5ml (= 500mg) em um pouco de água 3× ao dia, após as refeições.

Metformina em creme pentravam..................................350mg de metformina
Vitamina B_{12}...............................200mcg......180 doses

Usar 1 pump 3×/dia na pele mais fina da coxa ou braço ou pescoço ou abdome. Faça rodízio.

Luteolina 90mg
Apigenina....................................60mg..........180 doses/2 meses

Abra a cápsula e coloque embaixo da língua 2× ao dia. Espere absorver.

Iodo molecular (I2)....................40mg..........120 doses

Tomar 1 dose após o almoço e após o jantar. Cápsulas escuras. Não tirar das cápsulas/4 meses.

Cloreto de lítio ....300mg 120cp

Tomar 1cp 3× ao dia

Extrato de *Scutellaria baicalensis*..................................250mg
Extrato de *Nigella sativa* 250mg
Extrato de alcaçuz......................100mg
Extrato da casca de cítricos (hesperidina)..150mg
Vitamina K_1...............................200mcg......120 doses

Tomar 1 dose após o almoço e o jantar,

Óleo de peixe ômega-3 (DHA/EPA na proporção 3/2) ....1 vidro

Tomar 1cp após desjejum, almoço e jantar.

Artemisinina tintura 300ml

Tomar 3ml em um pouco de água 3× ao dia 7 dias sim/7 dias não.

Aumentar a ingestão:

1. **Isotiocianatos (Sulforafane e irmãos):** brócolis, couve-de-bruxelas, sementes da mostarda, couve-manteiga, mostarda, agrião, couve-flor, rábano (*horse-radish*), nabo e rabanete.
2. **Indol-3-carbinol (DIM):** vegetais crucíferos como couve, brócolis, couve-flor e couve-de-bruxelas.
3. **Antocianinas:** amoras, cerejas, framboesas, morangos, groselhas, uvas roxas, mirtilo e vinho tinto. A porção de 100g de frutas vermelhas contém 400 a 500mg de antocianinas. Outras fontes: açaí, repolho roxo, *Oryza sativa* (arroz negro), uva negra, soja negra, feijão preto, batata roxa, batata-doce, cebola roxa, beterraba e milho vermelho.
4. **Apigenina:** molho de tomate adventista ou italiano, salsa, aipo.
5. **Inositol-6-fosfato – IP-6:** maiores concentrações no farelo de arroz e nas sementes ou farinha do gergelim, semente de abóbora, sementes de oleaginosas, linhaça, sementes de chia, amêndoas, castanha-do-pará, farelo de trigo e de centeio, milho e soja. Farelo de arroz: uma colher das de sopa dias alternados

CAPÍTULO 201

Linfoma de Hodgkin. ESTRATÉGIAS

José de Felippe Junior

ATENÇÃO: Não comece as fórmulas na dose prescrita e todas elas de uma vez. Comece com 3 fórmulas apenas e acrescente 1 fórmula cada 3 dias. Se estiver prescrito 3× ao dia use 2×, se 2× ao dia use 1× e se 1× ao dia mantenha. Pode tirar das cápsulas e colocar em suco espesso (ex., mamão, abacate), exceto o iodo e o óleo de amêndoas (benzaldeído). Faça pausa aos domingos. Em 30-40 dias tome como prescrito. Se sintomas de gastrite: parar por 3 a 5 dias todas as fórmulas e use folha de couve batida com água no liquidificador: ½ copo 3x ao dia, guaçatonga (*Casearia sylvestris)* 1 colher das de sobremesa em meio copo de água 3× ao dia, espinheira-santa ou Sucrafilm em envelopes de 2g 3× ao dia. Não use omeprazol e correlatos.

DHEA: prescrever sempre se DHEA-sulfato abaixo de 150mcg/dl.

Tomar banhos de Sol 3×/semana: 15-30 minutos entre 11 e 14 horas. Ficar sem tomar banho por 1 hora.

Atividade física: andar passo firme 30'dia/3-4×/semana. Natação. Hidroginástica com carga. Musculação com aumento de peso gradativo. Musculação.

Forrar com manta térmica de alumínio (casa de material de construção):

1. entre o estrado da cama e o colchão da cabeceira aos pés;
2. embaixo do sofá onde assiste televisão; e
3. embaixo da cadeira do escritório.

Tudo isso para se livrar de radiações de pequena amplitude e baixa frequência que emanam da Terra: Zona Geopatogênica e de radiações provenientes de lençóis freáticos ou mananciais subterrâneos.

Todos os dias tomar água estruturada e hidrogenada assim preparada:

Fosfato bibásico de magnésio: 25mg, carbonato de magnésio: 10mg, sulfato de magnésio: 10mg, cloreto de magnésio: 10mg, cloreto de potássio: 10mg, hipossulfito de sódio: 10mg, sulfato de cálcio: 30mg, bicarbonato de potássio: 20mg, citrato de sódio: 25,0mg, dióxido de silício: 40mg..........mande 60 doses

Colocar 1 dose em 1 litro de água mineral pobre em flúor e em garrafa de vidro, nunca em PET. O ideal é usar osmose reversa ou água destilada.

Usar essa água em hidrogenador portátil que forneça potencial de oxidorredução (ORP) mais negativo do que –450mv. Beber 1.000 a 1.500ml durante o dia. Não parar.

O hidrogenador de água portátil deve produzir ORP –450mv ou mais negativo: Aliexpress, Mercado livre.

Não comer: carne vermelha, frango, porco e cordeiro. Peixe e ovos podem.

Não ingerir: leite e derivados proteicos do leite. Manteiga, creme de leite e chantili podem.

Carboidratos: ingerir apenas alimentos de índice glicêmico < 60, TABELA. Não abuse da quantidade.

Frutas: ingerir no máximo 25g/frutose/dia, TABELA.

Ovos: limitar a ingestão de ovos ao no máximo 5 por semana.

Withaferin A 400mg
Oxalato de escitalopram ....10mg..........60cps

Tomar 1cp no desjejum e almoço.

Trimetilglicina............................100mg
L-taurina 100mg
Myo-inositol...............................100mg
Óxido de silício inorgânico (SiO_2) ....80mg 60 doses

Tomar 1 dose 30 minutos antes do desjejum, 2 horas após almoço, sempre com o estômago vazio. Não repetir.

Não abusar do sódio. Use o sal de Karpanen com baixo teor de sódio e alto em potássio e magnésio para polarizar a membrana celular.

Cloreto de sódio......................... 40,0%
Cloreto de potássio.................... 35,0%

Sulfato de magnésio 22,5%
L-lisina 2,0%
Iodeto de potássio......................0,5%.......... mande 250g

Use como sal de cozinha para toda família. Colocar o sal após cozinhar.

Extrato seco de *Rosmarinus officinalis*..300mg
Extrato seco de *Ocimum basilicum* 100mg
Extrato seco de *Salvia officinalis* 100mg
Amiloride ....7,5mg.........120 doses

Tomar 1 dose 2× ao dia/4 meses

Cloreto de metioninium........... 1mg/kg
Ácido alfalipoico.........................200mg
CoQ10...75mg
Nicotinamida 100mg
Tiamina..100mg
Acetato de zinco ....42mg (15mg de Zn)
Extrato das sementes do *Silybum marianum* 200mg
Genisteína.....................................125mg 120doses

Tomar 1cp 2× ao dia.

Extrato de curcumina 95%........500mg
Extrato de *Tanacetum parthenium* 200mg
Extrato de semente de uva (ácido gálico)..............................250mg
Piperina...150mg ......90 doses

1 dose 2× ao dia/60 dias.

Colecalciferol oleosa ....5gts/ 10.000UI 50ml

Tomar 5gts ao dia no desjejum.

Retinol...300mil UI
Vitamina K_1 ....200mcg
Genisteína.....................................250mg
Riboflavina ....150mg 120cps

1cp após o desjejum.

BCG sonicado 1,5ml
Glucana – 10mg/ml......................5.0ml ....1 frasco 6,5ml (2×)

Agitar e aplicar 0,5ml subcutâneo às 2ª/4ª/6ª feiras/16×. Guardar na geladeira, não no congelador.

Naltrexone 5,0mg
Espironolactona ....2,0mg.........90cp

1cp ao deitar de segunda a sábado.

Melatonina. 20mg sublingual....120cps sublinguais

Abra a pequena cápsula e coloque embaixo da língua ao deitar à noite para dormir.

Ganoderma lucidum (extrato) 300mg
Glucana (extrato de *S. cerevisae*)....................................200mg
Seleno-metionina ....100mg (200mcg Se)
Ácido ascórbico 50mg
Resveratrol...................................300mg ....mande 90 doses

Tomar 1 dose 2× ao dia após as refeições/4 meses.

Depakote ER (divalproato de sódio)/ 500mg..1cx

Tomar 1cp no jantar por 5 dias e depois 2cp no jantar por 4 meses. ATENÇÃO NÃO DIRIGIR.

Extrato fluido de Berberina.......400ml
Extrato fluido de Sanguinarina..75ml
Extrato fluido de *Chelidoneum majus* 150ml
Extrato fluido de *Chenopodium ambrosioides* ...... 100ml........1 frasco

Tomar 1 medida de 5ml (= 500mg) em pouco de água 3× ao dia, após as refeições.

Metformina em creme pentravam.....................................350mg de metformina
Vitamina B_{12} ....200mcg.......180 doses

Usar 1 pump 3×/dia na pele mais fina da coxa ou braço ou pescoço ou abdome. Faça rodízio dos lugares.

Luteolina..90mg
Apigenina.......................................60mg..........180 doses

Abra a cápsula e coloque embaixo da língua 2× ao dia. Espere absorver.
Nota: não colocar excipiente.

Iodo molecular (I2)......................60mg..........120 doses

Tomar 1 dose após almoço. Cápsulas escuras. Não tirar das cápsulas.

Extrato de *Scutellaria baicalensis* 250mg
Extrato de *Nigella sativa* 250mg
Extrato da casca de cítricos (hesperidina).150mg
EGCG...200mg
Vitamina K_1 ....200mcg......120 doses

Tomar 1 dose após o almoço e jantar.

Óleo de peixe ômega-3 – (DHA/EPA na proporção 3/2)..1 vidro

Tomar 1cp após desjejum, almoço e jantar. Muito importante.

Artemisinina tintura 300ml

Tomar 3ml em um pouco de água 3× ao dia 7 dias sim/7 dias não.

DIM 300mg
Extrato seco de *Annona muricata* 500mg
Difosfato de cloroquina 250mg
Piridoxina ....10mg.......... 120 doses

Tomar 1 dose 2× ao dia.

Aumentar a ingestão:

1. **Importante. Acetogeninas anonáceas: Graviola:** tomar suco da fruta da graviola 1 copo 2-3× semana, fruta-do-conde ou fruta pinha (*Annona squamosa*), cherimoia (*Annona cherimoia*), atemoia (vetada, pois é rica em cobre).
2. **Importante.** Ácido gálico: polifenóis e procianidinas das sementes de uva, mirtilo, amora, morango, berries em geral, ameixa, uvas, manga e sua casca, café levemente torrado, castanha-de-caju, avelã, noz, semente de linhaça, chá mate, chá verde, cevada, casca do feijão, chocolate amargo, ruibarbo, rosa mosqueta, sorgo, noz-de-galha, sumagre (bagas vermelhas usadas como tempero nas cozinhas libanesa, turca e síria), hamamélis, casca ou súber do carvalho e faz parte dos taninos adstringentes e amargos.
3. **Importante.** Ácido ursólico: alecrim, manjericão, sálvia, amêndoa, *Plantago major* (tanchagem), *Prunella vulgaris*, quinoa desamargada, *Terminalia arjuna*, frutas do *Ligustrum lucidus*, *Gymnema sylvestre*, *Garcinia vilersiana*.
4. **Inositol- 6-fosfato – IP-6:** maiores concentrações no farelo de arroz e nas sementes ou farinha do gergelim, semente de abóbora, sementes de oleaginosas, linhaça, sementes de chia, amêndoas, castanha-do-pará, farelo de trigo e de centeio, milho e soja. Farelo de arroz: uma colher das de sopa dias alternados.
5. **Isotiocianatos (Sulforafane e irmãos)**: brócolis, couve-de-bruxelas, sementes da mostarda, couve-manteiga, mostarda, agrião, couve-flor, rábano (*horse-radish*), nabo e rabanete.
6. **Antocianinas:** amoras, cerejas, framboesas, morangos, groselhas, uvas roxas, mirtilo e vinho tinto. A porção de 100g de frutas vermelhas contém 400 a 500mg de antocianinas. Outras fontes: açaí, repolho roxo, *Oryza sativa* (arroz negro), uva negra, soja negra, feijão preto, batata roxa, batata-doce, cebola roxa, beterraba e milho vermelho.

CAPÍTULO 202

Linfoma não Hodgkin. ESTRATÉGIAS

José de Felippe Junior

ATENÇÃO: Não comece as fórmulas na dose prescrita e todas elas de uma vez. Comece com 3 fórmulas apenas e acrescente 1 fórmula cada 3 dias. Se estiver prescrito 3× ao dia use 2×, se 2× ao dia use 1× e se 1× ao dia mantenha. Pode tirar das cápsulas e colocar em suco espesso (ex., mamão, abacate), exceto o iodo e o óleo de amêndoas (benzaldeído). Faça pausa aos domingos. Em 30-40 dias tome como prescrito. Se sintomas de gastrite: parar por 3 a 5 dias todas as fórmulas e use folha de couve batida com água no liquidificador: ½ copo 3x ao dia, guaçatonga (*Casearia sylvestris*) 1 colher das de sobremesa em meio copo de água 3× ao dia, espinheira-santa ou Sucrafilm em envelopes de 2g 3× ao dia. Não use omeprazol e correlatos.

DHEA: prescrever sempre se DHEA-sulfato abaixo de 150mcg/dl.

Tomar banhos de Sol 3×/semana: 15-30 minutos entre 11 e 14 horas. Ficar sem tomar banho por 1 hora.

Atividade física: andar passo firme 30'dia/3-4×/semana. Natação. Hidroginástica com carga. Musculação com aumento de peso gradativo. Musculação.

Forrar com manta térmica de alumínio (casa de material de construção):

1. entre o estrado da cama e o colchão da cabeceira aos pés;
2. embaixo do sofá onde assiste televisão; e
3. embaixo da cadeira do escritório.

Tudo isso para se livrar de radiações de pequena amplitude e baixa frequência que emanam da Terra: Zona Geopatogênica e de radiações provenientes de lençóis freáticos ou mananciais subterrâneos.

Todos os dias tomar água estruturada e hidrogenada assim preparada:

Fosfato bibásico de magnésio: 25mg, carbonato de magnésio: 10mg, sulfato de magnésio: 10mg, cloreto de magnésio: 10mg, cloreto de potássio: 10mg, hipossulfito de sódio: 10mg, sulfato de cálcio: 30mg, bicarbonato de potássio: 20mg, citrato de sódio: 25,0mg, dióxido de silício: 40mg.........mande 60 doses

Colocar 1 dose em 1 litro de água mineral pobre em flúor e em garrafa de vidro, nunca em PET. O ideal é usar osmose-reversa ou água destilada.

Usar essa água em hidrogenador portátil que forneça potencial de óxido-redução (ORP) mais negativo do que −450mv. Beber 1.000 a 1.500ml durante o dia. Não parar.

O hidrogenador de água portátil deve produzir ORP −450mv ou mais negativo: Aliexpress, Mercado livre.

Não comer: carne vermelha, frango, porco e cordeiro. Peixe e ovos podem.

Não ingerir: leite e derivados proteicos do leite. Manteiga, creme de leite e chantili podem.

Carboidratos: ingerir apenas alimentos de Índice Glicêmico < 60, TABELA. Não abuse da quantidade.

Frutas: ingerir no máximo 25g/frutose/dia, TABELA.

Ovos: limitar a ingestão de ovos ao no máximo 5 por semana

Withaferin A 400mg
Oxalato de escitalopram ....10mg..........60cps

Tomar 1cp no desjejum e almoço.

Trimetilglicina............................100mg
L-taurina...................................100mg
Myo-inositol..............................100mg
Óxido de silício
inorgânico (SiO_2).......................80mg..........60 doses

Tomar 1dose trinta minutos antes do desjejum, 2 horas após almoço, sempre com o estômago vazio. Não repetir.

Não abusar do sódio. Use o sal de Karpanen com baixo teor de sódio e alto em potássio e magnésio para polarizar a membrana celular.

Cloreto de sódio.........................40,0%

Cloreto de Potássio......................35,0%
Sulfato de Magnésio...................22,5%
L-Lisina..2,0%
Iodeto de Potássio........................0,5%........... Mande 250g

Use como sal de cozinha para toda família. Colocar o sal após cozinhar.

Extrato seco de *Rosmarinus officinalis*......................................300mg
Extrato seco de *Ocimum basilicum*......................................100mg
Extrato seco de *Salvia officinalis*......................................100mg
Amiloride..................................7,5mg.........120 doses

Tomar 1 dose 2x ao dia/4 meses.

Cloreto de metioninium........... 1mg/kg
Ácido alfalipoico.........................200mg
CoQ10...75mg
Nicotinamida.............................100mg
Tiamina......................................100mg
Acetato de zinco.........................42mg (15mg de Zn)
Extrato das sementes do *Silybum marianum*....................200mg
Genisteína..................................125mg.......120 doses

Tomar 1cp 2x ao dia

Extrato de curcumina 95%........500mg
Extrato de Tanacetum parthenium................................200mg
Extrato de semente de uva (ácido gálico)..............................250mg
Piperina.......................................150mg.......90 doses

1 dose 2x ao dia/60 dias.

Colecalciferol oleosa.................5gts/ 10.000UI.....................................50ml

Tomar 5gts ao dia no desjejum.

Retinol...300mil UI
Vitamina K1...............................200mcg
Genisteína..................................250mg
Riboflavina.................................150mg.......120cps

1cp após o desjejum.

BCG sonicado............................1,5ml
Glucana- 10mg/ml.....................5.0ml.........1 frasco 6,5ml (2x)

Agitar e aplicar 0,5ml subcutâneo às 2ª/4ª/6ª feira/16x. Guardar na geladeira, não no congelador.

Naltrexone................................. 5,0mg
Espironolactona.........................2,0mg.........90cp

1cp ao deitar de segunda a sábado.

Melatonina.20mg sublingual.....120cps sublinguais

Abra a pequena cápsula e coloque embaixo da língua ao deitar à noite para dormir.

Ganoderma lucidum (extrato)..300mg
Glucana (extrato de *S. cerevisae*)................................200mg
Fucoidans...................................200mg
Seleno-metionina.......................100mg (200mcg Se)
Ácido ascórbico..........................50mg
Resveratrol.................................300mg.......mande 90 doses

Tomar 1 dose 2x ao dia após as refeições/4 meses.

Depakote ER (divalproato de sódio/500mg 1cx

Tomar 1cp no jantar por 5 dias e depois 2cp no jantar por 4 meses. ATENÇÃO NÃO DIRIGIR.

Extrato fluido de Berberina.......400ml
Extrato fluido de Sanguinarina..75ml
Extrato fluido de Chelidoneum majus..................150ml
Extrato fluido de Chenopodium ambrosioides.....100ml........1 frasco

Tomar 1 medida de 5ml (= 500mg) em pouco de água 3x ao dia, após as refeições.

Metformina em creme pentravam.................................350mg de metformina
Vitamina B12.............................200mcg......180 doses

Usar 1 pump 3x/dia na pele mais fina da coxa ou braço ou pescoço ou abdome. Faça rodízio dos lugares.

Luteolina....................................90mg..........180 doses
Apigenina...................................60mg

Abra a cápsula e coloque embaixo da língua 2x ao dia. Espere absorver

Nota: não colocar excipiente

Iodo molecular (I2)...................60mg..........120 doses

Tomar 1 dose após almoço. Cápsulas escuras. Não tirar das cápsulas.

Extrato de *Scutellaria baicalensis*.................250mg
Extrato de *Nigella sativa*...........250mg
Extrato da casca de cítricos (Hesperidina)............................150mg
EGCG..200mg
Vitamina K1...............................200mcg......120 doses

Tomar 1 dose após almoço e jantar

Óleo de peixe ômega-3 – (DHA/EPA na proporção 3/2)...1vidro

Tomar 1cp após desjejum, almoço e jantar. Muito importante.

Artemisinina tintura 300ml

Tomar 3ml em pouco de água 3x ao dia 7 dias sim/ 7 dias não

DIM...300mg

Extrato seco de Annona muricata.....................................500mg

Difosfato de cloroquina 250mg

Piridoxina...................................10mg..........120cps

Tomar 1cp 2x ao dia

Seguir a dieta inteligente e as tabelas de índice glicêmico e frutose

Aumentar a ingestão:

1. **Importante. Acetogeninas anonáceas: Graviola**: Tomar suco da fruta da graviola 1 copo 2-3x semana, fruta do conde ou fruta pinha (Annona squamosa), cherimoia (*Annona cherimoia*), atemoia (vetada pois é rica em cobre).
2. **Importante. Ácido gálico**: polifenóis e procianidinas das sementes de uva, mirtilo, amora, morango, berries em geral, ameixa, uvas, manga e sua casca, café levemente torrado, castanha de caju, avelã, noz, semente de linhaça, chá mate, chá verde, cevada, casca do feijão, chocolate amargo, ruibarbo, rosa mosqueta, sorgo, noz-de-galha, sumagre (bagas vermelhas usadas como tempero nas cozinhas libanesa, turca e síria), hamamélis, casca ou súber do carvalho e faz parte dos taninos adstringentes e amargos.
3. **Importante. Ácido ursólico:** alecrim, manjericão, salvia, amêndoa, Plantago major (tanchagem), Prunella vulgaris, quinoa desamargada, Terminalia arjuna, frutas do Ligustrum lucidus, Gymnema sylvestre, Garcinia vilersiana.
4. **Inositol- 6-fosfato – IP-6**: maiores concentrações no farelo de arroz e nas sementes ou farinha do gergelim, semente de abóbora, sementes de oleaginosas, linhaça, sementes de chia, amêndoas, castanha-do-pará, farelo de trigo e de centeio, milho e soja. Farelo de arroz: uma colher das de sopa dias alternados.
5. **Isotiocianatos Sulforafane e irmãos)**: brócolis, couve-de-bruxelas, sementes da mostarda, couve -manteiga, mostarda, agrião, couve-flor, rábano (horse-radish), nabo e rabanete.
6. **Antocianinas:** amoras, cerejas, framboesas, morangos, groselhas, uvas roxas, mirtilo e vinho tinto. A porção de 100g de frutas vermelhas contém 400 a 500mg de antocianinas. Outras fontes: açaí, repolho roxo, Oryza sativa (arroz negro), uva negra, soja negra, feijão preto, batata roxa, batata-doce, cebola roxa, beterraba e milho vermelho.

CAPÍTULO 203

Sarcomas. ESTRATÉGIAS

José de Felippe Junior

ATENÇÃO: Não comece as fórmulas na dose prescrita e todas elas de uma vez. Comece com 3 fórmulas apenas e acrescente 1 fórmula cada 3 dias. Se estiver prescrito 3x ao dia use 2x, se 2x ao dia use 1x e se 1x ao dia mantenha. Pode tirar das cápsulas e colocar em suco espesso (ex. mamão, abacate), exceto o iodo e o óleo de amêndoas (benzaldeído). Faça pausa aos domingos. Em 30-40 dias tome como prescrito. Se sintomas de gastrite: parar por 3 a 5 dias todas as fórmulas e use folha de couve batida com água no liquidificador: ½ copo 3x ao dia, guaçatonga (*Casearia sylvestris)* 1 colher das de sobremesa em meio copo de água 3x ao dia, Espinheira santa ou Sucrafilm em envelopes de 2g 3x ao dia. Não use omeprazol e correlatos.

DHEA 50mg 3cx (internet)
Tomar 1cp 12/12 horas por 30 dias e depois 1x ao dia

Tomar banhos de Sol 3x/semana: 15-30 minutos entre 11 e 14 horas. Ficar sem tomar banho por 1 hora.

Atividade Física: andar passo firme 30'dia/3-4x/semana. Natação. Hidroginástica com carga. Musculação com aumento de peso gradativo. Musculação.

Forrar com manta térmica de alumínio (Casa de material de construção):

1. entre o estrado da cama e o colchão da cabeceira aos pés,
2. embaixo do sofá onde assiste televisão e
3. embaixo da cadeira do escritório.

Tudo isso para livrar-se de radiações de pequena amplitude e baixa frequência que emanam da Terra: Zona Geopatogênica e de radiações provenientes de lençóis freáticos ou mananciais subterrâneos.

Todos os dias tomar água estruturada e hidrogenada assim preparada:

Fosfato bibásico de magnésio: 25mg, carbonato de magnésio: 10mg, sulfato de magnésio: 10mg, cloreto de magnésio: 10mg, cloreto de potássio: 10mg, hipossulfito de sódio: 10mg, sulfato de cálcio: 30mg, bicarbonato de potássio: 20mg, citrato de sódio: 25,0mg, dióxido de silício: 40mg..........mande 60 doses

Colocar 1 dose em 1 litro de água mineral pobre em flúor e em garrafa de vidro, nunca em PET. O ideal é usar osmose-reversa ou água destilada.

Usar essa água em hidrogenador portátil que forneça potencial de óxido-redução (ORP) mais negativo do que –450mv. Beber 1.000 a 1.500ml durante o dia. Não parar.

O hidrogenador de água portátil deve produzir ORP –450 ou mais negativo: Aliexpress, Mercado livre.

Não comer: carne vermelha, de frango, de porco e de cordeiro. Peixe e ovos podem.

Não ingerir: leite e derivados proteicos do leite. Manteiga, creme de leite e chantili podem.

Carboidratos: ingerir apenas alimentos de Índice Glicêmico < 60, TABELA. Não abusar da quantidade.

Frutas: ingerir no máximo 25g/frutose/dia, TABELA.

Acetato de zinco ....140mg (50mg Zn)
Tomar 1cp após desjejum almoço e jantar

Withaferin A 400mg
Oxalato de escitalopram ....10mg..........60cps
Tomar 1cp no desjejum e almoço

Trimetilglicina.............................100mg
L-taurina.....................................100mg
Myo-inositol................................100mg
Óxido de silício
inorgânico (SiO_2).......................80mg..........60 doses
Tomar 1 dose trinta minutos antes do desjejum, 2 horas após almoço, sempre com o estômago vazio. Não repetir.

Não abusar do sódio. Use o sal de Karpanen com baixo teor de sódio e alto em potássio e magnésio para polarizar a membrana celular.

Cloreto de sódio.......................... 40,0%

Cloreto de Potássio.................... 35,0%
Sulfato de Magnésio 22,5%
L-Lisina 2,0%
Iodeto de Potássio.......................0,5%.......... Mande 250g

Use como sal de cozinha para toda família. Colocar o sal após cozinhar

Extrato seco de *Rosmarinus officinalis*...................................300mg
Extrato seco de *Ocimum basilicum*...................................100mg
Extrato seco de *Salvia officinalis*...................................100mg
Amiloride ....7,5mg.........120 doses

Tomar 1 dose 3x ao dia/4 meses

Cloreto de metioninium........... 1mg/kg
Ácido alfalipoico........................200mg
CoQ10..75mg
Nicotinamida 100mg
Tiamina.......................................100mg
Acetato de zinco ....42mg (15mg de Zn)
Extrato das sementes do *Silybum marianum*....................200mg
Genisteína...................................125mg ....120 doses

Tomar 1cp 3x ao dia

Extrato de curcumina 95%........500mg
Extrato de *Tanacetum parthenium*..............................200mg
Extrato de semente de uva (ácido gálico).............................250mg
Piperina.......................................150mg ....90 doses

1 dose 3x ao dia/60 dias.

Colecalciferol oleosa ....5gts/ 10.000UI 50ml

Tomar 5gts ao dia no desjejum.

Retinol...300mil UI
Vit. K2 (MK4) 300mcg
Genisteína...................................250mg
Riboflavina ....150mg 120cps

1cp após o desjejum.

Iodo molecular.............................40mg..........120cps

Tomar 1cp após almoço e após jantar/4 meses. Cápsulas escuras. Não retirar das cápsulas.

Cloreto de lítio ....300mg ....120 doses

Tomar 1 dose 3x ao dia.

BCG sonicado ....1,5ml ....2 frascos
Glucana – 10mg/ml......................5.0ml

Agitar e aplicar 0,5ml subcutâneo às 2ª/4ª/6ª feiras/3 meses. Guardar na geladeira, não no congelador.

Beta-glucana (1ml/1mg)...........1 frasco

Aplicar intravenoso 1ml 7/7 dias. Aumentar dose de 1,0 em 1,0 ml cada 7 dias até apresentar febre. Reduzir 0,5ml e manter.

Naltrexone 5,0mg
Espironolactona ....2,0mg.........90cp

1cp ao deitar de segunda a sábado.

Melatonina.20mg sublingual.....120cps sublinguais

Use sublingual ao deitar.

Ganoderma lucidum (extrato)..300mg
Glucana (extrato de *S. cerevisae*)..................................200mg
Fucoidans....................................100mg
Seleno-metionina ....100mg (200mcg Se)
Ácido ascórbico 50mg
Resveratrol..................................200mg ....mande 90 doses

Tomar 1 dose 3x ao dia após as refeições/4 meses.

Óleo de peixe ômega-3 – (DHA/EPA na proporção 3/2)..1 vidro

Tomar 1cp após desjejum, almoço e jantar

Mistura Básica de Budwig

Óleo LLC (1 parte/linhaça + 2 partes/coco).............................1 colher de sopa
Queijo Cottage.............................1/2 a 1 xícara

Use o mix Budwig com frutas picadas, etc. Tome duas a três colheres das de sopa do óleo LLC ao dia/4 meses, ou somente o óleo de linhaça prensado a frio.
Melhor é a mistura linhaça 1 parte/coco 2 partes.
Nota: óleo de linhaça e de coco devem ser prensados a frio. Cottage: único tipo de queijo permitido.

Acetazolamida..............................75mg
Amilorida 7,5mg
Extrato de Boswellia serrata......250mg
Extrato de Nigella sativa ....200mg 120cps

Tomar 1dose 3x ao dia.

Luteolina 90mg
Apigenina.....................................40mg..........120cps

Abrir 1 cápsula embaixo da língua 3x ao dia e deixar absorver.

Ivermectina 6mg..........................várias caixas

Tomar 2cp 12/12 horas de segunda a sábado/2meses.

Carnosina 250mg
Propranolol...................................20mg

Tomar 1cp 3x ao dia. Guardar em geladeira.

Extrato de folhas de oliveira......500mg ....120 cps

Tomar 1cp 3x ao dia

Extrato de *Scutellaria baicalensis*.....................................250mg
Extrato de Nigella sativa............250mg
Extrato de alcaçuz........................100mg
Extrato de casca de cítricos (Hesperidina).150mg
Vitamina K1 ....200mcg......120 doses

Tomar 1 dose após desjejum, almoço e jantar

Artemisinina tintura 300ml

Tomar 3ml em pouco de água 3x ao dia 7 dias sim/7 dias não

Aumentar a ingestão:

1. **Isotiocianatos Sulforafane e irmãos**: brócolis, couve-de-bruxelas, sementes da mostarda, couve manteiga, mostarda, agrião, couve-flor, rábano (horse-radish), nabo e rabanete.
2. **Indol-3-Carbinol (DIM):** vegetais crucíferos como couve, brócolis, couve-flor e couve-de-bruxelas.
3. **Antocianinas:** amoras, cerejas, framboesas, morangos, groselhas, uvas roxas, mirtilo e vinho tinto. A porção de 100g de frutas vermelhas contém 400 a 500mg de antocianinas. Outras fontes: açaí, repolho roxo, Oryza sativa (arroz negro), uva negra, soja negra, feijão preto, batata roxa, batata-doce, cebola roxa, beterraba e milho vermelho.
4. **Apigenina:** molho de tomate Adventista ou Italiano, salsa, aipo.
5. **Inositol- 6-fosfato – IP-6**: maiores concentrações no farelo de arroz e nas sementes ou farinha do gergelim, semente de abóbora, sementes de oleaginosas, linhaça, sementes de chia, amêndoas, castanha-do-pará, farelo de trigo e de centeio, milho e soja. Farelo de arroz: uma colher das de sopa dias alternados.

CAPÍTULO 204

Osteossarcoma. ESTRATÉGIAS

José de Felippe Junior

ATENÇÃO: Não comece as fórmulas na dose prescrita e todas elas de uma vez. Comece com 3 fórmulas apenas e acrescente 1 fórmula cada 3 dias. Se estiver prescrito 3x ao dia use 2x, se 2x ao dia use 1x e se 1x ao dia mantenha. Pode tirar das cápsulas e colocar em suco espesso (ex. mamão, abacate), exceto o iodo e o óleo de amêndoas (benzaldeído). Faça pausa aos domingos. Em 30-40 dias tome como prescrito. Se sintomas de gastrite: parar por 3 a 5 dias todas as fórmulas e use folha de couve batida com água no liquidificador: ½ copo 3x ao dia, guaçatonga (*Casearia sylvestris)* colher das de sobremesa em meio copo de água 3x ao dia, Espinheira-santa ou Sucrafilm em envelopes de 2g 3x ao dia. Não use omeprazol e correlatos.

DHEA: prescrever sempre se DHEA-sulfato abaixo de 150mcg/dl.

Tomar banhos de Sol 3x/semana: 15-30 minutos entre 11 e 14 horas. Ficar sem tomar banho por 1 hora.

Atividade Física: andar passo firme 30'dia/3-4x/semana. Natação. Hidroginástica com carga. Musculação com aumento de peso gradativo. Musculação.

Forrar com manta térmica de alumínio (Casa de material de construção):

1. entre o estrado da cama e o colchão da cabeceira aos pés,
2. embaixo do sofá onde assiste televisão e
3. embaixo da cadeira do escritório.

Tudo isso para livrar-se de radiações de pequena amplitude e baixa frequência que emanam da Terra: Zona Geopatogênica e de radiações provenientes de lençóis freáticos ou mananciais subterrâneos.

Todos os dias tomar água estruturada e hidrogenada assim preparada:

Fosfato bibásico de magnésio: 25mg, carbonato de magnésio: 10mg, sulfato de magnésio: 10mg, cloreto de magnésio: 10mg, cloreto de potássio: 10mg, hipossulfito de sódio: 10mg, sulfato de cálcio: 30mg, bicarbonato de potássio: 20mg, citrato de sódio: 25,0mg, dióxido de silício: 40mg.........mande 60 doses.

Colocar 1 dose em 1 litro de água mineral pobre em flúor e em garrafa de vidro, nunca em PET. O ideal é usar osmose-reversa ou água destilada.

Usar essa água em hidrogenador portátil que forneça potencial de oxidorredução (ORP) mais negativo do que -450mv. Beber 1.000 a 1.500ml durante o dia. Não parar.

O hidrogenador de água portátil deve produzir ORP -450 ou mais negativo: Aliexpress, Mercado livre.

Não comer: carne vermelha, de frango, de porco e de cordeiro. Peixe e ovos podem.

Não ingerir: leite e derivados proteicos do leite. Manteiga, creme de leite e chantili podem.

Carboidratos: ingerir apenas alimentos de Índice Glicêmico < 60,TABELA. Não abusar da quantidade.

Frutas: ingerir no máximo 25g/frutose/dia, TABELA.

Acetato de zinco ....140mg (50mg Zn)

Tomar 1cp após desjejum almoço e jantar

Withaferin A 400mg
Oxalato de escitalopram ....10mg..........60cps

Tomar 1cp no desjejum e almoço

Trimetilglicina............................100mg
L-taurina 100mg
Myo-inositol 100mg
Óxido de silício
inorgânico (SiO_2).......................80mg..........60 doses

Tomar 1dose trinta minutos antes do desjejum, 2 horas após almoço, sempre com o estômago vazio. Não repetir.

Não abusar do sódio. Use o sal de Karpanen com baixo teor de sódio e alto em potássio e magnésio para polarizar a membrana celular.

Cloreto de sódio......................... 40,0 %

Cloreto de Potássio.................... 35,0 %
Sulfato de Magnésio ....22,5 %
L – Lisina ....2,0 %
Iodeto de Potássio.......................0,5 %.......... Mande 250g

Use como sal de cozinha para toda família. Colocar o sal após cozinhar.

Extrato seco de *Rosmarinus officinalis*.......................................300mg
Extrato seco de *Ocimum basilicum*.......................................100mg
Extrato seco de *Salvia officinalis*.......................................100mg
Amiloride 7,5mg
Extrato de folhas de oliveira (oleuropeína)..............................300mg ....120 doses

Tomar 1 dose 3x ao dia/4 meses

Cloreto de metioninium........... 1mg/kg
Ácido alfalipoico........................200mg
CoQ10...75mg
Nicotinamida 100mg
Tiamina.......................................100mg
Acetato de zinco ....42mg (15mg de Zn)
Extrato das sementes do *Silybum marianum*.....................200mg
Genisteína...................................125mg ....120 doses

Tomar 1cp 3x ao dia

Extrato de curcumina 95%........500mg
Extrato de *Tanacetum parthenium*................................200mg
Extrato de semente de uva (ácido gálico).............................250mg
Piperina.......................................150mg ....90 doses

1 dose 3x ao dia/60 dias.

Colecalciferol oleosa 5gts/10.000UI 50ml

Tomar 5gts ao dia no desjejum.

Retinol...300mil UI
Vit. K2 (MK4) 300mcg
Genisteína...................................250mg
Riboflavina ....150mg 120cps

1cp após o desjejum.

BCG sonicado 1,5ml
Glucana – 10mg/ml....................5.0ml ....1 frasco 6,5ml (2x)

Agitar e aplicar 0,5ml subcutâneo às 2ª/4ª/6ª feiras/16x. Guardar na geladeira, não no congelador.

Naltrexone 5,0mg
Espironolactona..........................2,0mg.........90cp

1cp ao deitar de segunda a sábado.

Melatonina. 20mg sublingual....120cps sublinguais

Use sublingual ao deitar.

Ganoderma lucidum (extrato)..300mg
Glucana (extrato de *S. cerevisae*)................................200mg
Fucoidans...................................100mg
Seleno-metionina ....100mg (200mcg Se)
Ácido ascórbico 50mg
Resveratrol..................................200mg ....mande 90 doses

Tomar 1 dose 3x ao dia após as refeições/4 meses.

Depakote ER (divalproato de sódio)/ 500mg...1cx

Tomar 1cp jantar por 5 dias, depois 2cp/4 meses. ATENÇÃO NÃO DIRIGIR.

Extrato fluido de Berberina.......400ml
Extrato fluido de Sanguinarina..75ml
Extrato fluido de *Chelidoneum majus*....................150m
Extrato fluido de *Chenopodium ambrosioides*.......100ml ....1 frasco

Tomar 1 medida de 5ml (= 500mg) em pouco de água 3x ao dia, após as refeições.

Metformina em creme pentravam.................................350mg de metformina
Vitamina B12 ....200mcg......180 doses

Usar 1 pump 3x/dia na pele mais fina da coxa ou braço ou pescoço ou abdome. Faça rodízio.

Luteolina 1,7mg/kg/dose
....180 doses/2 meses
Apigenina....................................60mg

Abra a cápsula e coloque embaixo da língua 3x ao dia. Espere absorver

Iodo molecular (I2) ....0,75mg mg/kg/dose
....120 doses

Tomar 1 dose após almoço e após o jantar. Cápsulas escuras.

Não tirar das cápsulas/4 meses

Tintura mãe de *Rhus verniciflua* (*Toxodendrum vermicifluun*) 300ml

Tomar 5ml em um pouco de água 3x ao dia.

Óleo de borago 24% ....1000mg .....1 frasco

Tomar 1cp 3x ao dia

Óleo de peixe ômega-3 – (DHA/EPA na proporção 3/2)..1 vidro

Tomar 1cp após desjejum, almoço e jantar

Extrato de *Scutellaria baicalensis*..................................250mg
Extrato de *Nigella sativa*............250mg
Extrato de alcaçuz.......................100mg
Extrato de casca de cítricos (Hesperidina)..150mg
Vitamina K1.................................200mcg......120 doses

Tomar 1 dose após desjejum, almoço e jantar

Artemisinina tintura.................300ml

Tomar 3ml em um pouco de água 3x ao dia 7 dias sim/7 dias não

Aumentar a ingestão de:

1. **Indol-3-carbinol (DIM):** vegetais crucíferos como couve, brócolis, couve-flor e couve-de-bruxelas.
2. **Inositol-6-fosfato – IP-6**: maiores concentrações no farelo de arroz e nas sementes ou farinha do gergelim, semente de abóbora, sementes de oleaginosas, linhaça, sementes de chia, amêndoas, castanha-do-pará, farelo de trigo e de centeio, milho e soja. Farelo de arroz: uma colher das de sopa dias alternados.
3. **Isotiocianatos Sulforafane e irmãos)**: brócolis, couve-de-bruxelas, sementes da mostarda, couve -manteiga, mostarda, agrião, couve-flor, rábano (horse-radish), nabo e rabanete.
4. **Antocianinas:** amoras, cerejas, framboesas, morangos, groselhas, uvas roxas, mirtilo e vinho tinto. A porção de 100g de frutas vermelhas contém 400 a 500mg de antocianinas. Outras fontes: açaí, repolho roxo, Oryza sativa (arroz negro), uva negra, soja negra, feijão preto,

batata roxa, batata doce, cebola roxa, beterraba e milho vermelho.

5. **Acetogeninas anonáceas: Graviola**: tomar suco da fruta da graviola 1 copo 2-3x semana, fruta do conde ou fruta pinha (Annona squamosa), cherimoia (*Annona cherimoia*), atemoia (vetada pois é rica em cobre).

CAPÍTULO 205

Melanoma maligno. ESTRATÉGIAS

José de Felippe Junior

ATENÇÃO: Não comece as fórmulas na dose prescrita e todas elas de uma vez. Comece com 3 fórmulas apenas e acrescente 1 fórmula cada 3 dias. Se estiver prescrito 3x ao dia use 2x, se 2x ao dia use 1x e se 1x ao dia mantenha. Pode tirar das cápsulas e colocar em suco espesso (ex. mamão, abacate), exceto o iodo e o óleo de amêndoas (benzaldeído). Faça pausa aos domingos. Em 30-40 dias tome como prescrito. Se sintomas de gastrite: parar por 3 a 5 dias todas as fórmulas e use folha de couve batida com água no liquidificador: ½ copo 3x ao dia, guaçatonga (*Casearia sylvestris)* 1 colher das de sobremesa em meio copo de água 3x ao dia, Espinheira-santa ou Sucrafilm em envelopes de 2g 3x ao dia. Não use omeprazol e correlatos.

DHEA: prescrever sempre se DHEA-sulfato abaixo de 150mcg/dl.

Tomar banhos de Sol 3x/semana: 15-30 minutos entre 11 e 14 horas. Ficar sem tomar banho por 1 hora.

Atividade Física: andar passo firme 30'dia/3-4x/semana. Natação. Hidroginástica com carga. Musculação com aumento de peso gradativo. Musculação.

Forrar com manta térmica de alumínio (Casa de material de construção):

1. entre o estrado da cama e o colchão da cabeceira aos pés,
2. embaixo do sofá onde assiste televisão e
3. embaixo da cadeira do escritório.

Tudo isso para livrar-se de radiações de pequena amplitude e baixa frequência que emanam da Terra: Zona Geopatogênica e de radiações provenientes de lençóis freáticos ou mananciais subterrâneos.

Todos os dias tomar água estruturada e hidrogenada assim preparada:

Fosfato bibásico de magnésio: 25mg, carbonato de magnésio: 10mg, sulfato de magnésio: 10mg, cloreto de magnésio: 10mg, cloreto de potássio: 10mg, hipossulfito de sódio: 10mg, sulfato de cálcio: 30mg, bicarbonato de potássio: 20mg, citrato de sódio: 25,0mg, dióxido de silício: 40mg.........mande 60 doses

Colocar 1 dose em 1 litro de água mineral pobre em flúor e em garrafa de vidro, nunca em PET. O ideal é usar osmose-reversa ou água destilada.

Usar essa água em hidrogenador portátil que forneça potencial de oxidorredução (ORP) mais negativo do que -450mv. Beber 1.000 a 1.500ml durante o dia. Não parar.

O hidrogenador de água portátil deve produzir ORP -450 ou mais negativo: Aliexpress, Mercado livre.

Não comer: carne vermelha, de frango, de porco e de cordeiro. Peixe e ovos podem.

Não ingerir: leite e derivados proteicos do leite. Manteiga, creme de leite e chantili podem.

Carboidratos: ingerir apenas alimentos de Índice Glicêmico < 60, TABELA. Não abuse de quantidade.

Frutas: ingerir no máximo 25g/frutose/dia, TABELA.

Withaferin A 400mg
Oxalato de escitalopram ....10mg..........60cps

Tomar 1cp no desjejum e almoço

Trimetilglicina.............................100mg
L-taurina 100mg
Myo-inositol 100mg
Óxido de silício
inorgânico (SiO_2).......................80mg..........60 doses

Tomar 1dose trinta minutos antes do desjejum, 2 horas após almoço, sempre com o estômago vazio. Não repetir.

Não abusar do sódio. Use o sal de Karpanen com baixo teor de sódio e alto em potássio e magnésio para polarizar a membrana celular.

Cloreto de sódio......................... 40,0%
Cloreto de Potássio..................... 35,0%

Sulfato de Magnésio 22,5%
L-Lisina 2,0%
Iodeto de Potássio.......................0,5%........... Mande 250g

Use como sal de cozinha para toda família. Colocar o sal após cozinhar.

Extrato seco de *Rosmarinus officinalis* 300mg
Extrato seco de *Ocimum basilicum* 100mg
Extrato seco de *Salvia officinalis* 100mg
Amiloride 7,5mg
Extrato de folhas de oliveira......300mg ....120 doses

Tomar 1 dose 3x ao dia/4 meses

Cloreto de metioninium 1mg/kg
Ácido alfalipoico.............................200mg
CoQ10...75mg
Nicotinamida 100mg
Tiamina..100mg
Acetato de zinco ....42mg (15mg de Zn)
Extrato das sementes do *Silybum marianum* 200mg
Genisteína.....................................125mg ....120 doses

Tomar 1cp 3x ao dia

Extrato de curcumina 95%........500mg
Extrato de *Tanacetum parthenium* 200mg
Extrato de semente de uva (ácido gálico)...............................250mg
Piperina..150mg ....90 doses

1 dose 3x ao dia/60 dias.

Colecalciferol oleosa ....5gts/ 10.000UI 50ml

Tomar 5gts ao dia no desjejum.

Retinol...300mil UI
Vit. K2 (MK4) 300mcg
Genisteína......................................250mg
Riboflavina ....150mg 120cps

1cp após o desjejum.

BCG sonicado 1,5ml
Glucana- 10mg/ml ....5,0ml.........1 frasco 6,5ml (2x)

Agitar e aplicar 0,5ml subcutâneo às 2ª/4ª/6ª feiras/16x. Guardar na geladeira, não no congelador.

Naltrexone 5,0mg
Espironolactona..............................2,0mg.........90cp

1cp ao deitar de segunda a sábado.

Melatonina. 20mg sublingual....120cps sublinguais

Use sublingual ao deitar.

Ganoderma lucidum (extrato)..300mg
Glucana (extrato de *S. cerevisae*)................................200mg
Fucoidans..100mg
Seleno-metionina ....100mg (200mcg Se)
Ácido ascórbico 50mg
EGCG...150mg
Resveratrol.......................................200mg ....mande 90 doses

Tomar 1 dose 3x ao dia após as refeições/4 meses.

Depakote ER (divalproato de sódio)/500mg 1cx

Tomar 1cp jantar por 5 dias, depois 2cp/4 meses. ATENÇÃO NÃO DIRIGIR.

Extrato fluido de Berberina.......400ml
Extrato fluido de Sanguinarina..75ml
Extrato fluido de *Chelidoneum majus* 150m
Extrato fluido de *Chenopodium ambrosioides*.......100ml ....1 frasco

Tomar 1 medida de 5ml (= 500mg) em pouco de água 3x ao dia, após as refeições

Metformina em creme pentravam.....................................350mg de metformina
Vitamina B12 ....200mcg......180 doses

Usar 1 pump 3x/dia na pele mais fina da coxa ou braço ou pescoço ou abdome. Faça rodízio.

Luteolina 90mg
Apigenina...60mg..........180 doses/ 2 meses

Abra a cápsula e coloque embaixo da língua 3x ao dia. Espere absorver.

Iodo molecular (I2) ....40mg.........120 doses

Tomar 1 dose após almoço e após o jantar. Cápsulas escuras. Não tirar das cápsulas/4 meses

Extrato de *Scutellaria baicalensis* 250mg
Extrato de *Nigella sativa* 250mg
Extrato de alcaçuz..........................100mg
Extrato da casca de cítricos (Hesperidina)..150mg
Vitamina K1 ....200mcg......120 doses

Tomar 1 dose após desjejum, almoço e janta

Artemisinina tintura 300ml

Tomar 3ml em um pouco de água 3x ao dia 7 dias sim/7 dias não

Picolinato de zinco 300mg
Difosfato de cloroquina 200mg
Propranolol................................. 20mg
Piridoxina cloridrato.................. 10mg.......... 120 doses

Tomar 1 dose 3x ao dia

Cloreto de lítio 300mg

Tomar 1cp 3x ao dia

Óleo de peixe ômega-3 –
(DHA/EPA na proporção 3/2) .. 1vidro

Tomar 1cp após desjejum, almoço e jantar

Aumentar a ingestão de:

1. **Importante. Antocianinas:** amoras, cerejas, framboesas, morangos, groselhas, uvas roxas, mirtilo e vinho tinto. A porção de 100g de frutas vermelhas contém 400 a 500mg de antocianinas. Outras fontes: açaí, repolho roxo, Oryza sativa (arroz negro), uva negra, soja negra, feijão preto, batata roxa, batata doce, cebola roxa, beterraba e milho vermelho.
2. **Importante. Inositol-6-fosfato – IP-6**: maiores concentrações no farelo de arroz e nas sementes ou farinha do gergelim, semente de abóbora, sementes de oleaginosas, linhaça, sementes de chia, amêndoas, castanha-do-pará, farelo de trigo e de centeio, milho e soja. Farelo de arroz: uma colher das de sopa dias alternados
3. **Importante. Isotiocianatos Sulforafane e irmãos**: brócolis, couve-de-bruxelas, sementes da mostarda, couve-manteiga, mostarda, agrião, couve-flor, rábano (horse-radish), nabo e rabanete.
4. **Isotiocianatos Sulforafane e irmãos**: brócolis, couve-de-bruxelas, sementes da mostarda, couve-manteiga, mostarda, agrião, couve-flor, rábano (horse-radish), nabo e rabanete.
5. **Acetogeninas anonáceas: Graviola**: tomar suco da fruta da graviola 1 copo 2-3x semana, fruta do conde ou fruta pinha (Annona squamosa), cherimoia (*Annona cherimoia*), atemoia (vetada pois é rica em cobre).

CAPÍTULO 206

Mieloma múltiplo. ESTRATÉGIAS

José de Felippe Junior

ATENÇÃO: Não comece as fórmulas na dose prescrita e todas elas de uma vez. Comece com 3 fórmulas apenas e acrescente 1 fórmula cada 3 dias. Se estiver prescrito 3x ao dia use 2x, se 2x ao dia use 1x e se 1x ao dia mantenha. Pode tirar das cápsulas e colocar em suco espesso (ex. mamão, abacate), exceto o iodo e o óleo de amêndoas (benzaldeído). Faça pausa aos domingos. Em 30-40 dias tome como prescrito. Se sintomas de gastrite: parar por 3 a 5 dias todas as fórmulas e use folha de couve batida com água no liquidificador: ½ copo 3x ao dia, guaçatonga (*Casearia sylvestris)* 1 colher das de sobremesa em meio copo de água 3x ao dia, Espinheira santa ou Sucrafilm em envelopes de 2g 3x ao dia. Não use omeprazol e correlatos.

DHEA: prescrever sempre se abaixo de 150mcg/dl.

Tomar banhos de Sol 3x/semana: 15-30 minutos entre 11 e 14 horas. Ficar sem tomar banho por 1 hora.

Atividade Física: andar passo firme 30'dia/3-4x/semana. Natação. Hidroginástica com carga. Musculação com aumento de peso gradativo. Musculação.

Forrar com manta térmica de alumínio (Casa de material de construção):

1. entre o estrado da cama e o colchão da cabeceira aos pés,
2. embaixo do sofá onde assiste televisão e
3. embaixo da cadeira do escritório.

Tudo isso para livrar-se de radiações de pequena amplitude e baixa frequência que emanam da Terra: Zona Geopatogênica e de radiações provenientes de lençóis freáticos ou mananciais subterrâneos.

Todos os dias tomar água estruturada e hidrogenada assim preparada:

Fosfato bibásico de magnésio: 25mg, carbonato de magnésio: 10mg, sulfato de magnésio: 10mg, cloreto de magnésio: 10mg, cloreto de potássio: 10mg, hipossulfito de sódio: 10mg, sulfato de cálcio: 30mg, bicarbonato de potássio: 20mg, citrato de sódio: 25,0mg, dióxido de silício: 40mg.........mande 60 doses.

Colocar 1 dose em 1 litro de água mineral pobre em flúor e em garrafa de vidro, nunca em PET. O ideal é usar osmose-reversa ou água destilada.

Usar essa água em hidrogenador portátil que forneça potencial de oxidorredução (ORP) mais negativo do que -450mv. Beber 1.000 a 1.500ml durante o dia. Não parar.

O hidrogenador de água portátil deve produzir ORP -450mv ou mais negativo: Aliexpress, Mercado livre.

Não comer: carne vermelha, frango, porco e cordeiro. Peixe e ovos podem.

Não ingerir: leite e derivados proteicos do leite. Manteiga, creme de leite e chantili podem.

Carboidratos: ingerir apenas alimentos de Índice Glicêmico < 60, TABELA. Não abuse da quantidade.

Frutas: ingerir no máximo 25g/frutose/dia, TABELA.

Withaferin A 400mg
Oxalato de escitalopram ....10mg..........60cps

Tomar 1cp no desjejum e almoço

Trimetilglicina............................100mg
L-taurina 100mg
Myo-inositol...............................100mg
Óxido de silício inorgânico (SiO_2) 80mg
....60 doses

Tomar 1 dose trinta minutos antes do desjejum, 2 horas após almoço, sempre com o estômago vazio. Não repetir.

Não abusar do sódio. Use o sal de Karpanen com baixo teor de sódio e alto em potássio e magnésio para polarizar a membrana celular.

Cloreto de sódio.........................40,0%
Cloreto de Potássio....................35,0%
Sulfato de Magnésio 22,5%
L-Lisina 2,0%

Iodeto de Potássio......................0,5%.......... Mande 250g

Use como sal de cozinha para toda família. Colocar o sal após cozinhar.

Extrato seco de *Rosmarinus officinalis*....................................300mg
Extrato seco de *Ocimum basilicum*....................................100mg
Extrato seco de *Salvia officinalis*....................................100mg
Amiloride ....7,5mg.........120 doses

Tomar 1 dose 3x ao dia/4 meses

Cloreto de metioninium............1mg/kg
Ácido alfalipoico........................200mg
CoQ10..75mg
Nicotinamida 100mg
Tiamina......................................100mg
Acetato de zinco ....42mg (15mg de Zn)
Extrato das sementes do *Silybum marianum*....................400mg***
Genisteína..................................125mg ....120 doses

Tomar 1cp 3x ao dia

Extrato de curcumina 95%........500mg
Extrato de *Tanacetum parthenium*................................400mg***
Extrato de semente de uva (ácido gálico)..............................250mg
Piperina.......................................150mg ....90 doses

1 dose 3x ao dia.

Colecalciferol oleosa ....5gts/ 10.000UI 50ml

Tomar 5gts ao dia no desjejum.

Retinol..300mil UI
Vitamina K2 ....200mcg***
Genisteína..................................250mg
Riboflavina ....150mg 120cps

1cp após o desjejum.

BCG sonicado 1,5ml
Glucana – 10mg/ml....................5.0ml ....1 frasco 6,5ml (2x)

Agitar e aplicar 0,5ml subcutâneo às 2ª/4ª/6ª feiras/16x. Guardar na geladeira, não no congelador.

Naltrexone 5,0mg
Espironolactona.........................2,0mg.........90cp

1cp ao deitar de segunda a sábado.

Melatonina.20mg sublingual.....120cps sublinguais

Abra a pequena cápsula e coloque embaixo da língua ao deitar para dormir.

Ganoderma lucidum (extrato)..300mg
Glucana (extrato de *S. cerevisae*).................................200mg
Seleno-metionina ....100mg (200mcg Se)
Ácido ascórbico ....50mg..........120cp

1dose 3x ao dia

EGCG..400mg
Resveratrol.................................400mg ....mande 120 doses

Tomar 1 dose 3x ao dia após as refeições/4 meses.***

Acetilador Gold-standard – Epigenética

Depakote ER (divalproato de sódio)/ 500mg...1cx

Tomar 1cp no jantar por 5 dias e depois 2cp no jantar por 4 meses. ATENÇÃO NÃO DIRIGIR.

Extrato fluido de Berberina.......400ml
Extrato fluido de Sanguinarina 75ml
Extrato fluido de *Chelidoneum majus*...................150ml
Extrato fluido de *Chenopodium ambrosioides*.......100ml ....1 frasco

Tomar 1 medida de 5ml (= 500mg) em pouco de água 3x ao dia, após as refeições.

Metformina em creme pentravam.....................................350mg de metformina
Vitamina B12 ....200mcg......180 doses

Usar 1 pump 3x/dia na pele mais fina da coxa ou braço ou pescoço ou abdome. Faça rodízio dos lugares.

Luteolina ....1,7mg/kg/dose 180 doses
Apigenina....................................60mg

Abra a cápsula e coloque embaixo da língua 3x ao dia. Espere absorver.***

Nota: não colocar excipiente.

Iodo molecular (I2) ....0,75mg mg/kg/dose 120 doses

Tomar 1 dose após almoço e após o jantar/4 meses. Cápsulas escuras. Não tirar das cápsulas.

Extrato de *Scutellaria baicalensis*...................................300mg
Extrato de Boswellia serrata......300mg
Extrato de *Nigella sativa* ....400mg ....120 doses

Tomar 1 dose após desjejum, almoço e jantar.***

Óleo de peixe ômega-3 – (DHA/EPA na proporção 3/2)..1 vidro

Tomar 1cp após desjejum, almoço e jantar

Artemisinina tintura 300ml

Tomar 3ml em um pouco de água 3x ao dia 7 dias sim/7 dias não

Cannabis sativa CBD/THC 1/1 1 frasco
3gts 3x ao dia/5 dias. 4gts 3x ao dia/5 dias e depois 5-10gts 3x ao dia e manter.***
Ácido cítrico..............................500mg
Omeprazol.................................2mg............120cps

Tomar 8 a 16 cápsulas divididas durante o dia (6 a 8g/dia)

Se sintomas de gastrite: flaconetes de Sucrafilm.*

Difosfato de cloroquina 250mg
Piridoxina 20mg
Picolinato de zinco ....qsp 500mg 120cp

Tomar 1cp 3x ao dia.***

Moringa oleífera ....500mg 120cp

Tomar 1cp 3x ao dia.***

DHEA50mg: 1cp 2x ao dia por 60 dias e depois 1x ao dia. ****

Vitamina K MK2 ....400mcg

1cp 3x ao dia.***

Maltedextrina..............................1.375mg Óleo de amêndoas (Benzaldeído)...........125mg ....mande 120 doses

Tomar 1 dose 2x ao dia com estomago cheio por 7 dias. Depois 1 dose 3x ao dia por 7 dias e depois 4x ao dia. NÃO TIRAR DAS CÁPSULAS (1dose 4x ao dia = 500mg do extrato).

Aumentar a ingestão de:

1. **Importante. Isotiocianatos (Sulforafane e irmãos):** brócolis, couve-de-bruxelas, sementes da mostarda, couve-manteiga, mostarda, agrião, couve-flor, rábano (horse-radish), nabo e rabanete.
2. **Inositol-6-fosfato – IP-6**: maiores concentrações no farelo de arroz e nas sementes ou farinha do gergelim, semente de abóbora, sementes de oleaginosas, linhaça, sementes de chia, amêndoas, castanha-do-pará, farelo de trigo e de centeio, milho e soja. Farelo de arroz: uma colher das de sopa dias alternados.
3. **Antocianinas:** amoras, cerejas, framboesas, morangos, groselhas, uvas roxas, mirtilo e vinho tinto. A porção de 100g de frutas vermelhas contém 400 a 500mg de antocianinas. Outras fontes: açaí, repolho roxo, Oryza sativa (arroz negro), uva negra, soja negra, feijão preto,
batata roxa, batata doce, cebola roxa, beterraba e milho vermelho.
4. **Acetogeninas anonáceas: Graviola**: tomar suco da fruta da graviola 1 copo 2-3x semana, fruta do conde ou fruta pinha (Annona squamosa), cherimoia (*Annona cherimoia*), atemoia (vetada pois é rica em cobre).
5. Ácido alfalipoico: óleo de linhaça, semente de linhaça dourada, levedura de cerveja, bife de fígado bovino.
6. Ácido gálico: polifenóis e procianidinas das sementes de uva, mirtilo, amora, morango, berries em geral, ameixa, uvas, manga e sua casca, café levemente torrado, castanha de caju, avelã, noz, semente de linhaça, chá mate, chá verde, cevada, casca do feijão, chocolate amargo, ruibarbo, rosa mosqueta, sorgo, noz-de-galha, sumagre (bagas vermelhas usadas como tempero nas cozinhas libanesa, turca e síria), hamamélis, casca ou súber do carvalho e faz parte dos taninos adstringentes e amargos.

CAPÍTULO 207

Hipertrofia prostática. ESTRATÉGIAS

José de Felippe Junior

Tomar banhos de Sol 3x/semana: 15-30 minutos entre 11 e 14 horas. Ficar sem tomar banho por 1 hora.

Atividade Física: andar passo firme 30'dia/3-4x/semana. Natação. Hidroginástica com carga. Musculação com aumento de peso gradativo. Musculação.

Forrar com manta térmica de alumínio (Casa de material de construção):

1. entre o estrado da cama e o colchão da cabeceira aos pés,
2. embaixo do sofá onde assiste televisão, e
3. embaixo da cadeira do escritório.

Tudo isso para livrar-se de radiações de pequena amplitude e baixa frequência que emanam da Terra: Zona Geopatogênica e de radiações provenientes de lençóis freáticos ou mananciais subterrâneos.

Todos os dias tomar água estruturada e hidrogenada assim preparada:

Fosfato bibásico de magnésio: 25mg, carbonato de magnésio: 10mg, sulfato de magnésio: 10mg, cloreto de magnésio: 10mg, cloreto de potássio: 10mg, hipossulfito de sódio: 10mg, sulfato de cálcio: 30mg, bicarbonato de potássio: 20mg, citrato de sódio: 25,0mg, dióxido de silício: 40mg.........mande 60 doses

Colocar 1 dose em 1 litro de água mineral pobre em flúor e em garrafa de vidro, nunca em PET. O ideal é usar osmose-reversa ou água destilada.

Usar essa água em hidrogenador portátil que forneça potencial de oxidorredução (ORP) mais negativo do que -450mv. Beber 1000 a 1500ml durante o dia. Não parar.

O hidrogenador de água portátil deve produzir ORP -450mv ou mais negativo: Aliexpress, Mercado livre.

Não comer: carne vermelha, frango, porco e cordeiro. Peixe e ovos podem.

Não ingerir: leite e derivados proteicos do leite. Manteiga, creme de leite e chantili podem.

Carboidratos: ingerir apenas alimentos de Índice Glicêmico < 60, TABELA. Não abuse da quantidade.

Frutas: ingerir no máximo 25g/frutose/dia, TABELA.

Ferritina sérica. Manter inferior a 80ng/ml com doações de sangue ou sangrias 30/30 dias

Óleo de semente de abobara .....1.000mg 120cp

Tomar 1cp 2x/dia

Iodo molecular...........................50mg..........120cps

Tomar 1cp ao dia

Rosmarinus off...........................500mg

1cp 3x ao dia

Extrato fluido de Berberina.......500ml

Tomar 10ml após desjejum e jantar

Colecalciferol oleosa 5gts/5.000UI

50ml

Tomar 5gts ao dia no desjejum.

Retinol..100mil UI

Vitamina K1 ....200mcg

Genisteína...................................250mg

Riboflavina ....150mg 120cps

1cp após o desjejum.

Sabal serrulata............................160mg

Acetato de zinco 156mg (50mgZn)

Licopeno 20mg

Beta caroteno ....15 mg

Luteolina.....................................15mg

Yohimbina ....10,8 mg

Crisina...200mg.

Piperina.......................................100mg

Astaxantina.................................3mg

Excelen (seleno-metionina) 50mg (100mcg/Se)

Urtica dioica – extrato 300mg

Pygeum africanum – extrato.....100mg
Glicirrizina ....100mg mande 120 doses
Isoflavona....................................100mg
Boswellia serrata.........................50mg
Scutellaria barbata......................100mg
Extrato seco de
Camellia sinensis..........................200mg
Resveratrol..................................40mg
Di-Indolilmetano – DIM...........100mg
Tetraborato de sódio ....6,5mg boro

Vitamina K1 ....150mg
Rutina..100mg
Hesperidina..................................100mg
Anastrozol 0,5mg

Tomar 1 dose após café da manhã e após o jantar durante 30 dias (geralmente 1 dose = 3cápsulas) e depois 1dos ao dia durante 6 meses.

Se dificuldade de urinar

1. Secotex ADV 0,4mg/dia (Tansulosina)
2. ou Duomo (Doxazozina) 2-4mg/dia

CAPÍTULO 208

EBV – ESTRATÉGIAS para administrar o EBV

José de Felippe Junior

ATENÇÃO: Não comece as fórmulas na dose prescrita e todas elas de uma vez. Comece com 3 fórmulas apenas e acrescente 1 fórmula cada 3 dias. Se estiver prescrito 3x ao dia use 2x, se 2x ao dia use 1x e se 1x ao dia mantenha. Pode tirar das cápsulas e colocar em suco espesso (ex. mamão, abacate), exceto o iodo e o óleo de amêndoas (benzaldeído). Faça pausa aos domingos. Em 30-40 dias tome como prescrito. Se sintomas de gastrite: parar por 3 a 5 dias todas as fórmulas e use folha de couve batida com água no liquidificador: ½ copo 3x ao dia, guaçatonga (*Casearia sylvestris)* 1 colher das de sobremesa em meio copo de água 3x ao dia, Espinheira-santa ou Sucrafilm em envelopes de 2g 3x ao dia. Não use omeprazol e correlatos.

Tomar banhos de Sol 3x/semana: 15-30 minutos entre 11 e 14 horas. Ficar sem tomar banho por 1 hora.

Atividade Física: andar passo firme 30'dia/3-4x/semana. Natação. Hidroginástica com carga. Musculação com aumento de peso gradativo. Musculação.

Forrar com manta térmica de alumínio (Casa de material de construção:

1. entre o estrado da cama e o colchão da cabeceira aos pés,
2. embaixo do sofá onde assiste televisão, e
3. embaixo da cadeira do escritório.

Tudo isso para livrar-se de radiações de pequena amplitude e baixa frequência que emanam da Terra: Zona Geopatogênica e de radiações provenientes de lençóis freáticos ou mananciais subterrâneos.

Todos os dias tomar água estruturada e hidrogenada assim preparada:

Fosfato bi-básico de magnésio: 25mg, carbonato de magnésio: 10mg, sulfato de magnésio: 10mg, cloreto de magnésio: 10mg, cloreto de potássio: 10mg, hipossulfito de sódio:10mg, sulfato de cálcio: 30mg, bicarbonato de potássio: 20mg, citrato de sódio: 25,0mg, dióxido de silício: 40mg..........mande 60 doses

Colocar 1 dose em 1 litro de água mineral pobre em flúor e em garrafa de vidro, nunca em PET. O ideal é usar osmose-reversa ou água destilada. Usar essa água em hidrogenador portátil que forneça potencial de oxidorredução (ORP) mais negativo do que -450mv. Beber 1.000 a 1.500ml durante o dia. Não parar. O hidrogenador de água portátil deve produzir ORP -450mv ou mais negativo: Aliexpress, Mercado livre.

DHEA 50mg: 1 cp 2 vezes ao dia/30 dias. E depois 50mg/dia para o homem e 25mg para a mulher. Não parar

BCG sonicado 1,5ml
Glucana – 10mg/ml....................5,0ml ....1 frasco
6,5ml

Agitar e aplicar 0,5ml subcutâneo às 2ª/4ª/6ª feiras/16 aplicações. Guardar na geladeira, não no congelador.

Amiloride 7,5mg
Curcumina extrato a 95%..........500mg
Difosfato de cloroquina 200mg
Extrato de semente de uva.........200mg (ácido gálico)
Resveratrol.................................300mg
EGCG...300mg
Piperina......................................150mg
Tanacetum parthenium ....200mg ....180 doses
Cloridrato de piridoxina... ....30mg

Tomar 1 dose 3 vezes ao dia/60 dias

Óleo de alho ....500mg ....1 frasco

Tomar 1cp após desjejum, almoço e jantar.

Cimetidina..................................400mg 90cp

Tomar 1cp 3 vezes ao dia, somente por 30 dias

Extrato de *Moringa oleifera* 500mg
Extrato de *Scutellaria baicalensis* ....300mg ....120 doses
Extrato de Alcaçuz 300mg

Tomar 1 dose após 3 vezes ao dia após as refeições

Micostatim – Nistatina ....Suspensão oral com 10ml (100milUI/ml): 1 flaconete 3 vezes ao dia/30 dias

Luteolina .... 1,7mg/kg..120cps

Paciente com 60kg: 100mg 3 vezes ao dia Abra a cápsula e coloque sob a língua/3x por dia. Espere absorver.

Depakote ER – 500mg: tomar 1 cp ao deitar por 5 dias e depois 2cp ao deitar.

O ideal é: tomando por 5-7 dias 2cp ao deitar dosar no sangue pela manhã a concentração do ácido valproico que deve ficar entre 50 e 100mg/ml.

Genisteína.................................200mg
DIM...300mg ....120 doses

1cp 3x ao dia

Sigmatriol – 0,25mcg (Calcitriol): 3cp pela manhã por 30 dias

Extrato de *Rosmarinus officinalis*....................................500mg
Extrato de *Ocimum basilicum*...500mg
Extrato de *Salvia officinalis*.......500mg ....120 doses

Tomar 1dose 3 vezes ao dia

Extrato aquoso de Berberina....150ml
Extrato aquoso de Sanguinarina..............................50ml
Extrato aquoso de *Chelidoneum majus*....................100ml
Extrato aquoso *Chenopodium ambrosioides*.......100ml ....1 frasco de 400ml

Tomar 1 medida de 5ml (500mg) em um pouco de água 3 vezes ao dia, após as refeições.

Beterraba em pó: 10g no suco 2 vezes ao dia (inibe EBV – *early-antigen*)

Ou melhor

Beterraba das pequenas cruas: mínimo de 250 g misturada com suco de cenoura em partes iguais e um pouco de suco de aipo. Não adoçar.

Ivermectina: 2cp de 12/12 horas de segunda a sexta feira/2 meses

Artemisinina tintura.................300ml

Tomar 3ml em pouco de água 3x ao dia 7 dias sim/7 dias não.

Naltrexone..................................5,0mg
Espironolactona........................2,0mg.........90cps

Tomar 1cp ao deitar de segunda a sexta feira por 3 meses.

Antivirais farmacológicos

1. Fumarato de tenofovir desoproxila .... 300mg.
   Tomar 1cp ao dia após uma das refeições. Avisar que é off-label e usado no HIV.
2. Valtrex: 1cp = 500mg de valaciclovir.............................42cp
   Tomar 1cp 3 vezes ao dia após as refeições por 10 dias e depois 2 vezes ao dia até terminar os 42cps.

Nos casos muito graves ou rebeldes dispomos:

3. Valcyte®: 1cp = 450mg de valganciclovir. Tomar 2cp por VO 12/12 horas durante 21 dias (5 mil dólares).

Manutenção 2cp/dia.

4. Foscavir (Foscanert) é intravenoso, 60mg/kg de 8/8horas 2-3 semanas/sol. inj. IV 24mg/ml. emb. c/12 fr. c/250ml, com o paciente internado.

Dispomos também do biocida universal que gera dióxido de cloro, ClO_2, poderoso oxidante.

Fórmula 100

1 frasco de clorito de sódio a 40% 50ml
e
1 frasco de ácido clorídrico a 3,7%...50ml

Colocar 1 gota de cada em copo de vidro. Esperar 30-40" até terminar de borbulhar (cor amarelo-escura). Preencher com ½ copo de água ou suco (exceto laranja-limão). Tomar 2/2 horas das 8 até 18 horas. Aumentar 1 gota de cada diariamente até chegar 3 gotas de 2/2 horas e durante 21 dias.

Depois usar 3 gotas de cada 4 vezes ao dia/21 dias.

Se apresentar náuseas, vômitos, febre, calafrios, mal-estar geral, sintomas de gripe: diminuir a dose pela metade, mas **não pare de tomar o medicamento.**

O que aconteceu foi uma reação à matança exagerada do agente biológico: reação de Herxheimer.

Fórmula 101

Hipoclorito de cálcio.................250mg ....mande 180cps

Tomar 1cp 2 vezes ao dia após as refeições por 7 dias e depois 3 vezes ao dia.

Se apresentar náuseas, vômitos, febre, calafrios, mal -estar geral, sintomas de gripe: diminuir a dose pela metade, mas não pare de tomar o medicamento.

Ainda não regulamentada no Brasil, porém cremos na sua regulamentação em breve é a ozonioterapia em auto-hemoterapia maior ou via retal ou peritoneal (Bocci, 1992, 2011).

Dieta:

1. Aumentar a ingestão de sulforafane e outros isotiocianatos: couve-manteiga, couve-de-bruxelas, brócolis, couve-flor, nabo, rabanete, agrião, rábano e mostarda.
2. Aumentar a ingestão de beterraba, pimenta vermelha, cranberrry, cebola vermelha e pimentão vermelho.
3. Seguir dieta inteligente, atividade física, pouco sal e muito Sol.

CAPÍTULO 209

CMV – ESTRATÉGIAS para administrar o CMV

José de Felippe Junior

ATENÇÃO: Não comece as fórmulas na dose prescrita e todas elas de uma vez. Comece com 3 fórmulas apenas e acrescente 1 fórmula cada 3 dias. Se estiver prescrito 3x ao dia use 2x, se 2x ao dia use 1x e se 1x ao dia mantenha. Pode tirar das cápsulas e colocar em suco espesso (ex. mamão, abacate), exceto o iodo e o óleo de amêndoas (benzaldeído). Faça pausa aos domingos. Em 30-40 dias tome como prescrito. Se sintomas de gastrite: parar por 3 a 5 dias todas as fórmulas e use folha de couve batida com água no liquidificador: ½ copo 3x ao dia, guaçatonga (*Casearia sylvestris)* 1 colher das de sobremesa em meio copo de água 3x ao dia, Espinheira santa ou Sucrafilm em envelopes de 2g 3x ao dia. Não use omeprazol e correlatos.

DHEA: prescrever sempre se abaixo de 150mcg/dl.

Tomar banhos de Sol 3x/semana: 15-30 minutos entre 11 e 14 horas. Ficar sem tomar banho por 1 hora.

Atividade Física: andar passo firme 30'dia/3-4x/semana. Natação. Hidroginástica com carga. Musculação com aumento de peso gradativo. Musculação.

Forrar com manta térmica de alumínio (Casa de material de construção):

1. entre o estrado da cama e o colchão da cabeceira aos pés,
2. embaixo do sofá onde assiste televisão, e
3. embaixo da cadeira do escritório.

Tudo isso para livrar-se de radiações de pequena amplitude e baixa frequência que emanam da Terra: Zona Geopatogênica e de radiações provenientes de lençóis freáticos ou mananciais subterrâneos.

Todos os dias tomar água estruturada e hidrogenada assim preparada:

Fosfato bibásico de magnésio: 25mg, carbonato de magnésio: 10mg, sulfato de magnésio: 10mg, cloreto de magnésio: 10mg, cloreto de potássio: 10mg, hipossulfito de sódio: 10mg, sulfato de cálcio: 30mg, bicarbonato de potássio: 20mg, citrato de sódio: 25,0mg, dióxido de silício: 40mg...........mande 60 doses

Colocar 1 dose em 1 litro de água mineral pobre em flúor e em garrafa de vidro, nunca em PET. O ideal é usar osmose-reversa ou água destilada. Usar essa água em hidrogenador portátil que forneça potencial de oxidorredução (ORP) mais negativo do que -450mv. Beber 1.000 a 1.500ml durante o dia. Não parar. O hidrogenador de água portátil deve produzir ORP -450mv ou mais negativo: Aliexpress, Mercado livre.

BCG sonicado 1,5ml
Glucana – 10mg/ml....................5,0ml ....1 frasco
6,5ml

Agitar e aplicar 0,5ml subcutâneo às 2ª/4ª/6ª feiras/16 aplicações. Guardar na geladeira, não no congelador.

DHEA 50mg: 1 cp 2 vezes ao dia/30 dias. E depois 50mg/dia para o homem e 25mg para a mulher. Não parar.

Annona muricata extrato
seco das folhas e talo 400mg
Annona muricata das folhas
e talo finamente triturados........100mg .... 120 cps.

Tomar 2 cps 2 vezes ao dia.

Naltrexone 5,0mg
Espironolactona.........................2,0mg.........90cps

Tomar 1cp ao deitar de segunda a sexta feira por 3 meses

Extrato fluido de Berberina.......400ml
Extrato fluido de Sanguinarina..75ml
Extrato fluido de
Chelidoneum majus 150ml
Extrato fluido de
Chenopodium ambrosioides.......100ml ....1 frasco

Tomar 1 medida de 5ml (= 500mg) em pouco de água 3x ao dia, após as refeições.

Extrato de Scutellaria barbata ...150mg
Extrato de Citrus sinensis ou
aurantifolia.............. ....250mg

EGCG..200mg
Acarbose....................................80mg
Resveratrol.................................100mg
Espironolactona..........................20mg
Ácido lipoico..............................300mg .... 120 doses

Tomar 1 dose 2 vezes ao dia.

Óleo de gergelim.........................1 frasco

Tomar 1 colher das de sopa 2 vezes ao dia nas saladas/sopas/ou puro

Annona muricata extrato seco das folhas e talo.................400mg

Annona muricata das folhas e talo finamente triturados........100mg .... 120 cps.

Tomar 2 cps 3 vezes ao dia.

Difosfato de cloroquina............250mg
Vitamina B6.................................10mg
Acetato de zinco 40mg

Tomar 1cp 3x ao dia com o estômago cheio.

Amiloride 7,5mg
Acetazolamida.............................75mg
Extrato de alcaçuz.......................300mg
Cimetidina...................................250mg
Curcumina extrato a 95%..........200mg
Piperine.......................................100mg ....180 doses

Tomar 1 dose 2 vezes ao dia/60 dias.

Extrato de *Rosmarinus officinalis*.....................................500mg
Extrato de *Ocimum basilicum*.......................................500mg
Extrato de *Salvia officinalis*.....................................500mg ....120 doses

Tomar 1 dose 3 vezes ao dia.

Ivermectina: 2cp de 12/12 horas de segunda a sexta feira/2 meses.

Artemisinina tintura 300ml

Tomar 3ml em pouco de água 3x ao dia 7 dias sim/ 7 dias não.

Antivirais da indústria

Valtrex: 1cp = 500mg de valaciclovir...........42cp

Tomar 1cp 3 vezes ao dia após as refeições por 10 dias e depois 2 vezes ao dia até terminar os 42cps.

Nos casos muito graves ou rebeldes podemos usar:

Valcyte®: 1cp = 450mg de valganciclovir. Tomar 2cp por VO 12/12 horas por 21 dias (5 mil dólares). Manutenção 2cp/dia.

Foscavir (Foscanert) é intravenoso, 60mg/kg de 8/8horas 2-3 semanas/sol. inj. por via IV 24mg/ml. emb. c/12 fr. c/250ml, com o paciente internado.

Dispomos também do biocida universal que gera dióxido de cloro, ClO_2, poderoso oxidante.

Fórmula 100

1 frasco de clorito de sódio a 40% 50ml
e
1 frasco Ácido clorídrico 3,7%...50ml

Colocar 1 gota de cada em um copo de vidro. Esperar 30-40 segundos até terminar de borbulhar (cor amarelo-escura). Preencher com ½ copo de água ou suco (exceto laranja e limão). Tomar 2/2 horas das 8 até 18 horas. Aumentar 1gota de cada diariamente até chegar 3 gotas de 2/2 horas e durante 21 dias.

Depois usar 3 gotas de cada 4 vezes ao dia/21 dias.

Se apresentar náuseas, vômitos, febre, calafrios, mal -estar geral, sintomas de gripe: diminuir a dose pela metade, mas **não pare de tomar o medicamento.** O que aconteceu foi uma reação à matança exagerada do agente biológico.

Fórmula 101

Hipoclorito de cálcio.................250mg ....mande 180cps

Tomar 1cp 2 vezes ao dia após as refeições por 7 dias e depois 3 vezes ao dia.

Se apresentar náuseas, vômitos, febre, calafrios, mal -estar geral, sintomas de gripe: diminuir a dose pela metade, mas não pare de tomar o medicamento.

Ainda não regulamentada no Brasil, porém cremos na sua regulamentação em breve é a ozonioterapia em auto-hemoterapia maior ou via retal ou peritoneal (Bocci, 1992, 2011).

Dieta:

1. Aumentar a ingestão de sulforafane e outros isotiocianatos: couve-manteiga, couve-de-bruxelas, brócolis, couve-flor, nabo, rabanete, agrião, rábano e mostarda.
2. Molho de tomate, salsa, aipo.
3. Seguir dieta inteligente + atividade física + dieta pobre em sódio e rica em Mg^{++} e K^{+}.

Referências. www.medicinabiomolecular.com.br

CAPÍTULO 210

HPV – ESTRATÉGIAS para administrar o HPV

José de Felippe Junior

ATENÇÃO: Não comece as fórmulas na dose prescrita e todas elas de uma vez. Comece com 3 fórmulas apenas e acrescente 1 fórmula cada 3 dias. Se estiver prescrito 3x ao dia use 2x, se 2x ao dia use 1x e se 1x ao dia mantenha. Pode tirar das cápsulas e colocar em suco espesso (ex. mamão, abacate), exceto o iodo e o óleo de amêndoas (benzaldeído). Faça pausa aos domingos. Em 30-40 dias tome como prescrito. Se sintomas de gastrite: parar por 3 a 5 dias todas as fórmulas e use folha de couve batida com água no liquidificador: ½ copo 3x ao dia, guaçatonga (*Casearia sylvestris)* 1 colher das de sobremesa em meio copo de água 3x ao dia, Espinheira-santa ou Sucrafilm em envelopes de 2g 3x ao dia. Não use omeprazol e correlatos.

Tomar banhos de Sol 3x/semana: 15-30 minutos entre 11 e 14 horas. Ficar sem tomar banho por 1 hora.

Atividade física: andar passo firme 30'dia/3-4x/semana. Natação. Hidroginástica com carga. Musculação com aumento de peso gradativo. Musculação.

Forrar com manta térmica de alumínio (Casa de material de construção):

1. entre o estrado da cama e o colchão da cabeceira aos pés,
2. embaixo do sofá onde assiste televisão, e
3. embaixo da cadeira do escritório.

Tudo isso para livrar-se de radiações de pequena amplitude e baixa frequência que emanam da Terra: Zona Geopatogênica e de radiações provenientes de lençóis freáticos ou mananciais subterrâneos.

Todos os dias tomar água estruturada e hidrogenada assim preparada:

Fosfato bibásico de magnésio: 25mg, carbonato de magnésio: 10mg, sulfato de magnésio: 10mg, cloreto de magnésio: 10mg, cloreto de potássio: 10mg, hipossulfito de sódio: 10mg, sulfato de cálcio: 30mg, bicarbonato de potássio: 20mg, citrato de sódio: 25,0mg, dióxido de silício: 40mg..........mande 60 doses

Colocar 1 dose em 1 litro de água mineral pobre em flúor e em garrafa de vidro, nunca em PET. O ideal é usar osmose-reversa ou água destilada. Usar essa água em hidrogenador portátil que forneça potencial de oxidorredução (ORP) mais negativo do que -450mv. Beber 1.000 a 1.500ml durante o dia. Não parar. O hidrogenador de água portátil deve produzir ORP -450mv ou mais negativo: Aliexpress, Mercado livre.

DHEA 50mg: 1cp 2 vezes ao dia/30 dias. E depois 50mg/dia para o homem e 25mg para a mulher. Não parar.

BCG sonicado.............................1,5ml
Glucana- 10mg...........................5,0ml ....1 frasco 6,5ml

Agitar e aplicar 0,5ml subcutâneo às 2ª/4ª/6ª feiras/16 aplicações. Guardar na geladeira, não no congelador.

Ou

Glucana (10mg/ml): 0,25 → 0,5 →..............IV
7/7 dias, até apresentar febre de 38-38,5 graus Célsius.

Acetato de zinco ....140mg (50mg de Zn)

Tomar 1cp após desjejum, almoço e jantar

Ganoderma lucidum (extrato)... 500mg
Glucana......................................400mg
Fucoidan 300mg
Seleno-metionina ....50mg (100mcg Se)
Ácido ascórbico 200mg
Rutina..75mg
Riboflavina ....50mg..........mande 60 doses

Tomar 1cp 3x ao dia após as refeições

Extrato de semente de uva (ácido gálico)....200mg
Genisteína...................................300mg
EGCG..250mg
Difosfato de cloroquina 250mg
Vitamina B6................................25mg

Tomar 1cp 3x ao dia

Vitamina A 300.000UI
Withaferin A ....500mg ....120 doses
Tomar 1 dose ao dia

Naltrexone 5,0mg
Espironolactona ....2,0mg.........90cps
Tomar 1cp ao deitar de segunda a sexta feira por 3 meses.

Depakote ER 500mg..................2cx
Tomar 1cp ao deitar por 4 dias e depois 2cp ao deitar. Cuidado ao dirigir. Melhor não dirigir.

Luteolina 1,7mg/kg/cápsula
Apigenina...................................50mg.........120 cápsulas
Abrir a cápsula embaixo da língua 2x ao dia

Extrato de Curcuma longa 500mg
Piperine.......................................200mg ....120 cps
Resveratrol.................................200mg
Extrato de *Scutellaria baicalensis*.................200mg
Tomar 1cp 3x ao dia

Ou

Curcuma (açafrão amarelo): 1 colher das de sopa 2x ao dia na sopa mais pimenta do reino ou sucos.

Colecalciferol gotas ....5gts/10mil UI
Tomar 5gts ao dia/6 meses

Extrato fluido de Berberina.......200ml
Extrato fluido de Sanguinarina ....50ml ....1 frasco de 400ml
Extrato fluido de *Chelidoneum majus* 150ml
Tomar 1 medida de 5ml (= 500mg) em pouco de água 3x ao dia, após as refeições.

Ácidos graxos ômega-3 dos peixes DHA e EPA na proporção de 3 para DHA e 2 para EPA, DHA/EPA – 3/2. Utilizamos 1000/1440mg após as 3 refeições principais. Não pode ter odor (oxidado).

Óleo de linhaça prensado a frio: 1colher das de sopa 2 a 3x ao dia **ou melhor**:

Óleo LLC ....2 frascos

Mistura Básica de Budwig

Óleo LLC (1 parte/linhaça + 2 partes/coco)...........................1 colher das de sopa
Queijo Cottage ....1/2 a 1 xícara

Use o mix Budwig com frutas picadas etc. Tome duas a três colheres das de sopa do óleo LLC ao dia/4 meses, ou somente o óleo de linhaça prensado a frio.

Melhor é a mistura linhaça 1 parte/coco 2 partes.

Nota: óleo de linhaça e de coco devem ser prensados a frio. Cottage: único tipo de queijo permitido.

Acidificação intracelular

1. Alfa. Amiloride 7,5mg
Acetazolamida 100mg
Resveratrol....................200mg
Cimetidina 150mg
Lansoprazol..................40mg
Piroxicam 13,5mg
Lovastatina 10mg
Olmesartana..................6mg
Borato de sódio............2,5mg de Boro

Tomar 1cp após o café da manhã, almoço e jantar/3 semanas. Parar 1 semana, junto com a fórmula do cloridrato de hidrogênio e recomeçar. Total: 3-4 meses. Checar K+.

2. Beta. Cloridrato de hidrogênio 2,5%.........................200ml

Tomar 4gts em pouco de água após as 3 refeições principais. Aumentar gota a gota cada 3 dias até atingir 10gts 3x ao dia. Parar 1 semana, junto com a fórmula do amiloride, e recomeçar. Total 4 meses.
Atenção: Sincronizar a fórmula 1-Alpha com a fórmula 2-Beta.

Ivermectina: 2cp de 12/12 horas de segunda a sexta feiras/2 meses.

Artemisinina tintura 300ml

Tomar 3ml em pouco de água 3x ao dia 7 dias sim/ 7 dias não.

Dispomos também do biocida universal que gera dióxido de cloro, ClO_2, poderoso oxidante.

Fórmula 100

1 frasco de clorito de sódio a 40% 50ml
e
1 frasco de ácido clorídrico a 3,7%........................50ml

Colocar 1 gota de cada em copo de vidro. Esperar 30-40” até terminar de borbulhar (cor amarelo-escura). Preencher com ½ copo de água ou suco (exceto laranja -limão). Tomar 2/2 horas das 8 até 18 horas. Aumentar 1 gota de cada diariamente até chegar 3 gotas de 2/2 horas e durante 21 dias.

Depois usar 3 gotas de cada 4 vezes ao dia/21 dias.

Se apresentar náuseas, vômitos, febre, calafrios, mal -estar geral, sintomas de gripe: diminuir a dose pela metade, mas **não pare de tomar o medicamento**. O que aconteceu foi uma reação à matança exagerada do agente biológico: reação de Herxheimer.

Fórmula 101

Hipoclorito de cálcio..................250mg ....mande 180 cps

Tomar 1cp 2 vezes ao dia após as refeições por 7 dias e depois 3 vezes ao dia.

Se apresentar náuseas, vômitos, febre, calafrios, mal-estar geral, sintomas de gripe: diminuir a dose pela metade, mas não pare de tomar o medicamento.

Ainda não regulamentada no Brasil, porém cremos na sua regulamentação em breve é a ozonioterapia em auto-hemoterapia maior ou via retal ou peritoneal (Bocci, 1992, 2011).

Dieta:

1. Aumentar a ingestão de sulforafane e outros isotiocianatos: couve-manteiga, couve-de-bruxelas, brócolis, couve-flor, nabo, rabanete, agrião, rábano e mostarda.
2. Aumentar a ingestão de beterraba, pimenta vermelha, cranberrry, cebola vermelha e pimentão vermelho.
3. Seguir dieta inteligente, atividade física, pouco sal e muito Sol.

CAPÍTULO 211

HSV – ESTRATÉGIAS para administrar o HSV

José de Felippe Junior

ATENÇÃO: Não comece as fórmulas na dose prescrita e todas elas de uma vez. Comece com 3 fórmulas apenas e acrescente 1 fórmula cada 3 dias. Se estiver prescrito 3x ao dia use 2x, se 2x ao dia use 1x e se 1x ao dia mantenha. Pode tirar das cápsulas e colocar em suco espesso (ex. mamão, abacate), exceto o iodo e o óleo de amêndoas (benzaldeído). Faça pausa aos domingos. Em 30-40 dias tome como prescrito. Se sintomas de gastrite: parar por 3 a 5 dias todas as fórmulas e use folha de couve batida com água no liquidificador: ½ copo 3x ao dia, guaçatonga (*Casearia sylvestris)* 1colher das de sobremesa em meio copo de água 3x ao dia, Espinheira-santa ou Sucrafilm em envelopes de 2g 3x ao dia. Não use omeprazol e correlatos.

Tomar banhos de Sol 3x/semana: 15-30 minutos entre 11 e 14 horas. Ficar sem tomar banho por 1 hora.

Atividade Física: andar passo firme 30'dia/3-4x/semana. Natação. Hidroginástica com carga. Musculação com aumento de peso gradativo. Musculação.

Forrar com manta térmica de alumínio (Casa de material de construção):

1. entre o estrado da cama e o colchão da cabeceira aos pés,
2. embaixo do sofá onde assiste televisão, e
3. embaixo da cadeira do escritório.

Tudo isso para livrar-se de radiações de pequena amplitude e baixa frequência que emanam da Terra: Zona Geopatogênica e de radiações provenientes de lençóis freáticos ou mananciais subterrâneos.

Todos os dias tomar água estruturada e hidrogenada assim preparada:

Fosfato bibásico de magnésio: 25mg, carbonato de magnésio: 10mg, sulfato de magnésio: 10mg, cloreto de magnésio: 10mg, cloreto de potássio: 10mg, hipossulfito de sódio: 10mg, sulfato de cálcio: 30mg, bicarbonato de potássio: 20mg, citrato de sódio: 25,0mg, dióxido de silício: 40mg.........mande 60 doses

Colocar 1 dose em 1 litro de água mineral pobre em flúor e em garrafa de vidro, nunca em PET. O ideal é usar osmose-reversa ou água destilada. Usar essa água em hidrogenador portátil que forneça potencial de oxidorredução (ORP) mais negativo do que -450mv. Beber 1000 a 1500ml durante o dia. Não parar. O hidrogenador de água portátil deve produzir ORP -450mv ou mais negativo: Aliexpress, Mercado livre.

Dieta: muito importante aumentar a ingestão de lisina e diminuir de arginina

Alimentos ricos em lisina (ingerir)	**Alimentos ricos em arginina (não ingerir)**
ovos	chocolate (½)
batatas	amendoim
feijão	nozes, avelã, amêndoas, sementes
levedura de cerveja	uva passa
peixe	grãos integrais
	gelatina

DHEA 50mg: 1cp 2 vezes ao dia/30 dias. E depois 50mg/dia para o homem e 25mg para a mulher. Não parar

BCG sonicado 1,5ml
Glucana – 10mg/ml...................5,0ml ....1 frasco
6,5ml

Agitar e aplicar 0,5ml subcutâneo às 2ª/4ª/6ª feiras/16 aplicações. Guardar na geladeira, não no congelador.
Ou
Glucana (10mg/ml): 0,25 → 0,5 →.............IV
7/7 dias, até apresentar febre de 38-38,5 graus Célsius

Ganoderma lucidum (extrato) .. 500mg
Glucana 400mg
Fucoidan 300mg
Seleno-metionina ....50mg (100mcg Se)
Ácido ascórbico 200mg

Rutina..75mg
Riboflavina ....100mg ....mande 60 doses

Tomar 1cp 3x ao dia após as refeições.

Naltrexone.................................5,0mg
Espironolactona.........................2,0mg.........90cps

Tomar 1cp ao deitar de segunda a sexta feira por 3 meses

Acetato de zinco ....84mg (30mg de Zn)
Difosfato de cloroquina.............250mg
Vitamina B6.................................25mg

Tomar 1cp 3x ao dia

Depakote 500mg.........................2cx

Tomar 1cp ao deitar por 4 dias e depois 2cp ao deitar. Cuidado ao dirigir. Melhor não dirigir

Oleuropeína................................400mg
Extrato de *Curcuma longa*.........300mg
Piperina.......................................75mg..........120cps

Tomar 1cp 3x ao dia

Ou Cúrcuma (açafrão amarelo): 1colher das de sopa 2x ao dia na sopa com pimenta do reino ou no suco.

Colecalciferol gotas 10mil UI/5gotas
Tomar 5gota ao dia/6 meses
Extrato fluido de Berberina.......200ml
Extrato fluido de *Rosmarinus officinalis*................100ml
Extrato fluido de *Ocimum basilicus*...................... 150ml
Extrato fluido de *Salvia officinalis*..................................50ml ....1 frasco

Tomar 1 medida de 5ml (= 500mg) em meio copo de água 3x ao dia, após as refeições.

L-lisina 1.000mg
Ácido ascórbico ....1.000mg ....mande 210 doses (3 meses)
Picolinato de zinco 300mg

Tomar 1 dose 3x ao dia no primeiro mês sempre com estomago vazio: 15 min. Antes do desjejum, 2-3 horas após almoço e ao deitar e depois 2x ao dia por 2 meses.

Ivermectina: 2cp de 12/12 horas de segunda a sexta feiras/2 meses

Artemisinina tintura 300ml

Tomar 3ml em pouco de água 3x ao dia 7 dias sim/7 dias não.

Extrato de folhas de Neem (*Azadirachta indica*)...................500mg 120cps

Tomar 1cp 3x ao dia.

Dispomos também do biocida universal que gera dióxido de cloro, ClO_2, poderoso oxidante.

Fórmula 100

1 frasco de clorito de sódio a 40% 50ml
e
1 frasco de ácido clorídrico a 3,7%.........................50ml

Colocar 1 gota de cada em copo de vidro. Esperar 30-40" até terminar de borbulhar (cor amarelo-escura). Preencher com ½ copo de água ou suco (exceto laranja-limão). Tomar 2/2 horas das 8 até 18 horas. Aumentar 1 gota de cada diariamente até chegar 3 gotas de 2/2 horas e durante 21 dias.

Depois usar 3 gotas de cada 4 vezes ao dia/21 dias.

Se apresentar náuseas, vômitos, febre, calafrios, mal-estar geral, sintomas de gripe: diminuir a dose pela metade, mas **não pare de tomar o medicamento**. O que aconteceu foi uma reação à matança exagerada do agente biológico: reação de Herxheimer.

Fórmula 101

Hipoclorito de cálcio.................250mg ....mande 180cps

Tomar 1cp 2 vezes ao dia após as refeições por 7 dias e depois 3 vezes ao dia.

Se apresentar náuseas, vômitos, febre, calafrios, mal-estar geral, sintomas de gripe: diminuir a dose pela metade, mas não pare de tomar o medicamento.
Ainda não regulamentada no Brasil, porém cremos na sua regulamentação em breve é a ozonioterapia em auto-hemoterapia maior ou via retal ou peritoneal (Bocci, 1992, 2011).

Dieta:

1. Aumentar a ingestão de sulforafane e outros isotiocianatos: couve-manteiga, couve-de-bruxelas, brócolis, couve-flor, nabo, rabanete, agrião, rábano e mostarda.
2. Aumentar a ingestão de beterraba, pimenta vermelha, cranberrry, cebola vermelha e pimentão vermelho.
3. Seguir dieta inteligente, atividade física, pouco sal e muito Sol.

CAPÍTULO 212

Helicobacter pylori. ESTRATÉGIAS

José de Felippe Júnior

Vamos enumerar os fitoterápicos que administram e até aniquilam o *Helicobacter pylori*. Entretanto, se não aplicarmos a manutenção essas bactérias voltam a morar no estômago e arredores. Porquê. Porque elas gostam de ambiente alcalino, elas gostam de pacientes com gastrite crônica que não produzem ácido clorídrico. Pacientes com gastrite crônica apresentam a mucosa gástrica lisa e não produzem o ácido. Outro tipo de gastrite crônica que encontramos nas endoscopias e autópsias são pregas bem pronunciadas de mucosa, estas também não produzem quantidade suficiente do ácido.

Após o tratamento de ataque do *H. pylori* precisamos instituir a manutenção:

a) Com ácido clorídrico. Titulando as reais necessidades. É fisiológico.
b) Cloridrato de betaína. Não é fisiológico.
Cloridrato de betaína 400mg 120cps
Tomar 1cp após almoço e jantar.

Fitoterápicos que administram e aniquilam o *Helicobacter pylori*

1. Ácido alfalinolênico
2. Ácido gálico
3. Artemisinina
4. Berberina
5. *Chelidoneum majus*
6. *Chenopodium ambrosioides*: ativo contra cepas resistentes a antibióticos.
7. Curcumina
8. EGCG
9. Fucoidans
10. *Ganoderma lucidum*
11. *Glycyrrhiza glabra* – alcaçuz.
12. Hesperidina/Extrato de frutas cítricas
13. Luteolina
14. Melatonina
15. *Momordica charantia*
16. Neen – *Azadirachta indica*
17. *Nigella sativa*
18. Oleuropeína
19. Piper nigrum
20. Resveratrol
21. Sanguinarina
22. *Scutellaria baicalensis*
23. Silibinina
24. Sulforafane
25. Parthenolide
26. Vitamina C
27. *Withania somnifera*
28. Não fitoterápicos: acetazolamida, claritromicina, amoxacilina, rifampicina

Proposta terapêutica

a) Acetazolamida........................250mg 60cp
Tomar 1cp 2x ao dia/30 dias.

b) Zyloric 100mg ou
Alopurinol ....100mg 20cp
Tomar 1cp ao dia por 20 dias

c) *Chenopoduim ambrosioides*..400ml
Berberina (extrato)...............200ml
Tomar 10ml em pouco de água 2x ao dia.

d) *Glycyrrhiza glabra*..................250mg
Nigella sativa.........................200mg 120cp
Tomar 1cp após desjejum e jantar

e) Colecalciferol..........................10.000UI
Riboflavina..............................50mg
Genisteína................................q.s.p. 500mg
....60 doses
Tomar 1 dose ao deitar

f) Óleo LLC (1 parte de linhaça + 2 partes de coco)...2fr
Tomar 1 colher das de sopa 2 x ao dia

g) Podemos usar
- Óleo de *Nigella sativa*: 3gts em pouco de água 3x ao dia por 30 dias.

ou

- DMSO 80%. 3-5gts em meio copo de água 2x dia por 30 dias.

Para manter o *H. pylori* inativo

Ácido clorídrico 3,7% .... 50 ml

Tomar 3 a 5 gotas em pouco de água após cada refeição: desjejum, almoço e jantar.

a) Aumentar gota a gota se necessário para conseguir uma melhor digestão dos alimentos: máximo 20gts/dose.
b) Se comer pouco: 1-2 gotas já pode ser suficiente.
c) Se comer muito: 5-10-15-20 gotas.
d) Você descobre o número de gotas para cada **tipo** de alimento e **quantidade** ingerida: carne requer maior número de gts e macarrão/pão/doces/requerem menor número de gts.
e) Lembre-se o ácido clorídrico é produzido no estômago para digerir os alimentos
Se você tomar pouco, não fará a digestão como deveria.
Se tomar muito, pode sentir um vazio ou queimação na boca do estômago.
Neste caso ingerir um pouco de alimento para neutralizar o excesso de ácido.

CAPÍTULO 213

Índice Glicêmico de 0 A 100

José de Felippe Junior

ÍNDICE GLICÊMICO DE 0 a 100				
Alimento	**Índice glicêmico**	**Porção em gramas**	**Carga glicêmica em gramas**	**Sal Sódio**
Abóbora	75	80	3	Baixo
All-Bran, cereal para o café da manhã	30	30	4	Alto
Ameixa (fruta fresca)	39	120	5	Baixo
Ameixa seca, sem caroço (6)	29	60	10	Baixo
Amendoim, torrado, salgado	14	50	1	Alto
Arroz arbório para risoto, cozido	69	150	36	Baixo
Arroz basmati, branco, cozido, 1 xícara	58	150	22	Baixo
Arroz instantâneo, branco, cozido por 6 minutos	87	150	36	Baixo
Arroz integral	55			Baixo
Aveia em flocos	42	250	9	Baixo
Bagel, branco	72	70	25	Alto
Banana, 1 média (fruta fresca)	49	120	12	Baixo
Batata cozida	85	150	26	Baixo
Batata frita, congelada, reaquecida no microondas	75	150	22	Alto
Batata-doce	44	150	11	Baixo
Beterraba em conserva	64	80	5	Baixo
Biscoitos amanteigados	64	25	10	Alto
Bolacha d'água	78	25	14	Baixo
Bolo de arroz, branco	82	25	17	Baixo
Bolo de banana, 1 fatia	47	80	18	Baixo
Cenoura sem casca, cozida	49	80	2	Baixo
Chip de milho, comum, salgado	42	50	11	Baixo
Chocolate Mars	62	60	25	Alto
Chocolate Milky Bar, branco	44	50	13	Alto
Chocolate, de leite	42	50	13	Alto
Coca-cola	63	250	14	Baixo
Coquetel de frutas, em lata	55	120	9	Alto

ÍNDICE GLICÊMICO DE 0 a 100				
Alimento	**Índice glicêmico**	**Porção em gramas**	**Carga glicêmica em gramas**	**Sal Sódio**
Cream cracker	65			Baixo
Creme de leite, feito em casa, com fécula de milho	43	100 ml	7	Baixo
Creme, preparado com leite em pó integral, sem bater	35	100 ml	6	Baixo
Croissant	67	57	17	Alto
Cuscuz cozido por 5 minutos	65	150	23	Alto
Damasco desidratado	30	60	8	Baixo
Damasco, 3 médios (fruta fresca)	57	120	5	Baixo
Ervilha fendida, amarela, cozida por 20 minutos	32	150	6	Baixo
Ervilha seca, cozida	22	150	2	Baixo
Ervilha verde, congelada, cozida	48	80	3	Baixo
Espaguete branco, cozido por 5 minutos	38	180	18	Baixo
Fanta laranja	68	250	23	Alto
Farelo de arroz	19	30	3	Baixo
Farelo de aveia, cru	55	10	3	Baixo
Fava	79	80	9	Baixo
Feijão de soja, seco, cozido	20	150	1	Baixo
Feijão-branco	38	150	12	Baixo
Feijão-fradinho cozido	42	150	13	Baixo
Feijão-fradinho, desidratado, cozido	39	150	10	Baixo
Feijão-manteiga cozido por 1:25 hora	31	150	6	Baixo
Feijão-preto cozido	30	150	7	Baixo
Fettucine, com ovo, cozido	32	180	15	Baixo
Flocos de milho (Flocos de milho), cereal para o café da manhã	77	30	20	Baixo
Frosties, flocos de milho cobertos de açúcar	55	30	15	Alto
Fubá cozido em água salgada por 2 minutos	68	150	9	Baixo
Gatorade, bebida isotônica	78	250	12	Alto
Geléia de damasco, com pouco açúcar	55	30	7	Baixo
Geléia de morango	51	30	10	Baixo
Grão-de-bico, cozido	28	150	8	Baixo
Grapefruit (fruta fresca)	25	120	3	Baixo
Inhame, sem casca, cozido	37	150	13	Baixo
Iogurte, com baixo teor de gordura, de fruta com adoçante artificial	14	200 ml	2	Baixo
Iogurte, com baixo teor de gordura, de fruta com açúcar	33	200 ml	10	Baixo
Jujuba	78	30	22	Baixo
Lactose, pura	46	10	5	Baixo
Lechia, em conserva desidratada	79	120	16	Alto
Leite condensado	61	50	17	Baixo
Leite de vaca integral	31	250 ml	4	Baixo

ÍNDICE GLICÊMICO DE 0 a 100				
Alimento	**Índice glicêmico**	**Porção em gramas**	**Carga glicêmica em gramas**	**Sal Sódio**
Leite desnatado	32	250 ml	4	Baixo
Lentilha	29	150	5	Baixo
Lentilha verde, cozida no vapor	30	150	5	Baixo
Lentilha vermelha, cozida no vapor	26	150	5	Baixo
Lentilha, em lata	44	250	9	Baixo
Linguine, massa fina, cozido	52	180	23	Baixo
Linguine, massa grossa, cozido	46	180	22	Baixo
M&M de amendoim	33	30	6	Alto
Macarrão cozido	47	180	32	Baixo
Maltose, 50 g	105	10	11	Baixo
Mandioca	115	100	110	Baixo
Mandioquinha	97			Baixo
Massa capellini, cozida	45	180	20	Baixo
Massa parafuso, farinha de trigo duro, branca, cozido al dente	43	180	19	Baixo
Mel	55	25	10	Baixo
Milho miúdo, cozido	71	150	25	Baixo
Milho verde, grão integral, em lata, pacote diet, desidratado	46	150	13	Baixo
Mingau	42	250	9	Baixo
Muffin de farelo	60	57	15	Baixo
Muffin de maçã	44	60	13	Baixo
Musli sem glúten, com leite com 1,5% de gordura	39	30	7	Baixo
Musli, torrado	43	30	7	Baixo
Nabo sueco (rutabaga)	72	150	7	Baixo
Nesquik, de chocolate dissolvido em leite com 1,5% de gordura	41	250 ml	5	Alto
Nesquik, de morango dissolvido em leite com 1,5% de gordura	35	250 ml	4	Alto
Nhoque	68	180	44	Baixo
Nuggets de frango, congelados, preparados no microondas por 5 minutos	46	100	7	Alto
Nuggets de peixe	38	100	7	Alto
Pão branco	71	30	10	Alto
Pão branco sem glúten, em fatias	80	30	12	Alto
Pão de centeio	58	30	8	Baixo
Pão de grãos variados sem glúten	79	30	10	Baixo
Pão de trigo integral	57	30	9	Baixo
Pão francês, baguete, branco, comum	95	30	15	Alto
Pão integral de centeio	41	30	5	Baixo
Pão sírio, branco	57	30	10	Alto
Pão-de-ló comum	46	63	17	Baixo
Pãozinho doce de hambúrguer	61	30	9	Alto

ÍNDICE GLICÊMICO DE 0 a 100				
Alimento	**Índice glicêmico**	**Porção em gramas**	**Carga glicêmica em gramas**	**Sal Sódio**
Passas	64	60	28	Alto
Pipoca comum, feita no microondas	72	20	8	Baixo
Pizza de queijo	60	100	16	Alto
Pretzels, cozido no forno, de farinha de trigo tradicional	83	30	16	Alto
Produtos de pastelaria	59	57	15	Alto
Pudim	65	70	31	Baixo
Pudim de baunilha, instantâneo, feito com leite em pó e integral	40	100	6	Baixo
Queijo Tortellini	50	180	10	Baixo
Quik, chocolate (Nestlé), dissolvido em leite com 1,5% de gordura	41	250 ml	5	Alto
Quik, morango (Nestlé), dissolvido em leite com 1,5% de gordura	35	250 ml	4	Alto
Ravióli, farinha de trigo duro, recheado com carne, cozido	39	180	15	Baixo
Salsicha frita	28	100	1	Alto
Snickers (chocolate)	41	60	15	Alto
Soja	14			Baixo
Sonho	76			Baixo
Sopa de ervilha	60	250	16	Baixo
Sopa de tomate natural	38	250	6	Baixo
Sorvete de baunilha, com baixo teor de gordura(light)	50	6		
Sorvete, comum com gordura	61	50	8	Baixo
Suco de abacaxi, sem açúcar	46	250 ml	15	Baixo
Suco de grapefruit, sem açúcar	48	250 ml	9	Baixo
Sushi, salmão	48	100	17	Baixo
Tablete de musli com fruta seca	61	30	13	Baixo
Taco, à base de fubá, cozido	68	20	8	Baixo
Tâmara seca	103	60	42	Baixo
Tapioca, cozida com leite	81	250	14	Baixo
Trigo búlgaro, cozido por 20 minutos	48	150	12	Baixo
Trigo sarraceno	54	150	16	Baixo
Wafer de baunilha, biscoitos (6)	77	25	14	Alto
Waffles	76	35	10	Alto

CAPÍTULO 214

Mantenha a ingestão de FRUTOSE abaixo de 25 gramas ao dia

José de Felippe Junior

1 Frutose = 1 Glicose		
Fruta	**Tamanho da poção**	**Gramas de Frutose**
Lima-da-pérsia	1 média	0
Limões	1 média	0.6
Cranberries	1 xícara de chá	0.7
Maracujá	1 média	0.9
Ameixa	1 média	1.2
Goiaba	2 média	2.2
Tâmara (*Deglet Noor Style*)	1 média	2.6
Melão Cantaloupe	1/8	2.8
Framboesa	1 xícara de chá	3.0
Damasco	1 médio	1.3
Kiwi	1 médio	3.4
Amora	1 xícara de chá	4.6
Carambola	1 média	3.6
Cereja doce	10	3.8
Morangos	1 xícara de chá	3.8
Cereja azeda	1 xícara de chá	4.0
Abacaxi	1 fatia 2cm	4.0
Toranja rosa ou vermelha	1/2 média	4.3

PARTE VIII

Câncer não são células malignas e sim células doentes que necessitam de cuidados e afastamento das causas, não extermínio. 842 casos clínicos de câncer, sendo, em grande parte, refratários ao tratamento convencional que regrediu totalmente com as estratégias descritas neste livro

CAPÍTULO 215

Radiofrequência (434MHz) e oxidação sistêmica (GS-SG) no tratamento do câncer avançado

José de Felippe Junior

Casos clínicos

1. Carcinoma epidermoide de nasofaringe com metástase ganglionar.
2. Adenocarcinoma de retossigmoide, com metástases em linfonodos aórticos e várias metástases hepáticas. Não computado.

O objetivo do presente estudo é utilizar a radiofrequência local, 434MHz, juntamente com a oxidação sistêmica (GS-SG) no tratamento do câncer avançado, segundo os princípios de Holt. A frequência de 434MHz entra em ressonância com as unidades de glicólise anaeróbia das células neoplásicas e aumentam a proliferação mitótica, enquanto a infusão intravenosa de GS-SG elimina as células que estão proliferando.

Foram eleitos para o estudo dois pacientes um deles já havia esgotados todos os recursos da medicina convencional (cirurgia, quimioterapia, radioterapia) e se encontrava em estado tão avançado da doença que o tratamento convencional se restringia apenas a cuidados paliativos e o outro não aceitou o tratamento convencional cirurgico mutilante ou a quimioterapia.

Efeitos da oxidação tumoral

Quando o meio intracelular é oxidante, isto é, o equilíbrio da oxirredução tende para a oxidação, à medida que a glutationa oxidada (GS-SG) é formada ela se acumula e inibe a glicólise anaeróbia. A inibição da glicólise anaeróbia faz parar o ciclo celular e a consequência é a diminuição da proliferação neoplásica com apoptose ou necrose da célula tumoral (Halliwell, 1999 e 2000).

O crucial para vencermos esta luta é manter o meio intracelular oxidante por um período de tempo suficiente para a célula acumular GS-SG, inibir a glicólise anaeróbia, parar o ciclo celular e entrar em apoptose.

Dixon em 1935 sugeriu que a presença de agentes oxidantes poderia controlar o câncer e Baker em 1937 demonstrou esta hipótese verificando que o aumento da glutationa oxidada é capaz de inibir a glicólise anaeróbia e assim inibir o crescimento tumoral.

Recentemente surgiram inúmeros trabalhos em cultura de células neoplásicas humanas mostrando que o meio intracelular oxidante provoca parada do ciclo celular e apoptose por outros mecanismos: acúmulo da proteína p53, ativação da cascata das caspases, ativação da deoxirribonuclease, defosforilação da proteína retinoblastoma, inibição da proteína-tirosina-quinase, inibição da Cdc25 fosfatase, inativação do cdK1 etc. Estes efeitos foram observados em mais de 20 tipos de câncer humano, incluindo: mama, próstata, pulmão, gliomas, astrocitomas, tumores de cabeça e pescoço, tumor colorretal, tumor de fígado, tumor de pâncreas etc. (Felippe Jr, 2003).

A oxidação tumoral provoca aumento intracelular das pontes S-S de dissulfetos. Estas pontes estabilizam a estrutura tridimensional das proteínas e nestas condições a proteína retinoblastoma (RBp) está defosforilada e, portanto, não ocorre a transcrição nuclear necessária para o avanço do ciclo celular parando a mitose, isto é, cessando a proliferação celular neoplásica. Com a manutenção do meio oxidante dentro da célula tumoral acontece ativação da cascata das caspases e as células neoplásicas entram em apoptose, morte celular programada. Por outro lado, o potencial redox alto inibe o fator de transcrição nuclear, NF-kappaB o que provoca diminuição da proliferação celular e aumento da apoptose, juntamente com a diminuição da neoangiogênese tumoral. Esta última diminui ainda mais o fluxo sanguíneo do tumor, facilitando o aumento de calor regional provocado pela radiofrequência, entretanto, aqui não importa o calor e sim a frequência de 434 MHz que estimula a proliferação celular. A proliferação ativa na presença de oxidação é que induz a apoptose ou necrose celular.

Existem muitos pacientes com câncer que não estão respondendo ao tratamento convencional ou que estão em um estágio tão avançado da doença que certamente não suportarão a quimioterapia ou radioterapia.

É neste grupo de pacientes que há uma possibilidade de resposta terapêutica com o uso da radiofrequência isoladamente (hipertermia com 13,56MHz) ou radiofrequência (434MHz) associada à oxidação tumoral.

No presente estudo trabalhamos com a hipótese de uma erradicação tumoral mais eficaz ao submetermos a célula cancerosa a dois tipos diferentes de estratégia: a oxidação e os efeitos biológicos da radiofrequência. O objetivo é diminuir o efeito de massa e nos proporcionar tempo para descobrir e afastar a verdadeira causa da doença. Sem afastar a causa não se resolve o problema de base.

Metodologia

Gerador de alta potência – RF localizada

Em dois casos empregou-se gerador de micro-ondas, com potência variável de 20W à 200W, na frequência de 434 MHz fabricado no Brasil pela RF-Telecomunicações, especialmente para este estudo.

A antena, aplicador, foi construída pelo Dr. José Kleber da Cunha Pinto, Professor Titular de Microeletrônica da Escola Politécnica da Universidade de São Paulo. Possui a forma retangular com 11cm por 13cm, área de 156cm^2.

Ajustando-se a potência para 40W estaremos administrando pela antena 256mW/cm^2. Procurou-se trabalhar de forma segura com a equipe médica e de enfermagem utilizando-se densidade de potência inferior às máximas permitidas pelas normas internacionais. As aplicações de RF foram feitas com o paciente deitado em maca protegida por gaiola de Faraday, devidamente aterrada com a enfermagem usando óculos protetor.

Oxidação sistêmica

Os pacientes receberam soro oxidante ($2GSH + H_2O_2 \rightarrow GS\text{-}SG + 2H_2O$) imediatamente antes da aplicação da RF e foram submetidos a tratamento por via oral com vários tipos de nutrientes pró-oxidantes durante as aplicações de RF. Para o controle da oxidação foi colhido sangue no início, no oitavo e no décimo quinto dia das aplicações, para dosar o malondialdeído (MDA) marcador da peroxidação lipídica. Todos pacientes já haviam sido tratados com cirurgia, quimioterapia e ou radioterapia e não responderam ao tratamento convencional.

Conclusão do estudo de segurança térmica: Atingimos temperaturas muito elevadas que chegam a provocar lesão térmica macroscópica (queimadura) no tecido animal subjacente ao aplicador em determinados locais de maior irradiação, quando o aplicador é colocado diretamente sobre o tecido animal com potência de 100W. Com 60W de potência atingimos a temperatura máxima de 42-45ºC e não provocamos lesão térmica.

Para não atingirmos temperaturas muito elevadas em locais específicos da pele, com possibilidade de lesão térmica, colocamos ao redor de todo o aplicador, uma moldura de borracha especial impermeável à RF, com 1cm de largura e 1cm de espessura. Desta forma teremos um colchão de ar com 1cm de altura entre o aplicador e o tecido irradiado.

Iniciamos a radiofrequência cautelosamente com baixa potência e alguns minutos de exposição e aumentamos gradativaente a potência e o tempo de exposição para evitarmos lesão corporal.

Dois casos clínicos com o gerador de alta potência

Primeiro caso

Carcinoma epidermoide de nasofaringe com metástase ganglionar tratado com radiofrequência de 434MHz e oxidação sistêmica ao lado da estratégia biomolecular.

L.G.S., sexo masculino, data de nascimento: 10/09/1933, 69 anos, com carcinoma epidermoide de nasofaringe e metástase ganglionar.

Em novembro de 2002 notou um nódulo na face lateral do pescoço. Em junho de 2003 a biopsia aspirativa do nódulo mostrou carcinoma epidermoide metastático em gânglio linfático. A tomografia computadorizada de face e pescoço em 26 de junho mostrou tumor de orofaringe com metástase em linfonodo medindo 5,0 × 3,0 × 2,0cm.

Foi indicada cirurgia radical onde haveria grande possibilidade de sequela neurológica (acidente vascular cerebral), devida a invasão do tumor ao redor da artéria carótida interna. O paciente não autorizou a cirurgia mutilante e negou se submeter a quimioterapia e radioterapia. Após consentimento por escrito, iniciamos o protocolo oxidante-RF/434MHz em 18/agosto/2003.

As aplicações foram feitas 3 vezes por semana. A primeira durou apenas 6 minutos com 40W, pausa de 15 minutos e mais 6 minutos de irradiação agora com 60W. Sempre mantendo ROE inferior a 1,5. Até a oitava aplicação manteve-se os 60W por 6 minutos, duas vezes com pausa de 15minutos.

Logo nas primeiras aplicações piorou a dificuldade de engolir e na oitava aplicação, pedimos tomografia de cabeça e pescoço e hemograma. O hemograma mostrou grande aumento dos leucócitos com predomínio de neutrófilos revelando processo inflamatório agudo. A tomografia realizada em 08/09/2003 (30 dias após o início do tratamento) mostrou diminuição do tumor de 5,0cm para 3,0cm.

Continuamos o tratamento aumentando gradativamente o tempo de exposição e mantendo os 60W até completarmos 15 aplicações em 22 de setembro. A dificuldade de engolir desapareceu. Sempre se apresentou em muito bom estado geral e alimentando-se sem dificuldade, mesmo antes do tratamento.

Em 2 de outubro nova tomografia continuou mostrando a redução volumétrica do tumor metastático: 3,0 × 2,2cm.

Os linfócitos T aumentaram de 1176 para 1663, os linfócitos B de 269 para 347 e as células Natural Killer de 269 para 347 após o tratamento, evidenciando a melhoria do sistema imune com polarização para M1/Th1.

Conseguimos aumentar a peroxidação lipídica. O malondialdeído aumentou de 253 para 593 nanomol/ml ou incremento de 134% na oxidação sistêmica.

Continuamos com mais 15 aplicações de RF aumentando as doses dos agentes oxidantes, aumentando a potência do gerador para quase 100W e aumentando a duração da exposição para 30 minutos, duas vezes por semana com pausa de 10 minutos.

Paciente continua em muito bom estado geral, sem queixas e o nódulo do pescoço está com menos de 1,0cm e mais profundo à palpação. Aguardamos nova tomografia.

CONCLUSÃO: Houve grande diminuição da massa tumoral e estimulação do sistema imune de defesa contra o câncer. Pacientes com sobrevida maior que 5 anos. Clínica JFJ.

Segundo caso

G.R.S., sexo feminino, data de nascimento: 10/02/1951, 52 anos, com **adenocarcinoma de retossigmoide, com várias metástases hepáticas, metástase em linfonodos aórticos e metástase supraclavicular esquerda**. Anatomopatológico: adenocarcinoma moderadamente diferenciado.

Procurou o Instituto Nacional do Câncer (INCA) em janeiro de 2003 por apresentar grande nódulo supra clavicular esquerdo. Submetida à linfadenectomia cervical encontrou-se adenocarcinoma metastático moderadamente diferenciado.

Perfil imuno-histoquímico: sugeriu origem colorretal como sítio primário mais provável. Citoqueratina 20 e CA 19.9: positivos. Citoqueratina 7, vimentina, TTF-1, WT-1: negativos.

Tomografia de abdome: múltiplos nódulos atenuantes de dimensões variáveis e esparsas no parênquima hepático correspondendo a metástases. Hepatomegalia. Massa para aórtica com 2,5 × 2,1cm correspondendo a linfonodomegalia retroperitoneal esquerda.

Colonoscopia: o aparelho foi conduzido até **a 20cm da margem anal**, onde encontrou-se em sigmoide lesão ulcerada circunferencial, friável, que impedia a progressão do aparelho: blastoma maligno de sigmoide tipo Borrmann II.

Biopsia do tumor de sigmoide: adenocarcinoma moderadamente diferenciado.

Tomografia de tórax: normal.

Com o diagnóstico de tumor de retossigmoide com múltiplas metástases hepáticas, metástase para aórtica e supraclavicular foi encaminhada pelo INCA, para o ambulatório do Centro de Suporte Terapêutico Oncológico para cuidados somente paliativos.

Após consentimento por escrito foi iniciada em 03/09/2003, a terapia oxidante com aplicações de RF-434MHz, 3 vezes por semana.

Colocou-se o aplicador na região suprapúbica e na região anterior do hipocôndrio direito. A potência foi de 40W e a duração da 1ª irradiação foi de 5 minutos em cada uma das regiões. A segunda exposição foi de 8 minutos. A terceira foi de 8 minutos, porém duas vezes em cada local, alternadamente. A quarta e quinta aplicações foram de 9 minutos também duas vezes em cada local, alternadamente. Da 6ª à 11ª aplicações foram 10 minutos duas vezes em cada local e da 12ª à 14ª aplicações foram 30 minutos uma vez somente em cada local. Na 15ª aplicação foram 30 minutos duas vezes em cada local alternadamente, sempre com 40W.

Última aplicação: 06/10/2003.

Durante o tratamento houve hiperemia em locais específicos do aplicador, antes de colocarmos a moldura com o colchão de ar. Leve dor abdominal logo após as exposições e evacuações com sangue em pequena quantidade. Após a 11ª aplicação, as fezes apresentavam maior volume e com diâmetro maior. A paciente sempre se apresentou em muito bom estado geral, sem queixas e alimentando-se normalmente antes e depois do tratamento.

Ultrassonografia de abdome (07/10/2003): fígado de tamanho normal apresentando somente um nódulo hipoecoico no segmento VII com 3,5 × 2,7cm (antes do tratamento apresentava vários nódulos). Retroperitônio: sem alterações. Não há aumento de cadeias ganglionares (antes do tratamento metástases para-aórticas).

Ultrassonografia pélvica (07/10/2003): normal.

Tomografia do abdome e pelve (21/10/2003): Fígado de dimensões normais com apenas uma lesão expansiva hipodensa e hipovascular, sólida com impregnação ligeiramente heterogênea pelo meio de contraste, medindo cerca de 6,0 × 4,0cm em segmento VII. Formação expansiva com impregnação heterogênea medindo cerca de 8,0 × 3,0cm em topografia para aórtica esquerda no retroperitônio (linfonodomegalias). *Espessamento parietal concêntrico somente no ângulo esplênico e no segmento descendente superior do cólon.*

Colonoscopia: O aparelho foi conduzido até o cólon descendente proximal, **a 45cm da margem anal (antes chegava até apenas 20cm)**, onde há blastoma vegetante e infiltrativo, com estreitamento da luz. Conclusão: blastoma vegetante e infiltrativo em cólon descendente proximal. A massa tumoral antes presente no sigmoide foi erradicada completamente, isto é, nada foi encontrado em sigmoide, local do tumor que tratamos.

Conseguimos aumentar a peroxidação lipídica de 330 para 600 nanomol/ml de malondialdeído ou incremento de 82% na oxidação sistêmica.

Comentário

a) Houve o desaparecimento total do tumor de retossigmoide, restando tumoração na porção proximal do ângulo esplênico do cólon, não diagnosticada previamente.
b) Houve desaparecimento dos múltiplos nódulos metastáticos do fígado, permanecendo apenas um cuja topografia não permitiu que ficasse sob o campo da radiofrequência. O fígado voltou ao tamanho normal.
c) Permanecem aumentados os linfonodos em retroperitônio.
d) No início do tratamento não havia sido diagnosticado o tumor de ângulo esplênico e assim a antena foi posicionada somente no local anatômico do sigmoide. Novo tratamento colocando a antena no hipocôndrio direito (ângulo esplênico do cólon) não surtiu efeito. Estávamos diante do conhecido e temível fenômeno da termotolerância.

Conclusão

A dupla estratégia, radiofrequência (434MHz) e oxidação tumoral (GS-SG intravenoso) é muita eficaz no controle da massa tumoral. A técnica é trabalhosa e requer pessoal altamente treinado para evitar queimaduras ao lado de ser difícil nos livrar da termotolerância. Não é confortável para o paciente receber o tratamento e muitos desistem. Não mais empregamos este tipo de abordagem. Preferimos o emprego de geradores de baixa potência e alta frequência que são eficazes, mais fáceis de manipular e isentos de efeitos colaterais, como acontece com o gerador de múltiplas ondas de Lakhovsky – MWO.

Referências

1. Baker Z. Glutathione and the Pasteur reaction. Biochem J. 31: 980-986;1937.
2. Baker Z. Studies on the inhibition of glycolysis by glyceraldehydes. Biochem J. 32: 332-3411;938.
3. Dixon K C. The oxidative disappearance of lactic acid from brain and the Pasteur reaction. Biochem J 29: 973-977;1935.
4. Busch W. Uber den Einfluss welchen heltigeri Erysipelen zuwellen auf organisierte Nelbildungen ausuben. Verhandlungen des Nathur, Verein Preuss, Rheini, 23:28-30,1866. Citado por Hornback NB,1989.
5. Coley WB. The treatment of malignant tumors by repeated inoculations of erysipelas, with a report of 10 original cases. Am J Med Sci, 105:487-511;1893.
6. Felippe J Jr. Georges Lakhovsky: Efeito das Ciências Físicas na Biologia. Journal of Biomolecular Medicine & Free Radicals 6(1),16-21; 2000.
7. Felippe J Jr. Bioeletromagnetismo: Medicina Biofísica. Journal of Biomolecular Medicine & Free Radicals. 6(2),41-44;2000.
8. Felippe J Jr. Tratamento de doenças envolvendo frequência de ondas. Journal of Biomolecular Medicine & Free Radicals. 6(2),39-40; 2000.
9. Felippe J Jr. Radiofrequência Harmônica; Caso Clínico. Revista de Medicina Complementar. (8)2,28;2002.
10. Felippe J Jr. Estratégia de indução de apoptose, de inibição da proliferação celular e de inibição da angiogênese com a oxidação intratumoral no tratamento do câncer. Revisão com 256 referências bibliográficas. In: www.medicinabiomolecular.com.br.
11. Galili, U, Caine, M. Specific attachment of T-lymphocites from cancer patients to tumor cells. Cancer Lett 3:121-124;1977.
12. Halliwell B, Cutteridge JMC: Free radicals in biology and medicine. Oxford: Oxford University Press,1999.
13. Halliwell B. The antioxidant paradox. Lancet 355: 1179-1180;2000.
14. Holt JAG. The cure of cancer, A preliminary Hypothesis. Aust. Radiol. 18: 15-17;1974.
15. Holt JAG. The use of VHF radiowaves in cancer therapy. Aust. Radiol. 19:223-241,1975.
16. Holt JAG. The metabolism of sulphurin relation to the biochemistry of cystine and cisteine. Medical Hypothesis. 58(5):658-676;2001.
17. Hornback NB, Shupe RE. Preliminary clinical results of combined 433 megahertz microwave therapy and radiation therapy on patients with advanced cancer. Cancer. 40:2854-2863;1977.
18. Hornback NB. Historical aspects of hyperthemia in cancer therapy. Radiol Clin Noth Am. 27(3):481-8;1989.
19. Joines W T, Jirtle R L, Rafal M D, Schaefer D J. Microwave power absorption differences between normal and malignant tissue. Int J Radiat Oncol Biol Phys 6: 681-687;1980.
20. LeVeen HH, Wapnick S et al.: Tumor eradication by radiofrequency therapy. Response in 21 patients. JAMA, 235:2198-2200;1976.
21. Mondovi,B; Santoro. Increased immunogenicity of Ehrlich ascites cells after heat treatment. Cancer 30:885-888;1972.
22. Müller C. Die Rontgenstrahienbehandlung der Malignen Tumoren und lhre Konbinationen. Strahlentherapie. 3:177,1913.
23. Rohdenburg GL. Fluctuations in the growth of malignant tumors in man with special reference to spontaneous recession. J Cancer Res. 3:193-225;1918.
24. Shoulders HS, Turner EL. Effect of combined fever and x-ray therapy on far advanced malignant growths. Radiology. 39:184-193;1942.
25. Sugaar S and LeVeen H. A histopatologic study on the effects of radiofrequency thermotherapy on malignant tumors of the lung. Cancer 43:767-783;1979.

CAPÍTULO 216

Glioblastoma multiforme – astrocitoma em adultos: 71 pacientes

1. Gliomas e astrocitomas e os efeitos do ácido gamalinolênico.

Computado apenas 2 pacientes.

I – O emprego local de ácido gamalinolênico sobre o cérebro em 15 pacientes com gliomas malignos provocou regressão tumoral significante avaliada por tomografia computadorizada. Houve também aumento de 1,5 a 2 anos na sobrevida dos pacientes (Das,1995).

II – No astrocitoma observou-se diminuição do volume tumoral e melhora da qualidade de vida. (Van der Merwe,1987)

III – Van der Merwe e Booyens em 1987 empregaram o ácido gamalinolênico (óleo de prímula), em 21 pacientes com câncer intratável, isto é, câncer em fase final. Empregaram de 18 a 36 cápsulas de 500mg ao dia (9 a 18 gramas), sendo que cada cápsula de óleo extraído da semente da prímula contém: 45mg de GLA 400mg de ácido linoleico e 10mg de vitamina E. Observaram uma aparente melhora clínica em todos os casos. Em 11 pacientes com carcinoma hepatocelular primário, houve uma redução do tamanho do fígado. A sobrevida média nos não suplementados foi de 42 dias e se elevou para um período maior que 90 dias naqueles que receberam o GLA. Um caso de mesotelioma terminal ficou aparentemente livre do câncer e faleceu após 9 meses de acidente de trânsito. Quatro pacientes ainda permaneciam vivos e melhorando após 32 a 41 meses de suplementação: dois astrocitomas cerebrais, um mesotelioma e um ependimoma cerebelar. Em muitos casos observam-se ganho de peso e redução da massa tumoral constatada por exame radiológico.

Referências.

1. Das UN, Prasad VSK and Reddy DR Local application of gamma-linolenic acid in the treatment of human gliomas. Cancer Lett 94: 147-155;1995.
2. Vandermerve CF, Booyens J. Essential fatty-acids and their metabolic intermediates as cytostatic agents-the use of evening primrose oil (linoleic and 7-linolenic acid) in primary liver-cancer – a double-blind placebo controlled trial. S. Afr Med J 72:79;1987.
3. VanderMerwe CF. Booyens J. and Katzeff IE. Oral gamma linolenic acid in 21 patients with untreatable malignancy. Br J Clin Pract 41: 907-915;1987.

2. Astrocitoma difuso de alto grau que regrediu após as estratégias da medicina biomolecular.

AMPS, 59 anos, sexo feminino. Chegou ao consultório em 01/09/2021 dizendo que foi operada de tumor cerebral há 1 mês. Os primeiros sintomas foram tontura, incontinência urinária com aumento do volume urinário, tremores na mão esquerda e bradicinesia da perna esquerda. Tomografia: volumosa lesão expansiva e infiltrativa no lobo frontal direito. Operada em 26/07/2021: Glioma difuso de alto grau, astrocitoma grau-3. Fez duas sessões de radioterapia e ficou em estado vegetativo por 7 dias internada em UTI. Não aceitou a quimioterapia. Na anamnese apresentava apenas diminuição da digestão de início antigo. Ao exame físico: alergia a caseína do leite, falta de iodo e o dual-road cruzava, denotando que dormia ou trabalhava em zona geopatogênica. Sensograma: aumento de chumbo e mercúrio, deficiência de iodo e calcitriol. Biorressonância: chumbo, mercúrio, sem agrotóxicos. Exames: HSV2, 265 (R > 30); HSV1, 122 (R > 30); HHV-6, 1/40 (R > 1/40), Coxsackie-B3 reagente 1/32; Chlamydophila pneumoniae, 1/256, Mycoplasma pneumoniae, 1,6 (R > 1,1); EBV e CMV, IgGs de baixa titulação; DHEA, 32 (n:150-250);

Lpa, 117 (n < 30); aldosterona, 70,5 (n < 23), Na^{+}:141; K^{+}: 4,4; Mg^{++}:1,9/ Ferritina, 65. Tratamento: 1. DHEA, ácido clorídrico 3,7%, cloridrato de minociclina, água estruturada e hidrogenada, quercetina, losartana, letrozol, lycopodium 30CH, Bosellia serrata, Whitaferin + oxalato de excitalopram, LiCl2 e 2/3 das estratégias descritas em pormenores no cápitulo 182 – GLIOMAS – ESTRATÉGIAS. 2. Dieta inteligente, 3. soros: o primeiro com EDTA e HCl e o segundo vitamina C alternada com cido alfalipoico. Fez 2x por semana total 20x. Cumpriu: 100% das fórmulas e soros e 80% da dieta. Em 17-11-2021: grande melhora do estado geral , da disposição e voltou a trabalhar. Em 30-03-2022: diminuição da carga viral de todos os vírus, e negativação do IgG da *Clamydophila pneumoniae*. RNM: Lesão cicatricial no lobo frontal. Biorressonancia da lesão cerebral pelo método de Modesto e pelo método de Felippe Jr corrobora o laudo da RNM. Clínica JFJ.

3. Glioblastoma multiforme tratado com medicina convencional mais biomolecular.

GSBPS, 66 anos começou a tropeçar, bater o ombro nas portas, sentir a perna presa e diminuição da coordenação da mão esquerda. Não apresentou dor de cabeça ou náuseas. Procurou o consultório em 27-05-2021. RNM em 15-04-2021 formação expansiva heterogênea córtico-subcortical parietal direita medindo 3,1 x 3,4 x 3,1cm com acentuado efeito de massa, obliteração parcial do ventrículo lateral direito, no local há extensa área de acometimento da substância branca que pode estar relacionada à edema/infiltração. Submetido a cirurgia, radioterapia e temodal. Temodal provocou plaquetopenia de 19.000/ml e foi suspenso. Oncologista vai esperar a normalização das plaquetas e receitar o dobro da dose. Último dia de Temodal, 18-10-2021. Discordei e pedi para parar o temodal. Sensograma, chumbo, antimônio, iodo normal, aumento de vitamina D3, calcitriol normal. Bioressonância, chumbo, tálio, permethrin, EBV, alergia à caseína do leite de vaca. Exames, EBV, IgG anticapsídeo > 750; CMV IgG > 500; Coxsackie B reagente 1/160; HSV > 30; HHV-6 reagente 1/40; vitamina D3, 67ng/ml; PTH, 55 pg/ml; DHEA-sulfato, 47 (N > 150). Iniciou o tratamento em 06-07-2021 com dieta inteligente, 2/3 das fórmulas do capítulo 182 – GLIOMAS – ESTRATÉGIAS e soros: o primeiro EDTA mais HCL e o segundo vitamina C alternada com ácido alfalipoico, 3x/semana e 20 aplicações. Em 21-10-2021 exames virais permaneceram iguais. RNM 08-11-2012 imagem suspeita de recidiva/necrose. Feito cirurgia constatou-se ausência de tumor. Em 01-06-2022 paciente em excelente estado geral, sorridente, boa disposição, bom apetite e sem queixas. RNM de 31-03-2022 alterações pós cirúrgicas. Lesão com hipersinal em FLAIR no córtex temporal inferior e occiptotemporal lateral direitos que pode representar infiltração por contiguidade de neoplasia difusa de lato grau. Sensograma, apareceu mercúrio e persite falta de iodo. Biorressonância, apareceu mercúrio, persiste EBV por 2 métodos. Clínica JFJ.

4. Provável glioblastoma multiforme tratado com terapia química (biomolecular) e terapia física (TMS).

TRE, 33 anos, apresentou crise convulsiva em maio de 2015. RNM: tumor cerebral frontoparietal direito, medindo: 7,0 × 3,5cm, com características de GBM. Negou cirurgia, radioterapia e quimioterapia. Veio ao consultório em 11-12-2015 em ótimo estado geral. Fenótipo de genes antigos. Possíveis fatores causais: chumbo, mercúrio, estrôncio, DDT, *Chlamydophila pneumoniae*, *Mycoplasma pneumoniae*. Não suportou a dieta cetogênica. Dormia em zona geopatogênica há anos: corrigido. Total de 20 soros: EDTA e logo após soro com ácido lipoico, CoQ10, L-prolina, taurina, tiossulfato de sódio, inositol, zinco, piridoxina, biotina e ácido fólico. Vitamina K1 intramuscular semanal. Metilcobalamina: 3 vezes. 1ª fase: minociclina, flagil, difosfato de cloroquina. 2ª fase: Sigmatriol, melatonina, naltrexone com espironolactona; BCG mais glucana subcutâneo; creatina com l-carnitina e l-citrulina; quercetina com CoQ10 sublingual; amiloride com acetazolamida, resveratrol, cimetidina, lovastatina, piroxicam, olmesartana, boro e progesterona; óleo de borago; extrato fluido de berberina com sanguinarina, *Chelidoneum majus* e *Chenopodium ambrosioides*; *Ganoderma lucidum* com selênio; magnésio e picolinato de cromo; e ácido lipoico com hidroxicitrato, CoQ10, Mn, B9, ácido retinoico, K1 e K2. 3ª fase: tinidazol; sulfato de cobre; *Momordica charantia* com *Moringa oleifera* e *Gynostema pentaphylium*; picolinato de zinco; genisteína com silibinina, DIM, EGCG, licopeno, K2 e tintura de Stramonium. 4ª fase: igual a 3ª fase. 5ª fase em 30/03/16: albendazol; beta alanina; extrato fluido de *Chelidoneum majus*; naltrexone com espironolactona, fenilalanina; *Momordica charantia*.

Em novembro de 2015: RNM com leve aumento do tumor, porém, com menor celularidade e em fevereiro de 2016 com leve diminuição do volume e menor celularidade. Após todo esse procedimento fez aplicações bissemanais de TMS (transcranial magnetic stimulation). Em fevereiro de 2018 o tumor, provavel Glioblastoma manteve-se com o mesmo volume, a paciente continua em ótimo estado geral e está grávida e prestes a dar à luz em junho/2018 (Figura 216.1). Clínica JFJ.

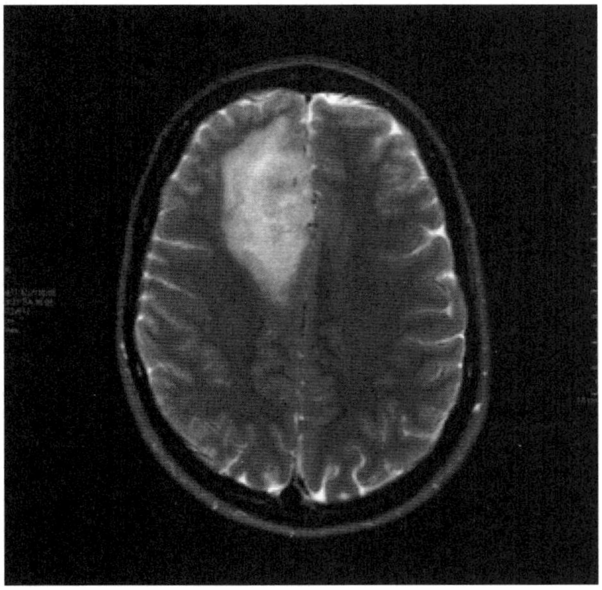

Figura 216.1 Tomografia de 18 de julho de 2016.

5. **Oligodendroglioma frontoparietal direito grau II recidivado com fraca regressão após estratégia biomolecular.**

VSC, 58 anos, masculino começou a apresentar de repente dores de cabeça constantes, sem náuseas ou vômitos. Na infância foi agredido com pedaço de madeira na mesma região do tumor. Tomografia mostrou massa tumoral ao redor de 5cm no maior eixo. A cirurgia em 2013 retirou 70% do tumor: Oligodendroglioma frontoparietal direito grau II. Fez radioterapia e temodal. Em 2018 houve recidiva e fez nova radioterapia e quimioterapia. Na vigência deste tratamento apresentou tumor em colon sigmoide sendo ressecado 7cm de intestino, não fez QT ou RT. A tomografia de junho/2019 mostrou recidiva. Tomo de 24/10/2019 houve aumento da massa recidivante (entretanto, não quantificou) e a espectroscopia mostrou elevação dos picos de colina denotando aumento da multiplicação celular e de membranas celulares, razaõ da consulta em dezembro/2019. Paciente em bom estado geral, queixando-se de dores de cabeça, tontura, desequilíbrio, fraqueza, falta de apetite e perda de peso. Após tratamento biomolecular somente com as fórmulas via oral, melhorou um pouco do desequilíbrio. Dores de cabeça de madrugada que regrediram após se alimentar melhor ao deitar (hipoglicemia). Sensograma: chumbo e mercúrio. Biorressonância: chumbo, mercúrio, glifosato, carbofuram. Iniciou em janeiro/2020 terapia intravenosa com EDTA, ácido alfalipoico e ácido ascórbico em alta dose onde conseguimos 45.594,8 micromoles/litro de vitamina C no soro com infusões de 30g 3x/semana. Após os soros não mais apresentava os metais tóxicos ou agrotóxicos. Em junho/2020 todos reflexos normais, manobra deficitária levemente positiva na perna direita. Desequilíbrio melhorou, mas não cessou. Tomografia de abril/2020: com massa tumoral de 1,7x1,0cm. Apetite ótimo, praticamente sem cansaço, aumentou o peso em 2,5kg, sorrindo e contente. Mantivemos as fórmulas por via oral: água estruturada e hidrogenada, osmolitos orgânicos estruturadores, ácido valproico, genisteína, parthenolide, resveretrol, silibinina, EGCG, Mn, selênio-metionina, B9, piperine, Vit. D3, vit. K2, retinola, riboflavina, naltrexone, espironolactona, melatonina, Ganoderma + glucana, Cloridrato de hidrogênio, zinco, cloroquina, amilorida, iodo molecular, berberina, sanguinarina, Chelidoneum majus, Chenopodium ambrosioides, Banerjii, letrozol, extrato de Glycyrrizha glabra. Mais um paciente com tumor cerebral associado aos agrotóxicos. Em nossa clínica cerca de 40% dos pacientes apresentam metais tóxicos e ou agrotóxicos. Clínica JFJ.

6. **Astrocitoma grau II tratado com benzaldeído.**

Mulher com 32 anos de idade iniciou os sintomas com dor de cabeça há 6 meses. Vários episódios de vômitos. Tomografia: tumor temporal esquerdo com 8cm no maior eixo. Cirurgia: 10 de maio de 1975 com excisão incompleta. Anatomo patológico: astrocitoma fibrilar com microcistos, grau II. Fez: 27 sessões de radioterapia. Recorrência após 2 meses da radioterapia com dores de cabeça e vômitos frequentes. Em 3 de julho de 1975 recebeu a notícia do médico assistente que nada mais poderia ser feito. Iniciou letrile intravenoso por 20 dias seguidos e depois diminuiu-se a dosagem. Gradualmente as dores de cabeça e os vômitos foram diminuindo até desaparecerem em 5 meses. Nova tomografia: ausência de tumor. Dois anos após tomografia negativa. Sobrevida de 12 anos.

Nota: laetrile é constituído por 1 molécula de benzaldeído e 1 molécula de cianeto. Em 1980 foi demonstrado que era o benzaldeído o componente ativo.

Referência. Laetrile Case Histories – The Richardson Cancer Clinic Experience. Published by American/media. California, 2005.

7. Glioblastoma multiforme tratado com benzaldeído.

Paciente em 1971 foi operado de tumor cerebral muito extenso, sendo dado 6 meses de sobrevida. Não fez radioterapia. Iniciou o laetrile (amigdalina) intravenoso e via oral logo após a cirurgia. Quatro anos depois a tomografia continuava mostrando ausência de tumor.

Nota: amigdalina é constituída por 1 molécula de benzaldeído e 1 molécula de cianeto. Em 1980 foi demonstrado que era o benzaldeído o componente ativo.

Referência. Laetrile Case Histories- The Richardson Cancer Clinic Experience. Published by American/media. California, 2005.

8. Glioblastoma multiforme tratado com benzaldeído por via oral.

Três pacientes tratados por Mutsuyuki Kochi que já haviam se submetido a cirurgia e radioterapia apresentaram recidiva do tumor. Neste momento foi concedida permissão para ser administrado o benzaldeído. Receberam benzaldeído complexado com maltedextrina, 500mg do princípio ativo 4 vezes ao dia. Um paciente apresentou regressão total do tumor e os outros dois a doença permaneceu estável por mais de dois anos.

Referências.

1. Kochi M, Takeuchi S, Mizutani T, et al. Antitumor activity of benzaldehyde. Cancer Treat Rep; 64(1): 21-3;1980.
2. Kochi M et al. Antitumor activity of a benzaldehyde derivative. Cancer Treat Rep. 69(5):533-7; 1985.

9. Glioblastoma multiforme tratado com ácido cítrico com regressão total do tumor em 6 meses.

I present the case report of a patient with glioblastoma multiforme, the patient is a 45 years old male who underwent surgery on December 11, 2012 after being diagnosed with a tumor mass in right parietal region detected by magnetic resonance imaging (MRI), the pathology report performed by a specialist was of a grade IV astrocytoma, that is described as glioblastoma multiforme according to WHO classification, in the first surgery was only possible to perform a partial resection of the tumor, it measures 1.5 x 1.5 x 0.6cm. and in the MRI performed 3 days after surgery persisted the tumor, the patient began taking citric acid orally on December 19, 2012, he only recieved levitracepam, prednisone, which was suspended one month later and diphenylhydantoin, for prevention of seizures, in the MRI of February 5th, 2013, there was no evidence of the tumor, and the general conditions of the patient were excellent. CONCLUSION Finally the patient described in this article presented fatal complications after a second surgery performed unnecessarily 9 months after the initial diagnosis, but the fact that he had a glioblastoma multiforme and that it completely disappeared after 6 weeks of taking citric acid orally is unquestionable.

Referência. Alberto Halabe Bucay. A patient with Glioblastoma Multiforme who improved after taking citric acid orally. International Research Journal of Basic and Clinical Studies Vol. 3(1) pp. 35-37, January;2015.

10. Glioblastoma multiforme – terapia com curcumina, Boswellia, melatonina e vitamina C intravenosa em alta dose – computado 1 pt.

Case 1: Michael, then 54 year old, first came to our clinic in August 2013. He appeared weak and his records showed that he had experienced double vision, dizziness, imbalance, headaches, memory loss and hand-eye coordination problems in the past months.

Michael was diagnosed with Glioblastoma multiform in March of 2013. The tumor was about 4cm wide. He had undergone chemotherapy and radiation treatments. While finishing final rounds of Temozolomide (TMZ) treatment, he was on other medication to control side effects like seizures and inflammation.

OUR INITIAL COMPLEMENTARY THERAPIES BEGAN AUG. 8, 2013:

Boswellia serrata (frankinsense) formulation, 750mg per day; Curcumin-bound to coconut oil, 4.8 grams per day; Melatonin, 6mg at night; Neem formulation, 900mg per day; Amla jam, 1 teaspoon three times a day.

All sugar and high carbohydrates were eliminated from his diet. Michael transformed his diet to eat mostly vegetables, nuts, seeds, fish, other meats, etc. He minimized exposure to unhealthy diet choices Vitamin C IV therapy, once every week: 25 grams of Vitamin C was infused once per week.

Michael sat in an infrared sauna during the IV.

In March of 2014, a follow-up MRI showed that the tumor had shrunk from 4cm to 2.7cm in size. Michael also reported that, since starting the complementary regimen, he had no side effects of chemotherapy, numbness and tingling was gone, nausea had retreated, and his energy and mood had significantly improved. Blisters related to Avastin treatments, pruritis related to other medication, as well as constipation had improved.

Next, additional herbal support for his adrenal glands and nervous system was added: Bacopa m. formulation contains herbs like Brahmi and Gotu Kola that support nerve tissue health and may promote regeneration; Ashwagandha for adrenal support, as well as anti-cancer support; Melatonin, 20mg at night.

Continue Vitamin C IV therapy. We got to know Michael well while he received the Vitamin C IVs for 2 to 3 hours every week.

The following month, the MRI report had ominous news: the tumor had grown in size significantly.

Despite this, Michael was still doing fairly well. Symptoms of balance, numbness, tingling and forgetfulness were a bit worse, but not significantly debilitating. Michael still had energy to do many things, including cooking breakfast "his favorite meal of the day."

After several weeks in deliberation, Michael decided to try Novocure electric field therapy and one more round of chemotherapy Avastin. Unfortunately, Michael was never physically the same after this. His energy, balance and coordination diminished rapidly over the course of a couple of months.

In early 2015, Michael was provided hospice services for care in his final days.

Case 2: Almost 20 years ago, I had another patient with stage 4 glioblastoma. He had a tumor the size of a grapefruit in the middle of two hemispheres. In 9 months of Ayurvedic treatment, the tumor shrank to the size of walnut and was removed surgically. The patient lost some motor functions, but he lived for more than 8 years.

Referências

1. Mikirova N, et al. "Clinical experience with intravenous administration of ascorbic acid: achievable levels in blood for different states of inflammation and disease in cancer patients." Journal of Translational Medicine, Vol. 11(191);2013.
2. Riordan NH, Riordan HRD, Meng X, Li Y, Jackson JA: Intravenous ascorbate as a tumor cytotoxic chemotherapeutic agent. Medical hypothesis 44:207–213;1995.
3. Ohno S, et al. High-dose Vitamin C (Ascorbic Acid) Therapy in the Treatment of Patients with Advanced Cancer. Anti-cancer Research, Vol. 29: 809-816;2009.
4. Nina-Chainani, N. "Safety and Anti-Inflammatory Activity of Curcumin: A Component of Tumeric (Curcuma longa)." The Journal of Complementary and Alternative Medicine, Vol 9(1), pp. 161–168;2003.
5. Dhandapani K, et al. Curcumin suppresses growth and chemoresistance of human glioblastoma cells via AP-1 and NFκB transcription factors. Journal of Neurochemistry, July Volume 102, Issue 2, pages 522–538;2007.
6. G.B. Singh and C.K. Atal, "Pharmacology of an extract of Boswellia guggalex–Boswellia serrata, a new non-steroidal anti-inflammatory agent," Agents and Actions, Vol. 18, Pg. 407;1986.
7. S. Kirste, et al. "Boswellia serrata acts on cerebral edema in patients irradiated for brain tumors: a prospective, randomized, placebo-controlled, double-blind pilot trial," Cancer, Aug. 15, 117(16):3788–3795;2011.
8. Zamfir-Chiru AA, et al. "Melatonin and cancer" J Med Life. Sep 15, Vol. 7(3): Pg. 373–374;2014.

11. Glioblastoma multiforme não responsivo ao tratamento habitual tratado com dicloroacetato de sódio, tetratiomolibdato (TM) e temodal. 1pt.

A 44 year old male came for consultation regarding treatment of glioblastoma multiform. He had been diagnosed by MRI 4 months previously when he developed numbness of the left side of his face and left hand. The tumour was located in the right thalamus expanding towards the brainstem and hippocampus. A needle biopsy was obtained, showing grade IV astrocytoma (also called "glioblastoma multiform"). Due to the location of the tumour deep within the brain, it was considered inoperable. The patient was treated with steroids, 60Gy of radiotherapy and Temodal chemotherapy 140mg daily. There was initial improvement, but the cancer then began to progress again. The patient was offered further chemotherapy with a different Temodal regimen, but he declined due to low success with that drug previously.

Past health problems included depression, non-specific muscle aches and joint pains and prostatitis. Surgical history included appendectomy and recent brain biopsy.

There was a significant history of heart disease in the patient's family, but no cancer. The patient smoked for 8 years, but quit 7 years previously. Alcohol consumption was 2-3 standard drinks per week.

Medications at the time of consultation were Oxycontin 20mg p.o. b.i.d. for headache, Lyrica 150mg p.o. b.i.d. for tumour pain, lactulose as needed for constipation, Maxeran 10mg as needed for nausea, and Cipralex for depression. Dexamethasone had been stopped after radiation. The patient had no allergies.

Significant symptoms included intermittent vomiting, intermittent constipation, dizziness, headaches, numbness of the left arm, stiffness of both arms, and a pressure feeling of the posterior neck.

Findings

Examination revealed a healthy-looking male in no distress with normal vital signs and a weight of 69kg. There was mild hyperesthesia of the left side of the body including the left arm and leg. There was also a mild sensory deficit of the left arm, with mild impairment of coordination and mild reduction of power. Cranial nerves were normal. Mental status was normal. Speech was normal. General examination of other systems was normal.

Treatment

The patient wished to have aggressive treatment so we decided to start a combination of DCA and TM. He was started with DCA 29mg/kg/day (1000mg p.o. b.i.d) on a 2 week on/1 week off cycle. The initial TM dose was 20mg 6 times a day. He was supplemented with zinc acetate 50mg p.o. t.i.d., vitamin B1 100mg p.o. t.i.d., and R+SR alpha lipoic acid 150mg p.o. t.i.d. He was also started on Nexium 20mg p.o. q.d. to prevent GI upset.

The patient was also started back on low dose dexamethasone intermittently (2mg daily only if needed) to control vomiting. Initial ceruloplasmin was 347mg/L, hemoglobin was 135g/L and white cell count was 3.0 (ANC 1.84).

The patient developed some increase in numbness after 2 months of therapy, so the dose was reduced to 500mg p.o. t.i.d. (25mg/kg/day) as a precaution. Nerve conduction testing was recommended, but the patient's specialist did not arrange the test.

Copper deficiency was achieved with TM and zinc. Due to a delay in getting the blood test results, the ceruloplasmin went as low as 60mg/L, and resulted in significant anemia and neutropenia. The patients developed pneumonia requiring hospitalization and i.v. antibiotics. TM treatment was interrupted to allow the white cell count to come back up. Fortunately he quickly recovered as soon as the neutrophil count improved. Ceruloplasmin in the range of 110 to 130mg/L was subsequently maintained with some difficulty (ceruloplasmin target was < 105mg/L but could not be maintained due to recurrent neutropenia).

Zinc acetate was stopped due to copper lowering which was too rapid to allow fine adjustment given the delay in receiving blood results. The patient experienced stabilization of his cancer-related symptoms, and stopped the dexamethasone.

The pre-treatment MRI images were not readily available (the patient was not from Canada) and the translated MRI report did not specify tumour size. After 4 months of DCA/TM treatment a brain MRI was done. The tumour was measured to be 34.4mm x 29.6mm in the largest dimensions:

The patient continued DCA/TM with no serious side effects. After about 7 months of DCA/TM treatment the tumour had reduced in size to 31.5 x 25.9 mm in the largest dimensions on MRI:

The patient wished to add curcumin at approximately 8 months into treatment. Curcumin 500mg (from A.O.R.) 1 capsule t.i.d. was started.

After about 10 months of DCA/TM treatment the tumour had reduced in size to 26.7 x 25.1 mm in the largest dimensions.

The patient is presently feeling well, pain is controlled, and he is leading an active life. He experiences occasional bouts of depression. Nerve conduction studies are planned for routine monitoring, and DCA/TM treatment is ongoing.

Comments

This patient represents the longest duration of DCA treatment for our clinic to date (nearly 1 year). We are not clear if this patient developed mild neuropathy, or had a temporary worsening of numbness caused by his cancer. With glioblastoma being one of the most aggressive brain cancers in adults, it is remarkable that this patient is experiencing prolonged and increasing improvement with DCA and TM. The role of angiogenesis inhibiting drugs (like Avastin) in the treatment of glioblastoma is now being recognized. This case supports the principle of using angiogenesis inhibiting treatment for glioblastoma (using TM).

This case also demonstrates the critical role of ongoing monitoring. While these medications are relatively safe, monitoring and adjustment of dosage, side effects and blood tests cannot be over emphasized.

In this case, the tumour was quite big to start with, has not completely regressed but continues to shrink with ongoing DCA treatment. In addition the side effects are mild and tolerable. These findings are in contrast to case 2 above where DCA treatment has been discontinued because majority of the small metastasized tumors have regressed and intolerable side effects. In both this case and case 2, the benefits of TM in tumour stabilization are very encouraging.

This patient has shown us that, once again, it may be possible to transform aggressive cancer from a fatal disease to a chronic disease with simple medications like DCA and/or TM.

Referência. medicorcancer.com.

12. A melatonina 20mg/dia aumenta a sobrevida no glioblastoma multiforme submetido à radioterapia quando comparado somente com a radioterapia – 6 pacientes.

The prognosis of brain glioblastoma is still very poor and the median survival time is generally less than 6 months. At present, no chemotherapy has appeared to influence its prognosis. On the other hand, recent advances in brain tumor biology have suggested that brain tumor growth is at least in part under a neuroendocrine control, mainly realized by opioid peptides and pineal substances. On this basis, we evaluated the influence of a concomitant administration of the pineal hormone melatonin (MLT) in patients with glioblastoma treated with radical or adjuvant radiotherapy (RT). The study included 30 patients with glioblastoma, who were randomized to receive RT alone (60 Gy) or RT plus MLT (20mg/daily orally) until disease progression. Both the survival curve and the percent of survival at 1 year were significantly higher in patients treated with RT plus MLT than in those receiving RT alone (6/14 vs. 1/16). Moreover, RT or steroid therapy-related toxicities were lower in patients concomitantly treated with MLT. This preliminary study suggests that a radioneuroendocrine approach with RT plus the pineal hormone MLT may prolong the survival time and improve the quality of life of patients affected by glioblastoma.

Referência. Increased survival time in brain glioblastomas by a radioneuro endocrine strategy with radiotherapy plus melatonin compared to radiotherapy alone. Lissoni P, Meregalli S, Nosetto L, Barni S, Tancini G, Fossati V, Maestroni G. Oncology. Jan-Feb;53(1):43-6;1996.

13. Glioblastoma e outros tumores cerebrais tratados com homeopatia – Método Banerjii: *Ruta graveolens* e *Calcarea phosphorica*.

http://www.medicinabiomolecular.com.br/biblioteca/pdfs/Casos-Clinicos/cc-0118.pdf.

Muito empregado na Índia pela família Banerjii no glioblastoma multiforme com resultados considerados relevantes. Tal é a eficácia que a Agência Nacional de Saúde dos EEUU está estudando a estratégia.

14. Oligodendroglioma anaplástico recidivante e refratário a cirurgia, radioterapia e quimioterapia que respondeu favoravelmente ao álcool perílico intranasal.

A 62 year-old white woman presented with complaints of seizures and frontal headache in June 1999. Nervous system examination was normal. Her Karnofsky performance score was 90. A contrast-enhanced MRI scan of the brain revealed a regular space -occupying lesion in the right frontal lobe that enhanced with gadolinium. A radical surgical excision of the tumor was carried out, and the histopathological diagnosis was an anaplastic oligodendroglioma. Subsequently, there were 2 recurrent/progressive lesions, in July 2002 and October 2004, despite combination treatment using surgery, radiotherapy, and chemotherapy. Intranasal delivery of 0.3% concentration of perillil acid 4 times daily was performed. A follow-up MRI scan after 5 months of treatment revealed reduction in size of the enhancing lesion.

Referência. Da Fonseca CO, Masini M, Futuro D, Caetano R, Gattass CR, Quirico-Santos T. Anaplastic oligodendroglioma responding favorably to intranasal delivery of perillyl alcohol: a case report and literature review. Surg Neurol. Dec;66(6):611-5. 2006.

15. Glioblastoma multiforme. Longa sobrevida com tratamento convencional e álcool perílico.

O paciente tinha 49 anos quando sofreu convulsão e foi diagnosticado com GBM com a sentença: viveria no máximo seis meses. O tumor tinha volume de 64cm cúbicos e não havia possibilidade de cirurgia. Fez 30 sessões de radioterapia e desde 2007 faz inalação com álcool perílico. Atualmente com 53 anos o tumor está com 9cm cúbicos.

Referências.

1. da Fonseca CO, Teixeira RM, Silva JC, et al. Long-term outcome in patients with recurrent malignant glioma treated with Perillyl alcohol inhalation.
2. Anticancer Res. Dec;33(12):5625-31. 2013.

16. Astrocitoma grau II não responsivo ao tratamento habitual tratado com álcool perílico.

O álcool perílico intranasal foi administrado 4 vezes ao dia na dose de 66,7mg/dose (266,8mg/dia). A) Início do tratamento. B) Persistência do tumor apesar do tratamento convencional. C) Três anos de tratamento contínuo com o álcool perílico, onde observa-se total desaparecimento do tumor (Figura 216.2).

Referência. da Fonseca CO, Masini M, Futuro D, Caetano R, Gattass CR, Quirico-Santos T. Anaplastic oligodendroglioma responding favorably to intranasal delivery of perillyl alcohol: a case report and literature review. Surg Neurol. Dec;66(6):611-5;2006.

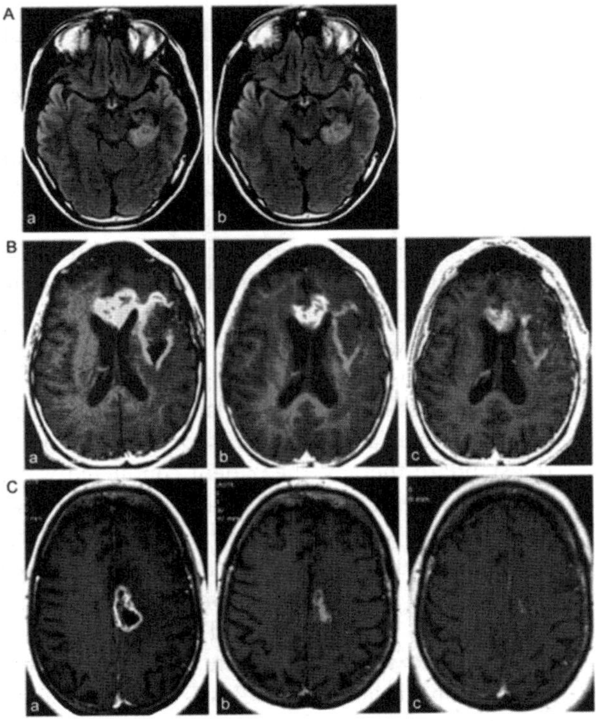

Figura 216.2 Astrocitoma grau II tratado com álcool perílico.

17. Glioblastoma multiforme. Longa sobrevida de paciente jovem com temozolomida: 6 anos até a data da publicação. Não computado.

Glioblastoma (GBM) is the most malignant primary brain tumour in adults. Since 2005 surgery followed by radiotherapy with concomitant Temozolomide (TMZ) is the standard care for patients with a GBM. Despite these improved treatment strategies, survival of GBM-patients remains poor; and there are very few patients who survive for a long time. Also there is no standard therapeutic strategy after six cycles of TMZ, and further treatment is at the physician's discretion. We report a case of a young patient with a glioblastoma who, not only showed dramatic clinical and radiological improvement after TMZ treatment but who now also (under continued TMZ therapy) survives over 6 years, with complete remission clinically and radiologically. Up till now there are no studies describing TMZ treatment in GBM patients for as long as 6 years.

Referência. Poelen J, Prick MJ, Jeuken JW, et al. Six year survival after prolonged temozolomide treatment in a 30-year -old patient with glioblastoma. Acta Neurol Belg. 2009 Sep;109(3):238-42;2009.

18. Glioblastoma multiforme. Desaparecimento total do tumor com tratamento convencional + dieta cetogênica em paciente idoso.

ABSTRACT: BACKGROUND: Management of glioblastoma multiforme (GBM) has been difficult using standard therapy (radiation with temozolomide chemotherapy). The ketogenic diet is used commonly to treat refractory epilepsy in children and, when administered in restricted amounts, can also target energy metabolism in brain tumors. We report the case of a 65-year-old woman who presented with progressive memory loss, chronic headaches, nausea, and a right hemisphere multi-centric tumor seen with magnetic resonance imaging (MRI). Following incomplete surgical resection, the patient was diagnosed with glioblastoma multiforme expressing hypermethylation of the MGMT gene promoter. METHODS: Prior to initiation of the standard therapy, the patient conducted water -only therapeutic fasting and a restricted 4:1 (fat: carbohydrate + protein) ketogenic diet that delivered about 600 kcal/day. The patient also received the restricted ketogenic diet concomitantly during the standard treatment period. The diet was supplemented with vitamins and minerals. Steroid medication (dexamethasone) was removed during the course of the treatment. The patient was followed using MRI and positron emission tomography with fluoro-deoxy-glucose (FDG-PET). RESULTS: After two months treatment, the patient's body weight was reduced by about 20% and no discernable brain tumor tissue was detected using either FDG-PET or MRI imaging. Biomarker changes showed reduced levels of blood glucose and elevated levels of urinary ketones. MRI evidence of tumor recurrence was found 10 weeks after suspension of strict diet therapy. CONCLUSION: This is the first report of confirmed GBM treated with standard therapy together with a restricted ketogenic diet. As rapid regression of GBM is rare in older patients following incomplete surgical resection and standard therapy alone, the response observed in this case could result in part from the action of the calorie restricted ketogenic diet. Further studies are needed to evaluate the efficacy of restricted ketogenic diets, administered alone or together with standard treatment, as a therapy for GBM and possibly other malignant brain tumors.

Referência. Zuccoli G, Marcello N, Pisanello A, et al. Metabolic management of glioblastoma multiforme using standard therapy together with a restricted ketogenic diet: Case Report.. Nutr Metab (Lond). Apr 22;7:33;2010.

19. Glioblastoma longa sobrevida com cirurgia, radioterapia, vincristina, lomustina e procarbazina, 49 anos.

http://www.medicinabiomolecular.com.br/biblioteca/pdfs/Casos-Clinicos/cc-0335.pdf – Trabalho na íntegra.

20. Astrocitoma grau III "in extremis" tratado com sulfato de cobre.

Sexo masculino, 60 anos foi admitido no hospital onde biopsia revelou Astrocitoma grau II no lobo parietal esquerdo. Estava em esta geral péssimo, "*in extremis*" com dificuldade para engulir e praticamente com imobilização de membros superiores e inferiores, incontinência urinária e papilo-edema blateral.

Apresentava úlcera sacral de decúbito. Após 48 horas de sulfato de cobre 50mg 2x ao dia começou a responder aos estímulos. Em 1 semana era capaz de sentar no leito. Em duas semanas começou a falar e a alimentar-se sozinho.

A dose de sulfato de cobre foi aumentada para 25mg 6x ao dia e foi bem tolerada. Já era capaz de sentar na cadeira. Em 3 semanas cicatrizou a úlcera de decúbito. Após 6 semanas melhorou muito os movimentos dos braços e pernas com fisioterapia conseguindo andar sozinho. Em 2 meses recebeu alta hospitalar.

Referência. The causation of reumathoid disease and many human cancer – A new concept in medicine – Roger Wyburn-Mason IJI Publishing Co, LTD Tokyo Japan, 1978.

21. Astrocitoma grau II tratado com clotrimazol. Computado 1 paciente.

Sexo masculino, 55 anos Há 1 ano apresentou dor de cabeça e diminuição da memória e nos últimos

3 meses convulsão lateralizadas à direita, tipo Jacksoniana. A craniotomia revelou Astrocitoma Grau II. Depois da cirurgia apresentou incontinência urinária e fecal, torpor, edema de papila bilateral e hemiplegia completa à direita. Recebeu clotrimazol 100mg/kg de peso/dia via sonda nasogástrica. Em 3 dias saiu do torpor e começou a responder perguntas. No quarto dia melhorou muito e desapareceram as duas incontinências, sendo capaz de sentar em cadeira. Em 1 mês estava assistindo TV e lendo jornal e o papilo edema regrediu totalmente. Permaneceu em tratamento por 6 meses mantendo as mesmas condições. A hemiplegia persistiu. O autor concluiu que drogas ativas contra Amoeba limax podem provocar efeitos benéficos drásticos em casos de gliomas.

Dois outros casos foram tratados de modo semelhante obtendo o mesmo desfecho.

Referência. The causation of reumathoid disease and many human cancer – A new concept in medicine – Roger Wyburn-Mason IJI Publishing Co, LTD Tokyo Japan, 1978.

22. Glioblastoma e gliomas tratados com metronidazol. Computado apenas 1 paciente.

Foram 10 casos descritos de gliomas diagnosticados na cirurgia de pacientes muito graves que responderam muito bem ao tratamento com metronidazol 2g/semana via sonda nasogátrica e depois por via oral. O coma rapidamente regrediu e em duas semanas o paciente estava plenamente consciente, cooperativo e capaz de andar. Este estado foi mantido por mais de um ano de seguimente.

Referência. In – Ref.: The causation of reumathoid disease and many human cancer – A new – A new concept in medicine – Roger Wyburn-Mason IJI Publishing Co, LTD Tokyo Japan, 1978.

23. Glioblastoma multiforme longa sobrevida com nimustini – 7 pts.

Abstract BACKGROUND: Glioblastoma is a highly lethal neoplasm with a median survival of 12-14 months; only 2-5% of patients survive >3 years. METHODS: At our institute, patients with glioblastoma are initially treated with maximum tumor resection followed by radiation and the intravenous injection of nimustine hydrochloride (ACNU). RESULTS: Using this strategy, 18 of 123 (14.6%) patients treated at our hospital survived >3 years; 7 manifested no recurrence, and the other 11 had early recurrence and received additional therapies. To identify factors associated with prolonged survival, we compared these patients with 21 short-term (<1,5 years) glioblastoma survivors. In the long-term survivors, the MGMT promoter methylation was significantly more frequent. The rate of p53 mutation was lower, and the rate of PTEN mutations and the proliferation index were slightly higher in short-term survivors. CONCLUSION: By multivariate analysis, we found that a younger age and MGMT promoter methylation were significant favorable factors in patients with glioblastoma.

Referência. Long-term survivors of glioblastoma: clinical features and molecular analysis. Sonoda Y, Kumabe T, Watanabe M, Nakazato Y, Inoue T, Kanamori M, Tominaga T. Acta Neurochir (Wien). 2009 Nov;151(11):1349-58. PMID: 19730774.

24. Glioblastoma multiforme: Uso de mistura de ácido fraco com ácido forte HCl + ácido oxálico + ácido fosfórico.

A 38 year old male presented with a convulsive crisis with noticeable weakness in his left arm and leg. CAT scan and MRI confirm a tumor in the right frontal lobe of the brain. Two weeks following diagnosis, the tumor is surgically removed and diagnosed as gemistocystic astrocitoma. A week later the patient was discharged and received radiotherapy over the following three months. Five months after the initial diagnosis, the patient suffered a new convulsive crisis and was readmitted to the hospital. A MRI taken at the time identified an infiltrating lesion affecting the right frontal region and small callous body with small bleeding component and mass effect. Patient was prescribed dilantin, suprabion, pharmaton, aerial, lexotanil, and nonie juice. Patient was also self medicating with Arcalion until ordered to stop by his physician. Approximately one week after the last convulsive crisis, the patient start oral treatment with Formulation at a rate of 20 drops a day the first day and then increasing the amount to 120 drops a day by the fifth day. Two weeks after the last convulsive crisis the patient was administered 2 cc of Formulation diluted in 500 cc of physiologically acceptable solution, intravenously through the left arm. The administration produced severe itching and was stopped. A second attempt the following week to administer Formulation intravenously was also stopped due to severe itching. Formulation was continued orally at a rate of 120 drops a day. The following week, a subclavian catheter was installed and the patient was administered 2 cc of Formulation in 500 cc of glucose solution three times a day. The catheter was maintained in place for 45 days and the dosing regimen maintained with no signs of infection or signs of reaction to Formulation. Following the administration of Formulation, the patient was taken off all other medications. His convulsions disappeared and his headaches reduced significantly in frequency and severity. The patient's appetite returned and he was able to sleep. His energy level returned to normal. One year following administration of treatment with Formulation, patient continues to take Formulation orally every day and has no clinical manifestations of the tumor. The last MRI taken 9 months after treatment with Formulation shows the tumor to have reduced by 90%. At the filing of this application, the patient continues to take Formulation orally and remains in good health, with no increase in tumor size.

Referência. 4 http://www.docstoc.com/docs/56102141/Pharmacologically-Active-Strong-AcidSolutions---Patent-7141251: or www.freepatentsonline.com.

25. Meduloblastoma com hidrocefalia tratado com mistura de ácidos fortes e fracos.

A 27 year old male patient complaining of headaches was diagnosed with a medulloblastoma following a CAT scan and confirmed the following week through an MRI to be a medulloblastoma in the 4th ventricle with hydrocephalia and a possibility of glioma. The patient was only administered analgesics for the headaches. Six months following the initial diagnosis, the tumor had grown to 40×35×32 mm with obstruction of the 4th ventricle. During the 10th month after diagnosis patient was given 3000 CGY of radiation. Eleven months post diagnosis, a drain valve was installed to reduce the pressure and an additional 200 OCGY of radiation administered. Patient continued to suffer from severe headaches, difficulty in walking, nausea, vomiting and blurred vision in his right eye. At approximately one year post diagnosis, an MRI confirms a 3.2×2.7×2.1 tumor. Patient initiated oral treatment with Formulation 1(strong and weak acids) at 30 drops per day increased to 140 drops per day diluted in juice and soups. After one month of treatment the patient began to show significant changes in the pathology of the tumor. The headaches lessened in severity and disappeared within two months of initiation of treatment with Formulation 1. The patient also regained his equilibrium and his vision returned to normal. By the end of the third month of treatment, the patient had resumed all normal daily activities. After approximately four months of treatment with Formulation 1, the patient underwent a CAT scan which indicated "no evidence of apparent intracerebral lesions." This was subsequently confirmed by an MRI.

Referência. http://www.docstoc.com/docs/56102141/Pharmacologically-Active-Strong-Acid-Solutions--Patent-7141251: or www.freepatentsonline.com.

26. Glioblastoma multiforme tratado com mistura de ácidos fortes e fracos.

A 38 year old male presented with a convulsive crisis with noticeable weakness in his left arm and leg. CAT scan and MRI confirm a tumor in the right frontal lobe of the brain. Two weeks following diagnosis, the tumor is surgically removed and diagnosed as gemistocystic astrocitoma. A week later the patient was discharged and received radiotherapy over the following three months. Five months after the initial diagnosis, the patient suffered a new convulsive crisis and was readmitted to the hospital. A MRI taken at the time identified an infiltrating lesion affecting the right frontal region and small callous body with small bleeding component and mass effect. Patient was prescribed dilantin, suprabion, pharmaton, aerial, lexotanil, and nonie juice. Patient was also self medicating with Arcalion until ordered to stop by his physician. Approximately one week after the last convulsive crisis, the patient start oral treatment with Formulation 1 (strong and weak acids) at a rate of 20 drops a day the first day and then increasing the amount to 120 drops a day by the fifth day. Two weeks after the last convulsive crisis the patient was administered 2 cc of Formulation 1 diluted in 500 cc of physiologically acceptable solution, intravenously through the left arm. The administration produced severe itching and was stopped. A second attempt the following week to administer Formulation 1 intravenously was also stopped due to severe itching. Formulation 1 was continued orally at a rate of 120 drops a day. The following week, a subclavian catheter was installed and the patient was administered 2 cc of Formulation 1 in 500 cc of glucose solution three times a day. The catheter was maintained in place for 45 days and the dosing regimen maintained with no signs of infection or signs of reaction to Formulation 1. Following the administration of Formulation 1, the patient was taken off all other medications. His convulsions disappeared and his headaches reduced significantly in frequency and severity. The patient's appetite returned and he was able to sleep. His energy level returned to normal. One year following administration of treatment with Formulation 1, patient continues to take Formulation 1 orally every day and has no clinical manifestations of the tumor. The last MRI taken 9 months after treatment with Formulation 1 shows the tumor to have reduced by 90%. At the filing of this application, the patient continues to take Formulation 1 orally and remains in good health, with no increase in tumor size.

Referência. http://www.docstoc.com/docs/56102141/Pharmacologically-Active-Strong-Acid- Solutions--Patent-7141251: or www.freepatentsonline.com.

27. Meduloblastoma: Uso de mistura de ácido fraco com ácido forte HCl + ácido oxálico + ácido fosfórico.

A 27 year old male patient complaining of headaches was diagnosed with a medulloblastoma following a CAT scan and confirmed the following week through an MRI to be a medulloblastoma in the 4th ventricle with hydrocephalia and a possibility of glioma. The patient was only administered analgesics for the headaches. Six months following the initial diagnosis, the tumor had grown to 40×35×32 mm with obstruction of the 4th ventricle. During the 10th month after diagnosis patient was given 3000 CGY of radiation. Eleven months post diagnosis, a drain valve was installed to reduce the pressure and an additional 200 OCGY of radiation administered. Patient continued to suffer from severe headaches, difficulty in walking, nausea, vomiting and blurred vision in his right eye. At approximately one year post diagnosis, an MRI confirms a 3.2×2.7×2.1cm tumor. Patient initiated oral treatment with Formulation at 30 drops per day increased to 140 drops per day diluted in juice and soups. After one month of treatment the patient began to show significant changes in the pathology of the tumor. The headaches lessened in severity and disappeared within two months of initiation of treatment with Formulation. The patient also regained his equilibrium and his vision returned to normal. By the end of the third month of treatment, the patient had resumed all normal daily activities. After approximately four months of treatment with Formulation, the patient underwent a CAT scan which indicated "no evidence of apparent intracerebral lesions." This was subsequently confirmed by an MRI

Referência. http://www.docstoc.com/docs/56102141/Pharmacologically-Active-Strong-Acid- Solutions--Patent-7141251: or www.freepatentsonline.com.

28. Tumor cerebral tratado com ácido clorídrico intravenoso.

Case of C.S.S., 57 years. Sept. 19, 1930. No history of syphilis. One year ago had an attack of vertigo, unable to walk, face and tongue paralyzed on left side, deafness in left ear, blood pressure normal. Left knee reflex slightly exaggerated, left pupil larger. Diagnosis: Brain tumor causing pressure on brain. The solution gave quick relief. June, 1932, recurrence; same symptoms, also a hernia at 6th cervical vertebra of spinal fluid, which varied in size at intervals and could be squeezed back into spinal canal. Solution again given six times daily. In two weeks relief of symptoms and drawing in of hernial sac. He is now walking, can stand with eyes closed, reflexes normal, face and tongue norrnal. This case shows action of acid mineral solution on the fluids of brain.

Referência. Three Years of HCL Therapy As Recorded in articles in The Medical World With Introduction by Henry Pleasants, Jr., AB, MD, FACP, Associate Editor Puhlished hy W. Roy Huntsman, Philadelphia, PA 1935.

29. Glioblastoma multiforme: a história de um médico.

Aos 47 anos, ele decidiu falar publicamente do câncer no cérebro que teve aos 31. Foi durante uma experiência neurológica, em que se ofereceu como cobaia, que David descobriu, por acaso, que era portador de um tumor do tamanho de uma noz. Submetido a uma cirurgia e a sessões de quimioterapia, o médico venceu a doença, mas não abandonou os maus hábitos – continuou a comer mal, a não se exercitar e a se deixar levar pelo stress. Com a recidiva do câncer, ele mudou radicalmente a forma de encarar e combater a doença. Essa virada é o tema de seu livro Anticâncer – Prevenir e Vencer Usando Nossas Defesas Naturais. David é o primeiro dos quatro filhos de Jean-Jacques Servan-Schreiber, jornalista, ensaísta e político francês. Fundador da revista L'Express, em 1953, que tinha entre seus colaboradores os escritores Albert Camus e Jean-Paul Sartre, ServanSchreiber, morto em 2006 de complicações advindas da doença de Alzheimer, era um homem brilhante, bonito e charmoso – tanto que era chamado de "Kennedy francês". No livro, David conta que uma de suas maiores aflições foi dar a notícia da própria doença ao pai: "Escutando a voz dele, meu coração se apertou. Tinha o sentimento de que ia apunhalá-lo. Ele nunca se negara a entrar em nenhum combate, mesmo nas circunstâncias mais difíceis. Mas, nesse caso, não haveria combate. Nenhuma ação militar. Nenhum artigo incisivo a escrever". De Paris, ele deu a seguinte entrevista à repórter Anna Paula Buchalla: A DESCOBERTA DO CÂNCER – Diagnosticado com a doença pela primeira vez há dezesseis anos, fui tratado pelos métodos convencionais. Nove anos depois, no entanto, tive uma recaída. Decidi, então, pesquisar tudo o que era possível fazer naturalmente, sem recorrer a remédios, para ajudar meu corpo a se defender do câncer. Municiei-me de todo tipo de informação sobre a doença. Hoje, acho que todos os pacientes deveriam fazer o mesmo. Esse é, sem dúvida, o melhor caminho para que médicos e pacientes se tornem parceiros na condução de um tratamento. Infelizmente, ainda não me sinto curado. Em geral, meu tipo de câncer não desaparece. Mas, se eu mantiver o "terreno" saudável, eu e minhas células cancerosas continuaremos a conviver como bons vizinhos por um tempo – talvez um longo tempo. A EXPERIÊNCIA COMO PACIENTE – Foi difícil aceitar que eu era simplesmente um paciente. Eu me agarrava como podia ao status de médico e ia às consultas de jaleco e crachá. Mas consegui perceber exatamente como se sente um doente. Muitas vezes tinha a sensação de que ninguém se interessava por quem eu era, como se todos só quisessem saber o resultado da minha última tomografia. Eu sempre me considerei o tipo de médico gentil e atencioso com meus pacientes, mas a doença me fez ver que meu comportamento estava muito longe do ideal. Depois disso, mudei radicalmente o modo de praticar a medicina. O ENFRENTAMENTO DA MORTE – Se há algo de bom em ficar cara a cara com a morte é que se compreende quanto a vida é preciosa. Esse enfrentamento mostra que não se deve desperdiçar a chance de contribuir de alguma forma para a existência dos outros – é isso que fica depois que você vai embora. Apesar de conviver permanentemente com a ameaça de o tumor voltar, eu consigo levar uma vida normal. Na verdade, sinto-me muito mais saudável fisicamente e mais "normal" emocionalmente do que antes de saber que tinha câncer. O que eu fiz para mudar a minha vida me tornou uma pessoa mais equilibrada em todos os sentidos. O PESO DO ESTILO DE VIDA– Durante muito tempo, acreditou-se que o câncer era, sobretudo, uma questão de genética – e um mal inevitável para quem está propenso a ele. O crescimento no número de casos da doença mostra que a influência dos fatores externos, como os hábitos de vida e o ambiente, é mais impactante na manifestação do câncer do que os genes. A genética é responsável por apenas 10% a 15% dos casos. Defendo a teoria de que todos temos um câncer dormindo dentro de nós. É nosso estilo de vida que vai ou não determinar seu desenvolvimento – seja nutrindo as células cancerosas, seja alimentando os mecanismos de defesa do organismo que impedem a formação de um tumor. O diagnóstico de câncer, porém, não deve jamais criar um sentimento de culpa no paciente. Eu não me sinto culpado nem por um segundo por ter desenvolvido câncer. Eu não fazia a menor ideia de que estava exposto a tantos fatores pró-câncer na minha vida. E talvez eu nunca saiba quais deles foram os mais críticos. Mas conhecer os mecanismos biológicos anticâncer no meu organismo me dá força para enfrentar a doença. A IMPORTÂNCIA DA DIETA – A alimentação é um elemento-chave na luta contra o câncer – o mais essencial deles, na minha opinião. Pode-se atribuir à dieta a razão principal para a expansão da doença. Nos últimos cinquenta anos, houve três mudanças muito significativas em nossa alimentação: o aumento do consumo de açúcar refinado, a utilização de produtos químicos na fabricação dos alimentos, como corantes e conservantes, e a mudança do padrão alimentar de animais como vacas e frangos. O consumo de açúcar refinado, que em 1830 era de 5 quilos por pessoa, no ano 2000 chegou a inacreditáveis 70 quilos per capita. Atualmente, os ovos têm vinte vezes mais ômega-6 do que nos anos 70. Em excesso, esse tipo de gordura, usado na ração das aves, facilita o acúmulo exagerado de células adiposas. AS FERIDAS PSÍQUICAS – Nós estamos apenas começando a entender como os fatores psicológicos influenciam o surgimento de um câncer. Muitos pacientes com quem conversei se lembram de um stress emocional muito forte nos meses ou anos que precederam o diagnóstico de câncer. Certos acontecimentos são tão dolorosos que destroem a imagem que fazemos de nós mesmos ou minam a confiança que tínhamos em alguém. É o caso de alguns rompimentos amorosos. Algumas feridas psíquicas não cicatrizam sozinhas. É preciso encontrar formas de lidar com elas, pois essas feridas repercutem em todo o organismo. MEDICINA TRADICIONAL x MÉTODOS ALTERNATIVOS – Eu diria que o tratamento convencional salvou a minha vida, mas não me ajudou a prevenir a recorrência do câncer. A relação entre estilo de vida e câncer é tão estreita e evidente quanto a associação entre os hábitos cotidianos e as doenças cardiovasculares. O que me surpreendeu ao constatar isso foi o fato de que ninguém nunca havia me falado sobre tais evidências – nem meus professores na faculdade de medicina nem meus próprios oncologistas. Opções de vida mais saudáveis, como meditação e alimentação equilibrada, foram e são cruciais para o fortalecimento de meu organismo contra a doença. Em minha opinião, tanto os recursos da medicina convencional como os métodos alternativos são indispensáveis e complementares.

O médico morreu de câncer porque ninguém o ajudou a descobrir o motivo, as causas da sua doença, para depois afastá-las. A causa da neoplasia permaneceu no corpo e o tumor voltou. O livro deste médico ajudou muitas pessoas.

30. Lonidamina e diazepam no glioblastoma multiforme recorrente provoca estabilização da doença em 8 de 16 pacientes.

Não foi computado porque somente provocou estabilização do processo. Recurrent glioblastoma multiform (GBM) is resistant to most therapeutic endeavours, with low response rates and survival rarely exceeding 6 months. There are no standard chemotherapeutic regimens and new therapeutic approaches have to be found. We report an open -label, uncontrolled, multicentre phase II trial of lonidamine (LND) and diazepam in 16 patients with GBM at first relapse and a Karnofsky performance status > or = 70. The treatment regimen consisted of LND 450mg/day and diazepam 15mg/day orally of every 28-day cycle until progression or unacceptable toxicity. Patients received a median of three cycles (range, 1-12). No complete or partial response was observed. Therefore, according to the design of the study, no additional patients were enrolled and the trial was closed. Nevertheless, seven stabilizations (50%) were observed. Median time to progression was 8 weeks (range, 5-19 weeks). Median overall survival from recurrence was 15 weeks (range, 14-61 weeks). No grade 3-4 toxicity, except somnolence, was observed and there were no therapy-related deaths. Dose reduction for diazepam due to somnolence (grade III) was performed in 9 patients. The combination of LND and diazepam is well tolerated. LND and diazepam, acting on two distinct mitochondrial sites involved in cellular energy metabolism, may exert a cytostatic effect on tumour growth as shown by the high percentage of stable patients. The LND-diazepam at the used dosing schedule did not show a complete or partial response. LND plus diazepam may be interesting in the adjuvant setting or associated to chemotherapy to act on different targets and increase the therapeutic index.

Referência. Phase II study of lonidamine and diazepam in the treatment of recurrent glioblastoma multiforme. Oudard S[1], Carpentier A, Banu E, Fauchon F, Celerier D, Poupon MF, Dutrillaux B, Andrieu JM, Delattre JY. J Neurooncol. 2003 May;63(1):81-6.

31. Glioblastoma multiforme grau IV recorrente que apresentou resposta completa após: somatostatina, retinoides, vitamina E, D3, C, melatonina e temodal.

In a 41 year old man, with Glioblastoma Multiforme (Grade IV – WHO 2007) and loco-regional recurrence, treated conventionally with surgery, radio-therapy and Temolozomide, a complete objective response was subsequently achieved by means of the well-tolerated concomitant administration of Somatostatin + slow-release Octreotide, Melatonin, Retinoids solubilized in Vitamin E, Vit D3, Vit C, D2 R agonists, and Temolozomide. In addition to the positive and previously unreported therapeutic finding, this result allowed the patient to avoid further surgical trauma and the correlated risks, achieving an excellent quality of life and working capacity.

Referência. Di Bella G, Leci J, Ricchi A, Toscano R. Recurrent Glioblastoma Multiforme (grade IV – WHO 2007): a case of complete objective response – concomitant administration of Somatostatin /Octreotide, Retinoids, Vit E, Vit D3, Vit C, Melatonin, D2 R agonists (Di Bella Method. Neuro Endocrinol Lett. 2015;36(2):127-32.

32. Astrocitoma tratado com radiofrequência (434MHz) e oxidação sistêmica (GS-SG).

J.R., masculino, data do nascimento: 5/5/34. Astrocitoma grau 1. Biopsia e protocolo (radiofrequência e oxidação sistêmica) em setembro de 83. Permaneceu bem por 6 anos e meio quando apresentou recorrência. Não permitiu nova biopsia e fez novamente o protocolo em abril de 91. Apresentou novamente a regressão do tumor cerebral incluindo a parada das convulsões tipo Jacksoniana. O protocolo foi a infusão intravenosa de solução oxidante seguida de radiofrequência: total de 15 aplicações.

Referência. Holt, J.A.G. The cure of cancer, A preliminary Hypothesis. Aust. Radiol. 18: 15-17,1974.

33. Glioblastoma multiforme tratado com RF mais oxidação sistêmica.

JD, feminino, data do nascimento: 31/05/46. Glioblastoma grau 3, já submetido à cirurgia e radioterapia em dezembro de 1983 e fevereiro de 1984. Recorrência diagnosticada por biopsia em 1984 e iniciado o protocolo (radiofrequência e oxidação sistêmica) em agosto de 1984 e repetido em janeiro de 1985. A tomografia anual até junho de 1990 mostrou a ausência de tumor.

Referência. Holt, J.A.G. The cure of cancer, A preliminary Hypothesis. Aust. Radiol. 18: 15-17,1974.

34. Glioblastoma multiforme e RF sistêmica com soro GS-SG.

JD, feminino, data do nascimento: 31/05/46. Glioblastoma grau 3, já submetido à cirurgia e radioterapia em dezembro de 1983 e fevereiro de 1984. Recorrência diagnosticada por biopsia em 1984 e iniciado o protocolo em agosto de 1984 e repetido em janeiro de 1985. A tomografia anual até junho de 1990 mostrou a ausência de tumor. Protocolo: Emprego de UHF de 434 MHz sistêmico logo após a infusão intravenosa de soro com glutationa peroxidada (GS-SG).

Referência. Holt J A G. Increase of X-ray sensitivity of cancer after exposure to 434 MHz electromagnetic radiation. J Bioeng 1977; 1(5/6): 479-485. Holt J A G. Microwaves are not hyperthermia. The Radiographer 1988; 35(4): 151-162. Holt J

A G. The glutathione cycle is the creative reaction of life and cancer. Cancer causes oncogenes and not vice-versa. Med Hypotheses 1993; 40: 262- 266. Holt J. A. G. The use of UHF radiowaves in cancer therapy. Australas Radiol 1975: 19(2): 223-241. Nelson A J M, Holt J A G. Combined microwave therapy. Med J Australia; 2: 88-90. Ibid 1985; 13: 707-708, 1978. Nelson AJM & Holt JAG. Microwave adjunt to radiotherapy and chemotherapy for advanced lynphoma. Med. J. Aust., 1:311-313,1980. Holt, J.A.G. The cure of cancer, A preliminary Hypothesis. Aust. Radiol. 18: 15-17,1974. Holt, J.A.G.. The metabolism of sulphur in relation to the biochemistry of cystine and cysteine. Medical Hypothesis. 58(5):658-676, 2001.

Dois pacientes: 31 e 32

John Holt na Austrália foi um dos primeiros pesquisadores a dar importância para a hipertermia no tratamento do câncer. Ele a empregou juntamente com a oxidação sistêmica. Com o emprego de UHF de 434 MHz e administrando GS-SG como agente oxidante sistêmico, Holt obteve o desaparecimento de inúmeros tipos de câncer por períodos superiores a 5 anos. A maioria dos tumores não haviam respondido à cirurgia, quimioterapia ou radioterapia A seguir mostramos 2 pacientes que foram tratados por Holt e publicados em 1993 na conceituada revista da literatura médica indexada "Medical Hypotheses".

35. Glioblastoma grau 3.

JD, feminino, data do nascimento: 31/05/46, já submetido à cirurgia e radioterapia em dezembro de 1983 e fevereiro de 1984; Recorrência diagnosticada por biopsia em 1984 e iniciado o protocolo em agosto de 1984 e repetido em janeiro de 1985. A tomografia anual até junho de 1990 mostrou a ausência de tumor.

36. Astrocitoma grau 1.

JR, masculino, data do nascimento: 5/5/34. Biopsia e protocolo em setembro de 83. Permaneceu bem por 6 anos e meio quando apresentou recorrência. Não permitiu nova biopsia e fez novamente o protocolo em abril de 91. Apresentou novamente a regressão do tumor cerebral incluindo a parada das convulsões tipo Jacksoniana.

37. Astrocitoma anaplástico grau III frontal que reduziu de volume fortemente com extrato de *Chelidoneum majus* – UKRAIN.

Ukrain, a semisynthetic thiophosphoric acid compound of alkaloid chelidonine from Chelidonium majus L. causes regression of various tumours. Among other effects, its action seems to depend on the stimulation of the immune system which very often is deficient in cancer patients. Its use in a patient with subtotal extirpation of a frontal anaplastic grade III astrocytoma seems to have reduced growth speed significantly.

Referência. Steinacker J, Kroiss T, Korsh OB, Melnyk A. Ukrain therapy in a frontal anaplastic grade III astrocytoma (case report). Drugs Exp Clin Res. 22(3-5):275-7. 1996. PMID: 8899347.

38. Astrocitoma tratado com *Chelidonium majus* extrato (Ukrain).

In a 25 year old male patient a left sided, frontal chestnut-sized tumour was diagnosed and extirpated sub-totally. Histological examination demonstrated an anaplastic grade III astrocytoma. Treatment with Ukrain was started 7 weeks after the operation (cycles of 2x20mg iv/w, for 5 weeks, with 2w treatment-free intervals between cycles). The tumour progression slowed down and the patient was still in good condition two years later.

Referência. Steinacker J., Kroiss T., Korsh O.B., Melnyk A. Ukrain Treatment in a Frontal Anaplastic Grade III Astrocytoma (Case Report). Drugs Exptl. Clin. Res., Vol. XXII (Suppl.), 203-206.1996.

39. Astrocitoma anaplásico inoperável e não responsivo à radioterapia que regrediu totalmente com dieta inteligente anticarcinogênica e carcinostática.

CACC, 45 anos, sexo feminino.

Queixa de dislalia, dificuldade de deambular, hipoestesia em dimídio direito.

Diagnóstico: Astrocitoma anaplásico inoperável.

Realizada somente biópsias. Radioterapia sem resposta.

Sem indicação de QTX.

Com atividade física diária e nutrição inibidora semelhante à dieta inteligente, ministrada pelo Dr. Sidney Federman houve regressão total do tumor com cicatrização (gliose) do processo tumoral. Seguimento de 7 anos com vida normal (Figuras 216.3 a 216.5).

40. Metástases cerebrais de câncer de mama tratadas com *Chenopodium ambrosioides*.

Ms I. is a 60-year-old Jamaican woman who was diagnosed with breast cancer 1998. She received all oncology treatment here in the USA. Her treatment included mastectomy, radiation and chemotherapy. Despite her aggressive treatment, Ms I's cancer returned with metastasis to her brain, as confirmed by her C T scan results.

She had her last radiation treatment February of 2001, following which she had syncopy generalized weakness prior to returning to Jamaica. Recommendation was made to Ms I. that she should drink Chenopodium ambrosioides herbal tea when she got to Jamaica. She had no difficulty finding the herb locally and she started drinking two cups daily since February 2001.

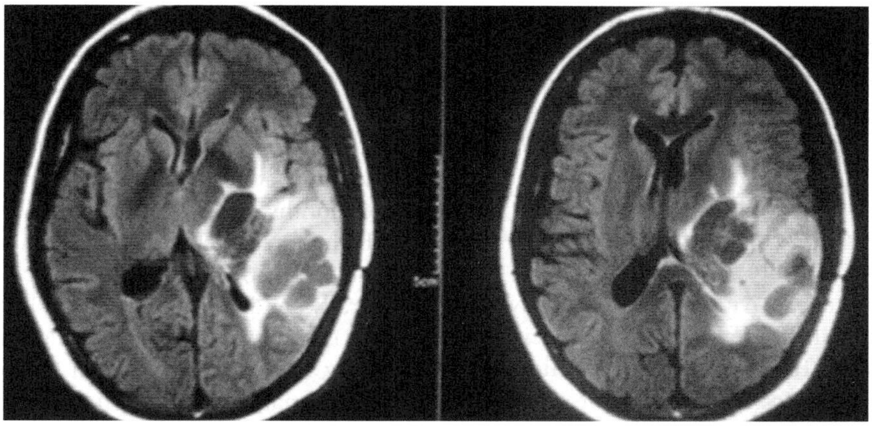

Figura 216.3 RNM de março 2004: período da biópsia estereotáxica. Lesão expansiva temporoparietal esquerda com edema e gliose adjacente, com desvio da linha média, isto é, efeito de massa. Biópsia: astrocitoma anaplásico inoperável.

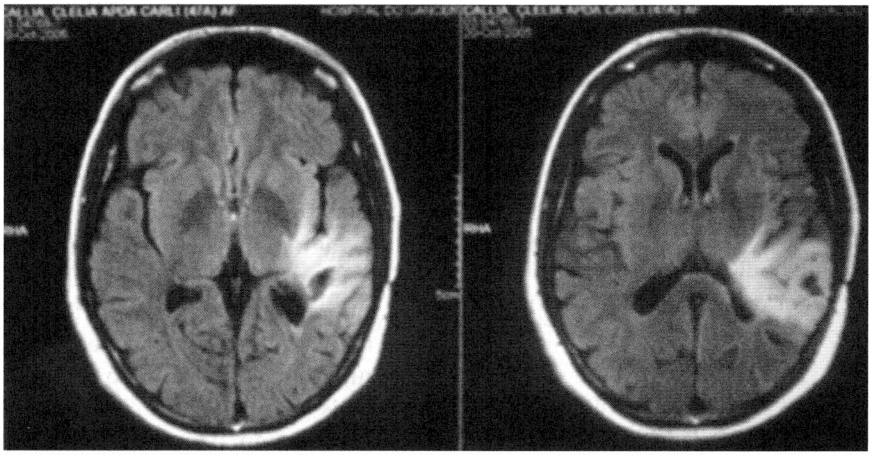

Figura 216.4 RNM de outubro/2005: Lesão temporoparietal esquerda, com edema e gliose adjacente, SEM EFEITO de MASSA sobre o parênquima adjacente.

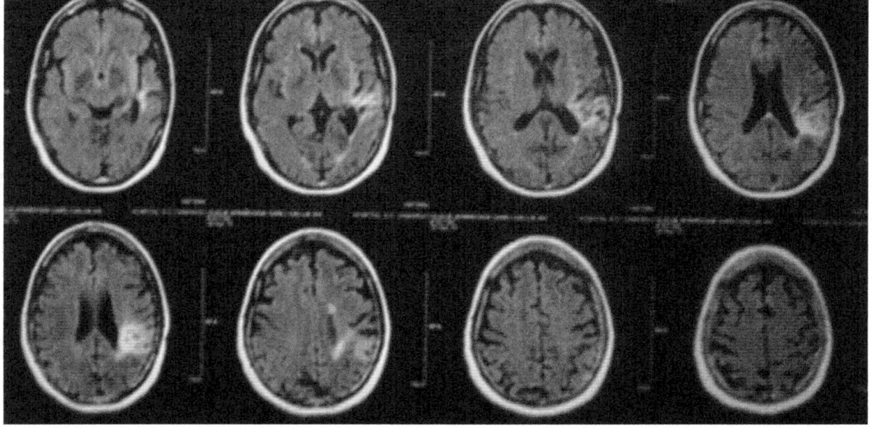

Figura 216.5 RNM de abril de 2010: alteração de sinal do parênquima cerebral na região temporoparietal esquerda, sem realce pós-contraste. Presença de gliose na substância branca profunda periventricular. Sistema ventricular, cisternas e estruturas de tronco preservados. Conclusão: cicatrização de processo neoplásico.

In October 2001, Ms I had her regular check up here in the United States with CT scans showing no evidence of brain tumors. Ms I visited the US for another checkup in July 2002 and she remains cancer free.

41. Câncer de mama com metástases cerebrais: Uso de mistura de ácido fraco com ácido forte HCl + ácido oxálico + ácido fosfórico.

Female patient, aged 37 under went a biopsy and was diagnosed with Ductal infiltrating Carcinoma in the left breast. 16 region al adenopathies were identified and surgically removed, of which 10 were malignant. The patient was treated by anoncologist with 6 cycles of the following drugs: Farmarubicin, Taxol, Daxorubicin, 5-FU, Citoxan, Ethyol, Cardioxane, Zofran, and Decadron among others. Patient was treated with: 2 cycles of chemotherapy, then 30 sessions of radiotherapy in the affectedarea and then the remaining 4 cycles of chemotherapy. Following chemotherapy, patient was placed on Evista and Raloxifen. One year after ending chemotherapy, patient suffered nausea, almost permanent headaches and a sensation of pressure in her headand was diagnosed with a brain tumor. At that time patient was depressed and anxious but suffered no memory or language problems or problems with mobility. Patient suffered from paresis in left side of face and in her left limb.

A CAT scan performed at that time shows the existence of a cystic mass 6.5cm×6.5cm, with thick capsule in left parietal side compatible with a possible metastatic lesion (melanoma, coriocarcinoma), glioblastoma multiforme or cerebralabscess. With an antecedent of adenocarcinoma is very possible that is that one. MRI ratified the observation made in the CAT. Treating physicians were surprised that with the existence of a large lesion that there was not a big edema.

The patient underwent surgery one month after diagnosis of the brain tumor and, under general anesthesia, a left parietal craniotomy was performed identifying a lesion that was infiltrating the dura mater. The lesion was detached easily. Thelesion was of cystic nature and 6 to 8 cc of dark amber color liquid were extracted. The capsule was of varied thickness and was very differentiated from the rest of the cerebral parenquima, with almost no vascularization. The capsule was whitish andgranular showing evidence of a malignant tumor. The resection was complete and the dura mater was scraped and cauterized with no macroscopic evidence of the tumor.

A biopsy of the frozen tumor confirmed a diagnosis of metastatic adenocarcinoma in the left parietal side of the brain. Post surgery, patient underwent 10 sessions of radiotherapy of 300 CGY each for a total of 3000 CGY. She was instructed totake Medrol (a corticosteroid) and Neubion (a B complex vitamin) for 2 weeks followed by phenobarbital for 6 months. After 2 months post surgery the patient had not regained her vigor. At that time patient initiated treatment using 30 drops ofFormulation 1 orally per day, increasing to 120 drops per day, which is continued to this day. Eight months post-surgery, the patient visited an Oncologist at Jackson Memorial Hospital in Miami, who found her to be in very good state of health afterperforming a set of tests. During a one year period the patient has taken a total of 620 cc of Formulation orally.

Referência. 1- Salvador Harguindey, et al., "Effects of Systemic Acidification of Mice with Sarcoms 180", Cancer Research, vol. 39, pp. 4364-4371, Nov., 1979. 2- http://www.docstoc.com/docs/56102141/Pharmacologically-Active-Strong-AcidSolutions---Patent-7141251: or www.freepatentsonline.com

42. Metástases cerebrais de câncer pulmonar não de pequenas células que apresentaram grande redução após silibinina.

Os autores descrevem dois casos clínicos de metástases cerebrais de tumor pulmonar que foram considerados refratários e enviados para cuidados paliativos. Entretanto, após grande redução dos tumores cerebrais com o emprego da silibinina não mais foram considerados em estado terminal e continuaram o tratamento convencional.

Referência. Bosch-Barrera J, Sais E, Cañete N, et al. Response of brain metastasis from lung cancer patients to an oral nutraceutical product containing silibinin. Oncotarget. May 31;7(22):32006-14;2016.

43. Glioblastoma multiforme e a importância do Lítio.

Lithium inhibits glycogen synthase kinase -3 (GSK-3), enhances the differentiation and apoptosis of tumor cells and depletes the glioma from its reservoir of tumor-maintaining stem cells. Why do not we see patients with glioblastoma multiform taking lithium?

Cancers are driven by a population of cells with the stem cell properties of self-renewal and unlimited growth. As a subpopulation within the tumor mass, these cells are believed to constitute a tumor cell reservoir. Pathways controlling the renewal of normal stem cells are deregulated in cancer. The polycomb group gene Bmi1, which is required for neural stem cell self-renewal and controls anti-oxidant defense in neurons, is upregulated in several cancers, including medulloblastoma. We have found that Bmi1 is consistently and highly expressed in GBM. Downregulation of Bmi1 by shRNAs induced differentiation phenotype and reduced expression of the stem cell markers Sox2 and Nestin. Interestingly, expression of glycogen synthase kinase 3 beta (GSK3beta), which was found to be consistently expressed in GBM primary, also declined. This suggests a functional link between Bmi1 and GSK3beta. Interference with GSK3beta activity by siRNA, the specific inhibitor SB216763, or lithium chloride (LiCl) induced tumor cell differentiation. In addition, tumor cell apoptosis was enhanced, the formation of neurospheres was impaired, and clonogenicity reduced in a dose-dependent manner. GBM cell lines consist primarily of CD133-negative (CD133-) cells. Interestingly, ex vivo cells from primary tumor biopsies allowed the identification of a CD133-subpopulation of cells that express stem cell markers and are depleted by inactivation of GSK3beta. Drugs that inhibit GSK3, including the psychiatric drug LiCl, may deplete the GBM stem cell reservoir independently of CD133 status.

Referência. GSK3beta regulates differentiation and growth arrest in glioblastoma. Korur S, Huber RM, Sivasankaran B, Petrich M, Morin P Jr, Hemmings BA, Merlo A, Lin MM. PLoS One. 2009 Oct 13; 4 (10): e7443.

44. Glioblastoma multiforme. Clínica Gustavo Vilela.

Homem com 29 anos de idade procurou o Pronto Socorro em outubro de 2016 devido a paralisia facial esquerda central e hipoestesia. A tomografia mostrou a imagem abaixo sendo submetido a ressecção parcial do tumor cerebral. O anatomopatológico revelou glioblastoma multiforme (Figura 216.6).

A doença progrediu em menos de 1 mês. Sendo executado a segunda cirurgia, desta vez com ressecção total. Recebeu radioterapia, mas recusou a quimioterapia devido aos efeitos colaterais.

O oncologista o sentenciou com uma sobrevida de três meses.

Procurou a nossa clínica em dezembro de 2016 pedindo supervisão médica. Por apresentar algumas dificuldades financeiras foram realizadas estratégias biomoleculares de baixo custo:

- Acupuntura.
- Oxigenoterapia com várias etapas de 18 dias.
- Dieta e sucos veganos.
- Chlorella 250 mg duas vezes ao dia, Moringa oleífera 300 mg duas vezes ao dia, própolis 20% em extrato glicólico 3 gotas por dia, Coriandrum sativum 20% tintura 3 gotas 2x/dia.
- Ácido lipoico intravenoso 600 mg uma vez por semana, durante 4 semanas.

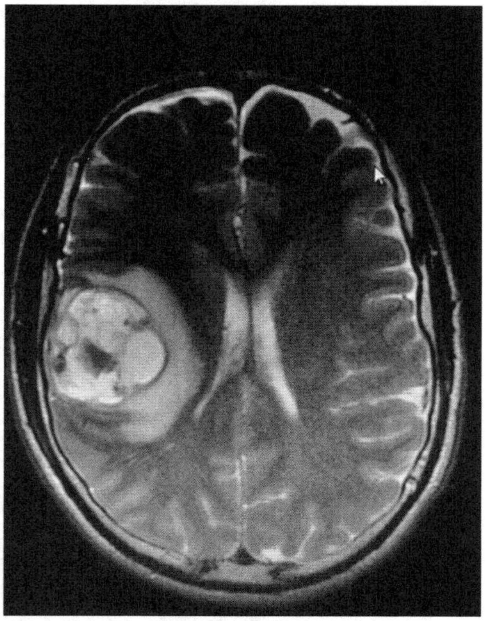

Figura 216.6 Glioblastoma multiforme.

O paciente foi consultado pela última vez em novembro de 2018, é assintomático e desfruta de remissão completa sustentada.

Sua imagem cerebral mais recente é mostrada na Figura 216.7.

45. Eficácia da dieta cetogênica concomitante com o álcool perílico na terapia do glioblastoma multiforme recorrente – 3 pacientes.

Ketogenic diet was administered concomitantly with the daily inhalation of perillyl alcohol (POH) for three months. POH (55 mg; 0.3% v/v) was administered by inhalation 4 times per day, totaling 266.8 mg/day. The corticosteroid was maintained during the trial for all patients, but the dose was decreased in the patients who presented with an improvement of clinical status.

Thirty-two enrolled patients were divided into two groups, ketogenic diet (KD) or standard diet, with intranasal peryllil alcohol (POH) treatment (n=17 and n=15, respectively). Patients that adhered to the KD maintained a strict dietary regimen, in addition to receiving 55 mg POH four times daily, in an uninterrupted administration schedule for three months. A total of 9/17 patients in the KD group survived and maintained compliance with the KD. After three months of well-tolerated treatment, a partial response (PR) was observed for 77.8% (7/9) of the patients, stable disease (SD) in 11.1% (1/9) and 11.1% (1/9) presented with progressive disease (PD). Among the patients assigned to the standard

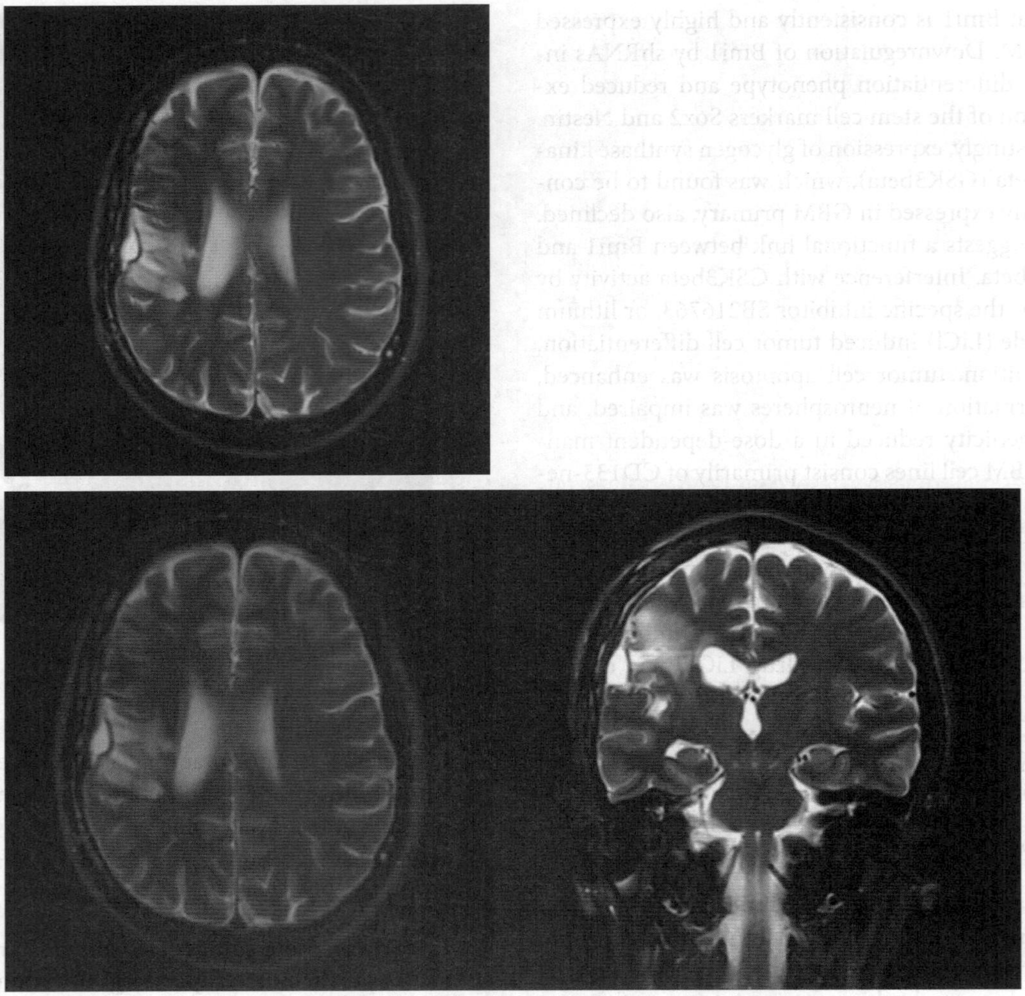

Figura 216.7

diet group, the PR rate was 25% (2/8 patients), SD 25% (2/8) and PD 50% (4/8 patients). The patients assigned to the KD group presented with reduced serum lipid levels and decreased low-density lipoprotein cholesterol levels. These results are encouraging and suggest that KD associated with intranasal POH may represent a viable option as an adjunct therapy for recurrent GBM (Figura 216.8). Brain magnetic resonance images of three patients, with images prior to (A,C,E) and following (B,D,F) the commencement of treatment. (A) Axial flair shows part of the expansive lesion and the extensive perilesional edema in the left temporoparietal region, which extends along the left cerebral peduncle. (B) Axial flair in the control shows reduction of lesion dimension. (C) Axial T1W contrast-enhanced image demonstrates lesion with peripheral and irregular enhancement and perilesional edema. (D) Axial T1W contrast-enhanced image of the control with reduction of tumor volume following therapy. Postoperative changes in correspondence. (E) Axial flair demonstrates a heterogeneous lesion with hyperintense area. (F) Axial flair of the control shows reduction in the dimensions of the heterogeneous lesion with extensive perilesional edema. Magnetic susceptibility artefact by previous biopsy.

Referência. Santos JG, Da Cruz WMS, Schönthal AH, Salazar MD, Fontes CAP, Quirico-Santos T, Da Fonseca CO. Efficacy of a ketogenic diet with concomitant intranasal perillyl alcohol as a novel strategy for the therapy of recurrent glioblastoma. Oncol Lett. Jan;15(1):1263-1270;2018.

46. Glioblastoma multiforme tratado com dieta cetogênica e cuidados modificados. – 24 meses de seguimento.

38-year-old man who presented with chronic headache, nausea, and vomiting accompanied by left partial motor seizures and upper left limb weak-

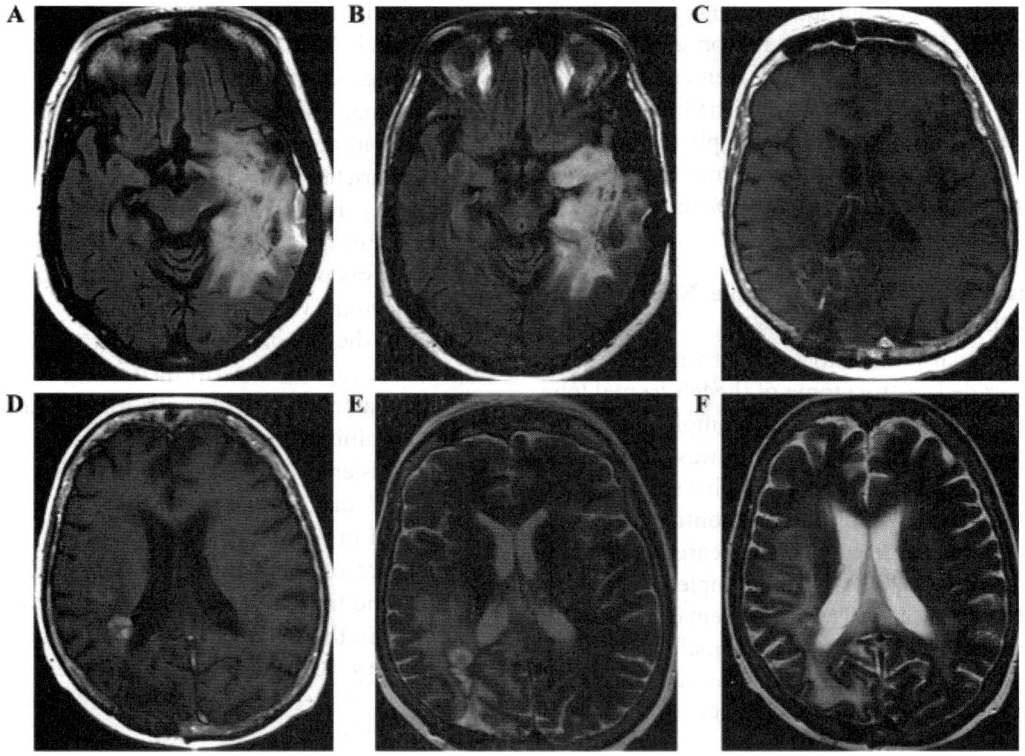

Figura 216.8

ness. Enhanced brain magnetic resonance imaging revealed a solid cystic lesion in the right partial space suggesting GBM. Serum testing revealed vitamin D deficiency and elevated levels of insulin and triglycerides. Prior to subtotal tumor resection and standard of care (SOC), the patient conducted a 72-h water-only fast. Following the fast, the patient initiated a vitamin/mineral-supplemented ketogenic diet (KD) for 21 days that delivered 900 kcal/day. In addition to radiotherapy, temozolomide chemotherapy, and the KD (increased to 1,500 kcal/day at day 22), the patient received metformin (1,000 mg/day), methylfolate (1,000 mg/day), chloroquine phosphate (150 mg/day), epigallocatechin gallate (400 mg/day), and hyperbaric oxygen therapy (HBOT) (60 min/session, 5 sessions/week at 2.5 ATA). The patient also received levetiracetam (1,500 mg/day). No steroid medication was given at any time. Post-surgical histology confirmed the diagnosis of GBM. Reduced invasion of tumor cells and thick-walled hyalinized blood vessels were also seen suggesting a therapeutic benefit of pre-surgical metabolic therapy. After 9 months treatment with the modified SOC and complementary ketogenic metabolic therapy (KMT), the patient's body weight was reduced by about 19%. Seizures and left limb weakness resolved. Biomarkers showed reduced blood glucose and elevated levels of urinary ketones with evidence of reduced metabolic activity (choline/N-acetylaspartate ratio) and normalized levels of insulin, triglycerides, and vitamin D. This is the first report of confirmed GBM treated with a modified SOC together with KMT and HBOT, and other targeted metabolic therapies. As rapid regression of GBM is rare following subtotal resection and SOC alone, it is possible that the response observed in this case resulted in part from the modified SOC and other novel treatments. Additional studies are needed to validate the efficacy of KMT administered with alternative approaches that selectively increase oxidative stress in tumor cells while restricting their access to glucose and glutamine. The patient remains in excellent health (Karnofsky Score, 100%) with continued evidence of significant tumor regression: 24-Month Follow-Up.

Referência. Management of Glioblastoma Multiforme in a Patient Treated With Ketogenic Metabolic Therapy and Modified Standard of Care: A 24-Month Follow-Up. Elsakka AMA, Bary MA, Abdelzaher E, et al. Front Nutr. Mar 29;5:20;2018.

47. Gliomas treated with chloroquine. Not computed (maio/2019).

Three cases of cerebral glioma as verified by craniotomy, who were in a comatose state, were treated with injections of chloroquine 250 mgms. daily for two months. One showed no response. In the other two the most surprising improvement in the patient's condition was observed. The coma and papilloedema disappeared and the physical signs in the CNS decreased. After some months, however, the symptoms returned in spite of recommencing the injections.

48. Glioma treated with clotrimazole. Not computed (maio/2019).

Reference is also made to a patient with proven cerebral Grade II astrocytoma of the left frontal lobe, stuporose, incontinent, with a complete right hemiplegia and papilloedema, who was treated with clotrimazole 2 grams daily through a stomach tube at first and later by mouth for 5 months. His symptoms and papillodema all disappeared within the next six months. His right hemiplegia resulting from the surgical intervention remained, but he was able to answer questions normally. He remained under treatment for 9 months and his condition showed no evidence of change.

49. Re-irradiação de pacientes com glioblastoma multiforme recidivado. Cloroquina aumenta a eficácia da radioterapia – 1 paciente.

Treatment of recurrent glioblastoma (rGBM) remains an unsolved clinical problem. Reirradiation (re-RT) can be used to treat some patients with rGBM, but as a monotherapy it has only limited efficacy. Chloroquine (CQ) is an anti-malaria and immunomodulatory drug that may inhibit autophagy and increase the radiosensitivity of GBM. Between January 2012 and August 2013, we treated five patients with histologically confirmed rGBM with re-RT and 250 mg CQ daily. Treatment was very well tolerated; no CQ-related toxicity was observed. At the first follow-up 2 months after finishing re-RT, two patients achieved partial response (PR), one patient stable disease (SD), and one patient progressive disease (PD). One patient with reirradiated surgical cavity did not show any sign of PD. In this case series, we observed encouraging responses to CQ and re-RT. We plan to conduct a CQ dose escalation study combined with re-RT.

Referência. Bilger A, Bittner MI, Grosu AL, et al. FET-PET -based reirradiation and chloroquine in patients with recurrent glioblastoma: first tolerability and feasibility results. Strahlenther Onkol. Oct;190(10):957-61;2014.

50. Astrocitoma recidivado que respondeu à fitoterapia com 4 elementos.

33-year-old woman who, due to frequent headaches, epileptic seizures, speech disturbances and stiffness of the right half of the body, in June 2011 at Cantonal Hospital Zenica (Bosnia and Herzegovina) underwent an emergency computed tomography (CT) scanning. The scan showed a well-limited tumour mass without necrosis, located to the left frontotemporoparietally, dimensions: 56 x 45 x 51 mm (Figure 216.9A). In July 2011, the patient underwent surgery, during which a complete resection of the tumour was performed. PH finding showed a diffuse astrocytoma Gr-II. After the surgery, the patient stayed at the radiology ward, where a 3D conformal radiotherapy was performed using a 6MW linear accelerator. The oncology treatment was completed by administering a therapeutic dose of 54 Gy was administered in 27 fractions. A control scan using nuclear magnetic resonance (NMR) technique, performed in April 2012 (Figure 216.9B), showed the presence of local recurrence, with a diameter of 5 mm, and the scan in September 2012 showed an increase in the tumour to 11 mm (Figure 216.9C). In February 2013, due to the weakness of the right limbs and speech disturbances, an emergency NMRI was performed, with added contrast (contrast media: gadoteric acid, 0.2 ml/kg), and found the presence of an extensive brain oedema and recurrent tumour, 40 mm in diameter, which was spreading towards the basal ganglia, and a midsagittal plane shifted approximately 9 mm to the right (Figure 216 9D). The patient immediately started with anti-oedema therapy (dexamethasone, 16 mg/day i.v.) and anti -epileptics (Topiramate, 50 mg/2 x/day and Clobazam, 50 mg/day), and oncology treatment was continued by introduction of TMZ in 6 cycles of 28 days at a dose of 200 mg/m2 of body surface area, for 5 days during each cycle.

In March 2013, the patient applied for FT and began taking it along with TMZ. A control NMRI performed in October 2013 showed that there had been a regression of the tumour, with the diameter being 22 mm at the time (Figure 216.10A). After 6 cycles of therapy with TMZ, in September 2013, the patient finished the oncology treatment, and further treatment consisted solely of FT. The only pharmaceutical drugs she continued to take were anti-epileptics. Subsequent control scans, performed in February and October 2014, showed a tumour regression (Figure 216.10B and 216.10C). Finally, 30 months after the introduction of the FT, the tumour could not be detected on the control scan from 31 August 2015, and the irregular dotted area that post-contrastly raised the signal intensity, was recognized by a physician as a scar of surgery from 2011 (Figure 216.10D).

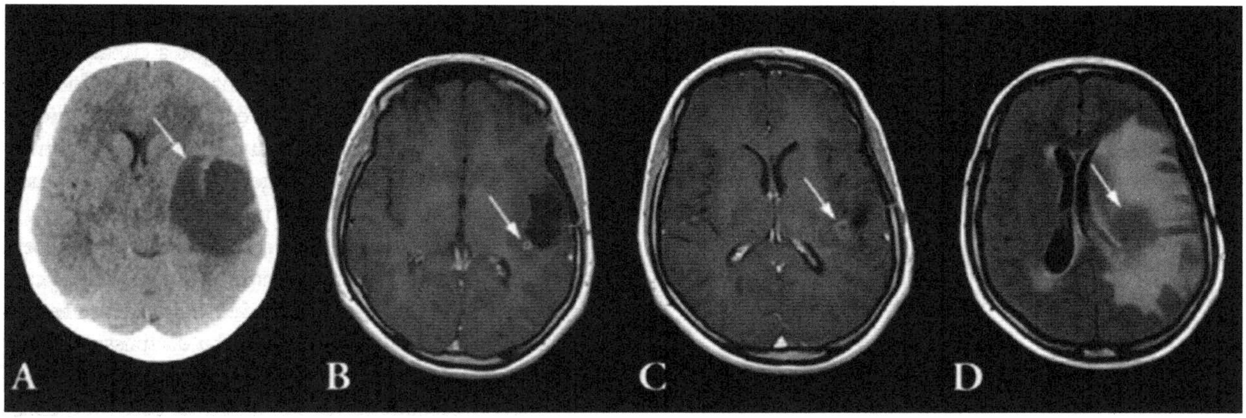

Figura 216.9 Overview of the control scans prior to the introduction of FT (A) CT scan of diffuse astrocytoma, (B) NMRI after the completed oncology treatment indicates the 5 mm recurrence, (C) 11 mm recurrence, (D) tumour progression.

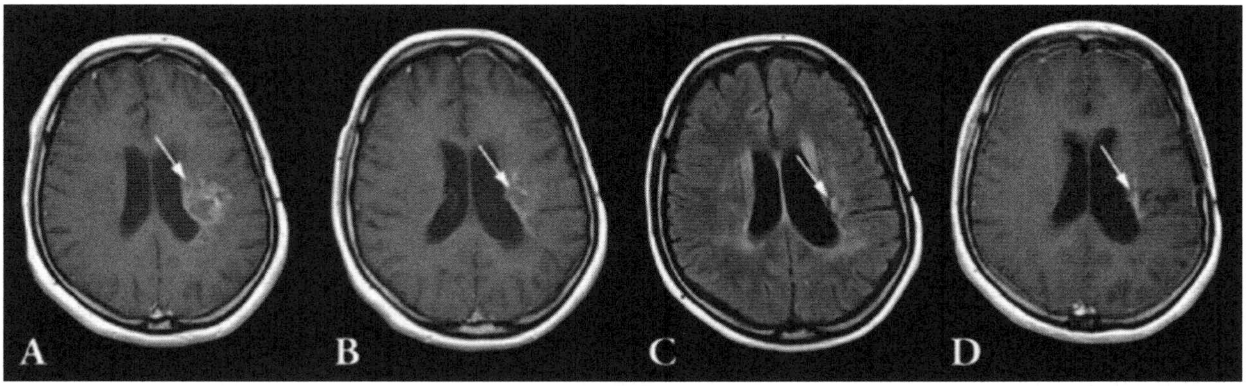

Figura 216.10 Overview of the control NMRI following the introduction of FT (A) Control scan upon the completion of the combined treatment with TMZ and FT and the regression of the tumour, (B, C and D) continuation of regression to the point of complete absence of clinical and radiological signs of tumour, achieved only with the FT.

Referência. Trogrlić I, Trogrlić D, Trogrlić Z. TREATMENT OF PROGRESSION OF DIFFUSE ASTROCYTOMA BY HERBAL MEDICINE: CASE REPORT. Afr J Tradit Complement Altern Med. 2016 Sep 29;13(6):1-4.

NOTA: Os autores não escrevem quais foram os fitoterápicos empregados.

51. Glioblastoma multiforme, 3 pacientes tratados com medicina convencional mais fitoterapia e 2 com fitoterapia no final da convencional. Computado 3 pacientes (regressão total).

The phytotherapy involved five types of herbal medicine which the subjects took in the form of tea, each type once a day at regular intervals. Three patients took herbal medicine along with standard oncological treatment, while two patients applied for phytotherapy after completing medical treatment. The composition of herbal medicine was modified when necessary, which depended on the results of the control scans using the nuclear magnetic resonance technique and/or computed tomography.

Results: Forty-eight months after the introduction of phytotherapy, there were no clinical or radiological signs of the disease, in three patients; in one patient, the tumor was reduced and his condition was stable, and one patient lived for 48 months in spite of a large primary tumor and a massive recurrence, which developed after the treatment had been completed. Conclusions: The results achieved in patients in whom tumor regression occurred exclusively through the use of phytotherapy deserve special attention. In order to treat glioblastoma more effectively, it is necessary to develop innovative therapeutic strategies and medicines that should not be limited only to the field of conventional medicine. The results presented in this research paper are encouraging and serve as a good basis for further research on the possibilities of phytotherapy in the treatment of glioblastoma. As preparações empregadas estão na referência anexa.

Referência. Trogrlić I, Trogrlić D, Trogrlić D, Trogrlić AK. Treatment of glioblastoma with herbal medicines.World J Surg Oncol. 2018 Feb 13;16(1):28.

52. Metástase cerebral e de escalpo de câncer de mama que respondeu ao letrozol – inibidor de aromatase.

Brain metastases from breast cancer have a poor prognosis. There have been reports of patients with breast cancer and brain metastases responding well to tamoxifen therapy. We report a very unusual case of intact breast carcinoma with brain as well as scalp metastasis responding well to letrozole (aromatase inhibitor) therapy for a prolonged period of time.

Referência. Madhup R, Kirti S, Bhatt ML, et al. Letrozole for brain and scalp metastases from breast cancer--a case report.Breast. 2006 Jun;15(3):440-2.

Os 5 pacientes adultos com tumores cerebrais (itens 63 à 67) que apresentaremos agora foram tratados pela equipe do Prof. Prasanta e Pratip Banerji na Fundación "Dr. Prasanta Banerji Homeopathic Research Foundation (Home of The Banerji Protocols) 10/3/1 Elgin Road – Lolkata – 700020 West Bengal".

Os protocolos usados foram os seguintes:

1ª linha de medicamentos: usar 3 meses se melhorar continua por 1 ano, caso negativo passar para a 2ª linha.

Ruta graveolens 6CH em líquido: 2 vezes ao dia.
Calcarea phosphorica 3DH tabletes: 2 vezes ao dia.

2ª linha de medicamentos: usar por 3 meses se melhorar continua por 1 ano caso negativo passar para a 3ª linha.

Ruta graveolens 6CH em líquido: 2 vezes ao dia
Calcarea phosphorica 3DH tabletes: 2 vezes ao dia.
Thuja occidentalis 1000CH em líquido 1 dose uma vez por semana.

3ª linha de medicamentos.

Ruta graveolens 6CH em líquido: 2 vezes ao dia
Calcarea phosphorica 3DH tabletes: 2 vezes ao dia.
Conium maculatum 1000CH em líquido: 1 dose uma vez por semana.

Importante fazer exames de imagem de 6 em 6 meses após a remissão total e continuar tomando os medicamentos por mais 6 meses em doses menores.

53. CASO CLÍNICO 1 – Macroadenoma da Pituitária.

FY, 27 anos, sexo feminino, chegou à clínica em 17 de dezembro de 1990. A paciente sofria de dores de cabeça desde o ano de 1986 e as dores eram piores do lado esquerdo. E ainda havia sintomas de confusão mental e visão enfraquecida, e dores no braço direito. A anormalidade mais significativa era a presença de uma mistura atenuante (hipo e hiperdensa) bem circunscrita e massa em região supra e intra selar produzindo definida expansão de tecido mais no lado esquerdo. Tamanho da massa: 2,2 cm em AP, 3,54 transversa e 3,37 cm vertical caracterizando Macroadenoma da Pituitária. Este foi o diagnóstico revelado pelo TC Scan de 25 de dezembro. Após o primeiro ano de tratamento, o quadro evoluiu até a completa regressão do tumor, todos os sintomas pregressos tinham desaparecido nos primeiros dois meses de tratamento. Em 27 de abril de 1992, TC Scan comprovou a completa remissão de toda a massa e a pituitária completamente saudável. O último follow up deste caso foi no ano de 2006, quando familiares passaram pela clínica para informar da plena saúde da paciente FY (Figura 216.11).

54. CASO CLÍNICO 2 – Glioma.

BS, 26 anos, sexo masculino. Chega à clínica em 23 de maio de 2001, sem queixas pregressas, mas com fortes dores de cabeça, fraqueza, e sentindo-se confuso nos últimos três meses. O atendimento inicial baseou-se em um TC Scan que havia sido feito há duas semanas, em 9 de maio, sugerindo aumento lesão nodular no talâmico esquerdo e na região ganglionar basal, com um componente edema perilesional com a medida de 20mm x 14mm, Glioma. Por ser de uma casta de poucos recursos, não pôde fazer a biópsia necessária. Após seis meses usando o Protocolo Banerji, não havia mais sintomas aparentes.Um TC Scanum ano depois, de 14 de maio de 2002, foi comparado com aquele inicial de 9 de maio de 2001, tendo sido constatada completa remissão do edema e discretas calcificações.Seis anos depois, em outro TC de 28 de abril de 2008, comprovou-se remissão completa e estrutura normal e, mais quatro anos, TC datado de 05 de agosto de 2012, representando acompanhamento por 10 anos consecutivos, apresentava tecido craniano absolutamente normal, sem alteração alguma (Figura 216.12).

55. CASO CLÍNICO 3 – Glioblastoma Multiforme GBM.

AA, 60 anos, sexo masculino. Chegou à clínica no dia 3 de agosto de 2004, com grande fraqueza no lado esquerdo do corpo e membros, dor de cabeça,

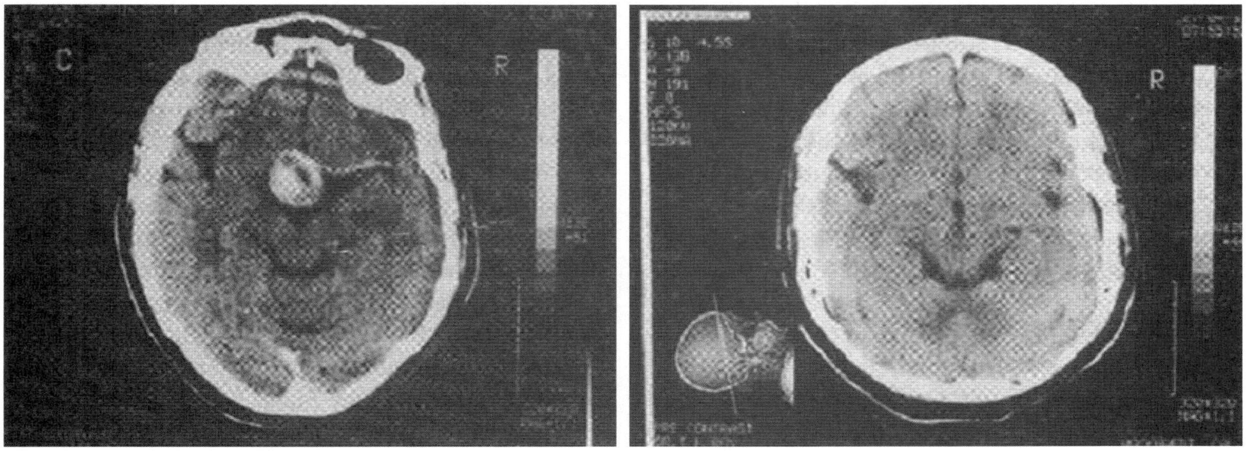

CT Scan of brain dated 25.12.1990

CT Scan of brain dated 27.04.1992

Figura 216.11 Tomografia TC FY – Índia 1990/1992.

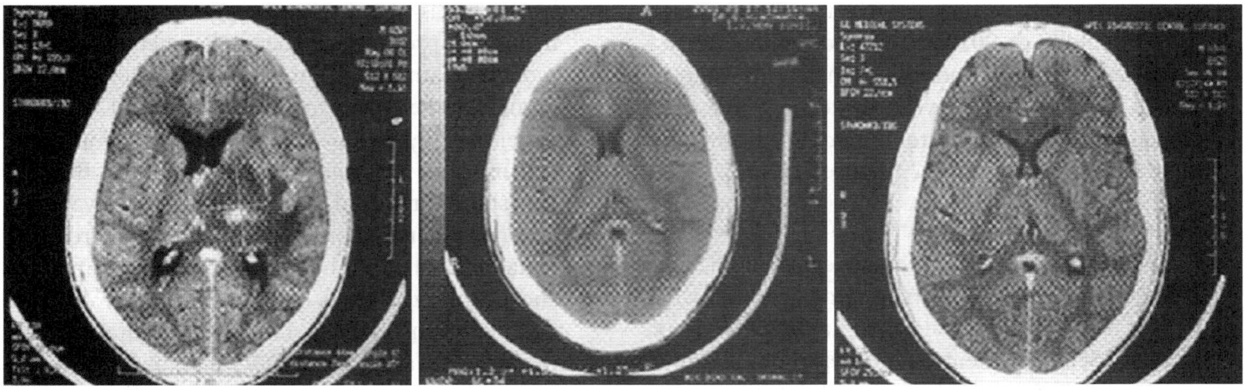

CT Scan of brain dated 09.05.2001

CT Scan of brain dated 14.05.2004

CT Scan of brain dated 06.09.2004

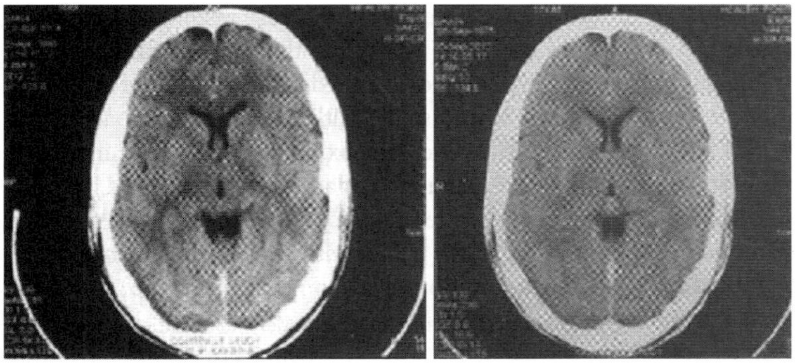

CT Scan of brain dated 28.04.2008

CT Scan of brain dated 05.09.2012

Figura 216.12 Tomografia TC BS – Índia 2001/2012.

insônia e irritabilidade mental, sintomas que persistiam hádois meses. Havia sido diagnosticado pelo hospital local, depois de um TC Scan com biópsia confirmada, com laudo de alto grau de neoplasma Glioblastoma. O paciente optou por não seguir o protocolo tradicional e sim o Banerji. OTC Scan mostrava o glioma como uma massa branca e algumas impressões necróticas. Com o protocolo

Banerji, todos os sintomas clínicos desapareceram em menos de 8 meses. Um segundo TC Scan, em 16 de abril de 2005, mostrou área hipodensa com calcificações na região direita frontal e em comparação ao anterior, a massa camcerosa ja não existia mais. O paciente esteve em contato até o ano de 2009 e estava livre do câncer desde de 2005.

Tomografia TC AA por Cristian Medical College& Hospital, Vellore Índia 2004/2005.

56. **CASO CLÍNICO 4 – GBM.**

AB, 18 anos, sexo feminino. Chegou à clínica em 1º de julho de 2008, apresentando dores de cabeça e convulsão nos últimos oito meses. Um TC Scan feito em 30 de junho mostrou lobo parietal esquerdo um tumor (3,6 x 2,5cm) constatando um Glioma.Biópsia realizada no dia 5 de julho revelou um Glioblastoma Multiforme. Depois de usar o Protocolo Banerji, todos os seus sintomas melhoraram no período de seis meses. No acompanhamento, TC Scan feito em 13 de julho de 2010, em estudo sem contraste e outro com contraste, mostrou completo desaparecimento do tumor. Essa jovem, de 26 anos hoje, goza de saúde perfeita, tendo tomado os medicamentos em doses menores até 2012 (Figure 216.13).

57. **CASO CLÍNICO 5 (Astrocitoma/GBM Grau IV).**

GM, 60 anos, sexo masculino. Chegou à clínica dia 8 de janeiro de 2009 reclamando de dores de cabeça, dor na coluna cervical e insônia por dois meses. Um TC Scan feito em 31 de dezembro de 2008 mostrou um SOL no lobo occiptal direito, envolto num corpo caloso até a linha média, além de edema. A biópsia feita em 2 de janeiro de 2009 havia mostrado ser um Astrocitoma, Glioblastoma grau VI. Depois de usar o protocolo Banerji, quase todos os sintomas desapareceram após cerca de quatro meses. TC Scan feito em 2 de setembro de 2009 mostrou redução da área afetada em 90%. GM passa bem e vive uma vida normal, segue usando os medicamentos do Protocolo em doses menores. Observe na Figura 216.14 toda a revolução que os remédios homeopáticos causam nas malignidades cerebrais que afligem o ser humano, levando casos que estariam perdidos para a medicina convencional completamente solucionados pela medicina homeopática.

58. **Glioblastoma multiforme tratado com cirurgia, temozolomida e dieta cetogênica.**

38-year-old man who presented with chronic headache, nausea, and vomiting accompanied by left partial motor sei-zures and upper left limb weakness. Enhanced brain magnetic resonance imaging revealed a solid cystic lesion in the right partial space suggesting GBM. Serum testing revealed vitamin D deficiency and elevated levels of insulin and triglycerides. Prior to subtotal tumor resection and standard of care (SOC), the patient conducted a 72-h water -only fast. Following the fast, the patient initiated a vitamin/mineral-supplemented ketogenic diet (KD) for 21 days that delivered 900 kcal/day. In addition to radiotherapy, temozolomide chemotherapy, and the KD (increased to 1,500 kcal/day at day 22), the patient received metformin (1,000 mg/day), methylfolate (1,000 mg/day), chloroquine phosphate (150 mg/day), epigallocatechin gallate (400 mg/day), and hyperbaric oxy-gen therapy (HBOT) (60 min/session, 5 sessions/week at 2.5 ATA). The patient also received levetiracetam (1,500 mg/day). No steroid medication was given at any time. Post-surgical histology confirmed the diagnosis of GBM. Reduced invasion of tumor cells and thick-walled hyalinized blood vessels were also seen suggesting a therapeutic benefit of pre-surgical metabolic therapy. After 9 months treatment with the modified SOC and complimentary ketogenic metabolic therapy (KMT), the patient's body weight was reduced by about 19%. Seizures and left limb weakness resolved. Biomarkers showed reduced blood glucose and elevated levels of urinary ketones with evidence of reduced metabolic activity (choline/N-acetylaspartate ratio) and normalized levels of insulin, triglycerides, and vitamin D. This is the first report of confirmed GBM treated with a modified SOC together with KMT and HBOT, and other targeted metabolic therapies. As rapid regression of GBM is rare following subtotal resection and SOC alone, it is possible that the response observed in this case resulted in part from the modified SOC and other novel treatments. Additional studies are needed to validate the efficacy of KMT administered with alternative approaches that selectively increase oxidative stress in tumor cells while restricting their access to glucose and glutamine. The patient remains in excellent health (Karnofsky Score, 100%) with continued evidence of significant tumor regression (Figure 216.15).

Referência. Elsakka et al. Frontiers in Nutrition | www.frontiersin.org March 2018 | Volume 5 | Article 20

59. **Glioblastoma multiforme regrediu totalmente com dieta cetogênica, entretanto houve recidiva. Cremos que a recidiva aconteceu porque não foram afastadas as causas do tumor (não computado).**

A 65 year-old-female was admitted to Arcispedale Santa Maria Nuova, Reggio, Italy on December 5th, 2008 who presented with progressive memory loss,

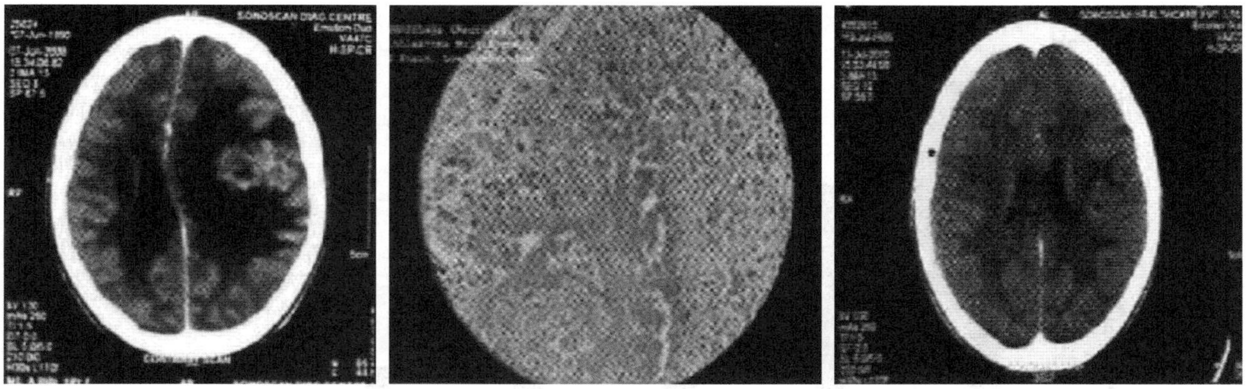

CT Scan of brain dated 30.06.2008

Picture of Histopathology dated 05.07.2008

CT Scan of brain dated 30.07.2010

Figura 216.13 Tomografia TC AB – Índia 2008/2010.

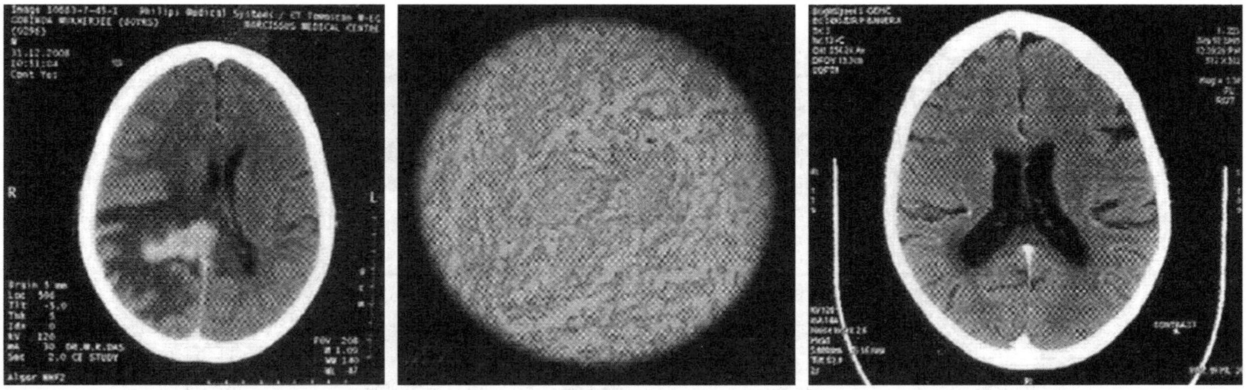

CT Scan of brain dated 31.12.2008

Picture of Histopathology dated 02.01.2009

CT Scan of brain dated 02.09.2009

Figura 216.14 Tomografia TC GM – Índia 2008/2009.

chronic headaches, and nausea. The symptoms were present, off-andon, for about one month prior to diagnosis. Neurological examination showed mild left superior harm and facial paresis. The patient's family history included breast adenocarcinoma (mother), and ovarian carcinoma (sister). Past clinical history included post-pubertal headache, hysterectomy at the age of 37 years, chronic erosive gastritis and familial hypercholesterolemia controlled with lipid-lowering medication. The patient's blood pressure was 120/70, and within normal limits. Laboratory tests revealed an unremarkable complete blood count. Liver and renal functions were within normal limits. Blood biochemistry was essentially normal. Prior to therapeutic intervention, the patient's weight and height, were 64 kilograms (kg) (141 pounds) and 158 centimetres (62 inches), respectively. This height and weight related to an approximate body mass index (BMI) of 25.6 kg/m2. On the day of admission, the patient underwent contrast- enhanced (contrast media: gadoteric acid, 0.2 ml/kg) magnetic resonance imaging (MRI), which disclosed a large multi-centric solid necrotic tumor in the right hemisphere (Figures 216.16 and 216.17). The tumor showed extensive infiltration of the right temporal pole, the insular lobe, the frontal operculum, the putamen, and head of the caudate nucleus. Avid contrast enhancement characterized the tumor, which was surrounded by extensive edema. A shift to the left of the midline structures was noted. The tumor also compressed the right frontal horn. An electroencephalogram demonstrated abnormality with a generalized slowing background and frequent delta bursts on the right frontotemporal region. Anti-inflammatory steroidal therapy (dexamethasone, 16 mg/day i.v.) and anti-epileptic therapy (Topiramate,

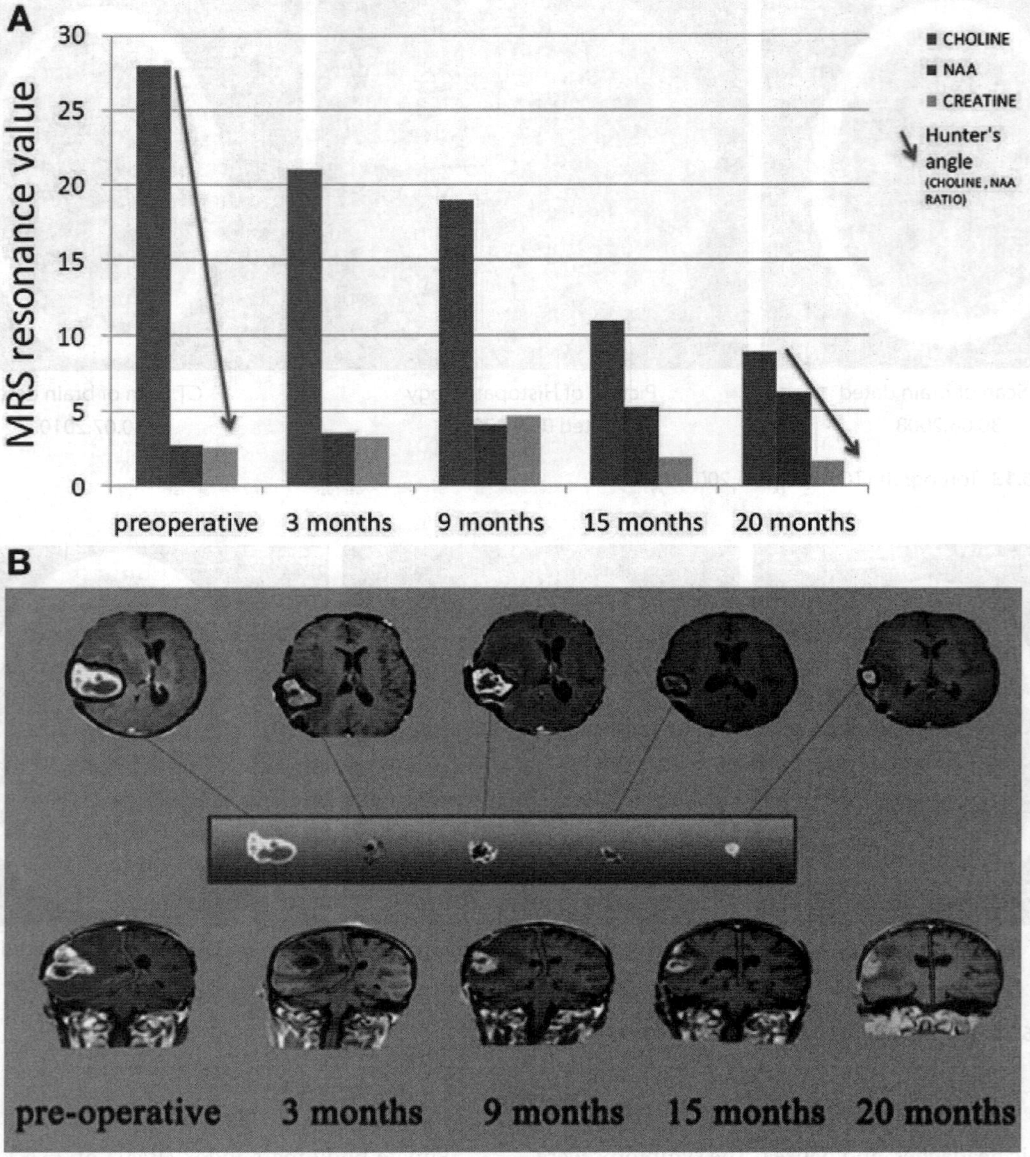

Figura 216.15 G e 4 (A) Comparison between tumor metabolism over 20 months. Choline indicates cell membrane turnover and reflects tumorigenesis. N-acetylaspartate (NAA) is a marker for neuronal integrity that decreases with brain malignancy and radio necrosis. Creatine is a marker for cellular energy that decreases significantly with malignancy and radio necrosis. Hunter angle (blue arrow) reflects the choline/NAA ratio. (B) Comparison between tumor size and midline shift (red line) over 20 months.
Reference: Elsakka et al. Frontiers in Nutrition | www.frontiersin.org March 2018 | Volume 5 | Article 20.

50 mg/2×/day and Clobazam, 50 mg/day) were commenced. On December 15th, the patient underwent right frontal temporal craniotomy involving partial excision of the temporal pole with incomplete debulking. The histological characteristics were typical for GBM (WHO grade IV). Methylation of the O6-methylguanine-DNA methyltransferase (MGMT) promoter was also detectable according to standard procedures. During the immediate post-operative recovery period, the patient started a cetogenic diet. An MRI performed on October 9, 2008 showed tumor recurrence. The patient was then treated with CPT11 (Irinotecan) and bevacizumab (Avastin) therapy.

60. Gliomas de alto grau – glioblastoma multiforme tratados do modo convencional mais canabidiol. 2 casos. Somente 1 computado.

We describe two patients with a confirmed diagnosis of high-grade gliomas (grades III/IV), both pre-

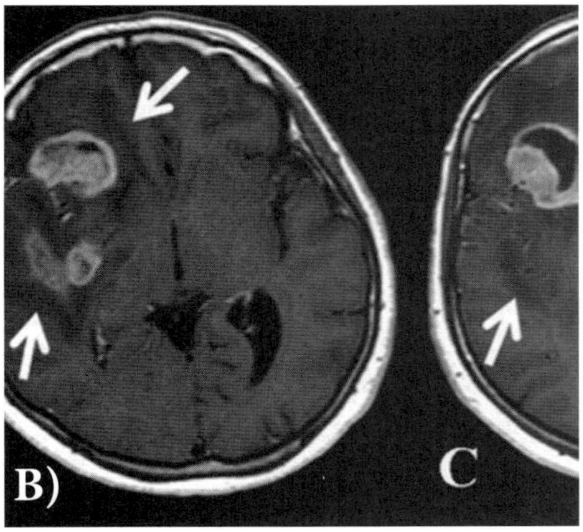

Figura 216.16 Pre-treatment: MRI contrast enhanced images of a large multi-centric mass involving the right hemisphere pole. (B) Frontal operculum, insular lobe, posterior putamen. (C) Frontal operculum, head of caudate nucleus. Note the presence of peripheral edema (arrows).

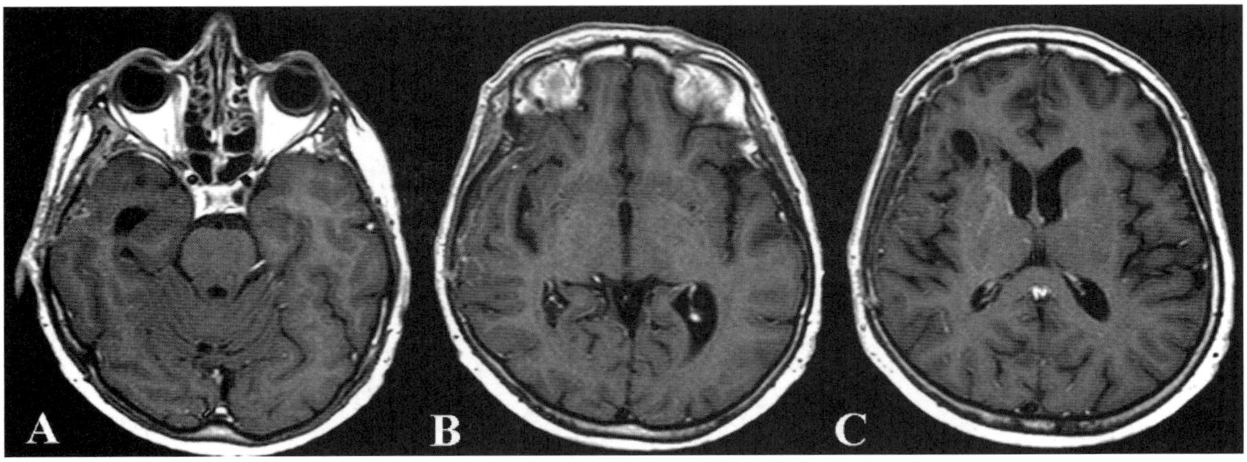

Figura 216.17 Pos-treatment: Brain MRI taken a few days after ending the standard radiotherapy plus concomitant temozolomide therapy together with KD-CR protocol. No clear evidence of tumor tissue or associated edema was seen. Arrow indicates porencephaly. Zuccoli et al. Nutrition & Metabolism 2010, 7:33 http://www.nutritionandmetabolism.com/content/7/1/33. Page 2 of 7.

senting with O6-methylguanine-DNA methyltransferase (MGMT) methylated and isocitrate dehydrogenase (IDH-1) mutated who, after subtotal resection, were submitted to chemoradiation and followed by PCV, a multiple drug regimen (procarbazine, lomustine, and vincristine) associated with cannabidiol (CBD). Both patients presented with satisfactory clinical and imaging responses at periodic evaluations. Immediately after chemoradiation therapy, one of the patients presented with an exacerbated and precocious pseudoprogression (PSD) assessed by magnetic resonance imaging (MRI), which was resolved in a short period. The other patient presented with a marked remission of altered areas compared with the post-operative scans as assessed by MRI. Such aspects are not commonly observed in patients only treated with conventional modalities. This observation might highlight the potential effect of CBD to increase PSD or improve chemoradiation responses that impact survival. Further investigation with more patients and critical molecular analyses should be performed.

Referência. Case Report: Dall'Stella PB, Docema MFL, Maldaun MVC, Feher O. Clinical Outcome and Image Response of Two Patients With Secondary High-Grade Glioma Treated With Chemoradiation, PCV, and Cannabidiol. Front Oncol. 2019 Jan 18;8:643.

61. Completa remissão espontânea de glioma fibrilar difuso de ponte.

A patient is described in whom a large diffuse glioma of the pons extending into the midbrain was diagnosed at the age of 2 years. Biopsy showed a fibrillary astrocytoma. After shunting of a hydrocephalus, the clinical symptoms abated without conventional therapy. Repeated MRI studies showed a continuous decrease of the tumour which was no longer visible when the patient was 6.6 years old. In reviews on spontaneous remissions of oncologic disorders we were unable to find a case of a biologically benign brain stem tumour. There is one isolated report on a similar case, though without histologic documentation.

Referência. Complete remission of a diffuse pontine glioma. Lenard HG, Engelbrecht V, Janssen G, Wechsler W, Tautz C.Neuropediatrics. 1998 Dec;29(6):328-30.

CAPÍTULO 217

Glioblastoma multiforme controlado com vários antibióticos e a inibição do sistema EGFR/PI3K/Akt/mTOR. Desaparecimento total do tumor em 50 dias

José de Felippe Junior
Acadêmico Gabriel Pavani

Resumo

Glioblastoma é um tipo agressivo de câncer que representa 15,8 % de todos os tumores do cérebro. Apesar de atualmente termos à disposição um tratamento multimodal compreendendo ressecção cirúrgica, radioterapia e quimioterapia, a expectativa de vida média dos pacientes com glioblastoma é de 15 a 17 meses.

Apresentamos relato de caso de uma paciente com glioblastoma multiforme, que não respondeu ao tratamento multimodal convencional. Na ausência de resposta e esperando nova cirurgia empregamos terapêutica fundamentada em vasta literatura, a fim de corrigir o microambiente celular.

Como pressuposto que a célula com fenótipo neoplásico apresenta padrões metabólicos específicos e utiliza-se de vias de sobrevivência mais pronunciadas e que na maioria das vezes estão associadas a infecções latentes e/ou inflamações crônicas, aplicamos três abordagens terapêuticas: inibição da via EGFR/PI3K/AKT/mTOR, restabelecimento da fosforilação oxidativa com nutrientes essenciais e fitonutrientes e controle com biocidas do *Mycoplasma pneumoniae* e do Epstein-Barr vírus.

O resultado terapêutico foi o desaparecimento total do tumor em 50 dias pela tomografia e no controle com ressonância nuclear magnética 2 meses após a tomografia.

Introdução

Glioblastoma é tipo agressivo de câncer que representa 15,8% de todos os tumores do cérebro[1]. Apesar de atualmente termos à disposição um tratamento multimodal compreendendo ressecção cirúrgica, radioterapia e quimioterapia, a expectativa de vida média dos pacientes com glioblastoma é de 15 a 17 meses[2], sendo que menos de 16% dos pacientes sobrevivem mais que 3 anos[2].

Fatores que estão associados com maior sobrevida são: idade jovem, bom *status* de *performance* de Karnofsky e sexo feminino[3].

Durante os últimos anos, vários marcadores moleculares foram identificados com valor preditivo ou como indicador de prognóstico para o glioblastoma[4-6]. Nesse ponto, cabe destaque os tumores que apresentam o promotor MGMT metilado (metilguanina-metiltransferase), que é fator significativo de melhor resposta terapêutica a agentes alquilantes (procarbazina, lomustina, vincristina e temozolamida) e consequente melhor sobrevida média[4].

Além do MGMT, temos também como marcadores de predição, a perda combinada dos braços 1p e 19q de cromossomos heterozigotos[3,7], a supressão da função do PTEN e/ou CDKN2A[7,8] e a desregulação de vias envolvendo gene supressor de tumor P53 e riboblastoma[5].

Ainda envolvendo os mecanismos moleculares deve-se ressaltar a expressão excessiva e/ou constitutiva do receptor tirosina quinase do fator de crescimento epidérmico, que consequentemente ativa a via PI3K/Akt[5,8], a qual está envolvida com metabolismo, proliferação, migração e sobrevida da célula neoplásica.

Descrevemos nesse relato uma paciente refratária ao tratamento multimodal convencional. Enquanto esperávamos por nova cirurgia optamos por três abordagens, sendo elas a inibição da via EGFR/PI3K/Akt/

mTOR, restabelecimento da fosforilação oxidativa e utilização de biocidas para *Mycoplasma pneumoniae* e Epstein-Barr vírus. A paciente apresentou desaparecimento total do tumor em 50 dias pela tomografia e no controle com ressonância nuclear magnética 2 meses após a tomografia.

Relato de caso

APJ, 41 anos de idade, sexo feminino, foi diagnosticada com glioblastoma multiforme em 25/10/2012, onde a tomografia de crânio mostrou volumoso tumor com 7,16 × 5,41 × 5,80cm (Figura 217.1). A Figura 217.2 mostra o anatomopatológico da peça cirúrgica.

Após cirurgia e radioterapia, iniciou temozolamida em 05/12/2012 e devido à falta de resposta foi suspensa em 20/09/2013. Nesse intervalo houve recidiva tumoral com aumento do volume tumoral em relação ao período pré-cirúrgico.

Procurou o consultório no dia 28/10/2013 em bom estado geral, apetite preservado apresentando um pouco de fadiga. Mioma uterino: 803ml. Cisto com componente sólido de glândula tireoide (13,6 × 13,4 × 9mm) e tumor cerebral de 7cm no maior eixo. Indicada cirurgia e na espera iniciamos a abordagem que descreveremos.

Para individualizar a terapêutica foram solicitados exames laboratoriais, com os seguintes achados: *Mycoplasma pneumoniae* – IgG reagente (328UI/ml); Epstein-Barr vírus – IgG reagente (843UI/ml); herpes-vírus 1-2 – IgG reagente (7,5UI/ml); proteína C-reativa – 3,4mg/l; hemoglobina –10,8g%; ferritina – 6ng/ml; ceruloplasmina – 22mg%; albumina – 3,8g%; glicemia – 100mg%; insulinemia – 14µU/I; IGF-I – 151ng/ml; 25(OH)D_3 – 18,1ng/ml; 1-25$(OH)_2D_3$ – 52,0 pg/ml.

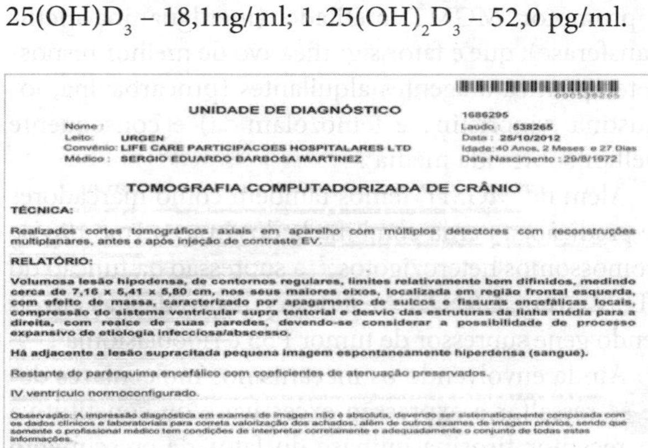

UNIDADE DE DIAGNÓSTICO

1686295

Nome:
Leito: URGEN
Convênio: LIFE CARE PARTICIPACOES HOSPITALARES LTD
Médico: SERGIO EDUARDO BARBOSA MARTINEZ

Laudo: 538265
Data: 25/10/2012
Idade: 40 Anos, 2 Meses e 27 Dias
Data Nascimento: 29/8/1972

TOMOGRAFIA COMPUTADORIZADA DE CRÂNIO

TÉCNICA:

Realizados cortes tomográficos axiais em aparelho com múltiplos detectores com reconstruções multiplanares, antes e após injeção de contraste EV.

RELATÓRIO:

Volumosa lesão hipodensa, de contornos regulares, limites relativamente bem difinidos, medindo cerca de 7,16 x 5,41 x 5,80 cm, nos seus maiores eixos, localizada em região frontal esquerda, com efeito de massa, caracterizado por apagamento de sulcos e fissuras encefálicas locais, compressão do sistema ventricular supra tentorial e desvio das estruturas da linha média para a direita, com realce de suas paredes, devendo-se considerar a possibilidade de processo expansivo de etiologia infecciosa/abscesso.

Há adjacente a lesão supracitada pequena imagem espontaneamente hiperdensa (sangue).

Restante do parênquima encefálico com coeficientes de atenuação preservados.

IV ventrículo normoconfigurado.

Observação: A impressão diagnóstica em exames de imagem não é absoluta, devendo ser sistematicamente comparada com os dados clínicos e laboratoriais para correta valorização dos achados, além de outros exames de imagem prévios, sendo que somente o profissional médico tem condições de interpretar corretamente e adequadamente o conjunto de todas estas informações.

FARLY RIGNEL DE OLIVEIRA
CRM:093359

Dr.(a) FARLY RIGNEL DE OLIVEIRA
CRM: 093359

HOSPITAL PAULISTANO
Rua Martiniano de Carvalho, 741 - Belo Vista
CEP 01321-001 - São Paulo - SP

Digitador: F. R. O
000259931

Figua 217.1 Tomografia de crânio de 25/10/2012, mostrando volumoso tumor cerebral.

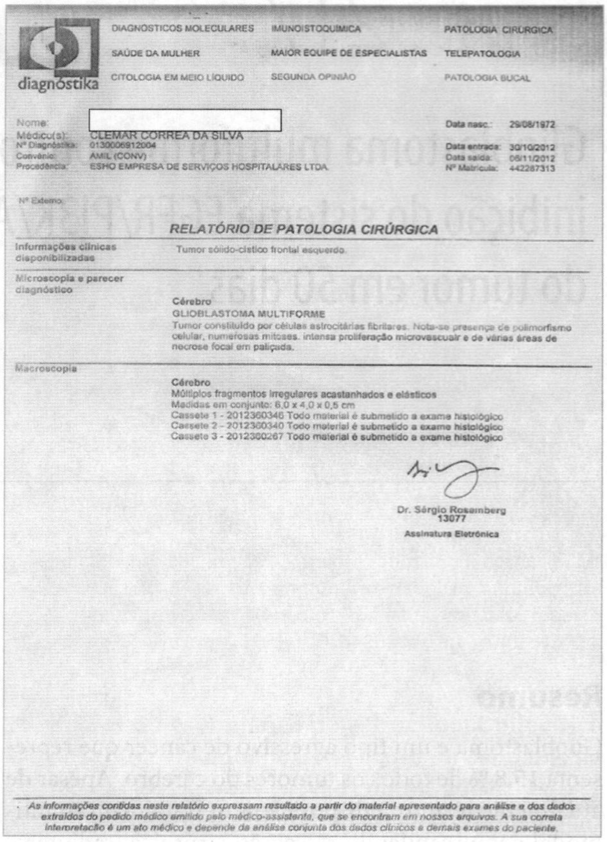

diagnóstika

DIAGNÓSTICOS MOLECULARES — IMUNOISTOQUÍMICA — PATOLOGIA CIRÚRGICA
SAÚDE DA MULHER — MAIOR EQUIPE DE ESPECIALISTAS — TELEPATOLOGIA
CITOLOGIA EM MEIO LÍQUIDO — SEGUNDA OPINIÃO — PATOLOGIA BUCAL

Nome:
Médico(s): CLEMAR CORREA DA SILVA
Nº Diagnóstika: 0130006912004
Convênio: AMIL (CONV)
Procedência: ESHO EMPRESA DE SERVIÇOS HOSPITALARES LTDA

Data nasc.: 29/08/1972
Data entrada: 30/10/2012
Data saída: 06/11/2012
Nº Matrícula: 442287313

Nº Externo:

RELATÓRIO DE PATOLOGIA CIRÚRGICA

Informações clínicas disponibilizadas: Tumor sólido-cístico frontal esquerdo.

Microscopia e parecer diagnóstico:
Cérebro
GLIOBLASTOMA MULTIFORME
Tumor constituído por células astrocitárias fibrilares. Nota-se presença de polimorfismo celular, numerosas mitoses, intensa proliferação microvascuair e de várias áreas de necrose focal em paliçada.

Macroscopia:
Cérebro
Múltiplos fragmentos irregulares acastanhados e elásticos
Medidas em conjunto: 6,0 x 4,0 x 0,5 cm
Cassete 1 - 2012360346 Todo material é submetido a exame histológico
Cassete 2 - 2012360340 Todo material é submetido a exame histológico
Cassete 3 - 2012360267 Todo material é submetido a exame histológico

Dr. Sérgio Rosemberg
13077
Assinatura Eletrônica

As informações contidas neste relatório expressam resultado a partir do material apresentado para análise e dos dados extraídos do pedido médico emitido pelo médico-assistente, que se encontram em nossos arquivos. A sua correta interpretação é um ato médico e depende da análise conjunta dos dados clínicos e demais exames do paciente.

Figura 217.2 Anatomopatológico da peça cirúrgica de 30/10/2012.

Mediante os achados clínicos acrescidos dos dados de literatura foi iniciada a terapêutica em 28/10/2013:

1. Via oral
   a) Nutrientes essenciais e fitonutrientes para inibir o receptor do fator de crescimento epidérmico (EGFR) além das vias de sinalização mitótica: PI3K/Akt/mTOR e estimular as vias de apoptose destacando o emprego de benzaldeído 125mg, resveratrol 70mg, curcumina extrato a 95% 500mg, quercetina 200mg, piperina 50mg, carnosina 100mg, vitamina K_1 150mcg, *Scutellaria barbata* 100mg, mebendazol 75mg, hesperidina 150mg, todos administrados 3 vezes ao dia.
   b) A fim de controlar o *Mycoplasma pneumoniae* e o Epstein-Barr vírus: minociclina 100mg de 12 em 12 horas, durante 21 dias, metronidazol 500mg, 4 vezes ao dia, durante 15 dias, difosfato de cloroquina 400mg, 2 vezes ao dia, amilorida 30mg, 3 vezes ao dia, e iodo molecular 20mg, 3 vezes ao dia.
   c) Calcitriol 0,25mcg, 2 comprimidos 3 vezes ao dia. Naltrexona em baixas doses 4,5mg à noite ao deitar. Glucana (*Ganoderma lucidum* 450mg

e *Agaricus blazei* 6 comprimidos ao dia) e como agente acetilador de genes (epigenética) o ácido valproico 500mg 2 comprimidos ao deitar.

d) Via parenteral
Ácido alfalipoico 600mg e nutrientes essenciais, 10 aplicações para ativar o complexo piruvato desidrogenase e aumentar a eficácia da fosforilação oxidativa.

Iniciou o tratamento em 28/10/2013 e 50 dias depois no pré-operatório imediato a tomografia cerebral não revelou massa expansiva. Suspensa a cirurgia com a paciente na mesa cirúrgica em 19/12/2013 (Figura 217.3).

A partir do dia 14/01/2014 passou a receber:

1. Via oral
   a) Controle do Epstein-Barr vírus e micoplasma: claritromicina 500mg, de 12 em 12 horas, cimetidina 400mg, 3 vezes ao dia, *Tanacethum partenium* 200mg, 3 vezes ao dia, micostatina 1 flaconete, 3 vezes ao dia.
   b) *Annona muricata* extrato 500mg, genisteína 500mg, curcumina extrato a 95% 500mg, piperina 500mg, todos 3 vezes ao dia, e colicalciferol 15mg (dose única).
2. Via parenteral
   Continuamos os nutrientes essenciais para aumentar a eficácia da fosforilação oxidativa acrescidos das aplicações por via intravenosa.

No dia 18/02/2014, 2 meses após a última tomografia, a ressonância nuclear magnética do crânio com perfusão (Figura 217.4) continuou revelando a ausência de tumor e a espectroscopia de prótons em 25/02/2014 também mostrou ausência de tumor (Figura 217.5).

Discussão

O caso e condições da paciente

Apresentamos neste relato um caso de glioblastoma multiforme não responsivo ao emprego da cirurgia, ra-

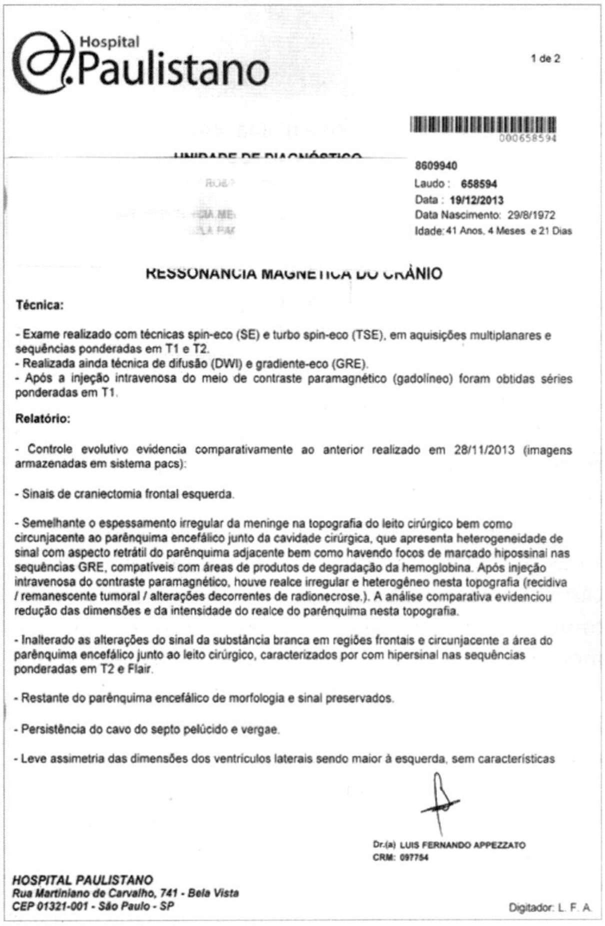

Hospital Paulistano

1 de 2

000658594

UNIDADE DE DIAGNÓSTICO

8609940
Laudo: **658594**
Data: **19/12/2013**
Data Nascimento: 29/8/1972
Idade: 41 Anos, 4 Meses e 21 Dias

RESSONÂNCIA MAGNÉTICA DO CRÂNIO

Técnica:

- Exame realizado com técnicas spin-eco (SE) e turbo spin-eco (TSE), em aquisições multiplanares e sequências ponderadas em T1 e T2.
- Realizada ainda técnica de difusão (DWI) e gradiente-eco (GRE).
- Após a injeção intravenosa do meio de contraste paramagnético (gadolíneo) foram obtidas séries ponderadas em T1.

Relatório:

- Controle evolutivo evidencia comparativamente ao anterior realizado em 28/11/2013 (imagens armazenadas em sistema pacs):

- Sinais de craniectomia frontal esquerda.

- Semelhante o espessamento irregular da meninge na topografia do leito cirúrgico bem como circunjacente ao parênquima encefálico junto da cavidade cirúrgica, que apresenta heterogeneidade de sinal com aspecto retrátil do parênquima adjacente bem como havendo focos de marcado hipossinal nas sequências GRE, compatíveis com áreas de produtos de degradação da hemoglobina. Após injeção intravenosa do contraste paramagnético, houve realce irregular e heterogêneo nesta topografia (recidiva / remanescente tumoral / alterações decorrentes de radionecrose.). A análise comparativa evidenciou redução das dimensões e da intensidade do realce do parênquima nesta topografia.

- Inalterado as alterações do sinal da substância branca em regiões frontais e circunjacente a área do parênquima encefálico junto ao leito cirúrgico, caracterizados por com hipersinal nas sequências ponderadas em T2 e Flair.

- Restante do parênquima encefálico de morfologia e sinal preservados.

- Persistência do cavo do septo pelúcido e vergae.

- Leve assimetria das dimensões dos ventrículos laterais sendo maior à esquerda, sem características

Dr.(a) LUIS FERNANDO APPEZZATO
CRM: 097754

HOSPITAL PAULISTANO
Rua Martiniano de Carvalho, 741 - Bela Vista
CEP 01321-001 - São Paulo - SP

Digitador: L. F. A.

Figura 217.3 Tomografia de crânio de 19/12/2013, 50 dias de tratamento, não evidenciando a presença de tumor cerebral.

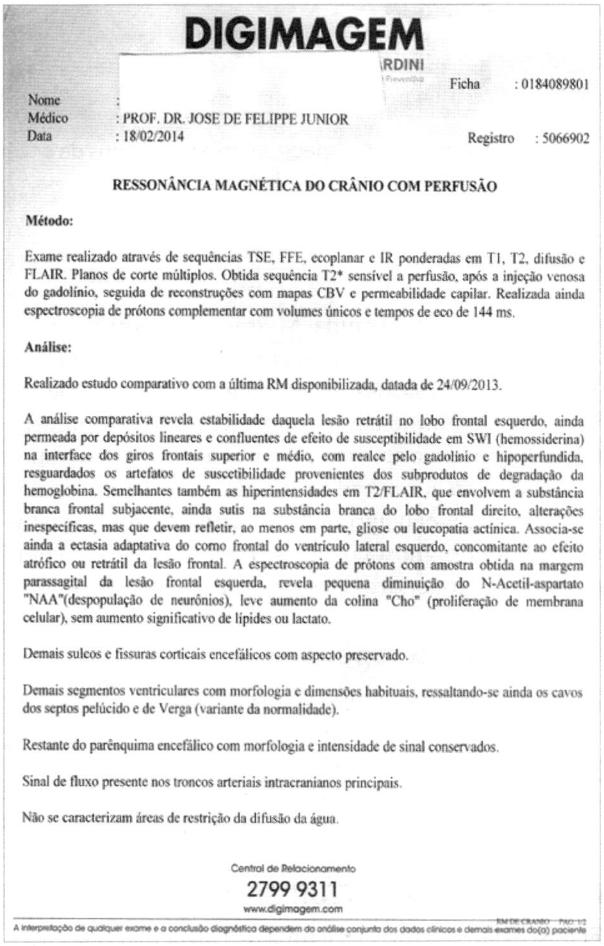

DIGIMAGEM

RDINI

Nome	:	Ficha	: 0184089801
Médico	: PROF. DR. JOSE DE FELIPPE JUNIOR		
Data	: 18/02/2014	Registro	: 5066902

RESSONÂNCIA MAGNÉTICA DO CRÂNIO COM PERFUSÃO

Método:

Exame realizado através de sequências TSE, FFE, ecoplanar e IR ponderadas em T1, T2, difusão e FLAIR. Planos de corte múltiplos. Obtida sequência T2* sensível a perfusão, após a injeção venosa do gadolínio, seguida de reconstruções com mapas CBV e permeabilidade capilar. Realizada ainda espectroscopia de prótons complementar com volumes únicos e tempos de eco de 144 ms.

Análise:

Realizado estudo comparativo com a última RM disponibilizada, datada de 24/09/2013.

A análise comparativa revela estabilidade daquela lesão retrátil no lobo frontal esquerdo, ainda permeada por depósitos lineares e confluentes de efeito de susceptibilidade em SWI (hemossiderina) na interface dos giros frontais superior e médio, com realce pelo gadolínio e hipoperfundida, resguardados os artefatos de suscetibilidade provenientes dos subprodutos de degradação da hemoglobina. Semelhantes também as hiperintensidades em T2/FLAIR, que envolvem a substância branca frontal subjacente, ainda sutis na substância branca do lobo frontal direito, alterações inespecíficas, mas que devem refletir, ao menos em parte, gliose ou leucopatia actínica. Associa-se ainda a ectasia adaptativa do corno frontal do ventrículo lateral esquerdo, concomitante ao efeito atrófico ou retrátil da lesão frontal. A espectroscopia de prótons com amostra obtida na margem parassagital da lesão frontal esquerda, revela pequena diminuição do N-Acetil-aspartato "NAA"(despopulação de neurônios), leve aumento da colina "Cho" (proliferação de membrana celular), sem aumento significativo de lípides ou lactato.

Demais sulcos e fissuras corticais encefálicos com aspecto preservado.

Demais segmentos ventriculares com morfologia e dimensões habituais, ressaltando-se ainda os cavos dos septos pelúcido e de Verga (variante da normalidade).

Restante do parênquima encefálico com morfologia e intensidade de sinal conservados.

Sinal de fluxo presente nos troncos arteriais intracranianos principais.

Não se caracterizam áreas de restrição da difusão da água.

Central de Relacionamento
2799 9311
www.digimagem.com

A interpretação de qualquer exame e a conclusão diagnóstica dependem da análise conjunta dos dados clínicos e demais exames do(a) paciente

Figura 217.4 RNM de encéfalo de 18/02/2014, 2 meses após a última tomografia, mostrando ausência de tumor cerebral.

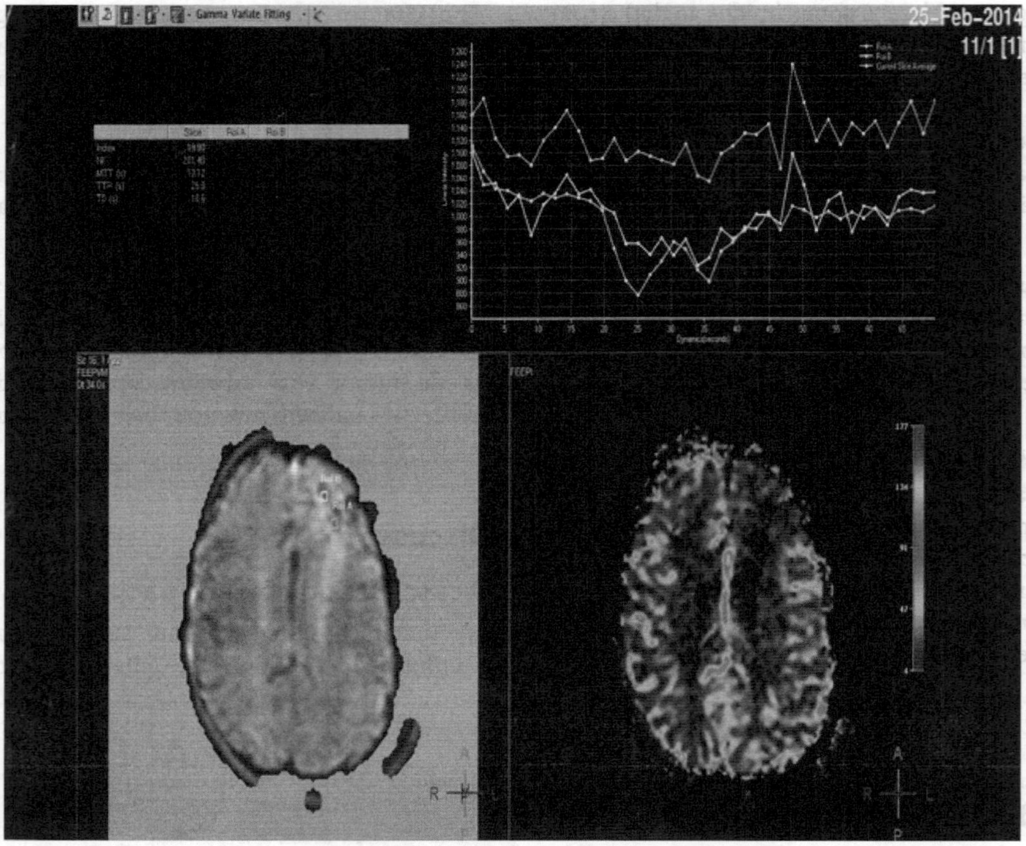

Figura 217.5 Espectroscopia de prótons de encéfalo de 25/02/2014, 2 meses após a última tomografia, mostrando ausência de tumor cerebral.

dioterapia e temozolamida. Mesmo a paciente apresentando fatores que caracterizam prognóstico favorável em relação ao padrão de sobrevida média (idade jovem, sexo feminino e bom *status* KPS), com tratamento multimodal ela apresentou aumento da massa tumoral em relação aos achados iniciais.

A paciente não apresentava histologicamente fatores de bom prognóstico, quais seja a presença de componentes oligodendrogliais e de células gigantes.

Abordagem terapêutica

Fundamentalmente empregamos três abordagens, sendo elas, inibição da via EGFR/PI3K/Akt/mTOR, restabelecimento da fosforilação oxidativa e utilização de biocidas para o *Mycoplasma pneumoniae* e Epstein-Barr vírus.

Inibição da via EGFR/PI3K/Akt/mTOR

EGFR/PI3K/Akt/mTOR é uma das principais vias para migração, adaptação metabólica e proliferação da célula tumoral[5]. Essa tem início em um receptor de tirosina quinase, denominado fator de crescimento epidérmico, o qual, quando fosforilado, recruta uma lipídio quinase PI3K, o qual converte na membrana plasmática o lipídio de membrana PIP2 para PIP3[5].

PIP3 é o que se chama de segundo mensageiro que recruta a proteína Akt e ativa outras vias proliferativas como a mTORC1/NF-kappaB[5,6]. Sabemos, mediante a análise molecular de 206 glioblastomas avaliados no Atlas genômico do câncer (TCGA)[6], que em 88% dos casos acontecem alterações favoráveis de sobrevivência tumoral com a ativação dessa via. Fato confirmado por metanálise que avaliou grupo de 1.758 pacientes[8], encontrando associação entre a ativação da via PI3K/Akt/mTOR/NF-kappaB com a sobrevivência das células doentes que chamam de câncer.

Em primeira instância, para a contenção dessa via lembremos que tanto os fatores de crescimento (IGF-1)[9-13] quanto a insulina ativam essa via. Assim, a medida que tomamos foi diminuir a insulinemia, limitando a ingestão de carboidratos com índice glicêmico menor que 60 e a quantidade de frutose de no máximo 25 gramas ao dia.

Para a diminuição direta da via P13K/Akt, atuamos com curcumina[14-16], quercetina, *Scutellaria barbata*[17] e resveratrol[13,18]. Cabe ressaltar que tais compostos, além de inibir as vias derivadas da P13K, também aumentam na atividade da proteína P53, sendo essa indutora da expressão do p21, o qual atua modulando os principais *checkpoints* do ciclo celular[13,14,17] e consequentemente interrompendo o processo proliferativo e aumentando a apoptose.

Epstein-Barr vírus: via EGFR/PI3K/Akt/mTOR e epigenética

Epstein-Barr vírus (EBV) é um gama-herpes-vírus com alta prevalência na população mundial. Ele está associado às mais diversas desordens proliferativas, tais como linfoma de Burkitt, doença de Hodgkin, carcinoma de nasofaringe e câncer gástrico.

Sua participação na carcinogênese pode estar correlacionada com a ativação da via PI3K/Akt[19-21], uma vez que esse apresenta em sua membrana proteínas latentes de membrana (LMPs), mais especificamente LMP1 e LMP2A, as quais já foram evidenciadas *in vitro*[19-21].

Recentemente, também, segundo revisão sistemática e metanálise, encontrou-se forte associação ($p < 0,0001$) entre a infecção de Epstein-Barr vírus e o fenótipo hipermetilado da zona promotora CPG[22]. Este fenômeno consiste na adição de um grupamento metil na citosina que geralmente precede a uma guanina (dinucleotídeo CpG) e está presente principalmente nas regiões promotoras dos genes. Aqui, os autores[22] sugerem a hipermetilação do material genético como mecanismo de sobrevivência do EBV.

Mebendazol e glioblastoma

Mebendazol é droga aprovada pelo FDA para tratar infecções humanas causadas por helmintos[23,24], ela pode ser utilizada para tratamento de parasitoses do sistema nervoso central, já que atravessa a barreira hematoen-

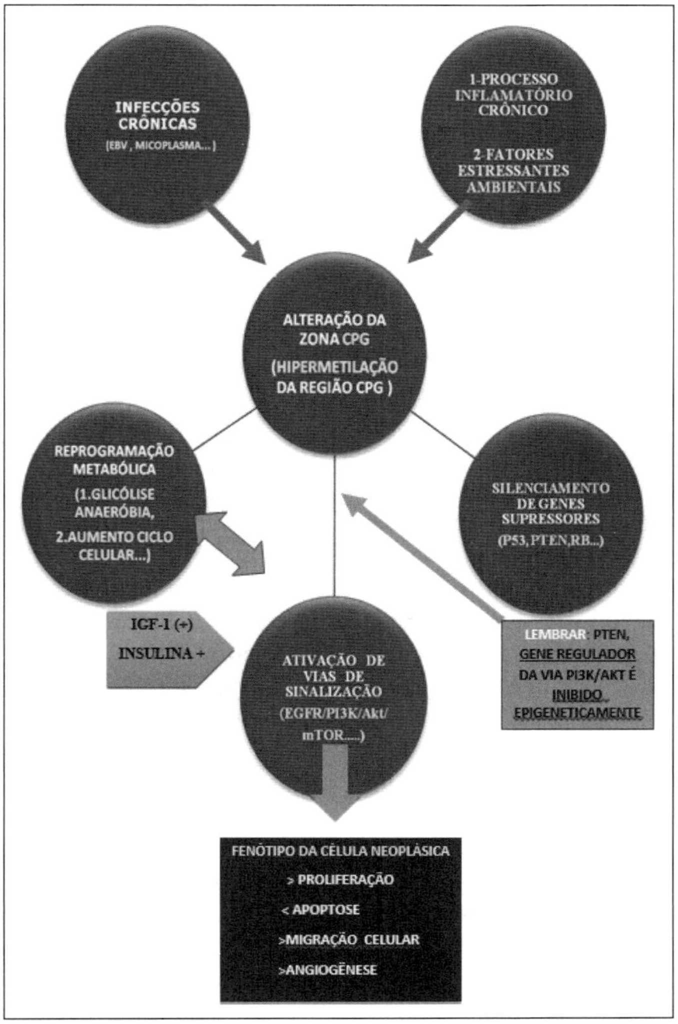

Figura 217.6 Carcinogênese.

cefálica[23,25]. Recentemente foi comprovada sua eficácia diminuindo a proliferação *in vitro* de células humanas de glioblastoma[23].

O mebendazol possui duas ações: previne a polimerização da tubulina e desorganiza o microtúbulo já presente. Lembrando que o microtúbulo tem participação vital na divisão celular, sendo alvo de várias drogas quimioterápicas[23,24,26]. Outras ações são a inibição do VEGF (fator de crescimento do endotélio vascular), inibição do HIF (fator induzido por hipóxia)[23] e interação com proteínas quinases derivadas dos genes BCR-ABL e BRAF[27].

Doses altas de 200mg/kg já foram empregadas no tratamento de equinococose, sendo bem toleradas[23], nossa paciente utilizou dosagem de 75mg, 3 vezes ao dia.

Em estudo[28] visando ao tratamento de neoplasia avançada em humanos, com droga da mesma classe do mebendazol, o albendazol mostrou efeito antiproliferativo mais eficaz. Há relatos de severa neutropenia[28], no entanto com doses de 10mg/kg/dia, que é muito superior à utilizada em nosso caso.

Restabelecimentos da fosforilação oxidativa

Laureado com o prêmio Nobel de 1931, Otto Warburg evidenciou em seus achados que a célula tumoral apresentava um padrão metabólico diferente, que era o predomínio do processo de glicólise anaeróbia (2 ATPs por molécula de glicose) em relação ao eficaz processo de fosforilação oxidativa (36 ATPs por molécula de glicose). Soma-se a essa troca o fato de a glicólise anaeróbia ser o único processo capaz de enviar ATP para o compartimento nuclear, o que ativa o ciclo celular proliferativo[23,24].

Atualmente, técnicas de alta precisão vieram consolidar os achados de Warburg. Uma delas é o PET-CT com flúor-desoxiglicose (18FDG-PET), que evidencia maior consumo de glicose pela célula neoplásica. Outro exame que reforça tal evidência é a ressonância nuclear magnética com carbono-13 hiperpolarizado[24,25]. O carbono-13 do piruvato é hiperpolarizado e assim podemos avaliar se esse está tendo acesso à mitocôndria[24,25].

Um fator disponível de intervenção, para estimular a mudança no metabolismo preferencial da célula neoplásica, é o aumento do piruvato disponível para a mitocôndria ao inibir a PDK1 com dicloroacetato de sódio (DCA), o que ativa a PDH[23,24,26]. Esse fato que já vem sendo explorado em relatos e séries de caso de sucesso incomum[23,26,28].

Em nosso caso utilizamos, por via parenteral, ácido alfalipoico 3 vezes na semana, assim como L-carnitina, coenzima Q10, vitaminas K_1, B, B_2, B_3, B_5, zinco acetato e outros nutrientes essenciais que ativam o complexo piruvato desidrogenase (PDHc), o qual abre as portas da fosforilação oxidativa.

Bactérias e sua relação com câncer

Sabemos que para cada célula humana temos em média 9 células bacterianas[29]; sabendo disso, o mecanismo de sobrevida dessa microbiota é de extremo interesse quanto a sua causalidade ou associação com as mais diversas doenças humanas.

Alguns mecanismos de alterações deletérias à fisiologia do ser humano já foram evidenciadas, tais como inflamação, liberação de toxinas, metabólitos carcinogênicos e indução de hormônios de proliferação da célula epitelial[30].

Em quase todos os exemplos na literatura que correlacionam inflamação de origem bacteriana e câncer temos que a bactéria convive com o humano durante anos, criando assim um microambiente inflamatório[29,30,43,44,45].

Em caso de inflamação, temos por resposta do sistema imune a liberação por parte de fagócitos de citocinas pró-inflamatórias (exemplo, TNF-alfa) que amplificam o processo em questão. Visando a uma resposta contra a agressão, a célula reage liberando, através de enzimas, espécies tóxicas de oxigênio e de nitrogênio para matar o patógeno. O problema e que as aminas secundárias desse processo atuam danificando o DNA e modificando a estrutura das membranas celulares.

A associação de inflamação e processo neoplásico vem tendo sua correlação solidificada em vários estudos que utilizam anti-inflamatórios não esteroides no tratamento ou na prevenção do câncer[30-33].

Micoplasma e glioblastoma

Na análise de 91 casos de gliomas, 41% apresentava positividade para o micoplasma[34] e a associação do micoplasma com câncer é aceita por muitos autores[35,36]. Em humanos já foi encontrado micoplasma no câncer colorretal, renal, prostático, gástrico, gliomas e sarcoma de Kaposi[34,39,48].

Micoplasma são bactérias que não apresentam parede celular e configuram os menores seres autorreplicáveis do organismo[34]. Além disso, são parasitas obrigatórios devido a seu pobre maquinário de biossíntese[35,37,49], com isso, eles são altamente prevalentes na população, no entanto, sem provocar sintomas na maioria das vezes. Ao diminuir a força do sistema imune, aflora as doenças provocadas pelo micoplasma.

O mecanismo pelos quais elas afetam a homeostasia celular parece ser a ativação constitutiva do fator NF-kappaB, o qual irá repercutir na supressão do P53[34], além disso, sua lipoproteína de membrana P37 parece ter função vital na mobilidade, aumento da clonigenicidade, da invasão e da migração celular, essa última por ativação da matriz metaloproteinase-2[36,37].

Claritromicina e minociclina: além da atividade bactericida

A claritromicina possui efeitos imunomoduladores ativando as células *natural killer* e inibindo o TNF-alfa, além de diminuir a expressão do VEGF (fator de crescimento vascular endotelial). A claritromicina inibe importante fator envolvido na carcinogênese, o fator NF-kappaB[40,41,51], hipótese aceita por alguns autores[40,42,47,52].

A minociclina atua inibindo TLR2 e MMP-9[46,50], fato já demonstrado *in vivo* e com ensaio clínico em recrutamento no *Clinical Trials*[22].

Conclusão

Apresentamos um caso de glioblastoma multiforme que não obteve resposta ao tratamento com cirurgia, radioterapia e quimioterapia apresentando recidiva tumoral. Entretanto, ao empregarmos tripla abordagem (inibição do eixo EGFR/PI3K/Akt/mTOR/NF-kappaB, ativação da fosforilação oxidativa e controle do *Mycoplasma pneumoniae* e do vírus Epstein-Barr), houve desaparecimento do tumor em 50 dias, assim permanecendo 2 meses após.

Nota: Ficou em segundo lugar no Congresso Acadêmico da Universidade de São Paulo em 2014, apresentado pelo acadêmico de segundo ano da Faculdade de Medicina de Santos – SP, Gabriel Pavani.

Referências

1. Dolecek TA, Propp JM, Stroup NE, Kruchko C. CBTRUS statistical report: primary brain and central nervous system tumors diagnosed in the United States in 2005-2009. Neuro Oncol. 14 Suppl 5:v1-49;2012.
2. Hottinger AF, Stupp R, Homicsko K. Standards of care and novel approaches in the management of glioblastoma multiforme. Chin J Cancer. 33:32-9;2014.
3. Krex D, Klink B, Hartmann C, et al. Long-term survival with glioblastoma multiforme. Brain. 130(Pt 10):2596-606;2007.
4. Hegi ME, Diserens AC, Gorlia T, et al. MGMT gene silencing and benefit from temozolomide in glioblastoma. N Engl J Med. 352(10): 997-1003;2005.
5. Narayan RS, Fedrigo CA, Stalpers LJ, et al. Targeting the Akt-pathway to improve radiosensitivity in glioblastoma. Curr Pharm Des. 2013;19:951-7;2013.
6. Cancer Genome Atlas Research Network. Comprehensive genomic characterization defines human glioblastoma genes and core pathways. Nature. 455(7216):1061-8;2008.
7. Poelen J, Prick MJ, Jeuken JW, et al. Six year survival after prolonged temozolomide treatment in a 30-year-old patient with glioblastoma. Acta Neurol Belg. 109:238-42;2009.
8. Chen X, Yang G, Zhang D, et al. Association between the Epidermal Growth Factor +61G/A Polymorphism and Glioma Risk: A Meta-Analysis. PLoS One. 9:e95139;2014.
9. Zuccoli G, Marcello N, Pisanello A, et al. Metabolic management of glioblastoma multiforme using standard therapy together with a restricted ketogenic diet: Case Report. Nutr Metab (Lond). 7:33; 2010.
10. Baserga R, Trojan J, Blossey BK, et al. Loss of tumorigenicity of rat glioblastoma directed by episome-based antisense cDNA transcription of insulin-like growth factor I. Proc Natl Acad Sci U S A. 89(11):4874-8;1992.
11. Baserga R, Peruzzi F, Reiss K. The IGF-1 receptor in cancer biology. Int J Cancer 107:873-7;2003
12. Kulik G, Weber MJ. Akt-dependent and – independent survival signaling pathways utilized by insulin-like growth factor I. Mol Cell Biol. 18:6711-8;1998.
13. Vanamala J, Reddivari L, Radhakrishnan S, Tarver C. Resveratrol suppresses IGF-1 induced human colon cancer cell proliferation and elevates apoptosis via suppression of IGF-1R/Wnt and activation of p53 signaling pathways. BMC Cancer. 10:238;2010.
14. Choi BH, Kim CG, Lim Y, et al. Curcumin down-regulates the multidrug-resistance mdr1b gene by inhibiting the PI3K/Akt/NF kappa B pathway. Cancer Lett. 259:111-8;2008.
15. Crețu E, Trifan A, Vasincu A, Miron A. Plant-derived anticancer agentes curcumin in cancer prevention and treatment. Rev Med Chir Soc Med Nat Iasi. 116:1223-9;2012.
16. Sharma RA, McLelland HR, Hill KA, et al. Pharmacodynamic and pharmacokinetic study of oral Curcuma extract in patients with colorectal cancer. Clin Cancer Res. 7(7):1894-900;2001.
17. Cheng CY, Hu CC, Yang HJ, et al. Inhibitory effects of scutellarein on proliferation of human lung cancer A549 cells through ERK and NFκB mediated by the EGFR pathway. Clin J Physiol. 31:182-7; 2014.
18. Aluyen JK, Ton QN, Tran T, et al. Resveratrol:potential as anticancer agent. J Diet Suppl. 9:45-56;2012.
19. Weingart JD, Sipos EP, Brem H. The role of minocycline in the treatment of intracranial 9L glioma. J Neurosurg. 82:635-40;1995.
20. Hu F, Ku MC, Markovic D, et al. Glioma-associated microglial MMP9 expression is upregulated by TLR2 signaling and sensitive to minocycline. Int J Cancer. 135:2569-78;2014.
21. Liu WT, Lin CH, Hsiao M, Gean PW. Minocycline inhibits the growth of glioma by inducing autophagy. Autophagy. 7:166-75;2011.
22. Clinical trials [Internet]. Repeat Radiation, Minocycline and Bevacizumab in Patients With Recurrent Glioma (RAMBO). [Last updated: January 23, 2014, First received: March 6, 2012]. ClinicalTrials.gov Identifier: NCT01580969. Avaliable from:http://www.clinicaltrials.gov/ct2/show/NCT01580969?term=minocycline+and+glioma&rank=1.
23. Wei L, Lin J, Wu G, et al. Scutellaria barbata D. Don induces G1/S arrest via modulation of p53 and Akt pathways in human colon carcinoma cells. Oncol Rep. 29:1623-8;2013.
24. Chen J. Roles of the PI3K/Akt pathway in Epstein-Barr virus-induced cancers and therapeutic implications. World J Virol. 1:154-161;2012.
25. Zong L, Seto Y. CpG island methylator phenotype, helicobacter pylori, Epstein-Barr virus, and microsatellite instability and prognosis in gastric cancer: a systematic review and meta-analysis. PLoS One. 9:e86097;2014.
26. Ndour PA, Brocqueville G, Ouk TS, et al. Inhibition of latent membrane protein 1 impairs the growth and tumorigenesis of latency II Epstein-Barr virus-transformed T cells. J Virol. 86:3934-43;2012.

27. Bai RY, Staedtke V, Aprhys CM, et al. Antiparasitic mebendazole shows survival benefit in 2 preclinical models of glioblastoma multiforme. Neuro Oncol. 13:974-82;2011.
28. Pan YR, Vatsyayan J, Chang YS, Chang HY. Epstein-Barr virus latent membrane protein 2A upregulates UDP-glucose dehydrogenase gene expression via ERK and PI3K/Akt pathway. Cell Microbiol. 10:2447-60;2008.
29. Martarelli D, Pompei P, Baldi C, Mazzoni G. Mebendazole inhibits growth of human adrenocortical carcinoma cell lines implanted in nude mice. Cancer Chemother Pharmacol. 61:809-17;2008.
30. Mukhopadhyay T, Sasaki J, Ramesh R, Roth JA. Mebendazole elicits a potent antitumor effect on human cancer cell lines both in vitro and in vivo. Clin Cancer Res. 8:2963-9;2002.
31. Spagnuolo PA, Hu J, Hurren R, et al. The antihelmintic flubendazole inhibits microtubule function through a mechanism distinct from Vinca alkaloids and displays preclinical activity in leukemia and myeloma. Blood. 115:4824-33;2010.
32. Morris DL, Jourdan JL, Pourgholami MH. Pilot study of albendazole in patients with advanced malignancy. Effect on serum tumor markers/high incidence of neutropenia. Oncology. 61:42-6;2001.
33. Nygren P, Fryknäs M, Agerup B, Larsson R. Repositioning of the anthelmintic drug mebendazole for the treatment for colon cancer. J Cancer Res Clin Oncol. 139:2133-40;2013.
34. Guais A, Baronzio G, Sanders E, et al. Adding a combination of hydroxycitrate and lipoic acid (METABLOC™) to chemotherapy improves effectiveness against tumor development: experimental results and case report. Invest New Drugs. 30:200-11;2012.
35. Schroeder MA, Cochlin LE, Heather LC, et al. In vivo assessment of pyruvate dehydrogenase flux in the heart using hyperpolarized carbon-13 magnetic resonance. Proc Natl Acad Sci U S A. 105:12051-6; 2008.
36. Park I, Larson PE, Zierhut ML, et al. Hyperpolarized 13C magnetic resonance metabolic imaging: application to brain tumors. Neuro Oncol. 12:133-44;2010.
37. Schwartz L, Buhler L, Icard P, et al. Metabolic treatment of cancer: intermediate results of a prospective case series. Anticancer Res. 34:973-80;2014.
38. Berkson BM, Rubin DM, Berkson AJ. Revisiting the ALA/N (alpha-lipoic acid/low-dose naltrexone) protocol for people with metastatic and nonmetastatic pancreatic cancer: a report of 3 new cases. Integr Cancer Ther. 8:416-22;2009.
39. Champ CE, Palmer JD, Volek JS, et al. Targeting metabolism with a ketogenic diet during the treatment of glioblastoma multiforme. J Neurooncol. 117:125-31;2014.
40. Savage DC. Microbial ecology of the gastrointestinal tract. Annu Rev Microbiol. 31:107-33;1977.
41. Huang S, Li JY, Wu J, et al. Mycoplasma infections and diferente human carcinomas. World J Gastroenterol. 7(2):266-9;2001.
42. Li P, Cheng R, Zhang S. Aspirin and esophageal squamous cell carcinoma: bedside to bench. Chin Med J (Engl). 127:1365-9;2014.
43. Chang AH, Parsonnet J. Role of bacteria in oncogenesis. Clin Microbiol Rev. 23:837-57;2010.
44. Thun MJ, Namboodiri MM, Heath CW. Aspirin use andreduced risk of fatal colon cancer. N Engl J Med. 325:1593-6;1991.
45. Grabosch SM, Shariff OM, Wulff JL, Helm CW. Non-steroidal anti-inflammatory agents to induce regression and prevent the progression of cervicalintraepithelial neoplasia. Cochrane Database Syst Rev. (4):CD004121;2014.
46. Pehlivan M, Pehlivan S, Onay H, et al. Can mycoplasma-mediated oncogenesis be responsible for formation of conventional renal cell carcinoma? Urology. 65:411-4;2005.
47. Ferreri AJ. Activity of clarithromycin in mucosa-associated lymphoid tissue-type lymphomas: antiproliferative drug or simple antibiotic? Chest. 139:7245; 2011.
48. Tsai S, Wear DJ, Shih JW, Lo SC. Mycoplasmas and oncogenesis: persistente infection and multistage malignant transformation. Proc Natl Acad Sci U S A. 92:10197-201;1995.
49. Liekens S, Bronckaers A, Balzarini J. Improvement of purine and pyrimidine antimetabolite-based anticancer treatment by selective suppression of mycoplasma-encoded catabolic enzymes. Lancet Oncol. 10(6):628-35;2009.
50. Rogers MB. Mycoplasma and cancer: in search of the link. Oncotarget. 2:271-3;2011.
51. Aoki D, Ueno S, Kubo F, et al. Roxithromycin inhibits angiogenesis of human hepatoma cells in vivo by suppressing VEGF production. Anticancer Res. 25:133-8;2005.
52. Ishimatsu Y, Mukae H, Matsumoto K, et al. Two cases with pulmonar mucosa-associated lymphoid tissue lymphoma successfully treated with clarithromycin. Chest. 138:730-3;2010.

CAPÍTULO 218

Astrocitoma e glioma em crianças – 15 pacientes

1. **Astrocitoma de ponte tratado com Roomi e biomolecular**
   Menino, V.T., com 6 anos de idade e portador de neurofibromatose tipo 1 apresentou na RNM massa tumoral no bulbo cerebral, provável astrocitoma. Feito mistura nutricional de Roomi, anti-invasiva e fortemente estruturadora da água citoplasmática mais extrato de Salvia off. rica em ácido ursólico. Também recebeu: curcumina, ômega-3, ácido linolênico e ácido gamalinolênico. Longa sobrevida e atualmente, em janeiro de 2018, com 17 anos. Sem queixas neurológicas e indo bem na escola. Clínica JFJ – Primeira criança tratada.

2. **Astrocitoma de bulbo cerebral grau II que aumentou drasticamente após a radioterapia e que apresentou redução de 78% aos 6 meses e desaparecimento total em mais 3 meses de tratamento biomolecular**
   Menino com 5 anos de idade desde que nasceu apresentava vômitos de repetição, refluxo esofágico mesmo amamentado com leite materno. Demorou a andar, atraso apenas motor. Inteligente. Em setembro de 2016 apresentou dor de cabeça mais vômitos intensos em jato. Pediatra pediu RX de seios da face e diagnosticou e tratou como sinusite. Não houve melhora do quadro e a pediatra trocou o antibiótico. Não houve melhora e a família procurou neurologista. RNM de 28/10/2016 mostrou grande imagem de aspecto expansivo com centro geométrico em bulbo cerebral, estendendo-se até a transição bulbopontina e também até o segmento proximal do cordão medular, medindo 3,5x3,0x3,0cm ou **10,7cm^3** nos seus maiores diâmetros, com aspecto irregular comprimindo as estruturas adjacentes, reduzindo as dimensões dos forames de Luschka e Magendie e dilatando o sistema ventricular. Possível astrocitoma grau II. Colocou válvula ventricular e submeteu-se a 30 sessões de radioterapia. Não fez quimioterapia ou cirurgia.
   As sessões de radioterapia eram executadas com paciente entubado e sedado e em uma das sessões broncoaspirou e fez parada respiratória, motivo da traqueostomia. Na impossibilidade de deglutição procedeu-se à gastrostomia. Após a radioterapia houve aumento 7x no volume tumoral: 10/03/2017: RNM, 4,94x4,52x3,46cm **(77,3cm^3)** confirmada em 08/05/2017: RNM, 4,94x4,52x3,45cm **(77,2cm^3).**
   Procurou o consultório em 31/05/2017 por aumento da lesão após a radioterapia. Estava em cadeira de rodas, consciente, compreendia e executava ordens simples. Encontrou-se aumento de cádmio, arsênio e chumbo no sensograma e no mineralograma do tecido capilar. Citomegalovírus com IgG positivo, 500U/ml. A biorressonância revelou o agrotóxico fenvalerato. Tratamento: banhos de Sol, agrotóxico e metais tóxicos tratados com homeopatia 30CH, método Banerjii (Ruta graveolens e Calcarea fosfórica), naltrexone com espirolactona, Beta-alanina, lisado de levedura de cerveja com Beet vulgaris, benzaldeído, óleo de borago, mistura antimetastática de Roomi e sal de Karpanem. A família acrescentou e foi mantido chá de graviola e chá de Ipê roxo logo ao diagnóstico.
   Após 40 dias de tratamento biomolecular a RNM mostrou redução de 20,6% do volume tumoral: 4,6x3,7x3,6cm **(61,3cm^3).** Em 20/10/2017 paciente sorridente, ativo, entende ordens mais complexas, já consegue deglutir, porém, com as sequelas da hipóxia adquiridas na parada respiratória durante a radioterapia. Nova ressonância mostrou significativa redução da massa tumoral.
   17/10/2017: RNM, 3,3x2,4x2,2cm **(16,9cm^3).** Houve 78% na redução do tumor ou redução de 4,8 vezes em 6 meses de tratamento. RNM em 14 de março de 2018, passados mais 3 meses de biomolecular mostrou regressão total da massa tumoral.
   RNM em 07 de julho de 2018: resultado semelhante ao encontrado em14 de março de 2018, isto é, ausência de massa tumoral, Continúa em tratamento (Clínica JFJ).

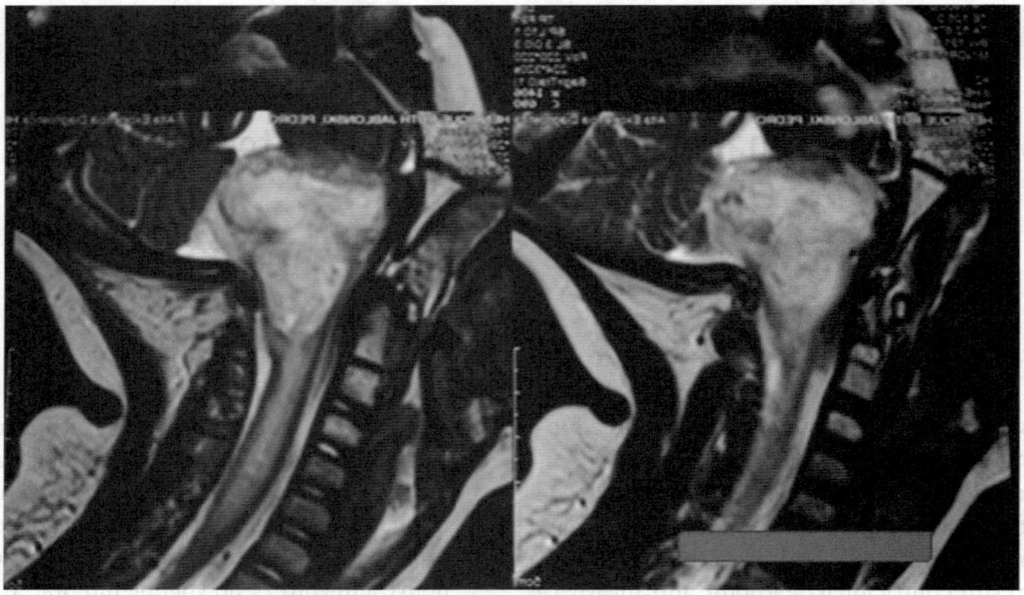

Figura 218.1 – RNM de 08/05/2017 mostrando aumento de 7 vezes no volume tumoral após a radioterapia: 4,94x4,52x3,46cm (77,3cm^3).

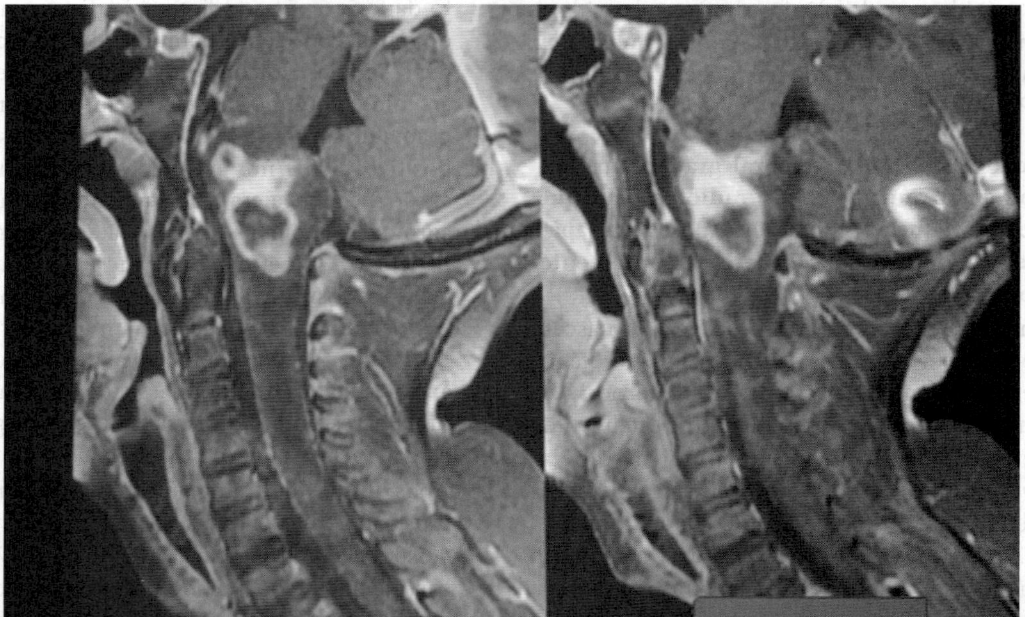

Figura 218.2 – RNM de 17/10/2017. Em 6 meses de tratamento biomolecular houve 78% de redução do volume tumoral: 3,3x2,4x2,2cm (16,9cm^3).

3. Glioma difuso e extenso de ponte tratado com radioterapia e medicina biomolecular: após 10 meses de tratamento incompleto biomolecular o tumor manteve as suas dimensões

M.C.A., sexo feminino, 5 anos de idade, com antecedentes de otite de repetição e cirurgia de comunicação interatrial começou a apresentar em setembro de 2016 estrabismo esporádico, sem dor de cabeça, vômitos, perda de força muscular ou alteração da marcha. A RNM foi feita em 15/11/2016, 3 meses após o aparecimento do estrabismo, e mostrou **glioma difuso e extenso de ponte**. Em 02 de janeiro de 2017 terminaram as 30 sessões de radioterapia e a RNM mostrou 70% de redução da massa

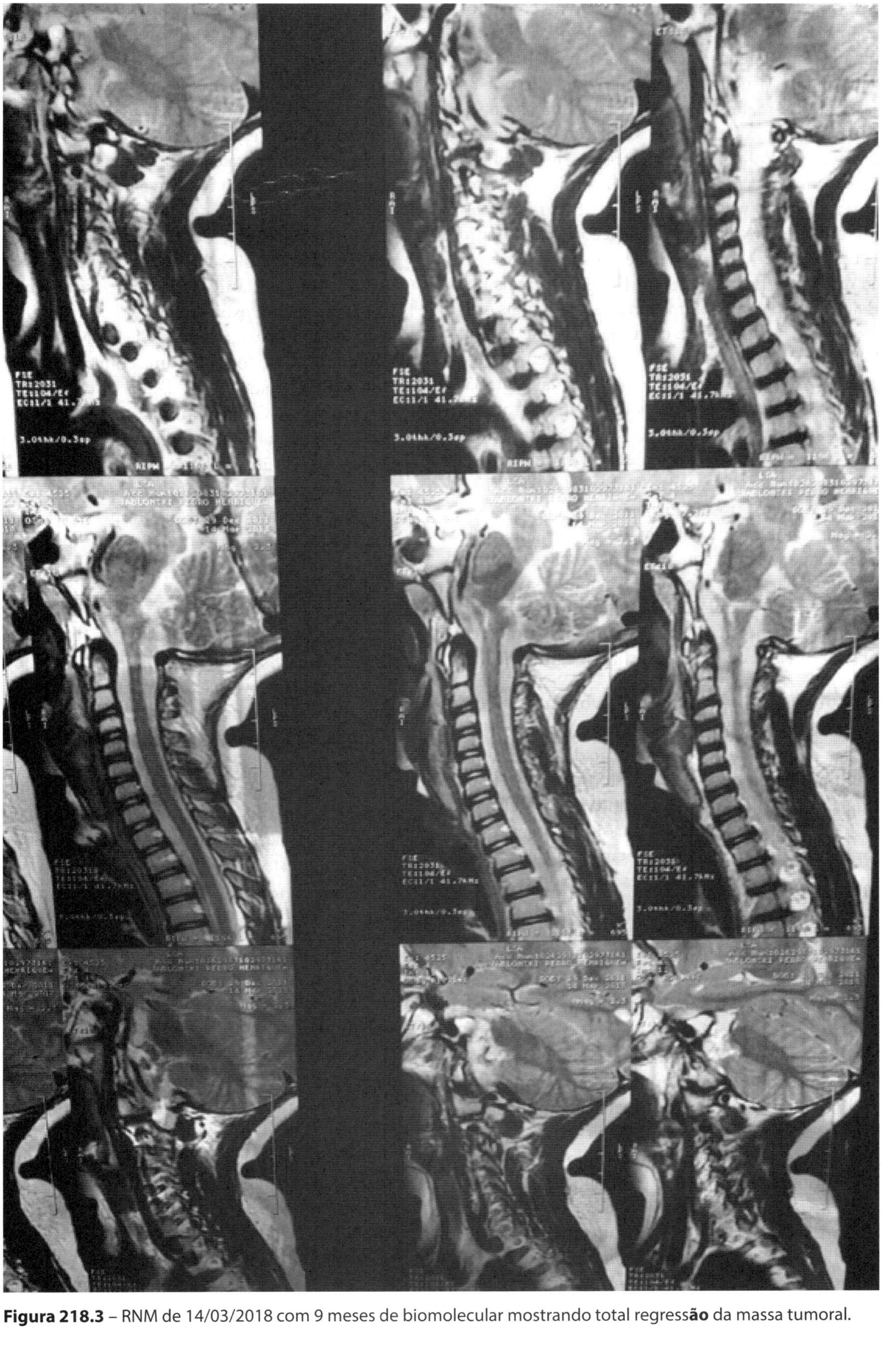

Figura 218.3 – RNM de 14/03/2018 com 9 meses de biomolecular mostrando total regress**ão** da massa tumoral.

tumoral. Não fez temozolomida. Veio ao consultório em 17/03/2017. Dos agentes biológicos testados encontramos apenas o Mycoplasma pneumoniae tratado com Minociclina 100mg 2x ao dia por 30 dias. Não há metais tóxicos carcinogênicos na espectrometria frequencial de Raman ou na biorressonância de Voll ou na espectrometria de massa (ICP/MS) do tecido capilar. Hormônio D3 baixo constatado pelo valor do PTH em 38pg/ml. Receitado em primeiro lugar a reposição do hormônio D3 (colecalciferol, riboflavina e genisteína), reposição dos nutrientes deficientes (magnésio mais potássio, CoQ10 e piridoxina; zinco acetato mais cromo, selênio, manganês e complexo B) que tomou 100% do prescrito. Juntamente prescreveu-se beta alanina (250mg 2x/dia); ácido lipoico mais, vit. B3, Mn, Se, B9, ácido retinoico, vit. K1, vit. K2; fórmula de Roomi, método Banerji. Devido a problemas de farmacotécnica a paciente conseguiu ingerir apenas metade do prescrito. RNM de 02/05/2017 e 28/07/2017 não mostraram evolução do processo tumoral e finalmente a RNM de 15 de janeiro de 2018, data da última consulta mostrou a estabilização plena da massa tumoral. Paciente em ótimo estado geral, sem queixas, deambulando, sorrindo e brincando normalmente. Exame neurológico normal. Inteligente, educada e linda. Clínica JFJ.

4. **Astrocitoma de bulbo e medicina biomolecular**

V.H.M., 8 anos de idade, desde o nascimento com flacidez muscular e depois alteração da marcha, desequilíbrio e fala desconexa. Visto por vários neurologistas até que há 2 meses, em 8 de fevereiro de 2017, fez RNM que mostrou massa expansiva e infiltrativa em bulbo: 4,8x3,1x2,5cm. Nunca se queixou de dores de cabeça ou apresentou vômitos. Encontraram um cirurgião que se aventurou operar em tão delicada região e o menino ficou hemiparético, dificuldade de respirar e de deglutir, necessitando de traqueostomia ao lado de paralisia facial. Anatomopatológico: neoplasia glial de baixo grau sugestiva de astrocitoma pilocítico grau 1 pela OMS. Procurou o consultório em 24 de março de 2017. Consciente, ativo, atento, andando com alguma dificuldade devido à hemiparesia adquirida na cirurgia. Mineralograma do tecido capilar: aumento de mercúrio, titânio e bário ao lado de diminuição de lítio, selênio, manganês, molibdênio e magnésio. IgG do Epstein-Barr vírus, toxoplasmose, Chlamydophila pneumoniae francamente positivos. Glicemia: 94mg%, insulinemia: 18, ceruloplasmina elevada. DHL normal, entretanto, fosfatase alcalina elevada. Em 3 de outubro apresentou pneumonia onde o pneumologista precisou utilizar uma sequência de 3 antibióticos, Amoxacilina/Clavulin, Zitromax e Levofloxacin). Somente melhorou da pneumonia após imunoestimulação com glucana + BCG, Ganoderma lucidum, naltrexone em baixa dose, retinol e colecalciferol. Prescrito: lisado de levedura de cerveja com Beet vulgaris; fórmula estruturadora do citoplasma de Roomi; sal de Karpanen, método de Banerjii, água estruturada com sais minerais cosmotropos, ácido lipoico com hidroxicitrato, CoQ10, ácido retinoico, vitaminas K1 e K2; Bosellia serrata; extrato fluido de Rosmarinus off. and Occimum basilicum; naltrexoene 5mg com espironolactona 2mg; óleo de borago e Mercurius solubilis CH30. Não tomou banhos de Sol, não forrou a cama com papel-alumínio, não fez atividade física. Dieta inteligente: seguiu 80%. Usando Canabidiol para diminuir os espasmos. Começou álcool perílico em dezembro/2017. Em março de 2018: alegre, contente, bem comunicativo, sem sinais de localização. Com 9 anos de idade e cursando o quarto ano primário. RNM de março de 2018: redução de 20% do tumor bulbar. Clínica JFJ.

5. **Astrocitoma tratado com Chelidonium majus extrato (Ukrain)**

In a 33 months-old female patient an astrocytoma of the optic nerve was diagnosed and extirpated sub-totally. The tumor progressed over the next 52 months. The patient received neither chemotherapy nor radiation. Treatment with Ukrain was started 52 months after the first operation (2 mg to 15 mg i.v., up to a total dose of 723 mg Ukrain over 13 months). Disease progression was slowed down and an almost stable condition was achieved

Reference. Steinacker J., Korsh O.B., Melnyk A. Ukrain Therapy of a Recurrent Astrocytoma of the Optic Nerve (Case Report). Drugs Exptl. Clin. Res., Vol. XXII (Suppl.), 1996, 207.

6. **Astrocitoma tratado com Chelidonium majus extrato (Ukrain)**

A 13-years old girl with a 2.2 cm large tumour in the region of the septum pellucidum, extending into interventricular foramina and obstructing the cerebrospinal fluid pathway. Following two previous interventions to evacuate the epidural hamartoma to drain the left ventricle due to hydrocephalus, the patient underwent partial tumour extraction. On histological examination a giant cell astrocytoma was found. Three months later treatment with Ukrain was started (2x5 mg i.v./week, 6 months) and remission was achieved. Tumour nodules seen in the CT diminished in size, three of five non-operated tumour nodules completely disappeared, as well as a CSF pathway obstruction and the neurological condition improved.

Reference. Nowicki G, Zahriychuk O. Ukrain treatment of astrocytomas in girl with tuberous sclerosis: a case report. Int J Immunother 2003, XIX(2-4): 95-97.

7. **Glioma de nervo óptico não responsivo à quimioterapia que regrediu e estabilizou com vitamina C intravenosa em alta dose**

Child with 5-year-old who was diagnosed with neurofibromatosis type 1 and optic pathway tumor onset at the age of 14 months. Because of the tumor progression, chemotherapy with carboplatin and vincristine was prescribed at this early age and continued for one year. As the progression of disease continued after chemotherapy, the child, at the age of 2.8 years, was started on high-dose intravenous vitamin C (IVC) treatment (7-15 grams per week) for 30 months. After 30 months, the results of IVC treatments demonstrated reduction and stabilization of the tumors in the optic chiasm, hypothalamus, and left optic nerve according to radiographic imaging. The right-sided optic nerve mass seen before IVC treatment disappeared by the end of the treatment.

Reference. Mikirova N, Hunnunghake R, Scimeca RC, Chinshaw C, Ali F, Brannon C, Riordan N. High-Dose Intravenous Vitamin C Treatment of a Child with Neurofibromatosis Type 1 and Optic Pathway Glioma: A Case Report. Am J Case Rep. 2016 Oct 24;17:774-781.

8. **Astrocitoma recidivado que desapareceu totalmente com a mistura aloe/mel**

Sexo feminino, 13 anos de idade, apresentou astrocitoma aos 5 anos de idade, sendo operada por 3 vezes. Atualmente nova recidiva. Começou a tomar a mistura aloe vera/mel e em algumas semanas cessaram as dores de cabeça. Depois voltou a falar, brincar e andar de bicicleta. Tomografia: mostrou a persistência do tumor. Tomou por mais 60 dias e o novo controle não mais revelou a massa tumoral.

Reference. Michael Peuser. Aloe – Imperatriz das plantas medicinais. Ed. St Hubertus. São Paulo-2003.

9. **Criança com 14 meses de idade com glioma de via óptica não responsivo à quimioterapia que desapareceu completamente após alta dose de vitamina C intravenosa**

We describe the case of a 5-year-old child who was diagnosed with NF1 and optic pathway tumor onset at the age of 14 months. Because of the tumor progression, chemotherapy with carboplatin and vincristine was prescribed at this early age and continued for one year. As the progression of disease continued after chemotherapy, the child, at the age of 2.8 years, was started on high-dose intravenous vitamin C (IVC) treatment (7-15 grams per week) for 30 months. After 30 months, the results of IVC treatments demonstrated reduction and stabilization of the tumors in the optic chiasm, hypothalamus, and left optic nerve according to radiographic imaging. The right-sided optic nerve mass seen before IVC treatment disappeared by the end of the treatment. CONCLUSIONS This case highlights the positive effects of treating NF1 glioma with IVC. Additional studies are necessary to evaluate the role of high-dose IVC in glioma treatment.

Reference. Mikirova N, Hunnunghake R, Scimeca RC, et al. High-Dose Intravenous Vitamin C Treatment of a Child with Neurofibromatosis Type 1 and Optic Pathway Glioma: A Case Report. Am J Case Rep. Oct 24;17:774-781;2016.

10. **Possivelmente o ácido valproico prolonga a sobrevida de crianças com tumor cerebral**

Valproate has been shown to positively affect the survival of adult glioblastoma patients. We have been giving prophylactic antiepileptic drugs to newly diagnosed children with brain tumors. Since then, we noted a trend towards a better survival from our patients. In order to study this, we performed a retrospective evaluation in our institution.

METHODS: Standard survival analysis was used, calculating survival until death by all causes or censoring. Comparisons were made by Cox's proportional hazards model regression.

RESULTS: Between 2000 and 2010, 94 patients were treated (12 with high-grade gliomas, 56 medulloblastomas, and 26 ependymomas); median and mean ages were 7.7 and 7.8 years. Median follow-up was 60 months (35 for treated and 109 for untreated patients). Of these, 47 received valproate 10-15 mg/kg/day every 8-12 h and 47 did not. Patients who received valproate had a median survival of 34 months, whereas the other group had a median survival of 24 months (hazard ratios = 0.99, 0.57-1.75, p = 0.99).

Reference. Felix FH, de Araujo OL, da Trindade KM, et al. Survival of children with malignant brain tumors receiving valproate: a retrospective study. Childs Nerv Syst. Feb; 29(2):195-7;2013.

11. **Tumor embrionário de tálamo SOE, grau IV – PNET (WHO-2016) – não responsivo ao tratamento convencional que regrediu totalmente em 4 meses do emprego da estratégia biomolecular**

A.A.S., 10 anos de idade, sexo masculino, apresentou vômitos e dor de cabeça em meados de outubro de 2017 com tomografia revelando massa expansiva no tálamo. Feito ressecção de 95% do tumor em 20/outubro/2017 mais colocação de derivação. Anatomopatológico: neoplasia maligna de alto grau com componentes de células redondas e fusocelulares. Imuno-histoquímico: tumor embrionário SOE (Grau IV, WHO-2016), PNET. Submetido a 31sessões de radioterapia de 22/fevereiro/2018 a 11/abril/2018. Em uso de etoposido (VP) por via oral. Primeiro ciclo de quimioterapia intravenosa em 04/maio/2018. Última Qt (cisplatina + etoposido) em 05/junho/2018. Em uso de VP por via oral. Muitos efeitos colaterais. Passou a receber a QT internado. Suspenso por apresentar muitos efeitos colaterais e convulsões. RM de crânio de reavaliação em 29/maio/2018 demonstrou progressão tumoral confirmada por espectroscopia em 14/junho/2018 com dimensões de 20x19x10mm. Iniciou novo protocolo em 18/junho/2018: ICE (ifosfamida, carboplatina, etoposido). Internado na UTI em 27/junho/18 com hidrocefalia e sinais de herniação. Corrigida a derivação. Segundo ciclo de ICE em 16/julho/2018 com o paciente internado. Iniciou temozolamida em setembro e as convulsões se agravaram sendo prescrito Trileptal e Depakene. RNM de 23 de agosto de 2018: a massa tumoral mantém as dimensões de 20x19x10mm e encontrou-se pequena imagem nodular, nova em relação ao estudo anterior sugestivo de implante neoplásico secundário com realce após contraste medindo 4mm no revestimento meníngeo na topografia da cisterna cerebelo-bulbar anterior. Chegou ao consultório em 6 de setembro de 2018 com o diagnóstico de PNET não responsivo ao tratamento convencional complicado com o aparecimento de novo tumor. Estava em regular estado geral, Karnofsky 40, grande dificuldade de deambular, diminuição de força muscular bilateral e grande dificuldade na fala. Entende ordens simples. Pressão arterial: 9 pelo pulso, frequência cardíaca 112. Ferritina: 1.195ng/ml. Espectrometria frequencial de Raman: arsênio, cádmio e bromo. Biorressonância: fenthion, chumbo e mercúrio. Procedeu-se à retirada dos metais tóxicos e do agrotóxico com homeopatia 30 CH e prescritos agentes carcinostáticos e anticarcinogênicos. Tratamento: método Banerjii, Sol, forrar com manta de alumínio sob o colchão, sal de Karpanem, água estruturada, trimetil glicina, l-taurina, myo-inositol, óxido de silício, curcumina, genisteína, parthenolide, resveratrol, Sigmatriol. Melatonina, colecalciferol, naltrexone, espironolactona, vitamina A, vitamina K2, Ganoderma lucidum, selênio, ácido ascórbico, picolinato de zinco, iodo molecular, berberina, Sanguinarina, Chelidoneum majus, Chenopodium ambrosioides, Roomi modificado, óleo de borqago, óleo LLc (2 partes coco e 1 parte linhaça), Puran $t, metilcobalamina, luteolina, beta-alanina. Em 1 de novembro estava mais ativo, a postura e o tônus muscular melhoraram, sem convulsões com grande melhora do estado geral. A fala melhorou muito e deambula mais facilmente. Karnofsky 80. Novos exames toxológicos mostraram grande diminuição do arsênico (2.190 para 1.280), berílio (2.672 para 1.960), chumbo (1.397 para 1.086), cádmio (6.167 para 1.818). O fenthion não mais foi detectado e o mercúrio permaneceu inalterado. RNM de 17 de dezembro de 2018: regressão total de ambos os tumores descritos acima. Mais um dos inúmeros pacientes com câncer que regrediram em 4 meses da estratégia biomolecular. RNM de maio/2019 e a mais recente janeiro/2020 não mostraram tumor (ver Figuras 218.3 e 218.4). **Clínica JFJ.**

12. Astrocitoma difuso grau II tratado com cirurgia e biomolecular

G.N., 10 anos de idade, sexo feminino, em agosto de 2019 começou apresentar dores de cabeça não frequentes, porém nunca havia apresentado antes. Foi ao pediatra e depois ao oftalmologista que não fizeram diagnóstico. Quando começou apresentar visão dupla e vômitos família levou ao neurologista e a RNM em 10/11/2019 revelou formação sólido-cística com epicentro no hipotálamo quiasmático parassagital direito com 3,3 x 2,9 x 2,5cm e obstruindo o III ventrículo. Feita inicialmente derivação com desaparecimento de todos os sintomas. Logo após feita a ressecção parcial do tumor, cerca de 60 a 70%. Família levou a vários médicos que indicaram temodal ou quimioterapia. Após a radioterapia. No consultório em 21/01/2020 minha sugestão foi não fazer quimioterapia e tampouco radioterapia devido à localização em região próxima da hipófise em menina pré-pubere. A família foi ao cirurgião que concordou com a nossa conduta. Nesta época eu estava tratando de menino cuja radioterapia havia provocado aumento de 7x no tamanho do tumor de tronco cerebral. Paciente em ótimo estado geral, dormindo em zona geopatogênica, com Sensograma mostrando arsênico, cádmio e chumbo e biorressonância com apenas alergia à caseína do leite. IgG positivo para CMV (292), Mycoplasma pneumoniae (65) e Coxsackie B (1/160). Tratada com dieta inteligente que seguiu 90% e fórmulas que seguiu 100%. A sequência dos volumes tumorais pela RNM foram:

$9cm^3$	$5,4cm^3$	$5,4cm^3$	$5,4cm^3$	$5,4cm^3$
Pré-cirúrgico				
10/10/2019	22/02/20	05-05-2020	06-11-2020	15-julho-2021

A paciente está em ótimo estado geral, indo bem na escola e começou a menstruar em março de 2021. **Clínica JFJ.**

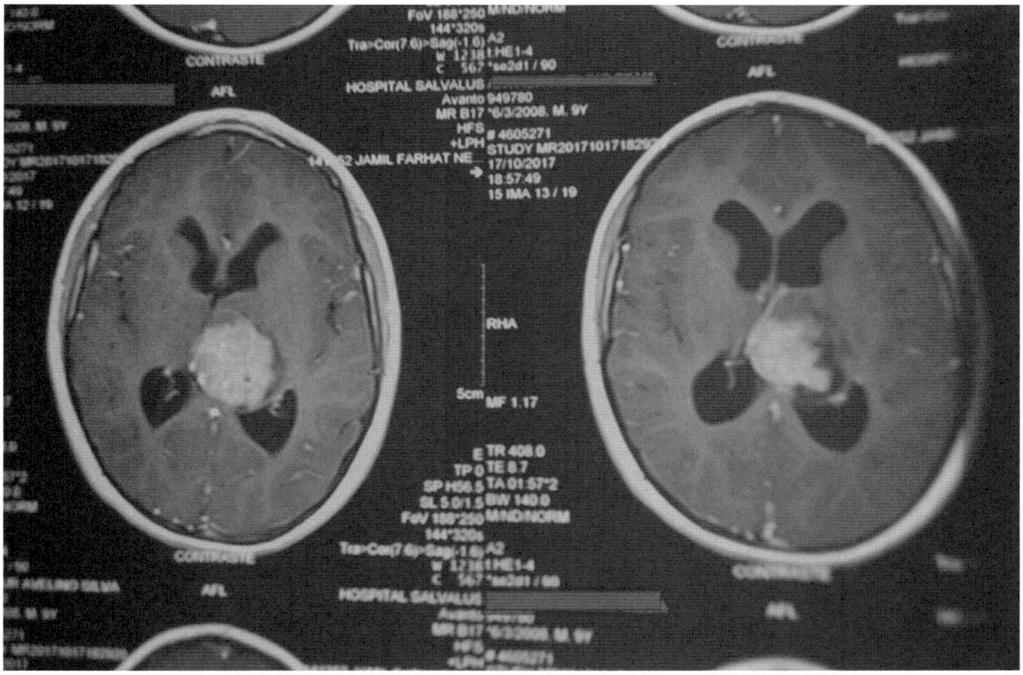

Figura 218.4 – Tomografia de 17 de outubro, 2017.

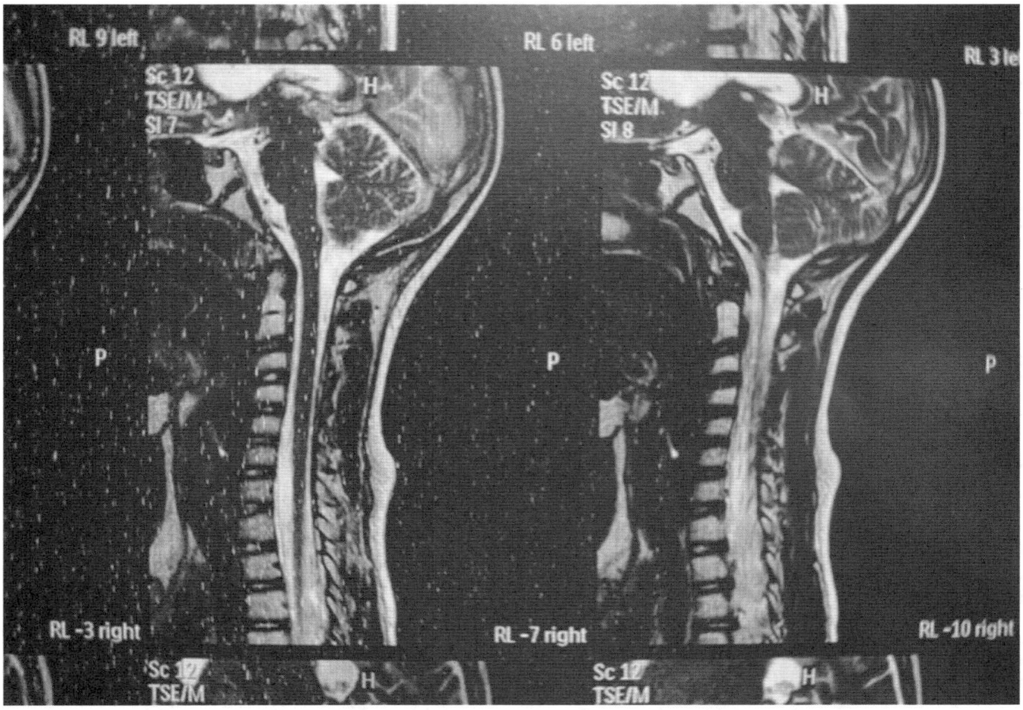

Figura 218.5 – RNM de 17 de dezembro, 2018.

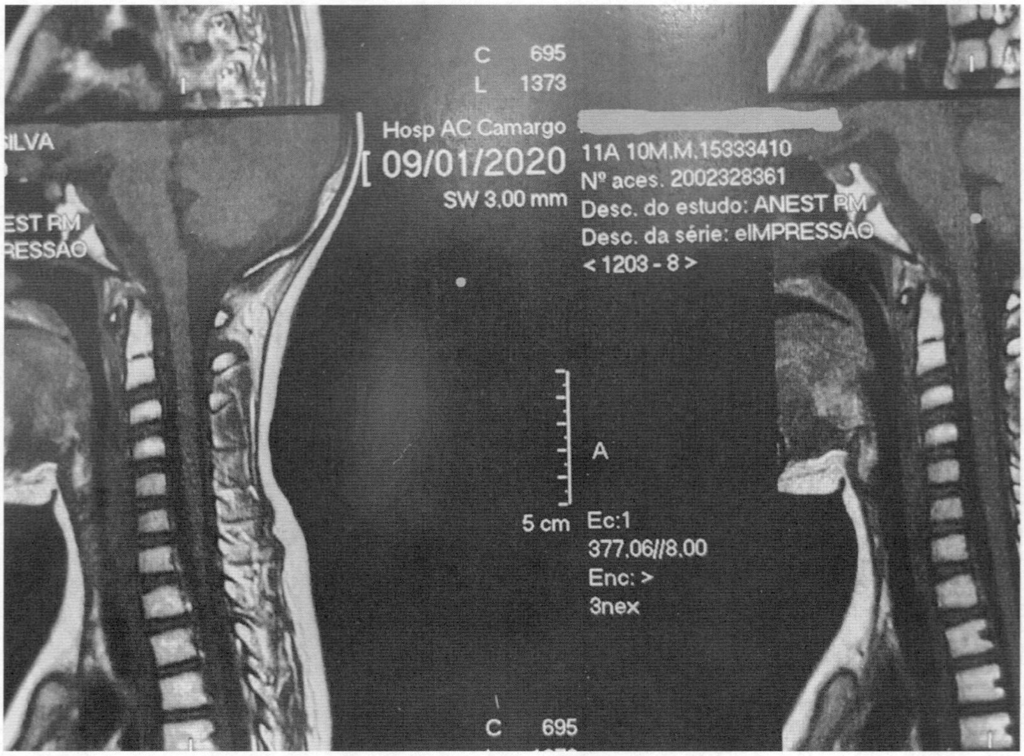

Figura 218.6 – RNM de 09 de janeiro, 2020.

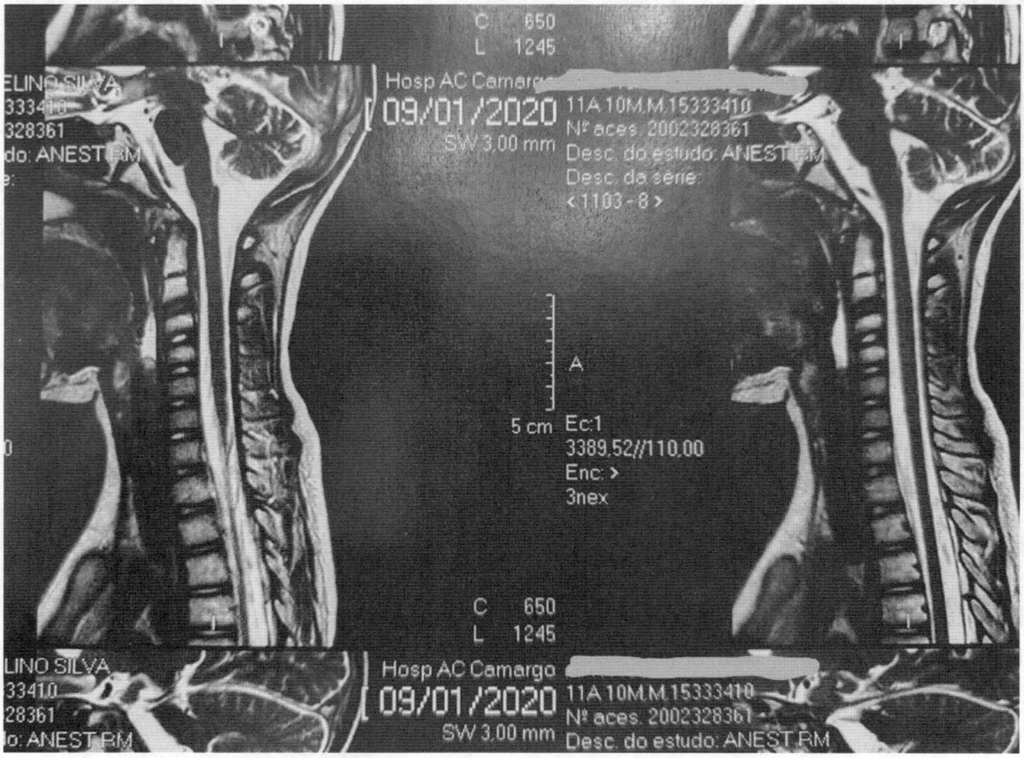

Figura 218.7 – RNM de 09 de janeiro, 2020.

Os 2 pacientes com tumores cerebrais (1 criança, 1 bebê dos itens 13 e 14) que apresentaremos agora foram tratados pela equipe do Prof. Prasanta e Pratip Banerji na Fundación "Dr. Prasanta Banerji Homeopathic Research Foundation (Home of The Banerji Protocols) 10/3/1 Elgin Road - Lolkata - 700020 West Bengal".

Os protocolos usados foram os seguintes:

1ª linha de medicamentos: usar 3 meses se melhorar continua por 1 ano, caso negativo passar para a 2ª linha

Ruta graveolens 6CH em líquido: 2 vezes ao dia.

Calcarea phosphorica 3DH tabletes: 2 vezes ao dia.

2ª linha de medicamentos: usar por 3 meses se melhorar continua por 1 ano caso negativo passar para a 3ª linha

Ruta graveolens 6CH em líquido: 2 vezes ao dia.

Calcarea phosphorica 3DH tabletes: 2 vezes ao dia.

Thuja occidentalis 1000CH em líquido 1 dose uma vez por semana.

Importante fazer exames de imagem de 6 em 6 meses após a remissão total e continuar tomando os medicamentos por mais 6 meses em doses menores.

13. CASO CLÍNICO 1 - Astrocitoma Grau II

SKS, 10 anos, sexo masculino sofria de problemas de visão no olho esquerdo há 21 meses (desde julho de 1987), e uma paralisia progressiva de todo o lado esquerdo, os braços tremendo e memória fraca. Foi admitido no Christian Medical College em Vellore, Índia,em 28 de julho de 1988 com progressiva paralisia do lado esquerdo. Saiu do hospital no dia 14 de agosto e durante sua estada foram feitos tomografia e exame histológico do crânio, com laudo confirmado de astrocitoma Grau II. Um outro TC Scan, em 23 de março de 1989, mostrou uma circular hipodensa lesão no nódulo basal direito da região ganglionar. Depois de usar o Protocolo Banerji por apenas um mês apresentou sensível alteração positiva, passando a caminhar sozinho e sua visão esquerda apresentando melhora considerável. Um outro TC datado de 21 de fevereiro de 1994 revelou atenuada lesão na região basal ganglional direita, com uma regressão fantástica se comparada às TCs anteriores, além de calcificações das áreas antes afetadas pelo tumor. O último *follow up* foi no ano 2000, quando familiares do paciente gravaram depoimento em que se registra claramente seu bom estado, levando vida normal e saudável. Desde então não houve mais contato.

K.K., bebê de 11 dias, chegou à clínica no dia 4 de outubro de 2004 com inchaço volumoso na cabeça. Um TCScan fora feito em 22 de setembro e havia sido encontrado hemorragia (± 30ml) na linha média da fossa craniana com hidrocefalia; e exame de ressonância magnética do cérebro com data de 27 de setembro de 2004 revelou vermia hemorrágica cerebelar SOL com hidrocefalia obstrutiva, configurando um meduloblastoma. Cinco meses após usar o Protocolo Banerji, os sintomas sumiram e a cabeça do bebê voltou ao normal. Quando o menino tinha quase 4 anos de idade, um TCScan feito em 8 de maio de 2008 mostrou o crânio nos padrões normais, livre do câncer.

14. Remissão espontânea de astrocitoma de ponte em criança com 2 anos. Não computado

A patient is described in whom a large diffuse glioma of the pons extending into the midbrain was diagnosed at the age of 2 years. Biopsy showed a fibrillary astrocytoma. After shunting of a hydrocephalus, the clinical symptoms abated without conventional therapy. Repeated MRI studies showed a continuous decrease of the tumor, which was no longer visible.

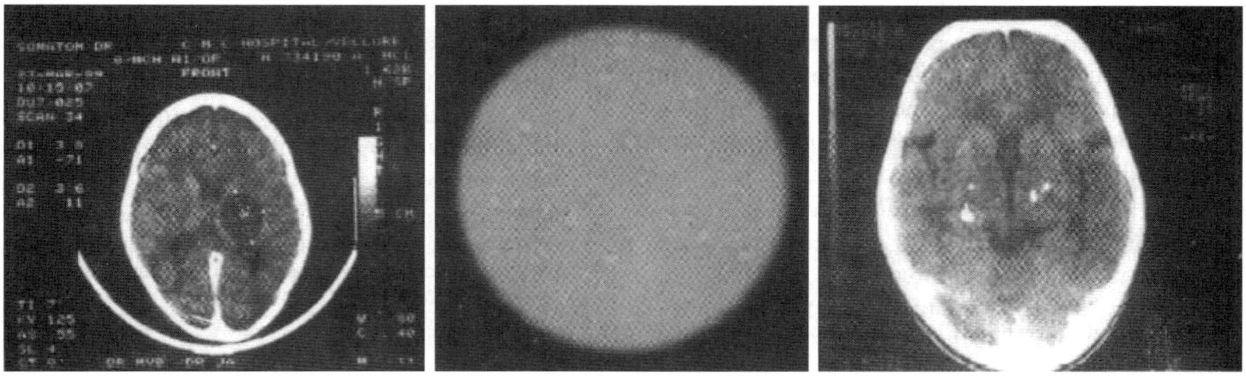

Figura 218.8 – Tomografia TC SKS por Cristian Medical College & Hospital, Vellore Índia 1989/1994.

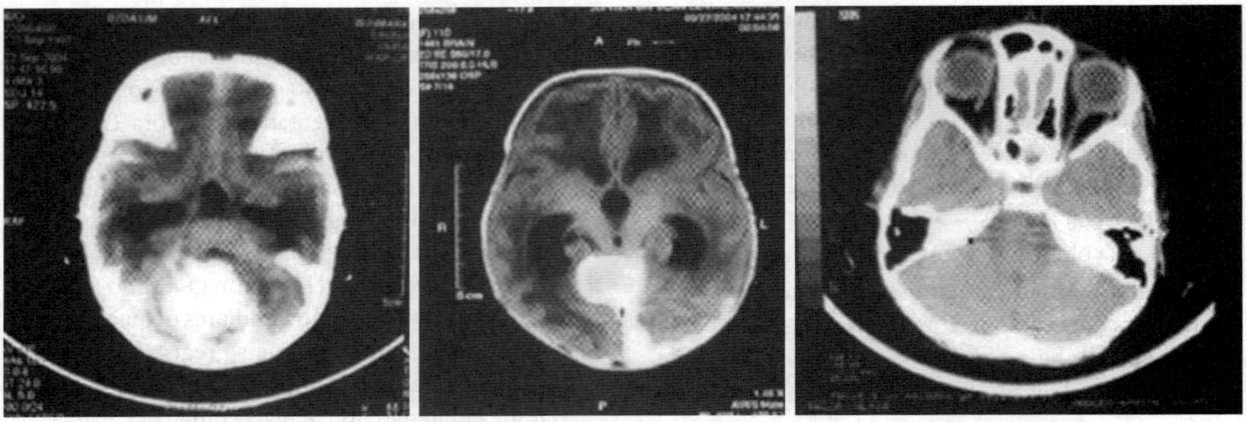

Figura 218.9 – Tomografia TC, RMN KK Índia 2004/2008.

15. Dieta cetogênica no tratamento de dois pacientes pediátricos com astrocitoma

Objective: Establish dietary-induced ketosis in pediatric oncology patients to determine if a ketogenic state would decrease glucose availability to certain tumors, thereby potentially impairing tumor metabolism without adversely affecting the patient's overall nutritional status.

Design: Case report.

Setting: University Hospitals of Cleveland.

Subjects: Two female pediatric patients with advanced stage malignant Astrocytoma tumors.

Interventions: Patients were followed as outpatients for 8 weeks. Ketosis was maintained by consuming a 60% medium chain triglyceride oil-based diet.

Main outcome measures: Tumor glucose metabolism was assessed by Positron Emission Tomography (PET), comparing [Fluorine-18] 2-deoxy-2-fluoro-D-glucose (FDG) uptake at the tumor site before and following the trial period.

Results: Within 7 days of initiating the ketogenic diet, blood glucose levels declined to low-normal levels and blood ketones were elevated twenty to thirty fold. Results of PET scans indicated a 21.8% average decrease in glucose uptake at the tumor site in both subjects. One patient exhibited significant clinical improvements in mood and new skill development during the study. She continued the ketogenic diet for an additional twelve months, remaining free of disease progression.

Conclusion: While this diet does not replace conventional antineoplastic treatments, these preliminary results suggest a potential for clinical application which merits further research.

Reference. Nebeling LC, Miraldi F, Shurin SB, Lerner E. Effects of a ketogenic diet on tumor metabolism and nutritional status in pediatric oncology patients: two case reports. J Am Coll Nutr (1995) 14(2):202–8.10.1080/07315724.1995.10718495

16. Regressão espontânea de astrocitoma pilocítico de septo pelúcido, possível efeito do cannabis na regressão. Dois casos. Não computado

The authors report two children with septum pellucidum/forniceal pilocytic astrocytoma (PA) tumors in the absence of NF-1, who underwent craniotomy and subtotal excision, leaving behind a small residual in each case. During Magnetic Resonance Imaging (MRI) surveillance in the first three years, one case was dormant and the other showed slight increase in size, followed by clear regression of both residual tumors over the following 3-year period. Neither patient received any conventional adjuvant treatment. The tumors regressed over the same period of time that cannabis was consumed via inhalation, raising the possibility that the cannabis played a role in the tumor regression.

Conclusion: The authors advise caution against instituting adjuvant therapy or further aggressive surgery for small residual PAs, especially in eloquent locations, even if there appears to be slight progression, since regression may occur later. Further research may be appropriate to elucidate the increasingly recognized effect of cannabis/cannabinoids on gliomas.

Reference. Foroughi M, Hendson G, Sargent MA, Steinbok P. Spontaneous regression of septum pellucidum/forniceal pilocytic astrocytomas--possible role of Cannabis inhalation. Childs Nerv Syst. 2011 Apr;27(4):671-9.

CAPÍTULO 219

Carcinoma de cabeça e pescoço: 39 pacientes

1. **Carcinoma espinocelular de cabeça e pescoço que regrediu com o tratamento completo biomolecular (via oral mais intravenoso) junto com CDB/THC.**
M.M.V.Z., 69 anos de idade, sexo feminino apresentou no final de julho de 2019 vermelhidão na região malar do rosto à esquerda que evolui com aumento regional do volume. Tomografia de face e pescoço em 03/09/2019 mostrou formação expansiva e infiltrativa com atenuação de partes moles na região malar esquerda. Esta formação nodular mede 4,2 x 3,9 x 3,2cm e se espalha em todas as direções sem invasão óssea, compatível com carcinoma espinocelular. Alguns linfonodos nas sete cadeias ganglionares do pescoço, os dois maiores na cadeia IB de até 1,2 x 0,7cm. Clinicamente em excelente estado geral, leve aumento da pressão arterial e 97% de saturação de hemoglobina na oximetria. O Sensograma mostrou: aumento de chumbo, mercúrio e antimônio. A bioressonância mostrou aumento de chumbo e mercúrio, ao lado dos agrotóxicos, glifosato e diazenon. Hemoglobina: 11,2g%, ferritina: 193ng/ml. PCR ultrassensível: 4,5mg/dl, DHEA: 23μg/dl. Eletrólitos, glicemia, insulinemia, ceruloplasmina: normais.
Apresentava aumento de IgG de vários vÍrus: CMV > 500, EBV > 750, anti-EBNA: positivo de 1/160, coxsackievírus-B(1-6): positivo, herpes-vírus 1-2 > 28, herpes-vírus-6: negativo. Usamos homeopatia a CH30 para retirar metais e agrotóxicos e usamos estratégias para aumentar Th1 (Ganoderma lucidum, glucana, fucoidan, naltrexone, hormônio D3, BCG subcutâneo) e estratégias antivirais (cimetidina, Moringa oleifera, nistatina, óleo de alho, DIM, Rosmarinus off., Ocimum basilicum, Salvia off., berberina, sanguinarina, Chenopodium ambrosioides, Chelidoneum majus). Na evolução conseguimos retirar os agrotóxicos, houve diminuição do chumbo e mercúrio, porém ainda presentes e os vírus permanecera. A paciente piorou o estado geral e a tumoração aumentou (8,2 x 7,0 x 1,7cm) em 3 meses de tratamento somente por via oral. Passamos ao tratamento intravenoso: EDTA + HCl, Vitamina C em altas doses (60g com níveis no sangue superior a 400mg%) e ácido lipoico e, em 40 dias, glucana intravenosa com doses progressivas até apresentar febre. A paciente foi melhorando o estado geral e a tumefação malar começou a diminuir. Entretanto, apresentava náuseas, vômitos e muita dificuldade em se alimentar. Começamos os canabidioides CDB/THC na proporção 1:1 e cessaram as náuseas e vômitos. O apetite aumentou e a paciente em 50 dias engordou 3,5kg e o estado geral melhorou drasticamente. Após 4 meses o nódulo tumoral regrediu totalmente. Ensinamento: idosa, morando longe do consultório, poucos recursos, não importa se está em ótimo estado geral: devemos proceder ao tratamento biomolecular completo. **Clínica JFJ.**

2. **Carcinoma espinocelular de cabeça e pescoço tratado com cirurgia e biomolecular**
E.A.F.T., sexo masculino, 56 anos de idade, em outubro de 2018 notou gânglio na região submandibular esquerda. Tomografia mostrou nódulo de 4,9 x 4,7 x 3,6cm e 3 linfonodos medindo ao redor de 1,2cm cada. O nódulo foi retirado em 31/04/2019: carcinoma espinocelular invasivo com expressão de p16, p63 e panceratina. Ki-67 positivo em 50% das células neoplásicas. Revisão de lâmina: Carcinoma espinocelular queratinizante moderadamente diferenciado. Linfonodos: padrão folicular reacional. Pet-Scan em 25/05/2019: Hipercaptação na região cervical esquerda (SUV 4,1) no local cirúrgico. Nódulo no lobo superior direito do pulmão medindo 1,5cm. Negou quimioterapia e radioterapia. Sensograma: chumbo e deltametrina. PPD: 10mm, IgG para citomegalovírus, 193 e para Epstein-Barr vírus, > 750 e Mycoplasma pneumoniae. Ferritina: 473ng/ml, 25D3: 36ng/ml, PTH: 48ng/ml; glicemia: 90mg% e insulinemia; 27UI/ml. Recebeu: dieta inteligente, cloridrato de minociclina por 30 dias, Glifage XR 1000mg/dia; CH30 para ferro, chumbo e deltametrina; tintura de Corian-

drum sativum, Sol, água estruturada e hidrogenada, osmólitos estruturadores, cúrcuma, genisteína, parthenoide, silibinina, resveratrol, piperina, colecalciferol: 10milUi/dia mais riboflavina, retinol, vit. K2, óleo de borago e de peixe; luteolina, picolinato de zinco mais cloroquina e amiloride; iodo molecular 110mg/dia; luteolina; berberina mais sanguinarina, Chelidoneum majus e Chenopodium, melatonina; naltrexone mais espironolactona. Medicamentos intravenosos: Sob máscara de não refluxo de oxigênio, 9 soros de EDTA com cloridrato de hidrogênio mais vitamina C em altas doses (4x) alternados com ácido lipoico (5x) em cama magnética (120 Gauss, 60Hz) e finalmente Lakhovsky. PET-SCAN: 25/05/2019 → aumento do metabolismo, SUV: 4,1 na região submandibular esquerda.

Início do tratamento em 10/11/19 com as fórmulas e soros. 14/01/2020: término dos soros.

PET-SCAN: 20/02/2020 → não mostrou aumento de metabolismo na região submandibular esquerda. **Clínica JFJ.**

3. **Carcinoma epidermoide pouco diferenciado de pescoço e glândula parótida com metástases pulmonares, paratraqueal e mediastino que desapareceram rapidamente após quimioterapia mais estratégia biomolecular**

L.C.A.C., 58 anos de idade, com linfonodos palpáveis na face lateral esquerda do pescoço e parótida esquerda. Biopsia: carcinoma pouco diferenciado. Tomografia pulmonar: negativa. RNM de abdome: negativo. FDG-PET SCAN em fevereiro/2017: aumento de captação nos gânglios cervicais. Fez 33 sessões de radioterapia e cisplatina com desaparecimento total das massas cervicais e da parótida. FDG-PET SCAN em setembro de 2017 com aumento da captação em nódulo pulmonar (SUV:17,9) e vários gânglios de mediastino, tendo o maior SUV:18,2. Começou cisplatina e erbitux em 05/10/2017. Chegou ao consultório em bom estado geral, com apetite e sem cansaço. Ferritina: 286ng/ml, PTH: 59pg/ml, 25D3: 19ng/ml, Hemoglobina: 12,3g%, leucócitos: 4480/ml, linfócitos: 1070/ml e monócitos: 370/ml, CD4: 170/ml, linfócitos T: 331/ml, linfócitos B: 385/ml. NK:141/ml, Na^+:140, K^+: 3,9 e Mg^+: 2,2mEq/l, creatinina: 0,49mg/dl, Aldosterona: 9,7ng/dl, DHEA: 58mcg/dl, IGF-I: 178ng/ml DHL: 315 U/l, fosfatase alcalina: 60U/l, G6PD: 9,5. IgG EBV: 71UI, IgG CMV: negativo. Sensograma: aumento de arsênio e chumbo. Biorressonância: aumento de arsênio e de vários agrotóxicos. Iniciamos por via intravenosa: EDTA 3x/semana mais ácido ascórbico 25-50-50g e depois 20g 3x/semana, logo após o EDTA. O nível sérico do ácido ascórbico foi mantido entre 50 e 60mMol/l. Banhos de Sol; atividade física; forrar leito com papel-alumínio, BCG mais glucana subcutânea 3x/semana. Via oral: sal de Karpanen; taurina com mioinositol, trimetilglicina e óxido de silício; DHEA; Sigmatriol; colecalciferol com genisteína, riboflavina, vit. K2 e retinol; curcumina a 95% com piperina, resveratrol e partenolide; iodo molecular; naltrexone com espirolactona; Ganoderma lucidum com selênio; óleo de Borago, Berberina com Sanguinarina, Chelidoneum majus e Chenopodium ambrosioides e ácido lipoico com hidroxicitrato, extrato de semente de uva, CoQ10, Mn, B9 e K1. Dieta inteligente. Em 7/11/2017 a tomografia mostrou redução do nódulo pulmonar para 1,2cm e redução dos micronódulos. Nova tomografia em 28/12/2017: ausência dos linfonodos mediastinais e paratraqueais e dos micronódulos. Persistem dois nódulos no pulmão, o maior com 1,2 x 0,6cm. PET-SCAN em 20/02/1918 desaparecimento total dos gânglios de mediastino, restando apenas os dois nódulos descritos no PET anterior, com SUV, e desaparecimento de dois linfonodos submandibulares à palpação. Paciente em ótimo estado geral, sem cansaço, com bom apetite, mas emagrecendo devido à mucosite. Pediu atestado para voltar a lecionar. Novas ima-

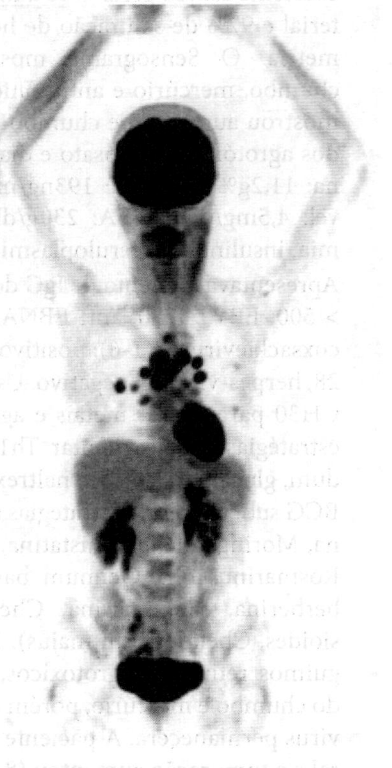

Figura 219.1 – PET-SCAN em 12/09/2017 no início da estratégia convencional mais biomolecular.

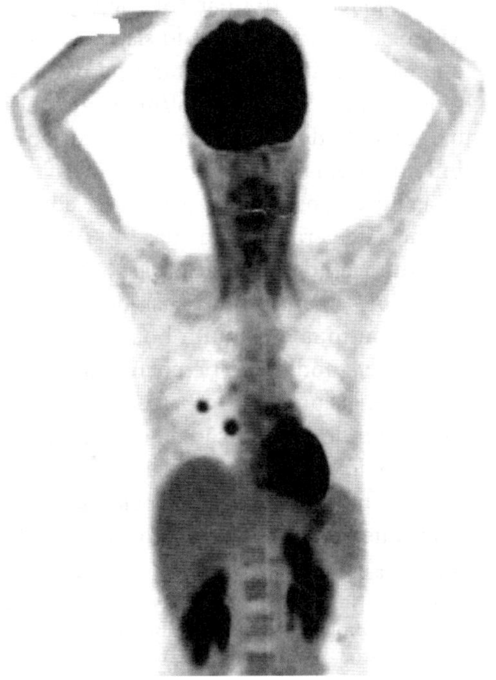

Figura 219.2 – PET-SCAN em 20-02-2018, 4 meses após o tratamento em conjunto convencional mais biomolecular.

gens estavam inalteradas em outubro de 2018. Um ano depois começou a emagrecer e nada mais funcionou. **Clínica JFJ.**

4. **Carcinoma espinocelular invasivo de lábio superior que está regredindo drasticamente somente com a estratégia biomolecular**

M.C.F., sexo feminino, 66 anos de idade. Em 15 de março de 2018, a partir de duas bioópsias, foi diagnosticada com carcinoma espinocelular de lábio superior com extensão de 6,6 x 2,4cm e de consistência firme. O plano oncológico foi cirurgia extensa e mutilante de face seguida de radioterapia. A paciente não aceitou. Veio ao consultório em 13 de junho de 2018 em ótimo estado geral, tez branca como a neve, bom apetite, sem cansaço e com 7kg de perda de peso por mudança recente da dieta: aboliu carboidratos refinados. A espectrometria frequencial de Raman revelou aumento de 3 metais carcinogênicos: arsênio, mercúrio e chumbo. Ferritina sérica: 242ng/ml e ceruloplasmina: 24,9mg%. EBV: IgG 6,6UI/l (reagente > 1,1), CMV > 500 u/ml (reagente > 1,0), Mycoplasma pneumoniae e Chlamydophila pneumoniae: não reagentes. Hemoglobina: 12,8g%, leucócitos: 5700/mm^3, linfócitos: 1995/mm^3, monócitos: 399/mm^3. Volume corpuscular médio: 96 micra^3 (deficiência de vit. B12); DHEA-sulfato: 112mcg/dl, aldosterona: 6,4ng/dl, PTH e IGF-I elevados, glicemia: 126mg%, insulinemia: 2,4mU/l, Mg^{++}: 2,3mEq/l, Na^+: 143mEq/l, K^+: 4,6mEq/l. A história pregressa revelou enxaqueca desde a adolescência, acompanhada por tremores, tontura e sensação de desmaio. Feito curva glicêmica que mostrou na 4ª hora uma hipoglicemia de 35mg% com insulinemia precoce de 56,8UI. Hipoglicemia de longa duração pela hipótese Poderoso favorece o aparecimento de neoplasias, principalmente com os fatores causais aqui mostrados. Tratamento geral: de imediato colecalciferol (600.000UI) e metilcobalamina (25.000UI) 1 ampola cadapor via intramuscular. Banhos de Sol, atividade física, manta de alumínio sob o colchão e cadeiras, osmolitos estruturadores, agentes nutricionais demetilantes e acetilantes, Sigmatriol 3cp/dia por 30 dias e melatonina 20mg ao deitar. Depakote ER; DHEA 100mg/dia mais genisteína (para inibir NADPH e aumentar a eficácia do ácido ascórbico intravenoso); BCG + glucana subcutânea; extrato de Ganoderma lucidum com selênio e resveratrol; naltrexone + espironolactona + vit. K2; Benzaldeído; colecalciferol (10mil UI/dia); extratos de berberina, sanguinarina, Chelidoneum majus, Chenopodium ambrosioides; iodo molecular 90mg/dia; picolinato de zinco; ácido alfalipoico + hidroxicitrato + extrato de semente de uva (ácido gálico) + CoQ10, manganês + vit. B9 + retinol 300.000 + Vit. K1 e K2; curcumina + silibinina + piperina + riboflavina. Quelação homeopática dos metais (30CH). Tratamento intravenoso em cama magnética a 120 Gauss e 60Hz: 20 soros com EDTA e cloridrato de hidrogênio seguido de ácido ascórbico gradativo com dosagem sérica para verificar dose ideal: mantido concentração sérica de 22,7miliMol/litro (50g de vit. C). Após os soros era submetida a 20 minutos de oscilador de múltiplas ondas de Lakhovsky. Em 30 dias metais tóxicos não diminuíram e dobramos a dose do EDTA. Em mais 30 dias o mercúrio e o chumbo caíram drasticamente e o arsênico permaneceu elevado. Ao terminar os 20 soros duplos fizemos mais 10 soros com ácido alfalipoico e complementos. Novos exames: IGF-1 diminuiu para 69,5ng/ml; Na^+ diminuiu para 133mEq/l; K^+ aumentou para 5,4mEq/l; leucócitos aumentaram para 8.000/mm^3, monócitos aumentaram para 1378/mm^3, glicemia caiu para 85mg% e o PTH caiu para 21,3pg/ml revelando aumento do hormônio D3. Em dois meses de tratamento a tumoração permanecia com as mesmas dimensões, porém com consistência menos firme. Dessa forma, acrescentamos: óleo de borago (6g/dia); óleo de peixe ômega-3 (4-6g/dia); luteolina + parthenoide + acetato de zinco + EGCG; cloreto de lítio (150mg de Li/dia); difosfato de cloroquina + Moringa oleífera + Momordica charantia; óleo LLC (linhaça + coco) 3 colheres das de sopa/dia. Em 17 de outubro de 2018, 4 meses de tratamento, a paciente encontrava-se em excelente estado geral, sem cansaço, bom apetite e engordou 2kg e a tumoração do lábio superior apresentava apenas 0,6 x 0,5cm. **Clínica JFJ.**

5. **Carcinoma epidermoide de nasofaringe e metástase ganglionar tratado com RF: 484MHz e oxidação sistêmica**

L.G.S., sexo masculino, 69 anos de idade, em novembro de 2002 notou um nódulo na face lateral do pescoço. Em junho de 2003, a biópsia aspirativa do nódulo mostrou carcinoma epidermoide metastático em gânglio linfático. A tomografia computadorizada de face e pescoço em 26 de junho mostrou o tumor de orofaringe com metástase em linfonodo medindo 5,0 × 3,0 × 2,0cm. Foi indicada cirurgia radical onde haveria grande possibilidade de sequela neurológica (acidente vascular cerebral), devido à invasão do tumor ao redor da artéria carótida interna. Nova tomografia em 31 de julho de 2003 mostrou o tumor com as mesmas características. O paciente não autorizou a cirurgia mutilante e negou se submeter a quimioterapia e radioterapia. Após consentimento por escrito, iniciamos o protocolo oxidante com RF de 484MHz em 18 de agosto de 2003. As aplicações foram feitas 3 vezes por semana. A primeira durou apenas 6 minutos, com 40W, pausa de 15 minutos e mais 6 minutos de irradiação agora com 60W. Sempre mantendo ROE inferior a 1,5. Até a oitava aplicação foram mantidos os 60W por 6 minutos, duas vezes com pausa de 15minutos. Logo nas primeiras aplicações piorou a dificuldade de engolir e na oitava aplicação pedimos tomografia de cabeça e pescoço e hemograma. O hemograma mostrou grande aumento dos leucócitos com predomínio de neutrófilos, revelando processo inflamatório agudo. A tomografia realizada em 8 de setembro de 2003 (30 dias após o início do tratamento) mostrou diminuição do tumor de 5,0cm para 3,0cm. Continuamos o tratamento aumentando gradativamente o tempo de exposição e mantendo os 60W até completarmos 15 aplicações em 22 de setembro. A dificuldade de engolir desapareceu. Sempre se apresentou em muito bom estado geral e alimentando-se sem dificuldade, mesmo antes do tratamento. Em 2 de outubro nova tomografia continuou mostrando a redução volumétrica do tumor metastático: 3,0 × 2,2cm. Os linfócitos T aumentaram de 1.176 para 1.663, os linfócitos B de 269 para 347 e as células *natural killer* de 269 para 347 após o tratamento, evidenciando a melhoria do sistema imune de defesa. Conseguimos aumentar a peroxidação lipídica de 253 para 593 nanomol/ml de malondialdeído, um aumento de 134% na oxidação sistêmica. Continuamos com mais 15 aplicações de RF aumentando as doses dos agentes oxidantes, aumentando a potência do gerador para quase 100W e aumentando a duração da exposição para 30 minutos, duas vezes por semana, com pausa de 10 minutos. Paciente continua em muito bom estado geral, sem queixas, e o nódulo do pescoço está com menos de 1,0cm e mais profundo à palpação. CONCLUSÃO: houve grande diminuição da massa tumoral e estimulação do sistema imune de defesa contra o câncer. Pacientes com sobrevida pelo menos de 6 anos, época que perdemos o contato. **Clínica JFJ.**

Referências:

1. Felippe JJr. Georges Lakhovsky: Efeito das Ciências Físicas na Biologia. Journal of Biomolecular Medicine & Free Radicals. 6:16-21;2000.
2. Felippe JJr. Bioeletromagnetismo: Medicina Biofísica. Journal of Biomolecular Medicine & Free Radicals. 6:41-4;2000.
3. Felippe JJr. Tratamento de doenças envolvendo frequência de ondas. Journal of Biomolecular Medicine & Free Radicals. 6:39-40;2000.
4. Felippe JJr. Radiofrequência Harmônica; Caso Clínico. Revista de Medicina Complementar. (8)2:28;2002.
5. Felippe JJr. Estratégia de indução de apoptose, de inibição da proliferação celular e de inibição da angiogênese com a oxidação intratumoral no tratamento do câncer. Revisão com 256 referências bibliográficas. In: www.medicinabiomolecular.com.br.
6. Galili U, Caine M, et al. Specific attachment of T-lymphocites from cancer patients to tumor cells. Cancer Lett. 3:121-4;1977.
7. Holt JAG. The cure of cancer, A preliminary Hypothesis. Aust Radiol. 18:15-7;1974.
8. Holt JAG. The use of VHF radiowaves in cancer therapy. Aust Radiol. 19:223-41;1975.
9. Holt JAG. The metabolism of sulphurin relation to the biochemistry of cystine and cisteine. Med Hypothesis. 58:658-76;2001.
10. Hornback NB, Shupe RE, et al. Preliminary clinical results of combined 433 megahertz microwave therapy and radiation therapy on patients with advanced cancer. Cancer. 40:2854-63;1977.
11. Hornback NB. Historical aspects of hyperthemia in cancer therapy. Radiol Clin Noth Am. 27:481-8;1989.
12. Joines WT, Jirtle RL, Rafal MD, Schaefer DJ. Microwave power absorption differences between normal and malignant tissue. Int J Radiat Oncol Biol Phys. 6:681-7;1980.
13. Sugaar S, LeVeen H. A histopatologic study on the effects of radiofrequency thermotherapy on malignant tumors of the lung. Cancer. 43:767-83;1979.

6. **Carcinoma epidermoide de língua e benzaldeído – 4 pacientes**

Três dos 4 pacientes com carcinoma epidermoide de língua haviam recebido previamente radioterapia e quimioterapia e todos se encontravam em péssimas condições clínicas no início do tratamento. Após 1,5 a 6 meses de CDBA, todos os 4 pacientes com câncer de língua alcançaram remissão completa. Nesses 4 pacientes houve um fato muito interessante, que acontece quando se trata o câncer com o respeito que as células doentes merecem: a diferenciação das células neoplásicas em células epidermoides normais e queratinizadas. CDBA é o extrato de amêndoas amargas ou extrato de folhas de figo, quimicamente é o benzaldeído a 8,3% em maltedextrina. Foi administrado 500mg/dia dividido em 4 doses. Não houve efeitos colaterais.

Referências:

Kochi M, Takeuchi S, Mizutani T, et al. Antitumor activity of benzaldehyde. Cancer Treat Rep. 64:21-3;1980.

Kochi M, Isono N, Niwayama M, Shirakabe K. Antitumor activity of a benzaldehyde derivative. Cancer Treat Rep. 69:533-7;1985.

7. **Câncer de base da língua com metástases em linfonodos do pescoço tratado com benzaldeído**

Mulher com 37 anos de idade detectou linfonodo aumentado no pescoço. Biópsia: carcinoma epidermoide pobremente diferenciado. Na cirurgia removeu todos os linfonodos e parte da glândula tiroide. Nove anos depois desenvolveu nova tumoração na base da língua estendendo-se para a valécula com metástase em linfonodos. Biópsia: mesmo tipo de tumor, tamanho 2 × 3cm. Fez radioterapia que terminou em 20 de julho de 1973. Em novembro de 1973 e 46 anos de idade, apareceu linfonodo positivo na axila direita e do lado esquerdo do pescoço. Não falava, hipotiroidismo, boca sem saliva e pele do pescoço com extensas cicatrizes pós-radioterapia. Iniciou laetrile por via intravenosa em setembro de 1975. A saúde melhorou muito, voltou a falar e seu câncer pareceu estar sob controle. Sobrevida de 17 anos após o benzaldeído. Faleceu com 68 anos de pneumonia.

Referência. Laetrile Case Histories –The Richardson Cancer Clinic Experience. California: Published by American Media; 2005.

8. **Câncer de cordas vocais tratado com benzaldeído**

Homem com rouquidão e dificuldade de falar teve a corda vocal biopsiada: carcinoma epidermoide na comissura direita anterior da corda vocal. Não aceitou: cirurgia, quimioterapia ou radioterapia. Iniciou laetrile por via intravenosa e depois por via oral (benzaldeído mais cianeto) em 18 de agosto de 1971, juntamente com dieta vegetariana e pancreatina. Em 8 semanas sua voz retornou ao normal. Na laringoscopia houve regressão total do tumor. Apresentou laringites intermitentes, porém repetidas laringoscopias não mostraram tumoração. Após 5,5 anos mantinha-se sem a doença.

Referência. Laetrile Case Histories – The Richardson Cancer Clinic Experience. California: Published by American Media; 2005.

9. **Carcinoma de parótida tratado com benzaldeído**

Houve remissão completa em 6 meses de tratamento com benzaldeído. CDBA é o extrato de amêndoas amargas ou extrato de folhas de figo, quimicamente é o benzaldeído a 8,3% em maltedextrina. Foi administrado 500mg/dia dividido em 4 doses. Não houve efeitos colaterais.

Referências:

Kochi M, Takeuchi S, Mizutani T, et al. Antitumor activity of benzaldehyde. Cancer Treat Rep. 64:21-3;1980.

Kochi M, Isono N, Niwayama M, Shirakabe K. Antitumor activity of a benzaldehyde derivative. Cancer Treat Rep. 69:533-7;1985.

10. **Câncer de língua – carcinoma epidermoide tratado com 4,6-0-benzylidene-D-glucopyranese (derivado do benzaldeído)**

Houve regressão total do tumor sem efeitos colaterais.

11. **Carcinoma de língua tratado com naltrexone em baixas doses e 1,25(OH)$_2$D$_3$ – remissão de longo prazo**

http://www.medicinabiomolecular.com.br/biblioteca/pdfs/Casos-Clinicos/cc-0707.pdf – Trabalho na íntegra com imagens no site. Naltrexone (ReVia®) is a long-acting oral pure opiate antagonist which is approved for the treatment of alcohol addiction as a 50mg per day tablet. The mechanism of action is complete opiate blockade, which removes the pleasure sensation derived from drinking alcohol (created by endorphins). Low Dose Naltrexone ("LDN") in the range of 3-4.5 mg per day has been shown to have the opposite effect – brief opiate receptor blockade with resulting upregulation of endogenous opiate production. Through the work of Bihari and Zagon, it has been determined that the level of the endogenous opiate methionine-enkephalin is increased by LDN. Met-enkephalin is involved in regulating cell proliferation and can inhibit cancer cell growth in multiple cell lines. Increased met-enkepahlin levels created by LDN thus have the potential to inhibit cancer growth in humans. Phase II human trials of met-enkephalin, case reports published by Berkson and Rubin, and the clinical experience of Bihari confirmed the potential role of LDN in treating pancreatic and other cancers. However, large scale trials are lacking and are unlikely to be funded given the current non-proprietary status of naltrexone. A case report is presented of successful treatment of adenoid cystic carcinoma as further evidence of LDN's potential as a unique non-toxic cancer therapy.

Referência. Khan A. Long-term remission of adenoid cystic tongue carcinoma with low dose naltrexone and vitamin D3--a case report. Oral Health Dent Manag. 13:721;2014.

12. Remissão de longo prazo de carcinoma cistoadenoide de língua com naltrexone em baixa dose e vitamina D3

Referência. Khan A. Long-term remission of adenoid cystic tongue carcinoma with low dose naltrexone and vitamin D3--a case report. Oral Health Dent Manag. 13:721-4;2014.

13. Carcinoma de laringe tratado com GLA-EPA-DHA

Paciente com 60 anos de idade, apresentando carcinoma de laringe, em mau estado geral, com expectativa de vida de poucos meses. Ainda permanece vivo e em bom estado geral após 1 ano ingerindo: GLA 1,6g/dia, EPA 1,6g/dia e DHA 0,5g/dia.

Referência. European patente application, number 85305660.4 de 09/08/1985.

14. Papilomatose laringeal – papiloma viral humano de laringe tratado com *Coix lacryma*

http://www.medicinabiomolecular.com.br/biblioteca/pdfs/Casos-Clinicos/cc-0267.pdf

15. Pólipo de corda vocal benigno que desapareceu totalmente com semente de *Coix lacryma*

http://www.medicinabiomolecular.com.br/biblioteca/pdfs/Casos-Clinicos/cc-0268.pdf

15. Câncer de cabeça e pescoço: uso de mistura de ácido fraco com ácido forte HCl + ácido oxálico + ácido fosfórico

A 46 year old male patient diagnosed with a 2 cm carcinoma of the tongue was unsuccessfully treated with chemotherapy and radiation. Patient was diagnosed with a possible cancerous tumor in the tongue and underwent a biopsy which confirmed the tumor was cancerous. Three months later patient underwent surgery to remove the tumor. A biopsy of the removed tissue confirmed that it was cancerous. Following the surgery patient underwent 6 weeks of chemotherapy comprising 5-Fluorouracil, carboplatin, interferon and retinoids. Two weeks following the chemotherapy, the patient received radiation therapy and was treated with Vesanoid. RTM (tretinoin) for five months post radiation. The patient continued to have high tumoral markers, lost weight and felt weak and tired. Patient's tumor markers were Ki67-2; PCNA-3; P53-3. One year post diagnosis, patient start taking twenty (20) drops of Formulation 1 diluted in 250 ml of fruit juice was administered three (3) times per day for 90 days. Tests taken fifteen months post diagnosis showed that the patient's T and Bcells were back within normal range but that there was a slightly elevated CD4 count and suppressor cells. The patient's CD4/CD8 ratio was substantially reduced. Patient rapidly regained vitality and today shows no signs of cancer except for an elevated CD4/CD8 count, which the attending physician considers normal for this patient.

Referência. http://www.docstoc.com/docs/56102141/Pharmacologically-Active-Strong-AcidSolutions-Patent-7141251 or WWW.freepatentsonline.com

16. Câncer de cabeça e pescoço: uso de mistura de ácido fraco com ácido forte HCl + ácido oxálico + ácido fosfórico

A female patient age 5 was diagnosed with a Granulomatoid lesion in the right ear (Hystiocitosis X) following a biopsy. At the time of diagnosis the tumor completely obstructed the ear canal of the right ear and was bleeding. A picture of thetumor is shown in FIG. 2A. Three weeks later the patient initiated oral treatment with Formulation 1 at a dose of 20 drops 3 times a day. When treatment was initiated the patient received an abdominal echogram which identified a bent gallbladder and aslightly enlarged pancreas but with no other abnormalities. The following week a cranial X-ray was taken showing perforations in the cranium. A bone scan performed six weeks post diagnosis identified an abnormal accumulation of the radiotracer in thehead, close to the right ear, confirming the original diagnosis. At this time the patient experienced a bloody secretion from her right ear, but was otherwise doing well. the following week, a cytogenetical study is performed for a granulomaeosinofilicus tumor. In 94% of the metaphase cells a normal complement was observed. However, two karyotypes were identified with close complement to the tetraploidia with five copies of the chromosomes 7, 14, 20 and 21; three copies of chromosomes 17, 18 and 19, and four copies of the other autosome chromosomes. Conclusions: There has not been established a clear correlation with the presence of cytogenetic alterations in the patients with granuloma eosinofilicus. However, a karyotype tretraploidehides is the forecast in hematological malignancies. Four months post diagnosis the patient's mother indicates that her health is improving and that the patient has resumed normal sleep habits and had a good appetite. Urination was normal although patient suffered slight constipation. Thesecretions from the ear had ceased and any malodors had ceased. Examination by an otolaryngologist shows that the tumor had shrunk to a circle of approximately 21/4 cm diameter, and suggested to continue treatment with Formulation 1. A CAT scan takenat four and a half months post diagnosis does not identify any lesions. At six months post diagnosis the tumor is undetectable. At eight months post diagnosis, the otolaryngologist confirms total disappearance of tumor from the ear. One year post-diagnosis, the patient was considered to be in normal health and free of any tumor. FIG. 2B shows the right ear of the patient after treatment with Formulation 1.

Referência. http://www.docstoc.com/docs/56102141/Pharmacologically-Active-Strong-AcidSolutions---Patent-7141251: or www.freepatentsonline.com

17. Epitelioma de lábio tratado com HCl por via intravenosa e intramuscular

There were a few cases of treating cancer with success with injections of hydrochloric acid. One such case follows: The date was May 25, 1933 the doctor was O.P. Sweatt, MD of Waxahachie, Texas. The patient had epithelioma of the lower lip extending to within a quarter-inch of the chin. The cancerous area was the size of a silver dollar. There was much swelling and pain and an offensive odor with discharge. The patient had but little appetite. Treatment was intravenous infusions of 5cc of 1-1000 hydrochloric acid every second day. After three such injections, they were changed to intramuscular injections due to the patient having poor veins. On the sixth injection the acid was changed to 1-500 and this caused a severe reaction. After only six injections the patient had shown improvement. There was less pain, the discharge was less and the odor of it was less offensive. The patient had a better appetite and the swelling had decreased. In the reaction there was fever, rigor and painful aching which subsided in six hours. The next day the dose was reduced to 2.5cc and then increased on a gradual basis back to 5cc. Over the next 100 days, there were 50 such im [intramuscular] injections. There was steady improvement such that after injection number 18, this 77 year-old man was able to go out and chop thirty rows of cotton. Then the injections were changed back to intravenous infusions for 20 more treatments. The statement was made that at this point the patient was not cured but that the tumor was reduced to the size of a five-cent piece. Another observation was made. It was said that a black scaly substance would form over the tumor and then fall away and that each time this happened the tumor would be reduced in size a bit. Also it was noted that during this treatment, the patient had no need for pain medication. Here we see a case where intramuscular injections seemed to be effective. Also in this case there was notable regression after only six injections of hydrochloric acid. Here again, as in treating tuberculosis, over 50 injections were used over a period of many weeks.

Referência. Hydrochloric Acid for Untreatable Bacterial Infection (Published in Townsend Letter for Doctors & Patients, http://www.townsendletter.com/, January 2000, p. 115-116, permission to reprint granted by Wayne Martin) Reprint of Medical World's. Three Years of HCl Therapy is available at the "Books" tab in http://www.arthritistrust.org.

18. Adenocarcinoma de glândula parótida: uso de mistura de ácido fraco com ácido forte HCl + ácido oxálico + ácido fosfórico

Female patient age 50 was diagnosed with an adenocarcinoma of the right parotid by examination confirmed as a 3.1 cm × 1.7 cm × 1.5 cm tumor through echogram and MRI. Surgery was performed approximately 7 months post diagnosis and a 3 cmtumor was extracted. The tumor returned at eight months with metastasis to the lymph nodes and the patient was treated with 25 sessions of radiotherapy over the following 8 months during which the tumor regressed. One year post diagnosis, a renal echogram was performed identifying a hydronephrosis and left kidney litisis. Thirty four months following the original diagnosis, a Neoplastic Right Parotid Gland is again identified through MRI. Two months later the patient has an abdomen and pelvic ultrasound test, and the conclusions were: 1) Right Litiasis Renal Obstructive. 2) Renal Hydronephrosis IV/IV 3) Left Litiasis non obstructive 4) Left Kidney of irregular shape, probably related to infectious process. Patient decides not to undergo any further conventional therapy. Approximately thirty-eight months following the initial diagnosis, the patient presents a painful, visible tumor of 7 cm of diameter with infiltration to the ear and pre auricular area. A Q-Tip cannot be introduced into the ear canal. The leftside of the patients face suffered paralysis caused by the earlier radiation therapy and the patient had insomnia and cephalea. At this time the patient initiated oral treatment with Formulation 1 at an initial dose of 30 drops a day, increasing by 6drops each day until reaching a maximum of 120 drops/day. Within one week the patient is taking 70 drops a day and is experiencing needle like sensations in the area of the tumor and that her head feels lighter. The attending physician observes thetumor to be visibly decreasing in size. One area of the tumor is squamous, when before is was plain. The following week the patient returned for observation complaining of dizziness and nausea. One month after initiating treatment the patient experienced headaches and lethargy but continued taking Formulation. Six weeks following treatment the patient returned for observation at which point the tumor is bleeding, but is noticeably softer, darker and smaller. By this time the dizziness and headaches have stopped and the patient feels well. The tumor continued to bleed and shrink until at two months after starting treatment a finger can be introduced in the ear. By ten weeks the tumor shrunk further and shows necrosis until it broke inside the ear. The patient experienced bleeding through the mouth and ear. By twelve weeks following initialization of treatment, the tumor size is approximately 4 cm. Eighteen weeks after initiation of therapy with Formulation 1 the tumor has shrunk to 3 cm. The patient continues to take formulation.

Referência. http://www.docstoc.com/docs/56102141/Pharmacologically-Active-Strong-AcidSolutions---Patent-7141251: or www.freepatentsonline.com

19. Tumor recorrente de laringe e ácido clorídrico por via oral

Case of J.D., Nashville, Tenn., age 62 years. Jan. 11, 1931. Recurrent growth in larynx. Operated on 5 times at Johns Hopkins; last time Oct. 15, 1930. Very hoarse, larynx swollen, inflamed, involving epiglottis and putrid tongue. Solution given by mouth; still under treatment. Thinks he will get entirely well, as he is greatly improved and able to speak in public.

Referência. Three Years of HCL Therapy As Recorded in articles in The Medical World With Introduction by Henry Pleasants, Jr., AB, MD, FACP, Associate Editor Puhlished hy W. Philadelphia: Roy Huntsman, PA;1935.

20. Câncer de cabeça e pescoço ulcerado tratado com pasta de Mohs – cloreto de zinco

Mohs' chemosurgery, originally developed to treat skin cancer, uses zinc chloride in Mohs' ointment to fix tissues, and is applicable in different clinical settings. In advanced head and neck cancer, Mohs' chemosurgery relieves main skin-infiltration symptoms such as bleeding, infection, exudation, and severe pain. Mohs' chemosurgery conducted in two cases of advanced head and neck cancer yielded an acceptable result free of bleeding, pain, exudation, and infection. Steps in palliative care are repeated until the tumor surface is completely fixed. Using Mohs' ointment provides acceptable relief without technical complications. Although not a topical chemotherapeutic agent, it fixes the lesion well. Mohs' ointment use in controlling advanced head and neck cancer.

Referência. Minami K, Hasegawa N, Fukuoka O, et al. Nihon Jibiinkoka Gakkai Kaiho. 112:550-3.

21. Carcinoma epidermóide de língua com metástases ganglionares e inoperável tratado com extrato de placenta. 1 paciente

Mr. H. B., 56 years old, came under our care with a cancer involving more than half of the right part of the tongue. Multiple large submaxillar and cervical gland metastases were present, two of them being approximately 8 cm. in diameter. The mouth lesion was very painful and bled occasionally; there was moderate pain in the ganglionar metastases. A biopsy performed at a much earlier stage had shown a squamous carcinoma. Considered inoperable, the subject had not received any treatment except for pain palliation.

We administered daily intramuscular injections of 5 cc. of the placenta extract. Except for a limited local reaction at the site of injection, no disagreeable effects were seen. On the contrary, after each injection, the pain in the tongue was reduced for a few hours. It disappeared entirely after one week of treatment. During the second week of treatment, the tumor of the tongue, as well as the metastases, began to decrease in size. The local reaction at the site of the injections increased, however, to such an extent that we were obliged to stop treatment after 5 weeks. In spite of this, the lesions continued to decrease so that the tongue tumor was no longer palpable after two months. At that time, the gland metastases were reduced to approximately one and a half centimeters in diameter. The patient's general condition was much improved and he gained weight. In another month, except for a scar on the tongue, no other pathology could be found. We followed this case without treatment for another year and a half during which time there was no recurrence. After that, the patient left town and we were unable to reestablish contact with him.

Nota: In over 100 terminal patients treated with this preparation between 1935 and 1938 in different hospitals in Paris, objective improvement was observed in only 20%. In a few, tumors disappeared. Acid pattern pain was relieved. In many of these cases, however, after a period in which the tumor decreased in size, or even clinically disappeared, it started to grow again and could not be influenced by further treatment. Furthermore, when the dose was increased, other pathological manifestations appeared.

Referência. Revici E. Research In Physiopathology As Basis Of Guided Chemotherapy With Special Application To Cancer - 1961 Publisher: D. Van Nostrand Company, Inc Copyright: 1962.

22. Carcinoma de bochecha ulcerado e perfurado – extrato de placenta. Não computado

Mr. A. N., 40 years old had an extensive cancer of the cheek, with massive ulceration resulting in a large communication between oral cavity and exterior. Occasionally small hemorrhagic episodes were experienced. The patient had had several courses of radium therapy. When he came under our care, he had multiple lesions, and several biopsies performed at that time revealed active carcinoma in all lesions tested. The patient received intramuscular injections of 5 cc. of the placenta extract preparation daily for 17 days. A massive hemorrhage occurred at this point, treatment was stopped, and he went home without further medication. When the patient returned three months later, scar tissue covered all areas where the tumor had been seen previously. Clinically no trace of tumor could be found. In a few months, the patient's condition was good enough to allow his surgeon to attempt a skin graft to cover the big opening in the cheek. This was not successful. The graft from the skin of the neck unfortunately underwent necrosis. In several other cases, similar subjective and objective changes were observed with use of the same alcoholic extract of human placenta autolysates. During this time, we attempted to substitute cow placenta, utilizing both fetal and maternal parts, which are easily separable in the cow. In a relatively small number of cases in which these products were used, we could see no differences in the influence of placenta extract according to origin. Poorer results were obtained with extracts using fresh placenta instead of the autolysate. However, certain interesting clinical results indicated that fresh placenta still has a capacity to influence what can be considered to be the normal course of cancer.

Referência. Revici E. Research In Physiopathology As Basis Of Guided Chemotherapy With Special Application To Cancer - 1961 Publisher: D. Van Nostrand Company, Inc Copyright: 1962,

Quatro casos: 21, 22, 23,24

John Holt na Austrália foi um dos primeiros pesquisadores a dar importância para a hipertermia no tratamento do câncer. Ele a empregou juntamente com a oxidação sistêmica. Com o emprego de UHF de 434 MHz e administrando GSSG como agente oxidante sistêmico, Holt obteve o desaparecimento de inúmeros tipos de câncer por períodos superiores a 5 anos. A maioria dos tumores não haviam respondido à cirurgia, quimioterapia ou radioterapia A seguir mostramos 3 casos consecutivos que foram tratados por Holt e publicados em 1993 na conceituada revista da literatura médica indexada "Medical Hypotheses".

23. A.P., sexo feminino, data do nascimento: 6/1/24. **Carcinoma nasofaringeal** com metástase bilateral nos linfonodos de pescoço. Radioterapia em agosto de 1975, setembro de 79 e abril de 1984. Recorrência diagnosticada por biópsia em julho de 1984, época que foi submetido ao protocolo e se livrou do câncer. Em março de 1990 estava livre do câncer.

24. C.P., sexo masculino, data do nascimento: 13/10/38. **Carcinoma nasofaringeal** com metástase unilateral em linfonodo de pescoço. Radioterapia em agosto de 1980 e maio de 1984. Recorrência diagnosticada por biópsia e início do protocolo em março de 1986. Ficou livre do câncer e assim permaneceu até o último exame em junho de 1991, inclusive com biópsia negativa.

25. M.H., sexo feminino, data do nascimento: 25/9/2. **Carcinoma nasofaringeal** com metástases de ambos os lados do pescoço. Radioterapia em janeiro de 1979 e março de 1980. Recorrência diagnosticada por biópsia e protocolo em outubro de 1980. Livre da doença em dezembro de 1980.

26. Carcinoma nasofaringeal com metástases unilaterais no pescoço. Mesmo protocolo, mesma evolução favorável.

27. Carcinoma de cabeça e pescoço e radiofrequência (RF)

Vinte e um pacientes com câncer de cabeça e pescoço que falharam em responder ao tratamento cirúrgico e à radioterapia responderam bem à RF. Conseguiu-se a destruição do tumor com necrose das células malignas e grande melhoria da qualidade de vida dos pacientes.

Referência. LeVeen HH, Wapnick S, Piccone V, et al. Tumor eradication by radiofrequency therapy. Responses in 21 patients. JAMA. 235:2198-200;1976.

28. Carcinoma de parótida metastático tratado com dieta inteligente

A.B.C., 50 anos de idade, sexo masculino. Carcinoma indiferenciado metastático para parótida diagnosticado em 1984. Realizada parotidectomia. Não se submeteu a radioterapia ou quimioterapia. Iniciou dieta semelhante à inteligente sob supervisão do Dr. Sidney Federmann e atividade física. Seguimento de 26 anos sem recidiva.

Pratica ciclismo e atualmente nutrição preventiva e está em excelente estado geral. Atleta.

29. Um paciente com carcinoma epidermoide oral e dois com carcinoma epidermoide laringeal que apresentaram regressão completa ou parcial das lesões da mucosa com metformina e não necessitaram de outros tratamentos

Case series. We present 3 cases in which adjuvant metformin therapy was used to treat recurrent and multifocal dysplastic lesions in previously treated nondiabetic malignancy in head and neck cancer (HNC) patients. Patients included 1 with a history of oral cavity squamous cell carcinoma (SCC) and 2 with a history of laryngeal SCC. Follow-up time ranged between 3 and 33 months. All 3 patients showed complete or partial regression of the remaining mucosal lesions and did not require any additional surgeries. We present 3 cases of nondiabetic HNC patients with field cancerization who showed a good response to adjuvant therapy with metformin. The nondiabetic population is not affected by confounding factors such as increased risk of malignancy and decreased overall survival that is itself associated with abnormal glucose metabolism and is therefore an excellent cohort in which to study the use of adjuvant metformin therapy in HNC patients.

Referência. Lerner MZ, Mor N, Paek H, Metformin Prevents the Progression of Dysplastic Mucosa of the Head and Neck to Carcinoma in Nondiabetic Patients. Ann Otol Rhinol Laryngol. Apr;126(4):340-343,2017.

30. Papilomatose respiratória recorrente tratada com Indol-3 carbinol. Não computado

Eighteen patients were treated with oral indole-3-carbinol and had a minimum follow-up of 8 months and a mean follow-up of 14.6 months. All patients received indole-3-carbinol, and outcome measures included a change in papilloma growth rate and the need for surgery during treatment compared with before treatment. All patients had serial examinations with videoendoscopy to document papilloma location and growth rate.

RESULTS: Thirty-three percent (6 of 18) of the study patients had a cessation of their papilloma growth and have not required surgery since the start of the study. Six patients have had reduced papilloma growth rate, and 6 (33%) patients have shown no clinical response to indole-3-carbinol. Indole-3-carbinol affects the ratio of hydroxylation of estradiol; changes in the ratios of urinary 2-hydroxylation and 16-hydroxylation of estradiol caused by indole-3-carbinol correlated well with clinical response. No major complications or changes in the children's growth curve were noted.

CONCLUSIONS: The preliminary results of treating recurrent respiratory papillomatosis with indole-3-carbinol holds promise. Longer follow-up of this patient group and a blinded, controlled trial are required. We conclude that indole-3-carbinol appears to be safe and well tolerated and may be an efficacious treatment for recurrent respiratory papillomatosis.

Referência. Rosen CA, Woodson GE, Thompson JW, et al. Preliminary results of the use of indole-3-carbinol for recurrent respiratory papillomatosis. Otolaryngol Head Neck Surg. Jun;118(6):810-5;1998.

31. Long-term remission of adenoid cystic tongue carcinoma with low dose naltrexone and vitamin D3

A case report is presented of successful treatment of adenoid cystic carcinoma with LDN and vitamin D3 as a unique non-toxic cancer therapy.

Referência. Khan A. Long-term remission of adenoid cystic tongue carcinoma with low dose naltrexone and vitamin D3--a case report. Oral Health Dent Manag. Sep;13(3):721-4;2014.

32. Carcinoma espinocelular de cabeça e pescoço tratado com cirurgia e biomolecular

E.A.F.T., sexo masculino, 56 anos de idade, em outubro de 2018 notou gânglio na região submandibular esquerda. Tomografia mostrou nódulo de 4,9 x 4,7x 3,6cm e 3 linfonodos medindo ao redor de 1,2cm cada. O nódulo foi retirado em 31/04/2019: carcinoma espinocelular invasivo com expressão de p16, p63 e panceratina. Ki-67 positivo em 50% das células neoplásicas. Revisão de lâmina: carcinoma espinocelular queratinizante moderadamente diferenciado. Linfonodos: padrão folicular reacional. Pet-Scan em 25/05/2019: hipercaptação na região cervical esquerda (SUV 4,1) no local cirúrgico. Nódulo no lobo superior direito do pulmão medindo 1,5cm. Negou quimioterapia e radioterapia. Sensograma: chumbo e deltametrina. PPD: 10mm, IgG para citomegalovírus, 193 e para Epstein-Barr vírus, > 750 e Mycoplasma pneumoniae. Ferritina: 473ng/ml, 25D3: 36ng/ml, PTH: 48ng/ml; glicemia: 90mg% e insulinemia; 27UI/ml. Recebeu: dieta inteligente, cloridrato de minociclina por 30 dias, Glifage XR 1000mg/dia; CH30 para ferro, chumbo e deltametrina; tintura de Coriandrum sativum, Sol, água estruturada e hidrogenada, osmólitos estruturadores, cúrcuma, genisteína, parthenoide, silibinina, resveratrol, piperina, colecalciferol: 10mil UI/dia mais riboflavina, retinol, vit. K2, óleo de borago e de peixe; luteolina, picolinato de zinco mais cloroquina e amiloride; iodo molecular 110mg/dia; luteolina; berberina mais sanguinarina, Chelidoneum majus e Chenopodium, melatonina; naltrexone mais espironolactona. Medicamentos intravenosos: sob máscara de não refluxo de oxigênio, 9 soros de EDTA com cloridrato de hidrogênio mais vitamina C em altas doses (4x) alternados com ácido lipoico (5x) em cama magnética (120Gauss, 60Hz) e finalmente Lakhovsky. PET-Scan: de 20/02/2020: sem hipercaptação. Nota: aguarda PCR sangue/urina para bacilo de Kock.

PET-SCAN: 25/05/2019 → Nódulo de 4,9 x 4,7 x 3,6 cm Hipercaptante SUV: 4,1.

Início do tratamento em 10/11/19 com as fórmulas e soros.

14/01/2020: término dos soros.

PET-SCAN: 20/02/2020 não mostrou aumento de metabolismo na região submandibular esquerda. **Clínica JFJ.**

33. **Regressão espontânea de adenocarcinoma da glândula submandibular (não computado)** **Mudaria o título para regressão por algum motivo, porém ignorado pelos médicos.** Uma mulher de 51 anos de idade procurou atendimento ambulatorial para avaliação de lesão tumoral em região submandibular esquerda, havia 5 meses, associada à piora da dor. Havia história prévia de tabagismo por 38 anos. Ela apresentava assimetria facial com lesão de 7 × 5cm na glândula submandibular esquerda, fixada à mandíbula, sem outros linfonodos palpáveis no pescoço. A paciente apresentava paralisia do ramo marginal do nervo facial. A biópsia por punção aspirativa com agulha fina (PAAF) apresentou suspeita de malignidade e a tomografia computadorizada mostrou lesão na topografia da glândula submandibular esquerda, envolvia a mandíbula, sem invasão óssea aparente, e extenso tecido necrótico com infiltração do assoalho da boca. A PET/CT mostrou uma lesão que envolvia a glândula submandibular esquerda (SUV mtox: 17,1) e linfonodos cervicais em níveis II, III, V à esquerda e nível IV bilateral (SUV mtox: 10,7). Uma biópsia incisional foi feita sob anestesia local e os cortes histológicos mostraram um carcinoma infiltrativo pouco diferenciado; a análise imuno-histoquímica foi positiva para citoqueratina/CK-6, confirmou a diferenciação epitelial. O diagnóstico de adenocarcinoma de baixo grau foi definido. Enquanto a paciente aguardava o tratamento cirúrgico, ela apresentou sinais de regressão tumoral e o tumor desapareceu completamente após 4 meses. Novos exames de imagem com PET-CT foram feitos e mostraram resolução metabólica completa da lesão. A paciente está em acompanhamento ambulatorial sem evidência da doença após acompanhamento de 75 meses.

Referência. Otávio A. Curioni, Pedro de Andrade Filho, Andreza de Jesus Prates, Abrão Rapoport e Rogério Aparecido Dedivitis Regressão espontânea de adenocarcinoma da glândula submandibular. Brazilian Journal of Otorhinolaryngology 2021;87(4):486-488.

CAPÍTULO 220

Câncer de Pulmão: 58 pacientes

1. Carcinoma de pequenas células – *oat cell carcinoma* – não responsivo à quimioterapia que respondeu totalmente à radiofrequência e reposição de nutrientes

Jose de Felippe Junior

Paciente do sexo masculino, 45 anos de idade, com diagnóstico de carcinoma pulmonar tipo *oat cell* (pequenas células). Submetido a 3 longos ciclos diferentes de quimioterapia sem resposta terapêutica. Chegou ao consultório caquético, sem apetite e com cansaço extremo. Melhora total em 4 meses após radiofrequência com Lakhovsky, ao lado de suplementação de nutrientes e retirada de metais tóxicos. Doze anos após veio ao consultório com adenocarcinoma gástrico. Clínica JFJ.

2. Carcinoma epidermoide de pulmão não responsivo à quimioterapia que respondeu com o tratamento em conjunto: oncológico e clínico biomolecular

José de Felippe Junior

De nada adianta um currículo extenso e rico, se todo o conhecimento não for usado de forma ética e humana, em favor dos pacientes. CREMESP - Abril-2015

O oncologista e o clínico biomolecular – uma integração benéfica para o paciente

Caso clínico de carcinoma epidermoide de pulmão com metástases no mediastino não responsivo à quimioterapia que respondeu ao tratamento conjunto: oncológico biomolecular.

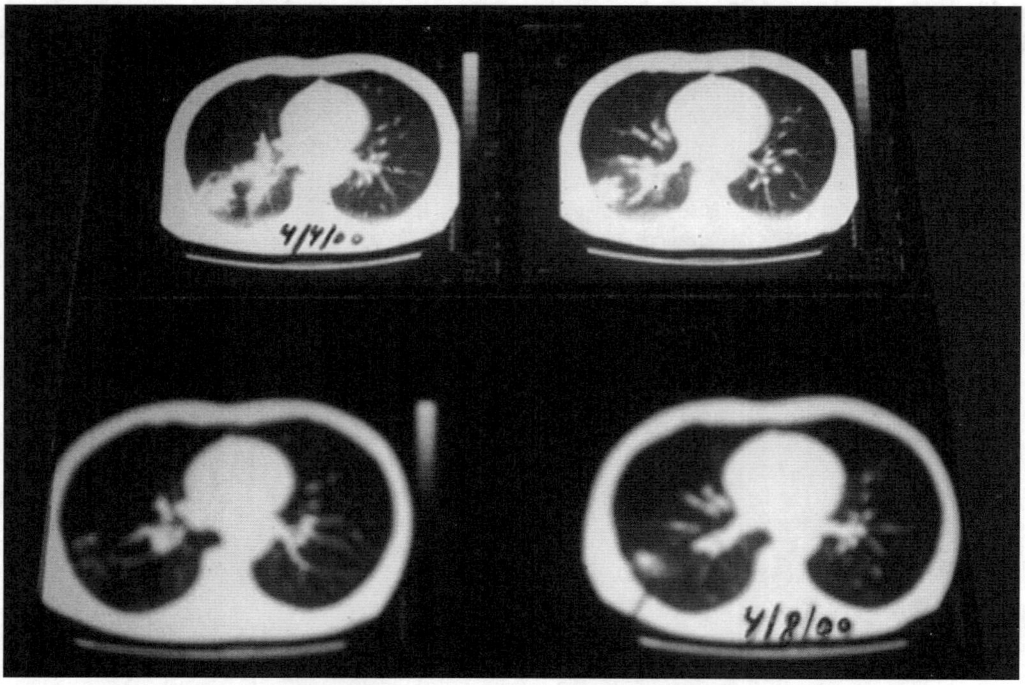

Figura 220.1 Desaparecimento total do tumor do pulmão em 4 meses.

A.B.P., sexo masculino, 69 anos de idade, veio ao consultório em 10-08-2010 com diagnóstico de carcinoma epidermoide pouco diferenciado de pulmão com várias metástases ganglionares em mediastino. Estava recebendo quimioterapia há 6 meses com cisplatina e gemcitabina para reduzir o volume tumoral e a seguir ser operado, entretanto, o tumor não respondeu aos quimioterápicos. O objetivo da consulta foi "se fortalecer" *sic* para aguentar a quimioterapia. Fumante inveterado.

RNM: massa pulmonar de 7,8cm no lobo inferior do pulmão esquerdo com vários linfonodos aumentados em mediastino.

PET-FDG: massa de 7,8cm com intensa captação (SUV: 19,1) e linfonodo mediastinal no hilo do pulmão esquerdo com captação discreta (SUV: 3,1).

Exames de sangue – glicemia: 77mg%, insulina: 8µm/L, IGF-I: 219ng/ml, hemoglobina: 9,6g%, ferritina: 11ng/ml, ceruloplasmina: 35mg%, leucócitos: 3.200 cels/mm^3, proteína C-reativa: 1,5mg%, DHEA sulfato: < 70ng/ml, PTH: 42pg/ml, T4 livre: 0,6, TSH: 1,7, GamaGT: 92U/L, fosfatase alcalina: 118U/L, DHL: 400UI/L, TGO: 23U/L, Lpa:161mg%, CD4:724 cels/mm^3, CD8: 322 cels/mm^3, vitamina B_{12}: 345, com VCM: 92, Na^+: 137mEq/L, Mg^{++}: 1,5mEq/L, K^+: 4,2mEq/L, creat.: 1,17mg% e PSA: 3,2ng/ml.

Tecido capilar: titânio e estrôncio – espectrometria de absorção atômica.

Tratamento:

Reposição de nutrientes baseada em questionário com 450 questões mais exame físico.

Retirada dos metais tóxicos com 20 aplicações de EDTA.

Solução hiperosmolar de bicarbonato de sódio a 5,2% por via intravenosa, logo após o EDTA.

Hipertermia localizada na base do pulmão direito – 10 aplicações de 1,5 hora.

Reposição dos hormônios da tiroide e da suprarrenal.

Água com sais minerais cosmotropos: 1-2 litros/dia; trimetilglicina, myo-inositol, l-taurina e óxido de silício inorgânico como osmolitos cosmotropos; naltrexone; *Ganoderma lucidum*; ácido lipoico, l-carnitina, selênio, B_1, B_3, B_2, CoQ10 para aumentar a fosforilação oxidativa mitocondrial; curcumina,

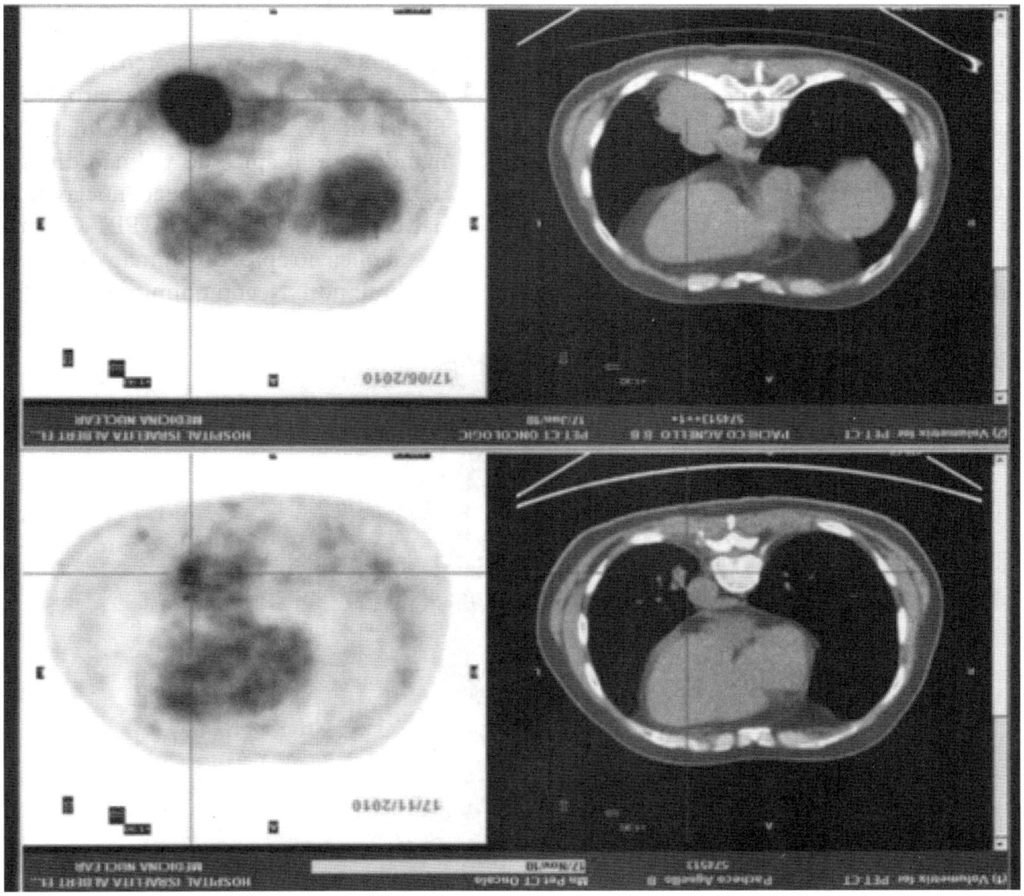

Figura 220.2 PET e RNM mostrando a redução do volume tumoral com o uso da medicina convencional mais a medicina biomolecular, que na evolução mostrou ser apenas uma cicatriz.

genisteína; resveratrol; epigalo catequinagalato; quinidina; benzaldeído; ácido ascórbico; quercetina; hidroxicitrato; silibinina; vitamina B_{12}. Não parou de fumar

Em 50 dias de tratamento oncológico + biomolecular o tumor e as metástases reduziram de volume.

Tomografia de 30/09/2010 – redução significativa da formação expansiva de 7,8 × 4,6cm para 3,3 × 2,2cm e redução dos linfonodos mediastinais ipsilaterais, o maior apresentava antes 2,0 × 1,0cm e agora 1,7 × 0,9cm. Linfonodo junto à veia pulmonar media antes 1,5 × 1,3cm e agora 1,2 × 1,0cm. Houve também redução dos linfonodos do hilo direito, o maior media 1,0 × 0,9cm e agora mede 0,8 × 0,5cm e na cadeia traqueobrônquica direita media 1,4 × 0,6cm e agora 1,1 × 0,5cm. Laudo pela excelente médica: Claudia Maria de Figueiredo.

PET-FDG de 17-11-2010: massa tumoral do pulmão: SUV de 19,1 caiu para 2,9 em 3 meses de tratamento conjunto. Paciente ativo, sem cansaço e com bom apetite. Ótimo estado geral.

PET-FDG de 06-05-2011: massa tumoral do pulmão: SUV de 2,9 caiu para 1,4.

PET-FDG de dez-2013: mantém SUV 1,4 – cicatriz.

Temos aqui mais um exemplo dos benefícios da integração do oncologista com o clínico biomolecular.

A retirada dos metais tóxicos livra o organismo de elementos sabidamente carcinogênicos. No presente caso possivelmente o titânio, o níquel e as centenas de tóxicos do cigarro foram os agentes causais do processo neoplásico.

Quando provocamos hiperosmolalidade, seja com bicarbonato de sódio seja com cloreto de sódio ou ureia, facilitamos o processo de apoptose. No presente caso foi empregado o bicarbonato de sódio. Lembremos que o pH do sangue é mantido na faixa dos 7,38-7,42 por poderosos mecanismos homeostáticos, sistemas tampões – pulmões – rins. Se o bicarbonato conseguisse alcalinizar o intracelular teríamos aumento da proliferação neoplásica.

A hipertermia é método bem conhecido. A célula normal não morre se aquecida até 52 graus Célsius, já a célula neoplásica morre aos 42 graus. No presente caso a hipertermia localizada foi empregada porque ela é sinérgica com a cisplatina.

Esperemos que esteja logo para acontecer a integração tão benéfica do oncologista com o clínico biomolecular.

Em 2016, foi indicada radioterapia devido à pequena massa suspeita. Evoluiu com complicações da radiação apresentando derrame pericárdico e pleural.

Faleceu em outubro de 2017 por complicações da radioterapia – volumoso derrame pericárdico. Clínica JFJ

3. Adenocarcinoma de pulmão com metástase pleural tratado com biomolecular

C.R.M., 94 anos de idade. Há 40 dias começou a apresentar dispneia de esforço que evoluiu para pequenos esforços no final de janeiro de 2017.

Em 31-01-17: raios X de tórax: massa tumoral tomando todo o ápice do pulmão direito e extenso derrame pleural. Biópsia: adenocarcinoma pulmonar com metástase pleural. PET-CT: massa hipermetabólica no ápice do pulmão direito. Tomografia cerebral: ndn. Negou quimioterapia. Retirado 3 li-

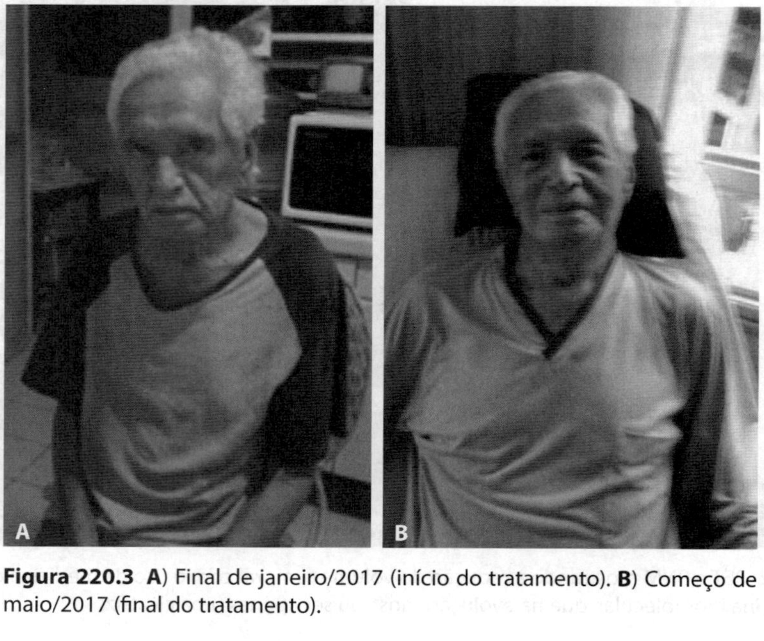

Figura 220.3 **A**) Final de janeiro/2017 (início do tratamento). **B**) Começo de maio/2017 (final do tratamento).

tros de líquido amarelo citrino, positivo para proteínas. CEA: 55, DHL: 605, FA: 76, Hb: 14,7, IgG para Epstein-Barr vírus: 107 (reagente > 14), IgG para citomegalovírus: 84 (reagente > 4). Sensograma: vários metais tóxicos em nível superior do aceitável. No prazo de 30 dias foi submetido a mais duas drenagens pleurais e indicado pleurodese.

Fase I. Administração dos agentes biológicos: Valtrex, acidificação do citoplasma, sulforofane, glicirrizina, cimetidina, *Moringa oleifera*, *Scutellaria baicalensis*, Micostatim, genisteína, DIM, Sigmatriol, ácido ursólico (extrato de *Rosmarinus* off. e *Ocimum basilicum*), tintura de Berberina, Sanguinarina, *Chelidoneum majus* e *Chenopodium ambrosioides*.

Fase II. Retirada dos metais tóxicos, aumento da fosforilação oxidativa e inibição da via PI3K/Akt/mTOR/NF-kappaB: soro com ALA, CoQ10, L-prolina, zinco acetato, biotina, ácido fólico, complexo B sem B_1 (n = 15), soro com cloridrato de hidrogênio mais potássio (n = 5), soro com vitamina C 20g (n = 5), soro com EDTA (n = 13). Vitamina K_1 7/7 dias por via intramuscular. Metilcobalamina 3 vezes. Lisado de levedura de cerveja com *Beet vulgaris*, *Ganoderma lucidum*, benzaldeído, *Annona muricata*. Sal de Karpanem. Pancreatina, ácido clorídrico.

Em 08-05-17: raios X de tórax: ausência de nódulo no ápice direito. Novamente observamos melhora em 4 meses de tratamento com a estratégia clínica biomolecular.

A seguir as fotos do paciente obtidas no início do tratamento e após 4 meses, final do tratamento. Permissão obtida do paciente e seus familiares. Clínica JFJ.

4. Carcinoma epidermoide de pulmão e radiofrequência (RF) mais reposição de nutrientes e retirada de metais tóxicos

Dr. G.M., 75 anos de idade, diagnosticado carcinoma epidermoide de pulmão grau II, em novembro de 2000. Após radioterapia houve redução do volume de $127cm^3$ para $107cm^3$ (15% de redução). Em março de 2001, após ter recebido 20 aplicações de RF e reposição dos nutrientes em falta, o tumor atingiu os $84cm^3$ ou 21,4% de redução em relação aos $107cm^3$. Não havia metais tóxicos. Parou de receber a RF na periodicidade de 3 vezes por semana como anteriormente e não mais houve resposta. O tumor cresceu e o paciente, meu amigo, ex-diretor da Escola de Engenharia de São José dos Campos (ITA) que entrou na faculdade de medicina sem cursinho aos 74 anos de idade e que não escondia conhecimentos faleceu em agosto de 2001. Clínica JFJ.

5. Carcinoma indiferenciado de pulmão grau IV tratado com medicina convencional mais biomolecular.

RIFR, feminina, 82 anos foi diagnosticada em junho de 2016 com adenocarcinoma indiferenciado de pulmão grau IV, extenso derrame pleural e nódulo em suprarrenal. Recebeu carboplatina mais gemcitabina e ao terminar foi receitado gefitinibe (Iressa). Em 18-01-17 apresentava múltiplos micronódulos espalhados em ambos os pulmões. PET-Scan FDG mostrou nódulo maior com SUV:3,5 e linfonodo subcarinal com SUV: 2,9. Veio ao consultório em 25/10/2017 em cadeira de rodas, péssimo estado geral, caquética, pesando 45Kg, dores torácicas, cansaço extremo e inapetente. Ferritina: 205ng/ml, CEA: 356,8 U/ml, DHEA-sulfato: 75,6mcg/dl, glicemia: 117mg%. Insulina: 9microUI/ml, Na+:144mEq/l, K+: 4,4mEq/l, Vitamina D3: 34ng/ml, IGF-I: 159ng/ml, G6PD: 9,4 Ui/gHg. Sensograma e bioressonância: aumento de chumbo, arsênio, níquel, fenvalerato e aldicarbe. Receitado soros com EDTA, ácido ascórbico em alta dose intravenoso (mantendo concentração acima de 20mM/l) e ácido clorídrico intravenoso. Tomou todos carcinostáticos e anticarcinogênicos prescritos, exceto BCG com glucana. Em 10/01/2018 havia melhorado muito o estado geral, mais ativa, sem dores, deambulando normalmente, entretanto, com persistência da anorexia. Biopsia do nódulo pulmonar: negativo. Na evolução começou a ter dispneia, diminuição da saturação arterial de oxigênio e tosse seca na ausência de febre. Internada na UTI com quadro extenso de pneumonite provavelmente provocado pelo Iressa. Faleceu em fevereiro/2018 devido a insuficiência respiratória. Clínica JFJ.

6. Carcinoma epidermoide de pulmão mais carcinoma ductal invasivo grau III, triplo negativo, mais carcinoma epidermoide pulmonar que regrediram após cirurgia, quimioterapia mais a estratégia biomolecular completa.

MGMM, 67 anos, feminina, apresentou adenocarcinoma invasivo bronquíolo-alveolar que foi retirado em maio de 2013. Em julho de 2013 notou nódulo de mama: Carcinoma ductal invasivo Grau III com gânglio sentinela, do tipo triplo negativo. Submetida a mastectomia bilateral, esvaziamento axilar, radioterapia e capecitabina. Em setembro de 2018 PET-CT indicou nódulo pulmonar de 0,9 cm. Operada em janeiro de 2019 e retirado nódulo de 1,5cm: Carcinoma epidermoide que mostrou ser primário. Em fevereiro de 2020 no consultório apresentava-se em bom estado geral com oximetria de 98% e fenótipo de genes antigos. Sensograma: aumento de arsênico, chumbo e mercúrio, diminuição de iodo, diminuição de 1,25D3 e IGF-I e DHEA normais. Na biorressonância aumento de chumbo e sem agrotóxicos. Os exames laboratoriasis para vírus foram extraviados, mas provavelmente havia positivo para alguns deles. Iniciado a estratégia biomolecular via oral e intravenosa com soros alternados de ácido lipoico e vitamina C progressiva que atingiu 57.842 umol/l com 50g, sendo mantida com 30g, ao lado de EDTA mais HCl. Em agosto de 2019, excelente estado geral, voltou a trabalhar e engordou 2Kg. PET-CT: ausência de lesões hipermetabólicas de processo neoplásico. Em agosto de 2020 PET-CT: ausência de lesões hipermetabólicas, ótimo estado geral, trabalhando, mantendo o peso e sem os metais tóxicos. A paciente que apresentou 3 tipos diferentes de neoplasia em duas localizações diferentes segue sob controle e fórmulas de manutenção para abolir CTCs (células tumorais circulantes). Clínica JFJ.

7. **Carcinoma epidermoide de pulmão com 90% de obstrução no brônquio-fonte tratado com picolinato de zinco**

Homem de 57 anos de idade com carcinoma epidermoide de pulmão obstruindo o brônquio-fonte direito tratado com radioterapia sem sucesso. O tumor ainda mostrava várias granulações, sangramento, erosões e massa de forma irregular com obstrução do brônquio da ordem de 90% da luz observado no exame de broncoscopia realizada em 14 de junho de 2009. O paciente, em seguida, começou a tomar diariamente picolinato de zinco por um mês, na dose de 300mg após almoço e jantar. Após um mês com picolinato de zinco, o exame de raios X mostrou diminuição de 50% no tamanho do tumor. De agosto a outubro de 2009 passou a tomar 300mg 3 vezes ao dia após as refeições. A broncoscopia de 21 de outubro de 2009 revelou diminuição significativa no tamanho do tumor e abertura completa do brônquio do lobo superior direito com alterações benignas na aparência tumor. Além disso, o paciente notou melhoria significativa da sua condição física geral e não mais apresentava tosse ou falta de ar. Não houve perda de peso ou efeitos tóxicos do zinco.

Referência. Ugolkov, Andrey (Buffalo Grove, IL, EUA), 2011 O tratamento terapêutico de cancros humanos que utilizam sais simples de zinco. Patente Estados Unidos 20110117210. http://www.freepatentsonline.com/y2011/0117210.html

8. **Carcinoma epidermoide de pulmão tratado com picolinato de zinco**

Homem de 73 anos de idade foi admitido no hospital com tosse e hemoptise em 30 de janeiro de 2009. A broncoscopia revelou grande sangramento ativo em massa hemorrágica obstruindo o brônquio intermediário direito. A biópsia revelou carcinoma epidermoide do pulmão. O exame de tomografia computadorizada realizado em 14 de janeiro de 2009 revelou massa intra-hilar com 3,1 × 2,3 centímetros dentro do lobo inferior direito, linfonodos subcarinais aumentados e derrame pleural à direita. Porque o paciente negou qualquer operação ou quimioterapia, o prognóstico de sobrevivência era pobre, até 2 meses no tempo de sobrevivência. O paciente, em seguida, começou a tomar zinco picolinato, por via oral, 100mg após as duas refeições principais ao dia por 5 meses, de fevereiro de 2009 a julho de 2009. Até o momento, o paciente não havia tomado nenhum outro quimioterápico ou droga anticâncer, nem outra forma de tratamento convencional do câncer. O paciente continuou a ingerir 200mg de zinco picolinato por dia durante quase seis meses. A tomografia computadorizada de tórax de 1 de julho de 2009 não mostrou infusão pleural, entretanto, não houve mudanças substanciais no tamanho do tumor primário de pulmão ou mudanças significativas no tamanho dos linfonodos subcarinais quando comparado com o exame de tomografia computadorizada anterior de 14 de janeiro de 2009, época do diagnóstico inicial. O paciente passou a tomar por via oral 600mg de zinco picolinato diariamente de agosto a outubro de 2009. Aconteceu supressão do crescimento do tumor, resultando em estabilização da doença. Igualmente importante, nesse momento (novembro de 2009), esse paciente não teve nenhuma perda de peso, sem sinais de progressão do câncer e não se queixou de quaisquer mudanças em seu estilo de vida ao longo dos nove meses de regime de tratamento terapêutico com o picolinato de zinco. Não foram observados efeitos tóxicos do zinco. Comentário: como mostrado, o doente com câncer de pulmão ingeriu zinco picolinato diariamente, durante 5 meses na dose de 200mg por dia. O paciente não recebeu nenhuma outra droga anticâncer ou quimioterapia ou outra forma de tratamento do câncer. No entanto, nesse caso particular, a administração de 300mg de zinco picolinato duas vezes por dia conduziu a supressão do crescimento tumoral e a estabilização da doença.

Referência. Ugolkov, Andrey (Buffalo Grove, IL, EUA), 2011 O tratamento terapêutico de cancros humanos que utilizam sais simples de zinco Patente Estados Unidos 20110117210 http://www.freepatentsonline.com/y2011/0117210.html

9. Câncer de pulmão tratado com benzaldeído – 3 pacientes

Kochi tratou 9 pacientes com câncer de pulmão que não haviam respondido ao tratamento convencional. Dos 9 carcinomas de pulmão, 3 apresentaram remissão completa, 3 remissões parciais, 1 estabilizou e 2 apresentaram progressão da doença. O tratamento consistiu em 500mg/dia de benzaldeído por via oral. A regressão tumoral manteve-se enquanto os pacientes tomaram o medicamento. Fato que se compreende porque o autor não afastou os fatores causais.

Referência. Kochi M, Takeuchi S, Mizutani T, et al. Antitumor activity of benzaldehyde. Cancer Treat Rep. 64:21-3;1980.

10. Câncer de pulmão tratado com benzaldeído + cianeto - 3 pacientes

Dr. Richardson médico da Califórnia tratou 3 pacientes com câncer de pulmão usando o laetrile, também conhecido como vitamina B_{17}, quimicamente a amigdalina: 1 molécula de benzaldeído e 1 molécula de cianeto. Juntamente ele administrava pancreatina em altas doses e dieta vegetariana. Nos casos apresentados houve regressão total do câncer pulmonar e longa sobrevida. Lembrar que a molécula ativa é o benzaldeído e não o cianeto.

1. Mulher com 65 anos de idade começou a apresentar dor no ombro esquerdo e dores do lado esquerdo do tórax em julho de 1975. Radiografia de tórax normal e fosfatase alcalina pouco elevada. Um ano após voltou a apresentar o mesmo tipo de dores. Radiografia de tórax: pequeno derrame pleural esquerdo. Líquido pleural: adenocarcinoma papilar bem diferenciado. Havia hepatomegalia com nódulos metastáticos e aumento de todas as enzimas hepáticas. Nódulo pulmonar: adenocarcinoma. Terminou a quimioterapia em janeiro de 1976 e começou o laetrile mais pancreatina. Regressão total dos nódulos pulmonares e dos nódulos hepáticos, sem dores, bom apetite e sem cansaço.
2. Metástases pulmonares em ambos os pulmões de paciente com 38 anos de idade que se submeteu à mastectomia radical por carcinoma ductal infiltrativo com 3 linfonodos regionais comprometidos mais radioterapia. As metástases pulmonares surgiram 2,5 anos após a mastectomia. Negou a cirurgia ou nova quimioterapia. Quando iniciou o laetrile a paciente estava em mau estado geral, pálida, com fraqueza, cansaço, inapetente, dispneica e com tosse produtiva, às vezes com secreção sanguinolenta. DHL 275un/ml e TGO 54un/ml (normais 7-40un/ml). Em 3 meses de tratamento melhorou muito o estado geral, mas ainda tossia pela manhã com secreção esbranquiçada. Mais alguns meses melhorou mais ainda, sem tosse, sem dores, bom apetite e sem cansaço.
3. Metástases pulmonares de câncer de mama em paciente com 49 anos. Houve regressão total das metástases pulmonares e a paciente em ótimo estado geral. Não fez cirurgia ou quimioterapia para as lesões pulmonares.

Referência. Laetrile Case Histories - The Richardson Cancer Clinic Experience. Published by American Media. California, 2005.

11. Metástases pulmonares de câncer renal que regrediram totalmente com alta dose de vitamina C por via intravenosa

A 51-year-old woman was found in August 1995 to have a tumour involving her left kidney. At nephrectomy in September 1995 this was shown to be a renal cell carcinoma 9 cm in diameter with thrombus extending into the renal vein. Chest radiography results were normal, and there was no evidence of metastatic disease on CT scan of the chest and abdomen. In March 1996 a CT scan of the chest indicated several new, small, rounded and well-defined soft tissue masses no larger than 5 mm in diameter; they were judged consistent with metastatic cancer. By November 1996 chest radiography revealed multiple cannonball lesions (Fig. 1). The patient declined conventional cancer treatment and instead chose to receive high-dose vitamin C administered intravenously at a dosage of **65 g twice per week** starting in October 1996 and continuing for 10 months. She also used other alternative therapies: thymus protein extract, N-acetylcysteine, niacinamide and whole thyroid extract. In June 1997 chest radiography results were normal except for one remaining abnormality in the left lung field, possibly a pulmonary scar (Fig. 2). In October 2001 a new mass 3.5 cm in diameter in the anterior right lung was detected on radiography. A transthoracic biopsy revealed small-cell carcinoma of the lung. The patient opted for intravenous vitamin C injections. The lung mass remained constant in size in radiograpy taken in May and August 2002 but had increased to 4 cm in views taken in October 2002. In early November hyponatremia developed. Two weeks later the patient was admitted to hospital with abdominal distension and constipation. Barium studies revealed slow transit but no intestinal obstruction. Results of a CT scan of the abdomen were normal. She died shortly afterward, and no autopsy was performed. Histopathologic review of the primary renal tumour at the NIH confirmed the diagnosis of clear-cell renal carcinoma, type, nuclear grade III/IV, with the largest diameter measuring 6.5 cm. The tumour involved the renal vein and hilar perinephric fat. Pathologic review of the lung tumour biopsy specimen of October 2001 was not conducted at the NIH. Local pathologists diagnosed this specimen as indicating small-cell lung cancer and not recurrent metastatic renal cell carcinoma. This case describes the regression of pulmonary metastatic renal cancer in a patient receiving high-dose intravenous vitamin C therapy. According to the NCI Best Case Series guidelines, the credibility of this case would be increased by biopsy proof that the multiple slowly growing bilateral cannonball lung nodules in this patient with known renal cell carcinoma were actually malignant. However, in this case, the clinical characteristics and evolution of the pulmonary lesions, in the absence of bacterial infection or other systemic disease, make any other diagnosis unlikely. The clinician attending the patient deemed a confirmatory biopsy to be unnecessary and inappropriate in this setting. A plausible alternative explanation to the conclusion that this patient's metastatic renal cell cancer responded to intravenous vitamin C therapy is that the tumours spontaneously regressed. Spontaneous regression has been reported in renal cell cancer, but it is rare, occurring in fewer than 1% of cases and typically after nephrectomy, radiation to the primary tumor or primary tumor embolization. Here, metastatic disease appeared several months after nephrectomy, rather than regressing in response to it. As well, the primary cancer was nuclear grade III/IV and involved the renal vein, factors associated with a highly unfavourable prognosis. Of note, more than 4 years after stopping intravenous vitamin C therapy and with the renal cell cancer in complete re mission, primary small-cell lung cancer was diagnosed in this patient, who was a long-standing cigarette smoker. The second cancer did not respond to high-dose vitamin C therapy. From the clinical history it appears the tumour remained a constant size for many months and likely slowly progressed until her death about a year after diagnosis despite the resumption of intravenous vitamin C therapy. Chest radiography, November 1996, about 1 month after intravenous vitamin C therapy was started. Cannonball lesions are evident in both lung fields. Chest radiography, June 1997, showing regression of the lesions. *

Supplementary medication taken concurrently with intravenous vitamin C therapy by start date, medication and dosage. 10-10-96: NSC-24 (beta glucan) 1 capsule twice daily 10-10-96: N-acetylcysteine 500mg 3 times daily 8-26-97: Niacinamide 500mg 2 capsules taken 30 min before intravenous vitamin C therapy, increasing to 4 capsules and then 6 capsules (3000mg) before vitamin C infusion 6-15-98: Whole thyroid extract 30mg once daily.

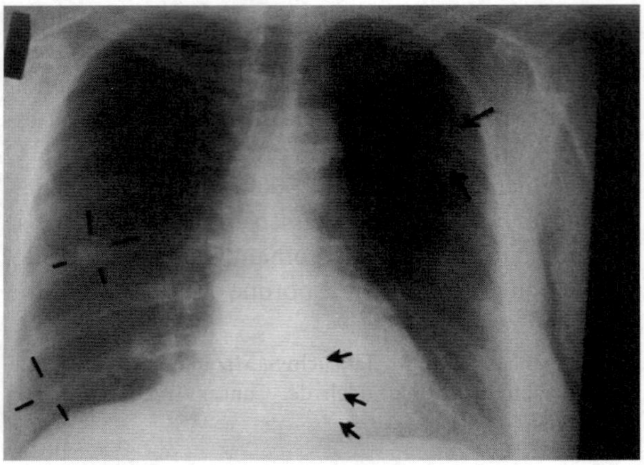

Fígura 220.4 Radiografia de tórax, novembro de 1996, cerca de 1 mês após a terapia intravenosa de vitamina C ser iniciada. Lesões numulares são evidentes em ambos os campos pulmonares, como indicado pelas setas.

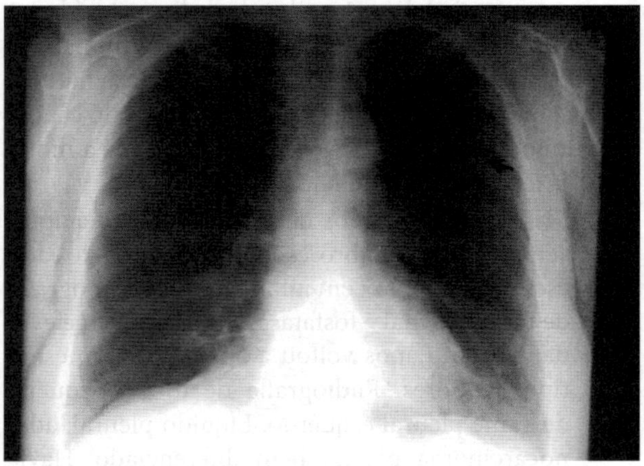

Fígura 220.5 Radiografia de tórax, junho de 1997, mostrando regressão das lesões; a seta indica uma anormalidade residual.

Referência. Padayatty SJ, Riordan HD, Stephen M. Hewitt SM, et al. Intravenously administered vitamin C as cancer therapy: three cases. CMAJ.174:937- 42;2006.

12. Metástases pulmonares de carcinoma hepático que desapareceram totalmente após altas doses de vitamina C

We report a case of regression of multiple pulmonary metastases, which originated from hepatocellular carcinoma after treatment with intravenous administration of high-dose vitamin C. A 74-year -old woman presented to the clinic for her cancer -related symptoms such as general weakness and anorexia. After undergoing initial transarterial chemoembolization (TACE), local recurrence with multiple pulmonary metastases was found. She refused further conventional therapy, including sorafenib tosylate (Nexavar). She did receive high doses of vitamin C (70 g), which were administered into a peripheral vein twice a week for 10 months, and multiple pulmonary metastases were observed to have completely regressed. She then underwent subsequent TACE, resulting in remission of her primary hepatocellular carcinoma.

Reference. Seo MS, Kim JK, Shim JY. High-Dose Vitamin C Promotes Regression of Multiple Pulmonary Metastases Originating from Hepatocellular Carcinoma. Yonsei Med J. Sep;56(5):1449-52;2015.

13. Adenocarcinoma de pulmão inoperável que se tornou operável após RF mais reposição de nutrientes

D.S., 54 anos de idade, masculino. Adenocarcinoma de pulmão inoperável. Em setembro de 2000 após 50 aplicações de radiofrequência, reposição de nutrientes em falta e retirada de metais tóxicos houve diminuição de 20% do volume tumoral e o paciente agora conseguiu ser operado conseguindo-se bom plano de clivagem. No pós-operatório não houve intercorrências e a cicatrização foi rápida. Até fevereiro de 2003, trabalhando e em muito bom estado geral. Clínica JFJ

14. Câncer de pulmão e hipertermia com cirurgia: 1 paciente

Em 1976, LeVeen publica estudo intitulado "Erradicação Tumoral pela Radiofrequência" mostrando necrose tissular e substancial regressão tumoral em 21 pacientes. O primeiro paciente dessa série, com carcinoma epidermoide de pulmão e metástase em cabeça do fêmur, experimentou imediata melhora da dor, porém logo a seguir ocorreu fratura espontânea que na cirurgia revelou extensas áreas de necrose e somente em locais limitados era possível identificar o tumor. Em seis pacientes com carcinoma primário de pulmão em estágio avançado, foi possível fazer de 1 a 5 exposições de RF antes da toracotomia. Todos se sentiram melhor após o tratamento. No espécime cirúrgico ao exame microscópico encontraram-se extensas áreas de necrose tumoral. Em um paciente com carcinoma inoperável de células gigantes de pulmão, o tumor necrosou após 2 aplicações de RF e pode ser extirpado, isto é, tornou-se operável. Um outro tumor não operável de pulmão em outro paciente quase desapareceu por completo após a RF.

Referência. LeVeen HH, Wapnick S, Piccone V, et al. Tumor eradication by radiofrequency therapy. Responses in 21 patients. JAMA. 235:2198-200;1976.

15. Câncer de pulmão e hipertermia por radiofrequência: 6 pacientes

Em 1980, LeVeen tratou 32 pacientes com câncer de pulmão somente com a hipertermia por RF. A histologia era de 26 carcinomas epidermoides e 6 adenocarcinomas. Todos os pacientes apresentavam tumores não ressecáveis cirurgicamente. Houve regressão do tumor em 11 dos 32 casos (34%). Constatou- se dramática melhoria sistêmica em 27 dos 32 pacientes, com aumento da disposição, do apetite e do peso. A doença foi completamente erradicada em seis pacientes (18,75%), 2 deles já com 3 anos de sobrevida.

Referência. LeVeen HH, Ahmed N, Piccone VA, et al. Radiofrequency therapy: clinical experience. Ann N Y Acad Sci. 335: 362-71;1980.

16. Adenocarcinoma pulmonar de pequenas células (*oat cell*) tratado com radiofrequência (RF) e nutrientes oxidantes

J.L.N., sexo masculino, 53 anos de idade, com diagnóstico de adenocarcinoma pulmonar de pequenas células (*oat cell*) em janeiro de 2000. Foi submetido à quimioterapia durante 3 meses e não obteve resposta. Iniciou novamente a quimioterapia, com outras drogas, porém, devido aos efeitos colaterais, necessitou parar o tratamento. Iniciou radiofrequência e oxidação sistêmica e após 4 meses houve desaparecimento total do tumor, constatado pela tomografia torácica. De maio a junho de 2000, foram 14 aplicações de RF de baixa potência. Em dezembro de 2001, sem sintomas e trabalhando. Em março de 2002, continua trabalhando e viajando a negócios. Trabalhando e sem queixas em novembro de 2003. Em 2009 apresentou carcinoma gástrico e submeteu-se ao tratamento convencional.

Referências:

Holt JAG. Increase of X-ray sensitivity of cancer after exposure to 434 MHz electromagnetic radiation. J Bioeng. 1:479-85;1977.

Holt JAG. Microwaves are not hyperthermia. Radiographer. 35:151-62;1988.

Holt JAG. The glutathione cycle is the creative reaction of life and cancer. Cancer causes oncogenes and not vice versa. Med Hypotheses. 40:262-6;1993.

Holt JAG. The use of UHF radiowaves in cancer therapy. Australas Radiol. 19:223-41;1975.

Nelson AJM, Holt JAG. Combined microwave therapy. Med J Australia. 2:88-90. Ibid 1985; 13:707-8;1978.

17. Adenocarcinoma de pulmão tratado com inositol hexafosfato (IP6) mais inositol

Paciente do sexo feminino de 53 anos de idade, com história de tabagismo de 30 anos. Ela teve diagnóstico de câncer de pulmão esquerdo: adenocarcinoma T2N3M0, estágio IIIB na idade de 49. Indicada quimio-radioterapia (CRT) em vez da cirurgia. No entanto, a CRT foi encerrada em meados do curso por causa dos efeitos adversos (leucopenia, alopecia, náuseas, vômitos, diarreia). O efeito global da CRT foi apenas resposta parcial (RP); o tumor original tinha regredido 60%, enquanto os gânglios linfáticos metastáticos no mediastino mostraram regressão de 95%. Oito meses mais tarde, após o término da CRT, ela começou a tomar IP6 + inositol duas vezes por dia. Quatro anos e 4 meses se passaram desde o término do CRT. Ela agora desfruta de uma vida completamente saudável, sem nenhum sinal de recaída. A verificação periódica do tórax e abdômen por tomografia computadorizada (TC) e, mais recentemente, pelo TC multidetector não revelou evidência do tumor, apenas alteração fibrótica e cicatrização de parte do mediastino e a parte do meio do pulmão esquerdo, onde existia o tumor original. O nível sérico do CEA diminuiu drasticamente, chegando ao normal quando a CRT foi encerrada e continua a ser normal. Isso pode ser parcialmente atribuído ao fato de que ela tomou IP6 + inositol todos os dias por mais de três anos, sem nenhum outro tratamento. Ela não mostrou nenhum efeito adverso durante esse período de observação. Trata-se de um caso com sobrevivência de longo prazo de paciente com doença avançada de tumor pulmonar não de pequenas células com o uso do hexafosfato de inositol (IP6) mais inositol combinado com a quimio-radioterapia, a qual somente a metade foi administrada.

Referência. RELATO DE CASO Abstracts da 7ª Conferência Internacional de Anticancer Research, 25-30 outubro 2004 Corfu, Grécia.

18. Câncer primário com localização desconhecida que apresentava metástases de pulmão, fígado e coluna vertebral tratado com *Agaricus blazei* – GLUCANA George Gennari

Sexo feminino, 56 anos antecedente de câncer de mama em maio de 1994. Em dezembro de 1999 apresentou nódulo pulmonar metastático com linfangite. Em fevereiro de 2000 apareceram metástases ósseas na coluna vertebral. Iniciou Agaricus blazei, 400mg 2cp 4x ao dia. Em julho de 2000 apareceram metástases hepáticas a maior com 2,5cm no maior diâmetro. Foi acrescentado extrato de Agaricus blazei 5ml 3x ao dia. Em 18 de dezembro de 2000 as imagens revelaram regressão das metástases ósseas, hepáticas e pulmonar, isto é, houve regressão total dos tumores. Imagens em http://www.medicinabiomolecular.com.br/biblioteca/pdfs/Casos-Clinicos/cc-0158.pdf

Referência. Revista da Sociedade Brasileira de Medicina Biomolecular e Radicais Livres. Abril, 2002.

19. Adenocarcinoma de pulmão com metástases ósseas e hepáticas com regressão total após *Agaricus blazei* – GLUCANA George Gennari

Nome: M.F. Idade: 56 anos. Antecedentes pessoais: DPI + mastectomia à direita com reconstrução imediata em maio/94. Refere que ficou bem até dezembro/98, quando, em exame de rotina, apareceu lesão de pulmão com diagnóstico de metástase pulmonar.

02/02/2000.Radiografia de tórax: linfangite de pulmão esquerdo.

Tomografia: lesão de T5 e T6 compatível com metástases de coluna. Diagnóstico: metástase de pulmão e coluna vertebral – 05/09/2000.

Perfil imunológico:

23/05/2000. Linfócitos: 1.800, linfócito T = 1.224, linfócito B = 270, CD4 = 648, CD8 = 522, CD56 = 324

Iniciou com *Agaricus blazei* – GLUCANA.

26/07/2000. Dose: 8 comprimidos/dia – 2 comprimidos de 6 em 6 horas

US abdominal: lesões hepáticas sugestivas de metástase em lobo direito, com tumorações de até 2,5cm.

Radiografia de tórax: diminuição da trama do parênquima pulmonar.

Perfil imunológico:

Linfócitos= 981, T = 726, linfócito B = 107, CD4 = 432, CD8 = 275, CD56 = 88.

Agaricus blazei.

18/12/2000. Dose: extrato 5ml 3 vezes/dia + 4 comprimidos à noite.

US abdominal: fígado de dimensões normais, contornos preservados e textura ecográfica discretamente heterogênea. Demais estruturas normais.

Radiografia de tórax: normal.

Tomografia: normal.

Perfil imunológico:

Linfócitos = 1.255, linfócitos T = 966, linfócitos B = 158, CD4 = 552, CD8 = 414, CD56 = 113.

CEA = 0,9 e CA15-3 = 8,8.

Paciente apresentou completa remissão do tumor em 10 meses de tratamento

Referência. Revista da Sociedade Brasileira de Medicina Biomolecular e Radicais Livres. Abril, 2002.

20. Carcinoma epidermoide de pulmão tratado com ácidos biliares, dehidrocolina –1º

Sexo masculino, 70 anos com carcinoma epidermoide de brônquio direito apresentando hemoptise e severa perda de peso, A: radiografia de tórax antes do tratamento. B: Seis semanas de uso de ácidos biliares.

Referência. The causation of reumathoid disease and many human cancer – A new concept in medicine – Roger Wyburn-Mason IJI Publishing Co, LTD Tokyo Japan, 1978.

21. Carcinoma epidermoide de pulmão tratado com ácidos biliares. Dehidrocolina 2º

Sexo masculino, 72 anos com carcinoma epidermoide de brônquio superior direito do pulmão. A: radiografia de tórax antes do tratamento. B: parcial desaparecimento da sombra hilar após somente 3 semanas do uso de sais biliares.

Referência. The causation of reumathoid disease and many human cancer – A new concept in medicine – Roger Wyburn-Mason IJI Publishing Co, LTD Tokyo Japan, 1978.

22. Adenocarcinoma pulmonar tratado com ácidos biliares, dehidrocolina – drástica melhora do estado geral – 3º. Não computado.

Sexo masculino, 73 anos, fumante moderado, diabético e coronariopatias comc infarto há 1 ano. Começou apresentar tose, dispneia e grande emagreci-

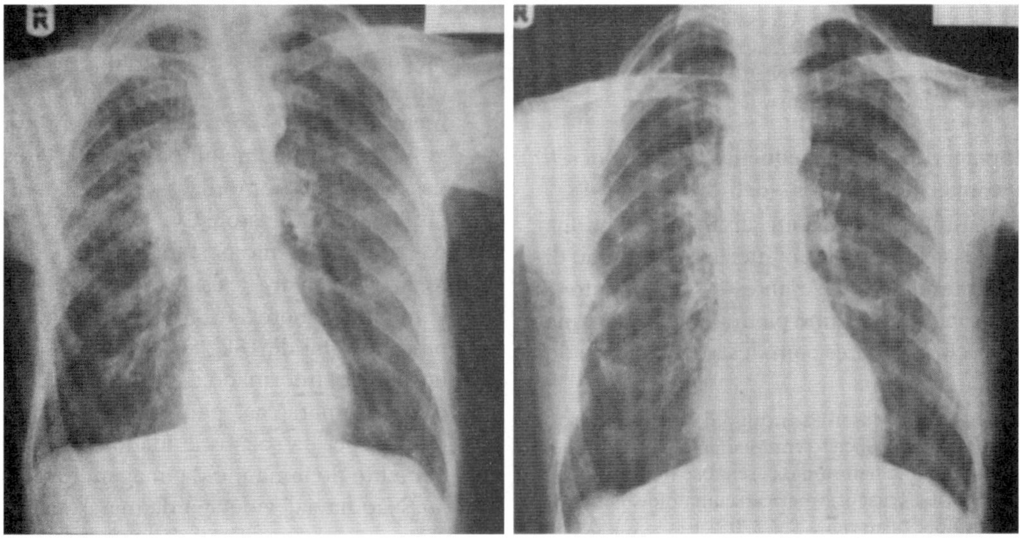

Fígura 220.6

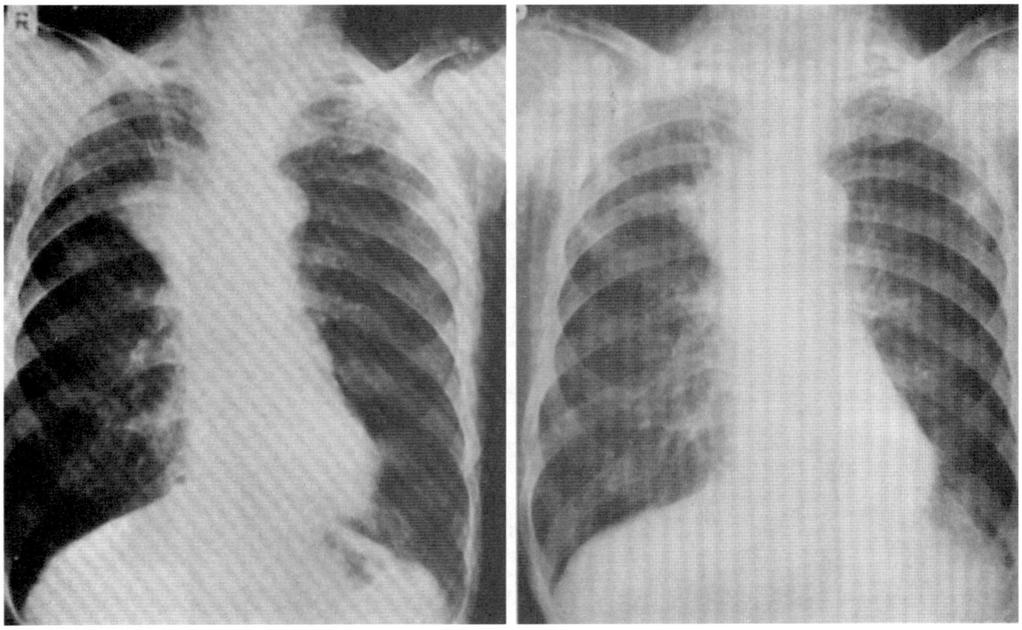

Fígura 220.7

mento nos últimos 3 meses. Radiografia de tórax mostrou grande massa no lobo inferior do pulmão direito e derrame pleural. Apareceu grande nódulo perto da clavícula direita cuja biopsia revelou metástase de adenocarcinoma pulmonar. Iniciou tomando 1000mg de dehidrocolina 2x ao dia. O efeito foi dramático. Engordou 5 Kg em 10 dias e a dispneia regrediu juntamente com o derrame pleural. Permaneceu em ótimo estado geral por 6 meses. Começou apresentar febre alta com sudorese profusa. Tratado como tuberculose, mas não respondeu. Faleceu com suspeita de trombose mesentérica.

Referência. Wyburn-Mason R. A causa da artrite e cancros humanos. Um Novo Conceito em Medicina – um resumo e Adendos, incluindo a natureza da esclerose múltipla publicado pela Arthritis Trust of America/reumatóide. Fundação 7376 Walker Road, Fairview, TN 37062-8141. Câncer supostamente de etiologia amebiana, 1983

23. Carcinoma pulmonar de pequenas células (*oat cell*) tratado com ácidos biliares – dehidrocolina –4º

Sexo masculino, 73 anos com carcinoma pulmonar de pequenas células no lobo inferior do pulmão direito e derrame pleural. A. antes do tratamento. B: regressão total do derrame pleural após 3 semanas de uso de ácidos biliares com desaparecimento dos sintomas.

Referência. Wyburn-Mason R. A causa da artrite e cancros humanos. Um Novo Conceito em Medicina – um resumo e Adendos, incluindo a natureza da esclerose múltipla publicado pela Arthritis Trust of America/reumatóide. Fundação 7376 Walker Road, Fairview, TN 37062-8141. Câncer supostamente de etiologia amebiana, 1983

24. Carcinoma pulmonar tipo *oat cell* não responsivo ao tratamento habitual tratado com sulfato de cobre – 1º

Paciente do sexo masculino, com 65 anos de idade, italiano, morador do Brooklyn, New York, EUA. Ele se apresentou em Coney Island Hospital com história de cansaço, anorexia, tosse, expectoração, hemoptise, falta de ar e a perda de 9kg de peso ao longo de 6 semanas. Na radiografia de tórax evidenciou massa suprahilar direita, medindo 2cm de diâmetro, sem calcificação importante. Biópsia brônquica: carcinoma de pequenas células pouco diferenciado do brônquio principal direito composto de ninhos de células ovoides pequenas com núcleos hipercromáticos, alguns dos quais alongados, enquanto outros irregulares. As células do tumor invadiam o estroma subcutâneo e houve reação inflamatória de plasmócitos e linfócitos. O diagnóstico de carcinoma pulmonar de pequenas células foi feito: *oat cell*. Não havia evidência de metástases. O VHS era de 60mm por hora, com algum grau de anemia hipocrômica. Feitos um curso de tratamento por radiação e uma dose de ciclofosfamida, metotrexato e CCNU, ficando a adriamicina para tratamento posterior. O paciente, no entanto, ficou tão mal que estava enjoado, continuamente vomitando, anorexia completa e continuou a perder peso no total de 18kg ao todo. Em seu retorno ao hospital foi informado do diagnóstico e prognóstico e enviado para casa para morrer. A radiografia de tórax repetida sob os cuidados do autor mostrou aumento no tamanho da imagem tumoral suprahilar. Não havia evidência de metástases. Cerca de 6 semanas após seu último tratamento hospitalar começou o tratamento com comprimidos de **sulfato de cobre 50mg** diariamente, com melhoria dramática da sua condição. Dentro de alguns dias as náuseas cessaram e após 2 semanas seu apetite come-

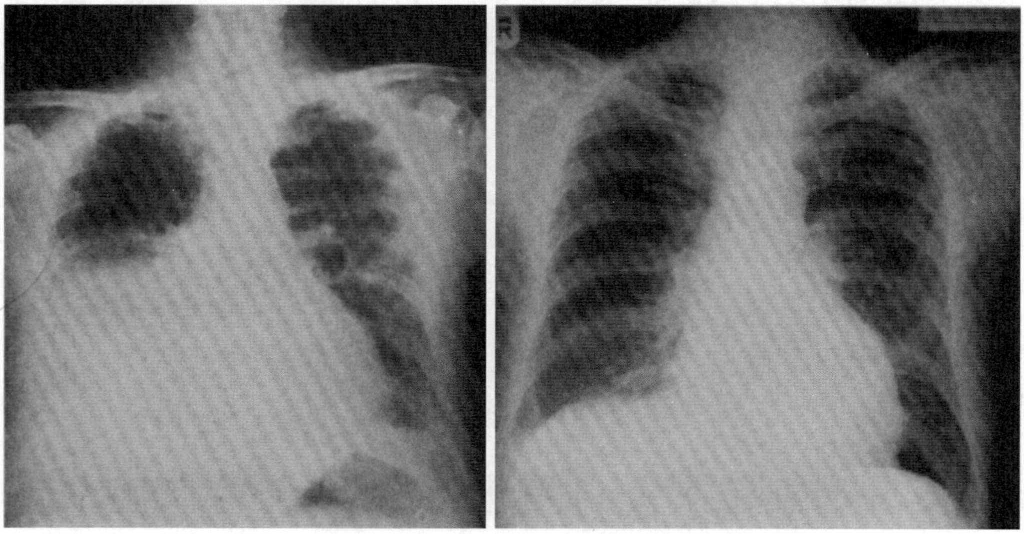

Fígura 220.8

çou a voltar. Gradualmente sua condição voltava ao normal, com ganho de peso de 9kg durante os próximos 4 meses, no fim do qual ele estava assintomático. Aos 6 meses a radiografia e a velocidade de sedimentação tinham voltado ao normal. Seu tratamento durou seis meses e no final desse período de tempo estava levando uma existência perfeitamente normal. Aposentou-se do seu trabalho e passou a viver na Flórida, onde permanece bem quatro anos depois.

Referência. Wyburn-Mason R. A causa da artrite e cancros humanos. Um Novo Conceito em Medicina – um resumo e Adendos, incluindo a natureza da esclerose múltipla publicado pela Arthritis Trust of America/reumatóide. Fundação 7376 Walker Road, Fairview, TN 37062-8141. Câncer supostamente de etiologia amebiana, 1983.

25. Carcinoma de pulmão tratado com sulfato de cobre – 2º

Sexo masculino, com idade de 72 anos, médico. Ele tinha uma longa história de consumo pesado de cigarros. Quatro anos antes tinha sofrido trombose coronariana e sofria de falta de ar, angina aos mínimos esforços e inchaço dos pés. Foi tratado com digoxina 0,25mg duas vezes por dia, furosemida 80mg e comprimidos K^+ diários. Quinze meses antes de ser visto começou com anorexia e perdeu quantidade considerável de peso. Ele tinha uma leve tosse produtiva e tornou-se cada vez mais dispneico. Três meses antes da consulta, o hemograma revelou anemia e VHS de 51mm por hora. A radiografia de tórax, em seguida, mostrou um tumor de Pancoast do lado direito, com derrame pleural bilateral. Foi tratado nos próximos dois meses com sulfato de cobre puro 25mg, dissolvido em água, três vezes ao dia e, a partir desse momento, seus sintomas melhoraram gradualmente. Ele parou de perder peso e a tosse e a dispneia diminuíram. Amigos comentaram sobre a melhoria de sua aparência e ele afirmava que se sentia muito melhor. Após dois meses de tratamento a radiografia de tórax mostrou que a congestão havia diminuído e os derrames basais tinham sido absorvidos com diminuição da sombra no ápice direito. Ele continuou a trabalhar em sua prática médica geral.

Referência. Wyburn-Mason R. A causa da artrite e cancros humanos – Um Novo Conceito em Medicina – um resumo e Adendos, incluindo a natureza da esclerose múltipla. Etiologia amebiana do câncer. Biblioteca Catalogação Número 83-71522 ISBN 0-931150-13-2 (c) 1983 por Roger Wyburn-Mason, MD, Ph. D. Publicado pela Arthritis Trust of America/reumatóide. Fundação 7376 Walker Road, Fairview, TN 37062-8141.

26. Carcinoma pulmonar de pequenas células (*oat cell*) com complicações para-neoplásicas com mehora dramática após sulfato de cobre – 3º

Sexo masculino, 67 anos com diagnóstico de Carcinoma de pequenas células ('Oat cell") no brônquio lobo inferior esquerdo com neuropatia e encefalopatia para-neoplásica. A: radiografia antes do tratamento. B: radiografia 1 semana após início do sulfato de cobre, mostrando dramática melhora das alterações pulmonares que foram acompanhadas com desaparecimenmto da neuropatia e encefalopatia.

http://www.medicinabiomolecular.com.br/biblioteca/pdfs/Casos-Clinicos/cc-0511.pdf

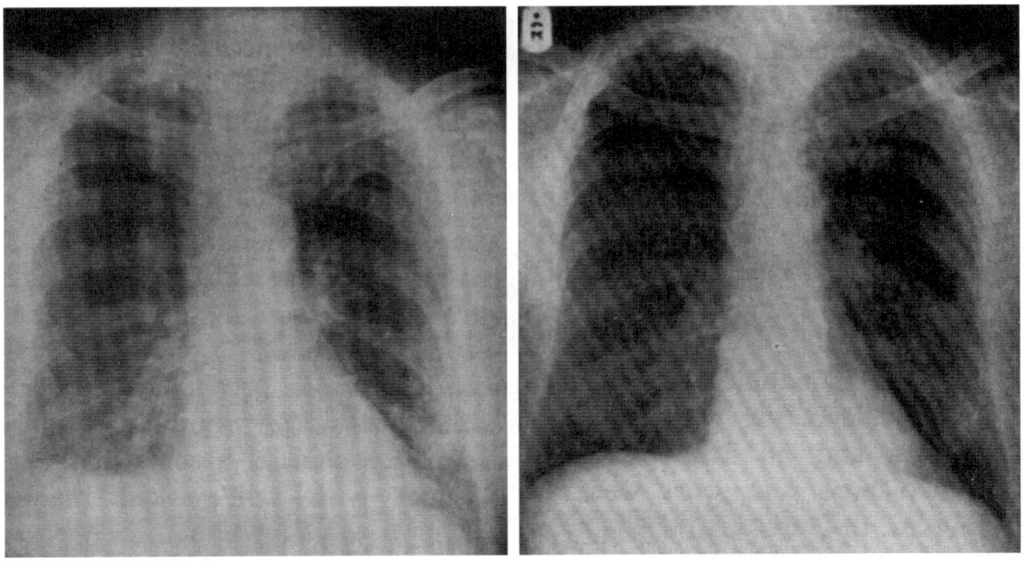

Fígura 220.9

27. Adenocarcinoma de pulmão tratado com sulfato de cobre – 4º

Sexo masculino, 73 anos. Adenocarcinoma de brônquio do lobo inferior do pulmão esquerdo com radiografia de tórax mostrando colapso parcial do pulmão esquerdo com desvio da traqueia para esquerdo devido a obstrução do brônquio mais derrame pleural. A: antes do tratamento. B: Três semanas após sulfato de cobre com absorção do derrame pleural e re-aeração e expansão do pulmão esquerdo.

Referência. The causation of reumathoid disease and many human cancer – A new concept in medicine – Roger Wyburn-Mason IJI Publishing Co, LTD Tokyo Japan, 1978.

28. Adenocarcinoma pulmonar com metástase em corpo vertebral que desapareceram após tratamento neuro-farmacológico de Fuad Lechin

http://www.medicinabiomolecular.com.br/biblioteca/pdfs/Casos-Clinicos/cc-0690.pdf- radiografias no link

Esse paciente apresentou adenocarcinoma pulmonar. A ressecção cirúrgica foi realizada no Hospital Deaconess (Boston) sem melhora. Começou terapia imunológica em nosso instituto. As figuras 1 a 7 mostram a normalização progressiva das radiografias de tórax que podem ser vistas no link acima. O paciente também apresentava uma metástase óssea na sexta vértebra dorsal que desapareceu após o tratamento.

29. Carcinoma de pulmão com metástases hepáticas tratado com solução hipertônica

Paciente com diagnóstico de neoplasia pulmonar iniciou tratamento com bicarbonato, antes de se submeter à cirurgia para a remoção de parte do pulmão. O bicarbonato hipertônico foi administrado por via oral, por aerossol e via intravenosa. Após as primeiras aplicações já se notou evidente redução dos nódulos e após 8 meses eles não eram mais visíveis. O tratamento também reduziu o tamanho das metástases de fígado, resultados confirmados por tomografia computadorizada e radiografia de tórax. Ver no capítulo correspondente os efeitos das soluções hipertônicas: no câncer provoca hiperosmolalidade peritumoral seguida de apoptose e diminuição da proliferação mitótica. O efeito não é devido à alcalinidade.

30. Neoplasia pulmonar tratada com solução hipertônica

Paciente com diagnóstico de neoplasia pulmonar iniciou tratamento com bicarbonato de sódio hipertônico, antes de se submeter à cirurgia para a remoção de parte do pulmão. O bicarbonato hipertônico foi administrado por via oral, aerossol e intravenoso. Após a primeira aplicação já se notou evidente redução dos nódulos e após 8 meses eles não eram mais visíveis. O tratamento também reduziu o volume das metástases. In Tulio Simoncini http://www.curenaturalicancro.com

Nota: sabemos atualmente que o efeito antitumoral é devido à hiperosmolalidade peritumoral e não ao pH alcalino.

31. *Aloe arborescens* aumenta a eficácia da quimioterapia e a sobrevida no câncer de pulmão

A randomized study of chemotherapy versus biochemotherapy with chemotherapy plus Aloe arbo-

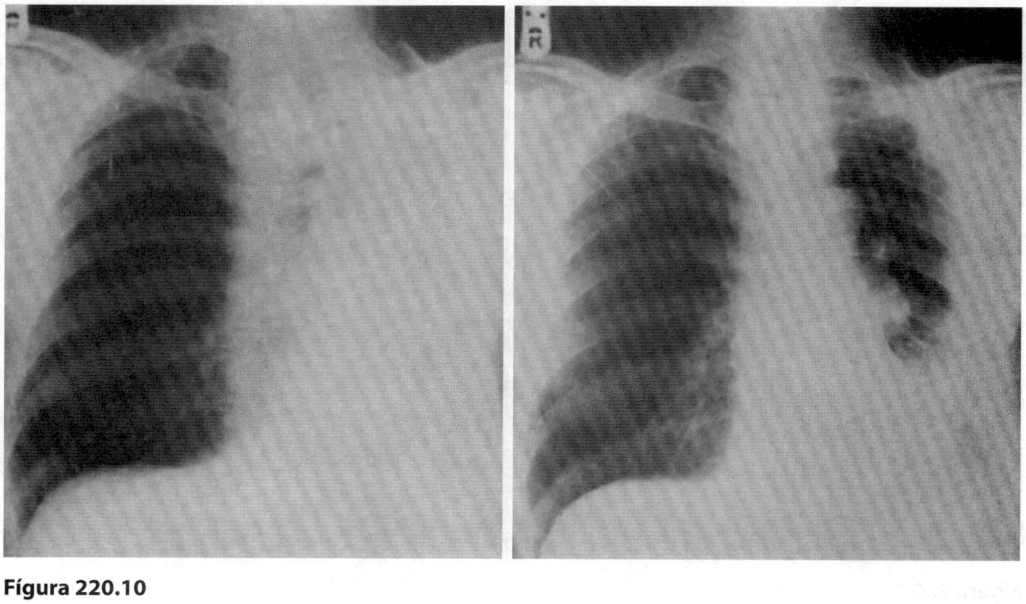

Fígura 220.10

rescens in patients with metastatic cancer. Lissoni P, Rovelli F, Brivio F, Zago R, Colciago M, Messina G, Mora A, Porro G. In Vivo. 2009 Jan-Feb;23(1):171-5. BACKGROUND: The recent advances in the analysis of tumor immunobiology suggest the possibility of biologically manipulating the efficacy and toxicity of cancer chemotherapy by endogenous or exogenous immunomodulating substances. Aloe is one of the of the most important plants exhibiting anticancer activity and its antineoplastic property is due to at least three different mechanisms, based on antiproliferative, immunostimulatory and antioxidant effects. The antiproliferative action is determined by anthracenic and antraquinonic molecules, while the immunostimulating activity is mainly due to acemannan.

PATIENTS AND METHODS: A study was planned to include 240 patients with metastatic solid tumor who were randomized to receive chemotherapy with or without Aloe. According to tumor histotype and clinical status, **lung cancer patients** were treated with cisplatin and etoposide or weekly vinorelbine, colorectal cancer patients received oxaliplatin plus 5-fluorouracil (5-FU), **gastric cancer patients** were treated with weekly 5-FU and pancreatic cancer patients received weekly gemcitabine. Aloe was given orally at 10 ml thrice/daily.

RESULTS: The percentage of both objective tumor regressions and disease control was significantly higher in patients concomitantly treated with Aloe than with chemotherapy alone, as well as the percent of 3-year survival patients.

CONCLUSION: This study seems to suggest that Aloe may be successfully associated with chemotherapy to increase its efficacy in terms of both tumor regression rate and survival time.

Reference. PMID: 19368145

Nota: O *Aloe arborescens* possui maior eficácia que o *Aloe vera* porque possui maior quantidade de princípios ativos. Os efeitos anticâncer da família Aloe se deve a 3 efeitos: imunoestimulante (acemanan, molécula semelhante a glucan), antioxidante e antiproliferativo (moléculas de antraquinonas e antracênicas).

32. Adenocarcinoma pouco diferenciado de pulmão tratado com baixa dose de naltrexone

A 50-year-old male revealed in chest X-ray a prominence in right hilum and a density along the right pleura towards the right upper lobe. On tomography (CT) pleural-based mass measuring 3.3 cm x 3.7 cm in the right upper lobe. Biopsy: adenocarcinoma, poorly differentiated with a solid and single cell pattern. A full body positron emission tomography (PET) revealed a hypermetabolic spiculated 4.4 cm x 3.2 cm mass in the right upper lobe of the patient (Figure 2). Also, a pathologic hypermetabolic right suprahilar lymph node measuring 1.8 cm x 2.4 cm. was noted. The standardized uptake values (SUVs) were 12 and 5.8, respectively. On November 25, 2013, the patient underwent right upper lobe lobectomy and frozen section determined tumor, node and metastases (TNM) classification to be T3, N1, and Mx. After resection, the patient began concurrent chemo-radiotherapy with cisplatin and pemetrexed on January 15, 2014. He declined further chemotherapy treatments after the second treatment session citing intolerable side effects such as nausea, vomiting, fatigue, and malaise. However, he completed the radiation regimen, which lasted for a total of six weeks. In subsequent weeks and months, the patient faced numerous challenges including several admissions for pneumonia, fluid overload, and bronchospasms. Later, he was admitted for pulmonary embolism, which led to the addition of rivaroxaban for life and placement of an inferior vena cava (IVC) filter. The patient has a history of permanent tracheostomy for chronic hypercapnic respiratory failure in 2006 along with a radical prostatectomy due to a Gleason 7 prostate carcinoma in 2008. He was started on LDN 4.5mg HS on July 23, 2014. Imaging performed following LDN has been unremarkable. More specifically, a PET scan performed on October 27, 2017, and computed tomography (CT) of chest/abdomen/pelvis with contrast performed on April 25, 2018, have been negative for evidence of any recurrence. The patient is currently on rivaroxaban, amlodipine, atorvastatin, clonidine, insulin lispro, insulin glargine, losartan, metoprolol, prednisone, montelukast, diltiazem, and LDN.

Reference. Miskoff JA, Chaudhri M. Low Dose Naltrexone and Lung Cancer: A Case Report and Discussion. Cureus. Jul 5;10(7):e2924. doi: 10.7759/cureus.2924;2018.

33. Metástases pulmonares de adenocarcinoma de mama que regrediram em 4 meses após estratégia neurofarmacológica.

Pulmonary metastasis in the right lung, secondary to previously resected mammary gland. Total disappearance was observed within 4 months of neuropharmacological therapy. No relapses occurred. Fuad Lechin at School of Medicine of the Central University of Venezuela.

34. Metástases pleuro-pulmonares à direita secundárias a câncer de mama previamente ressecado que regrediram em 3 meses após estratégia neurofarmacológica

Right pleuropulmonary metastasis, secondary to previously resected mammary gland. Total disappearance was observed after 3 months of neuropharmacological therapy. Fuad Lechin at School of Medicine of the Central University of Venezuela.

35. Metástases pulmonares de adenocarcinoma de pulmão que regrediram totalmente em 5 meses da estratégia neurofarmacológica

Mammary adenocarcinoma with metastasis in lung cancer before and after 5 months of neuropharmacological therapy. Fuad Lechin at School of Medicine of the Central University of Venezuela.

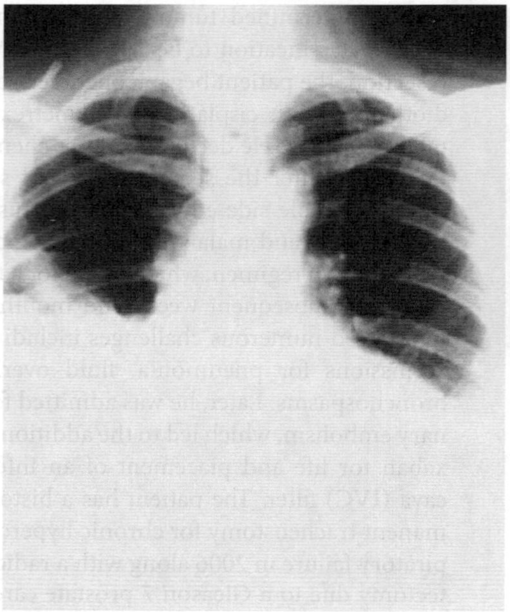

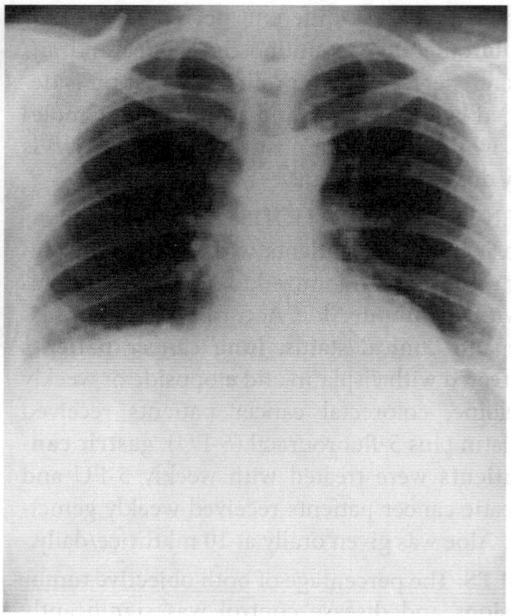

Fígura 220.11

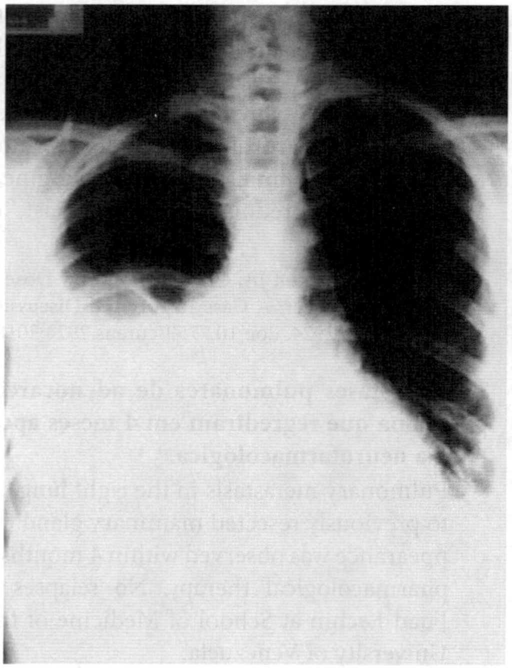

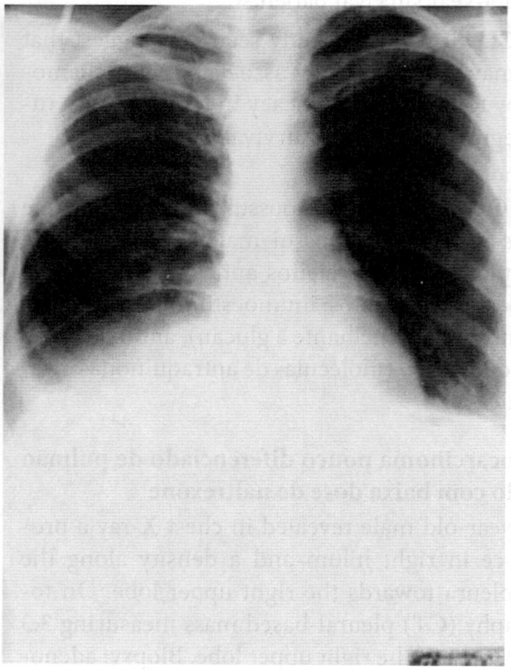

Fígura 220.12

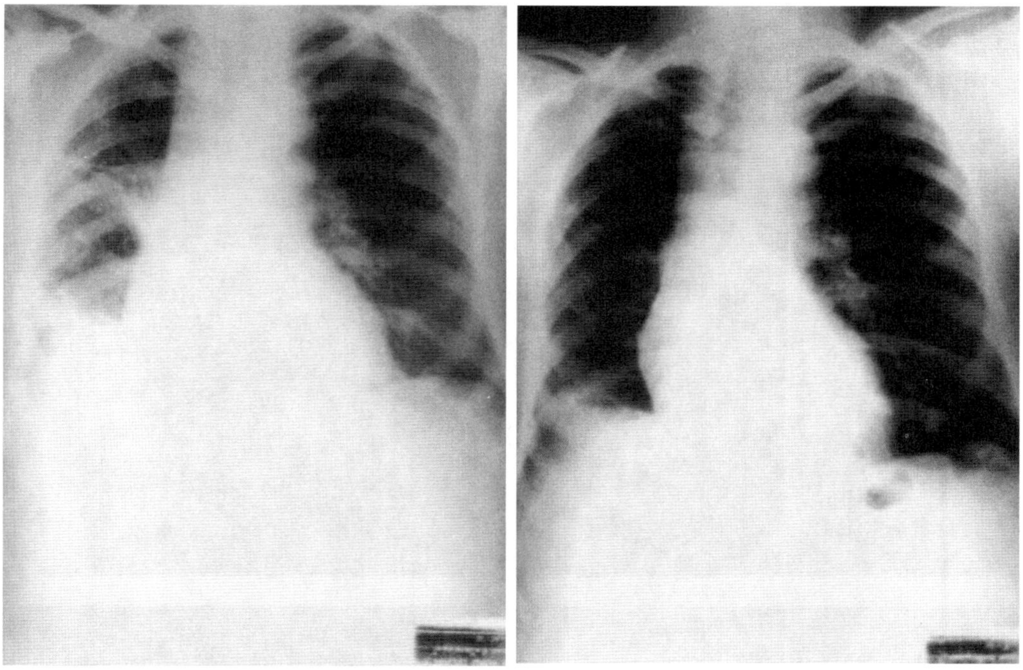

Fígura 220.13

36 **Metástases ósseas na 6ª vertebra torácica que surgiram 1 mês após ressecção de adenocarcinoma pulmonar que regrediram em 5 meses de terapia neurofarmacológica**

Bone metastasis at the 6th thoracic vertebra. After 5 months of neuropharmacological
therapy the bone was healed. The primary tumor, a pulmonary adenocarcinoma, was resected 1 month before at the Deaconess Hospital in Boston (USA), where post-surgical radiotherapy was suggested to alleviate pain. No radiotherapy was applied.

37. **Adenocarcinoma de pulmão com metástases supraclaviculares tratadas com a estratégia neurofarmacológica**

Eight months after chemotherapy + radiotherapy courses, cancer symptoms reappeared and the patient entered neuropharmacological therapy. Within 2 years, significant reduction of tumoral images was obtained and the patient was discharged symptomless. She then traveled to San Francisco (USA) where she attended her severely diseased mother, night and day, for several months. She died 2 months after her mother's funeral.

Lung cancer (adenocarcinoma) + supraclavicular metastasis. Within 2 years, significant reduction of tumoral images. Fuad Lechin at School of Medicine of the Central University of Venezuela.

38. **Metástases pleuro-pulmonares de adenocarcinoma de mama previamente ressecado que regrediram após 4 meses da abordagem neurofarmacológica**

Right pleuropulmonary metastases from a previously resected mammary adenocarcinoma. Normalization was obtained after 4 months of neuropharmacological therapy. Fuad Lechin at School of Medicine of the Central University of Venezuela.

39. **Adenocarcinoma pulmonar tratado com a abordagem neurofarmacológica**

Age 56, male. Pulmonary adenocarcinoma. Great parenchymal infiltration of the upper right lung lobe. He received neuropharmacological therapy during 3.6 years. He remained symptomless. He died following an accidental fall.

Age 56, male. Pulmonary adenocarcinoma. Great parenchymal infiltration of the upper right lung lobe. He received neuropharmacological therapy during 3.6 years. He remained symptomless. He died following an accidental fall. Fuad Lechin at School of Medicine of the Central University of Venezuela.

40. **Metástases pleuro-pulmonares de adenocarcinoma de mama previamente ressecado com melhora significativa em 3 meses da abordagem neurofarmacológica**

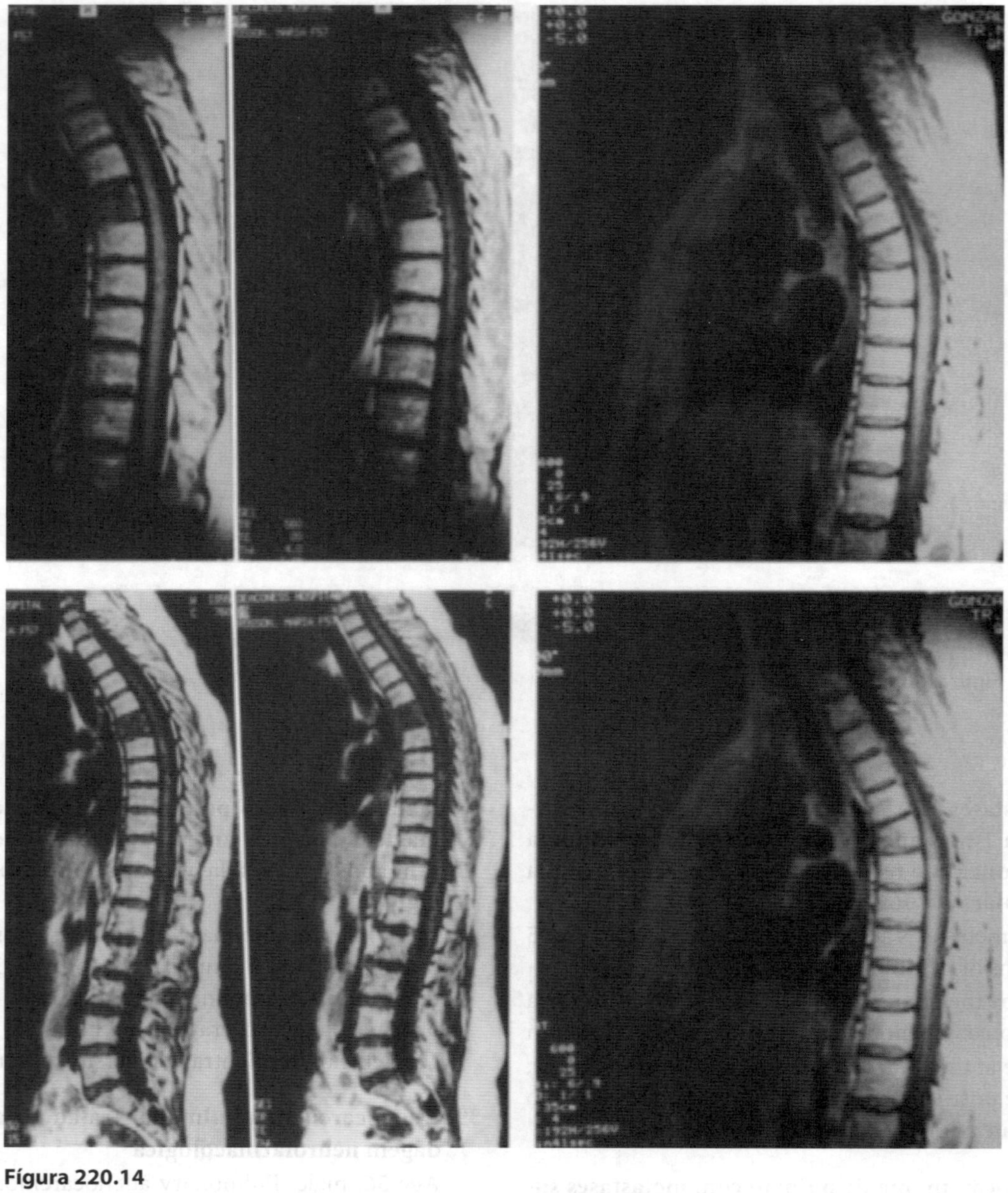

Fígura 220.14

Pleuropulmonary metastases from a previously resected mammary adenocarcinoma. At the start and after 3 months of treatment. Fuad Lechin at School of Medicine of the Central University of Venezuela.

41. Metástases pleuro-pulmonares à esquerda de adenocarcinoma de mama previamente ressecado que regrediu após 3 meses de tratamento neurofarmacológico

Left pleuropulmonary metastases from a previously resected mammary adenocarcinoma. Normalization was obtained after 3 months of neuropharmacological therapy. Fuad Lechin at School of Medicine of the Central University of Venezuela.

42. Carcinoma de pulmão anaplástico de pequenas células tratado com *Viscum album* e homeopatia. Sobrevida de 5 anos

A 59 year old man presented to hospital with a three day history ofright sided chest pain, dyspnoea, and haemoptysis in February 1983. A chest radiograph showed a prominent right hilum with some shadowing in the right mid zone; a bronchial neoplasm was diagnosed at bronchoscopy. Histological examination of bronchial tissue showed small cell anaplastic carcinoma. Chemotherapy was offered but the patient refused it. He elected instead to have homoeopathic medicines and Iscador, which

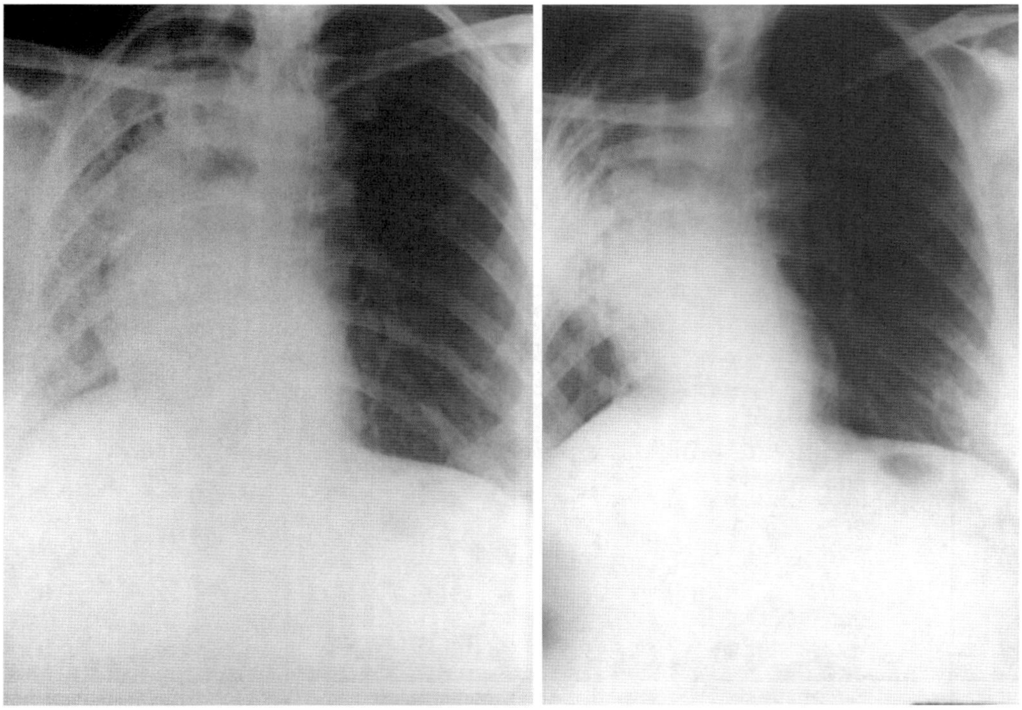

Fígura 220.15

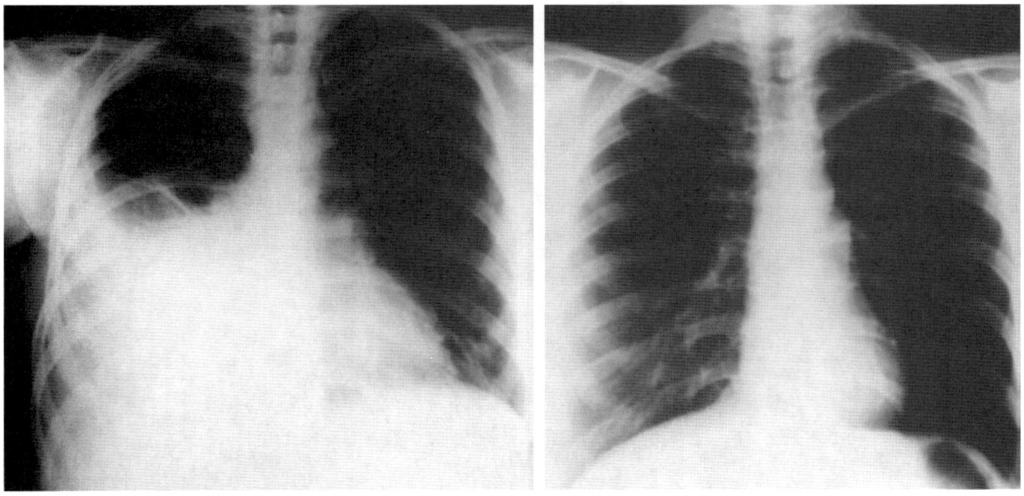

Fígura 220.16

were started in April 1983. Brain metastases were suspected clinically, and because of this dexamethasone 4mg six hourly was started. This was given for four days, then gradually withdrawn over the next five days because he developed hypomania. He was given subcutaneous Iscador once daily for five days, followed by oral Iscador 0,05- 1mg three times a day. The dose was progressively increased over a few weeks to achieve a maintenance dose that varied from 5 to 10mg three times a day. Various homoeopathic medicines were given, selected in accordance with the histological type of the lung tumour and the overall reaction of the patient. These were taken until April 1986, when he lapsed from homoeopathic follow up. A chest radiograph in February 1987 was virtually normal. When he was reviewed in February 1988 his overall clinical condition had not changed but a chest radiograph

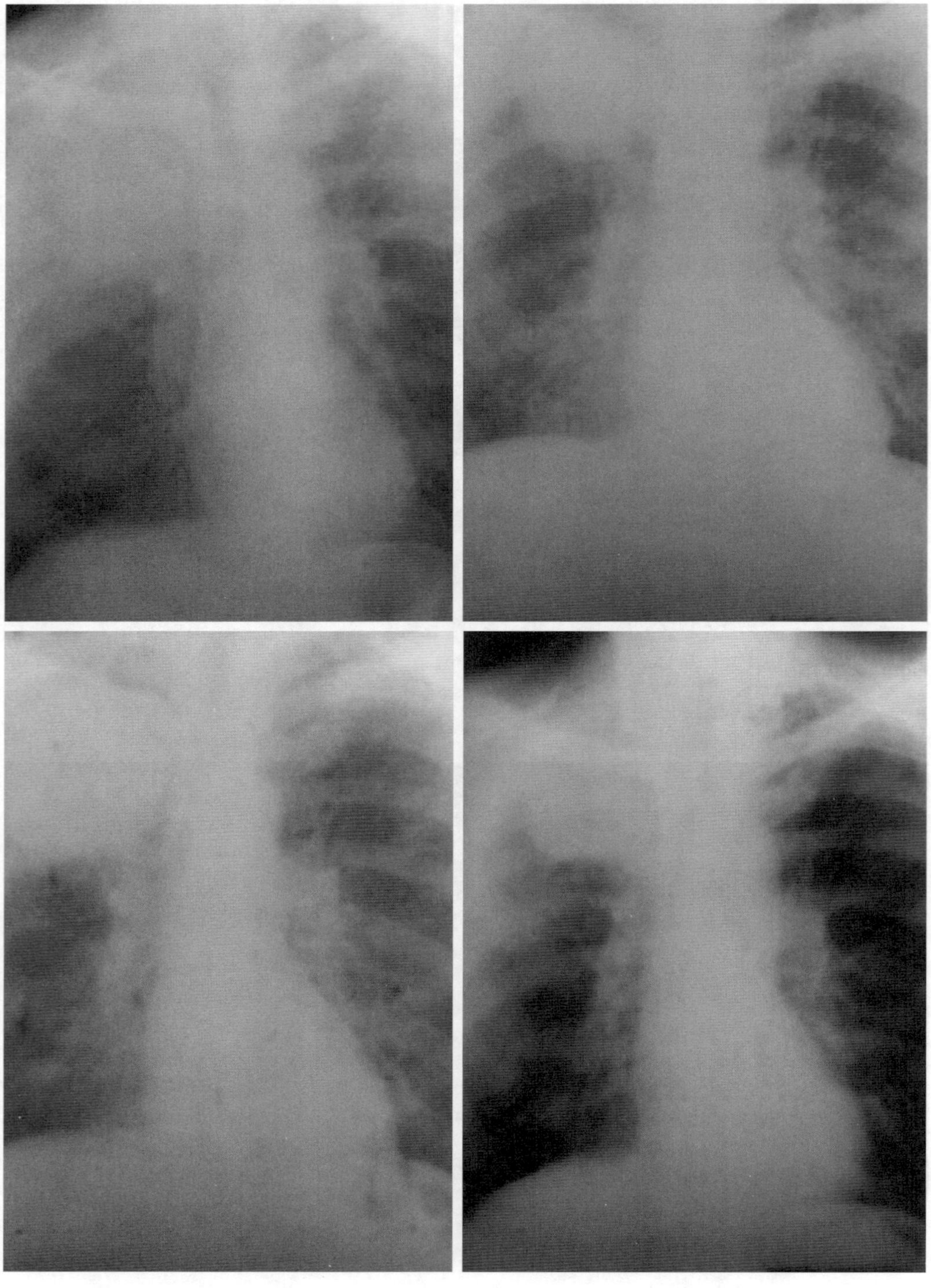

Fígura 220.17

showed further prominence of the right hilum, consistent with recurrence ofthe tumour. He died in a hospice in October 1988; there was no necropsy.

Reference. Bradley GW, Clover A. Apparent response of small cell lung cancer to an extract of mistletoe and homoeopathic treatment. Thorax. 1989 Dec;44(12):1047-8.

43. Carcinoma pulmonar de pequenas células (SCLC) mais metástases em mediastino e fígado tratada com medicina convencional acrescido de fitoterápicos que agem em vários alvos da sinalização neoplásica

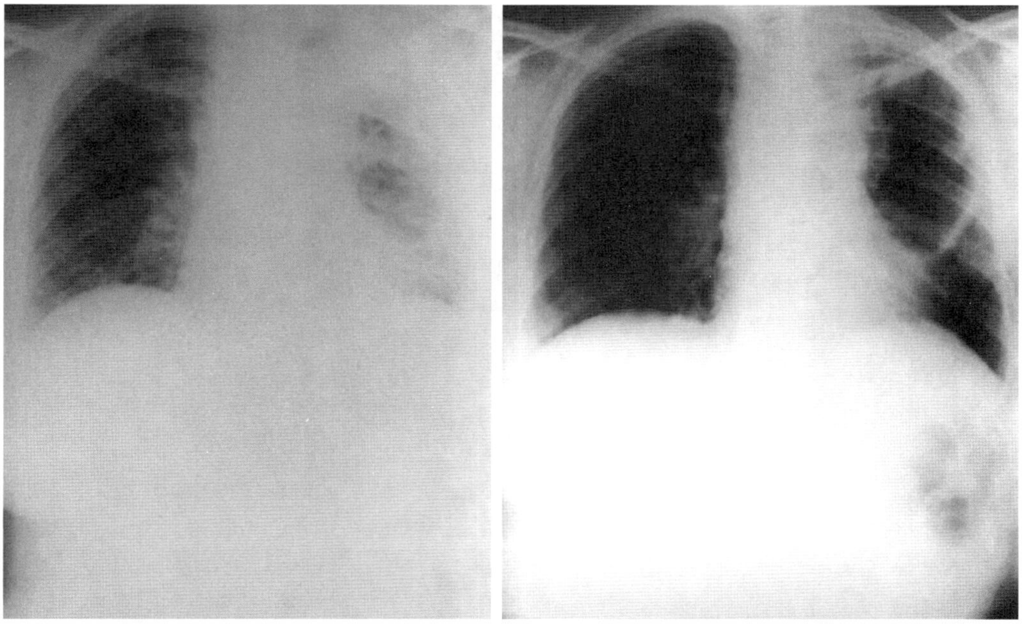

Fígura 220.18

In February 2011, a 62-year-old woman was diagnosed with SCLC (Figs. 1 and 2). The patient was a smoker (20 cigarettes/day for 45 years). History of a persistent cough following a respiratory infection~1 month earlier. The diagnosis of SCLC was based on microscopic examination of the material obtained during bronchoscopy. The patient's overall health was good. At 5 weeks after the initial diagnosis, chemotherapy with platinum and etoposide was administered. The patient received 6 cycles of this treatment, but the intervals between cycles had to be prolonged due to leukopenia (WBC < 2,500/µl). Cancer remission was achieved after 6 cycles of standard therapy. After the 4th cycle, PCI (2.5 Gy/g; 10 cycles) was performed. In addition, long-term enoxaparin (40mg/day) therapy lasting 2 years was prescribed.

In April 2012, a computed tomography-positron emission tomography scan was performed in order to exclude neoplastic changes in the lymphnodes and metastatic disease. Gamma Knife was then used to treat mediastinal lymphnodes suspected for neoplastic infiltration. Oncological treatment was completed in May 2012. The patient was advised to visit the oncological centre in case of tumour progression detected on annual follow-up examinations.

Simultaneously, an off-label therapy was administered. The individualized scheme included curcumin, parthenolide, betuline, sulforaphane, withanolides, lactoferrin, pomegranate fruit extract, flaxseed orally and dioscorea in inhalational form. The treatment strategy was based on changing the agents every 5 days in order to avoid developing resistance to treatment. Compounds extracted from medicinal plants usually have low bioavailability; therefore, the pivotal role of appropriately higher doses of certain agents should be emphasised. In the majority of cases, double dosages were used, rather than what was recommended by the manufacturer. The patient has been continuously taking curcumin (1,330mg/day), betuline (10 ml 2% extract/day), withanolides (1,100mg/day), parthenolide (0.624mg/day), lactoferrin (200mg/day), sulforaphane (100mg/day) and pomegranate fruit extract (2,200mg/day) to this day. Some of the active substances are administered on a daily basis (curcumin, sulforaphane), whereas the others are changed every 5 days. All agents mentioned above were well-tolerated. Follow-up chest X-ray and abdominal ultrasound are performed annually and have not shown any progression or metastasis of the lung cancer. The results of the annual laboratory blood tests are also normal. The patient is a member of the author's family and remains under his medical care. She remains alive and in good condition. The last examination took place in September 2018.

Reference. Kruk PJ. Beneficial effect of additional treatment with widely available anticancer agents in advanced small lung cell carcinoma: A case report. Mol Clin Oncol. 2018 Dec;9(6):647-650.

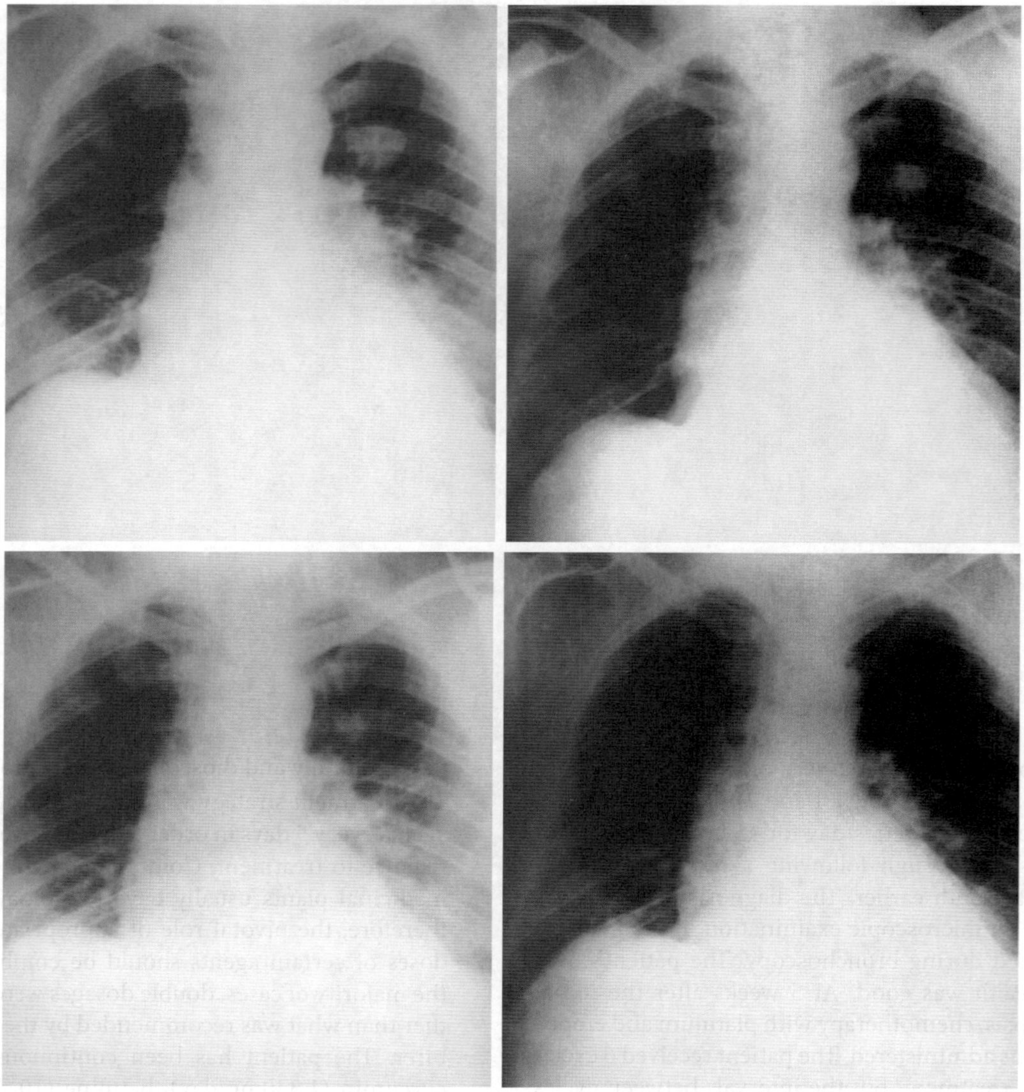

Fígura 220.19

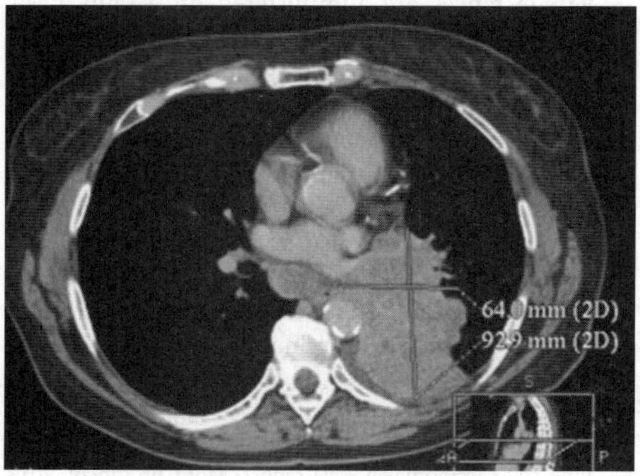

Fígura 220.20

44. Adenocarcinoma pulmonar com metástase pleural tratado somente com Rhus verniciflua, longa sobrevida

A 52-year-old female was diagnosed with pulmonary adenocarcinoma accompanying malignant pleural effusion confirmed by histologic examination in August 2006. Immunochemical staining pattern was a cytokeratin 7 (strong positive), cytokeratin 20 (negative), and thyroid transcription factor-1 (positive). One month later, CT scans showed an aggravation in malignant pleural effusion. She strongly refused recommended chemotherapy because of concerns about adverse effects. Instead, only RVS treatment was initiated in October 2006. After 1-month RVS treatment, CT scans showed

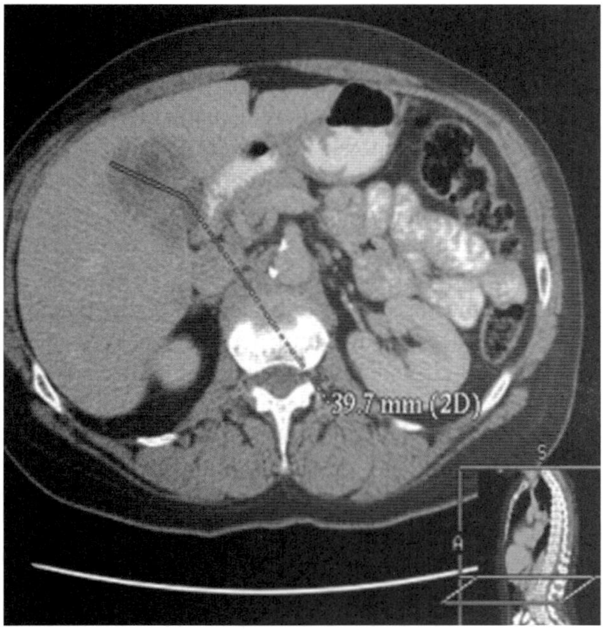

Fígura 220.21

marked decrease in pleural effusion and no interval change in mass. There was no significant change in tumor and pleural nodularity in a chest CT scans until January 2009. In July 2009 after progression of her disease, she was enrolled in a clinical trial (erlotinib) at other hospital and was lost to follow-up. Adverse effects from 34-month RVS treatment were not observed.

Reference. Lee SH, Kim KS, Choi WC, Yoon SW. Successful outcome of advanced pulmonary adenocarcinoma with malignant pleural effusion by the standardized *Rhus verniciflua* stokes extract: a case study. *Explore*. 2009;5(4):242–244.

45. Remissão de metástases pulmonares irresecáveis de câncer retal com extrato de *Rhus verniciflua*.

Resumo no site: www.medicinabiomolecular.com.br

Referência. Kim K, Lee S. Remission of Unresectable Lung Metastases from Rectal Cancer After Herbal Medicine Treatment: A Case Report. Explore (NY). 12:259-62:2016.

46. Adenocarcinoma de pulmão avançado tratado com quimioterapia e radioterapia com regressão parcial. Após 8 meses iniciou Inositol hexafosfato (IP6) + inositol com regressão total do tumor pulmonar e das metástases ganglionares em mediastino

The case was 53-year-old female with smoking history for 30 years. She had had diagnosis of left lung cancer (adenocarcinoma of S6 origin, c-T2N3M0, stage IIIB) at age 49. Evidence based medicine indicated chemo-radiotherapy (CRT) instead of surgery for this patient. However, CRT was terminated in mid-course because of its adverse effects (leukopenia, alopecia, nausea, vomiting, diarrhea). The overall effect of CRT, at termination, was Partial Response (PR); the original tumor had regressed 60%, while metastatic lymph nodes in the mediastinum showed 95% regression. Eight months later, following the CRT termination, she began to take IP6 + Inositol twice daily. Four years and 4 months have passed since termination of CRT. She now enjoys a completely healthy life without any signs of relapse. Periodic checkup of her chest and abdomen by computed tomography (CT) and, recently, by multi-detector CT, revealed no evidence of tumor regression; only the fibrotic change and cicatrization of part of the mediastinum and the middle part of the left lung where the original tumor existed are the findings confirmed by radiologists. Serum CEA level drastically decreased to normal when the CRT was terminated and continues to be normal. This might be partly attributed to the fact that she has taken IP6 + Inositol every day for more than three years, without any other treatments. She has not shown any adverse effect during this observation period.

Reference. Abstracts of the 7th International Conference of Anticancer Research, 25-30 October 2004, Corfu, Greece. LONG-TERM SURVIVAL OF A PATIENT WITH ADVANCED NON-SMALL CELL LUNG CANCER TREATED WITH INOSITOL HEXAPHOSPHATE (IP6) PLUS INOSITOL REPORT OF CASE.

47. Adenocarcinoma de pulmão com regressão total após auto-administração de canabidiol

In October 2016, an 81-year-old man with chronic obstructive pulmonary disease (COPD) presented to his general practitioner with a 3-week history of increasing breathlessness but no cough. A chest radiograph identified a shadow in the lower zone in the left lung, and subsequent CT scan confirmed the presence of a 2.5×2.5cm mass in the lower left lung and multiple mediastinal lymph nodes. The patient underwent an endobronchial ultrasound guided biopsy of the paratracheal lymph nodes which revealed lung adenocarcinoma (T1c N3 M0). Tumour cells were strongly positive for CK7, thyroid transcription factor-1 (TTF-1) and with moderate focal expression of estrogen receptor (ER). They were negative for CK20, S100, PSA, CD56, synaptophysin and chromogranin. The tumour was negative for epidermal growth factor receptor (EGFR) and anaplastic lymphoma kinase (ALK) mutations. He was an ex-smoker (around 18 cigarettes daily for around 15 years) having stopped smoking 45 years ago. The patient was offered chemotherapy and radiotherapy, but he declined as he was in his 80s and did not want any treatment that could adversely affect his quality of life. The decision was made to follow the patient up but without active treatment. A CT scan in December 2016 showed that the lung mass had increased in size to 2.7 × 2.8 cm though the mediastinal and left hilar lymph nodes had not changed in size. The patient had a further CT scan in November 2017 which revealed near total resolution of the left lower lobe mass with only a small area of residual spiculated soft tissue remaining (1.3 × 0.6 cm) and a significant reduction in size and number of mediastinal lymph nodes. The patient underwent another CT scan in January 2018 which showed stable appearances of the small residual opacity in the left lower lobe and mediastinal lymph nodes. On further questioning, the patient stated that he had started taking CBD ("MyCBD") oil 2% (200mg CBD in 10mL) from the beginning of September 2017. He took two drops (0.06mL, 1.32mg CBD) twice daily for a week and then nine drops (0.3mL, 6mg CBD) twice daily until the end of September. Following the November 2017 CT scan, the patient started taking nine drops twice daily but had to stop around a week later. The reason behind this was that the patient did not like the taste and caused him slight nausea. He was never physically sick. There were no other changes in the patient's diet, medication or lifestyle from September 2017. Informed written consent was obtained from the patient.

Reference. Josep Sulé-Suso, Nick A Watson, Daniel G van Pittius and Apurna Jegannathen. SAGE Open Medical Case Reports. Volume 7: 1–4, 2019.

48. Metástases pulmonares de câncer retal que regrediram com Rhus verniciflua e Dokhwaljihwang-tang

Lung metastasis is frequent in rectal cancer patients and has a poor prognosis, with an expected three-year survival rate of about 10%. We present the case of a 57-year-old Asian male with lung metastases from rectal cancer. He first underwent resection of the primary lesion (stage IIA, T3N0M0) and six cycles of adjuvant chemotherapy. Unfortunately, lung metastases were confirmed about one year later. Palliative chemotherapy was begun, but his disease continued to progress after three cycles and chemotherapy was halted. The patient was exclusively treated with herbal medicine-standardized allergen-removed Rhus verniciflua stokes extract combined with Dokhwaljihwang-tang (Sasang constitutional medicine in Korea). After seven weeks of herbal medicine treatment, the lung metastases were markedly improved. Regression of lung metastases has continued; also, the patient's rectal cancer has not returned. He has been receiving herbal medicine for over two years and very few side effects have been observed. We suggest that the herbal regimen used in our patient is a promising candidate for the treatment of lung metastases secondary to rectal cancer, and we hope that this case stimulates further investigation into the efficacy of herbal treatments for metastatic colorectal cancer patients.

Reference. Kim K, Lee S. Remission of Unresectable Lung Metastases from Rectal **Cancer** After Herbal Medicine Treatment: A **Case** Report. Explore (NY). 2016 Jul -Aug;12(4):259-62.

49. Metástases pulmonares de carcinoma hepatocelular que regrediram após consumo da fruta graviola

Hepatocellular carcinoma (HCC) is a leading cause of worldwide cancer-related mortality, and even with established treatment paradigms, its global burden demands greater research into therapeutic options. In the following case report, a patient suffering from HCC with lung metastasis demonstrated regression of metastatic disease while consuming guyabano fruit extract in the absence of conventional chemotherapy. While the antineoplastic effects of the guyabano fruit (graviola) is well documented, there is sparse clinical documentation of HCC regression associated with it, and a better understanding of guyabano and its antineoplastic activity may trigger discovery of novel therapeutic options for this deadly disease.

Reference. Gunasekaran SS, Emmadi R, Landers LA, Gaba RC. Regression of Hepatocellular Carcinoma Lung Metastases after Guyabano Fruit Extract Consumption. J Diet Suppl. 2016;13(3):237-44.

CAPÍTULO 221

Câncer de mama: 60 pacientes

1. Carcinoma ductal invasivo tratado com radiofrequência (RF) mais reposição de nutrientes.

José de Felippe Junior

M.V.V.B., sexo feminino, 52 anos de idade: nódulo de mama palpável e esteatose hepática grau III.

Punção: carcinoma ductal invasivo – grau I.

AUSÊNCIA DE METÁSTASES.

No pré-operatório: foi submetida a 3 aplicações de RF por semana, 10 no total.

Resultado:

Nódulo de 2cm de diâmetro.........nódulo de 1cm diâmetro.

Esteatose hepática grau III............grau I.

A paciente apresentou redução de 50% do tumor com apenas 10 aplicações. Uma observação não esperada foi a grande melhora da esteatose hepática que de grau III foi para grau I sem tratamento bioquímico específico. Seguiu com tratamento oncológico. Clínica JFJ, 2001.

2. Câncer de mama e RF mais reposição de nutrientes.

José de Felippe Junior

MPI, 87 anos de idade, paciente de longa data em tratamento de artrose e vários pequenos problemas relacionados com o sobrepeso, IMC: 29.

Em 14/12/06 palpou massa em mama direita que o ultrassom revelou nódulo de 2cm.

A biópsia por mamotomia mostrou carcinoma intraductal, padrão sólido, com necrose focal.

Família recusou quimioterapia.

Tratamento

1. Naltrexone: 4,5mg (1 vez), óleo de cártamo 1.000mg (CLA-2cp 3 vezes), *Agaricus blazzei* (300mg 3 vezes).
2. RF com hipertermia local.
3. Vitamina C 10g por via intravenosa: 20 vezes.

Resultado

25/02/08: Mamografia e US com desaparecimento total do nódulo neoplásico.

Após 4 anos faleceu acometida por um AVC. Clínica JFJ, 2006.

3. Câncer de mama tratado com RF mais reposição de nutrientes e retirada de metais tóxicos.

José de Felippe Junior

MEN, 65 anos de idade, adenocarcinoma de mama com nódulo medindo 1,9 × 2,0cm em novembro de 2011. Após a quimioterapia o nódulo aumentou para 4,6 × 3,0 × 2,5cm. Após a retirada de metais tóxicos, reposição dos nutrientes em falta e estratégia para aumentar a fosforilação oxidativa mitocondrial submeteu-se a 12 aplicações de radiofrequência (MWO), 15 minutos por aplicação, de frente para a antena principal e distância entre antenas de 1 metro. Imediatamente após a última irradiação fez ultrassom que mostrou grande redução do nódulo mamário para 2,4 × 2,0 × 2,0cm. Grosseiramente houve queda do volume tumoral de $34{,}5cm^3$ para $9{,}6cm^3$.

(–72%). Exame laboratorial para verificação de calor no local do nódulo mamário não revelou aumento de calor. Biópsia local: infiltrado linfocitário sem células neoplásicas. Encaminhado ao oncologista. Clínica JFJ.

4. Adenocarcinoma de mama com derrame pleural metastático responsivo à hipertermia por RF e reposição de nutrientes.

José de Felippe Junior

ITG, sexo feminino, data de nascimento: 17/03/1950, 54 anos, com adenocarcinoma de mama direita, derrame pleural à direita e metástases pulmonares à esquerda.

Em agosto de 2000 foi diagnosticado câncer de mama direita, sendo submetida a cirurgia, radioterapia e quimioterapia.

Em novembro de 2003 apresentou derrame pleural à direita. Citológico: carcinoma metastático. Anatomopatológico: adenocarcinoma pouco diferenciado. A radiografia de tórax evidenciou dois nódulos no pulmão esquerdo (1,0cm e 1,7cm).

Em 6 de janeiro de 2004 a tomografia revelou 7 nódulos metastáticos no pulmão esquerdo e derrame pleural direito extenso. Ultrassom de abdome: normal. Cintilografia óssea: duas áreas de hipercaptação: clavícula direita e oitavo arco costal direito.

Iniciou quimioterapia em 29/11/03 com taxotere e adriamicina de 21 em 21 dias, plano: seis sessões. Término em 08/04/04.

Iniciou soro oxidante e radiofrequência com 434MHz em janeiro de 2004.

Exames de 27/01/04: ferritina: 267ng/dl, ceruloplasmina: 41mg%, Na: 144mEq/l,

K: 4,8mEq/l, VHS: 100mm/primeira hora, CA15-3: 129, CEA: 21,2, T4 livre: 1,1, TSH: 3,5, DHEA sulfato: 32.

Em janeiro recebeu 10 soros oxidantes e 10 aplicações de radiofrequência.

Em março recebeu 9 soros oxidantes e 9 aplicações de 434MHz.

A oxidação sistêmica, avaliada pela degradação oxidativa dos ácidos graxos plasmáticos (LPO-MDA-malondialdeído) passou de 4 para somente 6 nanomols/ml (normal: 1 a 3,5 nanomoles MDA/ml de plasma).

No final de abril/2004

1. Tomografia de tórax mostrou apenas 2 nódulos no pulmão esquerdo e com dimensões menores. Comparado com o exame de janeiro, dos sete nódulos descritos no pulmão esquerdo somente dois foram detectados nesse exame e com dimensões menores. O derrame pleural permanece inalterado e ocupando todo o hemitórax direito.
2. Radiografia de tórax: comparativamente com o exame prévio de 06/01/2004, não mais observa-se a densidade ovoide localizada em situação retroesternal.

Em 17 de maio/2004

Ao exame físico apresentava total abolição de murmúrio vesicular nos 2/3 inferiores do pulmão esquerdo. Foi submetida, diariamente, a mais 10 soros oxidantes e 10 sessões de 434MHz, juntamente com a aplicação de ondas curtas de 27,12MHz. Os eletrodos de ondas curtas foram posicionados em ambos os hemitóraces. Após as 10 aplicações notamos grande diminuição do derrame pleural do pulmão direito, podendo-se ouvir nitidamente o murmúrio vesicular nos 2/3 inferiores do pulmão. Manter tratamento com oncologista. Clínica JFJ.

5. **Carcinoma de mama infiltrativo tratado com a estratégia biomolecular.**

VVF, 49 anos, mulata, diagnosticada com câncer de mama e operada em agosto de 2014. Anatomopatológico da peça cirúrgica: carcinoma de ductos mamários moderadamente diferenciado de forma infiltrativa com áreas de necrose discreta, infiltrado linfocitário moderado medindo 2,0 × 1,5 cm. Não há infiltração neoplásica angiolinfática ou perineural. Linfonodo sentinela livre. Expressão positiva para: c-erB-2 (duvidoso), Ki-67(20% das células), receptor de estrógeno (100%) e receptor de progesterona (100%). Logo após consultou nove médicos e decidiu não fazer quimioterapia. Procurou o consultório em 22/junho/2017 em ótimo estado geral, com apetite, sem cansaço, sem perda de peso, porém com sintomas depressivos intensos. Constituição de genes antigos. RNM de 24/05/2017: Nódulo irregular, espiculado, medindo 6,5x6,0 cm e linfonodos axilares de até 1,3cm com espessamento cortical. Paciente nega ser submetida a quimioterapia e posterior cirurgia. Diz que "nega porque quer viver". Daí falei "então vamos brigar juntos". Ela concordou. Espectrometria frequencial de Raman: sem metais tóxicos. Bio ressonância: quatro agrotóxicos, fenvalerato, DDVP (dichlorvos), aldrin e carbaryl. Hemoglobina: 14,3g%, VCM: 87,3fL, Leucócitos: 3930/mm^3 com linfócitos 1812/mm^3 e monócitos 271/mm^3. Glicemia: 91mg%, insulinemia: 10,8U/l, ferritina: 80ng/ml, DHL: 154UI/L, Fosfatase alcalina: 67U/l. PTH: 65pg/ml. Agentes biológicos: IgG positivo para CMV, EBV e *Mycoplasma pneumoniae*. Tratamento: agrotóxicos retirados com homeopatia tipo 30CH. Agentes biológicos: Valtrex; berberina com sanguinarina e *Chelidoneum majus*; *Rosmarinus off.* com *Ocimum basilicum*; sulforafane com glicirrizina genisteína e DIM; amiloride com acetazolamida, ácido lipoico, cimetidina, extrato de cúrcuma a 95%, piperine e parthenolide. Colecalciferol 600.000UI e metilcobalamina 25.000UI intramuscular, naltrexone com espironolactona, ácido cítrico 4g/dia por 10 dias e depois 6g/dia por 30 dias. Cada 15 dias LED 650ηm com potência de 10.800 Joules. Em 2 meses de tratamento o volume tumoral passou de 70,54cm^3 para 54,5cm^3. Ultrassom passou de 6,5cm para 5,5cm em 6 meses e para 3,2cm com mais 6 meses de estratégia. Linfonodos após 1 ano permanecem inalterados. Somente agora paciente colocou manta de alumínio sob a cama. Em junho/2018 iniciado Lakhovsky 2 vezes/semana mais: *Ganoderma lucidum* com selênio, resveratrol e ácido ascórbico; colecalciferol 10.000UI/dia; genisteína com riboflavina, vitamina K_2 e retinol e agora solicitei com firmeza usar o sal de Karpanen.

Continua negando ser submetida a cirurgia e quimioterapia. Ótimo estado geral e refere que nunca se sentiu tão disposta. Clínica JFJ.

6. **Câncer de mama invasivo que regrediu totalmente após medicina convencional mais biomolecular.**
IH, 47 anos, em exame de rotina descobriu nódulo mamário. Em 28-05-2021 a mamografia mostrou nódulo espiculado com 2,1x1,9cm e o ultrasom nódulo de 2,6x2,5x1,8cm. Biópsia com trocarte: carcinoma mamário invasivo não especial (ductal) moderadamente diferenciado. Imuno-histoquímico, E2(+), P(+) e HER-2(–). Em junho/2021 a RNM mostrou nódulos de 3,1x2,0x2,9cm e 1,3x0,9x1,3cm. Cintilografia negativa. Em junho começou quimioterapia de 15/15 dias e após 4 ciclos RNM praticamente iguais, nódulo de 2,8 x 1,2 x 1,0. Fez químio de 7/7 dias até setembro. Veio ao consultório em 17-09-2021 em bom estado geral, fenótipo de genes antigos e ao *dual-road* mostrou estar recebendo radiação de zona geopatogênica. Sensograma, chumbo e mercúrio. Biorressonância, chumbo, EBV e *H. pylori*. Exames: hemoglobina, 10,3g%; leucócitos, 1.740; linfócitos, 369; monócitos, 70; plaquetas, 95.000; DHL nível superior do normal; ferritina, 184ng/ml; DHEA-sulfato, 140mcg/dl; vitamina D3, 25,2ng/ml; PTH,48,7pg/ml; CMV, HHV-6, *H. pylori*, toxoplasmose, HSV1 e 2, *Mycoplasma pneumoniae*, todos com IgG e IgM negativos; EBV IgG anticapsídeo, 33 (R > 20). Tratamento com dieta inteligente e 2/3 das fórmulas do capítulo 185 – Câncer de mama usual – ESTRATÉGIAS. Fez 11x aplicação de soros, o primeiro EDTA e o segundo vitamina C alternado com ácido alfalipoico. Em dezembro teimou em fazer cirurgia para colocação de prótese mamária. Pedi para não fazer, mas fez. Na cirurgia encontrou-se formação de 3,4mm do carcinoma e linfonodos sentinelas sem acometimento neoplásico. Continua a receber os soros até completar 20x a dieta e as fórmulas. Em 22-04-2022, Sensograma sem metais. Biorressonância, sem metais ou agrotóxicos, presença de EBV e HSV. Exames: hemoglobina, 13,6; leucócitos, 3.950; linfócitos, 976; monócitos, 257; plaquetas, 195.000; DHL caiu de 229 para 189; ferritina, caiu de 184 para 24,5ng/ml; vitamina D3, 52,7ng/ml; PTH, 38,8pg/ml; DHEA-sulfato, 226,7mcg/dl; CMV, HHV-6, *H. pylori*, toxoplasmose, HSV1 e 2, *Mycoplasma pneumoniae*, sem modificações estando todos com IgG e IgM negativos; EBV IgG anticapsídeo, 48 (lembrar que é o EBV anti-EBNA positivo que se correlaciona com as neoplasias e não o anticapsídeo). RNM (16-04-2022) achados benignos, BI-RADS-2. Possível agente causal: chumbo considerado classe 1 (a mais elevada) pelo IARC. Clinica JFJ.

7. **Carcinoma de mama triplo negativo com metástase pulmonar que regrediu totalmente com a estratégia biomolecular.**
MIMM, 67 anos de idade, procurou o consultório em 15-02-2019. Em julho de 2013 apresentou carcinoma ductal invasivo grau III, triplo negativo com linfonodo axilar sentinela positivo. Fez quimioterapia, mastectomia bilateral, esvaziamento axilar, radioterapia e Xeloda (Capecitabina). Em setembro de 2018 o PET-scan mostrou nódulo pulmonar de 0,6cm com SUV, 1,0. Em dezembro de 2018 a tomografia de tórax mostrou aumento do nódulo para 0,9cm. Na cirurgia encontraram nódulo de 1,5cm: carcinoma epidermoide primário de pulmão. Última quimioterapia em setembro de 2017. Negou continuar com o tratamento convencional. Em fevereiro de 2019 apresentava-se em bom estado geral, cansaço da cirurgia persistia, quase sem apetite, com diminuição de dopamina (questionário de neurotransmissores), fenótipo de genes antigos, alergia a caseína do leite de vaca. Sensograma, chumbo, mercúrio, arsênio, diminuição de iodo, vitamina D alta, PTH elevado (denota queda do calcitriol). Biorressonância, chumbo, sem agrotóxicos. Tratamento: dieta inteligente, 2/3 das fórmulas do capítulo 186 – Câncer de mama triplo negativo – ESTRATÉGIAS –, e soros, o primeiro com EDTA e HCl e o segundo vitamina C alternado com ácido alfalipoico, 3x por semana, total 20x. PET-scan (02-08-2019), ausência de lesões hipermetabólicas de processo neoplásico. Em setembro de 2019 restava um pouco de chumbo. A partir de 2020 não mais apresentava chumbo no Sensograma ou biorressonância. Em 05-05-2022 excelente estado geral. Tomando Benicar para hipertensãoterial. Cintilografia óssea, Tomografia de tórax, ultrassonografia de mamas, RNM de mamas e abdome todas negativas. Recebendo tratamento comum da medicina biomolecular. Clínica JFJ

8. **Paciente com mamografia BI-RADS-4 que passou a BI-RADS-2 após estratégia biomolecular. Não computado.**
MAMS, 62 anos de idade, mamografia de rotina com calcificações agrupadas e considerada com BI-RADS-4. Biópsia, ausência de malignidade. Sensograma, chumbo e mercúrio. Biorressonância, chumbo e deltametrina. Suspensos alimentos com caseína do leite e prescrito 60mg de iodo molecular. Retirado os metais e agrotóxicos com EDTA 10 aplicações intravenosas, 2x por semana, porque a paciente não aceitou esperar o resultado da homeopatia que acontece aos 4 meses. Em 2 meses nova mamografia revelou regressão do padrão de calcificações agrupadas e BI-RADS-2. Clínica JFJ.

9. Carcinoma ductal invasivo de mama e radiofrequência (RF).

MV, sexo feminino, 52 anos de idade. Carcinoma ductal invasivo de mama, grau I de SBR com índice mitótico de 3/10 CGA. Nódulo com 2cm de diâmetro visualizado na mamografia e facilmente palpável. Negou cururgia. No período entre 18/10/00 e 06/11/00 após 10 aplicações de somente radiofrequência de baixa potência (MWO), o nódulo diminuiu para 1cm. A infiltração gordurosa de fígado de grau III preexistente diminuiu para grau I. Em março de 2002, o tumor com 0,7cm. Sem queixas e trabalhando em dezembro de 2003. Não quer ser operada. Atualmente está na décima aplicação de RF com alta potência e não se consegue palpar o nódulo de mama. Mamografia: 0,3cm. Encaminhado para mastologista. Clínica JFJ.

Referências:

Holt JAG. Increase of X-ray sensitivity of cancer after exposure to 434 MHz electromagnetic radiation. J Bioeng. 1:479-85;1977.

Holt JAG. Microwaves are not hyperthermia. The Radiographer. 35:151-62;1988. Holt JAG. The glutathione cycle is the creative reaction of life and cancer. Cancer causes oncogenes and not vice versa. Med Hypotheses. 40:262-6;1993.

10. Carcinoma ductal invasivo de mama tratado apenas com a estratégia biomolecular.

IRJ, 64 anos, apresentou à ultrassonografia de agosto de 2019 nódulo de 1,5 × 0,7 × 1,0cm e à RNM de setembro de 2019, nódulo irregular medindo 3,0 × 2,1 × 1,9 cm (5,7cm^3). Negou tratamento cirúrgico e radioterápico e o mastologista receitou aromasin com retorno em 6 meses. Nutricionista receitou glutamina para diarreia em paciente com neoplasia. Erro imperdoável. Procurou o consultório em outubro de 2019 com diagnóstico de carcinoma ductal invasivo moderadamente diferenciado, positivo para receptor de estrógeno e progesterona com Her2/neu negativo. Refere que fez mamografia não digital ano a ano por 20 anos seguidos. Ao exame estava em ótimo estado geral com oximetria de 97% e fenótipo de genes antigos. Ao sensograma apresentava: aumento de chumbo e mercúrio; grande diminuição de zinco; vitamina D3 normal, mas, hormônio D3 diminuído; DHEA diminuído e iodo normal. Na bioressonância: aumento de chumbo e mercúrio, presença de glifosato, Herpes simplex e alergia a proteína do leite de vaca, carne bovina e glúten brasileiro. Chamava atenção IgG do CMV de 238 (normal 1,1) e Coxsackie B (1-6): 1/320. Ferritina: 145ng/ml. Iniciou em outubro de 2019 a estratégia biomolecular completa com fórmulas via oral e aplicações intravenosas de EDTA mais HCl (dobro da dose de EDTA), ácido lipoico alternados com vitamina C, onde atingimos 34.601µmol/l de ácido ascórbico plasmático com 50g, que foi mantida. O ideal é atingir 22.700µmol/l. Em fevereiro de 2020, 4 meses de tratamento, o nódulo apresentou diminuição de 5,7cm^3 para 1,5cm^3 cuja termografia não mostrou aumento da temperatura. Em maio de 2020 o estudo ecográfico não mais evidenciou o nódulo descrito (BI-RADS US Classe 2). Na termografia não havia aumento da temperatura, já constatada em 4 meses de tratamento. Sensograma e bioressonância sem os metais tóxicos ou o agrotóxico. Clínica JFJ.

11. Câncer de mama e glucana

1. Consumption of mushroom decreased breast cancer risk in post-but not premenopausal women. Hong *et al.*, 2008 Korea.
   #1.009 pts aged 28-87years with breast cancer &matched control.
2. Higher intake of mushrooms decreased breast cancer risk in pre and postmenopausal women and additive effect of green tea was observed. Zhang *et al.*, 2009 China.
   358 pts with breast cancer aged 25-77 years and matched controls. Higher intake of mushrooms is associated with lower risks of breast cancers among premenopausal women and the association wasstronger for those with estrogen and progesterone receptor positive cancer. Shin *et al.*, 2010 Korea.
3. ***Agaricus blazei*** Breast cancer
   One patient received dietary supplementation of *A. blazei.*
   Case study: patient experienced total regression of lung metastasis and increased the number of CD56+ NK cells.

Referência. George Gennari, *2002* Brazil. International Mushroons Congress – Brasilia, Brasil.

12. Adenocarcinoma de mama necrosado não responsivo ao tratamento convencional que respondeu ao *Agaricus blazei* por via oral e local – GLUCANA.

http://www.medicinabiomolecular.com.br/biblioteca/pdfs/Casos-Clinicos/cc-0006.pdf.

George Gennari

Paciente: MCC, 82 anos de idade, branca, viúva, doméstica. Ela conta que, há cerca de 10 anos, notou a presença de um tumor na mama esquerda e que, na época, não consultou um médico por temer que fosse câncer. Pressionada pela família, procurou a Santa Casa de Misericórdia de São Paulo, pois sentia-se muito debilitada, além do tumor já estar enorme, apresentando grandes áreas com necrose de pele e ulcerações profundas na mama. Permane-

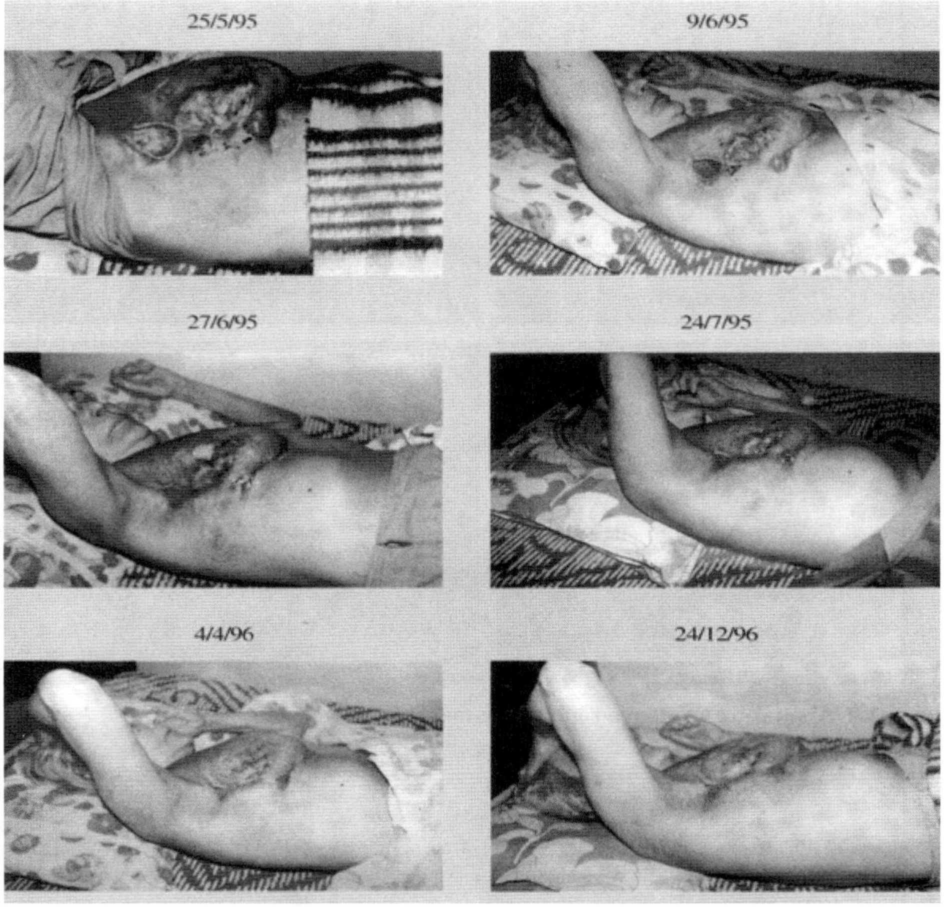

Figura 221.1

ceu internada por um determinado tempo, para se recuperar, mas acabou recebendo alta por estar fora das possibilidades de tratamento.

Seu estado geral era precário. Não se levantava da cama e o mau cheiro proveniente da necrose de pele afugentava até mesmo os familiares.

Diagnóstico: Carcinoma ductal infiltrativo – Estágio T 4c N2 M 1.

Conduta: A paciente começou a consumir o chá do cogumelo do Sol na dosagem de 10 gramas diários, divididos em quatro tomadas. Localmente, as ulcerações eram lavadas com o chá de cogumelo duas vezes ao dia.

13. **Câncer de mama com metástases ósseas em bacia que melhoraram muito após tratamento feito por Sodi-Pallares no México.**

    Adenocarcinoma de mama com metástases ósseas em quase toda bacia que melhoraram muito após solução polarizante de Sodi-Pallares mais dieta hipossódica e rica em magnésio e potássio. Houve melhora da dor.

14. **Câncer de mama com metástases ósseas que desapareceram com tratamento feito por Sodi-Pallares no México.**

    Adenocarcinoma de mama com metástases ósseas em colo do fêmur que resolveram com solução polarizante e dieta hipossódica rica em magnésio e potássio de Sodi-Pallares. Melhora das dores.

15. **Câncer de mama e combinação de antioxidantes – 6 pacientes.**

    Em 32 pacientes com câncer de mama e metástase em linfonodos axilares foi administrada diariamente uma combinação de antioxidantes – vitamina C: 2.850mg, vitamina E: 2.500UI, betacaroteno: 32,5UI, selênio: 387mcg e coenzima Q10: 90mcg, acrescido de outros sais minerais e vitaminas. A dose de GLA foi de 1,2g, e a de ácidos graxos ômega-3, de 3,5g ao dia. Muito interessante foi que nenhum paciente faleceu durante os 18 meses de estudo quando estatisticamente eram esperados quatro óbitos. Não houve progressão das metástases e a qualidade de vida melhorou, não se obser-

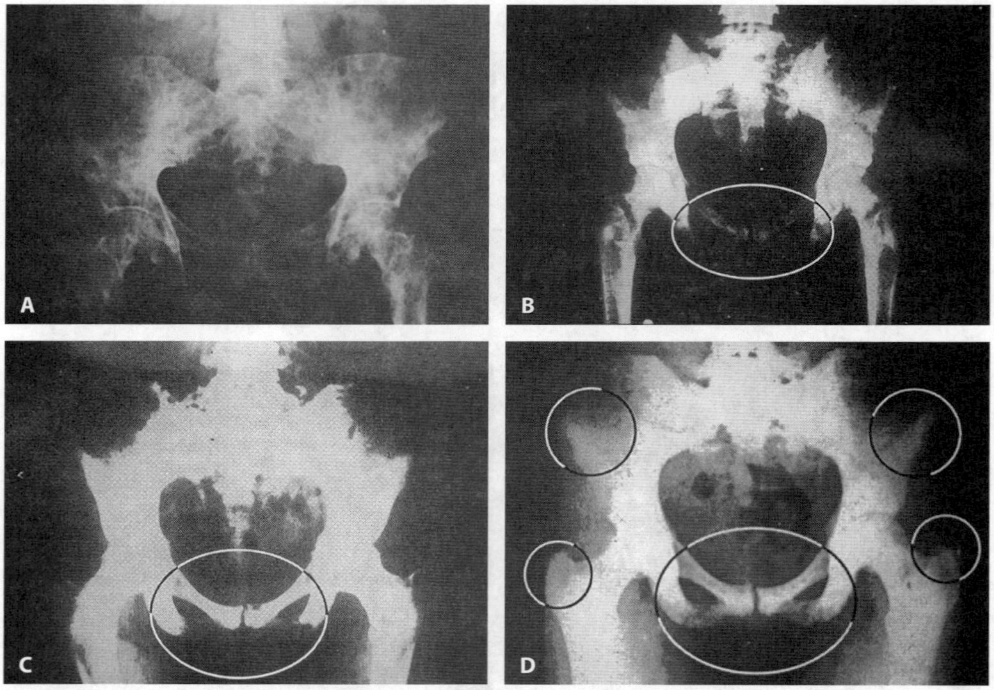

Figura 221.2 **A**) Início. **B** e **C**) Intermediário. **D**) Seis meses de tratamento.

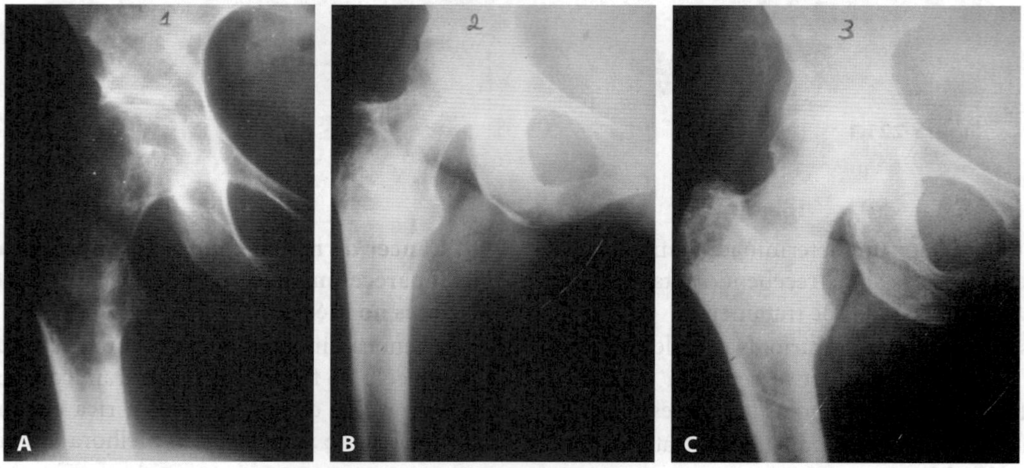

Figura 221.3 **A**) Antes do tratamento. **B**) Dois meses de tratamento. **C**) Quatro meses de tratamento.

vou perda de peso e houve menor necessidade de analgésicos. Durante esse período, 6 pacientes mostraram remissão parcial do tumor.

Referência. (Lockwood 1994). In Salganik, 2001. Salganik R I. The benefits and hazards of antioxidants: Controlling apoptosis and other protective mechanisms in cancer patients and the human population. J Am Coll Nutr. 20: 464S-472S;2001.

Lembrar: excesso de antioxidantes como os aqui administrados funciona como oxidante. Os antioxidantes aumentam a proliferação mitótica.

16. **Câncer de mama e vitamina C mais K_3 – 3 pacientes.**

O Prof. Gilloteaux descreve três pacientes com câncer de mama e um paciente com câncer de próstata com sobrevida de longo prazo com o emprego da dupla de vitaminas C e K_3. Terapia oxidante intensa.

17. **Câncer de mama recidivado com metástases cerebrais tratado com *Chenopodium ambrosioides*.**

Ms I. is a 60-year-old Jamaican woman who was diagnosed with breast cancer 1998. She received all oncology treatment here in the USA. Her treatment included mastectomy, radiation and chemotherapy. Despite her aggressive treatment, Ms I's cancer returned with metastasis to her brain, as confirmed by her C T scan results.

She had her last radiation treatment February of 2001, following which she had syncopy generalized weakness prior to returning to Jamaica. Recommendation was made to Ms I. that she should drink the herbal tea when she got to Jamaica. She had no difficulty finding the herb locally and she started drinking two cups daily since February 2001.

In October 2001, Ms I had her regular check up here in the United States with CT scans showing no evidence of brain tumors. Ms I visited the US for another checkup in July 2002 and she remains cancer free.

18. Nódulo de mama tratado com *Chenopodium ambrosioides*. Não computado.

Ms. S. is a 48 year black woman with no significant medical history. She is a mother of two ages 10 and 18 years. During her monthly self-breast examination she felt two lumps to her left breast. Ms 'S' breast lumps were found in 2000. Upon testing, her mammogram and CT scan confirmed the lumps, which were described: irregular with calcification. While Ms. S. made an appointment with an oncology surgeon who planned to repeat her mammogram and CT scan to be followed by biopsy, I gave Ms. S. some of the dried herb, and I instructed her have a heaping teaspoonful as a tea twice a day.

On the fourth day of drinking the *Chenopodium ambrosioides* herb Ms S. noticed, on palpation, the lumps on her breast were barely felt. After seven days she did not feel them any more.

She kept her appointment for repeat mammogram and scan with her oncologist. She brought him her mammogram and scan results from the other institution of testing. The repeat mammogram and CT scan showed no lumps to the area where she had them before.

She was placed in the same position in which she received the previous CT scans upon request of the technician. There was no evidence of the lumps on the repeated CAT scans and mammogram. They were however, clearly evident on the old scan and mammogram that she had brought with her. Ms S. was sent home since there was no need for a biopsy, as explained by her doctor. In Ms S's case there was no diagnosis of cancer, only positive mammography, CAT scans and palpable lumps. To date Ms S stated that the lumps have not returned, and she continues to have regular checkups with her doctor.

19. Câncer de mama tratado com benzaldeído.

Kochi tratou dois casos de câncer de mama não responsivos ao tratamento convencional. Usou o benzaldeído complexado com beta-dextrina, 500mg ao dia. Houve remissão total em 1 caso e o outro melhorou a qualidade de vida.

Referência. Kochi M; Takeuchi S; Mizutani T; Mochizuki K; Matsumoto Y; Saito Y. Antitumor activity of benzaldehyde. Cancer Treat Rep; 64(1): 21-3, 1980.

20. Seis pacientes com câncer de mama tratadas com benzaldeído.

No livro do Dr. Richardson encontramos a descrição de seis casos de câncer de mama que regrediram totalmente com o emprego da amigdalina. Todas foram submetidas à mastectomia radical, procedimento não mais empregado atualmente, e apenas duas à quimioterapia e/ou à radioterapia. Receberam também pancreatina 2 tabletes 4 vezes ao dia.

1. Carcinoma ductal infiltrante, 52 anos.
2. Carcinoma ductal infiltrante com metástases em linfonodos, 53 anos.
3. Carcinoma ductal infiltrante, com metástases em 2/11 linfonodos.
4. Câncer em ambas as mamas. Sobrevida de 11 anos.
5. Carcinoma ductal com metástases ganglionares.
6. Carcinoma ductal invasivo com metástases ganglionares, 34 anos.

A amigdalina é o benzaldeído mais cianeto. A molécula ativa anticâncer é o benzaldeído.

Referência. Laetrile Case Histories – The Richardson Cancer Clinic Experience. Published by American Media. California, 2005.

21. Câncer de mama com metástases hepáticas tratado com benzaldeído.

Em setembro de 1969 paciente com 55 anos foi submetida à mastectomia total seguida de radioterapia devido a adenocarcinoma ductal invasivo com metástases ganglionares. Cinco anos depois, encontraram-se metástases hepáticas do câncer de mama. Fez quimioterapia sem sucesso. Houve regressão total das metástases hepáticas com a laetrile (cianeto mais benzaldeído) por via intravenosa em doses altas durante 6 meses. Recebeu também pancreatina 2 tabletes 4 vezes ao dia e cumpriu dieta vegetariana. Dois anos depois visitou a clínica, estava em excelente estado geral e queixando-se que a dieta carcinostática provocava episódios de desmaio. Continuava ingerindo laetrile por via oral em doses baixas. Sobrevida de 5 anos. Faleceu com 65 anos.

Referência. Laetrile Case Histories – The Richardson Cancer Clinic Experience. Published by American Media. California, 2005.

22. Câncer de mama com desaparecimento da massa tumoral com ácido cítrico.

This is a 46-year-old female patient who was diagnosed with left breast cancer with a positive mastography the first week of June, 2015. The patient biopsy of the left breast with 14 fragments of breast tissue from 0.7 to 2 cm in diameter, which was reported on June 26, 2015, as lobular and ductal carcinoma in situ and atypical ductal hyperplasia areas of moderate degree. The patient decides not to receive chemotherapy or breast radiotherapy and started taking citric acid on August 10th, 2015, **4 to 5 grams each day** as is described as a treatment for cancer (1). On consecutive X ray studies performed 2 months after the treatment with citric acid the tumor mass disappeared, but the most important fact is that the patient decided to perform another breast biopsy, with the same pathologist on December 16th, 2015, and in this second biopsy of the left breast of 9.5 cm of diameter including 3 axilar lymph nodes the result was negative for cancer, in the partial mastectomy of 9.5 cm and in the 3 lymph nodes; all these facts could only be due to the citric acid that the patient received as her treatment for cancer.

Referência. Alberto Halabe B. A patient with breast cancer that disappeared after the treatment with citric acid that she received. Int J Sci Res. 5:533;2016.

23. *Chelidoneum majus* no tratamento do câncer de mama estágio IV.

A 50-year-old female patient with breast cancer (stage IV) was treated with Ukrain (Chelidoneum majus) because of the impossibility of radiotherapy and chemotherapy. The first course led to a subjective improvement in her general condition, objective changes such as the appearance of border between the tumor and healthy tissues and a decrease in tumor size. Ukrain facilitated the surgeon in performing an operation to remove the primary tumor as well as the metastatic lymph nodes. After the second and third courses of Ukrain, the patient demonstrated clinical remission.

Referência. Zemskov SV, Prokopchuk OL, Susak YM. Ukrain treatment in a patient with breast carcinoma. Case report. Drugs Exp Clin Res. 26:253-4;2000.

24. Câncer de mama recidivado com metástases pulmonares: remissão com *Chelidoneum majus* – Ukrain.

Case report: A recurrent breast cancer with lung metastases was treated with the new anticancer drug Ukrain. The first two courses led to subjective improvement of the general condition as well as work capability; appetite improved and shortness of breath disappeared. After the sixth course of Ukrain therapy objective improvement was found clinically on X-ray, in haematological and biochemical data and improved tumour markers. Lymph nodes and lung metastases disappeared. The patient showed a full clinical remission.

Referência. Kadan P, Korsh OB, Melnyk A. Ukrain therapy of recurrent breast cancer with lung metastases. Drugs Exp Clin Res. 22:243-5;1996.

25. Câncer de mama ulcerado antes e depois do tratamento neuroimunológico – Fuad Lechin.

http://www.medicinabiomolecular.com.br/biblioteca/pdfs/Casos-Clinicos/cc-0692.pdf. **Fotos no link.**

26. Câncer de mama e de cérvix de útero: dois casos de câncer tratados com extrato de placenta bovina que pioraram após o medicamento.

1. Mrs. B. B., 42 years old, came under our care with severe pain resulting from a widely ulcerated cancer of the cervix involving the parametria and the vagina. 5 cc. of the cow placenta extract was administered daily and the patient remained without pain for almost three weeks, after which time the pain returned. An increase in dosage—to two injections of 5 cc. daily and then to two injections of 10 cc. daily—resulted not only in an increase in pain but also caused the appearance of an abundant watery vaginal discharge. In a few days this reached several liters a day. Despite the fact that we stopped treatment, the exudate continued to increase. At one point, it amounted to 8 liters in 24 hours. The very concentrated urine was reduced to less than 200 cc. in 24 hours. The patient died in ten days in spite of all attempts to stop the excessive secretion.

2. Mrs. G. L., 48 years old, had a radical mastectomy for a left breast adenocarcinoma. A rapidly growing local recurrence was seen 6 months later. The patient came under our care with an ulcerated tumor occupying the entire left half of the chest. Administration of 5 cc. of cow placenta extract for two weeks not only increased the burning sensation present but caused the appearance of an abnormally abundant watery exudate. As is often true in such cases, an infection with B. pyocyaneus was seen. A clear fluid was observed surging in drops from the ulcerated lesion. By weighing the dressing, the amount excreted was measured and found to exceed 10 kilos a day. Despite use of saline infusions, calcium preparations, vitamin C in high doses, atropine, and other measures, the patient expired in less than a week. The appearance of such complications, the frequent changes toward alkaline patterns of pain, and the in-

crease of intensity of alkaline pattern pain, made us reduce and ultimately stop use of these placenta extracts in spite of some good results obtained.

Referência. Revici E. Research in physiopathology as basis of guided chemotherapy with special application to cancer – 1961 Publisher: D. Van Nostrand Company, Inc Copyright: 1962,

27. Câncer de mama com dor lancinante e incapacitante que melhorou totalmente após ácido clorídrico por via intravenosa.

On the t 8th day of February, I932, a woman with terrible pain in her left arm came, in tears, to my sanitarium, and gave me the following history: 45 years of age, widow no children; her mother died of cancer of the stomach and her father died of delirium tremens About two years previously a "hard spot" developed in her left breast. Some months later a hard nodule appeared on the same place, with occasional burning pain in breast. Went to Oaxaca City, where she consulted two very able doctors, both of whom recommended operation. Some months later when the pain and the size of the formation kept on increasing, she sold her house, her only modest property, and went to Mexico City, where at the excellent "Hospital General" she was operated upon by one of our famous surgeons. She felt quite well after the operation, during seven months. Then three small nodules appeared on the left upper arm. Gradually pain set in in the whole arm; that kept on increasing until it became continuous and almost unbearable. Gradually the nerves and muscles in the arm began to "dry up" until the whole arm went limp; even the fingers were inert. She spent most of the day squatting and crying, nursing her sick arm, that she could onlv move or lift with the help of her right hand. Having also occasional abdominal pains, in eight months' time she lost 26 kilos of weight. On examination, I found that her whole lcft breast had been taken off, and the operating surgeon, having evidently recognized the malignancy, continued under the arm with his bistoury, and the glands of the axills were also shelled out. I told her frankly that I could do nothing worthwhile for her. She begged me only to stop her pains! Not wishing to employ morphine, I have tried everything else; finally a daily dose of adrenalin injected lessened her pain; but after a few days it also proved uscless; the pains seemed to increase. Finally: as an experiment -- with her consent -- I injected HCl sol. After the third injection the pain diminishcd notably; after the ninth injection it stopped. After a month's treatment she was quite braced up. Then I gave her by mouth: Sol. pot. arson. (Fowler's); sol. pot. chlor.; tr. ferri chlor.; dil. acid. phosphoric. Sig.: 10 drops in full glass of lemonade three times a day. HCl sol. injected daily, then two or three times per week. Today after 10 months of continuous treatment -- on an exclusive fruit diet, the.largest part of it consisting of bananas in all forms and styles, the woman is quite well. She can, with some difficulty, lift her formerly useless arm slowly to her head. The fingers are still somewhat forceless, but no longer stiff and getting better -- she says -- slowly, very slowly, but noticeably. Pain is completely absent. She is still taking three or four HCl sol. injections per month, plus:

RX Sol. pot. arson. (Fowler's).......1.00
Sol. pot. chlor. (10%),
Sol.. calcii chlor.(10%)..................aa 7.50
Sol. acid HCl dil.2%......................1.50
Aqua dest ....q. s. ad 30.00
M. Ft. sol.

Sig.: 15 drops after meals and at bedtime (Take it for one week, rest one week and take it again. This is the prescription of Dr. Walter B. Guy. I used it with very good results in a case of muscuar atrophy.) I make no attempt to comment on this case -- nor of several other cancer cases I have under treatment -- at this time; only will refer to the ability of HCl sol. injected stopping the pain.

Referência. Three Years of HCL Therapy. As Recorded in articles in The Medical World With Introduction by Henry Pleasants, Jr., AB, MD, FACP, Associate Editor Puhlished hy W. Roy Huntsman, Philadelphia, PA 1935 Furnished by The Arthritis Trust of America 7376 Walker Road Fairview, TN.

28. Câncer de mama com necrose e metástases ganglionares tratado com ácido clorídrico por via intravenosa.

MJ, married; age 36 years; no children. Pus in tubes and both ovaries removed 8 years before. Weight 125 lbs. Lump in right breast discovered January, 1932. May 1, 1934, came to office with a necrosing massive cancer of right breast, one large gland in axilla. Operation to prevent offensive sore was advised. A local surgeon kindly removed growth, leaving gland untouched. Growth was highly malignant, as shown by tremendous number of blood vessels that had to be ligated. Sent home on the fifth day after operation; the large incision was discharging freely the cancerous lymph -- stitches were pulling through. An active fight was begun. Every three hours wound was cleaned and boric acid packed into incision. An intravenous injection of the acid mineral solution was given every third day and five times daily by mouth. By the fifth day improvement was visible. Boric acid was then added to formula and was injected in solution into axilla. October 10, 1934, this patient is in good health, weight 139 lbs, gland in axilla hardly palpable, wound healed, but a keloid in scar tissue. The formula before mentioned will be taken, to prevent recurrence, for one year.

Referência. Three Years of HCL Therapy. As Recorded in articles in The Medical World With Introduction by Henry Pleasants, Jr., AB, MD, FACP, Associate Editor Puhlished hy W. Roy Huntsman, Philadelphia, PA 1935 Furnished by The Arthritis Trust of America 7376 Walker Road Fairview, TN.

29. Câncer de mama necrosado tratado com ácido clorídrico por via intravenosa.

LW, Negress, aged 73 years, St. Augustine, 4- to-33. Paget's disease of left breast, necrosed area six inches in diameter, breast hard, swollen, retracted nipple, bloody discharge at intervals, toxic, bedridden, no glandular involvement, severe pains posterior to heart. Intravenous and internal treatment by acid potassium solution; also local treatment. x11-14-33: In good health, has gained twenty-five pounds in weight. Breast normal except for small induration remaining in center of breast. Still under treatment, breast improving after each injection. N.B. — This case was neglected during absence of writer for four months during the summer.

Referência. Three Years of HCL Therapy. As Recorded in articles in The Medical World With Introduction by Henry Pleasants, Jr., AB, MD, FACP, Associate Editor Puhlished hy W. Roy Huntsman, Philadelphia, PA 1935 Furnished by The Arthritis Trust of America 7376 Walker Road Fairview, TN.

30. Câncer de mama ulcerado tratado com ácido clorídrico por via intravenosa e oral.

May, 1933. L.W., Negress, age 72 years. For two years had Paget's cancer of left breast. Ulcerated area 6 inches around retracted nipple. Painsinkfalung. No glandular invasion. Bedridden, toxemia and asthenia. Acid mineral solution, by vein twice weekly, 12 drops in water four times daily. Locally a saturated solution of copperas to ulcerated area on breast. Quick relief was attained. Oct. 6, 1933,patient well and active, breast still swollen, area of ulceratiin completely healed. During the summer months the solution was taken only by mouth. Still under treatment.

Referência. Alternative Cancer Therapies A collection of cancer curing methods from the past and present A FURTHER REPORT OF CASES Walter. B. Guy, M.D. Three Years of HCL Therapy.

31. Câncer de mama 1: uso de mistura de ácido fraco com ácido forte HCl + ácido oxálico + ácido fosfórico.

Female patient, aged 37 under went a biopsy and was diagnosed with Ductal infiltrating Carcinoma in the left breast. 16 region al adenopathies were identified and surgically removed, of which 10 were malignant. The patient was treated by anoncologist with 6 cycles of the following drugs: Farmarubicin, Taxol, Daxorubicin, 5-FU, Citoxan, Ethyol, Cardioxane, Zofran, and Decadron among others. Patient was treated with: 2 cycles of chemotherapy, then 30 sessions of radiotherapy in the affectedarea and then the remaining 4 cycles of chemotherapy. Following chemotherapy, patient was placed on Evista and Raloxifen. One year after ending chemotherapy, patient suffered nausea, almost permanent headaches and a sensation of pressure in her headand was diagnosed with a brain tumor. At that time patient was depressed and anxious but suffered no memory or language problems or problems with mobility. Patient suffered from paresis in left side of face and in her left limb.

A CAT scan performed at that time shows the existence of a cystic mass 6.5 cm×6.5 cm, with thick capsule in left parietal side compatible with a possible metastatic lesion (melanoma, coriocarcinoma), glioblastoma multiforme or cerebralabscess. With an antecedent of adenocarcinoma is very possible that is that one. MRI ratified the observation made in the CAT. Treating physicians were surprised that with the existence of a large lesion that there was not a big edema.

The patient underwent surgery one month after diagnosis of the brain tumor and, under general anesthesia, a left parietal craniotomy was performed identifying a lesion that was infiltrating the dura mater. The lesion was detached easily. Thelesion was of cystic nature and 6 to 8 cc of dark amber color liquid were extracted. The capsule was of varied thickness and was very differentiated from the rest of the cerebral parenquima, with almost no vascularization. The capsule was whitish andgranular showing evidence of a malignant tumor. The resection was complete and the dura mater was scraped and cauterized with no macroscopic evidence of the tumor.

A biopsy of the frozen tumor confirmed a diagnosis of metastatic adenocarcinoma in the left parietal side of the brain. Post surgery, patient underwent 10 sessions of radiotherapy of 300 CGY each for a total of 3000 CGY. She was instructed totake Medrol (a corticosteroid) and Neubion (a B complex vitamin) for 2 weeks followed by phenobarbital for 6 months. After 2 months post surgery the patient had not regained her vigor. At that time patient initiated treatment using 30 drops ofFormulation 1 orally per day, increasing to 120 drops per day, which is continued to this day. Eight months post surgery, the patient visited an Oncologist at Jackson

Memorial Hospital in Miami, who found her to be in very good state of health afterperforming a set of tests. During a one year period the patient has taken a total of 620 cc of Formulation orally.

Referências

1. Salvador Harguindey et al. "Effects of Systemic Acidification of Mice with Sarcoms 180". Cancer Res. 39:4364-71;1979.
2. http://www.docstoc.com/docs/56102141/Pharmacologically-Active-Strong-AcidSolutions---Patent-7141251: or www.freepatentsonline.com.

32. Câncer de mama 2: uso de mistura de ácido fraco com ácido forte HCl + ácido oxálico + ácido fosfórico.

Female patient, aged 78, was diagnosed with a tumor in her left breast. Tumor continued to increase in size over a 2 year period following diagnosis. During that time the patient had lost weight and looked pale. A mammography and biopsy showeda 2.5 cm nodular lesion in the breast with a diagnosis of lobular infiltrating carcinoma. Due to her advanced age, surgical intervention was inadvisable. Patient began taking Formulation 1 orally, 10 drops per day gradually increasing the dose to 50drops a day for 2 months. Patient had no observable side effects. Two months after initiating oral treatment, patient started IV treatment of 0.5 cc per day of Formulation 1 in glucose every other day for 1 month. Following intravenous administrationthe patient experienced some phlebitis and edema in her arm. During the month of IV treatment, the patient's skin color improved and she gained 2 kgs. of weight. After one month of IV therapy, the patient resumed oral treatment of Formulation 1 at adose of 50 60 drops a day for 1 year and 4 months. Another mammography was performed and showed a 4 cm mass but surprisingly showed that the axilar lymphs region was free of malignancy. Today the patient continues oral therapy using Formulation 1 andis alive and in good health.

Referência. http://www.docstoc.com/docs/56102141/Pharmacologically-Active-Strong-AcidSolutions – Patent-7141251: or WWW.freepatentsonline.com.

33. Câncer de mama 3: uso de mistura de ácido fraco com ácido forte HCl + ácido oxálico + ácido fosfórico.

A 34 year old female patient diagnosed with breast cancer underwent a mastectomy for the tumor. A biopsy on the tissue confirmed that the tumor was an infiltrating carcinoma of the breast. Four months after the mastectomy, the patient wasdiagnosed via CAT scan with a neoplastic metastasis from the breast cancer in her hip. This diagnosis was confirmed two months later through an MRI. The tumors were surgically removed and the patient underwent 8 rounds of therapy with Taxol.RTM. with concominant treatment with Vesanoid.RTM.. At 31 months after diagnosis, and following the Taxol therapy, this patient had high tumor markers. CA 15.3 markers were 71.73 and CA 125 was 40.50. At this time patient began taking 80 drops per day of-Formulation 1. Four weeks after starting treatment with Formulation 1, this dose was increased to 120 drops per day. The Ca 15.3 maker and the Alkaline phosphatase (AP) level began to decrease immediately following the increase in dosage. For 10months, the patient has only been treated with Formulation 1, 120 drops per day. Eleven months after initiating treatment with Formulation 1, all of the patient's tumor markers were normal and the alkaline phosphatase level continued to decrease.

Referência. http://www.docstoc.com/docs/56102141/Pharmacologically-Active-Strong-AcidSolutions---Patent-7141251: or www.freepatentsonline.com.

34. Câncer de mama com metástase em couro cabeludo. Melhora total com ácido picolínico local.

Usou-se ácido picolínico a 10% duas vezes ao dia em curativo fechado. As várias lesões mediam de 1,0 e 1,5cm e desapareceram totalmente em 35 dias.

35. Câncer de mama e graviola – *Anona muricata*.

http://www.medicinabiomolecular.com.br/biblioteca/pdfs/Casos-Clinicos/cc-0167.pdf – Vários estudos.

36. Adenocarcinoma de mama grau IV com metástases ósseas tratado com óleo de fígado de bacalhau e ácido ortofosfórico.

Mrs. DA, 68 years old, had a cancer of the left breast for which she had undergone a radical mastectomy four years previously. Pathological examination of the lesion had shown an adenocarcinoma Grade IV, with ganglionar involvement. When the patient came under our care she was bedridden with a diagnosis of multiple bone metastases. Radiological examination showed multiple osteolytic lesions in the pelvis, femur, lower spine, ribs and skull. We instituted treatment with cod liver oily fatty acids in gelatine capsules. The dose was progressively increased, by 0.25 gm. increments, until it reached 3 grams a day. Ortho phosphoric acid was added orally in doses of 1/4 cc. of a 50% solution given in water in order to control the pain which appeared after administration of the capsules and was of an alkaline pattern. Improvement began in a few days and continued so satisfactorily that in less than six weeks the patient was up and about. Five months later, with bone lesions healed, the patient went home. I saw her in 1941, almost two and a half years later, during which time no treatment had been given. When examined at that time, she appeared in excellent condition. Subsequently, because of the war, I lost contact with her.

The increase of pain, and especially the frequent appearance of pain of an alkaline pattern after extended treatment, considerably limited the use of these cod liver oil fatty acid preparations. Furthermore, an inconsistency in objective changes was seen even when administration was guided by the acid or alkaline character of the pain. In most patients, favorable objective changes were only temporary.

Referência. Revici E. Research In Physiopathology As Basis Of Guided Chemotherapy With Special Application To Cancer – 1961 Publisher: D. Van Nostrand Company, Inc Copyright: 1962.

37. Carcinoma de mama com metástases pulmonares tratada com solução hiperosmolar – hipertônica.

Paciente com 40 anos de idade foi submetida à mastectomia radical esquerda por carcinoma de mama há 7 meses. Depois de 3 meses de quimioterapia apresentou metástases pulmonares e hepáticas difusas, metástases ósseas particularmente na quinta e sexta vértebras lombares com invasão e compressão do canal medular, o que causava dor extrema e não responsiva a qualquer tratamento. Todas as drogas supressoras da dor, incluindo morfina, foram totalmente ineficazes e a paciente estava muito prostrada e incapaz de dormir. Iniciou-se o bicarbonato de sódio em injeções intrarraquiana lombar. Ao administrar 50ml de bicarbonato de sódio a 5% lentamente via punção lombar a paciente diz ao Dr. Simoncini que somente havia conseguido dormir 2 horas na última semana. Após essa primeira aplicação a paciente conseguiu dormir a noite inteira. Após mais duas injeções lombares no mês seguinte a dor desapareceu completamente. As imagens de ressonância magnética antes e após o tratamento foram de acordo com o radiologista chefe, surpreendentes.

Nota: o efeito do tratamento é por hiperosmolalidade e não alcalinização. Ver capítulo 10.

38. Câncer de mama tratado com dieta inteligente + atividade física + banhos de Sol.

MCM, 60 anos de idade, sexo feminino.

Ressecção de nódulo mamário em setembro de 1995.

Anatomopatológico: carcinoma de mama ductal infiltrativo, pouco diferenciado, grau III, maior diâmetro de 1,9cm, margens de ressecção cirúrgica comprometidas.

Fez 2 meses de dieta inibidora com Dr. Sidney Federmann, muito parecida com a dieta inteligente, e após o período realizou quadrantectomia, não se encontrando neoplasia.

Submetida à RT.

Seguimento de 15 anos sem recidiva.

39. Câncer de mama tratado com dieta inteligente + atividade física + banhos de Sol.

SRRT, 40 anos de idade, sexo feminino.

Carcinoma de mama *in situ*.

Realizou quadrantectomia e não fez quimioterapia.

Fez dieta inteligente inibidora do câncer por 3 anos e nutrição preventiva por 5 anos, sob a supervisão do Dr. Sidney Federmann, estando hoje, após 10 anos, livre da doença.

40. Câncer de mama, cabeça e pescoço e melanoma maligno tratado com hipertermia e radioterapia.

Overgaard resumiu sua experiência sobre o efeito adjuvante da hipertermia com a radioterapia, em um total de 2.234 pacientes com tumores das mais variadas histologias. Somente com a radioterapia observou completa remissão dos tumores em 35% dos pacientes e com o efeito combinado da hipertermia esse número se elevou para 65%. Os melhores efeitos foram observados no câncer de mama, no câncer de cabeça e pescoço e no melanoma maligno.

Referência. Overgaard J. The current and potential role of hyperthermia in radiotherapy. Int J Radiat Oncol Biol Phys. 16:535-49;1989.

41. Caso de câncer de mama avançado que melhorou a qualidade de vida com pasta de Mohs e terapia hormonal.

We report a case of breast cancer hemorrhage locally controlled with zinc chloride paste (Mohs' paste), which is usually applied as a fixative for 24 h before micrographic surgery of cutaneous neoplasms. A 73-year-old woman was suffering from continuous bleeding from an advanced right breast cancer; this bleeding stopped after 15 min by hemostatic treatment with Mohs' paste. Long-term hemostasis and decreased exudates were maintained by weekly treatment. Although radical operation and chemotherapy were recommended, she rejected both except hormone therapy. The tumor size has been locally controlled for 2 years. This rapid treatment with Mohs' paste is effective for controlling bleeding and breast tumor exudates without adverse events, and improves the patients' quality of life.

Referência. Miyazawa K, Oeda Y, Yoshioka S, et al. A case of advanced breast cancer in which quality of life was improved by Mohs' paste and hormone therapy. Gan To Kagaku Ryoho. 39:2051-3;2012.

42. Caso avançado de carcinoma ductal invasivo de mama tratado com sucesso com a pasta de Mohs.

We report a case of primary advanced breast cancer that was locally controlled by treatment with Mohs paste. A 57- year-old woman presented with right locally advanced breast cancer with massive exudate and oozing blood. Histopathological examination indicated an invasive ductal carcinoma. Moreover, the patient had lung, liver, and bone metastases. She received chemotherapy, following which the breast tumor was treated using Mohs paste and dissected. The bleeding and exudate stopped almost completely, and the breast tumor became flat. Therefore, it is suggested that locally advanced breast cancer could be controlled by treatment with Mohs paste.

Referência. Ueno S, Miyauchi K, Nakakuma T, et al. Gan To Kagaku Ryoho. 40:2399-401;2013. A case of locally advanced breast cancer successfully treated with Mohs paste.

43. Pasta de Mohs na lesão local irressecável do câncer de mama – 3 casos.

A 45-year-old woman with a local recurrence on her left chest wall discharged massive exudates. At every gauze exchange, blood was still oozing out. After using Mohs paste twice, the surface had been fixed chemically and dried up, so she did not have to exchange gauze, and there was no more bleeding. A 55-year-old woman was suffering massive exudates and offensive smell from her right primary breast cancer that formed a massive bulge with a deep ulcer in the center. Her serum hemoglobin declined to 4.4 g/mL due to continuous bleeding. After using Mohs paste twice, the bleeding stopped almost completely. Now she uses Mohs paste by herself at home. A 69 year-old woman suffered from an offensive odor and continuous bleeding from a local recurrence in the skin of her abdomen. A single use of Mohs paste relieved her from bleeding and the smell. Three patients had experienced no adverse events except mild pain and their QOL improved considerably.

Referência. Ogawa H, et al. Mohs paste for unresectable local lesion of breast cancer. Gan To Kagaku Ryoho. 35:1531-4; 2008.

44. Câncer de mama metastático e terapia anticobre com tetratiomolibdato (TM).

Foi usado como controle da terapia anticobre os níveis séricos de ceruloplasmina, que foi mantida entre 5 e 15mg/dl (normal: 20 a 35mg/dl) por pelo menos 60 dias. Não se espera qualquer efeito antes deste período, incluindo a diminuição do cobre no tumor, o qual é muito ávido para sequestrar qualquer cobre extra. O primeiro sinal clínico de deficiência de cobre é a anemia e o único efeito colateral do TM, poderoso quelante do cobre é justamente a anemia por deficiência de cobre. Mais recentemente o mesmo autor optou por manter os níveis de ceruloplasmina em apenas 5mg/dl, pois, não observou anemia nestas condições. A dose de TM utilizada foi de 120mg/dia divididas em 6 doses. Em 6 casos de câncer metastático, cinco mostraram estabilização da doença,incluindo 1 caso com regressão de metástase pulmonar. Em estudo clínico não controlado, 18 pacientes com 11 tipos diferentes de câncer metastático e que alcançaram as metas de ceruloplasmina entre 5 e 15mg/dl, conseguiram a estabilização da doença por um período de 30 meses. Um paciente com **condrosarcoma metastático** e uma paciente com **câncer de mama com metástases** permanecem estáveis há 2,5 anos. É necessário maior número de casos e trabalhos clínicos controlados para conclusões mais seguras.

Referência. Brewer GJ, Dick RD, Grover DK, LeClaire V, Tseng M, Wicha M, Pienta K, Redman BG, Thierry J, Sondak VK, Strawderman M, Le-Carpentier G, Merajver SD. Treatment of metastatic cancer with tetrathiomolybdate, an anticopper, antiangiogenic agent: Phase I study. Clin Cancer Res 6: 1-10;2000.

45. Carcinoma ductal invasivo e infiltrante com metástases hepáticas e ósseas não responsivo à quimioterapia onde as metástases hepáticas regrediram totalmente após estratégia biomolecular

SMB, 56 anos de idade, sexo feminino, foi diagnosticada ao ultrassom em biópsia em junho/2017 com carcinoma ductal invasivo infiltrante e várias metástases hepáticas. Não respondeu à quimioterapia com doxorrubicina e ciclofosfamida. Procurou o consultório em outubro de 2017. PET/Scan: nódulo mamário de 5,5 × 2,3cm e SUV: 3,4; vários linfonodos hipermetabólicos na axila direita, 2,3cm e 0,8cm com SUV: 4,0; nódulos hepáticos medindo: 4,4 × 3,4 e 3,6 × 2,1cm e SUV: 10,7 e metástases ósseas em ilíaco, sacro e esterno. Apetite e cansaço: ndn. Emagreceu 7kg após mudança de dieta. À espectrometria frequencial de Raman: arsênio, cádmio e 4 agrotóxicos. Ferritina: 239ng/ml; Hb: 12,3g%; glicemia: 93mg% (117mg% nos últimos 3 meses); insulinemia: 14,1UI/ml; triglicérides: 194mg%; PCR-ultrassensível: 23,5mg/l; albumina: 4,2g%; homocisteína: 17,8; Na^{+}: 139; K^{+}: 4,5; Mg^{++}: 2,4; TGP: 54; TGO: 32; FA: 72; Gama-GT: 67,

DHEA-s: 76mcg/dl; IGF-1: 113ng/ml; TSH: 3,25ng/ml; E2: < 11pg/ml; aldosterona: 15ng/dl; vitamina D_3: 30ng/ml; PTH: 54,8pg/ml; prolactina: 6ng/ml; EBV: IgG 50UI/ml (R > 1,1); CMV: IgG 189ua/ml (R > 10); *H. pylori*: IgG 255U/ml; *Chlamydophila pneumoniae*: IgG 75UR/ml (R > 22); todos marcadores tumorais abaixo do normal. Retirada dos metais e agrotóxicos com EDTA e homeopatia CH30. Medicamentos por via oral: Sol às 12-13 horas por 15-30 minutos, forrar colchão com manta de alumínio; naltrexone + espironolactona; picolinato de zinco; colecalciferol, curcumina, genisteína e riboflavina; vitamina C + vitamina A (300.000UI; *Ganoderma lucidum* + selênio + resveratrol + vitamina C; ácido alfa lipoico e complementos; DHEA; iodo molecular (80mg/dia); extratos de berberina, sanguinarina, *Chelidoneum majus* e *Chenopodium ambrosioides*; extrato de *Rosmarinus off.* + *Occimum basilicum*; osmólitos estruturadores; epigenética nutricional e água com ORP ≤ 450mv/1.500ml/dia. Ultrassom em 20 de março de 2018: visualizado apenas 1 nódulo mamário e de menores proporções, 2,2 × 1,7 × 1,1cm. Fígado com múltiplos nódulos menores que os anteriores, sendo o maior de 3,2cm. Atividade osteogênica no PET diminuiu 50%. Está usando anastrozol e zometa há 3 meses. Acrescentei:b, ácido valproico e estratégia para acidificar o intracelular tumoral.

Tomografia em 28 de agosto de 2018 mostrou regressão total dos nódulos hepáticos. Levamos novamente as imagens para o mesmo radiologista e mostramos o exame anterior. Agora a conclusão foi redução do volume das lesões hepáticas em 70%. Aguarda imagem de mamas.

Em 14 de setembro de 2018, paciente em excelente estado geral, engordou 7kg, sem cansaço e com muito bom apetite. Disse que ficou mais feliz quando parou a dieta inteligente carcinostática e anticarcinogênica. Tomando Coca-Cola escondido dos filhos, ingerindo leite, queijo e carne vermelha e doces à revelia. Não adiantou explicar que no PET/Scan é injetada glicose e que as células tumorais são 15 vezes mais ávidas pelo açúcar do que as normais, daí aparecer uma imagem. Clínica JFJ.

46. Câncer de mama com imensa metástase em região axilar e derrame pleural tratada com biomolecular, quimioterapia e radioterapia.

Mulher com 50 anos de idade apresentou adenocarcinoma invasivo na mama esquerda em 2004, sendo que os receptores para estrogerno e progesterona eram negativos, entretanto com Her-2 positivo. Foi submetida a mastectomia segmentar, quimioterapia e radioterapia. Um adenocarcinoma in situ foi detectado na mesma mama em 2011, com o mesmo padrão imuno-histoquímico. Feito mastectomia radical esquerda. Em maio de 2016, ocorreu outra recidiva local. Foi necessária ressecção parcial do músculo peitoral. Devido a doença recorrente e decepção com o tratamento a paciente recusou mais tratamento convencional. Em setembro de 2016 sentiu nódulo na axila direita. A biópsia confirmou a presença de adenocarcinoma de origem mamária com o mesmo perfil imunohistoquímico. Novamente recusou o tratamento convencional e procurou outros tratamentos. Ela tentou ozonoterapia intralesional, homeopatia, vitaminas e minerais, mas nenhuma resposta foi obtida. Essa paciente veio à nossa clínica em fevereiro de 2018. A imagem abaixo mostra sua situação quando a vimos pela primeira vez em consulta.

Convencemos a paciente fazer quimioterapia e radioterapia junto com nossas terapias de suporte, explicando que agora com uma abordagem de suporte ela provavelmente teria um resultado melhor do que os anteriores. No entanto, o oncologista e o radioterapeuta não estavam otimistas. Disseram-lhe que o tratamento seria paliativo e que seria necessário um período de quatro meses para uma boa recuperação. Provavelmente, seria necessário enxerto de pele. O tratamento integrativo realizado foi o seguinte:

- Tratamento antibiótico de 2 semanas para infecção anaeróbica (metronidazol 500mg três vezes ao dia + clindamicina 600mg duas vezes).
- Curativos com água ozonizada e ensacamento de ozônio para fins higiênicos.
- Acupuntura.
- 20 soros de EDTA cálcico por via intravenosa.
- 8 ciclos de ácido lipóico intravenoso/600mg.
- Vitamina D 10.000UI/dia.
- Homeopatia: Luesinum 200CH 6 gotas por dia.
- Óleo de peixe 3g/dia.
- Chenopodium ambrosioides e Sanguinaria canadensis tintura a 20% 6 gotas por dia.
- Trans-resveratrol sublingual de 75mg, bid.
- Chlorella 250mg, melão amargo 200mg, berberina 200mg e Anonna muricata 200mg.
- Naltrexone em baixa dose 4mg/dia.
- Iodoral 15mg 2x/dia..
- DHEA 5mg duas vezes por semana.
- Oxigenoterapia com várias etapas de 18 dias.
- Quimioterapia e radioterapia.

A Figura 221.6 mostra a evolução da paciente.

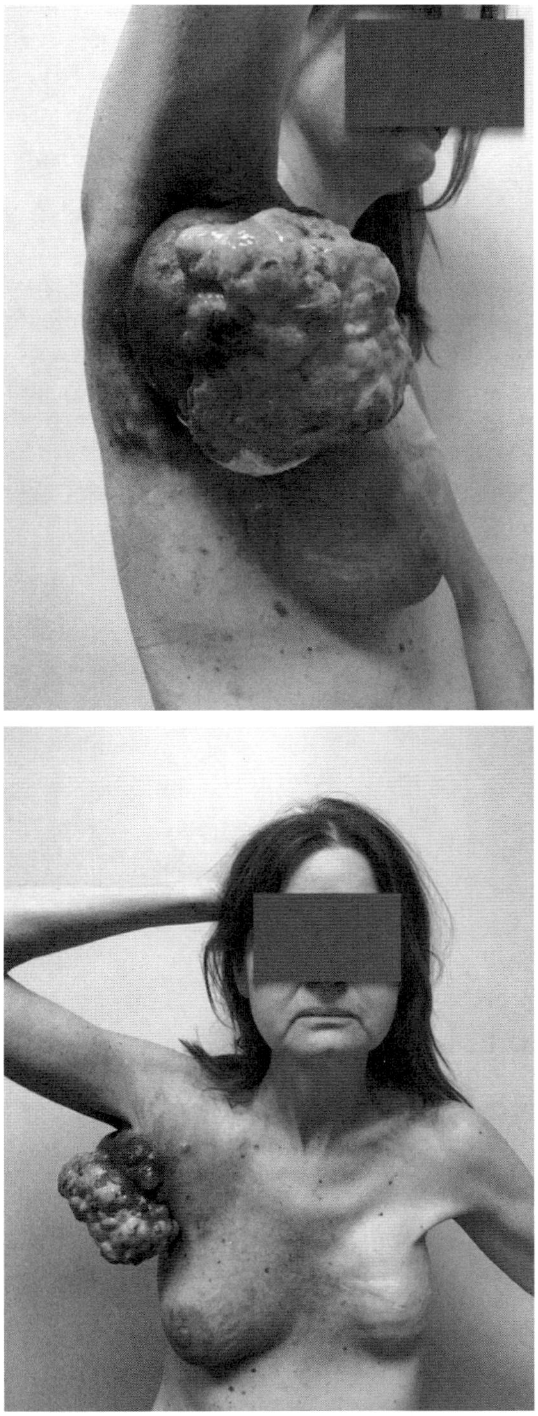

Figura 221.4 O hemograma mostrou hemoglobina de 5,6g% devido a hemorragia tumoral sendo transfundida com concentrado de glóbulos. Ea apresentava na ocasião grande fraqueza, dispneia, tosse e significante perda de peso. A massa tumoral exalava odor pútrido.

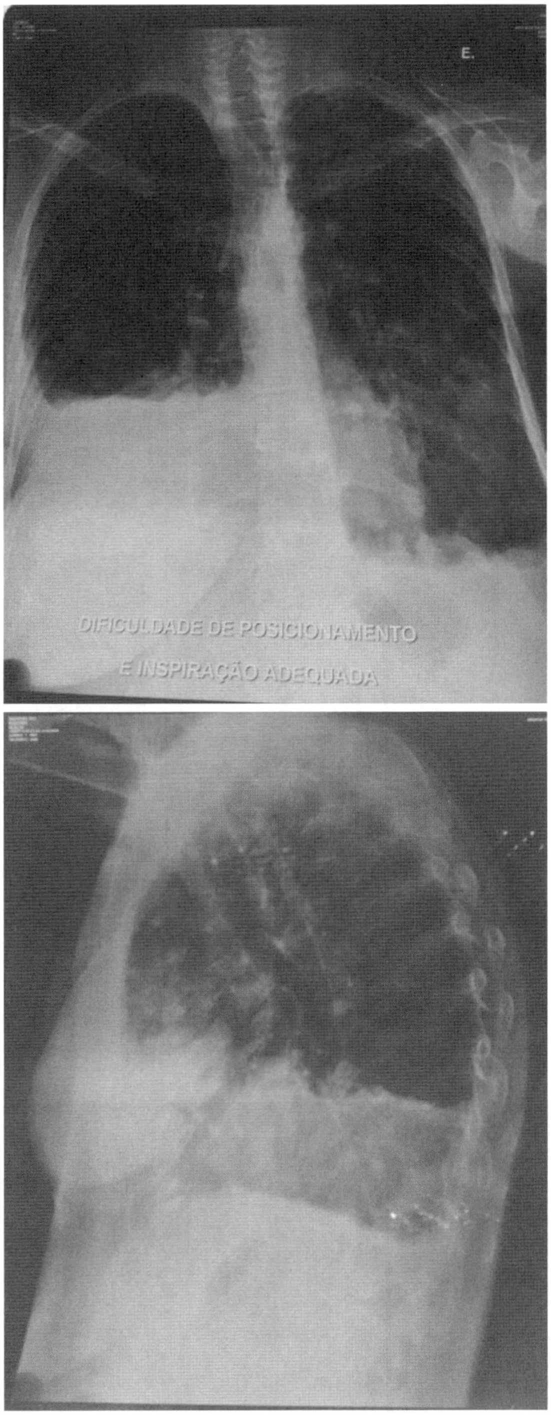

Figura 221.5 Derrame pleural e metastases pulmonares na primeira consulta à clínica.

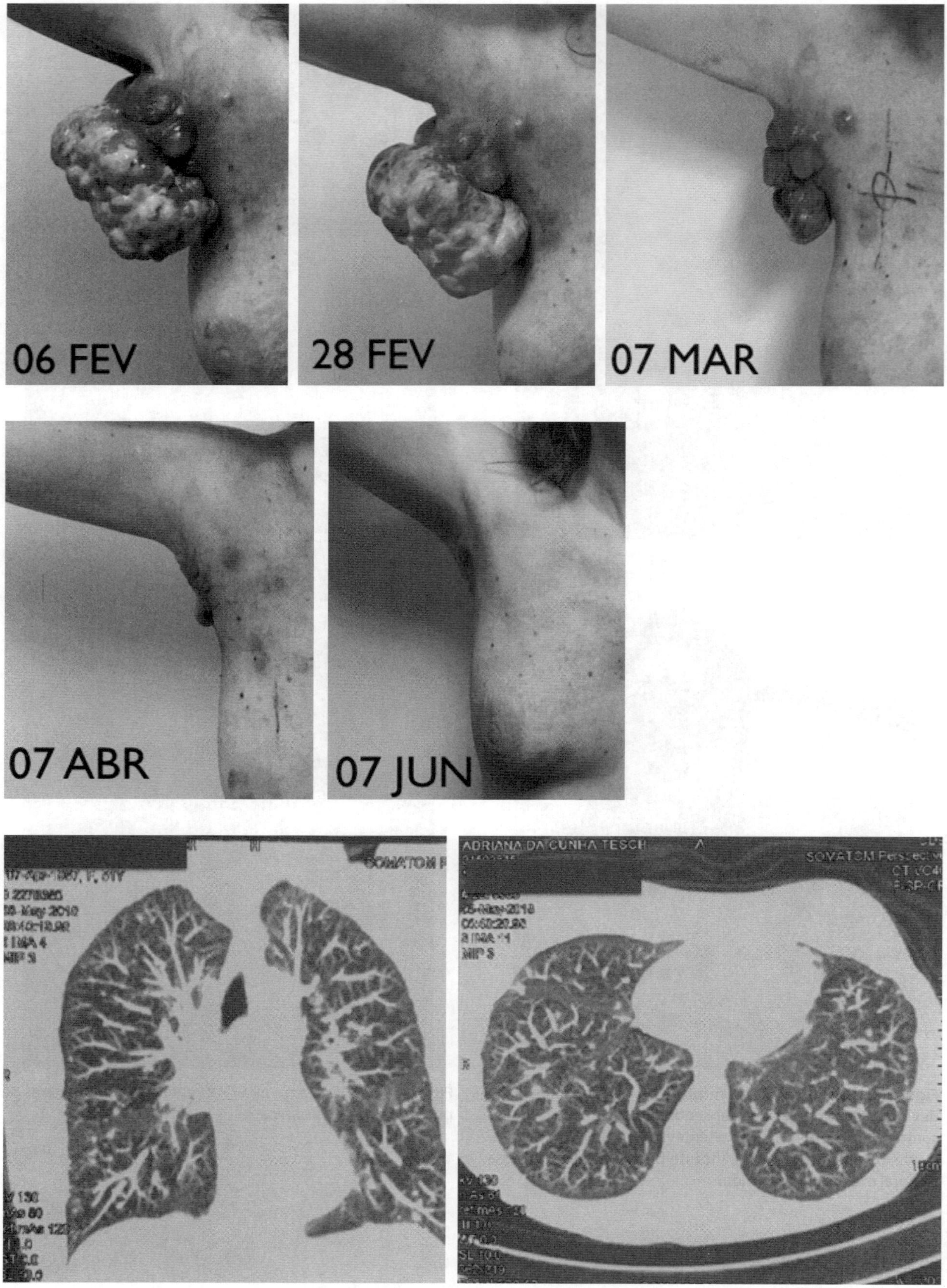

Figura 221.6 Radiografia com quatro meses do início do tratamento.

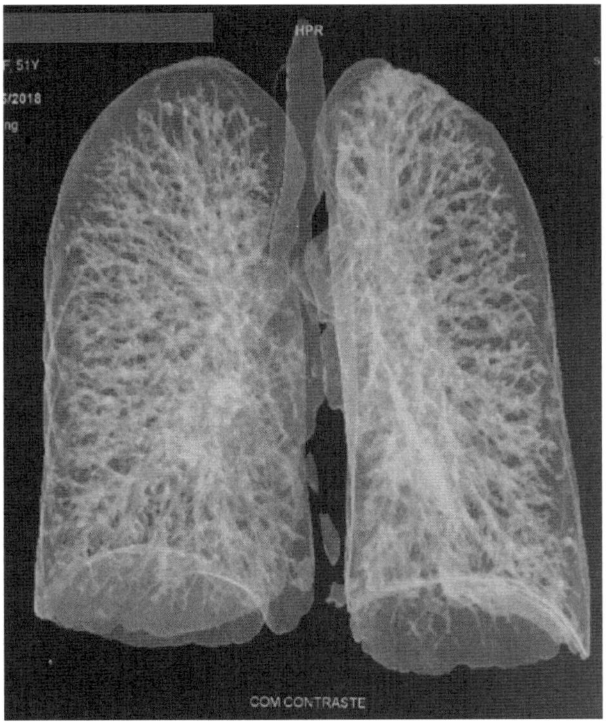

Figura 221.7 Tomografia no final do tratamento mostrando total regressão das metástases pulmonares e do derrame pleural. Clínica Gustavo Vilela.

47. **Adenocarcinoma de mama ulcerado com múltiplas metástases pulmonares que regrediram em 4 meses com a estratégia neurofarmacológica.**
Ulcerated mammary adenocarcinoma, before and after 4 months of neuropharmacological therapy. The great improvement registered in this patient permitted surgical resection. She died 7 years later. Fuad Lechin at School of Medicine of the Central University of Venezuela.

48. **Metástases peritoneais disseminadas de câncer de mama que regrediram totalmente com inibidor da aromatase – letrozol.**
An 81-year-old woman presented an upper abdominal tumor and loss of appetite. Computer tomography (CT) scan revealed a tumor in the duodenum and the head of pancreas. The exploratory laparotomy demonstrated a tumor located in the greater curvature of the pylorus to the transverse colon, and peritoneal dissemination. Because of the previous history of breast cancer 11 years ago and the immunopathological findings, recurrence of breast cancer was diagnosed. Lung metastasis was also detected postoperatively and the endocrine therapy using letrozole was introduced. After a year, CT scan confirmed complete remission from the metastasis. Two years later, tumor markers fell within the normal limit.
Referência. Fuke A, Tabei I, Okamoto T, Takeyama H.Complete remission from peritoneal metastasis of late recurrent breast cancer by endocrine therapy: a case report. Surg Case Rep. 2020 Dec 9;6(1):313.

49. **Metástases pulmonares de câncer de mama tratadas com letrozol (inibidor de aromatase) e fulvestranto (degradador de receptor de estradiol).**
We report 2 cases of lung metastasis from breast cancer that were successfully treated with endocrine therapy. Case 1 is a 69-year-old woman with cirrhosis of the liver caused by hepatitis C. She underwent surgery for left breast cancer at the age of 58, and surgery for right breast cancer at the age of 65. Four years later, she was diagnosed with lung metastasis of breast cancer. She received letrozole and the treatment was effective. Because the severity of the pleural effusion increased 3 years later, fulvestrant was subsequently administered. As a result, the patient remained in good health for 1 year. She died 5 years later. Case 2 is a 72-year-old woman who underwent right breast cancer surgery 12 years previously. She complained of respiratory discomfort as a result of right pleural effusion from lung metastasis. She was hospitalized for cancer lymphangitis that had deteriorated.The patient was immediately treated with fulvestrant and her symptoms improved significantly; the pleural effusion also disappeared. Sixteen months later, no recurrence has been observed.
Referência. Hasegawa K, Higashi Y, Kamiya A, et al. [Two Cases of Lung Metastasis from Breast Cancer Successfully Treated with Endocrine Therapy]. Gan To Kagaku Ryoho. 2016 Nov;43(12):2419-2421.

50. **Câncer de mama com regressão total após a estratégia biomolecular.**
IH, 47 anos, trabalhando como psicoterapeuta, fazendo pós graduação e com sobrecarga de trabalho e emocional apresentou em maio de 2021 em exame de ultrassom de rotina nódulo espiculado na mama esquerda medindo 2,6 × 2,5x 1,8cm – B4. Biopsia com trocater: Carcinoma invasivo ductal moderadamente diferenciado não especial. Imuno-histoquímico: E2 (+), P(+) e HER-2 (-). Em julho de 2021 a RNM mostrou nódulo na mama esquerda com 3,1 × 2,9 × 2,0cm e nódulo 1,3 × 1,3 × 0,9cm – B6. Cintilografia negativa. Em julho começou quimioterapia. 4 ciclos de 15 em 15 dias e 4 ciclos de 7 em 7 dias (Taxol). RNM de controle mostrou redução das lesões para 2,8 × 1,2 × 1,0cm. Em

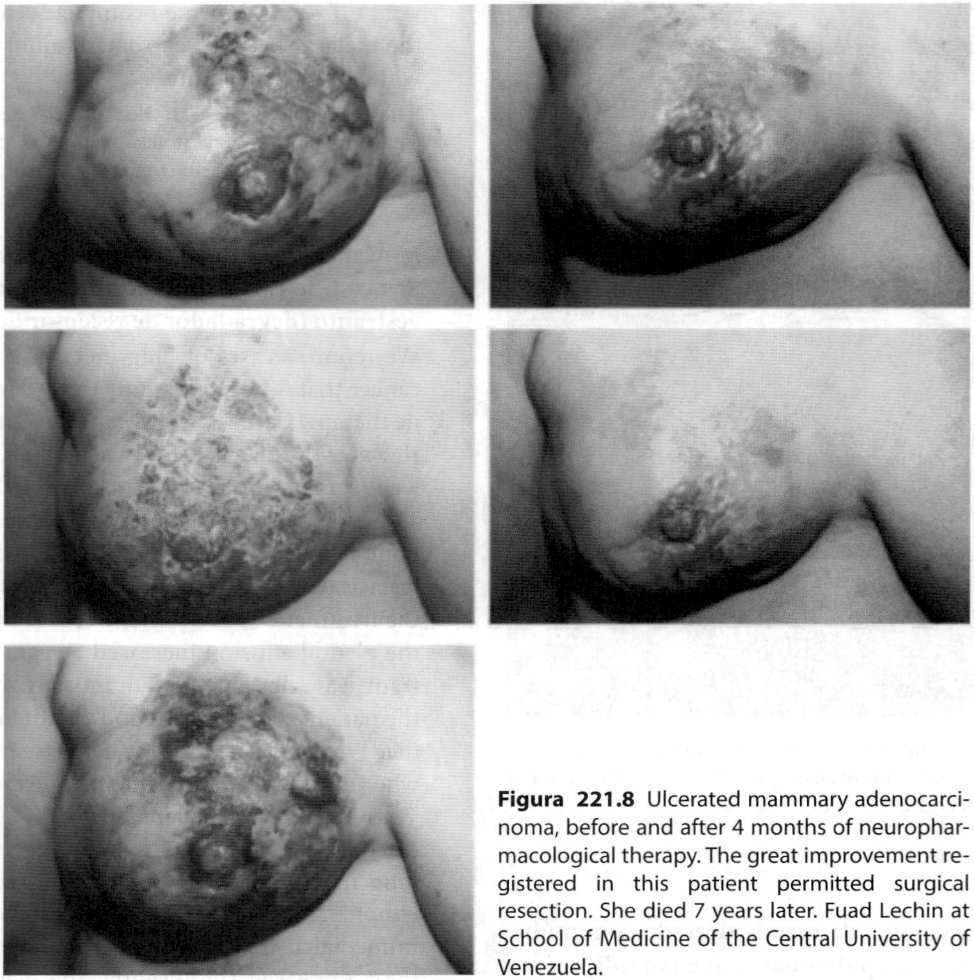

Figura 221.8 Ulcerated mammary adenocarcinoma, before and after 4 months of neuropharmacological therapy. The great improvement registered in this patient permitted surgical resection. She died 7 years later. Fuad Lechin at School of Medicine of the Central University of Venezuela.

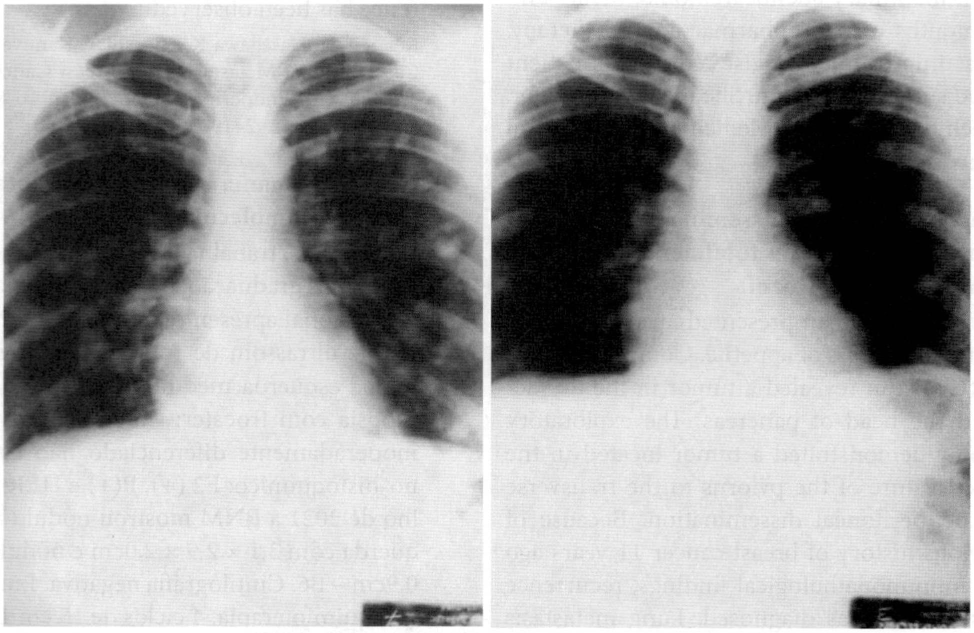

Figura 221.9 The same case: multiple, bilateral pulmonary metastasis almost disappeared. She died 7 years later, Fuad Lechin at School of Medicine of the Central University of Venezuela.

17 de setembro, ao exame clínico estava em bom estado geral, propedêutica de Genes antigos, alergia à caseína do leite e falta de iodo. Dorme em cruzamento Hartman. Ferritina: 184ng/ml; metais tóxicos: chumbo e mercúrio; biorressonância: chumbo, H. pylori e EBV. Começou as fórmulas e os soros no começo de outubro. Soro EDTA mais altas doses de vitamina C (50g) intercalados com ácido alfalipoico (600mg) 3x /semana. Após 2meses e meio em cirurgia para troca de prótese mamária, que fez sem minha autorização, constatou-se a inexistência de mama tumoral. Clínica JFJ.

CAPÍTULO 222

Câncer de próstata: 38 pacientes

1. **Adenocarcinoma de próstata alto grau com várias metástases ósseas que regrediram totalmente com a estratégia biomolecular.**

VRV, 66 anos biopsia de próstata, adenocarcinoma Gleason (3 + 4) em setembro/2018. Operado com robótica desenvolveu complicação séria: perfuração de bexiga com ascite urinária. Re-operado agora com o certo: laparotomia. Na revisão de lâmina mostrou Gleason (4 + 3). Em julho de 2019 o PET-SCAN mostrou linfonodos na loja prostática e imagens sugestivas de metástases ósseas em coluna. Cintilografia na ocasião não revelou metástases. Procurou 12 médicos para mais opiniões. Na evolução o PSA foi paulatinamente aumentando indo de 0,033 no pós-operatório imediato para 0,34 em novembro/2019. Novo PET-SCAN em novembro/2019 mostrou 12 linfonodos na loja prostática com SUV:4,9 (prévio, 4,2). Metástases 8º arco costal, SUV:2,4 (prévio, 3,0). Outras áreas de metástases em arcos 3º e 9º. Aumento da expressão molecular do PMSA na região inguinal direita (manipulação cirúrgica prévia). Procurou a clínica em janeiro de 2020. Ótimo estado geral, hipertenso com 97% de saturação de O2. Exames: PSDA, 0,34; Chlamydophila pneumoniae IgG positivo de 1/512 com IgM fracamente positivo. Glicemia, 95mg%; Insulina, 15ui; Ferritina, 437ng/ml; PPD, negativo; Herpes vírus 6, IgM positivo 1/80; Mycoplasma e EBV, não reagentes. Sensograma: aumento de chumbo e antimônio. Bioressonância: aumento de chumbo e presença de carbofuram. Voltou em julho/2020. PSA,0,5; Cintilografia: várias metástases em coluna e vertebras. E resolveu se tratar. Dieta inteligente e por via oral recebeu: L-taurina, trimetilglicina, mio-inositol, SiO2; curcumina, genisteína, Tanacetum parthenium, resveratrol, silibinina, Mn, selênio-metionina, B9, piperina; Colecalciferol; K2, riboflavina, retinol; Naltrexona, espironolactona; óleo de borago; ômega-3; luteolina; picolinato de zinco, cloroquina, B6, amilorida; iodo molecular; benzaldeído; berberina, sanguinarina, Chelidoneum majus, Chenopodium ambrosioides e Rosmarinus off. Ocimum basilicum. Salvia off. Intramuscular; colecalciferol, 600mil/ui e 25000UI de metilcobalamina. Em abril/2020 terminou as 40 infusões de soro, metade EDTA e metade Vitamina C 50g alternados com ácido lipoico, mais inalação contínua de gás hidrogênio em cama magnética 120Gauss e 60Hz. Fez também Lakhovsky. Em 4 de agosto/2020: cintilografia óssea sem metástases e PET-SCN também sem metástases ósseas ou quaisquer outras. Em novembro/2020 havia emagrecido 14 quilos, glicemia, 82mg% e insulina, 6UI. Ferritina, 127ng/ml. Sem metais tóxicos ou agrotóxicos ao Sensograma e bioressonância. Clínica JFJ.

2. **Câncer de próstata com metástases em coluna que resolveu completamente após administrar o Mycoplasma pneumoniae e medicina biomolecular.**

Paciente com 73 anos, engenheiro aposentado, em estágio IV de carcinoma prostático com metástases em coluna vertebral comprimindo a medula. IgG para Mycoplasma pneumoniae bem elevado e em ascensão após 3 semanas. Tratado com estratégias para administrar o Mycoplasma, retirada de metais tóxicos com EDTA, e reposição de nutrientes. Total reversão do câncer prostático incluindo a supressão das metástases. Cessaram as dores. Encaminhado ao urologista. Clínica JFJ

3. **Adenocarcinoma de próstata de alto grau com metástases ósseas que regrediram totalmente após estratégia clínico-biomolecular.**

Paciente com 59 anos apresentou elevação de PSA de 3,9 para 9,6ng/ml e ultrassom de próstata: 30g. Biopsia com vários focos de adenocarcinoma. Gleasson: 6 (3 + 3). Submetido a prostatectomia total em 08/06/2015. Anatomopatológico: Adenocarcinoma acinar usual Gleassom 7 (3 + 4), invasão perineural, margens cirúrgicas distal e circunferencial comprometidas, ausência de metástases em 12 linfonodos. Neoplasia intraepitelial de alto grau. No pós-operatório, PSA: 0,22ng/ml. Em 01/06/2016: PSA: 1,93ng/ml e 3 meses depois, 2,74ng/ml. Em 20/09/2016: PET-SCAN com PSMA-68Ga: pequenos focos de captação anômala (SUV máx. 6,4) no ramo púbico esquerdo e na cabeça do fêmur esquerdo. Ínfimo acúmulo em pequenos linfonodos ilíacos externos. Conclusão: metástases ósseas de neoplasia de próstata. Não aceitou tratamento convencional. IgG para Mycoplasma pneumonie: 446U/ml. Tratado com minociclina e berberina e o exame feito após 3 meses, IgG: 12,3U/ml. DHEA-s: 52 mcg/ml. Corrigido a deficiência de nutrientes, equilibrado o hormônio D3 (PTH em nível inferior do normal) e o DHEA. Dieta sem leite e derivados proteicos e sem carne vermelha. Prescrito as fórmulas abaixo. O DHL marcador de proliferação caiu de 212 para 160UI/L e a fosfatase alcalina outro marcador reduziu de 90 para 70U/L. Retirado mercúrio com homeopatia (Mercurius solubilis 30CH) e fitoterapia (Tintura de Coriandrum sativum e Espirulina mais Clorela). O PSA permaneceu em 3,2ng/ml. Em 28/11/2017: PET-SCAN com PSMA-68Ga: regressão total das metástases ósseas. Clínica JFJ.

Sabal serrulata 160mg
Acetato de zinco 156mg (50mgZn)
Licopeno 20mg
Beta caroteno........................15mg
Luteolina 15mg
Astaxantina...........................3mg
Seleno-metionina.................100mcg/Se
Urtica diioica........................50mg.........
Pygeum africanum 50mg
Glicirrizina............................100mg
Genisteína............................200mg mande
120 doses
Boswellia serrata 150mg
Scutelaria barbata 200mg
Extrato seco de Camelia
sinensis 400mg
Di-Indolmetano – DIM 100mg
Tetraborato de sódio...........6,5mg boro
Vitamina K1 ....150mg
Rutina 100mg
Hesperidina 100mg
Tomar 1 dose após café da manhã e após o jantar. Completar 1 ano.

Extrato fluido de Berberina...................50ml
Extrato fluido de Sanguinarina..............25ml
2 frascos de 250ml
Extrato fluido de Chelidoneum majus..50ml
Extrato fluido de Chenopodium
ambrosioides.........................125ml
Tomar 1 medida de 5ml (=500mg) em um pouco de água 3x ao dia, após as refeições. Completar 1 ano.

DHEA 50mg.........................1cp ao deitar
Naltrexone 5mg
1cp ao deitar ....não parar
Vitamina A............................15.000UI
Colecalciferol........................10.000UI
Vitamina K2 ....250mcg
Riboflavina............................50mg
Genisteína............................100mg ....90 doses
Tomar 1 dose após alguma refeição. Checar retinol e PTH em 30 dias.

Metas: Retinol: em nível superior e PTH em nível inferior do normal.
Ganoderma lucidum (extrato)...............400mg
Excelen – Selenometionina 100mg
(200mcg Se)
Tomar 1dose 2x ao dia após as refeições/4 meses

BCG sonicado 1,5ml
Glucana- 10mg/5ml.............5,0ml.....1 frasco 6,5ml
Agitar e aplicar 0,5ml subcutâneo às 2ª/4ª/6ª feiras/4 meses. Guardar na geladeira, não no congelador.

Extrato de curcumina 95% 500mg
Piperina ....100mg 240cp
Scutellaria baicalensis..........400mg
(não encontrou)
Tomar 1cp 2x ao dia após as refeições/4 meses

Euthyrox..............................100mcg, 1cp 15min.
Antes do desjejum

Óleo LLC (1 parte linhaça e
2 partes coco) ....2 frascos
Tomar 1 a 2colheres das de sopa 1 a 2x ao dia

5. Câncer de próstata cujo nódulo intra-estromal regrediu totalmente após estratégia biomolecular somente por via oral.

ESF, 58 anos desde 2005 faz controle com urologista devido hipertrofia benigna de próstata. Recusou cirurgia. Veio ao consultório em 21 de maio de 2029 com dificuldade de urinar, urgência, não consegue esvaziar completamente a bexiga e acordando 1x a noite após o Doxazosina. PSA em setembro/2018 que era de 3,20 saltou para 4,43 em maio/2019. Urologista: toque normal. Pedimos RNM 3 TESLA que mostrou nódulo de 0,4cm irregular no estroma (logicamente inacessível ao dedo mágico do urologista), próstata com 70 g e PI-RADS: 4. Apresentava: Testosterona livre e DHT em nível inferior do normal, alta ferritina (265ng/ml), Glicemia 95mg% com Insulina 13ui, Estradiol baixo, Sódio alto (146 sendo o ideal 138mEq/l para manter a célula polarizada), VCM 98,4 (falta de vit. B12), vitD3 40ng/ml com PTH 27pg/ml (PTH > 15 significa diminuição de hormônio D3 e 4500 genes, grande parte supressores de tumor, não funcionantes). IgG da Chlamydophila pneumoniae positivo 1/84. US: próstata com 75,5g e esteatose hepática grau II. Sensograma: aumento de Pb, Hg e Antimônio. Bioressonância: aumento de Pb, Hg e Antimônio, com HPV e sem agrotóxicos. Tratamento semelhante aos casos anteriores retirando metais tóxicos com homeopatia CH30.

Em 22/11/2019: Sem sintomas urinários, PSA caiu para 3,5 e a próstata para 65,5g. RNM 3 Tesla em setembro de 2020, próstata com 57g e regressão total do nódulo de 0,4cm, PI-RADS 2. Clinica JFJ.

6. **Adenocarcinoma de próstata tratado com estratégia biomolecular.**

FPC, 51 anos, procurou o consultório em 24/01/2020 com RNM paramagnética de próstata mostrando vários nódulos de hipertrofia, um deles com 2,4 x 1,2 x 1,1cm sugerindo extensão extracapsular e classificado como PI-RADS-5 e peso de 30,4g. Ultrassonografia: próstata, 36g. PSA em fevereiro de 2019 era de 3,9 e 1 ano após 4,8. Paciente negou fazer biopsia, mas o quadro era sugestivo de adenocarcinoma prostático. Exame clinico: ótimo estado geral e exame clinico normal, exceto alergia a proteína do leite. Exames: Cintilografia óssea: negativa, ferritina: 558ng/ml, glicemia: 111mg% com insulinemia: 2,0UI/ml, TSH: 10,9, T4L;0,9 e T3L:0,26. IgG para EBNA francamente positivo: 1/160, IgG para Mycoplasma pneumoniae 28 (reagente>30), IgG positivo para Chlamidophyla pneumoniae positivo: 75 (reagente >22). Coxsackie (1-6) positivo !/80. Sensograma: chumbo e biorressonância: chumbo e endosulfam. Tratado com dieta inteligente, fórmulas, tiroxina e soro EDTA com ácido lipoico e vitamina C alternados e doação de sangue. Em agosto/2020: ferritina, 360ng/ml; Testosterona livre: 10; DHT, 364; hemoglobina: 14g%; PSA: 6,27. RNM 3Tesla: próstata com 32g com nódulos de hiperplasia estáveis. Sensograma: persiste o chumbo e agora mercúrio. Biorressonância: chumbo. Mantivemos as fórmulas. Em maio de 2021: US próstata diminuiu de 36g para 20g. RNM: próstata diminuiu de 32g para 24,5g. PSA, 3.16, nódulo suspeito diminuiu de 2,4 para 1,1, regrediu o extravasamento extra capsular. PI-RADS-2. Chlamidophyla e vírus negativaram o IgG. Ferritina: 111ng/ml. Pelo fato de permanecer ainda com chumbo foi designado mais 10 aplicações de EDTA. Clínica JFJ.

7. **Câncer de próstata e reposição de nutrientes e retirada de metais tóxicos.**

José de Felippe Junior

IPR, 78 anos. Cuidados somente via oral, com biomolecular mais fórmula Sabal serrulata.

Data	julho/07	dez/07	mar/08	julho/o8
PSA	5,6	3,2	3,1	1,1
Ultrassom	77g	51,7g	43,7g	32,2g

Biópsia: Adenocarcinoma usual de próstata – Gleason 3 + 3 = 6

Sabal serrulata 250mg
Epigalocatequina galato 300mg
Resveratrol 50mg
Zinco cloreto 312mg
(100mg Zn) ATENÇÃO é cloreto de zinco
Licopeno 20mg
Seleno-metionina..............50mg (100mcg/Se)
Beta caroteno......................15mg
Urtica diioica 50mg
Pygeum africanum 50mg
Glicirrizina...........................100mg
Doxazozina 2mg
Isoflavona 200mg
Boswellia serrata..................100mg
Boro AA complexo 10mg
Di-indolil metano ....100mg ....mande 120 doses

Tomar 1 dose após café da manhã e após o jantar/6 meses. **Não parar**.

Naltrexone ....4.5mg.........mande 60 cápsulas

Tomar 1 cápsula ao deitar. Não parar

Ganoderma lucidum (extrato)...............600mg mande 120 cps (ATENÇÃO É O EXTRATO)

Tomar 1cp 2 vezes dia após as refeições. **Não parar**.

Colecalciferol.......................15mg
Genisteína ....250mg ....2 doses

Tomar 1 dose após o jantar 15/15 dias. **Não repetir**.

Extrato fluido de Berberina 400ml

Tomar 5ml, 3 vezes ao dia por 30 dias e depois 2 vezes ao dia. **Não parar**.

Extrato de curcumina 95% .500mg
Piperina 50mg

Quercetina ....20mg.........120 cp
Tomar 1 cp 3 vezes ao dia após as refeições.
Não parar.

8. Câncer de próstata: radiofrequência (RF) mais reposição de nutrientes e retirada de metais tóxicos.

José de Felippe Junior

IRC, 70 anos. RF por 1 mês e tratamento biomolecular.

Data	Maio/07	5ª aplic.	20ª aplic.
PSA	9,2	6,6	4,5
Ultrassom	40g		38g

Na quinta aplicação da RF (Lakhovsky): jato mais forte e contínuo e nictúria de 6x passou para abolição completa da nictúria. Biópsia: Adenocarcinoma usual de próstata – Gleason 3 + 3 = 6. Encaminhado para o urologista.

9. Câncer de próstata e RF mais reposição de nutrientes e retirada de metais tóxicos.

José de Felippe Junior

LG, 82 anos, RF com 20 aplicações em 1 mês mais Sabal serrulata por 6 meses.

Data	11/08/ 2008	02/09/ 2008	30/09/ 2008	Agosto/ 2014	Agosto/ 2015
PSA	6,2	2,0 (20 aplicações)	1,3	1,4	1,2
Ultrassom	57g	57g	40g		42g

Biópsia: adenocarcinoma de próstata intraepitelial de alto grau. Continuou assintomático e com PSA normal após quase 9 anos do tratamento, janeiro/2017. Negou cirurgia.

10. Câncer de próstata e RF mais reposição de nutrientes.

José de Felippe Junior

AFG, masculino, 62 anos: adenocarcinoma de próstata Gleason grau 5 em julho de 2000.
AUSÊNCIA DE METÁSTASES
Foi submetido a 3 aplicações dr RF (Lakhovsky) por semana de RF em um total de 44.
Resultado
Volume da próstata: 64........44cm^3.........melhoria da micção
PSA total: 8,6 0,6

O paciente até este momento solteiro era recém-casado e recusou a cirurgia proposta pelo urologista e entendemos muito bem a razão. O tratamento iniciado em 2001mostrou grande queda do PSA ao lado de redução de 31% no volume prostático. Em maio de 2017 continuou assintomático, sem câncer, com PSA normal, próstata de 48g, casado e sem reclamações matrimoniais. Faz controles 6/6 meses com urologista desde 2001. Em 2018 continua sem o problema.

11. Câncer de próstata tratado com mistura nutricional estruturadora de Roomi e medicina biomolecular.

José de Felippe Junior

78 anos, sexo masculino, Julho/2007. Adenocarcinoma de próstata Glesson 3 + 3.
Tratamento: Osmolitos estruturadores da água. intracelular.
Naltrexone baixa dose – 4,5mg/noite.
Reposição de nutrientes em falta.
Retirada de metais tóxicos.

Peso da próstata:	76,8g	6 meses	51,7g	6 meses	32,2g
PSA:	5,6	6 meses	3,2	6 meses	1,1

Encaminhado ao urologista.

12. Câncer de próstata tratado com reposição de nutrientes e retirada de metais tóxicos mais Radiofrequência – RF (Lakhovcky).

José de Felippe Junior

54 anos. Consultado em fevereiro de 2010 juntamente com o irmão. Este decidiu por cirurgia e ficou impotente por um bom tempo e com incontinência urinária necessitando fraldas por quase 6 meses. O paciente optou por tratamento clínico, casou e teve um filho.
Exames:
Ferritina: 210ng/ml, ceruloplasmina: 62, Mineralograma capilar com aumento de Cobre, Alumínio, Estanho, Estrôncio. Agrotóxicos por biorressonância: aldicarb, deltametrina, chlorpirifos e formaldeído. IGF-I: 282, TG: 333, Lpa: 42, Testosterona livre: 200, DHT: 396, PCR: 0,62, Glicemia: 103, Insulina: 10. Dos vírus e bactérias somente CMV: (+). US: esteatose hepática. Próstata com 34g. Cintilografia: negativa. Biópsia: Adenocarcinoma de próstata Gleason 3 + 3 = 6 com focos múltiplos.
Tratamento: Fórmula com Sabal serrulata, EDTA-10x, curcumina, *Ganoderma lucidum*, naltrexone em baixa dose, fórmula para esteatose hepática. Óleo LLC.

Data	fev/ 2010	ago/ 2010	maio/ 2011	julho/ 2011	dez/ 2011	out/ 2014
PSA	3,2	3,9	2,1	2,4	2,56	132**
Ultrassom	34g	35,7g	34,3g		29g	60g**

Na consulta de dezembro de 2011, emagreceu, estava sem queixas urinárias, a próstata diminuiu levemente e estava seguindo os preceitos nutricionais e de qualidade de vida da medicina biomolecular. Ferritina, TSH, Lpa, glicemia e insulinemia foram corrigidas. Ausência de esteatose hepática. Encaminhado ao urologista para posterior conduta e controle.

**Em outubro de 2014 voltou ao consultório e foi encaminhado para o urologista diretamente, pois nestes 3 anos parou de doar sangue, não mais seguiu a ingestão de apenas alimentos com índice glicêmico inferior a 50, engordou 11kg, ferritina aumentou novamente: 364ng/ml, PCR: 8,0, Glicemia: 117mg%, Insulina: 31UI/ml, parou levotiroxina e TSH: 3,5, *Mycoplasma pneumoniae*: IgG: 301, CMV: > 250, EBV: 232, CA19: 51, CEA: 2.2, PSA: 132, TG: 322, Lpa: 44, Hb: 16,4, DHT: 233, Test. L: 2,9. Parou naltrexone, Ganoderma, fórmula com Sabal serrulata e o LLC (óleo de linhaça com óleo de coco). RNM paramagnética-3Tesla: grande massa prostática, com invasão extracapsular.

13. Adenocarcinoma de próstata onde houve drástica queda do PSA e do volume prostático com a estratégia clínico-biomolecular.

Paciente com 79 anos acorda à noite 6 vezes para urinar, jato fraco, dificuldade e urgência urinária. Há 1 semana incontinência urinária. Biópsia com 28 fragmentos: adenocarcinoma usual, Gleassom: 3 + 3. CMV IgG: > 500U/ml, EBV IgG: 2,2U/ml; *Mycoplasma pneumoniae*: negativo.

Em 31/01/2017 Ultrassom: próstata com 103,7g e PSA: 15ng/ml. Recusou cirurgia ou radioterapia. Recebeu via oral: nutrientes em falta; naltrexone com espironolactoma; amiloride com ácido lipóico e hidroxicitrato; extrato fluido de Berberina, Sanguinarina, *Chelidoneum majus*, *Chenopodium ambrosioides*; iodo molecular e benzaldeído por 4 meses. Tratamento intravenoso: Ácido clorídrico alternado com ácido ascórbico 25g, 5 soros de cada em total de 10 soros/2 semanas. Ao término dos soros urinando bem melhor nos últimos 4 dias, não está acordando à noite, sem urgência ou incontinência urinária.

Em 02/09/2017: Ultrassom de próstata: 87,8g, PSA: 3,1ng/ml e sem queixas urológicas. Manteve tratamento clínico. Clínica JFJ.

14. Câncer de próstata tratado com *Chenopodium ambrosioides*.

Mr. M. is a 60-year-old black male, diagnosed with prostate cancer, in 2000 and treated with a radical prostatectomy. After surgery, Mr. M. continued to have a Prostate Specific Antigen (PSA) of 27. He was given the herb Chenopodium ambrosioides to take twice as day as a tea. For a period of a month, he continued to drink the herbal tea on a regular basis. Upon a repeated PSA, testing his number was reduced to 7, and was later maintained below that number. Mr. M. started planting his own herb and continued drinking it. To date his last medical check-up showed he is cancer free, and he is very physically active.

15. Câncer de próstata: Uso de mistura de ácido fraco com ácido forte HCl + ácido oxálico + ácido fosfórico.

Male patient, age 64, suffered from frequent episodes of nighttime urination. Medical examination showed his PSA levels to be 33.49ng/ml and rectal examination indicated a large prostate tumor with metastasis. Patient was very depressed. A second opinion, which included a biopsy and echogram, confirmed an aggressive carcinoma grade 9/10. An abdominal pelvic cat scan performed one week later showed calcification of the kidneys. Liver and spleen were normal size, uniform density and no focal alteration, incidentally a LOS (lesion of occupying space) of approximately 3 cm in diameter is shown at the right suprarenal level, represented by a low-density nodular area. The left suprarenal area is normal. In the pelvis, the prostate was observed to be 5 cm in diameter, a noticeable increase in size. Thickening of the back wall of the bladder was also observed and the prostate was exerting pressure on the bladder preventing expansion and increasing the frequency of urination. These findings suggested the presence of a neo proliferation. There are no lymphatic nodes increased in size in the pelvic compartments. Diverticulitis was also observed in the sigmoid colon. Following the CAT scan, patient initiated hormone treatment with Eleuxin tablets every 8 hours and Zoladex one vial a month. The following week the patient underwent a transurethral resection of prostate.

Three weeks after the initial diagnosis, the patient underwent a bone scan. Metastasis to the bone are seen in the right scapula, left sacroiliac, L1 vertebra and in the ribs. At this time, the patient initiated treatment with Formulation at a dosage of 18 drops, 3 times a day, increasing 3 drops a day to reach 150 drops a day total by the end of 30 days. The patient continues to take 150 drops a day for two months and then reduced the dosage to 140 drops per day. The patient continues to take an average of 140 drops a day and continues to take prescribed doses of hormones.

Nine months post diagnosis of the tumor, the patient is normal with no abnormalities when palpated abdominally. A genital evaluation identified no pathological findings, and rectal exam identified a firm gland without well-defined contours. Subject's PSA level at time of exam was 2.74ng/ml. Bone scan taken 8 months after the original diagnosis shows no sign of metastasis.

Referência. http://www.docstoc.com/docs/56102141/Pharmacologically-Active-Strong-AcidSolutions---Patent-7141251 – www.freepatentsonline.com.

16. **Tumor de próstata tratado com ácido clorídrico intravenoso.**

Case of L.P., age 63, colored. Aug. 2, 1930. Dairyman. Operation for removal of stone one year before, suprapubic incision, no history of venereal disease, frequent urination during day, none at night, loss of weight 11 lbs. Examination: prostate shrunken; tumor size of small orange in scar. Treatment: Intravenous injection of the solution weekly; same by mouth q.i.d. In three weeks' time tumor had softened and in six weeks had entirely disappeared. Opened urethra by sounds, which aggravated trouble. Solution continued at intervals. July 7, 1912, still under treatment, much improved; had lost in beginning 15 lbs., gained 7 lbs.

Referência. Three Years of HCL Therapy. As Recorded in articles in The Medical World With Introduction by Henry Pleasants, Jr., AB, MD, FACP, Associate Editor Puhlished hy W. Roy Huntsman, Philadelphia, PA 1935.

17. **Câncer de próstata com metástases ganglionares e ósseas tratado com naltrexone em baixas doses.**

63-year-old man consulted his physician is December 1993, complaining of mild obstruction of urine flow. A prostate specific antigen test was carried out with a result of 15 and a sonogram revealed enlargement of three lymph nodes. Treatment was initiated with flutamide plus leuprolide according to the usual protocol and follow-up readings of PSA showed a drop to zero. Periodic measurement of PSA were made and after four years, a substantial increase was observed over a six-month period. A bone scan was conducted and showed the presence of metastase in the lower vertebrae and several ribs. It was concluded that the tumor had become resistant to drug therapy and treatment with flutamide plus leuprolide discontinued. Instead, a course of radiation of the involved ribs and lumbar-sacral vertebrae was carried out to reduce pain, following which the patient was referred for further treatment. He was started on naltrexone at a dosage of 3mg/day at nigth and after four months of the naltrexone treatment, his PSA level dropped to less than 1.0. Bone scans revealed the metastases to have disappeared and he was free of other symptoms. He has continued to the symptom-free in follow-ups over the subsequent 18 months with normal bone scans and very low PSA readings, suggesting that remission of the tumors has been achieved.

Referência. Method of treating cancer of the prostate. United States Patent 6384044. Bihari, Bernard, New York.

18. **Câncer de próstata tratado com naltrexone e flutamide – 2 pacientes.**

Two acquaintances in their sixties had been routinely monitoring their PSA levels every six to twelve months because of their age. Then, about six years ago for one and eight years for the other, one test showed a marked rise in PSA levels above normal for each and on digital rectal examination, a hard tumor mass was found in each. Biopsies of the masses were performed by a urologist and proved positive for adenocarcinoma of the prostate. Both were started immediately on low-dose naltrexone 3mg/day q.h.s while they considered the desirability of undergoing standard therapies for prostate cancer. This exploration took a period of three months for one and four months for the other with both eventually electing to undergo treatment with flutamide, a testosterone blocking agent. On consultation with the urologist to begin administration of flutamide, each was advised that their respective tumors had already undergone substantial shrinkage, by more than one-half. Both began the anti-testosterone therapy while maintaining the low-dose naltrexone treatment, and after three months, their PSA levels had dropped to zero and the tumor masses had shrunk until they were no longer palpable by rectal examination, Both have continued the combination of low-dose naltrexone and flutamide and up until now there have been no signs or symptoms in either of reoccurrence of the prostate cancer.

Referência. Method of treating cancer of the prostate. United States Patent 6384044. Bihari, Bernard, New York.

19. **Câncer de próstata – Eficácia do cetoconazol em baixa dose no câncer de próstata resistente à castração – 2 trabalhos. Vinte e oito pacientes com queda do PSA igual ou superior a 50% e dois pacientes com remissão completa. Computado somente 2 pacientes.**

Primeiro trabalho.

OBJETIVE: To assess the efficacy of low dose ketoconazole therapy for Chinese patients with castra-

tion resistant prostate cancer (CRPC) and explore possible prognosis factors.
METHODS: From August 2006 to August 2011, 71 patients with CRPC were analyzed retrospectively, who received oral **ketoconazole 200mg**, three times a day with **prednisone 5mg**, twice a day. Prostate specific antigen (PSA) response rate was defined as the percentage of patients with PSA decline ≥ 50% compared to baseline PSA level during low dose ketoconazole therapy. Multivariate Logistic regression analysis and receiver operating characteristic curve were used to assess the prognostic factors and their accuracy.
RESULTS: The mean initial serum PSA level was (205 ± 38)ng/ml for these patients with mean age (69 ± 1) years old. After first androgen deprivation therapy failure, the prostate cancer progressed into castration resistant stage. The baseline PSA was (93 ± 24)ng/ml and the baseline serum testosterone was (0.13 ± 0.02)ng/ml. During the low dose ketoconazole therapy, 31 patients (43.7%) had PSA decrease and 22 cases (31.0%) were effective with PSA decline more than 50%. PSA doubling time and baseline serum testosterone were positive correlation with PSA response rate by multivariate logistic regression analysis. Patients with PSA doubling time of ≥ 3.0 months had a PSA response rate of 64.3% and the PSA response rate in those with < 3.0 months decreased to 22.8%, hazard rate (HR) = 0.149 (95% confidence interval [CI] 0.029 – 0.766), P = 0.023, area under the curve (AUC) = 0.707. The PSA response rate for patients with baseline serum testosterone ≥ 0.1 and < 0.1 µg/L were 55.6% and 5.7%, respectively, HR = 0.068 (95%CI 0.012 – 0.380), P = 0.002, AUC = 0.749. The common adverse reactions included liver dysfunction (17.9%), renal dysfunction (16.4%), fatigue (11.9%), nausea (6.0%) and anorexia (4.5%) and so on. CONCLUSIONS: Low dose ketoconazole therapy was a moderate, low toxicity hormonal therapy option for patients with CRPC. PSA doubling time ≥ 3 months and baseline serum testosterone ≥ 0.1 µg/L were predictors of desired effect for low dose ketoconazole therapy.

Referência. Lin GW, Ye DW, Yao XD, et al. Efficacy of low dose ketoconazole therapy for Chinese patients with castration resistant prostate cancer. Feb 28;92(8):520-3;2012.

Segundo trabalho.
OBJECTIVE: To assess the efficacy of ketoconazole in patients with castration-resistant prostate cancer (CRPC). PATIENTS AND METHODS: From April 2008 to November 2009, 37 patients with CRPC have been treated with ketoconazole. The primary endpoint was the prostate-specific antigen (PSA) response; the secondary endpoints were progression-free survival and safety profile. **Ketoconazole** was administered by oral route at a dose of **200mg** every 8 h continuous dosing until the onset of serious adverse events or disease progression. The study was based on a two-step design with an interim efficacy analysis carried out on the first 12 patients accrued. RESULTS: Main characteristics of population were: median age 75 years (range 60-88); baseline mean PSA 28.8ng/mL (4.3-1000); 30 patients previously challenged with at least two lines of hormone therapy; 15 patients previously treated with chemotherapy. Biochemical responses accounted for: **two complete responses (5%),** six partial responses (16%), 13 patients with stable disease (35%), and 14 with progressive disease (38%). Of 15 patients resistant to chemotherapy, overall disease control (complete plus partial responses plus stable disease) was recorded in seven of them. Treatment was feasible without inducing grade 3-4 adverse events. The most common grade 1-2 adverse events were asthenia (27%), vomiting (8%) and abdominal pain (8%). CONCLUSION: Treatment with low-dose ketoconazole is feasible and well tolerated. The efficacy was satisfactory in patients previously treated with chemotherapy. Low dose of ketoconazole in patients with prostate adenocarcinoma resistant to pharmacological castration.

Referência. Procopio G, Guadalupi V, Giganti MO, et al. BJU Int. Jul;108(2):223-7;2011.

20. Câncer de próstata refratário a hormônio tratado com mistura de 4 ervas: Sheep Sorrel (*Rumex acetosella*), Burdock (*Arcticum lappa*), Slippery ElmBark (*Ulmus fulva*) e Turkey Rhubarb Root (*Rheum palmarum*).

Abstract: Essiac is a popular complementary and alternative medicine (CAM) that is utilized by many cancer patients in North America. Much anecdotal reporting exists about its cancer-fighting qualities, but so far no clinical trials have been preformed to validate those claims. We describe here the case of a 64-year-old man whose hormone-refractory prostate cancer responded well to Essiac tea.

Referência. Remission of hormone-refractory prostate cancer attributed to Essiac. Al-Sukhni W, Grunbaum A, Fleshner N. Can J Urol. Oct;12(5):2841-2;2005.

21. Câncer de próstata com metástases ósseas tratado com *Nerium oleander*.

http://www.medicinabiomolecular.com.br/biblioteca/pdfs/Casos-Clinicos/cc-0084.pdf.

A 61-year-old man started to experience weight loss, weakness, pain in his back and hips as well as difficulty in urination in July 2003. He applied to Denizli Social Security Hospital, and CT scan of the abdomen was performed on 8 August 2003. The scan demonstrated a cortical cyst in the right kidney as well as degenerative changes in the bones. He was prescribed some symptomatic medicines that provided no benefit. When his symptoms worsened, he was hospitalized on 10 September 2003 at the Internal Diseases Clinic of the Social Security Foundation's Izmir Training Hospital. Lab work revealed that ALP was abnormal at 630. PSA was found to be more than 150. Bone scintigraphy performed on 22 September 2003 showed widespread bone metastases in the cranium, bilateral costae, all vertebrae, pelvis, and left femur proximal (Appendix KE3). Prostate biopsy was performed on 23 September and the patient was discharged to be followed up at the urology polyclinic. Pathological examination of the biopsy specimen revealed the diagnosis: PROSTATE ADENOCARCINOMA (GLEASSON SCORE 4 + 5) COMMENT: Tumor is observed in all fragments.

The patient was recommended some hormone therapy that provided no benefit. The patient was taken to Dr. Ozel on 3 December 2003. In rectal examination, prostate right lobe was found to be as big as an egg and very hard. There was a mass of about 3 cm in diameter at the left parietal site of his head; the patient stated that it started to grow in September and has been causing pain. He had also been experiencing sharp pain in his hips and back. He had been going to urinate 4-5 times every night. 0.4 mL NOI caused the body temperature to rise to 37.4o C. The patient was started on a daily regimen of 0.4-1 mL NOI, six times a week. He was recommended to adjust the dosage according to maximum fever experienced. He was also advised to receive three times 1cc of NOO (oral) daily. The patient presented to Dr. Ozel on 15 March 2004 for a follow-up. His general medical condition had improved. He was pain free. The mass at the left parietal site had shrunk in size. Rectal examination revealed a decrease in the size of the prostate also. He had with him a whole body bone scintigraphy that was obtained on 10 March 2004. It showed that bone metastases in the cranium, bilateral costae, all vertebrae, and pelvis had disappeared; osteoblastic activity increase of significant intensity was present in the left femur trochanter major, and there were some localized degenerative changes in both knee joints The patient was recommended to continue N.O. treatment. The patient came for another follow-up on 20 April 2004. His general condition was very good. The findings of the upper abdomen ultrasound scan performed on 14 April 2004 were normal, and PSA was 0.22. The swelling at the left parietal site had further shrunk in size. Some of the findings of the hemogram performed on 15 April 2004 were as follows: WBC: 13.0x103/μL, RBC: 6.03x106/μL, HGB: 12.8 g/dL, HTC: 39.1%, PLT: 182x103/μL. The patient was recommended to continue the NO treatment. The patient came again on 6 June 2004. He had no complaint. The swelling at the left parietal site had completely disappeared. He was free of any pain. In rectal examination, prostate lobes were found to be normal in size and hardness. He had no complaint related to urination and its frequency. Some of the findings of the hemogram performed on 3 June 2004 were as follows: WBC: 10.01x 103/μL, RBC: 6.71x106/μL, HGB: 12.9 g/dL, HCT: 40.5%, PLT: 310x103/μL. NOI injections were not causing any rise in body temperature, and the patient was placed on a maintenance treatment with 0.6 cc of NOI to be administered every other day. He came back on 2 October 2004. He was living normal day life, but was recommended to continue the maintenance treatment for another three months, and then stop it. The patient presented to Dr. Ozel again on 18 April 2005 for a follow up. He had no complaint. The site of the metastasis in the head was normal. He had no complaint related to urination and its frequency. Prostate's size and hardness were normal. He had a bone scintigraphy performed on 11-12 January 2005; it stated that there were no pathological findings. Some of the findings of the hemogram performed on 30 January 2005 were as follows: WBC: 8x103/μL, RBC: 6.07x106/μL, HBG: 12.5 g/dL, HCT: 39.6%, PLT: 272x103/μL.

22. Adenocarcinoma de próstata tratado com dieta inteligente + atividade física + banhos de Sol.

AAB, 76 anos.

Ano: 2008: Adenocarcinoma acinar de próstata Gleason 7 com presença de neoplasia em todos os 24 fragmentos da biópsia.

Pré-operatório de prostatectomia: insuficiência coronariana. Realizada revascularização miocárdica. Contraindicada a prostatectomia. Recusou radioterapia.

Iniciou a dieta inibidora do câncer, muito parecida com a dieta inteligente descrita neste livro, exercício, banhos de Sol sob a supervisão do Dr. Sidney Federmann.

Ano: 2014: Sem sintomas urinários, PSA < 3,0ng/ml, atividade física regular, mantém suas atividades laborais e recusa-se a realizar nova biópsia.

23. Adenocarcinoma de próstata tratado com dieta inteligente + atividade física + banhos de Sol.

RPR, 63 anos – Adenocarcinoma de próstata diagnosticado em 2009 e submetido à ressecção total da próstata.

Consulta em 2011 com PSA 33ng/ml. Não fez a dieta inteligente e preferiu fazer radioterapia: 36 sessões de dezembro de 2011 a janeiro de 2012.

Maio/2012: retorna em consulta após a radioterapia com PSA = 44,66ng/ml.

INÍCIO DA DIETA INTELIGENTE sob supervisão do Dr. Sidney Federmann.

Em maio/12 iniciou a dieta + atividade física.

PSA 33 44,66 17,7 1,67 0,54 0,14.

24. Adenocarcinoma de próstata tratado com dieta inteligente + atividade física + banhos de Sol.

E.L.B., 50 anos, sexo masculino.

8/10/10: biópsias de próstata, 18 fragmentos.

Biópsia: 2/18 fragmentos com adenocarcinoma de ácinos prostáticos grau 6 (3 + 3) de Gleason

PSA: 3,12ng/ml.

Sem tratamento cirúrgico, sem radioterapia e sem quimioterapia.

Dieta inteligente, atividade física e banhos de Sol.

Após 1 ano:

4/09/11: biópsia com fragmentos livres de atipias e histologicamente normais.

PSA em 29/1/13: 2,5ng/ml.

Responsável: Dr. Sidney Federmann.

25. Adenocarcinoma de próstata tratado com dieta inteligente + atividade física + banhos de Sol.

J.M.S., 69 anos, sexo masculino.

Biópsia da próstata em setembro/2009: Adenocarcinoma acinar grau 3 + 3 de Gleason (6/10) comprometendo 10% do espécime.

Após 11 meses somente com dieta semelhante à dieta inteligente, administrada pelo Dr. Sidney Federmann que realizou nova biópsia, mostrando: Hiperplasia miofibroglandular prostática/ectasia glandular associada a prostatite crônica inespecífica.

PSA em 2009: 9,5ng/ml.

PSA em 2011: 4,2ng/ml.

26. Adenocarcinoma de próstata tratado com dieta inteligente + atividade física + banhos de Sol.

AF, 63 anos, sexo masculino.

Adenocarcinoma e carcinoma indiferenciado de próstata com metástases em crânio e coluna vertebral, tratado pelo Dr. Sidney Federman.

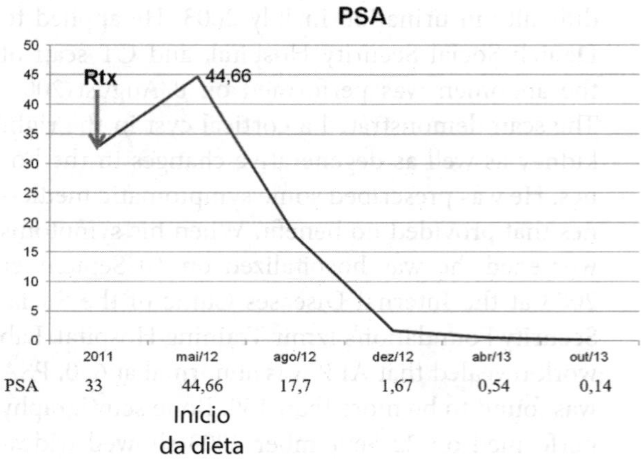

Manteve-se 5 anos estável enquanto cumpria as recomendações nutricionais. Sob controle com urologista.

Ao abandonar a nutrição inibidora da carcinogênese houve evolução rápida. Voltando à nutrição inibidora, não houve resposta.

27. Chá-verde administrado por 1 ano reduz drasticamente a evolução da neoplasia intraepitelial de alto grau para o câncer de próstata.

Chemoprevention of human prostate cancer by oral administration of green tea catechins in volunteers with high-grade prostate intraepithelial neoplasia: a preliminary report from a one-year proof-of-principle study. Recent studies showed that 30% of men with high-grade prostate intraepithelial neoplasia (HG-PIN) would develop prostate cancer (CaP) within 1 year after repeated biopsy. This prompted us to do a proof-of-principle clinical trial to assess the safety and efficacy of GTCs for the chemoprevention of CaP in HG-PIN volunteers. The purity and content of GTCs preparations were assessed by high-performance liquid chromatography [(-)-epigallocathechin, 5.5%; (-)-epicatechin, 12.24%; (-)-epigallocatechin-3-gallate, 51.88%; (-)-epicatechin-3-gallate, 6.12%; total GTCs, 75.7%; caffeine <1%. Sixty volunteers with HG-PIN, who were made aware of the study details, agreed to sign an informed consent form and were enrolled in this double-blind, placebo-controlled study. Daily treatment consisted of three GTCs capsules, 200mg each (total 600mg/d). After 1 year, only one tumor was diagnosed among the 30 GTCs-treated men (incidence, approximately 3%), whereas nine cancers were found among the 30 placebo-treated men (incidence, 30%). Total prostate-specific antigen did not change significantly between the two arms, but GTCs-treated men showed values constantly lower with respect to placebo-treated ones. International Prostate Symptom Score and quality of life scores of GTCs-treated men with coexistent benign prostate hyperplasia improved, reaching statistical significance in the case of International Prostate Symptom Scores. No significant side effects or adverse effects were documented. To our knowledge, this is the first study showing that GTCs are safe and very effective for treating premalignant lesions before CaP develops. As a secondary observation, administration of GTCs also reduced lower urinary tract symptoms, suggesting that these compounds might also be of help for treating the symptoms of benign prostate hyperplasia.

Referência. Bettuzzi S, Brausi M, Rizzi F, Castagnetti G, Peracchia G, Corti A. Cancer Res. 2006 Jan 15;66(2):1234-40.

28. Câncer de próstata com metástases em coluna vertebral que melhorou com estratégias que aumentam a fosforilação oxidativa. Caso de um médico por ele relatado.

Tenho 71 anos e sou médico em Goiânia.

Hipertenso há 10 anos e diabético há 9 anos.

Melanoma na região inguinal esquerda em 1985. O tumor desapareceu totalmente com imunoterapia: vacina Hasumi, fabricada em Tóquio. Exames posteriores, cintilografia e outros não evidenciaram metástases ou recidiva do tumor primário.

Em fevereiro de 2015 apresentei fortes dores nas costelas do hemitórax.

Em fevereiro desse ano, comecei a sentir dores lombares que quase me impediam de caminhar. Dei entrada num hospital público (HUAPA de Aparecida de Goiânia) em cadeira de rodas e o médico ortopedista que me atendeu solicitou tomografia computadorizada da coluna que acusou várias alterações comuns da minha idade. Fui medicado para a dor e aguardei alguns dias. A dor não melhorou.

Entre os resultados dos exames, vi que meu PSA estava em 111,2 quando o normal é de até 4. Procurei um urologista que, após feito o toque da próstata, me disse que ela estava muito grande e com consistência pétrea. Falou tratar-se de um câncer e solicitou ressonância de coluna e ultrassonografia transretal com biópsia de próstata.

Sabedor de que não suportaria o custo do tratamento (retirada dos testículos, radioterapia e quimioterapia) por ser aposentado, procurei o SUS e consegui guias para consultas no Hospital Araújo Jorge, especializado em câncer. Lá passei em duas consultas com especialistas diferentes.

Fui medicado com Androcur 50mg (um castrador químico que anula a testosterona), Amitriptilina 25mg (um antidepressivo) e Tramal (analgésico para dores muito fortes). Receitaram também morfina para uso em caso de as dores não cederem com o Tramal.

Solicitaram nova ressonância, dessa vez de coluna total, e cintilografia óssea de corpo inteiro.

Como escapei da morte há quase 30 anos, novamente optei por fazer tratamentos mais eficazes, mesmo sendo diferentes do que os oncologistas adotam.

Um dos tratamentos usa um produto que aumenta a chamada respiração celular, que ocorre no seio da mitocôndria. Esse produto foi desenvolvido pelo médico e pesquisador alemão Dr. Paul G. Seeger, que provou em 1938, num instituto de pesquisa em Berlim, que o câncer começava na mitocôndria (no citoplasma) e não no núcleo celular.

Dr. Seeger provou com inúmeras observações e microfotografias (e publicou isso em mais de 300 artigos científicos) que o câncer decorre de uma intoxicação crônica (agrotóxicos nos alimentos que ingerimos diariamente e tóxicos na água, ar e no ambiente em que vivemos), o que acarreta, em longo prazo, a destruição mitocondrial que desemboca no câncer.

Médicos seguidores das descobertas do Dr. Seeger têm curado câncer com o produto Zell Oxygen, por ele inventado, e outras medidas criadas por esse genial pesquisador. Todos os médicos que seguiram a mesma conduta de Seeger puderam ver seus pacientes curados em percentual jamais alcançado com outros tratamentos. O mesmo tem ocorrido com o produto Poly-MVA desenvolvido nos EUA para tratar glioblastoma multiforme.

Atualmente tenho dores fortes na coluna, no hemitórax direito e no epigástrio. Minhas pernas apresentam incoordenação motora (devido a uma metástase cervical) e já quase não posso andar.

Estou lutando contra a morte e tenho que ser mais rápido do que ela, daí a urgência do pedido.

Como cidadão me preocupa os milhares de pacientes sofredores dessa doença que ceifa tão rapidamente tantas vidas em todo o planeta. Desejo fortemente que, após minha cura, o Estado possa beneficiar com os mesmos medicamentos (na realidade esses produtos são considerados suplementos nutricionais) os pacientes que já perderam a esperança e, apenas, aguardam a morte.

Sabedor que o Estado decide sempre com imparcialidade e justiça e também age sempre a favor dos que dependem de seu amparo, de antemão agradeço a decisão favorável a essa causa que tem amparo na Carta Magna.

Nota 1: O médico está vivo até hoje: agosto/2018.

Nota 2: Zell Oxygen é lisado de levedura de cerveja rico em mitocôndrias e o Poly-MVA é o Zell Oxygen acrescido de beta-glucana.

29. Câncer de próstata tratado com benzaldeído – 4 pacientes.

1. Paciente com 68 anos diagnosticado em março de 1975 por meio de biópsia: adenocarcinoma bem diferenciado. Negou cirurgia e radioterapia. Iniciou o laetrile (benzaldeído mais cianeto). Em 3 meses a massa tumoral prostática regrediu totalmente. Sobrevida de 16 anos. Faleceu com 84 anos.
2. Paciente com 75 anos com adenocarcinoma de próstata em fevereiro de 1973. Não fez cirurgia ou radioterapia. Em 5 semanas de laetrile intravenoso a massa tumoral diminuiu drasticamente. Em outubro de 1973 a massa tumoral havia regredido totalmente. Sobrevida de 8 anos. Faleceu com 80 anos de idade.
3. Paciente com 62 anos e adenocarcinoma de próstata: tumor muito grande do tamanho de um "sabonete comum". Não fez cirurgia ou radioterapia. Após injeções intravenosas de laetrile melhorou o fluxo urinário. Regressão tumoral total em 6 meses de tratamento. Manutenção com benzaldeído via oral em baixa dose, dieta vegetariana e pancreatina. Sobrevida de 29 anos. Faleceu com 92 anos.
4. Paciente com 61 anos e câncer de próstata inoperável com metástases ósseas em setembro de 1973. As condições clínicas foram piorando com sangramento retal, grande dificuldade de urinar, inapetência e fraqueza geral. Iniciou a amigdalina intravenosa (benzaldeído mais cianeto) em outubro de 1973. Em 10 dias sua condição clínica começou a melhorar e assim continuou. Em 30 dias estava dirigindo e indo sozinho na clínica do Dr. Richardson. Sobrevida de 13 anos. Faleceu com 74 anos.

Referência. Laetrile Case Histories – The Richardson Cancer Clinic Experience. Published by American Media. California.2005.

30. Regressão de câncer de próstata com genisteína mais polissacarídeo de micélio de basidiomiceto (glucana).

PURPOSE: It has been reported that genistein, an isoflavone used in soybeans, has antiprostate cancer effects. Genistein Combined Polysaccharide (GCP trade mark; AMino Up, Sapporo, Japan), a nutritional supplement manufactured in Japan, is composed of genistein and a polysaccharide obtained from basidiomycetes (mycelia) that grows in a variety of mushrooms. METHODS: We report a case of a patient with a biopsy proven prostate cancer showing clinical and pathologic evidence of regression following administration of GCP. The patient was enrolled in an Institutional Review Board (IRB)-approved protocol and received GCP for 6 weeks prior to radical prostatectomy. RESULTS: The patient's prostate -specific antigen (PSA) decreased from an initial value of 19.7 to 4.2ng/mL after 44 days of low-dose GCP. No cancer was identified in the radical prostatectomy specimen and no side effects were observed in this patient. CONCLUSION: This case suggests that GCP, which has shown potent inhibitory effects against prostate cancer in vitro, may have some potential activity in the treatment and prevention of prostate cancer. Regression of prostate cancer following administration of Genistein Combined Polysaccharide (GCP), a nutritional supplement.

Referência. Ghafar MA, Golliday E, Bingham J, et al. J Altern Complement Med. Aug;8(4):493-7;2002.

31. Câncer de próstata com metástases ósseas não responsivo ao tratamento convencional e considerado em fase terminal que se livrou totalmente das dores e metástases com a mistura de *Aloe vera* e mel – 2 casos.

Referência. Michael Peuser. Aloe – Imperatriz das plantas medicinais. Ed. St Hubertus. São Paulo-2003.

32. Adenocarcinoma de próstata com metástases ósseas generalizadas não responsivo ao tratamento convencional que se livrou da maior parte das mestástases e do tumor primário com ozonioterapia e várias técnicas integrativas.

GK, masculino, 83 anos, descendência japonesa, diagnosticado com câncer de próstata seis meses após ter se submetido à três implantes dentários. Foi submetido às quimioterapias oral e endovenosa durante 2 anos, entretanto, desenvolveu, no último ano, metástases ósseas generalizadas. Foi submetido a doze sessões de quimioterapia, e após estas apresentava quadros de dispneia e arritmias severas, sendo que na última apresentou infarto agudo do miocárdio. Empregaram-se todas as estratégias convencionais no tratamento das metástases e do tumor primário, mas não houve redução da tumoração prostática e o quadro geral com metástases ósseas generalizadas persistiu. Foi considerado refratário ao tratamento convencional. Na clínica aplicaram-se várias estratégias integrativas: **ozonioterapia,** aplicações intramusculares e intra-articulares – alternando locais e mudando volume/concentração durante as sessões, abrangendo coluna paravertebral bilateral, membros superiores e membros inferiores (média 10mcg/ml local) com doses maiores em grandes articulações e doses menores em pequenas articulações, nos locais das metástases. Aplicações suprapúbicas, em próstata e em bolsa escrotal. Aplicações intrarretais, obedecendo ciclos com 2 sessões semanais, iniciando com 120ml a 25mcg/ml, aumentando gradativamente até 630ml a 35mcg/ml, com retomada de novos ciclos conforme evolução clínica, sempre observando sintomas de diminuição do apetite ou náuseas. Auto-hemoterapia menor, 1 vez/semana com sangue 5ml e O_3 a 38mcg/ml. Auto-hemoterapia maior – ciclos de 20 sessões 2 vezes/semana com sangue 80ml e O_3 a 38mcg/ml, com intervalos de 1 a 3 meses, de acordo com estado clínico. Durante os intervalos dos ciclos foram realizados, **ILIB** domiciliar 30 minutos/dia (intravascular laser irradiation of blood), **ClO_2**, **enemas** (café e MMS), **acupuntura** (estímulo dos pontos VG14, 20, estômago 36, rim 3, bexiga 17, 18, 20 e 23, VC4, 6, 12 e 17, IG4, 11, em média 10 agulhas/sessão), **moxabustão** (aplicada em pontos imunoestimulantes como VC4, VC6, estômago 36, VG4 e VG14), **tratamento anti-homotóxico** (biopuntura e nux vômica), **terapia neural** e **odontologia neurofocal, suplementação oral** (Ganoderma, ácido alfalipóico, naltrexona, melatonina, ômega 3, vitaminas C, D e K_2, Zn, Se, *pool* de aminoácidos, enzimas digestivas, crawberry, fitoterapia chinesa (BU ZHONG e LIU WEI DI HUANG WAN) e **suplementação intravenosa** (uma sessão semanal, alternando conforme necessidade e aceitação, administrando ácido alfalipoico, taurina, PQQ, D-ribose, metionina, inositol, **EDTA**, *pool* de aminoácidos, coenzima Q10 e **altas doses de vitamina C**). Dieta rica em legumes e verduras, reintrodução de alimentos crus, crucíferas no vapor e sucos verdes. Alimentos ricos em polifenóis e fibras, pólen, anti-inflamatórios naturais como açafrão, gengibre e pimenta do reino, evitando alimentos industrializados, leite e derivados. Seguem as cintilografias com a involução do tumor primário e das metástases ósseas com 6 meses de tratamento. Tratado sob a responsabilidade da Dra. Carlise Beuren e da terapeuta Jeanette Fournier Less.

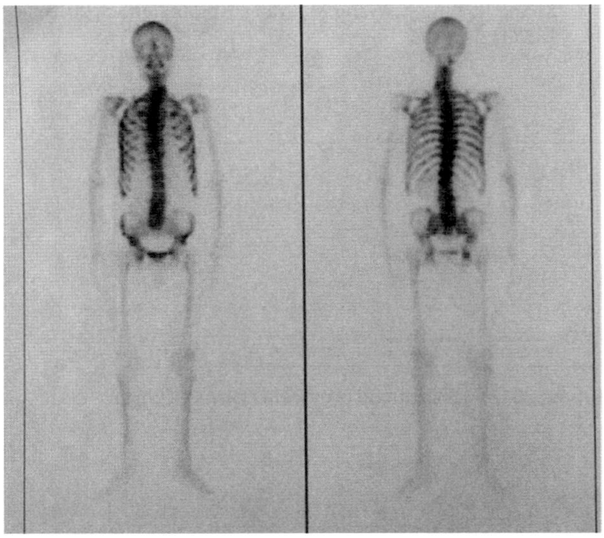

Figura 222.1 Cintilografias de 23 de março de 2015 mostrando metástases em coluna vertebral, bacia e costelas.

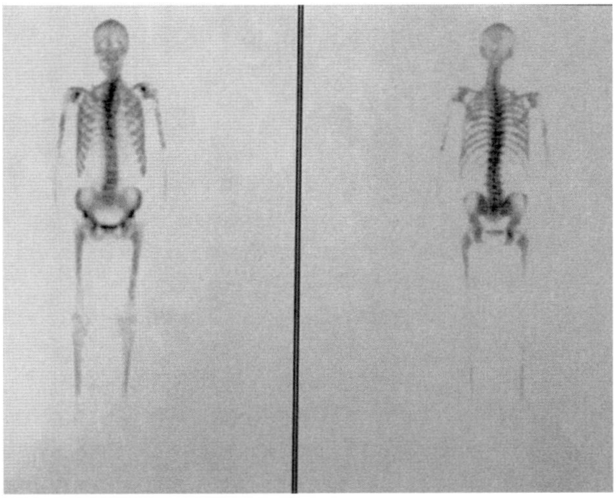

Figura 222.2 Cintilografias de 17 de outubro de 2015 mostrando desaparecimento quase total das metástases.

33. **Adenocarcinoma de próstata.**

Homem de 70 anos, em janeiro de 2015, foi diagnosticado com adenocarcinoma da próstata em estágio III-C (Gleason 9). O paciente teve prostatectomia total e radioterapia local. Ele apresentou recidiva em junho de 2016, com metástase na clavícula direita e recebeu radioterapia local, mas recusou a terapia hormonal, com medo de disfunção erétil e outros efeitos colaterais. O PSA vinha crescendo quando chegou à nossa clínica em julho de 2016. Após algumas discussões com o paciente, conseguimos convencê-lo a tomar pelo menos uma dose baixa de bicalutamida.

Os tratamentos realizados foram os seguintes:

- Casodex em baixa dose (50mg/dia)
- Oxigenoterapia com várias etapas de 18 dias
- Dieta vegana temporária
- Homeopatia: Cantharis 200 CH, Sabal serrulata 6 CH, Medorrhinum 200 CH, Thuya 30 CH
- Acupuntura
- Otimização neuro-psicofísica com tecnologia REAC
- Doxiciclina oral 100mg de 12/12 horas por 2 meses

- Quercetina 300mg, Chlorella 500mg, vitamina K2 75 mcg, melatonina 3mg na hora de dormir, óleo de peixe 2g/dia
- Alta dose de vitamina C intravenosa, seguindo o protocolo Riordan

A figura 222.3 mostra a evolução do PSA no tempo.

34. Câncer de próstata metastático tratado com isoniazida.

Recent studies demonstrate that monoamine oxidase A (MAOA) levels elevate with prostate cancer aggression and metastasis. In addition, MAOA inhibitor therapies have been reported as an effective means to reduce the metastasis of prostate cancer and extend mouse survival. Thus, these findings provide evidence that MAOA is promising for the treatment of metastatic and advanced prostate cancer. Herein, three isoniazid (INH)-dye conjugates were synthesized by conjugating MAOA inhibitor INH with mitochondria-targeting NIRF heptamethine dyes to improve the therapeutic efficacy of prostate cancer. These INH-dye conjugates could accumulate in PC-3 cellular mitochondria via organic anion transport peptide (OATP), increase ROS generation, and induce cancer cells apoptosis. In prostate cancer bearing xenografts, INH-dye conjugates showed significantly improved tumor-homing characteristics, resulting in potent antitumor activity via a reduction in MAOA activity. These results suggest that INH-dye conjugates have great potential to be used as versatile antitumor agents with prostate cancer targeting, NIR imaging, and potent antitumor efficacy.

Referência. Repurposing antitubercular agent isoniazid for treatment of prostate cancer. Lv Q, Wang D, Yang Z, Yang J, Zhang R, Yang X, Wang M, Wang Y.Biomater Sci. 2018 Dec 18;7(1):296-306.

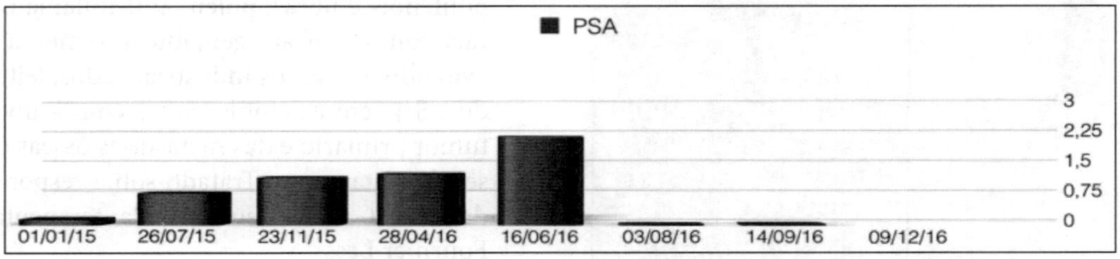

Figura 222.3 O paciente está em remissão em novembro de 2018 e desfruta de uma vida normal. Clínica Gustavo Vilela.

CAPÍTULO 223

Câncer de esôfago: 9 pacientes

1. **Carcinoma de esôfago tratado com *Agaricus blazei.***

   George Gennari

   DB, 66 anos, masculino, diagnosticado com carcinoma epidermoide de esôfago em 03/12/1999. Recusou tratamento convencional e iniciou *Agaricus blazei por* via oral, 1 medida 3 vezes ao dia. A esposa do paciente estava em tratamento de câncer de mama com o mastologista autor do relato e estava praticamente sem a massa tumoral. Em setembro de 2000 fez controle endoscópico e a biópsia mostrou regressão total do processo neoplásico no esôfago.

2. **Carcinoma epidermoide de esôfago inoperável tratado com *Chelidonium majus* extrato (Ukrain).** A patient with poorly differentiated squamous cell esophageal carcinoma, inoperable according to clinical and X-ray contrast examinations, was treated first with 40 courses of radiation (maximal dose), followed by three courses of chemotherapy (cisplatin, methotrexate, bleomycin) without response. Nine months after the diagnose had been established, treatment with Ukrain was started (20 mg every 2nd day for 2 weeks, followed by 10 mg every 2nd day up to 230 mg). The patient was free of tumor recurrence up to the last observation 42 months later.

   Referência. Vyas J.J., Jain V.K. Ukrain Treatment in Carcinoma of the Oesophagus (Case Report). Drugs Exptl. Clin. Res., Vol. XXII (Suppl.), 195;1996.

3. **Câncer de esôfago – lentinan melhora a sobrevida. Lentinan (glucana) melhora sobrevida do câncer de esôfago. Lentinan possui Beta-1,3 glucana com ramificações beta-1,6. Peso molecular da glucana do lentinan é 500.000 daltons.**

   Abstract: With a view to improving treatment response and the quality of life of cancer patients, this

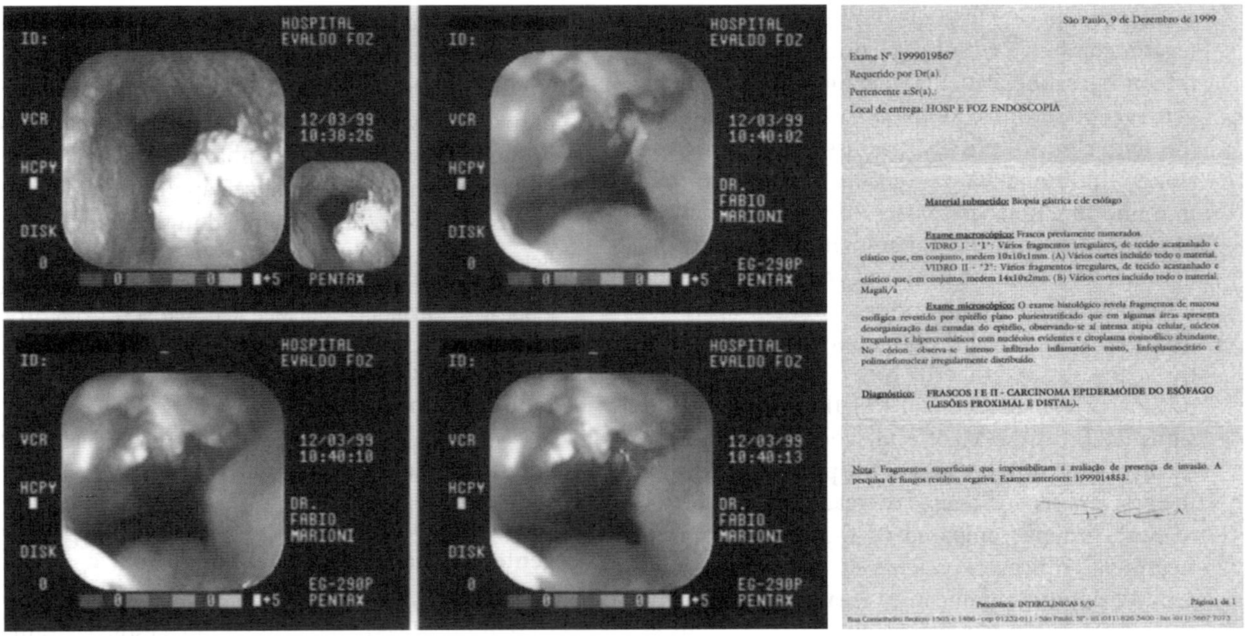

São Paulo, 9 de Dezembro de 1999

Exame Nº. 1999019567
Requerido por Dr(a).
Pertencente a:Sr(a).:
Local de entrega: HOSP E FOZ ENDOSCOPIA

Material submetido: Biopsia gástrica e de esôfago

Exame macroscópico: Frascos previamente numerados.
VIDRO I - "1": Vários fragmentos irregulares, de tecido acastanhado e elástico que, em conjunto, medem 10x10x1mm. (A) Vários cortes incluído todo o material.
VIDRO II - "2": Vários fragmentos irregulares, de tecido acastanhado e elástico que, em conjunto, medem 14x10x2mm. (B) Vários cortes incluído todo o material.
Magali/a

Exame microscópico: O exame histológico revela fragmentos de mucosa esofágica revestido por epitélio plano pluriestratificado que em algumas áreas apresenta desorganização das camadas do epitélio, observando-se aí intensa atipia celular, núcleos irregulares e hipercromáticos com nucléolos evidentes e citoplasma eosinofílico abundante. No córion observa-se intenso infiltrado inflamatório misto, linfoplasmocitário e polimorfonuclear irregularmente distribuído.

Diagnóstico: FRASCOS I E II - CARCINOMA EPIDERMÓIDE DO ESÔFAGO (LESÕES PROXIMAL E DISTAL).

Nota: Fragmentos superficiais que impossibilitam a avaliação de presença de invasão. A pesquisa de fungos resultou negativa. Exames anteriores: 1999014853.

Procedência: INTERCLINICAS S/C — Página1 de 1

Figura 223.1 Começo de tratamento em dezembro de 1999.

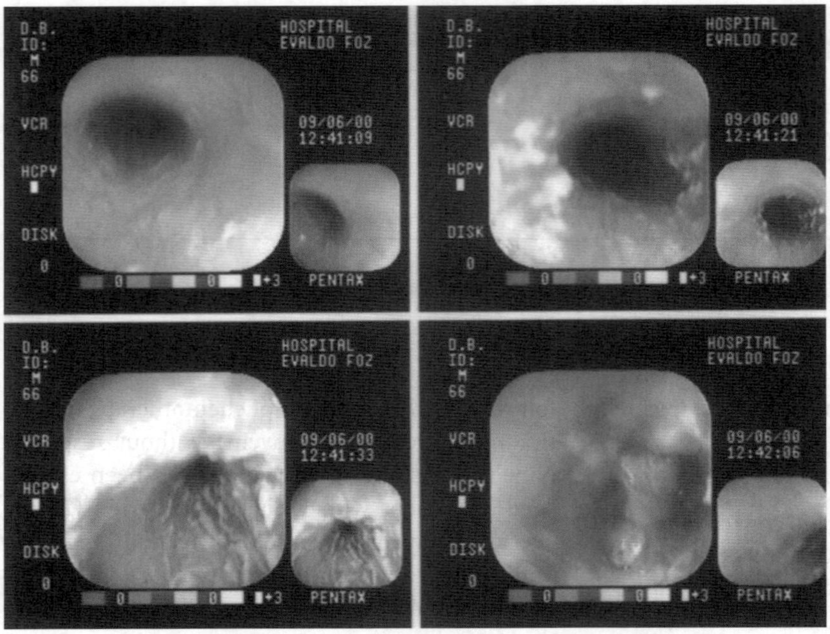

São Paulo, 8 de Setembro de 2000

Exame N°. 2000031931 Dados do contrato: C-36/1.3823276011
Requerido por Dr(a).
Pertencente a:Sr(a).:
Local de entrega: HOSPITAL EVALDO FOZ ENDOSCOPIA

Material submetido: Biópsia de esôfago.

Exame macroscópico: Vários fragmentos irregulares, de tecido acastanhado e elástico que, em conjunto, medem 7x6x1mm. Vários incluído todo o material. Magda/m

Exame microscópico: O exame histológico revela fragmentos de mucosa esofágica revestida por epitélio plano pluriestratificado com extensa acantose e paraqueratose. No córion nota-se infiltrado inflamat'rio mononuclear irregularmente distribuído.

Diagnóstico: ESOFAGITE CRÔNICA COM ACANTOSE E PARAQUERATOSE DO EPITÉLIO DE REVESTIMENTO.

Nota: No material examinado não há indícios morfológicos de malignidade. Exames anteriores: 1999014853, 1999019567, 2000002652.

Procedência: INTERCLINICAS ASSIST. MÉDICA - INST

Figura 223.2 Final de tratamento em setembro/2000.

study investigated the clinical efficacy of combining lentinan, with traditional chemotherapy in individuals with esophageal carcinoma (EC), with a particular focus on its effect on immune function. A total of 50 patients undergoing treatment for EC were evenly divided into two groups: control and experimental. Patients in the control group were treated with the chemotherapeutic agent tegafur (1,000 mg/day for 5 days); patients in the experimental group were treated with the same dosage of tegafur combined with 1 mg lentinan diluted in 250 ml normal saline. Patients were monitored for their general condition, symptoms and signs, quality of life and clinical efficacy (remission vs. progression). Additionally, the effects of lentinan on immune function were assessed through analysis of serum levels of pro-inflammatory and anti-inflammatory cytokines using enzyme-linked immunosorbent assay (ELISA) prior to and following the first and second course of treatment. The results of the scores showed that the general condition (Karnofsky performance scale; KPS), the symptoms and signs (Zubrod-ECOG-WHO score; ZPS) and the quality of life (QOL scale) of the patients following the first and second course of treatment were better in both groups compared to the scores prior to treatment. However, patients in the experimental group exhibited significantly greater improvement than those in the control group ($P<0.05$). Clinical efficacy was not significantly different between the two groups after 1 course of treatment, but after 2 courses of treatment, clinical efficacy was significantly greater in the experimental group than in the control group ($P<0.05$). Additionally, serum levels of IL-2, IL-6 and IL-12 increased, while levels of IL-4, IL-5 and IL-10 decreased, in patients of both groups after 2 courses of treatment ($P<0.05$). These changes occurred to a greater extent in the experimental group than in the control group ($P<0.05$). In conclusion, the addition of lentinan to the chemotherapy regimen improves the general condition, symptoms and signs, and quality of life of patients with EC. In particular, the patient's immune function may be enhanced by the combined treatment. The generalized application of lentinan is, therefore, recommended in the clinic.

Referência. Wang JL, Bi Z, Zou JW, Gu XM. Combination therapy with lentinan improves outcomes in patients with esophageal carcinoma. Mol Med Rep. Mar;5(3):745-8;2012.

4. **Carcinoma de esôfago em estágio avançado tratado com Coix seeds.**

Ref.: http://www.medicinabiomolecular.com.br/biblioteca/pdfs/Casos-Clinicos/cc-0231.pdf

5. **Carcinoma de esôfago tratado com dieta inteligente, atividade física e banhos de Sol.**

JDS, 42 anos, sexo masculino.
Carcinoma de esôfago, submetido a esofagectomia e radioterapia.

Recidiva com volumosa metástase cervical, do tamanho de uma laranja-lima, e sem condições clínicas para terapêutica oncológica.

Iniciou a nutrição inibidora, semelhante à dieta inteligente descrita neste livro sob a supervisão do Dr. Sidney Federmann.

Após 4 meses de dieta houve regressão clínica completa da metástase, desaparecendo totalmente o grande volume metastático.

No final do tratamento estava correndo 7km por dia.

Após mais 6 meses, julgando-se curado, abandonou a dieta, havendo recidiva.

Retornou ao consultório, mas foi a óbito no dia seguinte.

6. **Câncer de esôfago tratado com ácido cítrico.**

Referência. Halabe Bucay A. Pathological report of a patient with cancer of the esophagus improved considerably after receiving citric acid orally. Glob Adv Res J Med and Medical Sci (GARJMMS) 3:159;2014.

7. **Carcinoma epidermoide de esôfago antes e após 6 meses do tratamento neurofarmacológico – Fuad Lechin.**

Esophagus cancer (epidermoid epithelioma). Absolute healing after the 6-month immunological therapy. Esophagus endoscopy ratified x-ray investigation.

Nota. O tratamento de Fuad Lechin polariza o sistema imune de M2/Th2 para M1Th1 modulando neurotransmissores.

Referência. http://www.medicinabiomolecular.com.br/biblioteca/pdfs/Casos-Clinicos/cc-0693.pdf – radiografias.

8. **Carcinoma epidermoide de esôfago que regrediu totalmente em 7 meses da estratégia neurofarmacológica.**

The patient was absent and without medication during 13 months. The tumor reappeared and he entered neuropharmacological therapy again in October 2000 continuing this up to 2001.

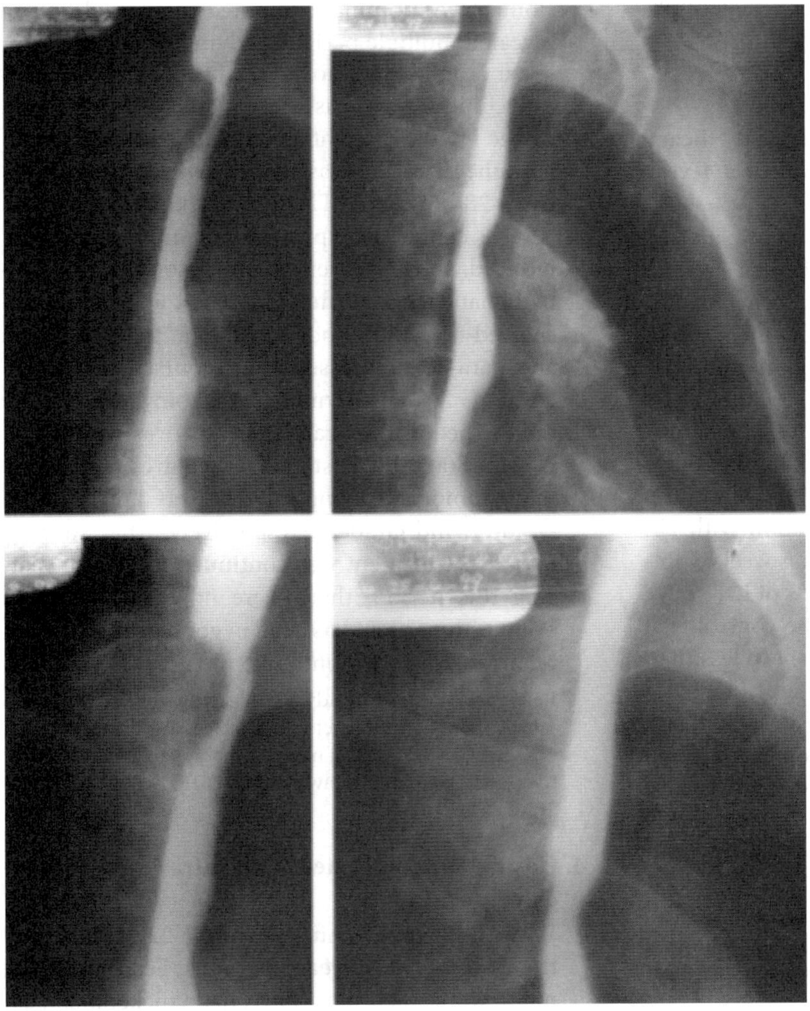

Figura 223.3 Carcinoma epidermoid of the esophagus (radiological plus endoscopic diagnosis). Total disappearance (endoscopic + radiological) of the tumor was obtained within 7 months of neuropharmacological therapy. Fuad Lechin at School of Medicine of the Central University of Venezuela.

CAPÍTULO 224

Câncer gástrico: 22 pacientes

1. **Gastric cancer treated with benzaldehyde oral: 2 patients.**

   Ten patients with stomach adenocarcinoma refractory to the conventional treatment of the time (1980) received benzaldehyde complexed with maltodextrin, 500mg 4x daily, oral. There was complete remission in 2 patients and improvement of life quality in the remaining 8 patients.

   Ref.: Kochi M; Takeuchi S; Mizutani T; Mochizuki K; Matsumoto Y; Saito Y. Antitumor activity of benzaldehyde. Cancer Treat Rep; 64 (1): 21-3, 1980. Kochi M et al. Antitumor activity of a benzaldehyde derivative. Cancer Treat Rep. 69 (5): 533-7, 1985.

2. **Gastric cancer and Beta glucan. Clinical efficacy in gastric cancer: increased survival in a 4-year study. Computed only 4 patients.**

   Abstract: End-point results of a 4-yr follow-up survey and a randomized control trial of lentinan (LNT) on patients with advanced or recurrent stomach cancer have been investigated in order to evaluate the clinical efficacy of LNT in combination with chemotherapeutic agent tegafur (FT). Eligible (68) patients in control groups were administered with FT consecutively at doses of 600mg/day, and eligible (96) patients in the treated group were administered LNT in combination with FT. LNT was injected intravenously 2mg weekly. Remarkable lifespan prolongation effects of LNT have been observed both at the end of the control trial and at the end of the follow-up survey (p less than 0.01) using Kaplan-Meier's method and the generalized Wilcoxian test. Remarkable survival at 1, 2 and 3 years has been observed in the treated group using lifetable analysis. Side effects of LNT have been transitional and not serious. Thus, LNT should be effective in combination with FT for patients with stomach cancer.

   Referência. Clinical efficacy of lentinan on patients with stomach cancer: end-point results of a four-year follow-up survey. Taguchi T. Cancer Detect Prev Suppl. 1987;1:333-49. PMID: 312117.

3. **Advanced case of gastric cancer with metastases in the para-aortic lymph nodes treated with total gastrectomy plus glucan and chemotherapy.**

   We report a case of advanced gastric cancer successfully treated with preoperative S1/Lentinan (LTN) chemotherapy followed by curative gastrectomy. The patient was a 75-year-old man with right hypochondralgia. Endoscopic examination revealed a huge type 2 gastric cancer in the middle body of the stomach. Abdominal computed tomography (CT) revealed multiple perigastric lymph node metastases and bulky para-aortic lymph node metastases. The clinical diagnosis was cT 4N3M1(LYM) with cStage IV. We thought a complete resection would be difficult, so he was treated with S-1(80mg/m2 day 1-28/q6w) and LTN (2mg weekly) in May 2010. After 3 courses, the primary lesion was markedly reduced, and gastric endoscopic biopsy showed no malignant lesion. After 4 courses, abdominal CT showed no lymph node swelling at the perigastric and para-aortic areas. After 5 courses, distal gastrectomy with D2 lymphadenectomy was performed. The histological diagnosis was ypT2(MP) N0M0, Stage IB. Histological features of the primary tumor and lymph nodes were judged to be Grade 2 and Grade 3, respectively. After surgery, S-1/LTN treatment was continued for 1 year. During this period, there were no serious adverse events. The patient has been in good health without recurrence for 28 months after surgery.

   Referência. A case of advanced gastric cancer with para-aortic lymph node metastasis successfully treated with preoperative S-1/Lentinan chemotherapy followed by curative gastrectomy. Nishikawa K et al. 2013. Nov 40(12):2200-2PMID:2439405.

4. **Gastric cancer treated with intravenous hydrochloric acid.**

   Wm. T., 42 years, White, veteran, 2-22-33. Had gastric distress twelve years previous. February 1930, much worse. February 1931, had chickenpox; gastric distress became worse; went to Pensacola Naval Hospital; treated for gastric ulcer, no relief. May 1, 1932, X-rayed at Flagler Hospital; St. Augustine. Sent to Lake City Veterans' Hospital. June 1932, went home. Diagnosis: Cancer of stomach, hopeless, grew worse, frequent hemorrhages from stomach and bowels, almost died January 1933. February 22, 1933: Examination. Near death large mass in stomach and duodenum, great pain, frequent hemorrhages from stomach in vomitus and from bowels. Pulse, 120; night sweats, fever, marked cachexia and much emaciated. Case looked hopeless. Treatment: acid mineral solution intravenously every 3 days. Same by mouth in oatmeal water 5 times daily. Atropine sulphate given when in pain. April 1933: Big improvement; mass in epigastrium no longer palpable. Hemoglobin had risen from 4o to 7o color chart. Bacterin Van Cott was given. This patient got up and around during writer's absence during the summer. In September, roof blown off shack; got wet, has gastritis, no sign of tumor present, should recover. 11-18-33: Owing to extreme poverty and lack of proper food all improvement is due to medical treatment.

Referência. Three Years of HCL Therapy. As Recorded in articles in The Medical World With Introduction by Henry Pleasants, Jr., AB, MD, FACP, Associate Editor Puhlished hy W. Roy Huntsman, Philadelphia, PA 1935 Furnished by The Arthritis Trust of America 7376 Walker Road Fairview, TN.

5. **Gastric cancer treated with intravenous hydrochloric acid – 2 cases.**
    1. Wm. T., 42 years, White, veteran, 2-22-33. Had gastric distress twelve years previous. February 1930, much worse. February 1931, had chickenpox; gastric distress became worse; went to Pensacola Naval Hospital; treated for gastric ulcer, no relief. May 1, 1932, X-rayed at Flagler Hospital; St. Augustine. Sent to Lake City Veterans' Hospital. June 1932, went home. Diagnosis: Cancer of stomach, hopeless, grew worse, frequent hemorrhages from stomach and bowels, almost died January 1933. February 22, 1933: Examination. Near death large mass in stomach and duodenum, great pain, frequent hemorrhages from stomach in vomitus and from bowels. Pulse, 120; night sweats, fever, marked cachexia and much emaciated. Case looked hopeless. Treatment: acid mineral solution intravenously every 3 days. Same by mouth in oatmeal water 5 times daily. Atropine sulphate given when in pain. April 1933: Big improvement; mass in epigastrium no longer palpable. Hemoglobin had risen from 4o to 7o color chart. Bacterin Van Cott was given. This patient got up and around during writer's absence during the summer. In September, roof blown off shack; got wet, has gastritis, no sign of tumor present, should recover. 11-18-33: Owing to extreme poverty and lack proper food all improvement is due to medical treatment.
    2. C.S., Colored woman; age, 67. 10-19-30: For ten months had severe pain while eating. Examination showed growth in stomach and liver. Insomnia, toxemia, no relief from medical treatment. Acid solution was given intravenously and by mouth. Immediate relief from gastric distress. Complete relief from all symptoms and growths at end of one year. Still well, 4-10-32 P.F., age 30; colored woman, Jacksonville.

Referência. Three Years of HCL Therapy As Recorded in articles in The Medical World With Introduction by Henry Pleasants, Jr., AB, MD, FACP, Associate Editor Puhlished hy W. Roy Huntsman, Philadelphia, PA 1935.

6. **Gastric tumor with possible liver metastasis treated with intravenous hydrochloric acid.**

C.S., colored, age 50. 4 children living, weight 100 lbs. Three miscarriages. For 10 months had pain during eating and great distress after. No relief from medicine. Asthenia and insomnia. Examination: liver enlarged, hard mass in outlet of stomach and edge of liver. Gave the solution intravenously and by mouth. Complete relief of pain after eating in five days. Growth in pylorus cleared up, but induration still remained in liver. Treated one year, complete relief, no sign of tumor remaining, well at this date, July 1, 1932.

Referência. Three Years of HCL Therapy As Recorded in articles in The Medical World With Introduction by Henry Pleasants, Jr., AB, MD, FACP, A. Editor Puhlished hy W. Roy Huntsman, Philadelphia, PA 1935.

7. **Gastric cancer treated with oral hydrochloric acid.**

Annie M., age 45 years, colored, normal weight 170 lbs., losing weight for one year, now 140 lbs. For the past two months, frequent gastric distress. July 5, 1932, found in great distress in region of stomach for past three days. Soreness over duodenum. Unable to vomit, no relief from soda bicarbonate, etc. Gave the acid mineral chloride solution 3 minims (drops), diluted, every half hour. July 6th reported complete relief in 6 hours. Examination showed (hardness) and tenderness in duodenum. Gave the solution every hour while awake. Diagnosis: Probably cancerous condition at pylorus. July 13th, much improved; soreness relieved. Gave the solution three times a day. July 27, no sign of soreness of duodenum or induration (hardness), but had developed nighttime asthma. The solution plus 10% calcium chloride: relief of asthma reported next day. Still under treatment, steadily improving.

Referência. Hydrochloric Acid Therapy Its Role in Overcoming Infectious and Degenerative Disease A Series of Articles by Medical Pioneers In Hydrochloric Acid Therapy Degenerative Disease And Its Etiology By Walter B. Guy, M.D., St. Augustine, Fl. (1930 Publication).

8. Gastric carcinoma with metastases to various organs and invasion of neighboring organs treated with extract of Nerium oleander.

http://www.medicinabiomolecular.com.br/biblioteca/pdfs/Casos-Clinicos/cc-0113.pdf.

9. Regression of malignant B-cell lymphoma of the stomach after treatment of Helicobacter pylori with antibiotics.

We report a case of complete and spontaneous regression of malignant lymphoma of the stomach. A submucosal tumor with central ulceration was detected on the greater curvature of the stomach in a 63-year-old woman. The tumor was diagnosed histopathologically as a diffuse large B-cell lymphoma (REAL classification). The tumor disappeared 18 days later without chemotherapy. Examination at that stage showed Helicobacter pylori (H. pylori), which was later treated with antibiotics. There was no evidence of recurrence of the malignant lymphoma at the last follow-up conducted at the time of preparation of this report, 13 months after the initial diagnosis. Spontaneous regression of an intermediate and high-grade non-Hodgkin's lymphoma is uncommon. We discuss the possible role of H. pylori in the regression of gastric malignant lymphomas.

Referência. Spontaneous regression of malignant lymphoma of the stomach. Uemura N, Sasaki N, Okamoto S, Mashiba H, Taniyama K. J Med. 1998; 29(5-6):381-93. PMID: 10503173.

10. Aloe arborescens increases the efficacy of chemotherapy and survival in gastric and pancreatic cancer.

BACKGROUND: The recent advances in the analysis of tumor immunobiology suggest the possibility of biologically manipulating the efficacy and toxicity of cancer chemotherapy by endogenous or exogenous immunomodulating substances. Aloe is one of the of the most important plants exhibiting anticancer activity and its antineoplastic property is due to at least three different mechanisms, based on antiproliferative, immunostimulatory and antioxidant effects. The antiproliferative action is determined by anthracenic and antraquinonic molecules, while the immunostimulating activity is mainly due to acemannan. PATIENTS AND METHODS: A study was planned to include 240 patients with metastatic solid tumor who were randomized to receive chemotherapy with or without Aloe. According to tumor histologic type and clinical status, lung cancer patients were treated with cisplatin and etoposide or weekly vinorelbine, colorectal cancer patients received oxaliplatin plus 5-fluorouracil (5-FU), **gastric cancer patients** were treated with weekly 5-FU and pancreatic cancer patients received weekly gemcitabine. Aloe was given orally at 10 ml thrice/daily. RESULTS: The percentage of both objective tumor regressions and disease control was significantly higher in patients concomitantly treated with Aloe than with chemotherapy alone, as well as the percent of 3-year survival patients. CONCLUSION: This study seems to suggest that Aloe may be successfully associated with chemotherapy to increase its efficacy in terms of both tumor regression rate and survival time.

Referência. A randomized study of chemotherapy versus biochemotherapy with chemotherapy plus Aloe arborescens in patients with metastatic cancer. Lissoni P, Rovelli F, Zago R, Colciago M, Messina G, Mora A, Porro G. In Vivo. 2009 Jan-Feb;23(1):171-5. PMID: 19368145.

11. Stomach cancer stage IV with bone and lung metastases that drastically improved life quality with Chi Kun. Do not computed.

Abstract. The aim of this study was to examine the effectiveness of Qi therapy (external Qigong) in the management of symptoms of advanced cancer in a man. We used a single case study design to evaluate the effectiveness of Qi therapy (external Qigong) in a 35-year-old man with advanced cancer (Stage IV) involving metastases in the stomach, lung and bone (Karnofsky performance scale: KPS, 40: requires special care and assistance, disabled). Treatment involved six days of pre-assessment, eight treatment sessions on alternate days over 16 days, and a two-week follow-up phase. A visual analogue scale (VAS) was used to assess the patient's self-reported symptoms of cancer over the intervention and follow-up periods. Following treatment, VAS scores' analysis revealed beneficial effects on pain, vomiting, dyspnea, fatigue, anorexia, insomnia, daily activity and psychological calmness. These improvements were maintained over the two-week follow-up phase. After the first Qi therapy session, the patient discontinued medication and could sit by himself; after the fourth session, the patient was able to walk and use the toilet without assistance (improvement in KPS: 70: care for self, unable to perform normal activity or to do active work). Although limited by the single case study approach, our results support previous studies on this topic and provide reasons to conduct controlled clinical trials.

Referência. Effects of Qi therapy (external Qigong) on symptoms of advanced cancer: a single case study. Lee MS1, Yang SH, Lee KK, Moon SR. Author information Eur J Cancer Care (Engl). 2005 Dec;14(5):457-62. PMID:16274468.

12. Cancer of the stomach with liver metastases treated with enzymes by John Beard in 1908.

Male, middle aged diagnosed with gastric cancer and various liver metastases and considered surgically inoperable. In July 1908, he was sent home to die with his family. After each injection of enzymes, trypsin and amylopsin, it presented febrile condition. From November 1908 to August 1909 63,000 tryptic units and 94,000 amylolytic units were applied. Two years later he was still alive.

Referência. John Beard. The Enzyme Treatment of Cancer and its scientific basis. New Spring Press. 2010.

13. Inoperable gastric cancer with metastases in omentum and in pre-terminal phase - Spontaneous Regression.

In 1927, a 33-year old woman with typical pre-terminal cancer of the stomach came under our care. In the highly emaciated patient, a hard, irregular mass filling the entire epigastrium was palpable. Radiological examination indicated a pre-pyloric gastric tumor. Laparotomy showed an inoperable tumor of the stomach, with the omentum and lymphatic glands greatly involved and evidence of multiple peritoneal and liver metastases. In view of the patient's general condition and the fact that the pylorus was only partially obstructed, no surgical procedure was performed other than biopsy of one of the metastases in the omentum. The biopsy showed an adenocarcinoma Grade III of gastric origin. Treatment was not prescribed. I saw the patient two years later in apparently good health. Clinical and radiological examination at that time showed no tumor. The patient attested to receiving no treatment. At the time of the operation she had been two months' pregnant. We had attributed her amenorrhea at that time to the advanced cachectic condition. She had given birth at term to a normal girl. Hers was one of those cases usually catalogued as "spontaneous remission."

Referência. Emanuel Revici. Research In Physiopathology As Basis Of Guided Chemotherapy With Special Application To Cancer - 1961 Publisher: D. Van Nostrand Company, Inc Copyright: 1962.

14. Gastric cancer. One case of Spontaneous Regression.

84 years old male with a history of nausea and vomiting for 3 weeks was admitted to our hospital. Esophagus-gastro-duodenoscopy showed the diffuse infiltrative type of gastric cancer encircling from the cardia to the lower body. On abdominal computerized tomography, the gastric wall was diffusely thickened with overlying mucosal enhancement without lymph node involvement. Histologic examination revealed poorly differentiated adenocarcinoma. So surgical resection was planned. However, patient refused all medical care, and then he was discharged. He lived without any medical support and then he revisited our hospital and showed relieved symptoms on the follow-up exam. On esophagogastroduodenoscopy, the gastric mucosa of the body looked normal without any dysplastic change. Abdominal CT revealed a decreased thickening of the gastric wall of the body. The histology from the endoscopic forceps biopsy showed no evidence of malignancy. The patient is alive without any sign of tumor recurrence after 14 months.

Referência. A case of spontaneous regression of advanced gastric cancer. Lee HS, Cheung DY, Kim JI, Cho SH, Park SH, Han JY, Kim JK. J Korean Med Sci. 2010 Oct; 25(10):1518-21. Department of Internal Medicine. The Catholic University of Korea School of Medicine, Seoul, Korea. PMID: 20890436.

15. Chloroquine increases cisplatin effects in human gastric cancer.

35 cases of gastric cancer patients with malignant ascites were enrolled and intraperitoneal cisplatin injection was performed. Ascites were collected before and 5 days after perfusion for assessment of autophagy levels in cancer cells. In addition, 24 tumor-bearing mice were randomly divided into control, DDP, CQ and CQ + DDP groups.

RESULTS: In 54.3% (19/35) of patients the treatment was therapeutically effective (OR), 5 days after peritoneal chemotherapy, 13 patients had the decreased ascites Beclin-1 mRNA levels. In 16 patients who had NR, only 2 cases had decreased Beclin-1 ($P = 0.001$). Compared with the control group, the xenograft growth in nude mice in the DDP group was low, and the inhibition rate was 47.6%. In combination with chloroquine, the inhibition rate increased to 84.7% ($P < 0.01$). The LC3-II/I ratio, and Beclin1 and MDR1/P-gp expression were decreased, while caspase 3 protein levels increased ($P < 0.05$).

CONCLUSIONS: Antitumor ability of cisplatin was associated with autophagy activity and chloroquine can enhance chemosensitivity to cisplatin in gastric cancer xenografts nude mice.

Referência. Zhang HQ, Fang N, Liu XM, et al. Antitumor activity of chloroquine in combination with Cisplatin in human gastric cancer xenografts. Asian Pac J Cancer Prev.16(9): 3907-12;2015.

16. **Adenocarcinoma gástrico.**

Homem, de 60 anos foi diagnosticado com carcinoma gástrico de células em anel de sinete estágio IIa em exame de endoscopia de rotina em 2013. Ele recusou qualquer tratamento convencional e só aceitaria terapias de apoio. Fizemos 20 soros de EDTA cálcico intravenoso e prata coloidal oral, peróxido de hidrogênio oral 35% (5 gotas em pouco de água), ácido lipóico 200mg/dia, naltrexone em baixa dose 4,5mg e óleo de peixe 2g/dia. A imagem abaixo mostra a evolução de 6 meses.

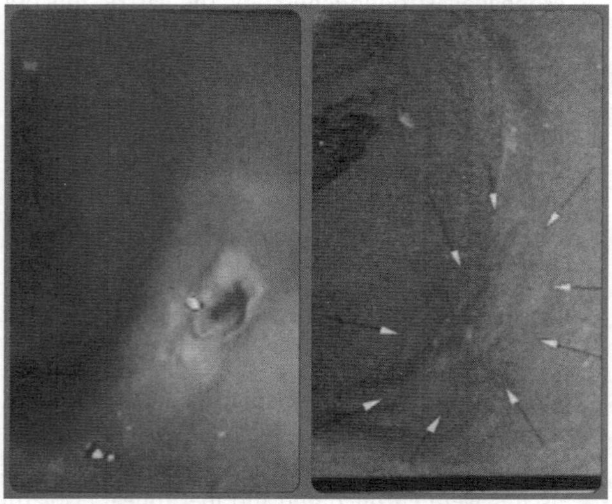

Figura 224.1 Nós podemos observar a completa regressão do tumor com a formação de escara residual em 6 meses de tratamento. O paciente foi visto pela última vez em 2017. **Clínica Gustavo Vilela**.

17. **Adenocarcinoma gástrico que regrediu totalmente ao Raios X contrastado em 6 meses de tratamento neurofarmacológico.**

Age 71, female. At first visit in January 1984 gastric adenocarcinoma was diagnosed in this patient who refused surgery in favor of neuropharmacological therapy. In 6 months, she showed radiological normalization of her tumor. Rejecting new endoscopic investigation, she remained free of symptoms until 1991 when she died of a cerebrovascular accident.

18. **Adenocarcinoma gástrico com metástases em linfonodos que regrediu totalmente com somente Rhus verniciflua.**

An 82-year-old female was diagnosed with gastric cancer with a polypoid gastric mass approximately

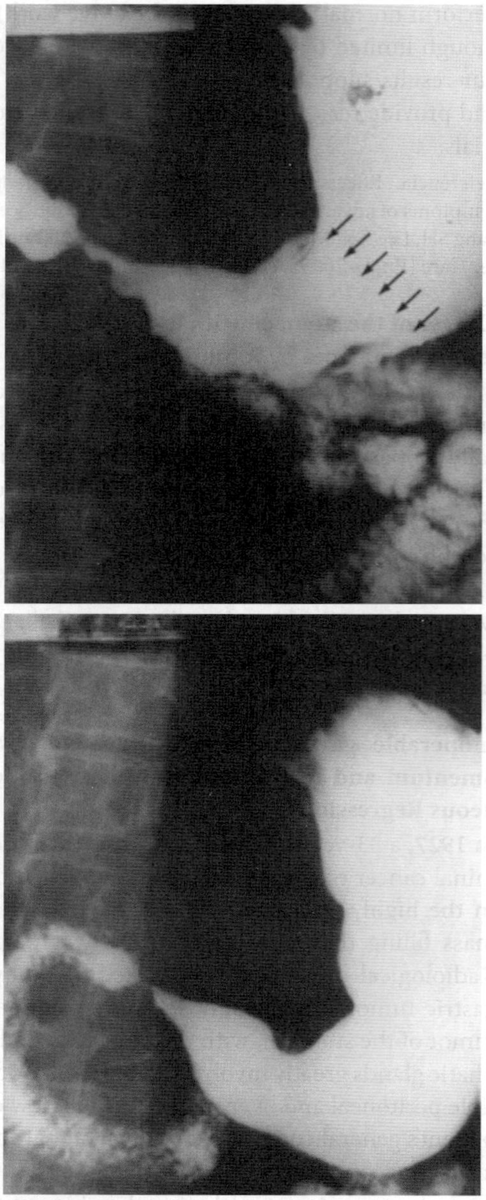

Figura 224.2 Age 71, female. At first visit in January 1984 gastric adenocarcinoma was diagnosed in this patient who refused surgery in favor of neuropharmacological therapy. In 6 months, she showed radiological. Normalization of her tumor. Rejecting new endoscopic investigation, she remained free of symptoms until 1991 when she died of a cerebrovascular accident. Fuad Lechin at School of Medicine of the Central University of Venezuela.

25 mm in diameter at the middle body portion of the lesser curvature, a flat elevated lesion 50 mm in diameter at the prepyloric antrum, and the small gastrohepatic lymph nodes in October 2006. The endoscopic biopsy confirmed well-differentiated adenocarcinoma with a mutation in p53 that showed high nuclear activity of more than 80%. Gas-

trectomy was not done because of old age and the concerns about the quality of life after surgery. RVS treatment was exclusively initiated on September 25, 2006. Five months later, the polypoid mass had markedly decreased and the flat elevated lesion had shrunk slightly, although the gastrohepatic lymph nodes were not changed. The biochemical parameters associated with liver and renal function were within the normal range, and no significant adverse effects from her RVS treatment have been observed. She maintains a good performance status up to now (July 2011).

Referência. Lee SH, Choi WC, Kim KS, Park JW, Yoon SW. Shrinkage of gastric cancer in an elderly patient who received *Rhus verniciflua* Stokes extract. *Journal of Alternative and Complementary Medicine*. 2010;16(4):497–500.

CAPÍTULO 225

Câncer colorretal: 42 pacientes

1. **Adenocarcinoma de sigmoide com metástases hepáticas e radiofrequência mais biomolecular.**
OC, 55 anos. Em dezembro de 1998 foi diagnosticado adenocarcinoma de sigmoide com metástases hepáticas. Foi retirado o sigmoide, porém, havia infiltração peritoneal que não foi possível retirar. Em uso de quimioterapia e imunoterapia. Iniciou a radiofrequência (MWO) em agosto de 2000, juntamente com a reposição nutricional e a retirada de metais tóxicos. Atualmente, agosto de 2001, já completou 37 aplicações de MWO. A tomografia ainda revela metástases hepáticas, iguais em número, porém, em menor volume. O paciente encontra-se em ótimo estado geral, trabalhando e sem nenhum tipo de queixas até a presente data, fevereiro de 2003. Encaminhado para o oncologista. Clínica JFJ.

2. **Adenocarcinoma retal com metástases hepáticas e RF mais biomolecular.**
GA, 72 anos. Apresentou adenocarcinoma de reto em setembro de 1996, sendo submetido a cirurgia, quimioterapia e radioterapia. Em dezembro de 1999 o controle por ultrassom e ressonância magnética mostrou nódulo hepático ($34cm^3$). Não aceitou a hepatectomia e iniciamos o tratamento com a radiofrequência (MWO) em setembro de 2000, ao lado da reposição de nutrientes e retirada de metais tóxicos. Em novembro, após 20 aplicações de RF o nódulo reduziu 25% ($25,2cm^3$). Em maio de 2001 após mais 28 aplicações reduziu mais um pouco. Atualmente, julho de 2001 já recebeu 67 aplicações e o tamanho do tumor mantém-se com $22,8cm^3$, o que equivale a uma redução de 32,3% em relação ao volume inicial, isto é, houve pouco efeito na redução tumoral. Entretanto, o paciente continua em ótimo estado geral, trabalhando com disposição, sem dor, com apetite, sem cansaço, sem perda de peso e sem outras queixas. Em novembro de 2002, pedimos avaliação do hepatologista que indicou hepatectomia. Foi um desastre. O pós-operatório imediato foi tempestuoso com vários episódios de infecção pulmonar. Em fevereiro de 2003, teve alta hospitalar. Nunca mais trabalhou. Faleceu 6 meses após a cirurgia. Foi muito mal a indicação cirúrgica. Se eu soubesse dos trabalhos atuais que ditam o recrudescimento tumoral devido ao ato cirúrgico, teria mais argumentos de me opor à cirurgia, seria mais firme em ir contra a cirurgia. O médico deve ser corajoso em benefício de quem cuida. Comentário: o paciente estava convivendo muito bem com o nódulo hepático há mais de dois anos, inclusive com pequena regressão após o tratamento biomolecular. A cirurgia indicada desencadeou a morte do paciente. Clínica JFJ.

3. **Câncer colorretal tratado com mistura nutricional estruturadora de Roomi e biomolecular completa.**
67 anos, sexo feminino. Fevereiro/2008.
Há 3 anos: adenocarcinoma de cólon ascendente.
Cirurgia com ressecção de 40cm.
Há 1 mês: recidiva do tumor: 3cm diâmetro.
Iniciou:
Mistura nutricional estruturadora – Roomi,
Imunoestimulante: Naltrexone.
Reposição de nutrientes em falta.
Retirada de metais tóxicos com EDTA.
Em 4 meses: Desaparecimento do tumor na colonoscopia.
Histológico: infiltrado linfocitário.
Encaminhada para oncologia.
Em 2016 sem queixas. Está viva até hoje – Abril/2018. Clínica JFJ.

4. **Adenocarcinoma de retossigmoide, com várias metástases hepáticas e metástases em linfonodos aórticos e supra clavicular esquerda tratado com RF-484MHz e oxidação sistêmica ao lado da estratégia biomolecular.** Não computado.

MGRS, feminina, 52 anos, procurou o Instituto Nacional do Câncer (INCA) em janeiro de 2003 por apresentar grande nódulo supra clavicular esquerdo. Submetida à linfoadenectomia cervical encontrou-se adenocarcinoma metastático moderadamente diferenciado. Perfil imuno-histoquímico: sugeriu origem colorretal como sítio primário mais provável. Citoqueratina 20 e CA 19.9: positivos. Citoqueratina 7, vimentina, TTF-1, WT-1: negativos. Tomografia de abdome: múltiplos nódulos atenuantes de dimensões variáveis esparsos no parênquima hepático correspondendo a metástases. Hepatomegalia. Massa para-aórtica com 2,5 × 2,1cm correspondendo à linfonodomegalia retroperitoneal esquerda. Colonoscopia: o aparelho foi conduzido até a 20cm da margem anal, onde encontrou-se no cólon sigmoide lesão ulcerada circunferencial, friável, que impedia a progressão do aparelho: blastoma maligno de sigmoide tipo Borrmann II. Biopsia: adenocarcinoma moderadamente diferenciado. Tomografia de tórax: normal. Com o diagnóstico de tumor de retossigmoide com múltiplas metástases hepáticas, metástase para-aórtica e supraclavicular foi encaminhada pelo INCA, para o ambulatório do Centro de Suporte Terapêutico Oncológico para cuidados somente paliativos. Após consentimento por escrito foi iniciada em 03/09/2003, a terapia oxidante com aplicações de RF-434MHz, 3 vezes por semana.

Colocou-se o aplicador na região suprapúbica e na região anterior do hipocôndrio direito. A potência foi de 40W e a duração da 1ª irradiação foi de 5 minutos em cada uma das regiões. A segunda exposição foi de 8 minutos. A terceira foi de 8 minutos, porém duas vezes em cada local, alternadamente. A quarta e quinta aplicações foram de 9 minutos também duas vezes em cada local, alternadamente. Da 6ª à 11ª aplicações foram 10 minutos duas vezes em cada local e da 12ª à 14ª aplicações foram 30 minutos uma vez somente em cada local. Na 15ª aplicação foram 30 minutos duas vezes em cada local alternadamente, sempre com 40W.

Última aplicação: 06/10/2003. Durante o tratamento houve hiperemia em locais específicos do aplicador. Leve dor abdominal logo após as exposições e evacuações com sangue em pequena quantidade. Após a 11ª aplicação as fezes apresentavam maior volume e com diâmetro maior. A paciente sempre se apresentou em muito bom estado geral, sem queixas e alimentando-se normalmente antes e depois do tratamento.

Ultrassonografia de abdome (07/10/2003): fígado de tamanho normal apresentando somente um nódulo hipoecoico no segmento VII com 3,5 × 2,7cm (antes do tratamento apresentava vários nódulos). Retroperitônio: sem linfonodos. Não há aumento de cadeias ganglionares (antes do tratamento metástases para-aórticas). Ultrassonografia pélvica (07/10/2003): normal.

Tomografia helicoidal do abdome e pelve (21/10/2003): Fígado de dimensões normais com apenas uma lesão expansiva hipodensa, hipovascular e sólida com impregnação ligeiramente heterogênea pelo meio de contraste, medindo cerca de 6,0 × 4,0cm em segmento VII. Formação expansiva com impregnação heterogênea medindo cerca de 8,0 × 3,0cm em topografia para-aórtica esquerda no retroperitônio (linfonodomegalias). Espessamento parietal concêntrico somente ao nível do ângulo esplênico e no segmento descendente superior do cólon.

Colonoscopia: o aparelho foi conduzido até o cólon descendente proximal, a 45cm da margem anal (antes chegava até apenas 20cm), onde há blastoma vegetante e infiltrativo, com estreitamento da luz. Comentário: blastoma vegetante e infiltrativo em cólon descendente proximal. Nada foi encontrado no cólon sigmoide, local do tumor diagnosticado anteriormente e que foi tratado com a RF.

Conseguimos aumentar a peroxidação lipídica de 330 para 600 nanomol/ml ou aumento de 82% na oxidação sistêmica.

Comentário:

a) Houve o desaparecimento total do tumor de retossigmoide restando tumoração na porção proximal do ângulo esplênico do cólon, não diagnosticada previamente.
b) Houve desaparecimento dos múltiplos nódulos metastáticos do fígado, permanecendo apenas um cuja topografia não permitiu que ficasse sob o campo da radiofrequência. O fígado voltou ao tamanho normal.
c) Permanecem aumentados os linfonodos em retroperitônio.
d) No início do tratamento não havia sido diagnosticado o tumor de ângulo esplênico e assim a antena foi posicionada somente no local anatômico do sigmoide. Novo tratamento colocando a antena no hipocôndrio direito (ângulo esplênico do cólon) não surtiu efeito. Estávamos diante do fenômeno da termotolerância.

Conclusão: A dupla estratégia, radiofrequência (434MHz) e oxidação tumoral (GSSG intravenoso), é muita eficaz no controle da massa tumoral. A técnica é trabalhosa e requer pessoal altamente treinado para evitar queimaduras ao lado de ser difícil nos livrar da temível termotolerância. Não é confortável para o paciente receber o tratamento e muitos desistem. Não mais empregamos este tipo de abordagem. Preferimos o emprego de geradores de baixa potência e alta frequência que são eficazes, mais fáceis de manipular e isentos de efeitos colaterais, como acontece com o gerador de múltiplas ondas de Lakhovsky – MWO.

Referências:

1. Felippe J Jr. Georges Lakhovsky: Efeito das Ciências Físicas na Biologia. Journal of Biomolecular Medicine & Free Radicals 2000, 6(1),16-21.
2. Felippe J Jr. Bioeletromagnetismo: Medicina Biofísica. Journal of Biomolecular Medicine & Free Radicals. 2000, 6(2),41-44.
3. Felippe J Jr. Tratamento de doenças envolvendo frequência de ondas. Journal of Biomolecular Medicine & Free Radicals. 2000, 6(2),39-40.
4. Felippe J Jr. Radiofrequência Harmônica; Caso Clínico. Revista de Medicina Complementar. 2002, (8)2,28.
5. Felippe J Jr. Estratégia de indução de apoptose, de inibição da proliferação celular e de inibição da angiogênese com a oxidaçào intratumoral no tratamento do câncer. Revisão com 256 referências bibliográficas. In: www.medicinabiomolecular.com.br
6. Galili, U; Caine, M et al. Specific attachment of T-lymphocites from cancer patients to tumor cells. Cancer Lett 3:121-124,1977.
7. Holt JAG: The cure of cancer, A preliminary Hypothesis. Aust. Radiol. 18: 15-17,1974
8. Holt JAG: The use of VHF radiowaves in cancer therapy. Aust. Radiol. 19:223-241,1975.
9. Holt JAG. The metabolism of sulphurin relation to the biochemistry of cystine and cisteine. Medical Hypothesis. 58(5):658-676,2001
10. Hornback NB, Shupe RE et al.: Preliminary clinical results of combined 433 megahertz microwave therapy and radiation therapy on patients with advanced cancer. Cancer. 40:2854-2863,1977.
11. Hornback NB: Historical aspects of hyperthemia in cancer therapy. Radiol Clin Noth Am. 27(3):481-8,1989.
12. Joines W T, Jirtle R L, Rafal M D, Schaefer D J. Microwave power absorption differences between normal and malignant tissue. Int J Radiat Oncol Biol Phys 1980; 6: 681-687.
13. Sugaar S and LeVeen H. A histopatologic study on the effects of radiofrequency thermotherapy on malignant tumors of the lung. Cancer 43:767-783,1979.

5. Adenocarcinoma colorretal e benzaldeído.

Paciente do sexo feminino, 83 anos, com diagnóstico de adenocarcinoma de reto e obstrução quase completa do canal anal e não responsiva a todos os tratamentos clínicos convencionais. De modo impressionante, respondeu completamente ao benzaldeído na forma de CDBA não sendo necessária a cirurgia, pois as fezes agora passavam livremente pelo canal anal. Observou-se diferenciação do adenocarcinoma colorretal em células normais. CDBA é o extrato de amêndoas amargas ou extrato de folhas de figo, quimicamente é o benzaldeído a 8,3% em maltedextrina. Foi administrado 500mg/dia dividido em 4 doses. Não houve efeitos colaterais.

Referência. Kochi M, Takeuchi S, Mizutani T, et al. Antitumor activity of benzaldehyde. Cancer Treat Rep; 64(1): 21-3;1980.

6. Câncer de reto inoperável com metástases pulmonares tratado com benzaldeído.

Sexo feminino, 64 anos admitida no hospital com carcinoma retal associado a hemorragia e tenesmo. Massa tumoral medindo 7cm no maior eixo e invasiva na região perirretal tornando a cirurgia impraticável e realizou-se a colostomia.

Iniciou laetrile (benzaldeído + cianeto) em 14 de agosto de 1975. Fosfatase alcalina: 92mU/ml, normal 30-85mU/ml, significando atividade mitótica. Em 7 meses houve melhora das imagens pulmonares e em dezembro de 1976 não mais se observava as metástases de pulmão. Fosfatase alcalina grande queda. Um ano após permanecia em ótimo estado geral, trabalhando e sem queixas. Não recebeu quimioterapia ou radioterapia.

Nota: Em 1980 provou-se que a substância ativa da amigdalina (laetrile) era o benzaldeído.

Referência. Laetrile Case Histories- The Richardson Cancer Clinic Experience. Published by American Media. California.2005.

7. Câncer de cólon com metástases em nódulos linfáticos e fígado tratado com benzaldeído.

Sexo masculino, 50 anos de idade, com história de cólicas abdominais há 3 meses. Enema opaco mostrou massa tumoral de 6cm no maior eixo. Submetido a cirurgia em 22 de abril de 1975: adenocarcinoma moderadamente diferenciado comprometendo vários gânglios linfáticos mais metástases hepáticas. Começou tratamento com laetrile 1 semana após a cirurgia. Houve regressão total das metástases hepáticas e após dois anos paciente sem queixas e trabalhando.

Nota: a substância ativa anticâncer da amigdalina (laetrile) é o benzaldeído.

Referência. Laetrile Case Histories- The Richardson Cancer Clinic Experience. Published by American Media. California.2005.

8. Sete pacientes com câncer de cólon ou reto tratados com benzaldeído.

Estes pacientes foram tratados pelo Dr. Richardson usando laetrile (cianeto mais benzaldeído) obtendo regressão total das neoplasias. A maioria não recebeu quimioterapia.

1. Câncer de cólon sigmoide com metástases em gânglios linfáticos e carcinomatose peritoneal, 66 anos. Sobrevida de 14 anos. Faleceu com 79 anos.
2. Adenocarcinoma de sigmoide, 49 anos com remoção cirúrgica incompleta. Sobrevida de 30 anos.
3. Câncer de reto, 72 anos: carcinoma epidermoide anaplástico infiltrando as estruturas vizinhas. Não fez a retirada do tumor ou colostomia ou quimioterapia. Regressão total do carcinoma.
4. Adenocarcinoma moderadamente diferenciado de cólon, 59 anos. Cirurgia, sem quimioterapia, sem radioterapia. Cumpriu 100% da dieta carcinostática. Regressão total do tumor. Em três anos de seguimento não houve recidiva.
5. Câncer de cólon com câncer de útero prévio (histerectomia) e câncer de mama prévio (mastectomia). Seis anos após as duas neoplasias a paciente descobriu adenocarcinoma de cólon comprometendo vários gânglios linfáticos do mesentério. Negou-se a fazer cirurgia ou quimioterapia. Com o benzaldeído, digo a amigdalina (cianeto mais benzaldeído) houve regressão total do câncer de cólon e desaparecimento dos gânglios linfáticos comprometidos. Quatro anos após, sem recidiva dos seus vários tumores.
6. Adenocarcinoma de reto, 65 anos. O cirurgião insistiu na cirurgia. Não aceitou a retirada do tumor com a incapacitante colostomia definitiva. Regressão total do tumor retal e evacuando pelas vias normais.
7. Câncer de reto inoperável, 53 anos. Submetido a colostomia definitiva. Regressão total do tumor e longa sobrevida.

Referência. Laetrile Case Histories- The Richardson Cancer Clinic Experience. Published by American Media. California.2005.

9. Câncer de reto com metástases hepáticas tratado com benzaldeído.

Sexo masculino, 63 anos de idade apresentou sangramento retal em outubro de 1974. Operado em 1975 encontrou-se adenocarcinoma invasivo de reto grau III com metástases em linfonodos regionais e 8 nódulos metastáticos em fígado. Feito colonoscopia definitiva. Não fez quimioterapia ou radioterapia. Em julho de 1975 iniciou a laetrile. Houve regressão total do tumor. Seis meses depois bom apetite e trabalhando. Um ano após sem queixas. Boa saúde e sem tumorações.

Referência. Laetrile Case Histories- The Richardson Cancer Clinic Experience. Published by American Media. Califórnia. 2005.

10. Câncer colorretal e glucana do *Agaricus sylvaticus* (agora *A. blazei*) - GLUCANA

Pacientes com câncer colorretal em fase pós-operatória.

56 pacientes, fases I, II e III, separados como placebo e *A. sylvaticus*.

(30mg/kg/dia) suplementado em grupos e placebo.

Randomizado, duplo-cego, ensaio clínico de seis meses controlado por placebo. O *A. sylvaticus* melhorou a qualidade de vida e reduziu a glicose plasmática em jejum, o colesterol total e a pressão arterial.

Referência. Fortes et al., 2010 Fortes e Novaes, 2011 Brasil.

11. Câncer colorretal e ácido gama-linolênico (GLA) e ômega-3.

A suplementação com GLA, EPA e DHA em pacientes com câncer colorretal provocam diminuição da IL-1, IL-6 e do TNF (Purasiri, 1994). Em 66 pacientes com adenocarcinoma colorretal que receberam EPA na forma de óleo de peixe, observou-se diminuição do índice de proliferação celular e diminuição do ácido araquidônico na mucosa (Anti, 1994). Entretanto, outro estudo não mostrou nenhum benefício quanto à sobrevida (McIllmurray, 1987).

Referências:
1. Anti M, Armelao F, Marra G, et al. Effects of different doses of fish-oil on rectal cell proliferation in patients with sporadic colonic adenomas. Gastroenterology; 107:1709-18;1994.
2. Purasiri P, Murray A, Richardson S, et al. Modulation of cytokine production in-vivo by dietary essencialfatty-acids in patients with colorectal-cancer. ClinSci 87:711-7;1994.
3. McIllmurray MB and Turkie W (1987) Controlled trial of gamma linolenic acid in Dukes's colorectal cancer. Br-Med J 294:1260;1987.

12. Câncer colorretal com metástases hepáticas tratado com *Chelidoneum majus* - (Ukrain).

http://www.medicinabiomolecular.com.br/biblioteca/pdfs/Casos-Clinicos/cc-0034.pdf - Trabalho na íntegra.

13. Adenocarcinoma colorretal recorrente de abdome tratado com radiofrequência e depois cirurgia.

Em 1976, LeVeen publica estudo intitulado "Erradicação Tumoral pela Rádiofrequência - Hipertermia" mostrando necrose tissular e substancial regressão tumoral em 21 pacientes. Nos carcinomas recorrentes de abdome o tratamento foi mais difícil. Um paciente com massa de 15cm de diâmetro na parede abdominal e recidivante, foi considerado inoperável (adenocarcinoma de cólon). Nove tratamentos semanais provocou aumento da temperatura da massa tumoral para 50º Célsius, enquanto os tecidos adjacentes permaneciam em 39,4º C. Quando a massa atingiu 4cm foi retirada cirurgicamente.

Referência. LeVeen, H.H.; Wapnick, S.; Piccone, V.; Falk, G.; Ahmed, N.. Tumor eradication by radiofrequency therapy. Responses in 21 patients. – JAMA; 235(20): 2198-200;1976.

14. Câncer colorretal tratado com ácido lipoico e ácido ascórbico.

Um homem caucasiano de 53 anos de idade foi diagnosticado com câncer colorretal e metástases hepáticas sendo submetido a cirurgia para remover a maior delas. O paciente iniciou com 5-fluorouracil, baixas doses de vitamina C intravenosa e ácido lipoico oral. Ele também recebeu vários suplementos nutricionais para combater deficiências nutricionais. A dose de vitamina C foi gradualmente aumentada para 100 gramas, administrada duas vezes por semana por via intravenosa. Ele continuou a terapia até março de 1998, quando foi declarado livre do câncer. Em seu último follow-up em dezembro de 1998, o paciente ainda estava livre do câncer. O tratamento do câncer com o ácido lipoico em combinação com ácido ascórbico foi eficaz neste caso.

Referência. Patente dos Estados Unidos 6448287 Casciari, Joseph J. (Newton, KS) Riordan, Neil H. (Wichita, KS).

15. Tumor de cólon tratado com ácido clorídrico mais potássio intravenoso.

LG, idade 87 anos, negra e multípara. Encontrada em junho de 1929 com imenso adenoma do cólon, dores abdominais e vômitos. A injeção de uma solução de ácido clorídrico foi administrada por via intravenosa. Os opiáceos aliviavam as dores de gás e cólicas por somente cinco horas. Mais cinco injeções de HCl foram dadas e em seguida por via oral. Até setembro de 1929, todos os sinais de tumor haviam desaparecido. Um ano mais tarde, setembro de 1930, um tumor sarcomatoso do tamanho de uma laranja apareceu na tíbia direita, o qual desapareceu após vários meses com o tratamento pela mesma solução, porém, somente por via oral. Esta mulher morreu de gangrena diabética em 1932.

JDC, 58 anos; homem de cor vivendo em Jacksonville. Em 2-24-1933 contava história de indigestão durante vinte e cinco anos e dor abdominal. Alimentava-se livremente de ovos e açúcar. O exame físico mostrou inchaço e endurecimento na região do cólon esquerdo. Receitada solução de ácido clorídrico por via oral. O alívio completo da dor veio em três meses e o endurecimento apresentou drástica redução.

Referência. Três anos de terapia HCL como registrado em artigos no mundo da medicina com a introdução por Henry Pleasants, Jr., AB, MD, FACP, Editor Associado Puhlishedhy W. Roy Huntsman, Philadelphia, PA, 1935.

16. Câncer de cólon: Uso de mistura de ácido fraco com ácido forte HCl + ácido oxálico + ácido fosfórico.

Male patient, age 38, was diagnosed with adenocarcinoma of the rectum. Diagnosis followed patients suffering rectal bleeding, post-coital pain, loss of weight, changes in intestinal habits, and mid abdominal pain. 5 months after manifestation of symptoms, a gastroenterologist who identified a rectal mass and performed a colonoscopy and biopsy, with low anterior resection of the mass, evaluated subject. Subject pathology on the biopsy shows a T3-N1 Adenocarcinoma of the rectum with negative margins and one positive lymph node. Surgery was performed 7 months after initial diagnosis and the patient immediately underwent Radiotherapy (3960 cGy) for six months along with concurrent chemotherapy of 28 cycles of 5FU and Leucovorin. The patient's CEA level was 0.7. at the time of initial diagnosis. Fourteen months following the initial diagnosis, another colonoscopy was performed revealing a small ulcerous lesion in the anastomosis line. The biopsy revealed small fragments of poorly differentiated adenocarcinoma. Because recurrent cancer was identified, the patient underwent a CT scan of the abdomen and pelvis and chest, along with x-ray and ultrasound. Tests failed to show any lung or liver metastasis. The patient could feel a nodular thickening of the rectum. At this time, the patient was examined at M.D. Anderson Cancer Center and an additional 1.5cm tumor in the lymph node identified.

The patient declined further radiotherapy, chemotherapy or further surgery. At seventeen months post diagnosis, the patient initiated oral treatment with Formulation at an initial dose of 15 drops 3 times a day, increasing at a rate of 3 drops a day. The following week a subclavian catheter was installed and the patient began intravenous administration of Formulation, 3 cc of 2 times a day (total 6 cc a day). While undergoing IV administration, patient continued to take Formulation orally, up to 90 drops a day. During the second week of treatment with Formulation, the patient administered Formulation rectally, diluted in 100 cc of saline for total of 15 continuous days using a rubber bulb. A total of 120 cc was administered via the subclavian catheter over 20 days at a dose of 6 cc a day. The patient continued taking Formulation orally at about 90 drops a day after removal of the catheter. Nineteen months post diagnosis, the patient reported that he could not feel the anal tumor; he felt in good physical condition, resumed exercising and regained his appetite.

20 months post diagnosis, a biopsy shows an adenocarcinoma moderately differentiated with ulceration. A colonoscopy shows anastomosis approximately 5cm from the anal exit, with 2 ulcerous areas. Multiple biopsies were taken. The attending physician was unable to find any tumor. There is no report of the lymph node discovered at MD Anderson. The only medication the patient has taken since his visit to MD Anderson is the Formulation.

Referência. http://www.docstoc.com/docs/56102141/Pharmacologically-Active-Strong-AcidSolutions---Patent-7141251: or WWW.freepatentsonline.com.

17. Carcinoma epidermoide anal tratado com mistura de ácidos fortes e fracos.

Paciente do sexo masculino, 53 anos de idade, foi diagnosticado com carcinoma epidermoide de grandes células na região anal, momento em que o paciente foi internado e tratado com 3 ciclos de 5-FU e leucovorin e 25 ciclos de radioterapia. O tumor não respondeu à terapia e causou problemas com a micção e defecação. Um mês após o paciente foi considerado terminal. Dois meses após o diagnóstico iniciou o tratamento com formulação de ácidos fortes e fracos a uma dose de 140 gotas por dia (7ml) e o tratamento continuou por 8 meses. Aos oito meses, a dosagem foi reduzida para 100 gota/dia, e assim mantida. O paciente recuperou seu apetite, ganhou peso e o valor da hemoglobina aumentou de 5 para 11g% durante o período de tratamento. Todas as dificuldades com a micção, defecação e sangramento retal desapareceram. O paciente não recebeu nenhum outro tratamento para seu câncer durante o tempo em que recebeu a formulação.

Referência. http://www.docstoc.com/docs/56102141/Pharmacologically-Active-Strong-Acid-Solutions--- patent 7.141.251: www.freepatentsonline.com

18. Câncer colorretal com grandes metástases hepáticas tratado com *Chenopodium majus*.

http://www.medicinabiomolecular.com.br/biblioteca/pdfs/Casos-Clinicos/cc-0310.pdf – Trabalho na íntegra.

19. Câncer colorretal metastático em pescoço. Desaparecimento do nódulo com ácido picolínico via oral: 500mg 2 vezes ao dia e depois 500mg 4 vezes ao dia.

http://www.medicinabiomolecular.com.br/biblioteca/pdfs/Casos-Clinicos/cc-0298.pdf.

20. *Aloe arborescens* aumenta a eficácia da quimioterapia e a sobrevida no câncer colorretal.

BACKGROUND: The recent advances in the analysis of tumor immunobiology suggest the possibility of biologically manipulating the efficacy and toxicity of cancer chemotherapy by endogenous or exogenous immunomodulating substances. Aloe is one of the of the most important plants exhibiting anticancer activity and its antineoplastic property is due to at least three different mechanisms, based on antiproliferative, immunostimulatory and antioxidant effects. The antiproliferative action is determined by anthracenic and antraquinonic molecules, while the immunostimulating activity is mainly due to acemannan. PATIENTS AND METHODS: A study was planned to include 240 patients with metastatic solid tumor who were randomized to receive chemotherapy with or without Aloe. According to tumor histotype and clinical status, lung cancer patients were treated with cisplatin and etoposide or weekly vinorelbine, **colorectal cancer patients** received oxaliplatin plus 5-fluorouracil (5-FU), gastric cancer patients were treated with weekly 5-FU and pancreatic cancer patients received weekly gemcitabine. Aloe was given orally at 10 ml thrice/daily. RESULTS: The percentage of both objective tumor regressions and disease control was significantly higher in patients concomitantly treated with Aloe than with chemotherapy alone, as well as the percent of 3-year survival patients. CONCLUSION: This study seems to suggest that Aloe may be successfully associated with chemotherapy to increase its efficacy in terms of both tumor regression rate and survival time.

Referência. Lissoni P, Rovelli F, Brivio F, Zago R, et al. A randomized study of chemotherapy versus biochemotherapy with chemotherapy plus Aloe arborescens in patients with metastatic cancer. In Vivo. Jan-Feb;23(1):171-5;2009.

21. Câncer de cólon em estágio IV com longa sobrevida tratado com dicloroacetato de sódio via oral.

Abstract: Oral dichloroacetate sodium (DCA) has been investigated as a novel metabolic therapy for various cancers since 2007, based on data from Bonnet et al that DCA can trigger apoptosis of human lung, breast and brain cancer cells. Response to therapy in human studies is measured by standard RECIST definitions, which define "response" by the degree of tumour reduction, or tumour disappearance on imaging. However, Blackburn et al have demonstrated that DCA can also act as a cytostatic agent *in vitro* and *in vivo*, without causing apoptosis (programmed cell death). A case is presented in which oral DCA therapy resulted in tumour stabilization of stage 4 cólon cancer in a 57 years old female for a period of nearly 4 years, with no serious toxicity. Since the natural history of stage 4 cólon cancer consists of steady progression leading to disability and death, this case highlights a novel use of DCA as a cytostatic agent with a potential to maintain long-term stability of advanced -stage cancer.

Referência. Khan A, Andrews D, Blackburn AC. Long-term stabilization of stage 4 colon cancer using sodium dichloroacetate therapy. World J Clin Cases. Oct 16;4(10):336-343; 2016.

22. **Adenocarcinoma de cólon com metástases hepáticas e dicloroacetato de sódio intravenoso.** Um homem de 79 anos de idade, procurou a terapia para câncer de cólon metastático, com estadiamento de T3N1M0. Adenocarcinoma de sigmóide moderadamente diferenciado. Comorbidades incluiu história de angina, infarto do miocárdio, ponte de safena quádrupla, hipertensão, hipercolesterolemia e diverticulose. Ele foi inicialmente tratado com hemicolectomia esquerda e colostomia seguido de 5-fluorouracil (5-FU) e irinotecan por seis meses com subsequente reversão da colostomia. Permaneceu livre de doença por aproximadamente 3 anos, época em que o antígeno carcinoembrionário (CEA) começou a aumentar e a tomografia computadorizada (TC) mostrou novas metástases hepáticas e pulmonares. Foi novamente tratado com 5-FU e irinotecan por 3 ciclos, que foram ineficazes e complicados com fadiga extrema e mal-estar geral. A quimioterapia foi interrompida e o paciente encaminhado para cuidados paliativos. O paciente escolheu realizar outro tipo de tratamento a partir de dezembro de 2010. A terapia incluiu remédios homeopáticos e vitamina C intravenosa (IVC) a uma dose de 75g duas vezes por semana. O nível de energia aumentou e subsequentemente ganhou peso. Os medicamentos e suplementos na época eram pantoprazol, alfuzosina, metoprolol, ramipril, sinvastatina, amlodipina, clopidogrel, vitamina D_3, vitaminas do complexo B, bacilos acidophilus e ácido alfalipoico. Continuou o tratamento até final de 2011 com um bom controle dos sintomas; no entanto, o CEA continuou a aumentar. A tomografia computadorizada em novembro de 2011 demonstrou extensa e difusa doença hepática metastática e numerosos nódulos pulmonares consistentes com a progressão da doença. O paciente, então, resolveu realizar um curso experimental de DCA-IV (dicloroacetato de sódio intravenoso). Foram obtidos os exames de sangue de base, incluindo as enzimas do fígado e o CEA em 19 de dezembro de 2011. A primeira dose de 3.000mg (41mg/kg) de DCA IV foi administrada em 22 de dezembro de 2011, juntamente com 50g de IVC. Um teste de CEA foi programado para 4 semanas mais tarde, mas foi erroneamente repetido 1 dia após a infusão, em conjunto com a medição das enzimas hepáticas. Houve uma redução rápida das enzimas hepáticas e do CEA. A segunda infusão de DCA foi dada 6 dias mais tarde na dose de 3.500mg (48mg/kg) em conjunto com 35 g de IVC. Após a infusão, o paciente notou novos sintomas: calafrios, suores e fadiga. Uma terceira infusão de DCA na dose de 3.700mg (50mg/kg) e 50g de IVC foram dadas 8 dias após a segunda dose, com testes de sangue subsequentes mostrando mais melhorias. No entanto, o paciente voltou a afirmar breve período de fadiga e mal-estar após a infusão e, contra o conselho de seus médicos, decidiu parar o tratamento com base nesses efeitos colaterais. Um novo ultrassom abdominal foi realizado um mês após o tratamento com DCA. Leitura do relatório "a aparência das metástases hepáticas não mudou significativamente desde o CT anterior do abdome de 10 de novembro de 2011. As metástases pulmonares não foram avaliadas, porque não apresentava sintomas respiratórios evidentes.
CONCLUSÃO: Com base na literatura e experiência clínica dos autores, o DCA intravenoso off-label é uma opção de tratamento promissora para pacientes que compreendem e aceitam seus riscos e benefícios, particularmente aqueles que não têm opções de tratamento convencionais disponíveis. O DCA tem o potencial para prolongar a vida sem reduzir a qualidade de vida dos pacientes com efeitos colaterais debilitantes, mesmo para a doença em estágio muito avançado. No caso apresentado, a terapia IV com DCA foi de duração limitada, o que torna difícil estimar o grau de benefício de sobrevivência. No entanto, com base na experiência de uso crônico do DCA oral, com o maior sobrevivente atual sendo um homem de 48 anos de idade com glioblastoma, que tem se mantido estável durante 6 anos com DCA oral com nenhuma terapia convencional, os autores acreditam que a droga oferece potencial para estabilização de longo prazo e/ou regressão, bem como aumento substancial de sobrevivência. Dada a sua acessibilidade e baixa toxicidade, o DCA merece investigação mais aprofundada.

Considerações sobre o DCA

O dicloroacetato de sódio (DCA) oral é uma droga que está atualmente sob investigação como agente único. Tratamento com DCA oral está em fase de julgamento para tumores sólidos recorrentes ou metastáticos na Universidade de Alberta.

Ensaios do DCA por via oral para cânceres de cabeça e pescoço estão ocorrendo na Universidade de Stanford. DCA foi extensivamente estudado por Stacpoole para o tratamento da acidose lática congênita, que inclui um grupo de doenças hereditárias mitocondriais. O perfil de segurança para o uso de DCA oral em seres humanos foi estabelecida através deste conjunto de trabalhos. A droga tem mostrado ser relativamente segura, sem toxicidade hematológica, cardíaca, pulmonar ou renal. A toxicidade neurológica é devida a neuropatia periférica, sendo esta condição reversível ao diminuir a dose. Delírio induzido por DCA foi observado e é rapidamente reversível ao suspender a droga. Elevação assintomática, mas reversível, das enzimas hepáticas pode ocorrer em pequena porcentagem de pacientes. Em janeiro de 2007, Bonnet et al. publicaram trabalho inovador que demonstrou que o DCA foi eficaz no tratamento do câncer de mama, pulmão, e cerebral *in vitro* e *in vivo* (em ratos) por caminhos metabólicos que envolvem a inibição da piruvato desidrogenase quinase mitocondrial. Os pesquisadores relataram que o DCA desencadeia apoptose seletivamente nas células cancerosas, reduzindo o potencial de membrana mitocondrial, aumentando a fosforilação oxidativa e ativando canais de potássio mitocondriais. Posteriormente, o DCA foi estudado em vários tipos de câncer e mostrou-se eficaz.

RESUMO: DCA está atualmente sob investigação como agente único ou adjuvante no tratamento de vários cânceres. Um dos fatores que limitam o seu uso clínico é a neurotoxicidade que, no entanto, se mostra reversível e relacionada à dose. Encefalopatia é rara. O uso intravenoso tem vantagens potenciais, incluindo (1) concentrações mais elevadas do que viável com o uso por via oral, (2) redução do potencial de neurotoxicidade, e (3) um contorno de o sistema digestivo, o que é particularmente significativo para pacientes com câncer em estágio avançado. Doses IV de DCA (até 100mg/kg/dose), confirmaram a sua segurança em voluntários saudáveis e em pacientes criticamente doentes, permitindo que os autores pudessem começar o tratamento offlabel de pacientes com câncer.

Outros mecanismos de ação DCA contra o câncer também foram propostos. Eles incluem (1) a inibição da angiogênese, (2) alteração da expressão do fator de hypoxia-inducible 1-α (HIF1-α), e (3) alteração de reguladores de pH de tipo vacuolar H^+-ATPase (V-ATPase) e monocarboxilato de transportador 1 (MCT1) e outros reguladores de sobrevivência celular, como modulador super-regulado-p53 de apoptose (PUMA), transportador de glicose 1 (GLUT1), diminuição do antiapoptótico BCL2, no entanto, alguns estudos têm tido diferentes resultados, mostrando a diminuição da apoptose em certas linhas de células de cancro sob condições de hipóxia. DCA também tem sido demonstrado in vitro por aumentar a citotoxicidade de compostos selecionados de platina, sugerindo um potencial clínico no cancro de pulmão de pequenas células resistente a platina; sarcoma de Ewing; e câncer de ovário.

Outro estudo *in vitro* encontrou efeitos antiproliferativos sinérgicos significativos utilizando linhas celulares de cancro do colo do útero, com uma combinação de DCA e cisplatina. Baseado no trabalho original de Bonnet et al, um dos autores atuais começaram a usar o DCA oral em 2007 como tratamento off-label para pacientes com câncer de mau prognóstico ou não responderam às terapias convencionais. Neuropatia periférica foi o principal fator limitante em clínica. Este autor desenvolveu um protocolo de DCA para abordar a neuropatia em colaboração com outro dos autores e um médico naturopata. Este trabalho resultou em um regime de DCA-oral que incluía medicamentos neuroprotetores naturais, como acetil-L-carnitina, ácido α-lipoico e benfotiamine. Mais de 300 pacientes com câncer avançado tratados com este regime revelou que 60% a 70% apresentaram benefícios mensuráveis com o DCA. O risco aproximado de neuropatia foi de 20%, com 20 a 25mg de dose/kg/dia de DCA que foi dado 2 semanas-on/1-semana-off em conjunto com os 3 suplementos naturais.

Esses pacientes tinham um prognóstico muito pobre e/ou não responderam à terapia convencional. Todos os pacientes obtiveram benefícios significativos da terapia DCA, com efeitos colaterais mínimos, não houve mielossupressão e toxicidade em órgãos. Os autores desenvolveram protocolos individuais que incluí adjuvantes naturais, tais como o tratamento com ácido ascórbico IV (IVC) e agentes neuroprotetores naturais.

Referência. www.medicinabiomolecualr.com.br.

23. Adenocarcinoma de reto inoperável preenchendo inteiramente a ampola retal – desaparecimento total do tumor com extrato alcoólico fresco de placenta de vaca.

Sra. C., 54 anos, tinha um tumor do reto considerado inoperável. Apenas uma colostomia foi realizada. A dor era leve e nenhum outro tratamento foi instituído. Vários meses depois da colostomia, a paciente ficou sob nossos cuidados. Naquela época, o tumor preenchia toda a ampola retal. O tratamento com o extrato alcoólico fresco de placenta de vaca foi iniciado usando injeções intramusculares de 5ml. diariamente. Depois de menos de um mês de tratamento, o tumor diminuiu em tamanho, deixando uma pequena passagem para o dedo do examinador. Depois de mais um mês e meio, o tumor havia desaparecido completamente e a ampola retal estava aberta. Exame proctoscópico mostrou mucosa retal normal. Este caso foi seguido por dois anos e meio sem evidência de recorrência. Depois disso, por causa da guerra, perdemos contato com a paciente. Apesar de tais resultados em alguns casos, no entanto, extratos de placenta fresca parecem ser muito menos eficaz em geral do que os extratos autolisados de placenta.

Referência. Emanuel Revici. Research In "Fisiopatologia como base da quimioterapia guiada com aplicação especial ao câncer" - 1961 Editora: D. Van Nostrand Company, Inc. Direitos de autor: 1962.

Nota: Em mais de 100 pacientes terminais tratados com esta preparação, entre 1935 e 1938 em diferentes hospitais de Paris foi observada objetiva melhora em 20% dos pacientes. Em alguns, os tumores desapareceram e a dor foi aliviada. Em muitos destes casos, no entanto, depois de um período em que os tumores diminuíam em número e tamanho, ou mesmo clinicamente desapareciam, eles **começavam a crescer de novo** e não mais podiam ser influenciados por tratamento adicional. Além disso, quando a dose era aumentada, outras manifestações patológicas apareciam.

Nota. Lembremos que não houve a retirada do/dos fatores causais. Os extratos ou lisados de placenta funcionam como carcinostáticos e imunonomoduladores.

Referência. www.medicinabiomolecular.com.br.

24. Adenocarcinoma retal tratado unicamente com dieta inteligente + atividade física + banhos de Sol.

BPM, 52 anos, sexo feminino. Data de nascimento: 20/11/43.

Queixas: dores no fossa ilíaca direita.

Toque Retal com massa de aproximadamente 10cm.

Anatomopatológico: processo inflamatório crônico intenso com ulcerações, tromboses vasculares e adenocarcinoma retal.

19/12/1994: colonoscopia evidencia o tumor retal com 10cm.

22/05/95: Colonoscopia aos 5 meses de dieta inteligente não evidenciou o tumor. Toque retal: normal. Médico responsável: Dr. Sidney Federmann.

25. Adenocarcinoma de reto tratado com dieta inteligente + atividade física+ banhos de Sol

OML, 38 anos, sexo masculino.

Adenocarcinoma de reto foi submetido a RT e QT. Indicadas amputação do reto e colostomia definitiva: recusou.

Iniciou dieta inibidora do câncer, semelhante à dieta inteligente, acrescida de atividade física regular e banhos de Sol, sob supervisão do Dr. Sidney Federmann.

Após 8 meses repetiu a biópsia, que não mais revelou o tumor, sendo suspensa a amputação do reto.

Seguimento de 4 anos. Atualmente com nutrição preventiva.

CEA após 4 anos: 2,3pg/ml.

26. Tratamento de vários tipos de câncer com ácido lipoico intravenoso e hidroxicitrato mais naltrexone em baixa dose por via oral: câncer de pulmão, colorretal, ovário, esôfago, útero, colangiocarcinoma, próstata e parótida.

Referência. www.medicinabiomolecular.com.br.

27. Câncer de reto e CLA (ácido linoleico conjugado).

Em trabalho randomizado, duplo-cego e controlado por placebo 34 pacientes com câncer retal receberam 3g/dia de CLA e 18 receberam placebo. A suplementação com CLA decresce fatores inflamatórios (TNF-α, IL-1β, hsCRP) e diminui muito o MMP-2 e MMP-9 o que diminui a angiogênese e a invasão tumoral. O IL-6 permaneceu igual no grupo tratado e aumentou no grupo placebo. O CLA é considerado um novo tratamento complementar em pacientes com câncer de reto reduzindo a invasão tumoral e a resistência à quimioterapia.

Referência. Mohammadzadeh M, Faramarzi E, Mahdavi R, et al. Effect of conjugated linoleic acid supplementation on inflammatory factors and matrix metalloproteinase enzymes in rectal cancer patients undergoing chemoradiotherapy. Integr Cancer Ther. Nov;12(6):496-502;2013.

28. Dicloroacetato de sódio intravenoso no tratamento de 3 casos diferentes de neoplasia: câncer de cólon, angiossarcoma e carcinoma neurofarmacológico de pâncreas.

http://www.medicinacomplementar.com.br/biblioteca/pdfs/Casos-Clinicos/cc-0719.pdf- trabalho na íntegra.

ABSTRACT Oral dichloroacetate sodium (DCA) is currently under investigation as a single agent and as an adjuvant for treatment of various cancers. One of the factors limiting its clinical use in a continuous oral regimen is a dose related, reversible neurotoxicity, including peripheral neuropathy and encephalopathy. The intravenous (IV) route has a number of potential advantages, including (1) pulsed dosing to achieve higher concentrations than feasible with oral use, (2) a longer washout period to reduce the potential for neurotoxicity, and (3) a bypassing of the digestive system, which is particularly significant for advanced-stage cancer patients. Data were available on high-dose IV DCA (up to 100mg/kg/dose) that have confirmed its safety, both in healthy volunteers and in critically ill patients, allowing the authors to begin offlabel treatment of cancer patients. In several of their patients treated with IV DCA, the authors observed clinical, hematological, or radiological responses. This article presents 3 cases with patients who had recurrent cancers and for whom all conventional therapies had failed: (1) a 79-y-old male patient with **cólon cancer** who had liver metastases, (2) a 43-y-old male patient with **angiosarcoma** who had pancreatic and bone metastases, and (3) a 10-y-old male patient with **pancreatic neuroendocrine carcinoma** who had liver metastases.

Referência. Altern Ther Health Med. 20(suppl 2):21-28; 2014.

29. **Câncer de cólon metastático em fígado e pulmão tratado com ácido cítrico.**

This is a 59 years old male patient who was diagnosed post-surgery with cólon cancer with liver and lung metastases classified as grade IV. Blood studies were performed after the surgery on August 14, 2014; the laboratory reported the next results: Albumin 3.0 g/dl, Glutamic pyruvic transaminase of 108 U/l and glutamic oxaloacetic transaminase of 75 U/l. The patient decides not to receive chemotherapy and started taking citric acid on August 28th, 2014, **4-5 grams per day.** The clinical outcome was favorable, but the more important fact was that 26 days after starting treatment with citric acid the same laboratory reported the next good results: albumin was increased to 4.3 g/dl, increasing 1.3 g/dl, also transaminases were corrected, glutamic pyruvic transaminase was reported in 44 U/l and glutamic oxaloacetic transaminase in 47 U/l. Albumin has prognostic value in liver metastases from any source, also the correction of the transaminases to normal values, especially the glutamic oxaloacetic transaminase represents liver recovery, and all this biochemical improvement could only be due to the citric acid that the patient received as his treatment for cancer.

Referência. Alberto Halabe Bucay. A Patient with Metastatic Colon Cancer who Improved after the Treatment with Citric Acid that He Received. Medical Science. Volume 5, Issue 9, September 2015. Nota. Fundacion "Dr Alberto Halabe" Prado Norte 460, Lomas de Chapultepec, 11000, Mexico.

30. **Câncer colorretal tratado com cirurgia e artesunato. Aumento da sobrevida no grupo artesunato usando apenas 200mg/dia/14 dias**. Não computado.

This was a single centre, randomised, double-blind, placebo-controlled trial. Patients planned for curative resection of biopsy confirmed single primary site carcinoma colorretal (CRC) were randomised (n = 23) to receive preoperatively either 14 daily doses of oral artesunate (200 mg; n = 12) or placebo (n = 11). The primary outcome measure was the proportion of tumour cells undergoing apoptosis (significant if > 7%). Secondary immunohistochemical outcomes assessed these tumour markers: VEGF, EGFR, c-MYC, CD31, Ki67 and p53, and clinical responses. 20 patients (artesunate = 9, placebo = 11) completed the trial per protocol. Randomization groups were comparable clinically and for tumour characteristics. Apoptosis in > 7% of cells was seen in 67% and 55% of patients in artesunate and placebo groups, respectively. Using Bayesian analysis, the probabilities of an artesunate treatment effect reducing Ki67 and increasing CD31 expression were 0.89 and 0.79, respectively. During a median follow up of 42 months, there were 6 recurrences in the placebo group and 1 recurrence in an artesunate recipient. The survival beyond 2 years in the artesunate group is estimated at 91% (95% CI (54%, 98%)) whilst surviving the first recurrence in the placebo group is only 57%(95% CI (28%, 78%)).

Referência. Krishna S, Ganapathi S, Ster IC, et al. A Randomised, Double Blind, Placebo-Controlled Pilot Study of Oral Artesunate Therapy for Colorectal Cancer. EBioMedicine. 2014 Nov 15;2(1):82-90.

31. **Câncer de reto com metástase pulmonar irressecável que regrediu com Rhus verniciflua.**

57-year-old Asian male with lung metastases from rectal cancer. He first underwent resection of the primary lesion (stage IIA, T3N0M0) and six cycles of adjuvant chemotherapy. Unfortunately, lung metastases were confirmed about one year later. Palliative chemotherapy was begun, but his disease continued to progress after three cycles and chemotherapy was halted. The patient was exclusively treated with herbal medicine-standardized allergen -removed Rhus verniciflua stokes extract combined with Dokhwaljihwang-tang (Sasang constitutional medicine in Korea). After seven weeks of herbal medicine treatment, the lung metastases were markedly improved. Regression of lung metastases has continued; also, the patient's rectal cancer has not returned. He has been receiving herbal medicine for over two years and very few side effects have been observed. We suggest that the herbal regimen used in our patient is a promising candidate for the treatment of lung metastases secondary to rectal cancer, and we hope that this case stimulates further investigation into the efficacy of herbal treatments for metastatic colorectal cancer patients.

Referência. Kim K, Lee S. Remission of Unresectable Lung Metastases from Rectal Cancer After Herbal Medicine 259-62.

32. Adenocarcinoma retal que não necessitou de colostomia definitiva após ozônio, LED vermelho e estratégia biomolecular.

MMK, 57 anos, fem, br, solteira com diagnóstico de adenocarcinoma de reto diagnosticado em 30/03/2011. Colonoscopia: moléstia diverticular não complicada em cólon direito e lesão vegetante de reto próximo da borda anal. AP: Adenocarcinoma ulcerado. Já fez radioterapia e quimioterapia e aguardava cirurgia para hemicolectomia e colostomia definitiva. Enquanto aguardava a autorização do convênio, tomou medicação homeopática e fez AHTmaior 2x 5ml a 60 gamas/ml. IM 15/15 dias e insuflação retal de O3 a 30 gamas/ml (150ml a 400ml) 2x por semana, seguido de aplicação de óleo saturado de ozonides, 10ml. Silícea terra 12CH + Lachesis trigonocephalus 12CH + Thuja occidentalis 30CH, acrescido da estratégia biomolecular apenas por via oral e dieta inteligente, por 6 meses. Foi submetida a ressecção parcial do sigmoide e parte do reto não sendo necessária a colostomia definitiva por regressão da massa retal, sendo feito colostomia temporária. Após 6 meses submeteu-se a anastomose do cólon e coto retal. Devido as bordas da peça cirúrgica contendo segmento do cólon e reto estarem livres de acometimento neoplásico e também sem acometimento ganglionar, o cirurgião optou por não indicar quimio complementar com controle clínico conservador. Alta em 21/12/2013. Clínica Valter Hamashi.

33. Adenocarcinoma de reto com indicação de colostomia definitiva cujo tumor regrediu após ozônio, LED vermelho e biomolecular.

Brasileiro, 83 anos, masc, casado, empresário, síndrome metabólica e hipotiroidismo que em 09/08/2016 apresentou diagnóstico de Adenocarcinoma Vegetante em reto, com 2,0cm de diâmetro. Já havia passado em consulta c/proctologista que indicou trato cirúrgico para ressecção ampla e abrangendo o reto e região anal resultando em colostomia definitiva. Antecedentes: radioterapia para tratar câncer de próstata há 3 anos. Posteriormente a colonoscopia mostrou retite actínica.

Ao exame físico apresentava lesão vegetante na região anal em 9h com +/- 2,0cm de diâmetro de consistência endurecida. Feito teste terapêutico com fototerapia dinâmica com LED vermelho por 40 minutos na tumoração. Resultado: redução de diâmetro para 1,4cm e amolecimento da tumoração. Feito posteriormente AHTm 2x 5ml a 60 gamas/ml IM 15/15 dias – 10 aplicações + Insuflação retal de O3 3x/semana 20 aplicações com fototerapia adjuvante. Posteriormente semanal até completar 120 dias de tratamento. Optou-se em continuar a insuflação de 15/15 dias como terapia de manutenção. Acrescido de dieta inteligente. No momento o paciente se encontra com regressão total do tumor e fazendo revisões periódicas semestrais e sem colostomia definitiva. Clínica Valter Hamachi.

34. Adenocarcinoma de borda anal que regrediu com ozônio, LED vermelho e estratégia biomolecular.

96 anos, feminina, branca, enfermeira aposentada, viúva. Veio ao consultório em 13/05/2017 com diagnóstico de adenocarcinoma vegetante no reto, próximo ao bordo anal com 1,0 cm no maior diâmetro infiltrante em parede posterior da vagina.

RNM abdominal total em 23/05/2017: espessamento parietal irregular do canal anal. Prescritos medicamentos homeopáticos: Phytolacca decandra 6CH, Causticum 6CH e ozonoterapia: AHT-maior 2 vezes 5ml a 60g IM de 15/15 – 10 aplicações.

AHTM 100ml 2x por semana – 20 aplicações. Mantido 1x/semana 120 dias. Fototerapia dinâmica local com BIOS 2 e BIOS X com LED vermelho. Aplicação de óleo saturado de ozonídes 10ml após cada sessão de LED vermelho. Acresce dieta inteligente e estratégia biomolecular. Regressão total da lesão. Clínica Valter Hamachi.

CAPÍTULO 226

Câncer hepático: 18 pacientes

José de Felippe Junior

Nossas células querem apenas três coisas: servir, viver e no momento certo morrer. **JFJ**

1. **Paciente com hepatocarcinoma gigante tratado com reposição de nutrientes e retirada de metais tóxicos. Desaparecimento do tumor em 4 meses.**

Caso clínico de hepatocarcinoma primário gigante. B.B.G., 87anos, sexo feminino, procurou o consultório em 22-09-1999 contando cirurgia de urgência há 1 semana por abdome agudo infeccioso onde se encontrou grande massa no fígado, tomando quase 1/3 do parênquima hepático compatível com hepatocarcinoma primário. Na cirurgia foi feita limpeza da cavidade e administração de antibióticos, sendo encaminhada para o oncologista.

Oncologista: diante da tomografia **e do estado da paciente** fez o diagnóstico de hepatocarcinoma primário e deu alta com cuidados paliativos para falecer em casa.

Anamnese: queixando-se de perda de peso nos últimos 3 meses, falta de apetite, falta de energia, cansaço extremo, moleza no corpo, diminuição do ânimo e espírito de luta, síndrome hipostênica com má digestão e flatulência, dor abdominal, dificuldade de deambulação e batimentos cardíacos fora de ritmo e descompassados.

Exame físico: péssimo estado geral, descorada, edema de membros inferiores e fígado doloroso palpável a 3 dedos do rebordo costal na linha hemiclavicular. Raras extrassístoles ventriculares.

Antecedentes pessoais: tomava há mais de 5 anos para controle de arritmia ventricular Dilacoron 80mg 2 vezes ao dia que sabemos aumentar de 4-6 vezes o risco de adquirir câncer e para controle da pressão arterial tomava Co-Renitec. Há 1 ano foi submetida a colecistectomia por colecistopatia calculosa.

Metais tóxicos no tecido capilar: chumbo, arsênico e alumínio.

Exames: Glicemia: 91mg%, Insulina: 8UI/ml, IGF-I: 137,3ng/ml, Hemoglobina: 10,9g%, VHS: 90mm/1ª hora, TGO: 44,5UI/ml, TGP: 12UI/ml, Fosfatase alcalina: 108UI/ml, Tempo de protrombina: 72% do normal, Fibrinogênio: 477mg%, creatinina: 0,70mg/dl, Prolactina: 23,9UI/ml, CD4: 779 cels/ml, CD8: 320 cels/ml, T4 livre: 0,82, TSH: 4,4, Estradiol: 44,5pg/ml, DHEA sulfato: 27,2ng/ml, Vitamina B_{12}: 216pg/ml; Vitamina B_9: 5,6ng/ml, CEA: 6,1U/ml.

Tratamento:

Retirada dos metais tóxicos com EDTA intravenoso, 10 aplicações, seguida de leve oxidação sistêmica com peróxido de hidrogênio, 10 aplicações.

Suplementação de nutrientes e fitonutrientes incluindo: curcumina, vitaminas B_{12}, B_9, B_6, E, C e minerais: Mg, Zn, Cr, Se, Mn.

Correção da função glandular e digestão: Euthyrox, DHEA, pancreatina.

Estratégia para aumentar a produção de ATP mitocondrial utilizando o Oscilador de Múltiplas Ondas de Lakhovsky 15 minutos 3 vezes por semana.

Evoluiu melhorando o estado geral rapidamente após a reposição dos nutrientes, a retirada dos metais e a terapia com o aparelho de Lakhovsky e o fígado de início palpável a 3 dedos do rebordo costal não mais era palpável aos 4 meses de tratamento. Aos 4 meses, além do fígado não mais ser palpável, o estado geral estava ótimo, o apetite voltou e o cansaço desapareceu, indicando clinicamente que o tumor não mais estava presente: desaparecimento clínico do tumor aos 4 meses de tratamento.

Nos primeiros 6 meses engordou 5kg e assumiu os deveres domésticos, sem apresentar dor ou cansaço **e com apetite presente e voraz de uma matriarca italiana.**

Tomografias de abdome:

Evolução: Em maio de 2001 apresentou erisipela, em dezembro de 2002 fraturou o fêmur e no pós-operatório **complicou com embolia pulmonar**. Quatro anos após apresentou acidente vascular cerebral vindo a falecer em dezembro de 2006.

A seguir as tomografias das figuras 226.1 a 226.3.

Este caso nos mostra que mesmo pacientes idosos têm muitas chances de serem curados quando tratados do modo apropriado e que o oncologista poderia ter encaminhado a paciente para um clínico biomolecular antes de selar seu prognóstico. É o que chamamos de integração oncologista-médico clínico, um auxiliando o outro para aumentarmos a eficácia terapêutica. Tenho esperança que chegará o dia desta mútua colaboração, enquanto eu estiver vivo.

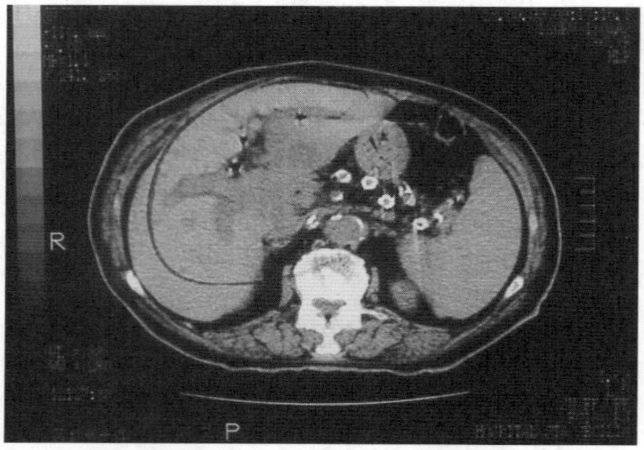

Figura 226.1 Tomografia de 20-09-1999. Hepatocarcinoma ocupando quase 1/3 do parênquima hepático.

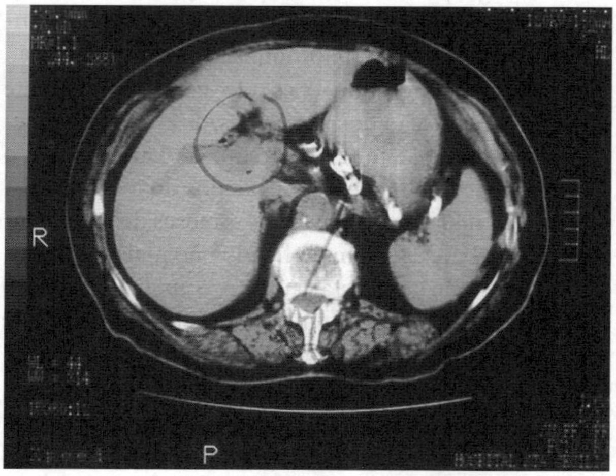

Figura 226.2 Tomografia de 09-03-2000 mostrando grande redução da massa tumoral hepática aos 3 meses de tratamento.

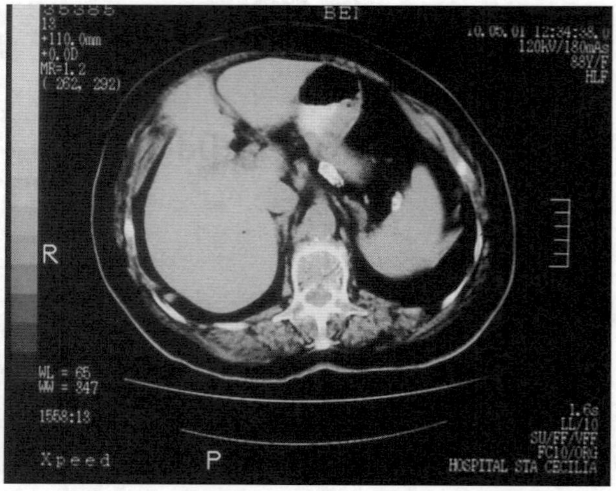

Figura 226.3 Tomografia de 10-05-2001 mostrando ausência do hepatocarcinoma.

O Clínico Biomolecular não trata o câncer e sim do paciente que está com câncer.

Neste caso a reposição dos nutrientes que estavam faltando no organismo, a retirada dos tóxicos, sendo o chumbo e o arsênico sabidamente carcinogênicos, ao lado da correção da função do sistema digestório, glândula tiroide e suprarrenais, restabeleceu a homeostasia do organismo. O Oscilador de Múltiplas Ondas também colaborou e creio que foi fundamental, porque a Química não funciona sem a Física. O MWO aumenta em até 400% a geração de ATP, infelizmente somente por curto período de tempo.

Com a retirada dos metais tóxicos carcinogênicos as células tumorais cessaram a proliferação celular mitótica porque cessou o motivo biológico da proliferação. Ao não mais existir no organismo a causa, as células cancerosas caminharam para a inexorável morte programada no período de 4 meses – apoptose.

Não consideramos que a célula cancerosa seja maligna e sim célula doente. Quando o organismo se contamina com metais tóxicos, agrotóxicos ou agentes biológicos as células sofrem. No caso em questão o chumbo e o arsênio fizeram sofrer as células normais do fígado.

Quando uma célula normal sofre e sofre e sofre ela entra em "estado de quase morte". Neste momento ela coloca em ação mecanismos muito antigos de sobrevivência, os mesmos que proporcionaram a nossa sobrevivência no Planeta. Usando a metodologia do carbono-14 sabemos que a célula mais antiga do Planeta data de 3,8 bilhões de anos. Isto significa que a nossa existência começou lá longe com o nosso ancestral comum sobrevivendo ao excesso de frio, ao excesso de calor e aos mais variados tóxicos presentes na atmosfera anciã. Em todo esse tempo nossas células adquiriram mecanismos poderosos de sobrevivência que são colocados em ação quando agredidas. Nossas células querem três coisas: servir, viver e no momento certo morrer.

Ao chegar no "estado de quase morte" as células colocam em ação os poderosos mecanismos anciãos de sobrevivência e para não morrerem começam a proliferar. Proliferar para manterem o seu bem mais precioso, o patrimônio genético – genoma, que foi lapidado por bilhões de anos.

Quando retiramos o motivo do sofrimento (chumbo, arsênio) retiramos também o motivo biológico da multiplicação celular e assim cessa o ciclo celular proliferativo e em 4 meses elas entram em apoptose, que é o destino de todas as células do corpo: momento certo de morrer.

De acordo com a hipótese de Felippe Jr para carcinogênese:

"A inflamação crônica persistente, provocada por metais tóxicos, agrotóxicos ou agentes biológicos, evolui em meio hipotônico devido ao edema intersticial em torno das células do sítio inflamatório, o que provoca leve "inchaço celular" e a consequente diminuição dos osmólitos cosmotropos citoplasmáticos, os quais vagarosamente provocam a mudança da água estruturada para água desestruturada, a qual gradativamente diminui o grau de ordem-informação do sistema termodinâmico celular que ao atingir o ponto máximo suportável de entropia provoca na célula um "estado de quase morte". Neste ponto de baixa concentração de osmolitos, predomínio de água desestruturada e alta entropia celular as células se transformam e lutam para se manterem vivas e o único modo de sobreviver é através da proliferação celular. Elas colocam em ação mecanismos milenares de sobrevivência, justamente aqueles que mantiveram a célula ancestral comum e suas descendentes vivas no Planeta durante a Evolução até os dias atuais. Dessa forma, ocorrem ativação de fatores e vias de sinalização, alcalinização citoplasmática, predomínio do ciclo de Embden-Meyerhof, impedimento da fosforilação oxidativa mitocondrial etc., os quais promovem a proliferação celular neoplásica, a diminuição da apoptose, a formação de novos vasos e o cessar da diferenciação celular. O predomínio da água desestruturada no intracelular incrementa o aumento da hidratação e do volume celular provocado pela hipotonicidade do meio inflamatório. As estratégias que transformam a água desestruturada em água estruturada – hiperosmolalidade intersticial e osmólitos cosmotropos intracelulares – restauram a fisiologia e a bioenergética celular e as células neoplásicas se diferenciam em células normais e caminham para a vida e depois para o processo fisiológico contínuo de morte celular programada – apoptose" (Felippe, fevereiro e maio 2004).

2. **Hepatocarcinoma pós-hepatite C não responsivo ao tratamento convencional que desapareceu totalmente após radiofrequência e medicina biomolecular.**

José de Felippe Junior

Paciente do sexo feminino com 56 anos de idade e hepatite C com hepatocarcinoma medindo 4,32 × 3,71cm. Foi tratada da maneira convencional até esgotar os recursos da oncologia moderna. Submetida a RF com o oscilador de múltiplas ondas, 3 vezes por semana por 30 minutos. Houve desaparecimento total do tumor em 4 meses de radiofrequência ao lado de suplementação dos 45 nutrientes essenciais e a retirada dos metais tóxicos.

Quatro meses após o início do tratamento o ultrassom não mostrou a presença de tumor hepático. Um ano após a tomografia computadorizada também não revelou a presença do tumor hepático. Faleceu após dois anos por hemorragia de varizes esofagianas. Tomava 2 litros de vodca ao dia. Clínica JFJ.

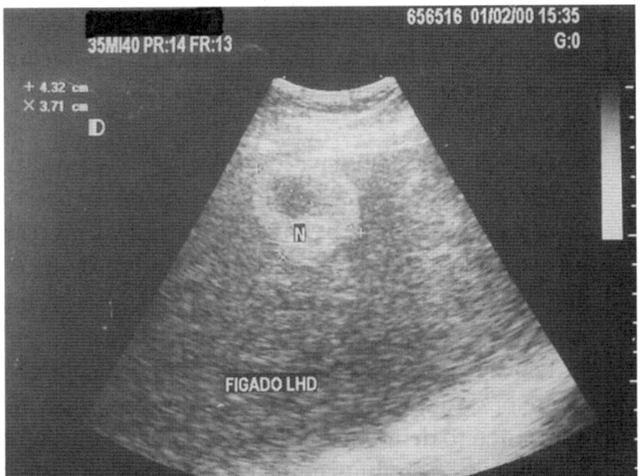

Figura 226.4 Ultrassom antes do tratamento.

3. **Hepatocarcinoma e GLA.**

Em trabalho duplo-cego, Van der Merwe, com o uso do ácido gamalinolênico (GLA), mostrou aumento significante da sobrevida em pacientes com câncer de fígado (Van der Merwe 1987a, 1987b). Essas observações refletem os mesmos resultados dos estudos *in vitro*, onde se mostra com evidente clareza que as células do câncer de fígado se encontram entre as mais sensíveis ao GLA. Van der Merwe e Booyens em 1987 empregaram o ácido gama linolênico na forma de óleo de prímula, em 21 pacientes com câncer intratável, isto é, câncer em fase terminal. Empregaram de 18 a 36 cápsulas de 500mg ao dia (9 a 18 gramas), sendo que cada cápsula de óleo extraído da semente da prímula contém: 45mg de GLA 400mg de ácido linoleico e 10mg de vitamina E. Observaram uma aparente melhora clínica em todos os casos. Em 11 pacientes com carcinoma hepatocelular primário, houve redução do tamanho do tumor. A sobrevida média nos não suplementados foi de 42 dias e se elevou para um período maior que 90 dias naqueles que receberam o GLA. Quatro pacientes ainda permaneciam vivos e melhorando após 32 a 41 meses de suplementação: dois astrocitomas cerebrais, um mesotelioma e um ependimoma cerebelar. Em vários casos observaram-se ganho de peso e redução da massa tumoral constatada por exame radiológico.

Referências:

1. Vander Merwe CF, Booyens J. Essential fatty-acids and their metabolic intermediates as cytostatic agents-the use of evening primrose oil (linoleic and 7-linolenic acid) in primary liver-cancer – a double-blind placebo controlled trial. S. Afr Med J 72:79, 1987a.
2. Vander Merwe CF. Booyens J and KatzeffIE. Oral gamma linolenic acid in 21 patients with untreatable malignancy. Br J ClinPract 41: 907-915,1987b.

4. Hepatocarcinoma primário avançado mais câncer de próstata tratado com *Chenopodium ambrosioides*.

Mr. D. is a 70-year-old patient of Ms. I's doctor with a history of prostate cancer. He was reported to have advanced-stage liver cancer, and was given a life expectancy of six months. He chose not to have chemo or radiation therapy upon diagnosis of his cancer. His doctor informed him of the herb, and in February 2001, he started drinking two cups of the tea per day. He felt well for 9 months while he continued to drink the herbal tea. He has no weight loss, jaundice or abnormal lab work, was walking 2 miles daily, swimming and working. After 9 months, Mr. D. began to lose his appetite and had problems with constipation. He consulted with a Japanese holistic doctor who gave him some enzymatic capsules and mushroom tablets to take. Mr. D also modified his diet and began drinking the juice of several fruits and vegetables daily. He removed red meat from his diet, eating only chicken and fish. He continues to drink the herbal tea of Chenopodium ambrosioides in addition to the changes in his diet. He noticed that his health and appetite improved progressively over time. He had regular checkups with his doctor who noticed that the CT scans showed his liver cancer diminishing in size. In April 2002, repeated scans showed no evidence of Mr. D's liver cancer. To date, Mr. D has returned to work, enjoys a healthy, active lifestyle and continues to drink the her herbal tea.

Referência. www.medicinabiomolecular.com.br.

5. Carcinoma hepatocelular tratado com vacina de Maruyama – BCG modificado. Resposta parcial e, portanto, não computado.

Abstract: We treated a 41-year-old man with hepatocellular carcinoma and chronic liver disease. He experienced leg edema. Following additional examinations, we diagnosed the patient with hepatocellular carcinoma and ascites with liver cirrhosis. Due to renal dysfunction, he could not undergo treatment with transcatheter arterial chemoembolization(TACE)or transcatheter arterial infusion(-TAI). Therefore, he was treated with specific substance of maruyama(SSM), and survived.

Referência. Mizuno T1, Ikezoe T, Kotani K, et al. A case of hepatocellular carcinoma treated with specific substance of Maruyama resulting in a partial response. Gan To Kagaku Ryoho. Nov;40(12):1862-4;2013.

6. Hepatoma humano e Graviola – *Anona muricata*.

http://www.medicinabiomolecular.com.br/biblioteca/pdfs/Casos-Clinicos/cc-0167.pdf.

7. Hepatocarcinoma humano não responsivo que resolveu com 3-bromopiruvato.

http://www.medicinabiomolecular.com.br/biblioteca/pdfs/Casos-Clinicos/cc-0710.pdf – trabalho na íntegra.

8. Tumor hepático endócrino que desapareceu em 80 dias tomando ácido cítrico 8 a 10g ao dia.

A 51 years old female patient was operated for 4 times to resect an endocrine liver serotonin-producing tumor which presented relapse measuring 8.1 x 2.4 cm. by ultrasound on October 13, 2013. After taking citric acid orally for 80 days, **8 to 10 grams each day**, there was no evidence of the tumor by ultrasound performed on January 3rd, 2014, and the general conditions of the patient were excellent. The only explanation of this evolution and these radiological findings is the effect of citric acid, which has already been reported in other cases as effective as a cancer treatment.

Referência. Halabe Bucay A. A Patient With Endocrine Hepatic Tumor Who Improved After Taking Citric Acid Orally. International Journal of Innovative and Applied Research. Volume 2, Issue (4):16-17;2014.

9. Hepatocarcinoma tratado com *Chelidoneum majus* 30C e 200C (homeopático): antitumoral e antitóxico – murino.

Conclusion: Both the potencies of Chel exhibited anti-tumor and anti-oxidative potential against artificially induced hepatic tumors in rats. More studies are warranted.

Referência: Banerjee A, Pathak S, Biswas SJ, et al. Chelidonium majus 30C and 200C in induced hepato-toxicity in rats. Homeopathy. Jul;99(3):167-76;2010.

10. Hepatoblastoma tratado com ressecção cirúrgica mais OGF/naltrexone em baixa dose com desaparecimento total dos tumores e longa sobrevida – 2 casos.

Opioid growth factor (OGF) for hepatoblastoma: a novel non-toxic treatment. Rogosnitzky M, Finegold MJ, McLaughlin PJ, Zagon IS. Invest New Drugs. 2013 Aug;31(4):1066-70. Hepatoblastoma is the most common liver malignancy in children, typically diagnosed before age 2. The survival rate for hepatoblastoma has increased dramatically in the last 30 years, but the typical chemotherapeutic agents used for treatment are associated with significant toxicity. In this report, the authors present two cases of hepatoblastoma treated with surgical resection and a novel biotherapeutic regimen that included opioid growth factor (OGF). Case#1 is an infant diagnosed with a large mass on prenatal ultrasound. After subsequent diagnosis of hepatoblastoma, she was treated with one course of neoadjuvant chemotherapy at approximately 1 week of age. Following significant complications from the chemotherapy (neutropenic fever, pneumonia and sepsis), the patient's parents declined further chemotherapy, and the infant was treated with surgical resection and opioid growth factor (OGF)/low dose naltrexone (LDN). She is currently at close to 10 years disease-free survival. Case#2 is a child diagnosed with a liver mass on ultrasound at 20 months of age, later biopsy-proven to represent hepatoblastoma. Due to existing co-morbidities including autosomal recessive polycystic kidney disease and hypertension, and indications from the biopsy that the tumor might be insensitive to chemotherapy, the parents elected not to proceed with neoadjuvant chemotherapy. The patient was treated with surgical resection and OGF/LDN, and is currently at more than 5 years disease-free survival. This case series highlights the need for less toxic treatment options than conventional chemotherapy. Modulation of the OGF-OGF receptor axis represents a promising safe and therapeutic avenue for effective treatment of hepatoblastoma.

Referência. PMID: 23275062.

11. Hepatoblastoma of a child treated with naltrexone in small doses.

Hepatoblastoma responds very well to OGF (opioid growth factor). Naltrexone 4mg at bedtime increases the concentration of OGF and decreases the signs and symptoms of childhood hepatoblastoma. www.medicinabiomolecular.com.br.

12. Hepatoblastoma in newborn treated with naltrexone and OGF – 2 patients.

The typical chemotherapeutic agents used for treatment are effective but associated with significant toxicity in hepatoblastoma. In this report, the authors present two cases of hepatoblastoma treated with surgical resection and naltrexone/opioid growth factor (LDN/OGF).

Case #1 is an infant diagnosed with a large mass on prenatal ultrasound. After subsequent diagnosis of hepatoblastoma, she was treated with one course of neoadjuvant chemotherapy at approximately 1 week of age. Following significant complications from the chemotherapy (neutropenic fever, pneumonia and sepsis), the patient's parents declined further chemotherapy, and the infant was treated with surgical resection and opioid growth factor (OGF)/low dose naltrexone (LDN). She is currently at close to 10 years disease-free survival.

Case #2 is a child diagnosed with a liver mass on ultrasound at 20 months of age, later biopsy-proven to represent hepatoblastoma. Due to existing co-morbidities including autosomal recessive polycystic kidney disease and hypertension, and indications from the biopsy that the tumor might be insensitive to chemotherapy, the parents elected not to proceed with neoadjuvant chemotherapy. The patient was treated with surgical resection and OGF/LDN, and is currently at more than 5 years disease-free survival. This case series highlights the need for less toxic treatment options than conventional chemotherapy. Modulation of the OGF-OGF receptor axis represents a promising safe and therapeutic avenue for effective treatment of hepatoblastoma.

Referência: Rogosnitzky M, Finegold MJ, McLaughlin PJ, Zagon IS. Opioid growth factor (OGF) for hepatoblastoma: a novel non-toxic treatment. Invest New Drugs. Aug;31(4): 1066-70;2013.

13. Metastatic hepatocellular carcinoma with paraneoplastic itch: effective treatment with naltrexone.

Chia BK, Tey HL. J Drugs Dermatol. Dec;13(12): 1440;2014. Not computed.

14. **Carcinoma hepatocelular com metástases em ambos os pulmões refratário a doxorrubicina que regrediram muito após somente Rhus verniciflua. Não computado.**

A 62-year-old man underwent living donor liver transplantation for both hepatocellular carcinoma and end stage liver disease in March 2005. He had been diagnosed with hepatitis C infection in 1977. Unfortunately, the HCC recurred with multiple metastases in both lungs in September 2005, 6 months after liver transplantation. After systemic doxorubicin chemotherapy showed progression of lung metastases, he began receiving only RVS treatment in June 2006. CT scans 5 months later showed marked shrinkage of the lung metastases. Moreover, the patient tolerated the RVS well, without hematologic and nonhematologic toxicity. Four months later, metastatic mass in the right lower lobe of lung had increased in April 2007. The patient discontinued the RVS treatment and underwent radiation therapy. After finishing radiation therapy, he developed new liver metastases and died of progressive disease in November 2007.

Referência: Kim HR, Kim KS, Jung HS, Choi WC, Eo WK, Cheon SH. A case of recurred hepatocellular carcinoma refractory to doxorubicin after liver transplantation showing response to herbal medicine product, Rhus verniciflua stokes extract. Integrative Cancer Therapies. 2010;9(1):100–104.

15. **Metástase hepática de câncer de mama que regrediu totalmente com inibidor da aromatase – letrozol.**

The patient was a 68-year-old woman who had a right mastectomy performed in another hospital in 1987. Her right breast tumor was histologically diagnosed IDC and ER(-), with an uncertain PgR and HER2. Tamoxifen was administered as adjuvant therapy for five years after surgery. Because she had abdominal pain in January, 2007, she consulted her family doctor. At that doctor's hospital, metastatic tumors of the liver were found, and she was therefore referred to our hospital. A liver biopsy of the tumor was conducted in our hospital, and hormone therapy was also conducted because her cancer status was ER(+), PgR(+), HER2(0), and was not life-threatening. Hormone therapy had a good effect on the tumor. ER, PgR and HER2 expression might make the difference between a primary tumor and a metastatic one, as in this case. Therefore, we should perform biopsies on metastatic tumors to determine the best treatment method. There is a possibility that hormone therapy will become an effective therapeutic procedure for breast cancer patients who are hormone receptor positive, are not in a life threatening situation, and have had a long, disease-free survival. We reported one case in which the aromatase third generation inhibitor letrozole was effective for treating liver metastases of breast cancer.

Referência: Hata K, Hirai I, Tanaka T, Tanino H. [A case of liver metastasis of breast cancer responding to letrozole]. Gan To Kagaku Ryoho. 2012 Feb;39(2):257-60.

16. **Carcinoma hepatocelular com múltiplos nódulos respondeu completamente à terapêutica com BCG, melatonina e IL-2.**

Aim: Application of immunotherapy to a patient with untreatable hepatocellular carcinoma. Case report: The patient had a tumor of 60 mm in the liver. The pathological anatomic diagnosis was adenoma. However, after surgery of the tumor seven new lesions arose, showing that the original tumor had been a hepatocellular carcinoma. In addition, when hepatocellular adenomas grow to a size of more than 6-8 cm, they are considered cancerous and thus become a risk for hepatocellular carcinoma. The patient was treated with interleukin-2, Bacillus Calmette Guerin, and melatonin. Results: During treatment, the alpha-fetoprotein levels in blood fell from 5,000 IU/ml to zero, at which level it remained during the follow-up period of two years. No tumor was detectable on MRI and CT. Six years after the diagnosis of untreatable hepatocellular carcinoma, the patient remains in a good condition. Conclusion: In this case, combined immunomodulating therapy was effective. For patients with metastasized tumors of the liver who are not suitable for conventional therapy, immunomodulation may delay tumor progression, induce tumor regression, or even be curative in some patients. Immunotherapeutic approaches combined with conventional methods for hepatocellular carcinoma treatment may be able to improve therapeutic efficacy.

Referência: Tomov B, Popov D, Tomova R, Vladov N, Den Otter W, Krastev Z.Therapeutic response of untreatable hepatocellular carcinoma after application of the immune modulators IL-2, BCG and melatonin. Anticancer Res. 2013 Oct;33(10):4531-5.

17. **Adenomas hepatocelulares inflamatórios múltiplos e volumosos de longa data que regrediram quase totalmente com fenbofibrato.**

Inflammatory hepatocellular adenomas (IHCA) account from 40% to 50% of all hepatic adenomas, and large HCA (more than 5 cm in diameter) are prone to bleeding and development of hepatocellular carcinoma. The risk factors for IHCA include prolonged use of oral contraceptives (OC), high alcohol consumption, overweight, and insulin resistance. The cardinal feature of IHCAs is the activation of the IL6/JAK/STAT pathway. A patient of a 52-year-old woman presenting with severe multiple typical IHCA established by biochemistry and liver MRI, and confirmed by histology and immunohistochemistry of liver biopsy specimens taken from the tumor and non-tumoral tissue. She had been taking OC for about ten years until the discovery of the liver nodules in 2011. There were no major changes of the liver lesions in the following year (2012). She was exceedingly reluctant to invasive treatment (liver surgery) to prevent complications, so she received fenofibrate (400 mg/day). Six months later, the biochemistry parameters were quite normalized, and liver MRI showed a 50% reduction of the area of the three major lesions. Further evaluations in 2014 and 2015 confirmed the normalization of biochemistry as well as the major regression of the nodules. No side-effects related to fenofibrate treatment were observed. This is the first case report, but also the only one available so far, suggesting that fenofibrate might suppress the inflammation associated with IHCA and induce tumor regression in humans.

Referência: Poupon R, Cazals-Hatem D, Arrive L. Fenofibrate-induced massive regression of mutiple inflammatory hepatocellular adenoma. Clinics and research in hepatology and gastroenterology. 2016;40:e1–3.

18. Carcinoma hepatocelular em paciente com hepatite C não responsivo à quimioembolização e radioterapia que regrediu após Rhus verniciflua.

Case1. A 68-year-old man with underlying hepatic cirrhosis and chronic hepatitis C was diagnosed with an unresectable multinodular hepatocellular carcinoma (HCC) on CT in August 2007. The result also showed portal vein thrombosis in the main and intrahepatic portal veins, multiple lymphadenopathies in the peripancreatic, porta hepatis and portocaval spaces, and a moderate amount of ascites. After the failure of transarterial chemoembolization (TACE), radiotherapy was initiated with a dose of 180 cGy/23 fractions. However, a follow-up CT scan showed increased extent of multinodular HCC. In November 2007, the patient visited the Integrative Cancer Center for supportive care. On presentation, the patient's cancer was classified as stage D by Barcelona Clinic Liver Cancer (BCLC) staging with performance status of three by Eastern Cooperative Oncology Group criteria, and the Child-Pugh Score was B without extrahepatic spread (Figura 226.5A). The levels of serum bilirubin, albumin, and alphafetoprotein (AFP) were 6.0 mg/dL, 3.3 g/dL, and 2040 ng/mL, respectively.

Herbal treatment with a 500 mg capsule of RVS extract once a day was initiated in November 2007 without a concomitant antiviral agent. A follow-up CT scan taken in July 2008 showed equivocal change of the multinodular HCC, but the blood tests showed a marked 122.8 ng/mL decrease in AFP. Serum bilirubin and albumin were also stabilized to 0.9 mg/dL and 4.3 g/dL, respectively. The size of the tumor was reportedly stable (Figura 226.5B) until April 2009 when the abdominal CT scan showed slight increase in the size of the hepatic mass. A follow-up CT scan taken in July 2009 revealed further progression. In this case, the progression-free survival was over 16 months since the initiation of RVS extract. It is also notable that the serial serum AFP results showed 94% reduction after RVS treatment (Figura 226.6A).

Referência: Chae J, Lee S, Lee S. Potential Efficacy of Allergen Removed Rhus Verniciflua Stokes Extract to Maintain Progression-Free Survival of Patients With Advanced Hepatobiliary Cancer. Explore (NY). 2018 Jul-Aug;14(4):300-304.

19. Hepatocarcinoma não responsivo à quimioembolização que regrediu com Rhus verniciflua.

Case 2. A 42-year-old man with a history of hepatitis was diagnosed with single-nodule HCC that was located in segment VI of the liver, and underwent TACE in July 2005. After the procedure, he visited a private hospital that specialized in cancer care. At the time of presentation, BCLC staging was stage B with minimal cancer-related symptoms and serum AFP was 702 ng/mL. Herbal treatment with a 500 mg capsule of RVS once a day without concomitant antiviral agent was started in August 2005. In September 2007, 26 months after TACE, a PET-CT scan and spine MRI showed a newly developed hypermetabolic lesion in the seventh thoracic vertebra that proved to be metastasis with perivertebral soft tissue involvement (Fig. 2A). Serum AFP concentration was elevated to 4330.8 ng/mL. A higher dose of RVS extract, 500 mg three times a day, was initiated and a thoracic vertebrectomy was performed in December 2007. The biopsied tissue was confirmed to be consistent with metastatic HCC. After the operation, helical tomotherapy to the vertebrae from T5 to T9 was administered at a dose of 250 cGy/20 fractions. In June 2008, the serum AFP concentration was down to 307.6 ng/dL, and further decreased to 53.2 ng/dL in September 2008. Since June of 2009, considering the stable

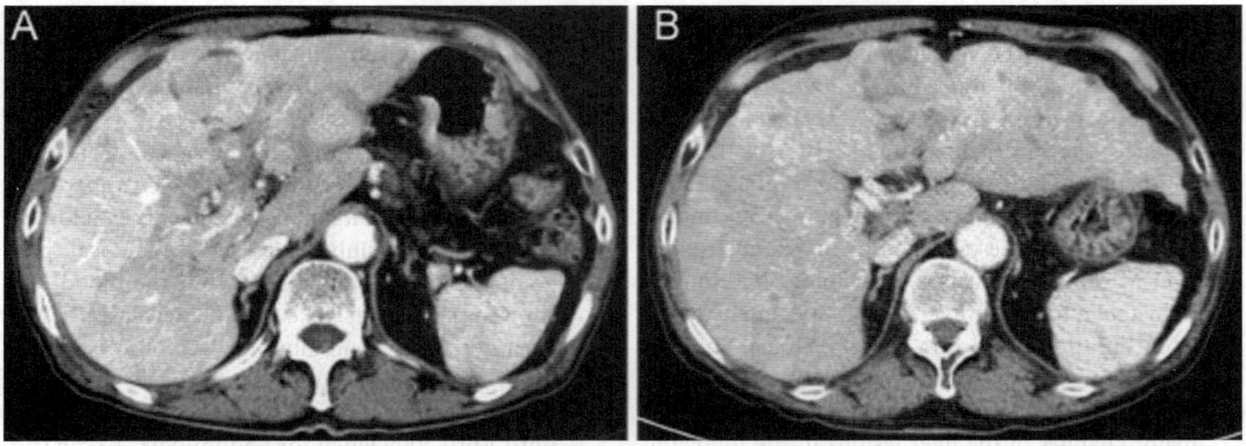

Figura 226.5 (A) An abdominal CT scan taken in October 2007, presenting multinodular HCC in both lobes of the liver with marked elevation of serum AFP concentration to 2040 ng/mL. (B) A follow-up CT scan taken in January 2009, about 14 months after the initiation of RVS treatment, showing equivocal change in the multinodular HCC.

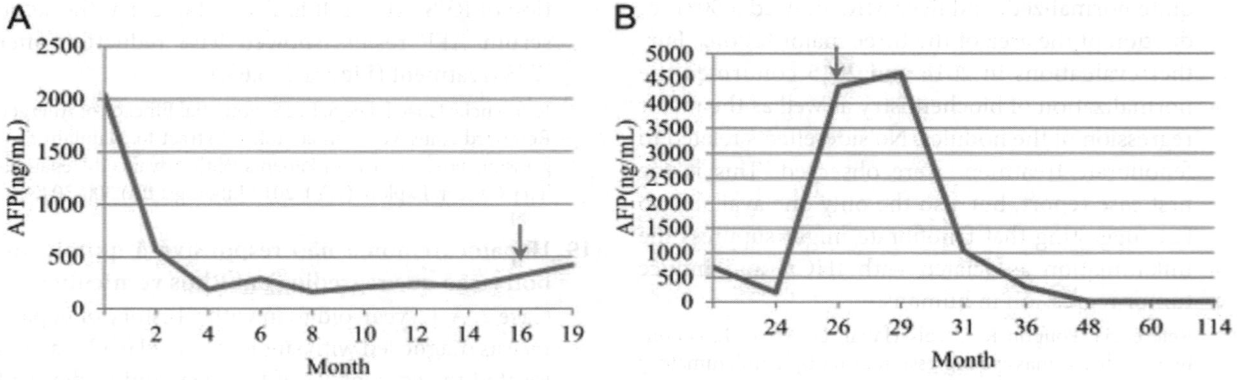

Figura 226.6 Serial AFP concentration changes of case 1 and case 2 during the RVS treatment. (A) Serum AFP concentration was markedly decreased within 4 months, but the tumor showed progression after 16 months. (B) Serum AFP had increased up to 4330.8 ng/mL, 26 months after the RVS treatment and 29 months after TACE. The value dropped after the vertebrectomy and RVS dosage adjustment, and is now within normal limits.

status of both the tumor and serum AFP concentration, which was down to 10.6 ng/dL, the dosage of RVS extract was reduced to original 500 mg capsule once a day. The latest follow-up was in February 2017, when the MRI revealed no evidence of progression in the liver or vertebra, and the serum AFP concentration was maintained at 7.62 ng/dL (Figura 226.7B and C). Following the combination therapy of vertebrectomy/regional radiotherapy and RVS treatment, the patient has remained progression-free for almost 10 years since the extrahepatic recurrence. Furthermore, after the treatment, there was more than a 99% reduction in serum AFP concentration (Figura 226.7B).

Referência: Chae J, Lee S, Lee S. Potential Efficacy of Allergen Removed Rhus Verniciflua Stokes Extract to Maintain Progression-Free Survival of Patients With Advanced Hepatobiliary Cancer. Explore (NY). 2018 Jul-Aug;14(4):300-304.

20. Um caso de regressão espontânea de carcinoma hepatocelular com múltiplas metástases pulmonares.

Spontaneous regression of hepatocellular carcinoma (HCC) is a rare phenomenon. We present herein the case of a patient with hepatocellular carcinoma with multiple lung metastases in whom malignancy spontaneously regressed after taking Pheliinus linteus Mycelium. A 79-year-old man consulted our hospital complaining of epigastric discomfort. Abdominal MRI and CT revealed a 3 cm diameter tumor in the liver, and chest CT showed numerous nodular lesions. The levels of alphafetoprotein (AFP) and protein induced by vitamin K deficiency or antagonist-II (PIVKA-II) were very high. We diagnosed HCC with multiple lung metastases, and no therapy was performed. Indepen-

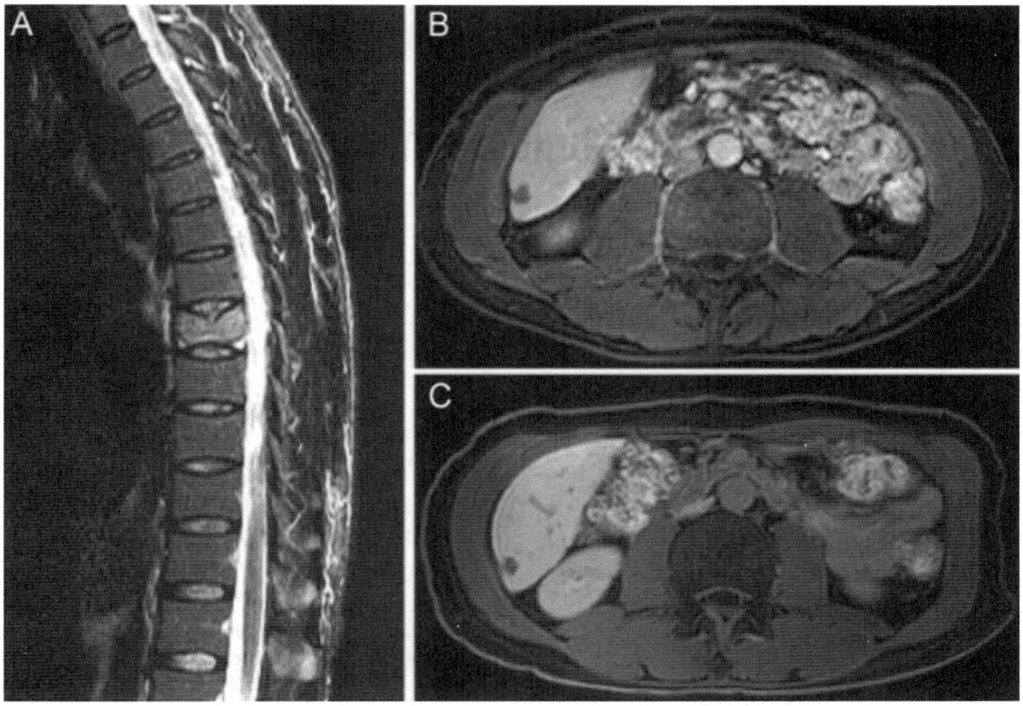

Figura 226.7 MRI scans of case 3. Follow-up MRI scans of the previously TACE-treated HCC site in liver S6 showing stable disease, taken in April 2011 (B) and February 2017 (C). (A) Thoracic spine MRI taken in September 2009, showing metastasis in the T7 body with mild degree of pathologic compression fracture.

dently he took exact from Phellinus linteus Mycelium for one month, and 6 months later the tumors appeared to be in complete regression. The mechanism underlying this intriguing phenomenon remains unknown.

Referência: Kojima H, Tanigawa N, Kariya S, Komemushi A. A case of spontaneous regression of hepatocellular carcinoma with multiple lung metastases. Radiat Med. 2006 Feb;24(2):139-42.

21. Cinco casos de regressão espontânea.

- Spontaneous regression of a large hepatocellular carcinoma with multiple lung metastases. Saito T, Naito M, Matsumura Y, Kita H, Kanno T, Nakada Y, Hamano M, Chiba M, Maeda K, Michida T, Ito T.Gut Liver. 2014 Sep;8(5):569-74. doi: 10.5009/gnl13358. Epub 2014 Aug 18.PMID: 25228980 Free PMC article.
- Spontaneous regression of hepatocellular carcinoma with multiple lung metastases: a case report. Ikeda M, Okada S, Ueno H, Okusaka T, Kuriyama H.Jpn J Clin Oncol. 2001 Sep;31(9):454-8. doi: 10.1093/jjco/hye092.PMID: 11689602 Review.
- Hepatocellular carcinoma with spontaneous regression of multiple lung metastases. Toyoda H, Sugimura S, Fukuda K, Mabuchi T.Pathol Int. 1999 Oct;49(10):893-7. doi: 10.1046/j.1440-1827.1999.00956.x.PMID: 10571823
- Spontaneous regression of multiple lung metastases following regression of hepatocellular carcinoma after transcatheter arterial embolization. A case report. Heianna J, Miyauchi T, Suzuki T, Ishida H, Hashimoto M, Watarai J.Hepatogastroenterology. 2007 Jul-Aug;54(77):1560-2.PMID: 17708299
- [A case of spontaneous regression of hepatocellular carcinoma with multiple lung metastases]. Hong JH, Seo DD, Jeon TJ, Oh TH, Shin WC, Choi WC, Cho HS.Korean J Gastroenterol. 2010 Feb;55(2):133-8. doi: 10.4166/kjg.2010.55.2.133. PMID: 20168060 Korean.

Os casos de regressão espontânea de pacientes com tumores avançados e múltiplas metástase nos ensinam a nunca desistir dos nossos pacientes. E de maneira alguma nunca fecharmos o prognóstico.

CAPÍTULO 227

Câncer de vias biliares – colangiocarcinoma: 10 pacientes

1. **Carcinoma de vesícula biliar tratado com benzaldeído.**

   Kochi tratou 1 caso de carcinoma de vesícula que não havia respondido a todo tratamento convencional da sua época, 1980. Houve regressão total do tumor e não apresentou recidiva enquanto continuou tomando benzaldeído, 500mg ao dia.

   Referência. Kochi M, Takeuchi S, Mizutani T, et al. Antitumor activity of benzaldehyde. Cancer Treat Rep; 64(1): 21-3;1980.

2. **Colangiocarcinoma tratado com dicloroacetato de sódio, omeprazol e tamoxifeno.**

   BACKGROUND/AIMS: Omeprazole (OPZ) and tamoxifen (TAM) strengthen the effects of anticancer drugs and dichloroacetate (DCA) inhibits tumor growth. This study assesses the synergistic effects of these drugs. METHODOLOGY: Under the patient's consent these three drugs were prescribed to a 51-year old female cholangiocarcinoma patient to whom neither gemcitabine+S-1 nor adoptive immunotherapy with natural killer cells was effective. Disease progression was successfully blocked (the rise of serum CA19-9 value) for three months, also confirmed by CT. CONCLUSIONS: Although findings are preliminary, this study is a sample of translational research. Since there is no consensus regarding treatment strategy of cholangiocarcinoma and chemotherapy has only limited efficacy, it is expected that it might open a new possibility of treatment. PMID: 22580646

   Note: 1- oral DCA regimen that was developed included three natural medications acetyl L-carnitine, R-alpha lipoic acid and benfotiamine, for the primary purpose of neuropathy prevention. 2- Observational data collected from more than 300 cancer patients with advanced disease revealed measurable benefits from DCA therapy in 60%-70% of cases. The neuropathy risk with inclusion of natural neuroprotective agents was roughly 20% with 20-25 mg/kg per day dosing on a 2 wk on/1 wk off cycle. Reversible liver enzyme elevation was noted in approximately 2% in this patient group.

   Referência. Ishiguro T, Ishiguro R, Iwai S. Co-treatment of dichloroacetate, omeprazole and tamoxifen exhibited synergistically antiproliferative effect on malignant tumors: in vivo experiments and a case report. Hepatogastroenterology. Jun;59(116):994-6;2012.

3. **Tratamento de vários tipos de câncer com ácido lipoico intravenoso e hidroxicitrato mais naltrexone em baixa dose via oral: câncer de pulmão, colorretal, ovário, esôfago, útero, colangiocarcinoma, próstata e parótida.**

   Vide capítulos correspondentes.

   Referência. www.medicinabiomolecular.com.br

4. **Câncer de vias biliares tratado com ácido clorídrico intravenoso.**

   Case of Peter D., age 50, Greek, married, two children, normal weight 135 lbs., now 102 lbs., jaundiced four months, growth in gallbladder easily outlined by palpation. Several surgeons and specialists gave fatal prognosis. X-ray picture indefinite. Oct. 10, 1931 the solution intravenously once weekly and by mouth four times a day; bile laxatives at night. First two weeks, lost 4 lbs. Third week passed bile, and icterus gradually cleared. Treated by mouth only after three months. One year later no indication of tumor, in good health, no history of gallstone colic; weight 128 lbs.

   Referência. Three Years of HCL Therapy As Recorded in articles in The Medical World With Introduction by Henry Pleasants, Jr., AB, MD, FACP, Associate Editor Puhlished hy W. Roy Huntsman, Philadelphia, PA 1935.

5. **Tumor de vesícula e duodeno tratado com ácido clorídrico mais potássio – 3 casos.**

   1. P.D., Greek, male; age 50. Growth in gallbladder and duodenum badly jaundiced for four mon-

ths. X-ray film indefinite; loss of 20 lbs. Several surgeons in this city and Jacksonville gave fatal prognosis, and mineral solution was given intravenously once a week; same by mouth. Gradual improvement took place. At this date he is in the best of health and has gained 2.8 lbs. in weight..

2. Mrs. F.P.J., white age, 7 years. 1-2-31: Probable growth in duodenum, with digestive disturbance; also hard red swelling on right tibia. Gave acid mineral solution for ten months. Complete relief and at this date is in good health.
3. Mrs. M.M.; age, 67 years; white. 12-4-30: Indurated swelling over duodenum. Toxemia; ptosis of stomach and intestines. Gave acid solution by mouth. Slow recovery. Now in good health.

Referência. Three Years of HCL Therapy As Recorded in articles in The Medical World With Introduction by Henry Pleasants, Jr., AB, MD, FACP, Associate Editor Puhlished hy W. Roy Huntsman, Philadelphia, PA 193.

6. **Colangiocarcinoma que progrediu apesar da quimioterapia que regrediu após Rhus verniciflua.**

A woman diagnosed with distal bile duct cancer at 60 years of age, was referred to a university hospital for surgical management. A Whipple procedure was performed in September 2006, and the size of the tumor was 3.1 × 1.3 × 0.5cm. The histology revealed poorly differentiated adenocarcinoma with pancreatic invasion; the pathologic stage of IIA (pT3N0M0) was made utilizing the staging system of the American Joint Committee on Cancer/Union for International Cancer Control (AJCC/UICC).

On November 2006, about 2 months after the operation, abdominal CT scan showed a newly developed infiltrative soft tissue lesion that was in the inferior aspect of the pancreaticojejunostomy site, measuring 2.3cm and encasing superior mesenteric vein (SMV) and the proximal main portal vein. A course of salvage chemotherapy with 5-fluorouracil followed by regional radiotherapy at a dose of 180 cGy/33fractions was administered. Unfortunately, a follow-up CT scan taken in January 2007 revealed increase in the size of the tumor from 2.3cm to 3cm and the development of scanty ascites in the perihepatic space. Second-line chemotherapy with gemcitabine and cisplatin was recommended accordingly. However, she refused further therapy and visited the Integrative Cancer Center for second opinion. Initial blood test results were within normal limits except for mild anemia.

Treatment with RVS extract, 500 mg capsule taken twice a day was initiated in March 2007. Three months after initiation of therapy, a follow-up CT scan showed interval decrease in the size of the tumor around the SMV. The CT scan, taken in October 2007, showed further attenuation of the tumor size around the SMV. The dosage of RVS extract was reduced to once a day in October 2007. There was no significant interval change in the size of the tumor around the SMV until November 2011, when a newly developed right portal vein thrombosis occurred. In this case of relapsed cholangiocarcinoma, the patient was progression-free for 56 months following the commencement of monotherapy with RVS extract.

Referência. Chae J, Lee S, Lee S. Potential Efficacy of Allergen Removed Rhus Verniciflua Stokes Extract to Maintain Progression-Free Survival of Patients With Advanced Hepatobiliary Cancer. Explore (NY). 2018 Jul-Aug;14(4):300-304.

7. **Adenocarcinoma de ampola de Vater que responderam ao extrato de Rhus verniciflua. 2 casos.**

Background. Adenocarcinoma of the ampulla of Vater (AAV) is a rare malignancy that has a better prognosis than other periampullary cancers. However, the standard treatment for patients with relapsed or metastatic AAV has not been established. We investigated the clinical feasibility of standardized allergen-removed Rhus verniciflua stokes (aRVS) extract for advanced or metastatic AAV. Patients and Methods. From July 2006 to April 2011, we retrospectively reviewed all patients with advanced AAV treated with aRVS extract alone. After applying inclusion/exclusion criteria, 12 patients were eligible for the final analysis. We assessed the progression-free survival (PFS) and overall survival (OS) of these patients during the follow-up period. Results. The median aRVS administration period was 147.0 days (range: 72-601 days). The best tumor responses according to Response Evaluation Criteria in Solid Tumors were as follows: two with complete response, two with stable disease, and eight with progressive disease. The median OS was 15.1 months (range: 4.9-25.1 months), and the median PFS was 3.0 months (range: 1.6-11.4 months). Adverse reactions to the aRVS treatment were mostly mild and self-limiting. Conclusions. Prolonged survival was observed in patients with advanced AAV under the treatment of standardized aRVS extract without significant adverse effects.

Referência. Woncheol Choi , Soomin An, Eunmi Kwon, Wankyu Eo, Sanghun Lee. Impact of Standardized Allergen -Removed Rhus verniciflua Stokes Extract on Advanced Adenocarcinoma of the Ampulla of Vater: A Case Series. Evid Based Complement Alternat Med. 2013;2013:203168.

CAPÍTULO 228

Câncer de pâncreas: 33 pacientes

1. Câncer de pâncreas com metástases hepáticas e carcinomatose peritoneal – Integração Oncologia e Medicina Biomolecular. Desaparecimento dos tumores em 4 meses.

José de Felippe Junior

Caso clínico da integração oncologista-médico clínico

RRO, sexo masculino, 51 anos, 21-05-2013.

RNM: Adenocarcinoma tubular pouco diferenciado de pâncreas (2,4cm) com carcinomatose peritoneal (espessamento de 2 a 4,3cm) e várias metástases hepáticas, as maiores com 3cm.

Oncologista: confidenciou para esposa: 3 meses de vida.

Quimioterapia: irinotecano + oxaliplatina + fluoracil sob bomba de infusão contínua

Glicêmia: 113mg%; Insulina: 56,7 microUI/ml; IGF-1: 196 ng/ml; ferritina: 276ng/ml.

Metais tóxicos: chumbo, níquel, alumínio.

Agrotóxicos: pirethrin, aldrin, carbaryl.

Plano: Glucana – Benzaldeído – Naltrexone – Ácido alfa-lipoico – nutrientes para aumentar a atividade da fosforilação oxidativa e diminuir a do ciclo de Embden-Meyerof e EDTA para retirada dos metais tóxicos, correção da glicemia/insulinemia/ferritina.

07-09-2013: quase 4 meses.

RNM: Desaparecimento total do tumor de pâncreas e da carcinomatose peritoneal. Metástases hepáticas: redução de quase 50%, agora a maior com 1,7cm.

16-10-2013:

RNM: igual anterior. Mantém nódulos do fígado com mesmo tamanho, 1,7cm o maior. Cicatriz?

03-12-2013:

RNM: igual anterior. Mantém nódulos do fígado com 1,7cm o maior. Está confirmada a cicatriz.

11-02-2014:

a) PET-Scan com FDG: não há nódulos captantes da FDG no fígado, sem tumor pancreático e sem carcinomatose peritoneal.
b) PET-CT com análogo de somatostatina marcado com gálio-68: ausência de neoplasia da linhagem neuro-endócrina.

A eficácia do tratamento oncológico moderno será muito maior quando houver integração entre o médico clínico e o médico oncologista. Ambos trabalhando juntos, nas suas respectivas áreas de atuação, para alcançar o sucesso almejado.

O oncologista coloca em prática todo o seu excelente arsenal terapêutico com ciência e arte. O clínico contribui com o tratamento geral do paciente e de comum acordo com o oncologista emprega estratégias que agem diretamente no tumor propriamente dito, as quais diminuem a proliferação mitótica, aumentam a apoptose das células doentes ("malignas"), diminuem a neoangiogênese tumoral e facilitam a diferenciação da célula transformada.

A aplicação em conjunto dos procedimentos do oncologista e do clínico aumentará a eficácia do tratamento melhorando tanto a qualidade de vida como a sobrevida.

Vários são os fatores sistêmicos que o clínico valoriza quando cuida do paciente com câncer.

O primeiro fator é o bom funcionamento do trato digestivo, de importância relevante no sucesso terapêutico de qualquer doença crônica. Os cuidados com o sistema digestivo propiciam melhor absorção dos macronutrientes e dos micronutrientes da dieta, maximizam a produção de vitaminas e ácido butírico pela flora intestinal e regularizam a produção de hormônios pela mucosa intestinal saudável. Fatores que diminuem os efeitos colaterais da quimioterapia.

Outro sistema importante é o endócrino. A maioria dos hormônios secretados pelas glândulas endócrinas interfere na evolução do câncer. Estes hormônios aumentam ou diminuem a proliferação celular maligna, a apoptose e a neoangiogênese tumoral.

Seguem-se os sistemas imunológicos, o cardiocirculatório e todos os outros que devem ser bem cuidados com todo rigor médico.

Já vimos muitos pacientes evoluindo muito bem no tratamento do câncer para morrerem depois de algum tempo de doenças facilmente tratáveis.

Quanto aos exames laboratoriais, solicitam-se aqueles que ajudam compreender a fisiologia do organismo e aqueles que interferem na evolução do tumor propriamente dito. São exames de sangue simples e cobertos pela maioria dos convênios médicos: glicemia/insulinemia de jejum, IGF-I, IGFBP-3 (proteína que se liga ao IGF-I), prolactina, ferritina, ceruloplasmina, hemograma, sódio, potássio, cálcio, magnésio, fósforo, T4 livre/T3 livre/TSH, testosterona livre, di-hidrotestosterona, E1, E2, E3, SHBG (globulina que se liga aos hormônios sexuais), ácido fólico, vitamina B_{12}, PTH, DHEA/DHEA sulfato, PCR ultrassensível, VHS, 25(OH)D_3 e 1alfa,25$(OH)_2D_3$, *Mycoplasma pneumoniae*, Epstein-Barr vírus etc.

Solicitamos também exames para aferir o sistema imunológico, a função renal e o metabolismo das gorduras, carboidratos e proteínas.

No tratamento do câncer é imperativa uma atitude positiva do paciente perante a doença. A pessoa deve querer se ajudar, querer lutar e viver.

Se ela quiser morrer não há nada no mundo capaz de salvá-la.

Entretanto, chega o momento que as células neoplásicas se modificam largamente na sua epigenética que se tornam autônomas. Neste momento entra em ação a astúcia e a arte do oncologista.

A integração da oncologia, atacando o tumor propriamente dito, com a medicina interna, cuidando do organismo, aumentará a probabilidade de o paciente sobreviver mais e melhor com a grande possibilidade de cura definitiva.

Conclusão: A eficácia do tratamento oncológico moderno certamente será muito maior quando houver a integração do médico oncologista com o médico clínico porque ambos, trabalhando juntos farão muito mais pelo paciente.

A aplicação em conjunto dos procedimentos do oncologista e do clínico certamente aumentará a eficácia do tratamento do ser humano com a doença crônica e sistêmica chamada câncer, melhorando tanto a qualidade de vida como a probabilidade de cura. Sobrevida: 6 anos.

2. Carcinoma neuroendócrino de pâncreas com várias metástases e RF mais biomolecular.

José de Felippe Junior

MFC, 48 anos. Carcinoma neuroendócrino de pâncreas com metástase em pele, em gânglios inguinais e em gânglios abdominais. Em janeiro de 2001 foram retirados o tumor de pele e 9 linfonodos inguinais. Pele: neoplasia maligna indiferenciada de pequenas células, ulcerada e invasiva. Gânglios: metástase de neoplasia epitelial maligna. Tomografia abdominal: linfoadenomegalia retroperitoneal e ilíaca direita. Iniciou a radiofrequência em abril de 2001 juntamente com reposição nutricional e retirada de metais tóxicos. Após 9 aplicações a tomografia não mais revelou a presença da linfoadenomegalia retroperitoneal ou intraperitoneal. Paciente em ótimo estado geral, trabalhando e sem queixas.

3. Câncer de pâncreas e biomolecular.

José de Felippe Junior

CACM, sexo masculino, 68 anos, em 19-06-2013 foi diagnosticado adenocarcinoma ductal de cabeça de pâncreas com carcinomatose peritoneal sem metástases hepáticas.

Após a cirurgia de derivação biliodigestiva preventiva de obstrução, desenvolveu várias metástases hepáticas. Nota: após a cirurgia de pâncreas o risco de desenvolver metástases hepáticas gira em torno de 80-85% com a técnica habitual. Pesquisadores japoneses desenvolveram técnica que reduz para 10-15%.

Emagreceu 15kg após a cirurgia. Peso atual: 43kg.

Não suportou a 1ª quimioterapia. Folfirinox com 5 drogas: fluorouracil, leucovorin, irinotecan oxaliplatin, gemcitabine. Recusou as próximas quimioterapias.

CA19-9: 298, GamaGT: 60, Hb: 8,6g%, Ferritina: 304ng/ml. *Micoplasma pneumoniae*: reagente

Metais tóxicos: chumbo e níquel.

Agrotóxicos: não.

Plano: EDTA – 10x, Glucana, Benzaldeído, estratégias para diminuir a glicólise anaeróbia e aumentar a fosforilação oxidativa. Melhorar estado geral e continuar as quimioterapias.

16-08-2013: 2 meses de tratamento

Tomografia: desaparecimento da carcinomatose peritoneal. Grande diminuição do volume das metástases que reduziram em número e volume.

Engordou: 5kg/2 meses. Negou a quimioterapia.

24-10-2013:

Não fez dieta e continuou a comer carne, leite e derivados e abusava dos carboidratos refinados. Continuou fumando. **Vários metais tóxicos ainda presentes, dores abdominais.**

Feito mais 10 aplicações EDTA e o Ultrassom mostrou apenas 2 metástases hepáticas menores que as anteriores.

Voltou para o Paraná onde passou a ingerir 2 latas de leite moça por semana. Fumando. Não tomou as fórmulas prescritas. Faleceu após 4 meses.

4. Câncer de pâncreas obstruindo vias biliares com sepse pós "stent" de colédoco que não mais foi detectado em 4 semanas de imunoterapia mais antibióticos.

José de Felippe Junior

Sexo feminino, 89 anos de idade, com quadro de icterícia progressiva foi atendida em 21-07-2014 já trazendo a tomografia de abdome realizada em 16/07/2014 que mostrou segundo o radiologista: "lesão expansiva irregular comprometendo o corpo pancreático exibindo aparentes sinais de invasão do tronco celíaco, até junto a emergência na aorta, grosseiramente medindo 4,0cm e invadindo hilo hepático. Não foram encontradas metástases no fígado". Colangiografia: Obstrução no nível da confluência acometendo ambos os ductos biliares intra-hepáticos, promovendo dissociação dos lobos direito e esquerdo. Ducto cístico e vesícula biliar presentes, papila competente e bile límpida. Feito a colocação de prótese em via biliar direita e esquerda, com boa drenagem em duas etapas 24 e 28 de setembro. Imediatamente antes da drenagem biliar: Bilirrubiana total: 26mg% e 1 dia após: 8mg%. Em 24/07: Leucócitos: 14.690; Linfócitos: 1.840 e Monócitos: 880/mm3.

Em 29/07: L: 14.270; Li: 1230 e Mo: 1.080

Em 31/07: L: 12.680; Li: 1.560 e Mo: 1.290 com desvio à esquerda

Em 03/08: L: 19.390; Li: 2.710 e Mo: 1.260 com desvio à esquerda

Em 05/08: L: 20.840; Li: 2.560 e Mo: 900 com desvio à esquerda

Em 07/08: L: 21.480; Li: 2.620 e Mo: 1.080 com desvio à esquerda

Em 09/08: L: 15.700; Li: 2.280 e Mo: 890 com desvio à esquerda

Em 11/08: L: 11.530; Li: 1800 e Mo 910 sem desvios

Em 13/08: L: 10.110; Li: 2100 e Mo: 850 sem desvios.

Imunoterapia com BCG sonicado mais glucana iniciado em 01/08 em dias alternados por via subcutânea em alta dose. Notar o grande aumento de linfócitos provocado pela estratégia. Cremos que os monócitos migraram para o foco infeccioso/câncer. Tomografia de abdômen superior em 12/08/14: "Pâncreas de topografia e dimensões habituais apresentando contornos lobulados e densidade heterogênea. Em associação podemos observar borramento da gordura peripancreática de aspecto inespecífico. Fígado de dimensões e densidade homogênea. Presença de endoprótese em vias biliares intra e extra -hepáticas, com extremidade distal junto ao duodeno. Não se observa massa tumoral no pâncreas. Alta da semi-intensiva para casa em 14/08/14. Faleceu 5 meses após com pneumonia. Clínica JFJ.

5. Carcinoma neuroendócrino de pâncreas com metástases hepáticas que já começaram a regredir em 60 dias de tratamento com as estratégias da medicina biomolecular.

CA, 85 anos, foi diagnosticado em 2013 com carcinoma neuroendócrino de pâncreas e várias metástases hepáticas. Recebeu everolimus e rádio-ablação dos nódulos hepáticos maiores.

US em 22 de dezembro de 2016: houve aumento do volume tumoral pancreático e aumento numérico e volumétrico dos nódulos hepáticos: cabeça do pâncreas: massa 3,3 × 3,0 × 2,8cm (9,2cm^3) e fígado nódulo: 9,3 × 9,1 × 7,0cm (65,1cm^3) e nódulo: 3,0 × 2,8cm (8,4cm^3) e vários outros nódulos de menor volume. Estava em regular estado geral, diminuição do apetite, cansaço e perda de 8kg nos últimos 3 meses. IgG positivo para EBV, CMV e *Chlamydophila pneumoniae*. Espectrometria frequencial de Raman: ausência de metais tóxicos. Iniciado tratamento somente por via oral: naltrexone, espirolactona, óleo de borago, Ganoderma lucidum, iodo molecular, ácido lipoico, hidroxicitrato, CoQ10, ácido retinoico, vitaminas K_1 e K_2, ácido fólico, manganês, extrato fluido de berberina-sanguinarina-*Chelidoneum majus*-*Chenopodium ambrosioides*, DHEA, genisteína, Sigmatriol, colecalciferol, riboflavina e banhos de Sol.

US em 20/03/2017: houve pequena redução da massa pancreática 3,3 × 2,5cm (8,3cm^3), apresentando focos de calcificação e observou-se apenas dois nódulos hepáticos: 3,4 × 3cm (10,5cm^3) e 8,5 × 6,7cm (56,9cm^3). Melhorou o apetite, diminuiu a taxa de emagrecimento (1,5kg em 3 meses) e sem cansaço. Seguiu a dieta inteligente carcinostática quase 100%. Acrescentado ao tratamento: BCG + glucana subcutânea, picolinato de zinco, lisado de levedura de cerveja, benzaldeído via oral e amiloride.

US em 07/06/2017: a massa pancreática ainda com calcificações diminuiu levemente para 2,8 × 2,7 ×

2,7cm (7,6cm³) e os dois nódulos hepáticos mediam 3,4 × 3,1cm (10,5cm³) e 8,5 × 6,7cm (57,0cm³). Mantido o tratamento.

US em 06/09/2017: a massa pancreática reduziu mais ainda, 2,6 × 1,6cm (4,1cm³), um dos nódulos hepáticos desapareceu totalmente e o outro apresentou leve aumento, 9,2 × 6,8cm (62,6cm³). Continua em bom estado geral, sem cansaço, bom apetite, mas, muito magro.

RNM em 21/10/2017: a massa pancreática continua em regressão, 2cm no maior diâmetro. Nódulo hepático maior mantém 9,4cm no maior eixo, porém com maior conteúdo liquido no interior (aumento da necrose?), presença de nódulo com 3,5cm e vários outros pequenos nódulos. Linfonodomegalia retrocaval de 1,7cm. **Indicado tratamento IV com ácido lipoico mais vitamina C em altas doses: não fez.**

RNM em 06-01-2018: a massa pancreática aumentou de 2 para 2,9cm. O nódulo hepático aumentou de 9,4 para 10cm. Houve regressão total do nódulo hepático de 3,5cm. A linfonodomegalia retrocaval passou de 1,7 para 2cm. Clínica JFJ.

6. **Adenocarcinoma de pâncreas tratado por Sodi-Pallares.**

Paciente do sexo feminino, com 58 anos de idade, foi diagnosticada com adenocarcinoma de cabeça de pâncreas. O tratamento consistiu em solução polarizante (glicose, potássio, insulina) acrescido de dieta pobre em sódio e rica em potássio e magnésio. Notou-se grande diminuição do volume tumoral pancreático – quase desaparecendo totalmente, em 3 meses de tratamento. Permaneceu assim por 4 meses. Parou a dieta rigorosa imposta por Sodi-Pallares, pobre em sódio e rica em potássio e magnésio, e o tumor voltou a crescer. Não mais respondeu após seguir novamente o tratamento completo. Este tratamento aumenta a polaridade da membrana celular, o que ativa a fosforilação oxidativa.

7. **Adenocarcinoma de pâncreas e naltrexone mais ácido alfalipoico.**

Em 2006, Berkson teve a oportunidade de tratar paciente com adenocarcinoma de pâncreas com metástases hepáticas, considerado em estado terminal por equipe de oncologistas de hospital universitário de elevada reputação. Com o emprego do naltrexone em baixas doses, do ácido alfalipoico e apoio nutricional conseguiu o desaparecimento dos sintomas e estabilização do tumor por tempo bem prolongado, que atingiu mais de 4 anos. O paciente começou a se sentir muito bem, sem nenhum sintoma e parou por conta própria os medicamentos. Quatro meses após a tomografia mostrou progressão da doença.

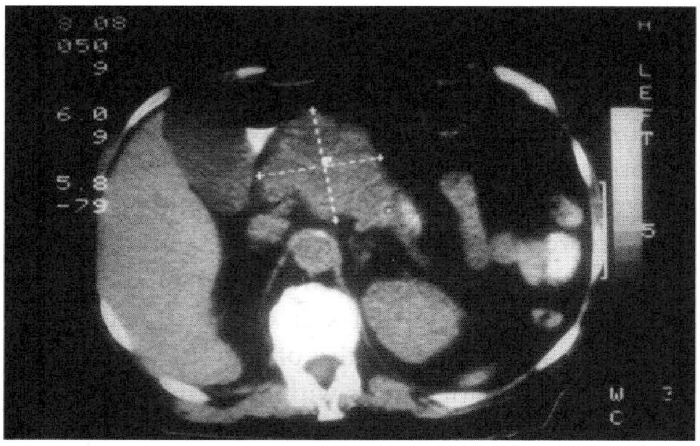

Figura 228.1 Pré-tratamento: grande massa tumoral na cabeça do pâncreas.

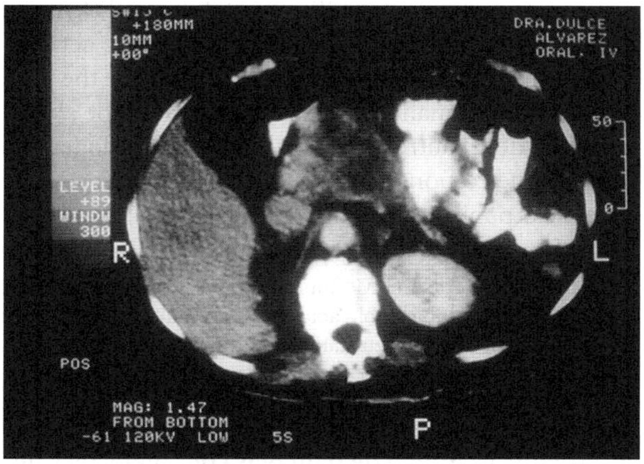

Figura 228.2 Pós-tratamento: grande redução da massa tumoral pancreática com necrose importante.

Referência.

Berkson BM, Rubin DM, Berkson AJ. The long-term survival of a patient with pancreatic cancer with metastases to the liver after treatment with the intravenous alpha-lipoic acid/low-dose naltrexone protocol. Integr Cancer Ther; 5(1): 83-9;2006.

8. **Câncer de pâncreas tratado com naltrexone em baixas doses e ácido lipoico: 3 casos clínicos.**

http://www.medicinabiomolecular.com.br/biblioteca/pdfs/Casos-Clinicos/cc-0170.pdf.

The authors, in a previous article, described the long-term survival of a man with pancreatic cancer and metastases to the liver, treated with intravenous alpha-lipoic acid and oral low-dose naltrexone (ALA/N) without any adverse effects. He is alive and well 78 months after initial presentation. Three additional pancreatic cancer case studies are presented in this article. At the time of this writing, the first patient, GB, is alive and well 39 months after presenting with adenocarcinoma of the pancreas with metastases to the liver. The second patient, JK, who presented to the clinic with the same diagnosis was treated with the ALA/N protocol and after 5 months of therapy, PET scan demonstrated no evidence of disease. The third patient, RC, in addition to his pancreatic cancer with liver and retroperitoneal metastases, has a history of B-cell lymphoma and prostate adenocarcinoma. After 4 months of the ALA/N protocol his PET scan demonstrated no signs of cancer. In this article, the authors discuss the poly activity of ALA: as an agent that reduces oxidative stress, its ability to stabilize NF(k)B, its ability to stimulate pro-oxidant apoptosic activity, and its discriminative ability to discourage the proliferation of malignant cells. In addition, the ability of lowdose naltrexone to modulate an endogenous immune response is discussed. This is the second article published on the ALA/N protocol and the authors believe the protocol warrants clinical trial.

Referência. Berkson BM, Rubin DM, Berkson AJ. Revisiting the ALA/N (alpha-lipoic acid/low-dose naltrexone) protocol for people with metastatic and nonmetastatic pancreatic cancer: a report of 3 new cases. Integr Cancer Ther. Dec;8(4):416-22;2009.

9. **Adenocarcinoma de pâncreas com metástase hepática tratado com ácido alfalipoico mais naltrexone em baixa dose.**

   http://www.medicinabiomolecular.com.br/biblioteca/pdfs/Casos-Clinicos/cc-0538.pdf.

10. **Câncer pancreático com metástases hepáticas tratado com ácido alfalipoico + naltrexone em baixas doses + selênio + silimarina – sobrevida superior a 6,5 anos. Primeiro caso descrito na literatura.**

    http://www.medicinabiomolecular.com.br/biblioteca/pdfs/Casos-Clinicos/cc-0545.pdf.

11. **Carcinoma pancreático inoperável com metástases hepáticas e carcinomatose tratado com ácido alfalipoico e naltrexone em baixas doses.**

    http://www.medicinabiomolecular.com.br/biblioteca/pdfs/Casos-Clinicos/cc-0546.pdf.

12. **Câncer de pâncreas tratado com ácido lipoico e ácido ascórbico.**

    A 70-year-old Caucasian male was diagnosed with pancreatic cancer on December 3rd, 1996. He opted to undergo traditional chemotherapy in January 1997. One tumor marker for pancreatic cancer is a carbohydrate antigen known as CA-19-9. The patient's antigen level decreased initially after the first chemotherapy treatment; however, by October 1997, his CA-19-9 level had increased to a value of 7,400 units/ml serum. At that time he was placed on a regimen of 15 grams intravenous vitamin C, given two times weekly and 300mg oral lipoic acid, taken two times per day, as well as other nutrient supplements that the patient was deficient in. One month later, his dose of Vitamin C increased to 25 grams two times per week. Within two months, the patient's antigen level had dropped to 3,200 units/mL serum. At that time, his dosage of Vitamin C was increased incrementally 30 grams, 50 grams, and finally 75 grams. In January 1998, the patient opted to stop chemotherapy while continuing lipoic acid and ascorbate treatments. The levels of CA-19-9 continued to fall. In March 1998, the patient's CA-19-9 was 700 units/ml serum. The patients CA-19-9 levels during the time course of treatment with ascorbate and lipoic acid decreased. The levels of CA-19-9, a pancreatic cancer marker, expressed as units per mL of serum, were analyzed with time. Lipoic acid was given orally at a dose of 300mg administered twice daily. Ascorbate was give intravenously at an initial dose of 15 grams per week. This dose was incrementally increased to 25 grams twice per week, one month after the onset of therapy, and thereafter was incrementally increased to 30, 50, and finally, 75 grams twice per week. The patient discontinued ascorbate and lipoic acid therapy in March 1998, after six months of treatment. He died four months later. Treatment of cancer using lipoic acid in combination with ascorbic acid.

    Referência. United States Patent 6448287 Casciari, Joseph J. (Newton, KS) Riordan, Neil H. (Wichita, KS).

13. **Câncer de pâncreas tratado com benzaldeído.**

    Quatro pacientes com adenocarcinoma de pâncreas refratários ao tratamento convencional da época (1980) receberam 500mg de benzaldeído via oral ao dia. Houve resposta completa em 1 paciente, resposta parcial em 2 e estabilização da doença em 1 paciente.

    Referências
    1. Kochi M, Takeuchi S, Mizutani T, et al. Antitumor activity of benzaldehyde. Cancer Treat Rep; 64(1): 21-3;1980.
    2. Kochi M. Antitumor activity of a benzaldehyde derivative. Cancer Treat Rep. 69(5):533-7;1985.

14. **Câncer de cabeça de pâncreas tratado com benzaldeído.**

    Mulher com 72 anos de idade e longa história de indigestão. De repente a indigestão piorou e logo depois ficou ictérica. Feito remoção incompleta do tumor que estava infiltrando o duodeno e o estômago. Encontrou-se metástase em 1 linfonodo. Não fez quimioterapia. Houve regressão total da tumoração e da metástase ganglionar com laetrile endovenoso (benzaldeído mais cianeto). Oito meses depois continuava sem tumoração, bom apetite e sem cansaço. Sabemos que o princípio ativo do laetrile é o benzaldeído.

Referência. Laetrile Case Histories- The Richardson Cancer Clinic Experience. Published by American Media. Califórnia.2005.

15. Câncer de pâncreas com metástases hepáticas e linfonodos abdominais tratado com ácido cítrico.

This is a 78 years old female patient who was diagnosed with cancer of pancreatic head with liver metastases on March, 2015, the biopsy was performed by endoscopic procedure and the pathology report was adenocarcinoma. The patient received three cycles of chemotherapy with gemcitabine, but it was reported by imaging that the tumor of the pancreatic head and the liver metastases increased in size. On May 6, 2015, a CT scan of the abdomen reported the size of the tumor of pancreatic head in 33 x 34 mm and reported the presence of four liver metastases of 14 to 18 mm in diameter in addition to periportal lymphadenopathy. The patient decides to stop receiving chemotherapy, only was placed a plastic biliary drainage catheter, she began to lose weight and generally deteriorate. On August 19, 2015, blood studies reported albumin 3.1 g/dl, hemoglobina 9.2 g/dl and lactate dehydrogenase 467 IU. She started taking **citric acid** on September 11, 2015, **4-5 grams per day** as is already reported, and the clinical outcome was favorable. The more important fact was that 12 days after starting treatment with citric acid the albumin was increased to 3.6 g/dl, the hemoglobin increased to 11.7 g/dl without receiving transfusions and the lactate dehydrogenase decreases to 256 IU. The patient continued to take the citric acid in the same way every day, and, on November 13, 2015, blood sample in the same laboratory reported albumin 3.9 g/dl, hemoglobina 14.7 g/dl without receiving transfusions, and normal lactate dehydrogenase: 204 IU. Albumin and hemoglobin have prognostic and predictive value in cancer in general, and lactate dehydrogenase is considered as a tumor marker, and all this biochemical improvement could only be due to the citric acid that the patient received as her treatment for cancer. We also conducted to the patient an abdominal ultrasound the same November 13, 2015 that reported only inflammation of the pancreas head due to the presence of the plastic catheter but the liver metastases and the periportal nodes reported by CT scan disappeared. I repeat, the patient received only citric acid as the treatment for her pancreatic cancer, her general condition is excellent, she has regained her weight, her appetite and her strength. DISCUSSION. This is the first report in History of a patient with pancreatic cancer that improved as impressive with a câncer treatment.

Referência. Alberto Halabe Bucay. Case Report: A Patient With Pancreatic Cancer Who Improved After the Treatment with Citric Acid That She Received. Medical Science. Volume: 5 Issue: 12 December;2015.

16. Câncer de pâncreas tratado com ácido gama linolênico (GLA) ou ômega-3. Não computado.

Em estudo multicêntrico, o GLA foi administrado a 48 pacientes em estágio avançado de câncer de pâncreas. Houve aumento da sobrevida somente nos pacientes que receberam o GLA (Fearon, 1996). Em outro estudo, dezoito pacientes foram suplementados com cápsulas de óleo de peixe contendo 18% de EPA e 12% de DHA, todos aumentaram de peso e melhoraram da caquexia. (Wigmore,1996). Talvez o efeito anticaquético seja provocado pela diminuição de citocinas inflamatórias como a IL-6 e o TNF.

Referências

1. Fearon KCH. Falconer JS, Ross JÁ, et al. An open-label phase i/ii dose-escalation study of the treatment of pancreatic-cancer using lithium gammalinolenate. Anticancer Res 16: 867-874; 1996.
2. Wigmore SJ, Ross JÁ, Falconer JS, et al. The effect of poly -unsaturated fatty-acids on the progress of cachexia in patients with pancreatic-cancer. Nutrition 12:27-30;1996

17. Câncer de pâncreas metastático tratado com *Chelidoneun majus* e outras drogas.

http://www.medicinabiomolecular.com.br/biblioteca/pdfs/Casos-Clinicos/cc-0080.pdf, com as imagens.

The patient, a Caucasian female of 52 years, a professor of pharmacy, involved in research with a busy life, was diagnosed in November 2005 with an advanced metastatic pancreatic cancer. Histology: Grade IV; head of pancreas, 4cm lesion; multiple metastases to liver up to 3cm; and large abdominal pelvic neoplasic mass. Surgery: None.

Chemotherapy: Oxiplatine, germicitabine etc.

The Combination Therapy.

Our treatment of pancreatic cancer is based on accumulated experience with all types and grades of cancer, but also in the attempt to increase patients' lifespan.

1. Ukrain: Chelidoneun majus 3 ampoules of 5ml IM per week (or IV).

Time: 2 months with a then delay of one month and again 2 months.

Judging from our experience, the natural chemotherapeutic agent Ukrain is most indicated in pancreatic cancer. In palliative treatment, Ukrain combined with chemotherapy can prolong life more than twice as long as chemotherapy alone. The longest survival in the gemcitabine group was 19 months, 21 months in the gemcitabine + Ukrain group, and in the Ukrain group a patient was still alive after 28 months. Among its effects, Ukrain induces apoptosis (through caspases pathways) and cell-cycle arrest in the phase G2/M. Ukrain penetrates directly to tumor tissue and DNA, but not to healthy cells. Full remission of advanced local or metastatic pancreatic carcinoma after therapy with Ukrain has been reported.

2. Liquid Cartilage Extract (LCE) 1 vial of 30ml of frozen liquid per day.

LCE is critical to inhibiting the angiogenic cascade, which is strong in pancreatic cancer. For years, LCE has demonstrated strong efficacy against angiogenesis-inducing apoptosis of existing vessels.

3. Biobran (RBAC)

One granule sachet of 1g three times per day.

Biobran is a modified arabinoxylan extract derived from rice bran, cultivated on enzymes of shiitake mushroom that shows strong immunomodulation property. Biobran is quickly absorbed by the body to activate NK (Natural Killer) cells up to 380% and boost T and B cell activity.

4. Infla-Zyme Forte, 6 to 8 tablets, three to four times per day.

A mixture of proteolic enzymes in a high concentration together with bromelain, papain and antioxidant enzymes as SOD (superoxide dismutase) and catalase. We found this special pancreatic enzyme mixture very effective for our cancer patients. Pancreatic cancer induces a strong accumulation of fibrin, responsible for hypoxia and increasing angiogenic factors. Proteolitic pancreatic enzymes from bovine sources are necessary in order to inhibit or absorb excessive fibrin. Much work on cancer and pancreatic enzymes has been developed by Nicolas Gonzalez, MD, of New York, based on the work of embryologist Dr. John Beard of over 100 years ago.

5. Anoxe (low-molecular antioxidant compound having SOD-like activity) 16g to 24g per day. Anoxe is a low-molecular antioxidant compound specially developed for therapeutic purposes made from modified vegetables and seeds rich in antioxidants. It has strong effects against free-radical generation, inflammation, and COX1 and COX-2 activity. According to L. W. Oberley, overexpression of MnSOD in cancer cells with low MnSOD has been shown to have tumor-suppressive effects. Many new lines of investigation demonstrate that SOD is a tumor-suppressor equivalent to the P53 gene. Therefore, Anoxe may become a new anticancer agent by inhibiting antiangiogenic factors and inducing apoptosis. Our new line of clinical work with damaged or mutated P53 in cancer patients demonstrated that 3 months' therapy with Anoxe indeed activated P53 gene expression in cancer patients.

6. Anticancer food. The patient follows a strict diet commonly used in our institute for cancer patients. Recent studies have demonstrated that certain foods such as broccoli, curcuma, and onion retard or inhibit the growth of pancreatic cancer.

Diet is a key factor in cancer recovery, and our regimen emphasizes fresh raw fruits, plenty of fresh green and yellow vegetables, sprouts, and steamed vegetables. Carrots, red beets, and most green vegetables should be made into fresh juice for a daily drink. The diet also relies on plant-based sources such as cereals, nuts and seeds, brown rice, and millet. Red meat should be eliminated, but fish and poultry may be eaten one or twice per week. Two meals per week should be only fruit and cottage cheese, three meals per week should include whole rice, and one day per week, the patient should drink only mixed-vegetable juice divided in one large glass every 2 hours, taking some proteolic enzymes (Infla-Zyme Forte) with each glass.

On April 3, 2008, a new hospital check-up showed total elimination of abdominal metastases, including the multiple metastases to the liver, and significantly reduced size of the pancreatic tumor. On July 7, 2008, a new hospital PET SCAN verified the total elimination of the pancreatic tumor and the remission of the cancer. The observation suggests elimination of the neoplasic malignancy. In August 2008, the patient came to the clinic for a new consultation and alternative check-up. She was in good physical and psychological condition, and still taking Ukrain, Liquid Cartilage Extract, and Biobran but no further chemotherapy since having completed 80 sessions in November 2008. After this consultation, she stayed to participate in our regular "mind-body meeting," a new service for cancer groups; and she spoke about her own experience and how she had changed her lifestyle. The patient continued treatment and returned to our clinic in October and at the end of November 2008 for two more mind-body meetings, a check-up including discussion of her health condition, and a medication refill. She spoke twice during the meeting and again in February 2009 before a large audience of cancer patients. She explained how she had decided to live every minute of her life positively, going dancing, doing yoga and meditation, traveling, and of course taking her treatment with the best possible spirit and have the best-balanced and organic food possible. In July 2009, the patient came again for a check-up and to discuss her life with me. She will do a new treatment with LCE (Comitris) and a 30-day course of Ukrain as routine prevention to keep her from any recurrence. According to her last consultation at the Portuguese Institute of Oncology in April 2009, the patient's cancer was considered to be in total remission. After four years, we can acknowledge a victory using our combination therapy with chemotherapy to cure a most difficult case of advanced pancreatic cancer. Fewer than 10% patients survive 1 year after the diagnosis; therefore, we demonstrate the efficacy of our approach. We have also used this therapy with the same success in other types and grades of cancer, which you may have read about in previous issues of the Townsend Letter (2007, 2008).

Referência. Serge Jurasunas. Towsend Letter Augus/Sept; 2009.

18. Câncer de pâncreas e *Nerium oleander*.

http://www.medicinabiomolecular.com.br/biblioteca/pdfs/Casos-Clinicos/cc-0081.pdf, com 10 imagens do caso clínico.

A 35-year-old man experienced pain and bloating in his abdomen following eating regular meals, and his urea color turned to yellow in May 2003. He presented to a private clinic, and spiral abdomen computer aided tomography (CAT) scan was performed on 21 May 2003. This revealed volumetric increase of the pancreas head, heterogeneity in the density of parenchyma, and multiple lymphadenopathies at the anterior site of the pancreas head. Magnetic resonance imaging (MRI) on 24 May 2003 demonstrated the same. Ultrasound aided thin needle aspiration biopsy was performed on the same day. Ultrasound examination demonstrated a tumoral mass of 39x33 mm in the pancreatic head. Histopathological examination of the biopsy specimen revealed the diagnosis as adenocarcinoma. The patient was recommended chemotherapy, but he declined.

The patient presented to Dr. Ozel on 3 June 2003. On physical examination, he was pale, and there was swelling and pain at the epigastrium site. The painful region extended to the right epigastrium and right lumbar site. He had been using analgesics continuously to suppress the pain. 0.4 cc dose of N.O.I. caused the patient's body temperature to rise to 37.5o C. The patient was then placed on a regimen of 0.4cc dose of NOI to be given daily six times a week; he was advised to adjust the dosage according to daily fever. He was also recommended to drink before meals 1cc of NOO three times daily.

Upper abdomen MR images obtained on 2 July 2003 demonstrated a contrast retaining lesion of 35x25 mm in the pancreatic head. Numerous lymphadenopathies, of which the biggest one was 5 mm, were also revealed at the anterior site of the pancreas head and the stomach antrum posterior site.

The patient presented to Dr. Ozel on 17 September 2003 for a follow up visit. His general medical condition had improved considerably. He had none of the previous symptoms and was not using any analgesics anymore. He was advised to continue the same regimen.

MR images obtained on 1 October 2003 showed that the tumor in the pancreatic head measured 30x25 mm. On this date, the patient's NOI regimen was changed to 0.8 cc daily, since even 0.8 cc was only causing a fever of 37.2o C.

A bone scintigraphy was performed on 24 October 2003. It demonstrated no metastatic findings.

After 15 November 2003, the patient experienced no fever following 0.8 cc dose of NOI injections, but he was advised to carry on the same regimen with daily 0.8 cc injections.

Upper and lower abdominal MR images obtained on 15 December 2003 demonstrated that the tumoral mass in the head of pancreas and all the lymphadenopathies had disappeared completely.

On 26 December 2003, the patient was placed on a maintenance regimen with 0.8 cc of NOI to be given every two days, and 1cc of NOO three times daily.

The patient had an upper and lower abdominal MR on 10 February 2004. It showed no residual/relapse of the initial disease. The patient was advised to stop N.O. treatment.

Another follow up upper and lower abdominal MR was performed on 19 June 2004. It also demonstrated no relapse of the pancreatic cancer tumor.

As in March 2007, the patient has been in complete and sustained regression

Referência. http://www.drozel.org/eng/diagnosis_pancreas_MH.htm

19. Câncer de pâncreas tratado com extrato de *Nerium oleander*.

http://www.medicinabiomolecular.com.br/biblioteca/pdfs/Casos-Clinicos/cc-0081.pdf

20. Câncer de pâncreas inoperável com metástases em fígado e peritônio que não respondeu ao Gemzar mais Infliximab tratado com Xeloda mais tetraclorodecaoxigênio – doador de ClO2 – OXIDANTE e BIOCIDA UNIVERSAL.

http://www.medicinabiomolecular.com.br/biblioteca/pdfs/Casos-Clinicos/cc-0395.pdf

21. Câncer de pâncreas inoperável com metástases peritoneais e uma de fígado não responsiva a radioterapia e Gemzar tratado com Xeloda mais tetraclorodecaoxigênio como doador ClO2 – OXIDANTE.

http://www.medicinabiomolecular.com.br/biblioteca/pdfs/Casos-Clinicos/cc-0396.pdf

22. Carcinoma de pâncreas com metástase pulmonar que desapareceu após tratado com sulfato de cobre.

Sexo feminino, 60 anos de idade e carcinoma de pâncreas. A) Radiografia de tórax antes do tratamento. B) Regressão total do derrame pleural após 6 semanas de sulfato de cobre.

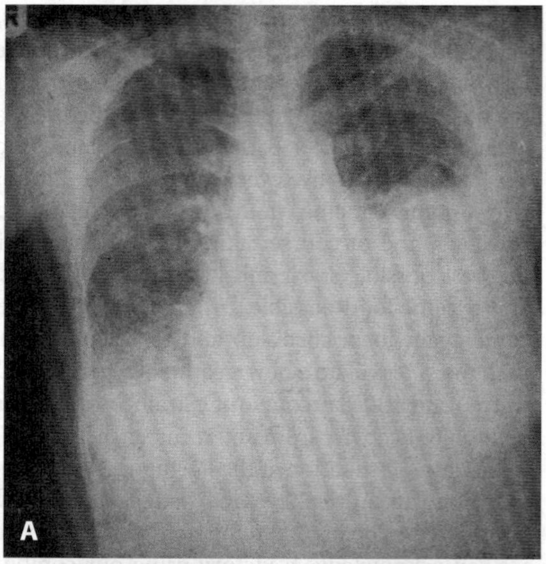

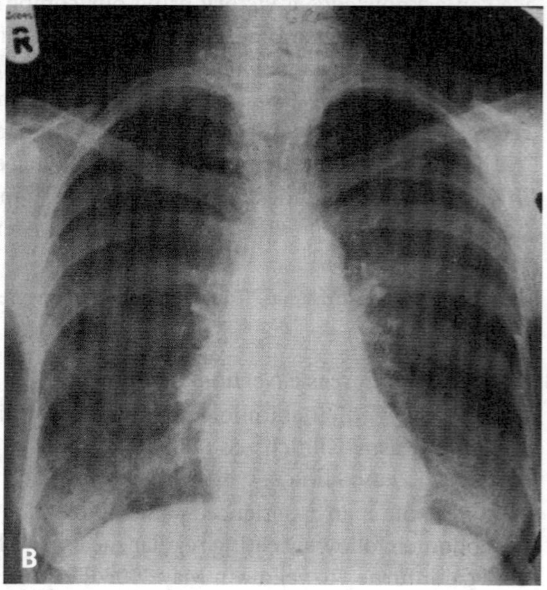

Referência. The causation of reumathoid disease and many human cancer – A new concept in medicine – Roger Wyburn-Mason IJI Publishing Co, LTD Tokyo Japan, 1978.

23. Carcinoma neuroendócrino de pâncreas e dicloroacetato de sódio intravenoso.

http://www.medicinabiomolecular.com.br/biblioteca/pdfs/Casos-Clinicos/cc-0721.pdf. Trabalho na íntegra no site Oral dichloroacetate sodium (DCA) is currently under investigation as a single agent and as an adjuvant for treatment of various cancers. One of the factors limiting its clinical use in a continuous oral regimen is a dose-related, reversible neurotoxicity, including peripheral neuropathy and encephalopathy. The intravenous (IV) route has a number of potential advantages, including (1) pulsed dosing to achieve higher concentrations than feasible with oral use, (2) a longer washout period to reduce the potential for neurotoxicity, and (3) a bypassing of the digestive system, which is particularly significant for advanced-stage cancer patients. Data were available on high-dose IV DCA (up to 100mg/kg/dose) that have confirmed its safety, both in healthy volunteers and in critically ill patients, allowing the authors to begin offlabel treatment of cancer patients. In several of their patients treated with IV DCA, the authors observed clinical, hematological, or radiological responses. This article presents 3 cases with patients who had recurrent cancers and for whom all conventional therapies had failed: (1) a 79-y-old male patient with colon cancer who had liver metastases, (2) a 43-y-old male patient with angiosarcoma who had pancreatic and bone metastases, and (3) a 10-y-old male patient with pancreatic neuroendocrine carcinoma who had liver metastases.

Referência. Altern Ther Health Med. 20 (suppl 2):21-28;2014.

24. Câncer de pâncreas tratado com antibióticos e drogas anti-hibernação.

http://www.medicinabiomolecular.com.br/biblioteca/pdfs/Casos-Clinicos/cc-0273.pdf

25. Câncer de pâncreas com metástases hepáticas tratado com antibioticoterapia.

http://www.medicinabiomolecular.com.br/biblioteca/pdfs/Casos-Clinicos/cc-0078.pdf

A 53 year old female diagnosed with metastatic pancreatic cancer involving her liver presented for treatment in October of 2006. Her oncologist could not offer her curative treatment but advised her that a course of gemzar, oxaliplatin, and Tarceva might extend her life by 3 months. Her life expectancy was 3-6 months and her initial tumor marker CA19-9 level was elevated at 626.3 Units/mL (negative<39) in Oct. 5, 2006 at our first meeting. She was found to have a variety of positive serologies for infectious agents that have the capacity to suspend apoptosis. She consented to treatment with a combination of amoxicillin, rifampin, azithromycin, metronidazole, Valtrex, curcumin, luteolin, ursodiol, pangestyme, assorted vitamins and iodine. She was encouraged by us to take the chemotherapy her oncologist recommended while she received the above antimicrobial and anti -hibernation treatments. Eight months later she was pancreatic cancer-free as determined by PET scan, MRI, and the minimally suspicious region in her liver (PET negative) was biopsied and found to be non- cancerous. Her CA19-9 was 48 U/ml in January 2007, 9 U/ml in July 2007, and 5 U/ml in November 2007. She stopped Oxaliplatin in May 2007, and stopped Tarveca in June. Antimicrobilals were discontinued in July, but treatment with anti-hibernation agents continued and continues to be well tolerated. She has no detectable trace of pancreatic cancer and has remained in this state of good health for greater than half a year at the time of this writing. The best available chemotherapy for pancreatic cancer will extend life an average of 3 months. This case demonstrates the therapeutic potential of treating infection mediated HDS related cancer in this manner.

Referência. United States Patent Application 20080160007 – Diagnosis and treatment of cancer related to human dormancy. www.freepatentsonline.com

26. **Dicloroacetato de sódio intravenoso no tratamento de 3 casos diferentes de neoplasia: câncer de cólon, angiossarcoma e carcinoma neuroendócrino de pâncreas.**

http://www.medicinacomplementar.com.br/biblioteca/pdfs/Casos-Clinicos/cc-0719.pdf- trabalho na íntegra.

Oral dichloroacetate sodium (DCA) is currently under investigation as a single agent and as an adjuvant for treatment of various cancers. One of the factors limiting its clinical use in a continuous oral regimen is a dose related, reversible neurotoxicity, including peripheral neuropathy and encephalopathy. The intravenous (IV) route has a number of potential advantages, including (1) pulsed dosing to achieve higher concentrations than feasible with oral use, (2) a longer washout period to reduce the potential for neurotoxicity, and (3) a bypassing of the digestive system, which is particularly significant for advanced-stage cancer patients. Data were available on high-dose IV DCA (up to 100mg/kg/dose) that have confirmed its safety, both in healthy volunteers and in critically ill patients, allowing the authors to begin offlabel treatment of cancer patients. In several of their patients treated with IV DCA, the authors observed clinical, hematological, or radiological responses. This article presents 3 cases with patients who had recurrent cancers and for whom all conventional therapies had failed: (1) a 79-y-old male patient with **colon cancer** who had liver metastases, (2) a 43-y-old male patient with **angiosarcoma** who had pancreatic and bone metastases, and (3) a 10-y-old male patient with **pancreatic neuroendocrine carcinoma** who had liver metastases.

Referência. Altern Ther Health Med. 20(suppl 2):21-28; 2014.

27. ***Aloe arborescens* aumenta a eficácia da quimioterapia e a sobrevida no câncer de pâncreas.**

BACKGROUND: Aloe is one of the of the most important plants exhibiting anticancer activity and its antineoplastic property is due to at least three different mechanisms, based on antiproliferative, immunostimulatory and antioxidant effects. The antiproliferative action is determined by anthracenic and antraquinonic molecules, while the immunostimulating activity is mainly due to acemannan. PATIENTS AND METHODS: A study was planned to include 240 patients with metastatic solid tumor who were randomized to receive chemotherapy with or without Aloe. According to tumor histotype and clinical status, lung cancer patients were treated with cisplatin and etoposide or weekly vinorelbine, colorectal cancer patients received oxaliplatin plus 5-fluorouracil (5-FU), gastric cancer patients were treated with weekly 5-FU and **pancreatic cancer patients** received weekly gemcitabine. Aloe was given orally at 10 ml thrice/daily. RESULTS: The percentage of both objective tumor regressions and disease control was significantly higher in patients concomitantly treated with Aloe than with chemotherapy alone, as well as the percent of 3-year survival patients. CONCLUSION: This study seems to suggest that Aloe may be successfully associated with chemotherapy to increase its efficacy in terms of both tumor regression rate and survival time.

Referência. Lissoni P, Rovelli F, Brivio F, et al. A randomized study of chemotherapy versus biochemotherapy with chemotherapy plus Aloe arborescens in patients with metastatic câncer.In Vivo. Jan-Feb;23(1):171-5;2009.

28. Adenocarcinoma ductal pancreático pobremente diferenciado em estágio IV tratado somente com vitamina C em dose farmacológica.

We report the use of intravenous pharmacologic ascorbic acid (PAA) in a patient with poorly differentiated stage IV pancreatic ductal adenocarcinoma (PDA) as an exclusive chemotherapeutic regimen. The patient survived nearly 4 years after diagnosis, with PAA as his sole treatment, and he achieved objective regression of his disease. He died from sepsis and organ failure from a bowel perforation event.

Referência. Drisko JA, Serrano OK, Spruce LR, et al. Treatment of pancreatic cancer with intravenous vitamin C: a case report. Anticancer Drugs. Apr;29(4):373-379;2018.

29. Adenocarcinoma de pâncreas e biomolecular.

Mulher, 57 anos de idade apresentando adenocarcinoma pancreático com metástases hepáticas (Estágio 4) e com marcador tumoral CA19-9 bem elevado e em constante elevação. Ela recebeu 10 ciclos de quimioterapia até outubro de 2016. As estratégias integrativas começaram em outubro de 2016 em conjunto com a quimioterapia.

Tratamentos realizados:

- Dieta vegana
- Oxigenoterapia com várias etapas de 18 dias
- Acupuntura
- Óleo de peixe 3g/dia
- Homeopatia: kreosotum 200 CH, Conium 3 CH, Cardus marianus 1 DH, Chelidonium 6 DH, Hydrastis 1 DH, Arnica montana 3 CH
- DHEA 3 mg duas vezes por semana
- Ácido lipoico intravenoso 600 mg uma vez por semana, durante 8 semanas
- Ácido benzoico oral 400 mg três vezes ao dia por 2 meses
- EDTA cálcico intravenoso 20 rodadas
- Alta dose de vitamina C intravenosa, de acordo com o protocolo Riordan.

A paciente está viva em novembro de 2018, com doença mínima estável. Ela é dançarina e é capaz de se apresentar no teatro. **Clínica Gustavo Vilela.**

30. Câncer de pâncreas metastático para linfonodos e fígado: benefício do tratamento conjunto convencional e Viscum album.

A 59-year-old architect developed epigastric pain. A cystic lesion of the pancreas of 45mm diameter was detected. In a follow-up magnetic resonance imaging, about one year later, multiple lesions were seen in the corpus and the tail of the pancreas; CA-19-9 was elevated to 58.5 U/mL. A distal pancreatectomy with splenectomy was performed, and a tumor of 7cm x 5cm × 3.5cm was excised. Histologic investigation showed an intraductal papillary mucinous neoplasm-associated invasive adenocarcinoma with invasion of the lymph vessels, perineural invasion, and positive nodes (2/27); surgical margins showed tumor cells, and the tumor was classified as pT3 N1 M0 R1. The patient was treated with radiation of the tumor bed and capecitabine/oxaliplatin followed by gemcitabine and FOLFIRINOX. Seven months after surgery, a liver metastasis was detected and treatment with FOLFIRINOX was started. Four months after detection of the metastasis, the patient opted for additional treatment with VAE. Another month later, the metastasis was treated with radiofrequency ablation (RFA). Eight months later, the hepatic lesion recurred and was again treated with RFA. The continuous VAE treatment was increased in dose, and the patient stayed recurrence-free for the next 39 mo in good health and working full-time (as of the time this case report was written). We present the case of a patient with aPC with R1-resection with development of liver metastasis during the course of treatment who showed an overall survival of 63 mo and a relapse-free survival of 39 mo under increasing VAE therapy. The possible synergistic effect on tumor control

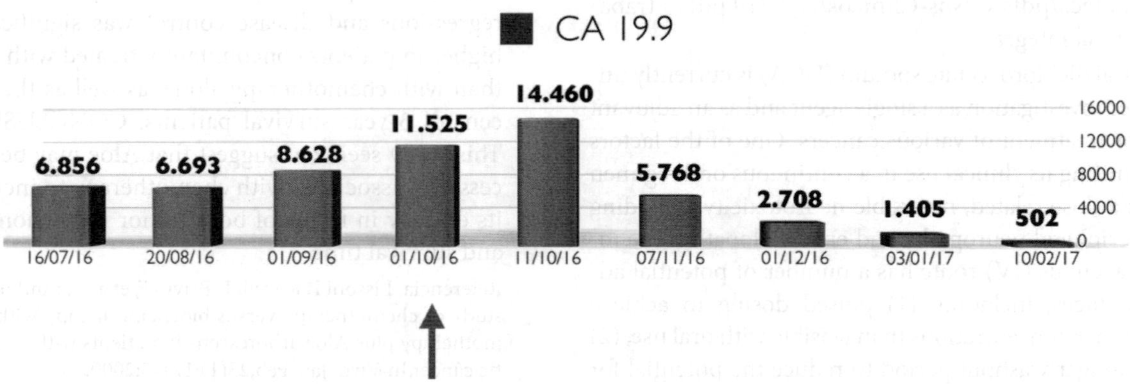

of RFA treatment and immune-stimulatory effects of VAE should be further investigated.

Referência. Werthmann PG, Kempenich R, Lang-Avérous G, Kienle GS. Long-term survival of a patient with advanced pancreatic cancer under adjunct treatment with Viscum album extracts: A case report. World J Gastroenterol. 2019 Mar 28;25(12):1524-1530.

31. Câncer de pâncreas tratado com quimioterapia e vitamina C em altas doses.

The patient is a 64-year old woman who came to The Center in early July, 2005, with a prior diagnosis of cancer in the head of the pancreas. The diagnosis was confirmed with various scans and biopsies, and surgery was performed. As a result of the surgery, she became diabetic. She was started on 15 grams of IVC daily for about 10 days. On July 15 her IVC was increased to 25 grams three times a week. In early September her dose was increased to 37.5 grams daily. In October, 2005, she began chemotherapy. Her oncologist insisted that she stop all IVC and alternative therapy. She stopped the IVC but continued on oral nutrients. During this period her post IVC plasma levels ranged from 112 mg/dL to 226 mg/dL. In May, 2007, she returned to The Center to continue her IVC therapy. Dr. Kirby started her on 25 grams IVC twice a week and in June the dose was increased to 37.5 grams twice a week. Her last two post-IVC plasma levels were 425 mg/dL and 400 mg/dL, well within the "killing range' for cancer cells. She continues this treatment, along with oral supplements. Since she was now a diabetic and receiving high-dose IVC, she could no longer use her finger stick blood glucose instrument and strips to monitor her blood glucose. Immediately after a treatment, and up to six to eight hours after treatment (depending on the dose), a reading of 495 mg/dL, 500 mg/dL or "high reading plus positive ketones may be obtained on the glucometer. In this patient's case, a serum glucose was performed as the ascorbic acid does not interfere with the hexokinase method. She has lived two years and six months (and still counting) with a disease noted to kill very quickly. She stated that she is committed to the IVC treatment for quite some time into the future.

Referências:

1. Riordan HD, Hunninghake RE, Riordan NH, Jackson JA, et al: Intravenous ascorbic acid: protocol for its application and use. Puerto Rico Health Sciences j, 2003; 22(3): 287-290.
2. Jackson JA, Riordan HD, Hunninghake RE, Riordan NH: High-dose intravenous vitamin C and long-term survival of a patient with cancer of the head of the pancreas.] Orthomol Me& 1995; 10: 87-88. 4.

CAPÍTULO 229

Carcinoma neuroendócrino metastático de pâncreas não responsivo ao tratamento convencional onde desapareceram as metástases hepáticas e o tumor pancreático em 4 meses após estratégia biomolecular

José de Felippe Junior

Em março de 2008, paciente do sexo masculino, 50 anos de idade, foi admitido no pronto socorro de hospital público com abdome agudo hemorrágico traumático. À laparotomia encontrou-se neoplasia hemorrágica de corpo e cauda de pâncreas invadindo o colon transverso e hilo esplênico. Foram realizadas pancreatectomia parcial, esplenectomia e ressecção de parte do intestino com colostomia. A biópsia mostrou carcinoma neuroendócrino do pâncreas e o ultrassom do fígado revelou múltiplas metástases, sendo a maior com 5,2 × 4,4cm. No final de 2008, já havia feito quimioterapia, radioterapia e 3 sessões de somatostatina, quando se registrou apenas pequena diminuição dos nódulos hepáticos.

Em março de 2009, procurou-me no consultório com os resultados dos exames laboratoriais e de imagem de 2008 e foram solicitados novos exames. O ultrassom de abdome mostrou nódulo sólido hepático medindo 4,4 x 3,3 cm no lobo direito, CA-19-9: 9,7U/ml, GamaGT: 24U/ml, TGP: 29U/ml, TGO: 33U/ml, creatinina: 0,90mg%, sódio: 139mEq/1; potássio: 4,5mEq/1, hemoglobina: 13,3g%, leucócitos: 3800/ml, linfócitos: 1395/ml, monócitos: 270/ml, CD4: 477/ml, CD8: 377/ml, IGF-1: 129ng/ml, 1,25 di-hidroxi-vitamina D_3: 32,2pg/ml, glicemia; 102mg%, insulinemia: 2,0 microUI/ml, ferritina: 83ng/ml. O oncologista já havia encerrado o uso da quimioterapia habitual e aguardava tratamento experimental.

Começou tratamento no consultório em 10/04/2009 com infusões de sódio hipertônico 5,8% e estratégias por via oral para acidificar o intracelular e alcalinizar o interstício realizadas como descrito a seguir.

A acidificação intracelular com alcalinização extracelular foi obtida empregando: amiloride 150mg, acetazolamida 200mg, ambos 1 vez ao dia; 200ml 3 vezes ao dia de água com osmolitos cosmotropos inorgânicos (mEq por litro de solução: magnésio 2,71; cálcio 1,55; sódio 0,32; potássio 2,0; silício 1,0; bicarbonato 2,23; sulfato 1,42; cloreto 0,87; fosfato 0,625; hipossulfito 0,32; carbonato 0,31); 2 cápsulas 3 vezes ao dia de osmolitos cosmotropos orgânicos (trimetiglicina 300mg, L-taurina 300mg, myo-inositol 100mg) acrescido de 20 aplicações intravenosas de solução hipertônica de cloreto de sódio a 5,8%.

28/04/2009 – Início do tratamento

ULTRASSONOGRAFIA DO ABDOME TOTAL

Fígado de forma, dimensões, contornos e bordas normais. Estruturas vasculares de aspecto preservado. A textura hepática é homogênea pela presença de nódulo sólido, hiperecoico, medindo aproximadamente 4,4 × 3,3cm, localizada no lobo direito. Fígado de dimensões discretamente aumentadas, contornos regulares e bordas finas. A ecogenicidade hepática está discretamente aumentada. A ecotextura hepática é heterogênea.

OPINIÃO: Estudo ultrassonográfico do abdome evidencia: nódulo sólido no lobo hepático direito.

04/08/2009 – 4 meses após

ULTRASSONOGRAFIA DO ABDOME TOTAL

Fígado de forma, dimensões, contornos e bordas normais. Estruturas vasculares de aspecto preservado. A textura hepática é homogênea sem evidências de alterações ecotexturais difusas ou focais.

OPINIÃO: Estudo ultrassonográfico do abdome superior evidencia: ausência cirúrgica da vesícula biliar.

Ausência cirúrgica do baço. Nódulo hepático descrito em exame anterior não visibilizado neste exame.

Paciente permaneceu por um ano trabalhando, em ótimo estado geral, voltou para academia de ginástica, apetite normal, sem cansaço e peso mantido.

Após 1 ano, durante o ato cirúrgico de reversão da colostomia, o paciente faleceu na mesa.

Referência. Felippe J Junior. Carcinoma neuroendócrino metastático do pâncreas – o valor do pH intracelular e peritumoral: relato de caso e revisão da literatura. Revista Brasileira de Oncologia Clínica. 24-30;2010.

CAPÍTULO 230

Adenocarcinoma de pâncreas com metástases hepáticas e carcinomatose peritoneal tratado com a integração da oncologia e a medicina biomolecular. Desaparecimento dos tumores em 4 meses

José de Felippe Junior
Acadêmico **Gabriel Pavani**

O câncer de pâncreas representa 2% de todas as neoplasias. É um processo geralmente diagnosticado tardiamente muitas vezes já com metástases que cursa com mal prognóstico. Com este cenário verifica-se uma grande lacuna no arsenal terapêutico atual desse quadro patológico tanto em questão de sobrevida quanto em questão de qualidade de vida do paciente.

O autor apresenta um caso de adenocarcinoma de pâncreas pouco diferenciado com metástases em fígado e peritônio que mediante o emprego de terapêutica adjuvante da medicina biomolecular, a qual, foi regulamentada pelo Conselho Federal de Medicina na Resolução 1938 de 2010, como Estratégia Terapêutica, adicionado ao ciclo de quimioterapia padrão resultou em remissão total dos processos neoplásicos o que propiciou considerável bem estar ao paciente durante a terapia estando o paciente trabalhando e em ótimo estado geral até o presente momento, 4 anos após o início do tratamento.

Relato do caso

Queixa ao procurar a medicina biomolecular

Sexo masculino, 51 anos de idade, apresentando hipertensão arterial desde 2008, procura auxílio da medicina biomolecular para auxiliar na terapêutica quimioterápica padrão do câncer de pâncreas. Queixa-se em decorrência da quimioterapia e da própria doença de falta de vontade e de apetite, cansaço, irritabilidade e palidez.

Diagnóstico confirmado por biópsia

Em 21-05-2013 apresenta-se no consultório com o resultado da biopsia de fígado: adenocarcinoma tubular pouco diferenciado cujo perfil imuno-histoquímico é compatível com sítio primário em pâncreas, sendo que este resultou positivo para os antígenos citoqueratina 7, CDX-2, MUC-5AC. Radiografia de tórax dentro dos parâmetros normais e ressonância nuclear magnética de abdome total apresentando:

Fígado com dimensões normais, bordas rombas e redução do sinal na sequência de "água e gordura fora de fase" sugerindo esteatose hepática. Identificando-se vários nódulos hepáticos sólidos, alguns com realce anelar, esparsos, o maior medindo 3,0cm e situado em segmento II. Imagem de aspecto cístico projetando-se em segmento IV e medindo 1,0cm.

Pâncreas com morfologia habitual, dimensões e sinal preservado, exceto por nódulo sólido com realce periférico e centro com hipo sinal irregular, medindo 2,4cm e situado na cauda pancreática.

Observou-se também segmento de alça de delgado com espessamento parietal com extensão cerca de 4,3cm e situado no flanco direito, possivelmente íleo distal. Há intensa densificação da gordura adjacente, notando-se linfonodomegalias regionais medindo até 2,0cm, algumas delas com necrose central. Os demais parâmetros analisados na ressonância total de abdômen estavam dentro da normalidade.

Conclusão: adenocarcinoma tubular pouco diferenciado de pâncreas com várias metástases hepáticas e carcinomatose peritoneal.

Integração da conduta biomolecular com a oncologia

O paciente ao procurar o auxílio da conduta terapêutica biomolecular já havia dado início ao ciclo de quimioterapia (dois ciclos) composto de: Oxaliplatina 144mg, Irinotecano 229mg, Fluouracila 5.088mg, todos sob bomba de infusão contínua.

No dia 21/05/2013 o paciente dá início a estratégia terapêutica da medicina biomolecular. Na individualização da estratégia foram solicitados exames laboratoriais: glicemia 113mg%, insulinemia 56,7 microUI/ml; hemoglobina glicada: 5,3%, IGF-1: 196 ng/ml; ferritina: 276ng/ml; contagem de plaquetas 67.000/microL, neutrófilos 998/microL, DHL: 276 UI/l, proteína C reativa ultra sensível: 5,41mg/L, EBV-IgG anticapsídeo viral: 965 U/ml, antígeno carcinoembriogênico: 2,7 ng/ml, CA 19-9: 2,1 U/ml e alfafetoproteína: 9,24 ng/ml). A análise de metais tóxicos e agrotóxicos realizada por biorressonância (técnica de Voll, 1947 modificada por Gaetner, 2000) identificou a presença de: chumbo, níquel e alumínio e dos agrotóxicos: pirethrin, aldrin, carbaryl. A análise do tecido capilar por espectrometria de absorção atômica confirmou a presença dos metais tóxicos acima enumerados: chumbo, níquel e alumínio.

Mediante a análise dos exames laboratoriais adotou-se um plano intentando a partir de suprimento de nutrientes, aumento da atividade da fosforilação oxidativa mitocondrial e diminuição da atividade do ciclo de Embden-Meyerhof, EDTA para retirada de metais tóxicos, correção da glicemia, insulinemia, ferritina e IGF-1.

Os nutrientes utilizados por via oral foram: ácido ascórbico 300mg, L-lisina 300mg, L-prolina 300mg, extrato de chá verde 50mg, *Ganoderma lucidum* 500mg, *Agaricus blazei murril* 400mg, benzaldeído 125mg, ácido alfalipoico 200mg, coenzima Q 10 100mg, formulação de enzimas digestivas (pancreatina 300mg, papaína 180mg, bromelina 140mg, tripsina 70mg, quimotripsina 3mg), acarbose 75mg e rutina 150mg, todos 3 vezes ao dia. Utilizou-se também naltrexone em baixa dosagem (4,5mg), 1 comprimido ao deitar. Para uso intravenoso usou-se: soro glicosado 5% 200ml, cloreto de magnésio 20% 10ml, vitamina C 3 gramas, EDTA sódico 1,5% 1 ampola, vitamina B_6 1 ampola, e soro com ácido alfalipoico 600mg, ambos 5 vezes na semana, durante 4 semanas.

Primeiros exames de imagem pós-tratamento

Em 07/09/2013 foi realizada ressonância nuclear magnética do abdome superior, que mostrou:

Fígado com bordos rombos e contorno regular, apresentando sinais de esteatose difusa moderada. Cistos subcentimétricos esparsos.

Nódulo com restrição a difusão de moléculas de água, de provável natureza secundária, esparsos por ambos os lobos hepáticos, o maior com 1,7cm no segmento II.

Pâncreas de morfologia e sinal preservados no presente estudo, sem dilatação ductal. O nódulo na extremidade caudal pancreática observada no estudo anterior não foi caracterizada no presente exame.

Baço e adrenais sem particularidades.

Rins com cistos corticais renais menores que 1,2cm. Linfonodos com até 1,5cm na cadeia ileocólica. Não se observou densificação da gordura peritoneal.

Conclusão: desaparecimento total do tumor de pâncreas e da carcinomatose peritoneal e redução de 50% das metástases a maior agora com 1,7cm.

Novo ajuste de conduta terapêutica

Neste mesmo período foi solicitado e analisado os exames laboratoriais encontrando a maioria dos padrões similares a do dia 21/05/2013 ressaltando-se apenas o aumento da desidrogenase láctica: 357U/l; aumento significativo de neutrófilos: 1996/mm^3 e redução da ferritina: 159,7 microg/L, ao lado de diminuição de importante agente proliferativo com a insulinemia caindo para 18mUI/ml.

Em 19/09/2013 adicionou-se à formulação oral: iodo metálico 20mg, omeprazol 40mg, resveratrol 120mg, amiloride 40mg, hesperidina 150mg, mebendazole 75mg, *Scutellaria barbata* 100mg, genisteína 200mg, tetrahidrolipostatina 100mg, epigalo catequinagalato 200mg, di-indolil metano 100mg, *Tanacetum parthenium* 100mg, hidroxicitrato 300mg, silibinina 300mg; a administração variou de 2 a 3 vezes ao dia dependendo do componente. Além disso, utilizou-se DHEA 50mg ao deitar, olmesartana 40mg cada 12 horas; GlifageXR 750mg 2 vezes ao dia e Sigmatriol 2 comprimidos 3 vezes ao dia durante 30 dias. Com acréscimo também de aplicação intramuscular de vitamina K_1 1mg/2ml (1.000mcg) 1 ampola na semana e hidroxicobalamina 1.000UI 1 vez na semana.

Nova ressonância nuclear magnética do abdome superior e da pelve, no dia 10/10/2013, com únicos achados:

Novamente não foi caracterizada a lesão expansiva na cauda pancreática.

Linfonodos inalterados de até 1,5cm na cadeia ileocólica.

Fígado com bordos rombos e contornos regulares, apresentando sinais de esteatose difusa moderada. Cistos subcentimétricos esparsos.

Permanecem praticamente inalterados os diminutos nódulos de provável natureza secundária esparsos por ambos os lobos hepáticos, o maior com cerca de 1,7cm no segmento 2 (atualmente mais bem vistos na fase tardia).

Término dos ciclos de quimioterapia

No dia 01/10/2013 foi realizado o último ciclo de quimioterapia este sendo realizado apenas com a droga Fluorouracil 5088mg.

Em 03/12/2013 nova ressonância magnética do abdome superior e pelve.

O controle evolutivo em relação a ressonância de 10/10/2013 evidenciou:

Estabilidade dos nódulos mal definidos de provável natureza secundaria esparsos por ambos os lobos hepáticos, medindo o maior cerca de 1,7cm no segmento II. Estabilidade de linfonodos ileocólicos medindo até cerca de 1,4cm.

Nenhuma outra alteração em relação ao exame anterior.

Realização de PET-CT com FDG e seguimento atual

Foi realizada, a fim de certificar da melhora do processo neoplásico, uma tomografia por emissão de pósitrons (PET-CT) com FDG no dia 11/02/2014, com a seguinte interpretação técnica:

Mínimo aumento da atividade glicolítica em linfonodo no mesentério da fossa ilíaca direita. Ausência de outros sítios com aumento significante do metabolismo de FDG.

Adicionalmente foi realizado um estudo de PET-CT com análogo de somatostatina marcado com gálio-68 em 13/02/2014. Não foram detectadas áreas captantes conclusivas de processo neoplásico com alta expressão de receptores de somatostatina. Em particular, não se observou acúmulo anômalo significante deste radioindicador na extremidade caudal pancreática, nos linfonodos mesentéricos da fossa ilíaca direita ou na projeção dos pequenos nódulos hepáticos descritos na ressonância magnética de abdômen de 3/12/2013.

Consulta do paciente realizada no dia 26/02/2014 apresentando-se bem fisicamente, tendo recuperado 3 quilos, e foram adicionados a sua formulação oral: cloreto de lítio 183mg, sulfato de cobre 15mg, olmesartana 30mg de 12 em 12 horas.

Discussão

Considerações sobre a terapêutica biomolecular

Nesta publicação demonstramos um caso de sucesso terapêutico da integração da oncologia com a medicina biomolecular, a qual foi regulamentada pelo Conselho Federal de Medicina na Resolução 1938 de 2010, como Estratégia Terapêutica.

Trata-se de paciente com adenocarcinoma de pâncreas pouco diferenciado, confirmado por biópsia, com metástases hepáticas e carcinomatose peritoneal. Procurou-se do ponto de vista da terapêutica biomolecular auxiliar a condução da doença, seguindo um processo de tentativa de reversão da célula ao seu processo homeostático, pois, independente da neoplasia, esta segue a lógica que condiz primariamente na hiperpolarização da membrana mitocondrial (delta-psi-mt) causando dificuldade do processo de respiração aeróbica e consequentemente dificultando o processo de geração de ATP via fosforilação oxidativa. Portanto foi empregada conduta de suprimento de nutrientes por via oral e via intravenosa na tentativa de restabelecimento da atividade de fosforilação oxidativa, assim como a correção da glicemia, insulinemia[13,15], ferritina[14] e IGF-1[16] sendo estes fatores de interferência direta na progressão tumoral e na neoangiogênese tumoral.

Outra estratégia usada foi a utilização da combinação de ácido alfalipoico pelo Dr. BM Berkson[17,18], relatado em série de casos de longa sobrevida, o que sustenta a eficácia da incorporação de tais elementos na terapêutica do câncer de pâncreas. Nota-se, claramente, em nosso caso, após a incorporação no dia 11/06/2013 de ácido alfalipoico 600mg intravenoso, a substancial melhora do quadro clínico e de imagem.

Nota-se outro fator de auxílio no quadro clínico do paciente que foi a melhora de sua contagem de leucócitos e neutrófilos (estes dobraram seu valor), fator que é incomum em pacientes em regime quimioterápico, no entanto, com o emprego de um arsenal de nutrientes e substâncias imunoestimuladoras, dentre elas baixas doses de naltrexone[17,18] e glucana[19] do *Ganoderma lucidum* e *Agaricus blazei,* foi possível propiciar maior estabilidade da imunidade do paciente. Ressaltando que ambas as 3 substâncias citadas têm um vasto aporte literário *in vitro* e uma literatura substancial em humanos, incluindo tese de docência de Felippe Jr.

Ácido alfalipoico

O ácido alfalipoico atua ativando a piruvato desidrogenase, sendo uma das substâncias que abrem as portas das mitocôndrias para o piruvato citoplasmático participar da fosforilação oxidativa e assim há aumento da produção de ATP.

Com o devido aporte de ATP a célula segue a sua via normal para apoptose celular.

Devemos nos lembrar ainda, que as células neoplásicas quando agredidas também aumentam a geração de outras substâncias como o fator de transcrição nuclear NF-kappaB[17,18], o qual também é um fator de sobrevivência das células normais e que as células neoplásicas também a utilizam muito bem. Na literatura temos demonstrações evidentes de que doses altas de ácido alfalipoico atuam impedindo a migração de NF-kappaB[17,18] do citoplasma ao núcleo da célula.

Revisão da literatura

Com os achados clínicos deste caso podemos sugerir evidente eficácia na resposta terapêutica desta neoplasia com o emprego adjuvante da medicina biomolecular, sendo que, mediante consulta da literatura verificamos uma pobre sobrevida média para maioria dos adenocarcinomas de pâncreas, sendo, muitas vezes, afirmado dogmaticamente que o adenocarcinoma de pâncreas com metástases, claramente inoperável, é apenas digno de cuidados paliativos. Neste caso, além da longa e qualificada sobrevida do paciente temos outro fator que indica o sucesso da terapêutica. Nos casos descritos na literatura de longa sobrevida muito deles evidenciam estagnação ou progressão lenta da neoplasia[7,8,9,10,11,12], até mesmo com uso de drogas como o *Erlotinib hydrochloride*[1,2] que condiz em nova terapia alvo de uso oral não encontramos relatos de aumento significativo da sobrevida e de remissão do processo neoplásico. Aliás, o que encontramos na maioria das novas terapias-alvo são relatos de toxicidades, principalmente hepática[4,5,6].

Entretanto, em nosso caso, houve o desaparecimento total do processo neoplásico, pancreático, hepático e peritoneal, todos confirmados pelo PET–CT com FDG. Sobrevida de 6 anos.

Referências

1. Zagouri F; Sergentanis TN; Chrysikos D; Zografos CG;Papadimitriou CA; Dimopoulos M; Filipits M; Bartsch R. Molecularly targeted therapies in metastatic pancreatic cancer: a systematic review. Pancreas. 2013 Jul;42(5):760-73. doi: 10.1097/MPA.0b013e31827aedef. Review. PubMed PMID: 23774698.
2. Yang ZY; Yuan JQ; Di MY; Zheng DY; Chen JZ; Ding H, Wu XY, Huang YF; Mao C,Tang JL. Gemcitabine plus erlotinib for advanced pancreatic cancer: a systematic review with meta-analysis. PLoS One. 2013;8(3):e57528. doi: 10.1371/journal.pone.0057528. Epub 2013 Mar 5. Review. PubMed PMID: 23472089.
3. Tian W; Ding W; Kim S; Xu X; Pan M; Chen S. Efficacy and safety profile ofcombining agents against epidermal growth factor receptor or vascular endothelium growth factor receptor with gemcitabine-based chemotherapy in patients withadvanced pancreatic cancer: a meta-analysis. Pancreatology. 2013 Jul-Aug;13(4):415-22. Apr 28. PubMed PMID: 23890141.
4. Shahrokni A; Matuszczak J; Rajebi MR; Saif MW. Erlotinib-induced episcleritis in a patient with pancreatic cancer. JOP. 2008 Mar 8;9(2):216-9. PMID:18326933.
5. Saif MW. Erlotinib-induced acute hepatitis in a patient with pancreatic cancer. Clin Adv Hematol Oncol. 2008 Mar;6(3):191-199. Review. PMID:18391918.
6. Liu W; Makrauer FL; Qamar AA; Jänne PA; Odze RD. Fulminant hepatic failure secondary to erlotinib. Clin Gastroenterol Hepatol. 2007 Aug;5(8):917-20. PMID: 17625975.
7. Makino H; Kametaka H; Koyama T; Seike K. [A long-term survivor who received S-1-based multidisciplinary therapy for unresectable advanced pancreatic cancer]. Gan To Kagaku Ryoho. 2011 Dec; 38(13):2647-50. Japanese. PubMed PMID: 22189235.
8. Chohno T; Aoki T; Hyuga S; Watanabe R; Matsumoto T; Takemoto H; Takachi K; Nishioka K; Uemura Y; Kobayashi K. [Long-term survival of a patient with locally advanced unresectable pancreatic cancer treated with gemcitabine after chemoradiation therapy]. Gan To Kagaku Ryoho. 2013 Nov;40(12):1881-3. PMID: 24393953.
9. Masui T; Kubota T; Aoki K; Nakanishi Y; Miyamoto T; Nagata J; Morino K; Fukugaki A; Takamura M; Sugimoto S; Onuma; H Tokuka A. Long-term survival after resection of pancreatic ductal adenocarcinoma with para-aortic lymph node metastasis: case report. World J Surg Oncol. 2013 Aug 14;11(1):195. doi: PMID: 23945441
11. Kitasato Y; Nakayama M; Akasu G; Yoshitomi M, Mikagi K; Maruyama Y; Kawahara R, Ishikawa H; Hisaka T; Yasunaga M; Horiuchi H, Saito N; Takamori S, Okabe Y; Kage M; Kinoshita H; Tanaka H. Metastatic pulmonary adenocarcinoma 13 years after curative resection for pancreatic cancer: report of a case and review of Japanese literature. JOP. 2012 May 10;13(3):296-300. PMID: 22572136.
12. Matsukawa H, Shiozaki S, Takakura N, Aoki H, Fujiwara Y, Ohno S, Ojima Y, Harano M, Nishizaki M, Choda Y, Ninomiya M. [A 6-year survival case of locally advanced unresectable pancreatic tail cancer treated with chemo-radiation therapy]. Gan To Kagaku Ryoho. 2010 Nov;37(12):2355-7. Japanese.PMID:21224571.
13. Dupont, J.; Pierre, A.; Froment, P.; Moreau, C. The insulin-like growth factor axis in cell cycle progression. Horm Metab Res; 35 (11-12):740-50,2003.
14. Bergeron RJ, et al: Influence of iron on in vivo proliferation and lethality of L 1210 cells. J. Nutr. 115: 369-374, 1985.
15. Cersosimo, E.; Pisters, P.W.; Pesola, G. Insulin secretion and action in patients with pancreatic cancer. Cancer 67:486-93, 1991.
16. Giovannucci, E.. Insulin-like growth factor-I and binding protein-3 and risk of cancer. Hormone Research 51(suppl 3) 34-41,1999.
17. Berkson BM; Rubin DM, Berkson AJ. The long-term survival of a patient with pancreatic cancer with metastases to the liver after treatment with the intravenous alpha-lipoic acid/low-dose naltrexone protocol. Integr Cancer Ther. 2006 Mar;5(1):83-9. PMID: 16484716.
18. Berkson BM; Rubin DM, Berkson AJ. Revisiting the ALA/N (alpha-lipoic acid/low-dose naltrexone) protocol for people with metastatic and nonmetastatic pancreatic cancer: a report of 3 new cases. Integr Cancer Ther. 2009 Dec;8(4):416-22. Erratum in: Integr Cancer Ther. 2010 Jun;9(2):247. PMID: 20042414.
19. Abel, G. & Czop, J.K.; – "Stimulation of human monocyte beta-glucan receptors by glucan particles induces production of TNF-alpha and IL-1 beta, "Int. J. Immunopharmacolol, 14: 1363-1373. 1992
20. Simbula G; Columbano A;Ledda-Columbano GM;Sanna L, Deidda M;Diana A, Pibiri M. Increased ROS generation and p53 activation in alpha-lipoic acid-induced apoptosis of hepatoma cells. Apoptosis. 2007 Jan;12(1):113-23. PMID:17136495.
21. José Arnaldo Gaertner e Jorge Cavalcanti Boucinhas: Introdução à Eletrocupuntura de Voll e ao Vegatest. Icone Editora Ltda, São Paulo, 2000.

CAPÍTULO 231

Câncer de endométrio: 13 pacientes

1. Adenocarcinoma de endométrio infiltrando miométrio e metástases ganglionares tratado com radiofrequência (MWO) mais oxidação sistêmica, retirada de metais tóxicos e reposição de nutrientes.

José de Felippe Junior

Em abril de 2006, paciente com 59 anos apresentou adenocarcinoma de endométrio infiltrando miométrio com metástases ganglionares (3 gânglios positivos em 8 examinados). Paramétrio, não comprometido. Operada em maio/2006. Negou ser submetida à quimioterapia ou radioterapia. CA-125: 50,3.

Metais tóxicos: alumínio e bário.

Fez 20 aplicações de GSH + H_2O_2 seguida de MWO (multiple wave radiation).

Logo após o término das 20 aplicações o CA-125 estava em 24,0 e após 1 mês foi para 9,0. Engordou 1kg.

Em março de 2012: ultrassom e CA-125: normais.

Em março de 2014: ultrassom e CA-125: normais.

Em fevereiro de 2016: ultrassom e CA-125: normais.

Em agosto de 2018: bem, sem queixas com CA-125 e ultrassom normais.

2. Hiperplasia endometrial atípica e metformina.

Session, em 2003, relata caso de hiperplasia endometrial atípica diagnosticada por biópsia em paciente nulípara com 37 anos. O emprego de 800 mg ao dia de progestina por 7 meses não revelou nenhuma melhoria. Após 3 meses ingerindo 160 mg de acetato de megestrol a biopsia de endométrio revelou hiperplasia endometrial complexa com atipías focais. O quadro permaneceu o mesmo após 3 meses ingerindo 320 mg de megestrol. A paciente recebeu injeção de depo-medroxiprogesterona 150 mg ao mês, 30 mg de acetato de medroxiprogesterona ao dia por via oral e em adição foi receitado 500mg de metformina 3 vezes ao dia. Um mês após o início da metformina a biópsia apenas revelou endométrio proliferativo.

Nota: O emprego da metformina diminuiu a resistência à insulina, o que provoca diminuição da hiperinsulinemia. Diminuindo os níveis circulantes de insulina diminui o seu efeito mitogênico, ao lado de aumentar a SHBG sérica, o que diminui o estrogênio, carcinocinético.

Referência. Session DR, Kalli KR, Dumesic DA. Treatment of atypical endometrial hyperplasia with an insulin – sensitizing agent. Gynecol Endocrinol. 17:405-407;2003.

3. Câncer de útero com metástases pulmonares e hepáticas tratadas com quimioterapia e *Agaricus blazei* – Dr. George Gennari.

http://www.medicinabiomolecular.com.br/biblioteca/pdfs/Casos-Clinicos/cc-0136.pdf

4. Mioma de útero (tamanho de uma laranja bahia) tratado com *Chenopodium ambrosioides* – mastruz.

Caso 1. http://www.medicinabiomolecular.com.br/biblioteca/pdfs/Casos-Clinicos/cc-0183.pdf

Ms M. is a 47-year-old woman with 22-year-old daughter. She has history of severe menstrual pain, which got more severe the last four months. About 2001, her gynecologist, on examination, told her she has a uterine fibroid (myoma, or leiomyoma) the size of a grapefruit, and she needed to have surgery to remove the tumor. During her doctor's examination he asked her to feel the tumor, which she stated she did feel.

Ms M. was introduced to the herb Chenopodium ambrosioides as a treatment for most female GYN problems and drank the herbal tea for three weeks, using one cup of tea brewed from a teaspoon of the dried herb. During this time she made an appointment with another doctor to have a Sonogram to have a second opinion on the fibroid. She did have the sonogram and the results showed: she had no fibroids in her uterus, and in fact the "uterine muscle was smooth."

Three months after the Sonogram, during this three months, Ms M had been drinking the herb a week prior to having her menstrual cycle. She has stated that she no longer has pain during this time, and her bleeding has no clots as before, and the flow is normal. To date, Ms. M continues to have regular checkups that show no evidence of fibroids. Nota: Difícil crer que uma massa tão grande tenha desaparecido em tão pouco tempo. JFJ

5. **Mioma uterino tratado com *Chenopodium ambrosioides* – mastruz.**

Caso 2. http://www.medicinabiomolecular.com.br/biblioteca/pdfs/Casos-Clinicos/cc-0185.pdf

Ms K is a 34-year-old black female who was diagnosed with intrauterine fibroids at age 24. Since then she has had one myomectomy (fibroid removal) at age 26 and another at age 32. Ms K had recurrence of her fibroids a year after her second surgery. This time the fibroids were pressing against her kidneys and colon causing severe pain, constipation and vomiting. Ms K sought medical treatment and based on her sonogram and CAT scan the fibroids were also outside of her uterus. Her doctors recommended that she have a hysterectomy in January 2002. Ms K refused to have surgery because she wanted to have children. Her doctor prescribed laxatives and pain medication. Ms K decided to start drinking Chenopodium tea. She had one cup of tea daily for 3 weeks, during which time her bowel movements became regular and the pain was alleviated. She continued to drink the herbal tea for another month during which time she felt much better. Ms K was encouraged to see her doctors again and have repeated evaluations of her fibroids, but she is non-compliant. To date, she is feeling better but because she has not visited her doctors, there is no current clinical evaluation of her fibroids

6. **Carcinoma uterino infiltrativo avançado tratado com quimioterapia, *Chelidonium majus* (Ukrain) e imunoterapia.**

http://www.medicinabiomolecular.com.br/biblioteca/pdfs/Cancer/ca-2370.pdf

7. **Câncer de útero com invasão para vagina, bexiga e intestino acompanhado por muita dor tratado com ácido clorídrico intravenoso e ácido benzoico mais ácido bórico por via oral.**

http://www.medicinabiomolecular.com.br/biblioteca/pdfs/Casos-Clinicos/cc-0286.pdf

Mrs. G., age 45, wt., 170. Seven years ago this patient had a laparotomy for cancer of the uterus; one year later another for adhesion and strangulated bowel. Three years ago, she had a third operation for adhesion. Each biopsy revealed cancer cells. The last operation wound healed partially and left cancerous growth. She came to me and was examined. I found a scar six inches long that was ulcerated and bleeding. The abdomen was full of nodular tumefaction. Hard and indurated mass in the vault of the vagina. She was suffering night and day from pain in the lower bowel and in the bladder. The bleeding ulcer would not heal. I gave her 36 intravenous HCl 1/1500. After seven doses, the pain was diminished and the external cancer was healing. After 25 intravenous HCl 1/1000, the external cancer healed. The nodules in the abdomen decreased in size and were not so hard. After 31 doses, she was entirely free from pain. The bowel was soft, with some mass. She could hold water in the bladder all night and sleep well. Her general appearance was ruddy and healthy. She said she felt better than she had felt to 15 years. I then gave her HCl 1/500, once a week. She is still improving and able to do her work about the house without any pain. She still has some masses and tenderness in the abdomen. She is not well, but she is able to enjoy life and she is free of pain.

Referência. Three Years of HCL Therapy. As Recorded in articles in The Medical World With Introduction by Henry Pleasants, Jr., AB, MD, FACP, Associate Editor Puhlished hy W. Roy Huntsman, Philadelphia, PA 1935.

8. **Carcinoma de útero *in situ* em grávida tratado com extrato de sementes de "Coix seeds" mais ácido fólico.**

http://www.medicinabiomolecular.com.br/biblioteca/pdfs/Casos-Clinicos/cc-0261.pdf

9. **Câncer de útero tratado com ácido clorídrico e potássio intravenoso – 3 casos.**

http://www.medicinabiomolecular.com.br/biblioteca/pdfs/Casos-Clinicos/cc-0229.pdf

Case 1. L.W., age 48, St. Augustine; weight, 117; loss 13 lbs. 10-6-33. Uterine fibroids for six years. Treated eighteen months before by X-rays. One year ago severe pains in back and pelvis; sitting or lying down almost impossible. Examination showed uterine fibroids, size of head reaching nearly to umbilicus yellow skin, operation scar for removal of right kidney seventeen years before. Motion painful in base of spine and unable to bend forward. Weekly injections of acid potassium solution were given intravenously; also same by mouth q.d. After second injection, pain and stiffness decidedly relieved. Can now lie down in bed and sit without pain; complexion clearing and growth much reduced in size and uterine discharge stopped. Diagnosis: Beginning of malignancy in growth. 11-13-33: Case still improving. Intravenous injection once weekly; tumors decreasing in size after each injection.

Case 2. J.L.J., woman, colored, age 40, 10-8-31: Recurrent growth in scar above pubes; operation for removal of fibroid one year before. Gave acid solution internally for three months. Complete relief of pain and disappearance of tumor. 6-10-32: Still Well.
Case 3. M.E.P., age 63 years; white. 2-24-33: Cancer of cervix uteri, ten years before. Radium treatment four years ago. Examination shows vagina nearly occluded. Cancerous membrane on meatus and vaginal wall, like raw steak; cauliflower excrescence of vulva; large nodule in rectal vaginal wall. Acid solution by mouth. Ferrous sulphate locally. 10-10-33: Unable to pass finger into vagina. Acid solution intravenously once weekly. Antiseptic oil locally. 11-21-33: Much improved. Vagina opening up, less painful, better health; gaining in color, weight and strength. Still under treatment.

Referência. Three Years of HCL Therapy. As Recorded in articles in The Medical World with Introduction by Henry Pleasants, Jr., AB, MD, FACP, Associate Editor Published by W. Roy Huntsman, Philadelphia, PA 1935.

10. **Carcinoma de endométrio metastático tratado com dieta inteligente e mudança do estilo de vida.** Carcinoma de endométrio metastático em peritônio e omento em mulher com 41 anos de idade. Houve a remissão com modificações nutricionais muito semelhantes à dieta inteligente descrita neste livro, acrescida de atividade física, prática de Qigong e apoio espiritual e mental. A regressão foi medida sintomaticamente, sorologicamente e radiologicamente. Houve completa resolução da ascite e das metástases – vide figuras antes e depois do tratamento no trabalho original no site www.medicinabiomolecular.com.br

    Referência. Cheng JY, Kananathan R. Case report: Spontaneous remission of metastatic endometrial carcinoma through the Lim Lifestyle. Nutr Cancer. Aug; 64(6):833-7;2012.

11. **Estudo piloto do câncer ginecológico** feito na Alemanha empregando 300mcg/dia de selênio na forma de selenito de sódio evidenciou estímulo dos linfócitos B19 e das células *natural killer* e proporcionou às pacientes melhor qualidade de vida. Não foram observados efeitos colaterais. Não computado.

12. **Treatment of various types of cancer with intravenous lipoic acid and hydroxycitrate plus oral low dose naltrexone:** lung, colorectal, ovarian, esophageal, uterine, cholangiocarcinoma, prostate, and parotid cancer – see Chapter Lipoic acid.

13. **Adenocarcinoma de endométrio mais carcinomatose peritoneal tratada com solução hipertônica – hiperosmolar.**

    Paciente com 62 anos submeteu-se à cirurgia de adenocarcinoma endometrial em dezembro de 1998, seguida de ciclos sucessivos de radioterapia e terapêutica anti-hormonal. Após o espessamento do peritônio e o crescimento de vários linfonodos devido à carcinomatose, a paciente piorou do estado geral, apresentou edema generalizado, meteorismo abdominal, evacuações irregulares e instabilidade da pressão arterial. O tratamento com bicarbonato de sódio a 5% administrado alternadamente por cateter endoperitoneal e via intravenosa provocou rápida melhora nas condições de saúde. Uma tomografia final confirmou a regressão da carcinomatose peritoneal e a estabilização do tamanho dos linfonodos quando comparados com o ano anterior.

    Nota: o efeito anticâncer é provocado pela hiperosmolalidade e não pela alcalinização. Vide capítulo 10.

14. **Endometrial carcinoma and ovarian cancer with disease progression and lung metastasis treated with Ganoderma lucidum.**

    A patient aged 58 year-old was diagnosed as two primary disease of stage IIB endometrial cancer and stage IA ovarian cancer. The histology of two sites showed well differentiated endometrioid carcinoma. She underwent complete surgical staging for 5 years before entry the study and received pelvic radiation after the operation. After follow up for 18 months, she developed pulmonary metastasis and received 2 regimens of chemotherapy. The disease was progressive 2 years after the treatment. She decided to join this present study and was randomly allocated to the group which received lingzhi in the form water extract and she completed the protocol with stability of the disease as the outcome. The CT scan of whole abdomen and lung revealed the increased size of pulmonary lesion as 17.5%. She still follows up with our unit and has remained progression free for 3 years. She did not experience any side effects during the ingestion of the water-extract form of lingzhi. Her immune response did not change from the baseline value.

    Referência. Suprasert P, Apichartpiyakul C, Sakonwasun C, et al. Clinical characteristics of gynecologic cancer patients who respond to salvage treatment with Lingzhi. Asian Pac J Cancer Prev. 15(10):4193-6;2014.

CAPÍTULO 232

Câncer de colo de útero ou vagina: 6 pacientes

1. **Carcinoma epidermoide de colo uterino recidivado que regrediu apenas com estratégia biomolecular**
   R.L.C.F., 57 anos de idade, em julho de 2020 apresentou sangramento vaginal. Ao ultrassom, massa no colo uterino de 4cm no maior eixo invadindo o paramétrio direito. Fez quimioterapia e radioterapia, terminando os procedimentos em outubro de 2020. A RNM controle mostrou regressão total dos tumores e a colposcopia nada revelou. Captura híbrida: negativo para HPV. Em março de 2021, nova reavaliação nada mostrou. Em julho de 2021 apresentou sangramento vaginal e a RNM indicou a recidiva tumoral de 2cm no paramétrio direito. PET-scan: massa de 2cm no paramétrio direito com alta captação de glicose. Foi ao oncologista que começou a aplicar as fórmulas que utilizo na biomolecular. Negou nova quimioterapia. Veio ao consultório em 02/07/2021 proveniente do Rio Grande do Norte. Queixava-se de síndrome hipostênica (estômago com deficiência de HCl), diminuição do peso corporal (em dieta sem açúcar, carne, caseína), exame físico em ótimo estado geral e dormindo ou trabalhando em zona geopatogênica. Sensograma: aumento de chumbo e mercúrio e grande diminuição de zinco, de hormônio D3 e de DHEA. Vitamina D3 pouco elevada. Biorressonância: chumbo, mercúrio, endosulfam, clorpirifos e HPV. Vitamina D3: 60ng/ml; PTH: 50pg/ml (denotando hormônio D3 baixo), ferritina: 208ng/ml (normal < 80); EBV, CMV, HSV: sem significado. Conclusão: carcinoma de colo de útero provocado por HPV (exame de captura híbrida não correto). Feita dieta inteligente, fórmulas via oral e soros (EDTA + HCl alternados com ácido ascórbico e ácido lipoico – 20 aplicações inalando hidrogênio em cama 120Gauss e 60Hz. Logo após as 20 aplicações, Sensograma: sem chumbo, ainda com mercúrio, aumento de vitamina D3, mas não do hormônio D3, normalização do DHEA. Biorressonância: sem agrotóxicos ou HPV e presença de mercúrio. Receitado Mercurius solubilis CH30 e Coriandrum sativum por 4 meses.
   Em quase 4 meses de tratamento nova RNM mostrou colo uterino de aspecto fibrótico sem evidência de formações expansivas. Endométrio com espessura, limites, sem evidências de formações expansivas. **Clínica JFJ.**

2. **Neoplasia intraepitelial de colo uterino tratada com Indol-3-carbinol – I3C**
   http://www.medicinabiomolecular.com.br/biblioteca/pdfs/Casos-Clinicos/cc-0343.pdf
   OBJECTIVE: Most precancerous lesions of the cervix are treated with surgery or ablative therapy. Chemoprevention, using natural and synthetic compounds, may intervene in the early precancerous stages of carcinogenesis and prevent the development of invasive disease. Our trial used indole-3-carbinol (I3C) administered orally to treat women with cervical intraepithelial neoplasia (CIN).
   METHODS: Thirty patients with biopsy proven CIN II-III were randomized to receive placebo or 200, or 400 mg/day I3C administered orally for 12 weeks. If persistent CIN was diagnosed by cervical biopsy at the end of the trial, loop electrocautery excision procedure of the transformation zone was performed. HPV status was assessed in all patients.
   RESULTS: None (0 of 10) of the patients in the placebo group had complete regression of CIN. In contrast, 4 of 8 patients in the 200 mg/day arm and 4 of 9 patients in the 400 mg/day arm had complete regression based on their 12-week biopsy. This protective effect of I3C is shown by a relative risk (RR) of 0.50 ((95% CI, 0. 25 to 0.99) P = 0.023) for the 200 mg/day group and a RR of 0.55 ((95% CI, 0.31 to 0.99) P = 0.032) for the 400 mg/day group. **HPV was detected** in 7 of 10 placebo patients, in 7 of 8 in the 200 mg/day group, and in 8 of 9 in the 400 mg/day group.

CONCLUSIONS: There was a statistically significant regression of CIN in patients treated with I3C orally compared with placebo. The 2/16 alpha -hydroxyestrone ratio changed in a dose dependent fashion.

Reference. Bell MC, Crowley-Nowick P, Bradlow HL, et al. Placebo-controlled trial of indole-3carbinol in the treatment of CIN. Gynecol Oncol. Aug;78(2):123-9;2000.

3. **Neoplasia vulvar intraepitelial tratada com indol-3-carbinol – I3C**

http://www.medicinabiomolecular.com.br/biblioteca/pdfs/Casos-Clinicos/cc-0344.pdf

Abstract: The aim of this study was to determine the potential therapeutic benefits of indole-3carbinol (I3C) in the management of vulvar intraepithelial neoplasia (VIN). Women with histologically confirmed high-grade VIN were randomized to receive 200 and 400 mg/day of I3C. Symptomatology by visual analog scale and vulvoscopic appearance were assessed at recruitment, 6 weeks, 3 months, and 6 months. Tissue biopsy to determine histologic response was obtained at completion of the study period. Urine samples were obtained at each visit to determine 2-hydroxyestrone to 16-alphahydroxyestrone ratios. Data from 12 women were suitable for analysis. There was a significant improvement in symptomatology with the introduction of I3C (itch, $P = 0.018$; pain, $P = 0.028$). Lesion size and severity were also significantly reduced (size, $P = 0.005$; appearance, $P = 0.046$). In addition, there was a significant increase in 2hydroxyestrone to 16-alpha-hydroxyestrone ratio following commencement of I3C, $P = 0.05$. However, tissue biopsy from the worst-affected vulvar areas revealed no improvement in grade of VIN during the 6-month period, $P = 0.317$. There were no significant differences in results between those women taking 200 mg/day of I3C and those on 400 mg/day. This study has shown significant clinical improvement in symptomatology and vulvoscopic appearance of VIN with I3C therapy. Further clinical and scientific investigations are required to support these preliminary findings.

Reference. Naik R, Nixon S, Lopes A, et al. A randomized phase II trial of indole-3carbinol in the treatment of vulvar intraepithelial neoplasia. Int J Gynecol Cancer. Mar-Apr; 16(2):786-90; 2006.

4. **Carcinoma epidermoide de vagina com fístula retovaginal tratado com ácido clorídrico intravenoso**

http://www.medicinabiomolecular.com.br/biblioteca/pdfs/Casos-Clinicos/cc-0288.pdf

E.B., white; age 54 years; 4 children, 2 dead. Twenty -two years ago had a pus tube removed. A complete hysterectomy for cancer was performed on her five years ago. February 1934, removal of gallstones and repair of an operative hernia. Since that date rectum is blocked and feces evacuated through vagina. October 3, 1934, examined: vulva, one mass of squamous carcinoma, no tumor found in abdomen. Unable to sit up. Treatments: as this case seemed hopeless, benzoic acid per os was added to the cloridric acid formula IV in addition to the boric acid -- by mouth six times daily. Local compresses of boric acid solution to vulva. One week later the results of this treatment were most amazing -- a big appetite returned, soreness relieved, patient walking and sitting in chair, rectum still occluded. Now quite cheerful, improved in every way, and all signs of intestinal blockage have disappeared.

Reference. Three Years of HCL Therapy. As Recorded in articles in The Medical World With Introduction by Henry Pleasants, Jr., AB, MD, FACP, Associate Editor Puhlished hy W. Roy Huntsman, Philadelphia, PA 1935.

5. **Carcinoma epidermoide de cérvix ocupando toda a vagina e inoperável que regrediu completamente com extrato de placenta intramuscular**

http://www.medicinabiomolecular.com.br/biblioteca/pdfs/Casos-Clinicos/cc-0730.pdf

Mrs. B. A., 44 years old, came under our care with a massive tumor filling the entire vagina. The condition had been diagnosed 8 months previously as carcinoma of the cervix which had invaded the parametria and was propagating toward the vagina. A biopsy made at that time indicated squamous carcinoma Grade III. As the patient was considered inoperable and refused any other treatment, only sedation was prescribed. When we examined her, the tumor was protruding from the vagina as a hard mass. Rectal examination revealed invasion of the entire recto vaginal wall. The patient received a daily injection of the placenta extract preparation for 45 days, after which she interrupted the treatment. The pain had been entirely controlled in less than a week, but no other changes had been observed.

She returned three months later, having received no treatment in the interval. Examination revealed complete disappearance of the vaginal tumor, with the cervix entirely replaced by soft scar tissue. We followed this case for two years, during which no further treatment was given and the patient showed no recurrence.

Reference. Emanuel Revici. Research In Physiopathology As Basis Of Guided Chemotherapy With Special Application To Cancer. Publisher: D. Van Nostrand Company, Inc Copyright: 1962.

Note: In over 100 terminal patients treated with this preparation between 1935 and 1938 in different hospitals in Paris, objective improvement was observed in 20%. In a few, tumors disappeared. Acid pattern pain was relieved. In many of these cases, however, after a period in which the tumor decreased in size, or even clinically disappeared, it started to grow again and could not be influenced by further treatment. Furthermore, when the dose was increased, other pathological manifestations appeared.

6. **Câncer de colo uterino grau citológico V tratado com extrato de Coix lacryma jobi mais ácido fólico.**
http://www.medicinabiomolecular.com.br/biblioteca/pdfs/Casos-Clinicos/cc-0260.pdf

CAPÍTULO 233

Câncer de ovário: 22 pacientes

1. Câncer de ovário em estágio avançado grau IV com metástases em toda a região pélvica e carcinomatose peritoneal tratado com quimioterapia e biomolecular

C.C.G.F., 55 anos de idade, em janeiro de 2018 em exame de rotina foi encontrado à ultrassonografia nódulo de 7 x 6 x 6cm em ovário direito. A RNM mostrou implantes em reto, peritônio diafragmático, mesocólon transverso, grande omento, hilo esplênico, útero e paramétrios. Na cirurgia retiraram-se ovários, trompas, útero e parte do retossigmoide. Anatomopatológico: adenocarcinoma seroso de ovário de alto grau histológico de malignidade. Em 3 dias da cirurgia estava bem, andando pelo quarto. Foi submetida à quimioterapia. E no controle de dezembro de 2020 foi encontrado 2 nódulos hepáticos (1,2 x 1,2cm e 3,3 x 3,3cm), linfonodomegalias conglomeradas (2,1 x 1,4cm), implante peritoneal (1,0cm). Iniciou nova quimioterapia em janeiro de 2021 que parou no 3º ciclo devido à trombose extensa do braço direito.

Veio ao consultório em 09/03/2021 em bom estado geral, sem queixas relevantes e com exame físico com fenótipo de genes antigos. DE positivo apresentava aumento de IgG para EBV (> 750), CMV (> 500) e HSV1-2 (> 30). Ferritina alta de 124ng/ml. Sensograma: sem metais tóxicos, queda de hormônio D3, DHEA, tiroide e IGF normais. Biorressonância com aumento de chumbo, mercúrio e bário; presença de pirethrin e alergia à caseína. Feita dieta inteligente, fórmulas e 20 soros (EDTA com HCl alternados com altas doses de vitamina C e ácido lipoico).

Veio no retorno em 21/09/2021 alegre, bem disposta. Sorrindo. com a ultrassonografia mostrando ausência de nódulos hepáticos (havia parado a quimioterapia no final de fevereiro). Exames: hormônio D3 normalizou, o agrotóxico foi retirado, mas, os antígenos virais permaneceram com os mesmos resultados e não conseguimos retirar o chumbo e o mercúrio. Entretanto, o ultrassom estava normal. Aguardamos a RNM. Clinica **JFJ**.

2. Ovarian cancer: Use of weak acid mixture with strong acid HCl + oxalic acid + phosphoric acid.

http://www.medicinabiomolecular.com.br/biblioteca/pdfs/Casos-Clinicos/cc-0077.pdf

A female age 37 was diagnosed with terminal ovarian cancer. A CAT scan showed a lesion in the pelvic region of 110×110 mm. Upon undergoing laparotomy, the surgeon identified a mass that spanned from the uterus to the appendix to the rectum. The tumoral mass completely covered the ovary. The surgeon was unable to locate the primary cite of the tumor and did not take a biopsy given the advanced stage of the disease. Patient was given 2 weeks to one month to live. Post-surgery, patient was prescribed analgesics for the constant pain. The patient could not eat solid food and was too weak to walk. Chemotherapy and radiotherapy were considered hopeless but nevertheless offered to the patient, who declined to undergo either treatment. Approximately two weeks after surgery, patient initiated oral treatment with Formulation at a dose of 40 drops per day increasing to 120 drops per day over the course of one month, at which point patient is eating solid food. One month after initiating treatment, tests confirm the presence of endometrial cancer. By six weeks following treatment, patient shows no signs of abdominal swelling, and her blood work is returning to normal, patient resumes walking and normal menstruation. An ultrasound conducted four months after treatment showing a normal sized left ovary of 34×29 mm and an enlarged right ovary of 36×30 mm due to a solid tumor of 50×46 mm. A transvaginal ultrasound administered six months following the initiation of treatment with Formulation shows a normal left ovary (34×29 mm) and a slightly enlarged right ovary (31×47.6) with a solid tumor contained within the ovary. Ten months after initiating treatment with Formulation, both ovaries are normal size with no tumor visible. The right ovary has now 30×29 mm in size. One year after initiating treatment with Formulation, patient leads a normal life while continuing to take Formulation orally at a dose of 100 drops per day. Patient received no other treatment for her cancer.

Reference. http://www.docstoc.com/docs/56102141/Pharmacologically-Active-Strong-AcidSolutions---Patent-7141251: or WWW.freepatentsonline.com

3. Ovarian cancer with metastases treated with amiloride

http://www.medicinabiomolecular.com.br/biblioteca/pdfs/Cancer/ca-2362.pdf

Long term remission of metastatic ovarian cancer after chronic treatment with the Na+/H+ antiport inhibitor Amiloride. Salvador Harguindey, MD., Ph D., Gorka Orive, Ph D., Jose Luis Pedraz Ph D. Oncologia (Madrid, Spain) 2003: 26 (5) 123-127.

The case of a patient who developed ovarian cancer in October 1989 is here reported. At that time, a 7.5 cm. in diameter right ovarian mass with a broken capsule was removed (stage IC), which revealed malignant endometrial carcinoma. No other staging procedures were done at that time. In December 1989, chemotherapy with cyclophosphamide, 800 mg/m2 and cis-platinum, 80 mg/m2 q. 3 w. was started. This treatment was continued until May 1990. In light of persistent elevations of CA-125, both during and after chemotherapy (Figure 1, April, 1990), in May 1990, the patient was started with amiloride, 5 to 10 mg tid. as the only antineoplastic medication. This therapeutic program was continued on a daily basis until December 1992. Occasional elevations of K+ (up to 5.9 mEq/l) and BUN (58 mg/dl) were found. Levels of CA

125 progressively diminished and became undetectable after 11 months. However, since July 1990 the patient had started to complain of increasing pain in the right inguinal area. In April 1991, with Ca-125 already at undetectable levels, NMR revealed a 3x3 cm. mass in the minor adductor muscle of the right leg. In May 1991, the mass was removed, revealing metastatic disease of poorly differentiated ovarian carcinoma. All the determinations of CA-125 during the next 10 years have been normal. The patient is in good health and free of disease more than 11 years after the diagnosis

of ovarian metastatic disease and after failure to standard conventional chemotherapy. The presence of a continuous elevation of tumor marker CA-125 after failure to conventional chemotherapy and the presence of a single location of metastatic disease makes this case to fully conform the most strict criteria for progressive disease in ovarian cancer (1). Na+/H+ inhibitors of the amiloride series have been repeatedly advocated in both the adjuvant and neo-adjuvant settings and in the control of the neovascularization process in cancer (2, 3). Different mechanisms have been proposed for their action, from inhibition of Na+/H+ antiporter

activity and selective intracellular acidification to inhibition of urokinase-type plasminogen activation (4, 5). Amiloride has been found to be most effective in achieving a complete suppression of the metastatic process in rats with R3230 breast carcinoma (5). Long-term treatment with adjuvant and neo-adjuvant amiloride seems to be well tolerated, with occasional gastralgias and elevations of plasma K+ and BUN as the main side effects. This case indicates that both the parental molecule and the more potent derivatives of the amiloride series deserve further attention in the

adjuvant and neoadjuvant treatment of different malignant diseases in humans (4-8).

References:

1. Markman M: Recurrence within 6 months of platinum therapy: an adequate definition of platinum-refractory" ovarian cancer. Gynecol Oncol 69: 91-92, 1998.
2. Maidorn RP, Cragoe EJ, Tannock IF: Therapeutic potential of analogues of amiloride: inhibition of intracellular pH as a possible mechanism of tumor selective therapy. Br J Cancer 67: 297-303, 1993.
3. Harguindey S: Use of Na+/H+ antiporter inhibitors as a novel approach to cancer treatment, in Cragoe EJ Jr, Kleyman ThR, and Simchowitz L (eds): Amiloride and its analogs: unique cation transport inhibitors. New York, Weinheim and Cambridge: VCH Publishers Inc, 1992, pp 317-334.
4. Harguindey S, Pedraz JL, García Cañero R, et al: Hydrogen ion-dependent oncogenesis and parallel new avenues to cancer prevention and treatment using a H+-mediated unifying approach: pH-related and pH-unrelated mechanisms. Critical Rev Oncogenesis 6 (1): 1-33, 1995.
5. Kellen JA, Mirakian A, Kolin A: Antimetastatic effect of amiloride in an animal tumor model. Anticancer Res 8: 1373-1376, 1987.
6. Rich IR, Worthington-White OA, Musk P, et al: Apoptosis of leukemic cells accompanies reduction in intracellular pH after targeted inhibition of the Na+/H+ exchanger. Blood 95: 14271434, 2000.
7. Reshkin SJ, Belliz A, Caldeira S et al. Na+/H+ exchanger-dependent intracellular alkalinization is an early event in malignant transformation and plays an essential role in the development of subsequent transformation-associated phenotypes. FASEB J 14: 2185-2197, 2000.
8. DiGiammarino EL, Lee AS, Cadwell C et al. A novel mechanism of tumorigenesis involving pH dependent destabilization of a mutant p53 tetramer. Nat Struct Biol 9(1):12-16, 2002.

4. Ovarian tumor treated with intelligent diet + physical activity + Sunbath

L.D.O, 27 years old, female, gestation of 7th week in April 2012.

He entered the PS with abdominal pain in the lower right flank.

HD: acute appendicitis.

In emergency surgery, tumor mass was found in the right ovary of 12.9 x 8.2 cm, weighing 423 g plus appendicitis.

Performed tumor resection and appendectomy.

Anatomopathological: Malignant mesenchymal neoplasm with necro-hemorrhagic areas.

Proposed interruption of gestation and chemotherapy. Patient chose NOT to perform these procedures, as they would lose their child.

Began diet similar to the intelligent diet described in this book, in the hands of the competent Dr. Sidney Federmann.

The patient fulfilled the diet during the remainder of pregnancy, from April to November 2012, with monthly ultrasound controls.

01/11/12: vaginal delivery without intercurrences.

April 2013 (after 1 year): no recurrence, with normal abdominal US and enjoying excellent health.

Child currently 1 year and 3 months and with excellent health.

Maintains nutritional follow-up.

5. Ovarian cancer treated with Pao Pereira and Rauwolfia vomitoria

In January 1992, abdominal pain. She confirmed ovarian cancer in the images. Hysterectomy and oophorectomy plus chemotherapy. CA-125: 329.

In September 1992: two metastatic nodules in the liver. CA-125: 173.

From May to December 1993 began Pao Pereira and Rauwolfia vomitoria and the CA-125 fell to 39. No more was with chemotherapy.

In July 1994, CA-125 28 and in December 1998 were in 13 with the maintenance of both herbal antiproliferatives. The examinations revealed a long-term remission of the disease. She died in 2005, 13 years after, for reasons independent of ovarian cancer.

Reference. Cancer L'Approche Beljanski. Mirko Beljanski. Editions EVI Liberty, 2005. New York, USA.

6. Ovarian cancer plus mesonephroma treated with benzaldehyde

61-year-old patient complaining of brown discharge. The examination revealed a large right anexial mass. During surgery, he performed a hysterectomy plus bilateral oophorectomy and annexectomy. Freezing: adenocarcinoma of right ovary with 8cm on the largest axis. Blade revision showed: clear cell carcinoma – mesonephroma. She denied radio and chemotherapy. She started laetrile and pancreatin soon after surgery and continued to respond favorably to treatment and is in good health and without pain. We do not know the survival.

Reference. Laetrile Case Histories – The Richardson Cancer Clinic Experience. Published by American Media. California.2005.

7. Ovary cancer treated with intravenous benzaldehyde

A 71-year-old patient admitted to the emergency room with severe abdominal pain plus sweating. In the laparotomy we found a large tumor mass in the ovary, solid and necrotic and massive ascites. AP: ovarian carcinoma. Scintigraphy: metastasis in the D6 vertebra. He denied radoterapia and chemotherapy. When he started the laetrile plus pancreatin was in poor general condition and weighed 49.5Kg, his normal being 63Kg. In 5 months, he gained almost 7 kg and greatly improved his general condition. In the publication of his case he was 73 years old, a good appetite, without fatigue and reached his usual weight. By telephone: 13-year survival. He passed away with 85 years of unknown cause.

Reference. Laetrile Case Histories – The Richardson Cancer Clinic Experience. Published by American Media. California. 2005.

8. John Holt in Australia was one of the first researchers to give importance to hyperthermia in the treatment of cancer

He used it along with systemic oxidation. Using 434 MHz UHF and administering GSSG (GSH + H2O2) as a systemic oxidizing agent, Holt achieved the disappearance of numerous cancers for periods of more than 5 years. Most of the tumors had not responded to surgery, chemotherapy, or radiation. The following is a case reported by Holt and published in 1993 in the medical journal indexed "Medical Hypotheses".

MR, female, date of birth: 3/5/30. **Bilateral adenocarcinoma of ovary.** Surgery and radiotherapy in April 86. Developed metastases in bone and lung. Recurrence diagnosed by biopsy and protocol in July 86. Complete remission of primary tumor and improvement of bone scan in July 90.

9. Stage IV ovarian cancer treated in the conventional way plus Chi Kung with 5-year survival

http://www.medicinabiomolecular.com.br/biblioteca/pdfs/Casos-Clinicos/cc-0746.pdf

Abstract Five-year survival of patients with stage IV epithelial ovarian carcinoma not treated after recurrence is almost non-existent in oncological literature. The authors report a patient almost 30 years after surgery of the primary epithelial ovarian carcinoma lesion and 15 years after recurrent disease and incomplete chemotherapy who is alive without evidence of disease. She received no conventional oncological therapy during the past 15 years but rather used many types of alternative medicine, predominantly mind body therapies. The authors review the relevant literature on this subject and describe what they believe to be the first report of long-term survival of such a patient.

Reference. Long-term survival of a patient with widespread metastases from epithelial ovarian carcinoma receiving mind-body therapies: case report and review of the literature. Lev-ari S1, Maimon Y, Yaal-Hahoshen N. Author information Integr Cancer Ther. 2006 Dec;5(4):395-9.

10. Ovarian tumor with peritoneal implants treated with hydropersulfide

http://www.medicinabiomolecular.com.br/biblioteca/pdfs/Casos-Clinicos/cc-0739.pdf

Mrs. M. L. In November 1941, at the age of 40, the patient had a left oophorectomy for a multi loculated ovarian tumor with ascites and peritoneal implants. The pathological finding was papillary cyst adenocarcinoma of the left ovary. Without any other treatment, she remained free of symptoms until the beginning of 1945, when she started to complain of abdominal discomfort in the lower left quadrant. A mass was found at the site of operation. Growth was noted in further examinations. The patient had no treatment until December 1945, when she came under our care. On examination, a tumor of 11x6 cm with limited mobility was found. No abdominal fluid was present at this time. She was started on amylmercaptan in doses increasing to 6 cc. daily of a 10% solution in oil. The treatment was discontinued after a week because of the odor. No manifest changes could be seen. A preparation of hydropersulfide containing 1 % sulfur, in a dose of 1 cc. three times a day orally, was used. The mass in the left parametria disappeared entirely in about 2 months. She continued with the same medication for another 14 months. There has been no recurrence to date. Note: hydropersulfide moiety (–SSH).

Reference. Emanuel Revici. Research In Physiopathology As Basis Of Guided Chemotherapy With Special Application To Cancer - 1961 Publisher: D. Van Nostrand Company, Inc Copyright: 1962.

11. Two cases of ovary serous papillary adenocarcinoma stage IIIC treated with first-line chemotherapy plus high-dose vitamin C, beta-carotene, vitamin E and CoQ10

For this preliminary report, two patients with advanced epithelial ovarian cancer were studied. One patient had Stage IIIC papillary serous adenocarcinoma, and the other had Stage IIIC mixed papillary serous and seromucinous adenocarcinoma. Both patients were optimally cytoreduced prior to first-line carboplatinum/paclitaxel chemotherapy. Patient 2 had a delay in initiation of chemotherapy secondary to co-morbid conditions and had evidence for progression of disease prior to institution of therapy. Patient 1 began oral high-dose antioxidant therapy during her first month of therapy. This consisted of oral vitamin C, vitamin E, beta-carotene, coenzyme Q-10 and a multivitamin/mineral complex. In addition to the oral antioxidant therapy, patient 1 added parenteral ascorbic acid at a total dose of 60 grams given twice weekly at the end of her chemotherapy and prior to consolidation paclitaxel chemotherapy. Patient 2 added oral antioxidants just prior to beginning chemotherapy, including vitamin C, beta-carotene, vitamin E, coenzyme Q-10 and a multivitamin/mineral complex. Patient 2 received six cycles of paclitaxel/carboplatinum chemotherapy and refused consolidation chemotherapy despite radiographic evidence of persistent disease. Instead, she elected to add intravenous ascorbic acid at 60 grams twice weekly. Both patients gave written consent for the use of their records in this report.

Results: Patient 1 had normalization of her CA-125 after the first cycle of chemotherapy and has remained normal, almost 3½ years after diagnosis. CT scans of the abdomen and pelvis remain without evidence of recurrence. Patient 2 had normalization of her CA-125 after the first cycle of chemotherapy. After her first round of chemotherapy, the patient was noted to have residual disease in the pelvis. She declined further chemotherapy and added intravenous ascorbic acid. There is no evidence for recurrent disease by physical examination, and her CA-125 has remained normal three years after diagnosis.

Conclusion: Because of the positive results found in these two patients, a randomized controlled trial is now underway at the University of Kansas Medical Center evaluating safety and efficacy of antioxidants when added to chemotherapy in newly diagnosed ovarian cancer. Note: remember that high-dose antioxidant, the same administered in this paper, works as an oxidant.

Reference. The Use of Antioxidants with First-Line Chemotherapy in Two Cases of Ovarian Cancer. Jeanne A. Drisko , MD, Julia Chapman , MD & Verda J. Hunter , MD Journal of the American College of Nutrition Volume 22, - Issue 2. 2003

The next 4 cases (11-12-13-14) were thus treated. The patients receive Lingzhi body extract 1000 mg per pack or Lingzhi spores preparation 1000 mg per pack. They were instructed to ingest one pack with 200 ml of distilled water one hour before a meal twice a day in day 1 and 2, and then increase the dosage to 2 packs of drug ingested with 200 ml of distilled water before meal two times a day on day 3 and 4. After that, the dosage would be increased to 3 packages ingested in the same way for the 12 weeks remainder as long as there were no serious side effects.

12. Ovarian cancer stage IIIC with recurrence in pelvic cavity and peritoneal area treated with Ganoderma lucidum and etoposide. Not computed

A patient aged 61 years old was diagnosed with stage IIIC ovarian cancer. Her histology was a mixed type of serous cystadenocarcinoma and endometrioid carcinoma. She underwent debulking surgery 5 years ago and received 3 regimens of chemotherapy before entering the study. The recurrent sites were at the pelvic cavity (2.152.7 cm, 1.353.5 cm) and peritoneal area (1.652.1 cm.). She received lingzhi in the form of spore and the tumor increase by 14.4% that is defined as stability in the disease after completing the protocol. She developed progression of the disease 9 months after finishing the protocol and had further treatment with oral etoposide.

Reference. Suprasert P, Apichartpiyakul C, Sakonwasun C, et al. Clinical characteristics of gynecologic cancer patients who respond to salvage treatment with Lingzhi. Asian Pac J Cancer Prev. 15(10):4193-6;2014.

13. Ovarian cancer stage IA with vaginal metastasis treated with Ganoderma lucidum

A patient aged 52 years old with a diagnosis of stage IA ovarian cancer. She underwent complete surgical staging followed by 4 regimens of chemotherapy. The interval time from initial treatment to entering this protocol was 1 year. The dominant site of metastasis was a vaginal stump mass sized 8 cm. She received lingzhi in the form of spore extract and showed stability of the disease with a 17.0% increase size. She did not receive any chemotherapy after completing the protocol and until now she still achieved stability of the disease for 36 months.

Reference. Suprasert P, Apichartpiyakul C, Sakonwasun C, et al. Clinical characteristics of gynecologic cancer patients who respond to salvage treatment with Lingzhi. Asian Pac J Cancer Prev. 15(10):4193-6;2014.

14. Ovarian cancer stage IIIA with recurrence and vaginal metastasis treated with Ganoderma lucidum. Small regression, but good quality and long survival

A 56 year old patient was diagnosed with stage IIIA ovarian clear cell carcinoma. She underwent debulking surgery followed by chemotherapy. After initial treatment for 18 months, she developed recurrence of the disease and was given 2 regimens of chemotherapy before entry the study. She had a single recurrence site at the vaginal stump, which was measured as 7.6 cm. via CT-scan. After completing a 12-week course of ingestion of lingzhi in the form of water extract, the lesion decreased to 5.6 cm (26.3%). She still living with the disease without clinical evidence of tumor progression for 34 months despite receiving only supportive treatment.

Reference. Suprasert P, Apichartpiyakul C, Sakonwasun C, et al. Clinical characteristics of gynecologic cancer patients who respond to salvage treatment with Lingzhi. Asian Pac J Cancer Prev. 15(10):4193-6;2014.

15. Ovarian cancer stage IIB and tumor recurrence in pelvis and subdiafragmatic area treated with Ganoderma lucidum and cisplatin

A 49 year-old patient with stage IIB serous cystadenocarcinoma of the ovary who developed a tumor recurrence after initial treatment with a debulking tumor operation and 3 regimens of chemotherapy. She entered the study 9 years after her initial treatment. The prominent site of metastasis was at the left subdiaphragmatic area that measured 4.6 x 6.3 x 3.7 cm and the mass in the pelvis was 3.1 x 3.4 x 3.3 cm. She received the complete course of lingzhi in the form of spores and the response was an increase the lesion at 8.7% that is defined as stability in the disease. She had further treatment with cisplatin due to progression of disease after she finished our protocol for 9 months and is living with the disease.

Reference. Suprasert P, Apichartpiyakul C, Sakonwasun C, et al. Clinical characteristics of gynecologic cancer patients who respond to salvage treatment with Lingzhi. Asian Pac J Cancer Prev. 15(10):4193-6;2014.

16. Treatment of various types of cancer with intravenous lipoic acid and hydroxycitrate plus oral low dose naltrexone

Lung, colorectal, ovarian, esophageal, uterine, cholangiocarcinoma, prostate, and parotid cancer – www.medicinabiomolecular.com.br – Cancer Library.

17. Recurrent ovarian cancer with total regression post-immunotherapy adoptative and glucan. Not computed

A 67-year-old woman with ovarian cancer who had undergone post-operative adjuvant chemotherapy suffered from recurrent cancer in the lymph nodes.

A partial response to adoptive immunotherapy and the administration of the biological response modifier, lentinan containing beta-glucan as the principal component, was maintained for five months without the use of chemotherapy.

Reference. Fujimoto K, Tomonaga M, Goto S. A case of recurrent ovarian cancer successfully treated with adoptive immunotherapy and lentinan. Anticancer Res. 2006 Nov-Dec;26(6A):4015-8.

18. **Successful treatment of pseudomyxoma peritonei (ovarian adenonocarcinoma) with intraperitoneal 10 per cent dextrose, sizofiran (glucan) and cisplatin. Ohara N, Teramoto K. J Obstet Gynaecol. 2002 Mar;22(2):223. Not computed.**

19. **Improvement of long-term prognosis in patients with ovarian cancers by adjuvant sizofiran immunotherapy (glucana): a prospective randomized controlled study. Inoue M, Tanaka Y, Sugita N, et al. Biotherapy. 1993;6(1):13-8. Computed only 2 patients**

    The effect of immunotherapy using sizofiran (SPG) on the prognosis of patients with ovarian cancers was prospectively studied in a total of 68 patients, who were randomly assigned to either a cisplatin, adriamycin and cyclophosphamide (PAC) therapy group or a PAC plus SPG combination therapy group. The survival rate was significantly higher in patients with stage Ic, II or III cancers treated with the PAC plus SPG combination, compared with the patients treated with PAC alone. In the SPG-receiving patients with stage Ic or more advanced cancers who were treated with four cycles or more of PAC, the outcome was improved (Cox-Mantel, $p = 0.074$; generalized Kruskal-Wallis, $p = 0.032$). Similar improvement was also observed in the patients with non-serous adenocarcinomas (Cox -Mantel, p-0.076; generalized Kruskal-Wallis, $p = 0.045$). No side effects attributable to SPG were recorded. The present results suggest that the use of SPG in combination with long-term chemotherapy improves the postoperative prognosis in ovarian cancer patients.

20. **Adenocarcinoma papilar de ovário tratado com vitamina C em altas doses**

    A 55 year old woman with stage IIIC papillary adenocarcinoma of the ovary and an initial CA125 of 999 underwent surgery followed by six cycles of chemotherapy (paclitaxel, carboplatin) combined with oral and parenteral ascorbate. Ascorbate infusion began at 15 grams twice weekly and increased to 60 grams twice weekly. Plasma ascorbate levels above 200 mg/dL were achieved during infusion. After six weeks, ascorbate treatment continued for one year, after which patient reduced infusions to once every two weeks. The patient also supplemented with vitamin E, coenzyme Q10, vitamin C, beta-carotene, and vitamin A. At the time of publication, she was over 40 months from initial diagnosis and remained on ascorbate infusions. All CT and PET scans were negative for disease, and her CA-125 levels remained normal.

    Reference. Drisko, J., Chapman, J. & Hunter, V., 2003. The use of antioxidants with first-line chemotherapy in two cases of ovarian cancer. Am J Coll Nutr, Volume 22, pp. 118-23.

    (Nota: usou vitamina C com oxidante. A vitamina E diminuiu a eficácia do tratamento, mas, mesmo assim houve regressão total do tumor).

21. **Adenocarcinoma de ovário grau III com recidiva que regrediu totalmente após vitamina C em altas doses**

    A 60 year old woman with stage IIIC adenocarcinoma of the ovary and an initial CA-125 of 81 underwent surgery followed by six cycles of chemotherapy (paclitaxel, carboplatin) with oral antioxidants. After six cycles of chemotherapy, patient began parenteral ascorbate infusions. Ascorbate infusion began at 15 grams once weekly and increased to 60 grams twice weekly. Plasma ascorbate levels above 200 mg/dL were achieved during infusion. Treatment continued to date of publication. The patient supplemented with vitamin E, coenzyme Q10, vitamin C, betacarotene, and vitamin A. Her CA-125 levels normalized after one course of chemotherapy. After the first cycle of chemotherapy, the patient was noted to have residual disease in the pelvis. At this point, she opted for intravenous ascorbate. Thirty months later, patient showed no evidence of recurrent disease and her CA-125 levels remained normal.

    Reference. Riordan Clinic Research Study. February/2013.

CAPÍTULO 234

Câncer de bexiga urinária: 14 pacientes

1. Tumor de bexiga tratado com ácido clorídrico intravenoso e potássio.

LP, Colored man; age, 63 years. 8-2-30: Complained of cystitis; loss of weight, 15 lbs. Examination showed indurated growth in scar over pubis from previous operation for stone in bladder. Acid solution intravenously once weekly and by mouth. Within twenty-one days tumor had disappeared. 11-1-33: No recurrence of growth. Bladder still irritable. Prostatic gland normal; gained seven pounds in weight.

Referência. Three Years of HCL Therapy As Recorded in articles in The Medical World With Introduction by Henry Pleasants, Jr., AB, MD, FACP, Associate Editor Puhlished hy W. Roy Huntsman, Philadelphia, PA 1935.

2. Câncer de bexiga tratado com ácido clorídrico intravenoso e via oral.

GHS, White male age 72 years, Washington, D.C. Had operation on prostate one year before. Examination showed cavity in apex of right lung. Myocarditis marked, with frequent extra systoles; carcinomatous growths in bladder wall. Two large cancerous growths in the right groin, 6 x 6-1/2 inches. These growths had occluded right ureter. Anemia marked, weak. Average of urinary evacuations 16 times each night. Six intravenous injections of acid mineral solution were given; also four times daily by mouth. Improvement soon took place, urinary frequency soon reduced to five times at night. The ammoniacal urine soon became acid; heart beats became normal, the lung lesion disappeared, also expectoration. Growth gradually reduced to two inches in size. The right kidney ureter opened up, discharging large amount of pus through bladder. October, 1933, case still under treatment; outcome, owing to advanced age and anemia, atiU uncertain, but he is much improved.

Referência. Three Years of HCL Therapy As Recorded in articles in The Medical World With Introduction by Henry Pleasants, Jr., AB, MD, FACP, Associate Editor Puhlished hy W. Roy Huntsman, Philadelphia, PA 1935.

3. Câncer recorrente de bexiga tratado com benzaldeído.

Diagnostico em outubro de 1974. Fez todo tratamento convencional sem resposta satisfatória. Iniciou laetrile (amigdalina) em janeiro de 1976. Sobrevida de 8 anos. Faleceu com 74 anos. Nota. Laetrile é benzaldeído mais cianeto.

Referência. Laetrile Case Histories- The Richardson Cancer Clinic Experience. Published by American Media. California.2005.

4. Câncer de bexiga tratado com benzaldeído.

Fez tratamento convencional, sem resultado completo. Iniciou laetrile intravenoso em julho de 1977. Houve remissão completa. Sobrevida de 28 anos. Faleceu com 93 anos.

Referência. Laetrile Case Histories- The Richardson Cancer Clinic Experience. Published by American Media. California.2005.

5. Câncer de bexiga. Adenocarcinoma de mucosa vesical infiltrativo em parede muscular tratado com dieta inteligente + atividade física pelo Dr. Sidney Federmann.

RSS, 65 anos, sexo feminino.

Câncer de mucosa vesical infiltrando a parede muscular da bexiga.

Foi indicada cistectomia. Não aceitou a cirurgia.

Após 2 meses de dieta inibidora do câncer, muito parecida com a dieta inteligente mostrada neste livro repetiu a cistoscopia constatando-se regressão tumoral. A cistectomia foi suspensa e livrou-se de todos os inconvenientes desta mutilação.

Após 1 ano, perdeu-se o seguimento clínico.

6. **Tumor de bexiga com invasão de tecidos vizinhos e múltiplos nódulos satélites tratado com alta dose de vitamina C intravenosa.**

A 49-year-old man presented to his physician in 1996 with hematuria and was found at cystoscopy to have a primary bladder tumour with multiple satellite tumours extending 2–3 cm around it. Transurethral resection of the primary tumour and its surrounding tumour satellites was carried out until apparently normal muscle was reached and the tumour base was fulgurated. The patient declined systemic or intravesical chemotherapy or radiotherapy and instead chose intravenous vitamin C treatment. He received **30 g of vitamin C** twice per week for 3 months, followed by 30 g once every 1–2 months for 4 years, interspersed with periods of 1–2 months during which he had more frequent infusions. Histopathologic review at the NIH revealed a **grade 3/3 papillary transitional cell carcinoma** invading the muscularis propria. Now, 9 years after diagnosis, the patient is in good health with no symptoms of recurrence or metastasis. The patient used the following supplements: botanical extract, chondroitin sulfate, chromium picolinate, flax oil, glucosamine sulfate, α-lipoic acid, Lactobacillus acidophilus and L. rhamnosus and selenium. Complete or partial bladder removal is the standard treatment for stage T2 (muscle invasive) bladder cancer, since the presence of muscle invasion appears to be the best predictor of aggressive behaviour. When treated only locally, as in this case, invasive transitional cell bladder cancer almost invariably develops into clinically apparent local or metastatic disease within a short period.33–35 There are reports of transurethral tumour resection being offered as the sole initial therapy in carefully selected patients with T2 disease. In one report 20% of patients with muscle invasive bladder cancer treated only with transurethral resection remained free of recurrent disease after 3–7 years of follow-up. However, such minimal therapy is considered an option only when the cancer is solitary, well defined and completely excised as documented by pathologic evaluation, whereas this patient presented with multiple tumors and associated muscle invasion. Supplementary medication was taken concurrently with intravenous vitamin C therapy. **Start date Medication and dosage** 12-12-96. Vermox (mebendazole) 100 mg 1tablet once daily for 3d, repeated after1wk. 12-12-96. After completion of Vermox, Parex (botanical supplement) 2 tablets 3 times daily. 12-19-96. Emergen C (vitamin and mineral supplement with 1 g vitamin C) 1 packet in 6 oz water twice daily. 12-19-96. Flax oil capsules 1 with each meal. 3-5-97. α-Lipoic acid 100 mg daily. 4-9-97. Vital Dophilus (Lactobacillus acidophilus, L. rhamnosus) 1 scoop daily. 4-9-97. Glutathione 1 tablet with each meal. 6-30-97. Zinc Boost (zinc) 1 tablet twice daily. 11-17-97. Glucosamine sulfate 500 mg 4 times daily; chondroitin sulfate 500 mg twice daily. 11-17-97. Calf liver every couple of weeks. 12-22-98. α-Lipoic acid 300 mg daily. 12-22-98. Chromium picolinate 200 mcg daily. 12-22-98. Selenium up to 400 mcg daily, on and off. 9-04-00. Magnesium 1 mL with intravenous vitamin C therapy. 10-27-00. IVC–Max (vitamin K, niacinamide, biotin, selenium, α-lipoic acid, quercetin, grape seed extract) 1 capsule twice daily.

Referência. Sebastian J. Padayatty, Hugh D. Riordan, John Hoffer. Intravenously administered vitamin C as cancer therapy: three cases. CMAJ. March 28, 174(7), pg:937- 942; 2006.

7. **Câncer invasivo de bexiga que regrediu totalmente com ácido cítrico.**

83 years old male patient was diagnosed with bladder cancer after presenting progressive hematuria for more than a month on July 2014. The bladder biopsy performed on August 4, 2014 reported invasive adeno-squamous carcinoma. On August 20, 2014, the pelvic tomography of the patient revealed a tumor mass in the lateral right inferior wall of the bladder of 24 x 15 x 27 millimeters. The patient decides not to receive chemotherapy or BCG vaccine and started taking citric acid on August 29, 2014, about **4-5 grams per day.** The clinical outcome was favorable, but the more important fact was that 10 days after starting the treatment with citric acid, the hematuria stopped, and the clinical condition of the patient improved impressively. The pelvic tomography repeated on October 27, 2014 was completely normal, the tumor mass disappeared. All these facts could only be due to the citric acid that the patient received as his treatment for cancer.

Referência. Halabe Bucay A. Case Report: A patient with invasive bladder cancer who improved after the treatment of citric acid that he received. Int J Sci Res 5(5):613;2016.

8. **Carcinoma de bexiga tratado com retirada de metais tóxicos, solução hipertônica, hipertermia e reposição de nutrientes.**

Setenta e seis anos, lesão vegetativa em mucosa vesical com: 5,2 × 3,8cm. Cirurgia endoscópica com retirada parcial da massa tumoral. AP: carcinoma urotelial papilífero de grau-3 (alto grau).

Negou quimioterapia. Dois meses depois veio ao consultório cujo ultrassom mostrou lesão vegetante de mucosa vesical medindo 4,9 × 3,3 × 2,2cm. Mineralograma capilar: chumbo e mercúrio. Glicemia: 110mg%, Insulinemia de jejum: 21UI, 25D3: 24,7ng/ml, Ferritina: 250ng/ml, Ceruloplasmina: 36, DHEAs: 840, PCR: 6,14. Tiroide e colesterol: normais. Plano: retirar metais tóxicos, repor nutrientes, cuidar da síndrome metabólica e encaminhar para o urologista. Recebeu: naltrexone, taurina, trimetilglicina, mio-inositol, ácido lipoico, B3, B5, B1 alta dose, Coenzima Q10, carnosina, curcumina, piperina, ácido ascórbico, óleo LLC (1 parte ácido linolênico e duas partes óleo de coco), solução hipertônica de NaCl a 5,4%, procaína, lidocaína, EDTA e hipertermia localizada. Não procurou o urologista. Sobrevida de 7 anos até o momento da presente publicação, agosto/2018. Clínica JFJ.

9. **Adenocarcinoma de células transicionais de bexiga urinária que regrediu totalmente após 3 meses de tratamento neurofarmacológico.**

Age 59, male. In July 1985, the patient underwent endoscopic resection of urinary bladder adenocarcinoma, followed by chemotherapy in August 1985. Bladder tumor reappeared in March 1986. Endoscopic biopsy revealed transitional cells adenocarcinoma, degree IV (Ash classification). Total disappearance was obtained after 3 months of neuropharmacological therapy. Last control in July 2000.

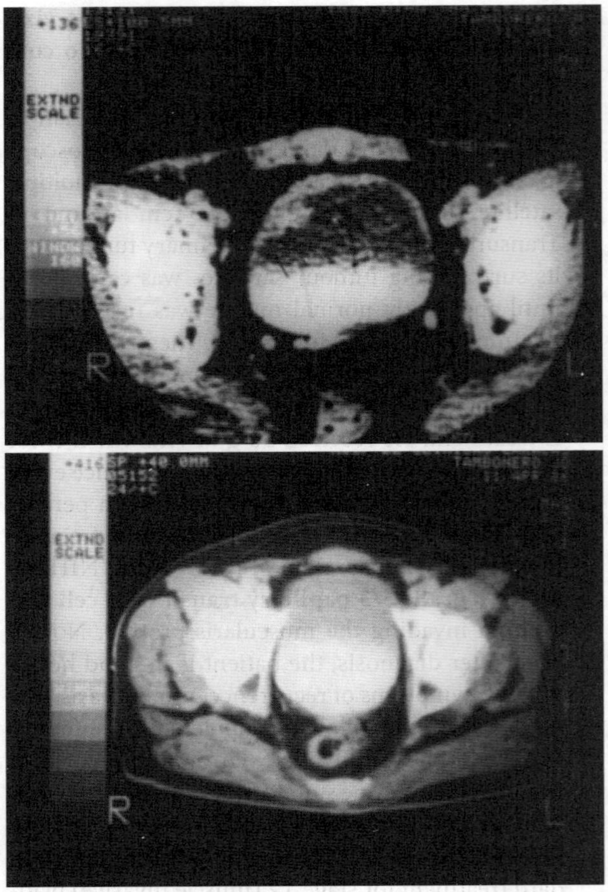

Figura 234.1 Age 59, male. In July 1985, the patient underwent endoscopic resection of urinary bladder adenocarcinoma, followed by chemotherapy in August 1985. Bladder tumor reappeared in March 1986. Endoscopic biopsy revealed transitional cells adenocarcinoma, degree IV (Ash classification). Total disappearance was obtained after 3 months of neuropharmacological therapy. Last control in July 2000. Fuad Lechin at School of Medicine of the Central University of Venezuela.

10. **Carcinoma de bexiga tratado com cirurgia e Viscum album. 5 casos.**

The authors retrospectively analyzed the case records of patients with resectable bladder cancer who underwent initiation of high-dose Viscum album treatment at our clinic between January 2006 and December 2012. Eight patients were identified, 7 of whom had nonmuscle-invasive bladder cancer and 1 with muscle-invasive cancer. Four patients had frequently recurring tumors before treatment. Among the 8 patients, 28 episodes of recurrence were observed. Median tumor-free follow-up duration was 48.5 months. High-dose Viscum album showed a possible beneficial effect in 5 of 8 patients, could not be assessed in 2 patients, and had an uncertain effect in 1 patient. No tumor progression was observed. Treatment was generally well tolerated and no patient stopped treatment because of side effects. Conclusion: High-dose Viscum album treatment may have interrupted frequently recurring tumors in individual patients with recurrent bladder cancer. Prospective studies are needed to assess whether this treatment offers an additional, bladder-sparing preventive option for patients with intermediate- to high-risk nonmuscle-invasive bladder cancer. Treatment was generally well tolerated and no patient stopped treatment because of side effects.

Referência. von Schoen-Angerer T, Wilkens J, Kienle GS, Kiene H, Vagedes J. High-Dose Viscum album Extract Treatment in the Prevention of Recurrent Bladder Cancer: A Retrospective Case Series. Perm J. 2015 Fall;19(4):76-83.

CAPÍTULO 235

Câncer de tiroide: 7 pacientes

1. **Carcinoma papilífero de tiroide – longa sobrevida com radiofrequência harmônica (MWO) mais biomolecular.**

   Veio à consulta em 1998. Masculino, 45 anos com ferritina 273ng/ml a longo tempo. Fez tratamento via oral e sangria, mas, a ferritina continuou elevada: 123ng/ml. Demais exames normais, exceto por apresentar TSH: 4,7 e T4L: 0,6: hipotiroidismo subclínico que foi controlado com Euthyrox: 100mcg. Mineralograma do tecido capilar: aumento de chumbo e mercúrio, metais considerados carcinogênicos pelo IARC. US tiroide: nódulo de 1 cm que puncionado revelou: a Carcinoma papilífero bem diferenciado variante folicular. Feitas reposição de nutrientes e normalização da ferritina, tendo como alvo abaixo de 80ng/ml, radiofrequência de múltiplas ondas (MWO), glucana, 20mg intravenosa 7/7 dias e EDTA, 1,5g -20 vezes. Após 3 meses de tratamento, mineralograma: isento de chumbo e mercúrio e o nódulo diminuiu para 0,6cm. Cirurgia: nódulo de 0,6cm com carcinoma papilífero bem diferenciado padrão folicular. Atipia leve. Índice mitótico baixo, pT1. Mapeamento com iodo-131: tecido remanescente pós-cirurgia e negativo para metástases. Fez: iodo-131. Em abril 2018, consulta de rotina: sem queixas. Clínica JFJ.

2. **Nódulos de glândula tiroide com AcR- TI-RADS--4 que passaram para nível 2 com os rudimentos da estratégia biomolecular.**

   VMAFT, 63 anos de idade, sexo feminino. Há 3 anos em tratamento com endocrinologista de nódulos na glândula tiroide. A estratégia do profissional é a chamada WW ou Watch-Waith, isto é, observar e esperar. Esperar o quê? Pois bem, procurou o consultório em 15-05-2021 com vários nódulos de tiroide 1 TI-RADS-2, 2 TI-RADS 3 e 1 TI-RADS 4. Sensograma: chumbo, antimônio, diminuição de vários nutrientes, incluindo zinco, selênio, manganês, boro e molibdênio, iodo normal, deficiência de vitamina D3 e calcitriol. Biorressonância: chumbo, antimônio, glifosato, H. pylori, ausência de vírus, alergia à caseína do leite de vaca. Exames: DHEA-sulfato: 38 (normal 150-250); Vitamina D3: 22 (normal 30); TSH, 1,07, T3 livre, 0,31, T4 livre, 1,16. Negou biópsia.

   Tratamento: repomos os nutrientes em falta e o DHEA; retiramos o metal pesado e o agrotóxico com homeopatia CH30 e Coriandrum sativum tintura mãe. Em 25-05-2022 não mais apresentava agrotóxicos e o chumbo diminuiu drasticamente, DHEA-sulfato e vitamina D3 e calcitriol normais. Negou biópsia.

   Ultrassonografia com Doppler em 30-07-2021 e 25-05-2022.

   1. Nódulo 1,0 x 0,5 x 0,6......TI-RADS-2
      1. 0,7 x 0,6 x 0,1................T-2
   2. Nódulo 0,9 x 0,6 x 0,6......T-4
      2. 0,3 x 0,2 x 0,3................T-2
   3. Nódulo 0,7 x 0,4 x 0,5......T-3
      3. 0,7 x 0,8 x 0,7................T-2
   4. Nódulo 0,6 x 0,3 x 0,6......T3
      4. 0,4 x 0,3 x 0,4................T-2

   Conclusão. Vamos continuar retirando o chumbo considerado pelo IARC agente carcinogênico grau 1 (o mais elevado grau).

   Nota: TI-RADS 1 e 2, não se recomenda biópsia; TIRADs 3 recomenda-se biópsia se > 2,5cm; TIRADs-4 recomenda-se biópsia se > 1,5cm; TIRADS-5 recomenda-se biópsia se > 1cm.

   Comentário. A estratégia observar-esperar não é estratégia médica que podemos aceitar. Ela não é medicina. Clinica JFJ.

3. **Carcinoma papilífero de tiroide tratado com ácido lipoico e naltrexone – 2 pacientes.**

   1. Masculino, 46 anos, procurou o consultório em 2001. Em 1999 foi diagnosticado com carcinoma papilífero de tiroide. Feito tiroidectomia e iodo radioativo. Recidiva em 2008 e nova cirur-

gia e iodo radioativo. Nova recidiva em 2010 e submeteu-se à terceira cirurgia e iodo. Mineralograma do tecido capilar: níquel, mercúrio, arsênio e titânio. Retirado metais com EDTA e feito ácido lipoico intravenoso, 20 aplicações cada. *Mycoplasma pneumoniae*, grande aumento de IgG e usou claritromicina. Em 2017 apareceu mais um nódulo que foi retirado. Em maio de 2018 em ótimas condições e trabalhando.

2. Masculino, 46 anos procurou o consultório em 2014. Irmão do paciente acima que foi diagnosticado de carcinoma papilífero de tiroide em 2006. Feitos cirurgia e iodo radioativo. Em 2007 foi diagnosticado com plasmocitoma. Em 2014, hipertenso, *diabetes mellitus* tipo 2 e pesando 135kg. Mineralograma: mesmos metais tóxicos do irmão acima. Retirado metais com EDTA e administrado ácido lipoico intravenoso, 20 aplicações cada. Em maio de 2018 bom estado geral e trabalhando. Clínica JFJ.

4. Câncer de tiroide tratado com benzaldeído.

Em março de 1973 notou nódulo de tiroide que foi retirado cirurgicamente, devido à punção ter revelado carcinoma. Após a cirurgia fez iodo radioativo. Em setembro de 1973 encontrou-se outro nódulo que indicou a presença de câncer. Feitos remoção total da glândula e novamente o iodo radioativo. Em julho de 1974 havia perdido 13,5kg e sentia-se permanentemente com fraqueza e indisposição. Em 10 dias de laetrile intravenosa (amigdalina: benzaldeído e cianeto) sentiu-se consideravelmente melhor e o escuro ao redor dos olhos começou a desaparecer. O apetite melhorou e aumentou de peso. Sobrevida de 30 anos.

Referência. Laetrile Case Histories- The Richardson Cancer Clinic Experience. Published by American Media. California, 2005.

5. Câncer medular de tiroide refratário que respondeu com ácido cítrico.

The patient treated with citric acid is a boy, he is 10years old and he was diagnosed with type 2B multiple endocrine neoplasia (MEN 2B) in July 2006; only medullary thyroid cancer had manifested at the time of the diagnosis. He has undergone five major throat surgeries and the medullary thyroid cancer could not be eradicated; the blood calcitonin levels remained high after the surgery. The patient takes calcium carbonate, potassium, calcitriol, thyroid hormones, and acenocumarine daily; he never receives chemotherapy. He received **1.5 g of pure citric acid, in a powder capsule form, three capsules of citric acid** were administered each day since November 14, 2008, when his treatment formally began; he also received omeprazol, 20mg and sucralfate, 500 mg a day. He weighed 20.7kg at this time. Three days later, he received 1.5 g of citric acid twice a day, the next day a blood calcitonin sample was taken, which was reported at 944pg/ml using the radio-immunoanalysis (RIA) technique at the Hospital Angeles Lomas, Mexico. The next 5 days, he only took 1 g of citric acid at night, because he presented a slight bleeding on the skin of the abdomen, around the gastrostomy tube, but then he continued receiving 1 g of citric acid each 12 h. The calcitonin test was repeated on the 8th day since the formal beginning, and from then on, he was taking 2.5 g of citric acid each day, three 500 mg capsules in the morning and 2 capsules at night. The results of this calcitonin levels were 1,195 pg/ml. I thought the reason for this increase had been the natural development of the medullary thyroid cancer, which tends to increase, and even double in a short time.

Then I increased the intake of citric acid to 2 g every 12h, 35 days after the beginning of the treatment. The result of calcitonin level 18 days later was 773pg/ml, with the same technique (RIA). There has been a total reduction of 64.6% of the blood levels of calcitonin so far. I increased the intake of citric acid again to 2 g every 8 h since that day, and the result of the calcitonin level 4 months later was 598pg/ml. The total reduction of calcitonin is more than 50%. In this day, he weighed 22.5kg. There is neither a scientific nor rational explanation for the reduction of his blood calcitonin level other than the action of the citric acid that he took as his only treatment. I fully understand that these facts are controversial, but the final proposal is very safe for cancer patients: to take citric acid.

Referência. Halabe Bucay A. Prognostic impact of serum calcitonin and carcinoembryonic antigen doubling-times in patients with medullary thyroid carcinoma. J Clin Endocrinol Metab 90(11): 6077–84;2005.

6. Carcinoma papilífero de tiroide e *Agaricus blazei* (antigamente *Agaricus sylvaticus*).

http://www.medicinabiomolecular.com.br/biblioteca/pdfs/Casos-Clinicos/cc-0140.pdf

7. Carcinoma de tiroide que apresentou metástase na calota craniana muito dolorosa, mais câncer retal com metástases pulmonares, ósseas, parede torácica e fígado. Uso do Viscum album intralesional. Não computado.

A 68-year-old patient with rectal cancer presented with lung metastases, and metastases to multiple bone sites, the chest wall, and the liver were later identified. Histological examination of one of the bone lesions revealed an additional thyroid carcinoma. An osteolytic parietal bone lesion progressed to a painful metastasis of the skull despite radiotherapy and chemotherapy. The VAEs were applied weekly into the metastasis, followed by pain relief and softening of the lesion. The lesion partially regressed (>50%) after 8 months of continued VAE treatment and remained stable for 2 years. This case shows a durable clinical remission of a skull metastasis under VAE. Further investigations of intratumoral VAE treatment seem worthwhile-especially in symptomatic skull metastases not responding to radiotherapy or systemic therapies.

Referência. Werthmann PG, Huber R, Kienle GS. Durable clinical remission of a skull metastasis under intralesional Viscum album extract therapy: Case report. Head Neck. 2018 Jul;40(7):E77-E81.

CAPÍTULO 236

Linfoma de Hodgkin: 54 pacientes

1. Vários pacientes com **Moléstia de Hodgkin** e outros linfomas responderam muito bem à cloroquina 240mg/dia por 50 dias, com marcante redução dos linfonodos e nos casos com envolvimento peritoneal, a ascite desapareceu completamente. A cloroquina é detentora de várias ações inibidoras do câncer com alvos moleculares (vide capítulo 57). O autor clama pela existência de amebas, Naeglaera como fator causal do câncer. Desta forma o autor, Prof Roger Wyburn-Mason utiliza amebicidas como cloroquina, amodiaquina, ácidos biliares, sulfato de cobre, clotrimazol, levamizol, dehidro-emetina no tratamento de neoplasias.

Referências:

1. The causation of reumathoid disease and many human cancer - A new concept in medicine - Roger Wyburn-Mason IJI Publishing Co, LTD Tokyo Japan, 1978.
2. Wyburn-Mason R. A causa da artrite e cancros humanos - Um Novo Conceito em Medicina - um resumo e Adendos, incluindo a natureza da esclerose múltipla. Etiologia amebiana do câncer. Biblioteca Catalogação Número 83-71522 ISBN 0-931150-13-2 (c) 1983 por Roger Wyburn-Mason, MD, Ph. D. Publicado pela Arthritis Trust of America/reumatóide. Fundação 7376 Walker Road, Fairview, TN 37062-8141.

2- Linfoma de Hodgkin não responsivo a antimitóticos que respondeu ao levamisole.

Phylipps em 1977 reportou 2 casos de Linfoma de Hodgkin avançados não responsivos à quimioterapia da época cujos sintomas regrediram após o emprego do levomisol, droga antiparasitária com grupamento imidazol semelhante ao clotrimazol e timidazol.

Referência. In: Wyburn-Mason R. A causa da artrite e cancros humanos - Um Novo Conceito em Medicina - um resumo e Adendos, incluindo a natureza da esclerose múltipla. Etiologia amebiana do câncer. Biblioteca Catalogação Número 83-71522 ISBN 0-931150-13-2 (c) 1983 por Roger Wyburn-Mason, MD, Ph. D. Publicado pela Arthritis Trust of America/reumatóide. Fundação 7376 Walker Road, Fairview, TN 37062-8141.

3. Moléstia de Hodgkin e linfomas tratados com difosfato de cloroquina. Caso 1.

Usou 250mg duas vezes ao dia por 47 dias com regressão total do linfoma de Hodgkin.

Referência. The causation of reumathoid disease and many human cancer - A new concept in medicine - Roger Wyburn-Mason IJI Publishing Co, LTD Tokyo Japan, 1978.

4. Moléstia de Hodgkin tratada com amodiaquine derivado da cloroquina - Caso 2.

http://www.medicinabiomolecular.com.br/biblioteca/pdfs/Casos-Clinicos/cc-0527.pdf

Sexo masculino, 32 anos com aumento dos gânglios cervicais cuja biopsia revelou Linfoma de Hodgkin. A: antes do tratamento e B: após um mês de amodiaquina. Regressão total das tumorações em 35 dias. Ele foi tratado com amodiaquine 200mg 2 vezes ao dia por 2 meses. A temperatura normalizou após 1 dia de tratamento. Em 3 dias as massa começaram a regredir e em 5 semanas regrediram totalmente e o VHS era de 1mm/1hora. Foi seguido por 20 meses e não apresentou recidivas. No 26º mês apresentou recidiva que melhorou com amodiaquine e prednisona. A doença progrediu e recebeu radioterapia. Nota: não houve retirada das possíveis causas.

Referência. The causation of reumathoid disease and many human cancer - A new concept in medicine - Roger Wyburn-Mason IJI Publishing Co, LTD Tokyo Japan, 1978.

5. Moléstia de Hodgkin tratada com derivado da cloroquina, amodiaquine - caso 3.

Sexo masculino, 19 anos começou a apresentar dor na axila direita com aumento rápido do volume local. Ao exame mostrou aumento dos linfonodos cervicais, axilares e na parte inferior do músculo peitoral, este com 3 cm de diâmetro. Fígado e baço não palpáveis. A biopsia revelou Linfoma de Hodgkin. Tratado com amodiaquine 200mg 2x ao dia por 2

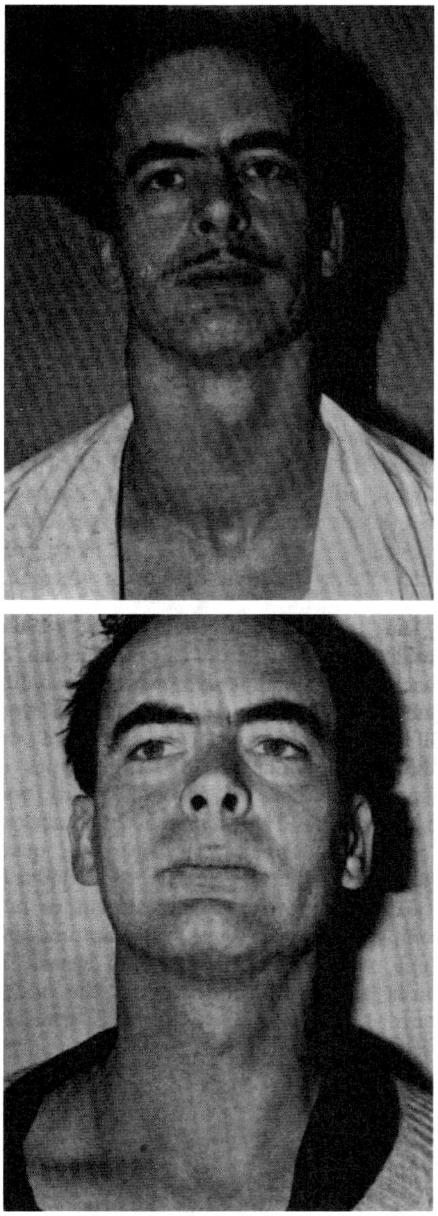

Figura 236.1 Moléstia de Hodgkin tratada com amodiaquine- derivado da cloroquina.

meses. Em 3 semans todos os linfonodos regrediram, assim como houve normalização do VHS. Permaneceu sem alterações nos próximos 10 anos.

Referência. The causation of reumathoid disease and many human cancer – A new concept in medicine – Roger Wyburn-Mason IJI Publishing Co, LTD Tokyo Japan, 1978.

6. Moléstia de Hodgkin tratada com ácidos biliares – 3 casos.

Caso1. Sexo masculino, 28 anos com diagnóstico de Linfoma de Hodgkin e aumento dos gânglios cervicais à esquerda e de mediastino. A e B: antes do tratamento. C e D: após tratamento com sais biliares por 1 mês. Foi tratado com amodiaquine 200mg duas vezes ao dia; Em duas semanas o alargamento dos linfonodos regrediram e o VHS despencou para 3mm/1hora em 3 semanas.

Referência. The causation of reumathoid disease and many human cancer – A new concept in medicine – Roger Wyburn-Mason IJI Publishing Co, LTD Tokyo Japan, 1978.

Caso 2. Sexo feminino, 70 anos com diagnóstico de Linfoma de Hodgkin com gânglios na região cervical e razoável edema. A: antes do tratamento. B: Regressão dos gânglios e desaparecimento total do edema dois meses após contínuo tratamento com ácidos biliares. Referência. The causation of reumathoid disease and many human cancer – A new concept in medicine – Roger Wyburn-Mason IJI Publishing Co, LTD Tokyo Japan, 1978.

Caso 3. Sexo feminino, 29 anos com linfoma de Hodgkin com 3 anos de duração. A: massa de nódulos linfáticos abaixo do músculo peitoral direito. B: regressão total dos linfonodos após tratamento com sais biliares.

Referência. The causation of reumathoid disease and many human cancer – A new concept in medicine – Roger Wyburn-Mason IJI Publishing Co, LTD Tokyo Japan, 1978.

7. Linfoma de Hodgkin tratado com sulfato de cobre.

Sexo feminino, 28 anos com diagnóstico de Linfoma de Hodgkin. C: Radiografia de tórax com linfoadenopatia hilar esquerda. D: Regressão das adenopatias, três semanas após ter iniciado tratamento com sulfato de cobre.

Referência. The causation of reumathoid disease and many human cancer – A new concept in medicine – Roger Wyburn-Mason IJI Publishing Co, LTD Tokyo Japan, 1978.

8. Linfoma de Hodgkin tratado com Nerium Oleander.

At age 46, the patient presented to Izmir State Hospital on May 5, 1973 with weakness and swollen neck lymph nodes. Inspection revealed two lymphadenopathies on the neck. Initially, the patient was diagnosed as having adenitis tuberculosis and the use of antituberculosis medicines was recommended. In June 1973, the patient returned to the same hospital with the same symptoms. One of the neck lymph nodes was excised and upon histologic examination revealed Hodgkin's granuloma. The report of the Hospital Health Council issued on Jun. 15, 1973. On Jun. 18, 1973 the patient was examined by the inventor. The patient had a scar on his neck, weakness and weight loss related symptoms. He had palpable thickening in both inguinal and armpit lymph nodes as well as his neck lymph nodes. In screening with NOI (0.3 ml) the patient res-

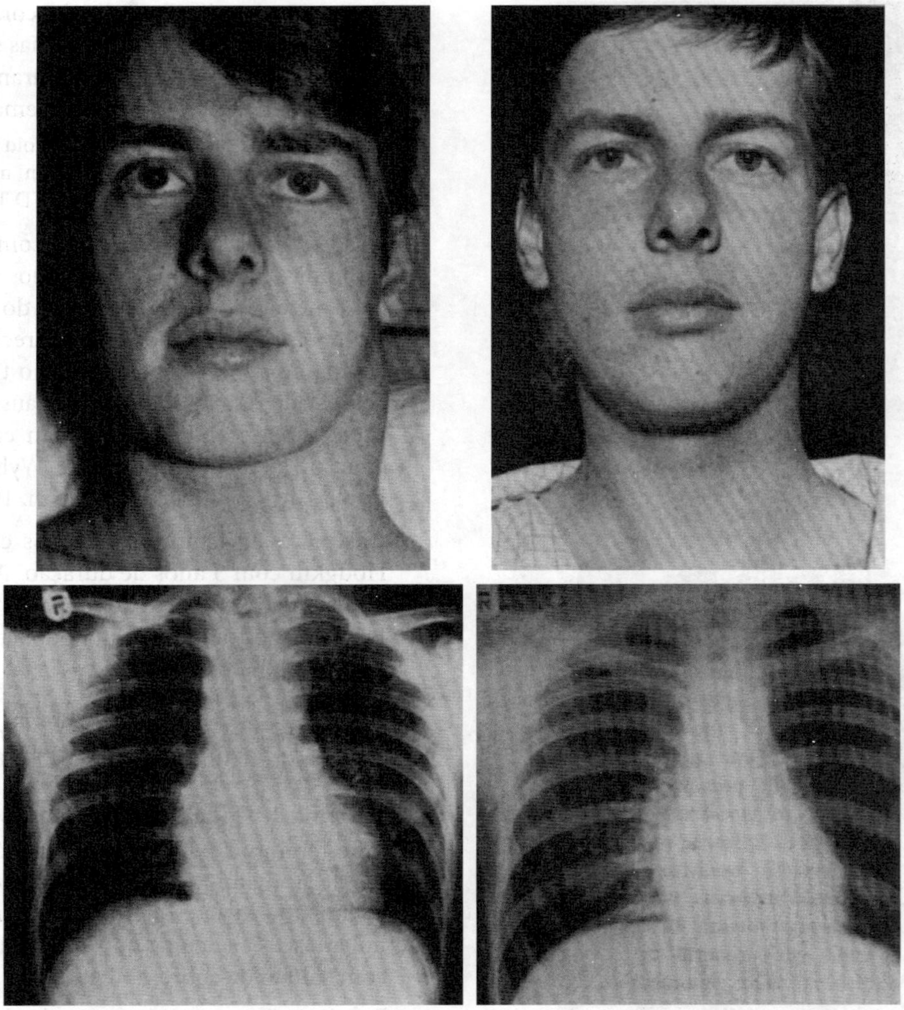

Figura 236.2 Caso1. Sexo masculino, 28 anos com diagnóstico de Linfoma de Hodgkin.

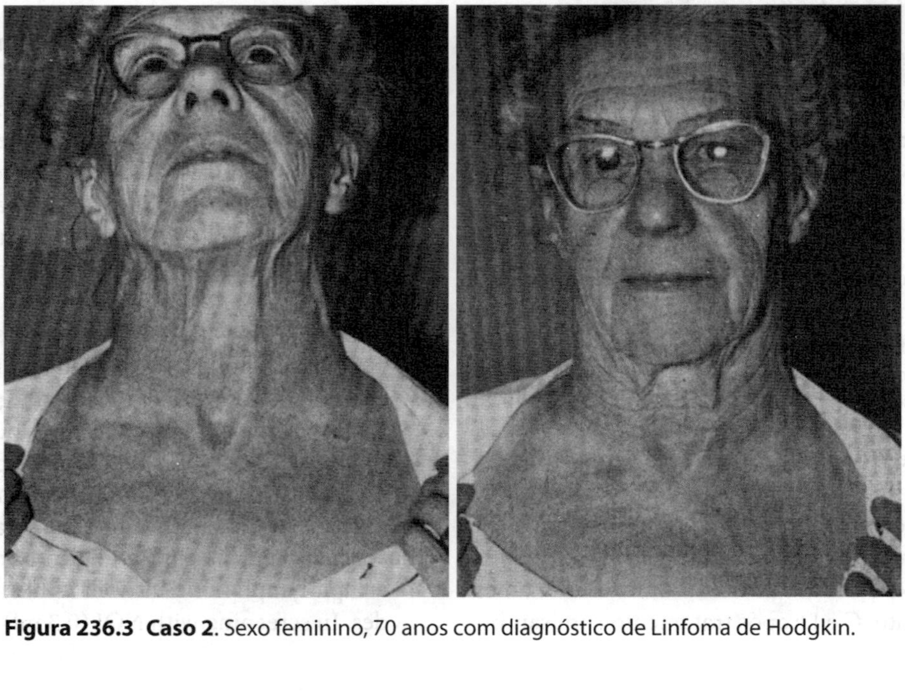

Figura 236.3 Caso 2. Sexo feminino, 70 anos com diagnóstico de Linfoma de Hodgkin.

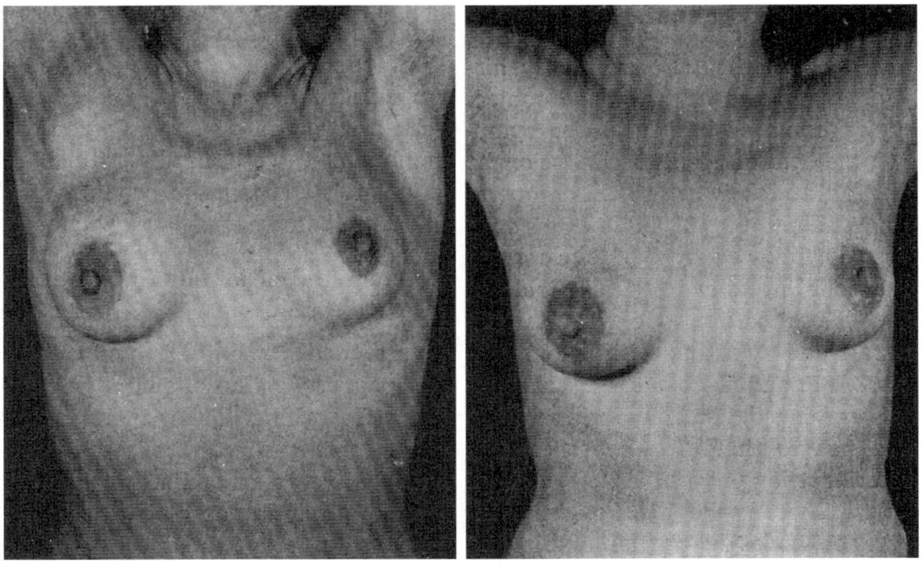

Figura 236.4 Caso1. Sexo feminino, 29 anos com linfoma de Hodgkin.

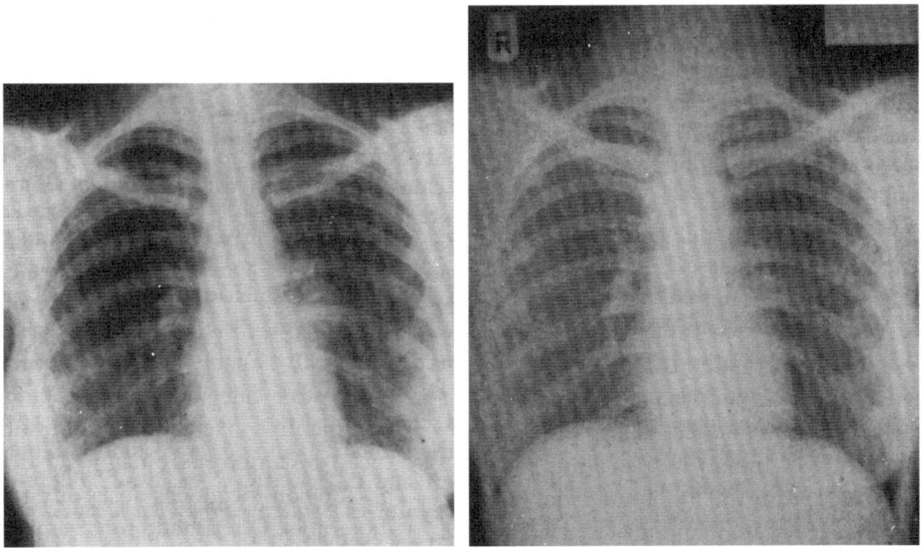

Figura 236.5 Linfoma de Hodgkin tratado com sulfato de cobre.

ponded with a fever of 40° C. He was placed on an initial therapeutic regimen wherein he was administered 0.3 ml NOI daily. After one month, the patient no longer demonstrated a fever following injection. During the one month of initial therapy, changes in lymphocytes, as a percent of total leucocytes, were recorded as follows: 46% on Jun. 18, 1973; 16% on Jun. 26, 1973; and 26% on Jul. 4, 1973. Only one inguinal lymph node palpated weakly when he was examined on Jul. 25, 1973. This lymph node was excised and sent to Istanbul University Cancer Institute for histologic examination and diagnosed as "unorderly follicule hyperelasie" with no sign of malignancy. The patient was placed on maintenance therapy at an initial dose of 0.3 ml NOI at weekly intervals. He was also given oral NOO starting from Feb. 1, 1974 (0.5 ml, 3 times per day) for 1 year. Following the initial therapeutic regimen the patient returned to work and since this time has been in complete regression.

Referência. www.medicinabiomolecular.com.br.

9. Moléstia de Hodgkin tratada com clotrimazol – 2 casos.

http://www.medicinabiomolecular.com.br/biblioteca/pdfs/Casos-Clinicos/cc-0531.pdf

10. Doença de Hodgkin com metástases pulmonares que regrediram com ciprofloxacina (500mg 2x/dia) e claritromicina (500mg 2x/dia) por longo tempo.

http://www.medicinabiomolecular.com.br/biblioteca/pdfs/Casos-Clinicos/cc-0374.pdf Trabalho na íntegra.

11. Doença de Hodgkin tratada com ácido clorídrico intravenoso.

THE USE OF HYDROCHLORIC ACID IN HODGKIN'S DISEASE

Observing the various comments in "The Medical World" magazine on the use of HCl at a dilution of 1/1500, in various cases and evidently with an enthusiasm as to the results obtained by them, and seeing the report in the J.A.M.A. as to its use and its safety and its stimulation of leucocytosis in the body, though not a word was mentioned in the report as to the beneficial change in the differential blood count by the Schilling method, nor did the report mention the increase in the phagocytes or oxygen increase in the blood cell, I, therefore, have more admiration and respect for the editors of "The Medical World" now than ever before for bringing this valuable intravenous agent to the profession.

I wish to relate one case where it has been used with great satisfaction. Patient, male, 47 years, on examination revealed tumor masses all over his body, varying in size from a pea to a Welch nut and larger. Approximately 200 such tumor masses were counted.

This patient was lying in bed in a semi-comatose condition for days, hands and feet in a spastic state and were constantly in the air in a shaking palsy, unable to take food. From 160 lbs he came down to 87. His speech was incoherent and inarticulate. His voice, if he uttered something, was of a high pitch, kitten-like; tongue paralyzed. Patient was expected to die, and the family was ready for it at any time. This patient was under care at the Rush Medical College dispensary, Billings Hospital and Mercy Hospital for the 1,000,000-volt X-ray treatment and was sent home to die.

For one week, HCl 1/1500 hypodermically was given daily, from 4 to 6 c.c., but with no results whatever. Then 10 c.c. intravenously was used once a week. Patient began to feel better. Tremor quieted. Opened his eyes, began to talk rationally, sat up, started to eat and eat heartily. Voice cleared; began to talk louder and louder until his natural voice returned and later turned into something like that of a bass. The family began to banter him about his voice: "Why, it sounds like McCormack!" (opera singer of that period). He would get up and walk away to the next room, laughing: "My family is making fun of me."

To the great amusement of his family and neighbors at one time, he decided to go down to his lawyer's to arrange his mortgages so they would not be foreclosed and his property taken over by receivers. The medication worked miracles even to me, the pessimist. My prestige with the family went high. About 8 or 9 cases were referred to

me by family and friends. Friends came to the house to marvel at the man they expected to die 6 months before.

The patient gained in weight about 11 lbs. For 5 months he was getting better and stronger, from the weekly intravenous injection of 1/1500 (stronger or large doses were tried, but with regret).

This patient developed a bronchus-pneumonia suddenly and died in two days. Remember we were in the pre-antibiotic era. Intravenous HCl cured many patients with severe infections, septicemia, puerperal infection, etc., but was not applied in this patient, see: Three Years of HCL Therapy As Recorded in articles in.

Referência. The Medical World with Introduction by Henry Pleasants, Jr., AB, MD, FACP, Associate Editor Published by W. Roy Huntsman, Philadelphia, PA, 1935.

12. Linfoma de Hodgkin intratável grau IV e radiofrequência – 34 pacientes.

Em 1980, 40 pacientes com linfoma grau IV intratável, isto é, que já haviam esgotado os recursos do tratamento convencional, foram submetidos à aplicação de campo eletromagnético de 434 MHz combinado com pequenas doses de citotóxicos e ou radioterapia. O resultado foi a remissão completa do linfoma em 34 pacientes e a remissão parcial em quatro. Somente dois pacientes não responderam. Tanto os citotóxicos como a radioterapia funcionaram como agentes oxidantes. Tratado por Holt.

Referências:

1. Holt J A G. Increased X-ray sensitivity of cancer after exposure to 434 MHz electromagnetic radiation. J Bioeng 1 (5/6): 479-485;1977.
2. Holt J G. Microwaves are not hyperthermia. The Radiographer 1988; 35 (4): 151-162. Holt J A G. The glutathione cycle is the creative reaction of life and cancer. Cancer causes oncogenes and not vice versa. Med Hypotheses 40: 262-266;1993.
3. Holt J.A. The use of UHF radiowaves in cancer therapy. Australas Radiol 1975: 19 (2): 223-241.
4. Nelson A JM, Holt JA G. Combined microwave therapy. Med J Australia; 2: 88-90. Ibid 1985; 13: 707-708;1978.

5. Nelson AJM & Holt JAG. Microwave adjunct to radiotherapy and chemotherapy for advanced lynphoma. Med. J. Aust., 1: 311-313;1980
6. Holt, J.A.G. The cure of cancer, A preliminary Hypothesis. Aust. Radiol. 18: 15-17;1974.
7. Holt, J.A.G.. The metabolism of sulfur in relation to the biochemistry of cystine and cysteine. Medical Hypothesis. 58 (5): 658-676;2001.

13. Linfoma de Hodgkin forma nodular esclerosante, grau IV-B tratado com benzaldeído mais cianeto.

Menina com 16 anos de idade foi diagnosticada com Linfoma de Hodgkin comprometendo mediastino, baço, cadeia ganglionar do pescoço e linfonodos mesentéricos, sendo a biopsia de crista ilíaca positiva. Foi submetida a esplenectomia e depois a radioterapia e quimioterapia. Ao iniciar o laetrile (benzaldeído mais cianeto) estava em mau estado geral, sem apetite, e muito cansaço. Estava tão fraca que somente conseguia ficar 4 horas fora do leito. Seis dias de laetrile intravenoso livrou-se da tosse. As dores das pernas desapareceram com 1 ampola de cloreto de cálcio intravenoso. Após 20 aplicações intravenosas de laetrile retornou à escola. O apetite voltou e ganhou 5 Kg de peso, sem febre e sem calafrios. Dois anos após o tratamento trabalha meio período e no restante do tempo vai à escola.

Referência. Laetrile Case Histories- The Richardson Cancer Clinic Experience. Published by American Media. California.2005.

14. Linfoma de Hodgkin grau II-B tratado com benzaldeído.

Mulher com 26 anos estava grávida pela primeira vez quando começou a sentir um “caroço” atrás da garganta. Biopsia: Linfoma de Hodgkin. Havia linfonodos no mediastino, cadeia ganglionar do pescoço e supra clavicular. Não havia envolvimento do baço, fígado ou medula óssea. Negou radioterapia e quimioterapia para manter a gravidez. Iniciou recentemente o laetrile e nas primeiras 3 semanas melhorou o apetite e diminuiu o cansaço.

Referência. Laetrile Case Histories- The Richardson Cancer Clinic Experience. Published by American Media. California, 2005.

15. Lesões pulmonares do linfoma de Hodgkin que regrediram após longo uso de ciprofloxacino (500mg/2xdia) e claritromicina (500mg/2x dia).

http://www.medicinacomplementar.com.br/biblioteca/pdfs/Casos-Clinicos/cc-0374.pdf – trabalho na íntegra.

16. Linfoma de Hodgkin tratado com aspargo. Não computado.

Caso clínico de doença de Hodgkin tratada com aspargo (testemunho interessante sem valor científico, porém importante para médicos que gostam de curar seus pacientes). O aspargo possui em sua composição várias substâncias antitumorais...Case No. 1, A man with an almost hopeless case of Hodgkin's disease who was completely incapacitated. Within 1 year of starting the asparagus therapy, his doctors were unable to detect any signs of cancer, and he was back on a schedule of strenuous exercise.

17. Linfoma de Hodgkin em portadora de HIV onde os gânglios cervicais diminuíram drasticamente com dieta inteligente e administração do Epstein-Barr vírus.

RLM, 42 anos, sexo feminino em tratamento de AIDS há 1 ano quando começou a notar aumento do volume dos gânglios cervicais. Ultrassonografia de partes moles de região submandibular em 01/junho/2018: presença de nove linfonodos de dimensões aumentadas, contornos lobulados, sendo os maiores localizados na cadeia submandibular à esquerda, medindo 2,7x1,4 cm; 2,2x1,2 cm; 2,0x1,2 cm e 1,6x0,7 cm. Na cadeia cervical anterior esquerda, medindo 2,0x0,7 cm; 1,7x0,6 cm e 1,0x0,3 cm. Na cadeia submandibular à direita, medindo 2,1x0,6 cm e 0,7x0,3 cm. Punção com agulha fina em 06/junho/2018, linfonodo sem sinais de malignidade. Biopsia em 28/junho/2018: Linfoma de Hodgkin com células características de Reed-Sternberg em meio a linfócitos T e B e granulócitos. Proliferação celular concentrada em células grandes atípicas, co-expressão de CD30, CD15 e PAX-5, sem coexpressão significante de CD45. Imunoexpressão de EBV (LMP-1) presente. Recusou a proposta do oncologista com a justificativa de apresentar leucopenia de 2740/mm3, linfócitos 647/mm3 e CD4: 201/mm3. Exames: IgG para Epstein-Barr vírus: 1825 UI/ml, PCR 7, glicemia 104mg%, sódio 138, potássio 4.16, magnésio 1,8 mEq/l, ureia 18,0, albumina 4.40, VHS 90, ferritina: 81,3 ng/ml, prolactina 3,8, T4livre 1,11, TSH 1,8, FSH 76, LH 56, cortisol 18, estradiol 19 e progesterona 0,36. Administrou/diminuiu a carga viral do Epstein-Barr vírus e iniciou dieta inteligente com retirada da carne, leite, queijo e a ingestão de menos que 25g/frutose/dia e alimentos com índice glicêmico menor que 60 e baixa carga glicêmica, por conta própria baseada em vídeos do You Tube de palestras de José de Felippe Junior. Após 2 meses o PCR caiu de

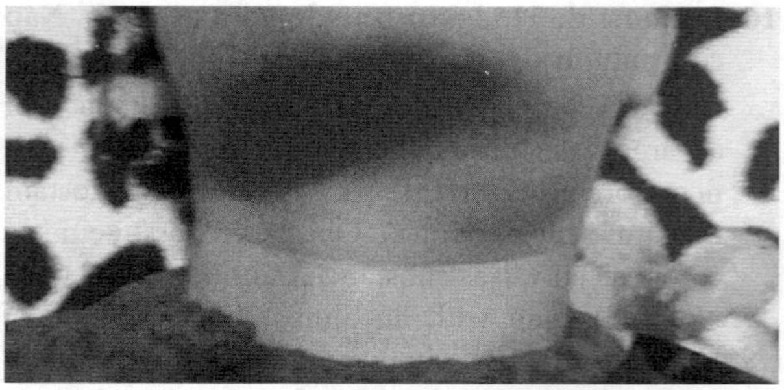

Figura 236.6 Início do tratamento mostrando grande massa tumoral na região lateral do pescoço.

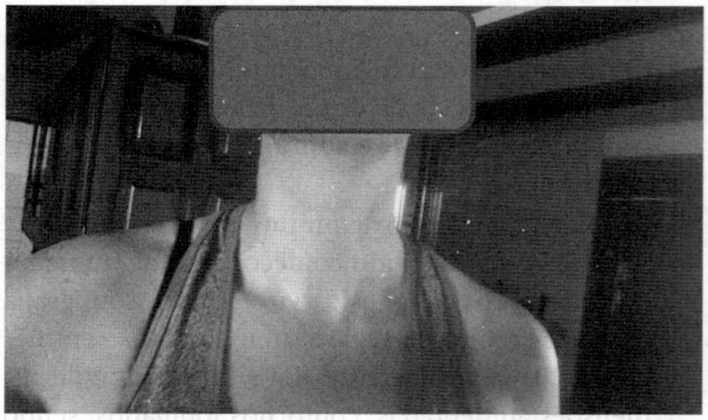

Figura 236.7 Regressão da massa tumoral após 2 meses de dieta inteligente e administração do Epstein Barr vírus.

7,0 para 0,36; o VHS de 90 para 25mm/primeira hora; e a ultrassonografia mostrou desaparecimento de 5 dos 9 gânglios linfáticos e diminuição dos 4 restantes: 0,5cm; 1,5x0,8 cm e 2,3x0,8 cm. As fotos da região cervical antes e após 2 meses de tratamento são vistas logo abaixo.

18. Linfoma de Hodgkin nodular: benefícios da quimioterapia convencional mais Viscum album.

A nodular lymphocyte predominant Hodgkin's lymphoma (NLPHL) is a lymphoproliferative neoplasm with a fair prognosis, but the possibility of a malignant transformation into a diffuse large B-cell lymphoma (DLBCL) is high. DLBCL progresses aggressively. Introduction of rituximab into therapy had led to improved outcomes. The use of Viscum album extracts (VAE) in cancer is established, but their application in lymphoma are rare. **Case presentation:** A 65-year-old patient was diagnosed with DLBCL stage IIa with splenomegaly, transformed from a NLPHL, after a 30-year history of repeatedly enlarged inguinal lymph nodes. The patient initially rejected chemotherapy. After his tumor pain increased, he accepted the consecutive therapies bendamustine plus vincristine plus prednisolone, trofosfamide, and rituximab plus cyclophosphamide plus hydroxydaunorubicin plus vincristine plus prednisone (R-CHOP), inducing only a slight regression of the splenic lesions. VAE was additionally applied to R-CHOP. Five months after termination of chemotherapy – under continued VAE therapy in increasing dosage- regression of paraaortal lesions was found. The patient fully recovered under continuous VAE application and is in ongoing complete remission and in a good state of health 17 years after the initial diagnosis. **Conclusion:** As complete remission of lymphoproliferative disorders after VAE treatment has been previously reported, further investigations of VAE in lymphoma seem highly worthwhile.

Referência. Gutsch J, Werthmann PG, Rosenwald A, Kienle GS. Complete Remission and Long-term Survival of a Patient with a Diffuse Large B-cell Lymphoma Under Viscum album Extracts After Resistance to R-CHOP: A Case Report. Anticancer Res. 2018 Sep;38(9):5363-5369.

19. Linfoma de Hodgkin autotratamento com Cannabis durante a gestação cujos tumores regrediram quase totalmente. Não computado.

Herein the authors present the case of a 21-year-old female Caucasian patient, with free history, diagnosed with HL stage IIB. The patient started first line chemotherapy and radiotherapy, with incomplete remission. She refused any other treatment. Five years later, the patient became pregnant and was offered chemotherapy in the 2nd trimester of pregnancy, that she refused, and delivered by C-section at 37 weeks. In the same year, the patient became pregnant again and was proposed termination of pregnancy, that she also refused. The MRI scan revealed progression of HL and she was admitted in the hospital several times for altered general condition, respiratory infections and increased need of painkillers including opioids. At 26 weeks of pregnancy, the patient began on her own a treatment with pure cannabis. Her pain and general status got better and the tumor tissue decreased. She delivered by C-section at 34 weeks a boy that presented in the first 24 h postpartum a withdrawal syndrome and intestinal invagination, requiring care in NICU and surgery with bowel resection. **Conclusion:** Therefore, we can conclude that cannabis could be part of oncological treatment. No other case like this, as far as we know, has been previously reported.

Referência. Huniadi A, Sorian A, Iuhas C, Bodog A, Sandor MI.J BUON. 2021 Jan-Feb;26(1):11-16.

CAPÍTULO 237

Linfoma não Hodgkin: 22 pacientes

1. Linfoma não Hodgkin que somente respondeu ao tratamento conjunto da medicina convencional com a biomolecular.

José de Felippe Junior

Paciente do sexo feminino, 55 anos. Linfoma não Hodgkin que não respondeu à radioterapia ou Quimioterapia. Submetida à radiofrequência de Lakhovsky, também não apresentou melhora. Quando submetida à radioterapia em conjunto com a radiofrequência e reposição dos nutrientes em falta e a retirada de metais tóxicos houve regressão total do tumor pulmonar em 60 dias, e assim permaneceu por mais de 5 anos, ocasião que perdemos o contato. Este caso clínico mostra a importância da integração oncologista-médico clínico.

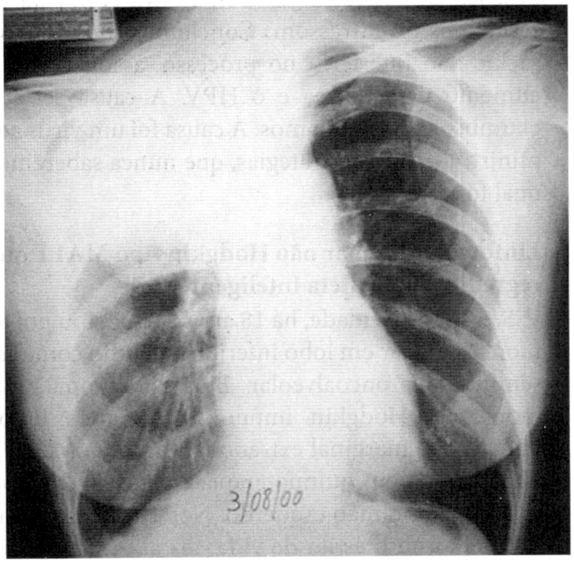

Figura 237.1 Pré-tratamento mostrando grande massa tumoral no ápice do pulmão direito.

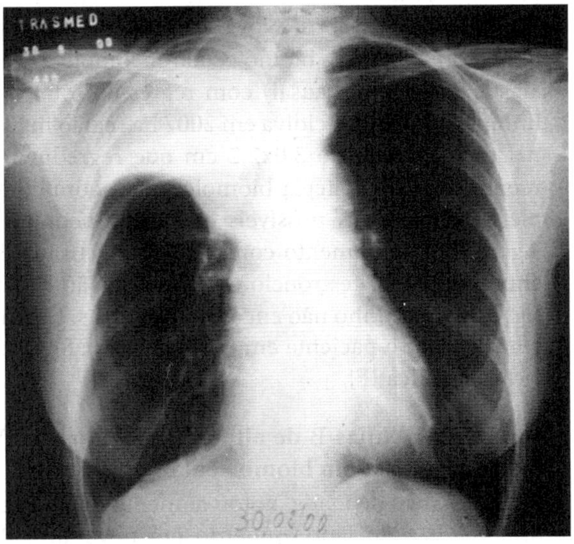

Figura 237.2 Vinte e sete dias de medicina convencional mais biomolecular e radiofrequência mostrando grande redução da massa tumoral.

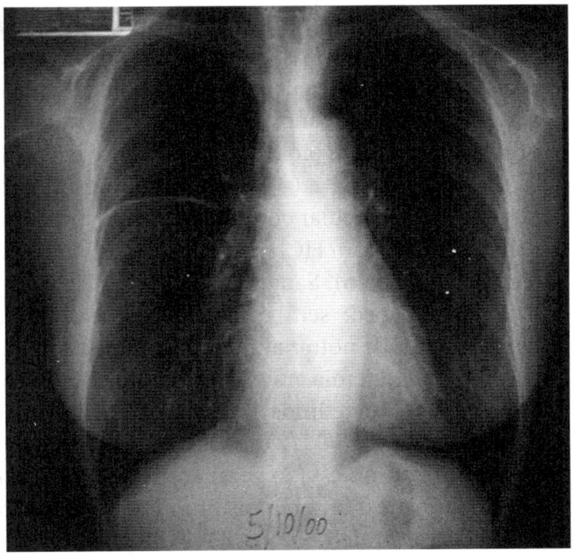

Figura 237.3 Dois meses após início do tratamento em conjunto. Regressão total da massa tumoral.

2. **Linfoma não Hodgkin de células B recidivado que regrediu com tratamento conjunto convencional e biomolecular. A terceira recidiva regrediu apenas com a biomolecular.**

   CV, 63 anos, em julho de 2003 apresentou dor abdominal. Fez tomografia que revelou massa com densidade de partes moles e limites bem definidos na região mesentérica e pararrenal esquerda (retroperitoneal) com linfonodos no retroperitônio, mediastinanis e inguinais. Biópsia da massa retroperitoneal: linfoma não Hodgkin folicular de pequenas células clivadas (WHO grau I), com imunofenótipo B e índice de proliferação de 5%. Com quimioterapia regrediram todos os tumores. Recidiva em 2005, dois anos após. Nova quimioterapia agora junto com estratégia biomolecular incompleta (não afastamos o fator causal) com regressão total dos linfonodos. Nova recidiva em 2007 na região inguinal direita medindo 3,0x2,2 cm que regrediu somente com a estratégia biomolecular, agora completa afastando as possíveis causas da neoplasia. Agora fez o tratamento completo com retirada de chumbo, titânio, estroncio e alumínio. Não houve recidivas. Estranho não encontramos vírus. Ùltimo contato com o paciente em julho de 2020. Sem recidiva. Clínica JFJ.

3. **Linfoma de células B de alto grau devido a HSV tratado apenas com biomolecular.**

   FTM, 44 anos de idade, notou aumento do volume da amígdala do lado esquerdo em novembro de 2019. O massa tumoral foi aumentando até ter dificuldade em engulir. Biópsia: neoplasia linfoproliferativa pouco diferenciada. Histoquímico: limfoma de células B de alto grau com expressão de Bcl-2 e Myc. **Hipertenso tomando amlodipina por mais de 3 anos**. Ao exame físico ótimo estado geral e recebendo radiação geopatogênica. Sensograma: chumbo. Biorressonância: mercúrio, glifosato e aldrim. Único exame biológico positivo foi o HSV1-2 com **IgG**: 30 e IgM: (–), ferritina: 757ng/ml. Tratamento biomolecular com dieta, fórmulas via oral e soros (EDTA com HCl mais vitamina C alternado com ácido lipoico). Sangrias. Em 04/11/2020 PET -scan oncológico: sem massas hipermetabólicas. Dez meses após notou aumento de linfonodos no pescoço mais anemia grave. **HSV1 com IgG de 161** e HSV2 (–). Repetimos tratamento inicial, mais EPREX 40.000UI SC 7/7 dias. Acabou os soros sem anemia em ótimo estado geral em 10/09/2021. Tomografia: regressão total dos linfonodos do pescoço. No começo de outubro RT-PCR positivo para Sars-2. Internado em UTI entubado, ventilado, entretanto, faleceu em 21 dias no hospital. Clínica JFJ.

4. **Linfoma não Hodgkin recidivado que regrediu totalmente com a estratégia biomolecular.**

   RCM, 60 anos de idade, após sobrecarga emocional forte notou nódulos na face lateral do pescoço e região supraclavicular em julho de 2017. Biópsia: linfoma não Hodgkin. PET/CT: aglomerado de linfonodos na fossa supraclavicular esquerda medindo 5cm no maior diâmetro. Fez quimioterapia com regressão total ao PET/CT. Em 2019 após 2 anos do início da doença houve recidiva local e a quimioterapia provocou regressão total. Em julho de 2020, o PET/CT nada revelou. Em janeiro de 2021 apresentou nova recidiva com linfonodo de 1,0 x 0,5cm no PET/CT. Nada foi feito e os linfonodos foram aumentando de volume até chegarem a 2,3cm em julho de 2021. Não aceitou nova quimioterapia. O paciente em agosto estava em bom estado geral, sem queixas, alergia à caseína, falta de iodo e dormindo em cruzamento de Hartman. Sensograma: aumento de chumbo e falta de iodo. Biorressonância: presença de chumbo, glifosato e HPV. Ferritina: 620ng/ml, DHEA-sulfato: 69microg/dl., Coxsackie B IgG reagente 1/40, EBV IgG reagente 57u/ml. Fez a dieta inteligente, tomou todas as fórmulas e fez os 40 soros: EDTA intercalando com alta dose de vitamina C e ácido alfalipoico/3x por semana. Em 24/11/21 Sensograma: ausência do chumbo e iodo normal; biorressonância: ausência de chumbo, porém presença do HPV (repetido o teste 2 vezes), ferritina: 1088ng/ml; EBV IgG reagente 58u/ml (não houve mudança da dosagem significando inocência); Coxsackie B IgG reagente 1/80 (ficou mais positivo, portanto possível causa do processo). Ultrassonografia: negativa para nódulos no pescoço ou supraclaviculares. RNM: confirma os resultados do ultrassom. Concluímos que o Coxsackie não interferiu no processo, assim como o aumento da ferritina e o HPV. A causa seria o chumbo, não acreditamos. A causa foi um vírus administrado pelas estratégias, que nunca saberemos qual foi. Clínica JFJ.

5. **Linfoma pulmonar não Hodgkin tipo MALT que regrediu com a dieta inteligente.**

   FSS, 57 anos de idade, há 18 anos apresentou pneumonia alveolar em lobo inferior esquerdo com disseminação broncoalveolar. Biópsia: linfoma pulmonar não Hodgkin. imuno-histoquímico: linfoma da zona marginal extranodal (linfoma MALT). Foi tratado com quimioterapia e retirada do lobo inferior do pulmão esquerdo. Nos 18 anos seguintes melhorou o estilo de vida, fez atividade física, dieta saudável, terapia e meditação. Entretanto, foi submetido ao absurdo de 23 tomografias pulmonares para controle. Em julho de 2021 apresentou sintomas de gastrite e a endoscopia mostrou nos corpos distal, médio e proximal denso infiltrado de linfócitos pequenos, por vezes infiltrando estruturas glandulares sugestivas de doença linfoproliferativa. Imuno-histoquímico: linfoma não Hodgkin de estômago tipo MALT. Na imagem vemos pregas da mucosa gástrica aumentadas significando gastrite crônica com hipocloridria. *Helicobacter pylori*: negativo, mesmo assim foi tratado do modo clássico. Em 29 de setembro apresentava-se em ótimo estado geral, sem queixas e contando que no último ano faleceu amigo e sogra e toda família se infectou com o SARS-2. Exame físico com alergia à caseína do leite e iodo normal. Sensograma: aumento de chumbo e mercúrio e iodo baixo. Biorressonância: níquel, bismuto, aldrin e EBV. Exames de sangue, *Chlamidophyla pneumoniae*: IgG reagente 80u/ml (R >22); Coxsackie B: IgG reagente 1/80; CMV:108; EBV: 68; ferritina: 108ng/ml; *H. pylori*: (-). Oncologista indicou radioterapia com dose baixa. Neste ínterim estava com 2 meses da dieta inteligente cumprindo 80% e não havia começado as fórmulas. Solicitamos PET/CT antes da radioterapia, sendo realizada em 03/11/2021: ausência de hipermetabolismo glicolítico nas paredes do estômago ou em outros locais. Conclusão: somente a dieta inteligente favoreceu a regressão total da doença. Conduta: iniciar e manter as iórmulas prescritas. Clínica JFJ.

6. **Linfoma folicular tratado com a medicina biomolecular.**
EPS, 75 anos de idade, sexo feminino. Procurou o consultório em 10-06-2021 contando que apareceram nódulos no pescoço há 2 anos, entretanto a punção com agulha fina deu negativo. Isto não fazemos. Utilizamos para diagnóstico mais preciso a agulha grossa ou a retirada do nódulo. Há 1 mês fez a retirada do nódulo cervical e o diagnóstico foi linfoma folicular grau 2 de linfócitos B. Marcadores positivos: Ki-67, 50%; CD20, Bcl-2, CD10, proteína BCL6 e HGAL. Os filhos negaram a quimioterapia. PET-scan (21-06-2021): 2 linfonodomegalias cervicais e 5 supraclaviculares com SUV de 12,2 nos linfonodos supraclaviculares agrupados chegando a medir 3,0cm. Anamnese com 10 respostas positivas para falta de serotonina denotando depressão severa. Exame físico: PA:180/110, alergia à caseína do leite de vaca. Não recebe radição de zona geopatogênica (já está usando manta de alumínio no colchão). Sensograma: chumbo e diminuição do iodo e calcitriol. Biorressonância: chumbo, cipermetrim, endosulfam, HSV e HPV. Exames: EBV IgG anticapsídeo, 78 (R > 1,1); HSV IgG 42 (R > 1,1); CMC IgG > 250 (R > 1,1); *Clamidophyla trachomatis* reagente 1/640. Tratamento: dieta inteligente, 2/3 das fórmulas do capítulo 202 – Linfoma não Hodgkin – ESTRATÉGIAS e soros: EDTA com vitamina C alternando com ácido alfalipoico (3x/semana, total 20x). **Em 05-11-2021** paciente em bom estado geral e sem queixas. EBV IgG 74; CMV IgG > 250; HSV1 IgG 49; HSV2 IgG negativo; aldosterona 250. Cumpriu dieta, 90%, fórmulas 100% e os soros 100%. PET-scan (03-11-2021): em relação ao PET anterior de 21-06-2021, notam-se estabilidade metabólica nos linfonodos e linfonodomegalias cervicais e supraclaviculares, com SUV 11,3 (prévio 12,1) por vezes agrupados medindo em conjunto 3,7cm no maior eixo. Resolução da discreta hipercaptação difusa em esqueleto axial e apendicular proximal. Conclusão: doença estável. Em 22-03-2022, paciente em ótimo estado geral e sem depressão. Conta que até ontem tomou todas as fórmulas. Biorressonância: sem chumbo e agrotóxicos e verificação de vírus negativo. Ultrassonografia cervical de março de 2022: não há evidências de linfonodomegalias cervicais. Clínica JFJ.

7. **Linfoma não Hodgkin tratado com ácido alfalipoico e naltrexone em baixas doses – longa sobrevida (> 57 meses): 6 meses de naltrexone e 2 semanas de ácido lipoico intravenoso.**
http://www.medicinabiomolecular.com.br/biblioteca/pdfs/Casos-Clinicos/cc-0548.pdf

8. **Linfoma de pequenas células com metástase óssea tratado com ácido lipoico e ácido ascórbico.**
A sixty-five year old Caucasian female began treatment at our clinic on December 1st, 1998. In the previous year she was diagnosed by her oncologist as having low-grade small-cell malignant lymphoma with the involvement of the bone marrow. The circulating platelet count is a good indicator of metastatic burden in the bone marrow, as the expected course for this disease is for an unremitting decline in circulating platelet levels. Indeed, the patient indicated in her correspondences with our clinic that her platelet counts had fallen from 239,000 to 160,000 in the six months immediately prior to the commencement of lipoic acid therapy. She was placed on a regimen of 300 mg Lipoic Acid daily along with other nutritional supplements to accommodate her nutritional deficiencies. Two months later, she was started on intravenous vitamin C therapy, at 50 grams twice per week. Six months after her first visit, her ascorbate dose was increased to 75 grams twice per week. The patient's platelet levels

remained relatively stable during the course of treatment: her counts never went below 100,000 as normally expected with this type of cancer. Six months after initiating lipoic acid treatments, her platelet count was stable at 190,000.

Referência. Treatment of cancer using lipoic acid in combination with ascorbic acid. United States Patent 6448287 Casciari, Joseph J. (Newton, KS) Riordan, Neil H. (Wichita, KS).

9. Regressão de grande linfoma gástrico de células B com *Ganoderma lucidum*.

Complete regression of high-grade lymphoma is extremely rare. We report 1 such case that might have been conceivably mediated by Ganoderma lucidum (Lingzhi), an immunomodulatory herbal medicine. A 47-year-old man presented with epigastric pain. Endoscopy revealed a large gastric ulcer, which on biopsy was diagnostic of large B-cell lymphoma. At gastrectomy 11 days later, no evidence was found of large B-cell lymphoma despite thorough sampling. Instead, there was a dense and permeative infiltrate of CD3(+) CD8(+) cytotoxic small T lymphocytes spanning the whole thickness of the gastric wall. In situ reverse transcription polymerase chain reaction for T-cell receptor beta-chain family did not detect a monoclonal T-cell population. We postulate that the cytotoxic T cells may represent an active host-immune response against the large B-cell lymphoma that resulted in a complete regression. On questioning, the patient had taken megadoses of Ganoderma lucidum, which might have triggered the successful immune reaction.

Referência. Cheuk W, Chan JK, Nuovo G, et al. Regression of gastric large B-Cell lymphoma accompanied by a florid lymphoma-like T-cell reaction: imuno modulatory effect of Ganoderma lucidum (Lingzhi). Int J Surg Pathol. Apr;15(2):180-6;2007.

10. Linfoma maligno pulmonar tratado com *Nerium oleander*.

http://www.medicinabiomolecular.com.br/biblioteca/pdfs/Casos-Clinicos/cc-0058.pdf

Trabalho na íntegra com imagens no site.

Diagnosis: Malignant lymphoma, lung câncer.

A 60-year-old woman experienced pain in her left chest, cough, and general weakness in 1992. She presented to a physician who prescribed some specific and non-specific anti-rheumatic treatments. A chest x-ray taken on October 9, 1992 showed a shadow covering the lower two-thirds of the left lung.

She was admitted on 17 October 1992 to Aydin State Hospital. On physical examination, there was dullness, and the breathing sound was noted to be low over the left lung. The patient had fever. Laboratory findings showed an inflammatory syndrome, with white blood cell count of 27x103/μL, erythrocyte count of 3.21x106/μL, hemoglobin content of 10 g/dL. Some of the differential count percentages were as follows: Segmented neutrophils: 85 %; Lymphocytes: 13 %; Eosinophils: 2%. 2,000cc of serofibrous fluid was removed by punctum, and the patient was treated with antibiotics. Pleural biopsy and histopathological examination of the specimen were performed, and the patient was diagnosed with malignant lymphoma. The computed tomography (CT) scan, performed on 27 October 1992, demonstrated a tumoral mass of 30.7mm x 23.4mm in the left lung. The patient was advised to refer to Tepecik Chest Diseases Hospital (TCDH) in Izmir for further examination.

The patient's husband, who was diagnosed with lung cancer three years ago and who was treated by Dr. Ozel, took his wife on 2 November 1992 to Dr. Ozel. Her general condition was very poor. She could only walk with the help of others. Auscultation revealed that basal two-thirds of the left lung did not participate in breathing, and that dullness was present. Dr. Ozel recommended the family to take the patient to TCDH; however, the patient and her husband insisted in trying N.O. treatment. A test dose of 0.3cc of N.O.I. caused the patient's body temperature to rise to 38.2o C. She was placed on a regimen of 0.3cc dose of N.O.I. to be given daily, six days per week. It was advised to adjust the dosage according to maximum fever.

The patient's medical condition ameliorated gradually. X-ray taken on November 30, 1992 demonstrated remarkable regression of the tumor.

The patient presented to Dr. Ozel on 18 January 1993 with an x-ray taken on the same date. There was no tumoral mass demonstrated, and the patient was living normal daily life with no complaints. There was no more increase in fever after N.O.I. injections, and the patient was placed on a maintenance regimen with 0.3cc dose of N.O.I. to be administered once every two days.

The patient came to Dr. Ozel for a follow-up on 20 May 1993. She had no complaints, and there was no change in the body temperature after N.O.I. injections. The patient was recommended to end the maintenance treatment.

A follow-up x-ray taken on 11 July 1994 revealed no pathological finding.

Another follow-up radiograph was taken on 14 May 1998; it revealed clear lungs, no infiltrates, effusions, or mass lesions. The patient was in remission.

She was last contacted in 2002, and she was in remission.

Referência. http://www.drozel.org/eng/diagnosis_malignant_MG.htm.

11. Linfoma maligno com mielofibrose e leucemia mieloide tratado com sulfato de cobre.

Sexo feminino, 89 anos. Mielofibrose com linfoma maligno e alterações de leucemia mieloide. A) radiografia de tórax antes do tratamento mostrando derrame pleural e linfoadenopatia mediastinal. B) regressão total do derrame pleural e diminuição dos gânglios mediastinais após o emprego de sulfato de cobre 25mg dias x ao dia. Permaneceu muito bem por 6 meses. Perdeu-se o seguimento de longo prazo.

Referência. The causation of reumathoid disease and many human cancer – A new concept in medicine – Roger Wyburn-Mason IJI Publishing Co, LTD Tokyo Japan, 1978.

12. John Holt na Austrália foi um dos primeiros pesquisadores a dar importância para a hipertermia no tratamento do câncer. Ele a empregou juntamente com a oxidação sistêmica. Com o emprego de UHF de 434 MHz e administrando GS-SG (GSH + H2O2) como agente oxidante sistêmico, Holt obteve o desaparecimento de inúmeros tipos de câncer por períodos superiores a 5 anos. A maioria dos tumores não havia respondido à cirurgia, quimioterapia ou radioterapia A seguir mostramos 1 caso que foi tratado por Holt e publicados em 1993 na conceituada revista da literatura médica indexada "Medical Hypotheses".

Linfoma não Hodgkin e RF sistêmica com soro GS-SG

RH, masculino, data do nascimento: 23/01/39. Linfoma não Hodgkin envolvendo o pescoço dos dois lados e gânglios axilares e mediastinais. Radioterapia em julho de 83, recorrência diagnosticada por biópsia em novembro de 1984, protocolo em dezembro de 84 e janeiro de 1985. Completa resolução, sem a doença em janeiro de 1991. Protocolo: Emprego de UHF de 434 MHz sistêmico logo após a infusão intravenosa de soro com glutationa peroxidada: 2GSH mais H2O2 gera GS-SG mais 2H2O.

13. Linfoma não Hodgkin tratado com dieta inteligente + atividade física + banhos de Sol.

VPC, 79 anos, masculino.

Fazia quimioterapia desde junho de 2013 por linfoma não Hodgkin de grandes células B, com tumores na região inguinal, mesentério, adjacente a cabeça do pâncreas, mediastino e paratraqueais. Fez 8 sessões de quimioterapia e não respondeu. Trocou a quimioterapia e fez mais 8 aplicações e os tumores aumentaram na RNM e no PET-CT.

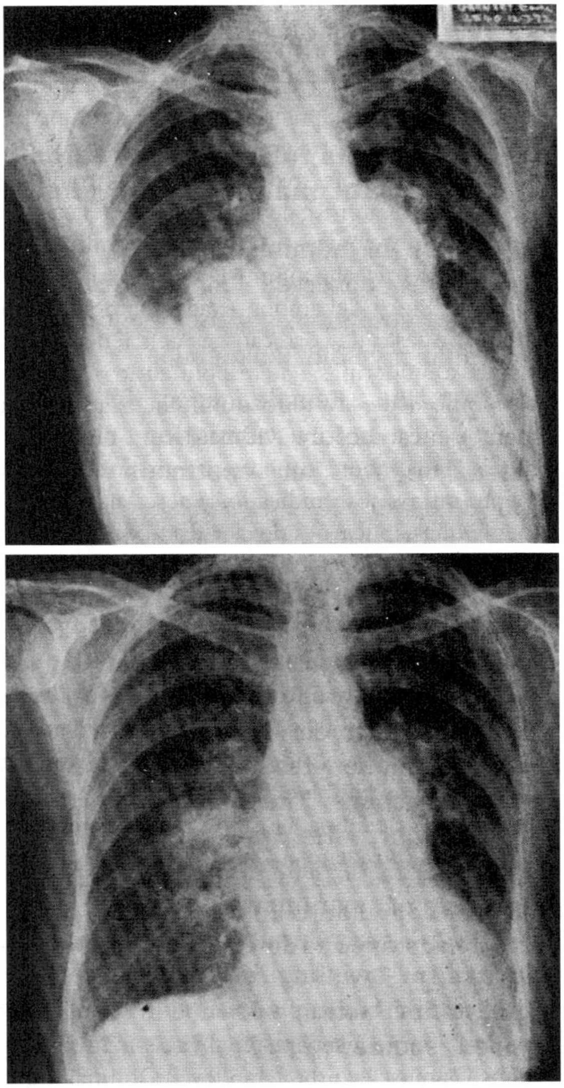

Figura 237.4 Linfoma maligno com mielofibrose e leucemia mieloide tratado com sulfato de cobre.

Em junho de 2014 foi orientado para dieta inibidora do câncer do Dr. Sidney Federmann (muito parecida com a dieta inteligente descrita neste livro) associada a doxorrubicina. Adesão completa à dieta.

Em janeiro de 2015 o PET-CT oncológico mostrou regressão metabólica efetiva dos linfonodos mediastinais, mesentéricos, paratraqueais, inguinais e parapancreáticos. Não foram observadas áreas com metabolismo glicídico sugestivas de neoplasia em atividade.

Em outubro de 2015 apresentou nova recidiva, mesmo cumprindo a dieta rigorosamente e sob quimioterapia.

Em outubro de 2016 recebeu tratamento baseado nos capítulos deste livro e cumpriu quase que 100% das várias fórmulas para inibir a proliferação, aumentar a apoptose, polarizar o sistema imune para M1/Th1 e administrar os agentes biológicos. Não apresentava metais tóxicos. Foi encontrado IgG elevado para Citomegalovírus e Epstein-Barr vírus. Feitos Valtrex e outras estratégias para administrar os Herpes vírus. Hormônio-D3, 38pg/ml e DHEA-sulfato, 20mcg/dl, ambos exageradamente diminuídos. Apesar da correção das deficiências nutricionais e endócrinas, não respondeu ao tratamento. No começo de fevereiro diminuiu o apetite, aumentou o cansaço e havia perdido 2 quilos em 3 meses. Finalmente concordou em fazer o tratamento intravenoso indicado 4 meses atrás. Fez somente duas aplicações de cloridrato de hidrogênio intravenoso. Faleceu em 22/02/2017.

Nota: o paciente ficou muito tempo com os agentes carcinogênicos CMV e EBV, além da grande diminuição do DHEA-sulfato, que provoca ambiente redutor proliferativo, e diminuição do hormônio D3 que cuida de 4500 genes incluindo a ativação de genes supressores tumorais e genes que aumentam a produção de antibióticos intracelulares, beta-defensina e catelecidina. Gostaria muito de ter feito o tratamento intravenoso 4 meses antes. Clínica JFJ.

14. Linfoma de grandes células B com metástases ósseas tratado com alta dose de vitamina C intravenosa.

A 66-year-old woman was found in January 1995 to have a large left paraspinal mass medial to the iliopsoas muscle at the L4–5 level. On imaging the mass measured 3.5–7 cm transversely and 11 cm in the craniocaudal direction, with evidence of extension into the posterior paraspinal muscle and bone invasion. Chest radiography results were normal. An open biopsy specimen was diagnostic of a diffuse large B-cell lymphoma. The patient's oncologist recommended local radiation therapy and chemotherapy. Although she agreed to a 5-week course of local radiation therapy, the patient refused chemotherapy, electing instead to receive vitamin C intravenously. She received 15 g of vitamin C twice per week for about 2 months, 15 g once to twice per week for about 7 months, and then 15 g once every 2–3 months for about 1 year. This began in mid-January 1995 concurrently with the radiation therapy, which was given as AP/PA parallel opposed 18 MEV x-rays and between 1–18 and 2–28–95, 5040 Centi Gray in 28 fractions delivered to the mid-plane of the body with 3:2 loading from the back. At this time a left axillary lymph node 1 cm in diameter and a right axillary lymph node 1.5 cm in diameter were palpable. Two weeks later, in early February 1995, the right and left axillary lymph nodes remained palpable and a new left cervical lymph node 1 cm in diameter and a new left supraclavicular lymph node larger than 1 cm were apparent on physical examination. Intravenous vitamin C therapy continued. Three weeks later the supraclavicular and cervical lymph nodes were no longer palpable, the left axillary node had disappeared, and the right axillary node had decreased in size to less than 1 cm. After a further 3 weeks, in mid -March 1995, there was no lymphadenopathy in the neck and no palpable axillary lymphadenopathy. In late April 1995 a new left cervical lymph node was detected, and histopathologic review identified a biopsy specimen as identical to the original tumour. The patient once again refused chemotherapy and continued her program of intravenous vitamin C injections. Two months later, in June 1995, there was marked left supraclavicular lymphadenopthy 3 cm in size, with shotty right axillary nodes but no adenopathy in the left axilla. Four months later, in October 1995, a single right submandibular node was palpable, but the supraclavicular and all other areas, including the axillas, had no palpable lymph nodes. In May 1996 a left anterior cervical node 1.5 cm in size was present, but there was no other adenopathy. Intravenous vitamin C therapy continued through late December 1996, at which time the patient was in normal health and had no clinical sign of lymphoma. The patient remains in normal health 10 years after the diagnosis of diffuse large B-cell lymphoma, never having received chemotherapy. The patient used additional products: β-carotene, bioflavonoids, chondroitin sulfate, coenzyme Q_{10}, dehydroepiandrosterone, a multiple vitamin supplement, N-acetylcysteine, a botanical supplement and bismuth tablets. Histopathologic examination of the original paraspinal mass at the NIH confirmed a diffuse large B-cell lymphoma at stage III, with a brisk mitotic rate.

Start date Medication and dosage.

1-13-95. Coenzyme QI0 (ubiquinone) 200 mg daily for 1 wk, followed by 400 mg daily.

1-13-95. Magnesium 1 mL with intravenous vitamin C therapy 10-19-95 β-carotene 25 000 IU 4 times daily.

1-27-95. Parasidal (Sweet wormwood whole plant extract, ginger root and rhizome extract, sour plum fruit extract) 1 tablet 3 times daily.

1-27-95. Vitamin B supplement, intake doubled 1-27-95 Dehydroepiandrosterone 25 mg daily. 1-27-95 OsteoPrime 1 tablet 4 times daily 5-15-95 Vitamin C with bioflavonoids 1000 mg daily, increased by 1-2 gm/d each wk 6-08-95 N-acetylcysteine 500 mg twice daily.

3-18-96. Magnesium 1 mL with intravenous vitamin C therapy.

4-01-96. Pepto Bismol (bismuth) 2 tablets 4 times daily for 2 wk.

4-28-96. Parex (botanical supplement) 2 capsules 2-3 times daily.

12-24-96. Magnesium 1 mL with intravenous vitamin C therapy.

9-23-97. Chondroitin sulfate 500 mg 3 times daily.

9-23-97 Glucosamine sulfate 500 mg 4 times daily.

Referência. Sebastian J. Padayatty, Hugh D. Riordan, John Hoffer. Intravenously administered vitamin C as cancer therapy: three cases. CMAJ. March 28, 174(7), 937- 942;2006.

15. **Linfoma de grandes células B com grande massa retroperitoneal tratado com alta dose de vitamina C intravenosa.**

A 51-year-old woman was found in August 1995 to have a tumour involving her left kidney. At nephrectomy in September 1995 this was shown to be a renal cell carcinoma 9 cm in diameter with thrombus extending into the renal vein. Chest radiography results were normal, and there was no evidence of metastatic disease on CT scan of the chest and abdomen. In March 1996 a CT scan of the chest indicated several new, small, rounded and well-defined soft tissue masses no larger than 5 mm in diameter; they were judged consistent with metastatic cancer. By November 1996 chest radiography revealed multiple cannonball lesions (Fig. 237.5). The patient declined conventional cancer treatment and instead chose to receive high-dose vitamin C administered intravenously at a dosage of 65 g twice per week starting in October 1996 and continuing for 10 months. She also used other alternative therapies: thymus protein extract, N-acetylcysteine, niacinamide and whole thyroid extract. In June 1997 chest radiography results were normal except for one remaining abnormality in the left lung field, possibly a pulmonary scar (Fig. 237.6). In October 2001 a new mass 3.5 cm in diameter in the anterior right lung was detected on radiography. A transthoracic biopsy revealed small-cell carcinoma of the lung. The patient opted for intravenous vitamin C injections. The lung mass remained constant in size in radiograpy taken in May and August 2002 but had increased to 4 cm in views taken in October 2002. In early November

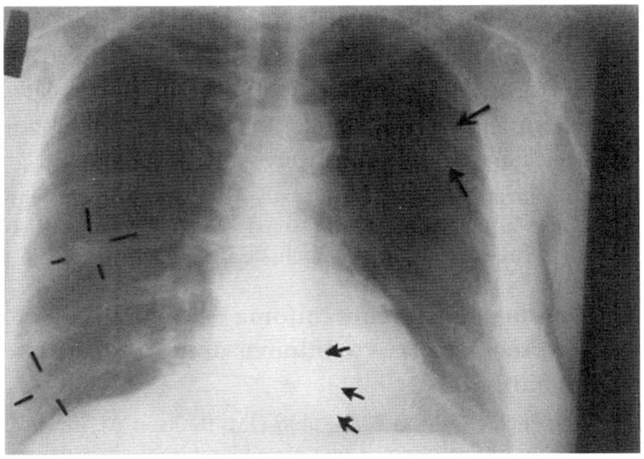

Figura 237.5 Chest radiography, November 1996, about 1 month after intravenous vitamin C therapy was started. Cannonball lesions are evident in both lung fields, as indicated by the arrows and lines.

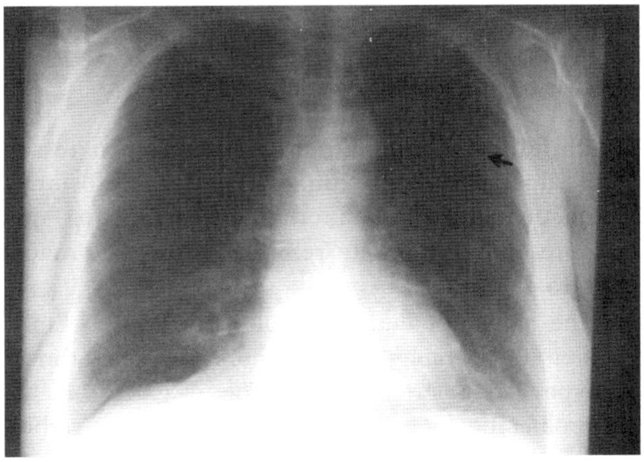

Figura 237.6 Chest radiography, June 1997, showing regression of the lesions; the arrow indicates one residual abnormality.

hyponatremia developed. Two weeks later the patient was admitted to hospital with abdominal distension and constipation. Barium studies revealed slow transit but no intestinal obstruction. Results of a CT scan of the abdomen were normal. She died shortly afterward, and no autopsy was performed. Histopathologic review of the primary renal tumour at the NIH confirmed the diagnosis of clear-cell renal carcinoma, type, nuclear grade III/IV, with the largest diameter measuring 6.5 cm. The tumour involved the renal vein and hilar perinephric fat. Pathologic review of the lung tumour biopsy specimen of October 2001 was not conducted at the NIH. Local pathologists diagnosed this specimen as indicating small-cell lung cancer and not recurrent metastatic renal cell carcinoma.

According to the NCI Best Case Series guidelines, the credibility of this case would be increased by biopsy proof that the multiple slowly growing bilateral cannonball lung nodules in this patient with known renal cell carcinoma were actually malignant.

Referência. Sebastian J. Padayatty, Hugh D. Riordan, John Hoffer. Intravenously administered vitamin C as cancer therapy: three cases. CMAJ. March 28, 174(7), 937- 942;2006.

16. Em um paciente com linfoma de células B houve reversão dos sinais e sintomas usando naltrexone em baixa dose.

Referência. Berkson BM, Rubin DM, Berkson AJ. Reversal of signs and symptoms of a B-cell lymphoma in a patient using only low-dose naltrexone. Integr Cancer Ther. Sep;6(3):293-6;2007.

17. Linfoma não Hodgkin refratário ao convencional que respondeu ao ácido cítrico.

Referência. Halabe Bucay A. A patient with Non Hodgkin Lymphoma that has survived more than 5 years after the treatment with citric acid that he received. Int J Res and Review 2(12):769-770;2015.

18. Linfoma não Hodgkin apresentando progressão da doença com rituximab-CHOP (cyclofosfamida, doxorrubicina, vincristina e prednisona) que apresentou completa remissão após dicloroacetato de sódio.

The uptake of fluorodeoxyglucose Positron Emission Tomography in the tumors of various cancer types demonstrates the key role of glucose in the proliferation of cancer. Dichloroacetate is a 2-carbon molecule having crucial biologic activity in altering the metabolic breakdown of glucose to lactic acid. Human cell line studies show that dichloroacetate switches alter the metabolomics of the cancer cell from one of glycolysis to oxidative phosphorylation, and in doing so restore mitochondrial functions that trigger apoptosis of the cancer cell. Reports of dichloroacetate in human subjects are rare. The authors contacted individuals from Internet forums who had reported outstanding anti-cancer responses to self-medication with dichloroacetate. With informed consent, complete medical records were requested to document response to dichloroacetate, emphasizing the context of monotherapy with dichloroacetate. Of ten patients agreeing to such an evaluation, only one met the criteria of having comprehensive clinic records as well as pathology, imaging and laboratory reports, along with single agent therapy with dichloroacetate. That individual is the focus of this report. In this case report of a man with documented relapse after state-of-the-art chemotherapy for non-Hodgkin's lymphoma, a significant response to dichloroacetate is documented with a complete remission, which remains ongoing after 4 years. Dichloroacetate appears to be a novel therapy warranting further investigation in the treatment of cancer.

Referência. Strum SB, Adalsteinsson O, Black RR, et al. Case report: Sodium dichloroacetate (DCA) inhibition of the "Warburg Effect" in a human cancer patient: complete response in non-Hodgkin's lymphoma after disease progression with rituximab-CHOP. J Bioenerg Biomembr. Jun;45(3):317;2013.

19. Relapse of high-grade non-Hodgkin's lymphoma after autologous stem cell transplantation: a case successfully treated with cyclophosphamide plus somatostatin, bromocriptine, melatonin, retinoids, and ACTH.

With a combination of cyclophosphamide, somatostatin, bromocriptine, retinoids, melatonin, and ACTH, we already reported 100% global response in 8 patients with relapse of low-grade NHL after single or combined chemotherapy and a therapy-free period of > or = 6 months. This provided the rationale to evaluate the same pharmacological association in a patient with relapse of high-grade NHL after auto-SCT performed 2 years before. The patient was treated for at least 2 months. At the end of this period, if he had stable or responding disease, he received additional 3 months of treatment, and if he was stable or responding after 5 month, he was treated for 3 months and more. After 2 months, patient had a partial response, and after 5 months, he achieved a complete response. Today, 14 months after beginning treatment, patient is in complete remission. Treatment had very good tolerance, and patient carried on at home doing his normal activities. Our result and severe toxicities associated with conventional salvage treatments suggest in a relapse of high-grade NHL after auto -SCT, further clinical trials using the pharmacological association we employed in this case.

Referência. Todisco M. Relapse of high-grade non-Hodgkin's lymphoma after autologous stem cell transplantation: a case successfully treated with cyclophosphamide plus somatostatin, bromocriptine, melatonin, retinoids, and ACTH. Am J Ther. Nov-Dec;13(6):556-7;2006.

20. Low-grade non-Hodgkin lymphoma at advanced stage: a case successfully treated with cyclophosphamide plus somatostatin, bromocriptine, retinoids, and melatonin.

Low-grade non-Hodgkin lymphomas (NHLs) at advanced stage are still incurable, and treatment may include chemotherapy with a single drug or a combination of different drugs. With a combination of cyclophosphamide, somatostatin, bromocriptin, retinoids, melatonin, and adrenocorticotropic hormone, we already reported 100% of global response (50% complete response and 50% partial response) in 12 patients with low-grade NHL at advanced stage: 4 previously untreated patients and 8 with relapse of disease after single or combined chemotherapy and therapy free time >or=6 months. This provided the rationale to treat a patient affected by low-grade NHL stage 4, with cyclophosphamide, somatostatin, bromocriptin, retinoids, and melatonin (adrenocorticotropic hormone was not administered for high blood pressure). The patient was treated for at least 2 months. After this period, if he had stable or responding disease, he received an additional 3 months of treatment, and if he was stable or responding after 5 months he was treated for 3 months and more. After 2 months the patient had a partial response, and after 5 months he achieved a complete response. Today, 18 months after the beginning of treatment, the patient is in complete remission. Treatment had very good tolerance, and the patient carried on at home doing his normal activities.

Referência. Todisco M. Low-grade non-Hodgkin lymphoma at advanced stage: a case successfully treated with cyclophosphamide plus somatostatin, bromocriptine, retinoids, and melatonin. Am J Ther. Jan-Feb;14(1):113-5;2007.

21. **Linfoma não Hodgkin folicular grau IV com infiltração óssea tratado somente com Viscum album.**

History and admission findings: Follicular non-Hodgkin lymphoma had been diagnosed in a 44-year-old man. Physical examination revealed several cervical, axillary, inguinal and infrainguinal lymphomas, maximally 1.5 x 1.2 cm in diameter. Computed tomography showed multiple thoracic, abdominal and inguinal lymphoma, which--according to the Ann Arbor classification--were follicular non-Hodgkin stage IV lymphoma with bone marrow infiltration. Treatment with an extract of mistletoe (Iscador) was initiated and has been continued to-date (12 years). Quality of life throughout this period has remained good. Phases of uninterrupted treatment resulted in lymphoma regression (regionally complete), while cessation of treatment led to progression. This case report demonstrates the efficacy of treating lymphoma with extract of mistletoe (Iscador). This therapeutic success confirms the result obtained in other patients with this disease.

Referência. Kuehn JJ. Dtsch Med Wochenschr. [Favorable long-term outcome with mistletoe therapy in a patient with centroblastic-centrocytic non-Hodgkin lymphoma].1999 Nov 26;124(47):1414-8.

22. **Linfoma MALT síncrono de estômago e cólon que regrediram totalmente após tratar a causa: Strongyloides stercoralis com ivermectina e Helicobacter pylori com tratamento clássico.**

MALT (tecido linfoide associado à mucosa) é vital para a vigilância imunológica do hospedeiro contra patógenos. O linfoma MALT, também conhecido como linfoma de células B de zona marginal extranodal é um subtipo de linfoma não Hodgkin que surge predominantemente no trato gastrointestinal. A infecção crônica por *Helicobacter pylori* é uma causa comum de linfoma MALT gástrico, embora outras infecções sejam relatadas em associação com linfomas MALT extra gástricos. Relatamos aqui o primeiro caso de linfomas MALT sincrônicos do cólon e estômago na presença de infecções por *Strongyloides stercoralis* e *H. pylori* que se resolveram totalmente após a erradicação de ambos os organismos.

A seguir o caso completo: A previously healthy 60-year-old African-Caribbean man presented to the primary care clinic with a 1 year history of alternating constipation and diarrhoea. The patient reported having at least four bowel movements per day, intermittent haematochezia and fatigue. He did not report any abdominal pain, weight loss, dysphagia, odynophagia or early satiety. Prior to presentation, the patient worked as a fisherman, travelling every few months between the USA and the Caribbean islands. Physical examination at presentation was unremarkable. His laboratory results revealed microcytic anaemia (haemoglobin (Hb) 11.3 g/dL (12.0–16.0 g/dL), mean corpuscular volume (MCV) 77.5 fL (80–100 fL)) and peripheral eosinophilia with 20% eosinophils. Iron studies revealed iron saturation 11% (20%–55%), ferritin 10 ng/mL (22–322 ng/mL), serum iron 31 µg/dL (60–180 µg/dL) and total iron-binding capacity 278 ug/dL (250–450 µg/dL), indicative of iron deficiency anaemia. The HIV test was negative. A colonoscopy performed 10 years earlier was normal. Our patient underwent diagnostic colonoscopy that revealed a diffusely friable, nodular and erythematous mucosa throughout the colon. Because these findings were suggestive of colitis and there was peripheral eosinophilia, our evaluation of colitis included three stool collections for ova and parasite assays that revealed infection with Strongyloides stercoralis and, later, serum immunoglobulin (Ig)G antibodies were detected, further confirming S. stercoralis infection. The S. stercoralis infection was treated with two doses of ivermectin. Subsequently, histopathological examination of colonic mucosal biopsies showed sheets of small, angulated B lymphocytes over-running scattered lymphoid follicles. and immunohistopathologically compatible with low-grade MALT lymphoma. For staging purposes, a positron-emission tomography (PET) scan did not detect involvement of other organs. Interdisciplinary Tumour Board discussions that emphasised the National Comprehensive Cancer Network (NCCN) recommendations on the treatment of extragastric MALT lymphomas resulted in an expectant management plan of follow-up with close observation with serial history and physical examinations, repeat colonoscopy and imaging. After treatment with ivermectin, the patient's diarrhoea resolved, and eradication of S. stercoralis was confirmed with a repeat stool assay 1 month later. Repeat colonoscopy 3 months after presentation showed that the colonic mucosal abnormalities had significantly improved with only areas of patchy erythema present. However, the biopsies still revealed MALT lymphoma. Due to the known high incidence of gastric MALT lymphoma and to investigate whether the patient had synchronous gastric MALT lymphoma, an oesophagogastroduodenoscopy (EGD) was performed to screen for upper GIT MALT lymphoma. The mucosa appeared mildly erythematous, and biopsies revealed MALT lymphoma in the presence of H. pylori infection. The patient was treated with 14 days of amoxicillin, clarithromycin and omeprazole to eradicate H. pylori, which was undetectable on a stool H. pylori antigen test 1 month after completion of therapy. There was endoscopic resolution of the MALT lymphoma in the stomach 1 year after Helicobacter pylori eradication therapy. **TREATMENT**: S. stercoralis infection was treated with two doses of ivermectin, and H. pylori infection was treated with 14 days of amoxicillin, clarithromycin and omeprazole.

Referência. Synchronous MALT lymphoma of the colon and stomach and regression after eradication of Strongyloides stercoralis and Helicobacter pylori. Singh K, Gandhi S, Doratotaj B.BMJ Case Rep. 2018 Jul 3;2018:bcr2018224795.

CAPÍTULO 238

Leucemia – Mieloma – Síndrome mielodisplásica: 27 pacientes

A) Leucemias

1. **Leucemia mielógena aguda tratada com benzaldeído.**

Um menino de 4 anos com leucemia mielocítica aguda, já havia recebido nos últimos 10 meses, adriamicina, arabinosideo citosina, vincristina, prednisolona e como manutenção o metotrexato, entretanto, sem conseguir remissão do quadro leucêmico. Dez dias após o início do tratamento com CDBA houve remissão completa do quadro leucêmico e na evolução as plaquetas, leucócitos e hemoglobina retornaram aos valores normais. A remissão completa durou mais do que 4 meses e não houve efeitos tóxicos durante o tratamento. CDBA é o extrato de amêndoas amargas ou extrato de folhas de figo, quimicamente é o benzaldeído a 8,3% em maltedextrina. Foi administrado 10mg/kg/dia dividido em 4 doses.

Referências.

1. Kochi M, Takeuchi S, Mizutani T, et al. Antitumor activity of benzaldehyde. Cancer Treat Rep; 64(1): 21-3; 1980.
2. Kochi M Antitumor activity of a benzaldehyde derivative. Cancer Treat Rep. 69(5):533-7;1985.
3. Takeuchi S; Kochi M; Sakaguchi K, et al. Benzaldehyde as a carcinostatic principle in figs. Agric Biol Chem; 42: 1449-1451;1978.
4. Tatsumura T. 4,6-o-benzylidene-D-glucopyranose (BG) in the treatment of solid malignant tumors, an extended phase I study. Br.JCancer. 62(3):436-9;1990.

2. **Paciente com leucemia linfoide crônica.**

Respondeu a 200mg/dia de cloroquina e viveu por 12 anos. A cloroquina é detentora de várias ações inibidoras do câncer com alvos moleculares (vide capítulo 57).

3. **Leucemia linfoide crônica e lúpus eritematoso sistêmico tratada com ácidos biliares.**

Paciente do sexo feminino, 67 anos apresentou regressão da leucemia em 6 semanas de dehidrocolina, 750mg 2x ao dia. Permaneceu com este tratamento por 1 ano. http://www.medicinabiomolecular.com.br/biblioteca/pdfs/Casos-Clinicos/cc-0518.pdf

4. **Leucemia linfoide crônica e mieloide crônica tratadas com sulfato de cobre.**

http://www.medicinabiomolecular.com.br/biblioteca/pdfs/Casos-Clinicos/cc-0519.pdf

5. **Leucemia linfoide crônica mais artrite reumatoide tratada com dehidrocolina.**

Sexo feminino, 62 anos, há 8 anos com artrite reumatoide moderada a severa e há 4 anos com leucemia linfoide crônica. Medula external com intensa infiltração de linfócitos e provas para AR francamente positivas. Foi tratada com dehidrocolina 750mg 2x ao dia e após 1 mês o hemograma voltou ao normal e assim permaneceu por 6 meses. Parou o tratamento e em 6 meses houve retorno das alterações leucêmicas.

Referência. The causation of reumathoid disease and many human cancer – A new concept in medicine – Roger Wyburn-Mason IJI Publishing Co, LTD Tokyo Japan, 1978.

http://www.medicinabiomolecular.com.br/biblioteca/pdfs/Casos-Clinicos/cc-0524.pdf.

6. **Leucemia linfoide crônica mais hepatite crônica ativa mais paraproteínemia com trombocitopenia mais diabetes tratado com dehidrocolina, 750mg 2x ao dia.**

http://www.medicinabiomolecular.com.br/biblioteca/pdfs/Casos-Clinicos/cc-0521.pdf

7. Leucemia linfoide crônica tratada com cloroquina.

Sexo feminino, desenvolveu aumento da cadeia ganglionar do pescoço, principalmente a direita. Leucócitos, 18.700/mm^3; neutrófilos, 20% linfócitos, 79% e plaquetas 800.000/mm3. Medula external repleta de pequenos linfócitos. Biopsia do linfonodo com infiltração generalizada de linfócitos. Foi tratada com cloroquina 200mg ao dia durante 12 anos e durante estre temo os leucócitos geralmente ficaram entre 12 e 13mil/mm^3 e neutrófilos, 43 a 48%. Durante este período passou muito bem clinicamente. Perdeu-se o seguimento posterior.

Referência. The causation of reumathoid disease and many human cancer – A new concept in medicine – Roger Wyburn-Mason IJI Publishing Co, LTD Tokyo Japan, 1978.

8. Leucemia linfoide crônica tratada com metronidazol.

A paciente com 60 anos de idade melhorou dos sintomas e a *diabetes mellitus* que estava em 400mg% de glicemia normalizou após o emprego do metronidazol 800mg 2x ao dia. Em 24 horas do uso do metronidazol houve drástica melhora do quadro clínico.

Referência. The causation of reumathoid disease and many human cancer – A new concept in medicine – Roger Wyburn-Mason IJI Publishing Co, LTD Tokyo Japan, 1978.

http://www.medicinabiomolecular.com.br/biblioteca/pdfs/Casos-Clinicos/cc-0524.pdf.

9. Leucemia linfoide crônica mais hepatite crônica ativa tratada com dehidrocolina.

Sexo feminino, 62 anos há 3 meses com cansaço, perda de memória e edema de tornozelo. Aumento da área cardíaca, fígado no rebordo e baço não palpável. Aumento de gamaglobulina. Biopsia do externo revelou leucemia linfoide crônica. Biopsia hepática: hepatite crônica ativa. Tomou sulfato de cobre 50mg 2x ao dia por 7 semanas e não houve alteração do quadro hematológico. Passou a tomar dehidrocolina 750mg ao dia e em 7 meses a hemoglobina atingiu 14g%, leucócitos, 5600/mm^3; neutrófilos, 70% e linfócitos, 30%. Permaneceu sem sintomas por 2 anos.

Referência. The causation of reumathoid disease and many human cancer – A new concept in medicine – Roger Wyburn-Mason IJI Publishing Co, LTD Tokyo Japan, 1978.

http://www.medicinabiomolecular.com.br/biblioteca/pdfs/Casos-Clinicos/cc-0524.pdf

10. Leucemia linfoide crônica tratada com benzaldeído – 4 pacientes.

1. Homem com 62 anos descobriu um nódulo no pescoço. Biópsia: doença linfoproliferativa, possível leucemia linfoide crônica. Hemograma: leucemia linfoide. Conseguiu fazer apenas 3 sessões de quimioterapia, mas não suportou os efeitos colaterais. Negou a prednisona. Iniciou o laetrile, benzaldeído mais cianeto, também conhecido como amigdalina juntamente com dieta vegetariana. Houve regressão total do quadro hematológico. Três anos e meio depois ainda continuava sem a doença. 2. Homem com 53 anos foi diagnosticado com leucemia linfocítica crônica e logo começou o uso de laetrile mais dieta vegetariana. Houve regressão total do quadro hematológico. Um ano após sem recidiva. Sobrevida de 29 anos. Faleceu com 82 anos. 3. Homem com 62 anos, quiroprático começou a apresentar extrema fraqueza e suores noturnos em janeiro de 1973. Houve gradual perda de peso de cerca de 11kg. Negou a terapia convencional. Apresentava icterícia, muita fraqueza, hepatoesplenomegalia e 710.000 glóbulos brancos por mm^3, ao iniciar o laetrile intravenoso mais dieta vegetariana. Em 6 meses sua força voltou e reassumiu seu consultório. Usou prednisolona em dias alternados para controlar crises hemolíticas. Seus glóbulos brancos caíram para 200.000/mm^3. Não mais apresentava icterícia, hemorragias ou hepatoesplenomegalia. Parou o tratamento em fevereiro de 1974 e em março os glóbulos brancos subiram para 815.000/mm^3 e sua hemoglobina caiu para 5g%. Reiniciou o laetrile e em junho de 1974, glóbulos brancos, 595.000/mm^3 e hemoglobina, 8,9g%. Após 3 anos mantinha 200.000 de glóbulos brancos, entretanto, bem disposto e trabalhando regularmente em seu consultório de quiropraxia. 4. Leucemia linfoide crônica, doença de artéria coronária e bronquite crônica em paciente do sexo masculino. Fez somente laetrile e dieta vegetariana. Regressão total do quadro hematológico e dos linfonodos. Mantém manutenção com baixa dose de laetrile.

Referência. Laetrile Case Histories- The Richardson Cancer Clinic Experience. Published by American Media. California, 2005.

11. Leucemia mielógena crônica tratada com benzaldeído.

Mulher com 39 anos de idade apresentou em exame de rotina 73.000 glóbulos brancos. O exame de medula confirmou o diagnóstico de leucemia mielógena crônica em janeiro de 1973. Fez quimioterapia e os glóbulos brancos retornaram ao normal. Em 1975 continuava com tratamento sob supervisão do hematologista, mas, resolveu iniciar o laetrile e dieta vegetariana. Seus glóbulos brancos permaneceram normais e a paciente sentiu-se mais "forte" e com mais disposição.

Referência. Laetrile Case Histories- The Richardson Cancer Clinic Experience. Published by American Media. California.2005.

12. Leucemia mielógena crônica tratada com ácido cítrico.

In this article I present the case of a 75 years old male patient with myeloid leukemia type M2 confirmed by a bone marrow biopsy. His blood count on May 2, 2013 presented hemoglobin 10.2 g/dl, leukocytes 960 per mm3, with 67.7% lymphocytes and 28% neutrophils and 72,000 platelets per mm3. He began taking **citric acid orally, 10 grams** each day, and the results of his blood count from September 3, 2013 were: hemoglobin 9.1 g/dl, leukocytes 2000 per mm3 with 64% lymphocytes and 33% neutrophils and his platelets presented an increase of 165,600 per mm3. The patient only received citric acid as his medical treatment. On November 10, 2013, the patient is still in perfect general conditions, and his platelet account was 188,000 per mm3, only taking citric acid orally, 10 grams each day.

Referência. Alberto Halabe Bucay. Report of a patient with leukemia who improved after taking citric acid orally Hospital Angeles Lomas, Av. Vialidad de la Barranca s/n, Huixquilucan, 52763, Mexico. E-mail: doctorhalabe@hotmail.com.

13. Três casos clínicos de crianças com leucemia refratária ao tratamento convencional que respondeu completamente após a mistura aloe/mel.

Infelizmente não conhecemos o tipo de leucemia. Um dos casos foi em Israel em paciente com 2 meses de vida que sarou completamente.

Outro caso o menino não respondeu ao transplante de medula e antes de morrer queria conhecer Jerusalém onde encontrou o Frei Romano Zago. Tomou a mistura aloe/mel e ficou completamente curado, atestado por seu médico assistente.

No terceiro caso o menino com leucemia não encontrava doador para o transplante de medula. Na espera tomou a mistura brasileira e sarou completamente, o que também foi atestado pelo seu médico.

Referência. Michael Peuser. Aloe – Imperatriz das plantas medicinais. Ed. St Hubertus. São Paulo, 2003.

14. Leucemia linfocítica aguda em adolescente de 14 anos refratária ao tratamento convencional e considerado em estado terminal que regrediu completamente após Cannabis.

Acute lymphoblastic leukemia (ALL) is a cancer of the white blood cells and is typically well treated with combination chemotherapy, with a remission state after 5 years of 94% in children and 30-40% in adults. To establish how aggressive the disease is, further chromosome testing is required to determine whether the cancer is myeloblastic and involves neutrophils, eosinophils or basophils, or lymphoblastic involving B or T lymphocytes. This case study is on a 14-year-old patient diagnosed with a very aggressive form of ALL (positive for the Philadelphia chromosome mutation). A standard bone marrow transplant, aggressive chemotherapy and radiation therapy were revoked, with treatment being deemed a failure after 34 months. Without any other solutions provided by conventional approaches aside from palliation, the family administered cannabinoid extracts orally to the patient. Cannabinoid resin extract is used as an effective treatment for ALL with a positive Philadelphia chromosome mutation and indications of dose-dependent disease control. The clinical observation in this study revealed a rapid dose-dependent correlation.

Referência. Singh Y, Bali C Cannabis extract treatment for terminal acute lymphoblastic leukemia with a Philadelphia chromosome mutation. Case Rep Oncol. 2013 Nov 28;6(3): 585-92

B) Mieloma múltiplo

15. Mieloma múltiplo tratado com benzaldeído.

Paciente com mieloma múltiplo refratário ao tratamento convencional da época (1980) respondeu completamente em 6 meses de benzaldeído oral complexado com maltedextrina, 500mg ao dia.

Referência. Kochi M, Takeuchi S, Mizutani T, et al. Antitumor activity of benzaldehyde. Cancer Treat Rep; 64(1): 21-3;1980.

16. Mieloma múltiplo com remissão completa usando o ácido cítrico.

She is a 60 years old female patient with a history of vitiligo 40 years ago and treatment of Basedow Graves' disease with radioactive iodine 10 years ago. She was diagnosed with multiple myeloma for a very important lumbosacral pain that she presented and confirmed by a bone marrow biopsy performed on October 18, 2016. The preparation for autologous bone marrow transplantation was started, for which it was medicated with dexamethasone and acenocoumarin for the initiation of chemotherapy. Patient refused this preparation and her laboratory studies on October 31, 2016 reported hemoglobin 8.4 g/dl, total leucocytes 4,400, platelets 236,000, albumin 2.9 g/dl and globulin level **5.19 g/dl**. Patient started taking citric acid orally on November 1, 2016, 4-5 grams per day, and tramadol and paracetamol for the pain. The clinical outcome was very favorable and the lumbosacral pain almost disappeared in 10 days. The most important fact was that 10 days after starting the treatment with citric acid, on November 10, 2016, her laboratory studies, with the same methodology, reported hemoglobin 8.6 g/dl, total leucocytes 4,020, platelets 186,000, albumin 4.6 g/dl and globulin level **3.3 g/dl**. This impressive clinical outcome for a patient with multiple myeloma and the normalization of the globulin level, and the elevation of albumin to normal values is an indisputable fact of remission of multiple myeloma. All these facts could only be due to the citric acid that the patient received as her only treatment for cancer. After the report of the hemoglobin in 8.6 g/dl, on November 1, 2016, the patient started treatment with intramuscular elemental iron and she stopped the treatment with paracetamol and tramadol because the lumbosacral pain was already insignificant. DISCUSSION: This work is completely ethical, citric acid is a food, and is effective as a treatment for Diabetes Mellitus, Multiple sclerosis and other metabolic diseases

Referência. Halabe Bucay A. Citric acid (citrate) is the cure of cancer: the case of a patient with complete remission of multiple myeloma in 10 days after the treatment with citric acid that she received. Int J SCi Res 5(12):683;2016.

Nota: 1- Não usamos paracetamol porque é hepatotóxico e foi banido em mais de 150 países. 2- Não utilizamos ferro intramuscular porque aumenta o risco de sarcoma e o ferro é carcinocinético. Somente administramos o ferro quando a ferritina estiver abaixo de 10ng/ml e houver anemia.

17. Enzimas sistêmicas no tratamento dos plasmocitomas e imunocitomas.

Abstract. At present attention is focused on research of biomodulating influences on tumorous processes, in particular inhibition of metastatic spread of tumors. In the etiopathogenesis an important part is played by immune complexes, interaction of cytokines. The authors tested the supporting effect of hydrolytic enzymes in plasmocytoma and immunocytoma. The enzymes were administered along with cytostatic preparations according to the MOCCA pattern. They recorded a more rapid onset and longer persistence of remissions, a marked decline of total proteins, paraproteins, beta-2-microglobulin. Complications associated with paraprotein (hyperviscosity syndrome, nephrotic syndrome, peripheral angiopathy) improved. A combination of chemotherapy and enzymatic treatment proved effective and suitable, in particular for patients with interferon intolerance.

Referência. Sakalová A, Mikulecký M, Holománová D, et al. The favorable effect of hydrolytic enzymes in the treatment of immunocytomas and plasmacytomas. Vnitr Lek. Sep; 38(9):921-9;1992.

18. Mieloma não responsivo a 3 ciclos diferentes de quimioterapia que respondeu a curcumina mais oxigênio hiperbárico.

A woman aged 57 years was initially diagnosed with monoclonal gammopathy of undetermined significance (MGUS) in 2007 following an incidental finding of M-protein (18 g/L) during investigation for hypertension. Within 15 months, the patient had rapidly progressed to ISS stage 3 myeloma with M-protein 49 g/L, urinary protein 1.3 g/24-hour, Bence-Jones protein 1.0 g/24-hour, Hb 9.7 g/dL and increasing back pain When approaching her third relapse after 3 different types of chemotherapy patient began a daily regime of oral curcumin complexed with bioperine (to aid absorption), as a single dose of 8 g each evening on an empty stomach. A few months later, she also embarked on a once-weekly course of hyperbaric oxygen therapy (90 min at 2 ATA) which she has maintained ever since. Her paraprotein levels gradually declined to a nadir of 13 g/L, her blood counts steadily improved and there was no evidence of further progressive lytic bone disease. In the absence of further antimyeloma treatment, the patient plateaued and has remained stable for the last 5 years with good quality of life.

Referência. Zaidi A, Lai M, Cavenagh J. BMJ Case Rep. 2017 Apr 16;2017:bcr2016218148.

C) Síndrome mielodisplásica

19. Síndrome mielodisplásica com anemia e plaquetopenia tratada com metenolona.

A 54-year-old woman was diagnosed as having refractory anemia (RA) with CREST syndrome (incomplete type). She showed Raynaud's phenomenon, sclerodactyly and telangiectasia, but not calcinosis and esophageal dysmotility. Laboratory findings revealed anemia and thrombocytopenia, and myelodysplasia, abnormal karyotype of 47, XX, +8 in bone marrow cells. Antinuclear and centromere antibody was positive. Treatment with prednisolone was not successful. After prednisolone was tapered, she was given 20 mg/body metenolone orally, which led to hematological improvement, and after 6 months of therapy, abnormal karyotype of 47, XX, +8 disappeared.

Referência. Myelodysplastic syndrome with CREST syndrome successfully treated with metenolone--A case report. Hamamoto K1, Ohno T, Ogawa H. Rinsho Ketsueki. Apr;37(4):362-5;1996.

20. Síndrome mielodisplásica com anemia e plaquetopenia tratada com enantato de testosterona após não responder a metenolona.

We report a case of myelodysplastic syndrome (MDS) treated effectively with testosterone enanthate. A 70-year-old man was diagnosed with low-risk MDS in 1998, and he was first given methenolone acetate orally because of gradual progression of anemia and thrombocytopenia. However, this treatment was not effective, so we changed the treatment to testosterone enanthate because of his symptoms with late-onset hypogonadism. Three months after testosterone replacement therapy (TRT), anemia and thrombocytopenia had improved, and mean platelet count and hemoglobin had significant increases from $2.36 \pm 0.45 \times 10(4)$ to $3.83 \pm 0.78 \times 10(4)/\mu L$, and from 11.7 ± 0.81 to 15.2 ± 1.00 g/dL, respectively, which contributed to a decrease in platelet transfusion requirement. Since then, the patient has been on a good clinical course. The present case suggests that testosterone enanthate administration could be an alternative treatment for men with MDS, even in the case where treatment with anabolic androgenic steroids is not successful, and suggests another interesting effect of TRT on platelets.

Referência. Lijima M, Shigehara K, Sugimoto K, et al. Myelodysplastic syndrome treated effectively with testosterone enanthate. Int J Urol. Jun;18(6):469-71;2011.

21. Síndrome mielodisplásica tratada eficazmente com enantato de testosterona.

http://www.medicinabiomolecular.com.br/biblioteca/pdfs/Casos-Clinicos/cc-0688.pdf Trabalho na íntegra.

22. Multiple myeloma patient who started a daily dietary supplement of curcumin when approaching her third relapse: In the absence of further antimyeloma treatment, the patient has remained stable for the last 5 years with good quality of life.

A woman aged 57 years was initially diagnosed with monoclonal gammopathy of undetermined significance (MGUS) in 2007 following an incidental finding of M-protein (18 g/L) during investigation for hypertension.

Within 15 months, the patient had rapidly progressed to ISS stage 3 myeloma with M-protein 49 g/L, urinary protein 1.3 g/24-hour, Bence-Jones protein 1.0 g/24-hour, Hb 9.7 g/dL and increasing back pain. She initially declined antimyeloma treatment but 6 months later, following vertebral collapse at T5 and T12, started cyclophosphamide, thalidomide and dexamethasone (CTD) treatment. However, after a week, the patient was admitted with idiosyncratic syndrome including hyponatraemia, a fall in albumin and worsening of blood counts. She received red cell transfusion and her electrolyte abnormalities were carefully corrected.

Although there was evidence of a response to CTD (M-protein 34 g/L), bortezomib and dexamethasone treatment was initiated as an alternative, but this was discontinued after three cycles due to progressive disease (M-protein 49 g/L). The patient was then treated with lenalidomide and dexamethasone with the aim of reducing disease burden prior to high-dose therapy and autologous stem cell transplantation. Treatment was frequently interrupted and dose adjusted to account for neutropenia and despite a minor response after six cycles (starting M-protein 47 g/L, finishing M-protein 34 g/L), in October 2009, she proceeded with stem cell mobilisation. However, neither cyclophosphamide nor plerixafor/GCSF priming were successful. A bone marrow biopsy revealed 50% myeloma cells and a course of CTD was restarted with cautious titration of thalidomide.

The patient achieved a partial response with CTD retreatment over the course of 17 cycles (M-protein 13 g/L) with no further episodes of idiosyncratic syndrome. However, attempts to harvest stem cells in February 2011 and again there months later, both failed. By then, her M-protein had risen to 24 g/L and the patient was too neutropenic to be considered for a clinical trial.

At this point, the patient began a daily regime of oral curcumin complexed with bioperine (to aid absorption), as a single dose of 8 g each evening on an empty stomach. A few months later, she also embarked on a once-weekly course of hyperbaric oxygen therapy (90 min at 2 ATA) which she has maintained ever since. Her paraprotein levels gradually declined to a nadir of 13 g/L, her blood counts steadily improved and there was no evidence of further progressive lytic bone disease.

The patient continues to take oral curcumin 8 g daily without further antimyeloma treatment. Over the last 60 months, her myeloma has remained stable with minimal fluctuation in paraprotein level, her blood counts lie within the normal range and she has maintained good quality of life throughout this period. Repeat bone imaging in 2014 identified multiple lucencies <1 cm in the right hip and degenerative changes in both hips, but these were attributed to osteoarthritis rather than the myeloma. Recent cytogenetic analysis revealed she had no abnormal cytogenetics by fluorescent in situ hybridisation.

Referência. Zaidi A, Lai M, Cavenagh J.Long-term stabilisation of myeloma with curcumin. BMJ Case Rep. 2017 Apr 16;2017.

CAPÍTULO 239

Sarcomas: 20 pacientes

1. Sarcoma de Ewing na tíbia e fêmur não responsivo à quimioterapia que regrediu totalmente após estratégia biomolecular.

RVF, 17 anos, sexo feminino, começou a apresentar dor na perna direita de caráter progressivo sendo diagnosticada em 17 de novembro de 2017 com Sarcoma de Ewing na porção superior da tíbia direita. RNM em 03/10/2017: lesão óssea intramedular na região meta-epifisária e diafisária proximal da tíbia com 11,0cm no maior eixo e lesão focal metafisária no fêmur de 2,6cm. Cintilografia óssea: alta radioatividade nas lesões correspondentes na RNM. Fez 14 sessões de quimioterapia (7x: ciclofosfamida/vincristina/doxorubicina e depois 7x: etoposide/ifosfamida) e logo após submeteu-se a 31 sessões de radioterapia. Controle pós tratamento: lesão praticamente igual com 10,6x 5,6x 3,3cm e aumento da lesão focal de fêmur agora com 4,6x 5,1x 4,9cm. Indicado amputação. Em 02/10/2018, bom estado geral, descorada, palidez extrema/pele alva, edema de membros inferiores D > E. Hg: 9g%; leucócitos, 1.800; linfócitos, 360; Mo,54/mm^3. IgG para EBV, 53u/ml; Mycoplasma pneumoniae, 28 U/ml e CMV, negativo; fosfatase alcalina, 67u/l; LDH, 137u/l; ferritina, 565ng/ml; PCR-us: 4,14 mg/l; PTH, 32pg/ml com 25D3,129ng/ml. Sensograma: aumento de cádmio, chumbo, arsênio e diminuição de iodo e calcitriol. Bioressonância: aumento de cádmio, chumbo e 3 agrotóxicos, piretrin, deltametrina, diazinon. Feito dieta inteligente, CH30 para metais e agrotóxicos; água hidrogenada e estruturada com osmolitos orgânicos e inorgânicos; epigenética (demetilar e acetilar zona CpG): curcumina, genisteína, parthenolide, resveratrol e Depakote ER; melatonina 20mg; naltrexone mais espironolactona, vit. K2 e vit. A; Ganoderma mais glucana, selênio, resveratrol, riboflavina; benzaldeído; berberina com sanguinarina, Chelidoneum majus e Chenopodium ambrosioides; Rosmarinus officinalis com Ocimum basilicum e Salvia sp. Tratamento intravenoso com 40 soros, 20 EDTA com cloridrato de hidrogênio e 20 com vitamina C mantendo ácido ascórbico no plasma em 32,9 micromol/l (50g/vitC). Em outubro de 2019: RNM não mostrou lesões ósseas e a cintilografia óssea trifásica não mostrou captação de radioatividade. Manteve-se sem metástases ósseas. PCR-us: 1,96 mg/l; ferritina: 467ng/ml. Sensograma: sem modificação. Bioressonância: com arsênio e sem agrotóxicos. Estado geral ótimo e com a perna direita no devido lugar. Clínica JFJ.

2. Condrossarcoma e terapia anticobre com tetratiomolibdato (TM).

Foi usado como controle da terapia anticobre os níveis séricos de ceruloplasmina, que foi mantida entre 5 e 15 mg/dl (normal: 20 a 35 mg/dl) por pelo menos 60 dias. Não se espera qualquer efeito antes deste período, incluindo a diminuição do cobre no tumor, o qual é muito ávido para sequestrar qualquer cobre extra. O primeiro sinal clínico de deficiência de cobre é a anemia e o único efeito colateral do TM, poderoso quelante do cobre é justamente a anemia por deficiência de cobre. Mais recentemente o mesmo autor optou por manter os níveis de ceruloplasmina em apenas 5 mg/dl, pois, não observou anemia nestas condições. A dose de TM utilizada foi de 120 mg/dia dividida em 6 doses. Em 6 casos de câncer metastático, cinco mostraram estabilização da doença, incluindo 1 caso com regressão de metástase pulmonar. Em estudo clínico não controlado, 18 pacientes com 11 tipos diferentes de câncer metastático e que alcançaram as metas de ceruloplasmina entre 5 e 15 mg/dl, conseguiram a estabilização da doença por um período de 30 meses. Um paciente com condrosarcoma metastático e uma paciente com câncer de mama com metástases permanecem estáveis há 2,5 anos. É necessário maior número de casos e trabalhos clínicos controlados para conclusões mais seguras.

Referência. Brewer GJ, Dick RD, Grover DK, et al. Treatment of metastatic cancer with tetrathiomolybdate, an anticopper, antiangiogenic agent: Phase I study. Clin Cancer Res 6: 1-10;2000.

3. Rabdomiossarcoma e sarcomas tratados com hipertermia por radiofrequência.

http://www.medicinabiomolecular.com.br/biblioteca/pdfs/Cancer/ca-0167.pdf

Abstract: Hyperthermia greater than or equal to 42 degrees C is tumoricidal in vitro and in many animal models, although such temperatures have only recently been achieved experimentally in some human cancers. A recently developed radio frequency device that provides safe hyperthermia to any depth without surface tissue injury now permits evaluation of the effects of hyperthermia on advanced human sarcomas. Twelve patients with large sarcomas located intra-abdominally [7], in the chest wall [2], proximal extremity [2], and the neck [1], were evaluated in this study. Tumor types include liposarcoma [3], rhabdomyosarcoma [2], leiomyosarcoma [2], neurofibrosarcoma [2], and one each malignant mesothelioma, undifferentiated sarcoma, and osteosarcoma. Intra tumor temperatures greater than or equal to 42 degrees C were observed in all tumors, with virtually no normal tissue injury. Selective tumor heating greater than or equal to 45 degrees C occurred in 9/12 (75%) and greater than or equal to 50 degrees C in 6/12 (50%). One to five weekly treatments greater than or equal to 50 degrees C and ten daily treatments greater than or equal to 45 degrees C resulted in significant tumor necrosis and pain relief in some patients. Hyperthermia of advanced sarcomas is possible with little host toxicity and may be of potential therapeutic benefit.

Referência. Radio frequency hyperthermia of advanced human sarcomas. Storm FK, Elliott RS, Harrison WH, Kaiser L, Morton DL. J Surg Oncol. 17(2):91-8;1981.

John Holt na Austrália foi um dos primeiros pesquisadores a dar importância para a hipertermia no tratamento do câncer. Ele a empregou juntamente com a oxidação sistêmica. Com o emprego de UHF de 434 MHz e administrando GS-SG como agente oxidante sistêmico, Holt obteve o desaparecimento de inúmeros tipos de câncer por períodos superiores a 5 anos. A maioria dos tumores não haviam respondido à cirurgia, quimioterapia ou radioterapia A seguir mostramos 11 casos consecutivos que foram tratados por Holt e publicados em 1993 na conceituada revista da literatura médica indexada "Medical Hypotheses".

4. AS, sexo feminino, data do nascimento: 1/7/29. **Leiomiossarcoma uterino** em novembro de 86 quando foi submetida à cirurgia. Recorrência diagnosticada por biopsia e protocolo em dezembro de 86 e janeiro de 87. Em junho de 91 o exame clínico foi normal e a tomografia foi normal.

5. CM, sexo feminino, data do nascimento: 26/11/59. Fibrossarcoma de parede pélvica.

Cirurgia em outubro de 79 e outubro de 81. Recorrência diagnosticada por biópsia em fevereiro de 85 quando fez o protocolo. Agora, em março de 91 está sem evidências de câncer e possuí raios X normais e exame clínico normal. Protocolo: Emprego de UHF de 434 MHz sistêmico logo após a infusão intravenosa de soro com glutationa peroxidada (GS-SG).

Referências.

1. Holt J A G. Increase of X-ray sensitivity of cancer after exposure to 434 MHz electromagnetic radiation. J Bioeng 1(5/6): 479-485;1977.
2. Holt J A G. Microwaves are not hyperthermia. The Radiographer 35(4): 151-162;1988.
3. Holt J A G. The glutathione cycle is the creative reaction of life and cancer. Cancer causes oncogenes and not vice versa. Med Hypotheses 40: 262- 266;1993.
4. Holt J. A. G. The use of UHF radiowaves in cancer therapy. AustralasRadiol 19(2): 223-241;1975.

6. Rabdomiossarcoma tratado com *Chelidonium majus* extrato (UKRAIN).

http://www.medicinabiomolecular.com.br/biblioteca/pdfs/Cancer/ca-2416.pdf

Ukrain treatment of rhabdomyosarcoma (case report). Kotsay B, Lisnyak O, Myndiuk O, Romanys-hyn J, Fabri O. Drugs Exp Clin Res. 1996;22(3-5):239-41. Lviv Regional Children's Specialised Clinic, Ukraine. Abstract A six year old child was diagnosed to have a rhabdomyosarcoma of the muscles of the right buttock. Because of impossibility of radiotherapy and chemotherapy, treatment with Ukrain 10 mg i.v. once every two days, 10 injections (100 mg) was instituted. The following clinical effects were recorded: reduced pain in joints, improved appetite and condition, increased physical activity, reduced fever. The haematological, biochemical, immunological data and some urinary hormone excretion levels were studied before and after treatment. PMID: 8899339.

7. Osteossarcoma canino tratado com ácido picolínico por via oral.

http://www.medicinabiomolecular.com.br/biblioteca/pdfs/Casos-Clinicos/cc-0303.pdf

8. Nas células do **osteossarcoma humano**, o vanádio sulfato aumenta a geração de espécies reativas tóxicas de oxigênio de modo dependente da concentração e dessa forma provoca diminuição da proliferação celular e apoptose nestas células. O alfatocoferol inibe significativamente a produção de ERTOs e a formação de malondialdeído, porém não interfere com o efeito do vanádio sobre as células neoplásicas.

9. Sarcoma infantil tratado com medicina convencional mais vitamina C em altas doses.

The patient is a five-year old boy with a sarcoma that had spread to the liver. He was first seen at The Center in March, 2004. He previously had surgery for the cancer and was started on a 12-week course of chemotherapy. This was to be followed by radiation, further surgeries and 42 weeks of chemotherapy. The oncologist did not want the patient to have intravenous vitamin C (ascorbic acid) during any of these treatments. During this three-year period of time, Dr. Kirby, prescribed various nutrients and supplements to help him under these circumstances. After all the chemotherapy treatments, this thin, bald-headed, anemic young boy started his treatment at The Center. In October, 2006, he was given a 7.5 gram IVC. His post-IVC plasma level was low, 89 mg/dL. The optimal killing dose established by research performed at The Center is between 350 and 400 mg/dL. In November, Dr. Hunninghake increased the IVC dose to 15 grams twice a week. The post IVC plasma level was 148 mg/dL. The 15 gram infusions were continued until mid-December. The post IVC level after this series was 153 mg/dL. For the next month the IVC dose was raised to 25 grams twice weekly. In mid January, 2007, the post-IVC was 314 mg/dL. The post-IVC plasma remained stable at high levels. In July, 2007, Dr. Hunninghake noted, "He continues to 'hold his own' quite well." The patient and his father reported that he is "improving over time." One would argue that it was the surgery, radiation and chemotherapy that accomplished the results seen in this patient. Based on our experience, we know IVC played a big role in this patient's continued recovery.

Referência. 1. Riordan HD, Hunninghake RE, Riordan NH, Jackson JA, et al: Intravenous ascorbic acid: protocol for its application and use. Puerto Rico Health Sciences j, 2003; 22(3): 287-290.

10. Sarcoma de Ewing tratado com solução hipertônica.

Criança com 9 anos de idade foi hospitalizada e diagnosticada com sarcoma de Ewing do úmero direito. Apesar de vários ciclos de quimioterapia foi necessário remover o úmero. Três massas tumorais continuaram a crescer apesar dos esforços para parar a progressão. Iniciou-se o tratamento com bicarbonato de sódio hipertônico por cateter em artéria subclávia direita (500 ml a 5%) para administrar a solução diretamente nas massas tumorais. Das 3 massas vistas na tomografia de 7 de maio de 2001, cujas dimensões eram de 6,5 cm, 4,4 cm e 2,4 cm, somente 1 delas persistiu com 1,5 cm e de aparência de cicatriz residual, como mostrado na tomografia de 10 de setembro de 2001.

Nota: o efeito não é por alcalinização e sim hiperosmolalidade. Vide capítulo 10. Se conseguisse alcalinizar o intracelular aumentaria a proliferação mitótica.

Referência. www.medicinabiomolecular.com.br

11. Sarcoma – Angiossarcoma tratado com dicloroacetato de sódio.

http://www.medicinabiomolecular.com.br/biblioteca/pdfs/Casos-Clinicos/cc-0721.pdf

12. Angiossarcoma tratado com dicloroacetato de sódio intravenoso.

Um homem de 43 anos de idade procurou terapia para angiossarcoma metastático do fêmur direito. O paciente teve uma história de **osteossarcoma** da tíbia direita, diagnosticado aos 27 anos em 1995 e tratado com ressecção e prótese seguido por doxorrubicina e cisplatina. Este câncer foi considerado curado. Na idade de 39, em 2007, ele consultou o seu médico com dor e inchaço acima do joelho direito. Seguindo a imagem por ressonância magnética e uma biópsia, foi feito o diagnóstico de **angiossarcoma.** Acreditou-se que este tipo de câncer foi uma malignidade secundária causada pela quimioterapia anterior. O paciente recebeu doxorrubicina e ifosfamida, mas o curso pretendido foi encurtado por causa de infecção e lesão renal secundária ao tratamento com vancomicina. Em seguida foi submetido à ressecção do tumor e reconstrução em 2008. Em 2009, um ano após a cirurgia desenvolveu metástases pulmonares que foram removidas cirurgicamente. Mais metástases pulmonares posteriormente desenvolvidas, para a qual o paciente foi submetido a 2 ressecções pulmonares adicionais entre 2009 e 2011. Em agosto de 2011, uma metástase-ilíaca esquerda foi identificada e tratada por excisão e radioterapia. Em outubro de 2011, uma nova metástase em cauda do pâncreas medindo 6,1 × 5,7 cm foi diagnosticada por tomografia computadorizada sendo imediatamente tratada com radioterapia. Uma metástase pulmonar medindo 1,2 cm também ficou evidente na tomografia computadorizada. Em novembro de 2011, o paciente procurou nova forma de tratamento. Foi tratado com Viscum álbum IV (extrato de visco) e IVC (vitamina C em alta dose). As doses foram escalonadas para 300 mg de Viscum album e 75 g de IVC 3 vezes por semana. Ele também recebeu suplementos, incluindo vitamina D_3, pectina cítrica modificada, enzimas digestivas, ácidos graxos ômega-3, bioperine, e artemisina. Em janeiro de 2012, tomografia computadorizada revelou novas e pequenas metástases apesar do tratamento. A massa da cauda do pâncreas tinha aumentado para 7,6 × 5,6 cm em 2 meses pós radioterapia e havia novos múltiplos pequenos nódulos pulmonares novos. Houve aumento gradual do antígeno carcinoembrionário (CEA) durante o tratamento. Após a administração de dicloroacetato de sódio intravenoso (DCA) houve diminuição acentuada dos tumores. Houve forte queda imediata do CEA e o declínio continuado das enzimas hepáticas com a administração do DCA IV.

DCA IV foi iniciado na dose de 3000 mg (47 mg/kg) semanalmente e escalados em um período de 2 semanas a 5.000 mg (47 mg/kg) duas vezes por semana. Não foram observados efeitos colaterais. Após 2 meses de DCA IV, em combinação com os tratamentos naturopatas em curso, uma tomografia computadorizada revelou a estabilidade em todas as metástases pulmonares e encolhimento da metástase pancreática de 7,6 × 5,6 cm para 5,9 × 5,2 cm. Nova metástase foi vista em T12, com ligeiro aumento de todas as outras metástases ósseas. Uma varredura óssea com tecnécio em abril de 2012 não apresentou atividade correspondente em qualquer uma das áreas metastáticas. Nova ressonância magnética da coluna confirmou resposta mista, com o maior crescimento metastático ósseo, sendo um aumento de 1 a 2 mm. Na sequência de um total de 4 meses de terapia com DCA IV, a ressonância magnética demonstrou estabilidade para quase todas as metástases da coluna, 2 dos quais foram notificados como sendo um pouco maior. Não há novas metástases da coluna. A tomografia computadorizada, um mês depois, após 5 meses de DCA IV, mostrou todos os nódulos pulmonares estáveis, e a massa pancreática ainda mais reduzida em tamanho de 5,9 × 5,2 cm para 4,4 × 4,4 cm. Não há novas metástases intratorácicas ou intra-abdominais. Muitas das metástases ósseas existentes demonstraram ligeiro aumento. Embora continuasse a terapia com DCA IV, o paciente começou a procurar opções de tratamento mais agressivas, com o objetivo de alcançar a remissão completa. Exceto radioterapia estereotáxica espinal, nenhuma terapia convencional simultânea tinha sido dada ao mesmo tempo que o DCA IV. O paciente permaneceu clinicamente estável até setembro de 2012, quando interrompeu o tratamento com o DCA IV após 8 meses de terapia para viajar para uma clínica particular na Alemanha para quimioterapia de baixa dose, com hipertermia corporal total e potenciação de insulina.

CONCLUSÃO: Com base na literatura e experiência clínica dos autores, o DCA intravenoso off-label é uma opção de tratamento promissora para pacientes que compreendem e aceitam seus riscos e benefícios, particularmente aqueles que não têm opções de tratamento convencionais disponíveis. O DCA tem o potencial para prolongar a vida sem reduzir a qualidade de vida dos pacientes com efeitos colaterais debilitantes, mesmo para a doença em um estágio muito avançado. No caso apresentado, a terapia IV com DCA foi de duração limitada, o que torna difícil estimar o grau de benefício de sobrevivência. No entanto, com base na experiência de uso crônico do DCA oral, com o maior sobrevivente atual sendo um homem de 48 anos de idade com glioblastoma, que tem se mantido estável durante 6 anos com DCA oral com nenhuma terapia convencional, os autores acreditam que a droga oferece um potencial para estabilização de longo prazo e/ou regressão, bem como aumento substancial de sobrevivência. Dada a sua acessibilidade e baixa toxicidade, DCA merece uma investigação mais aprofundada.

Referência. Akbar Khan, MD; Denis Marier, ND; Eric Marsden, ND; Douglas Andrews, ND. Altern Ther Saúde Med 20 (suppl 2):21-28;2014.

13. Dicloroacetato de sódio intravenoso no tratamento de 3 casos diferentes de neoplasia: câncer de cólon, angiossarcoma e carcinoma neuroendócrino de pâncreas.

http://www.medicinacomplementar.com.br/biblioteca/pdfs/Casos-Clinicos/cc-0719.pdf – trabalho na íntegra

ABSTRACT Oral dichloroacetate sodium (DCA) is currently under investigation as a single agent and as an adjuvant for treatment of various cancers. One of the factors limiting its clinical use in a continuous oral regimen is a dose related, reversible neurotoxicity, including peripheral neuropathy and encephalopathy. The intravenous (IV) route has a number of potential advantages, including (1) pulsed dosing to achieve higher concentrations than feasible with oral use, (2) a longer washout period to reduce the potential for neurotoxicity, and (3) a bypassing of the digestive system, which is particularly significant for advanced-stage cancer patients. Data were available on high-dose IV DCA (up to 100 mg/kg/dose) that have confirmed its safety, both in healthy volunteers and in critically ill patients, allowing the authors to begin offlabel treatment of cancer patients. In several of their patients treated with IV DCA, the authors observed clinical, hematological, or radiological responses. This article presents 3 cases with patients who had recurrent cancers and for whom all conventional therapies had failed: (1) a 79-y-old male patient with colon cancer who had liver metastases, (2) a 43-y-old male patient with angiosarcoma who had pancreatic and bone metastases, and (3) a 10-y-old male patient with pancreatic neuroendocrine carcinoma who had liver metastases.

Referência. Altern Ther Health Med. 20 (suppl 2):21-28; 2014.

14. **Osteossarcoma de tíbia com metástases pulmonares tratado com benzaldeído.**

Paciente com 17 anos começou a apresentar dor no tornozelo esquerdo. RX local foi dado como normal pelo primeiro médico e suspeita de tumor pelo segundo médico. Confirmou-se o osteossarcoma e procedeu-se a amputação da perna esquerda. Três meses depois apareceram metástases pulmonares que foram retiradas cirurgicamente e iniciou-se a quimioterapia. Na vigência da quimioterapia apareceu outro nódulo pulmonar e começou a usar laetrile (benzaldeído com cianeto) mais pancreatina e dieta vegetariana. O nódulo pulmonar regrediu. Paciente em ótimo estado geral, sem cansaço e com bom apetite. Sobrevida de pelo menos 30 anos, quando foi contactado.

Referência. Laetrile Case Histories- The Richardson Cancer Clinic Experience. Published by American Media. California, 2005.

15. **Leiomiossarcoma uterino tratado com benzaldeído.**

Kochi tratou 1 caso de leiomiosarcoma refratário ao tratamento convencional da época, 1980. Houve regressão total do tumor com doses bem inferiores a 500 mg/dia de benzaldeído complexado com maltedextrina: 30mg/dia.

Referência. Kochi M, Takeuchi S, Mizutani T. et al. Antitumor activity of benzaldehyde. Cancer Treat Rep; 64(1): 21-3;1980.

16. **Osteossarcoma do úmero direito com metástases tratado com benzaldeído.**

Menino com 6 anos de idade começou a apresentar dores no braço direito e depois dores nas pernas. Foi ao ortopedista em julho de 1973 que orientou que os sintomas não eram importantes e recomendou que os pais tirassem férias. Não pediu raios X. A criança ficou muito mal e precisou de cadeira de rodas na Disneylândia. Em outubro de 1973 os sintomas intensificaram e foram a outro ortopedista. Em novembro levaram a um fisioterapeuta que solicitou raios X de úmero. Constatou-se suspeita de osteossarcoma, confirmada por biópsia: Sarcoma osteogênico. Havia metástase na terceira vértebra lombar. Planejou-se radioterapia vertebral, para manter o tumor quiescente, seguida de amputação do braço direito. Os pais não concordaram e começaram a usar benzaldeído, na forma de laetrile. Em 1 mês a dor no braço diminuiu muito e conseguia fazer alguns movimentos simples. Em abril de 1974 o RX mostrou grande melhora. Em novembro de 1977: RX normal.

Nota: laetrile é constituído por 1 molécula de benzaldeído e 1 molécula de cianeto. Em 1980 foi demonstrado que era o benzaldeído o componente ativo anticâncer.

Referência. Laetrile Case Histories- The Richardson Cancer Clinic Experience. Published by American Media. California,2005.

17. **Sarcoma extenso da mandíbula esquerda tratado com enzimas por John Beard em 1909.**

Admitido no Hospital Militar de York, Inglaterra em janeiro de 1909. Remoção cirúrgica em janeiro e re-

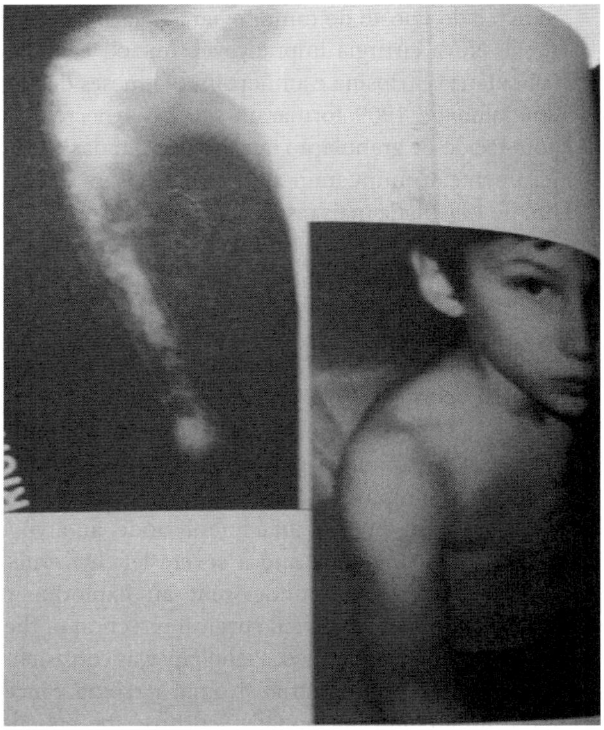

Figura 239.1 Novembro/1973 no início do tratamento.

Figura 239.2 Novembro/1977, três anos após terminar o tratamento.

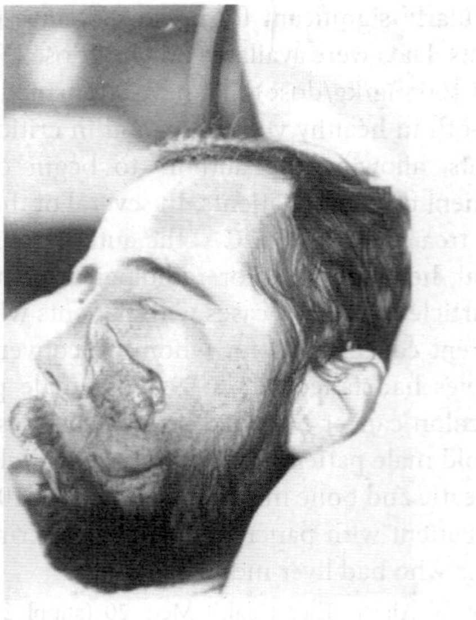

Figura 239.3 Sarcoma de mandíbula antes do tratamento.

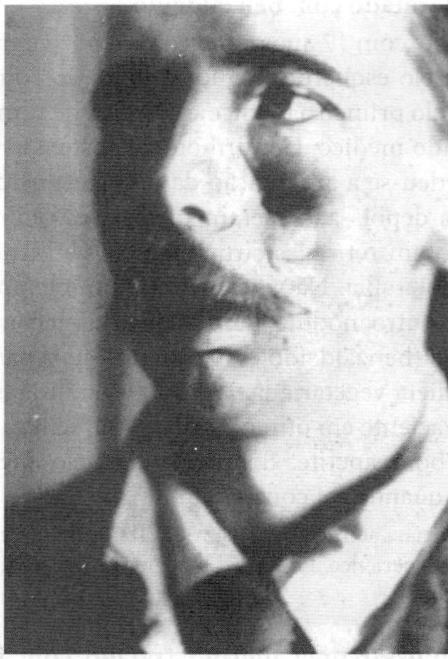

Figura 239.4 Sarcoma de mandíbula após 6 meses de tratamento.

petida em março do mesmo ano por recidiva. Gânglios linfáticos do pescoço infiltrados estendendo-se para o lado oposto do tumor e para a placa orbital e nasal. Nova cirurgia impraticável. Iniciou enzimas subcutâneas: tripsina e amilopsina e 4 meses depois em julho de 1909 formaram-se placas necróticas com tecido de granulação que foram retiradas cirurgicamente. Continuaram-se as enzimas e em setembro de 1999 nada mais restava da doença (foto). Oito anos após sem recidivas e ainda livre do tumor.

Referência. John Beard. The Enzime Treatment of Cancer and its scientific basis. New Spring Press. 2010.

18. Sarcoma endometrial estromal recorrente que regrediu com letrozol – inibidor da aromatase.

A 59-year-old female presented with new abdominal onset pain, fatigue, and nausea. She had a computed tomography that showed a pelvic mass, an enlarged right internal iliac lymph node, an atypical liver hemangioma, and a severe left hydronephrosis. The patient underwent an exploratory laparotomy, and attempted surgical resection of the pelvic mass was attempted. Pathology was consistent with recurrent endometrial stromal sarcoma. Since these tumors are hormonally sensitive, the patient was started on letrozole 2.5 mg daily. The patient had complete clinical and radiographic response by 11 months. After 24 months of therapy, the patient remained free of disease. Endometrial stromal sarcomas are hormonally sensitive tumors. Progestins function to decrease the effects of estrogen on target cells and have been used for primary therapy of endometrial stromal sarcomas. Aromatase inhibitors block peripheral synthesis of estrogen. Letrozole is a type 2 aromatase inhibitor that effectively reduces serum estrogen levels. Letrozole has been described as treatment for endometrial stromal sarcoma. Letrozole is well tolerated and is a good option for long-term management of this disease.

Referência. Sylvestre VT, Dunton CJ. Treatment of recurrent endometrial stromal sarcoma with letrozole: a case report and literature review. Horm Cancer. Apr;1(2):112-5, 2010.

19. Sarcoma endometrial estromal de baixo grau tratado com inibidor da aromatase – letrozol.

A 76-year-old woman underwent a total abdominal hysterectomy with bilateral salpingo-oophorectomy 25 years earlier allegedly for a benign condition. She presented to us with postrenal kidney failure and a huge pelvic mass compressing both ureters. After transvaginal trough-cut biopsy of the mass, the diagnosis of low-grade endometrial stromal sarcoma with a high expression of alpha-estrogen receptor was made. The patient was treated with letrozole only with a spectacular response. To the best of our knowledge, this is the first case for which letrozole was used on long-term basis as first-line hormonal treatment for a recurrent low-grade stromal sarcoma.

Referência. Leunen M, Breugelmans M, De Sutter P, et al. Low-grade endometrial stromal sarcoma treated with the aromatase inhibitor letrozole. Gynecol Oncol. 2004 Dec; 95(3):769-71.

CAPÍTULO 240

Tumor desmoide – fibromatose – schwannoma – neuroblastoma: 13 pacientes

1. **Tumor desmoide. Completa remissão após o sulindac – anti-inflamatório não hormonal.**

   We report the case of a 22-year-old man having a familial adenomatous polyposis coli treated by total colectomy with ileo-rectal anastomosis. Two years after the operation, an asymptomatic mesenteric fibromatosis appeared which was nonresectable due to mesenteric vessels infiltration. Nine years later, sulindac therapy was started for residual polyps in the rectal stump. This treatment was taken intermittently, during periods of 1 to 8 months, for 6 years. After 4 years of treatment, the tumor was no longer palpable. Four years after sulindac discontinuation, the patient was operated on for suspicion of intestinal adhesion. The mesenteric fibromatosis had completely disappeared and mesenteric vessels were free. This complete macroscopic regression of a desmoid tumor after sulindac therapy emphasizes again the interest of this treatment for mesenteric fibromatosis.

   Referência. D'Alteroche L1, Benchellal ZA, Salem N, et al. Complete remission of a mesenteric fibromatosis after taking sulindac. Gastroenterol Clin Biol. Dec;22(12):1098-101;1998.

2. **Tumor desmoide tratado com indometacina e ascorbato. – 3 casos com alta eficácia.**

   http://www.medicinabiomolecular.com.br/biblioteca/pdfs/Casos-Clinicos/cc-0695.pdf trabalho na íntegra no link.

   1º caso. 38 anos, masculino, resolução completa com 100mg/dia/5 semanas. Seguimento por 18 meses sem recidiva.

   2º caso. 21 anos, feminina, usou por 3 anos (inibidores da fosfodiesterase) teofilina, clortiazida e espironolactona com regressão quase total. Ao usar Testololactona o tumor aumentou rapidamente de volume. Iniciou indometacina 100mg/dia e vitamina C 1,5g/dia e o tumor regrediu rapidamente, entretanto em 4 meses começou a aumentar e introduziu-se 5g/dia de vitamina c/dia. O tumor voltou a reduzir de volume e assim continuou.

   3º caso. 76 anos, masculina. Resolução parcial com indometacina 75mg/dia mais vitamina C 3g/dia. Em 2 meses aumentou-se a vitamina C para 5g e o tumor começou a regredir imediatamente e assim continuo durante a evolução.

   Referência. Waddeell WR and Gerner Re. J Surg Oncol. 15(1) 85-90, 1980.

3. **Fibroma desmoplásico ósseo tratado com indometacina e vitamina C.**

   A case is described of the rare, benign intraosseous desmoplastic fibroma, occurring in the humerus of a 20-year-old woman. A total of 121 cases is briefly reviewed and a table of 78 references dealing with desmoplastic fibroma is given. Treatment with indomethacin and ascorbic acid is proposed for cases of desmoplastic fibroma of bone when mutilating operations are the alternative or in inoperable patients.

   Referência. Graudal N. Desmoplastic fibroma of bone. Case report and literature review. Acta Orthop Scand. 1984 Apr;55(2):215-9.

4. **Tumor desmoide em paciente com síndrome de Gardner tratado com cirurgia e radioterapia. Pouca eficácia a longo prazo.**

   Desmoid tumours present difficult management problems in patients with Gardner's syndrome. We recently studied two patients with Gardner's syndrome, who developed a desmoid tumour arising of the abdominal wall and mesenteric root. One patient had a total resection of the mesenteric desmoid tumour followed by postoperative radiotherapy. No recurrence occurred in the last three years. The other patient had an incomplete resection and refused postoperative radiotherapy. Abdominal CT scan revealed tumour expansion 6 months postoperatively. From our experience and with respect to current literature, we suggest that complete surgical excision combined with radiotherapy (4.000-6.000 rads) could diminish the recurrence rate of desmoid tumours. When resection is incomplete or technically impossible, radiotherapy remains the second choice of treatment.

Referência. Loccufier A, Vanhulle A, Moreels R, Deruyter L, Legley W Gardner syndrome and desmoid tumors. Acta Chir Belg. 1993 Sep-Oct;93(5):230-2.

5. **Tumor desmoide com fibromatose agressiva que regrediu com $1,25(OH)_2D_3$.**

A 26-year-old female patient was referred to the Department of Radiation Oncology, Hacettepe University Faculty of Medicine with complaints of severe pain and impaired mobility in the right shoulder, in April 1996. She had a history of a traffic accident with a fracture of the right clavicle 3 years earlier. She had undergone a fixative surgical operation for the fracture. In October 1994, she had to be reoperated for an 11 • 9 • 3 cm mass located on the formerly fixed right clavicle, and a gross total excision was performed. The pathology specimen revealed dense collagenous material interspersed with spindle cells and typical fibroblasts without mitosis and was diagnosed as aggressive fibromatosis. She was followed up for 1 year without any intervention at the end of which she developed a 3 • 6 • 8 cm painful mass located in the right pectoralis muscle along with an axillary lymphadenopathy. No further surgery was planned, since it would be mutilating. The tumor bed was **irradiated**, leaving a 3-cm safety margin using 6-MV photon beams up to a total dose of 60 Gy with conventional daily fractionation. A concomitant dose of 30 mg/day of tamoxifen was prescribed. Following radiotherapy, she continued to receive the same dose of **tamoxifen** for a further 6-month period. A minimal regression was recorded on MRI scans 3 months after irradiation. In June 1998, MRI scans revealed a huge 14 • 7.5 • 12 cm mass infiltrating the muscular compartments, extending up to the thoracic inlet, obliterating the intervertebral foramina of the lower cervical and upper thoracic spine and entering into the spinal canal and circumscribing the right brachial plexus, the internal carotid artery and the subclavian artery and veins. A course of 120 mg/day **toremifene** therapy, a triphenylene derivate, was administered for 2 months without any response. A second course of radiotherapy with shielding of the previous treatment portals up to a total dose of 60 Gy was administered between October and December 1998. Two cycles of VAC (**vincristine, actinomycin D and cyclophosphamide**) combination were administered concomitantly with radiotherapy and a third cycle following radiotherapy. Peripheral neuropathy precluded further chemotherapy after January 1999. In March 1999, further progression of the tumor was detected by both physical examination and MRI scans (Fig. 1a and b). Progression was apparent especially in the distal part of the tumor lying on the apical part of right lung parenchyma. Moreover, at this time, the tumor showed an infiltrative pattern. Tumor dimensions were calculated to be 16 • 7.7 • 12 cm. Since no response was achieved with these treatment modalities, she was administered **0.5 mcg/day of calcitriol** (1,25-(OH) 2-vitamin D3), which was reported to be effective in the treatment of myeloproliferative disorders. In December 1999, nearly 8 months after vitamin D administration, MRI scans revealed a 10 • 6.5 • 3 cm mass. In May 2000, while she was still receiving vitamin D3 treatment, further regression of the tumor was recorded. Tumor dimensions were 9 • 6.5 • 3 cm on MRI scans. Symptomatic relief was also apparent. In June 2001, she gave a healthy birth. There was no deleterious effect of the pregnancy on disease outcome. Though there was a brief interruption in vitamin D3 therapy for 3–4 months after delivery, she continued to receive the medication subsequently. Both physical examination and MRI scans showed further regression in November 2002. Tumor dimensions were calculated to be 7 • 4.5 • 3 cm.

Referência. Yildiz Ferah, Kars Ayse, Cengiz Mustafa. Possible Therapeutic Role of Vitamin D3 in Aggressive Fibromatosis. Jpn J Clin Oncol 2004;34(8)472–475.

6. **Tumor desmoide que respondeu parcialmente ao testololactona e totalmente a inibidores do AMP cíclico, aminofilina e clortiazida.**

A female patient with Gardner's syndrome was treated with A-testololactone (200 mg daily) because of growth of a large desmoid tumor in the pelvis and lower abdomen and a tumor in a scar from a previous laparotomy. There was also pain and swelling of the left leg. An immediate effect of the drug therapy was complete relief of pain followed shortly thereafter by disappearance of the edema of the leg. After two months, the numerous sebaceous cysts were less prominent. The gross measurements of the diameter of the pelvic and lower abdominal tumor clearly demonstrated tumor shrinkage following therapy. Small polyps scattered over the rectal mucosa and numerous osteomata were not demonstrably affected. After one year of treatment with A-testololactone, a laparotomy for partial small bowel obstruction was necessary. Obstruction was caused by the involvement of small bowel mesentery and the bowel itself in a contracted residuum of dense fibrous tissue. Substitution of theophylline and chlorothiazide for the testololactone in January 1974 was followed by further diminution of the measurable abdominal and pelvic desmoids. All of these compounds synergize the action of 3', 5'-adenosine monophosphate and at least the latter two may function by inhibiting the action of 3', 5'-adenosine monophosphate diesterase.

Referência. http://www.medicinabiomolecular.com.br/biblioteca/pdfs/Casos-Clinicos/cc-0699.pdf Trabalho na íntegra.

7. **Tumor desmoide que regrediu com um anti estrógeno – clomifeno.**

http://www.medicinabiomolecular.com.br/biblioteca/pdfs/Casos-Clinicos/cc-0700.pdf

8. **Progesterona e medroxiprogesterona (drogas anti-estrógeno) inibem o crescimento do tumor desmoide *in vitro*.**

Referência. Comini Andrada E, Hoschoian JC, Anton E, Lanari A. Growth inhibition of fibroblasts by progesterone and medroxyprogesterone in vitro. Int Arch Allergy Appl Immunol. 1985;76(2):97-100.

9. **Fibrossarcoma de parede pélvica tratado com RF: 434 MHz e GS-SG.**

CM, feminino, data do nascimento: 26/11/59. Cirurgia em outubro de 79 e outubro de 81. Recorrência diagnosticado por biópsia em fevereiro de 85 quando fez o protocolo. Em março de 91 estava sem evidências de câncer e possuía raios X normal e exame clínico normal.

John Holt na Austrália foi um dos primeiros pesquisadores a dar importância para a hipertermia no tratamento do câncer. Ele empregou a oxidação sistêmica com GS-SG em conjunto com a RF de 434 MHz. Holt obteve o desaparecimento de inúmeros tipos de neoplasias por períodos superiores a 5 anos. A maioria dos tumores não haviam respondido à cirurgia, quimioterapia ou radioterapia

Este caso foi publicado em 1993 na conceituada revista da literatura médica indexada "Medical Hypotheses" por John Holt.

10. **Tumor desmoide de pelve tratado com dieta inteligente + atividade física + banhos de Sol.**

PHC, 38 anos, feminino. Diagnóstico: Tumor desmoide de pelve.

Operada em 1998, sendo ressecados útero e ovários.

2000: realizada colostomia, ressecção do terço superior da vagina, ureter direito, músculo obturador, pectíneo e adutor, parte do sacro e cóccix.

2003: recidiva com padrão agressivo, indicada amputação e desarticulação de membro inferior direito. Iniciada dieta semelhante a inteligente descrita neste livro sob a supervisão do Dr. Sidney Federmann. A amputação foi suspensa com 1 mês de dieta rigorosa. A partir deste ponto houve regressão tumoral progressiva e constante. Sete anos de seguimento.

11. **Tumor desmoide irresecável tratado com testolactona, sulindac, warfarina e vitamina K_1.**

Ten patients with large inoperable desmoid tumors in various body locations were treated with testolactone. Four tumors (40%) responded with major regressions, i.e., more than 50% reduction in volume. Eight patients received nonsteroidal anti-inflammatory drugs (indomethacin, sulindac, or sulindac with warfarin and vitamin K1 [Mephyton]) for periods of 2 to 91 months. There was one major regression, one partial regression, and three instances of tumor growth arrest over periods up to 8 years. Seven patients were treated with nonsteroidal anti-inflammatory drugs concurrent with or after testolactone or tamoxifen. There were five major regressions and one partial regression with extensive central necrosis of an enormous intra-abdominal tumor. The last patient has been treated for only 12 months, with no change in tumor volume. It appears that estrogens function as growth factors for desmoid tumors, and that minimization of these effects inhibits tumor growth in some, but not all, cases. In those instances where antiestrogens were not effective as single agents, the tumors usually responded to subsequent nonsteroid anti-inflammatory drug therapy. Withdrawal of estrogen may be followed by inhibition of transcription of genes that support tumor cell proliferation, and sulindac and indomethacin may augment these effects by inhibiting prostaglandin and cyclic AMP synthesis and the activity of protein kinase C. Warfarin may function as a protonophore to acidify the cytoplasm and prevent the alkalinization that is necessary to initiate DNA synthesis and cell cycle progression, again an impairment of the transcription process.

Referência. Waddell WR, Kirsch WM. Testolactone, sulindac, warfarin, and vitamin K1 for unresectable desmoid tumors. Am J Surg. Apr;161(4):416-2;1991.

12. **Fibroma desmoplásico ósseo tratado apenas com cirurgia. Sem recidiva por 20 meses.**

A case of a primary desmoplastic fibroma of bone has been presented with a complete review of the world's literature on the subject. Our case represents the one hundred and twenty seventh case (127th) reported. The usual aggressive local growth and the classical radiological and histological characteristics are very well depicted in the case. It represents the first case of this tumor of bone reported in Puerto Rico. No recurrence is evident twenty months after wide excision and intercallary bone graft.

Referência. A R de Tomas-Cabrera 1, R A Marcial-Seoane, R A Marcial-Rojas. Desmoplastic fibroma of bone: report of one case and review of the literature. Bol Asoc Med P R1990 Jan;82(1):18-24.

13. **Fibroma desmoplásico periostal da tíbia em criança de 3 anos. Cirurgia proporcionou 5 anos sem recidiva.**

Desmoplastic fibroma is a rare benign fibrogenic, locally aggressive, primary bone tumor. It is the intraosseous counterpart of soft tissue aggressive fibromatosis. The lesion may very rarely appear as a superficial bone lesion arising from the periosteum; in such cases, a soft tissue mass with changes in the adjacent bone is evident. Periosteal lesions are very rare in the literature; diagnosis is usually based on the radiographic findings, and histological proof of the tumor origin is missing. A periosteal desmoplastic fibroma of the distal tibial metaphysis in a 3-year-old boy is presented. Radiographic investigation included plain radiographs and computed tomography imaging. Both demonstrated a soft tissue lesion involving the superficial bone tissues with non-aggressive looking borders and a pressure effect with a sclerotic rim in the bone. The lesion was excised, and the surgical as well as the histological findings indicated the diagnosis of a desmoplastic fibroma of bone arising from the periosteum. No recurrence was detected 5 years after surgery.

Referência. Sferopoulos NK. Periosteal desmoplastic fibroma of the tibia in a 3-year-old child Eur J Orthop Surg Traumatol. 2015 Dec;25(8):1233-8.

14. **Schwannoma tipo B da região glútea que regrediu em 3 meses ao aplicar a estratégia neurofarmacológica.**

Female, age 15. First visit in February, 1991. Surgical resection of Antoni type B Schwannoma in the right gluteal region was performed in March 1989. Recidivant tumor was diagnosed in December 1990. The patient and her parents refused further surgery and visited our Institute. Neuropharmacological therapy began in March 1991. CAT scan showed complete remission after 3 months of treatment. The patient has remained symptomless. Last control in January 1995.

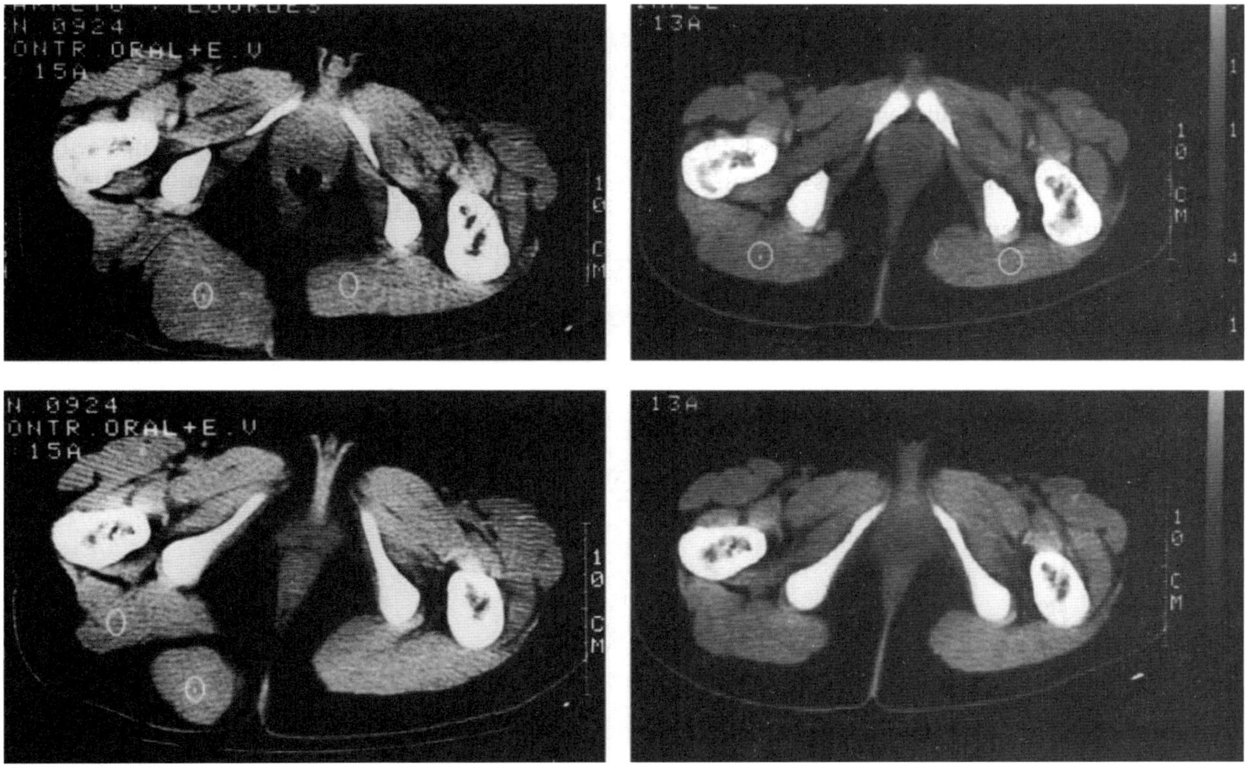

Figura 240.1 Neuropharmacological therapy began in March 1991. CAT scan showed complete remission after 3 months of treatment. Fuad Lechin at School of Medicine of the Central University of Venezuela.

15. Neuroblastoma intra-espinal com múltiplas metastases ósseas não responsiva a quimioterapia cujos tumores regrediram com Viscum album.

The symptoms of the female patient began in November 2009, at age 18. She was experiencing increasing pain in the thoracolumbar region and sacrum with intermittent pain radiating into the left leg. MRI revealed an intraspinal tumour at Th10 as well as multiple bone metastases along the spinal column with a pathological fracture of the fifth lumbar vertebra. No known family history of malignant disease.

Since the onset of NB, the patient was treated using several different chemotherapy trial protocols with varying degrees of success.

1. Two courses of chemotherapy according to CWS guidance and the initial PNET diagnosis, with a dramatic deterioration in general condition.
2. After the revised diagnosis, a switch to the NB2004 trial protocol with an impressive improvement.
3. Due to extended and persisting tumour foci, two additional courses of chemotherapy with additive MIBG therapy.
4. Subsequently myeloablative high-dose chemotherapy with autologous stem cell transplantation.
5. Due to the lack of tumour response, an innovative new chemotherapy according to the RIST HGG regimen was initiated but discontinued after 3 months due to insufficient response and poor tolerance. Bisphosphonate therapy, which had been initiated simultaneously, was continued.

The therapy concept, in this case, revolved around the subcutaneous injection of the mistletoe product Helixor A, with an initial dose of 1.25mg (0.25mL Helixor A 5mg). The patient was given biweekly injections of gradually increasing doses, as per standard practice, up to 12.5mg (0.25mL Helixor A 50mg).

During this treatment, the patient experienced a significant improvement in her health condition and physical ability and even the complete disappearance of symptoms, so that she could successfully resume her schooling, which had been interrupted by the disease. One year later, although the bone metastases had progressed, this development occurred, surprisingly, without any complaints or symptoms and without any impairment to the patient's general condition. Note: In a review of numerous clinical studies, 21 prospective randomised trials that involved the administration of oncological mistletoe therapy satisfied the strict criteria established by Cochrane. In 14 out of 16 studies that examined quality of life, mistletoe therapy was linked to a positive influence on quality of life and a better tolerance of chemotherapy. Moreover, a recent study also demonstrated a significant impact of mistletoe therapy on survival of cancer patients. This result is supported by previous series of studies, though their methodological quality is notably weaker. All of the above trials involved the treatment of adult cancer patients. In paediatric settings, we can draw on decades of experience in administering V. album L. to children in specialised anthroposophic hospitals during or after standard therapy. There are also some individual case reports detailing impressive developments in the course of disease. Yet, there is still a lack of formal clinical trials on mistletoe therapy in paediatric cancer. https://www.ncbi.nlm.nih.gov/pmc/articles/PMCG453412/-R9.

Referência: Jens Kaestner, Dietrich Schlodder, Christfried Preussler,et al Supportive mistletoe therapy in a patient with metastasised neuroblastoma. BMJ Case Rep. 2019; 12(3): e227652.

CAPÍTULO 241

Carcinoma basocelular e espinocelular: 23 pacientes

1. **Carcinoma basocelular tratado com pasta de cloreto de zinco local.**
   http://www.medicinabiomolecular.com.br/biblioteca/pdfs/Cancer/ca-2366.pdf trabalho na íntegra.
   Fórmula da pasta:
   One tablespoon each of powdered bloodroot and polk root.
   1-tablespoon zinc chloride.
   DMSO (5 drops per 4 ounces of salve).
   One tablespoon Charcoal (optional).
   Vitamin A, 10.000 IU (more vitamin A can be added up to 200.000 IU).
   Pine tar (one teaspoon to one tablespoon).
   Bentonite clay.

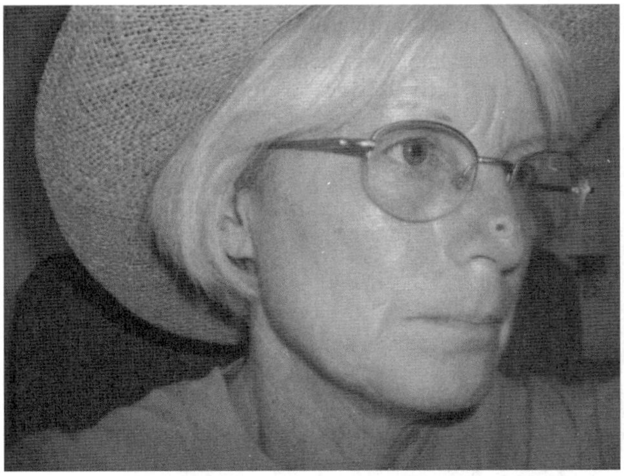

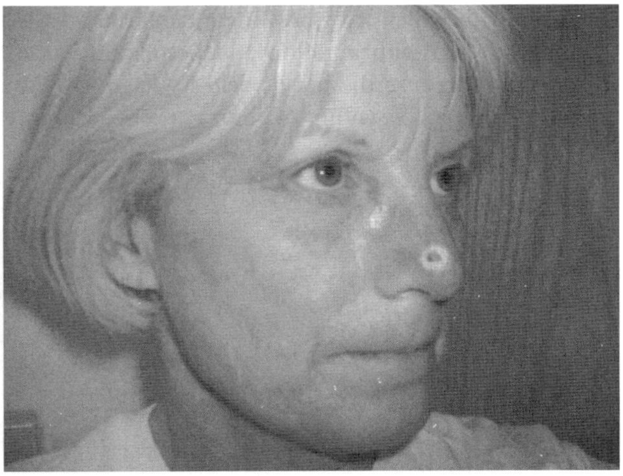

2. **Carcinoma basocelular tratado com quimiocirurgia: pasta de Mohs – 11 casos.**

A total of 339 basal cell carcinomas were treated by the Mohs' technic and a followup of 1 to 5 years was complete in all but four cases. There were 17 recurrences and of these 11 were successfully treated by another course of chemosurgery, two required conventional surgical excision, and four patients are known to have died from causes other than the recurrent skin cancers.The lesion to be treated and the adjacent skin are cleansed with 80 per cent alcohol and anesthetized by either regional or local infiltration of 1 per cent procaine hydrochloride. When anesthesia is completed, a biopsy of the lesion is made and its histologic nature determined by frozen section. After establishment of the microscopic diagnosis, an Allington curette is used to grossly remove the tumor, after which dichloracetic acid is used to effect hemostasis. Next, a paste consisting of 40 Gm. of 80 mesh sieve stibnite, 2.5 Gm. of sanguinaria canadensis, and 20 cu. cm. of a saturated solution of zinc chloride is applied to the tumor field to a thickness of about 0.5 to 1.0 millimeter. The chemical nature of this paste slowly cauterizes or fixes the tissue with which it comes in contact. The area is then covered with a cotton and petroleum gauze dressing. Because the tumor field is "fixed" by the paste, it is possible within 24 hours to excise, without bleeding or pain, a layer of tissue about 3 millimeters in thickness. We show four cases that were not responsive to conventional treatment.

Referência. Phelan JT. The use of the Mohs' chemosurgery technic in the treatment of basal cell carcinoma. Ann Surg. Dec;168(6):1023-9;1968.

The Mohs' technic is demonstrated in the treatment of a basal cell carcinoma of the nose in a 30 years old man. (Fig. 241.1A, left) The lesion involving the lateral wall of the nose and nasolabial fold area, (Fig. 241.1B, right) The excision following fixation of the tumor with the zinc chloride paste. Note the excision is painless and bloodless.

3. **Papiloma endodérmico de braço esquerdo tratado com mistura de ácidos forte e fracos.**

http://www.medicinabiomolecular.com.br/biblioteca/pdfs/Casos-Clinicos/cc-0051.pdf

Patient suffered from Endodermic papilloma in the left arm. Tumor was resistant to all treatment for a period of ten years. Formulation was applied full strength every half hour the same day for two days, followed by administration every other day for two weeks. Following treatment with Formulation, the disease has disappeared and has not returned.

Referência. http://www.docstoc.com/docs/56102141/Pharmacologically-Active-Strong-AcidSolutions---Patent-7141251: or www.freepatentsonline.com

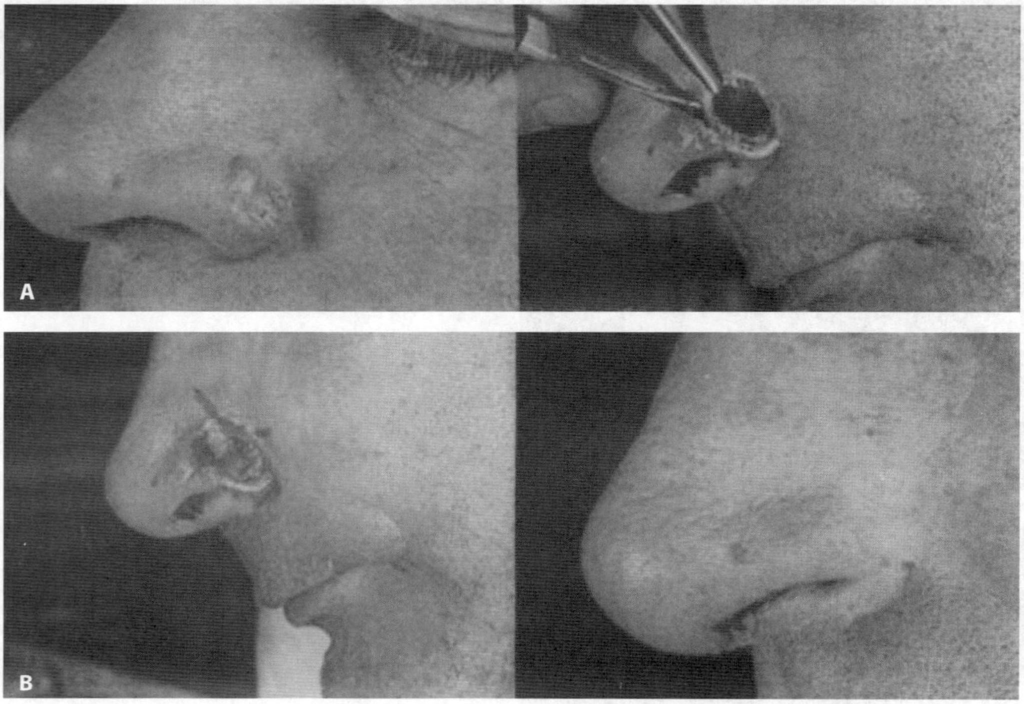

Figura 241.1 **A**) Onset of treatment. **B**) End of treatment.

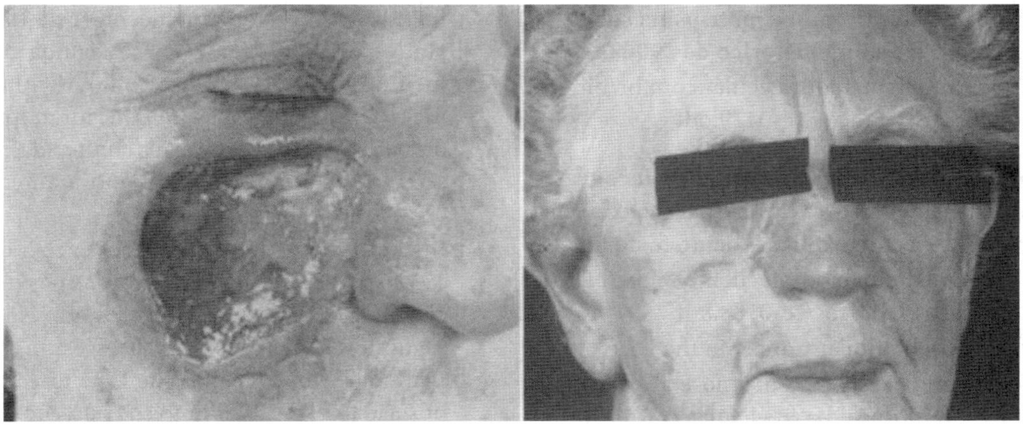

Figura 241.2 The extent of the tumor after chemosurgical removal. Note the rim of the inferior orbital bone is exposed. The end result after one year with no evidence of recurrence.

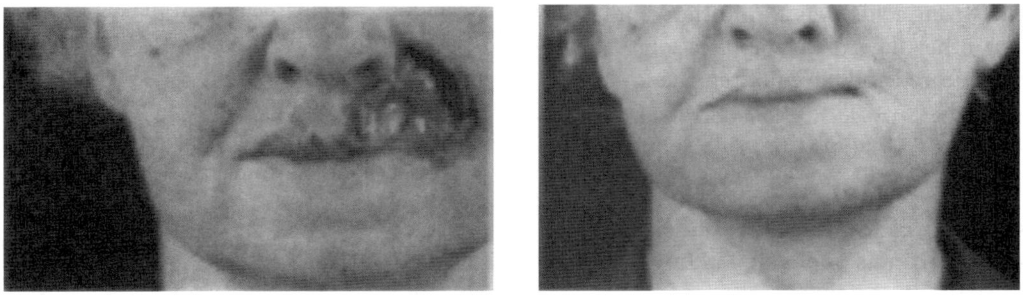

Figura 241.3 The proven macroscopic dimension of the lesion. The end result 2 years later following repair of the chemosurgically created defect.

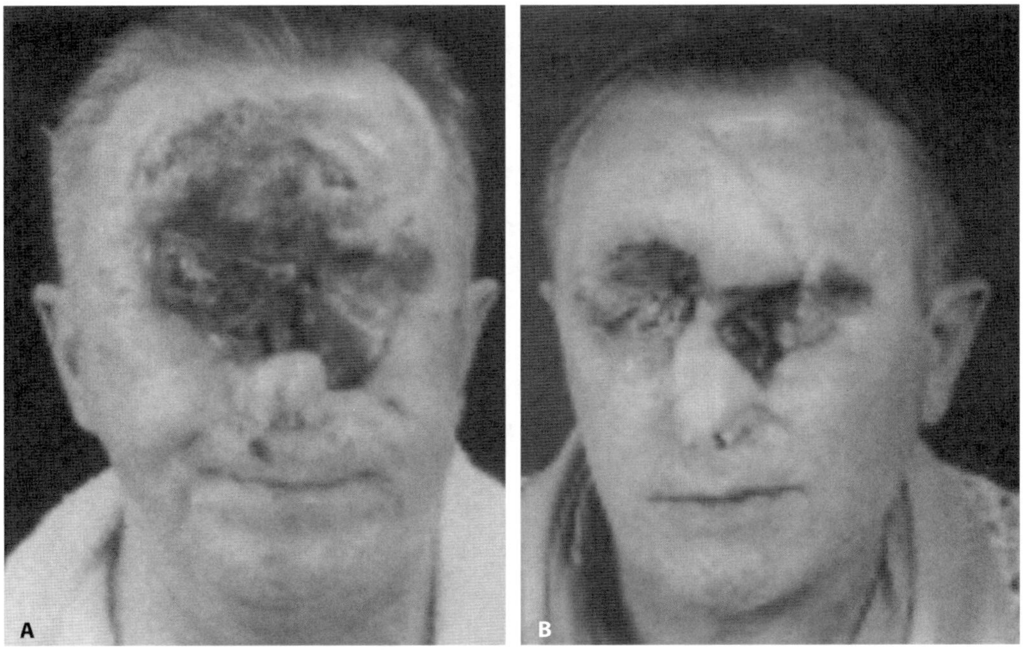

Figura 241.4 **A**) A 52-year-old man with recurrent basal cell carcinoma involving the right orbital orbit, area, scalp, and frontal bone. The right eye was blind and the area of the right orbit and forehead was chronically infected. **B**) One year later following chemosurgical removal of the contents of right orbit, forehead, and frontal and nasal bones. Chronically infected tumor has been circumvented and all the patient requires is a single daily dressing.

4. **Epitelioma de face tratado com tripsina subcutânea – 2 casos. Trabalho histórico de 1906.**
   http://www.medicinabiomolecular.com.br/biblioteca/pdfs/Casos-Clinicos/cc-0419.pdf

5. **Carcinoma basocelular multifocal de face tratado com creme de mistura de ácido fraco com ácido forte HCl + ácido oxálico + ácido fosfórico.**
   http://www.medicinabiomolecular.com.br/biblioteca/pdfs/Casos-Clinicos/cc-0188.pdf
   Multifocal Basal Cellular Cancer in the Face.
   Female patient, age 11, was diagnosed following a biopsy with multifocal basal cellular cancer in the face. The tumors were removed surgically on two occasions following, which the tumors immediately returned and spread. Formulation 2 (cream weak and strong acids) was administered full strength every other day for five applications. The tumors disappeared and have not returned.
   Referência. http://www.docstoc.com/docs/56102141/Pharmacologically-Active-Strong-Acid-Solutions--Patent-7141251: or www.freepatentsonline.com

6. **Vários tipos de câncer de pele tratados com o oscilador de múltiplas ondas de Lakhovsky na década de 1930 – 4 pacientes.**
   Epitelioma em mulher com 82 anos de idade, tratada com o oscilador de múltiplas ondas (MWO). A paciente foi seguida durante 3 anos em centro especializado em câncer. Após cirurgia realizada em 1929 desenvolveu lesão ulcerada onde foi submetida à radioterapia no decorrer de 1929 e 1930. Houve melhoria temporária seguida por crescimento rápido do tumor e como as condições clínicas da paciente estavam deteriorando foi enviada para a Clínica Calvário, conhecida na França, segundo relato da época, como a antecâmera do cemitério.
   Iniciou tratamento com MWO em 25 de abril de 1932 com sessões de 15 minutos. Após duas aplicações já apresentou grande melhora. Nas semanas seguintes, com exposições sucessivas a melhora foi mantida e em 10 de maio de 1932 foi feito uma exposição final de 20 minutos de duração. As glândulas submaxilares e o edema de face diminuíram drasticamente e notou-se de forma gradativa o desaparecimento do tumor, que em um dado momento "desapareceu sem deixar vestígio", segundo relato do médico assistente (30 de maio de 1932). É interessante notar, que a textura da pele melhorou muito não se observando mais as rugas e os sulcos profundos do pescoço e da face, antes facilmente observáveis na foto pré-tratamento de 25 de abril **(Figuras 241.5, 6, 7, 8).**
   Outros casos de câncer que também apresentaram evolução favorável, tratados com o oscilador de múltiplas ondas – MWO de Lakhovsky.

7. **Carcinoma basocelular volumoso de paciente em choque tratado com a estratégia de Sodi-Pallares.**
   O paciente internado em estado de choque e apresentando volumoso carcinoma basocelular na face.

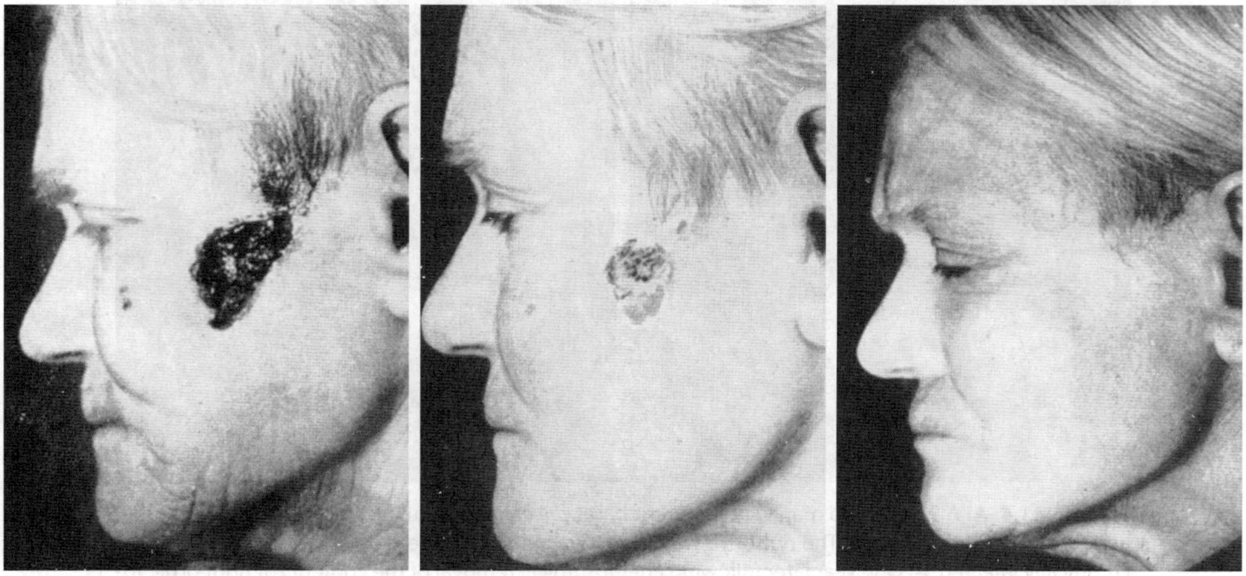

Figura 241.5 Sequência de epitelioma refratário ao tratamento da época em mulher de 82 anos onde se empregou o aparelho de Lakhovsky, abril de 1932. Retirado do livro do Sr. Alfredo Ernesto Becker.

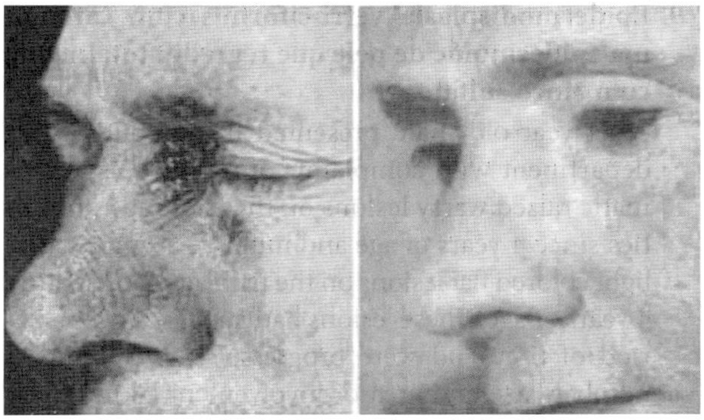

Figura 241.6 Mulher de 68 anos com carcinoma no ângulo interno do olho tratada com o oscilador eletrônico de múltiplas ondas.

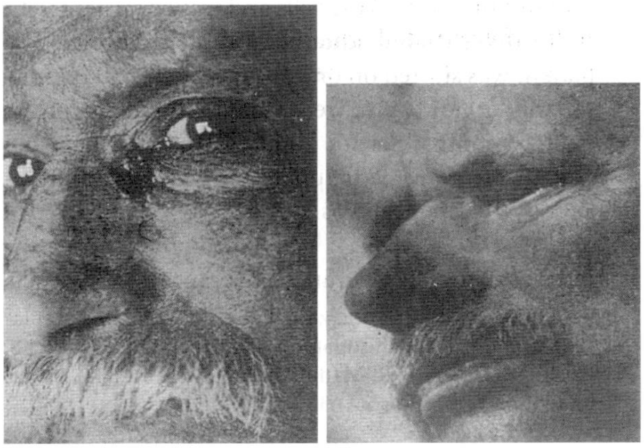

Figura 241.7 Homem de 61 anos com carcinoma basocelular no ângulo interno do olho tratado com o oscilador eletrônico de múltiplas ondas.

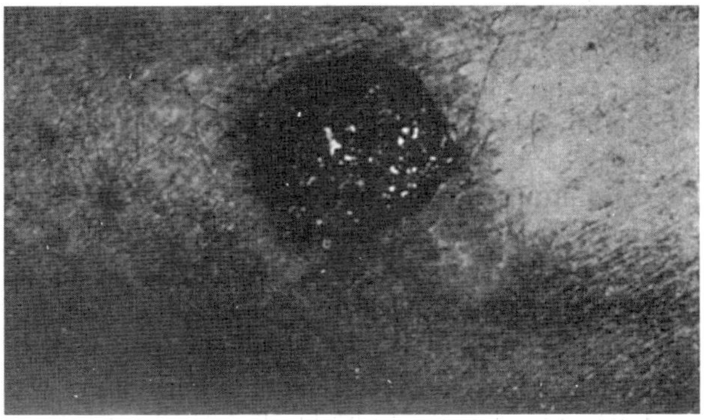

Figura 241.8 Homem de 80 anos de idade com nevo-carcinoma de braço esquerdo tratado com o oscilador eletrônico de múltiplas ondas. Início do tratamento.

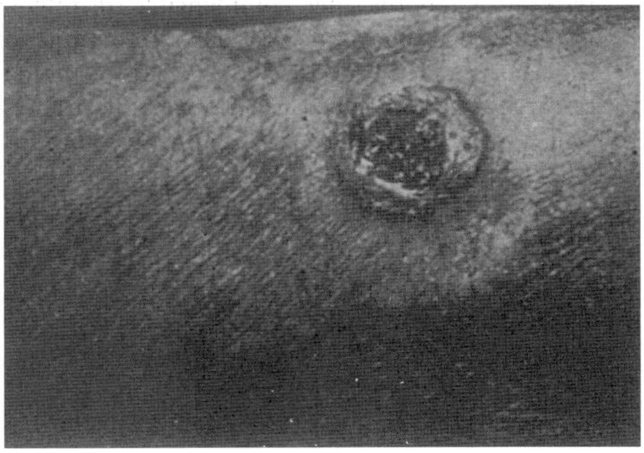

Figura 241.9 Homem de 80 anos de idade com nevo-carcinoma de braço esquerdo tratado com o oscilador eletrônico de múltiplas ondas. Final do tratamento.

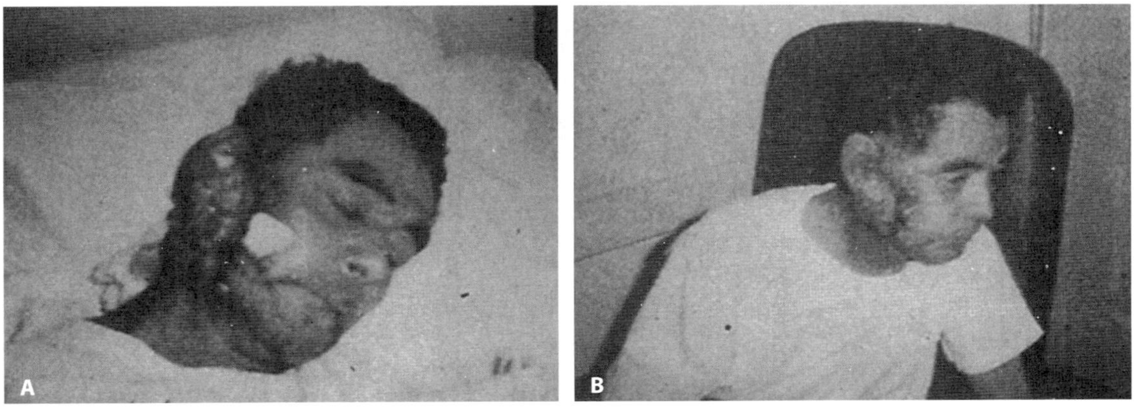

Figura 241.10 Enorme carcinoma basocelular. **A**) O paciente está em choque séptico. **B**) Depois de 31 dias com solução polarizante diária e dieta hipossódica e rica em magnésio. O tumor reduziu drasticamente de volume. O paciente se restabeleceu do choque.

Recebeu diariamente a solução polarizante de Sodi--Pallares (glicose, potássio, insulina) e dieta pobre em sódio e rica em magnésio e potássio. Após 31 dias houve grande redução da massa tumoral.

8. **Carcinoma epidermoide de superfície ocular que resolveu com colírio de *Aloe vera*.**

A case of ocular surface squamous neoplasia (OSSN) that resolved with topical Aloe vera eye drop treatment. A 64-year-old Hispanic woman with a lesion typical for OSSN in her left eye was followed up with multiple clinical examinations and ocular surface photographs to document changes over time with Aloe vera based topical treatment. The patient refused biopsy of her lesion and traditional treatments and, instead, initiated using Aloe vera eye drops 3 times daily. At follow-up visits, the lesion was noted to regress until it finally resolved 3 months after commencing treatment. No additional topical medications were used, and she has remained tumor free for 6 years. Ongoing research is warranted because Aloe vera may represent a new therapeutic class of medications for OSSN treatment.

Referência. Damani MR, Shah AR, Karp CL, Orlin SE. Treatment of ocular surface squamous neoplasia with topical Aloe vera drops. Cornea. Jan;34(1):87-9;2015.

9. **Epidermodisplasia verruciformis com carcinoma epidermoide de pele que regrediu totalmente com zinco sulfato.**

A 24-year-old male presented in our out-patient department with complaints of multiple asymptomatic raised warty lesions on the face and extremities since 4 years of age and multiple asymptomatic light colored flat lesions on the trunk and axilla since 4 years of age. These lesions had appeared over a period of time and were progressively increasing in number, size and area of involvement. Skin biopsy from the warty lesion present on the extensor surface of right forearm revealed hyperkeratosis, irregular acanthosis, and an enlarged vacuolated cells suggestive of koilocytes. These histopathological features were consistent with Epidermodysplasia verruciformis. Histopathological examination from the margin of ulcer present on the right first web space showed multiple dysplastic cells and was consistent with **well differentiated squamous cell carcinoma**. The patient was started on oral zinc sulphate 550 mg/day (10 mg/kg) for twelve weeks and followed-up for the next 6 months. Serum zinc level prior to starting zinc therapy was 58.09 μg/100 mL and on completion of treatment it was 168 μg/100 mL (difference 168 – 58.09 = 109.91). The main outcome measured was complete clearance of verrucae at 12 weeks.

Reference. Efficacy of oral zinc therapy in epidermodysplasia verruciformis with squamous cell carcinoma. Sharma S, Barman KD, Sarkar R, Manjhi M, Garg VK.Indian Dermatol Online J. 2014 Jan;5(1):55-8.

CAPÍTULO 242

Melanoma maligno: 22 pacientes

1. **Melanoma maligno com carcinomatose peritoneal e metástases ganglionares em abdome tratado com sais de picolinato zinco e zinco sulfato.**

A 28-year-old woman has had a hyperpigmented area on her right thigh since childhood, which was presumed to be a benign congenital nevus. In November 2008, the skin lesion became progressively larger and ulcerated. Then in December 2008, a skin tumor resection and dissection of enlarged right inguinal lymph nodes were performed, yielding melanoma and inguinal lymph nodes with metastatic disease.

In January 2009, a course of conventional chemotherapy was prescribed and performed for the patient. In February 2009, the patient had a cancer recurrence and progression, evidenced by tumor growth in the area of the resected right inguinal lymph node.

Because the metastatic lesion extended from her right inguinal region toward right knee along anterior surface of thigh was estimated as being 16×8 cm (February, 2009) and had a density described by surgeon as "stone hard" pressed femoral blood vessels, the patient had significant edema of her right leg. Enlarged nodes were then detected in the patient's abdominal cavity by ultrasound examination, suggesting peritoneal metastatic disease. The patient was subsequently discharged from the hospital, with a poor prognosis (up to 2 months survival time).

The patient then began orally taking Zinc Picolinate at a 600mg per day dosage. She orally ingested Zinc Picolinate daily, for 5 months from February 2009 to May 2009. Then she ingested Zinc Sulfate daily for 1 month (June, 2009) at a dose of 600mg per day (300mg twice a day with a meal) and for 4 months from July, 2009 to October, 2009, at a dose of 900mg per 24 hours (300mg every 8 hours with a meal).

In July 2009, a follow-up medical examination revealed a significant decrease in the size of metastatic lesion on patient's right leg, from 16×8 cm to 8×4 cm. Examination also showed that the edema of the patient's right leg significantly decreased.

Using computer tomography and ultrasound examination, the most recent medical examination (Oct. 20, 2009) showed a complete regression of metastatic nodes in abdominal cavity and a significant regression of metastatic lesion on patient's right leg to 2×1 cm. The patient was also specifically examined for clinical manifestations of zinc toxicity, but no toxic effects of zinc treatment were observed. To date, the patient has no weight loss and has not complained about any changes in her life style.

RESUMO

Sexo feminino, 28 anos.

Dezembro/2008. Melanoma de coxa: ressecado em fevereiro/2009 – recidiva na coxa medindo 16x8 cm + carcinomatose peritoneal + aumento de gânglios abdominais. Iniciou: zinco picolinato 600mg/dia/5 meses e depois sulfato de zinco 300mg/2 vezes dia/1 mês e depois 300mg/3 vezes dia/4 meses. Julho/2009: Lesão da coxa diminuiu de 16 × 8cm para 8 × 4cm e houve diminuição das metástases. Outubro/2000: Lesão da coxa agora com somente 2 × 1cm e regressão total das metástases.

Referência. Ugolkov Andrey. Tratamento terapêutico de cancros humanos utilizando sais simples de zinco. Patente Estados Unidos 20110117210 http://www.freepatentsonline.com

2. **Melanoma ocular estágio IV tratado com dissulfiram e gluconato de zinco.**

Brar e colaboradores em 2004 mostraram o excelente resultado da terapêutica com disulfiram e gluconato de zinco em paciente com melanoma ocular em estágio IV com regressão acima de 50% das múltiplas metástases hepáticas.

Referência. Brar SS, Grigg C, Wilson KS, et al. Disulfiram inhibits activating transcription factor/cyclic AMP-responsive element binding protein and in a patient with metastatic disease. Mol Cancer Ther; 3(9): 1049-60;2004.

3. **Melanoma maligno de perna esquerda: Uso de mistura de ácido fraco com ácido forte HCl + ácido oxálico + ácido fosfórico.**

Female patient, aged 67, underwent surgery twice to remove melanoma from her left leg. Patient was symptom free for five years when inguinal lymph node in the left leg showed increased in volume. Patient was treated daily with full strength Formulation 2 topically with a cotton swab for six treatments in the affected area. Following treatment, the lymph node reduced volume until they almost disappeared. The patient however died due to recidivisms with metastasis in the lung and liver.

Referência. http://www.docstoc.com/docs/56102141/Pharmacologically-Active-Strong-AcidSolutions---Patent-7141251. www.freepatentsonline.com

4. **Melanoma maligno tratado com radiofrequência sistêmica e soro GS-SG.**

GS, feminino, data do nascimento: 14/1/21. Não permitiu cirurgia ou biópsia de melanoma maligno progressivo de retina. Radioterapia em janeiro de 1987 foi ineficaz. Protocolo em março de 1987 inativou o melanoma, o qual permaneceu estático. Até junho de 1991 não se observou sinais clínicos do melanoma. Protocolo: Emprego de UHF de 434 MHz sistêmico logo após a infusão intravenosa de soro com glutationa peroxidada (GS-SG).

Referência.

1. Holt J A G. Increase of X-ray sensitivity of cancer after exposure to 434 MHz electromagnetic radiation. J Bioeng 1(5/6): 479-485;1977.
2. Holt J A G. Microwaves are not hyperthermia. The Radiographer 35(4): 151-162;1988.
3. Holt J A G. The glutathione cycle is the creative reaction of life and cancer. Cancer causes oncogenes and not vice versa. Med Hypotheses 40: 262- 266;1993.

5. **Melanoma ocular com metástases hepáticas estágio IV tratado com quimioterapia e depois estratégia biomolecular – *Larrea tridentata* e vários fitoterápicos.**

http://www.medicinabiomolecular.com.br/pop_artigo.html?pagina=cc-0004* – The following is a case of remission of liver cancer through an initial treatment of chemotherapy followed by orthomolecular treatment. The patient is a 76year-old caucasian female with a history of ocular melanoma in the right eye treated with radiation implant. Three years after the radiation, a CT scan revealed multiple lesions in the liver. The largest lesion was a 4.5 cm mass in the right lobe and at least three other lesions, 1-2 cm, throughout both lobes. A fine needle aspiration of the largest lesion confirmed the diagnosis of metastatic melanoma. Two months after the CT scan she began intrahepatic doxorubicin once each month for four consecutive months along with natural therapeutics. After the fourth month of treatment, chemotherapy was terminated and the patient received vitamin and botanical therapy exclusively. The CT scans indicated continuous regression of liver tumor throughout the course of orthomolecular treatment for the next two years. Twenty-two months after the diagnosis of liver cancer, the patient had no clinical evidence of recurrent liver disease, maintained body weight, appetite, and an active lifestyle. Patient 39 months later has no clinical signs of cancer. The basic natural treatment consisted of the following minerals, vitamins and botanicals:

Vitamins\minerals: Taken daily in two divided doses. Vitamin C, 9 g Niacinamide, 500mg Folic Acid, 15mg Zinc, 100mg Selenium, 100 mcg N-acetyl-cysteine, 1 g Botanicals: 45 ml of botanical combination tincture taken daily in two divided doses. Antineoplastic: Misteltoe, Chaparral Lymph drainage: Poke root, Cleavers, Burdock Immune Support: Astragalus, Echinacea Liver Support: Milk Thistle, Greater Cheladine. Adaptogens: Polygonium, Siberian Ginseng Digestive Support: Gentian.

Referência. Michael Friedman. Remission of Stage IV Metastatic Ocular Melanoma to the Liver. Journal of Orthomolecular Medicine. Vol.15, No.4;2000.

6. **Melanoma maligno tratado com sais de zinco picolinato: 300mg 3 vezes ao dia.**

Referência. www.medicinabiomolecular.com.br

7. **Melanoma maligno na perna com metástases em linfonodos inguinais e na cavidade abdominal tratado com picolinato de zinco.**

A 28-year-old woman has had a hyperpigmented area on her right thigh since childhood, which was presumed to be a benign congenital nevus. In November 2008, the skin lesion became progressively larger and ulcerated. Then in December 2008, a skin tumor resection and dissection of an enlarged right inguinal lymph nodes were performed, yielding melanoma and inguinal lymph nodes with metastatic disease.

In January 2009, a course of conventional chemotherapy was prescribed and performed for the patient. In February 2009, the patient had a cancer recurrence and progression, evidenced by tumor growth in the area of the resected right inguinal lymph node.

Because the metastatic lesion extended from her right inguinal region toward right knee along anterior surface of thigh was estimated as being 16×8 cm (February, 2009) and had a density described by surgeon as "stone hard" pressed femoral blood vessels, the patient had significant edema of her right leg. Enlarged nodes were then detected in the patient's abdominal cavity by ultrasound examination, suggesting peritoneal metastatic disease. The patient was subsequently discharged from the hospital, with a poor prognosis (up to 2 months survival time).

The patient then began orally taking Zinc Picolinate at a 600mg per day dosage. She orally ingested Zinc Picolinate daily, for 5 months time (from February, 2009 to May, 2009); and then Zinc Sulfate daily for 1 month (June, 2009) at a dose of 600mg per day (300mg twice a day with a meal) and for 4 months (from July, 2009 to October, 2009) at a dose of 900mg per 24 hours (300mg every 8 hours with a meal).

In July 2009, a follow-up medical examination revealed a significant decrease in the size of metastatic lesion on patient's right leg, from 16×8 cm (as measured in February, 2009) to 8×4 cm. Examination also showed that the edema of the patient's right leg significantly decreased.

Using computer tomography and ultrasound examination, the most recent medical examination (Oct. 20, 2009) showed a complete regression of metastatic nodes in abdominal cavity and a significant regression of metastatic lesion on patient's right leg to 2×1 cm.

The patient was also specifically examined for clinical manifestations of zinc toxicity, but no toxic effects of zinc treatment were observed. To date, the patient has no weight loss and has not complained about any changes in her life style.

Comentários: As shown, a cancer patient with melanoma metastasis ingested Zinc Picolinate daily, for 5 months time (from February, 2009 to June, 2009) in the dose of 600mg per day (as 300mg twice a day with meal) and for 4 months (from July, 2009 to October, 2009) in the dose of 900mg per 24 hours (as 300mg every 8 hours with meal). Using computer tomography and ultrasound examination, most recent medical examination (Oct. 20, 2009) showed a complete regression of metastatic nodes in abdominal cavity and a significant regression of metastatic lesion on patient's right leg from 16×8 cm (February, 2009) to 2×1 cm (October, 2009).

Referência. Ugolkov, Andrey. Therapeutic treatment of human cancers using simple salts of zinc. United States patent 20110117210. http://www.freepatentsonline.com

8. Melanoma conjuntival metastático tratado com cauterização com formaldeído e aplicação de hipoclorito de sódio – NaClO.

Abstract: After excision of conjunctival melanomas the rate of recidivation is high. This may partly be due to local seeding of tumor cells in the excision wound, as we observed in one patient. We now use a sodium hypochlorite solution (Dakin's solution) as tumour cell killing agent. Instead of diagnostic biopsy exfoliative cytology is performed; at surgery the tumor is not touched except for cauterisation with formaldehyde. Local metastasis in conjunctival melanoma.

Referência. Oosterhuis JA, Wolff-Rouendaal D. Doc Ophthalmol. Dec 15;56(1-2):55-9; 1983.

9. Carcinoma basocelular e melanoma maligno de nariz tratado com benzaldeído.

Mulher, 74 anos de idade apresentou em biopsia de 12 de agosto de 1971, carcinoma basocelular de nariz envolvendo a face lateral esquerda e um pouco da face. Recusou a cirurgia. Nova biópsia em novembro de 1975 revelou melanoma maligno. Iniciou o laetrile intravenoso. Houve desaparecimento quase total da lesão permanecendo pequeno local com leve coloração avermelhada. Laetrile é a amigdalina: 1 molécula de cianeto e 1 molécula de benzaldeído. O princípio ativo anticâncer é o benzaldeído.

Referência. Laetrile Case Histories- The Richardson Cancer Clinic Experience. Published by American Media. California,2005.

10. Melanoma tratado com imunoterapia – BCG e vacina autóloga.

A patient with a large duodenal melanoma metastasis, involving adjacent jejunum and colon, is presented. Treatment consisted of a combination of radical surgery and active specific immunotherapy by means of an autologous tumor cell vaccine and BCG after which a recurrence-free survival of now more than 10 years has been observed. The role of surgery and immunotherapy in the treatment of metastatic melanoma are discussed.

Referência. Baars A, van Riel JM, Cuesta MA, et al. Metastasectomy and active specific immunotherapy for a large single melanoma metastasis. AJ. Hepatogastro enterology. May-Jun;49(45):691-3;2002.

11. Melanoma maligno tratado com hidropersulfide.

B. P., 32-year-old male, was operated for a wart at the right ear 2 1/2 years before coming under our care. Pathological examination had revealed malignant melanoma. A month later, a dissection of cervical glands was made. The analyses of the obtained glands showed no cancerous cells. Two months before coming under our care, a checkup revealed a new tumor in the right side of the larynx. With the growth of the tumor, edema of the right face was also increasing. Examination showed a tumor 4 cm. in diameter on the right side of the larynx. The tumor was adherent to the skin. Laryngological examination showed the tumor protruding in the pyriform sinus. Because extensive surgery would have been necessary for the tumor removal, the patient refused such surgery. He was admitted and first treated with only limited change in the tumor. Treatment was changed to tetralin persulfides in a dose of 10 drops of a 10% solution in oil, administered 3 times a day. Under this treatment, the tumor involuted very rapidly, and practically disappeared in 3 weeks. Subjective feeling, such as dizziness, made us discontinue the administration of the preparation. The treatment was changed to epichlorohydrin and sulfur in the form of fatty acid hydropersulfides, administered in small doses. The patient has continued this treatment at home for the past 2 1/2 years with no apparent recurrences.

Referência. Emanuel Revici. Research In Physiopathology As Basis Of Guided Chemotherapy With Special Application To Cancer. Publisher: D. Van Nostrand Company, Inc Copyright, 1962.

12. Melanoma metastático de pulmão tratado com 3-bromopiruvato.

http://www.medicinabiomolecular.com.br/biblioteca/pdfs/Casos-Clinicos/cc-0743.pdf. Trabalho na íntegra.

13. Melanoma maligno de perna esquerda tratado com creme local de ácidos fraco e forte.

Female patient, aged 67, underwent surgery twice to remove melanoma from her left leg. Patient was symptom free for five years when inguinal lymphs in the left leg showed increased in volume. Patient was treated daily with full strength Formulation 2 topically with a cotton swab for a total of six treatments in the affected area. Following treatment, the lymphs reduced volume until they almost disappeared. The patient however died due to recidivisms with metastasis in the pulmonary and liver lymphs.

Referência. http://www.docstoc.com/docs/56102141/Pharmacologically-Active-Strong-Acid-Solutions--Patent-7141251: or www.freepatentsonline.com

Nota. O melanoma maligno é muito metastatizante, possivelmente se o autor tivesse administrado a mistura de ácidos também por via oral e tratado a paciente como um todo, cuidando de todos órgãos e sistemas e principalmente afastando a causa, teríamos outro desenlace.

14. Caso de melhora de melanoma recidivante com metástases pulmonares que melhorou com ClO_2 – dióxido de cloro.

A man was diagnosed with malignant melanoma. Through surgery, radiation and gene therapy, he was able to defeat the disease. Unfortunately, 4 years later it came back, this time in his lung. He was offered another expensive treatment process that he decided to decline. His life expectancy was short. His life insurance, after proper documentation from his doctor, paid him out. With the money, he bought a boat so he could spend the last year of his life with his family. Around the same time, he learned about ClO2 and decided to give it a try. The man tells his complete story and how he now continues to improve after the terminal diagnosis of a few years ago.

Referência. Publicado em 26 de março de 2013 http://mms-wiki.org

Nota: provavelmente a causa do melanoma foi agente biológico sensível ao ClO_2 – biocida tido como universal, forte oxidante e considerado inócuo pelo FDA.

15. Melanoma espalhado em ambos os pulmões atingindo os gânglios do mediastino, ambos metastáticos tratados pelo Dr. Sidney Federmann com dieta inteligente + atividade física + banhos de Sol.

JOM, sexo feminino, 48 anos.

19/04/2010: Tomografia de tórax com incontáveis nódulos dispersos em ambos pulmões, contornos lisos, característico de doença metastática. Lesão pulmonar cavitada subpleural.

14/05/2010: Diagnóstico anatomopatológico do gânglio: Melanoma amelanótico metastático ganglionar.

Punção de pulmão com agulha fina: suspeito para células neoplásicas.

15/07/2010. Biópsias de pulmão: Compatível com metástases de Melanoma Amelanótico.

Quadro clínico no início da dieta

Dificuldade em deambular e subir escadas. Taquipneia, taquicárdica (160bpm), pálida, volumoso tumor em região crural direita e em péssimo estado geral. Caquética.

Submetida a transfusões de sangue periodicamente.

Conduta: iniciou dieta inibidora do câncer, sob a supervisão do Dr. Sidney Federmann, muito parecida com a dieta inteligente mostrada neste livro.

Considerando a progressão da doença na vigência da quimioterapia e, portanto, a quimiorresistência, a paciente solicitou ao Oncologista a suspensão do tratamento, mantendo o seguimento clinico. Na verdade não havia condições clínicas de se ser submetida à quimioterapia.

A paciente retorna ao consultório a cada 30 a 60 dias.

Quadro clínico atual, após aproximadamente 3 anos.

Deambulando e subindo 2 andares de escadas normalmente.

Regular estado geral, eupneica, FC: 120 bpm, MV presente em ambos os pulmões, abdome normal à palpação. Tumor crural permanece inalterado.

Adesão completa ao programa, pedalando sua bicicleta 1 hora por dia.

16. **Melanoma maligno: a história de um médico.**

Nas palavras do médico. Esta descrição é a minha experiência pessoal com o Melanoma, e as minhas conclusões acerca dele. Talvez ela possa ajudar outras pessoas com Melanoma a sobreviverem bem como eu. Minha estória começa uns 30 anos atrás. Então, eu estava numa vida estressante, acordando às 6 horas da manhã, trabalhando num serviço público 8 horas, seguidas por mais 4 horas no meu consultório particular, seguidas por 3 ou mais horas em casa à noite, estudando e cuidando dos meus investimentos em ações. Eu seguia as cotações das ações muitas vezes ao dia, pelo rádio, e pessoalmente no escritório de corretagem nas horas do almoço. Eu estava estressado cronicamente, trabalhando 6 a 7 dias por semana. Quando estava de férias no serviço público, eu trabalhava no meu consultório particular para lucrar mais. Eu nunca viajava nas férias. Minha alimentação diária era pão, geleias, manteiga, bolos, pizzas, frango frito, macarrão, guaraná, colas, e tudo o que pudesse ser comido rápido para não perturbar o meu trabalho. Após 20 anos de serviço público eu pedi demissão. Minha esposa concordava comigo que tanto trabalho era bom para lucrar, mas ela não estava feliz, e eu ficava estressado acerca de cada dinheiro gasto. Quando começamos a discutir todos os dias, ela seguiu o caminho dela. Eu estava realmente estressado e com raiva do mundo. Um dia, encontrei uma pequena pinta inteiramente preta, do tamanho da cabeça de um alfinete, no meio do meu tórax. No dia seguinte, ela tinha mais que duplicado de tamanho. No 3º dia ela estava do tamanho de um feijão, saliente, inteiramente preta. Era um feijão-preto que estava crescendo no meu peito. Fui a um cirurgião, e naquela mesma noite, com uma margem de 2 milímetros, aquele feijão-preto foi inteiramente retirado e enviado para exame. O diagnóstico foi de um Melanoma maligno, graduado como 9, numa escala em que o máximo de malignidade era 10. O diagnóstico foi confirmado por um famoso especialista, mas com a tranquilizadora notícia de que havia margem de segurança em torno do tumor inteiro. "Eu estou curado", pensei. "Eu ganhei o 1º prêmio da loteria!" Que engano. Eu mudei a minha vida. Daquele dia em diante, recusei todo estresse no meu trabalho. Eu passei a mandar para outros médicos os pacientes difíceis. Encerrei todos os investimentos de risco. Parei de especular em cotações futuras de ações. Parei de acompanhar os preços das ações a cada 15 minutos: só olhava para eles uma vez por dia. Comecei a procurar por outra esposa. Eu mudei a minha comida diária: daquele dia em diante, comia um dente de alho fresco picado em pequenos pedaços no almoço. Meu desjejum se tornou um prato de vegetais cozidos, com um pedaço pequeno de carne. Nunca mais pão, bolos ou geleias: todas as sobremesas eram uma fruta fresca. Nunca mais colas, sucos sintéticos ou água: quando sentia sede, eu bebia suco de fruta fresco, ou suco de laranja, ou suco de uva engarrafado. Encontrei uma garota agradável, da minha idade, que tornou minha vida gostosa outra vez, e casei-me com ela. Após algum tempo, outros tumores apareceram: – Após alguns anos, um câncer de próstata apareceu, e foi retirado muito bem, sem metástase. Sua graduação foi 6 numa escala de 10, o que significa que não era tão maligno. – Após um forte trauma no ombro, apareceu um lipoma benigno, que foi retirado após um ano. – Em um ponto traumático na mão apareceu uma lesão benigna, que perturbou, mas foi retirada após poucos meses. – Surpreendentemente, após 11 anos do primeiro melanoma, na mesma cicatriz, cresceu uma "espinha" branca: um Dermatologista prescreveu "qualquer pomada com cortisona". Após um mês sem curar, outro Dermatologista, mesmo avisado que aquela cicatriz era de um Melanoma, operou a espinha sem margens de segurança. O exame mostrou outra vez o Melanoma, mas desta vez sem nenhum pigmento e não tão maligno. Ele tinha ficado lá, quieto, por 11 anos! Eu procurei por outros cirurgiões, e muitos deles se recusaram a reoperar a lesão, porque: "Agora já há metástases espalhadas pelo seu corpo, nos pulmões, fígado, ossos etc." Eles olhavam para mim como se eu estivesse para morrer logo. Ninguém quer um "caso perdido". O cirurgião oncologista que relutantemente concordou em me reoperar, após 45 dias, retirou um grande pedaço de mim, e lá só apareceram poucas células do Melanoma. O linfonodo sentinela foi negativo. Aquele Melanoma altamente maligno de 11 anos antes agora era quase benigno. O que aconteceu? Eu deveria ter morrido há 11 anos desta metástase do Melanoma. Agora, depois de passado mais um ano, eu tenho que concluir: • Aquele antigo estilo de vida, comidas insalubres, distúrbios psicológicos, mais alguma herança genética etc. tornaram-me propenso ao câncer. • Aquele primeiro Melanoma não foi retirado com perfeitas margens de segurança, e eu deveria ter metástases e morrido delas, alguns poucos meses após a primeira operação, no ano de 1997. • Graças a que mudei meu estilo de vida e a dieta, os tumores que ocorreram após aquela data, inclusive as metástases, tiveram uma evolução benigna. Eu estou vivo agora graças aos cirurgiões, e a este novo estilo de vida e dieta. • As células cancerosas são muito delicadas. Elas são especializadas somente em se multiplicarem, mas não resistem quando o seu ambiente, que é o nosso corpo, não é favorável a elas. Elas são células fracas. Muitos pigmentos naturais e essências de algumas comidas e bebidas naturais as matam ou reduzem a sua multiplicação. • Nossos sentimentos ruins e estresses produzem hormônios e outros produtos que estimulam as células cancerosas a crescerem. Dentro do nosso corpo, as células cancerosas e as células sadias estão sempre competindo entre si, umas matando as outras, e as sobreviventes se multiplicando. É uma guerra interna diária. • Assim, nós podemos reduzir o crescimento do câncer, tornando nosso ambiente interno favorável às células sadias, e desfavorável às células cancerosas. Esta é nossa responsabilidade diária: – Acabe com todo estresse e raiva! Seja pacífico em corpo e mente! – Em cada refeição, você deve comer ou beber algum alimento que combate o câncer! g-Em cada dia sem isto, você está estimulando o crescimento do seu câncer, seja ele qual for. – Se você perder esta guerra diária, o cirurgião fará o trabalho dele, mas então será muito tarde: você perderá um pedaço de você, ou a sua vida. Qual você prefere? Agora, meu estilo de vida é pacífico. Faço aquilo que é agradável e necessário. Eu não corro mais atrás do dinheiro: eu trabalho diariamente sem estresse. Faço exercícios leves. Não assisto mais as notícias horríveis na televisão. Frequentemente fico uma semana sem ligar a televisão. Só assisto a filmes e teatro agradáveis. Pago para ser feliz. Eu não pago para ficar triste. Não sou um fiscal de todos os ladrões e desgraças diárias do meu país ou do mundo. Diariamente ouço boa música no meu escritório e em casa. Tenho amor. Cuido da minha família. Estou em paz com Deus. Minhas memórias tristes foram resolvidas. Meu computador é para o estudo, trabalho, diversão, comunicação com a família e com os amigos. Ele nunca é utilizado para receber más notícias. Leio somente as partes necessárias dos jornais, e nunca a seção de crimes e outras desgraças. Os preços das ações estão caindo no mundo todo: isto não me perturba mais. No meu tempo livre, às vezes no silêncio da madrugada, me dedico a estudar minhas dúvidas acerca da medicina. Descobri e publiquei na Internet a cura das enxaquecas e de muitas outras doenças. Realizei meus sonhos, curando pessoas no meu consultório e no mundo todo. Minha dieta diária agora, com modificações, é: • Desjejum, ao amanhecer: É a refeição mais importante do dia, e é comida tranquilamente por vários motivos, além de que as essências das comidas absorvidas pela boca não passam pelo fígado que pode destruí-las. O desjejum consiste em um prato grande de vegetais saborosos cozidos, com um pequeno pedaço de frango ou peixe. Tem muito suco de tomate, condimentos, azeitonas, e curry. Na sobremesa, alguma fruta fresca (principalmente mamão), passas, castanhas de caju. • Às 10 da manhã: Um copo de chá-verde descafeinado. • Almoço, ao meio-dia: Um dente fresco de alho picado sobre o arroz ou macarrão. Um pedaço pequeno de ave ou peixe cozidos. Uma colher cheia de "muesli" (granola) de aveia. Na sobremesa, uma fruta da estação, principalmente manga, passas, castanha-do-pará. Meio copo de suco de uva engarrafado. • Jantar, às 5 horas da tarde: Uma colher cheia de "muesli" de aveia. Às vezes, uma fatia de cebola. Na sobremesa, uma fruta fresca, passas, castanha-do-Pará. Meio copo de suco de uva engarrafado. • Ceia: Somente um copo de suco de laranja ou tangerina frescos e, às vezes, uma fruta fresca da estação. • Raramente ou nunca comidos: Álcool, bolo, chocolate, geleias, açúcar branco, sal, docinhos, cafeína, queijo, margarina, porco, comidas gordurosas ou fritas. Às vezes aparecem más notícias. Nós não estamos no céu. Os problemas são resolvidos com tranquilidade. Não há mais correrias. Não há mais raiva, mesmo quando o fiscal me multa: quando ele está certo, eu pago. Quando ele está errado, eu luto pelo meu dinheiro, mas sem raiva. Eu não sou um lobo, nem uma ovelha. Eu sei que tenho células cancerosas dentro de mim e que algum dia morrerei delas.

Mas enquanto eu puder mantê-las como um "tumor benigno", cada dia é mais um para viver com prazer. Quantos anos ainda elas permanecerão quietas? Eu não sei, e isto não me incomoda. Eu não estou procurando ansiosamente por elas. Não é melhor esta dieta e vida, do que comer e beber coisas erradas, e ser recortado pelos cirurgiões? Agora você pode decidir acerca da sua vida, sua dieta, e seu cancer. Ou você é à prova de cancer? Niterói, RJ, Brasil. 20 de Março de 2009. Notas: 1. Esta dieta acima foi encontrada na Internet, referente a medicina alternativa. Em Português, eu recomendo o site da "Associação Brasileira de Medicina Complementar", que apresenta mais de 12.000 referências em geral e ao redor de 7.000 sobre câncer, a maioria em inglês, em: http://www.medicinabiomolecular.com.br/index.asp. 2. Em qualquer país e local há comidas e bebidas que tem atividade anticâncer. Eu sigo uma dieta brasileira, carioca. Você pode escolher aquelas comidas e bebidas anticâncer que são disponíveis aonde você vive. Eu lhe desejo uma vida boa.

17. **Melanoma. Clínica Gustavo Vilela.**

Mulher com 54 anos de idade apresentando Melanoma clínico estágio III em paciente que recusou qualquer abordagem convencional. Ela havia perdido a mãe devido à toxicidade da quimioterapia, por isso ficou traumatizada com tratamentos convencionais. As imagens mostram a evolução clínica com estratégias biomoleculares (nenhuma terapia convencional foi administrada.

Tratamentos realizados:

- Oxigenoterapia múltiplos passos de 18 dias.
- Acupuntura.
- Homeopatia (Uncaria tormentosa 1LM).
- Vitamina D3 10.000UI/dia.
- DHA 2g/dia.
- DHEA 5mg/dia.
- Naltrexona em baixa dose 4,5mg/dia.
- Suplementos orais: curcumina 200mg 2x/dia, extrato de Ganoderma lucidum 300mg 2x/dia, extrato de Moringa oleifera 300mg 2x/dia, Harpagophytum procunbens extrato 300mg 2x/dia, quercetina lipofílica 250mg 3x/dia, Indole-3-carbinol 250mg 2x/dia, hidroxicitrato 300mg 2x/dia, Chlorella 500mg 2x/dia.
- Ácido lipóico intravenoso 600mg uma vez por semana por 8 semanas.
- Otimização neuro-psicofísica com tecnologia REAC.
- Extrato tópico de Larrea mexicana, Annona muricata e Sanguinaria canadensis (Cansema R).

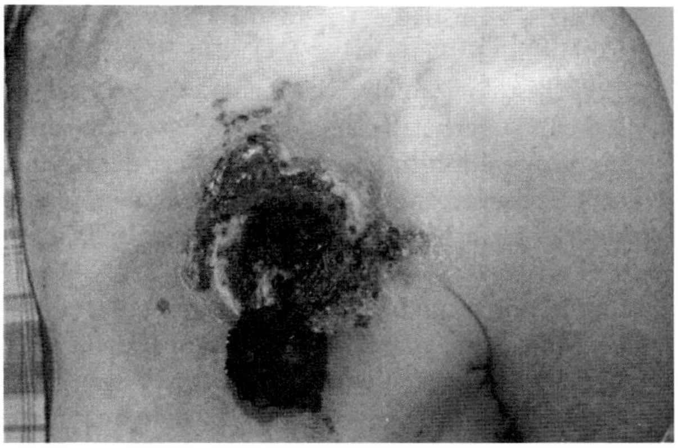
2013

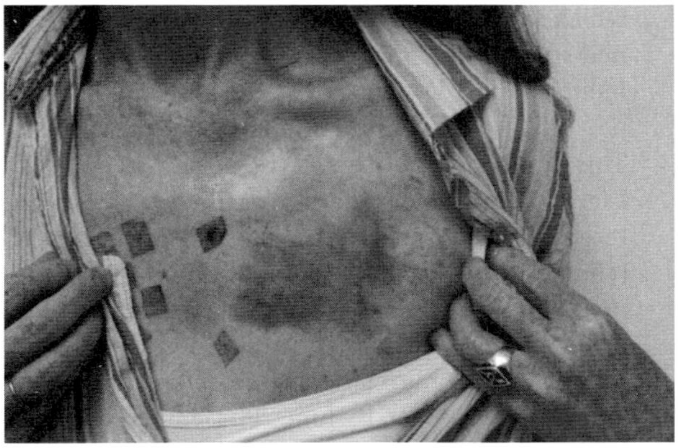
2015

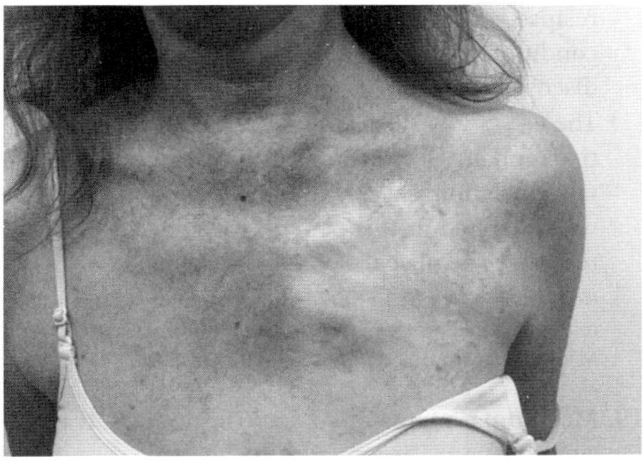
2017

18. **Melanoma maligno metastático em fígado e linfonodos axilares tratado somente com Viscum album.**

Male patient, currently 68 years of age, with one malignant melanoma at the upper part of the right arm since 1992, and another nodular melanoma at the left shoulder, first diagnosed in 1999. After discovery of the second melanoma and surgical resection, the patient was exclusively treated with standardized mistletoe extract (Iscador, (R)M). COURSE OF THERAPY AND RESULTS: In June 1992, histologic analysis confirmed the presence of stage IA superficially spreading malignant melanoma with low infiltration of the papillary dermis in a skin excision sample from the upper part of the right arm. In November 1999, another melanoma was surgically removed at the patient's right shoulder. In this case, the histologic examination revealed nodular melanoma, stage IIA (pT3, pN0, M0). Therapy with mistletoe extract was introduced shortly afterwards as the sole adjuvant treatment. During the course of the mistletoe therapy, axillary removal of 8 lymph nodes became necessary, 3 of which proved to be metastatic. First signs of a defined solitary liver metastasis in an area next to segments IV and V were detected during an abdominal ultrasound examination in September 2001. This finding was confirmed by further sonographic examinations. The solitary liver metastasis was not resected, nor was classical antitumor treatment (chemotherapy or radiotherapy) initiated. The patient continued subcutaneous treatment with Iscador M after dose adaptation to 2mg twice weekly (0.2mL of a 10mg vial); the treatment is still ongoing to the present. By June 2002, complete remission of the liver metastasis was diagnosed by liver ultrasound examination. There has been no local relapse so far, and the patient has been in stable condition ever since. No further metastases were discovered so far (as of May 2006). Conclusions: The use of low-dose Iscador as the sole postoperative modality for the adjuvant treatment of metastatic melanoma was extremely effective and very well tolerated in this patient. It achieved complete response and absence of all complaints.

Referência. Kirsch A. Successful treatment of metastatic malignant melanoma with Viscum album extract (Iscador M). J Altern Complement Med. 2007 May;13(4):443-5.

19. Melanoma metastático em linfonodos tratado somente com Viscum album.

A 66-year-old MCM patient with newly diagnosed lymph node metastases opted for sole VAE treatment. VAEs were initially applied subcutaneously, and then later in exceptionally high, fever-inducing doses, both intravenously and intralesionally. The metastases shrunk over the following months, and after 2 years, all lesions had completely remitted (regional and hilar lymph nodes). The patient has been tumor free for 3.5 years at the time of publication (and for 5 years since initiation of intensified VAE treatment). Besides fever and flu-like symptoms, no side effects occurred.

Referência. Werthmann PG, Hintze A, Kienle GS.Complete remission and long-term survival of a patient with melanoma metastases treated with high-dose fever-inducing Viscum album extract: A case report. Medicine (Baltimore). 2017 Nov;96(46):e8731.

20. Melanoma uveal metastático tratado com quimioterapia mais derivado da artemisinina, artesunato. 1 caso.

The authors report on the first long-term treatment of two cancer patients with artesunate (ART) in combination with standard chemotherapy. These patients with metastatic uveal melanoma were treated on a compassionate-use basis, after standard chemotherapy alone was ineffective in stopping tumor growth. The therapy-regimen was well tolerated with no additional side effects other than those caused by standard chemotherapy alone. One patient experienced a temporary response after the addition of ART to Fotemustine while the disease was progressing under therapy with Fotemustine alone. The second patient first experienced a stabilization of the disease after the addition of ART to Dacarbazine, followed by objective regressions of splenic and lung metastases. This patient is still alive 47 months after first diagnosis of stage IV uveal melanoma, a situation with a median survival of 2-5 months. Despite the small number of treated patients, ART might be a promising adjuvant drug for the treatment of melanoma and possibly other tumors in combination with standard chemotherapy. Its good tolerability and lack of serious side effects will facilitate prospective randomized trials in the near future.

Referência. Thomas G Berger , Detlef Dieckmann, Thomas Efferth, et al. Artesunate in the Treatment of Metastatic Uveal Melanoma--First Experiences Oncol Rep, 14 (6), 1599-603, Dec 2005.

21. Melanoma grau IV que regrediu totalmente somente utilizando inositol hexafosfato mais inositol.

Patient with metastatic melanoma who declined traditional therapy and opted to try over the counter supplement IP6+inositol instead. To our surprise, the patient achieved a complete remission and remains in remission 3 years later. On the basis of this case and previous preclinical studies, we believe further research is indicated in exploring antiproliferative and potential immune stimulating effects of IP6 + inositol in patients with metastatic melanoma.

Referência. Khurana S, Baldeo C, Joseph RW. Inositol hexaphosphate plus inositol induced complete remission in stage IV melanoma: a case report. Melanoma Res. Jun;29(3): 322-324, 2019.

CAPÍTULO 243

Mesotelioma maligno: 7 pacientes

1. **Tratamento convencional do mesotelioma proporciona sobrevida de apenas 3 meses a 3 anos.**

   Primary peritoneal mesothelioma is a rare and aggressive tumour. We present six consecutive cases treated by our institution in the last three years. All were between 56-65 years old and only one gave a history of direct contact with asbestos. Four of the patients showed a thrombocytosis on presentation but other blood tests and evaluation of ascitic fluid were normal. In all cases, the diagnosis was made through investigation of mixed abdominal symptoms with CT scanning and laparoscopic biopsy. Despite the use of modern chemotherapy, response to treatment was unpredictable, with survival from ten weeks to three years.

   Referência. Sharma H, Bell I, Schofield J, Bird G. Primary peritoneal mesothelioma: case series and literature review. Clin Res Hepatol Gastroenterol. Jan;35(1):55-9;2011.

2. **No próximo capítulo mostraremos mesotelioma mais carcinomatose peritoneal com sobrevida de 6 anos e seis meses utilizando a estratégia biomolecular. Maior sobrevida até março/2018 quando revimos a literatura.**

   Clínica JFJ.

3. **Mesotelioma maligno, carcinoma renal, câncer de pulmão e carcinoma de estômago tratados com ácido gamalinolênico (GLA).**

   O GLA também foi empregado em pacientes com mesotelioma maligno, carcinoma renal, câncer de pulmão, e carcinoma de estômago (Van der Merwe, 1987). O autor observou ganho de peso e melhora da qualidade de vida com o uso do GLA. O pequeno número de casos não permitiu conclusões sobre a sobrevida. Van der Merwe e Booyens em 1987 empregaram o ácido gama linolênico em 21 pacientes com câncer intratável, isto é, câncer em fase final. Empregaram de 18 a 36 cápsulas de 500mg ao dia, sendo que cada cápsula de óleo extraído da semente da prímula, contém: 45mg de GLA, 400mg de ácido linoleico e 10mg de vitamina E. Observaram aparente melhora clínica em todos os casos. Em 11 pacientes com carcinoma hepatocelular primário, houve uma redução do tamanho do fígado na maioria e um aumento da sobrevida média de 42 dias nos não suplementados para um período maior que 90 dias naqueles que receberam o GLA. **Um caso de mesotelioma** ficou aparentemente livre do câncer e faleceu após 9 meses de acidente de trânsito. Quatro pacientes ainda permaneciam vivos e melhorando após 32 e 41 meses de suplementação: dois astrocitomas cerebrais, um mesotelioma e um ependimoma cerebelar. Em muitos casos observaram-se ganho de peso e redução da massa tumoral constatada por exame radiológico.

   Referências.

   1. Vander Merwe CF, Booyens J. Essential fatty-acids and their metabolic intermediates as cytostatic agents-the use of evening primrose oil (linoleic and 7-linolenic acid) in primary liver-cancer – a double-blind placebo controlled trial. S. Afr Med J 72:79;1987.
   2. Vander Merwe CF. Booyens J and KatzeffIE. Oral gamma linolenic acid in 21 patients with untreatable malignancy. Br J ClinPract 41: 907-915;1987.

4. **Mesotelioma tratado com Pawpaw.**

   Marie Augustine was diagnosed with pleural mesothelioma three years ago and given a prognosis of six months to live. Too weak for chemotherapy and radiation her family investigated various alternative modalities. Today she is alive, thanks in part to the holistic therapies that she tried and the support of her family. According to her story as reported in the Lake Cowichan Gazette, Marie used Chinese medicine, an herb called Pawpaw, and various other "alternative health programs" to help manage her mesothelioma. In discussing her improvement with Pawpaw, Marie is quoted as saying, "Within a month I noticed the difference. It was slow, but noticeable." Pawpaw (Asimina) is a genus of small-clustered trees with large leaves and fruit, native to North America. Its edible fruits (sometimes referred to as "Indiana Bananas") have been used for food for centuries. Recently, stem bark extracts have been shown to have potent antitumor effects in the laboratory. According to studies performed at Purdue University, "Extracts of Pawpaw are among the most potent of the 3,500 species of higher plants screened for bioactive compounds in our laboratories...[they have] powerful cytotoxicity, in vivo antitumor, pesticides, antimalarial, anthelmintic, piscicidal, antiviral, and antimicrobial effects... encapsulated extract has been effectively used by certain cancer patients as a botanical supplement product." To date there have been no published studies on the use of Pawpaw in mesothelioma.

Other long-term mesothelioma survivors like Rhio O'Connor and Paul Kraus have used various herbs as part of their healing regimen including Astragalus, Cat's Claw, and Pawpaw. Marie Augustine reminds fellow mesothelioma survivors that "I would like people to know there is hope. Just don't give up."

Referências.

1. Lake Cowichan Gazette, "Just how important is family?" by Doug Marner, published December 14, 2009.
2. McLaughlin JL. Pawpaw and cancer: annonaceous acetogenins from discovery to commercial products. J Nat Prod. Jul;71(7):1311-21;2008.

5. Mesotelioma peritoneal tratado com ácido cítrico: sobrevida de 5,5 anos.

Em 2009 Alberto Halabe Bucay publica o tratamento de paciente com 64 anos portadora de mesotelioma peritoneal tratada com ácido cítrico 10g de 8/8 horas nas refeições e omeprazol 40mg 12/12 horas. Houve regressão total do tumor e a paciente encontrava-se em bom estado geral, apetite conservado e sem cansaço, na época da publicação. Sobrevida de 5,5 anos, a maior até 2009.

Referência. Bucay A H. Clinical report: a patient with primary peritoneal mesothelioma that has impoved after taking citric acid orally. Clinics and Research in Hepatology and Gastroenterology 35,241;2011.

6. Mesotelioma de pulmão e *Nerium oleander*.

http://www.medicinabiomolecular.com.br/biblioteca/pdfs/Casos-Clinicos/cc-0065.pdf – Trabalho na íntegra com as radiografias.

A 53-year-old woman presented in September 1991 to Adiyaman State Hospital with pain on the left side of the chest, dyspnea, and dry cough.

Chest radiograph, taken on 22 October 1991 (Appendix HD1), and medical examination revealed fluid accumulation in the left pleural cavity, and she was referred to a specialized medical center in Istanbul.

The patient was admitted to Heybeliada Sanatorium for Chest Diseases and Chest Surgery [HSCDCS] on 4 November 1991 (Appendix HD2). Chest radiograph showed at left side up to the top a homogenous density increase that pushed the heart and the mediastinum to the right. Some of the laboratory findings are listed in (Appendix HD2). Thoracoscopy demonstrated tumoral tissue; pleural biopsy was performed; histopathological examination of the specimen revealed the diagnosis as "poorly differentiated fibrous malignant mesothelioma." One ampoule of Coparvacs was administered following the thoracoscopy. No expansion of the lung was observed. A 1x1 cm lymph node was discovered on the left of the neck at the supraclavicular site. A total of 4,500 mL of serofibrinous fluid was removed until the patient was discharged on 2 December 1991.

The patient presented to Dr. Ozel on 11 December 1991 with a chest x-ray taken on 22 October 1991 (Appendix HD1), and the medical report issued at HSCDCS (Appendix HD2). On examination, she was distressed and short of breath. There was dullness up to the top in the left hemithorax. No sound of respiration was audible over the left lung. Each movement caused dyspnea and tachycardia, and she could only move with help. Edema was present from the left hemithorax to the lodge of the spleen. There was a 1x1 cm node at the supraclavicular site. The patient had experienced extreme loss of weight. A test dose of 0.3cc N.O.I. caused the body temperature of the patient to increase to 38° C, and the patient was placed on a daily regimen of 0.3cc NOI to be given six times a week.

The patient presented to Dr. Ozel on 2 February 1992 with an x-ray taken on 31 January (Appendix HD3). The radiograph showed that the density increase persisted only in the lower half of the lung. On physical examination, there was no edema present. She experienced no more dyspnea and could move around alone without any support. Mediate auscultation demonstrated participation of the upper half of the left lung in breathing. Dullness still persisted in the lower half of the hemithorax. The patient was recommended to continue on the same regimen for another sixty days.

The patient presented to Dr. Ozel on 9 April 1992 with a roentgenogram taken the previous day (Appendix HD4). The x-ray showed that the high-density region was limited to lower one-third of the left lung. On physical examination, breathing sound was less audible over the lower third of the left lung. The patient reported no specific complaint.

The general condition of the patient had improved considerably, and she could perform her daily routine activities as a healthy person. She was advised to continue on the same regimen.

The injections started to cause no fever after 15 May 1992, and the patient was placed on a maintenace regimen of 0.3cc N.O.I. to be given every three days.

The patient presented to Dr. Ozel on 10 August 1992 with an x-ray taken on the same day. The roentgenogram showed a return to normal with the exception of a blockage of the left sinus. On physical examination, breathing sound was audible over the whole of the left lung. The patient was in complete health and was recommended to stop the treatment.

Another follow up x-ray was taken on 28 June 1994 (Appendix HD5). Blockage of the left sinus was still present, but there was no sign of the original disease.

7. **Dois pacientes com mesotelioma (idades 50 e 55) em fase final tratados diariamente com suplemento de GLA 1,6g, EPA 1,6g e DHA 0,5g. Estão aparentemente saudáveis em 6 meses de evolução.**

http://www.medicinabiomolecular.com.br/biblioteca/pdfs/Casos-Clinicos/cc-0346.pdf

8. **Mesotelioma peritoneal tratado com quimioterapia intraperitoneal: sobrevida 4,4 anos. Não computado.**

Malignant peritoneal mesothelioma is a disease that remains relatively refractory to conventional intravenous chemotherapy with currently available agents. Single-agent and combination chemotherapy offer a response rate of 20%. Direct intraperitoneal administration of some chemotherapeutic agents results in a significant pharmacologic advantage with much greater area under the concentration versus time curve (AUC). We report a case of a patient with peritoneal mesothelioma treated with combination intraperitoneal cisplatin and Ara -C who achieved a pathologic complete remission. This patient is still alive and has been in complete remission for 53 months. This combination of intraperitoneal chemotherapy deserves further evaluation in malignant mesothelioma.

Referência. Garcia Moore ML, Savaraj N, Feun LG, Donnelly E. Successful therapy of peritoneal mesothelioma with intraperitoneal chemotherapy alone. A case report. Am J Clin Oncol. Dec;15(6):528-30;1992.

9. **Mesotelioma pleural maligno tratado somente com Viscum album e Helleborus niger.**

Malignant pleural mesothelioma (MPM) is a rare cancer with a dismal prognosis. Viscum album extracts (VAE) have strong immune stimulatory properties, cytotoxic effects, can downregulate cancer genes and inhibit angiogenesis. VAE are often used as an adjunct treatment in cancer patients but have rarely been investigated in MPM. Helleborus niger extracts (HNE) have been used in anticancer therapy since antiquity, and also show tumor specific cytotoxic effects. We present a case of a 64-year old woman with epithelioid MPM of the right chest with node involvement (T2N1M0, stage III). Deciding against the recommended radio-chemotherapy, surgery and pleurodesis, she opted for an integrative treatment approach and was treated with VAE and HNE. After 6 weeks' treatment, the pleural and nodal MPM manifestations were reduced by about 15%. Subsequent tumor growth was slow, and the patient remained in good health, enabling her to remain physically active until shortly before her death 56 months (4,7 years) after the initial diagnosis. This is a rare case of an MPM patient not receiving any standard anticancer treatment; it still shows an extraordinary long survival and good performance status. We presume that VAE and HNE might had an impact on this clinically relevant outcome and therefore should be further investigated in MPM.

Referência. Werthmann PG, Saltzwedel G, Kienle GS. Minor regression and long-time survival (56 months) in a patient with malignant pleural mesothelioma under Viscum album and Helleborus niger extracts-a case report. J Thorac Dis. 2017 Dec;9(12):E1064-E1070.

CAPÍTULO 244

Mesotelioma. Carcinomatose peritoneal por mesotelioma maligno em estado terminal tratado com sódio hipertônico e biomolecular. Desaparecimento total do tumor em 4 meses e sobrevida de 6 ½ anos, a maior sobrevida descrita na literatura médica até maio/2020

José de Felippe Junior

Não basta estar escrito em inglês para ser verdade
Renato Ricardi Del Nero professor de anestesiologia da Faculdade de Ciências Médicas da Santa Casa de S. Paulo e primeiro intensivista do Brasil

A principal causa da mortalidade é a ignorância. **Felippe Jr**

A história da medicina nos ensina que para os problemas mais sérios as soluções encontradas e que realmente funcionaram foram as mais simples. **Felippe Jr**

Esperamos o dia que no Templo onde ensinam medicina possam um dia ensinar também os futuros médicos a raciocinarem com seus próprios cérebros. **Felippe Jr**

O mesotelioma é um tipo raro e devastador de câncer das serosas, pleura ou peritônio, relacionado classicamente com o asbesto (amianto). Entretanto, os asbestos já foram abolidos dos EEUU e a doença continua a existir, com 4.000 casos ao ano. É altamente resistente à quimioterapia ou radioterapia e a cirurgia é de elevada mortalidade. Geralmente a sobrevida é de 6 a 18 meses para alguns e de 3 meses a 3 anos para outros autores com 100% de mortalidade no prazo de 5 anos (Herdon, 1998; Craighead, 1989).

Caso clínico: Carcinomatose peritoneal por mesotelioma maligno em estado terminal, como aconteceu no consultório

Em 30 de abril de 2008 a paciente M.L.R., sexo feminino com 63 anos de idade, procurou o consultório com história de febre a esclarecer há 3 meses. Já tinha sido tratada em Hospital Universitário com antibióticos por 45 dias por suspeita de endocardite bacteriana, porém a febre persistiu. Foram extraídos todos os dentes do maxilar superior e mandíbula, porém a febre persistiu. Ao exame a paciente estava em péssimo estado geral, com extrema exaustão, sensação de peso no corpo com grande fraqueza, quase não podendo andar, com edema generalizado, derrame pleural, ascite, instabilidade da pressão arterial, anorexia e caquexia intensa. Fizemos a hipótese de câncer abdominal como origem da febre e administramos naproxeno. Após tomar 1 comprimido de naproxeno de 500mg a febre diária que já durava 3 meses cedeu no mesmo dia e assim a hipótese de câncer ficou mais forte. Encaminhamos para internação e a Ressonância Nuclear Magnética mostrou espessamento do peritônio e aumento de vários linfonodos, principalmente pélvicos. A laparotomia com biópsia confirmou a carcinomatose peritoneal por mesotelioma. Nestas condições foi considerada pelo oncologista do Hospital Universitário em estado terminal, tendo alta hospitalar com analgésicos potentes e cuidados gerais, para falecer em casa.

Longe da paciente conversei com as filhas e também aconselhei o mesmo que o oncologista falecer em casa com o conforto da família.

A minha primeira especialidade foi medicina intensiva. Em 1984 tive a oportunidade de fundar a Associação Brasileira de Medicina Intensiva (AMIB) junto com a Dra. Mariza D'Agostine Dias e fui o responsável por aplicar a prova de Título de Especialista. E nesta ocasião assinei o meu próprio Título de Especialista. Eu estou querendo dizer com tudo isso que como intensivista e fundador de uma instituição de intensivistas nunca desisti de tratar pessoa alguma. Quando os colegas lá nos idos de 1968, desistiam de tratar um paciente por considerà-lo muito grave e sem chances eu no quinto ano de medicina levava o doente para um grande médico o anestesista professor de todos nós, o Dr. Renato Ricardi Del Nero, e ele fazia de tudo para salvar o paciente. E muitos sobreviviam e recebiam alta hospitalar. Não existiam Unidades de Terapia Intensiva e os pacientes eram tratados na sala de pós-operatório. Realmente o Dr. Del Nero desconhecido por muitos foi o precursor da especialidade – Medicina Intensiva – no Brasil e talvez no mundo.

Pois bem. Eu que nunca havia desistido de ninguém desisti de tratar esta paciente. Aí surgiu o amor, o pedido das filhas para que não abandonasse ente tão querido, sem que pelo menos se fizesse algo. Eu relutei, mas vi tanta esperança nos olhos das meninas que meu coração também acreditou naquela esperança.

Aprendi, aprendi, aprendi, e toda vez que relato esse caso deixo bem claro o que aconteceu. O médico nunca deve desistir.

Iniciamos o tratamento com a administração de osmólitos cosmotropos orgânicos e água estruturada por via oral, solução hiperosmolar intraperitoneal e hipertermia com radiofrequência localizada. Logo nas primeiras semanas a paciente apresentou sensível melhora do estado geral e não mais necessitou de analgésicos. Em 20-30 dias com a hipertermia localizada, as infusões intravenosas e intraperitoneais alternadas de sódio hipertônico e a ingestão de ½ litro ao dia de água estruturada com solutos cosmotropos inorgânicos a paciente recuperou totalmente o apetite começou a engordar ½ kg a cada 15 dias e assumiu os deveres domésticos. Nos primeiros 6 meses de evolução manteve o quadro estável com olhar brilhante, sem cansaço, com aumento do apetite e do peso e em ótimo estado geral. Nova ressonância mostrou peritônio não espessado e pequena diminuição dos linfonodos abdominais, isto é, ausência da carcinomatose peritoneal.

Zona geopatogênica presente no local da cama do casal atravessando a metade da cama no sentido transversal, passando pelo baixo ventre da paciente e do marido, este com câncer de próstata e ela com mesotelioma peritoneal. Mudou-se a cama de lugar. Hoje, 13 de agosto de 2018 eu peço para os pacientes colocar manta de alumínio na face inferior do colchão.

Três anos depois apresentou leve ascite e queda do estado geral. Era mês de férias eu em São Paulo e a paciente 240km longe. Suspeitamos de nova contaminação por metais pesados e pedimos nova amostra do tecido capilar. Imediatamente, e sem esperar pelo resultado administramos DMSA por via oral. Houve reversão total do quadro. Na evolução foram feitas manutenção para retirada de metais tóxicos a cada 4-6 meses.

Em 2011 a RNM mostrou carcinomatose e houve positividade do IgG para Epstein-Barr vírus. Nesta época desconhecia o efeito proliferativo deste vírus e ele não foi controlado. Mesmo com a recidiva a paciente mantinha-se em excelente estado geral e sem queixas. Tentaram-se várias abordagens sem sucesso.

Até o final de 2013 manteve-se em ótimo estado geral, com apetite e sem cansaço.

No final do sexto ano e meio de evolução a paciente voltou a apresentar ascite, anasarca, extremo cansaço e falta de apetite. Nova recidiva.

Em 14 de março às 04:30 se afasta do nosso convívio para desfrutar a presença de Deus.

Caso clínico: Carcinomatose peritoneal por mesotelioma maligno em estado terminal, como nós médicos costumamos relatar.

MLR, 63 anos, sexo feminino. Procurou o consultório em 30-04-2008 com febre a esclarecer há 60 dias, em péssimo estado geral, anasarca, hipotensa e caquética.

RNM abdome: carcinomatose peritoneal por mesotelioma maligno, confirmada por biopsia na laparoscopia.

Oncologista: interpretou como paciente em estado terminal e deu alta com analgésicos para falecer em casa.

Exames: Glicose: 78mg%; Insulina: 1,0UI/ml; IGF-1: 139ng/ml; Proteína ligadora IGF-I tipo 3: 2,7mg/ml; Hemoglobina: 6,7g%; leucócitos: 10.200/mm^3, Neutrófilos: 70%; Eo: 3%; Ba: 2%; Li: 14%; Mo: 11%; plaquetas: 97.4000/mm^3; creatinina: 1,1mg/dl; ureia: 51mg%; Na^+: 128mEq/l; K^+: 2,2mEq/l;mg^{++}: 1,7mEq/l; fosfato: 6,1mg%; PCR: 204mg/l; VHS > 140mm/1ª hora, T4 livre: 1,28ng/dl; TSH: 13,0UI/ml; DHEA-sulfato: 15.0ng/ml; Testosterona livre: 1,2pg/ml; Estradiol: 11pg/ml; SHBG: 32,1nmol/l; prolactina: 6,4UI/ml; GamaGT: 79UI/ml; TGO: 36UI/ml; TGP: 33UI/ml; FA: 85UI/ml; ferritina: 746ug/ml; ceruloplasmina: 32; PTH: 33pg/ml; homocisteína: 9,8umol/l; vitamina B9: 4,4ng/dl; vitamina B_{12}: 328pg/ml; Ca15-3: 57,5UI/ml; alfafetoproteína: 1,40; CD4: 1.051/mm^3; CD8: 481/mm^3; linfócitos T: 1.725mm^3; linfócitos B: 233/mm^3; Epstein-Barr vírus: não reagente; Citomegalovírus: IgG reagente de 20,1UR/ml; Toxoplasmose: IgG reagente de 126UI/ml; *Mycoplasma pneumoniae*: não reagente; *Chlamydophila pneumoniae*: não reagente; Hepatites A, B, C: negativas.

Metais tóxicos no tecido capilar: chumbo, mercúrio, níquel, estrôncio, molibdênio (técnica da espectrometria por absorção atômica).

Outros tóxicos: benzeno, metabissulfito de sódio, aspartame, sulfeto de sódio, azul 2, amarelo 10 e vermelho 1 (técnica da biorressonância).

Tratamento:

a) Dieta sem carne e isenta de açúcar branco e farinha branca, sem leite e derivados e rica em alimentos com acetogeninas.
b) Medicamentos: HCl, pancreatina, fruto-oligossacarídeo, aloe vera, magnésio, potássio, vitamina B_6, vitamina B_{12} intramuscular, naltrexone em baixa dose, ácido valproico, vitamina A, vitamina D_3, taurina, inositol, trimetilglicina, água estruturada com osmólitos cosmotropos inorgânicos, digitálico, lisina, glicina, prolina, arginina, epigalocatequina-galato, ascorbato de magnésio e cálcio, manganês, selênio, silício, genisteína, DHEA e PuranT4.
c) Soro com peróxido de hidrogênio mais 10 g de vitamina C por 10 vezes e depois solução hipertônica de cloreto de sódio a 5,2% intravenosa e intraperitoneal no total de 30 aplicações.
d) Hipertermia abdominal – 20 aplicações de 2 horas.

Em 02-06-2008 já não apresentava os edemas ou ascite, bom estado geral, apetite voltou, quase sem cansaço, olhar brilhante e saindo da cama para cozinhar.

Em 01-10-2008 contente, olhar firme, aumento do apetite, quase sem cansaço, sem dor e dando conta dos afazeres domésticos.

Em 02/03/2011 na correção de hérnia umbilical foram verificados tumores esparsos pelo peritônio. Anatomopatológico: mesotelioma maligno. Intensificado o tratamento acima acrescido de amiloride e curcumina. Continuou evoluindo sem queixas com bom apetite e sem cansaço.

Em 11-04-2012: mantendo boa evolução. Exames: Hemoglobina: 12,3g%; glicemia: 85mg%; insulina: 12,6UI/ml; Citomegalovírus: IgG reagente > 250 UR/ml; Epstein-Barr vírus: IgG reagente 750 UI/ml; *Chlamydophila pneumoniae* reagente, *Mycoplasma pneumoniae*: não reagente; ferritina 575 ng/ml e aldosterona: 2.758ng/dl.

Em 07-03-13: RNM mostrando carcinomatose peritoneal por mesotelioma e fígado sem nódulos. Estava em ótimo estado geral. Feito óleo de boragem 1.000mg 2 cp 3 vezes ao dia. Sem resposta tumoral.

Feito metronidazol, sulfato de cobre, hesperidina, mebendazole, Scutelaria barbata, sigmatriol, acarbose, pancreatina, papaína, bromelina, rutina, olmesartana. Sem resposta.

Feito: ácido cítrico 10g de 8/8 horas por 3 meses. Sem resposta, mas a paciente continuava em bom estado geral, todo esse tempo pós-recidiva. Foram 8 meses de tentativas.

Em meados de janeiro/2014: *Annona muricata*, picolinato de zinco, ácido boswélico.

Em 13 de março vem ao consultório sem conseguir andar, péssimo estado geral, anasarca e caquexia.

Óbito em 14 de março com 6,5 anos de evolução, o mais alto atingido na literatura médica até maio/2018. Clínica JFJ.

De acordo com a hipótese de Felippe Jr para carcinogênese:

"A inflamação crônica persistente evolui em meio hipotônico devido ao edema intersticial em torno das células do sítio inflamatório, o que provoca leve "inchaço celular" e a consequente diminuição dos osmólitos cosmotropos citoplasmáticos, os quais vagarosamente provocam a mudança da água B estruturada para água A desestruturada, a qual gradativamente diminui o grau de ordem-informação do sistema termodinâmico celular que ao atingir o ponto máximo suportável de entropia provoca na célula um "estado de quase morte". Neste ponto de baixa concentração de osmólitos, predomínio de água desestruturada e alta entropia celular as células se transformam e lutam para se manterem vivas e o único modo de sobreviver é através da proliferação celular. Elas colocam em ação mecanismos milenares de sobrevivência, justamente aqueles que mantiveram as células normais no Planeta durante a Evolução. Dessa forma, ocorre ativação de fatores e vias de sinalização, alcalinização citoplasmática, predomínio do ciclo de Embden-Meyerhof etc., os quais promovem a proliferação celular neoplásica, a diminuição da apoptose, a formação de novos vasos e o impedimento da diferenciação celular. O predomínio da água desestruturada no intracelular incrementa o aumento da hidratação e do volume celular provocado pela hipotonicidade do meio inflamatório. As estratégias que transformam a água desestruturada em água estruturada, tais como, hiperosmolalidade intersticial e osmólitos cosmotropos intracelulares, restauram a fisiologia e a bioenergética celular e as células neoplásicas se diferenciam em células normais e caminham para a vida e depois para o processo fisiológico contínuo de morte celular programada" (Felippe, fevereiro e maio, 2004, 2008).

Nesta paciente iniciamos com peróxido de hidrogênio e vitamina C em altas doses para oxidar levemente as células neoplásicas e logo a seguir aplicamos solução hiperosmolar de cloreto de sódio intravenosa e principalmente intraperitoneal.

O NaCl é o principal determinante da tonicidade do fluido extracelular. As células quase universalmente respondem ao estresse da hiperosmolalidade acumulando osmólitos orgânicos compatíveis, o que permite manter o volume celular em equilíbrio. A regulação do volume celular através dos osmólitos orgânicos é fenômeno biológico universal porque através dele foi dado o segundo grande passo da Evolução a passagem da vida do meio aquoso para o terrestre. O primeiro grande passo foi a infecção das células primordiais por bactérias aeróbias, portadoras de mitocôndrias.

Conclusão

O médico não tem o direito de desistir.

O paciente tem o direito de uma segunda opinião e deve pedi-la sempre.

O responsável pela saúde do paciente é o paciente.

Referência.: Felippe J Jr. Cell cycle arrest with increased cancer cell apoptosis induced by hyperosmolality with hypertonic sodium chlorid: case report and literature review. Rev. Bras. Oncologia Clínica. 6(18) 23-28;2009.

Prof. Dr. Renato Ricardi Del Nero nasceu em 25 de novembro de 1926, em Pirassununga, e faleceu em 29 de dezembro de 2008 em São Paulo, capital, aos 82 anos. Precursor da Medicina Intensiva no Brasil e no mundo. Diretor do Departamento de Anestesiologia da Faculdade de Ciências Médicas da Santa Casa de São Paulo. Foi meu primeiro professor de Medicina Intensiva.

CAPÍTULO 245

Câncer renal: 9 pacientes

1. **Carcinoma renal tratado com cirurgia e medicina biomolecular**
A.R.B., 60 anos de idade, sexo masculino, procurou o consultório em 16-06-2021 contando que em check-up anual encontraram tumor renal ao ultrassom. Operado em 09-02-2021, nefrectomia esquerda. AP: carcinoma renal de células claras, grau nuclear de Fourman 3, com 5cm no maior diâmetro. O cirurgião tranquilizou o paciente: o problema está resolvido. Anamnese e exame físico: alergia **à** caseína e hipertensão arterial moderada. Não dorme ou trabalha em zona geopatogênica. Sensograma: chumbo, diminuição de calcitriol. Biorressonância: chumbo, cipermetrim, EBV e CMV. Exames: creatinina, 1,6; TSH, 4,99; glicose,121; insulina,5; HSV-IgG > 30; EBV-IgG anti-EBNA 1/80 (R > 1/20); EBV-IgG anticapsídeo > 750 (R. 1,1); CMV: 69 (R. 1,1). Tratado com dieta inteligente, 2/3 das fórmulas descritas no capítulo 198– Rins –ESTATÉGIAS e soro EDTA + HCL com vitamina C alternada com ácido alfalipoico. Três vezes/semana, total 20 vezes. Euthyrox 50mcg. Em 27-01-22, EBV-IgG anticapsídeo caiu para 75 e CMV-IgG negativou. Permanece o chumbo e sem cipermetrin no Sensograma e na Biorressonância. Fez agora: Coxsackie B reagente 1/160; e HHV-6 reagente 1/40. HSV IgG permaneceu > 30. Ferritina, 332ng/ml. Feitos 10 soros com EDTA para retirar o chumbo. Em 21-06-22, **ó**timo estado geral, queixando-se apenas de diminuição da libido. Sensograma sem chumbo. HSV, Coxsackie B e HHV-6 permanecem iguais, portanto não são a causa. EBV e CMV continuam com IgG baixo ou ausente: possiveis causas. A persistência dos possíveis agentes causais, EBV e CMV, aumenta a probabilidade de recorrência e metástases. **Clínica JFJ.**

2. **Carcinoma renal com metástases pulmonares tratado com Medicina convencional (6 meses) mais biomolecular**
J.C.O.J, 56 anos de idade, sexo masculino, procurou o consultório em 19-10-2021 contando febre e calafrios à noite com suores noturnos há 3 meses. Diagnosticado com Covid e tratado com cloroquina, azitromicina e ivermectina. Tomografia de tórax mostrou, ao lado dos sinais característicos da virose por SARS-2, espessamento pleural e nódulos esparsos. A tomo de abdome revelou rim esquerdo volumoso. Nesta época apresentava hematúria. A nefrectomia em 26-08-2021 mostrou carcinoma renal de células claras, grau nuclear 3 com 10 x 9,0 x 7,3cm e 30% do tumor necrosado, gordura peri-hilar comprometida e invasão angiolinfática.Tomografia de tórax (19-09-2021): múltiplas imagens polimórficas, não calcificadas e irregulares esparsas pelo parênquima pulmonar medindo entre 1,0 e 1,8cm, sugerindo etiologia secundária. Cintilografia: sem metástases ósseas. Sensograma: mercúrio e diminuição de calcitriol. Biorressonância: mercúrio, glifosato e permetrim. Presença de EBV, CMV, HSV e de Helicobacter pylori. Exames: creatinina, 1,7; EBV-IgG, 50 (R > 1,1); CMV-IgG, > 250 (R > 1,1); HSV IgG, > 30; H. pylori-IgG 6,6 (R > 1,1 e IgM 22.3 (R > 12); aldosterona, > 100; ferritina, 2.090; ceruloplasmina, 69. Tratamento: dieta inteligente, fórmulas descritas no capítulo 198 – Rins – ESTATÉGIAS e soro EDTA + HCL com vitamina C alternada com ácido alfalipoico. Três vezes/semana total 20 vezes. Usou nivolumabe de novembro de 2021 a 12-05-2022, quando foi suspenso devido à hepatite tóxica com colestase intra-hepática onde havia grande elevação da GamaGT, 1.432, e da fosfatase alcalina, 935. Ao suspender as enzimas hepáticas voltaram ao normal. Usou o anticorpo monoclonal por 6 meses. Em 25-03-2022 houve diminuição do IgG do EBV de 50 para 17. O IgG de outros agentes biológicos não se modificaram. RNM de abdome e pelve (16-03-2022): possível tecido fibrocicatricial de 3,3cm no leito cirúrgico. Em 09-06-2022: excelente estado geral e está trabalhando pesado na marcenaria. Tomo de tórax (03-05-2022): pequenos nódulos pulmonares calcificados, restante normal, isto é, regressão total das metástases pulmonares. Exames: EBV-IgG 16,6; CMV-IgG 230; IgD do

HHV-6, Coxsakie B, H pylori, Micoplasma e Clamidia todos negativos. Creatinina: 1,1; ferritina de 2090 foi para 1.440 (heterozigoto para hemocromatose). **Clínica JFJ.**

3. **Mesonefroma mais câncer de ovário tratado com benzaldeído**

Paciente com 61 anos de idade queixando-se de corrimento marrom. O exame revelou grande massa anexial direita. Na cirurgia fez histerectomia mais ooforectomia bilateral e anexectomia. Congelação: adenocarcinoma de ovário direito com 8cm no maior eixo. Revisão de lâmina mostrou: carcinoma de células claras – mesonefroma. Negou a rádio e a quimioterapia. Começou o laetrile e pancreatina logo após a cirurgia. Continuou a responder favoravelmente ao tratamento e está gozando de boa saúde e sem dores. Não sabemos a sobrevida.

Reference. Laetrile Case Histories- The Richardson Cancer Clinic Experience. Published by American Media. California,2005.

4. **Carcinoma de células renais com metástase pulmonar em estágio IV que apresentou longa sobrevida com ácido lipoico e ascórbico intravenoso junto com naltrexone em baixa dose**

A 64-year-old male patient diagnosed with metastatic renal cell carcinoma (RCC) in June of 2008. In spite of a left nephrectomy and the standard oncological protocols, the patient developed a solitary left lung metastasis that continued to grow. He was informed that given his diagnosis and poor response to conventional therapy, any further treatment would, at best, be palliative. The patient arrived at the Integrative Medical Center of New Mexico in August of 2010. He was in very poor health, weak, and cachectic. An integrative program-developed by one of the authors using intravenous (IV) α-lipoic acid, IV vitamin C, low-dose naltrexone, and hydroxycitrate, and a healthy life style program-was initiated. From August 2010 to August 2015, the patient's RCC with left lung metastasis was followed closely using computed tomography and positron emission tomography/computed tomography imaging. His most recent positron emission tomography scan demonstrated no residual increased glucose uptake in his left lung. After only a few treatments of IV α-lipoic acid and IV vitamin C, his symptoms began to improve, and the patient regained his baseline weight. His energy and outlook improved, and he returned to work. The patient had stable disease with disappearance of the signs and symptoms of stage IV RCC, a full 9 years following diagnosis, with a gentle integrative program, which is essentially free of side effects. As of November 2017 the patient feels well and is working at his full-time job.

Reference. Berkson BM, Calvo Riera F.The Long-Term Survival of a Patient With Stage IV Renal Cell Carcinoma Following an Integrative Treatment Approach Including the Intravenous α-Lipoic Acid/Low-Dose Naltrexone Protocol. Integr Cancer Ther. Dec 1:15-34;2017.

5. **Carcinoma renal bilateral assíncrono com metástases pulmonares tratado com cirurgia e Viscum album**

Bilateral asynchronous renal cell carcinoma (RCC) is infrequent. Immunotherapy is the first-line treatment for advanced RCC not controlled by locoregional therapy. Viscum album extracts (VAE) have been shown to improve quality of life as well as immunological and antineoplastic properties in different types of cancers. **Case report:** A 67-year -old man was diagnosed with Fuhrman grade 3/4 RCC, stage pT1bN0M0 in the right kidney. During the subsequent 6 years, he underwent a right nephrectomy and two metastasectomies (lung). Then an RCC lesion of the left kidney was detected. The patient refused a second nephrectomy and was treated solely with high-dose intravenous and subsequent subcutaneous VAE. A central necrotic area and a peritumoral halo were seen on an ultrasound follow-up from month 7. The patient showed no further progression of RCC during the next 2.5 years. **Conclusion:** As far as we are aware of, this is the first report of a patient with metastatic RCC with an RCC lesion of the second kidney treated solely with high-dose intravenous and subcutaneous VAE, associated with 2.5 years of progression-free survival and a good quality of life.

Reference. Reynel M, Villegas Y, Kiene H, Werthmann PG, Kienle GS Bilateral Asynchronous Renal Cell Carcinoma With Lung Metastases: A Case Report of a Patient Treated Solely With High-dose Intravenous and Subcutaneous Viscum album Extract for a Second Renal Lesion. Anticancer Res. 2019 Oct;39(10):5597-5604.

6. **Tumor neuroendócrino tímico inoperável estágio IIIa tratado somente com Viscum album. Longa sobrevida, 6,5 anos**

Thymic neuroendocrine tumor (TNET) is very rare and characterized by a tendency to invade adjacent structures, frequent metastasis, resistance to therapy, and a poor prognosis. Viscum album extracts (VAE) have shown immunological, apoptogenic, and cytotoxic properties. A 54-year-old Peruvian man was suffering from constant fatigue, cough, dyspnea, and fever for a couple of months. He was diagnosed with TNET (12.8 cm × 10 cm ×

7 cm) stage IIIa, G1. Due to the size and extensive invasiveness (vena cava superior, also obstructing 85% of its lumen, pericardium, and pleura), the TNET was inoperable. The patient declined chemotherapy and was treated instead with sole subcutaneous VAE 3 times per week for 85 months. No other tumor-specific intervention was applied. Quality of life (QoL) improved substantially. The patient returned to work, and the tumor remained stable for 71 months (6,5 years). Thereafter, the tumor progressed, and the patient died 90 months (7,5 years) after initial diagnosis. Besides self-limited local skin reactions around the application site, no side effects occurred. This is an exceptionally good course of disease of an inoperable, large, obstructing, and invasive TNET with a reduced baseline condition (Karnofsky index: 50-60) due to pronounced symptoms.

Reference. Reynel M, Villegas Y, Werthmann PG, Kiene H, Kienle GS. Long-term survival of a patient with an inoperable thymic neuroendocrine tumor stage IIIa under sole treatment with Viscum album extract: A CARE compliant clinical case report. Medicine (Baltimore). 2020 Jan;99(5): e18990

7. Carcinoma renal de células claras com metástases pulmonares que regrediram totalmente com somente Rhus verniciflua

A 47-year-old man presented a 12 cm right renal mass and received a right radical nephrectomy, which was pathologically the clear cell type of RCC in July 2006. Four months later, follow-up CT and PET scans revealed metastatic multiple pulmonary nodules. Palliative chemotherapy was recommended, but he refused it. Instead, only RVS treatment was initiated in December 2006. After 4 months, CT scans showed a complete response in all pulmonary metastases including resolution of right pulmonary artery thrombosis. Follow-up CT scans continued to demonstrate a complete response. He maintains a good performance status up to now (July 2011).

Reference. Lee SK, Jung HS, Eo WK, Lee SY, Kim SH, Shim BS. *Rhus verniciflua* Stokes extract as a potential option for treatment of metastatic renal cell carcinoma: report of two cases. *Annals of Oncology*. 2010;21(6):1383–1385.

8. Carcinoma renal de células claras com metástases pulmonares e de suprarrenais não responsivo ao sunitinibe que regrediram com somente Rhus verniciflua

A 47-year-old man was diagnosed with the clear cell type of RCC accompanying multiple pulmonary nodules and underwent a radical nephrectomy for a 6.3 cm mass in September 2006. After cytoreductive surgery, the metastases in both lungs aggravated and a right adrenal mass was newly developed. After palliative sunitinib 2 cycles showed progression of lung metastases and both adrenal masses, he began receiving only RVS treatment in July 2007. After 9 months of RVS administration, chest CT scans showed the resolution of the masses, noted previously in the left upper lung. After 13 months of RVS therapy, CT scans showed significant reduction in the size of the metastatic masses in both adrenal glands. No evidence of disease continues in CT scans obtained up to now (July 2011).

Reference. Lee SK, Jung HS, Eo WK, Lee SY, Kim SH, Shim BS. *Rhus verniciflua* Stokes extract as a potential option for treatment of metastatic renal cell carcinoma: report of two cases. *Annals of Oncology*. 2010;21(6):1383–1385.

9. Carcinoma renal com metástases pulmonares tratado com vitamina C em altas doses

A 51 year old female with renal cell carcinoma (nuclear grade III/IV) and lung metastasis declined chemotherapy and instead chose to intravenous ascorbate at an initial dose of 15 grams. Her dose was increased to 65 grams after two weeks. She continued at this dose for ten months. Patient received no radiation or chemotherapy. The patient supplemented with thymus protein extract, N-acetylcysteine, niacinamide, beta-glucan, and thyroid extract. Seven of eight lung masses resolved. Patient went four years without evidence of regression. Four years later, patient showed a new mass (consistent with small-cell lung cancer, not with recurrent renal carcinoma metastasis) and died shortly afterward.

Reference. Padayatti, S. et al., 2006. Intravenous vitamin C as a cancer therapy: three cases. CMAJ, Volume 174, pp. 937-42.

CAPÍTULO 246

Carcinoma de suprarrenal: 2 pacientes

1. **Carcinoma adrenocortical metastático para pulmão e rins e quimiorresistente que respondeu completamente à metformina mais melatonina**

Metformin has been proposed as a novel anti-cancer drug for adrenocortical carcinoma (ACC) based upon Poli's recent preclinical studies that 1. "*in vitro*" metformin modulates the ACC cell model H295R and 2. "*in vivo*" metformin inhibits tumor growth in a xenograft model as confirmed by a significant reduction of Ki67. Here we report on our prior clinical case study that provides proof of concept for Poli's studies. We were requested to perform morphoproteomic analysis to further define the biology of, and raise targeted therapeutic options, for a case of post-treatment and chemoresistant ACC metastatic to the liver and the lung. Profiling the patient's ACC from the liver resulted in the recommendation of metformin as a maintenance therapy, which was supported by biomedical data analysis. The patient remains on maintenance therapy with metformin and melatonin and is free of disease some 7 years post diagnosis, thus underscoring the recommendation for clinical trials employing these therapeutic agents.

Reference. Brown RE, Buryanek J, McGuire MF. Metformin and Melatonin in Adrenocortical Carcinoma: Morphoproteomics and Biomedical Analytics Provide Proof of Concept in a Case Study. Ann Clin Lab Sci. Aug;47(4):457-465;2017.

2. **Carcinoma adrenocortical metastático tratado com mebendazol – controle de longo prazo**

Objective: To describe successful long-term tumor control in metastatic adrenocortical carcinoma, a relatively rare tumor with limited treatment options outside of surgery. Methods: We present the clinical, radiologic, and pathologic findings in a patient with failure of or intolerance to conventional treatments for metastatic adrenocortical carcinoma. Results: A 48-year-old man with adrenocortical carcinoma had disease progression with systemic therapies including mitotane, 5-fluorouracil, streptozotocin, bevacizumab, and external beam radiation therapy. Treatment with all chemotherapeutic drugs was ceased, and he was prescribed mebendazole, 100 mg twice daily, as a single agent. His metastases initially regressed and subsequently remained stable. While receiving mebendazole as a sole treatment for 19 months, his disease remained stable. He did not experience any clinically significant adverse effects, and his quality of life was satisfactory. His disease subsequently progressed after 24 months of mebendazole monotherapy. Conclusion: Mebendazole may achieve long-term disease control of metastatic adrenocortical carcinoma. It is well tolerated and the associated adverse effects are minor.

Reference. Dobrosotskaya IY, Hammer GD, Schteingart DE, et al. Mebendazole monotherapy and long-term disease control in metastatic adrenocortical carcinoma. Endocr Pract. 2011 May-Jun;17(3):e59-62;2011.

CAPÍTULO 247

Câncer – diversos: 153 pacientes

1. **Câncer de vários tipos (bexiga, mama, carcinoide, colorretal, melanoma maligno, mieloma múltiplo, neuroblastoma, ovário, glioblastoma multiforme, fígado, pulmão (não de células pequenas), leucemia linfocítica crônica, linfoma de Hodgkin, linfoma não Hodgkin, próstata, pâncreas, útero, carcinoma renal e câncer de cabeça e pescoço) refratários ao tratamento convencional que responderam com naltrexone em baixas doses (3-5mg) – 86 pacientes.**

Bihari em 1995 foi o primeiro pesquisador a usar o naltrexone na AIDS com resultados promissores e logo a seguir começou a empregá-lo no tratamento do câncer. Bihari utilizou o naltrexone em baixa dose (3,0-5,0mg), de um modo não cego e não controlado com placebo, em 450 pacientes com os mais diversos tipos de neoplasia que não haviam respondido ao tratamento convencional (cirurgia e ou quimioterapia e ou radioterapia). No seguimento clínico, 96 pacientes foram descartados do estudo porque não seguiram o protocolo estabelecido ou se perderam por outros motivos. Dos 354 pacientes restantes, 84 morreram nas primeiras 8 a 12 semanas do início do naltrexone devido à grande gravidade da doença deste grupo de pacientes, que já haviam se submetido ao tratamento convencional sem apresentarem resposta. Dos 270 pacientes restantes, 220 receberam o naltrexone por seis meses ou mais. Destes 220 pacientes com naltrexone por maior tempo e que tomaram regularmente o medicamento, **86/220 ou quase 40%** apresentaram redução do volume tumoral igual ou superior a 75%. Dos 134 pacientes, 125/220 ou 56,8% apresentaram estabilização ou estavam caminhando para remissão, porém não atingiram o critério de redução tumoral de 75% e 9/220 ou 4% mostraram progressão do tumor. Os pacientes que responderam ao tratamento com naltrexone ministrado sob a supervisão do Dr. Bihari apresentavam os seguintes tipos de câncer, justamente aqueles que apresentam receptores opióides em sua membrana celular: bexiga, mama, carcinoide, colorretal, melanoma maligno, mieloma múltiplo, neuroblastoma, ovário, glioblastoma multiforme, fígado, pulmão (não de células pequenas), leucemia linfocítica crônica, linfoma de Hodgkin, linfoma não Hodgkin, próstata, pâncreas, útero, carcinoma renal e câncer de cabeça e pescoço. É importante frisar que os pacientes que nunca haviam recebido quimioterapia responderam melhor ao tratamento com o naltrexone. Sabe-se que a quimioterapia provoca profundas alterações no sistema imunológico com imunosupressão das defesas anti-infecciosa e antineoplásica.

Referência. Bihari B. First Annual low dose naltrexone conference at the New York Academy of Sciences; June 11;2005.

2. **Tratamento de vários tipos de câncer com naltrexone em baixa dose, ácido lipoico intravenoso e hidroxicitrato via oral: câncer de pulmão, colorretal, ovário, esôfago, útero, colangiocarcinoma, próstata e parótida.**

All patients had failed standard chemotherapy and were offered only palliative care by their referring oncologist. Karnofsky status was between 50 and 80. Life expectancy was estimated to be between 2 and 6 months. Ten consecutive patients with chemoresistant advanced metastatic câncer were offered compassionate metaboli ctreatment. They were treated with a combination of lipoic acid at 600 mg i.v. (Thioctacid), hydroxycitrate at 500 mg t.i.d. (Solgar) and low-dose naltrexone at 5 mg (Revia) at bedtime. Primary sites were lung carcinoma (n=2), colonic carcinoma (n=2), ovarian carcinoma (n=1), esophageal carcinoma (n=1), uterine sarcoma (n=1), cholangiocarcinoma (n=1), parotid carcinoma (n=1) and unknown primary (n=1). The patients had been heavily pre-treated. One patient had received four lines of chemotherapy, four patients three lines, four patients two lines and one patient had received radiation therapy and chemotherapy. An eleventh patient with advanced prostate câncer resistant to hormonotherapy treated with hydroxycitrate, lipoic acid and anti-androgen is also reported. RESULTS: One patient was unable to receive i.v. lipoic acid and wass witched to oral lipoic acid (Tiobec). Toxicity was limited to transiente náusea and vomiting. Two patients died of progressive disease within two months. Two other patients had to be switched to conventional chemotherapy combined with metabolic treatment, one of when had a subsequent dramatic tumor response. Disease in the other patients was either stable or very slowly progressive. The patient with hormone-resistant prostate câncer had a dramatic fall in Prostate-Specific Antigen (90%), which is still decreasing. CONCLUSION: These very primary results suggest the lack of toxicity and the probable efficacy of metabolic treatment in chemoresistant advanced carcinoma. It is also probable that metabolic treatment enhances the efficacy of cytotoxic chemotherapy. These results are in line with published animal data. A randomized clinical trial is warranted.

Referência. Schwartz L, Buhler L, Icard P, et al. Metabolic treatment of cancer: intermediate results of a prospective case series. Anticancer Res. Feb;34(2):973-80;2014.

3. **Laetrile no câncer – benzaldeído.**

A maioria dos cânceres sólidos dos adultos e as leucemias e linfomas respondem muito bem ao Laetrile intravenoso. Várias publicações em livros e trabalhos mostram esta eficácia, incluindo casos terminais onde todo arsenal moderno havia sido empregado. A amigdalina (laetrile) nada mais é do que o benzaldeído ligado uma molécula de cianeto. Já foi mostrado que o efeito anticâncer do Laetrile não é devido ao cianeto e sim ao benzaldeído. Vide capítulo 48 sobre os efeitos moleculares potentes do benzaldeído via oral nos mais diversos tipos de câncer.

O livro "Laetrile Case Histories de John A. Richardson, MD, escrito em 1977 discorre sobre mais de 168 casos de câncer de difícil tratamento. O autor aufere o sucesso ao Laetrile, mas sabemos no momento atual que os efeitos benéficos são na verdade devido ao benzaldeído contido no laetrile.

Referência. Laetrile Case Histories- The Richardson Cancer Clinic Experience. Published by American Media. California,2005.

4. **Neoplasia endócrina múltipla tipo 2B tratada com ácido cítrico.**

This article describes the case of a male patient diagnosed with multiple endocrine neoplasia type 2B who was treated with citric acid when he was 10 years old, the limit for survival for this disease, and he has survived in excellent conditions for 8 years. The case of a 10 years old male patient with a diagnosis of invasive multiple endocrine neoplasia 2B with elevated calcitonin regarding to an unresectable medullary thyroid cancer, which decreased more than 50% with a treatment based on citric acid that the patient received orally since November, 2008 [1]; the patient began his treatment with citric acid, 3-5grams per day for the first year of treatment, after then it has taken orally intermittently by the patient and received many medical treatments; now, eight years later, the patient is alive, with excellent conditions; cervical node biopsies and thoracic biopsies were taken last November 1st, 2016 which were negative, and there is not clinical or radiological data of invasiveness at neck, chest, gastric or adrenal level; according to the literature, the survival of patients with multiple endocrine neoplasia 2B with unresecable medullary thyroid tumor is up to 10years regardless to the treatments received. This unexpected survival of 8 years longer than the medically expected can only be ascribed to the treatment with citric acid received by the patient.

Referência. Alberto Halabe Bucay. The Patient with Multiple Endocrine Neoplasia Type 2B Treated with Citric Acid already Survived 8 Years Longer than Medically Expected. Submission: December 19, 2016; Published: January 19, 2017

5. **Treze tipos de tumores tratados unicamente com ácido cítrico por via oral.**

I have already reported 13 cases of patients with cancer who have improved impressively only with the citric acid treatment that they have received, considering that they are literally cured, including this patient with medullary thyroid cancer, patients with peritoneal mesothelioma, myeloid leukemia, Hürthle thyroid tumor, endocrine hepatic tumor, esophageal cancer, multiple myeloma, glioblastoma multiforme, pancreatic cancer, Non Hodgkin lymphoma, bladder cancer, breast cancer and a patient with multiple myeloma remitted only in 10 days with the treatment of citric acid that she received; also, the fact that citric acid [citrate] is effective as a cancer treatment is demonstrated in laboratory animals; but this case reported in this article is very relevant, the survival rate of an endocrine neoplasia type 2B was overcome more than 8 years only with the treatment of citric acid that the patient received. Discussion: This work is completely ethical, citric acid is a food, and is also effective as a treatment for Diabetes Mellitus, multiple sclerosis and other metabolic diseases. Conclusion All this undisputed evidence is enough to recognize that citric acid is effective as a cancer treatment.

Referência. Halabe Bucay AHypothesis proved citric acid (citrate) does improve cancer: A case of a patient suffering from medullary thyroid cancer. Med Hypotheses 73(2): 271;2009.

6. Câncer refratário ao tratamento e hipertermia por radiofrequência.

Nos Estados Unidos, Universidade de Washington, o Dr. Hornback se destacou por seus inúmeros trabalhos sobre a hipertermia no câncer. Em 1977 ele descreve os resultados clínicos preliminares do uso da hipertermia por micro-ondas (434 MHz) juntamente com a radioterapia. Setenta pacientes com câncer avançado refratário ao tratamento convencional, foram tratados com a combinação de micro -ondas e radiação ionizante. Somente 21 pacientes completaram o protocolo e em 9 semanas de tratamento 90% dos pacientes experimentaram melhora completa dos sintomas e 10 % melhora parcial. Observou o espetacular resultado de uma completa remissão de todos os tumores em 16 de 20 pacientes (80%). Nove dos pacientes que responderam completamente, ficaram livres de recidiva por pelo menos 9 a 14 meses pelo menos (data da publicação do trabalho). Cada paciente recebeu 20 minutos de micro-ondas local e imediatamente depois a radiação ionizante. Constavam do estudo: 9 carcinomas de cabeça e pescoço com ou sem metástase ganglionar; 4 carcinomas recorrentes de mama; 2 cânceres de cérvix invadindo a bexiga e reto; 1 câncer recorrente de lábio e língua com metástase no pescoço; 1 câncer recorrente de reto com metástase em sacro; 1 melanoma recorrente anal com metástase pulmonar e cerebral; 1 carcinoma de testículo; 1 leiomiossarcoma de intestino delgado e 1 rabdomiossarcoma retroperitoneal. A opinião dos clínicos envolvidos no protocolo foi que o calor administrado por micro-ondas potenciou os efeitos ionizantes da radioterapia e os resultados terapêuticos foram acima daqueles esperados somente com a radiação. Pelo fato que todos os pacientes no estudo apresentavam câncer refratário ao tratamento médico, a marcante melhora dos sintomas e a regressão tumoral observada foram consideradas encorajadoras pelo modesto autor.

Referência. Hornback, N.B., Shupe, R.E., Shidnia, H., et al. Preliminary clinical results of combined 434 Megahertz microware therapy and radiation therapy on patients with advanced cancer. Cancer. 40(6): 2854-63;1977.

7. Carcinoma anaplástico inoperável na virilha e nódulos no retroperitônio tratado com radiofrequência e soro oxidante.

John Holt na Austrália foi um dos primeiros pesquisadores a dar importância para a hipertermia no tratamento do câncer. Ele a empregou juntamente com a oxidação sistêmica. Com o emprego de UHF de 434 MHz e administrando GS-SG como agente oxidante sistêmico, Holt obteve o desaparecimento de inúmeros tipos de câncer por períodos superiores a 5 anos. A maioria dos tumores não haviam respondido à cirurgia, quimioterapia ou radioterapia A seguir mostramos 1 caso tratado por Holt e publicado em 1993 na conceituada revista da literatura médica indexada "Medical Hypotheses". JOJ, masculino, data do nascimento: 1/4/55. **Carcinoma anaplástico** inoperável na virilha e nódulos retroperitoneais, cirúrgia somente para a biopsia. Protocolo em março e abril de 80. Está livre do câncer desde então e em maio de 91 apresentava raios X e exame clínico normais. Protocolo: soro oxidante com GS-SG mais radiofrequência com 434 MHz.

8. Câncer avançado: a hipertermia por radiofrequência é mais eficaz se aplicada após à radioterapia.

Em 1979 Hornback escreve outro trabalho, agora para desvendar quando a hipertermia era mais eficaz, antes ou depois da radioterapia. Empregou a RF a 434 MHz, a qual penetra mais profundamente do que a RF a 2450MHz. Todos os pacientes apresentavam câncer sintomático avançado, diagnosticados por histologia, que não estavam respondendo ao tratamento convencional. A histologia tumoral era assim distribuída: 33 pacientes com carcinoma epidermoide, 25 com adenocarcinoma, 3 com melanoma maligno, 2 tumores cerebrais e o restante, miscelânea. A hipertermia foi aplicada por 30 minutos e a radiação, 500 a 600 rads ao dia com dose total de 3000 a 6500 rads. Dos 102 pacientes, 72 completaram o protocolo. Aqueles que receberam calor antes da radiação, 32/60 ou 53% experimentaram remissão completa dos sintomas. No grupo exposto ao calor depois da radiação o efeito foi muito maior; 11/12 ou 92% alcançaram remissão completa dos sintomas (não do tumor). Apesar da excelente resposta sintomática, 40 dos 72 pacientes faleceram. A causa da maioria dos óbitos foi por metástases. Entretanto, é digno de se ressaltar que 12 dos 72 pacientes (17%), ficaram sem evidências clínicas e radiológicas da doença. Eles não podem ser considerados curados, porém permaneceram vivos por pelo menos 14 meses, época que foi publicado este trabalho. Muitos pacientes que inicialmente falharam em responder a altas doses de radiação ionizante apresentaram resposta dramática a menores doses quando feita em conjunto com a RF.

Referência. Hornback, N.B., Shupe, R.E., Shidnia, H. et al. Radiation and microware therapy in the treatment of advanced cancer. Radiology. 130(2): 459-64;1979.

9. ***Propionibacterium acnes*, uma das bactérias pleomórficas - CWD - descritas no câncer morrem com iodo polividone - iodo. Esta é uma das bactérias implicadas na carcinogênese.**

CONCLUSIONS: We concluded that a significant reduction of P. acnes can be achieved by preoperative application of polyvidone iodine (1%) ($P < 0.001$) in intraocular intervetions.

Referência. Binder C, de Kaspar HM, Engelbert M, et al. Bacterial colonization of conjunctiva with Propionibacterium acnes before and after polyvidon iodine administration before intraocular interventions. Ophthalmologe. Jun;95(6):438-41;1998.

10. **Vários casos de câncer tratados com enzimas, incluindo as pancreáticas - tipo Kelley.**

http://www.medicinabiomolecular.com.br. trabalho na íntegra.

11. **Vários tipos câncer tratados com homeopatia - método Banerjii.**

48 casos de sucesso. http://www.medicinabiomolecular.com.br . Esses casos não foram computados.

12. **Rife moderno - vários tipos de tumores tratados com frequências de ondas.**

http://www.medicinabiomolecular.com.br

13. **Câncer metastático em fase final que melhorou a qualidade de vida rapidamente com Chi Kung - 2 pacientes. Não computados.**

This paper reports upon two case studies addressing the short-term effects of Qi therapy on symptoms of cancer in two terminally ill oncology patients. Changes in anxiety state, pain, discomfort, depression, mood, alertness, and fatigue in two cancer patients were assessed. Treatment involved four therapy sessions on alternate days over a 7-day period. After 20 min of Qi therapy, both patients experienced improvements in mood and alertness, and a reduction in pain, anxiety, depression, discomfort, and fatigue, on both the first and last days of the interventions. Furthermore, the scores recorded on the last day for most symptoms were improved than those recorded on the first day. Although the results of these two case studies do not constitute conclusive evidence, the data suggest that Qi therapy may have some beneficial effects on some symptoms of cancer.

Referência. Lee MS1, Jang HS. Two case reports of the acute effects of Qi therapy (external Qigong) on symptoms of cancer: short report. Complement Ther Clin Pract. Aug;11(3):211-3;2005.

14. **Dieta cetogênica foi benéfica no câncer pediátrico não responsivo ao tratamento convencional - 3 casos.**

Abstract. Traditionally, a ketogenic diet is given to drug-resistant children with epilepsy to improve seizure control. Inducing a ketogenic state in patients with cancer may be a useful adjunct to cancer treatment by affecting tumor glucose metabolism and growth while maintaining the patient's nutritional status. A ketogenic diet consisting of 60% medium-chain triglyceride (MCT) oil, 20% protein, 10% carbohydrate, and 10% other dietary fats was provided to a select group of pediatric patients with advanced-stage cancer to test the effects of dietary-induced ketosis on tumor glucose metabolism. Issues of tolerance and compliance for patients consuming an oral diet (consisting of normal table foods and daily MCT oil "shakes") and for patients receiving an enteral formula are reviewed. Preliminary use of the MCT oil-based diet suggests a potential in pediatric patients with cancer.

Referência. Implementing a ketogenic diet based on medium-chain triglyceride oil in pediatric patients with cancer. Nebeling LC, Lerner E. J Am Diet Assoc. Jun;95(6):693-7;1995.

15. **Retinoblastoma tratado com digoxina intra-arterial e via oral.**

PURPOSE: Preclinical studies demonstrate that cardiac glycosides such as ouabain and digoxin have antitumor effects on retinoblastoma cells in vitro and in a xenograft murine model of retinoblastoma.

METHODS: Based on these findings, we report a case of intra-arterial followed by systemic oral digoxin therapy in a patient with unilateral retinoblastoma that had failed prior intraarterial chemotherapy.

RESULTS: Oral administration of digoxin produced no effect, while intra-arterial digoxin therapy produced a modest but measurable response that was likely limited by the inability to achieve sustained drug concentration in the eye.

CONCLUSIONS: This case highlights both the potential promise and limitations of cardiac glycoside therapy in retinoblastoma.

Referência Patel M, Paulus YM, Gobin YP, et al. Intra-arterial and oral digoxin therapy for retinoblastoma. Ophthalmic Genet. Sep;32(3):147-50;2011.

16. **Pacientes com câncer evoluem melhor quando recebem oxaloacetato.**

Two groups of individuals are diagnosed with similar types of cancer tumors. One group ingests a dose of 2,000 mg of oxaloacetate per day, whereas the control group does not. The oxaloacetate reduces the amount of glucose available to the tumor, which limits the growth of the tumor in a fashion similar to that seen in calorie restriction. The control group sees no limitation in tumor growth.

Referência. http://www.faqs.org/patents/app/20080279786#ixzz2E2FZJvAi

17. Tumor gigante benigno de bainha de tendão tratado com semente e casca de Coix lacryma.

http://www.medicinabiomolecular.com.br

18. Carcinoma anaplástico: Radiofrequência mais oxidação.

J.O.J., masculino, data do nascimento: 1/4/55. Carcinoma anaplástico inoperável na virilha e nódulos no retroperitônio, cirurgia somente para a biopsia. Protocolo da oxidação intratumoral junto com a radiofrequência, em março e abril de 1980. Está livre do câncer desde então e agora em maio de 1991 apresenta raios X e exame clínico normais. Tratado por Holt.

Referência. www.medicinabiomolecular.com.br

19. Tumor neuroectodérmico refratário ao tratamento habitual que cessou de crescer após indazol-rutenato – 2 casos.

Primeiro caso

In a human clinical trial conducted in the US, a 51 year old white male with Stage IV Carcinoid tumor of the small bowel (a neuroectodermal tumor or NET) was selected to undergo treatment of sodium trans[tetrachlorobis(1H-indazole)ruthenate(III)]. He previously had 2 surgeries: an exploratory lap (diagnosis of neuroendocrine tumor) in June 2008, and a partial surgical resection of mass in October 2008. The second surgery was followed by chemoembolization of residual tumor masses for palliative treatment in October 2008 and in November 2008. Systemic chemotherapy with capecitibine was administered between July and August 2009. In August 2009, therapy was changed to octreotide (Sandostatin LAR), but this was discontinued in November 2009. In December 2009, the patient received crizotinib, which was discontinued in March 2010 due to disease progression. The best response to such prior chemo regimens was 1 to 3 months stable disease. As the tumors were progressing, the patient started therapy on May 7, 2010 with intravenous injection of sodium trans-[tetrachlorobis(1H-indazole)ruthenate(III)] at 320 mg/m2 based on body surface area (for a total dose of 630 mg per administration) once per week, on days 1, 8, and 15 of each 28-day cycle. At that time the patient had four metastatic sites originating from the primary tumor small intestine carcinoid. The four metastatic sites were in portacaval lymph node, left periaortic lymph node, stomach/mesenteric lymph node, and esophageal lymph node. CT scan of the tumors was done at the start of the treatment (baseline), and thereafter every two months. It can be seen that sodium trans-[tetrachlorobis(1H-indazole)ruthenate(III)] caused almost 50% tumor regression in one lesion, and stopped tumor growth in the remaining three lesions. The patient has received 14 cycles and remains under control on sodium trans-[tetrachlorobis(1H-indazole)ruthenate(III)] as of July 2011. No serious adverse events have been observed.

Segundo caso

In the same human clinical trial described above, a 70-year old white male with Stage IV gastrinoma of the stomach, (a neuroectodermal tumor or NET) diagnosed in December 2006 was enrolled. He had multiple attempts to achieve disease control with hepatic artery embolization in October 2006, in January 2007, and in September 2007. Localized radiotherapy with Yttrium-90 instillation to the right lobe of the liver in March 2009 and the left lobe in May 2009 was attempted. Yet the tumor was not controlled. In September, 2010, at the time of disease progression, the patient started therapy with intravenous administration of sodium trans-[tetrachlorobis(1H-indazole)ruthenate(III)] at 420 mg/m2 based on body surface area (for a total of 832 mg administered) per week, on days 1, 8, and 15 of each 28-day cycle. The patient received 6 cycles of the drug with best response of stable disease. Serum gastrin levels were measured using chemiluminescence method during the treatment period.

The serum gastrin level of this patient, the marker of his malignancy, was reduced from 8291 to 6120 during the course of therapy, indicating that the drug was effective in inhibiting tumor growth and reducing tumor marker level.

Referência. www.freeonlinepatents.org. United States Patent Application 20130237510.

20. Tumor neuroendócrino que respondeu totalmente ao tratamento neurofarmacológico de Fuad Lechin – 2 casos.

Trabalho na íntegra.

We discuss two cases of patients affected by the carcinoid syndrome who showed adrenal over neural sympathetic predominance and a TH-2 immunological profile. Both received neuropharmacological therapy addressed to reverting this autonomic nervous system imbalance. Clinical, autonomic nervous system and immunological improvements were registered as of the first 4-week posttreatment period. No relapses have been recorded up to the present (4 and 3 years later, respectively).The neuropharmacological therapy addressed to enhancing central nervous system-noradrenergic activity,which is able to revert adrenal over neural sympathetic predominance,seems to be a valuable tool in treating patients affected by carcinoid syndrome.The fact that patients affected by carcinoid presented common neuroautonomic disorders led us to prescribe the neuropharmacological therapy addressed to revert that abnormal profile. Although we have assessed several of the above-mentioned patients, we refer here only to these two well-investigated, treated,and followedup patients.

21. Papiloma vírus humano – verruga comum – melhora total com ácido picolínico local.

http://www.medicinabiomolecular.com.br. Não computado.

22. Papiloma vírus humano responde bem à cimetidina. Não computado.

Effective adjuvant treatment for recurrent respiratory papillomatosis (RRP) is at present limited to alpha-interferon, which may have significant side effects including rebound growth of papillomata following its withdrawal, is given by injection and is expensive. High dose cimetidine is known to have immunomodulatory side effects and has been reported as a useful treatment for cutaneous warts. We report a case of very advanced RRP with tracheo-bronchial-pulmonary involvement treated with adjuvant cimetidine at a dose of 40 mg/kg for 4 months. The patient enjoyed a remarkable improvement in her clinical condition following treatment. The literature regarding cimetidine treatment for cutaneous warts is reviewed.

Referência. Harcourt JP, Worley G, Leighton SE. Cimetidine treatment for recurrent respiratory papillomatosis. Int J Pediatr Otorhinolaryngol. Dec 5;51(2):109-13;1999.

23. Câncer tratado com dieta vegetariana mais sucos variados com a técnica de Max Gerson – 4 pacientes.

Na descrição de 50 casos de seu livro que melhoraram drasticamente a curto prazo com a estratégia nutricional encontramos somente 4 casos seguidos até o desenlace e que mostraram longa sobrevida falecendo de causas independentes do câncer.

1. Carcinoma de glândula tiroide em paciente de 47 anos.
2. Miossarcoma de repetição com poliomielite em paciente de 43 anos.
3. Carcinoma broncogênico com pneumectomia total à direita e que apresentou invasão do pulmão esquerdo após a cirurgia, 55 anos.
4. Carcinoma broncogênico inoperável comprimindo medula espinal, 47 anos. Estratégia: nove sucos/dia, enemas de café, tiroide, niacina, pancreatina, extrato hepático, suco de fígado, óleo de rícino.

Referência. Max Gerson, A câncer therapy – results of fifty cases & The cure of advanced cancer by diet therapy. Summary of thirty years of clinical experimentation. Originally published: New Yor: Whittier Books, 1958. Sixth Edition, 2002.

24. Vários tipos de câncer em fase final, principalmente seminoma e câncer de próstata tratados com *Chelidoneum majus* (UKRAIN), retinol, selênio, extrato de timo, cimetidina e hipertermia localizado (42,5ºC): 41 remissões completas.

A total of 203 advanced-stage cancer patients suffering from different types of cancer who had exhausted all conventional forms of therapy were treated with the novel antitumor drug Ukrain over a period of 2.5 years at the Villa Medica Clinic in Germany. Seventy-six patients (37.4%) were simultaneously treated with regional deep hyperthermia in which tumor tissue was heated to > 42.5 degrees C. Patients also received complementary oncological treatment with selen, cimetidine, thyme extract and vitamin A. In view of the advanced stage of the disease, the results of therapy were surprising. **Forty-one patients** (20.2%) achieved total remission, 122 (60.1%) partial remission and only 40 (19.7%) did not respond to treatment. The highest response rates were in patients with seminoma (three out of four patients had total remission and one had partial remission) and in prostate cancer [14 out of 20 patients (70%) achieved total remissions and five achieved partial remission].

Referência. Aschhoff B. Retrospective study of Ukrain treatment in 203 patients with advanced-stage tumors. Drugs Exp Clin Res. 26(5-6):249-52;2000.

25. Múltiplas metástases de carcinoma de origem desconhecida em subcutâneo que regrediram após clotrimazol.

Sexo masculino, 79 anos apresentando múltiplas metástases subcutâneas de carcinoma de origem desconhecida. A: duas massas subcutâneas na porção superior do braço direito com vermelhidão, dor e inflamação. B: o mesmo local apenas 1 semana após tratamento com clotrimazol. Notar a diminuição do tamanho e da vermelhidão da inflamação local que foi acompanhada pelo desaparecimento da dor.

The causation of reumathoid disease and many human cancer – A new concept in medicine – Roger Wyburn-Mason IJI Publishing Co, LTD Tokyo Japan, 1978.

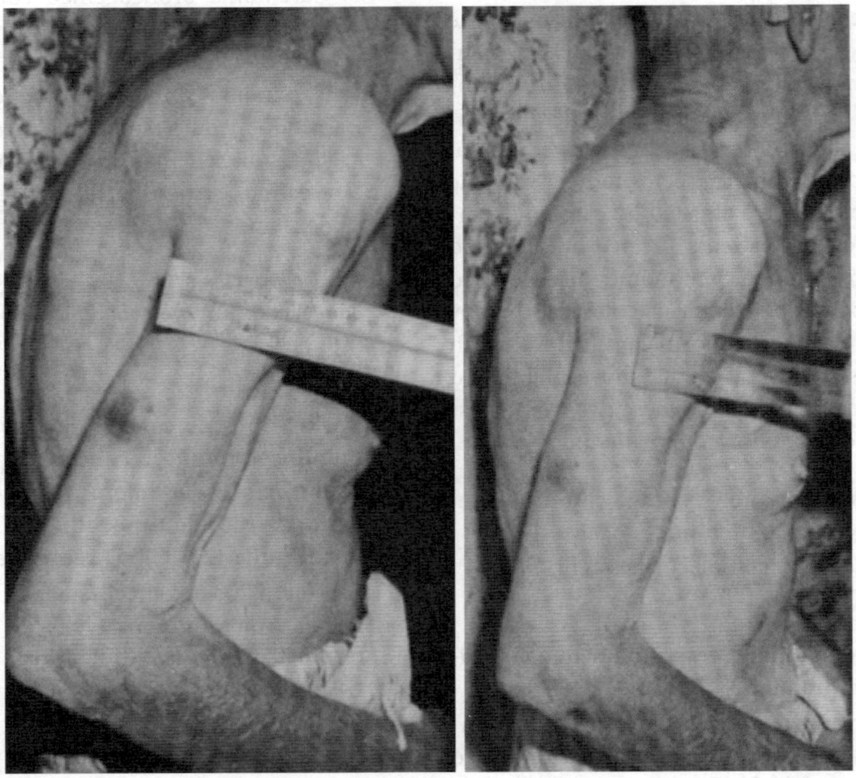

Figura 247.1

CAPÍTULO 248

Hipertrofia benigna de próstata

Neste capítulo apresentamos pacientes com hipertrofia benigna de próstata a maioria deles com indicação cirúrgica. Entretanto, houve grande diminuição do volume prostático e abolição dos sintomas urinários com o tratamento clínico-biomolecular. Não são casos de câncer e desta forma não fazem parte da estatística deste livro.

Hipertrofia benigna de próstata e biomolecular. Sete casos tratados na Clínica JFJ

José de Felippe Junior

1. JS, 65 anos. Reposição dos nutrientes em falta mais Sabal serrulata. Não havia metais tóxicos ou aumento da ferritina. Feito reposição dos nutrientes em falta.

Data	março 2003	após 2 anos
PSA	3,4	0,78
Ultrason	83g	40g

Sabal serrulata 250mg
Zinco cloreto 156mg (50mgZn)
Licopeno 20mg
Betacaroteno.........................15mg
Seleno-metionina.................50mg (100mcg/Se)
Vitamina D_3..........................1.000UI
Urtica diioica 50mg
Pygeum africanum 50mg
Glicirrizina...........................100mg
Doxazozina 2mg
Isoflavona.............................100mg
Boswellia serrata...................50mg
Boro complexo ....5mg de boro
Epigalocatequina-galato......200mg
Resveratrol...........................40mg
Di-indolil metano – DIM ...100mg
Berberina ....250mg .... mande 120 doses

Tomar 1 dose após café da manhã e após o jantar (geralmente 1 dose = 3 cápsulas) durante 6 meses e controle de PSA e Ultrassom.

2. F.G.C.A., 64 anos, Sabal completo + retirada de mercúrio, chumbo e excesso de ferro. A ferritina estava em 540ng/ml (normal: 20 a 80ng/ml).

Data	fev/2010	fev/2011	fev/2012	fev/2013
PSA	1,8	1,8	1,6	1,6
Ultrassom	59g	45g	22,4g	20g

Retiramos os metais tóxicos com EDTA, normalizamos a ferritina com doações de sangue e procedemos à reposição de nutrientes em falta.
Em fevereiro de 2013 o paciente entra na sala apavorado e diz "Doutor a minha próstata está sumindo".

3. MRF, 53 anos, Sabal serrulata completo. DHT: 1626pg/ml.
Chlamydophila pneumoniae IgG: 1/1250. EBV: IgG: 305UI/ml.

Data	agosto/2012	dezembro/2012
PSA	2,6	1,1
Ultrassom	58g	38g

Houve grande diminuição do DHT e os agentes biológicos foram tratados de modo inespecífico: melhora do sistema imune.

4. Hipertrofia benigna de próstata tratada com radiofrequência de múltiplas ondas (MWO) e medicina biomolecular.

Masculino, 56 anos, dificuldades na micção, biópsia com hipertrofia benigna de próstata.

Após 8 exposições de 15 minutos, 2 vezes por semana. Ano de 1999.

	Inicial	Final
PSA:	4.0	2.6 (melhoria da micção)
IGF-I:	140	180 + 30%
Testosterona total:	750	1.010 + 35%
Testosterona livre:	18	22
LH:	4.9	2,7 – 45%
FSH:	3.0	4,9
DHEA sulfato:	1.500	600 – 60%
T4 livre:	0,8	0,9
TSH: 3,9	3,0	
Linfócitos T:	1.548	1.700 + 10%
Linfócitos B:	90	120 + 3%
CD4:	612	740
CD8:	918	1.000
Ácido úrico:	8.2	6,0 – 27%
Fibrinogênio:	343	258 – 25%
Ferritina:	190	68 – 64%
Colesterol total	271	258
Colesterol LDL:	178	147 – 20%

Conclusão:

Com apenas 8 sessões de MWO melhorou a micção e diminuiu o PSA juntamente com o aumento da testosterona, o que significa que não houve aumento da desidrotestosterona. A testosterona aumentou concomitantemente com a diminuição do LH, o que significa melhora da função testicular. Notar a grande queda do DHEA-sulfato precursor da testosterona. Houve melhora do sistema imunitário que foi polarizado para Th1: aumento de CD4, linfócitos T e B. Notamos diminuição do colesterol total às custas do LDL-colesterol. O ácido úrico normalizou. O aumento no IGF-I significa que a capacidade de síntese de proteínas do paciente aumentou o que proporciona melhor administração do estado de saúde. Interessante notar a drástica queda da ferritina que pode ser explicada pela melhoria da função hepática, visto não haver hemorragia ou hemólise ou doação de sangue.

5. **Hipertrofia de próstata e RF (MWO) mais biomolecular.**

JS, masculino, 64 anos, dificuldade de micção e biópsia como hipertrofia benigna de próstata após aplicações de 15 min – 2 vezes por semana: Total: 10 aplicações. Ano de 1999.

	Inicial	Final
PSA total:	2,9	1,2 – 58,6% e melhoria da micção
PSA livre:	0,70	0.38
IGF-1:	178	225 + 26.5%
Testosterona total:	549	672 + 22,5%
Testosterona livre:	10,3	45,3 + 235% (radiação na região anterior e não na lateral)
LH:	2,6	3,6
FSH:	2,3	3,2
DHEA sulfato:	657	378 – 74%
T4 livre:	1,3	1,2
TSH:	2,7	2,1
Linfócitos T:	794	1.341 + 70%
Linfócitos B:	114	207 + 80%
CD4:	880	631
CD8:	416	428

Conclusão:

Em apenas 10 aplicações houve queda de 58,6% no PSA e melhoria do fluxo urinário. Notamos aumento de 235% na concentração de testosterona livre, fato nunca antes observado por nós. Uma possível explicação é que o paciente recebeu a radiação de pé diretamente na região genital, diferente do que fizemos em todos os outros casos, onde a radiação atinge a região lateral do corpo. O grande aumento na testosterona aconteceu com o grande consumo de DHEA-sulfato, precursor da testosterona. O pequeno aumento no LH com o grande aumento de testosterona nos mostra que não houve estimulação da hipófise e sim grande estimulação da função testicular. Notamos aumento da função imune que polarizou o sistema imune para Th1. Como sempre houve aumento de IGF-I. Não houve alteração na função tiroide, visto a irradiação não atingir a região do pescoço. O paciente estava em pé na frente da antena transmissora.

6. **Hipertrofia benigna de próstata e medicina biomolecular.**

DF, 59 anos, com dificuldade de início da micção, jato forte, nictúria 1-2 vezes.

Em tratamento há 5 anos com urologista tomando Secotex, PSA oscilando entre 9 e 11ng/ml. Veio ao consultório em 11-09-2016. Ferritina: 272ng/ml, PSA: 11,3ng/ml, 25D3: 23,5ng/ml, PTH: 70,1, 1,25D3: 43pg/ml. Ultrassom de próstata: 118,9g com resíduo de 135ml.

Prescrito: colecalciferol com genisteína e riboflavina, estratégias para diminuir a ferritina sérica e os rudimentos da medicina biomolecular.

Sabal serrulata 160mg
Acetato de zinco..................156mg (50mgZn)
Licopeno 20mg
Betacaroteno.........................15mg
Luteolina 15mg
Astaxantina..........................3mg
Seleno-metionina................50mg (100mcg/Se)
Urtica diioica 50mg
Pygeum africanum 50mg
Glicirrizina...........................100mg
Tadalafila.............................5mg
Genisteína............................100mg
Boswellia serrata..................75mg
Extrato seco de *Camelia sinensis*.................................200mg
Di-Indolil metano - DIM...100mg
Tetraborato de sódio...........6,5mg de boro
Vitamina K_1 ....150mcg
Rutina..................................100mg
Hesperidina 100mg
Tomar 1 dose após café da manhã e após o jantar (geralmente 1 dose = 3 cápsulas) durante 6 meses

Extrato de Berberina 400ml
1 medida de 10ml 2 vezes ao dia após refeições. Não parar

Retornou após 4 meses em 22-01-2016: PSA: 8,6 e ultrassom de próstata: 89g com resíduo de 137ml. Ferritina: 172ng/ml.

Em mais 6 meses de tratamento; PSA: 7,5 e ultrassom: 74g com resíduo de 77ml. Ferritina: 73ng/ml.

7. **Hipertrofia benigna de próstata tratada com medicina biomolecular.**

JA, 80 anos, fez RNM paramétrica de próstata em 23-07-2015 que revelou alta suspeição para envolvimento neoplásico. Outras possibilidades: prostatite crônica e hipertrofia benigna. Foi tratado com as estratégias da medicina biomolecular a partir desta data. Em 10 meses o PSA diminuiu de 18,61 para 9,58 e a próstata de 72g passou para 48,4g em 15 meses.

PSA total ng/ml	Ultrassom
30/04/2014 = 16,48	10/07/2015 = 72,0g
24/04/2015 = 18,61	
06/06/2016 = 9,58	05/12/2016 = 48,4g

8. **Hipertrofia benigna de próstata tratada muito tempo atrás com o oscilador de múltiplas frequências de Georges Lakhovsky – MWO: Dois casos.**

Caso 1: Paciente com 64 anos, sob os cuidados do Prof. De Cigna em Genova. O tamanho da próstata era de uma laranja pequena e o paciente recusava a operação. Foi necessária a colocação de sonda vesical de demora. Após 10 exposições ao MWO no transcorrer de 2 meses o paciente declarou-se curado e retirou a sonda. O exame urológico, 6 semanas após a última exposição, constatou próstata de tamanho normal.

Caso 2: Paciente com 62 anos, sob os cuidados do Dr. Rigaux do Instituto de Física Biológica de Paris. O diagnóstico feito por urologista constatou próstata com o tamanho de uma laranja pequena, sendo indicada cirurgia. Foi necessária sonda de demora. O tratamento consistiu de duas exposições diárias de 15 minutos de duração. Em 3 semanas o paciente urinava normalmente sem sonda e o tamanho da próstata era normal. Examinado 6 meses depois o tamanho da próstata permanecia normal. Seis anos depois o paciente continuava sem queixas urológicas. Na época não havia ultrassom.

CAPÍTULO 249

Hemangioma hepático

Hemangioma de fígado que regrediu 100% com aminoácidos e betabloqueador (LIVRO – A medicina 50 anos depois – Advento da Medicina Biomolecular – JFJ)

José de Felippe Junior

Os hemangiomas são os tumores benignos mais comuns na infância a maioria deles de localização na cabeça e pescoço. O primeiro estudo sobre a eficácia do propranolol nestes tumores data de 2008 (Buckmiller, 2009).

A patogênese dos hemangiomas é desconhecida e a terapia habitual com corticosteroide, vincristina e interferon-alfa é tóxica e insatisfatória. Uma mistura de nutrientes contendo lisina, prolina, arginina, ácido ascórbico e extrato de chá-verde mostrou significante efeito antiangiogênico e antitumoral contra grande número de linhagens cancerosas, tanto *in vitro* como *in vivo*. Em modelo de hemangioendotelioma de camundongo a mistura de nutrientes provocou inibição in vitro de 50% do crescimento tumoral de um modo dose dependente. O autor sugere um possível efeito no hemangioendotelioma infantil e talvez em outros tumores vasculares cutâneos (Roomi, 2009).

Erbay, em 2010, empregou o propranolol em crianças pré-termo e de baixo peso e mostrou a grande eficácia do bloqueador adrenérgico com drástica redução dos hemangiomas em 2 meses de tratamento na dose de 2mg/kg/dia. Notou todos os tipos de efeitos colaterais dos bloqueadores beta-adrenérgicos, incluindo a hipoglicemia, porém não foi necessário parar o tratamento.

Mazereeuw, em 2011, escreve sobre a rápida e dramática eficácia do propranolol em 8 crianças com hemangiomas hepáticos. Os graus de resposta variaram de melhora significante até o desaparecimento total das lesões hepáticas. A insuficiência cardíaca e o hipotiroidismo foram resolvidos e a hepatomegalia corrigida. Não houve outros feitos colaterais.

Os trabalhos que mostram regressão de hemangiomas datam de 2008 e assim não poderiam ser ensinados 50 anos atrás. Entretanto, será que o seu tratamento está sendo ensinado atualmente? Não sei, esperemos que sim. Entretanto, creio que não.

Caso clínico

FMBA, 24 anos, lutador de artes marciais, cujo exame de rotina mostrou no ultrassom a presença de hemangioma hepático de dimensões: 2,7 × 1,4 × 1,3cm: aproximadamente 4,91cm^3 (1 seringa de 5ml repleta de sangue).

Prescrito:

1. L-lisina 250mg
   L-arginina 250mg
   L-prolina 250mg
   Epigalocatequina-galato 200mg
   Tomar 1 dose 30 minutos antes do desjejum, 2 horas após o almoço e ao deitar. Sempre com o estômago vazio/3 meses.
2. Propranolol 10mg
   Tomar 1 cp 3 vezes ao dia/3 meses.

Após 3 meses o ultrassom feito no mesmo laboratório e pelo mesmo médico revelou grande redução do hemangioma hepático: 1,5 × 1,1 × 1,2, aproximadamente 1,98cm^3, isto é houve redução de 59,8%. Após 6 meses de tratamento o ultrassom não mais revelou o hemangioma. Viva o www.pubmed.org que nos ajuda a cuidar dos pacientes.

Referências

1. Buckmiller LM. Propranolol treatment for infantile hemangiomas. CurrOpinOtolaryngol Head Neck Surg. Dec;17(6):458-9;2009.
2. Erbay A, Sarialioglu F, MalboraBY, et al. Propranolol for infantile hemangiomas: a preliminary report on efficacy and safety in very low birth weight infants.Turk J Pediatr. Sep-Oct;52(5):450-6;2010.
3. Felippe J Jr. A Medicina 50 anos depois. Advento da medicina biomolecular. Editora Livro Novo, São Paulo, SP. 1ª Ed. 2016.
4. Mazereeuw-Hautier and J Hoeger. Efficacy of propranolol in hepatic infantile hemangiomas with diffuse neonatal hemangiomatosis.J Pediatr. Aug;157(2):340-2;2010.
5. Roomi MW, Kalinovsky T, Niedzwiecki A, Rath M. Antiangiogenic properties of a nutrient mixture in a model of hemangioma. ExpOncol. Dec;31(4):214-9;2009.

CAPÍTULO 250

Auto-hemoterapia. Casos não computados

José de Felippe Junior

Auto-hemoterapia (AHT) é a retirada de sangue de uma veia e a seguir injetado no músculo, antes que coagule.

Quando a AHT não era proibida no Brasil a empregamos em centenas de pacientes com artrite reumatoide, artroses, dor por esforço repetitivo, esclerodermia, acne e dermatite atópica.

Nesta época recebemos muitos e-mails sobre pessoas perguntando se poderiam usar a AHT no câncer. Eu respondia que de modo algum estava indicado este tipo de tratamento, que não existiam trabalhos na literatura sobre o assunto e que o seu emprego atrasaria o tratamento adequado de doença tão séria.

Pois bem, a partir deste meu comentário na rede comecei a receber vários testemunhos de pessoas que estavam usando a AHT porque já haviam feito todos os tratamentos preconizados pela medicina convencional e infelizmente nada havia funcionado. Eram como se diz "pessoas desenganadas" pelos médicos, mas que elas mesmas não haviam desistido de se curar.

Todos os médicos sabem que as células tumorais se destacam do tumor primário e entram na circulação e uma vez no sangue são chamadas de "Células Tumorais Circulantes" – CTCs. Uma fração dessas células é capaz de entrar em órgãos distantes e se transformar em metástases. Quanto mais grave for o câncer e mais adiantado a sua progressão maior será o número de CTCs no sangue do paciente.

Uma boa hipótese para o mecanismo de ação da autohemoterapia no câncer seria justamente a presença destas "células tumorais circulantes". Talvez as CTCs poderiam funcionar como uma espécie de vacina anticâncer.

Passo a citar apenas relatos obtidos por médicos clínicos. Eram pacientes com câncer refratários ao tratamento habitual que por conta própria usaram a AHT e pediram para seus médicos de família o acompanhamento do estado geral. Estes relatos **não foram computados neste livro**, porém, devemos pensar longamente sobre eles.

Salientamos que até o presente momento nós não empregamos a AHT no tratamento do câncer. Como já escrevemos, somente utilizamos trabalhos coletados no PubMed e Medline. Não existem trabalhos da AHT nas revistas indexadas.

1. **Adenocarcinoma de cólon refratário a cirurgia e quimioterapia**
   Paciente do sexo feminino, 46 anos, foi dada alta para casa com medicamentos paliativos para dor. No terceiro dia de AHT estava mais animada, na verdade estava com esperança de melhorar. Após 2 meses de AHT, 10ml 5/5 dias o tumor começou a regredir. Dieta: sem açúcar, leite ou carne vermelha.

2. **Câncer de bexiga**
   "O oncologista deu 10 meses de vida" e melhorou totalmente com a AHT, 10ml 5/5 dias. Até setembro de 2017 permanecia vivo. Evolução de 4,5 anos.

3. **Câncer colorretal**
   Paciente do sexo masculino, 68 anos, foi encaminhado para casa, morrer com os familiares com drogas paliativas. Quatro meses de AHT melhorou muito o estado geral e em mais dois meses voltou a trabalhar. Novos exames não revelaram a massa tumoral.
   O fato é que o empresário relatou a experiência bem-sucedida que teve com a auto-hemoterapia e o assunto virou pauta para entrevista em rádio.

4. **Câncer de tiroide propagado para o mediastino**
   Sexo feminino, 48 anos, foi diagnosticado carcinoma papilífero de tiroide em 2013. Fez cirurgia e iodo radioativo. Um ano após houve propagação para o mediastino.

Usou a AHT 10ml de 5/5 dias por seis meses. Atualmente, setembro de 2017, permanece sem o câncer ou a metástase mediastinal.

5. **Melanoma de globo ocular infectado com invasão para o cérebro**
Paciente com 27 anos e melanoma no globo ocular. Havia necrose da parte lateral do globo ocular com infecção purulenta que exalava mau cheiro, tipo bactérias anaeróbias. Em 30 dias de aplicações 5/5 dias de 10ml de seu próprio sangue mais antibióticos a infecção cedeu drasticamente. Usou a AHT por 6 meses e nova tomografia não mais apresentava o melanoma de globo ocular ou a invasão cerebral.

Comentário

Esclarecemos mais uma vez que não utilizamos a auto-hemoterapia no tratamento de neoplasias no presente momento. Cremos que esta estratégia necessita ser encarada com maior seriedade e merece mais estudos.

Apêndice

Fotos coloridas

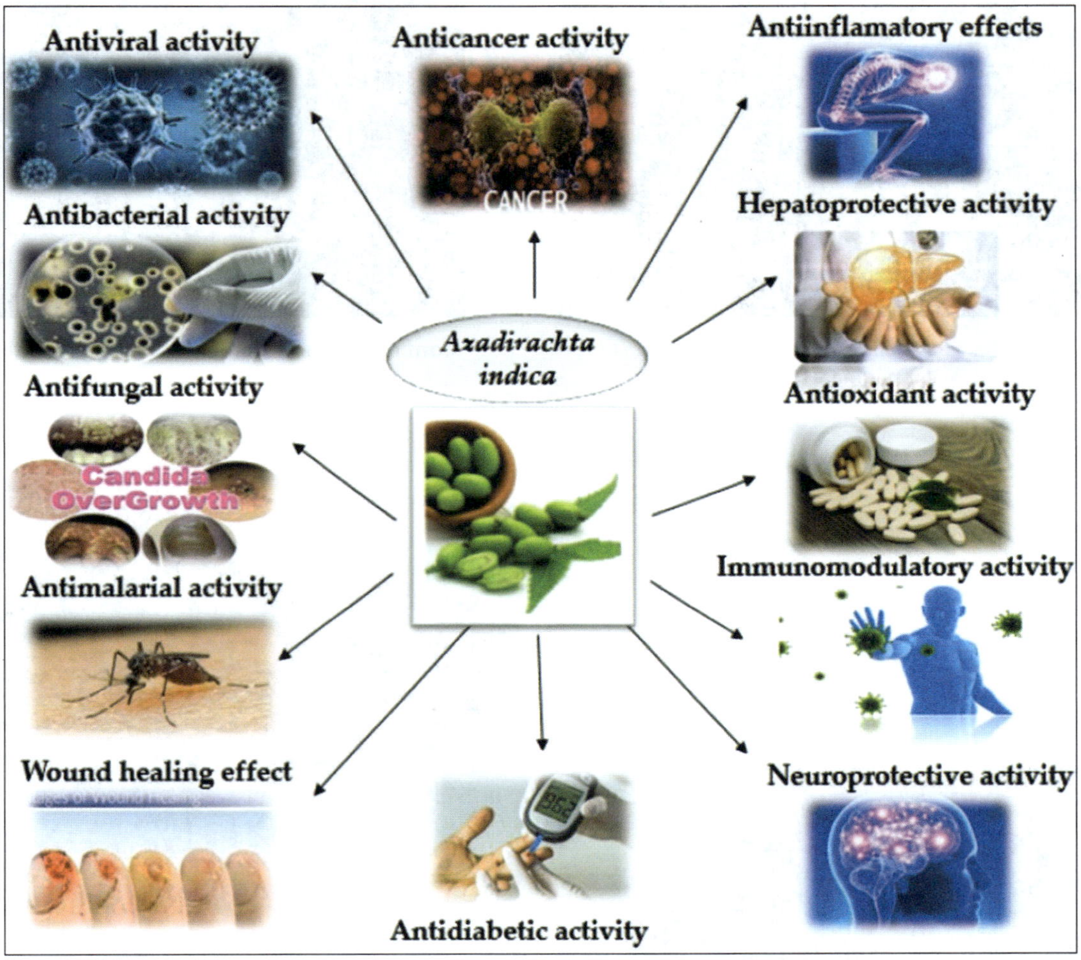

Figura 98.1 Principais efeitos das folhas e sementes da *Azadirachta indica* (neem) em várias situações clínicas (Tiwari, 2014; Moga, 2018). (Ver página 889).

Neem. *Azadirachta indica*
(Ver página 887).

Nerium oleander – Flor de São José
(Ver página 901).

Nigella sativa
(Ver página 915).

Cominho negro – Sementes da *Nigella sativa*
(Ver página 915).

Oliveira – *Olea europaea*
(Ver página 932).

Pao pereira
(Ver página 942).

Casca do tronco
(Ver página 942).

Árvore da pimenta-do-reino
(Ver página 950).

Planta do Ginseng brasileiro
(Ver página 955).

Pimenta-do-reino – *Piper nigrum*
(Ver página 950).

Raízes
(Ver página 955).

Tansagem
(Ver página 958).

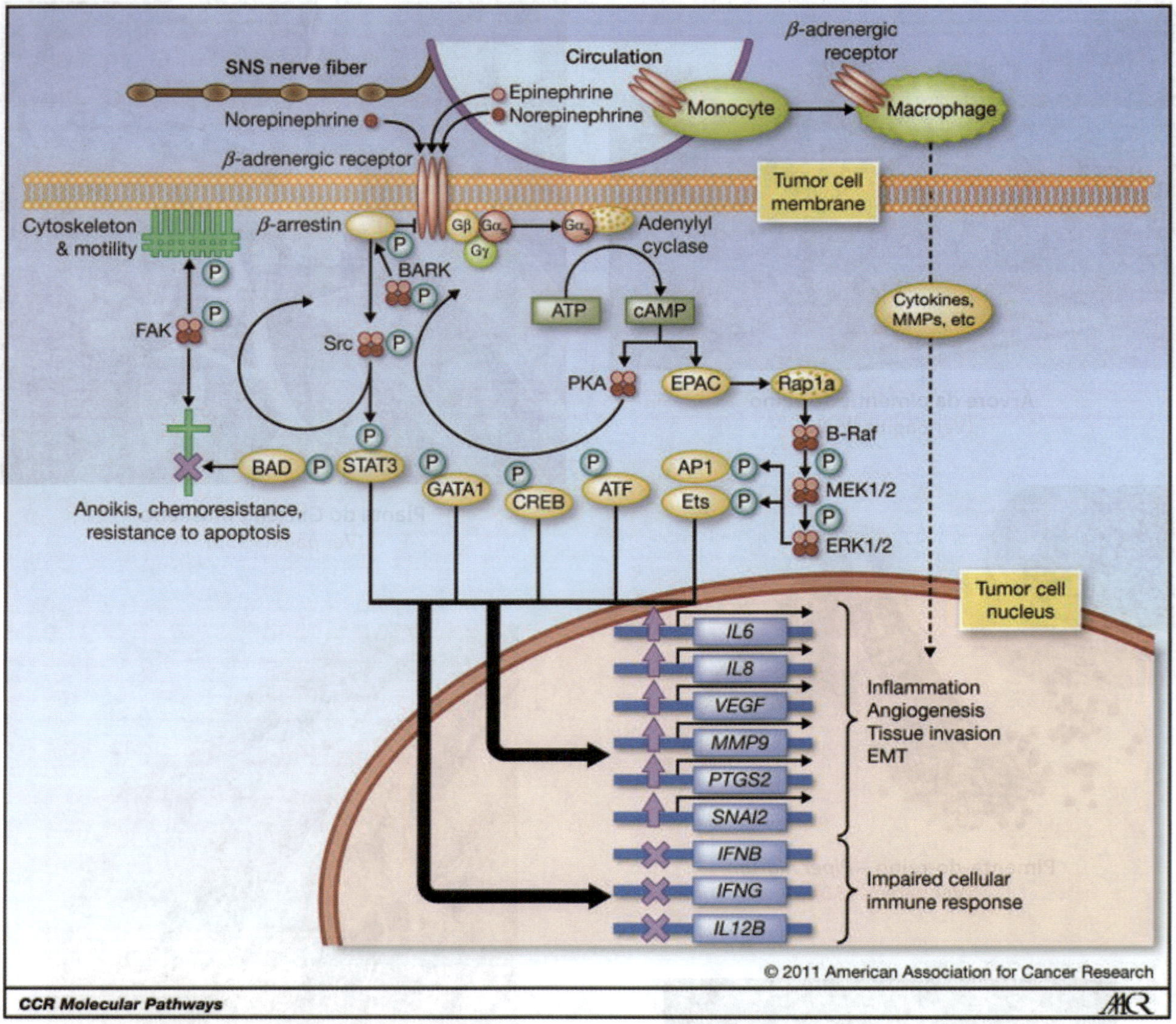

Figura 112.1 Mecanismos moleculares das vias de sinalização beta-adrenérgica para aumentar a sobrevivência das células doentes que chamam de câncer: efeitos carcinocinéticos (Cole, 2016). (Ver página 978).

Rauwolfia vomitoria
(Ver página 989).

Casca do tronco do *Toxicodendrum vernicifluum*
(Ver página 1004).

Árvore do *Toxicodendrum vernicifluum*
(Ver página 1005).

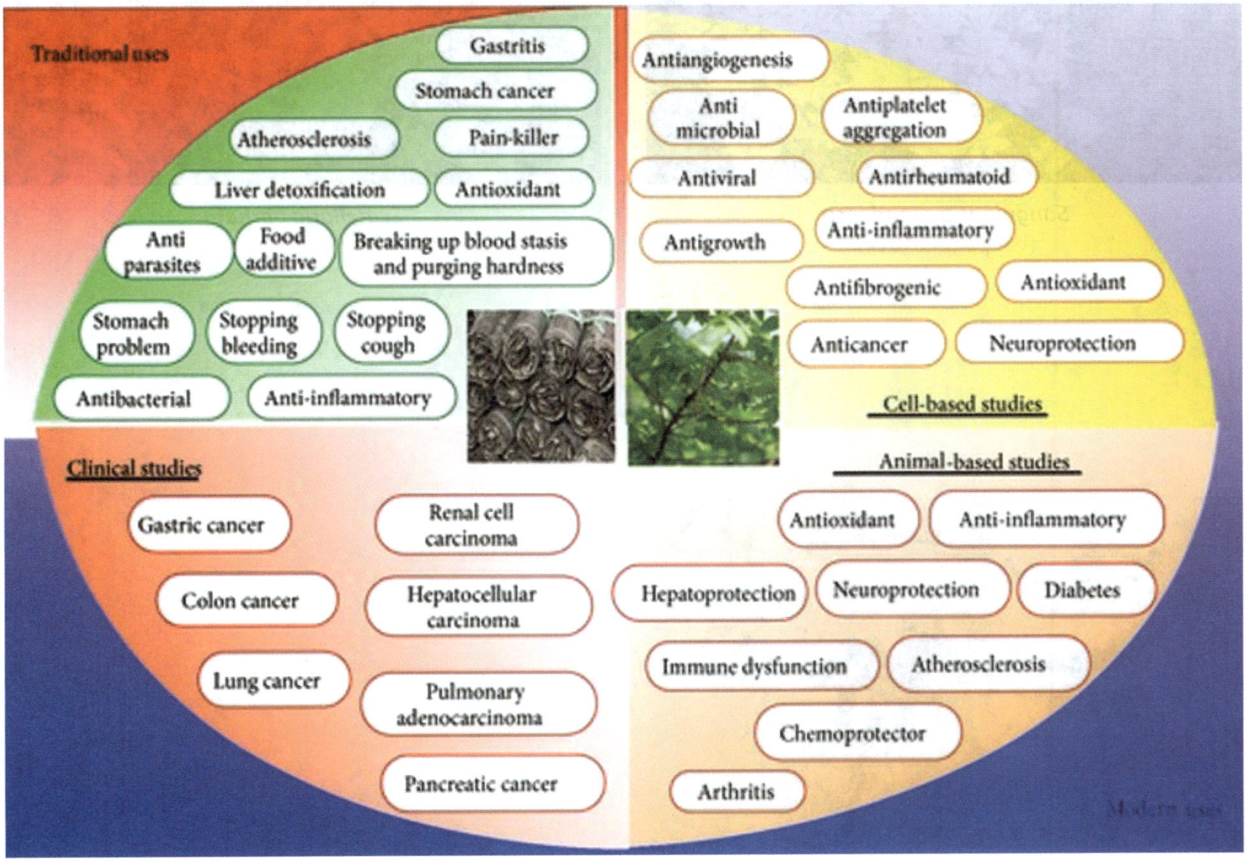

Figura 115.1 Representação esquemática dos usos antigos e modernos da Rhus verniciflua. Retirado da excelente revisão de Kim e colaboradores, 2014. (Ver página 1006).

Ruibarbo
(Ver página 1012).

Scutellaria baicalensis
(Ver página 1026).

Sanguinaria canadensis
(Ver página 1014).

Scutellaria barbata
(Ver página 1034).

Raiz da *Sanguinaria canadensis*
(Ver página 1014).

Cardo mariano
(Ver página 1047).

Sementes do cardo
(Ver página 1047).

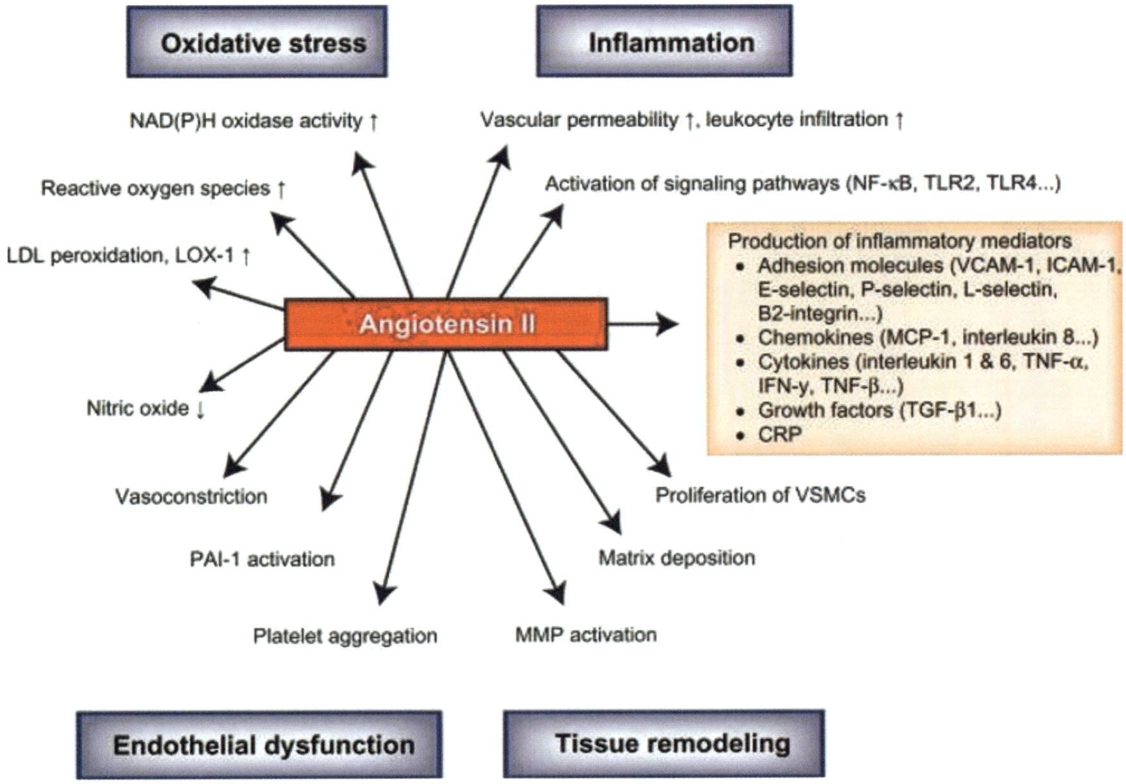

Figura 122.1 Efeitos locais e sistêmicos da angiotensina II (Schmieder, 2007). CRP, C-reactive protein; ICAM-1, intercellular adhesion molecule-1; IFN-γ, interferon-gamma; LDL, low-density lipoprotein; LOX-1, lectin-like oxidized LDL receptor; MCP-1, monocyte chemoattractant protein-1; MMP, matrix metalloproteinase; PAI-1, plasminogen activator inhibitor type-1; TGF-β1, transforming growth factor-beta-1; TNF, tumor necrosis factor; TLR, toll-like receptor; VSMCs, vascular smooth muscle cells; VCAM-1, vascular adhesion molecule-1. (Ver página 1060).

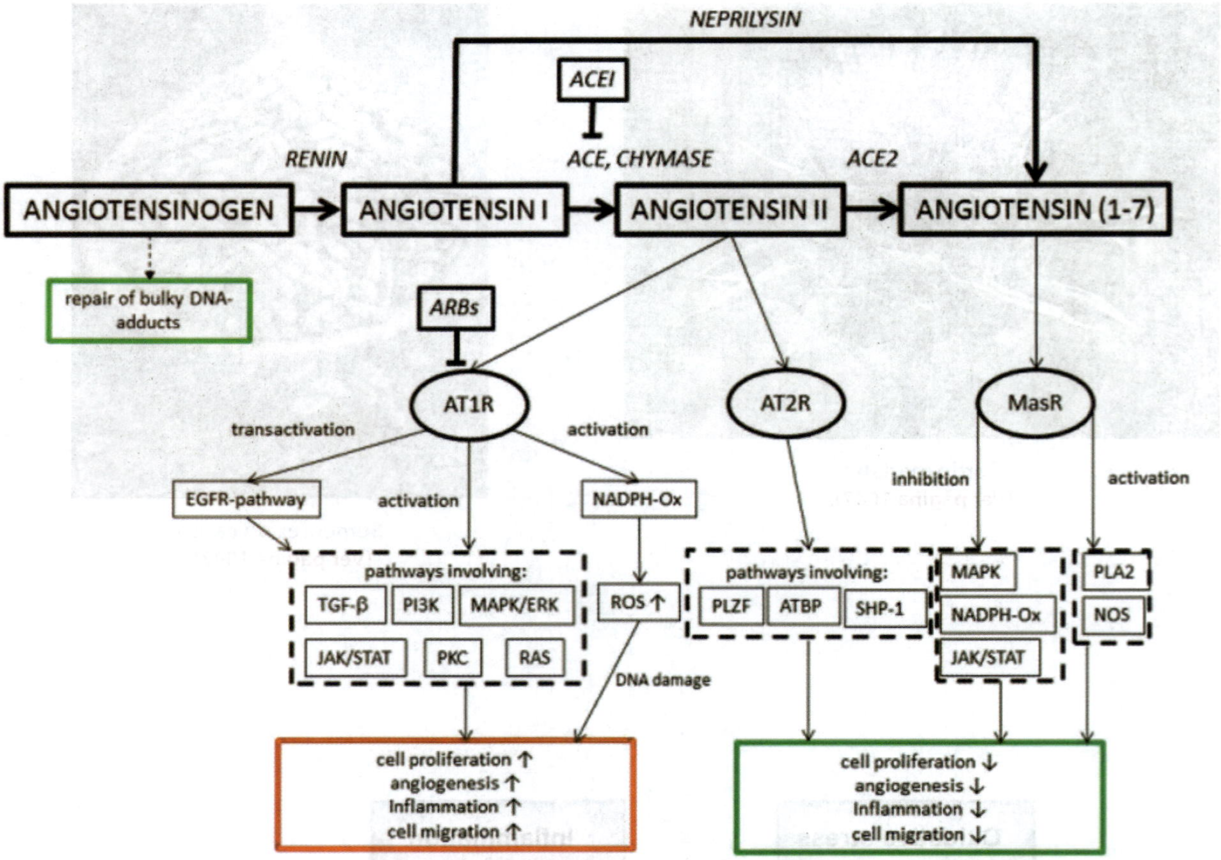

Figura 122.2 Cascata do Sistema Renina-Angiotensina-Aldosterona e vias de transdução de sinal na carcinogênese (Rachow, 2021). *ACEI* angiotensin converting enzyme inhibitor, *ACE* angiotensin converting enzyme, *ACE2* angiotensin converting enzyme-2, *ARBs* angiotensin receptor blockers, *AT1R* angiotensin-II-receptor type 1, *AT2R* angiotensin-II-receptor type 2, *MasR* Mas receptor, *EGFR* epidermal growth factor receptor, *NADPH-Ox* nicotinamide adenine dinucleotide phosphate oxidase, *ROS* reactive oxygen species, *TGF-beta* transforming growth factor beta, *PI3K* phosphoinositide 3-kinase, *MAPK/ERK* mitogen-activated protein kinase/extracellular signal-regulated kinase, *JAK* Janus kinase, *STAT* signal transducer and activator of transcription, *PKC* protein kinase C, *RAS* rat sarcoma protein, *PLZF* promyelocytic leukemia zink finger protein, *ATBP* AT2R binding protein, *SHP-1* Src homology region 2 domain-containing phosphatase-1, *PLA-2* phospholipase 2, *NOS* nitric oxide synthase. **(Ver página 1061).**

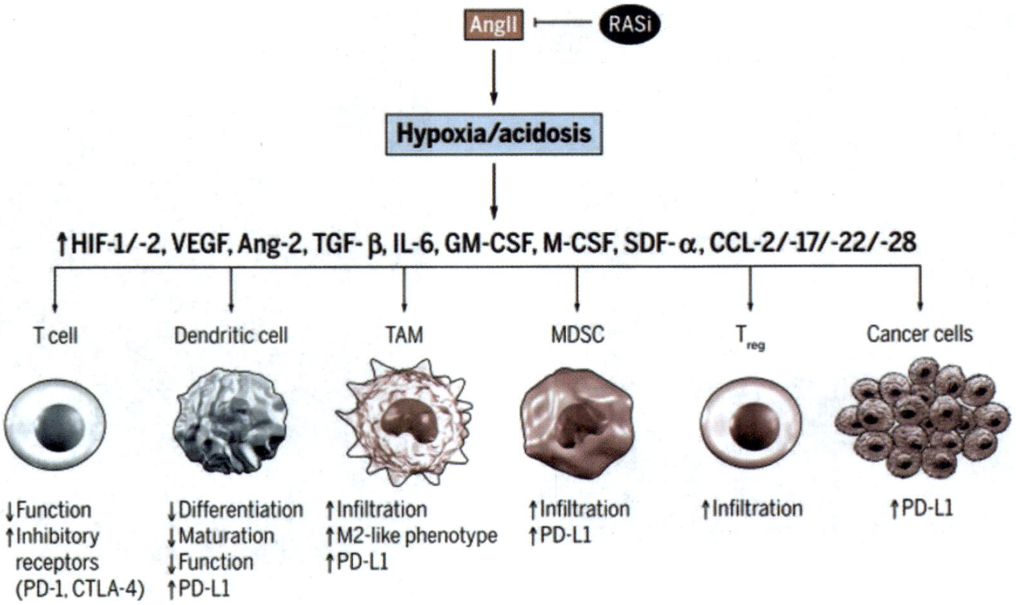

Figura 122.3 Angiotensina II provoca vasoconstrição e induz hipóxia e acidose peritumoral com a consequente imunossupressão (Pinter, 2017: Jain, 2014; Noman, 2015; Palazon, 2012; Huang, 2013). Ang-2, angiotensina-2; CCL, ligante de citocina CC; CTLA-4, proteína 4 associada a linfócitos T citotóxicos; SDF, fator derivado de células do estroma. Treg (células T reguladoras), MDSC (*myeloid-derived suppressor cell*), TAM (macrófago M2 associado a tumor), PD-1(*Programmed cell death protein 1*), PDL-1 (*programmed cell death ligand 1*), CTLA-4 (*protein-4 associated citotóxic T lymphocyte*). VEGF (fator de crescimento vascular endotelial). (Ver página 1063).

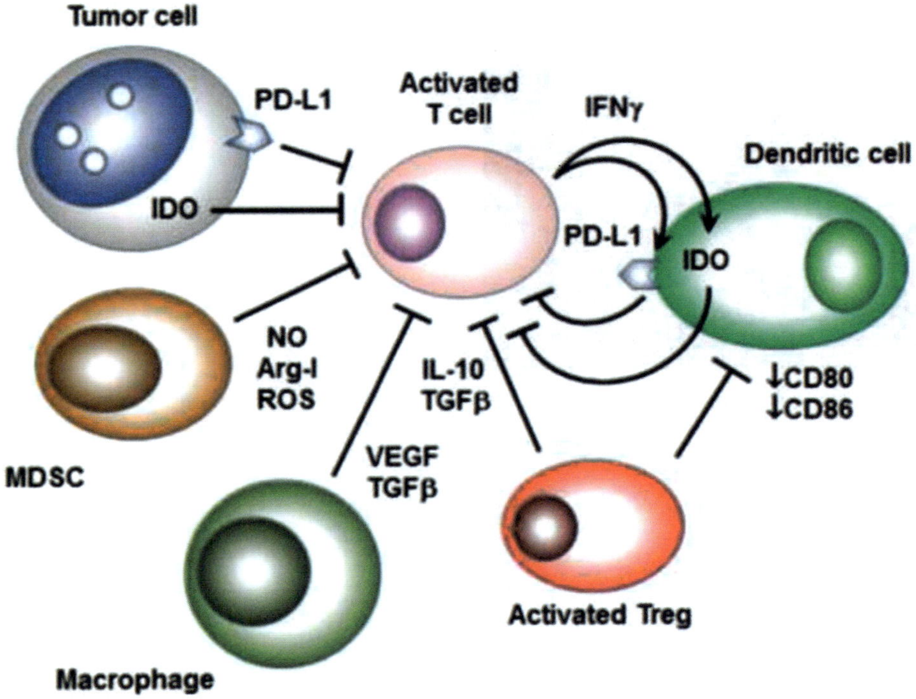

Figura 122.4 Mecanismos supressivos constitutivos e induzíveis no microambiente tumoral IDO: Indoleamine 2, 3-dioxygenase, PD-1: Programmed Death 1, PDL-1: Programmed Death Ligant-1, Arg-1: Arginase-1, NO: óxido nítrico, DC: células dendríticas, Macrofage = TAM: Tumor Macrophages Associated, MDSCs: células supressoras mieloide derivadas TGFβ: *Transforming Growth Factor Beta*, VEGF: *Vascular Endotelial Growth Factor*, CTLA-4: Citotoxic T-lymphocyte Associated- protein 4 (não mostrado) (Egami, 2003; Chehl, 2009; Shirotake, 2012; Cortez-Retamozo, 2013). (Ver página 1063).

Tanacetum parthenium* ou *Chrysanthemum parthenium
(Ver página 1087).

Viscum
(Ver página 1105).

Venus flytrap
(Ver página 1104).

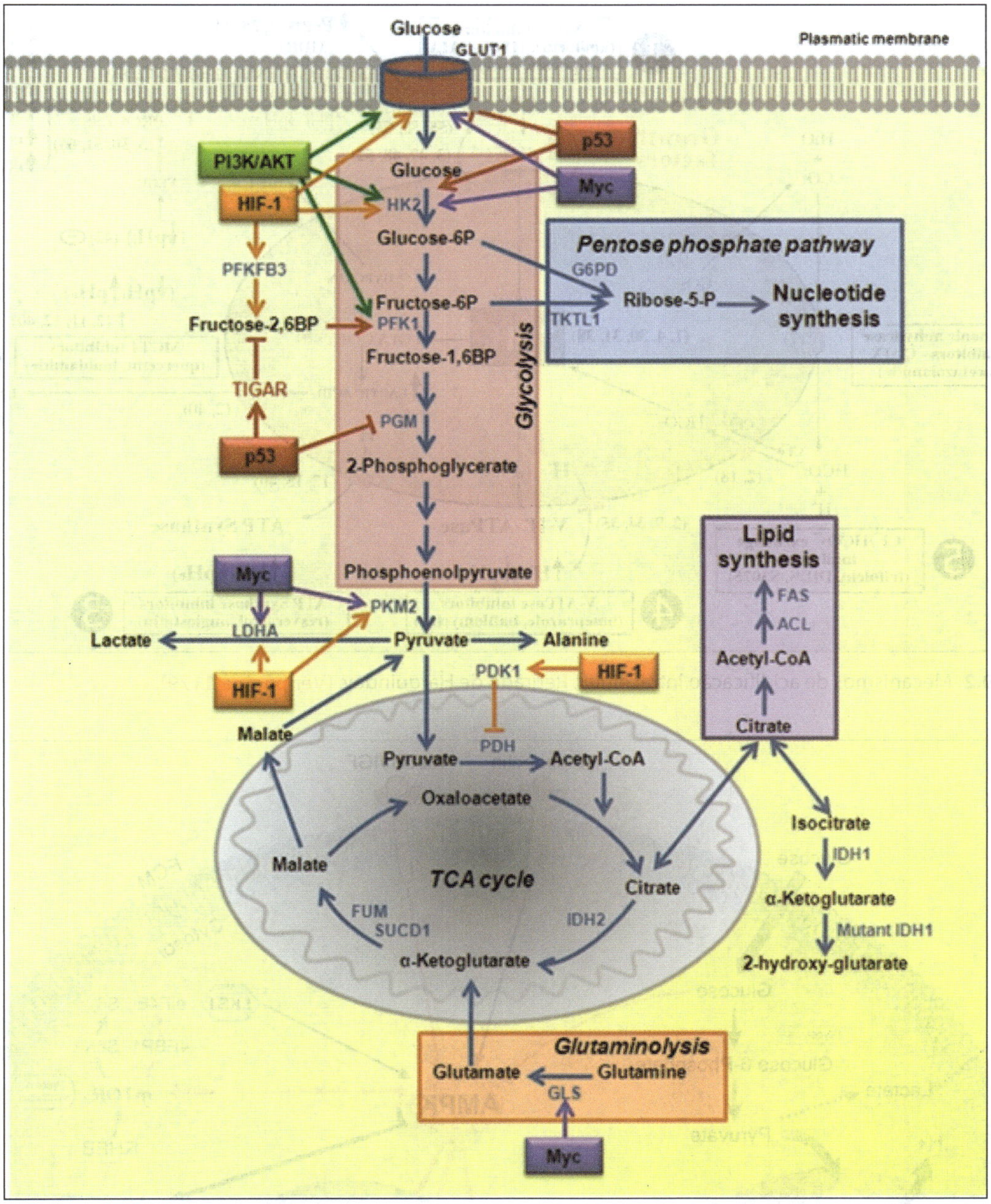

Figura 140.1 Metabolismo remodelado das células neoplásicas, retirado de Marie SK, Shinjo SM. Clinics (Sao Paulo). 66 Suppl 1:33-43;2011. **(Ver página 1167).**

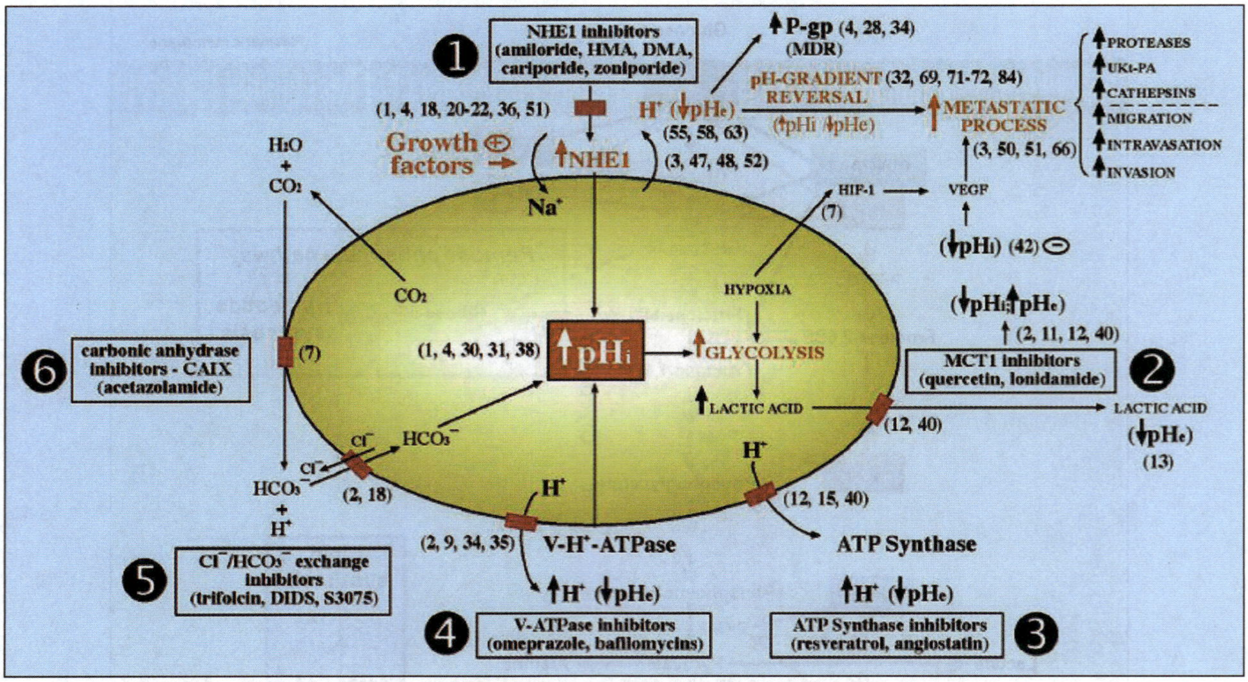

Figura 140.2 Mecanismos de acidificação intracelular. Retirado de Harguindey. (Ver página 1179).

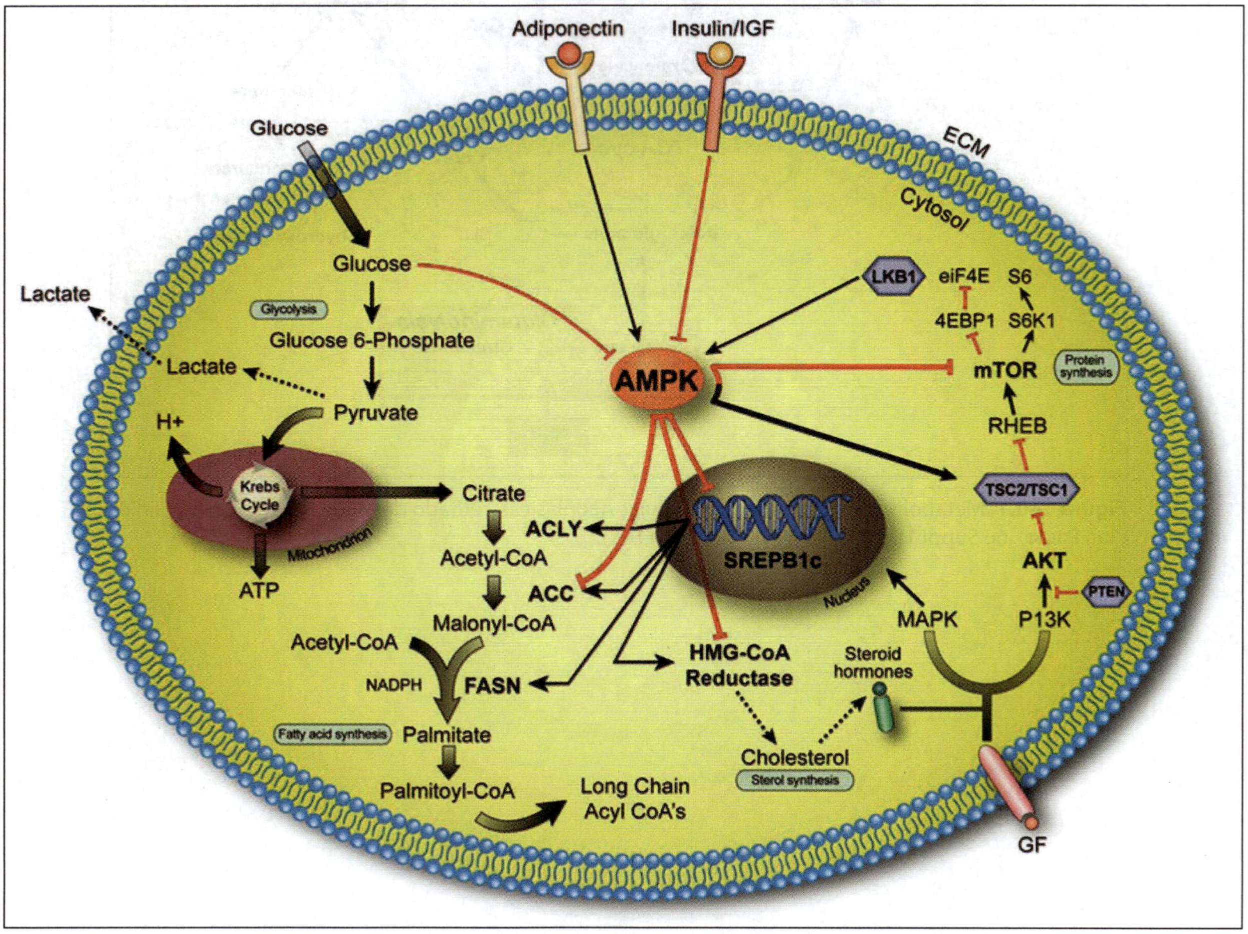

Figura 140.3 Inter-relação de várias vias proliferativas. Retirado de Steinberg, 2014. (Ver página 1189).

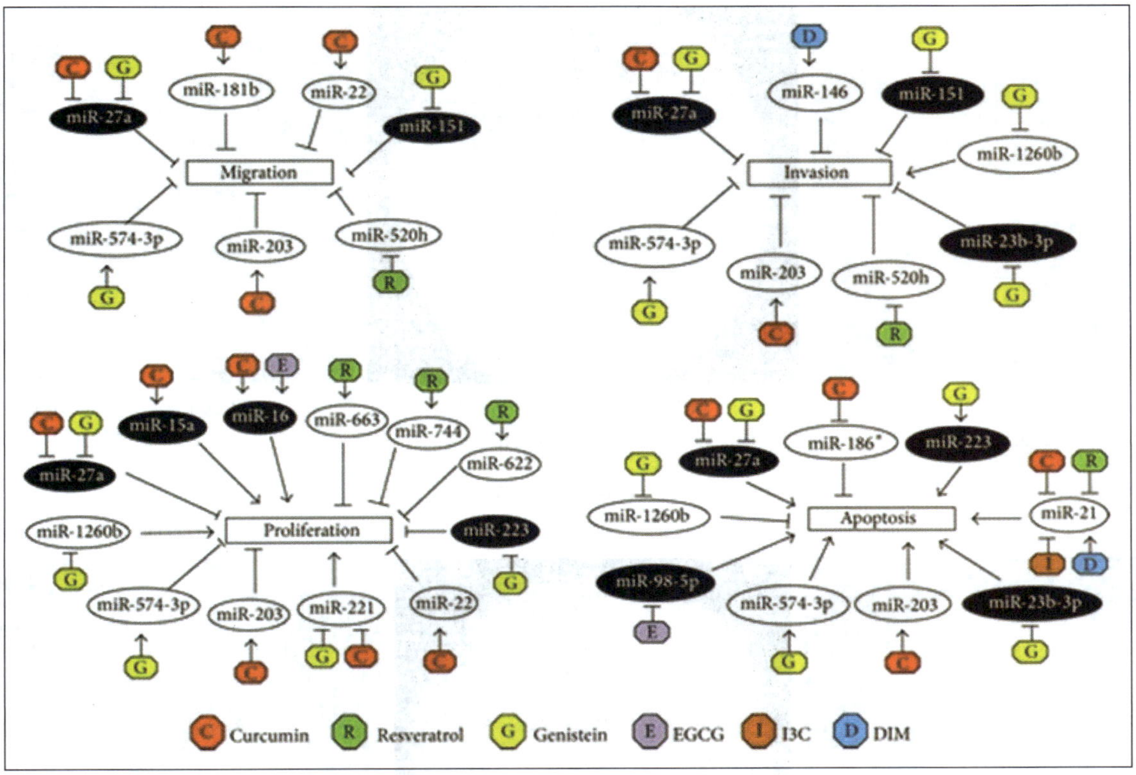

Figura 140.4 microRNAs suprimidos por agentes naturais. (Ver página 1206).

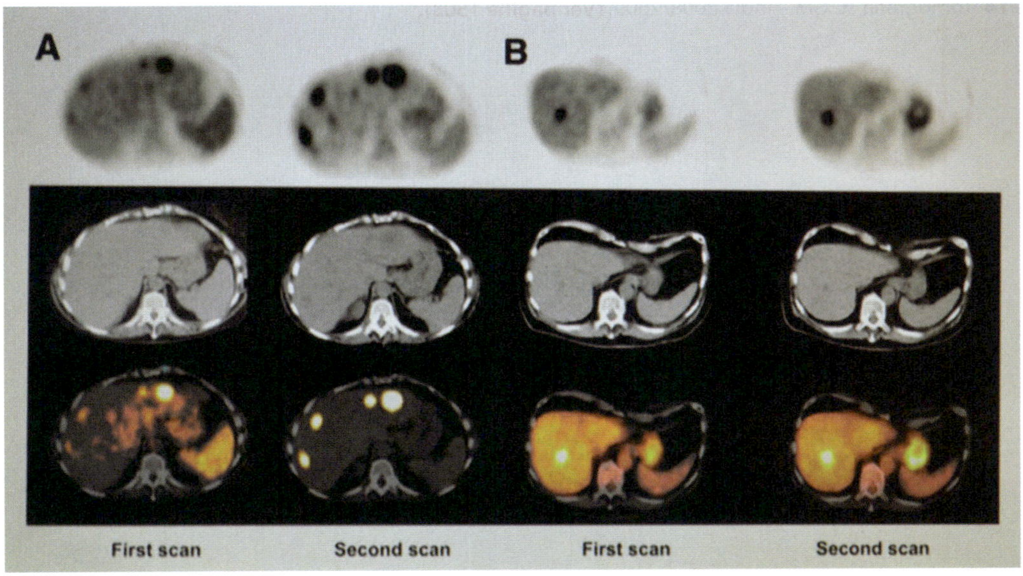

Figura 142.1 Pacientes com metástases hepáticas de tumor colorretal com imagens do18F-FDG PET. **A**) Antes da cirurgia e depois de 3 semanas de ser submetido à ressecção do tumor primário. **B**) Antes e depois de 3 semanas de ser submetido apenas a tratamento clínico. Note o aumento do volume das metástases já existentes e o aparecimento de outros focos no grupo operado. (Ver página 1232).

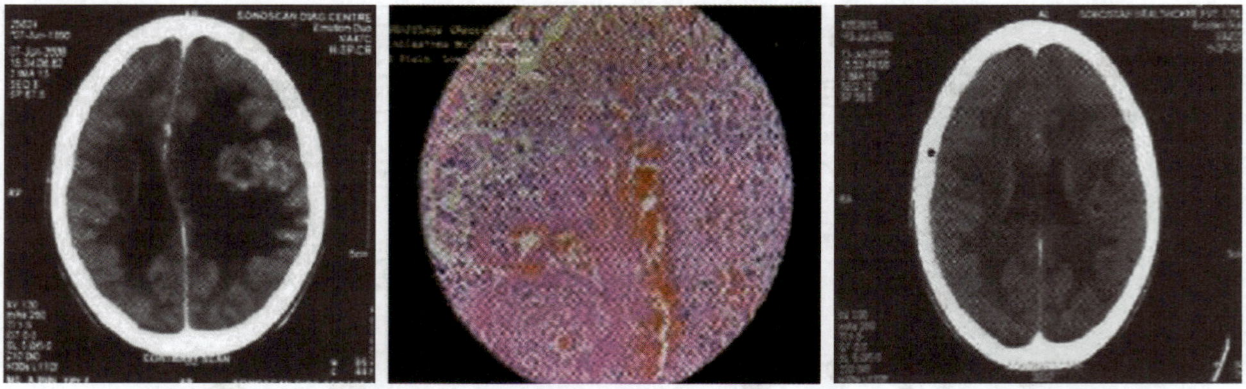

CT Scan of brain dated 30.06.2008 | Picture of Histopathology dated 05.07.2008 | CT Scan of brain dated 30.07.2010

Figura 216.13 Tomografia TC AB – Índia 2008/2010. (Ver página 1503).

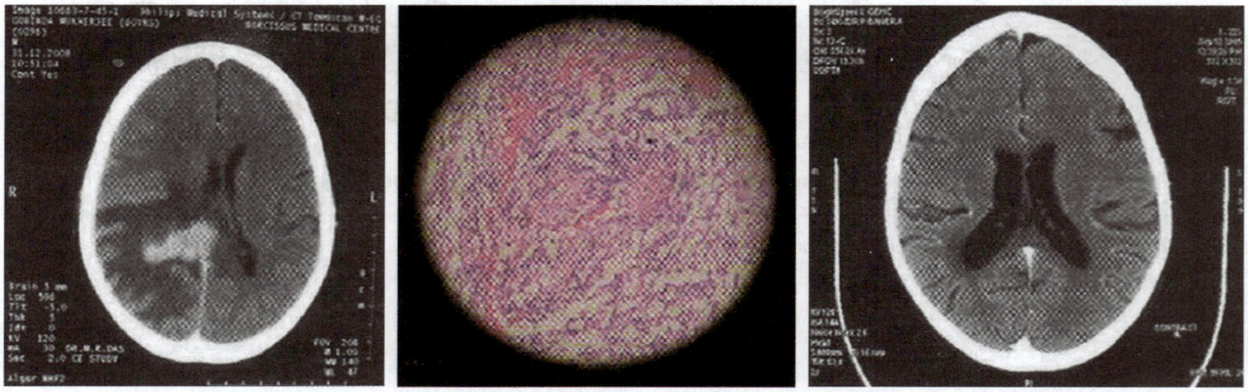

CT Scan of brain dated 31.12.2008 | Picture of Histopathology dated 02.01.2009 | CT Scan of brain dated 02.09.2009

Figura 216.14 Tomografia TC GM – Índia 2008/2009. (Ver página 1503).

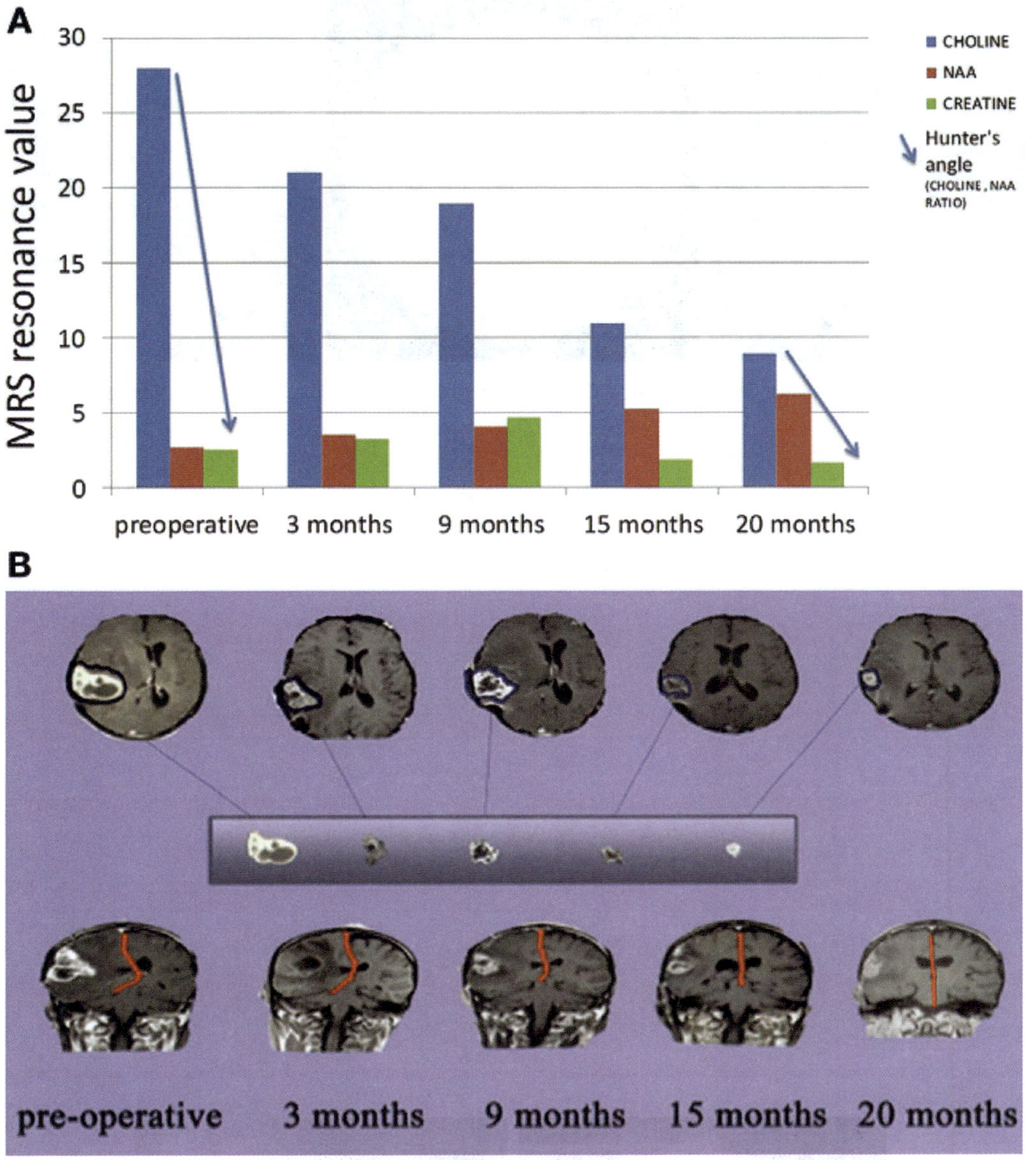

Figura 216.15 G e 4 (A) Comparison between tumor metabolism over 20 months. Choline indicates cell membrane turnover and reflects tumorigenesis. N-acetylaspartate (NAA) is a marker for neuronal integrity that decreases with brain malignancy and radio necrosis. Creatine is a marker for cellular energy that decreases significantly with malignancy and radio necrosis. Hunter angle (blue arrow) reflects the choline/NAA ratio. (B) Comparison between tumor size and midline shift (red line) over 20 months.

Reference: Elsakka et al. Frontiers in Nutrition | www.frontiersin.org March 2018 | Volume 5 | Article 20. **(Ver página 1504).**

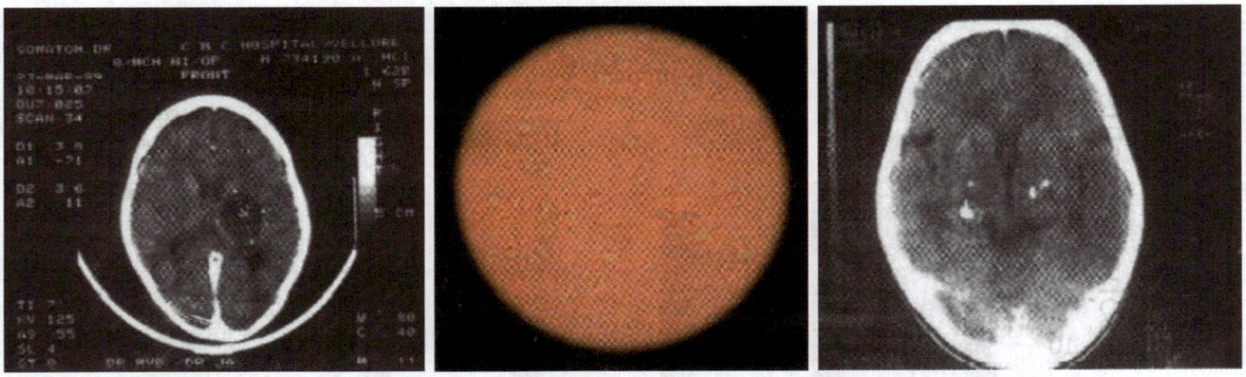

Figura 218.8 – Tomografia TC SKS por Cristian Medical College & Hospital, Vellore Índia 1989/1994. (Ver página 1523).

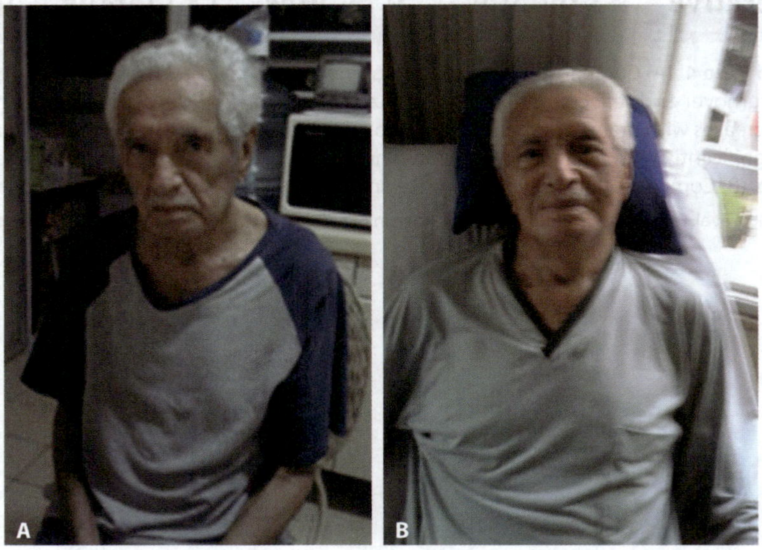

Figura 220.3 **A**) Final de janeiro/2017 (início do tratamento). **B**) Começo de maio/2017 (final do tratamento). (Ver página 1538).

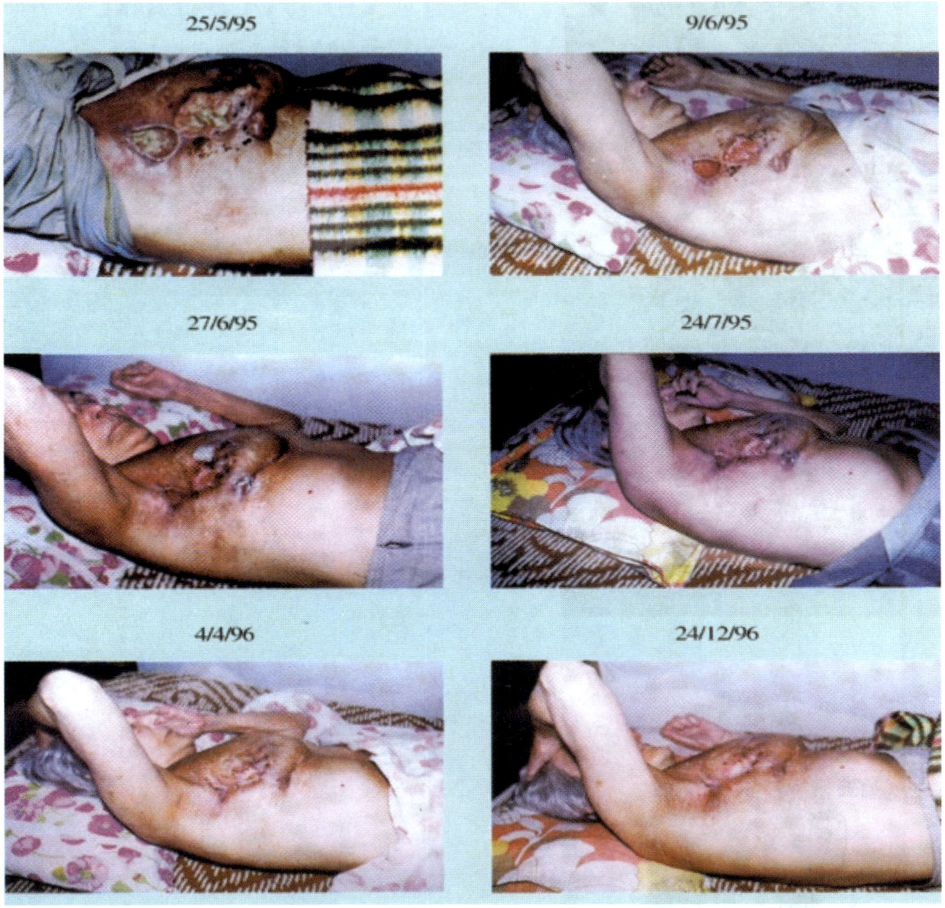

Figura 221.1 (Ver página 1563).

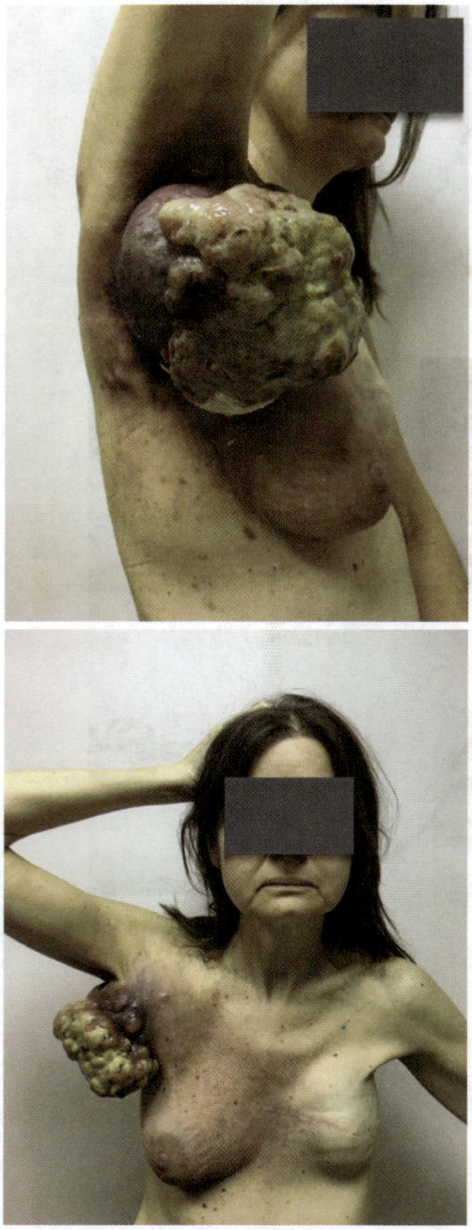

Figura 221.4 O hemograma mostrou hemoglobina de 5,6g% devido a hemorragia tumoral sendo transfundida com concentrado de glóbulos. Ea apresentava na ocasião grande fraqueza, dispneia, tosse e significante perda de peso. A massa tumoral exalava odor pútrido. **(Ver página 1573).**

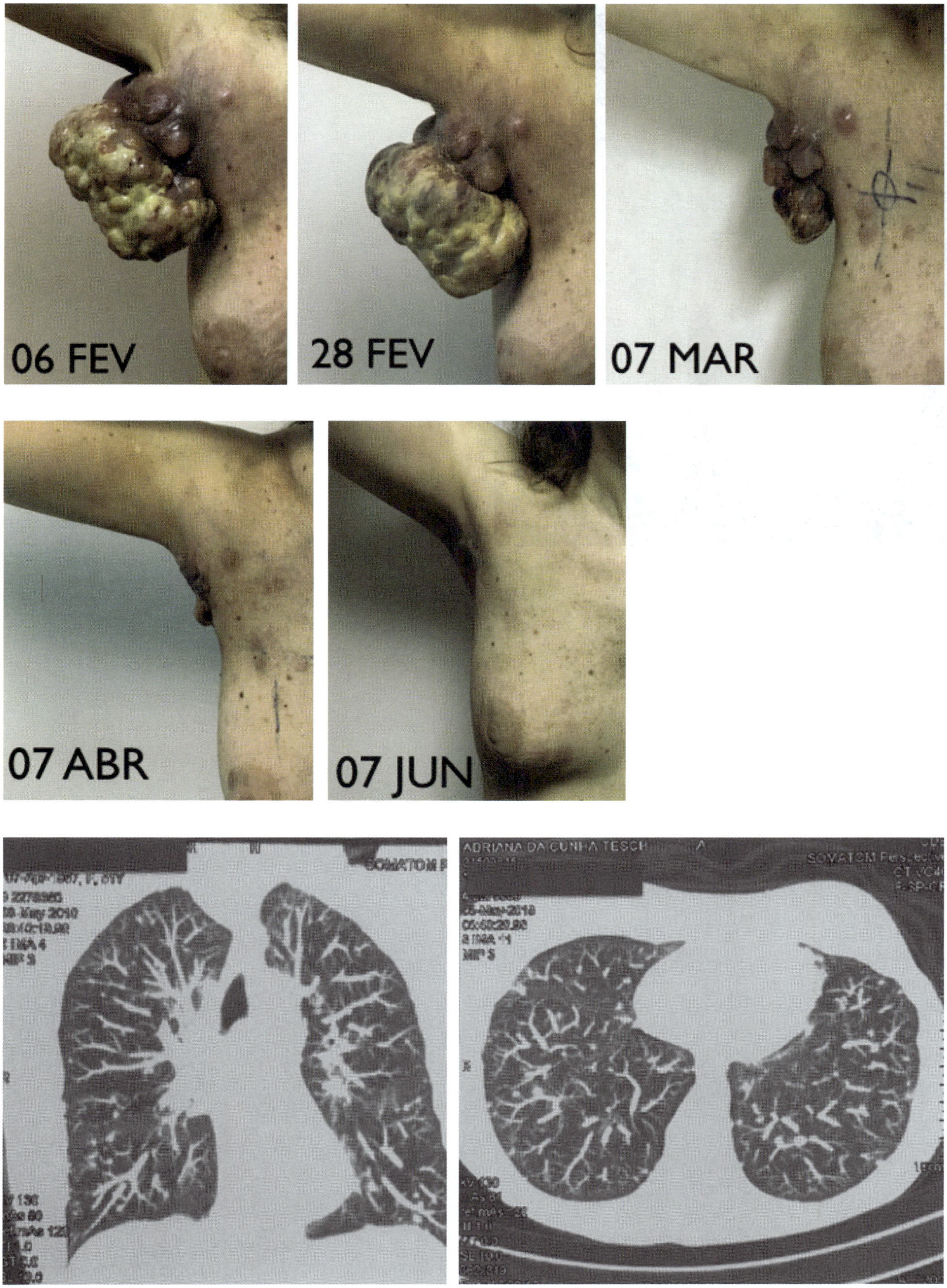

Figura 221.6 Radiografia com quatro meses do início do tratamento. (Ver página 1574).

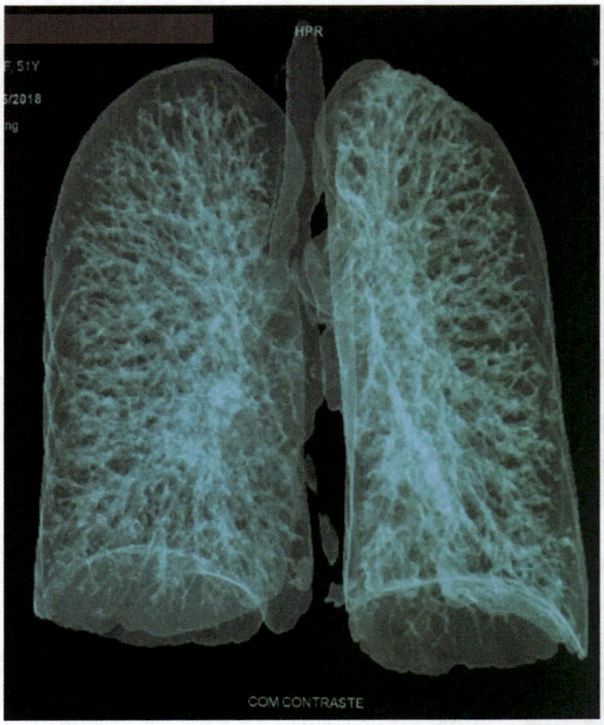

Figura 221.7 Tomografia no final do tratamento mostrando total regressão das metástases pulmonares e do derrame pleural. Clínica Gustavo Vilela. (Ver página 1575).

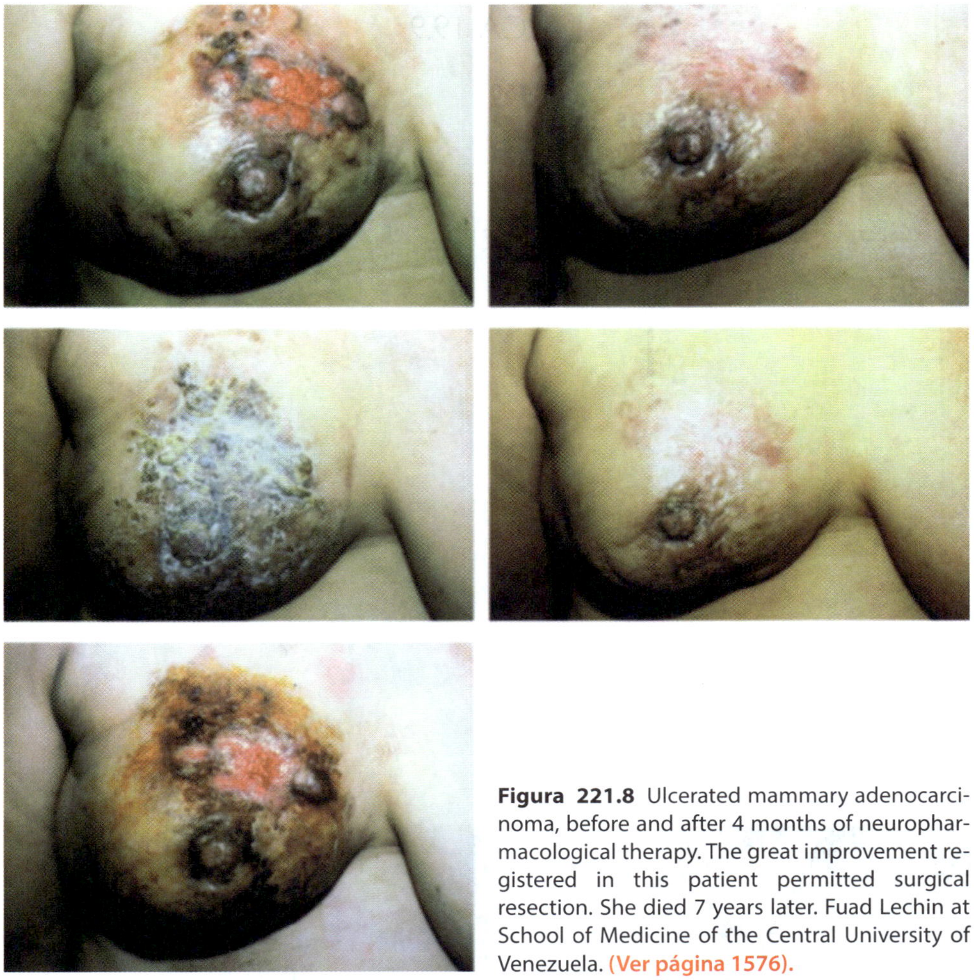

Figura 221.8 Ulcerated mammary adenocarcinoma, before and after 4 months of neuropharmacological therapy. The great improvement registered in this patient permitted surgical resection. She died 7 years later. Fuad Lechin at School of Medicine of the Central University of Venezuela. (Ver página 1576).

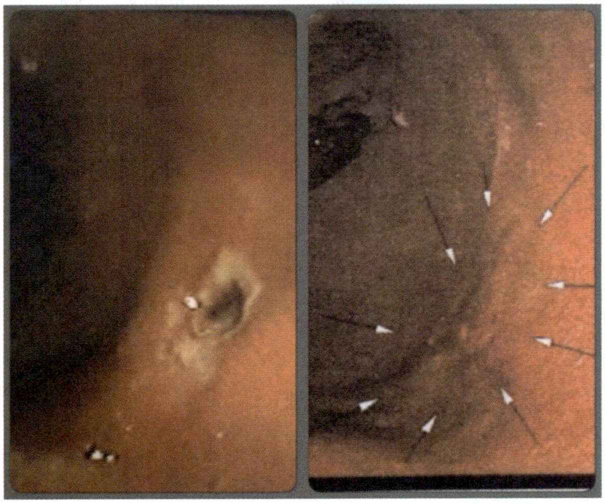

Figura 224.1 Nós podemos observar a completa regressão do tumor com a formação de escara residual em 6 meses de tratamento. O paciente foi visto pela última vez em 2017. **Clínica Gustavo Vilela**. (Ver página 1598).

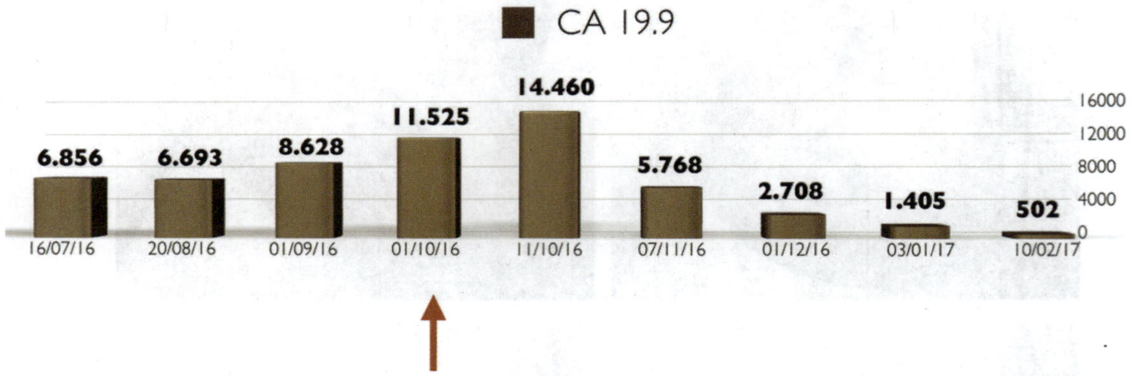

(Ver página 1632).

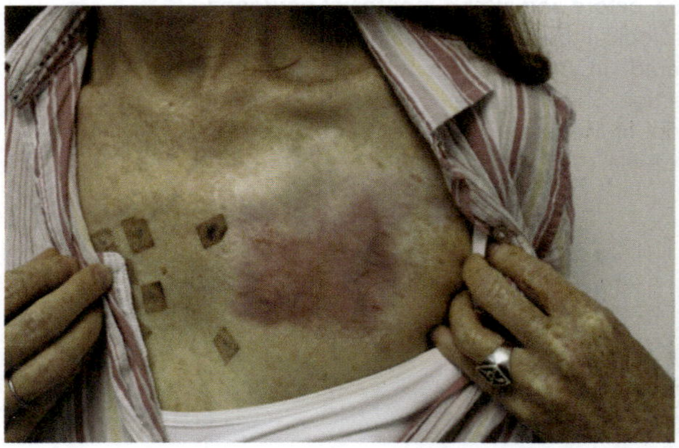

2015

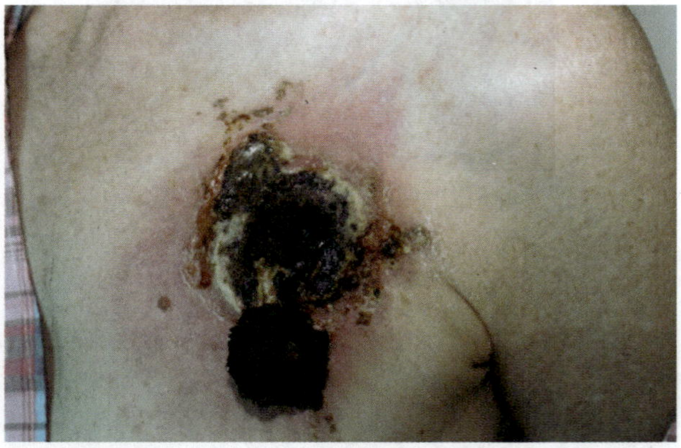

2013

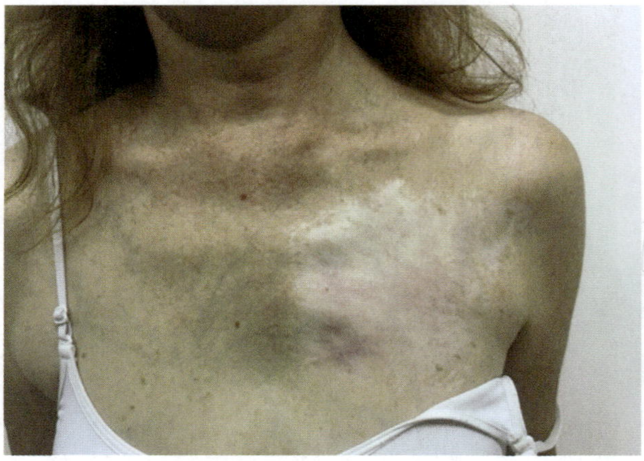

2017 (Ver página 1705).